FIÓDOR DOSTOIÉVSKI
Obra completa

Biblioteca
universal

Fiódor Dostoiévski
OBRA COMPLETA
Em 4 volumes

volume 1
introdução geral
novelas da juventude
Pobre gente / O duplo / O senhor Prokhártchin / A dona da casa / Um romance
em nove cartas / Polzunkov / Coração frágil / O ladrão honrado / A mulher
alheia e o homem debaixo da cama / Uma árvore de Natal e um casamento /
Noites brancas / Niétotchka Niezvânova / O pequeno herói / o sonho do tio /
A granja de Stiepântchikovo e os seus moradores

volume 2
obras de transição
Humilhados e ofendidos / Memórias da casa dos mortos / Uma história
aborrecida / Notas de inverno sobre impressões de verão / Memórias do
subterrâneo
romances da maturidade
Crime e castigo

volume 3
O jogador / O idiota / O eterno marido / Os demônios

volume 4
O adolescente / Os irmãos Karamázovi
outros escritos
Esquema para o grande pecador / O crocodilo / O Mujique Márei / Uma doce
criatura / O sonho de um homem ridículo / Excertos do diário de um escritor

Escultura em madeira, de S. Konenkov (1956). Moscou, Museu Dostoiévski

FIÓDOR DOSTOIÉVSKI
Obra completa

VOLUME 4

Romances da maturidade
O adolescente
Os irmãos Karamázovi

Versão anotada de
NATÁLIA NUNES E OSCAR MENDES

Acompanhada de extenso documentário gráfico e ilustrada com uma centena de desenhos de LUIS DE BEN

EDITORA
NOVA
AGUILAR

Fiodor Dostoiévski

obra completa

VOLUME 4

Romances da maturidade

O adolescente
Os irmãos Karamázov

versão anotada de
NATÁLIA NUNES & OSCAR MENDES

Acompanhada de extenso documentário gráfico e ilustrada com uma centena
de desenhos de LUIS DE BÉM

EDITORA
NOVA
AGUILAR

SUMÁRIO

ROMANCES DA MATURIDADE

11 O adolescente

19 Os irmãos Karamázovi

OUTROS ESCRITOS

648 Prólogo geral

665 Esquema para o grande pecador

648 O crocodilo

665 O mujique Márei

648 Uma doce criatura

665 O sonho de um homem ridículo

665 Excertos do "Diário de um escritor"

APÊNDICE E ÍNDICE

1062 Glossário de termos russos e de outras línguas , respeitados na tradução

1069 Índice do volume

SUMÁRIO

ROMANCES DA MATURIDADE

O adolescente

Os irmãos Karamázovi

OUTROS ESCRITOS

Prólogo geral

Esquemas para o grande pecador

O crocodilo

O marido. Muj]

Uma doce criatura

O sonho de um homem ridículo

Extratos de Diário de um escritor

APÊNDICE E ÍNDICE

Glossário de termos russos e de outras línguas respeitados na tradução

Índice do volume

O ADOLESCENTE

O ADOLESCENTE

Fiódor Dostoiévski *Obra completa* Volume 4

O ADOLESCENTE
(1876)

PRIMEIRA PARTE

CAPÍTULO PRIMEIRO

Sem poder conter-me, começo a escrever esta história de meus primeiros passos na carreira da vida. E, no entanto, poderia muito bem não fazer isso. Só uma coisa é certa: nunca mais me porei a escrever minha autobiografia, ainda que tivesse de viver cem anos. É preciso estar por demais vilmente enamorado de si mesmo, para falar a respeito sem pudor. A única desculpa que encontro para mim é que não escrevo pelo mesmo motivo que toda gente, isto é, para obter louvores do leitor. Se, de repente, meti na cabeça anotar, palavra por palavra, tudo quanto me aconteceu desde o ano passado, foi por uma necessidade interior: tão impressionado fiquei pelos fatos ocorridos! Limito-me a registrar os acontecimentos, evitando com todas as minhas forças o que lhes é estranho e sobretudo os artifícios literários; um literato escreve durante trinta anos e finalmente ignora por que escreveu por tantos anos. Não sou e nem quero ser literato. Arrastar a intimidade de minha alma e uma bela descrição de meus sentimentos pelo seu mercado literário seria a meus olhos uma inconveniência e uma baixeza. Prevejo entretanto, não sem desgosto, que será provavelmente impossível evitar por completo as descrições de sentimentos e as reflexões (talvez mesmo vulgares), tanto desmoraliza o homem todo trabalho literário, mesmo empreendido unicamente para si! E essas reflexões podem ser mesmo muito vulgares, porque o que estimais pode muito bem não ter nenhum valor para um estranho. Mas tudo isto seja dito entre parênteses. Está feito o meu prefácio: não haverá mais nada desse gênero. À obra! se bem que nada haja de mais difícil que empreender uma obra, e talvez mesmo pôr-se à obra em geral.

II

Começo, isto é, quereria começar minhas memórias na data de 19 de setembro do ano passado, ou seja, precisamente no dia em que pela primeira vez encontrei...

Mas explicar quem foi que encontrei, assim, de antemão, quando ninguém sabe de nada, será vulgar; este tom mesmo, creio, é vulgar. Depois de ter jurado a mim mesmo evitar os ornatos literários, eis que caio nisso desde a primeira linha. Além disso, para escrever de maneira discreta, não basta querer. Farei também notar que não há, creio bem, uma única língua europeia que seja tão difícil de escrever como a russa. Acabo de reler o que escrevi agora mesmo e vejo que sou muito mais inteligente do que o que está escrito aí. Como se dá, pois, que as coisas enunciadas por um homem inteligente sejam infinitamente mais tolas que o que fica em seu cérebro? Notei-o mais de uma vez em mim e nas minhas relações orais com os outros homens, durante todo aquele último ano fatal, e isso bastante me mortificou.

Muito embora comece na data de dezenove de setembro, direi entretanto em duas palavras quem sou, onde estive antes dessa data e, por conseguinte, o que podia ter na cabeça, pelo menos parcialmente, naquela manhã de dezenove de setembro, para que seja mais inteligível ao leitor e a mim também talvez.

III

Sou um antigo ginasiano e eis-me agora com vinte e um anos de idade. Meu nome é Dolgorúki e meu pai perante a lei Makar Ivânov Dolgorúki, ex-servo doméstico dos senhores Viersílovi. De modo que sou filho legítimo, embora no mais alto grau ilegítimo e não haja a menor dúvida sobre minha origem. Eis como: há vinte e dois anos, o proprietário Viersílov (é ele o meu pai), aos vinte e cinco anos, visitou seu domínio na província de Tula. Suponho que naquela época era ainda uma criatura muito impessoal. É curioso como esse homem, que tanto me impressionou desde minha infância, que teve uma influência tão capital sobre a formação de minha alma e, por muito tempo talvez, contaminou todo o meu futuro, permanece para mim, ainda hoje e numa infinidade de pontos, um verdadeiro enigma. Mas voltaremos a isso mais tarde. Não é tão fácil de contar. Esse homem, de qualquer maneira, estará presente sempre neste meu caderno.

Naquela época, aos vinte e cinco anos, acabava de perder sua mulher. Era uma senhora da alta sociedade, mas não muito rica, chamada Fanariótova, e dela lhe vieram um filho e uma filha. Minhas informações a respeito dessa esposa tão cedo desaparecida são bastante incompletas e perdem-se no conjunto de meus materiais; aliás, numerosas circunstâncias da vida de Viersílov escaparam-me, tanto se mostrou ele sempre comigo altivo, orgulhoso, reservado e negligente, a despeito duma espécie de humildade, por vezes assombrosa, diante de mim. Menciono, entretanto, a título de indicação, que esbanjou ao curso de sua existência três fortunas, até mesmo bastante copiosas, num total de mais de quatrocentos mil rublos e talvez mais. Agora, naturalmente, não tem mais um copeque...

Foi então ao seu domínio "Deus sabe por quê"; pelo menos foi assim que se explicou mais tarde comigo. Seus filhos não estavam com ele, mas em casa de parentes, segundo seu hábito: foi assim que sempre agiu com sua progênie, legítima ou ilegítima, durante toda a sua vida. Havia naquela propriedade certa quantidade de criados: entre eles, o jardineiro Makar Ivânov Dolgorúki. Acrescentarei aqui, para não ter de voltar mais a isso: poucas pessoas tiveram na vida de amaldiçoar tanto o seu nome quanto eu. Era sem dúvida estúpido, mas era assim. Cada vez que eu entrava numa escola, ou que encontrava pessoas às quais minha idade obrigava-me a prestar contas, em suma, cada professor, preceptor, censor, vigário, não importa quem, depois de ter perguntado meu nome e sabido que era Dolgorúki, experimentava a necessidade de perguntar:

— Príncipe Dolgorúki?

E cada vez era eu obrigado a explicar a todos esses desocupados:

— Não, Dolgorúki, simplesmente.

Esse "simplesmente" acabou por me pôr louco. Notarei como uma espécie de fenômeno que não me lembro de uma só exceção: todos me faziam a pergunta. Alguns, decerto, faziam-na sem o menor interesse; não sei, aliás, em que podia isso interessar a quem quer que fosse. Mas todos a faziam, até o último. Sabendo que eu era Dolgorúki, simplesmente, o interrogador olhava-me de alto a baixo, em geral com um olhar obtuso e tolamente indiferente, testemunhando que não sabia ele mesmo por que me havia interrogado, e ia-se embora. Mas os mais ferinos eram os colegas de escola. Como um novato é interrogado por um veterano! O novato, transtornado e confuso, no primeiro dia de sua entrada na escola (não importa em qual escola) é o arre-burrinho geral, dão-lhe ordens, irritam-no, tratam-no como criado. Um gorducho, cheio de saúde, planta-se de repente diante de sua vítima, bem em frente, e observa-a alguns instantes com um olho severo e insolente. O novato mantém-se diante dele em silêncio, olha-o de través se não é um covarde e aguarda os acontecimentos.

— Como te chamas?

— Dolgorúki.

— Príncipe Dolgorúki?

— Não, Dolgorúki, simplesmente.

— Ah!... simplesmente! Idiota!

E tem razão: nada de mais bobo que se chamar Dolgorúki, quando não se é príncipe. Essa bobice, arrasto-a comigo sem nenhuma culpa minha. Mais tarde, quando comecei a zangar-me seriamente, ao me perguntarem: "Tu és príncipe?", respondia sempre:

— Não, sou filho dum criado, antigo servo.

Mais tarde ainda, quando passei a ficar furioso, ao me perguntarem: "Você é príncipe?", respondi firmemente um dia:

— Não; Dolgorúki simplesmente, filho natural de meu antigo amo, o Senhor Viersílov.

Foi quando estava na classe de retórica que fiz este achado e, muito embora me convencesse dentro em pouco que era uma tolice, não renunciei a isso imediatamente. Lembro-me de que um dos professores — era aliás o único — descobriu que eu estava "cheio de ideias de vingança e de civismo". Duma maneira geral, acolheram essa minha saída com uma seriedade um tanto ofensiva para mim. Afinal, um de meus camaradas, um pequeno muito mordaz e com o qual eu só conversava uma vez no ano, disse-me com ar profundo, mas olhando ligeiramente para o lado:

— Esses sentimentos o honram, decerto, e, sem nenhuma dúvida, você tem de que mostrar-se orgulhoso. No entanto, no seu lugar, não bancaria tanto de glorioso por ser filho natural... Podem achar, na verdade, que você está zombando!

Desde então cessei de "gabar-me" de minha ilegitimidade.

Repito, é muito difícil escrever em russo: já enegreci três folhas para explicar como praguejei toda minha vida contra meu nome, e o leitor já concluiu certamente que fico simplesmente com raiva por não ser príncipe, mas Dolgorúki simplesmente. Não me rebaixarei a explicar-me e a justificar-me uma vez mais.

O ADOLESCENTE

IV

Assim, pois, entre a criadagem que formava legião, além de Makar Ivânov, encontrava-se uma moça, e que já andava pelos seus dezoito anos quando Makar Dolgorúki, aos cinquenta, manifestou de repente intenção de desposá-la. No regime da servidão, os casamentos entre servos domésticos concluíam-se, como se sabe, com a autorização dos amos, por vezes mesmo por sua ordem. No domínio morava então uma tia; para falar a verdade, não era minha tia, mas a dama do castelo; somente, não sei por que toda gente a chamava de tia, tia em geral, e era a mesma coisa em casa dos Viersílovi, com os quais, aliás, ela bem podia ser aparentada. Era Tatiana Pávlovna Prutkova. Possuía ainda naquela época, na mesma província e no mesmo distrito, trinta e cinco "almas" de sua propriedade. Administrava, ou antes, fiscalizava, a título de vizinha, a propriedade de Viersílov (quinhentas almas), e essa fiscalização, segundo o que ouvi dizer, valia a de não importa qual administrador especialmente instruído. Aliás, seus conhecimentos não me interessam absolutamente; quero somente acrescentar, rejeitando qualquer pensamento de louvor e de lisonja, que essa Tatiana Pávlovna é uma criatura nobre e até mesmo original.

Foi, pois, ela quem, longe de contrariar os pendores matrimoniais do sombrio Makar Dolgorúki (parece que ele era muito sombrio), os encorajou ao mais alto ponto. Sófia Andriéievna (a tal serva de dezoito anos, minha mãe) era órfã havia já muitos anos; seu pai, que tinha por Makar Dolgorúki um respeito extraordinário e lhe era não sei por que muito grato, servo também ele, ao morrer seis anos antes, em seu leito de morte, e pretende-se mesmo que um quarto de hora antes de lançar o último suspiro, e era mesmo possível ver nisso, em caso de necessidade, um efeito do delírio, se já não estivesse incapaz como servo, mandara chamar Makar Dolgorúki e, diante de todo o pessoal e na presença do padre, exprimira-lhe em voz alta e insistente essa derradeira vontade, designando-lhe sua filha: "Educa-a e toma-a por esposa!". Estas palavras foram ouvidas por todo mundo. No que concerne a Makar Ivânov, ignoro com quais sentimentos casou-se em seguida, se com grande prazer ou somente para cumprir um dever. O mais provável é que manifestasse exteriormente perfeita indiferença. Era um homem que, já então, sabia fazer-se valer. Sem ser versado nas escrituras ou culto (sabia de cor todos os ofícios e sobretudo algumas vidas de santos, mas apenas de ouvir contar), sem ser uma espécie de argumentador profissional, tinha muito simplesmente um caráter decidido, por vezes mesmo audacioso; falava com firmeza, tinha opiniões categóricas e, em uma palavra, "vivia honradamente", segundo sua admirável expressão. Eis que homem era então. Gozava naturalmente do respeito de todos, mas, dizem, tornava-se insuportável para todos. Tudo mudou, quando deixou a casa: só se falou dele como de um santo e de um mártir. Tudo isso sei de boa fonte.

Pelo que se refere ao caráter de minha mãe, Tatiana Pávlovna manteve-a até os dezoito anos a seu lado, a despeito do administrador, que queria mandá-la como aprendiz para Moscou, e deu-lhe alguma educação, isto é, ensinou-lhe corte e costura, boas maneiras e até mesmo ensinou-a um pouco a ler. A escrever, minha mãe nunca conseguiu direito. A seus olhos, aquele casamento com Makar Ivânov era desde muito tempo coisa resolvida e tudo quanto lhe adveio então pareceu-lhe excelente e perfeito; deixou-se conduzir ao altar com a fisionomia mais calma que se possa ter em semelhante caso, se bem que a própria Tatiana Pávlovna a tratasse então de "peixe". Foi de parte dessa mesma Tatiana Pávlovna que vim a saber do que se refere ao caráter de minha mãe naquela época. Viersílov chegou às suas terras exatamente seis meses após esse casamento.

V

Quero simplesmente indicar que jamais pude saber ou adivinhar de maneira satisfatória como se iniciaram as coisas entre ele e minha mãe. Estou completamente disposto a crer, como ele me assegurou o ano passado, ruborizado, muito embora me tivesse feito todo esse relato com o ar mais desprendido e mais espiritual, que não houve naquilo nada de novelesco e que tudo se passou assim. Creio que é verdade e esse "assim" é encantador. Apesar de tudo, sempre tive vontade de saber como pôde aquilo começar. Sempre tive e tenho ainda horror a essas sujeiras. Não, decerto, não é curiosidade malsã de minha parte. Farei notar que até o ano passado não conheci, por assim dizer, minha mãe; desde a infância, fui confiado a estranhos, para maior conforto de Viersílov (vou tratar disto mais tarde), e por conseguinte sou incapaz de imaginar como era sua fisionomia então. Se não era bela, que havia nela que pudesse seduzir um homem como Viersílov? Esta pergunta é importante para mim porque esse homem desenha-se aqui sob um aspecto extremamente curioso. Eis por que a faço a mim mesmo e não por perversão. Ele mesmo, aquele homem sombrio e reservado, me dizia — com aquela amável ingenuidade que o diabo tirava sabe donde (como se tira um lenço do bolso) quando tinha disso necessidade — que era então "um cachorrinho estúpido" e, sem ser sentimental, acabara de ler "à toa", *Antônio, o sofredor* e *Pólinhka Saks*,[1] duas produções literárias que exerceram influência civilizadora inapreciável sobre a jovem geração da época. Acrescentava que fora talvez por causa de *Antônio, o sofredor* que voltara ao campo e dizia isto com toda a seriedade. Sob que forma pôde aquele "cachorrinho estúpido" entrar em relações com minha mãe? Acabo de imaginar que, se tivesse eu apenas um leitor, não deixaria ele de rir desbragadamente de mim, ridículo adolescente que, conservando sua tola inocência, pretende raciocinar a respeito de coisas de que não entende um xis! Não, decerto, nada entendo disso ainda, e confesso-o sem o menor orgulho, porque sei quanto essa inexperiência é ridícula em um grande pateta de vinte anos; somente direi a esse senhor que ele tampouco entende nada disso e lhe provarei isso. É verdade que, no que se refere a mulheres, nada conheço, e nada quero conhecer, porque jurei bem a mim mesmo zombar delas toda a minha vida. Mas sei, no entanto, que uma mulher pode encantar a gente com sua beleza, ou sabe o diabo com que mais ainda, num piscar de olhos; outra, é preciso remoê-la seis meses antes que se compreenda o que lhe vai pelo íntimo; algumas, para vê-las inteiramente e amá-las, não basta contemplá-las, não basta estar pronto para tudo, é preciso, além disso, possuir algum dom. Disto estou convencido, se bem que de nada saiba; se não, seria necessário rebaixar duma vez todas as mulheres à categoria de simples animais domésticos e só conservá-las ao lado da gente como tais. É o que quereriam talvez muitas pessoas.

---

1 *Anton Goriemika*, romance de Grigórievitch, publicado em 1847, que descreve com cores negras a vida dos camponeses. *Pólinhka Saks*, romance sentimental de Drujínin, também do mesmo ano.

Sei positivamente de várias fontes que minha mãe não era uma beleza, muito embora nunca tivesse visto retrato seu daquela época, se é que existe algum. Apaixonar-se por ela, à primeira vista, era, pois, impossível. Para uma simples "distração", Viersílov podia escolher outra, havia uma com efeito, e ainda virgem, Anfissa Konstantínovna Sapojkova, jovem criada de quarto. Além disso, para um homem que chegava ali com *Antônio, o sofredor* atentar, em virtude do direito senhorial, contra a felicidade conjugal de seu servo, teria sido bastante vergonhoso a seus próprios olhos, porque, repito, não há mais de alguns meses, isto é, após decorridos vinte anos, falava ele ainda daquele *Antônio, o sofredor* com uma seriedade extraordinária. Ora a Antônio só lhe haviam tomado o cavalo e não a mulher! Passou-se, pois, algo de particular, em detrimento da Senhorita Sapojkova (na minha opinião, para vantagem dela). Uma ou duas vezes, no ano passado, nos momentos em que se podia conversar com ele (não era todos os dias que se podia conversar com ele), fiz-lhe todas estas perguntas e notei que, malgrado toda a sua polidez e a vinte anos de distância, fazia-se rogar por muito tempo. Mas consegui os meus objetivos. Pelo menos, com aquela desenvoltura mundana que ele se permitia muitas vezes comigo, gaguejou um dia coisas estranhas: minha mãe era uma dessas criaturas "sem defesa" a quem não se pode amar — decerto que não! — mas que, de repente, não se sabe por que, despertam a compaixão, por causa de sua doçura, por causa de quê, afinal? Nunca se sabe nada. Mas a compaixão dura; à força de compaixão, a gente se sente preso... "Em uma palavra, meu menino, acontece mesmo que não se possa a gente mais libertar." Eis o que ele me disse. E se as coisas se passaram realmente dessa maneira, sou obrigado a ver nele bem outra coisa que não um cachorrinho estúpido, como se qualifica a si mesmo naquela época. É tudo o que queria eu fazer notar.

Aliás, pôs-se logo a assegurar-me que minha mãe o havia amado por "humildade"; um pouco mais, ia inventar que "por obediência servil"! Mentia por "bom-tom", mentia contra sua consciência, contra a honra e a generosidade!

Tudo isto, é bem certo, escrevi, poderia dizer, em louvor de minha mãe, e, no entanto, como já declarei, ignoro absolutamente o que era ela então. Mais ainda, conheço bastante bem a impermeabilidade do meio e das miseráveis noções entre as quais criou ranço desde sua infância e entre as quais passou em seguida toda a sua existência. Apesar de tudo, a desgraça consumou-se. A propósito, uma retificação: perdi-me nas nuvens e esqueci-me de um fato que seria, pelo contrário, necessário pôr em destaque: foi pela "desgraça" que tudo começou entre eles. (Espero que o leitor não fingirá não compreender imediatamente de que é que quero falar.) Em uma palavra, esses começos foram senhoriais, se bem que a Senhorita Sapojkova tivesse sido deixada de parte. Mas aqui intervenho e declaro de antemão que não me contradigo absolutamente. De que, grande Deus, de que podia então falar um homem como Viersílov a uma pessoa como minha mãe, mesmo no caso de amor irresistível? Ouvi dizer de boca de debochados que muitas vezes o homem, ao abordar a mulher, começa sem pronunciar uma palavra, o que é evidentemente o cúmulo da monstruosidade e do nojo; Viersílov, mesmo que quisesse, não poderia, creio, começar de maneira diferente com minha mãe. Poderia começar por explicar-lhe *Pólinhka Saks?* Sem contar que não se preocupavam nada com a literatura russa; segundo suas próprias palavras (num dia em que se abriu comigo), ocultavam-se nos cantos, tocaiavam um ao outro nas escadas, saltavam bem longe, como bolas, com as faces vermelhas, se alguém passava e o "proprietário tirano" tremia diante da derradeira das varredoras, a despeito de todos os seus direitos feudais. Se as coisas começaram à moda senhorial, continuaram assim, mas não completamente, e no fundo não há explicações a procurar. Só poderiam tornar mais espessas as trevas. As que que tomou o amor entre eles já são um enigma, pois a primeira condição de indivíduos como Viersílov é largar tudo ali, assim que o objetivo é atingido. Deu-se entretanto o contrário. Pecar com uma bonita serva desmiolada (minha mãe não era, aliás, desmiolada), para um "cachorrinho" devasso (eram todos devassos, todos até o último, progressistas e retrógrados), é coisa não somente possível, mas até mesmo inevitável, sobretudo se se pensa em sua situação romanesca de jovem viúvo e na sua ociosidade. Mas amar para toda a vida, é demais. Não garanto que ele a haja amado; mas que a tenha arrastado atrás de si toda a sua vida, é um fato.

Fiz bastantes perguntas, mas há uma, a mais importante, que não ousei formular francamente à minha mãe, se bem que me tenha aproximado muito dela o ano passado, e, na qualidade de filho grosseiro e ingrato que julga os outros "culpados", não me tenha mostrado absolutamente constrangido com ela. Eis a tal pergunta: como pôde ela, casada havia seis meses e sob o peso de todas as ideias sobre a santidade do matrimônio, esmagada como uma mosca sem defesa, ela que respeitava seu Makar Ivânovitch como a uma espécie de Deus, como pôde ela, em uns quinze dias apenas, cair em semelhante pecado? Não era, no entanto, uma mulher transviada. Pelo contrário, digo isso já antecipadamente, seria difícil imaginar alma mais pura, durante toda sua vida. A única explicação é que ela agiu sem ter consciência, não no sentido em que os advogados de hoje o dizem a respeito de seus assassinos ou de seus ladrões, mas sob uma dessas impressões fortes que, numa vítima um tanto simples, a arrebatam fatal e tragicamente. Quem sabe? Talvez ela amou perdidamente... o corte de suas roupas, a risca à parisiense de seus cabelos, sua pronúncia francesa, sim francesa, da qual não compreendia nada, a romança que ele cantara ao piano. Amou alguma coisa que jamais havia visto ou ouvido (era ele um homem muito bonito) e de repente amou-o totalmente, a ponto de desmaiar, com suas roupas e suas romanças. Ouvi dizer que isto acontecia por vezes às jovens servas na época da servidão, e até mesmo às mais honestas. Até compreendo. E vil será quem o explique unicamente pela servidão e pela "humildade". Assim, pois, pôde aquele jovem ter bastante força e sedução para atrair uma criatura até ali tão pura e sobretudo uma criatura tão perfeitamente estranha à sua natureza, vinda dum mundo bem diverso e duma outra terra, para um abismo tão manifesto. Que tenha sido um abismo, minha mãe, espero, sempre compreendeu; somente, enquanto para ele caminhava, não pensava nele; essas criaturas "indefesas" são sempre as mesmas: sabem que o abismo está ali, mas correm para ele.

Praticado o pecado, logo se arrependeram. Contou-me ele, com gracejo, como soluçou no ombro de Makar Ivânovitch, convocado expressamente para isto ao seu gabinete, enquanto ela, durante esse tempo... estava deitada em alguma parte, inconsciente, no seu quartinho de serva...

O ADOLESCENTE

VI

Mas basta de falar dessas perguntas e desses detalhes escandalosos. Viersílov comprou a alforria de minha mãe a Makar Ivânov, partiu precipitadamente e desde então, como escrevi acima, arrastou-a atrás de si quase por toda parte, salvo quando se ausentava por muito tempo. Deixava-a então, na maior parte das vezes, aos bons cuidados da tia, isto é, de Tatiana Pávlovna Prutkova, que naquelas ocasiões acontecia sempre estar presente. Passavam temporadas em Moscou, em todas as outras espécies de domínios ou cidades, e até mesmo no estrangeiro, e por fim em Petersburgo. Falarei disso, mais tarde ou então de modo algum. Direi somente que um ano depois Arkádi Ivânovitch veio ao mundo; um ano ainda depois, minha irmã; depois, dez ou onze anos mais tarde, meu irmão caçula, um menino doentio que morreu ao fim de alguns meses. Esses partos dolorosos acabaram com a beleza de minha mãe. Foi pelo menos o que me disseram. Começou a envelhecer e a enfraquecer-se rapidamente.

Mas com Makar Ivânovitch as relações não cessaram nunca. Onde quer que estivessem residindo os Viersílovi, quer vivessem vários anos em seguida no mesmo local, quer viajassem, não deixava Makar Ivânovitch de enviar notícias suas "à família". Constituíram-se assim relações singulares, um pouco solenes e quase sérias. Entre senhores, era fatal que se tivesse misturado a isso algo de cômico, muito bem; mas ali, nada de semelhante. As cartas chegavam duas vezes por ano, nem mais nem menos, espantosamente semelhantes umas às outras. Vi-as; quase nada contém de pessoal; pelo contrário, tanto quanto possível, unicamente informações cerimoniosas a respeito dos acontecimentos mais gerais e dos sentimentos mais gerais, se assim podemos exprimir-nos a propósito de sentimentos: notícias de sua saúde, depois perguntas a respeito da saúde do destinatário, depois votos, saudações e bênçãos cerimoniosas e é tudo. Essa generalidade e essa impessoalidade são, creio, o bom-tom e a civilidade desse meio. "À nossa amada e respeitada esposa Sófia Andriéievna dirijo nossa mais humilde saudação..." "A nossos queridos filhos envio nossa bênção paternal para sempre inalterável." Seguiam-se todos os nomes dos meninos, na ordem de sua saudação, eu inclusive. Notarei aqui que Makar Ivânovitch era senhor de bastante espírito para nunca chamar "Sua nobreza o respeitadíssimo Senhor Andriéi Pietróvitch", de "benfeitor", mas em cada carta dirigia-lhe, invariavelmente, suas mais humildes saudações, pedindo-lhe a bênção e para ele a graça de Deus. As respostas a Makar Ivânovitch eram prontamente enviadas por minha mãe e sempre redigidas no mesmo estilo. Viersílov não participava da correspondência. Makar Ivânovitch escrevia de todos os cantos da Rússia, das cidades e dos mosteiros onde permanecia, por vezes longamente. Tornou-se um errante. Jamais pedia coisa alguma; em contraposição, três vezes por ano vinha sem falta à casa e parava em casa de minha mãe, acontecendo então ter ela sempre um apartamento seu próprio, distinto do de Viersílov. Terei de voltar a isto mais tarde, mas anotarei somente aqui que Makar Ivânovitch não se refestelava nos divãs do salão, mas instalava-se modestamente em alguma parte, por trás de um biombo. Não demorava por muito tempo: cinco dias, uma semana.

Esqueci-me de dizer que ele amava e respeitava muito seu nome de Dolgorúki. Naturalmente, é uma tolice ridícula. O mais bobo é que esse nome lhe agradava justamente porque há príncipes Dolgorúki. Estranha concepção, o inverso do bom senso!

Disse que a família estava sempre reunida evidentemente sem mim. Fora como que lançado por cima da amurada e quase logo depois de meu nascimento colocado em casa de estranhos. Não havia nisso a menor intenção; ocorria muito simplesmente. Quando me pôs no mundo, era minha mãe ainda jovem e bela; era portanto boa para ele em alguma coisa e um menino chorão era bem aborrecido, sobretudo em viagem. Eis como se deu que, até os meus vinte anos, não vi, por assim dizer, minha mãe, exceto em duas ou três ocasiões passageiras. A culpa não cabia aos sentimentos de minha mãe, mas à atitude orgulhosa de Viersílov para com as pessoas.

VII

Agora, uma coisa bem diferente.

Há um mês, isto é, um mês antes de dezenove de setembro, em Moscou, resolvi renunciar a todos eles e realizar decididamente minha ideia. Emprego esta frase "realizar minha ideia" porque esta expressão pode significar quase todo o meu pensamento essencial... aquilo mesmo pelo qual vim ao mundo. Que é a "minha ideia"? Dela terei de falar muito longamente mais adiante. Na solidão sonhadora de meus longos anos de Moscou, formou-se em mim desde a classe de retórica e desde então não me abandonou um instante sequer. Devorou toda a minha existência. Antes dela também, vivia eu no sonho, vivi desde minha infância num reino encantado dum certo matiz, mas com o aparecimento dessa ideia essencial e devoradora meus sonhos consolidaram-se e revestiram-se de vez de uma forma determinada: de absurdos, tornaram-se sensatos. O ginásio não impedia os sonhos; não impediu tampouco minha ideia. Acrescentarei, entretanto, que meu derradeiro ano foi ruim, ao passo que em todas as minhas classes até então achava-me nos primeiros lugares. Foi isto devido a essa mesma ideia, a consequência talvez falsa que dela tirei. De modo que o ginásio não estorvava a ideia, a ideia estorvou o ginásio. Estorvou também a Universidade. Ao sair do ginásio, tive logo a intenção de romper radicalmente não só com todos os meus, mas, se fosse preciso, com o mundo inteiro, se bem que me encontrasse ainda nos meus vinte anos. Escrevi a quem de direito, e por quem de direito, em Petersburgo, que me deixassem definitivamente tranquilo, que não remetessem mais dinheiro para minha manutenção, e, se possível, que me esquecessem totalmente (no caso, é evidente, de se lembrarem um pouco de mim), e afinal que, "por coisa alguma do mundo", entraria para a Universidade. O dilema que se punha diante de mim era inelutável: ou bem a Universidade e a continuação de meus estudos, ou bem adiar quatro anos ainda a realização de minha "ideia". Tomei sem hesitar o partido de minha ideia, porque estava matematicamente convencido. Viersílov, meu pai, que vira uma vez somente em minha vida, no espaço dum instante, quando tinha dez anos (e que naquele instante tivera tempo de me causar estupefação), Viersílov, em resposta à minha carta, que, aliás, não lhe era dirigida, chamou-me a Petersburgo por um bilhete de seu próprio punho, prometendo-me um lugar em casa de um particular. Esse convite de um homem seco e orgulhoso, cheio de altivez e de negligência para comigo e que até então, depois de me ter gerado e abandonado a estranhos, não somente não mais me conhecera, mas nem mesmo disso jamais se arrependera (quem sabe? talvez não tivesse de minha existência mesma senão uma noção vaga e imprecisa, porque, como se soube mais tarde, não era ele quem fornecia o dinheiro de minha manutenção em Moscou, mas outras pessoas) — o convite desse homem, digo, lembrando-se de repente de mim e honrando-me com uma carta de seu próprio punho, esse convite, lisonjeando-me, decidiu minha sorte. Coisa singular, o que me agradou entre coisas em seu bilhete (uma pequena página de pequeno formato) foi que não dizia uma palavra a respeito da Universidade, não me pedia que mudasse de opinião, não me censurava por não querer prosseguir meus estudos, em uma palavra: não usava de nenhum desses sermões paternais habituais em tais casos. E, no entanto, foi isto precisamente o pior da parte dele, testemunhando ainda mais a sua indiferença a meu respeito. Resolvi partir por uma outra razão ainda: é que isto não entravava em nada meu sonho principal. "Veremos bem o que acontecerá. Em todo o caso, ligo-me a eles por algum tempo somente, e talvez muito breve. Assim que perceber que esse passo, embora condicional e insignificante, me afasta entretanto do 'essencial', romperei imediatamente, abandonarei tudo e voltarei para dentro de minha concha." De minha concha, é bem isto! "Escondo-me nela, como a tartaruga." A comparação agradava-me enormemente. "Não estarei mais sozinho — continuava eu meus cálculos, correndo desatinadamente dum extremo a outro de Moscou, naqueles derradeiros dias —, não estarei sozinho mais nunca, como tenho estado até aqui, durante tantos anos terríveis. Terei comigo minha ideia, que não trairei jamais, mesmo se todos eles me agradassem lá, mesmo se me proporcionassem a felicidade e se vivesse com eles dez anos!" Eis a impressão, digo-o antecipadamente, eis a dualidade de planos e de alvos que, já esboçada em Moscou, não me deixou mais um só instante, em Petersburgo (não sei se houve em Petersburgo um só dia em que não me tenha fixado de antemão como o do fim definitivo de minha ruptura com eles e de minha partida) — essa dualidade, digo, foi, creio, uma das principais causas de muitas de minhas imprudências no curso daquele ano, de muitas de minhas infâmias, de minhas baixezas mesmo, sem falar naturalmente de minhas tolices.

De repente, irrompia em minha vida um pai que antes não existia. Esta ideia embriagava-me durante meus preparativos em Moscou e no trem. Um pai, não era ainda nada, não gostava eu de ternuras, mas aquele homem não quisera conhecer-me e havia-me humilhado, enquanto que, todos aqueles anos, não pensava eu senão nele até a saciedade (se o termo pode aplicar-se a um sonho). Cada um de meus sonhos, desde minha infância, relacionava-se com ele, flutuava em torno dele, voltava finalmente a ele. Não sei se o odiava ou se o amava, mas enchia ele todo o meu futuro, todas as minhas previsões sobre a vida — e isto viera por si mesmo, à medida que eu crescia.

O que influiu para minha partida de Moscou foi também uma circunstância poderosa, uma tentação que, três meses ainda antes de minha partida (num momento em que, por consequência, não se cogitava de Petersburgo), já fazia fremir e bater meu coração! O que me atraía naquele oceano desconhecido era que eu podia entrar nele como senhor e dono da sorte alheia, e de quem! Mas sentimentos magnânimos, e não despóticos, ferviam em mim. Previno de antemão, para que minhas palavras não induzam a erro. Viersílov podia pensar (caso se dignasse em geral a de pensar em mim) receber um menino, saído de pouco do ginásio, um adolescente, escancarando seus olhos à luz. Ora, eu sabia tudo quanto lhe ia pelo íntimo e tinha comigo um documento de primeira importância, em troca do qual (hoje sei com toda a certeza) teria ele dado vários anos de sua vida, se eu lhe tivesse então descoberto o segredo. Mas dou-me conta de que estou falando por enigmas. É impossível descrever sentimentos sem fatos. Aliás, vou falar suficientemente de tudo isso a seu tempo e foi por isso que tomei da pena. Escrever desta maneira é quase o mesmo que estar delirando ou nas nuvens.

VIII

Afinal, para chegar definitivamente à data de dezenove, direi com brevidade, e, por assim dizer, de passagem, que encontrei a todos, Viersílov, minha mãe e minha irmã (via esta pela primeira vez em minha vida), num estado digno de pena, quase na miséria ou à véspera da miséria. Soubera-o já em Moscou, mas estava longe de supor a que ponto. Desde minha infância, tomara o hábito de imaginar aquele homem, "meu futuro pai", numa espécie de auréola; não podia imaginá-lo de outra forma senão ocupando em toda parte o primeiro lugar. Viersílov jamais morara com minha mãe, alugava-lhe sempre um apartamento particular. Agia assim, bem decerto, por causa de suas ignóbeis "conveniências". Agora, pelo contrário, viviam todos juntos, num pavilhão de madeira dum beco do Siemiônovski Polk. Todo o mobiliário já se achava no montepio, de sorte que tive de entregar mesmo à minha mãe, às ocultas de Viersílov, meus misteriosos sessenta rublos. Misteriosos porque se tinham acumulado com o dinheiro miúdo que me davam à razão de cinco rublos por mês, durante dois anos. A acumulação começara desde o primeiro dia de minha "ideia" e por isso era que Viersílov nada devia saber desse dinheiro. Tremia com receio disso.

Esse auxílio não foi senão uma gota dágua no oceano. Minha mãe trabalhava, minha irmã também arranjava trabalhos de costura; Viersílov vivia na ociosidade, permitia-se caprichos e conservava uma multidão de velhos hábitos bastante dispendiosos. Era extremamente irritadiço, sobretudo à mesa, e todos os seus modos eram os de um verdadeiro déspota. Mas minha mãe, minha irmã, Tatiana Pávlovna e toda a família do falecido Andrónikov (um chefe de repartição, morto três meses antes, e que tratava também dos negócios de Viersílov), compreendendo uma infinidade de mulheres, viviam de joelhos diante dele como diante de um ídolo. Não podia imaginar semelhante espetáculo. Devo dizer que, nove anos antes, era ele infinitamente mais sedutor. Já disse que aparecia nos meus sonhos numa espécie de auréola, e por consequência tinha dificuldade em crer que ele pudesse envelhecer e gastar-se àquele ponto em uns poucos nove anos. Sentia também pesar, compaixão e vergonha. Vê-lo assim foi, entre minhas primeiras impressões de chegada, uma das mais penosas. Estava longe de ser um velho, não tinha senão quarenta e cinco anos. Examinando-o de mais perto, descobri em sua beleza alguma coisa de mais impressionante mesmo do que o que dela se havia conservado em minha memória. Menos brilho, menos aparência, menos rebuscamento, mas a vida marcara aquele rosto com não sei que de muito mais curioso do que outrora.

Entretanto a miséria não era senão a décima ou a vigésima parte de suas desgraças, eu sabia muito bem. Fora da miséria, havia alguma coisa de infinitamente mais sério, sem falar da esperança que ele ainda mantinha de ganhar um processo que vinha sustentando havia um ano contra os príncipes Sokólhski, a propósito de uma herança e que lhe podia valer dentro em breve uma propriedade de setenta mil rublos e talvez mais. Já disse acima que esse Viersílov devorara em sua vida três heranças. Ia ser salvo mais uma vez por uma herança! O caso devia decidir-se muito proximamente. Eu chegara em meio dessa esperança. Somente ninguém emprestava dinheiro por conta de uma esperança, não havia ninguém a quem pedir emprestado e, enquanto se esperava, sofria-se.

Viersílov, aliás, não se dirigia a ninguém, muito embora por vezes estivesse o dia inteiro fora. Havia mais de um ano que fora "expulso" da boa sociedade. Essa história, apesar de todos os meus esforços, permanecia inexplicada para mim, apesar de um mês inteiro já passado em Petersburgo. Era Viersílov culpado ou não? Eis o que me importava e o motivo de minha presença! Todo mundo lhe voltara as costas — e no número delas todos os personagens influentes com os quais ele soubera sempre manter relações — por causa de certos rumores referentes à conduta extremamente baixa e, o que é pior aos olhos do mundo, extremamente escandalosa de que se tornara ele culpado um pouco mais de um ano antes na Alemanha, e mesmo uma bofetada que teria então recebido muito publicamente, justamente dum Príncipe Sokólhski, e à qual não respondera com o desafio a duelo. Mesmo seus filhos (legítimos), seu filho e sua filha, lhe haviam voltado as costas e viviam separadamente. É verdade que esse filho e essa filha frequentavam as rodas mais elevadas, graças aos Fanariótovi e ao velho Príncipe Sokólhski (ex-amigo de Viersílov). Na realidade, observando-o no decorrer daquele mês, vi um homem altivo que a sociedade não havia excluído de seu seio, mas que, em vez disso, havia ele próprio expulso a sociedade de sua casa — tão independente era o ar que exibia! Mas tinha ele o direito de exibir esse ar? Eis o que me perturbava! Era indispensável saber toda a verdade no mais curto prazo, porque eu tinha vindo julgar aquele homem. Dissimulava-lhe ainda minhas forças, mas era-me preciso ou adotá-lo ou então repeli-lo inteiramente. A segunda solução para mim teria sido demasiado penosa e eu me afligia. Farei enfim uma confissão: eu queria bem àquele homem!

Na ocasião, morava com eles, no mesmo apartamento, trabalhava e tinha dificuldade em abster-me de grosserias. Não me abstinha delas inteiramente. Decorrido um mês, convencia-me cada dia mais de que a explicação definitiva não seria a ele que eu pediria. Aquele homem orgulhoso erguia-se diante de mim como um enigma, profundamente chocante. Comigo mostrava-se até mesmo amável e agradável, mas eu antes preferia disputas que essas brincadeiras. Todas as minhas conversas com ele comportavam sempre não sei que ambiguidade, ou bem simplesmente não sei que ironia singular de sua parte. Desde o começo, desde minha chegada de Moscou, ele não me levava a sério. Eu não chegava a compreender por que ele agia assim. Sem dúvida obtivera esse resultado de permanecer impenetrável para mim; mas de minha parte, jamais me teria rebaixado a pedir-lhe que me *tratasse com mais seriedade*. Além disso, tinha processos pasmosos e imperiosos diante dos quais eu não sabia o que fazer. Em uma palavra, tratava-me como o derradeiro dos fedelhos, o que eu dificilmente suportava, embora sabendo que assim deveria ser. Em consequência, cessei mesmo quase inteiramente de falar. Esperava uma pessoa cuja chegada de Petersburgo podia revelar-me definitivamente a verdade. Nisto se cifrava minha derradeira esperança. Em todo caso, preparei-me para romper definitivamente e tomei todas as minhas medidas para isso. Minha mãe causava-me compaixão, mas... "ou sim, ou não": eis o que eu queria propor-lhes, a ela e à minha irmã. O próprio dia estava marcado; enquanto esperava, ia para meu emprego.

CAPÍTULO II

I

Naquele dia dezenove devia também receber meu primeiro mês de ordenado em casa do "particular" em questão. Não haviam pedido minha opinião a respeito desse emprego, muito simplesmente me entregaram ao patrão, creio, no primeiro dia de minha chegada. Era uma grosseria e sentia-me quase obrigado a protestar. O emprego era em casa do velho Príncipe Sokólhski. Mas protestar imediatamente significaria romper logo com eles, o que de modo algum me atemorizava, mas era contrário aos meus objetivos essenciais. Assim, aceitei o lugar, aguardando, calado, defendendo minha dignidade pelo meu silêncio. Direi desde logo que esse Príncipe Sokólhski, rico e conselheiro privado, não era absolutamente parente dos príncipes Sokólhski de Moscou (na miséria desde muitas gerações) contra os quais estava Viersílov em litígio. Só havia de semelhança o nome. No entanto, o velho príncipe interessava-se muito por eles e gostava bem particularmente de um deles, o chefe por assim dizer da família, um jovem oficial. Viersílov, outrora ainda, exercera imensa influência nos negócios daquele velho e era seu amigo, amigo singular, porque aquele pobre príncipe, pude disso dar-me conta, tinha um medo terrível dele, não somente na época em que entrei para seu serviço, mas também, creio, todo o tempo, durante toda sua amizade. Aliás, desde muito tempo, não mais se viam; o ato desonesto de que se acusava Viersílov relacionava-se justamente com a família do príncipe; mas Tatiana Pávlovna encontrou-se lá bastante a propósito e graças a seu intermédio é que fui colocado em casa do velho, que desejava ter "um rapaz" junto de si no seu escritório. Verificou-se também que ele tinha grande vontade de ser agradável a Viersílov, de dar, em suma, um primeiro passo para ele, e que Viersílov queria-o bem. O velho príncipe assim decidira na ausência de sua filha, viúva dum general, a qual certamente não lhe teria permitido dar aquele passo. Tratarei disto mais tarde, mas anotarei imediatamente que essas estranhas relações com Viersílov me impressionaram em seu favor. Pensei que, se o chefe duma família ofendida continuava assim a ter respeito a Viersílov, os rumores espalhados a propósito de sua imoralidade deviam ser falsos ou pelo menos sujeitos a interpretação. Foi em parte o que me impediu de protestar: esperava, entrando para o serviço do príncipe, verificar tudo isso.

Essa Tatiana Pávlovna desempenhava um papel singular na época em que a encontrei em Petersburgo. Tinha-me quase esquecido de sua existência e não esperava absolutamente encontrá-la tão importante. Havia-a encontrado até então três ou quatro vezes em Moscou; surgia, não se sabia donde, nem por ordem de quem, cada vez que era preciso instalar-me em alguma parte, fazer-me entrar para o triste pensionato Touchard ou então, dois anos e meio mais tarde, transferir-me para o ginásio, ou ainda alojar-me em casa do inesquecível Nikolai Siemiônovitch. Uma vez surgida, ficava comigo o dia inteiro, passava em revista toda minha roupa branca, meus ternos, ia comigo ao Kazniétski Most[2] e à cidade, comprava para mim todos os objetos necessários, reconstituía, numa palavra, todo meu enxoval, até a derradeira maleta e o derradeiro canivete; e ao fazê-lo, não cessava de resmungar, de censurar-me, de crivar-me de ralhos, de submeter-me a exames, de me apontar como exemplo não sei quais outros rapazinhos imaginários, dentre os seus conhecidos ou seus parentes, todos melhores do que eu, segundo ela, e até mesmo, não estou mentindo, beliscava-me, dava-me verdadeiras pancadas, dolorosas e frequentes. Depois de haver-me instalado e colocado, desaparecia por vários anos sem deixar traços. Pois bem, foi ela quem, logo depois de minha chegada, se apresentou para me colocar. Era uma mulherzinha seca, com um narizinho pontudo de passarinho e olhinhos penetrantes, também de passarinho. Para Viersílov, era uma verdadeira escrava: vivia em adoração diante dele como diante de um papa, mas por convicção. Entretanto, observei em breve, com espanto, que todo mundo, sem exceção, e por toda parte,— a respeitava e sobretudo que todo mundo, sem exceção, e por toda parte, a conhecia. O velho Príncipe Sokólhski tinha por ela extraordinária veneração; na sua família, era a mesma coisa; os orgulhosos filhos de Viersílov também; em casa dos Fanariótovi também. E, no entanto, ela vivia de costura, de lavagem de não sei que rendas, e trabalhava para uma loja. Discutimos, desde a primeira palavra, porque ela pretendeu me dar broncas como seis anos antes; em seguida, continuamos a descompor-nos todos os dias; mas isto não nos impedia de conversar por vezes e confesso que, ao fim do mês, ela começava a agradar-me; era, penso, por causa da independência de seu caráter. Aliás, tinha todo o cuidado em nada lhe falar sobre isso.

Compreendi logo que me haviam colocado junto daquele velho doente unicamente para distraí-lo e que nisto consistia todo o meu trabalho. Naturalmente, isto me humilhou e tomei logo providências; mas em breve o velho original causou em mim uma impressão inesperada, como uma espécie de compaixão, e para o fim do mês sentia por ele um estranho apego. Em todo caso, abandonei minha intenção de tratá-lo com maus modos. Aliás, ele não tinha mais de sessenta anos. Houvera com ele uma complicação. Dezoito meses antes, sofrera um ataque. Tendo partido não sei mais para onde, perdeu o juízo no caminho, o que deu lugar a uma espécie de escândalo, muito falado em Petersburgo. Como convém em semelhante caso, levaram-no sem demora para o estrangeiro, mas cinco meses depois reapareceu, com perfeita saúde, mas aposentado. Viersílov afirmava com seriedade (e com visível ardor) que o que lhe acontecera não fora absolutamente loucura, mas simples ataque de nervos. Esse ardor de Viersílov, notei-o logo. Direi, aliás, que quase partilhava de sua opinião. O velho parecia apenas por vezes duma extrema leviandade, não condizente com sua idade, o que, dizem, antes nunca lhe acontecia. Dizia-se que outrora fora assessor em não sei mais que parte, e cumprira com muita distin-

---

2 Logradouro das lojas elegantes.

ção um encargo que lhe fora confiado. Conhecendo-o havia apenas um mês, não lhe teria jamais suposto capacidades particulares para ser conselheiro. Tinha-se notado (se bem que eu mesmo não o tivesse feito) que depois de seu ataque fora tomado duma singular vontade de se casar o mais depressa possível e que, mais de uma vez no curso daqueles dezoito meses, pensara em realizar tal ideia. Sabia-se disso, ao que parece, na sociedade e havia interesse em torno do caso. Mas como essa inclinação não correspondia aos interesses de certas pessoas de seu círculo, de todos os lados montava-se guarda ao velho. Sua família não era numerosa; havia vinte anos que era viúvo e tinha uma filha única, essa viúva de general que era esperada agora de Moscou dum dia para outro, uma mulher jovem de cujo caráter se tinha visivelmente receio. Mas ele possuía uma multidão de parentes afastados, sobretudo do lado de sua defunta mulher e que se achavam todos, por assim dizer, na miséria; além disso, havia a multidão de seus pupilos, machos e fêmeas, objetos de seus benefícios, esperando todos uma pequena parte no seu testamento e, por conseguinte, ajudando a generala a vigiar o velho. Tinha ele, além do mais, desde sua mocidade, uma singularidade da qual não se saberia dizer se era ridícula ou não: a de casar as moças pobres. Casava-as desde os vinte e cinco anos: parentas distantes, enteadas de primos germanos de sua mulher, afilhadas, e até a filha de seu porteiro. Recolhia-as em primeiro lugar em sua casa, ainda bem meninas, mandava-as educar por governantas e criadas francesas, depois mandava-as para os melhores estabelecimentos de instrução e por fim dava-lhes um dote. Todo esse mundo girava perpetuamente em torno dele. E era natural, as pupilas, uma vez casadas, tinham ainda filhas, todas essas filhas eram também pretendentes à sua proteção, era ele padrinho por toda parte, todo mundo vinha felicitá-lo no seu aniversário, tudo isso era para ele extremamente agradável.

Uma vez em sua casa, notei logo que no cérebro do velho aninhava-se uma convicção penosa — era impossível não notar — a saber, que as pessoas o examinavam agora com um ar esquisito, que não o tratavam mais como outrora, quando estava em plena saúde; esta impressão não o abandonava nunca, mesmo nas reuniões mundanas mais alegres. O velho tornou-se suscetível; notava alguma coisa em todos os olhares. A ideia de que suspeitavam ainda de sua loucura atormentava-o visivelmente; a mim mesmo, olhava-me por vezes com desconfiança. E se alguma vez viesse a saber que alguém espalhava ou confirmava esse boato a seu respeito, creio que aquele homem absolutamente sem rancor viraria seu inimigo mortal. É isto que vos peço que anoteis. Acrescentarei que foi também o que me decidiu desde o primeiro dia a não tratá-lo com maus modos; sentia-me mesmo feliz, quando tinha por acaso ocasião de alegrá-lo ou distraí-lo; não creio que esta confissão possa lançar alguma sombra sobre minha dignidade.

Grande parte de sua fortuna estava empregada em negócios.

Passara, após sua doença, a fazer parte duma grande sociedade anônima, aliás bastante sólida. E se bem que a empresa fosse dirigida por outros, interessava-se por ela também, frequentava as reuniões de acionistas, fez-se eleger membro-fundador, participava das reuniões do Conselho, pronunciava longos discursos, refutava, fazia barulho, com um contentamento manifesto. Adorava pronunciar discursos: pelo menos assim toda gente podia tomar conhecimento de seu espírito. E duma maneira geral, mesmo na sua vida privada mais íntima, gostava enormemente de incluir na conversa algumas frases profundas ou espirituosas; e compreendo-o. Havia no edifício em que morava, no andar inferior, uma espécie de escritório doméstico em que um empregado cuidava dos negócios, fazia a contabilidade e escriturava os livros, dirigindo a casa. Esse empregado, que tinha, além disso, um cargo oficial, dava conta de tudo, mas, a desejo do príncipe, fiquei a ele adido, isto é, para ajudá-lo. Somente, fui logo transferido para o gabinete do príncipe e bem muitas vezes não tinha diante de mim, mesmo pró-forma, nem trabalho, nem papéis, nem livros.

Escrevo hoje como homem desde muito desembriagado e desiludido de muitas coisas; mas como representarei o pesar (do qual me recordo ainda tão vivamente) que invadiu então meu coração e sobretudo minha angústia do momento, que me conduziu a tal estado de inquietude e de agitação que não dormia mais à noite, por efeito da impaciência e dos enigmas que a mim mesmo propunha?

II

Pedir dinheiro é uma história muito suja; mesmo um salário, se a gente sente, em alguma parte, nos refolhos de sua consciência, que ele não foi devidamente ganho. Ora, na véspera, minha mãe, cochichando com minha irmã, às ocultas de Viersílov ("para não causar pesar a Andriéi Pietróvitch"), manifestara a intenção de levar à loja de penhores um ícone a que tinha grande estimação. Meu salário era de cinquenta rublos por mês, mas eu não tinha ideia de como o receberia; ao me colocarem, nada ficara estabelecido. Três dias antes, encontrando embaixo o empregado, informara-me com ele: onde seria eu pago? O outro olhou-me com um sorriso de homem pasmado (não gostava de mim):

— O senhor tem de receber alguma coisa?

Esperava que ele acrescentasse imediatamente após minha resposta:

— E por que afinal?

Mas limitou-se a responder secamente: "Não sei", e mergulhou no seu livro quadriculado, onde copiava contas escritas em pedaços de papel.

Não ignorava, aliás, que eu fazia, no entanto, alguma coisa. Quinze dias antes, passara exatamente quatro dias num trabalho que ele mesmo me havia entregue: recopiar um borrão. Ele teve quase de redigir tudo de novo. Era um amontoado de "ideias" do príncipe, que este se preparava para submeter à comissão dos acionistas. De tudo aquilo era preciso compor um todo e arranjar o estilo. Passamos em seguida, o príncipe e eu, um dia inteiro trabalhando naquele papel e ele discutiu muito acaloradamente comigo; entretanto ficou satisfeito. Ignoro somente se o papel foi entregue ou não. Não mencionarei duas ou três cartas de negócios que escrevi também a seu pedido.

Se me sentia acanhado em pedir meu salário é que tinha resolvido deixar o lugar, pressentindo que seria também obrigado a sair dali, por causa de certas circunstâncias inevitáveis. Naquela manhã, assim que despertei e me vestia lá em cima em meu quartinho, senti o coração bater e por mais que procurasse manter-me indiferente senti, ao entrar nos aposentos do príncipe, ainda a mesma perturbação. Naquela manhã, devia chegar a pessoa, a mulher, da qual eu esperava a explicação para tudo quanto me atormentava! Era a filha do príncipe, a Generala Akhmákova, aquela jovem viúva de quem já falei e que estava em guerra aberta contra Viersílov. Por fim escrevi este nome! Nunca a havia, naturalmente, visto e não podia imaginar como lhe falaria, nem se lhe falaria; mas parecia-me (talvez com razões suficientes) que com sua vinda se dissipariam as trevas que, a meus olhos, cercavam Viersílov. Não podia ficar firme: era um terrível despeito encontrar-se a gente desde os primeiros passos tão covarde e tão desajeitado; era terrivelmente curioso e sobretudo odioso: três impressões ao mesmo tempo. Lembro-me de cor de tudo quanto se passou naquele dia!

Da chegada provável de sua filha, não sabia o meu príncipe nada ainda. Não a esperava antes de uma semana. Eu tinha ficado sabendo na véspera e totalmente por acaso: Tatiana Pávlovna, que havia recebido uma carta da generala, deixara escapar o segredo em minha presença, ao conversar com minha mãe. Por mais que falassem baixo e em termos vagos, adivinhara tudo. Não estava à escuta, é evidente, mas não pude deixar de prestar ouvidos, quando vi de repente, à notícia da chegada daquela mulher, minha mãe ficar completamente perturbada. Viersílov não estava em casa.

Não quis prevenir o velho, porque pudera notar, durante todo aquele tempo, quanto ele temia a chegada dela. E até mesmo, três dias antes, chegara a ponto de dizer, tímida e vagamente, que, com sua chegada, temia por mim, ou antes, que, por minha causa, iria haver barulho. Devo, entretanto, acrescentar que, a respeito de sua família, ele conservava sua independência e sua superioridade, sobretudo em matéria de dinheiro. Minha primeira conclusão a seu respeito foi que ele não passava de uma mulher; mas tive em seguida de modificá-la no sentido de que, se era uma mulher, restava-lhe entretanto por vezes certa teimosia, em falta de verdadeira virilidade. Havia instantes em que, com seu caráter aparentemente covarde e maleável, era quase intratável. Viersílov explicou-me a coisa mais tarde com maiores detalhes. Noto agora, com curiosidade, que não falávamos quase nunca juntos da generala, evitávamos por assim dizer falar dela. Era eu sobretudo quem o evitava e ele, por sua vez, evitava falar de Viersílov e adivinhei que não me responderia se eu lhe fizesse uma daquelas perguntas delicadas que tanto me intrigavam.

Se se quiser saber a respeito de que falamos durante todo aquele mês, responderei: de tudo, em suma, mas sempre de coisas estranhas. O que me agradava muito era a extrema bonomia com que me tratava. Por vezes considerava aquele homem com um espanto extremo e perguntava a mim mesmo: "Onde terá estado antes? No ginásio, na quarta série, por exemplo, teria sido um camarada encantador". Muitas vezes causava-me também impressão o seu rosto: parecia extraordinariamente sério (e quase belo), seco, cabelos frisados, brancos, espessos, olhos abertos; era seco em toda a sua pessoa e de boa estatura; mas seu rosto tinha a particularidade um tanto desagradável, quase inconveniente, de passar de súbito duma seriedade extrema a uma alegria excessiva, que aquele que o via pela primeira vez jamais teria podido prever. Disse isto a Viersílov, que me ouviu com curiosidade; ele, sem dúvida, não me achava capaz de fazer semelhantes observações; mas deu a perceber, como que de passagem, que isso sobreviera ao príncipe desde sua doença e bem nos últimos tempos.

Falávamos por vezes de dois assuntos abstratos: Deus e sua existência — existe Ele ou não? — e das mulheres. O príncipe era muito religioso e sensível. Tinha em

O ADOLESCENTE

seu gabinete um imenso armário de ícones com uma lâmpada. Mas em certos momentos dava-lhe uma mania, punha-se de repente a duvidar da existência de Deus e dizia coisas espantosas, para provocar minha réplica. Eu era bastante indiferente a essa ideia, duma maneira geral, mas isto não impedia que nos entusiasmássemos ambos e sempre sinceramente. Aliás, todas aquelas conversações deixaram-me, até hoje, uma agradável recordação. Entretanto o mais agradável para ele era tagarelar a respeito das mulheres, mas como, não sendo eu muito amante desse gênero de conversa, não podia ser um bom interlocutor, ele se sentia por vezes mortificado.

Foi justamente esse tema que ele abordou assim que cheguei a seus aposentos naquela manhã. Encontrei-o de alegre humor, apesar de havê-lo deixado na véspera extremamente triste. Ora, era-me absolutamente preciso regularizar naquele mesmo dia a questão de meu salário, antes da chegada de certas pessoas. Previa que seríamos naquele dia certamente interrompidos (não era por coisa nenhuma que o coração me palpitava); e então não teria talvez a coragem de falar de dinheiro. Mas como a conversa não recaía sobre o dinheiro, enchia-me naturalmente de raiva contra minha tolice e, lembro-me muito bem, por despeito de alguma pergunta dele na verdade demasiado alegre, expus-lhe dum jacto minhas ideias a respeito das mulheres e com uma vivacidade extraordinária. Resultou disso que ele se entusiasmou ainda mais às minhas custas.

III

— ...Não gosto das mulheres, porque são grosseiras, porque são desastradas, porque não têm iniciativa e porque usam um traje inconveniente!

Tal foi a conclusão desordenada de minha longa tirada.

— Piedade para elas, meu caro! — exclamou ele, tremendamente divertido, o que me encheu ainda mais de raiva.

Sou conciliante e minucioso somente no que se refere às pequenas coisas; a respeito das grandes nunca cedo. Nas pequenas coisas, em vagas atitudes mundanas, pode-se fazer de mim tudo quanto se quiser, e sempre maldigo esse traço de meu caráter. Graças a não sei que nojenta bonomia, tenho estado por vezes pronto a aprovar até mesmo um presunçoso mundano, unicamente porque estava fascinado pela sua polidez, ou começar uma discussão com um imbecil, o que é bem mais imperdoável. Tudo isso por defeito de saber conter-me e porque cresci no meu canto. A gente se retira, furioso, e jura não recomeçar, mas já no dia seguinte é a mesma história. Eis por que tenho sido algumas vezes tratado como garoto de dezesseis anos. Mas em lugar de adquirir domínio de mim mesmo, prefiro, ainda hoje, encerrar-me cada vez mais no meu canto, ainda que seja sob a forma mais misantrópica. "Desastrado, se quiser-des, mas digo-vos adeus!" E digo-o seriamente e para sempre. Aliás, não é de todo a propósito do príncipe que escrevo isto, nem a propósito da conversa em questão.

— Não falo para diverti-lo — exclamei, quase contra ele. — Exprimo muito simplesmente minha opinião.

— Mas como são as mulheres grosseiras e se vestem de maneira inconveniente? Eis uma novidade.

— São grosseiras. Vá ao teatro, vá ao passeio. Cada homem conhece sua direita, cruzam-se e dão-se passagem, tomo pela direita e o outro também. A mulher, quero dizer a dama, porque é das damas que falo, avança para nosso lado sem nem mesmo notar-nos, como se estivéssemos obrigados a desviar-nos para lhe ceder lugar. Estou pronto a ceder a uma criatura mais fraca, mas não é questão aqui de direito. Por que está ela tão segura de que tenho obrigação de fazer isso? Eis o que é vexatório! Cuspo sempre cheio de desgosto por ocasião desses encontros. Depois disso, gritam que são humilhadas, reclamam a igualdade. A igualdade! Quando me pisam ou me enchem a boca de poeira!

— De poeira?

— Sim. Porque estão vestidas de maneira inconveniente. Só um depravado não o nota. Nos tribunais fecham-se as portas, quando se vai tratar de um assunto escabroso. Por que ele é permitido na rua, onde o público é ainda mais numeroso? Penduram ostensivamente atrás uns chumaços, para mostrar que são belas mulheres. Ostensivamente! Não posso deixar de reparar nisso, os jovens também reparam, o menino, o garoto estreante também o repara. É uma infâmia. Que os velhos devassos as admirem e corram atrás delas, de língua estirada, compreende-se! Mas há uma juventude pura, que é preciso preservar. Só resta cuspir de desgosto. Percorrem o bulevar e atrás dela uma cauda de um *archin* varre a poeira. A gente que vai andando atrás precisa correr para passar-lhe adiante ou então dar um salto de lado, senão ela nos entupirá a boca e o nariz com duas libras de poeira. Ademais, passeia sobre os seixos essa seda por umas três verstas, simplesmente para obedecer à moda, e seu marido ganha quinhentos rublos por ano no Senado. Eis a causa de tanta maroteira! Cuspo em cima, cuspo ruidosamente em cima e praguejo.

Anoto esta conversa de maneira um tanto humorística e com minha vivacidade de então, mas as ideias permanecem ainda as mesmas.

— E nada te aconteceu? — interessa-se o príncipe.

— Cuspo e prossigo meu caminho. Naturalmente, ela compreende, mas não dá nenhuma demonstração, avança majestosamente sem voltar a cabeça. Uma só vez discuti muito seriamente com duas mulheres, todas duas com caudas, no bulevar, sem palavrões, é claro, somente observei em voz alta que aquelas caudas eram uma vergonha.

— Disseste-o assim?

— Decerto. Em primeiro lugar, aquela mulher espezinha as regras da boa sociedade. Em seguida levanta poeira, e o bulevar é de todo mundo; nele passeio, outro passeia, um terceiro... Fiódor, Ivan, pouco importa. Eis o que disse. E, em geral, não gosto do andar das mulheres, visto de trás. Disse-o também, mas apenas por alusão.

— Mas, meu amigo, podes atrair para ti algo de desagradável. Elas teriam podido intimar-te a comparecer perante o juiz de paz.

— Impossível! De que poderiam elas queixar-se? Um homem passa ao lado e fala sozinho. Cada qual tem o direito de exprimir sua opinião no ar. Falava em abstrato, sem me dirigir a elas. Elas é que me atacaram; puseram-se a dizer palavrões, muito mais vis que os meus; que eu era um fedelho, que era preciso privar-me de sobremesa, que eu era um niilista, que iam levar-me ao policial, que me havia colado a elas porque estavam sós e eram fracas e que, se estivessem com um homem, eu me teria posto a salvo bem depressa. Declarei friamente que me deixassem em paz e que iria passar para o outro lado; mas para provar-lhes que não tinha medo de seus homens e que estava pronto a aceitar o desafio, iria segui-las a vinte passos até sua casa, depois me postaria diante de sua porta e esperaria seus homens. Foi o que fiz.

— Será possível?

— Decerto era uma tolice, mas eu estava em brasas. Arrastaram-me assim mais de três verstas, em meio dum calor tórrido, até os institutos para moças. Em seguida entraram numa casa de madeira sem andares, muito decente, devo reconhecê-lo, às janelas da qual viam-se muitas flores, dois canários, três cães mimados e gravuras emolduradas. Fiquei uma meia hora diante da casa, em plena rua. Elas olharam três vezes às escondidas, depois baixaram todos os estores. Afinal, por um portãozinho saiu um funcionário de idade madura; a julgar-lhe pela cara, devia estar dormindo e tinham-no despertado de propósito; vestia roupão de quarto ou em todo o caso estava em trajes menores; postou-se diante do portãozinho, com as mãos atrás das costas, fitando-me; fitei-o. Depois ele desviou os olhos. Depois olhou ainda uma vez e, de repente, sorriu para mim. Voltei-lhe as costas e fui-me embora.

— Mas meu amigo isso é puro Schiller! Uma coisa sempre me causou espanto: tens as faces vermelhas, teu rosto esplende de saúde, e... semelhante... sim, pode-se dizê-lo, semelhante aversão às mulheres! Será possível que a mulher não produza em ti, na tua idade, certa impressão? Eu, *mon cher,* tinha apenas onze anos, quando meu preceptor já me chamava a atenção pelo fato de eu olhar de muito perto as estátuas do Jardim de Verão.

— O senhor quer absolutamente que eu vá visitar alguma Josefina[3] destas paragens e lhe traga notícias. É inútil! Eu mesmo aos treze anos vi uma mulher completamente nua. Foi a partir desse momento que tomei aversão por elas.

— Deveras? Mas, *cher enfant,* uma bela e viçosa mulher tem cheiro de maçã. Que há nisso que assim tanto te desgoste?

— No meu antigo pensionato, no de Touchard, antes de eu ir para o ginásio, tinha um camarada chamado Lambert. Batia-me sempre, porque era três anos mais velho do que eu. Eu o servia e tirava-lhe as botas. No dia do seu crisma, o Padre Rigaud veio visitá-lo por ocasião de sua primeira comunhão. Ambos lançaram-se aos braços um do outro, a chorar, e o padre apertou-o de encontro ao coração com toda espécie de gestos. Eu também chorava e invejava-o muito. Quando o pai dele morreu, abandonou o pensionato. Não o vi mais durante uns dois anos, mas depois encontrei-o na rua. Disse que viria ver-me. Estava eu então no ginásio e morava em casa de Nikolai Siemiônovitch. Certa manhã ele apareceu, mostrou-me quinhentos rublos e convidou-me a acompanhá-lo. Embora dois anos antes me batesse, continuava a ter necessidade de mim e não somente por causa de suas botas; contava-me tudo quanto lhe acontecia. Disse-me que havia roubado, naquele mesmo dia, aquele dinheiro, de sua mãe, com uma chave falsa de seu cofrezinho, que mandara fazer, porque o dinheiro de seu pai lhe cabia por força da lei e ela não tinha o direito de recusar-lhe a entrega. O Padre Rigaud, na noite anterior, fora pregar-lhe um sermão. Entrou, plantou-se diante dele e se pôs a gemer, fingindo horror, e levantando os braços para o céu. "Tirei minha faca e disse que ia degolá-lo!" (Ele pronunciava

---

3 Nome utilizado naquela época, na Rússia, como sinônimo de cortesã.

"desgolá-lo".) Fomos juntos ao Kuzniétski. Confiou-me, pelo caminho, que sua mãe mantinha relações com o Padre Rigaud, e que ele o havia notado; zombava de tudo e tudo quanto eles diziam da comunhão eram tolices. Falou ainda muito tempo e fui ficando com medo. No Kuzniétski, comprou um fuzil de dois canos, uma bolsa de caçador, cartuchos, uma chibata e uma libra de bombons. Fomos caçar nos arrabaldes e, no caminho, encontramos um vendedor de pássaros com gaiolas. Lambert comprou-lhe um canário. Num bosquezinho, soltou o canário, que não podia voar muito longe, ao sair da gaiola, e atirou nele, mas sem acertar. Era a primeira vez em sua vida que atirava, mas desde muito tempo já queria comprar um fuzil, ainda quando estava na pensão de Touchar: era desde muito tempo o sonho de nós ambos. Estava ele como que sufocado pela emoção. Seus cabelos eram dum negro espantoso; seu rosto, branco e vermelho, como uma máscara; seu nariz, comprido e arqueado como o têm os franceses; seus dentes, alvos; seus olhos, negros. Amarrou o canário por um cordão a um ramo e, com os dois canos, à queima-roupa, a um *viérchok* de distância, descarregou dois tiros que o esparramaram em mil peninhas. Voltamos em seguida pelo mesmo caminho, entramos num hotel, alugamos um quarto, comemos e bebemos champanhe. Chegou uma dama... lembro-me de que me impressionou muito o luxo de suas roupas, de seu vestido de seda verde. Foi então quando vi tudo... aquilo de que lhe falei... Depois, pusemo-nos de novo a beber e ele a mexer com ela e a injuriá-la. Estava completamente nua. Ele escondeu suas roupas e, quando ela esbravejou e reclamou seu vestido para vesti-lo, descarregou--lhe, com toda a força, nas espáduas nuas, golpes com sua chibata. Levantei-me, agarrei-o pelos cabelos tão destramente que, ao primeiro golpe, o derrubei no chão. Apoderou-se ele dum garfo e fincou-mo na coxa. Aos meus gritos, acudiu gente, e pude escapar. Desde então, a nudez me causa horror. E acredite, ela era uma beleza.

À medida que eu falava, via a fisionomia do príncipe passar do bom humor à tristeza.

— *Mon pauvre enfant!* Sempre estive convencido de que conheceste dias infelizes na tua infância.

— Não se inquiete por minha causa, peço-lhe.

— Mas estavas só. Tu mesmo o disseste. Quanto a esse Lambert, fazes-me dele um retrato... aquele canário, aquele crisma com choro sobre o peito, e, em seguida, um ano depois, essa história da mãe dele com o padre... Oh! *mon cher!* Essa questão da infância, em nosso tempo, é simplesmente terrível: enquanto essas cabecinhas douradas, com seus cachos e sua inocência, na sua primeira infância, agitam-se diante de nós e nos olham, com seu riso claro e seus olhos luminosos, levam a pensar em anjos do bom Deus ou em encantadores passarinhos. Porém, mais tarde... mais tarde, acontece que teria sido melhor se eles não tivessem crescido!

— Oh! príncipe, como o senhor está desalentado! Parece até que o senhor tem filhos. No entanto, não tem e não terá nunca.

— Ora vejam! — E todo o seu rosto mudou bruscamente. — Justamente, anteontem, Alieksandra Pietrovna, ah! ah! Alieksandra Pietrovna Sinítskaia — deves tê-la encontrado aqui há três semanas —, imagina que anteontem, a propósito de minha observação galhofeira de que, se me casasse agora, podia pelo menos estar certo de que não teria filhos, replicou-me ela, de súbito e até mesmo com uma espécie de raiva: "Pelo contrário, o senhor os terá, são pessoas como o senhor que os têm 'obrigatoriamente', e eles surgirão, desde o primeiro ano, o senhor verá." Ah! ah! ah! Toda gente imagina, não sei por quê, que vou casar. Enfim, se bem que seja dito por maldade, confesso que é engraçado.

— Engraçado, mas vexatório!

— Oh! *cher enfant,* há pessoas que não nos causam vexame. O que aprecio mais nas pessoas é o chiste, que está, visivelmente, em vias de desaparecer. Mas deve-se levar em conta o que possa dizer Alieksandra Pietrovna?

— Como, que disse o senhor? Há pessoas que não... É bem isto! Nem todo homem merece que se lhe preste atenção. Regra admirável! E justamente a de que necessito. Vou tomar nota dela. Príncipe, o senhor diz por vezes coisas maravilhosas.

Todo o seu rosto iluminou-se.

— *N'est-ce pas, cher enfant,* que o verdadeiro chiste está desaparecendo cada vez mais? *Eh mais... C'est moi qui connais les femmes!*[4] Acredita-me, a vida de toda mulher, quaisquer que sejam suas palavras, não é senão a eterna procura de um senhor ... Uma sede de obediência, por assim dizer. E, nota bem, sem a menor exceção.

— Absolutamente justo, admirável! — exclamei, entusiasmado. Num outro momento, começaríamos logo a fazer considerações filosóficas sobre esse tema, por uma boa hora pelo menos, mas de repente senti-me como que picado e corei totalmente. Pareceu-me que, elogiando-lhe a frase espirituosa, lisonjeava-o por causa de seu dinheiro e que, em todo o caso, ficaria ele persuadido disso, quando formulasse meu pedido. É por isso que menciono aqui o fato.

— Príncipe, ficaria muito grato, se me mandasse pagar hoje mesmo os cinquenta rublos que me deve por este mês! — atirei-lhe dum jacto e com uma irritação que orçava pela grosseria.

Lembro-me (porque me lembro de toda aquela manhã até nos mínimos detalhes) de que ocorreu então entre nós uma cena odiosa, pelo seu realismo. A princípio, ele não me compreendeu, olhou-me longamente, sem perceber de que dinheiro queria eu falar. Era claro que nem mesmo tinha a ideia de que eu ganhava um salário. E por quê, aliás? É verdade que, em seguida, me assegurou que se havia esquecido e logo depois de ter compreendido, tirou instantaneamente cinquenta rublos, à pressa e até mesmo corando. Vendo isso, levantei-me e declarei categoricamente que não podia mais agora aceitar dinheiro, que, se me tinham falado dum ordenado, fora sem dúvida por engano ou erro, para que eu não rejeitasse o lugar, e que compreendia demasiado agora que nada tinha a receber, uma vez que nada tinha a fazer. O príncipe espantou-se e esforçou-se por persuadir-me de que lhe prestava imensos serviços, que eu lhe prestaria ainda mais e que cinquenta rublos eram uma soma tão ínfima que, pelo contrário, ele me aumentaria, porque era seu dever, e que se entendera ele próprio com Tatiana Pávlovna, mas que cometera um esquecimento imperdoável. Explodi e declarei definitivamente que me desonraria aceitando dinheiro por conta de narrativas escandalosas a respeito da maneira pela qual havia eu acompanhado duas caudas até os institutos, que não estava a seu serviço para diverti-lo, mas para trabalhar seriamente, que, se não havia trabalho, era preciso acabar com aquilo, etc. *etc.* Não tinha ideia de que alguém pudesse espantar-se tanto quanto ele se espan-

---

4   Eh, mas... sou eu que conheço as mulheres!

tou, após essas poucas palavras. Evidentemente, o caso terminou desta maneira: deixei de protestar e ele meteu-me, apesar de tudo, aqueles cinquenta rublos nas mãos. Lembro-me ainda, com rubor na fronte, de que os aceitei! Tudo aqui embaixo termina sempre por uma baixeza. E, o que é pior, ele chegou quase a provar-me que eu tinha sem nenhuma dúvida ganho aquele dinheiro, e cometi a tolice de acreditar nele. Parecia-me absolutamente impossível não aceitá-lo.

— *Cher, cher enfant* — exclamou ele, abraçando-me e cobrindo-me de beijos (confesso-o, estava a ponto de chorar, o diabo sabe por quê, mas contive-me e até mesmo hoje, ao escrever, sobe-me o rubor ao rosto). — Caro amigo, és para mim quase um filho, tornaste-te durante este mês um pedaço de meu coração! No "mundo", não há senão o "mundo", e nada mais. Katierina Nikoláievna (a filha dele) é uma mulher brilhante e orgulho-me dela, mas bem muitas vezes, meu caro, magoa-me... Quanto a essas moças *(elles sont charmantes)* e suas mães, que vêm cumprimentar-me pelo aniversário, trazem seus bordados e são incapazes de dizer uma palavra. Já tenho umas sessenta almofadas, bordadas por elas, e sempre com cães e veados. Gosto muito delas, mas contigo sinto-me quase como com um filho meu, ou antes com um irmão, e gosto sobretudo quando me retrucas... Tens conhecimentos, tens leituras, és capaz de entusiasmo...

— Nada li e não tenho conhecimentos absolutamente. Li o que me caiu nas mãos e nestes dois últimos anos nada li absolutamente e não lerei mais nada.

— E por que então?

— Tenho outros objetivos.

— *Cher...* será uma pena se, no fim de tua vida, disseres a ti mesmo como eu: *Je sais tout, mais je ne sais rien de bon.*[5] Não sei verdadeiramente por que tenho vivido! Mas... devo-te tanto... queria mesmo...

Interrompeu-se, de repente, ensombreceu-se e ficou pensativo. Após qualquer abalo (e esses abalos podiam ocorrer-lhe a todo instante, sabe Deus por qual causa) perdia em geral, por certo tempo, a faculdade de raciocinar e de dominar-se; aliás, recuperava-se bem depressa, tanto que tudo isso não lhe causava muito mal. Ficamos assim por espaço de um minuto. Seu lábio inferior, muito grosso, pendia completamente... O que me admirava mais era que houvesse citado sua filha e, sobretudo, com tanta franqueza. Atribuí-o à sua perturbação mental.

— *Cher enfant*, não me levas a mal, não é, que te trate por "tu"? — disse ele, de súbito.

— Absolutamente. Confesso, no começo, nas primeiras vezes, fiquei um tanto chocado e queria também tratá-lo por "tu". Mas vi que era idiota, uma vez que não era para humilhar-me que o senhor me tratava por "tu".

Ele já não me escutava e esquecera sua pergunta.

— Pois bem! e "teu pai"? — Ergueu bruscamente para mim seu olhar pensativo.

Estremeci. A princípio, ele chamava Viersilov "meu pai", o que jamais se permitia comigo; em seguida, fora o primeiro a falar de Viersílov, o que nunca acontecia.

— Está sem dinheiro e amargurado! — respondi secamente, embora ardendo de curiosidade.

— Sim, sem dinheiro. É hoje que o processo deles se resolve na Corte de Ape-

---

5 Sei tudo, mas não sei nada de bom.

lação, e espero o Príncipe Sierguiéi, para ver que notícias me traz. Prometeu-me vir diretamente do tribunal para aqui. É o destino deles que se decide: trata-se de sessenta ou de oitenta mil. Evidentemente, sempre quis bem a Andriéi Pietróvitch (isto é, Viersílov), e creio que será ele o vencedor, mas os príncipes nada terão. É a lei!

— Hoje? — exclamei, estupefato.

A ideia de que Viersílov nem se dignara comunicar-me essa notícia causava-me estupefação. "Portanto nada disse à minha mãe, nem a ninguém talvez — pensei logo. — Que caráter!"

— E o Príncipe Sokólhski está em Petersburgo? (Viera-me de súbito outra ideia.)

— Desde ontem. Diretamente de Berlim e especialmente para o dia de hoje.

Outra notícia extremamente importante para mim essa. "E virá hoje aqui, esse homem que deu 'nele' uma bofetada!"

— Pois bem! — a fisionomia do príncipe mudou subitamente. — Continua ele a pregar, e sem dúvida... e atrás das moças, das mocinhas inexperientes! Ah! ah! ah! A propósito, tenho uma anedota muito engraçada... Ah! ah! ah!

— Quem é que prega? Quem anda atrás das moças?

— Andriéi Pietróvitch! Podes acreditar? Agarrava-se então a nós todos: que é que comemos? em que pensamos? Ou coisas neste gênero. Causava-nos medo: "Se és religioso, por que não entras para um convento?". Nem mais, nem menos! *Mais quelle idée!* Talvez tivesse razão, mas não era levar longe o rigor? Acima de tudo gostava de amedrontar-me com o juízo final, a mim especialmente.

— Nada notei de semelhante e já faz, no entanto, um mês que vivemos juntos — respondi com impaciência.

Aborrecia-me vê-lo divagar e falar com tanta incoerência.

— Então é que ele não o diz mais. Acredite; porém, é bem verdade. É um homem engenhoso, incontestavelmente, e de intensa cultura. Mas terá o cérebro funcionando bem? Tudo isso lhe aconteceu após sua estada de três anos no estrangeiro. E confesso-o, fiquei transtornado... como toda gente aliás... *Cher enfant, j'aime le bon Dieu...* creio, creio tanto quanto posso, mas naquele momento... ele me fez sair dos eixos. Admitamos que tenha eu empregado um processo pouco cavalheiresco, mas fiz isso de propósito, por despeito, e aliás, no fundo, minha objeção era tão séria quanto sempre foi desde o começo do mundo: "Se existe um ser supremo — dizia-lhe eu —, e se existe 'pessoalmente', e não sob a forma dum espírito espalhado na criação, sob a forma de um líquido, por exemplo (porque é ainda mais difícil de compreender), onde então se encontra ele? Meu amigo, *c'était bête*[6], sem dúvida alguma, mas será que todas as objeções não se condensam nesta?" *"Un domicile..."*, isso é coisa grave. Ele ficou tremendamente zangado. É que se havia convertido ao catolicismo, lá no estrangeiro.

— Também ouvi dizer isso. Ecertamente uma mentira.

— Garanto-te, por tudo quanto tenho de mais sagrado. Olha-o bem... Aliás, tu mesmo dizes que ele mudou. Pois bem, no momento em que tanto nos atormentava, acreditarás?, dava-se ares de santo Só faltavam os milagres! Pedia-nos conta de nossa

---

6 Era idiota.

conduta, juro-te! Milagres! *En voilà un autre!*[7] Monge ou eremita, ainda bem, mas anda por aí de fraque e tudo mais... e depois disso, milagres! Singular desejo para um homem do mundo e, confesso, estranho gosto. Não digo que... decerto, são coisas sagradas, e tudo pode acontecer... Além do mais, tudo isso é *de l'inconnu,* mas para um homem do mundo é até indecoroso. Se me ocorresse algo nesse estilo ou alguém tal me propusesse, recusaria, juro. Admitamos, por exemplo, que jante hoje no clube e em seguida, de repente, "faça milagres"! Mas rirão de mim! Fui o que lhe expus então... Usava cilícios.

Corei de cólera.

— O senhor viu os cilícios?

— Não os vi, mas...

— Então, declaro-lhe: são mentiras, não passa tudo de um amontoado de vis mexericos, uma calúnia de inimigos, ou antes dum inimigo, principal e inumano, porque ele não tem senão um inimigo: a filha do senhor!

O príncipe, por sua vez, explodiu.

— *Mon cher,* rogo-te, e insisto mesmo, que a partir de hoje o nome de minha filha jamais seja pronunciado diante de mim a propósito dessa história infame!

Fiz menção de levantar-me. Ele estava fora de si; seu queixo tremia.

— *Cette histoire infâme!* Não acreditava nisso, jamais quis crer nisso... Mas... disseram-me, acredita, acredita eu...

Nesse momento, entrou um criado e anunciou uma visita. Tornei a sentar-me.

IV

Duas senhoras entraram, ou antes duas moças solteiras. Uma era a nora de um primo-irmão da defunta mulher do príncipe, ou qualquer coisa nesse gênero, sua protegida, à qual já havia concedido um dote e que (noto para o futuro) já tinha fortuna. A segunda era Anna Andriéievna Viersílova, filha de Viersílov, mais velha do que eu três anos, que vivia com seu irmão na casa Fanariótova, e a quem eu vira apenas uma vez, de passagem, na rua, se bem que tivesse tido uma altercação com seu irmão, também de passagem, em Moscou (é bem possível que mencione mais tarde essa escaramuça, se tiver lugar, porque no fundo não vale a pena). Essa Anna Andriéievna era desde sua infância a grande favorita do príncipe (as relações de Viersílov com o príncipe tinham começado havia muito tempo). Estava tão perturbado pelo que acabara de passar-se que, à entrada delas, nem sequer me levantei, muito embora o príncipe se tivesse levantado para recebê-las; depois, achei que seria agora vergonhoso levantar-me e fiquei no meu lugar. Estava sobretudo desorientado pelo fato de ter o príncipe gritado contra mim três minutos antes, e eu continuava sem saber se devia retirar-me ou não. Mas o meu bom velho já se havia esquecido de tudo, como de costume, e ficou todo animado, bastante agradavelmente, à vista das moças. Conseguiu mesmo, com uma fisionomia rapidamente mudada e uma piscadela de olhos misteriosa, cochichar-me à pressa, justamente antes da entrada delas:

— Olha bem para Olimpiada, olha atentamente para ela, bem atentamente... vou te contar depois...

---

7 Eis outro.

O ADOLESCENTE

Olhei-a bastante atentamente e nada achei nela de particular: uma moça de estatura média, forte, com faces extraordinariamente vermelhas. Um rosto, aliás, bastante agradável, dos que agradam aos materialistas. Talvez uma expressão de bondade, mas com reservas. Não era pela inteligência que poderia brilhar, pelo menos no sentido superior da palavra, porque a astúcia se lia em seus olhos. Não mais de dezenove anos. Em suma, nada de notável. No ginásio teríamos dito: um travesseiro mole! (Se a descrevo de maneira tão detalhada é unicamente porque isto me servirá mais tarde.)

Aliás, tudo quanto descrevi até agora, com tantos detalhes na aparência inúteis, tudo isso prepara a continuação e será necessário mais adiante. Tudo isso reaparecerá a seu tempo; não encontrei meio de evitá-lo; se sou tedioso, não me leiais.

A filha de Viersílov era uma criatura completamente diversa. Grande, talvez mesmo um pouco magra; um rosto oval e notavelmente pálido, mas cabelos negros e abundantes; olhos sombrios e grandes, olhar profundo; lábios pequenos e vermelhos, uma boca fresca. A primeira mulher cujo andar não me causava aversão; aliás, era fina e um pouco seca. Uma expressão que não era totalmente boa, mas séria; vinte e dois anos. Quase nenhuma semelhança exterior com Viersílov e, no entanto, não sei por qual milagre, uma semelhança extraordinária na expressão, na fisionomia. Não sei se era bela; é questão de gosto. Ambas estavam muito modestamente vestidas: nada a descrever. Esperava ser imediatamente magoado por algum olhar ou algum gesto de Viersílova e estava pronto para isso; fora mesmo ofendido por seu irmão; em Moscou, desde nosso primeiro encontro na vida. Ela não podia conhecer-me de vista, mas tinha certamente ouvido dizer que eu estava em casa do príncipe. Tudo quanto projetava ou fazia o príncipe despertava logo interesse e parecia um acontecimento para todo aquele bando de parentes e de "postulantes". Com mais forte razão seu súbito afeto por mim. Sabia devidamente que o príncipe se interessava bastante pela sorte de Anna Andriéievna e procurava um noivo para ela. Mas encontrar esse noivo era mais difícil para Viersílova do que para aquelas que bordavam almofadas.

Ora, contra toda expectativa, Viersílova, depois de ter apertado a mão do príncipe e trocado com ele alguns alegres cumprimentos mundanos, olhou-me com extrema curiosidade e, vendo que eu a olhava também, inclinou-se vivamente com um sorriso. Em suma, cumprimentara ao entrar e inclinava-se de novo, como se acabasse de chegar, mas aquele sorriso mostrava tal bondade que era visivelmente sincero. Lembro-me de que experimentei uma sensação espantosamente agradável.

— E aqui... aqui, é meu caro e jovem amigo Arkádi Andriéievitch Dol... — balbuciou o príncipe, ao notar que ela me havia cumprimentado e que eu continuava sentado. De repente, interrompeu-se. Talvez ficasse confuso por me apresentar a ela (isto é, apresentar, afinal, o irmão à irmã). O "travesseiro mole" também me cumprimentou; mas de repente e muito tolamente fervi e saltei de minha cadeira: uma lufada de orgulho falso, absolutamente insensato. Sempre o meu amor-próprio!

— Desculpe-me, príncipe, não sou Arkádi Andriéievitch, mas Arkádi Makárovitch! — cortei eu, violentamente, esquecendo-me por completo de que era preciso responder às senhoras com uma saudação. Para o diabo esse minuto inconveniente!

— *Mais... tiens!*[8] — já exclamava o príncipe, batendo na testa com o dedo.

---

8 Mas... ora!

— Onde fez seus estudos? — soou junto a mim a pergunta um tanto tola e arrastada do "travesseiro mole" que se tinha aproximado à queima-roupa.

— Ora, em Moscou, no Ginásio.

— Ah! tinham-me dito. Pois bem, o ensino lá é bom?

— Muito bom.

Continuava de pé e respondia como um soldado a seu chefe.

As perguntas daquela moça não denotavam decerto muita imaginação, mas nem por isso ela deixava de conseguir fazer esquecer minha absurda réplica e acalmar a perturbação do príncipe, que já escutava com um sorriso jovial as coisas alegres que lhe cochichava ao ouvido a Viersílova — via-se que não era a meu respeito. Mas por que então aquela moça, que me era totalmente desconhecida, achara útil fazer esquecer minha absurda réplica e tudo mais? Era, no entanto, impossível admitir que ela assim agisse comigo sem razão: tinha uma intenção. Examinava-me com bastante curiosidade; era de pensar que queria que eu também a examinasse o mais possível. Tudo isso, disse-o a mim mesmo depois... e não me enganei.

— Como, hoje? — exclamou, de repente, o príncipe, saltando de sua cadeira.

— Então, o senhor não sabia? — admirou-se a Viersílova. — Olimpiada! o príncipe não sabia que Katierina Nikoláievna chega hoje. Fomos à casa dela, pensávamos que tivesse tomado o trem da manhã e que já se achasse em casa desde muito tempo. Mas acabamos de encontrar-nos no patamar; ela chegava diretamente da estação e nos disse que viéssemos para a casa do senhor. Vai chegar aqui também agora mesmo... Aliás, já está aqui!

A porta lateral se abriu e — aquela mulher apareceu!

Já a conhecia de rosto, por um retrato surpreendente, pendurado no gabinete do príncipe. Havia estudado aquele retrato durante todo um mês. Na presença dela, passei naquele gabinete três minutos, sem desviar os olhos de seu rosto um só segundo. Pois bem! se não tivesse conhecido o retrato e se me tivessem perguntado após aqueles três minutos: "Como a acha?", nada teria respondido, porque minha visão era turva.

Só me restou daqueles três minutos a lembrança de uma mulher verdadeiramente bela, que o príncipe beijava e benzia com a mão e que, de repente, dirigiu uma olhadela rápida — imediatamente, mal entrou — para mim. Distingui, nitidamente, que o príncipe, sem dúvida mostrando-me, murmurava alguma coisa, com uma risadinha, a propósito de seu novo secretário, e pronunciava meu nome. Ela fez um trejeito, lançou-me um olhar cheio de antipatia e sorriu tão insolentemente que eu dei um passo, aproximei-me do príncipe e balbuciei, tremendo como um louco, sem acabar uma só palavra e, creio, batendo os dentes:

— Desde agora, eu... tenho agora o que fazer... vou-me embora.

Voltei as costas e saí. Ninguém me disse nada, nem mesmo o príncipe; todos se limitavam a olhar. O príncipe confiou-me depois que estava eu tão pálido que ele "tivera medo".

Não havia de quê!

Capítulo III

I

Não havia de que ter medo: uma consideração superior absorvia todos os detalhes, um sentimento poderoso compensava para mim tudo mais. Saí, numa espécie de entusiasmo. Pousando o pé na rua, estava quase a cantar. Como que de propósito, a manhã estava esplêndida: sol, passantes, barulho, movimento, alegria, multidão. — Como? Aquela mulher não me havia ofendido? De quem, pois, teria eu suportado aquele olhar e aquele sorriso insolente sem um protesto imediato, por mais tolo que fosse? Pouco importa, de minha parte. E notai, ela viera justamente com a ideia de me ofender sem demora, antes de ter me visto: eu era, a seus olhos, "o emissário de Viersílov" e já estava persuadida naquele momento — e continuou por muito tempo ainda — de que Viersílov tinha entre suas mãos todo o seu destino e o meio de perdê-la imediatamente, se o quisesse, graças a certo documento; pelo menos, ela o suspeitava. Era um duelo de morte. Pois bem, eu não me sentia, contudo, ofendido! Havia ofensa, mas eu não a sentia! Que digo? Estava até alegre; vindo para odiar, sentia mesmo que começava a amá-la. "Pergunto a mim mesmo se a aranha pode odiar a mosca que ela tocaia e que agarra. Querida mosca! Parece-me que se ama sua vítima; pelo menos pode-se amá-la. Assim, eu amo minha inimiga: sinto-me tremendamente contente por serdes tão bela. Sinto-me tremendamente contente, minha senhora, por serdes tão arrogante e tão altiva: se fosseis mais modesta, eu teria menos prazer. A senhora cuspiu em mim, e eu triunfo; se me tivésseis efetivamente cuspido no rosto, não me teria talvez zangado, porque sois minha vítima, a 'minha' e não a 'sua'. Como é sedutora esta ideia! Não, a consciência secreta que se tem do poder próprio é infinitamente mais agradável que um domínio manifesto. Se fosse um milionário, creio que acharia prazer em usar roupas coçadas e em fazer-me passar pelo mais miserável dos homens, quase por um mendigo, em fazer-me empurrar e desprezar: a consciência de minha riqueza me bastaria."

Eis como poderia traduzir meus pensamentos de então e minha alegria, e muito do que eu sentia. Acrescentarei apenas que o que acabo de escrever é mais superficial: na realidade, eu era mais profundo e mais pudibundo. Ainda agora, sou mais pudibundo intimamente do que em minhas palavras e em meus atos, graças a Deus!

Talvez haja feito mal em meter-me a escrever: restam dentro de mim infinitamente mais coisas do que aparecem nas palavras. Vosso pensamento, por pior que seja, enquanto está dentro de vós, é sempre mais profundo; uma vez expresso, é sempre mais ridículo e mais desleal. Viersílov me disse que o contrário só acontece às pessoas ruins. Essas não fazem senão mentir, isto lhes é fácil; eu me esforço por escrever toda a verdade: é terrivelmente difícil!

II

Naquele dia dezenove, dei ainda outro passo.

Pela primeira vez, desde minha chegada, acontecia ter dinheiro no bolso, uma vez que os sessenta rublos acumulados em dois anos, tinha-os dado à minha mãe, como o disse mais acima; desde alguns dias, decidira fazer, no dia em que recebesse meu ordenado, uma "experiência" com a qual sonhava havia muito tempo. Na véspera, recortara dum jornal um anúncio de "O funcionário ministerial junto ao Conselho dos juízes de paz de Petersburgo", etc. etc., dizendo que "no dia dezenove de setembro, ao meio-dia, no quarteirão de Kazan, comissariado número xis, etc. etc., no imóvel número xis, seriam vendidas os bens móveis da Senhora Lebrecht", e que "o inventário, a nota de preços e os objetos à venda podiam ser vistos no dia da venda", etc. etc.

Passava pouco de duas horas. Dirigi-me a pé para o endereço indicado. Havia três anos que não tomava fiacres; fizera juramento (de outro modo não teria jamais economizado sessenta rublos). Nunca ia aos leilões públicos, ainda não me "permitia" isso, e embora o passo que dava agora não passasse de uma "experiência", só decidira dá-lo depois de haver saído do ginásio, depois de ter rompido com todo mundo, quando houvesse voltado a entrar na minha concha e completamente livre. Na realidade, estava longe de encontrar-me na minha concha e longe de ser livre; mas aquele passo, decidira dá-lo somente a título de experiência, para ver, quase para sonhar um pouco e não mais repeti-lo em seguida por muito tempo talvez, até o dia em que me meteria nisso seriamente. Para os outros, tratava-se apenas de um leilãozinho sem importância; para mim, era a primeira prancha do navio sobre o qual Cristóvão Colombo partiu à descoberta da América. Eis quais eram então meus sentimentos.

Assim que cheguei, meti-me pelo fundo do pátio do edifício designado no anúncio e entrei no apartamento da Senhora Lebrecht. Compunha-se de uma antecâmara e de quatro quartos pequenos e baixos. No primeiro, a partir da entrada, apertava-se uma multidão de umas trinta pessoas; a metade eram arrematantes, os outros, à primeira vista, ou curiosos, ou amadores, ou pessoas agindo em favor da Senhora Lebrecht. Havia comerciantes, judeus que tocaiavam os objetos dourados, e algumas pessoas bem vestidas. As fisionomias de alguns daqueles senhores ficaram gravadas em minha memória. Na porta escancarada da peça da direita, justamente entre os dois batentes, tinham colocado uma mesa, de sorte que era impossível entrar naquela peça. Ali se encontravam os objetos inventariados e destinados à venda. À esquerda havia outra peça, mas a porta estava fechada, se bem que se entreabrisse de vez em quando, deixando uma pequena fresta pela qual se via alguém olhando; sem dúvida algum membro da numerosa família da Senhora Lebrecht, presa naturalmente duma grande vergonha. Por trás da mesa, de frente para o público, o Senhor Funcionário Ministerial presidia, revestido de suas insígnias, encarregado de proceder ao leilão. Quando cheguei, já estava quase na metade; imediatamente abri passagem até a mesa. Vendiam-se candelabros de bronze. Olhei.

Olhei e disse logo entre mim: que posso mesmo comprar aqui? E onde colocar esses candelabros de bronze? Meu alvo terá sido atingido? É assim que se fazem negócios? Estará certo o meu cálculo? Não seria um cálculo infantil? Agitava tais pensamentos e esperava. Era quase o sentimento que se experimenta diante de uma mesa de jogo no momento em que ainda não se fez a parada, mas em que a gente se aproxima com sua carta: "Posso apostar, posso ir-me embora, tudo depende de mim". O coração não nos palpita ainda, mas começa a faltar-nos, bate levemente — sensação que não deixa de ter seu encanto. Mas em breve a indecisão se torna pesada e sentimo-nos como cegos: estendemos a mão, pegamos uma carta, mas maquinalmente, quase contra nossa vontade, como se nossa mão fosse dirigida por outrem; enfim, estamos decididos, apostamos — e a sensação é bem outra, imensa. Não falo do leilão, falo de mim: qual o outro que sentiria o coração bater-lhe num leilão?

Havia quem se acalorasse. Havia quem se calasse e esperasse. Havia quem comprasse e se lamentasse. Nem sequer me apiedei dum senhor que, por engano, por ter ouvido mal, comprara uma leiteira de metal, pensando que era de prata, por cinco rublos em lugar de dois; cheguei mesmo a divertir-me muito com isso. O leiloeiro variava os objetos: depois dos candelabros foram brincos de orelha, uma almofada de marroquim bordado, depois um cofrezinho — sem dúvida para variar ou então para atender às exigências do público. Não pude conter-me nem dez minutos; aproximei-me a princípio da almofada, depois do cofrezinho, mas de cada vez, no instante decisivo, parava de súbito: aqueles objetos pareciam-me verdadeiramente impossíveis. Enfim, entre as mãos do leiloeiro apareceu um álbum.

"Um álbum, encadernado em couro vermelho, usado, com desenhos de aquarela e de nanquim, num estojo de marfim esculpido, com fechos de prata: dois rublos!"

Adiantei-me: o objeto parecia elegante, mas havia um defeito no trabalho de marfim. Fui o único a ir olhá-lo, todo mundo se calava, não havia concorrente. Podia desfazer os atilhos e tirar o álbum de seu estojo para examiná-lo, mas não usei de meu direito e fiz sinal, com uma mão que tremia: "Pouco importa!".

— Dois rublos e cinco copeques! — disse eu, batendo os dentes, creio.

O álbum ficou para mim. Tirei logo o dinheiro, paguei, agarrei o álbum e retirei-me para um canto da peça. Ali, tirei-o do estojo e, febrilmente, apressadamente, pus-me a examiná-lo: abstração feita do estojo, era mesmo a coisa mais miserável do mundo, um albunzinho não maior que uma folha de papel de cartas de pequeno formato, fino, com as bordas das folhas meio desdouradas, igualzinho àqueles que se encontravam outrora em mãos de moças que saiam do internato. A cores e a nanquim, estavam desenhados templos sobre montanhas, cupidos, um tanque onde nadavam cisnes. Havia também versos:

> Por muito tempo me vou,
> Deixo pra sempre Moscou.
> Adeus, minha Dulcineia,
> Vou, por correio, à Crimeia.

(Ficaram-me na memória!) Concluí que havia dado um fiasco; se havia um objeto inútil para todo mundo, era aquele.

"Não importa — disse a mim mesmo. — A primeira aposta é sempre perdida. É mesmo um excelente sinal."

Estava positivamente alegre.

— Ah! chego demasiado tarde! Foi o senhor que ficou com ele? Comprou-o?

— repercutiu, de repente, perto de mim, a voz de um senhor de sobretudo azul, de belo porte e bem trajado. Estava atrasado.

— Demasiado tarde! Ah! que desgraça! E por quanto?

— Dois rublos e cinco copeques.

— Ah! que pena! E o senhor não quereria ceder-mo?

— Saiamos — cochichei-lhe ao ouvido, com o coração batendo.

Saímos para o patamar.

— Posso cedê-lo por dez rublos — disse eu, com um frio nas costas.

— Dez rublos! Com licença, que foi que disse?

— Como quiser.

Olhou-me, de olhos arregalados; eu estava bem vestido, não me me assemelhava de modo algum a um judeu ou a um revendedor.

— Mas, por favor, é um velho álbum sem valia. De que lhe serve? O próprio estojo não vale nada. Não conseguirá vendê-lo.

— No entanto, o senhor quer comprá-lo.

— Eu tenho uma razão particular para isso. Só ontem o soube. Sou o único da minha espécie.

— Deveria pedir-lhe vinte e cinco rublos; mas como há, apesar de tudo, o risco do senhor desistir da compra, pedi-lhe somente dez, para maior segurança. Não abaterei um copeque.

Voltei as costas e fui andando.

— Aceite quatro rublos! — disse ele, alcançando-me no pátio. — Vamos, cinco!

Continuei a andar, sem responder.

— Vamos, tome! — Tirou dez rublos, entreguei-lhe o álbum.

— Confesse que não é honesto! Dois rublos e dez rublos!

— E por que não honesto? É o comércio!

— Que comércio? (Começava a zangar-se.)

— Sim, há procura, há comércio. Se o senhor não tivesse interesse, eu não o teria vendido nem por quarenta copeques.

Fazia esforço para não disparar na gargalhada e guardar o sério, mas ria interiormente — ria não de entusiasmo, mas sem saber por quê. Sufocava um pouco.

— Escute-me — murmurei completamente a contragosto, mas amigavelmente e com grande afeto por ele — escute-me. Quando o falecido James Rothschild de Paris, o que deixou um bilhão e setecentos milhões de francos (ele abanou a cabeça), soube por acaso, na sua mocidade, algumas horas antes dos outros, do assassinato do Duque de Berry,[9] apressou-se a avisar a quem de direito, e graças a isso, num piscar dolhos, ganhou vários milhões. Eis como se faz!

— Então, o senhor é Rothschild? — exclamou ele, indignado, como se falasse a um imbecil.

Saí à pressa da casa. Um único passo e sete rublos e noventa e cinco copeques de lucro! O passo era insensato, era um brinquedo de criança, convenho, mas não coincidia menos com minha ideia e não podia deixar de agitar-me profundamente... Aliás, não havia ali sentimento a descrever. A cédula de dez rublos estava no bol-

---

9 Charles-Ferdinand, Duque de Berry (1778-1820), segundo filho de Carlos X. Foi assassinado por um operário, chamado Louvel, que lhe assestou uma punhalada no momento em que deixava o teatro de ópera de Paris.

O ADOLESCENTE

so de meu colete, meti dois dedos nele para tateá-la e fui andando assim sem retirar a mão. A cem passos da casa, peguei a cédula para vê-la, examinei-a e tive vontade de beijá-la. De repente, um carro parou diante de uma casa; o suíço abriu a porta e uma dama subiu no carro, vistosa, jovem, bela, rica, toda seda e veludo, com uma cauda de dois *archini*. De súbito, um lindo porta-moedas pequenino escapou-lhe das mãos e caiu no chão; ela instalou-se no carro; o criado curvou-se para apanhar o objeto, mas dei um salto, agarrei-o e estendi-o à dama, levantando meu chapéu (uma cartola; estava trajado de rapaz e não de todo mal). A dama me disse, com reserva, mas com um agradabilíssimo sorriso: *"Merci*, senhor". O carro partiu. Beijei a cédula de dez rublos.

III

Devia visitar naquele mesmo dia Iefim Zviériev, um de meus antigos colegas de ginásio, que dele saíra para entrar numa escola especial de Petersburgo. Não merece ser descrito e eu não tinha em suma nenhum laço de amizade com ele; mas pusera-me à sua procura; podia ele (em virtude de certas circunstâncias que não merecem tampouco menção) dar-me o endereço dum tal Kraft, de que tinha eu extrema necessidade, assim que esse Kraft regressasse de Vilna. Zviériev esperava-o justamente naquele dia ou no dia seguinte e dera-me ciência disso na antevéspera. Era preciso ir a Pietierbúrgskaia Storoná[10], mas não sentia fadiga.

Encontrei Zviériev (tinha também dezenove anos) no pátio da casa de sua tia, onde estava provisoriamente alojado. Acabara de almoçar e passeava no pátio trepado em pernas de pau; informou desde logo que Kraft chegara na véspera e recolhera-se a seu antigo apartamento, também em Pietierbúrgskaia Storoná, e que também ele desejava ver-me o mais breve possível, para me comunicar imediatamente uma notícia urgente.

— Ele vai tornar a partir não sei para onde — acrescentou Iefim.

Como fosse de importância capital para mim, nas circunstâncias presentes, encontrar Kraft, pedi a Iefim que me conduzisse imediatamente à sua casa, uma vez que ele morava num beco vizinho, a dois passos dali. Mas Zviériev declarou-me que o havia encontrado uma hora antes, dirigindo-se para a casa de Diergatchov.

— Então vamos à casa de Diergatchov! Por que sempre te recusas? Tens medo?

Kraft podia, com efeito, demorar-se em casa de Diergatchov, e então onde o encontraria eu? Não tinha medo de Diergatchov, mas não tinha vontade de ir à casa dele, se bem que fosse aquela a terceira vez que Iefim me queria levar lá. Pronunciava sempre aquele "tens medo?" com um sorriso muito maldoso para meu lado. Não era, contudo, questão de medo, declaro-o de antemão, e, se receava, era por outro motivo bem diverso. Desta vez resolvi ir lá; também ficava a dois passos. De caminho, perguntei a Iefim se ele continuava na intenção de partir para a América.

— Talvez espere ainda — respondeu com um ligeiro riso.

Não gostava muito dele, não gostava mesmo absolutamente. Tinha os cabelos quase brancos, um rosto redondo, demasiado branco, branco até a inconveniên-

---

10 Lado Petersburguês, nome dum bairro de São Petersburgo, numa ilha do rio Nievá.

cia, quase infantil; era maior do que eu, mas impossível dar-lhe mais de dezessete anos. Com ele, nenhuma conversação possível.

— E que se passa lá embaixo? Há sempre multidão? — informei-me, para dizer alguma coisa.

— Mas por que tens sempre medo? — disse ele, de novo, rindo.

— Vai para o diabo! — respondi, furioso.

— Não há a menor multidão. Só conhecidos, nem um estranho, fica tranquilo.

— Estranhos ou não, que tenho eu com isso? E eu não serei por acaso um estranho, lá? Por que queres que tenham confiança em mim?

— Sou eu quem te leva e basta. Ouviram falar de ti. Kraft pode também dizer o que pensa de ti.

— Escuta, Vássin estará lá?

— Não sei.

— Se estiver, assim que entrarmos, acotovela-me e indica-o; assim que entrarmos, entendes bem?

Já ouvira falar muito de Vássin e havia muito tempo que me interessava por ele.

Diergatchov morava num pequeno pavilhão, no pátio da casa de madeira duma mulher de negociante, mas ocupava o pavilhão todo. Havia três belas salas. As quatro janelas estavam com seus estores baixados. Ele era quase engenheiro e ocupava um posto em Petersburgo; soubera incidentemente que lhe ofereciam um lugar muito vantajoso na província e que ele iria para lá.

Acabávamos de entrar numa minúscula antecâmara, quando vozes ressoaram; parecia um debate animado e alguém gritava: *"Quae medicamenta non sanant, ferrum sanat; quere ferrum non sanat, ignis sanat!"*.[11]

Eu estava realmente inquieto. Não estava, decerto, acostumado à sociedade, qualquer que ela fosse. No ginásio, nós nos tuteávamos todos, mas eu não tinha por assim dizer um camarada, fizera um cantinho para mim e nele me mantinha. Mas não era isso que me perturbava. Prometera a mim mesmo, em todo caso, não participar de discussão alguma e de só pronunciar as palavras indispensáveis, para que ninguém pudesse formular uma opinião a meu respeito; sobretudo, não discutir.

Havia na peça, bastante exígua, sete pessoas, e dez com as damas. Diergatchov tinha vinte e cinco anos e era casado. Sua mulher tinha unia irmã e outra parenta que moravam também em casa dele. A sala estava mobiliada de uma maneira qualquer, suficientemente e até mesmo com decência. Via-se na parede um retrato litografado, mas sem valor, e no canto, um ícone sem ornamentos de metal, mas com uma lâmpada acesa. Diergatchov adiantou-se ao meu encontro, apertou-me a mão e ofereceu-me uma cadeira.

— Sente-se, estamos aqui entre amigos.

— Dê-nos este prazer! — acrescentou logo uma jovem senhora, de rosto bastante agradável, modestissimamente trajada, e no mesmo instante, depois de ter-me dirigido ligeira saudação, saiu. Era a mulher dele e parecia ter tomado parte na discussão. Ia agora amamentar seu filho. Mas restavam ainda duas damas, uma muito baixinha, duns vinte anos, de vestido preto e não feia tampouco, a outra,

---

11 O que os medicamentos não curam o ferro cura; o que o ferro não cura o fogo cura!

duns trinta anos, seca e de olhos penetrantes. Estavam sentadas, muito atentas, mas não intervinham na conversa.

Quanto aos homens, estavam todos de pé, exceto Kraft, Vássin e eu. Iefim logo os indicou, porque eu via Kraft também pela primeira vez. Levantei-me e aproximei-me deles para travar conhecimento. Não esquecerei jamais o rosto de Kraft: nenhuma beleza particular, mas algo de delicado e desprovido de malícia, com uma dignidade pessoal que punha sua marca em tudo. Vinte e seis anos, certa magreza, estatura superior à média, louro, fisionomia séria, mas suave; uma espécie de tranquilidade em toda a sua pessoa. E, contudo, se quereis sabê-lo, não trocaria jamais meu rosto tão vulgar pelo dele, que me parecia tão sedutor. Havia em sua fisionomia um não sei quê que eu não teria querido na minha, uma espécie de tranquilidade excessiva no sentido moral da palavra, uma espécie de altivez secreta, ignorando-se a si mesma. Aliás, não podia julgar isso exatamente dessa maneira na época; agora é que me parece ter assim julgado, depois do fato consumado.

— Muito prazer em vê-lo! — disse Kraft. — Tenho uma carta em que se faz referência ao senhor. Ficaremos um momento aqui e em seguida iremos à minha casa.

Diergatchov era de estatura mediana, um moreno robusto, de largos ombros, com uma grande barba. Via-se no seu olhar a inteligência prática e a reserva em tudo, certa prudência sempre presente; muito embora se calasse a maior parte do tempo, era ele quem manifestamente dirigia a conversação. A fisionomia de Vássin não me causou impressão, se bem que tivesse ouvido elogiar sua rara inteligência: louro, de grandes olhos dum cinzento claro, o rosto muito franco, mas ao mesmo tempo com algo de um tanto demasiado firme; pressentia-se que fosse pouco sociável, mas o olhar era realmente inteligente, mais que o de Diergatchov, mais profundo, mais inteligente que o de todos os presentes. Pode dar-se, aliás, que exagere agora. De todos os outros, só me lembro de duas pessoas entre todos aqueles jovens: um homem grande, moreno, com suíças negras, falando muito, com cerca de vinte e sete anos, professor ou qualquer coisa de análogo, e um jovem de minha idade, com jaqueta de camponês, o rosto enrugado, taciturno e todo ouvidos. Aconteceu que era mesmo de origem camponesa.

— Não, não é assim que deve ser posta a questão! — começou, retomando visivelmente a discussão de ainda há pouco, o professor de suíças negras, mais acalorado do que todos os outros. — No que se refere às provas matemáticas, nada tenho a dizer, mas essa ideia, que estou pronto a aceitar mesmo sem provas matemáticas...

— Espera, Tikhomírov — interrompeu, ruidosamente, Diergatchov —, os recém-chegados não compreendem nada. É que, vejam — e voltou-se bruscamente só para o meu lado (confesso que, se ele tinha a intenção de submeter o "novato" a um exame ou obrigar-me a falar, era o processo, de sua parte, bastante habilidoso; senti-o imediatamente e preparei-me) —, o Senhor Kraft, por exemplo, bem conhecido de todos nós pelo seu caráter e pela firmeza de suas convicções, foi levado por um fato muito comum a uma conclusão completamente extraordinária e que nos causou espanto. Chegou à conclusão de que o povo russo é um povo de segunda ordem...

— De terceira ordem! — gritou alguém.

— ...De segunda ordem, destinado a servir de matéria a uma raça mais nobre, sem jamais desempenhar papel independente nos destinos da humanidade.

Em razão desta conclusão, talvez justa, chegou o Senhor Kraft a admitir que toda a atividade do russo, qualquer que ele seja, deve ser doravante paralisada por essa ideia, que, por assim dizer, os braços de todos nós devem cair e...

— Permite, Diergatchov! Não é assim que a questão deve ser posta! — tornou Tikhomírov, impaciente (Diergatchov cedeu-lhe a palavra imediatamente). — Dado que Kraft fez estudos sérios, tirou da fisiologia deduções que estima matemáticas e consagrou talvez dois anos à sua ideia (que estou disposto a adotar bem tranquilamente *a priori),* dado isto, quero dizer, os escrúpulos e a seriedade de Kraft, a coisa me aparece como um fenômeno. Tudo nos conduz à pergunta que Kraft não pode compreender e é disso que precisamos ocupar-nos, quero dizer da incompreensão de Kraft, porque é um fenômeno. É preciso decidir se esse fenômeno pertence à clínica na qualidade de caso isolado, ou então se é uma propriedade que se pode reproduzir normalmente em outros casos; é interessante para a causa comum. Quanto à Rússia, creio em Kraft e direi mesmo que me regozijo com isso; se essa ideia fosse aceita por todos, desligaria nossas mãos e nos desembaraçaria bem das pessoas que têm o preconceito patriótico...

— Não me referia ao patriotismo — disse Kraft, numa espécie de esforço. Todos aqueles debates pareciam desagradar-lhe.

— Patriotismo ou não, deixemos isso de lado! — declarou Vássin, desde muito silencioso.

— Mas como, dize-me, poderia a conclusão de Kraft enfraquecer as aspirações para a obra comum da humanidade? — gritou o professor (era o único que gritava, todos os outros falavam baixo). — Concedamos que a Rússia esteja condenada ao segundo lugar; mas pode-se trabalhar por outros que não a Rússia. Além do mais, como pode Kraft ser patriota, se deixou de crer na Rússia?

— Aliás, ele é alemão! — lançou de novo uma voz.

— Sou russo! — declarou Kraft.

— É esta uma questão que não toca o fundo das coisas — fez notar Diergatchov ao interruptor.

— Reparem na estreiteza de sua ideia — continuou Tikhomírov, sem fazer caso. — Se a Rússia é apenas material para raças mais nobres, por que ela não aceitará esse papel de material? É ainda bastante brilhante. Por que não repousar sobre essa ideia, a fim de alargar em seguida suas vistas? A humanidade encontra-se às vésperas de sua regeneração, que já começou. Só um cego pode negar as tarefas que vão surgir. Deixai a Rússia, se não tendes mais fé nela, e trabalhai para o futuro, para o futuro de um povo ainda desconhecido, mas que se comporá de toda a humanidade, sem distinção de raças. De qualquer maneira, a Rússia estará morta um dia; os povos, até mesmo os mais bem dotados, vivem mil e quinhentos anos, dois mil anos no máximo; dois mil anos ou duzentos anos, não é mais ou menos a mesma coisa? Os romanos não viveram nem mil e quinhentos com ar de vida e também se transformaram em material. Há muito tempo não existem mais, deixaram porém uma ideia e essa ideia foi um elemento de progresso na evolução da humanidade. Como se pode dizer a um homem que ele nada tem a fazer? Trabalhai pela humanidade e não vos inquieteis com o resto. Há tanto a fazer que a vida não bastará, se bem se repara.

— É preciso viver segundo a lei da Natureza e da Verdade! —declarou, por trás da porta, a Senhora Diergatchova. A porta estava entreaberta e podia-se vê-la de pé, com o menino ao seio, o peito semicoberto, prestando ardentemente ouvidos.

Kraft escutava sorrindo ligeiramente. Enfim, proferiu, com ar um tanto cansado e, aliás, com enérgica sinceridade:

— Não compreendo que se possa, se se está sob a influência de alguma ideia dominante à qual se subordinam inteiramente o espírito e o coração da gente, ter uma razão de viver qualquer fora dessa ideia.

— Mas se lhe disseram logicamente, matematicamente, que sua conclusão é errônea, que sua ideia é totalmente falsa, que você não tem o menor direito de excluir-se da atividade útil comum, pela simples razão de que a Rússia seria irrevogàvelmente um valor de segunda ordem; se lhe mostraram em lugar de um horizonte estreito um infinito à sua disposição, em lugar de sua estreita ideia de patriotismo...

— Oh! — disse Kraft, com um gesto da mão — já lhe disse que não se trata de patriotismo.

— Há aqui um mal-entendido evidente — interveio, de repente, Vássin. — O erro consiste no fato de não termos em Kraft uma simples dedução lógica, mas, por assim dizer, uma dedução degenerando em sentimento. Todas as naturezas não são idênticas; há muitas nas quais a dedução lógica se transforma por vezes num sentimento violento que se apodera de todo o ser e que é muito difícil de expulsar ou de modificar. Para curar o homem assim atingido, é preciso mudar esse sentimento, e a coisa só é possível substituindo-o por outra força igual. É sempre difícil e em muitos casos impossível.

— Engano! — clamou o disputante. — A conclusão lógica dissolve por si mesma os preconceitos. A convicção razoável engendra um sentimento apropriado. O pensamento emana do sentimento e por sua vez, instalando-se em nós, formula um novo!

— Os homens são bastante diferentes. Uns mudam facilmente de sentimento; outros, com dificuldade — respondeu Vássin, com ar de não querer prolongar a discussão. — Quanto a mim, estava encantado com a ideia dele.

— O mesmo direi eu! — exclamei, bruscamente, quebrando o gelo e começando, de súbito, a falar. — Com efeito, em lugar do sentimento é preciso pôr outro capaz de substituí-lo. Em Moscou, há uns quatro anos, um general... É que, vejam os senhores, eu não o conhecia, mas... Pode dar-se que, no fundo, não fosse ele, por si mesmo, digno de inspirar respeito... Além disso, o próprio fato podia parecer irracional, mas... Enfim, vejam, perdeu um filho, ou antes duas filhinhas, uma após outra, de escarlatina... Pois bem, ficou de súbito tão abatido que não esquecia jamais seu luto, causava pena vê-lo, e finalmente morreu apenas seis meses mais tarde. Que haja morrido por causa desse luto, é um fato. Pois bem, como se teria podido ressuscitá-lo? Resposta: por um sentimento de força equivalente! Era preciso retirar-lhe do túmulo aquelas duas meninas e as restituir a ele, eis tudo, quero dizer... algo nesse gênero. Morreu. E, no entanto, teria sido possível oferecer-lhe admiráveis deduções: que a vida é curta, que somos todos mortais; seria possível tirar do almanaque a estatística das crianças mortas de escarlatina... Ele estava reformado...

Parei, opresso, e olhei em redor de mim.

— Não é de todo a mesma coisa! — disse alguém.

— O fato que o senhor nos traz, sem ser da mesma natureza do caso presente, é entretanto análogo e o esclarece — disse Vássin, voltando-se para mim.

IV

Devo confessar aqui por que fiquei entusiasmado com o argumento de Vássin sobre "a ideia-sentimento" e ao mesmo tempo devo confessar uma vergonha infernal. Sim, tinha medo de ir à casa de Diergatchov, mas por uma outra razão que não aquela que Iefim supunha. Tinha medo, porque já os temia em Moscou. Sabia que aquelas pessoas (elas ou outras do mesmo estilo, pouco importa) são dialetas e muito provavelmente reduziriam minha "ideia" a pedaços. Estava bem certo de que essa ideia, não lhe entregaria eu, nada diria; mas podiam elas (ainda uma vez, elas ou pessoas do mesmo estilo) dizer-me coisas que me fariam perder confiança em minha ideia, mesmo que não fizessem a ela alusão. Havia na "minha ideia" problemas não resolvidos, mas eu não queria que outrem os resolvesse em meu lugar. Nestes dois últimos anos tinha mesmo deixado de ler, temendo dar com alguma passagem que não fosse a favor de minha "ideia" e que teria podido transtornar-me E eis que Vássin, de repente, resolve o problema e me acalma supremamente. De fato: de que, pois, tinha eu medo e que eles podiam me fazer, com toda a sua dialética? Fui talvez o único a compreender o que Vássin queria dizer com sua "ideia-sentimento". Não basta refutar uma bela ideia, é preciso substituí-la por outra não menos bela; de outro modo, não querendo, a preço algum, separar-me de meu sentimento, refutarei no meu coração a refutação, mesmo violentando-me, apesar do que possam eles dizer. E eles, que podiam eles dar-me em troca? De modo que deveria ter sido mais corajoso; tinha o dever de ser mais valente. Entusiasmado por Vássin, senti certa vergonha, achei que era uma criança indigna!

Outro motivo de vergonha ainda. Não foi o desprezível sentimento de fazer valer meu espírito que me levou a quebrar o gelo e falar, mas também uma vontade de "saltar ao pescoço" das pessoas. Essa ideia de saltar ao pescoço, para que me achem bondoso, para que se ponham a beijar-me ou não sei o que nesse estilo (uma pulhice, em uma palavra), considero-a eu como o mais infame de meus motivos de vergonha. Desde muito tempo, suspeitava-lhe da existência em mim, e precisamente daquele canto em que me mantive tantos anos, se bem que não tenha de arrepender-me disso. Sabia que devia ser o mais reservado possível no mundo. A única coisa que me consolava, após cada uma daquelas vergonhas, era que apesar de tudo a minha "ideia" me restava, sempre no seu esconderijo e que eu não a revelara. Com um aperto de coração, imaginava por vezes que, no dia em que eu tivesse comunicado a alguém minha ideia, de súbito nada mais me restaria, de modo que seria semelhante a todo mundo e talvez abandonasse minha ideia; assim, guardava-a, conservava-a e temia as falações. E eis que em casa de Diergatchov, quase desde o primeiro encontro, não me contivera: nada revelara, sem dúvida, mas tagarelara de maneira imperdoável; cobrira-me de vergonha. Triste recordação! Não, não posso viver com os homens; ainda hoje estou persuadido disto; e falo por quarenta anos antecipados. Minha ideia é meu refúgio.

V

Assim que Vássin aprovou-me, fui tomado duma vontade indomável de falar.

— Na minha opinião, cada qual tem o direito de ter seus sentimentos... contanto que seja por convicção... E ninguém pode arrogar-se o direito de censurá-lo — disse eu, dirigindo-me a Vássin. A frase fora pronunciada redondamente, mas parecia-me que nada tinha eu com aquilo, como se fosse a língua de outrem que se houvesse mexido na minha boca.

— Não é pos-sí-vel? — voltou com ironia e destacando as sílabas a mesma voz que interrompera Diergatchov e gritara a Kraft que ele era alemão. Julgando-o uma perfeita nulidade, voltei-me para o professor, como se fosse ele que houvesse gritado:

— Minha convicção é que não tenho o direito de julgar ninguém.

Tremia já, sabendo de antemão que não me deteria mais.

— E por que tanto segredo? — repercutiu de novo a voz da nulidade.

— Cada qual tem sua ideia! — disse eu, olhando fixamente o professor que, pelo contrário, se calava e me examinava com um sorriso.

— E qual é a sua? — gritou a nulidade.

— É demasiado longa para ser contada... Consiste em parte nisto: que os outros me deixem em paz! Enquanto tiver dois rublos, quero viver só, não depender de ninguém (fiquem tranquilos, conheço as objeções) e nada fazer — mesmo pela grande humanidade por vir, ao serviço da qual queriam que o Senhor Kraft trabalhasse. A liberdade individual, isto é, a minha liberdade, antes de tudo, nada quero conhecer além disso.

Meu erro foi zangar-me.

— Quer dizer que o senhor prega a tranquilidade da vaca de barriga cheia?

— Admito. Uma vaca nada tem de ofensivo. Não devo nada a ninguém, pago o que devo à sociedade sob a forma de impostos, para que não me roubem, não me batam e não me matem, e ninguém tem o direito de exigir mais de mim. Talvez tenha pessoalmente outras ideias, talvez quisesse servir à humanidade e vou servi-la talvez mesmo dez vezes mais que todos os pregadores. Somente não quero que ninguém "exija de mim" esse serviço, que ninguém a ele me obrigue, como se quer agora obrigar o Senhor Kraft. Quero que minha liberdade permaneça íntegra, mesmo que não mexa nem dedo mindinho. Quanto a correr e agarrar-se ao pescoço de todo mundo por amor à humanidade e derramar lágrimas de enternecimento, não passa de uma moda. E por que então deveria eu amar meu próximo ou então vossa humanidade futura, que não verei nunca, que não me conhecerá, e que por sua vez desaparecerá sem deixar traços, nem lembranças (o tempo nada faz no caso), quando a terra se transformará por sua vez num bloco de gelo e voará no espaço sem ar com uma multidão infinita de outros blocos semelhantes, o que é bem a mais absurda das coisas que se possa imaginar? Eis vossa doutrina! Dizei-me, por que deveria eu absolutamente ser generoso? Sobretudo se tudo não dura senão um instante.

— Ora! ora! — gritou uma voz. Eu havia pronunciado essa tirada, nervosa e maquinalmente, queimando todos os meus navios. Sabia que voava para o abismo, mas me apressava, temendo as abjeções. Sentia bem que derramava minhas palavras ao acaso, sem seguimento, sem ordem, mas apressava-me em convencê-los e em esmagá-los. Era para mim tão importante! Preparara-me para isso três anos! O notável é que se calaram de repente, como se não tivessem jamais dito nada, limitando-se a escutar. Continuava a dirigir-me ao professor:

— Perfeitamente. Um homem extremamente inteligente disse entre outras coisas que não há nada de mais difícil do que responder à pergunta: "Por que é absolutamente preciso ser virtuoso?". Existem aqui na terra, vejam os senhores, três espécies de tratantes: os tratantes ingênuos, convencidos de que sua tratantice é a suprema virtude; os tratantes envergonhados, os que coram de sua própria tratantice, muito embora tenham a firme intenção de levá-la até o fim; e afinal os tratantes sem mais nada, os tratantes puros-sangues. Permitam: tive como colega um tal Lambert, que me dizia já aos dezesseis anos que, quando fosse rico, seu maior gozo seria nutrir cães a pão e carne, enquanto os filhos dos pobres morreriam de fome e que, quando eles não tivessem mais com que aquecer-se, compraria todo um depósito de madeira, o transportaria para pleno campo e aqueceria o ar, sem dar aos pobres uma só acha. Eis seus sentimentos! Pois bem! Dizei-me que deveria eu responder a esse tratante puro-sangue, se ele me perguntasse: "Por que tenho obrigação de ser virtuoso?". E sobretudo em nossa época, assim feita por vós. Porque as coisas jamais estiveram tão ruins como hoje, senhores! A situação não está de todo clara na nossa sociedade. Negais Deus, negais a santidade, qual é pois a rotina, surda, cega e obtusa, que pode obrigar-me a agir duma maneira, se me é mais vantajoso agir doutra? Vós dizeis: "Agir razoadamente para com a humanidade está também dentro do meu interesse". Mas se acho todas essas coisas razoáveis desrazoáveis, todas essas casernas, essas falanges? Que tenho a fazer com tudo isso, com o vosso futuro, se tenho apenas uma vida para viver? Deixai que eu mesmo conheça o meu interesse: tirarei disso maior prazer. Como haverei de interessar-me pelo que se passará na vossa humanidade daqui a mil anos, se vosso código não me concede em troca nem amor, nem vida futura, nem certificado de virtude? Não, senhores, se assim é, viverei da maneira mais insolente, para mim mesmo. Para o diabo todos os outros!

— Gentil desejo!

— Estou pronto a segui-lo!

— Melhor ainda! (Era sempre a mesma voz.)

Todos os outros continuavam calados, a olhar e a observar-me; mas, pouco a pouco, de diversos cantos da sala, elevou-se uma risada escarninha, a princípio discreta. Depois riram todos escancaradamente. Somente Vássin e Kraft não riam. O homem das suíças negras sorria também; fitava-me e escutava.

— Senhores — tremia todo —, não vos direi qual é minha ideia, a nenhum preço. Perguntarei a vós, pelo contrário, qual é o vosso próprio ponto de vista — não o meu, porque amo talvez mil vezes mais a humanidade que vós todos juntos! — dizei-me — e estais obrigados a responder-me imediatamente, estais obrigados a isso porque dais risada —, dizei-me pois: que tendes a oferecer-me para que vos siga? Dizei-me, como me provareis que será melhor usar o vosso sistema? Que fareis do protesto de minha individualidade, contra vossa caserna, os alojamentos em comum, o "estritamente necessário", o ateísmo e a comunidade de mulheres sem filhos? — Eis a que chegareis afinal, bem o sei. E em troca de tudo isso, dessa ínfima

O ADOLESCENTE

51

porção de interesse médio que a vossa nacionalidade me oferecerá, em troca de um pedaço de pão e de um pouco de calor, tomareis toda a minha pessoa! Esperai um pouco! Arrebatam-me a mulher; conseguireis domesticar-me a ponto de impedir-me que mate meu rival? Ides me dizer que, naquele momento, eu terei me tornado mesmo mais razoável; mas que pensará minha mulher de um marido tão razoável, se se respeita a si mesmo inda que seja um tantinho; confessai que isso é contra a natureza. Não tendes vergonha?

— O senhor é especialista... em questão de mulheres? — zombou a voz da nulidade.

Tive um instante vontade de precipitar-me e cobri-lo de pancadas. Era um homenzinho ruivo e coberto de sardas... afinal, diabos levem sua aparência!

— Tranquilize-se, ainda não conheci a mulher — atirei-lhe, voltando-me pela primeira vez para seu lado.

— Preciosa comunicação, que teria podido ser feita de uma forma mais polida, aqui na presença das senhoras!

Mas todo mundo começou a agitar-se. Pegavam os chapéus e faziam menção de retirar-se — não por causa de mim, mas porque estava na hora. Mas aquela maneira tácita de tratar-me encheu-me de vergonha. Levantei-me também.

— Quer, apesar de tudo, dizer-me o seu nome? O senhor esteve todo o tempo a olhar-me! — disse o professor, dando um passo para mim, com um sorriso ignóbil.

— Dolgorúki.

— Príncipe Dolgorúki?

— Não, Dolgorúki simplesmente, filho do ex-servo Makar Dolgorúki e filho natural de meu ex-amo o Senhor Viersílov. Acalmai-vos, senhores: não digo isto para que vos lanceis ao meu pescoço e choreis de enternecimento como bezerros.

Estalou de repente uma rajada de gargalhadas sonoras e sem cerimônia, tanto que a criança que dormia do outro lado acordou e rompeu a chorar. Eu tremia de furor. Todos apertavam a mão de Diergatchov e se retiravam sem dar a menor atenção a mim.

— Vamo-nos! — Era Kraft que me empurrava com o cotovelo. Fui ter com Diergatchov, apertei-lhe a mão com todas as minhas forças e sacudi-a várias vezes, igualmente com todas as minhas forças.

— Desculpe-me, se Kudriúmov (o personagem ruivo) chegou a ofendê-lo — disse ele.

Segui Kraft. Não me envergonhava de nada.

VI

Evidentemente, entre meu eu atual e meu eu de então há uma distância infinita.

Persistindo em "não envergonhar-me de nada", alcancei Vássin na escada, abandonando Kraft, personagem de segunda ordem, e com o ar mais natural, como se nada se tivesse passado, perguntei-lhe:

— Creio que o senhor conhece meu pai, quero dizer, Viersílov.

— Não o conheço, precisamente — respondeu ele logo (sem menor matiz dessa polidez refinada, mas ofensiva, de que usam as pessoas delicadas para com aqueles que acabam de cobrir-se de vergonha) —, mas conheço-o um pouco. Já o encontrei e ouvi-o falar.

— Se o ouviu, então o conhece, porque o senhor é quem é! Pois bem, que pensa dele? Perdoe-me esta pergunta à queima-roupa, mas tenho necessidade de sua resposta. Tenho necessidade de saber que pensa o senhor, qual é sua opinião.

— É pedir muito. Parece-me que esse homem é capaz de formular a si mesmo enormes exigências e talvez pô-las em prática, mas sem dar contas a ninguém.

— É exato, é totalmente exato, ele é muito orgulhoso! Mas é bem autêntico. Escute um pouco. Que pensa de seu catolicismo? Mas esqueci-me de que o senhor talvez não saiba...

Se não tivesse estado tão perturbado, não teria evidentemente feito à queima-roupa perguntas semelhantes a um homem ao qual jamais havia falado e que só conhecia de reputação. Admirava-me ver que Vássin não parecia notar minha loucura.

— Ouvi falar de algo nesse gênero, mas ignoro até que ponto pode ser verdade — respondeu ele num tom sempre equilibrado e calmo.

— Não há nada de verdade nisso! É tudo mentira! Imagina o senhor que ele possa acreditar em Deus?

— É um homem muito orgulhoso, como o senhor mesmo disse, e muitos homens muito orgulhosos gostam de crer em Deus, sobretudo aqueles que desprezam um tanto os homens. Muitos homens fortes experimentam uma espécie de necessidade natural de encontrar alguém ou alguma coisa para adorar. O homem forte tem por vezes muita dificuldade em suportar sua força.

— Escute pois, eis uma coisa que deve ser terrivelmente verdadeira! — exclamei. — Somente, gostaria de compreender...

— Oh! a causa é clara: escolhem Deus, para não adorar os homens, naturalmente sem se darem conta eles mesmos do que neles se passa. Adorar a Deus nada tem de vexatório. Eis como se recrutam os crentes mais apaixonados, ou mais exatamente aqueles que desejam apaixonadamente crer; mas tomam por fé seu desejo. E são esses também que, no final, perdem na maior parte das vezes suas ilusões. Quanto ao Senhor Viersílov, creio que tem ele traços de caráter extremamente sinceros. De maneira geral, interessa-me.

— Vássin — exclamei —, o senhor causa-me prazer! Não é sua inteligência que me causa admiração: é que o senhor, um homem tão puro e tão incomensuravelmente superior a mim, possa marchar a meu lado e falar tão simplesmente e tão polidamente como se nada se tivesse passado!

Vássin sorriu:

— O senhor me lisonjeia. O que se passou lá é unicamente o fato do senhor gostar demasiado das conversas abstratas. Sem dúvida até aqui o senhor conservou-se muito tempo em silêncio.

— Calei-me por três anos, levei três anos preparando-me para falar... É claro, não lhe pareci idiota porque o senhor mesmo é extremamente inteligente, se bem que me tenha sido impossível portar-me de maneira mais idiota. Devo ter-lhe parecido um sujeito vil.

— Um sujeito vil?

— Sim, sem dúvida alguma! Diga-me pelo menos que não me despreza, secretamente, por ter eu dito que era filho natural de Viersílov... por ter-me gabado de ser o filho de um servo.

— O senhor atormenta-se demais. Se acha que falou como não devia, basta que não fale assim da próxima vez; tem ainda cinquenta anos à sua frente.

— Oh! sei que preciso manter-me em silêncio para com as pessoas. A mais ignóbil de todas as perversões é pendurar-se ao pescoço alheio. Acabo de dizer-lhes isto. E eis que me penduro ao do senhor! Mas há uma diferença, não é verdade? Se o senhor compreendeu essa diferença, se foi capaz de compreendê-la, abençoo este minuto!

Vássin sorriu de novo:

— Venha ver-me, se quiser. Agora tenho de trabalhar e estou ocupado, mas me dará prazer.

— Acabo de concluir, pela sua fisionomia, que o senhor é muito inflexível e pouco comunicativo.

— É, talvez bem verdade. Conheci sua irmã, Elisavieta Makárovna, o ano passado em Luga... Kraft parou e o espera, creio. Precisará arrepiar caminho.

Apertei com força a mão de Vássin e alcancei Kraft, que se havia adiantado, enquanto eu conversava com Vássin. Seguimos em silêncio até seu alojamento; não queria ainda e não podia falar-lhe. Um dos traços mais salientes do caráter de Kraft era a delicadeza.

CAPÍTULO IV

I

Kraft ocupara outrora um lugar oficial e além disso ajudava o falecido Andrónikov (mediante remuneração) a tratar de certos negócios privados de que este último se ocupava constantemente fora de seu serviço. O que me importava a mim era que Kraft, em virtude de sua intimidade com Andrónikov, podia conhecer certas coisas de natureza a interessar-me. Mas eu sabia, por Maria Ivânovna, mulher de Nikolai Siemiônovitch, em casa de quem eu vivera tantos anos enquanto estava no ginásio — e que era a própria sobrinha, a pupila e a favorita de Andrónikov — que Kraft havia mesmo recebido a "missão" de me entregar alguma coisa. Havia bem um mês que o esperava.

Ele morava num pequeno apartamento de duas peças, completamente isolado, e no momento, uma vez que vinha de regressar, estava mesmo sem criado. Sua valise estava aberta, mas os objetos não arrumados achavam-se ainda espalhados pelas cadeiras. Uma mesa, diante do divã, suportava um saco de viagem, um cofrezinho, um revólver, etc. ... Quando entramos, estava Kraft mergulhado em seus pensamentos, como se me tivesse totalmente esquecido; talvez ele não tivesse mesmo notado que eu não lhe dirigira uma palavra sequer durante o trajeto. Pôs-se logo a procurar alguma coisa, mas, avistando, de repente, um espelho, parou e mirou-se fixamente um bom minuto. Notei essa singularidade (lembrei-me grandemente de tudo isso, mais tarde), mas eu estava triste e bastante perturbado. Não tinha força de concentrar-me. Um instante, tive uma vontade súbita de ir-me embora e de deixar tudo ali, para sempre. De que se tratava, no fundo? Não seria uma preocupação fictícia que eu me impunha? Desesperava-me por esbanjar minha energia em indignas futilidades, por pura sensibilidade, quando tinha diante de mim um objetivo enérgico. Ora, minha inaptidão para qualquer ação séria era evidente, diante do que se passara em casa de Diergatchov.

— Kraft, o senhor irá ainda à casa deles? — perguntei, de repente. Ele voltou-se lentamente para o meu lado, como se me compreendesse mal. Sentei-me.

— Perdoe-lhes! — disse, de súbito, Kraft.

Pareceu-me naturalmente que ele estava zombando; mas, fixando-o, vi em seu rosto uma bonomia tão singular e até mesmo tão espantosa que eu mesmo me espantei da seriedade com que me pedia que lhes perdoasse. Pegou uma cadeira e sentou-se perto de mim.

— Sei bem que sou talvez um amontoado de todos os amores próprios e nada mais — comecei —, mas não peço perdão nenhum.

— E a quem o pediria? — disse ele, doce e sério. Falava sempre doce e muito devagar.

— Admitamos que eu seja culpado perante mim mesmo ... Gosto de ser culpado perante mim mesmo... Kraft, perdoe-me se digo tolices, neste momento. Diga-me: o senhor faz parte também daquele círculo? Eis o que queria perguntar-lhe.

— Eles não são mais tolos, nem mais sensatos que os outros; estão malucos, como todo mundo.

— Será que todo mundo está maluco? — Voltei-me para ele, com uma curiosidade involuntária.

— Entre as pessoas de bem, todo mundo hoje está maluco. Somente os medíocres e os incapazes se divertem... Mas de que serve tudo isso?

Enquanto falava, olhando para o ar, começava frases e interrompia-as. Fui sobretudo surpreendido por certo tédio em sua voz.

— E Vássin também está com eles? Vássin tem por si a inteligência, a ideia moral! — exclamei.

— Não há hoje ideias morais. Desapareceram, subitamente, todas até a derradeira. É possível crer que jamais existiram.

— Outrora não as havia?

— Deixemos este assunto! — disse ele, com evidente lassitude. Impressionou-me sua amarga seriedade. Corando pelo meu egoísmo, procurei adaptar-me a seu estado.

— A época presente — continuou ele, após dois minutos de silêncio e olhando sempre para o ar — é a época do equilíbrio e da insensibilidade: paixão pela ignorância, preguiça, incapacidade de agir, necessidade do já pronto. Ninguém reflete mais; bem poucos poderiam forjar uma ideia.

Interrompeu-se ainda e calou-se um instante. Eu escutava.

— Desflorestam agora a Rússia, esgota-se seu solo, transformam-no em estepe e preparam-no parece, para os calmucos. Se aparecer um homem com esperança e plantar uma árvore, todo mundo disparará a rir: "Esperas viver para vê-la crescida?". Doutra parte, os que desejam o bem discutem a respeito do que se passará dentro de mil anos. A ideia estabilizadora desapareceu. Estamos todos como na hospedaria, prestes a deixar amanhã a Rússia. Cada qual vive como para se livrar...

— Permita, Kraft! O senhor disse: "ocupam-se com o que se passará daqui a mil anos". Mas, o seu desespero... quanto à sorte da Rússia... não será uma preocupação da mesma ordem?

— É... é a questão mais essencial que possa existir! — declarou ele, com irritação, levantando-se rapidamente.

— Ah! sim! Ia esquecer-me! — disse, de repente, num outro tom de voz, olhando-me com embaraço. — Trouxe-o até aqui por causa de um negócio, e... Perdoe-me, pelo amor de Deus!

Ele parecia sair de um sonho. Estava quase confuso. Tirou uma carta de dentro de uma pasta colocada em cima da mesa e a passou para mim.

— Eis o que tinha a entregar-lhe. É um documento de alguma importância — começou ele, com precaução e com ar de homem de negócios. Admirei-me, muito tempo depois, refletindo nisso, daquela faculdade que possuía (em horas tão graves para ele!) de tratar com tanta cordialidade os negócios alheios, contá-los com tanta calma e firmeza.

— É uma carta desse mesmo Stolbiéiev cujo testamento deu lugar, após sua morte, ao processo de Viersílov contra os Príncipes Sokólhski. Esse processo está sendo julgado atualmente e terminará sem dúvida em favor de Viersílov: a lei está favorável a ele. Ora, nesta carta particular, escrita há dois anos, o testador enuncia ele próprio sua vontade autêntica, ou antes, seu desejo, e enuncia-o antes em favor dos príncipes do que de Viersílov. Pelo menos, os pontos sobre os quais se apoiam os Príncipes Sokólhski para contestar o testamento encontram nesta carta uma poderosa confirmação. Os adversários de Viersílov dariam muito por este documento, que, aliás, não tem valor jurídico absoluto. Alieksiéi Nikándrovitch (Andrónikov), que se ocupou com o caso Viersílov, conservava esta carta em sua casa. Pouco antes de sua morte, confiou-ma com a missão de "guardá-la preciosamente"; talvez temesse pelos seus papéis, vendo aproximar-se a morte. Não me cabe julgar as intenções de Alieksiéi Nikándrovitch no caso e confesso que, morto ele, encontrei-me numa indecisão penosa: que fazer deste documento? Sobretudo diante dum julgamento próximo? Mas Ivânovna, em quem Alieksiéi Nikándrovitch parecia ter muita confiança enquanto vivo, tirou-me de embaraço: escreveu-me categoricamente, há três semanas, dizendo-me que lhe entregasse o documento, o que, "acredita ela" (é sua expressão), atende à intenção de Andrónikov. Ei-lo, pois, e sinto-me muito feliz em poder afinal entregá-lo.

— Escute-me — disse eu, intrigado diante de uma notícia tão inesperada. — Que vou fazer agora com esta carta? Que conduta seguir?

— Isto depende inteiramente do senhor.

— É impossível. Não sou livre de todo, convenha o senhor mesmo. Viersílov aguardava tão interessadamente essa herança... o senhor sabe que, sem ela, ele está perdido. E, assim de repente, existe semelhante documento!

— Só existe aqui, neste quarto.

— É bem assim? — disse, olhando-o atentamente.

— Se o senhor não acha por si mesmo o caminho a seguir, que conselho eu posso dar-lhe?

— Não quero, contudo, remetê-lo ao Príncipe Sokólhski: mataria todas as esperanças de Viersílov e além disso que parecerei a seus olhos? Um traidor... Por outra parte, entregando-o a Viersílov, mergulho inocente na miséria, e Viersílov não se encontra menos em uma situação sem saída: renunciar à herança, ou então tornar-se um ladrão.

— O senhor exagera a importância da coisa.

— Diga-me ainda: este documento tem caráter decisivo, definitivo?

— Não. Não sou jurista. O advogado da parte adversa encontraria naturalmente meio de utilizar o documento e de extrair dele todo proveito. Mas Alieksiéi Nikándrovitch achava verdadeiramente que essa carta, se fosse exibida, não teria grande valor jurídico, e que Viersílov poderia ainda assim ganhar sua causa. É antes, por assim dizer, um caso de consciência ...

— Mas eis bem o que importa sobretudo — interrompi. — É justamente porque Viersílov se encontrará numa situação sem saída.

— Ele pode, no entanto, destruir o documento, e então ficará premunido, pelo contrário, contra todo perigo.

— O senhor tem razões especiais para julgá-lo assim, Kraft? Eis o que eu queria saber. Por isto é que estou em sua casa!

— Creio que todo homem no lugar dele agiria assim.

— E o senhor também agiria assim?

— Eu não tenho herança a receber e por isto não sei o que faria.

— Bom! — disse eu, metendo a carta em meu bolso. — É coisa decidida. Escute, Kraft! Maria Ivânovna que, asseguro-lhe, me revelou muitas coisas, disse-me que o senhor, e só o senhor, poderia dizer-me a verdade sobre o que se passou em Ems, há dezoito meses, entre Viersílov e os Akhmákovi. Eu o esperava como a um sol que me esclareceria. O senhor não conhece minha situação, Kraft. Suplico-lhe que me diga toda a verdade. Quero saber que homem ele é, e agora, agora é mais necessário do que nunca!

— Causa-me admiração não ter Maria Ivânovna, em pessoa, contado tudo. Pode ter sido informada de tudo pelo falecido Andrónikov e certamente ela soube e sabe muito mais do que eu.

— O próprio Andrónikov embaraçou-se nesse negócio: eis o que diz Maria Ivânovna. É um negócio que, creio, ninguém conseguira destrinçar. O próprio diabo quebraria nele o pescoço. Sei que o senhor se achava então em Ems...

— Não assisti a tudo, mas o que sei, faço questão de contá-lo ao senhor. Só não sei se o senhor ficará satisfeito.

II

Não transcreverei literalmente seu relato, mas me limitarei a reproduzir brevemente o essencial.

Dezoito meses antes, Viersílov, que se tornara, por intermédio do velho Príncipe Sokólhski, amigo da família Akhmákov (então no estrangeiro, em Ems), causara forte impressão a princípio em Akhmákov em pessoa, o general, não muito idoso ainda, mas que perdera no jogo o rico dote de sua esposa, Katierina Nikoláievna, em três anos de casamento, tendo sofrido já um ataque em consequência de seus excessos. Recuperara-se e partira para o estrangeiro. Morava em Ems por causa de sua filha, filha dum primeiro casamento. Era esta uma mocinha doentia, de dezessete anos mais ou menos, fraca dos pulmões, extremamente bela, dizem, e também extremamente caprichosa. Não tinha dote; contava-se, por hábito, com o velho príncipe. Katierina Nikoláievna era, dizem, uma boa madrasta. Mas a moça, não se sabe por quê, tomou-se de grande apego por Viersílov. Pregava ele então "algo de apaixonante", para empregar a expressão de Kraft, algo de uma vida nova, "presa que estava ele de uma exaltação religiosa em alto grau", segundo a expressão estranha, e talvez zombeteira, de Andrónikov, que me foi transmitida. Fato digno de nota: tornou-se em breve detestado por todos. O próprio general o temia; Kraft não desmente absolutamente o boato segundo o qual teria Viersílov conseguido implantar no cérebro de seu marido doente a ideia de que Katierina Nikoláievna não era indiferente ao jovem Príncipe Sokólhski (que havia então partido de Ems para Paris). Não o fez diretamente, mas, "segundo seu costume", por alusões, insinuações e com todas as espécies de rodeios, "em que é mestre", declarou Kraft. Em geral, devo dizer que Kraft o julgava e queria julgá-lo, mais como um intrujão e intrigante nato do que como um homem realmente penetrado por uma ideia superior ou mesmo apenas original. Sabia eu, aliás, sem ser por Kraft, que Viersílov, que exercera a princípio grande influência sobre Katierina Nikoláievna, viera pouco a pouco a romper com ela. Em que consistia todo esse jogo, jamais pude conseguir que Kraft explicasse, mas o ódio mútuo sobrevindo aos dois, após sua amizade, me foi confirmado de todas as partes. Produziu-se em seguida um fato singular: a enteada, doente, de Katierina Nikoláievna apaixonou-se sem dúvida por Viersílov, ou então ficou impressionada por algum aspecto de sua personalidade, ou se deixou arrebatar pelos seus discursos; em suma, nada sei de certo a respeito. Mas é coisa conhecida que, durante algum tempo, Viersílov quase não passava dia sem visitar a moça. Finalmente, declarou ela, de súbito, a seu pai que queria casar-se com Viersílov. O fato é real, está confirmado por todos, Kraft, Andrónikov, Maria Ivânovna e até mesmo Tatiana Pávlovna a ele fez alusão um dia, em minha presença. Assegurava-se também que Viersílov não somente desejava esse casamento, mas até mesmo insistia, e que o acordo entre essas duas criaturas heterogêneas, um velho e uma criança, fosse mútuo. Mas essa ideia amedrontava o pai; à medida que ele se desgostava de Katierina Nikoláievna, a quem, outrora, muito amava, pusera-se a adorar sua filha, sobretudo depois do ataque que sofreu. Mas o adversário mais encarniçado de semelhante casamento foi Katierina Nikoláievna. Houve uma quantidade enorme de conflitos domésticos, secretos e extremamente desagradáveis, de disputas, pesares, em uma palavra, sujeiras de toda espécie. O pai por fim começou a ceder, vendo a teimosia da filha, enamorada de Viersílov e "fanatizada" por ele, a expressão é de Kraft. Mas Katierina Nikoláievna continuava a revoltar-se, com um ódio implacável. É aqui que começa a trapalhada da qual ninguém compreende nada. Eis entretanto a hipótese construída por Kraft, de acordo com certos dados, mas não passa de uma hipótese.

Viersílov teria conseguido sugerir, à sua maneira, delicada e irresistível, à moça que, se Katierina Nikoláievna recusava seu consentimento, é que estava apaixonada por ele e já desde muito tempo atormentada pelo ciúme: perseguia-o, intrigava, já lhe havia feito uma declaração, e estava pronta agora a queimá-lo vivo porque ele amava uma outra. Em suma, algo neste estilo. O pior era ele ter a esse respeito "lançado indiretas" ao pai, ao marido da mulher "infiel", explicando que o príncipe não passava de uma distração. Segundo outras variantes, Katierina Nikoláievna gostava loucamente de sua enteada e agora, caluniada diante dela, estava desesperada, sem falar de suas relações com seu marido doente. Enfim, existe ainda outra variante na qual, com grande pesar meu, acreditava plenamente Kraft, e na qual eu mesmo acreditava (porque já tivera conhecimento disso). Assegurava-se (Andrónikov, dizem, soubera-o de Katierina Nikoláievna em pessoa) que Viersílov, pelo contrário, já antes, isto é, antes que a moça houvesse concebido aqueles sentimentos, oferecera seu amor a Katierina Nikoláievna; que esta, que era sua amiga e fora mesmo exaltada por ele algum tempo, mas não acreditava nunca nele e o contradizia sempre, acolhera aquela declaração com um ódio extraordinário e havia-o cumulado de zombarias venenosas. Havia-o posto formalmente para fora de sua casa, porque ele lhe propunha simplesmente que ela se tornasse sua mulher, na previsão de um segundo ataque iminente, que seu marido sofreria. De modo que Katierina Nikoláievna deve ter sentido uma aversão especial por Viersílov, quando o viu em seguida procurar tão ostensivamente a mão de sua enteada. Ao contar tudo isso em Moscou, Maria Ivânovna acreditava tanto numa quanto na outra variante, isto é, tudo ao mesmo tempo. Assegurava que tudo isso podia conciliar-se, que era *la haine dans l'amour,*[12] uma espécie de orgulho amoroso ferido, de uma e de outra parte, etc. etc., em uma palavra, uma espécie de complicação romântica, indigna de um homem sério e de juízo, e misturada além disso com infâmia. Mas Maria Ivânovna vivia saturada de romances desde sua infância, lia-os de dia e de noite, malgrado um excelente caráter. O que ressaltava de tudo era a evidente ignomínia de Viersílov, a mentira e a intriga, algo de negro e de repugnante, tanto mais quanto o fim foi trágico: a pobre moça, louca de amor, envenenou-se, dizem, com cabeças de fósforos. Não sei, aliás, ainda hoje, se este último boato é verdadeiro; em todo o caso, procurou-se abafá-lo de todo jeito. A moça esteve doente apenas quinze dias e morreu. De modo que havia dúvidas a respeito das cabeças de fósforos, mas Kraft acreditava nisso firmemente. Em seguida, muito depressa, morreu o pai da moça, de pesar, dizem, que suscitou um segundo ataque. Contudo, não antes de três meses.

Mas depois do enterro da moça, o jovem Príncipe Sokólhski, que voltara de Paris a Ems, esbofeteou publicamente Viersílov em pleno jardim, e o outro não respondeu a isso com um desafio a duelo; pelo contrário, logo no dia seguinte, mostrou-se no passeio público, como se nada tivesse acontecido. Foi então que todo mundo lhe voltou as costas, em Petersburgo também; Viersílov conservava, é certo, algumas relações, mas em outro meio bem diferente. Seus amigos da alta sociedade tornaram-se todos seus acusadores, se bem que muito poucos conhecessem todos os detalhes; só se sabia da morte romanesca da moça e da bofetada que ele recebera. Somente dois ou três indivíduos possuíam informações tão completas quanto possível. Quem mais sabia de tudo era o falecido Andrónikov, que já desde muito tempo se achava em relações de negócios com os Akhmákovi e, em particular, com Katierina Nikoláievna por causa de certa ocasião. Mas guardava segredo, mesmo na sua família; só se abrira um pouco com Kraft e com Maria Ivânovna, e ainda assim por necessidade.

---

12 O ódio no amor.

— O essencial — concluiu Kraft — é que há agora aqui um documento que a Senhora Akhmákova receia terrivelmente.

E eis o que me comunicou a esse propósito.

Katierina Nikoláievna tivera a imprudência, no momento em que o velho príncipe, seu pai, partia para o estrangeiro por causa do ataque sofrido, de escrever a Andrónikov, com grande segredo (Katierina Nikoláievna tinha nele inteira confiança), uma carta extremamente comprometedora. Naquele momento, o príncipe em convalescença manifestara, dizem, certo pendor em esbanjar seu dinheiro, em lançá-lo quase pelas janelas. Pusera-se a comprar no estrangeiro objetos perfeitamente inúteis, mas caros, quadros, vasos; a fazer presentes e donativos, de grossas somas, até mesmo a diversos estabelecimentos do país. Estivera a ponto de comprar de um nobre russo arruinado, a preço bastante alto e sem visitá-la, uma propriedade devastada e sobrecarregada de processos; por fim pensava realmente em casar-se. Pois bem, por todas estas razões, Katierina Nikoláievna, que não se afastara um passo de seu pai durante sua doença, fez a Andrónikov, na qualidade de jurista e de "velho amigo", esta pergunta: "Será possível, pela lei, pôr o príncipe sob tutela ou dar-lhe um conselho judiciário? Se afirmativamente, qual o melhor meio de consegui-lo sem escândalo, para que ninguém nada tivesse que dizer, para poupar também os sentimentos do pai? etc. etc.". Andrónikov, dizem, chamou-a à ordem e desaconselhou-lhe essa empresa; mais tarde, quando o príncipe ficou completamente curado, não houve mais motivo para voltar ao assunto; mas a carta ficou em casa de Andrónikov. Agora morre Andrónikov; Katierina Nikoláievna pensa logo em sua carta: se algum dia a descobrissem entre os papéis do defunto e viesse ela a cair nas mãos do velho príncipe, decerto ele a expulsaria de casa para sempre, iria deserdá-la e não lhe daria mais um copeque enquanto vivesse. A ideia de que sua própria filha não acreditava que ele estivesse de juízo perfeito e até mesmo quisesse declará-lo louco faria daquele cordeiro um animal feroz. Ora, após sua viuvez, ficara ela, graças ao jogador do seu marido, sem a menor fortuna e contava apenas com seu pai; tinha a firme esperança de obter novo dote, tão rico quanto o primeiro.

Da sorte daquela carta sabia Kraft muito pouco. Tinha, no entanto, notado que Andrónikov "não rasgava nunca os papéis que pudessem servir" e além de ter o espírito largo, a consciência era também "larga". (Admirei-me então dessa extraordinária independência de Kraft, que estimava e respeitava muito Andrónikov.) Mas Kraft tinha, no entanto, a convicção de que o documento comprometedor deveria ter caído nas mãos de Viersílov, dada a sua intimidade com a viúva e as filhas de Andrónikov: sabia-se já que elas haviam imediatamente, e de maneira bastante amável, posto à disposição dele todos os papéis do defunto. Kraft sabia ainda que Katierina Nikoláievna não ignorava que a carta estava em casa de Viersílov e que era bem o que ela temia, pensando que este iria logo mostrá-la ao velho príncipe; que, ao regressar do estrangeiro, ela havia procurado a carta em Petersburgo, fora à casa dos Andrónikovi e continuava ainda a procurá-la, porque conservava apesar de tudo uma esperança de que ela não estivesse talvez em poder de Viersílov; enfim, fizera a viagem de Moscou unicamente com essa intenção e havia suplicado lá a Maria Ivânovna que fizesse pesquisas nos papéis que haviam ficado em sua casa. Quanto à existência de Maria Ivânovna e suas relações com o falecido Andrónikov, viera a conhecê-las bem recentemente, uma vez de volta a Petersburgo.

— E o senhor acredita que ela nada encontrou em casa de Maria Ivânovna? — perguntei, tendo uma ideia minha.

— Se Maria Ivânovna nada lhe revelou, nem mesmo ao senhor, é talvez porque nada tem.

— Então, o senhor pensa que o documento esteja em casa de Viersílov.

— É o mais verossímil. Aliás, não sei de nada, tudo é possível — declarou ele, com evidente cansaço.

Deixei de fazer-lhe perguntas. Aliás, para quê? Todo o essencial estava claro, apesar daquela abominável complicação. Tudo quanto eu temia confirmava-se.

— Tudo isso me causa o efeito de um sonho ou de um delírio! — disse eu, com um pesar profundo, pegando meu chapéu.

— Esse homem lhe é muito querido? — perguntou Kraft, com grande e manifesta simpatia, que li naquele instante no seu rosto.

— É bem o que eu pressentia — disse eu —, que não saberia de tudo em sua casa. Resta uma esperança, com Akhmákova. Contava bem com ela. Irei talvez vê-la. Talvez também não.

Kraft olhou-me, um tanto perplexo.

— Adeus, Kraft! De que serve agarrar-se a gente às pessoas que não querem saber de nós? Não é melhor romper?

— E depois? — perguntou ele, com ar sombrio e olhando para o chão.

— Voltar para sua casa, para sua casa! Romper com tudo e voltar para sua casa!

— Na América?

— Na América! Para sua casa, para sua casa e sozinho! Eis em que consiste toda a minha "ideia", Kraft! — disse eu, excitado.

Olhou-me cheio de curiosidade.

— E tem o senhor um lugar assim: "sua casa"?

— Sim. Até a vista, Kraft! Agradeço-lhe e lamento tê-lo importunado. No seu lugar, com semelhante Rússia na frente, mandaria eu todo mundo para o diabo: ide-vos embora, intrigai, devorai-vos uns aos outros; que me importa isso?

— Fique ainda um momento — disse ele, de repente, depois de ter-me acompanhado já até a porta.

Ligeiramente espantado, voltei e sentei-me de novo. Kraft sentou-se em frente. Trocamos alguns sorrisos. Revejo tudo isso, como se estivesse de novo ali. Lembro-me de que estava um tanto surpreso.

— O que me agrada no senhor, Kraft, é sua polidez — disse eu, de súbito.

— Não diga!

— É que eu raramente consigo ser polido, se bem que me esforce por isso... Aliás, talvez valha melhor magoar as pessoas: pelo menos, fica-se desembaraçado da desgraça de amá-las.

— Qual a hora do dia que prefere? — perguntou ele, não me escutando mais, evidentemente.

— Que hora? Não sei. Não gosto do pôr do sol.

— Deveras? — exclamou ele, com uma curiosidade singular. E logo recaiu no seu devaneio.

— Torna a partir para alguma parte?

O ADOLESCENTE

— Sim... parto...

— Em breve?

— Em breve.

— Será que, para ir até Vilna, tem-se necessidade de um revólver? — perguntei sem o menor subentendido, mesmo sem nenhum pensamento definido. A pergunta me viera porque avistara um revólver e não sabia o que dizer.

Ele voltou-se e olhou fixamente o revólver.

— Não, é à toa, por costume.

— Se eu tivesse um revólver, ia metê-lo em alguma parte, debaixo de chave. O senhor sabe por quê? É terrivelmente tentador. Não creio nas epidemias de suicídios; mas quando se tem sempre esse objeto sob os olhos, há instantes em que se fica tentado.

— Não diga isso! — disse ele, levantando-se bruscamente.

— Não falo por mim — acrescentei, também me levantando. — Não usarei dele. Dê-me três vidas, se quiser. Ainda não acharei bastante.

— Viva muito tempo!

Estas palavras pareceram escapar-lhe.

Sorriu com ar distraído e estranhamente dirigiu-se diretamente para a antecâmara, como para levar-me para fora, sem notar bem de certo o que fazia.

— Desejo-lhe todas as felicidades, Kraft! — disse eu, pondo o pé no patamar.

— Assim seja — respondeu ele firmemente.

— Adeus!

— E isto também assim seja.

Lembro-me do derradeiro olhar que ele me lançou.

III

De modo que, eis o homem pelo qual meu coração bateu tantos anos! E que esperava eu de Kraft, que revelações?

Ao sair da casa de Kraft, estava com uma fome tremenda. Caía a noite e eu não havia almoçado. Em breve fui parar na Grande Perspectiva, no lado Petersburguês, e entrei num modesto restaurante com a intenção de gastar vinte copeques e, em todo caso, não mais de vinte e cinco — por coisa alguma do mundo iria me permitir mais naquele momento. Pedi uma sopa e, lembro-me, depois de havê-la engolido, olhei pela janela. No interior, havia multidão; um cheiro de gordura queimada, de guardanapos de hospedaria e de fumo. Era infecto. Acima de minha cabeça, um rouxinol sem voz, sombrio e pensativo, batia no fundo da gaiola com o bico. Na sala de bilhar, fazia-se muito barulho, mas fiquei sentado em minha cadeira a refletir. O pôr do sol (por que Kraft admirou-se ao saber que eu não gostava de pôr do sol?) proporcionou-me sensações novas e inesperadas, totalmente fora de lugar. Entrevia sempre o doce olhar de minha mãe, seus belos olhos, que havia um mês pousavam-se tão timidamente em mim. Naqueles últimos dias mostrava-me muito grosseiro em casa, sobretudo com ela; era a Viersílov que detestava, mas não ousando dizer-lhe grosserias, segundo meu ignóbil costume, era a ela que eu atormentava. Tinha mesmo medo de mim. Muitas vezes olhava-me com um olhar suplicante, quando entrava Andriéi Pietróvitch, temendo alguma explosão de minha parte... Coisa estranha, era agora, naquele restaurante, que me dava conta pela primeira vez de que Viersílov me tratava por "tu" e ela por "vós". Admirara-me disso antes e não em favor dela, mas agora percebia isso duma maneira particular, e ideias esquisitas, umas após outras, atravessaram minha mente. Fiquei muito tempo imóvel, até que escureceu de todo. Pensava também em minha irmã...

Instante fatal! Seria preciso uma decisão qualquer que fosse? Estou então incapaz de tomar uma decisão? Que dificuldade há em romper, sobretudo se os outros não gostam de mim? Minha mãe e minha irmã? A elas, porém, de maneira alguma abandonarei, aconteça o que acontecer.

É verdade que o aparecimento daquele homem na minha existência, no espaço dum relâmpago, na minha primeira infância foi o choque fatal que deu impulso à minha consciência. Se não o tivesse encontrado então, meu espírito, minha maneira de pensar, meu destino teriam certamente sido outros, a despeito do caráter que me estava reservado pela sorte e que eu não teria, portanto, evitado.

Ora, acontece que aquele homem não é senão um sonho, um sonho de meus anos de infância. Fui eu que o imaginei dessa maneira; na realidade, ele é bem diferente, bem abaixo de minha fantasia. Foi um homem honrado que vim procurar e não este. Mas por que me deixei fascinar por ele, de uma vez para sempre, naquele curto instante em que o vi outrora, ainda menino? Este "para sempre" deve desaparecer. Um dia, se se apresentar a ocasião, contarei esse primeiro encontro; é uma mera anedota da qual nenhuma consequência há a tirar. Mas em minha vida toda uma pirâmide se formou disso. Comecei essa pirâmide sob minha coberta de menino, no momento em que, antes de adormecer, podia chorar e pensar, em quê?, ignoro-o eu mesmo. No abandono em que me deixaram? Nos tormentos que me causavam? Mas não me havia atormentado, com dois anos apenas, no pensionato Touchard, onde ele me pusera, antes de ir-se embora para sempre. Depois, ninguém mais me atormentou; pelo contrário, era eu que olhava de alto os meus colegas. Aliás, não posso tolerar esses órfãos que lamentam sua própria sorte. Nenhum espetáculo mais repugnante que esses órfãos, Esses bastardos, todo esse rebotalho da sociedade e em geral toda essa canalha pela qual não sinto a menor compaixão, que de repente se levanta solenemente diante do público se põe a clamar lamurientamente e, ao mesmo tempo, com o fim de dar uma lição: "Eis como nos trataram!". Eu os chicotearia, a esses órfãos. Não há um só, no meio dessa turba vil, que compreenda que é dez vezes mais nobre calar-se, em lugar de gemer de "julgar-se digno" de compaixão. Se tu mesmo te julgas digno, filho do amor, não tens senão aquilo que mereces. Eis o que penso!

Mas o engraçado não são os sonhos que eu tinha outrora, "debaixo de minha coberta", mas antes o fato de que vim aqui por causa dele, sempre por causa desse homem imaginário, esquecendo quase meus alvos essenciais. Vim ajudá-lo a vencer a calúnia, a esmagar seus inimigos. O documento de que falava Kraft, a carta daquela mulher a Andrónikov, que ela teme tanto, que pode destruir sua felicidade e mergulhá-la na miséria e que ela acredita que se acha em mãos de Viersílov, essa carta não estava em casa de Viersílov, mas em meu poder, costurada no meu bolso do lado! Eu mesmo a havia costurado ali e ninguém no mundo sabia disso. Se a romanesca Maria Ivânovna, que tinha consigo o documento "sob sua guarda", achara necessário entregá-lo a mim, e não a um outro, era isso um efeito de suas ideias e de

O ADOLESCENTE

63

sua vontade, e não tenho obrigação de explicá-lo; talvez um dia tenha necessidade de contar isso; mas assim armado, de improviso, não podia deixar de experimentar o desejo de vir a Petersburgo. Naturalmente, contava ajudar aquele homem em segredo, sem me pôr em destaque sem apaixonar-me, sem esperar nem louvores nem beijos de sua parte. E nunca, nunca teria me "achado digno" de dirigir-lhe uma censura! Era culpa sua ter-me deixado fascinar por ele e forjado um ideal fantástico? Talvez mesmo não o amasse! Seu espírito original, seu caráter curioso, suas intrigas e suas aventuras, sua presença ao lado de minha mãe, tudo isso, parecia, não podia mais deter-me; era bastante que minha boneca fantástica estivesse quebrada e fosse eu incapaz de amá-lo doravante. Portanto, que era que me detinha ainda, que era que me retinha? Eis a questão. Afinal de contas, eu é que era tolo e ninguém mais.

Mas, exigindo dos outros a franqueza, serei franco também eu: devo confessá-lo, o documento costurado em meu bolso não despertava em mim somente um desejo apaixonado de correr em socorro de Viersílov. É demasiado claro agora para mim, embora eu corasse então a essa ideia. Entrevia uma mulher, uma orgulhosa criatura da alta sociedade que eu encontraria face a face; ela me desprezaria, riria de mim como dum ratinho, sem mesmo suspeitar de que sou senhor de seu destino. Esta ideia já me embriagava em Moscou, e mais ainda no caminho de ferro, no momento em que vinha para cá; já confessei isto acima. Sim, detestava aquela mulher, mas já a amava como minha vítima e tudo isso era verdadeiro, tudo isso era real. Mas era uma criancice como jamais teria esperado mesmo de uma criatura como eu. Descrevo meus sentimentos de então, isto é, o que me passava pela cabeça no momento em que estava sentado na bodega, por baixo do rouxinol, e em que decidi romper com eles, naquela mesma noite, irrevogavelmente. A ideia de meu recente encontro com aquela mulher fez bruscamente subir a meu rosto o rubor da vergonha. Vergonhoso encontro! Vergonhosa e estúpida impressão e que sobretudo provava, de nenhuma melhor maneira, minha inaptidão para a ação! Provava somente, pensava eu então, que era incapaz de resistir até mesmo às mais tolas seduções, justamente quando acabava de declarar a Kraft que tinha meu lugar ao sol, minha obra própria, e que, se me dessem três vidas, seria ainda demasiado pouco para mim. Dissera isto orgulhosamente. O fato de ter abandonado minha ideia para imiscuir-me nos negócios de Viersílov ainda era perdoável; mas lançar-me para um lado e outro, como uma lebre espantada, e misturar-me com toda espécie de tolices era evidentemente pura estupidez de minha parte. Que necessidade tinha eu de ir à casa de Diergatchov recitar minhas bobagens, quando estava desde muito tempo convencido de que era incapaz de contar o que quer que fosse com ordem e bom senso e de que tinha todo interesse em calar-me? E um Vássin dava-me uma lição sob o pretexto de que tinha eu ainda "cinquenta anos de vida à minha frente e que, por consequência, não precisava inquietar-me". Objeção excelente, concordo, e que faz honra à sua inteligência indiscutível; excelente porque a mais simples, e as coisas simples jamais são compreendidas senão no fim, quando se entrou em contato com todas as complicações e com todas as tolices; mas essa objeção, conhecia-a eu, sem Vássin; essa ideia, tivera-a mais de três anos antes; mais ainda, era em parte "minha ideia". Eis o que dizia a mim mesmo então na bodega.

Sentia-me bastante mal à vontade quando, cansado de andar e de pensar, cheguei à noite, depois das sete horas, ao Siemiônovski Polk. A escuridão era completa;

o tempo havia mudado; estava agora seco, mas um vento áspero começara a soprar, o vento de Petersburgo, açoitante e picante; tinha-o às costas e ele redemoinhava em redor de mim a areia e o pó. Quantas caras carrancudas em meio do povinho que se apressava em recolher-se, vindo do trabalho ou do escritório, a seu cantinho! Cada qual trazia estampado no rosto sua dura preocupação e nem um só pensamento comum unia toda aquela multidão! Kraft tem razão; cada qual anda para seu lado. Encontrei um menino, tão pequenino que causava espanto vê-lo a semelhante hora sozinho na rua; devia ter-se perdido; uma boa mulher parou um instante para interrogá-lo, mas, não compreendendo, fez um sinal de que nada podia fazer e continuou seu caminho, abandonando-o sozinho na escuridão. Aproximei-me, mas ele teve medo de mim e fugiu. Chegando em casa, decidi nunca mais ir à casa de Vássin. Ao subir a escada, fui tomado duma vontade louca de encontrar os nossos sozinhos em casa, sem Viersílov, para ter tempo de dizer, antes de sua chegada, algumas boas palavras à minha mãe ou à minha querida irmã, à qual não havia eu, por assim dizer, dirigido em todo aquele mês, uma só palavra de afeto. Foi o que aconteceu: ele não estava em casa...

IV

A propósito: ao introduzir em minhas "memórias" este "novo personagem" (quero dizer Viersílov), devo traçar-lhe uma breve biografia, aliás nada notável. Faço-o para que o leitor me compreenda melhor, e porque não vejo onde poderia eu encaixar sua biografia na continuação desta narrativa.

Estudara na Universidade, mas entrara depois para um regimento da Guarda de Cavalaria. Casou-se com uma Fanariótova e reformou-se do Exército. Fez várias viagens ao estrangeiro. Nos intervalos, vivia em Moscou em prazeres mundanos. Após a morte de sua mulher, retirou-se para o campo; é então que ocorre o episódio de minha mãe. Em seguida, morou muito tempo em alguma parte no sul. Quando surgiu a guerra com a Europa, voltou ao serviço militar, mas não foi enviado à Crimeia e não participou de nenhuma ação de guerra. Terminada esta, reformou-se de novo, viajou pelo estrangeiro, e até mesmo com minha mãe, que abandonou em Kónigsberg.[13] A infeliz contou-me várias vezes, com uma espécie de terror e abanando a cabeça, como passara seis meses absolutamente só, com sua filhinha, sem saber a língua, como em plena mata, e, no final, sem dinheiro. Tatiana Pávlovna foi então buscá-la e trouxe-a para algum lugar na província Nijegoródskaia.[14] Em seguida, Viersílov fez parte da primeira turma dos juízes chamados "mediadores da paz" e dizem que desempenhou maravilhosamente suas funções. Mas abandonou-as em breve e ocupou-se, em Petersburgo, no trato de diversos negócios cíveis particulares. Andrónikov sempre teve em alta conta sua capacidade. Respeitava-o grandemente, acrescentando apenas que não lhe compreendia o caráter. Depois Viersílov abandonou também essa ocupação e voltou ao estrangeiro, desta vez por muito

---

13   Desde 1946 Kaliningrado, cidade e e porto do mar Báltico, capital de um enclave pertencente à Russia, fez anteriormente parte da Prússia Oriental.

14   Unidade territorial e administrativa, cuja capital, Nijni-Novgorod fica localizada na confluência dos rios Volga e Oka. É grande porto fluvial e importante centro industrial.

tempo, por vários anos. Depois disto, iniciaram-se relações muito íntimas com o velho Príncipe Sokólhski. Durante todo esse tempo, sua situação de fortuna mudou radicalmente duas ou três vezes; ora caía na miséria, ora enriquecia de novo e subia à superfície.

Aliás, hoje, chegando a este ponto de minhas memórias, resolvo-me a falar de "minha ideia". Pela primeira vez, vou descrevê-la, começando pelo seu nascimento. Decido-me, por assim dizer, a revelá-la ao leitor e também para dar mais clareza à continuação de meu relato. Não é somente o leitor, mas eu também, o autor, quem começa a emaranhar-se em dificuldades, tentando explicar minha conduta sem explicar antes o que me conduziu e impeliu a isso. Com esta "figura de preterição", eis-me de novo caído, por inabilidade, nos "artifícios" de romancista, de que zombei mais acima. Ao entrar no meu romance de Petersburgo, com todas as suas aventuras vergonhosas para mim, acho indispensável este prefácio. Não foram os "artifícios" que me fizeram guardar silêncio até aqui, mas a natureza das coisas, isto é, a dificuldade da narrativa. Mesmo hoje, após tudo o que se passou, experimento intransponível dificuldade em contar essa "ideia". Além disso, devo evidentemente expô-la sob a forma que tinha então, tal como estava formada e concebida em mim naquela época, e não tal como está hoje, o que é nova dificuldade. Há certas coisas quase impossíveis de contar. São precisamente as ideias mais simples e mais claras as mais difíceis de compreender. Se, antes de descobrir a América, tivesse Colombo querido contar suas ideias aos outros, estou convencido de que teriam levado muito tempo a compreendê-lo. De fato, não o compreendiam. Falando assim, não pretendo absolutamente igualar-me a Colombo, e se alguém tirar esta conclusão, deve envergonhar-se disso e nada mais.

Capítulo V

I

Minha ideia é ser Rothschild. Convido o leitor à calma e à seriedade.

Repito-o: minha ideia é ser Rothschild, ser tão rico quanto Rothschild; não simplesmente rico, mas precisamente como Rothschild. Com que intenção, por qual razão, que fins persigo, de tudo isso vai se tratar mais tarde. No momento, provarei somente que a obtenção de meu fim está matematicamente garantida.

A coisa é infinitamente simples, todo o segredo consiste em duas palavras: "tenacidade" e "perseverança".

— Conhecemos isto — vão me dizer —, não é novidade. Na Alemanha, cada *Vater* repete-o a seus filhos. E, no entanto, o vosso Rothschild (o falecido James Rothschild, de Paris, de quem falo) foi sempre único, ao passo que há milhões de *Vater*.

Responderei:

— Vós afirmais que já o conheceis, mas o certo é que não conheceis nada absolutamente. Há um ponto, no entanto, a respeito do qual tendes razão: se digo que é uma coisa "infinitamente simples", esqueci de acrescentar que é também a mais difícil. Todas as religiões e todas as morais do mundo conduzem ao mesmo: "É preciso amar a virtude e fugir dos vícios". Que de *mais* simples, ao que parece? Pois bem, praticai então algo de virtuoso, fugi a um só de vossos vícios, tentai um pouco! Tudo está nisso.

Eis por que vossos inúmeros *Vater*, durante uma infinidade de séculos, podem repetir aquelas duas palavras admiráveis nas quais consiste todo o segredo, ao passo que, entretanto, Rothschild permanece único. Portanto: não é absolutamente isso e os *Vater* não repetem absolutamente o pensamento que seria necessário repetir.

Quanto à tenacidade e à perseverança, sem nenhuma dúvida, ouviram falar delas também; mas, para atingir o meu objetivo, não são precisas nem a tenacidade dos *Vater* nem a perseverança dos *Vater*.

Esta única palavra *Vater* — e não falo somente dos alemães —, o fato de ter-se família, de viver-se como todo mundo, de ter as mesmas despesas que os outros, as mesmas obrigações, tudo isto vos impede de tornar-vos Rothschild e vos obriga a permanecerdes um homem moderado. Eu por mim compreendo demasiado bem que uma vez tornado um Rothschild ou mesmo apenas desejando tornar-me, não à maneira dos *Vater*, mas seriamente, no mesmo momento saio da sociedade.

Há alguns anos, li nos jornais que morrera num vapor do Volga um mendigo maltrapilho, pedindo esmola e conhecido de todos na região. Após sua morte, encontraram, costurados nos seus trapos, três mil rublos em cédulas. Há poucos dias, li nova história de mendigo: um antigo nobre que andava de hospedaria em hospedaria, estendendo a mão. Prenderam-no e encontraram em seu poder cerca de cinco mil rublos. Daí duas conclusões: a primeira é que a "tenacidade" na acumulação, mesmo que se trate de meros copeques, conduz a resultados enormes com o tempo (o tempo não significa aqui coisa alguma); a segunda é que a forma mais simples de enriquecimento, contanto que seja "perseverante", está matematicamente com o êxito garantido.

Existem talvez numerosos homens honrados, inteligentes e modestos que não têm (por maiores esforços que façam) nem três mil, nem cinco mil rublos, e que, no entanto, queriam tremendamente tê-los. Por que isso? A resposta é clara: é que nem um só dentre eles, malgrado todo seu desejo, não "quer" a ponto de, se não há outro meio, fazer-se mendigo; nenhum é bastante tenaz para, uma vez tornado mendigo, não gastar os primeiros copeques recebidos na aquisição de um pedaço a mais para si mesmo ou para sua família. Ora, com esse processo de acumulação, quero dizer, a mendicidade, é preciso nutrir-se, para acumular semelhantes somas, de pão e sal sem mais; pelo menos é assim que o compreendo. Foi certamente assim que fizeram os dois mendigos acima mencionados; comiam pão seco e dormiam ao ar livre. muito certo que não tinham intenção de tornar-se Rothschild não passavam de Harpagões ou de Pliútchkini[15] em estado puro nada mais; a acumulação consciente, porém, sob uma forma totalmente diversa, com o fito de tornar-se Rothschild, não exigirá menos desejo e força de vontade do que exigiu daqueles dois mendigos. Nenhum *Vater* terá aquela força. Neste mundo, as forças são bem variadas, as forças de vontade e de desejo em particular. Há a temperatura de ebulição da água e há a temperatura em que o ferro se torna incandescente.

É um verdadeiro mosteiro, são verdadeiras proezas de santos. É um sentimento e não uma ideia. Por quê? Em vista de quê? É moral, não será uma monstruosidade andar esfarrapado e comer pão preto a vida inteira, quando se arrasta consigo tamanha fortuna? Estas perguntas virão mais tarde; no momento trata-se somente da possibilidade de atingir o alvo.

Quando imaginei "minha ideia" (é precisamente na incandescência que ela consiste), quis experimentar a mim mesmo: estava eu apto para o mosteiro e para a santidade? Com este fim, durante todo o primeiro mês, só comi pão e água. Bastavam-me umas duas libras e meia de pão preto por dia. Para chegar a isto, tive de enganar o astuto Nikolai Siemiônovitch e Maria Ivânovna, que me queria bem. Insisti, com grande pesar dela e não sem perplexidade do delicadíssimo Nikolai Siemiônovitch, para que me levassem minha comida ao meu quarto. Ali, eu a destruía pura e simplesmente. Atirava a sopa pela janela sobre as urtigas ou em qualquer outro lugar; a carne, ou atirava-a ao cão pela janela, ou então, enrolada em papel, metia-a no bolso e levava-a para fora, e o resto da mesma forma. Uma vez que me davam muito menos de duas libras e meia de pão, comprava o resto em segredo. Aguentei-me naquele mês, talvez estragasse somente um pouco o estômago; mas logo no mês seguinte, acrescentei ao pão uma sopa e de manhã e à noite um copo de chá. E, asseguro-vos, passei assim um ano de perfeita saúde e satisfação perfeitas e, moralmente, num estado de encantamento e numa perpétua exaltação secreta. Longe de lamentar a comida perdida, estava em pleno entusiasmo. Terminado o ano, convencido de que estava em condições de suportar não importa qual jejum, pus-me de novo a comer como todo mundo, e ia jantar com eles. Não contente com esta prova; fiz uma segunda: para gastar, tinha direito, além da pensão paga a Nikolai Siemiônovitch, a cinco rublos por mês. Resolvi só gastar a metade. Foi uma prova muito difícil, mas ao fim de pouco mais de dois anos, ao chegar a Petersburgo, tinha

---

15 O primeiro, nome da principal personagem de *O avarento*, de Molière, é sinônimo de mesquinho e miserável. O segundo é personagem de uma obra de Gógol.

no bolso, entre outro dinheiro, setenta rublos, produto exclusivo daquelas economias. O resultado dessas duas experiências foi para mim colossal: fiquei sabendo positivamente que podia "querer" o bastante para atingir meu objetivo e é nisto, repito, em que consiste "minha ideia", o resto não é senão futilidade.

II

No entanto, vejamos também essas futilidades!

Descrevi minhas duas experiências em Petersburgo, como já se sabe, fiz uma terceira: fui a um leilão e, duma só vez, ganhei sete rublos e noventa e cinco copeques de lucro. Naturalmente, não era uma verdadeira experiência, mas uma espécie de jogo, de recreação: tivera a fantasia de roubar ao futuro um pequeno minuto e ver como me portaria e como agiria. Duma maneira geral, desde o começo, em Moscou, havia adiado a verdadeira realização até o momento em que estivesse inteiramente livre; compreendia demasiado bem que precisava em primeiro lugar, por exemplo, terminar meus estudos no ginásio (havia sacrificado, como se sabe, a Universidade). Incontestavelmente, partia para Petersburgo com uma cólera secreta: logo depois de sair do ginásio e livre pela primeira vez, vira de repente que os negócios de Viersílov iam de novo distrair-me de meu empreendimento até uma data desconhecida! Embora cheio de cólera, partia absolutamente tranquilo para o meu objetivo.

Sem dúvida ignorava a prática; mas refletira nisso três anos em seguida e não podia ter nenhuma dúvida. Imaginara mil vezes a maneira como me arranjaria: encontro-me de repente, como que caindo das nuvens, numa de nossas duas capitais (escolhera para começo as capitais e, em particular, Petersburgo, à qual dava a preferência em virtude de certo cálculo), e, assim caído das nuvens, mas inteiramente livre, não dependo de ninguém, tenho saúde e cem rublos metidos no meu bolso para primeiro fundo de capital. Impossível começar com menos de cem rublos, porque seria isto fazer recuar por tempo demais mesmo o primeiro período de êxito. Além destes cem rublos, tenho, como se sabe, coragem, tenacidade, perseverança, isolamento perfeito e segredo. O isolamento sobretudo: detestei terrivelmente até o derradeiro instante as relações e ligações com as pessoas; duma maneira geral, estava decidido a realizar "minha ideia" absolutamente só, condição *sine qua non*. As pessoas são-me insuportáveis, ficaria com o espírito perturbado, essa perturbação prejudicaria meu objetivo. Aliás, até hoje, durante toda a minha vida, em todos os meus sonhos a respeito de minhas relações futuras com os homens, sempre me tirei de apuros muito inteligentemente; mas apenas passava à realidade, agia bastante tolamente. Reconheço isto com indignação e sinceridade. Sempre me traí pelas minhas falas, sempre demasiado apressado e foi por isso que resolvi suprimir os homens. Benefício: independência, tranquilidade de espírito, nitidez de alvo.

Apesar dos preços caríssimos de Petersburgo, decidi, de uma vez por todas, que não gastaria mais de quinze copeques para minha nutrição, e me sabia capaz de manter minha palavra. Havia examinado longamente e com detalhes essa questão da alimentação; resolvi, por exemplo, comer por vezes dois dias seguidos pão com sal, gastando assim a terça parte das economias realizadas: achava que seria mais vantajoso para minha saúde do que um jejum igual e perpétuo com um mínimo de quinze copeques. Em seguida, para alojar-me, precisava um canto, literalmente um canto, unicamente onde passar a noite ou abrigar-me nos dias de tempo demasiado mau. Resolvi viver na rua e estava pronto, em caso de necessidade, a dormir nos albergues noturnos onde dão, além do cobertor, um pedaço de pão e um copo de chá. Oh! saberia bem ocultar meu dinheiro, para não ser roubado no meu canto ou no albergue; não o adivinhariam, garanto-vos! "Roubarem a mim? quando eu mesmo tenho medo de querer roubar os outros?" Ouvi certa vez esta frase na rua, na boca dum sujeito astuto. Dela só retenho naturalmente a prudência e a astúcia, não tenho intenção alguma de roubar. Mais ainda, já em Moscou, e talvez desde o primeiro dia de minha "ideia", decidi que não seria nem emprestador sob penhor, nem usurário; há para isso os judeus e aqueles russos que não têm nem inteligência nem caráter. O empréstimo e a usura são efeito da mediocridade.

Quanto às roupas, resolvi ter dois ternos: um mais decente e outro para uso diário. Uma vez comprado, estava certo de que o usaria por muito tempo; passara dois anos e meio a aprender a usar minhas roupas e mesmo descobrira este segredo: para que uma roupa esteja sempre nova e não se gaste, é preciso escová-la tantas vezes quantas possível, cinco a seis vezes por dia. O pano nada tem a temer da escova, digo-o de ciência certa; seus inimigos são a poeira e o sujo. A poeira, se olhada ao microscópio, são pequeninos seixos, ao passo que a escova, por mais dura que seja, nunca está bem longe da lã. Aprendi da mesma maneira a usar as botas; eis o segredo: é preciso pousar o pé com precaução, toda a sola duma vez, apoiando nos lados tão raramente quanto possível. É uma ciência que se pode adquirir em quinze dias, em seguida tudo andará por si mesmo. Com este processo, as botas duram em média um terço mais. É minha experiência de dois anos.

Em seguida vinha a própria ação.

Partia desta consideração: possuo cem rublos. Há em Petersburgo tantos leilões, liquidações, pequenas lojas e indigentes que é impossível, depois de ter comprado um objeto por certo preço, não revendê-lo um pouco mais caro. Sobre um álbum, havia eu ganho sete rublos e noventa e cinco copeques de lucro, por dois rublos e cinco copeques de capital empregado. Esse benefício colossal fora obtido sem risco: via pelos seus olhos que o comprador não deixaria de comprar. Compreendo bem que foi um acaso, mas são os acasos que procuro e foi por isso que resolvi viver na rua. Esses acasos podem ser muito raros, convenho; minha regra essencial nem por isso deixará de ser a de não correr nenhum risco, e minha segunda regra, ganhar cada dia alguma coisa além do mínimo gasto para meu sustento, a fim de que a acumulação não se interrompa um dia sequer.

Vão dizer: são sonhos, o senhor não conhece a rua, vão explorá-lo desde o primeiro passo. Mas possuo vontade e caráter e a ciência da rua é uma ciência como as outras, aprende-se com tenacidade, atenção e capacidade. No ginásio fui sempre dos primeiros, até mesmo em filosofia, e era bastante forte em matemáticas. Será preciso elevar a tal ponto em idolatria a experiência e a ciência da rua, para que me predigam obrigatoriamente o fracasso? As pessoas que falam assim são sempre aquelas que não têm nenhuma experiência, jamais fizeram alguma coisa, começaram alguma vida e emboloraram no já feito. "Aquele quebrou o nariz, logo, outro o quebrará fatalmente." Não, não quebrarei o meu. Tenho caráter e com um pouco de atenção aprenderei não importa o quê. Pode-se imaginar que com uma tenacidade incessante, uma penetração incessante, reflexões e cálculos incessantes, uma atividade e diligência incessantes, não possais chegar a adquirir a ciência de ganhar cada dia vinte copeques a mais? E sobretudo estava eu decidido a nunca procurar o máximo de lucro, mas conservar sempre meu sangue-frio. Mais tarde, quando eu possuísse mil ou dois mil rublos, abandonaria muito naturalmente a comissão e a pequena revenda. Conhecia ainda mal a bolsa, as ações, o banco e o resto. Mas, em contraposição, sabia, como dois e dois são quatro, que todas aquelas bolsas e aqueles bancos, eu os conheceria e os estudaria a seu tempo, tanto quanto não importa quem e que essa ciência me viria bem simplesmente, unicamente porque seria o momento. Seria preciso para isso muita inteligência? Seria preciso ser um Salomão? Bastava ter caráter; o saber, a habilidade, a ciência viriam por si mesmos. Era preciso somente não cessar de "querer".

E, sobretudo, não correr risco, o que só é possível com caráter. Bem recentemente ainda, desde minha chegada, houvera em Petersburgo uma subscrição de ações de estrada de ferro; os que tinham podido subscrever haviam ganho muito dinheiro. Durante certo tempo, as ações subiram. De repente, um retardatário ou um avaro, vendo ações em minhas mãos, me proporia comprá-las, com certa porcentagem de lucro. Pois bem, eu as venderia de imediato. Zombariam de mim, naturalmente: esperando, seria possível ganhar dez vezes mais! Sim, mas meu lucro é mais seguro, porque o tenho no bolso, e o vosso está ainda no ar. Vão dizer que não é esse o meio de ganhar muito; perdão, nisso está vosso erro, o erro de todos os nossos Kókorievi, Poliákovi, Gubónini.[16] Aprendi esta verdade: a tenacidade e a perseverança no ganho, e sobretudo na acumulação, são mais fortes que lucros instantâneos, mesmo de cem por cento!

Pouco antes da Revolução Francesa, houve em Paris um tal Law[17] que imaginou um projeto, verdadeiramente genial no seu princípio (e que em seguida, na realidade, fez tremendo fiasco). Toda Paris estava agitada; disputavam-se as ações de Law. Havia atropelos. O edifício onde se recebiam as subscrições engolia dinheiro de Paris inteira; aquele edifício não foi afinal bastante: o público aglomerava-se na rua, todas as profissões, todas as condições, todas as idades, burgueses, nobres e seus filhos, condessas marquesas, mulheres perdidas; tudo isso não formava mais senão uma massa furiosa, semilouca, como que mordida por um cão raivoso; os títulos, os preconceitos do sangue e da vaidade, até mesmo a honra e o renome, tudo era espezinhado; sacrificava-se tudo (até mesmo as mulheres) para obterem-se algumas ações. A subscrição transportou-se por fim para a rua, mas não havia lugar onde escrever. Foi então que se propôs a um corcunda que cedesse um momento sua bossa para servir de mesa. O corcunda consentiu, pode-se imaginar a que preço! Pouco depois (muito pouco depois), foi a bancarrota: tudo rebentou. A ideia inteira foi levada ao diabo e as ações perderam todo o valor. Quem, então, ganhou com o negócio? O corcunda, e só ele, porque fazia-se pagar, não em ações, mas em verdadeiros luíses de ouro. Pois bem, eu sou esse corcunda! Tive a força

---

16 Todos três, homens de negócios, conhecidos nos anos de 1873-1875.

17 John de Lauriston Law (1671-1729), financista escocês ao serviço da França, criador da Companhia das Índias e organizador, em 1716, durante a Regência, de um sistema bancário para a exploração das riquezas do Mississipi, e que veio fragorosamente à falência em 1720.

de vontade para não comer e para economizar em copeques setenta e dois rublos; terei também a de manter-me firme no meio da febre que se apoderou de todos os outros e de preferir uma soma segura a outra mais considerável. Sou mesquinho apenas nas pequeninas coisas; nas grandes, não. Para a pouca paciência tem-me faltado muitas vezes a força de caráter, mesmo depois do nascimento de minha "ideia"; mas para uma grande, sempre a tive bastante. Quando minha mãe me servia, de manhã antes de ir para o trabalho, um café frio, zangava-me, dizia-lhe grosserias e, no entanto, era o mesmo homem que tinha vivido um mês inteiro a pão e água.

Em uma palavra, não ganhar, não conseguir saber ganhar seria contra a natureza. Não seria natural tampouco, com uma acumulação igual e ininterrupta, com uma atenção e um sangue-frio incessantes, com contenção e economia, com uma energia sempre crescente, não seria natural, digo, não ficar milionário. Como ganhou o mendigo sua fortuna, senão por meio de um caráter e dum encarniçamento fanáticos? Será que não valho tanto quanto ele? "Enfim, talvez não obtenha nada, talvez meu cálculo não seja justo, talvez abra falência e me desmorone, pouco importa, caminho para a frente. Caminho, porque assim quero." Eis o que dizia a mim mesmo já em Moscou.

Podem objetar que não há nisso a sombra de "ideia", nem nada e novo. Direi, e pela derradeira vez, que há nisso uma infinidade de ideias e uma infinidade de coisas novas.

Oh! eu pressentia a trivialidade de todas as objeções e quão trivial serei eu mesmo expondo minha "ideia". Pois bem, que disse eu? Não disse a centésima parte; sinto que tudo isso é mesquinho, grosseiro, superficial e mesmo talvez abaixo de minha idade.

III

Restam as respostas aos "para quê?", "por quê?", "é moral ou não?", etc. etc., a que prometi responder.

Estou desolado por ter de desiludir o leitor desde o começo, desolado e também encantado. Fique-se sabendo bem: não há nos objetivos de minha "ideia" nenhum sentimento de "vingança", nada de byroniano, nem maldição, nem queixas de órfãos, nem lágrimas de bastardo, nada, nada. Em uma palavra, se minhas memórias caíssem nas mãos de uma dama romântica, ela faria logo uma carranca. O objetivo total de minha "ideia" é o isolamento.

— Mas esse isolamento pode ser obtido sem se esfalfar para tornar-se Rothschild. Que tem Rothschild que fazer no meio disso?

— É que além do isolamento quero também o poder.

Aqui um preâmbulo: o leitor talvez se espante com a franqueza de minha confissão e perguntará a si mesmo ingenuamente: como se dá que o autor não haja corado? Responderei que não escrevo para ser publicado; terei um leitor talvez daqui a dez anos, quando tudo estará tão bem determinado, cumprido e provado, que não haverá mais motivo para corar de nada. Portanto, se me dirijo por vezes ao leitor nestas memórias, é apenas um processo. Meu leitor é um personagem de fantasia.

Não, não é meu nascimento ilegítimo, por causa do qual mexiam comigo tanto no internato de Touchard; não são meus tristes anos de infância, não é a vingança nem um justo protesto o ponto de partida de minha "ideia"; a causa de tudo está no meu caráter. Aos doze anos, creio, isto é, quase no começo de minha vida consciente, comecei a detestar os homens. Detestar não é o termo, mas eram insuportáveis. Era-me por vezes penoso, nos meus momentos de pureza, não poder dizer tudo mesmo a meus parentes, ou antes, poderia ter dito, mas não queria, algo me retinha; era desconfiado, rabujento e insociável. Além disso, tenho notado desde muito tempo em mim mesmo, quase desde minha infância, certa propensão que me leva frequentemente a acusar os outros; mas após isto vinha-me muitas vezes e imediatamente outro pensamento muito penoso para mim: "Não estarei eu errado, em lugar deles?"

Quantas vezes me acusei sem razão! Para não ter de resolver semelhantes questões, procurava naturalmente a solidão. Além disso, nada encontrava na sociedade dos homens, apesar de todos os meus esforços, e que esforços fazia! Pelo menos, todos os de minha idade, todos os meus camaradas, todos sem exceção, eram menos inteligentes do que eu; não me lembro de uma só exceção.

Sim, sou carrancudo, sem cessar encerro-me dentro de mim mesmo. Muitas vezes tenho vontade de retirar-me da sociedade. Talvez faça bem aos homens, mas muitas vezes não vejo a menor razão de fazer-lhes bem. Não são os homens verdadeiramente tão belos que devamos ocupar-nos tanto com eles. Por que não nos abordam eles nítida e francamente, por que devo eu absolutamente colar-me a eles em primeiro lugar? Eis as questões que fazia a mim mesmo. Sou uma criatura reconhecida e provei-o por uma centena de loucuras. Responderia instantaneamente à franqueza com a franqueza e depressa passaria a amá-los. Foi bem o que fiz; mas todos logo me enganaram e fecharam-se contra mim, com zombarias. O mais franco de todos era Lambert, que me batia tanto na minha infância; mas também ele não passa de um velhaco cabal e de um bandido; e sua franqueza só lhe vem da estupidez. Eis quais eram meus pensamentos ao chegar a Petersburgo.

Ao sair da casa de Diergatchov (que demônio me impelira até lá?), aproximei-me de Vássin e, num ímpeto de entusiasmo, pus-me a entoar-lhe louvores. Pois bem, na mesma noite, senti que o amava já muito menos. Por quê? Justamente porque, ao cobri-lo de louvores, rebaixara-me ao mesmo tempo diante dele. Parece que devia ter sido o contrário: um homem bastante equitativo e generoso para admirar outro, mesmo em seu próprio detrimento, não é, por sua dignidade própria, superior a qualquer outro? Compreendia-o sem dúvida, e, apesar de tudo, amava menos Vássin, e até mesmo muito menos: tomo intencionalmente um exemplo já conhecido do leitor. Mesmo Kraft, lembrava-me dele com certo sentimento de amargor e de azedume, porque me mostrara o caminho de sua antecâmara, e isto durou até o dia seguinte, em que tudo se esclareceu e quando não houve mais meio de querer-lhe mal. Desde as primeiras classes do ginásio, assim que um camarada me ultrapassava, quer em conhecimentos, quer pela rapidez de suas respostas, quer em força física, cessava logo de frequentá-lo e de falar-lhe. Não que o detestasse, ou que lhe desejasse mal; afastava-me muito simplesmente dele, porque tal é o meu caráter.

Sim, toda a minha vida tive sede de poder, de poder e de isolamento. Sonhava com isso mesmo na idade em que não importa quem teria rido na minha cara, se tivesse podido ver o que tinha eu dentro do crânio. Eis por que amo tanto o mistério. Sim, sonhava com todas as minhas forças e a tal ponto que não tinha mais tempo para conversar; deduziu-se daí que eu era selvagem, e de minha distração tiravam-se conclusões ainda mais desfavoráveis a meu respeito, mas minhas faces rosadas provavam o contrário.

Era sobretudo feliz quando, no leito e cobrindo-me com meu cobertor, empreendia sozinho, no isolamento mais perfeito, sem ninguém perto de mim e sem um único som de voz humana, reconstruir o mundo à minha maneira. Esse estado de devaneio alucinado acompanhou-me até a descoberta de minha "ideia": então todos os sonhos, de absurdos que eram, tornaram-se de repente sensatos e, da forma imaginativa do romance, passaram para a forma razoável da realidade.

Tudo se fundiu num só objetivo. No fundo, mesmo antes, não eram tão tolos, se bem que fossem legião e legião. Mas havia alguns que eram preferidos... Aliás, é inútil citá-los aqui.

O poder! Estou persuadido de que muitos ririam enormemente, se soubessem que semelhante "nulidade" visa ao poder. Mas vou espantá-los ainda mais: desde meus primeiros sonhos talvez, isto é, desde minha infância ou quase, jamais pude ver-me de outra maneira que não no primeiro lugar, em toda parte e em todas as circunstâncias. Acrescentarei uma confissão singular: talvez isto dure ainda. E notarei além disso que não peço perdão.

Está justamente aí minha "ideia", está aí sua força: que o dinheiro é a única via capaz de conduzir "ao primeiro lugar" uma nulidade. Não sou talvez uma nulidade, mas sei, por exemplo, pelos espelhos, que meu exterior me prejudica, porque tenho um rosto vulgar. Mas se eu fosse rico como Rothschild, quem, afinal, se inquietaria com meu rosto? Bastaria assobiar e milhares de mulheres correriam para mim com suas "belezas". Estou mesmo convencido de que, muito sinceramente, acabariam por crer-me belo. Sou talvez mesmo inteligente. Mas mesmo se tivesse uma testa de três polegadas, encontrariam uma de oito e eu estaria perdido. Ao passo que, se fosse Rothschild, teria aquele sábio de oito polegadas algum valor junto de mim? Nem mesmo lhe permitiriam abrir a boca! Sou talvez espirituoso; sim, mas a meu lado há Talleyrand,[18] Piron e eis-me eclipsado; ao passo que, se eu fosse Rothschild, onde estariam os Piron e talvez mesmo os Talleyrand? O dinheiro, sem dúvida, é uma potência despótica, mas é ao mesmo tempo a suprema igualdade e nisso está sua grande força. O dinheiro nivela todas as desigualdades. Eis o que tinha decidido, já em Moscou.

Vós não vereis decerto neste pensamento senão insolência, violência, triunfo da nulidade sobre o talento. De acordo, este pensamento é audacioso (e por consequência voluptuoso). Pois seja! Mas acreditais que eu quisesse o poder então forçosamente para oprimir? Para vingar-me? Seria assim que agiria fatalmente a mediocridade. Bem melhor, estou convencido de que há milhares desses talentos e dessas inteligências tão orgulhosas de si mesmas, que, se as encarregassem de repente de todos os milhões de Rothschild, não se aguentariam e viriam a se portar como vis

---

18 Charles-Maurice de Talleyrand-Périgord (1754-1838), Príncipe de Benevente, famoso diplomata francês. Foi, além do mais, entre outras coisas, Bispo de Autun, no antigo regime, Presidente da Assembleia Nacional (1790), Ministro das Relações Exteriores do Diretório, do Consulado e, enfim, do Império; passou a servir à Restauração e representou importante papel no Congresso de Viena, depois em Londres, para onde Luís Felipe o nomeara embaixador.

mediocridades e seriam os piores dos opressores. Minha ideia é outra. O dinheiro não me faz medo; não me oprimirá e não me fará oprimir os outros.

Não tenho necessidade do dinheiro, ou antes, não é do dinheiro que tenho necessidade; não é mesmo do poder; tenho necessidade somente daquilo que se adquire pelo poder e não se pode adquirir sem ele: a consciência calma e solitária de sua força! Eis a mais perfeita definição da liberdade, pela qual tanto se bate o mundo! A liberdade! Tracei afinal esta grande palavra... Sim, a consciência solitária de sua força é coisa bela e embriagante. Tenho a força, e estou calmo. Os raios estão entre as mãos de Júpiter e ele mostra-se calmo; vós o ouvis tonitruar frequentemente? O imbecil pode crer que ele cochila. Ponde agora em lugar de Júpiter um literato vulgar ou uma boa mulher do campo e ouvireis a trovoada!

Se eu tivesse apenas o poder, raciocinava, não me faria mais falta; estou certo de que, por mim mesmo, por minha franca vontade, ocuparia em toda parte o último lugar. Se fosse Rothschild, passearia de sobretudo puído e com um guarda-chuva na mão. Que me importaria ser empurrado na rua ou obrigado a correr na lama, para não ser esmagado pelos fiacres? A consciência de que sou eu que sou Rothschild bastaria para constituir minha alegria naquele momento. Sei que poderei ter um banquete como ninguém terá e o primeiro cozinheiro do mundo: basta-me sabê-lo. Comerei uma fatia de pão e de presunto e ficarei saciado com meu próprio conhecimento. Ainda hoje é assim que penso.

Não quero tampouco impor-me à aristocracia. Ela é que terá de vir a mim. Não serei eu que hei de correr atrás das mulheres, serão elas que acorrerão como as moscas, oferecendo-me tudo quanto pode oferecer-me uma mulher. As mais "vulgares" serão atraídas pelo dinheiro, as mais sensatas pela curiosidade por uma criatura esquisita, orgulhosa, fechada e indiferente a tudo. Serei afável com umas e com outras. Talvez lhes dê dinheiro, mas nada aceitarei delas. A curiosidade engendra a paixão: talvez também eu inspire a paixão. Elas regressarão sem nada, asseguro-vos. Talvez somente com presentes. E com isso vou me tornar duplamente curioso para elas.

> ... a mim me basta
> a consciência disto.[19]

O que é singular é que este quadro (aliás exato) me seduziu desde meus dezessete anos.

Não tenho a intenção de oprimir nem de atormentar ninguém; mas sei que, se quisesse perder tal homem, meu inimigo, nada poderia impedir-me disso, e todo mundo me ajudaria; e aqui ainda, é bastante. Não me vingaria mesmo de ninguém. Sempre me causou surpresa que James Rothschild tivesse consentido em ser barão! Para quê, por quê, quando era sem isto superior a todos aqui embaixo? "Oh! que me insulte esse general insolente na posta onde esperamos os dois a troca de cavalos; se soubesse ele quem sou, correria ele próprio a atrelá-los e me ajudaria a sentar no meu modesto *tarantás*. Publicou-se que um conde ou barão estrangeiro, numa estrada de ferro de Viena, havia, em público, metido em chinelos os pés de

---

19   Do monólogo do Barão, em *O cavaleiro avaro*, de Púchkin.

um banqueiro daquela cidade, e que este havia sido suficientemente ordinário para aceitar isso. Oh! que essa temível beldade (temível, que as há que são temíveis!), que essa filha duma aristocrata suntuosa e cheia de títulos, ao encontrar-me por acaso em barco ou outra parte, olhe-me de través e, arrebitando o nariz, espante-se com desprezo ao ver aquele homenzinho modesto, insignificante, com um livro ou um jornal na mão, ter a ousadia de sentar-se em primeira classe; ao lado dela! Mas se ela ao menos soubesse junto de quem está sentada! Há de sabê-lo, há de sabê-lo e virá por si mesma sentar-se ao lado dele, submissa, tímida, afável, rogando-me um olhar, alegrando-se com um sorriso meu." É de propósito que insiro estas pequenas cenas prematuras, para melhor exprimir meu pensamento; mas são pálidas e talvez vulgares. Somente a realidade justifica tudo.

Vão dizer que é absurdo viver assim: por que não ter edifício, de casa aberta a todos, por que não reunir numerosas pessoas da sociedade, não ter influência, não se casar? A que se reduzirá então Rothschild? Será como todo mundo. Todo o encanto da "ideia" desaparecerá, com toda a sua força moral. Aprendi de cor em minha infância o monólogo de *O cavaleiro avaro*, de Púchkin. Como reflexão, Púchkin nada produziu de superior! Mantenho-me fiel até hoje a essas ideias.

— Mas seu ideal é bem baixo — dirão com desprezo. — O dinheiro! A riqueza! E o interesse social, e os feitos humanitários?

Mas sabeis em que empregarei minha riqueza? Que imoralidade e que baixeza há nisto de passarem esses milhões duma multidão de patas judias e malfazejas para as mãos dum solitário severo e ajuizado que lança sobre o mundo um olhar percuciente? Duma maneira geral, todos esses sonhos de futuro, todas essas previsões..., não são ainda senão uma espécie de romance e talvez cometa erro anotando-os; melhor teria sido que ficassem no meu cérebro. Sei também que ninguém talvez venha a ler estas linhas; mas se alguém as lesse, acreditaria que eu não suportaria talvez os milhões de Rothschild? Não que eles possam esmagar-me, mas num outro sentido, absolutamente oposto. Mais de uma vez, em meus sonhos, apreendi o momento vindouro em que minha consciência estará inteiramente satisfeita e em que o poder me parecerá insuficiente. Então, não por enfado, nem por um tédio sem objetivo, mas pela razão de eu vir a querer infinitamente mais, darei todos os meus milhões aos homens: que a sociedade reparta à sua vontade toda a minha riqueza e eu, eu, tornarei a cair no nada! Talvez mesmo me metamorfoseie naquele mendigo que morreu no barco, com a diferença de não se encontrar nada costurado em meus farrapos. A mera consciência de que tive milhões entre as mãos e que os atirei à lama vai me nutrir no meu deserto. Ainda hoje, estou disposto a pensar assim. Sim, minha "ideia" é a fortaleza onde, a qualquer tempo, em qualquer ocasião, posso fugir de todos os homens, ainda que fosse como o mendigo morto no barco. Eis meu poema! E sabei, tenho necessidade de minha "completa" vontade depra-, vada, unicamente para provar a "mim mesmo" que tenho a força de renunciar a ela.

Poderão objetar, sem nenhuma dúvida, que é poesia e que não abrirei jamais mão de meus milhões se algum dia os possuir e não me transformarei jamais em mendigo de Saratov. Talvez, com efeito, não abra mão deles; só fiz esboçar o ideal de meu pensamento. Mas acrescentarei agora seriamente: se atingisse, na minha acumulação de riqueza, a mesma quantia de Rothschild, poderia efetivamente acabar por atirá-la à cara da sociedade. (Antes de atingir a quantia de Rothschild, seria difícil realizar isso.)

E não seria a metade que daria, porque então não passaria de vulgaridade: seria duas vezes mais pobre e nada mais; mas tudo, até o derradeiro copeque, porque, tornando-me pobre, iria me encontrar de repente duas vezes mais rico que Rothschild! Se não se compreende isso, a culpa não é minha; não entrarei em explicações.

"Isso é faquirismo, é a poesia da nulidade e da impotência! — decidirão as pessoas. — É o triunfo da incapacidade e da mediocridade!" Sim, confesso, é, em parte, o triunfo da incapacidade e da mediocridade, mas não da impotência. Senti uma alegria louca em imaginar uma criatura, precisamente incapaz e medíocre, de pé, diante do mundo e dizendo-lhe, com um sorriso: vós sois os Galileu e os Copérnico, os Carlos Magno e os Napoleão, os Púchkini e os Shakespeare, os marechais-de-campo e de Corte, ao passo que, eis-me aqui, eu, sem talento e sem nascimento e, no entanto, acima de vós, pois que vos submetestes por vós mesmos a isso. Confesso que levei esta fantasia ao extremo, a ponto de suprimir a cultura. Pareceu-me que seria mais belo se esse homem fosse mesmo porcamente inculto. Este sonho exagerado exerceu sua influência sobre mim desde a derradeira classe do ginásio; deixei de estudar, por fanatismo: sem instrução, o ideal aumentava de beleza. Agora, mudei de opinião a este respeito; a instrução não prejudicará.

Senhores, será possível que a independência de pensamento, mesmo a mais reduzida, vos seja tão penosa? Feliz aquele que possui um ideal de beleza, ainda que errôneo! Mas creio no meu. Apenas expus inabilmente, elementarmente. Dentro de dez anos, bem decerto, serei capaz de o expor melhor. Enquanto espero, guardarei tudo isso como lembrança.

IV

Terminei com minha "ideia". Se a descrevi de maneira vulgar e superficial, a culpa é minha e não dela. Já preveni que as ideias mais simples são as mais difíceis de compreender; acrescento agora que são também as mais difíceis de expor; tanto mais quanto contei minha "ideia" sob sua forma primitiva.

O inverso é também justo: as ideias chatas e rápidas são compreendidas extraordinariamente depressa e precisamente pela multidão, pela rua; mais ainda, são julgadas como as maiores e as mais geniais, mas tão só no dia de sua aparição. O bom mercado dura pouco. A compreensão rápida é o indício da vulgaridade da coisa a compreender. A ideia de Bismarck[20] tornou-se instantaneamente genial, e o próprio Bismarck é um gênio, mas é uma rapidez suspeita: espero Bismarck daqui a dez anos e veremos então o que restará de sua ideia e talvez do Senhor Chanceler em pessoa.

Esta é uma observação completamente incidental e que nada tem a ver com o assunto. Insiro-a evidentemente não a título de comparação, mas também para ser recordada. (Explicação destinada ao leitor verdadeiramente demasiado obtuso.)

Vou agora contar duas anedotas, para dar fim à "ideia", seja lá como for e para que ela não nos embarace mais no futuro.

---

20 Otto Leopold, Príncipe de Bismarck (1815-1898), o "Chanceler de Ferro", foi Ministro da Prússia na Dieta de Francfort de 1851 a 1859, e Ministro das Relações Exteriores (1862). Fundador da unidade alemã sob a hegemonia da Prússia, e mais tarde chanceler do novo Império Alemão, dirigiu os destinos e a política da Alemanha até pouco tempo depois de subir ao trono o Imperador Guilherme II (1888).

Num verão, em julho, dois meses antes de minha partida para Petersburgo, estando eu já inteiramente livre, Maria Ivânovna me pediu para ir a Tróitski Posad, para levar uma encomenda a uma solteirona que lá morava, demasiado pouco interessante para que me demore em mencioná-la. Regressando no mesmo dia, notei no vagão um rapaz macilento, não mal trajado, mas sujo, de cara espinhenta, um desses morenos de tez bronzeada suja. Distinguia-se pelo fato de descer obrigatoriamente, a cada estação ou parada, para beber vodca. No final do trajeto, formou-se em redor dele alegre companhia, aliás bastante vulgar. O mais entusiasta era um comerciante, também ligeiramente ébrio, que admirava a faculdade que possuía o jovem de beber sem cessar e sem se embriagar. Não menos satisfeito se mostrava um rapaz tremendamente estúpido e que falava muito, trajado à europeia e que tresandava terrivelmente: um lacaio, como o soube mais tarde. Este fez até mesmo amizade com o jovem amador de vodca e a cada parada era ele quem o convidava a descer: "Está na hora, vamos beber!". Após o quê, desciam todos dois abraçados. Depois de ter bebido, o rapaz não dizia quase mais uma palavra, mas um número cada vez maior de interlocutores instalava-se em redor dele. Limitava-se a ouvi-los, sem deixar de escarnecer e de babar e, de tempos em tempos, mas sempre inesperadamente, emitia alguns sons neste estilo: "Tur-lur-lu!", levando, num gesto caricatural, um dedo na direção do nariz. Era o que divertia mais o comerciante, o lacaio e todo mundo, que riam em gargalhadas extraordinariamente sonoras e sem cerimônia. É por vezes impossível ficar sabendo por que as pessoas riem. Aproximei-me também; e não compreendo por que aquele rapaz me agradou; talvez fosse por causa daquela manifesta violação das conveniências oficiais e admitidas; numa palavra, não distinguia sua idiotice; logo começamos a tutear-nos e, ao sair do trem, soube que viria ele à noite, após as oito horas, ao Tvierskói Boulevard. Era um ex-estudante. Fui ao encontro marcado e eis a pilhéria que ele me ensinou: estivemos a passear juntos pelo bulevar e, um pouco mais tarde, assim que notávamos uma mulher atraente, desacompanhada, aproximávamo-nos dela. Sem dizer-lhe uma palavra, plantávamo-nos ele dum lado, eu do outro, e com o ar mais tranquilo do mundo, como se nem mesmo a víssemos, travávamos uma conversa escabrosíssima. Chamávamos as coisas pelos nomes, com uma seriedade imperturbável e como se fosse a mais natural das coisas, e, para explicar toda espécie de porcarias e de infâmias, entrávamos em detalhes que a imaginação mais suja do mais sujo desavergonhado não teria jamais imaginado. (Eu tinha naturalmente adquirido todos esses conhecimentos nas escolas, antes mesmo do ginásio, mas somente em palavras e não em ação.) A mulher ficava com medo, apressava o passo, mas nós fazíamos o mesmo e continuávamos no mesmo tom. Nossa vítima nada podia evidentemente fazer, nem mesmo podia dar gritos: não havia testemunhas e depois seria esquisito dar queixa. Passamos uns oito dias nessa brincadeira; não compreendo como pude ter prazer nisso; não me agradava aliás, mas era... assim. Pareceu-me a princípio original, fora do comum, das convenções admitidas; além disso, eu não podia suportar as mulheres. Confiei certa vez ao estudante que Jean-Jacques Rousseau, nas suas *Confissões*, reconhecia ter gostado, quando rapaz, de exibir em segredo, completamente nuas, as partes do corpo que, habitualmente, ficam ocultas, e esperar nessa posição as mulheres que passavam. O estudante respondeu-me com seu "tur-lur-lu". Notei que ele era tremendamente ignorante e que não se interessava por coisa alguma. Nem uma dessas ideias ocultas que esperava encontrar nele. Em lugar de originalidade, só descobri uma esmagadora monotonia. Cada vez gostava menos dele. Tudo acabou de maneira inesperada: um dia, em plenas trevas, demos com uma moça, bem novinha, que passava rápida e timidamente pelo bulevar; teria talvez uns dezesseis anos ou menos ainda, trajava muito limpa e modestamente; viveria talvez de seu trabalho e estava de volta para casa, para junto de sua velha mãe, uma viúva carregada de filhos; mas é inútil fazer sentimentalismo. A moça escutou por algum tempo, depois apressou o passo, inclinou a cabeça e cobriu-se com seu véu, amedrontada e trêmula. De repente, parou, descobriu um rosto não de todo feio, pelo que me lembro, mas magrinho, e gritou para nós com olhos faiscantes:

— Vocês são uns miseráveis!

Estava talvez prestes a chorar, mas produziu-se outra coisa: ergueu o braço e, com sua mãozinha magra, descarregou no estudante a mais certeira das bofetadas que algum dia já foi dada. Ouviu-se o estalo! Ele lançou uma praga e fez menção de avançar contra ela, mas retive-o e a moça teve tempo de fugir. Ficando sós, discutimos: disse-lhe tudo quanto acumulara contra ele dentro de mim, durante aquele tempo; disse-lhe que ele não passava de um incapaz, de uma nulidade, que nunca tivera nem traço duma ideia. Respondeu-me com injúrias... (falara-lhe eu certa vez de meu nascimento ilegítimo), depois nos separamos com cuspidelas de desprezo e nunca mais nos tornamos a ver. Naquela noite, senti imenso mau humor; no dia seguinte, um pouco menos, dois dias depois tinha esquecido tudo. Mais tarde, de vez em quando, vinha-me à memória aquela moça, mas somente por acaso e de passagem. Foi só quinze dias depois de minha chegada a Petersburgo que me lembrei de repente da cena. Lembrei-me e logo fui invadido por tal vergonha que lágrimas me correram literalmente pelas faces. Fui martirizado a tarde toda, a noite toda e assim continuo ainda agora um pouco. Fui a princípio incapaz de compreender como havia podido cair tão baixo, e sobretudo esquecer aquele incidente, não corar dele, não ser devorado pelo arrependimento. Somente agora é que me dou conta da causa de tudo: a culpa era da "ideia". Em suma, chego a esta conclusão de que, quando se tem no espírito algo de fixo, de perpétuo, de poderoso, com que se está totalmente ocupado, afasta-se a gente ao mesmo tempo para a solidão e tudo quanto acontece não faz senão deslizar, sem tocar no essencial. Até mesmo as impressões são percebidas inexatamente. Além disso e sobretudo tem-se sempre uma desculpa. Quanto pude atormentar minha mãe naquela época! Como abandonava vergonhosamente minha irmã! "Ora! tenho minha ideia, tudo mais não conta." Eis o que dizia a mim mesmo. Podia-se ofender-me, até mesmo cruelmente: afastava-me sem mais e dizia a mim mesmo em seguida: "Ora! sou vil, mas tenho minha ideia e eles nada sabem disso." A "ideia" me consolava na ignomínia e na nulidade; mas todas as minhas infâmias pareciam refugiar-se sob a "ideia"; ela facilitava tudo, mas velava tudo diante de mim; entretanto, uma compreensão tão confusa das circunstâncias e das coisas só pode prejudicar a própria "ideia", sem falar do resto.

Agora, a segunda anedota.

Maria Ivânovna, a primeiro de abril do ano passado, celebrava seu aniversário. À noite, apareceram alguns convidados, muito poucos, aliás. De repente, entra Agrafiena, ofegante, e declara que há no vestíbulo, em frente da cozinha, um recém-nascido abandonado a choramingar... e que ela não sabe o que fazer. A notícia abalou a todos, correram e acharam uma cesta de cortiça contendo uma menininha de três ou quatro semanas que lançava gritos. Peguei a cesta e levei-a para a cozinha. Encontrei dentro da cesta o seguinte bilhete, dobrado em dois: "Queridos benfeitores, concedei vossa benévola assistência a essa menina, batizada com o nome de Arina. Ela e nós elevaremos eternamente nossas lágrimas ao céu por vós. Desejamo-vos uma boa festa. Pessoas que não conheceis". Foi então que Nikolai Siemiônovitch, tão respeitado por mim, me magoou muito: fechou a cara muito gravemente e decidiu enviar imediatamente a criança para a Assistência Pública. Fiquei muito penalizado. Viviam eles muito economicamente, mas não tinham filhos, e Nikolai Siemiônovitch felicitava-se sempre por isso. Tirei com precaução Arina de sua cesta, segurando-a pelos ombros; desprendia-se dela um cheiro acre e forte, como o exalam os recém--nascidos muito tempo negligenciados. Depois de ter discutido um momento com Nikolai Siemiônovitch, declarei-lhe bruscamente que ficava com a criança a meu cargo. Pôs-se ele a levantar abjeções, com alguma severidade, malgrado sua doçura de caráter, e terminou com uma brincadeira, mas sua intenção referente à Assistência Pública continuava de pleno vigor. Entretanto tudo se passou como eu queria. Havia no mesmo edifício, mas num outro pavilhão, um marceneiro muito pobre, já velho e bebedor; sua mulher, ainda bastante jovem e muito sadia, acabava de perder uma criança de peito, e sobretudo única, nascida após oito anos de casamento infecundo, igualmente uma menina e, por esquisita felicidade, igualmente Arina. Disse por felicidade, porque, no momento em que discutíamos na cozinha, aquela mulher, informada do incidente, acorreu para ver e, ao saber que se tratava duma pequena Arina, sentiu-se toda enternecida. Ainda tinha leite: descobriu o seio e estendeu-o à criança. Caí a seus pés e supliquei-lhe que ficasse com a menina: lhe pagaria a pensão todos os meses. Perguntava ela a si mesma se seu marido lhe permitiria; entretanto levou-a, a princípio, para passar a noite. De manhã, o marido permitiu, mediante oito rublos por mês, e lhe paguei adiantado imediatamente o primeiro mês; saiu dali e foi beber sem demora com aquele dinheiro. Nikolai Siemiônovitch, sempre sorrindo esquisitamente, consentiu em ficar como meu fiador, garantindo ao marceneiro que a soma, isto é, oito rublos mensais, seria regularmente paga. Oferecia Nikolai Siemiônovitch remeter-lhe como penhor meus sessenta rublos mas não os aceitou; aliás, sabia que eu tinha dinheiro e tinha confiança em mim. Essa delicadeza fez desaparecer nossa dissenção de havia pouco. Maria Ivânovna não disse nada, mas admirou-se de ver--me aceitar semelhante encargo. Apreciei muito a delicadeza de que ambos haviam dado prova, não se permitindo a menor brincadeira a meu respeito e considerando, pelo contrário, a coisa, com toda a seriedade que convinha. Cada dia, por três vezes, dava eu um pulo à casa de Dária Rodiónovna, e ao fim duma semana, dei-lhe pessoalmente, em mão própria, às ocultas de seu marido, três rublos a mais. Mediante três outros rublos, arranjei um cobertorzinho e cueiros. Mas ao fim de dez dias a pequena Arina caiu doente. Chamei logo o médico que prescreveu não sei mais que remédio e passamos a noite a atormentar a criaturinha com aquela droga ruim. No dia seguinte, declarou ele que era demasiado tarde e, em resposta aos meus rogos — também creio que às minhas censuras —, declarou com nobre discrição: "Não sou o bom Deus!". A linguinha, os labiozinhos e toda a boca estavam cobertos por uma erupção branca e miúda, e à noite ela morreu, fixando em mim seus grandes olhos negros, como se já tivesse compreensão. Não sei por quê, não me viera a ideia de tirar a fotografia da pequena morta. Pois bem, acreditarão que não chorei naquela noite, mas dei gritos, o que não me permitira até então, e Maria Ivânovna viu-se obrigada a consolar-me e isto, ainda uma vez, sem nenhuma zombaria, nem de sua parte, nem da parte dele. O próprio marceneiro fez o caixãozinho; Maria Ivânovna enfeitou-o de rendas e colocou nele um leve travesseirinho; eu comprei flores e esparzi-as sobre a criança: foi assim que levaram a minha pobre florzinha dos campos, que ainda não consigo esquecer, acreditai ou não. Mas um pouco mais tarde aquele acontecimento quase súbito fez-me refletir e até mesmo muito seriamente. Sem dúvida Arina não me havia custado caro: com o caixão, o enterro, o doutor, as flores e o salário de Dária Rodiónovna, não mais de trinta rublos. Quando parti para Petersburgo, tornei a ganhar aquele dinheiro dentre os quarenta rublos enviados por Viersílov para a viagem e pela venda de alguns objetos miúdos, tanto que todo o meu "capital" permaneceu intato. "Mas, digo a mim mesmo, se praticar de novo desvios desse gênero, não irei longe." A história do estudante mostrou que a "ideia" pode lançar a perturbação nas impressões e distrair da atividade real. Com a história de Arina é o contrário: nenhuma "ideia" é capaz de seduzir (pelo menos no que me concerne) a ponto de impedir que paremos de repente diante dum fato esmagador e lhe sacrifiquemos logo tudo quanto se fez durante anos de labor pela "ideia". As duas conclusões eram igualmente justas.

Capítulo VI

I

Minhas esperanças não se realizaram completamente: não os encontrei sós. Viersílov não estava lá, mas Tatiana Pávlovna achava-se instalada em casa de minha mãe e era, apesar de tudo, uma estranha. A metade de minhas disposições generosas esvaneceu-se de repente. É espantosa a minha rapidez e mutabilidade nessas ocasiões: basta uma poeira ou um cabelo para dissipar meu bom humor e substituí-lo pelo mau. E por desgraça minhas más impressões custam mais a dispersar-se, se bem que não seja eu rancoroso. Quando entrei, percebi que minha mãe acabava de romper no mesmo instante e à pressa o fio da conversa, visivelmente muito animada, com Tatiana Pávlovna. Minha irmã voltara do trabalho um minuto apenas antes de mim e não saíra ainda do seu quarto.

Aquele apartamento compreendia três peças: a em que todo mundo se conservava segundo o costume, a peça do meio ou salão, bastante espaçosa e quase decente. Viam-se nela divãs vermelhos bem fofos, aliás já bem gastos (Viersílov não tolerava capas de móveis), alguns tapetes, várias mesas e inúteis jardineiras. Em seguida, à direita, abria-se o quarto de Viersílov, estreito e exíguo, com uma única janela; havia ali uma miserável escrivaninha sobre a qual se viam vários livros abandonados e papéis esquecidos e diante da mesa uma não menos lamentável poltrona mole, cuja mola partida espontava no ar, o que fazia Viersílov muitas vezes gemer e praguejar. Era nesse mesmo gabinete que se fazia sua cama em cima de um divã mole e igualmente gasto; ele detestava tal gabinete e, creio, nunca dele se servia, preferindo ficar sem nada fazer no salão, durante horas inteiras. A esquerda do salão, encontrava-se um quartinho exatamente idêntico, onde dormiam minha mãe e minha irmã. Tinha-se acesso ao salão por um corredor que ia dar à cozinha, onde se alojava a cozinheira Lukiéria. Quando esta trabalhava, um cheiro de gordura queimada espalhava-se implacavelmente por todo o apartamento. Havia momentos em que Viersílov amaldiçoava em voz alta sua sorte e toda a sua existência por causa daqueles odores de cozinha e nisto, pelo menos, estava eu de acordo com ele; detesto também esses odores, se bem que então não chegassem eles até mim: eu morava no alto, numa mansarda sob o teto, para onde subia por uma escada rangente e terrivelmente íngreme. As curiosidades do lugar eram uma clarabóia oval, um forro horrivelmente baixo, um divã coberto de oleado, sobre o qual Lukiéria estendia de noite um lençol e colocava um travesseiro; o resto do mobiliário compunha-se de dois objetos: uma mesa de pranchas simples e uma cadeira de vime furada.

Na verdade, subsistiam, entretanto, em nossa casa restos de certo conforto hoje desaparecido: havia, por exemplo, no salão uma lâmpada de porcelana bastante boa e, pendurada na parede, uma admirável gravura da Madona de Dresden, e bem em frente, na outra parede, uma preciosa fotografia, de formato muito grande, representando as portas de bronze da catedral de Florença. Nessa mesma peça, estava pregada a um canto uma grande prateleira com velhos ícones de família: um deles (o ícone de Todos os Santos) estava revestido de prata dourada — era o que queriam empenhar — e o outro (o ícone da Santa Virgem) de veludo bordado de pérolas. Diante dessas imagens havia uma lâmpada que se acendia nas vésperas dos dias santos. Viersílov mostrava-se manifestamente indiferente àqueles ícones, pelo que eles significavam: limitava-se a franzir os supercílios, num visível esforço para conter-se, diante da luz da lâmpada refletida pelos ornamentos dourados, queixando-se mansamente de que aquilo prejudicava sua vista, mas não impedia que minha mãe a acendesse.

Eu entrava geralmente em silêncio e com ar sombrio, olhando um dos cantos; por vezes mesmo sem cumprimentar. Regressava sempre mais cedo que desta vez e levavam-me a comida lá em cima. Desta vez, ao entrar, disse de repente: "Boa-noite, mamãe!", que nunca me acontecia antes, se bem que, por uma espécie de falsa vergonha, não pudesse desta vez fingir não olhar para ela, sentei-me no canto oposto da sala. Estava muito fatigado, mas não ligava a isso.

— Esse malcriado continua a entrar em sua sala tão insolentemente como outrora — sussurrou Tatiana Pávlovna. Outrora, também, permitia-se ela palavras insultuosas, e já era, entre ela e mim, uma espécie de hábito.

— Boa noite!... — respondeu minha mãe, como que espantada por ter-lhe dado boa noite. — O jantar está pronto desde muito tempo — acrescentou, quase confusa. — Contanto que a sopa não esteja fria... As costeletas, vou mandá-las levar imediatamente... — Fez menção de se levantar precipitadamente para ir à cozinha, e, pela primeira vez, talvez desde um mês, tive vergonha, de súbito, de vê-la tão solícita em servir-me, enquanto que até aquele dia era eu mesmo quem o exigia.

— Obrigado, mamãe, já jantei. Se não a incomodo, descansarei aqui mesmo.

— Ah!... Como não?... Mas decerto, ficai...

— Não se inquiete, mamãe, não direi mais grosserias a Andriéi Pietróvitch — declarei bruscamente.

— Senhor! Que grandeza de alma! — exclamou Tatiana Pávlovna. — Minha cara Sônia, será possível que continues a tratá-lo por "vós"? Quem é ele, pois, para merecer semelhante honra e ainda por cima da parte de sua mãe? Olhem só! Estás confusa diante dele! É uma vergonha!

— Acharia muito agradável que a senhora me tratasse por "tu", mamãe.

— Ah!... bem, está entendido — apressou-se em dizer minha mãe. — É que... não é todas as vezes... A partir de hoje, está combinado.

Corou inteiramente. Seu rosto era por vezes extremamente sedutor... Bondoso, mas de modo algum ingênuo, um pouco pálido, anêmico. Suas faces eram magras, até mesmo cavadas, e na sua fronte as rugas começavam seriamente a acumular-se, mas não as havia ainda em redor dos olhos, e aqueles olhos, bastante grandes e bastante abertos, brilhavam sempre com um clarão doce tranquilo, que me havia atraído desde o primeiro dia. O que me agradava também era não mostrar o seu rosto nada de pesaroso ou humilhado; pelo contrário, sua expressão teria sido mesmo alegre, se ela não se tivesse tantas vezes alarmado, por vezes absolutamente sem razão, espantando-se, estremecendo às vezes por um nada ou escutando com medo alguma nova conversa, até o momento de ficar bem convencida de que tudo continuava a correr bem como de hábito. "Tudo vai bem" era para ela sinônimo de "tudo continua como de costume". Contanto somente que não houvesse mudança, contanto que não sobreviesse nada de novo, mesmo que fosse uma felicidade!... Era de crer que lhe haviam causado na infância algum medo horrível. Além dos olhos, amava nela o oval de seu rosto e creio que se ela tivesse as maçãs do rosto um pouco menos largas seria possível não somente na sua juventude, mas ainda hoje, dizer que ela era bela. Agora, não tinha mais de trinta e nove anos, mas seus cabelos castanhos já estavam grandemente encanecidos.

Tatiana Pávlovna olhou-me com decidida indignação.

— Um fedelho desses! Tremer assim diante dele! Mas tu és ridícula, Sófia. És de causar raiva!

— Ah! Tatiana Pávlovna, por que o trata assim? Mas talvez você esteja brincando, não? — acrescentou minha mãe, notando na fisionomia de Tatiana Pávlovna uma espécie de sorriso. De fato, os ralhos de Tatiana Pávlovna não podiam ser tomados a sério, mas ela sorria desta vez (se havia sorriso) só por minha mãe, porque amava loucamente sua bondade e havia certamente notado a felicidade que minha submissão lhe proporcionava naquele instante.

— Eu, sem dúvida, não posso deixar de ressentir-me, quando a senhora arremete dessa maneira contra a gente, Tatiana Pávlovna, e isto justamente no momento em que disse ao entrar: "boa noite, mamãe!", o que eu não fazia nunca outrora — o que achei por fim necessário fazer-lhe notar.

— Vejam só isso! — explodiu ela logo. — Ele vê nisso uma façanha! Então seria preciso ajoelhar-se a gente diante de ti, porque te mostraste polido uma vez em tua vida? E depois, será mesmo polidez? Por que olhas para o canto ao entrar? Crês que não saiba quanto a fazes sofrer e como a tratas? Poderias também ter-me dado "boa noite". Amarrei-te os cueiros, sou tua madrinha.

Desdenhei responder, naturalmente. Naquele instante entrou minha irmã e dirigi-me logo a ela:

— Lisa, vi hoje Vássin, que me pediu notícias tuas. Tu o conheces?

— Sim, desde Luga, no ano passado — respondeu ela, muito simplesmente, sentando-se perto de mim e lançando-me um olhar amável. Não sei por quê, mas parecia-me que ela iria explodir no momento em que lhe falaria de Vássin. Minha irmã era uma loura, uma loura de tonalidade clara; não tinha os cabelos nem de meu pai nem de minha mãe, mas os olhos e o oval do rosto eram quase os de minha mãe. O nariz muito reto, pequeno e regular; uma particularidade ainda: pequenas sardas no rosto, o que minha mãe não tinha absolutamente. De Viersílov, não tinha ela grande coisa, senão talvez a esbeltez de porte, uma boa estatura e não sei quê de encantador no andar. Comigo, nem a mínima semelhança: dois polos opostos.

— Conheci "ele" há três meses — acrescentou Lisa.

— Por que dizes conheci "ele"? Deves dizer conheci-"o" e não conheci "ele". Desculpa-me corrigir-te, mas é-me penoso ver que tua educação foi bastante descuidada.

— É uma indignidade de tua parte fazer semelhante observação na presença de tua mãe — explodiu Tatiana Pávlovna. — Aliás, não é verdade. Não foi ela absolutamente descuidada.

— Não falo aqui de minha mãe — intervim, resolutamente. — Saiba, mamãe, que considero Lisa uma segunda mãe; a senhora fez dela uma tal delícia de bondade e de caráter que lembra certamente o que era a senhora, o que é ainda, e o que será eternamente... Queria falar apenas desse lustre exterior, de todas essas tolices mundanas, que são, no entanto, indispensáveis. Indigna-me que Viersílov, ouvindo-te dizer conheci "ele" e não conheci-"o", jamais te haja corrigido, tão orgulhoso se mostra e indiferente para conosco. Eis o que me causa raiva!

— Vejam só esse ursinho metido a ensinar boas maneiras! Proíbo-o, senhor, de dizer doravante "Viersílov", na presença de sua mãe, bem como na minha presença. Não o toleraria! — gritou Tatiana Pávlovna, de olhos fuzilantes.

— Mamãe, recebi hoje meu ordenado, cinquenta rublos. Tome-os, rogo-lhe. Ei-los.

Aproximei-me e estendi-lhe o dinheiro; logo ficou alarmada.

— Mas, não sei... como ficar com esse dinheiro! — disse ela, como se temesse mesmo pôr-lhe a mão.

Eu não compreendia.

— Mas, mamãe, se ambas me consideram como um filho e um irmão, então...

— Ah! estou em culpa contigo, Arkádi. Tenho coisas a confessar-te, mas tenho muito medo de ti.

Disse isso com um sorriso tímido e suplicante; de novo não compreendi e interrompi-a:

— A propósito, sabe, minha mãe, que foi julgado hoje o processo de Andriéi Pietróvitch e dos Sokólhski?

— Sei, sim! — exclamou ela, espantada, cruzando as mãos sobre o peito (era seu gesto).

— Hoje? — Tatiana Pávlovna estremeceu da cabeça aos pés. — Mas é impossível! Ele me teria dito. Ele te disse isso, a ti? — acrescentou ela, voltando-se para minha mãe.

— Não, não me falou hoje. Mas estou com tanto medo há uma semana... Que ele perca, contanto que fiquemos livres e tudo corra como de costume.

— Então ele também não lhe disse! — exclamei. — Que homem! Eis uma bela amostra de sua indiferença e de seu orgulho! Que lhe dizia eu ainda há pouco?

— E qual foi o resultado, o resultado? E quem te disse? —gritava Tatiana Pávlovna. — Fala, afinal!

— Mas ei-lo em pessoa! Talvez ele nos diga — anunciei eu, ouvindo-lhe os passos no corredor, e tornei a sentar-me bem depressa ao lado de Lisa.

— Mano, pelo amor de Deus, poupa mamãe, mostra-te paciente com Andriéi Pietróvitch — cochichou-me ela.

— Serei paciente. Foi com esta intenção que voltei. — E apertei-lhe a mão.

Lisa lançou-me um olhar cheio de desconfiança e tinha razão.

II

Ele entrou, muito contente consigo mesmo, tão contente que não achou mesmo necessário ocultar suas disposições. Tinha, aliás, o hábito, nestes últimos tempos, de desabafar-se diante de nós sem a menor cerimônia, não só nos seus maus momentos, mas até mesmo nos seus acessos de alegria, o que todo homem teme mais; e, no entanto, sabia bem que compreenderíamos tudo até o derradeiro detalhe. Desde o ano passado, descuidava-se enormemente no trajar, como o havia notado Tatiana Pávlovna: andava vestido sempre convenientemente, mas com roupas velhas e sem elegância. Não se incomodava em usar a mesma camisa dois dias seguidos, o que causava pesar à minha mãe; em casa, isso passava por um sacrifício e todo aquele grupo de mulheres devotadas via naquilo uma verdadeira façanha. Usava sempre chapéus moles, negros, de abas largas; quando tirava seu chapéu ao entrar, toda uma mecha de seus cabelos, muito espessos, mas com muitos pelos brancos, caía sobre sua testa. Eu gostava de olhar-lhe os cabelos, quando ele tirava o chapéu.

— Boa-noite! Todos, sem faltar um. E até mesmo aquele ali, também? Ouvi-lhe a voz na antecâmara. Falava mal de mim, creio?

Quando fazia espírito à minha custa era sinal de bom humor. Não repliquei, naturalmente. Lukiéria voltou com um cesto cheio de compras e depositou-o em cima da mesa.

— Vitória, Tatiana Pávlovna! Ganhei meu processo e os príncipes não ousarão decerto apelar. O negócio está no saco! Consegui logo um empréstimo de mil rublos. Sófia, larga essa costura, não fatigues os olhos. Lisa, estás de volta do trabalho?

— Sim, papai — respondeu ela, com ar terno. Chamava-o de pai; eu é que nunca consegui habituar-me a isso.

— Fatigada?

— Sim.

— Deixa lá esse trabalho, não vás lá amanhã e abandona-o por completo.

— Mas, papai, será pior para mim.

— Rogo-te... Detesto as mulheres que trabalham, Tatiana Pávlovna.

— E como viver sem trabalhar? Uma mulher que não trabalhasse!

— Sei, sei... tudo isso é muito bom e muito bonito, concordo de antemão; mas o que digo refere-se sobretudo aos trabalhos femininos. É que se trata, vejam bem, duma das minhas impressões de infância mais penosas ou, melhor dito, mais falsas. Nas minhas vagas recordações do tempo em que tinha cinco ou seis anos, vejo, na maioria das vezes, naturalmente com aversão, em redor de uma mesa redonda, um conclave de mulheres inteligentes, severas e carrancudas, tesouras, panos, padrões e figurinos. Todo aquele mundo discute e arrazoa abanando grave e lentamente a cabeça, medindo, calculando e preparando-se para cortar. Todos aqueles rostos ternos, que tanto me amam, tornaram-se de repente inabordáveis. Se cometer eu a menor travessura, serei logo expulso. Até mesmo a minha pobre ama, que me segura a mão e deixou de responder a meus gritos e puxavantes, é toda olhos e ouvidos, como diante de uma ave-do-paraíso. Pois bem, aquela severidade em rostos inteligentes, aquele ar grave antes de começar o corte, ao pensar neles sinto até hoje uma espécie de sofrimento. Tatiana Pávlovna, a senhora gosta apaixonadamente de cortar! Por mais aristocrático que isto seja, prefiro, no entanto, uma mulher que não faz nada absolutamente. Não tomes isto para ti, Sófia... Mas de que serve? A mulher não tem necessidade disso para ser uma grande força. Aliás, tu bem o sabes igualmente Sônia. Que pensa você, Arkádi Makárovitch? Decerto é contra.

— Não, absolutamente — respondi. — É uma excelente expressão: a mulher é uma grande força, embora não veja bem por que o senhor liga isso aos trabalhos de costura. E que seja impossível não trabalhar, quando não se tem dinheiro, o senhor mesmo o sabe.

— Agora basta! — Voltou-se para minha mãe, que estava toda radiante (quando ele se dirigiu a mim, ela havia estremecido). — Nos primeiros tempos, pelo menos, não quero ver mais costuras aqui! Façam isso por mim, peço-lhes. Tu, Arkádi, como autêntico jovem de nosso tempo, deves ser um pouco socialista. Pois bem, acreditarás, meu amigo, que aqueles que mais amam a ociosidade são as pessoas do povo, esse povo eternamente a trabalhar?

— Talvez amem o repouso e não a ociosidade.

— Não, é a ociosidade mesmo, a indolência absoluta. Eis o seu ideal! Conheci um desses eternos trabalhadores, que aliás não era do povo; era um homem bastante culto, capaz de raciocinar. Toda a sua vida, cada dia talvez, sonhava com gozo e deleite na perfeita ociosidade. Levava por assim dizer esse ideal até o absoluto, até a independência ilimitada, a liberdade perpétua do sonho e da contemplação ociosa. Isto durou até o dia em que completamente se rebentou à força de trabalhar: impossível fazê-lo levantar; morreu no hospital. Estava eu então seriamente disposto a concluir que os gozos do trabalho tinham sido inventados por homens desocupados, naturalmente homens virtuosos. É esta uma das "ideias genovesas" do fim do século passado. Ah! Tatiana Pávlovna, recortei anteontem um anúncio de jornal. Está aqui (tirou do bolso do colete um pedaço de papel): é um desses perpétuos "estudantes" que sabem as línguas antigas e as matemáticas e estão prontos a partir para a província, para um celeiro qualquer, não importa onde. Escutem-me isto: "Professora prepara para todos os estabelecimentos de instrução (estão ouvindo? para todos!) e dá lições de Aritmética". Uma linha somente, mas clássica! Prepara para os estabelecimentos de instrução: pareceria que a Aritmética devesse estar incluída. Pois bem, não! Põe a Aritmética de parte. Isto é a fome autêntica, o derradeiro grau da miséria. É esta inépcia que me comove. Decerto, jamais foi professora, é incapaz de ensinar o que quer que seja. Mas que se há de fazer? É preciso levar seu derradeiro rublo ao jornal e anunciar que se prepara para todos os estabelecimentos de instrução e ainda por cima que se dão lições de Aritmética. *Per tutto mundo è in altri siti.*[21]

— Ah! Andriéi Pietróvitch, será preciso ir-lhe em auxílio. Onde ela mora? — exclamou Tatiana Pávlovna.

— Ora! Há tantas! — E meteu no bolso o endereço. — Neste pacote há presentes para ti, Lisa, e para você, Tatiana Pávlovna. Sófia e eu não gostamos de doces. Para ti também, rapaz! Escolhi tudo eu mesmo em casa de Elissiéiev e de Ballet. Por muito tempo "rebentamos de fome", como diz Lukiéria (notai bem: nunca havíamos rebentado de fome em nossa casa). Há aí uvas, bombons, peras e uma torta de morangos. Eu mesmo comprei um maravilhoso licor. E também avelãs. É curioso como desde minha infância continuo a gostar de avelãs, Tatiana Pávlovna, e, você sabe, as mais comuns de todas. Lisa é como eu, adora também quebrar avelãs, como um esquilinho. Nada de mais encantador, Tatiana Pávlovna, que imaginar alguma vez, por acaso, que se é criança na floresta, colhendo avelãs... É quase o outono, mas os dias são claros, faz frio por vezes, a gente se esconde na espessura da mata, nos lugares perdidos, as folhas têm bom cheiro... Vejo algo de simpatia no seu olhar, Arkádi Makárovitch!

— Eu também passei no campo meus primeiros anos de infância.

— Como? Parece-me, pelo contrário, que viveste em Moscou... a menos que esteja enganado.

— Vivia com os Andrónikovi, em Moscou, quando você ali esteve. Mas até então estava em casa de sua falecida tia, Varvara Stiepânovna, no campo — confirmou Tatiana Pávlovna.

— Olha, Sófia, aqui está dinheiro, guarda-o! Prometeram-me para os próximos dias cinco cédulas de mil.

— Então os príncipes não têm mais nenhuma esperança?

— Absolutamente nenhuma, Tatiana Pávlovna.

— Sempre tive simpatia por você, Andriéi Pietróvitch, e por todos os seus, e sempre fui amiga da casa. Apesar de não conhecer os príncipes, tenho pena deles, juro-lhe. Mas não me leve a mal, Andriéi Pietróvitch.

— Não tenho intenção de partilhar, Tatiana Pávlovna.

— Você conhece meu pensamento, Andriéi Pietróvitch. Eles teriam abandonado a questão, se você lhes tivesse oferecido a partilha desde o começo; hoje, naturalmente, é demasiado tarde. Aliás, não tenho nada com isso... Digo isso porque penso que o defunto não os teria certamente esquecido em seu testamento.

— Não somente não os teria esquecido, mas certamente teria deixado tudo para eles. Só teria esquecido a mim, se tivesse feito as coisas dentro das regras e redigido seu testamento da maneira devida. Mas agora tenho a lei a meu favor. Está acabado. Não posso nem quero partilhar, Tatiana Pávlovna. É coisa liquidada.

Pronunciou estas palavras com irritação, o que ele raramente permitia-se fazer. Tatiana Pávlovna calou-se. Minha mãe baixou os olhos um tanto tristemente. Viersílov sabia que ela aprovava Tatiana Pávlovna.

---

21 Pelo mundo inteiro e em outros lugares.

"Eis a bofetada de Ems!", pensei comigo mesmo. O documento dado por Kraft e que eu tinha ali no bolso teria tido uma triste sorte, se tivesse caído nas mãos dele. Senti de repente que tinha ainda todo aquele caso nas minhas costas; este pensamento, em ligação com todo o resto, contribuiu para irritar-me.

— Arkádi, gostaria que te vestisses melhor, meu amigo. Não estás mal vestido, mas, de futuro, poderia recomendar-te um excelente francês, extremamente consciencioso, e que tem bom gosto.

— Quero lhe rogar que nunca me faça semelhante proposta — soltei, bruscamente.

— Como assim?

— Oh! não vejo nisso nada de humilhante, mas não estamos absolutamente de acordo a este respeito, muito pelo contrário, estamos antes em desacordo, porque dentro de alguns dias, desde amanhã mesmo, deixarei de ir à casa do príncipe, porque não tenho nada a fazer ali...

— Mas ir lá, ficar ao lado dele, não é uma ocupação?

— Semelhantes pensamentos são humilhantes.

— Não compreendo. E depois, se és tão suscetível, basta que não aceites o dinheiro dele, embora fazendo ato de presença. Ele vai sentir grande pesar; já se sente muito preso a ti, acredita-me... Afinal, seja como quiseres...

Estava visivelmente descontente.

— O senhor diz para não receber seu dinheiro. E justamente, por causa do senhor, cometi hoje uma infâmia: o senhor não me havia prevenido e eu reclamei-lhe hoje meu ordenado do mês.

— Mas foi porque assim o quiseste. Confesso que não acreditava que reclamasses. Vocês todos são mesmo espertos, ainda assim, hoje! Não há mais juventude, Tatiana Pávlovna.

Estava terrivelmente amargo. Eu também.

— Eu precisava, no entanto, regularizar minhas contas com o senhor... Foi o senhor que me fez o favor e agora não sei como fazer.

— A propósito, Sófia, entrega imediatamente a Arkádi seus sessenta rublos. E tu, meu amigo, não te zangues com este pagamento precipitado. Adivinho pela tua cara que tens algum empreendimento em vista e que necessitas... de capitais, ou de algo nesse gênero.

— Ignoro o que exprime minha cara, mas não esperava que mamãe lhe tivesse falado desse dinheiro, quando lhe havia eu pedido que não o fizesse.

Olhava para minha mãe e meus olhos lançavam faíscas. Não saberia dizer a que ponto estava ofendido.

— Arkacha, meu menino, perdoa-me, pelo amor de Deus, não pude impedir-me de dizer-lhe...

— Meu amigo, não lhe queiras mal por me ter descoberto teus segredos — disse ele, dirigindo-se a mim. — E depois, a intenção era boa: a mãe quis muito simplesmente gabar-se dos sentimentos de seu filho. Mas, acredita, eu teria adivinhado sem isto que eras capitalista. Todos os teus segredos estão escritos em teu rosto leal. Ele tem "sua ideia", Tatiana Pávlovna, já lhe disse.

— Deixemos esse meu rosto leal — continuei eu, enraivecido. — Sei que muitas vezes o senhor lê os pensamentos das pessoas, se bem que em outros casos não veja mais além da ponta de seu nariz. Sempre me causou espanto a sua perspicácia. Pois bem, seja! Tenho "minha ideia". Foi por acaso, evidentemente, que o senhor empregou essa expressão, mas não temo confessá-la; tenho "minha ideia". Dela não tenho medo, nem vergonha.

— Sobretudo não tenhas vergonha dela!

— E, no entanto, não a revelarei nunca ao senhor.

— Quer dizer que não me julgarás digno dela. É inútil, meu amigo, conheço já a substância de tua ideia. Em todo o caso, é:

> Retiro-me para o deserto.[22]

Tatiana Pávlovna! na minha opinião, o que ele quer é ser Rothschild, ou algo de semelhante, e recolher-se na sua grandeza. Naturalmente, vai nos conceder, com magnanimidade, a você e a mim, uma pequena pensão, a mim talvez não, mas o que é certo é que passará por nossa casa como um meteoro. Como a lua nova: tão logo surge, logo desaparece.

Fremia interiormente. Bem decerto, tratava-se de uma coincidência: ele não sabia de nada, falava de coisa diversa, se bem que tivesse feito menção a Rothschild; mas como podia ele definir tão exatamente meus sentimentos: romper com eles e afastar-me? Adivinhara tudo. E queria, de antemão, temperar com seu cinismo o trágico da coisa. Estava furioso, não podia haver dúvida alguma.

— Mamãe, perdoe-me minha exclamação, tanto mais quanto, de qualquer maneira, era impossível ocultar-me de Andriéi Pietróvitch.

Fingi rir e esforcei-me, pelo menos por um instante, por transformar tudo em brincadeira.

— O que há de melhor, meu caro, é que deste risada. É difícil imaginar-se a que ponto se ganha com isso, mesmo exteriormente. Digo com toda seriedade. Tatiana Pávlovna, ele tem sempre o ar de ter na cabeça algo de tão grave que o enche de vergonha a ele mesmo.

— Queria rogar-lhe seriamente que tivesse um pouco mais de discrição, Andriéi Pietróvitch.

— Tens razão, meu amigo; seria preciso, no entanto, dizê-lo duma vez por todas, para não ter de voltar a isso mais. Só voltaste de Moscou para te revoltares. Eis o que sabemos até aqui do motivo de tua chegada. Que tenhas vindo para causar-nos espanto, é coisa de que não falarei naturalmente. Em seguida, há um mês que estás aqui e não fazes senão mangar de nós. És, no entanto, homem de espírito, pelo que parece, e nesta qualidade poderias deixar esses escárnios para pessoas que não têm senão esse meio de vingar-se de sua nulidade. Fechas-te sempre, quando teu aspecto leal e tuas faces vermelhas testemunham que poderiam olhar de face todo mundo com perfeita inocência. Ele é hipocondríaco, Tatiana Pávlovna; não consigo compreender por que são todos hipocondríacos hoje.

— Se o senhor nem mesmo sabe onde fui criado, como poderia saber por que sou hipocondríaco?

— Eis todo o mistério: ficaste ofendido porque pude esquecer onde foste criado!

---

22 Verso do poeta Merzliakov (1798-1830), também professor de literatura e crítico.

— Absolutamente, nada disso, não me atribua semelhante tolice. Mamãe, Andriéi Pietróvitch felicitou-me ainda há pouco por eu ter rido; então vamos dar risada. Por que ficar triste? Quer que lhe conte histórias divertidas a meu respeito? Tanto mais quanto Andriéi Pietróvitch nada sabe de minhas aventuras.

Eu estava fervendo. Sabia que não haveríamos de encontrar-nos nunca mais juntos como hoje e que, uma vez saído daquela casa, eu não voltaria a ela mais nunca. Foi por isso que, na véspera de tudo isto, não pude mais conter-me. Ele mesmo provocou esse desenlace.

— Isto é gentil, contanto que seja realmente divertido! — observou ele, fitando-me com olhar penetrante. — Tu te tornaste um tanto selvagem, meu amigo, no lugar onde foste educado. Aliás, apesar de tudo, és ainda bastante apresentável. Ele está muito tratável hoje, Tatiana Pávlovna, e você fez muito bem abrindo afinal esses embrulhos.

Mas Tatiana Pávlovna franziu o cenho; nem mesmo se voltou e continuou a abrir os embrulhos e a colocar os presentes em pratos. Minha mãe também ficou perplexa, ao compreender e ao pressentir que iria acontecer algo de desastroso. Minha irmã, ainda uma vez, acotovelou-me.

III

— Quero muito simplesmente contar-lhes — comecei, com o ar mais displicente — como um pai encontrou pela primeira vez seu filho querido. Isto ocorreu precisamente "lá onde foste educado".

— Mas, meu amigo, não será... fastidioso? Bem sabes: *tous les genres*...[23]

— Não franza os supercílios, Andriéi Pietróvitch, não é absolutamente o que o senhor pensa. Quero fazer todos rirem.

— Que Deus te ouça, meu caro! Sei que nos amas a todos e que ... não haverás de querer perturbar nosso serão — sussurrou ele, com ar falsamente desprendido.

— Foi por certo pela minha cara que o senhor adivinhou que o amo?

— Sim, em parte pela tua cara.

— Pois bem, adivinhei, desde muito tempo, pela cara de Tatiana Pávlovna que ela está apaixonada por mim. Não me lance olhares tão ferozes, Tatiana Pávlovna, vale mais a pena rir! Vale mais a pena rir!

Ela voltou-se bruscamente para mim e durante um meio minuto examinou-me com olhar penetrante:

— Cuidado! — E ameaçava-me com o dedo, tão seriamente que aquilo não podia referir-se à minha tola brincadeira, mas assemelhava-se antes a uma advertência: "Será que pensarias em começar?".

— Então, Andriéi Pietróvitch, não se lembra como nos encontramos na vida pela primeira vez?

— Esqueci, juro, e peço sinceramente perdão. Lembro-me somente de que foi há muito tempo... e não sei mais onde...

---

23   Todos os gêneros.

— E a senhora, mamãe, não se lembra, quando estava no campo, na aldeia em que fui educado, até os seis ou sete anos, creio? A senhora de fato morou naquela aldeia, ou bem foi em sonho que me pareceu tê-la visto lá pela primeira vez? Há muito tempo que lhe queria fazer esta pergunta e sempre recuava; agora chegou o momento.

— Como não, meu Arkáchenhka? Mas, decerto, fui visitar três vezes Varvara Stiepânovna; a primeira vez, quando tinhas apenas um ano, a segunda, quando andavas pelos quatro anos e depois, quando tinhas mais de dez anos.

— Ah! afinal! Estive querendo perguntar-lhe este mês inteiro!

Minha mãe corou completamente a esse brusco afluxo de recordações e perguntou-me, emocionada:

— Será possível, meu Arkáchenhka, que te lembrasses de mim?

— Não me lembro de nada e não sei de nada, somente restou algo do rosto da senhora no fundo de meu coração e para toda a minha vida, e mais ainda, restou-me o saber que a senhora é minha mãe. Toda aquela aldeia, vejo-a hoje como num sonho. Esqueci-me mesmo de minha ama. Aquela Varvara Stiepânovna, dela me lembro um pouco, somente porque tinha as bochechas perpetuamente enfaixadas. Revejo ainda, em redor da casa, árvores imensas, tílias, creio; em seguida, em certos dias, um sol intenso entrando pelas janelas abertas, platibandas de flores, uma aleia, e a senhora, mamãe, não a revejo claramente senão um só instante, aquele em que fui comungar na igreja da aldeia e em que a senhora me carregou nos braços para me fazer receber a hóstia e beijar o cálice; era no estio, um pombo atravessou a cúpula, duma janela à outra...

— Meu Deus! É bem verdade isso! — Minha mãe cruzou as mãos. — Lembro-me desse pombo. No momento mesmo de comungar, tu te agitaste e gritaste: "O pombo, o pombo!".

— O seu rosto, ou então qualquer outra coisa dele, uma expressão, ficou tão gravado em minha memória, que há cinco anos, em Moscou, logo a reconheci como minha mãe, muito embora ninguém me tivesse dito. Em seguida, depois de meu primeiro encontro com Andriéi Pietróvitch, retiraram-me da casa dos Andrónikovi; mofara em casa deles, mansa e alegremente, cinco anos seguidos. Lembro-me, nos seus mínimos detalhes, do apartamento deles num edifício do Estado e de todas aquelas senhoras e senhoritas que hoje estão bastante envelhecidas, e da casa cheia, e do próprio Andrónikov, que trazia pessoalmente da cidade as provisões, as aves, os peixes, os leitões e nos servia ele próprio a sopa na mesa, em lugar de sua esposa, que sempre bancava a orgulhosa; sempre ríamos disso e ele era o primeiro a rir. Foi lá que as moças me ensinaram o francês, mas eu gostava sobretudo das fábulas de Krilov; aprendi uma quantidade delas de cor e cada dia declamava uma para Andrónikov: entrava diretamente no seu minúsculo escritório, estivesse ou não ocupado. Pois bem, foi por causa de uma dessas fábulas que travei conhecimento com o senhor, Andriéi Pietróvitch... Vejo que o senhor começa a recordar-se.

— Lembro-me com efeito um pouco, meu caro... Que me contaste então?... uma fábula, ou então uma passagem de *A desgraça de ter talento*?[24] Mas que memória a tua!

---

24 Título da obra-prima de Alieksandr Sierguiéievitch Griboiédov (1793-1829), diplomata e autor dramático russo, massacrado em Teerã, onde servia como embaixador.

— Memória? É o menos! Foi a única recordação que guardei toda a minha vida.

— Excelente, excelente, meu amigo! Tu me interessas.

Sorriu mesmo e depois dele sorriram minha mãe e minha irmã. A confiança voltava; somente Tatiana Pávlovna, que sentara a um canto depois de ter arrumado os presentes em cima da mesa, continuava a fixar-me penetrantemente com um olhar maligno.

— Eis a história — prossegui. — Uma bela manhã, minha amiga de infância, Tatiana Pávlovna, que sempre surgia de improviso em minha existência, como no teatro, foi buscar-me, levou-me de carro e deixou-me numa mansão senhorial, num luxuoso apartamento. O senhor estava então hospedado na casa da Fanariótova, Andriéi Pietróvitch, na casa desocupada naquele momento que ela outrora havia comprado para o senhor; achava-se no estrangeiro. Eu andava sempre de blusas; lá, vestiram-me uma linda roupa azul e camisa fina. Tatiana Pávlovna passou o dia inteiro comigo e comprou para mim toda sorte de coisas; eu andava pelas salas vazias e olhava-me em todos os espelhos. Pois bem, não sei como, mas na manhã seguinte, pelas dez horas, vagando pelo apartamento, entrei de repente, bem por acaso, no escritório do senhor. Já na véspera, havia-o visto no momento em que acabavam de trazer-me, mas só de passagem, na escada. O senhor descia para ir tomar um carro e partir não sei para onde. O senhor se achava então sozinho em Moscou, após uma longa ausência e por pouco tempo, de modo que o reclamavam em toda parte e o senhor quase nunca estava em casa. Encontrando-nos, a Tatiana Pávlovna e a mim, o senhor disse apenas: "Ah!", sem mesmo parar.

— Com que amor ele descreve! — observou Viersílov, dirigindo-se a Tatiana Pávlovna. Ela voltou-se, sem responder.

— Vejo-o, como se ainda lá estivesse, tal como era então, florescente e belo. É espantoso como o senhor pôde envelhecer e ficar feio durante esses nove anos, perdoe-me a franqueza. Aliás, mesmo naquela ocasião, o senhor já tinha trinta e sete anos, mas não me cansava de olhá-lo. Que cabelos admiráveis, quase inteiramente negros, brilhantes, sem um fio branco! Bigodes e suíças dum acabamento de joalheiro, não encontro outra expressão; um rosto pálido e fosco, duma palidez doentia como hoje, mas, veja... como o de sua filha Anna Andriéievna, que tive a honra de ver ainda há pouco; olhos ardentes e sombrios, dentes cintilantes, sobretudo quando o senhor ria. O senhor acaba justamente de rir ao olhar-me, quando entrei em seu escritório; eu não sabia então distinguir as coisas e seu sorriso alegrou-me o coração. O senhor vestia naquela manhã uma jaqueta de veludo azul-marinho, um cachecol de tonalidade solferino, uma maravilhosa camisa guarnecida de rendas de Alençon. Estava diante do espelho, com um caderno na mão, estudando a declamação do último monólogo de Tchátski[25] e, em particular, seu derradeiro grito:

Meu carro, meu carro!

— Ah! meu Deus! — exclamou Viersílov. — É a pura verdade! Tinha então aceitado, apesar do pouco tempo de que dispunha em Moscou, desempenhar o pa-

---

25 Personagem principal da peça antes citada de Griboiédov.

pel de Tchátski em casa de Alieksandra Pietrovna Vitóvtova, no seu palco particular, substituindo o ator Jiliéiko que estava doente.

— Tinha-se esquecido disso? — perguntou Tatiana Pávlovna, rindo-se.

— Ele fez-me lembrar! E confesso, aqueles poucos dias de Moscou foram talvez os melhores de minha vida! Éramos todos tão jovens então... esperávamos tudo com tanto ardor... Encontrei então em Moscou tantos... Mas continua, meu filho, fizeste muito bem, desta vez, entrando em detalhes...

— Estava parado ali, a fitá-lo. De repente, gritei: "Ah! como está bem! Eis o verdadeiro Tchátski!". O senhor voltou-se logo para me perguntar: "Já conheces Tchátski?". Depois o senhor sentou-se no divã e com o mais alegre humor pôs-se a tomar seu café. Tive até vontade de beijá-lo. Então confiei-lhe que em casa de Andrónikov todo mundo lia muito, que as senhoritas sabiam muitos versos de cor, que representavam entre si cenas de Griboiédov e que, durante toda a última semana, tinha-se lido em conjunto e em voz alta o livro *Memórias de um caçador*,[26] e afinal que gostava sobretudo das fábulas de Krilov e sabia-as de cor. O senhor convidou-me a recitar alguma coisa e eu declamei-lhe *A noiva difícil*:

> Pensava uma noiva em seu noivo.

— Isto mesmo, isto mesmo, agora me lembro de tudo! — exclamou de novo Viersílov. — Mas, meu amigo, lembro-me também de ti. Eras então um menino tão simpático, um rapazinho muito gentil e juro-te, perdeste muito durante esses nove anos.

Neste momento, a própria Tatiana Pávlovna soltou uma gargalhada. Era claro que Andriéi Pietróvitch permitia-se brincar e pagar-me na mesma moeda. Todos acharam graça; e fora mesmo uma boa réplica.

— À medida que eu recitava, o senhor sorria, mas não havia ainda chegado à metade e já o senhor me fazia parar, tocava a campainha e dava ordem ao criado que entrara naquele momento para chamar Tatiana Pávlovna, que logo acorreu com ar tão alegre que, depois de tê-la visto na véspera, quase não a reconheci mais. Na presença de Tatiana Pávlovna, recomecei *A noiva difícil* e acabei brilhantemente. Tatiana Pávlovna sorriu para mim e o senhor, Andriéi Pietróvitch, o senhor mesmo gritou para mim: "Bravo!" e fez notar com ardor que, se se tivesse tratado de *A cigarra e a formiga,* nada teria havido de tão admirável pelo fato de que um menino inteligente, na minha idade, a recitasse com inteligência, mas que... aquela fábula:

> Pensava uma noiva em seu noivo.
> Nisto pecado não há...

Escute bem como ele diz isto: "Nisto pecado não há!". Em uma palavra, o senhor estava entusiasmado. Então, o senhor começou a falar em francês com Tatiana Pávlovna. Repentinamente, franziu ela o cenho e opôs-lhe objeções, até mesmo bastante calorosamente; mas como é impossível contradizer Andriéi Pietróvitch, quando ele tem vontade de alguma coisa, Tatiana Pávlovna depressa me levou para

---

26 De Ivan Turguéniev (1818-1883).

sua casa: lá, lavaram-me ainda uma vez o rosto e as mãos, mudaram-me a camisa, empomadaram-me e até mesmo frisaram-me os cabelos. Em seguida, ao anoitecer, Tatiana Pávlovna vestiu-se ela mesma muito suntuosamente, mais ainda do que eu poderia acreditar e levou-me de carro. Pela primeira vez na minha vida, ia ao teatro, a um espetáculo de amadores em casa de Vitóvtova: velas, bustos, damas, militares, generais, senhoritas, o pano, as filas de cadeiras — nada vira até então de semelhante. Tatiana Pávlovna escolheu um lugar discreto numa das derradeiras filas e fez-me sentar junto dela. Havia naturalmente outros meninos como eu, mas eu não olhava mais nada, esperava com uma palpitação de coração o espetáculo. Quando o senhor entrou em cena, Andriéi Pietróvitch, fiquei entusiasmado, entusiasmado a ponto de chorar. Por quê? Ignoro-o. Por que aquelas lágrimas de entusiasmo?... Eis o que sempre me pareceu esquisito, quando me lembrava disso durante estes nove anos! Acompanhava a comédia e sentia o coração faltar-me; tudo quanto eu compreendia era, evidentemente, que "ela" o traíra, e que pessoas estúpidas e indignas de tocar um dedo de seu pé zombavam dele. Enquanto declamava no baile, eu compreendia que o humilhavam e ofendiam, que ele dirigia censuras a todos aqueles indivíduos desprezíveis, mas que era grande, muito grande! Sem dúvida, o preparo que tivera em casa de Andrónikov ajudou-me a compreender, mas igualmente a sua maneira de representar, Andriéi Pietróvitch! Pela primeira vez, via eu uma cena! No momento da partida, quando Tchátski grita: "Meu carro, meu carro!" (o senhor lançava um grito admirável!), saltei de minha cadeira e, com toda a sala, numa tempestade de aplausos, bati palmas e gritei com todas as minhas forças: "Bravo!". Lembro-me também de que no mesmo instante senti um alfinete fincar-se nas minhas costas "um pouco abaixo da cintura"; era Tatiana Pávlovna que me beliscava furiosamente, mas não lhe dei atenção! Como era natural, logo após a representação, Tatiana Pávlovna levou-me de volta para casa: "Não poderás ficar para dançar e por tua causa é que não posso eu ficar". E resmungaste contra mim, Tatiana Pávlovna, durante todo o trajeto, no carro. Delirei a noite inteira e no dia seguinte, às dez horas, já estava diante de seu escritório; mas a porta estava fechada: o senhor recebia, tratava de negócios; em seguida desapareceu de repente por um dia inteiro até a noite e não o vi mais! O que eu queria dizer-lhe? Esqueci, não sabia mesmo então, mas queria apaixonadamente vê-lo o mais depressa possível. No dia seguinte de manhã, já às oito horas, o senhor partiu para Sierpúkhov: o senhor acabava de vender sua propriedade de Tula para pagar suas dívidas, mas ainda lhe restava um bom pedaço e por isso tinha ido a Moscou, onde o senhor não podia até então mostrar-se com medo de seus credores; e somente, entre todos, aquele grosseiro sujeito de Sierpúkhov se recusava a aceitar a metade pelo todo. Tatiana Pávlovna nem mesmo respondia às minhas perguntas: "Fica tranquilo, amanhã te conduzirei ao internato, prepara-te, pega teus cadernos, arruma teus livros e aprende a fazer tu mesmo tua mala. Não estás destinado a viver como príncipe, meu senhorzinho", etc. etc. Ah! quanto você me encheu os ouvidos naqueles três dias, Tatiana Pávlovna! E com efeito, você me conduziu ao pensionato Touchard, a mim, inocente e fascinado pelo senhor, Andriéi Pietróvitch! Não era, quero bem crer, senão um acaso absurdo aquele encontro, mas, o senhor será capaz de acreditar?, seis meses mais tarde, era ainda minha vontade fugir do pensionato Touchard para ir encontrá-lo!

— Contaste admiravelmente, despertaste todas as minhas recordações! — martelou Viersílov. — Mas o que me chama sobretudo a atenção na tua história é a riqueza de certos detalhes singulares, a propósito de minhas dívidas, por exemplo. Sem falar de certa inconveniência própria de semelhantes detalhes, não vejo onde pudeste sabê-los.

— Esses detalhes? Onde os soube? Mas, repito-lhe, durante estes nove anos, não tive outra preocupação senão recolher detalhes a respeito do senhor.

— Singular confissão, singular ocupação!

Voltou-me as costas, meio deitado na sua poltrona e esboçou um leve bocejo, voluntário ou não, ignoro-o.

— Devo continuar a contar-lhe como pude escapar do pensionato Touchard?

— Proíba-o disso, Andriéi Pietróvitch! Faço-a calar, ponha-o para fora daqui! — gritou Tatiana Pávlovna.

— Não, Tatiana Pávlovna! — respondeu Viersílov, com autoridade. — Arkádi tem sem dúvida algum projeto. É absolutamente necessário deixá-lo terminar. Que continue! Que faça sua narrativa e fique livre dela! E, aliás, tudo quanto ele quer: ficar livre para sempre. Vamos, meu caro, começa tua nova história: nova, é uma maneira de falar, porque, fica tranquilo, conheço-lhe o fim.

IV

— Eu queria escapar, fugir para junto do senhor, bem simplesmente. Tatiana Pávlovna, você deve lembrar-se de que, quinze dias depois de minha entrada para o pensionato, Touchard lhe enviou uma carta. Não? Maria Ivânovna mostrou-me essa carta tempos depois; achava-se também entre os papéis de Andrónikov. Touchard tinha-se súbitamente dado conta de que pedira demasiado pouco e anunciava-lhe "dignamente" que educava em seu estabelecimento príncipes e filhos de senadores, e que achava indigno desse estabelecimento conservar um pensionista que tinha uma origem como aquela minha, a menos que recebesse um pagamento suplementar.

— *Mon cher*, tu poderias...

— Não é nada, não é nada! — interrompi. — Tenho apenas uma palavra a dizer a respeito de Touchard. Você lhe respondeu, Tatiana Pávlovna, lá do campo, quinze dias mais tarde, com uma recusa categórica. Vejo-o ainda, todo vermelho, entrar na minha classe. Era um francesinho, baixote e redondinho, de cerca de quarenta e cinco anos e vindo realmente de Paris, antigo sapateiro-remendão, na verdade, mas instalado desde tempos imemoriais em Moscou, como professor de francês diplomado, e possuía mesmo diplomas de que se orgulhava extremamente. Homem profundamente inculto. Éramos apenas seis pensionistas no seu internato; havia efetivamente entre eles um sobrinho dum senador de Moscou. Vivíamos todos em casa dele absolutamente em família, a maior parte das vezes sob a vigilância de sua esposa, uma senhora muito cheia de afetações, filha dum vago funcionário russo. Durante aqueles quinze dias, banquei tremendamente de orgulhoso diante de meus camaradas, gabava-me de meu paletó azul e de meu papai Andriéi Pietróvitch e, quando me perguntavam por que era eu Dolgorúki e não Viersílov, a pergunta não me perturbava absolutamente, porque eu mesmo ignorava o porquê.

— Andriéi Pietróvitch! — gritou Tatiana Pávlovna, num tom quase ameaçador. Em contraposição, minha mãe escutava-me sem perder uma só palavra e desejava visivelmente ver-me continuar.

— Aquele Touchard... lembro-me efetivamente, aquele homenzinho espertinho — disse Viersílov entre dentes —, tinham-me dado dele as melhores informações...

— Aquele Touchard entrou, pois, com a carta na mão, aproximou-se de nossa grande mesa de carvalho, diante da qual todos nós seis estudávamos não sei mais qual lição, agarrou-me fortemente pelo ombro, obrigou-me a levantar-me e ordenou-me que pegasse meus cadernos.

"Teu lugar não é aqui, mas ali." E mostrou-me um quartinho minúsculo, à esquerda da antecâmara, onde havia uma mesa vulgar, uma cadeira de vime e um divã coberto de oleado, exatamente como agora em minha mansarda. Fui para ali, cheio de espanto e corando bastante; nunca me havia tratado com semelhante grosseria. Meia hora depois, quando Touchard saiu da classe, fui trocar olhares e risadas com os camaradas; é claro que eles zombavam de mim, mas eu de nada suspeitava e acreditava que ríamos juntos porque estávamos alegres. Naquele momento, apareceu Touchard. Agarrou-me por uma mecha de cabelo e arrastou-me.

"Não tenhas o atrevimento de andar com os meninos de boa família. És de baixa extração, não passas duma espécie de lacaio!"

E bateu na minha face redondinha e vermelha, causando-me bastante dor. A coisa lhe agradou, recomeçou uma segunda vez, depois uma terceira. Pus-me a chorar. Estava terrivelmente surpreendido. Fiquei uma boa hora com a cabeça oculta entre as mãos, a chorar perdidamente. Passava-se algo que eu não lograva compreender. Não compreendia como um homem sem maldade como Touchard, um estrangeiro, que até mesmo se regozijava tanto com a emancipação dos camponeses russos, pudesse bater num menino ingênuo como eu. No fundo, estava apenas espantado, e nada ofendido; não sabia ainda ficar ofendido. Parecia-me que tinha cometido alguma travessura, que depois de castigado iam me perdoar e que de novo estaríamos todos contentes, iríamos brincar no pátio e retomaríamos a boa vida.

— Meu amigo, se ao menos tivesse sabido... — disse Viersílov, com o sorriso negligente dum homem um pouco cansado — que celerado era aquele Touchard! Enfim, não perco ainda a esperança de que agarrarás tua coragem com as duas mãos, afinal vais nos perdoar tudo isso e retomaremos a boa vida.

Seguiu-se um enérgico bocejo.

— Mas não acuso ninguém, absolutamente ninguém, não me queixo mesmo de Touchard, acredite! — exclamei, um tanto desconcertado. — Aliás, ele só me bateu por espaço de dois meses. Lembro-me de que desejava sempre desarmá-lo, atirava-me a beijar-lhe as mãos e beijava, chorando todas as lágrimas de meu corpo, os colegas zombavam de mim e desprezavam-me, porque Touchard me utilizava por vezes como criado seu, mandava-me buscar-lhe as roupas quando se vestia. Aqui meu servilismo achou instintivamente em que se ocupar: fazia todos os esforços para agradar-lhe, sem me ofender em nada absolutamente, porque não compreendia ainda nada e admiro-me mesmo de que até aquele dia tenha sido bastante estúpido para não compreender quanto estava eu abaixo deles todos. Sem dúvida meus colegas já me ensinavam muitas coisas, estava em boa escola. Touchard acabou por preferir os pontapés no traseiro às bofetadas na cara; seis meses mais tarde, começou mesmo a acariciar-me de tempo em tempo; estou apenas certo de que me batia uma vez por mês para me fazer lembrar que ficasse no meu lugar. Em breve, puseram-me de novo com os outros meninos, deixaram-me brincar com eles, mas nem uma só vez, no decorrer daqueles dois anos e meio, esqueceu-se Touchard da diferença de nossas condições sociais e, muito embora sem exagerar, não deixava de empregar-me constantemente a seu serviço, e creio que isso era também a título de lembrete.

Fugi, isto é, pensei em fugir, cerca de cinco meses depois daqueles dois primeiros meses. Em geral, sempre fui lento em tomar decisões. Quando me deitava, puxando meu cobertor, punha-me logo a pensar no senhor, Andriéi Pietróvitch, tão só no senhor; ignoro de todo por que era assim. Via-o mesmo em sonho. E sobretudo pensava sempre com ardor que o senhor ia de repente aparecer, que me lançaria em seus braços, que o senhor me retiraria daquele lugar e me levaria para sua casa, para seu escritório, que iríamos ainda ao teatro, e assim por diante. Sobretudo, que não nos separaríamos mais: era o principal! Quando despertava pela manhã, surgiam logo as zombarias e o desdém dos garotos; um deles imaginou bater-me e obrigar-me a calçar-lhe os sapatos; chamava-me todos os nomes, procurando sobretudo fazer-me compreender minha origem, para maior alegria de todos os ouvintes. Quando enfim chegava Touchard, sentia dentro de mim algo de intolerável. Sentia que ali não me perdoariam nunca. Oh! começava já a compreender pouco a pouco o que era que não me perdoariam e qual era o meu crime! Foi assim que resolvi fugir. Passei dois meses a pensar nisso. Por fim tomei a decisão; era em setembro. Esperei, um sábado, que todos os meus colegas se tivessem dispersado para o domingo, e preparei cuidadosamente um embrulho dos objetos mais indispensáveis; por todo dinheiro, tinha dois rublos. Queria esperar o crepúsculo: "então descerei a escada, dizia a mim mesmo, sairei e seguirei para diante". Para onde? Sabia que Andrónikov havia partido para Petersburgo e resolvi descobrir a casa da Fanariótova, no Arbat.[27] "Passarei a noite não importa onde, a passear ou sentado em um banco e de manhã perguntarei a alguém no pátio: onde se acha agora Andriéi Pietróvitch e se não está em Moscou, em que cidade ou em que país? Haverão de dizer-me. Irei adiante, em seguida, perguntarei em outra parte e a alguma outra pessoa: por qual barreira sair para dirigir-me a tal ou qual cidade? Sairei e irei, irei pela estrada principal. Caminharei, sem parar; passarei a noite não importa onde, sob as moitas, só comerei pão, com dois rublos terei pão para muito tempo." No sábado, entretanto, foi-me impossível escapar; tive de esperar até o dia seguinte, domingo; como que de propósito, Touchard e sua mulher ausentaram-se; ficamos em toda a casa apenas Agáfia e eu. Esperei que anoitecesse num estado de tremenda emoção. Estava sentado, lembro-me, diante da janela de nossa classe, a olhar a rua poeirenta com suas casinhas de madeira e seus raros transeuntes. Touchard morava no extremo da cidade e de nossas janelas via-se a barreira: se fosse a barreira certa!, dizia a mim mesmo. O sol se punha, esplendidamente vermelho, o céu estava gelado, um vento cortante, tal como hoje, levantava a poeira. Enfim a escuridão caiu por completo; pus-me diante do ícone e rezei, porém rápido, rápido, porque estava com pressa; peguei meu

---

27 Bairro de Moscou.

embrulho e desci na ponta dos pés nossa escada rangente, com um medo terrível de ser ouvido da cozinha por Agáfia. A chave estava na porta. Abri e de repente a noite negra envolveu-me, como um perigo desconhecido sem limites, e o vento arrebatou meu boné. Estava do lado de fora. No passeio fronteiro, repercutiu o grito rouco dum bêbedo que praguejava; parei, olhei e tornei a entrar bem devagarinho. Bem devagarinho subi a escada, bem devagarinho tirei minha roupa, larguei meu embrulho e deitei-me sobre o ventre, sem lágrimas nem pensamento. Pois bem, foi desde aquele momento que me pus a pensar, Andriéi Pietróvitch! Sim, desde o instante em que tomei consciência de que não era apenas um criado, mas também um covarde! Foi então que começou meu desenvolvimento verdadeiro regular!

— E foi, naquele momento também que eu comecei a compreender quem és na realidade! — Era Tatiana Pávlovna que saltava de súbito e de maneira tão inesperada que eu não estava de jeito nenhum preparado para aquilo. — Não foi somente naquele momento que eras um criado, tu o és, sempre, tens uma alma de criado! Quem teria impedido que Andriéi Pietróvitch fizesse de ti um aprendiz de sapateiro-remendão? Teria mesmo te prestado serviço se te ensinasse um ofício! Quem, pois, teria exigido mais dele, quem, pois, exigia mais? Teu pai, Makar Ivânovitch, não pedia somente, mas exigia quase que não te tirassem de tua situação. Não, tu não aprecias bastante o que ele fez por ti, conduzindo-te até a Universidade. Graças a ele é que gozas dos direitos das classes superiores. Os garotos zombavam dele, vejam só isto, então jurou vingar-se da humanidade... Não passas de um canalha!

Confesso, fiquei esmagado com tal saída. Levantei-me e fiquei olhando um instante sem nada encontrar para responder.

— O que Tatiana Pávlovna acaba de dizer-me é, deveras, novidade — disse eu, voltando-me, afinal, deliberadamente, para Viersílov. — Sou com efeito bastante lacaio para não me contentar com fato de não ter-me Viersílov feito um sapateiro-remendão. Mesmo os direitos das classes superiores não me enterneceram, reclamo Viersílov todo, reclamo um pai... eis o que eu preciso. Como não ser um lacaio? Mamãe, tenho sempre na consciência, desde os oito anos, aquele momento em que a senhora veio ver-me, sozinha, em casa de Touchard e a maneira pela qual a recebi. Mas não é o momento de falar disso, Tatiana Pávlovna não o permitirá. Amanhã, mamãe, talvez nos veremos ainda. Tatiana Pávlovna, que diria a senhora se eu for ainda uma vez bastante lacaio para não poder admitir que alguém se torne a casar, estando viva sua mulher? Foi, no entanto, o que quase aconteceu a Andriéi Pietróvitch em Ems! Mamãe, se não quiser ficar com um marido que se casará amanhã com uma outra, lembre-se de que tem um filho que promete ser um filho eternamente respeitoso., lembre-se e partamos, com uma condição somente: "Ou ele, ou eu". Quer? Não peço resposta imediata: sei que são perguntas essas às quais não se pode responder imediatamente...

Não pude acabar, primeiro porque me havia acalorado e perdia a cabeça. Minha mãe ficou lívida, a voz faltou-lhe: não podia dizer mais uma palavra. Tatiana Pávlovna falou barulhentamente e muito, mas eu não pude distinguir mesmo o que ela dizia, e por duas vezes meteu-me o punho nas costas. Lembro-me somente de que berrava que minhas palavras eram "calculadas, longamente acariciadas por uma alma mesquinha, embrulhadas". Viersílov permanecia sentado, imóvel e muito sério, sem sorrir. Subi para meu quarto. O derradeiro olhar que me acompanhou foi o olhar censurador de minha irmã; abanava a cabeça com ar severo.

CAPÍTULO VII

I

Descrevo todas essas cenas sem poupar-me, a fim de que tudo fique bem nítido, recordações e impressões. De volta ao meu quarto, ignorava absolutamente se devia corar ou triunfar, por ter cumprido meu dever. Se tivesse sido um tantinho mais experimentado, teria adivinhado que a menor dúvida em semelhante matéria deve ser interpretada no mau sentido. Mas estava desorientado por outra circunstância: não percebi de que pudesse eu regozijar-me, mas sentia uma alegria louca, a despeito de minhas dúvidas e da clara consciência que tinha de haver sofrido um malogro ainda há pouco, lá embaixo. Até mesmo as injúrias raivosas de Tatiana Pávlovna pareciam-me engraçadas e divertidas e não me causavam absolutamente raiva. Era sem dúvida porque havia eu, apesar de tudo, rompido minha corrente e pela primeira vez sentia-me em liberdade.

Sentia também que havia estragado meus negócios: como agir agora com a carta referente à herança? A questão ficara ainda mais tenebrosa. Ia-se seguramente acreditar que eu queria vingar-me de Viersílov. Mas já lá embaixo, durante todos aqueles debates, eu resolvera submeter a questão a uma arbitragem e escolher como árbitro Vássin ou, se não houvesse meio, algum outro, e já sabia quem. "Um dia, e por essa única vez, irei à casa de Vássin pensava comigo mesmo —, e em seguida... em seguida desaparecerei para todo mundo e por muito tempo, por vários meses, desaparecerei mesmo e sobretudo para Vássin; verei talvez somente, de tempos em tempos, minha mãe e minha irmã." Tudo isso era bem desordenado; sentia que havia alguma coisa de fato, mas não como era preciso, e... e estava contente; repito, apesar de tudo sentia-me feliz.

Então decidi deitar-me mais cedo, prevendo uma longa caminhada no dia seguinte. Além do aluguel dum quarto e da mudança, tomei certas decisões que resolvi executar duma maneira ou doutra. Mas a noite não iria terminar sem imprevisto e Viersílov conseguiu surpreender-me espantosamente. Nunca vinha, absolutamente nunca, à minha mansarda. Ora, ainda não se passara uma hora, desde que subira, quando ouvi seus passos na escada: chamou-me para alumiar-lhe o caminho. Peguei uma vela e, estendendo para baixo uma das mãos, que ele agarrou, ajudei-o a subir até em cima.

— *Merci,* meu amigo, ainda não subira aqui nem uma vez, mesmo quando aluguei o apartamento. Suspeitava bem o que devia ser; no entanto, não previa semelhante canil. — Parou no meio de minha mansarda, olhando tudo em redor, com curiosidade: — Mas é um ataúde, um verdadeiro ataúde!

Havia de fato certa semelhança com o interior de um ataúde e admirei mesmo a exatidão de sua definição. O quartinho era estreito e comprido; ao nível de meu ombro, não mais alto, começava o ângulo da parede e do teto, cuja extremidade podia eu tocar com a palma da mão. Viersílov, no primeiro instante, manteve-se instintivamente curvado, com medo de bater com a cabeça no telhado. Mas tal não se deu e acabou sentando-se bastante tranquilamente em meu divã, onde minha cama já estava feita. Quanto a mim, não me sentei, olhava-o com o mais intenso espanto.

— Tua mãe diz que não sabia se devia aceitar o dinheiro que lhe propuseste para pagar tua pensão deste mês. Levando em consideração semelhante ataúde, não somente nada tens a pagar, mas somos nós, pelo contrário, que te estamos devendo! Jamais estive aqui, e... mal consigo imaginar como se possa viver aqui.

— Estou habituado. Mas vê-lo em meu quarto, eis ao que não me posso habituar, depois do que se passou lá embaixo.

— Oh! sim, tu te mostraste bastante grosseiro lá embaixo. Mas... eu também tenho meus objetivos particulares, que te explicarei, embora, no fundo, minha presença nada tenha de extraordinária; e mesmo o que se passou lá embaixo está também na ordem das coisas; mas explica-me um detalhe, rogo-te: o que nos contaste lá embaixo e para que nos preparaste tão solenemente, seria bem tudo quanto tinhas intenção de revelar-nos ou de confiar-nos? Não tens mais outra coisa?

— Era tudo. Ou antes admitamos que seja tudo.

— Então é pouco, meu amigo. A julgar pelo teu exórdio e pela maneira pela qual nos convidavas a rir, em uma palavra, ao ver quanta vontade tinhas de contar... esperava mais.

— Mas que tem o senhor com isso?

— Eu, em suma, é por um sentimento de medida... Para que tanto barulho? Não há mais medida. Um mês de silêncio e de preparativos para parir nada!

— Tinha a intenção de fazer uma longa narrativa, mas envergonho-me desde já do que disse. Não se pode contar tudo com palavras, há coisas que vale mais nunca relembrar. Falei demais e aliás o senhor me compreendeu.

— Ah! e sofres por vezes pelo fato de não se acomodar teu pensamento ao molde das palavras? Esse nobre sofrimento, meu amigo, só é dado aos eleitos; o imbecil está sempre satisfeito com o que diz e além disso diz sempre mais do que é preciso; essas pessoas amam o supérfluo.

— Como eu, ainda há pouco, lá embaixo, por exemplo? Eu também disse mais do que era preciso. Reclamei "Viersílov inteiro", o que é infinitamente mais do que o necessário; não tenho necessidade nenhuma de Viersílov.

— Vejo, meu amigo, que queres recuperar o tempo perdido. Arrependes-te e, como arrepender-se significa entre nós cair imediatamente sobre alguém, estás bem decidido a não errar outra vez o golpe contra mim. Vim cedo demais, teu fogo ainda não se extinguiu e além disso suportas mal a crítica. Mas, senta, rogo-te, tenho algo a comunicar-te. Obrigado, assim mesmo. Do que disseste à tua mãe, ao sair, ressalta claramente que vale mais, em todo o caso, separar-nos. Vim aconselhar-te a fazê-lo tão docemente quanto possível e sem escândalo, para não causar pesar e perturbar ainda mais tua mãe. O simples fato de ver-me subir para aqui já lhe fez bem: está convencida de que poderemos ainda fazer as pazes e que tudo continuará como no passado. Creio que se pudéssemos ambos rir ruidosamente uma ou duas vezes, semearíamos alegria nos corações tímidos delas. Aqueles corações são simples, mas amorosos, sinceros e ingênuos. Por que não acalentá-los um pouco, se pudermos? Bem, este é o primeiro ponto. Eis o segundo: por que deveríamos abso-

O ADOLESCENTE

101

lutamente separar-nos com sede de vingança, ranger de dentes, maldições e todo o resto? Sem dúvida alguma, não vamos engalfinhar-nos, mas há meio de separar--nos, respeitando-nos, por assim dizer, mutuamente. Não é?

— Tudo isso são tolices! Prometo-lhe ir-me sem escândalo e é bastante. Atormenta-se por conta de minha mãe? Parece-me, no entanto, que a tranquilidade de minha mãe lhe importa pouco. São apenas palavras.

— Não acreditas em mim?

— O senhor me fala na verdade como se o fizesse a um menino.

— Meu amigo, estou pronto a pedir-te mil perdões, bem como de todas as coisas que me imputas, de todos os teus anos de infância e assim por diante. Mas, *cher enfant*, que resultará disso? És bastante inteligente para não desejar meter-te em tão tola posição. Sem acrescentar que não compreendo mesmo muito bem o caráter de tuas censuras: de que, no fundo, me acusas? De não teres nascido Viersí-lov? Não é isto? Ris com ar desdenhoso e defendes-te com a mão. Então, não é isto?

— Não, acredite-o bem. Acredite que não acho honra nenhuma chamar-me Viersílov.

— Deixemos de parte a honra. E depois, tua resposta não tinha outro jeito senão ser democrático. Mas então de que me acusas?

— Tatiana Pávlovna acaba de dizer tudo quanto eu queria saber (e de que não tinha entendimento até agora: é que o senhor não fez de mim um sapateiro--remendão e, por consequência, devo-lhe ser grato. Não consigo compreender em que é que sou ingrato, mesmo agora que me explicaram. Não será o seu sangue orgulhoso que fala, Andriéi Pietróvitch?

— Não creio. Deves admitir, além disso, que todas as tuas tiradas de há poucos em lugar de caírem sobre mim, e era a mim que as destinavas, só fizeram atormen-tar e martirizar a ela. Parece-me, no entanto, que não cabe a ti julgá-la. E qual a sua culpa para contigo? A propósito, explica-me ainda isto, meu amigo: por qual razão e com que intenção espalhaste, na escola e no ginásio e durante toda a tua vida, e até aos ouvidos do primeiro a quem encontravas, porque contaram isto, que eras filho natural? Soube que o fazias com certo prazer. Ora, não passa de uma tolice e de uma ignóbil calúnia: tu és Dolgorúki, filho legítimo de Makar Ivânovitch Dolgorúki pes-soa respeitável, notável pela inteligência e pelo caráter. Se recebeste uma instrução superior, foi com efeito graças ao teu ex-senhor Viersílov, mas que resulta disso? Em primeiro lugar, proclamando tua ilegitimidade, o que é uma calúnia, revelaste ao mesmo tempo o segredo de tua mãe, graças a não sei que falso orgulho arrastaste tua mãe pela lama, no julgamento de qualquer um. Pois bem, meu amigo, eis o que não é nobre, tanto mais que tua mãe não é pessoalmente culpada de nada: é um caráter duma pureza perfeita, e se não é Viersílova, deve-se isto unicamente ao fato de ainda ter seu marido.

— Basta! Estou inteiramente de acordo com o senhor e creio de tal modo na sua inteligência que espero que o senhor vá acabar com essas censuras que já du-raram tempo demais. O senhor que tanto gosta da medida... Há uma medida para tudo, mesmo para esse amor súbito por minha mãe. Pois bem, diga-me antes: se *decidiu vir ver-me e passar* em meu quarto um quarto de hora ou uma meia hora (continuo a não saber por quê, mas admitamos que seja por causa da tranquilidade de minha mãe) e se ainda por cima encontra tanto prazer em conversar comigo, apesar do que se passou lá embaixo, então, fale-me antes de meu pai, desse Makar Ivânov, o peregrino. É precisamente de seus lábios que quero ouvir falar dele; desde muito tempo estava com intenção de interrogá-lo a respeito. Ao separar-nos, talvez por muito tempo, quereria também muito obter do senhor uma resposta a esta outra pergunta: será possível que nestes vinte anos não tenha o senhor podido agir sobre os preconceitos de minha mãe, e agora também sobre os de minha irmã, o suficiente para dissipar por meio de sua influência civilizadora as trevas primitivas do antigo meio em que viveram? Oh! não é da pureza delas que quero falar! Ela foi sempre infinitamente superior ao senhor no que se refere à moral, peço-lhe que me perdoe, mas... mas não é senão um cadáver infinitamente superior. Ela só tem vida para Viersílov; todo o resto, em redor dele, tudo quanto a ele se refere vegeta, com a condição absoluta de ter a honra de nutri-lo com suas energias, com seus sucos vitais. E, no entanto, ela foi viva, também ela, outrora! Encontrou nela alguma coisa para amar? Ela foi alguma vez mulher?

— Meu amigo, se queres saber, ela jamais foi — respondeu-me ele, fazendo uma careta à sua maneira de outrora, da qual guardara tão bem a lembrança e que tanta raiva me causava; quer dizer que se acreditava estar diante da mais sincera bonomia, quando não havia nele senão um intenso deboche, a ponto de, por vezes, não poder eu nada compreender de sua fisionomia. — Não, ela jamais foi! Uma mulher russa jamais é mulher.

— A polonesa, a francesa, essas sim? Ou então a italiana, uma italiana cheia de ardor? Eis o que é preciso para cativar um russo civilizado da alta sociedade como Viersílov!

— Ora essa! Não podia imaginar que iria ter diante de mim um eslavófilo! — E Viersílov desatou a rir.

Lembro-me, palavra por palavra, do que ele me contou; falava mesmo de muito boa vontade e com visível prazer. Era demasiado claro para mim que viera ver-me não para tagarelar, nem para acalmar minha mãe, mas com intenções bem diversas.

II

— Tua mãe e eu vivemos todos estes vinte anos no silêncio — foi assim que ele começou sua oratória (extremamente fictícia e pouco natural) — e tudo quanto houve entre nós se passou também no silêncio. O principal traço dessa ligação de vinte anos foi o silêncio. Creio mesmo que nunca discutimos uma vez sequer. Sem dúvida, ausentei-me muitas vezes, deixando-a só, mas sempre acabei por voltar. *Nous revenons toujours,*[28] está nisso o grande caráter dos homens; e provém de sua magnanimidade. Se o casamento fosse uma coisa que dependesse cinicamente das mulheres, nem um casamento se manteria. Humildade, submissão, timidez e, ao mesmo tempo, firmeza, força, força verdadeira, eis o caráter de tua mãe. E nota-o, é a melhor de todas as mulheres que algum dia encontrei. Tem força, dou testemunho disso: vi quanto essa força a sustentava. Desde que se trata, não direi de convicções

---

28 Voltamos sempre.

(convicções verdadeiras estão fora de questão), mas do que se chama nelas convicções e do que, por consequência, é para elas sagrado, estão prontas a enfrentar todos os tormentos... Pois bem, tu mesmo podes concluir: pareço-me com um carrasco? Eis por que preferi calar-me quase sempre e não somente porque é mais fácil. E não me arrependo, confesso. Dessa maneira tudo se arranjou por si mesmo, humana e largamente, tanto que não atribuo a mim mesmo nenhum mérito nisso. Direi a este propósito, entre parênteses, que suspeito um pouco que ela jamais acreditou na minha humanidade e por conseguinte sempre tremeu. Mas, mesmo tremendo, jamais se submeteu a nenhuma cultura. Pessoas assim sabem arranjar-se e não vemos nelas senão ardor. Em geral, sabem bem melhor que nós arranjar seus pequeninos negócios. Podem continuar a viver à sua vontade nas situações mais contrárias à sua natureza e permanecer elas mesmas naquelas situações. Nós não somos tão hábeis.

— Elas, quem? Não o compreendo bem.

— O povo, meu amigo, falo do povo. Provou ele sua grande força tão vivaz e sua largueza histórica e isto, ao mesmo tempo, moral e politicamente. Mas, voltando a nós, direi de tua mãe que não está sempre silenciosa; fala por vezes, e fala de maneira a mostrar-nos bem claramente que perdemos o tempo em fazer-lhe discursos, ainda mesmo que tenhamos empregado antes cinco anos a prepará-la pouco a pouco. E depois, as objeções mais inesperadas! Nota ainda uma vez, não digo que ela seja tola de todo; pelo contrário, há nela uma espécie de inteligência, e mesmo bastante notável; mas talvez não acredites nessa inteligência...

— Por que não? O que eu não acreditaria é que o senhor acreditasse realmente na sua inteligência, em lugar de fingir que acredita.

— Sim? Tomas-me por um camaleão? Meu amigo, sou demasiado complacente contigo... como a meu filho mimado... Mas fiquemos nisto ainda desta vez.

— Fale-me de meu pai; diga-me a verdade, se puder.

— Makar Ivânovitch? Pois bem, Makar Ivânovitch, como sabes, é um servo doméstico que teve vontade, como se diz, de gozar de certo renome...

— Aposto que neste momento o senhor tem inveja dele!

— Pelo contrário, meu amigo, pelo contrário. E, se queres saber, alegra-me ver-te dum humor tão complicado. Juro-te que me encontro neste momento em disposições altamente arrependitivas que, precisamente hoje, neste instante, pela milésima vez talvez, lamento inutilmente o que se passou há vinte anos. Deus é-me testemunha de que tudo isso se passou completamente por acaso... além disso, tanto quanto de mim dependeu, humanamente; pelo menos, segundo a ideia que então eu fazia da virtude de humanidade. Oh! é que todos ardíamos de vontade de praticar o bem, de servir à sociedade e à ideia, condenávamos os títulos, nossos direitos hereditários, as propriedades e até mesmo, pelo menos para alguns dentre nós, o montepio... Juro-te. Éramos poucos, mas falávamos bem e, asseguro-te, por vezes mesmo agíamos bem.

— Por exemplo, quando soluçava sobre seu ombro?

— Meu amigo, estou de antemão de acordo com tudo; a propósito, a história *do ombro*, foi de mim que a soubeste, e por conseguinte abusas neste momento de minha sinceridade e de minha confiança; hás de convir que aquele ombro não era tão mau como parece à primeira vista, sobretudo para aquela época; éramos então estreantes. Era tudo fingimento, bem decerto, mas ignorava-o então. Tu, por exemplo, será que nunca fingiste na vida prática?

— Ainda há pouco, lá embaixo, mostrei alguma afetação, e muito me envergonhei, uma vez de volta para aqui, à ideia de que o senhor pensasse que o fazia de propósito. É bem verdade que, em certos casos, por mais sincero que sejamos, não deixamos de dar-nos em espetáculo; mas hoje, lá embaixo, juro, era absolutamente natural.

— É bem isso. Bem o definiste com uma frase: "por mais sinceros que sejamos, não deixamos de dar-nos em espetáculo". Pois bem, foi exatamente o que se passou comigo: por mais que me desse em espetáculo, soluçava com uma sinceridade absoluta. Não discuto que Makar Ivânovitch pudesse tomar aquilo de deitar-me a chorar em seus braços por uma burla extrema, se fosse dotado de um pouco mais de espírito; mas sua lealdade prejudicava então sua perspicácia. O que ignoro é se ele teve pena de mim ou não; lembro-me de que eu tinha grande vontade de ser lastimado.

— O senhor bem sabe — interrompi-o — que, agora mesmo, ao dizer essas palavras, o senhor está zombando. Duma maneira geral, todo o tempo em que me falou, durante todo este mês, o senhor esteve zombando. Por que sempre tem agido assim ao me falar?

— Acreditas nisso? — respondeu docemente. — És muito suscetível. Se dou risada não é de ti, ou pelo menos não de ti somente, fica tranquilo. Mas neste momento não estou rindo e então... em uma palavra, fiz tudo quanto pude e, acredita não em meu proveito. Nós, quero dizer, as pessoas de prol, por oposição ao povo, éramos então incapazes de agir em proveito próprio. Pelo contrário, sempre nos prejudicávamos o mais possível e suspeito de que era justamente em que consistia, entre nós, "o interesse superior que é também o nosso", num sentido mais elevado, entende-se. A geração avançada de hoje é infinitamente mais interesseira do que nós; portanto, expliquei tudo a Makar Ivânovitch, com uma extraordinária franqueza, antes mesmo do pecado. Admito hoje que muitas daquelas coisas não precisavam ser explicadas, com mais forte razão com semelhante franqueza; sem falar de humanidade, teria sido aquilo mais polido; mas vá a gente conter-se quando, ébrio de danças, tem vontade de dar um belo passo! Tais eram talvez as exigências do belo e do bem: não pude resolver ainda a questão. Enfim, é um tema demasiado profundo para uma conversa superficial como a nossa. Juro-te, em todo o caso, que agora morro por vezes de vergonha ao lembrar-me daquilo. Ofereci-lhe três mil rublos. Ele mantinha-se calado, só eu falava. Pensei que ele tivesse medo de mim, isto é, de meu direito senhorial, e fiz todos os esforços para encorajá-lo, lembro-me. Exortei-o a exprimir-me, sem nada temer, todos os seus desejos, e até mesmo com todas as críticas possíveis. A título de garantia, dei-lhe minha palavra de que, se ele recusasse minhas condições, isto é, os três mil rublos, a emancipação (para ele e sua mulher, naturalmente), e uma viagem para onde o diabo quisesse (sem sua mulher, naturalmente), bastava dizer francamente e eu o emanciparia imediatamente, devolveria sua mulher, presentearia os dois com aqueles mesmos três mil rublos, creio, e então não seriam mais eles que iriam para o diabo, mas eu que partiria, por uns três anos, para a Itália, sozinho. *Mon ami,* eu não teria levado para a Itália a *Mademoiselle* Sapojkova, fica certo disso; era demasiado puro naquele instante.

Pois bem, aquele Makar compreendia bastante bem que eu ia fazer o que estava dizendo; mas continuou a guardar silêncio e foi somente, quando quis pela terceira vez lançar-me a seus pés, que recuou, fez um gesto de desinteresse e saiu, até mesmo com certa sem-cerimônia, que não deixou de causar-me espanto, asseguro-te. Vi-me então por acaso num espelho e não o esquecerei jamais. Em geral, quando eles não dizem nada, é que a coisa é mais temível. E aquele era de um caráter sombrio e, confesso, não somente não me inspirava confiança quando entrava em meus aposentos, mas tinha dele um medo horrível: há caracteres, nesse meio, e em quantidade, que encerram em si mesmos, por assim dizer, a personificação da inconveniência e isto é mais de temer que as pancadas. (Sic.) E quanto eu me arriscava, quanto me arriscava! Por exemplo, se ele tivesse começado a gritar a plenos pulmões, a lançar berros, aquele Urias de aldeia, que teria sido de mim, pequeno Davi, e que eu poderia fazer? Eis por que lhe fui logo oferecendo, antes de tudo, os três mil rublos, era instintivo, mas, por felicidade, enganei-me: aquele Makar Ivânovitch era algo de bem diferente...

— Diga-me: houve pecado? O senhor acaba de dizer que chamou o marido antes mesmo do pecado.

— É que, hás de ver, isto depende...

— Portanto, houve pecado. O senhor acaba de dizer que se enganou a respeito dele, que ele era bem diferente... Que era ele pois?

— Que era ele? Ah! ignoro-o ainda. Mas algo de bem diferente e, fica sabendo, de muito decente; chego a esta conclusão porque depois senti-me três vezes mais culpado perante ele. Logo no dia seguinte, consentiu na viagem, sem dizer palavra, entende-se, e sem esquecer uma só das compensações oferecidas.

— Aceitou o dinheiro?

— Ora se aceitou! Sabes, meu amigo, de que neste particular chegou mesmo a espantar-me? Não tinha comigo os três mil rublos, naturalmente. Tirei de meu bolso setecentos rublos e entreguei-os a ele, de antemão. Que acreditas? Exigiu de mim os dois mil e trezentos rublos restantes sob forma de promissória e, para mais segurança, à ordem de um comerciante. Em seguida, dois anos mais tarde, munido dessa promissória, reclamou seu dinheiro por via legal e com os juros, de sorte que me causou espanto ainda uma vez, tanto mais quanto andava em giro de esmolas para a construção de uma igreja do bom Deus e desde então, há agora vinte anos, que anda nisso. Não compreendo por que tem um peregrino necessidade de levar consigo tanto dinheiro... o dinheiro é coisa tão do mundo... Naturalmente, oferecia-lhos naquele momento sinceramente e, por assim dizer, no primeiro entusiasmo, porém mais tarde, após tantos minutos passados, poderia naturalmente mudar de opinião... pensava que pelo menos. ele me pouparia... ou antes "nos" pouparia, a ela e a mim, e que esperaria pelo menos um pouco. Pois bem, nem mesmo esperou...

(Farei aqui uma observação indispensável: se acontecesse minha mãe sobreviver ao Senhor Viersílov, ficaria ela literalmente sem um vintém para o fim de seus dias, não fossem aqueles três mil rublos de Makar Ivânovitch, desde muito tempo duplicados pelos juros e que ele lhe deixou integralmente, até o derradeiro rublo, por testamento, o ano passado. Já naquela época havia adivinhado quem fosse Viersílov.)

— O senhor disse um dia que Makar Ivânovitch havia por várias vezes ido passar temporadas em casa do senhor e sempre se alojava no apartamento de minha mãe?

— Sim, meu amigo, e, confesso-o, no começo temia terrivelmente aquelas visitas. Durante todo esse tempo, esses vinte anos, apareceu ele ao todo seis ou sete vezes: nas primeiras vezes, se estava em casa, escondia-me. Mesmo, no começo, não compreendia: que quer isso dizer? por que vem ele? Mais tarde, porém, graças a certos sinais, pareceu-me que não era tão tolo assim. Em seguida, por acaso, tive a curiosidade de ir vê-lo e, asseguro-te, disso colhi uma impressão bastante original. Era já a sua terceira ou quarta visita, na época em que eu acabava de ser nomeado juiz de paz e em que, como era justo, me punha na obrigação de estudar a Rússia. Soube dele uma infinidade de coisas. Além disso, encontrei nele o que não esperava absolutamente encontrar: uma bondade de alma, uma igualdade de caráter e, o que é mais de admirar, quase alegria. Nem a menor alusão *à la chose (tu comprends?)*,[29] uma arte perfeita de falar concretamente e em termos admiráveis, isto é, sem aqueles ares profundos de servos domésticos que, confesso-te, apesar de todas as minhas ideias democráticas, não posso tolerar, e sem todos aqueles russismos tão afetados que empregam nos romances e no palco os "verdadeiros russos". Com isto, poucas falas sobre religião, a menos que a gente tocasse no assunto, e até mesmo narrativas bem divertidas no seu gênero a respeito dos mosteiros e da vida monacal, se demonstrássemos curiosidade pela mesma. E sobretudo respeito, esse respeito modesto, esse respeito que é indispensável à suprema igualdade, sem a qual, na minha opinião, é impossível chegar até mesmo à supremacia. É assim, por essa ausência de toda suscetibilidade, que se obtém o supremo bom-tom e que se manifesta o homem que se respeita verdadeiramente na sua posição, qualquer que ela seja e qualquer que possa ser seu destino. Essa faculdade de respeitar a si mesmo na sua posição é extremamente rara aqui embaixo, pelo menos tão rara quanto a verdadeira dignidade pessoal... Tu mesmo o verás, depois de teres vivido um pouco. Mas o que mais me impressionou depois, precisamente depois e não no começo — acrescentou Viersílov — é que esse Makar é pessoalmente de extrema imponência e, asseguro-te, extraordinariamente belo. É velho, sem dúvida, mas

alto, ereto, bronzeado[30]

simples e grave; eu mesmo fiquei surpreendido por ter a minha pobre Sófia podido dar preferência a mim "então"; ele estava com cinquenta anos na ocasião, mas conservava-se bem vigoroso e diante dele eu parecia um tipinho. Aliás, recordo-me, já estava ele encanecido por demais e encanecido mesmo quando se casou com ela... Talvez isto tenha influído.

Aquele Viersílov tinha as maneiras mais repugnantes da alta roda: depois de haver pronunciado (quando não havia outro jeito) algumas palavras muito inteligentes e muito belas, acabava de repente e propositadamente com uma tolice no gênero daquela sobre os cabelos brancos de Makar Ivânovitch e sua influência sobre minha mãe. Fazia-o de propósito e, sem dúvida, sem saber ele mesmo por que, por um tolo hábito mundano. Ouvindo-se o que dizia, tinha-se a impressão de que ele falava muito seriamente, quando no seu íntimo zombava ou ria.

29 À coisa (compreendes?)

30 Verso do poeta Niekrássov, referente a um camponês que se torna peregrino.

III

Não compreendo por que, mas fui tomado subitamente duma terrível irritação. Em geral, lembro-me, com grande desprazer, de alguns de meus rompantes naquele momento. De repente, levantei-me da cadeira:

— Olhe aqui. O senhor diz que veio aqui, sobretudo, para que minha mãe acredite que fizemos as pazes. Já se passou bastante tempo para que ela acredite; não quereria fazer o favor de deixar-me só?

Ele corou levemente e levantou-se:

— Meu caro, ages comigo sem a mínima cerimônia. Enfim, adeus! A amizade não se impõe. Gostaria de fazer apenas uma pergunta: queres realmente deixar o príncipe?

— Ah! ah! sabia bem que o senhor tinha intenções...

— Então suspeitas de ter eu vindo para dissuadir-te de abandonar o príncipe, porque teria nisso interesse. Mas, meu amigo, não acreditas também que te tenha feito vir de Moscou porque teria em vista algum proveito particular? Oh! como és suscetível! Pelo contrário, tudo isto é para teu bem. E mesmo hoje, quando vejo minha fortuna restabelecida, gostaria que permitisses, por vezes, que tua mãe e eu te ajudássemos...

— Não gosto do senhor, Viersílov.

— E até mesmo "Viersílov"! A propósito, lamento muito não ter podido deixar-te este nome, porque é nisto em suma que consiste toda a minha falta, se falta há. Não é? Mas, ainda uma vez, não podia eu casar-me com uma mulher casada, reflete tu mesmo.

— Eis por que, sem dúvida, quis o senhor casar-se com uma mulher solteira.

Ligeira convulsão agitou-lhe o rosto.

— Queres falar do que aconteceu em Ems. Escuta, Arkádi, permitiste a ti mesmo, ainda há pouco, uma tirada desse gênero, apontando-me com o dedo na presença de tua mãe. Pois bem, fica sabendo que está aí o teu erro mais grosseiro. Dessa história com a falecida Lídia Akhmávoka, não conheces nem a primeira palavra. Não sabes tampouco a que ponto tua mãe participou disso. Sim, muito embora ela não estivesse lá comigo. E se alguma vez vi uma mulher virtuosa, foi bem então contemplando tua mãe. Mas basta, tudo isso permanece ainda secreto e tu falas do que não sabes e por ouvir dizer.

— O príncipe dizia, precisamente hoje, que o senhor gostava de mocinhas inexperientes.

— Foi o príncipe quem disse isso?

— Sim. Escute, quer que lhe diga exatamente por que veio o senhor ver-me? Tenho estado todo este tempo a perguntar a mim mesmo qual era o segredo desta visita e creio tê-lo por fim descoberto.

Fazia menção de retirar-se, mas detive-o e ele voltou a cabeça para mim, na expectativa.

— Ainda há pouco disse, de passagem, que a carta de Touchard a Tatiana Pávlovna, caída entre os papéis de Andrónikov, fora reencontrada após sua morte em casa de Maria Ivânovna, em Moscou. Vi então que seu rosto se crispou, mas só agora, há um momento, adivinhei, notando ainda uma vez essa mesma crispação em seu rosto, que uma ideia lhe ocorrera naquele momento, lá embaixo: se uma carta de Andrónikov já foi descoberta em casa de Maria Ivânovna, por que não estaria a outra lá? Andrónikov pode deixar cartas extremamente graves e necessárias, não é?

— E eu vim ver-te para fazer-te falar?

— O senhor mesmo o diz.

Ele empalideceu bastante.

— Essa ideia não te ocorreu sem mais nem menos; vejo aí a influência de uma mulher. E quanto ódio em tuas palavras, nessa grosseira suposição!

— De uma mulher? Mas essa mulher via-a hoje pela primeira vez! Será talvez para espioná-la que o senhor quer conservar-me em casa do príncipe?

— Vejo que irás extremamente longe nesse teu novo caminho. Não seria isso a tua "ideia"? Continua, meu amigo, tens incontestáveis talentos de detetive. Quando se tem talento, deve-se aperfeiçoá-lo.

Interrompeu-se para tomar fôlego.

— Cuidado, Viersílov! Não faça de mim um inimigo!

— Meu amigo, em semelhante caso, ninguém exprime seus derradeiros pensamentos. Guarda-os para si. Bem, alumia-me, rogo-te. Podes ser meu inimigo, mas não a ponto de querer que eu quebre meu pescoço. *Tiens! mon ami!*, imagina — continuou ele enquanto descia —, e eu que durante todo este mês considerei-te um bom rapaz! Tens tal vontade de viver, tal sede de viver, que se te dessem três vidas, creio que ainda não acharias bastante. Está escrito na tua cara. Pois bem, na maior parte do tempo, pessoas assim são bons rapazes. Enganei-me redondamente!

IV

Não saberei dizer quanto meu coração se fechou, quando tornei a ver-me só: era como se eu tivesse cortado, em pessoa, um pedaço de minha própria carne. Por que me havia eu de repente arrebatado, por que o ofendera a tal ponto, com tanta força, tão intencionalmente? Seria incapaz de dizê-lo, agora, é claro, e também então. Como ele havia empalidecido! Não seria aquela palidez a expressão do sentimento mais puro e mais sincero, do pesar mais profundo, em vez da cólera e da ofensa? Sempre me parecera que havia instantes em que ele me amava muito. Por que, por que não acreditaria eu nisso, hoje? Tanto mais quanto tantas coisas ficaram completamente explicadas depois...

Mas eu me deixara arrebatar de repente e pusera-o para fora talvez em consequência daquela suposição súbita de que viera ele procurar-me na esperança de saber se não restavam em casa de Maria Ivânovna outras cartas de Andrónikov. Que se vira ele obrigado a procurar aquelas cartas e as procurasse, eu sabia; talvez me tivesse, bem naquele minuto, cometido um terrível engano! E quem sabe, talvez fosse eu que, com aquele erro, o tivesse levado a pensar mais tarde em Maria Ivânovna e lhe tenha inspirado a ideia de que ela conservasse em seu poder alguma carta!

Enfim, outra esquisitice: uma vez mais repetira ele, palavra por palavra, meu pensamento (a respeito das três vidas) que antes exprimira a Kraft e nos mesmos termos. Uma coincidência de palavras não passa de um acaso, mas apesar de tudo, como ele conhecia o íntimo de minha natureza! Que dupla visão! Que sentido divinatório! Mas, se ele compreende tão bem uma coisa, por que não compreende absolutamente a outra? Pode-se crer que ele não fingisse, mas que era realmente incapaz de adivinhar que não era da nobreza de Viersílov que eu tinha necessidade, que não era meu nascimento que não lhe podia perdoar, mas que me era preciso Viersílov em pessoa, toda a minha vida, o homem todo inteiro, o pai, e que tal pensamento havia-me penetrado no sangue? Um homem tão fino pode ser obtuso e tão grosseiro? E se não fosse, de que servia fazer-me raiva, de que servia fingir?

Capítulo VIII

I

Na manhã seguinte, tratei de levantar-me o mais cedo possível. Levantávamo-nos, geralmente, em nossa casa, às oito horas, quero dizer minha mãe, minha irmã e eu; Viersílov ficava na cama até as nove e meia. Às oito e meia em ponto, minha mãe trazia-me o café. Mas desta vez sem esperar o café, saí de casa exatamente às oito horas. Havia traçado desde a véspera à noite um plano de ação para o dia inteiro. Sentia já nesse plano, a despeito duma vontade ardente de passar imediatamente à execução, uma quantidade enorme de hesitações e de incertezas a respeito dos pontos mais importantes; por causa disso passara quase a noite toda num estado de sonolência, quase de delírio, tivera uma multidão de sonhos e não havia, por assim dizer, nem uma só vez dormido como era preciso. Apesar disso, levantei-me mais vivo e bem disposto do que nunca. Era minha mãe, principalmente, que eu não queria encontrar, com ela só podia falar de certo assunto e receava deixar-me desviar de meus objetivos por efeito de qualquer impressão nova e imprevista.

A manhã estava fria e sobre toda a natureza pairava um nevoeiro úmido e leitoso. Não sei por quê, mas a laboriosa manhã petersburguesa, apesar de seu repelente aspecto, me agrada sempre e toda aquela multidão egoísta e perpetuamente preocupada, atarefada em seus negócios, tem para mim, às sete horas da manhã, algo de bem sedutor. Gosto, sobretudo, em trânsito, com pressa, de pedir uma informação, ou melhor ainda se alguém me interroga: pergunta e resposta são sempre breves, claras, nítidas, pronunciadas sem parar e sempre quase cordiais. É o momento do dia em que se está mais bem disposto para responder. O petersburguês, para o meio do dia ou à tarde, torna-se menos comunicativo. Está pronto, pela menor das coisas, a insultar ou a zombar. Bem diferente é pela manhã cedo, antes do trabalho, no momento mais sóbrio e mais sério. Observei isso.

Dirigi-me de novo para Pietersbúrgskaia Storoná. Como devesse estar sem falta de volta à Fontanka,[31] ao meio-dia, à casa de Vássin (que era encontrado a maior parte das vezes em sua casa ao meio-dia), apressei o passo, sem me deter em parte alguma, apesar de uma vontade extraordinária de engolir aqui ou ali um café. E depois havia também Iefim Zviériev, que eu também precisava surpreender em casa;

---

31 Grande canal que atravessa a parte central de Petersburgo.

ia, uma vez mais fazer-lhe visita. Quase cheguei tarde demais; ele acabava de tomar seu café e preparava-se para sair.

— Que é que te traz aqui tantas vezes? — Foi assim que me acolheu, sem mover-se do lugar.

— Vou-te explicar.

Todos os começos de manhã, inclusive os de Petersburgo, exercem uma ação desembriagadora sobre a natureza humana. Há sonhos noturnos ardentes que, com a luz e o frescor, se evaporam inteiramente e aconteceu por vezes a mim mesmo lembrar pela manhã de certos sonhos meus noturnos, apenas terminados, e por vezes de certos atos, com censura e desgosto. Mas notarei entretanto, de passagem, que as manhãs de Petersburgo, as mais prosaicas, pareceria, de todo o globo terrestre, são para mim as mais fantásticas do mundo. É uma ideia minha ou, para melhor dizer, minha impressão, mas conservo-a. Por uma dessas manhãs de Petersburgo, pútrida, úmida e brumosa, o sonho selvagem de um Guérman, de *A dama de espadas,* de Púchkin (personagem colossal, fora do comum, um verdadeiro tipo de Petersburgo e do período petersburguês!) deve, ao que me parece, fortificar-se ainda mais. Cem vezes, através daquele nevoeiro, tive aquela visão estranha, mas tenaz: "Quando aquele nevoeiro se dissipar e se elevar, não levará ele consigo toda aquela cidade apodrecida e viscosa, ela não se elevará com o nevoeiro para desaparecer em fumaça, deixando em seu lugar o velho pântano finlandês e no meio, se se quiser, para efeito de beleza, o cavaleiro de bronze sobre seu corcel lustroso, de hálito ardente?".[32] Em uma palavra: não saberia exprimir minhas impressões, uma vez que tudo isso é fantasia, poesia, afinal, e por conseguinte, tolices. No entanto, fiz a mim mesmo muitas vezes a pergunta e ainda a faço, absolutamente insensata. Ei-los todos a correr, pressurosos, e quem sabe se tudo isso não seja senão um sonho. Talvez não haja aqui um só homem verdadeiro, autêntico, um só ato real. Alguém vai de repente despertar, o que tem esse sonho... e tudo se esvanecerá. Mas afastei-me de meu assunto.

Vou dizê-lo previamente: há em cada existência desígnios e sonhos tão excêntricos, parece, que se poderia à primeira vista e sem risco de errar tomá-los como loucura. Era uma dessas fantasias que eu levava naquela manhã à casa de Zviériev, porque não tinha em Petersburgo nenhuma outra pessoa a quem pudesse dirigir-me dessa vez. Ora, Iefim era a derradeira pessoa a quem, se tivesse de escolher, deveria enunciar semelhante proposta. Quando me achei instalado diante dele, pareceu-me que estava ali, eu, o delírio e a febre encarnados, sentado diante do equilíbrio e da prosa encarnados. Mas havia do meu lado a ideia e o sentimento justo; do dele, esta única conclusão prática: isto não se faz! Em resumo, expliquei-lhe, nítida e sumariamente, que não tinha em Petersburgo ninguém senão ele a quem pudesse tomar como testemunha, num caso de honra extremamente grave; ele era um antigo colega e não tinha o direito de recusar; era minha intenção provocar um tenente da Guarda, o Príncipe Sokólhski, porque ele tinha, havia mais de um ano, em Ems, esbofeteado meu pai Viersílov. Farei notar que Iefim conhecia pormenorizadamente meus negócios de família, minhas relações com Viersílov e quase tudo quanto sabia eu mesmo de sua história; havia-lhe confiado por várias vezes, salvo

---

32 Alusão a uma peça de Púchkin, *O cavaleiro de bronze,* e ao monumento que a inspirou, a estátua equestre de Pedro, o Grande, perto do Nievá.

evidentemente certos segredos. Ele escutava, sentado, como de costume, eriçado como um pardal na sua gaiola, silencioso e grave, balofo, com seus cabelos louros hirsutos. Um sorriso parado, zombeteiro, não lhe abandonava os lábios. Aquele sorriso era tanto mais antipático quanto não era absolutamente voluntário, mas antes involuntário; via-se que ele se julgava naquele momento real e verdadeiramente muito superior a mim pelo espírito e pelo caráter. Suspeitava também que ele me desprezasse por causa da cena da véspera em casa de Diergatchov. Isto era fatal: Iefim é a multidão, Iefim é a rua, e a rua só se inclina diante do êxito.

— E Viersílov não sabe? — perguntou ele.

— Decerto que não.

— Então que direito tens tu de meter-te nos seus negócios? Depois, que queres provar com isso?

Conhecia essas objeções e expliquei-lhe imediatamente que não era tão estúpido quanto ele pensava. Em primeiro lugar, provarei ao insolente daquele príncipe que há ainda homens que compreendem a honra, mesmo em nossa classe; em segundo lugar, farei vergonha a Viersílov e lhe darei uma lição. Em terceiro lugar, e é o essencial, mesmo se Viersílov teve razão, em virtude de não sei quais convicções, de não provocar o príncipe e de aguentar a bofetada, verá ele ao menos que existe uma criatura capaz de sentir com bastante força sua ofensa para tomá-la a si, e prestes a sacrificar sua vida para defender os interesses dele... embora separando-se dele para sempre.

— Espera um pouco, não grites, minha tia não gosta disso. Dize-me: Viersílov não está demandando contra esse mesmo Príncipe Sokólhski por causa de uma herança? Em semelhante caso, será um meio totalmente original e novo de ganhar processos, matando em duelo seu adversário.

Expliquei-lhe *en toutes lettres* que ele não passava de um imbecil de um insolente e que, se seu sorriso zombeteiro se alargasse cada vez mais, era somente um sinal de orgulho e de mediocridade, que ele não podia, no entanto, supor que aquelas considerações sobre o processo não me haviam sobrevindo, e mesmo, desde o começo, e não podiam honrar com sua presença senão o seu cérebro profundo. Expus-lhe, em seguida, que o processo já estava ganho, que não visava ao Príncipe Sokólhski, mas aos príncipes Sokólhski de sorte que, se um deles fosse morto, os outros ficariam, mas que era preciso sem dúvida adiar o desafio até terminar o prazo legal de apelação (se bem que os príncipes não tencionassem apelar), unicamente por causa das conveniências. Passado o prazo, teria lugar o duelo; viera sabendo bem que o duelo não seria para hoje, mas tinha necessidade de tomar minhas precauções porque não tinha testemunha e não conhecia ninguém, para ter pelo menos tempo de descobrir alguma se ele, Iefim, se recusasse. Eis por que viera.

— Então, volta a falar-me disso naquela ocasião! Em vez de andares dez verstas sem necessidade!

Levantou-se e pegou seu gorro.

— Então virás?

— Não, decerto que não.

— Por quê?

— Pela seguinte razão, em primeiro lugar: se consentisse hoje, para mais tarde, virás amolar-me a paciência todos os dias, durante esse prazo de apelação. E depois, são tolices, e nada mais. Imaginas que vou romper minha carreira por tua causa? E se o príncipe me perguntar: "Quem o enviou?" — "Dolgorúki." — "E que relação há entre Dolgorúki e Viersílov?". Então terei de explicar-lhe tua genealogia, talvez. Mas ele morrerá de rir!

— Então, quebra-lhe a cara!

— Não é sério.

— Tens medo? Tu, tão grande. Eras o mais forte de todos nós no ginásio.

— Tenho medo, naturalmente, tenho medo. E depois, o príncipe recusará bater-se: só se bate com seu igual.

— Eu também sou um cavalheiro pela minha educação, tenho privilégios, sou seu igual... Ele é que não é meu igual.

— Não, és demasiado pequeno.

— Pequeno, como?

— Assim mesmo; nós dois somos pequenos e ele é grande.

— Imbecil! Mas há já um ano que posso casar, de acordo com a lei.

— Pois bem, casa. Apesar de tudo, não passas de um fedelho: ainda não acabaste de crescer!

Compreendi bem que ele queria zombar de mim. Evidentemente, teria podido dispensar-me de contar aquele tolo episódio e teria mesmo valido que ele desaparecesse no desconhecido. Além do mais, é repelente pela sua mesquinharia e inutilidade, se bem que tenha tido consequências bastante sérias.

Mas, para punir-me ainda mais, direi o final. Depois de ter percebido que Iefim zombava de mim, tomei a liberdade de bater-lhe na omoplata com minha mão direita ou, para melhor dizer, com meu punho direito. Então, agarrou-me pelos ombros, virou-me para a rua e mostrou-me efetivamente que era o mais forte de todos nós no ginásio.

II

O leitor imaginará decerto que me achava eu de um humor execrável ao deixar Iefim e, no entanto, estará errado. Compreendia muito bem que era um incidente entre colegiais, entre ginasianos, e que o sério da coisa permanecia intato. Bebi meu café assim que me encontrei na Vassílievski Cistrov,[33] evitando de propósito minha bodega da véspera, no Lado Petersburguês. Aquela bodega e seu rouxinol tinham-se tornado para mim agora duplamente odiosos. Qualidade estranha: sou capaz de detestar os lugares e as coisas exatamente como detesto as pessoas. Conheço, em contraposição, em Petersburgo, certos lugares felizes, isto é, onde fui feliz um dia. Pois bem, esses lugares, eu os poupo, fico o mais tempo possível sem ir a eles, de propósito, para lá ir mais tarde, quando estiver completamente só e infeliz, para sofrer e lembrar-me. Enquanto tomava meu café, fiz plena justiça a Iefim e ao seu bom senso. Sim, era mais prático do que eu, mas seria mais realista? O realismo

---

33 Ilha de Vassíli, uma das ilhas próximas ao centro de Petersburgo.

que não vê mais longe que a ponta de seu nariz é mais perigoso que a mais louca das fantasias, porque é cego. Mas, embora fazendo justiça a Iefim (que, naquele momento, estava sem dúvida persuadido de que eu o cumulava de injúrias enquanto percorria as ruas), nada abandonei de minhas convicções, como nada abandonei até hoje. Vi pessoas que, ao primeiro balde de água fria, renegam não somente seus atos, mas até mesmo sua ideia e se põem a rir daquilo que consideravam uma hora antes como sagrado. Oh! como isto lhes é fácil! No âmago da coisa, talvez Iefim tivesse mais razão que eu, talvez fosse eu o último dos imbecis, talvez fosse insincero mas havia no fundo da questão um ponto a respeito do qual eu também tinha razão, havia em mim também algo de justo e que, sobretudo, as pessoas jamais puderam compreender.

Cheguei à casa de Vássin, na esquina da Fontanka e da Siemiônovski Most,[34] quase ao soar o meio-dia, mas ele não estava em casa. Trabalhava na Vassílievski Ostrov e só voltava a certas horas precisas, entre outras quase sempre ao meio-dia. Como além disso era não sei mais que feriado, contava encontrá-lo com certeza; não o encontrando, dispunha-me a esperá-lo, se bem que se tratasse de minha primeira visita à sua casa.

Eis como eu raciocinava: a questão da carta a respeito da herança é um caso de consciência. Tomando Vássin como árbitro, manifesto-lhe por isso mesmo toda a profundeza de meu respeito, o que deverá necessariamente lisonjeá-lo. Estava realmente preocupado com aquela carta e bem convencido da necessidade de uma arbitragem. Suspeito, no entanto, que teria podido, já naquele momento, sair daquela dificuldade sem nenhuma ajuda estranha. E sobretudo eu mesmo sabia: bastava entregar pessoalmente a carta a Viersílov; que fizesse dela o que quisesse! Eis qual era a solução. Colocar-se como juiz supremo num caso daquela espécie era perfeitamente inconveniente. Entregando a carta pessoalmente, sem nada dizer, e pondo-me assim fora de causa, tinha tudo a ganhar, colocava-me de repente acima de Viersílov, porque, pelo fato de renunciar, no que a mim se referia, a todos os benefícios da herança (como filho de Viersílov, uma parte daquele dinheiro viria cair no meu bolso, senão imediatamente, pelo menos mais tarde), reservava-me para sempre um direito moral de apreciar a futura conduta de Viersílov. Ninguém poderia censurar-me por haver arruinado os príncipes, uma vez que o documento não tinha nenhum valor jurídico decisivo. Tudo isso, eu pensava e dizia a mim mesmo claramente, no quarto vazio de Vássin, e até mesmo sobreveio-me de súbito a ideia de que viera procurar Vássin, com tal desejo de saber dele a conduta a seguir, unicamente para fazer-lhe ver naquela ocasião que era eu o mais nobre e o mais desinteressado dos homens, e por conseguinte para me vingar de minha humilhação da véspera.

Tudo isto comprovado, senti grande despeito; não me retirei, no entanto, mas fiquei, muito embora sabendo bastante bem que meu despeito só faria crescer todos os cinco minutos.

Antes de tudo, o quarto de Vássin desagradou-me enormemente. "Mostra-me teu quarto e te direi quem és!", era possível dizer com toda justiça. Vássin sublocava um quarto mobiliado a locadores evidentemente pobres e que faziam disso profis-

---

34   Ponte de São Simeão.

são, tendo além dele outros inquilinos. Conheço muito bem esses quartinhos estreitos, de reduzida mobília, mas com pretensões a confortáveis; há sempre um divã estofado, comprado numa feira de móveis velhos, que a gente tem medo de remover, um lavatório e uma cama de ferro por trás de um biombo. Vássin devia ser o melhor inquilino e o mais seguro: cada locadora tem necessariamente seu melhor locatário e lhe dedica particular gratidão; arruma-se, varre-se com mais cuidado seu quarto, pendura-se acima de seu divã alguma litografia, estende-se sob a mesa um tapete passado. As pessoas que gostam dessa limpeza que cheira a mofo e sobretudo dessa solicitude respeitosa dos locadores são eles próprios suspeitos. Estava convencido de que o título de melhor inquilino lisonjeava Vássin. Não sei por quê, mas à vista daquelas duas mesas repletas de livros causava-me raiva pouco a pouco. Livros, papéis, tinteiro, tudo se achava na ordem mais antipática, essa ordem cujo ideal coincide com a filosofia de uma hospedeira alemã e de sua criada. Os livros eram numerosos, verdadeiros livros, não jornais ou revistas, e ele devia lê-los. Sem dúvida tomava, para ler ou para escrever, um rosto extremamente grave e preocupado. Não sei por quê, mas prefiro os livros em desordem, pelo menos é sinal de que se trabalha sem pontificar. Decerto Vássin é extremamente delicado com os visitantes, mas cada um de seus gestos deve dizer: "Quero muito bem passar uma horinha contigo, mas em seguida, quando tiveres partido, voltarei às coisas sérias". Sem dúvida podemos entreter com ele uma conversação muito interessante e aprender coisas novas, mas "vamos conversar juntos e eu te interessarei muito, e depois, quando tiveres partido, voltarei a cuidar daquilo que é verdadeiramente interessante"... E no entanto, não me retirava, continuava ali. Estava agora completamente persuadido de que não tinha necessidade nenhuma de seus conselhos.

Estava ali desde uma boa hora ou mais, sentado diante da janela, sobre uma das duas cadeiras de vime que ali se encontravam. O que me causava também raiva, era que o tempo passava e era-me preciso antes da noite encontrar alojamento. Tive vontade de pegar algum dos livros para dissipar o tédio, mas nada fiz; o simples pensamento de distrair-me redobrava meu desgosto. Havia mais de uma hora que reinava um silêncio extraordinário, quando, de repente, muito perto, por trás da porta que um divã condenava, distingui contra minha vontade e aumentando um cochicho sempre mais forte. Havia ali duas vozes, vozes femininas, ouviam-se bem, mas era impossível perceber as palavras; entretanto, para matar o tédio, esforçava-me por fazê-lo. Era claro que se falava com animação, com ardor, e que não se tratava de falar mal de patrões. Procurava-se entrar em acordo ou então discutia-se, ou ainda uma voz se tornava convincente e suplicante ao passo que a outra recusava e objetava. Eram sem dúvida outros locatários. Em breve a coisa entediou-me e meu ouvido habituou-se: continuava a escutar, mas maquinalmente e por vezes mesmo esquecendo completamente o que escutava, quando, de repente, produziu-se um acontecimento extraordinário: parecia que alguém havia saltado de sua cadeira com as duas pernas para a frente ou havia-se bruscamente atirado e batia com o pé; em seguida, ouviu-se um gemido, depois um grito, ou— antes um urro de animal, furioso e forte, pouco inquieto em saber se estranhos ouviam ou não. Pulei para a *porta e abri-a; ao mesmo tempo* abriu-se outra porta, ao fim do corredor — soube mais tarde que era a da locadora —, donde surgiram duas cabeças cheias de curiosidade. Os gritos cessaram logo, mas de repente abriu-se a porta vizinha daquele onde eu estava e uma jovem mulher, pelo que me pareceu, saiu correndo e desceu a escada. Outra mulher, idosa, queria retê-la, mas não o conseguiu e limitou-se a gemer atrás da outra:

— Ólia! Ólia! Para onde corres? Oh!

Mas, vendo nossas duas portas abertas, tratou de fechar a sua à pressa, deixando uma fresta para ouvir o que se passava na escada, até o momento em que os passos de Ólia em fuga cessaram por completo. Voltei à minha janela. O silêncio restabelecera-se. Incidente sem importância, talvez mesmo ridículo! E deixei de pensar naquilo.

Cerca de um quarto de hora depois, repercutiu no corredor, diante da porta de Vássin, uma voz de homem sonora e desembaraçada. Uma mão segurou a maçaneta da porta e entreabriu-a o suficiente para que se pudesse distinguir no corredor um homem de alta estatura, que, sem dúvida, me vira também e até mesmo me olhava, mas ainda não entrava e continuava a conversar com a locadora duma ponta a outra do corredor, com a mão na maçaneta. A mulher fazia eco, com uma vozinha fina e alegre, e podia-se compreender apenas por aquela voz que o visitante era bem conhecido dela, respeitado e apreciado como hóspede de confiança e alegre personagem. O jovial personagem gritava e pilheriava, mas tudo se referia a não estar Vássin em casa, que nunca podia encontrá-lo, que eram coisas que só a ele aconteciam, que esperaria como da vez anterior, e tudo isso, sem dúvida alguma, parecia à locadora o cúmulo do espírito. Por fim o visitante entrou, escancarando a porta.

Era um senhor muito bem vestido, com roupas do bom alfaiate, "fidalgamente!", como se diz e, no entanto, nada tinha ele de fidalgo, malgrado seu desejo manifesto. Não tinha cerimônia ou era antes naturalmente impudente, o que é, contudo, menos odioso que um impudente que se ensaiou diante do espelho. Seus cabelos, castanhos com alguns fios brancos, seus supercílios negros, sua grande barba e seus olhos grandes, longe de lhe darem caráter, comunicavam-lhe pelo contrário não sei que de comum, de semelhante a todo mundo. Essas pessoas riem e estão dispostas a rir, mas a gente nunca compartilha da alegria delas. Do engraçado passam rapidamente ao grave, do grave ao jovial ou às piscadelas insinuantes, mas tudo isso em ordem dispersa e sem motivação. Aliás, é inútil descrevê-lo de antemão. Conheci mais tarde esse senhor de maneira mais completa e mais íntima, de modo que o apresentei aqui, malgrado meu, com traços muito mais precisos do que teria podido fazer no momento em que abriu a porta e entrou no quarto. Entretanto, mesmo hoje, teria dificuldade em dizer o que quer que seja de determinado e de preciso, porque o principal caráter dessas pessoas é precisamente sua inconclusão, sua dispersão e sua indeterminação.

Ele ainda não tinha sentado e já me viera a ideia, de repente, de que deveria ser o padrasto de Vássin, um tal Senhor Stiebielhkov, do qual já ouvira contar alguma coisa, mas tão de passagem, que me teria sido impossível dizer o quê: lembrava-me somente de que não era nada de bom. Sabia que Vássin estivera muito tempo sob sua guarda na qualidade de órfão, mas que escapara à sua influência desde muitos anos, que seus objetivos e seus interesses eram divergentes e que viviam, a todos os respeitos, separados. Lembrei-me também que aquele Stiebielhkov possuía certo capital, que era mesmo um especulador e um negocista, em uma palavra, eu talvez já soubesse alguma coisa de mais detalhado a seu respeito, mas tinha esquecido.

Olhou-me de alto a baixo, sem me cumprimentar. Colocou sua cartola em cima da mesa diante do divã, empurrou imperiosamente a mesa com o pé e sentou-se, ou antes, deixou-se cair sobre o divã onde eu não havia ousado sentar, tão pesadamente que se ouviu um estalido, deixou penderem as pernas e, levantando o bico de seu pé direito calçado com um sapato de verniz, pôs-se a contemplá-lo. Aliás, voltou-se logo para mim e mediu-me com seus grandes olhos um pouco imóveis.

— Nunca o hei de achar, pois! — disse ele, com um ligeiro aceno de cabeça para meu lado.

Não disse nada.

— Não é pontual! Tem suas ideias a respeito de tudo. Vir de Pietersbúrgskaia Storoná!

— O senhor vem de Pietersbúrgskaia Storoná? — perguntei-lhe.

— Não, sou eu que lhe faço a pergunta.

— Eu... com efeito, mas como o sabe?

— Como? Hum... — Piscou o olho, mas não se dignou explicar.

— Isto é, não moro em Pietersbúrgskaia Storoná, mas estava lá e de lá vim para aqui.

Continuou a sorrir em silêncio, um sorriso importante que me desagradou tremendamente: havia nele algo de idiota.

— Da casa do Senhor Diergatchov — pronunciou ele por fim.

— O quê, da casa de Diergatchov? — E escancarei os olhos.

Ele olhou-me com um ar vitorioso.

— Nem mesmo o conheço.

— Hum...

— Como quiser! — respondi-lhe. Agora tornara-se odioso para mim.

— Hum... Sim... não... permita. O senhor compra um objeto numa loja, numa outra loja ao lado outro comprador compra outro objeto, qual na sua opinião? Dinheiro, em casa de um comerciante que se chama usurário... Porque o dinheiro é também um objeto, e o usurário é também um comerciante... Está-me acompanhando?

— Creio que sim.

— Passa um terceiro comprador que diz, mostrando uma das lojas: "É sério", e mostrando a outra: "Não é sério". Que posso concluir desse comprador?

— Sei lá!

— Não, permita. Era um exemplo. O homem vive de bons exemplos. Passeio pelo Niévski e noto que, do outro lado da rua, na calçada, passeia um senhor cujo caráter eu queria determinar. Chegamos, cada qual de seu lado, até à Morskaia Úlitsa, lá onde se encontra o Magazine Inglês, e notamos um terceiro transeunte que acaba de ser esmagado por um carro. Agora, preste bem atenção: passa um quarto senhor, que quer determinar o caráter de nós três, inclusive o do esmagado, quanto ao espírito prático e à seriedade... Está-me acompanhando?

— Perdoe-me, com muita dificuldade.

— Bem, é mesmo o que eu pensava. Vou mudar de assunto. Estou nas águas, na *Alemanha*, numa estação de águas, como já o fiz muitas vezes, pouco importa o lugar. Passeio e vejo ingleses. É difícil, como o senhor sabe, travar conhecimento com um inglês; mas, ao fim de dois meses, terminado o tratamento, eis-nos todos nas montanhas, fazemos ascensões juntos, com bengalas de extremidade pontuda, ora a uma montanha, ora a outra, pouco importa. A uma volta, isto é, numa parada lá onde os monges fabricam o *chartreuse* — note bem —, encontro um natural do país, plantado ali, solitário, a olhar silenciosamente. Quero ter uma ideia de sua seriedade: que acredita o senhor, poderei dirigir-me para isso à multidão dos ingleses com os quais caminho, unicamente porque fui incapaz de travar conversa com eles no balneário?

— Sei lá! Perdoe-me, tenho muita dificuldade em acompanhá-lo.

— Muita?

— Sim, o senhor me fatiga.

— Hum... — Piscou o olho e fez com a mão um gesto que devia sem dúvida significar alguma coisa de muito vitorioso e de muito triunfante; em seguida, muito gravemente e muito calmamente, tirou de seu bolso um jornal que acabara certamente de comprar, desdobrou-o e se pôs a ler a derradeira página, como para me deixar completamente à vontade. Durante cinco minutos, não pousou os olhos em mim.

— As Brest-Graev não caíram? Não, vão bem, sobem sempre! Conheço muitas que caíram.

Olhou-me com toda a sua alma.

— Não compreendo ainda grande coisa da Bolsa — respondi.

— Condena-o?

— Quem?

— O dinheiro, com a breca!

— Não condeno o dinheiro, mas... me parece que a ideia está em primeiro lugar, depois vem o dinheiro.

— Isto é, permita... eis um homem que tem, como se diz, fortuna...

— Em primeiro lugar a ideia, depois o dinheiro. Sem ideia superior, a sociedade, apesar de todo o seu dinheiro, virá abaixo.

Não sei, na verdade, por que me acalorava. Olhou-me um pouco tolamente, como homem que não sabe mais como sair dum embaraço, depois, de repente, seu rosto desabrochou num sorriso jovial e astuto:

— E Viersílov, hem? Apanhou o bocado! Deram-lhe razão ontem, hem?

Vi de súbito e com espanto que ele sabia desde muito tempo quem eu era e que sabia ainda de muito mais coisas. Somente não compreendo por que corei de repente e fitei-o da maneira mais estúpida sem desviar dele os olhos. Triunfava visivelmente, olhava-me com alegria, como se me tivesse surpreendido graças a alguma fina astúcia e apanhado na armadilha.

— Não! — exclamou, arqueando as sobrancelhas. — Pergunte-me o que sei do Senhor Viersílov! Que lhe dizia eu ainda há pouco a propósito da seriedade? Há dezoito meses, por causa daquela criança, teria ele podido concluir um negocinho bem bom, meu caro, mas foi tudo por água abaixo. Perfeitamente!

— Que criança?

— Ora, a criança de peito que mandou ele criar agora em segredo; somente não ganhará nada com isso... porque...

— Que criança de peito? De que se trata?

— A dele, bem decerto, sua própria filha, que ele teve de *Mademoiselle* Lídia Akhmákova... "Uma moça encantadora me acariciava..." Paus de fósforo, hem?

— Que tolices são essas? Jamais ele teve filha de Akhmákova!

— E essa! E eu, onde eu estava então? Parece-me, no entanto, que sou doutor e parteiro! Meu nome é Stiebielhkov. Não me conhece? É verdade que naquela época não praticava desde muito tempo a profissão, mas podia dar um conselho prático num caso prático.

— O senhor é parteiro?... Fez o parto de Akhmákova?

— Não, não lhe fiz o parto, absolutamente. Havia lá, no subúrbio, um Doutor Granz, carregado de família, pagaram-lhe um meio táler, o que se paga ali aos doutores, e aliás, ainda por cima, ninguém o chamara. Afina, estava lá, no meu lugar... Fora eu quem o recomendara, para tornar mais espessas as trevas. Está-me acompanhando? Quanto a mim, só dei um conselho prático, à pergunta de Andriéi Pietróvitch Viersílov, pergunta totalmente secreta, feita de ouvido a ouvido. Mas Andriéi Pietróvitch preferiu perseguir duas lebres.

Eu escutava, presa do espanto mais profundo.

— "Quem caça duas lebres não pega nenhuma!", diz-se entre nós, ou antes, entre o povo. Eu digo: as exceções constantemente repetidas tornam-se a regra geral. Ele caçou uma segunda lebre, isto é, em bom russo, uma segunda dama, e o resultado foi nulo! Um "toma" vale mais do que dois "te darei!". Onde é preciso resolver depressa, ele remancha. Viersílov... "um profeta para mulheres", como o jovem Príncipe Sokólhski tão acertadamente o qualificou, na minha presença. Não, o senhor me agrada! Se quer saber muitas coisas sobre Viersílov, venha ver-me.

Admirava visivelmente minha boca, redonda de espanto: até então nunca ouvira falar de criança de peito. Naquele instante a porta das vizinhas bateu e um indivíduo entrou rapidamente no quarto delas.

— Viersílov mora em Siemiônovski Polk,[35] Mojáiskaia Úlitsa, edifício Litvinovna, número dezessete. Venho da Repartição de Endereços! — gritou uma voz de mulher irritada. Ouvia-se cada palavra. Stiebielhkov franziu o cenho e ergueu o dedo mais alto que sua cabeça.

— Falamos dele aqui, e já está lá... Eis bem as exceções constantemente repetidas! *Quand on parle d'une corde...*[36]

Rapidamente, dum salto, sentou-se sobre o divã e colou a orelha à porta contra a qual aquele móvel estava empurrado.

Fiquei terrivelmente surpreso. Compreendi que aquele grito devia provir da moça que fugira ainda há pouco, numa extrema emoção. Mas que tinha Viersílov a ver com tudo aquilo? Bruscamente, repercutiu de novo o grito de ainda há pouco, histérico, grito duma criatura louca de cólera a quem se recusa alguma coisa ou se impede de fazer alguma coisa. A única diferença foi que os gritos e os urros duraram ainda mais tempo. Era uma luta, palavras precipitadas, rápidas: "Não quero, não quero", "me devolvam, me devolvam logo!", ou então algo neste gênero, não consigo lembrar-me exatamente. Em seguida, como ainda há pouco, alguém pulou bruscamente para a porta e abriu-a. As duas vizinhas lançaram-se para o corredor,

---

35 Regimento de São Simeão.

36 Quando se fala de corda.

O ADOLESCENTE

121

uma, como ainda há pouco, retendo manifestamente a outra. Stiebielhkov, que desde muito tempo já havia saltado para baixo do divã e prestava atenção com prazer, deu apenas um salto até à porta e muito francamente correu diretamente para o apartamento das vizinhas. Eu também, naturalmente, aproximei-me da porta. Mas a aparição dele no corredor produziu o efeito dum balde d'água gelada: as vizinhas eclipsaram-se lestamente, batendo a porta com estrondo. Stiebielhkov fez menção de correr atrás delas, mas parou, com o dedo levantado, sorrindo e refletindo; desta vez, distingui no seu sorriso algo de extremamente mau, sombrio e sinistro. Vendo a locadora plantada de novo diante de sua porta, correu para o lado dela na ponta dos pés. Depois de ter cochichado dois minutos com ela e obtido evidentemente algumas informações, voltou com um passo majestoso e decidido para o quarto, pegou em cima da mesa sua cartola e dirigiu-se para o apartamento das vizinhas. Um instante escutou à porta, colando nela a orelha e lançando para a outra extremidade do corredor uma piscadela vitoriosa à locadora, que o ameaçava e abanava a cabeça como para dizer: "Oh? que descarado! que descarado!". Por fim, com um ar decidido, mas infinitamente delicado, curvando-se quase por delicadeza, bateu com as falanges na casa das vizinhas. Ouviu-se uma voz:

— Quem é?

— Não me quererão conceder a permissão de entrar, para um negócio da mais alta importância? — proferiu Stiebielhkov, em voz alta e digna.

Não se apressaram, mas abriram ainda assim, primeiro aos poucos, depois pela metade; mas Stiebielhkov já havia agarrado fortemente a maçaneta e não deixaria mais que tornassem a fechar a porta. Travou-se a conversa: Stiebielhkov falava alto, procurando sempre penetrar no quarto; não me lembro das palavras, mas tratava-se de Viersílov, podia dar notícias, explicações. — "Não, perguntem a mim", e "Não, venha pois ver-me!", e assim por diante. Bem depressa, fizeram-no entrar. Voltei ao meu divã e me dispus a escutar, mas não consegui distinguir tudo: ouvia apenas que se nomeava frequentemente Viersílov. Pela entonação da voz, adivinhava que Stiebielhkov dirigia já a conversa, falava não mais como um conspirador, mas com domínio e num tom desembaraçado, como ainda há pouco comigo: "Está-me acompanhando?", "Deixem-me agora penetrar mais adiante, etc. etc.". Aliás, devia ser extremamente amável para com as senhoras. Já, por duas vezes, havia repercutido seu riso sonoro, e certamente deslocado, porque, ao lado de sua voz, e por vezes dominando-a, ouviam-se as vozes das duas mulheres que estavam longe de exprimir a alegria, sobretudo a da mais jovem, a que havia lançado os gritos; falava muito, nervosamente, depressa, sem dúvida para acusar e queixar-se e reclamar justiça. Mas Stiebielhkov não ficava atrás; elevava o tom cada vez mais e escarnecia cada vez com mais frequência; as pessoas dessa espécie não sabem escutar os outros. Desci em breve do divã, porque me pareceu vergonhoso estar escutando, e retomei meu lugar anterior diante da janela, na cadeira de vime. Estava persuadido de que Vássin não tinha nenhuma estima por aquele senhor, mas que, se eu lhe exprimisse minha opinião, tomaria logo sua defesa com uma dignidade grave e ia me fazer um sermão: "É um homem prático, um desses homens de negócios, modernos, que é impossível julgar do nosso ponto de vista geral e abstrato". Naquele instante, aliás, lembro-me, *eu me achava moralmente* abatido, meu coração batia e eu aguardava qualquer acontecimento. Uma dezena de minutos se passou e, de repente, em pleno meio de uma explosão de riso tonitruante, alguém, exatamente como ainda há pouco, saltou de sua cadeira, depois ouviram-se os gritos das duas mulheres, percebeu-se que Stiebielhkov também havia saltado, que falava num tom bem diferente, como para se justificar, para rogar que tivessem a bondade de ouvi-lo até o fim... Mas não lhe deram ouvidos. Gritos furiosos repercutiram: "Fora daqui! O senhor não passa de um celerado, de um descarado!". Era claro, em suma, que o punham para fora. Abri a nossa porta no instante preciso em que ele saía do apartamento das vizinhas para o corredor, literalmente empurrado para fora pelas próprias mãos delas. Vendo-me, pôs-se a gritar para mim, mostrando-me com o dedo:

— Eis o filho de Viersílov! Se não acreditam em mim, pois bem, eis o filho dele, seu próprio filho! — E agarrou-me ferreamente pela mão.

— É filho dele, seu filho verdadeiro! — repetia, levando-me para junto das damas e sem acrescentar nenhuma outra explicação.

A moça estava no corredor; a mais idosa, a um passo dela, no vão da porta. Lembro-me somente de que aquela pobre moça não era feia: uns vinte anos, porém magra e de aspecto doentio, arruivada e parecendo, de rosto, um pouco com minha irmã; esta característica atravessou-me o espírito e ficou-me na memória. Somente Lisa jamais se encontrara — e não tinha naturalmente jamais podido encontrar-se — num acesso de cólera comparável ao em que se achava aquela pessoa ali à minha frente: seus lábios estavam brancos, seus olhos dum cinzento claro faiscavam, tremia toda de indignação. Lembro-me também de que me encontrava eu mesmo numa posição extremamente tola e vergonhosa, porque não achava nada para dizer, tudo por culpa daquele grosseiro sujeito.

— Filho dele? E daí? Se está com o senhor, é um canalha. — Voltou-se de repente para mim: — Se o senhor é o filho de Viersílov, pois bem, diga de minha parte a seu pai que ele é um canalha, um miserável descarado, que não preciso do dinheiro dele... Tome, tome... entregue-lhe imediatamente este dinheiro!

Tirou bruscamente de seu bolso várias cédulas. Mas a mulher idosa (sua mãe, como o soube mais tarde) pegou-lhe o braço:

— Ólia, mas talvez não seja verdade, talvez não seja filho dele!

Ólia lançou-lhe um olhar rápido, compreendeu, encarou-me com desprezo, e tornou a entrar no quarto, mas antes de bater a porta, na soleira, gritou ainda uma vez para Stiebielhkov:

— Fora daqui!

E chegou mesmo a bater com o pé. Em seguida a porta bateu e foi fechada a chave. Stiebielhkov, continuando a segurar-me pelo ombro, ergueu o dedo e, com a boca dilatada num sorriso longo e pensativo, fixou em mim um olhar interrogativo.

— Acho sua conduta para comigo ridícula e indigna! — balbuciei, na minha indignação.

Mas ele não me escutava, se bem que não desviasse os olhos de mim.

— É o que seria preciso exa-mi-nar! — proferiu ele, com ar pensativo.

— Mas como ousou o senhor implicar-me nisso? Quem é? Quem é aquela mulher? O senhor agarrou-me pelo ombro e arrastou-me. Que significa isso?

— Ah! diabos! Uma mulher que perdeu a inocência... "A exceção muitas vezes repetida." Está me acompanhando?

E tocou-me o peito com o dedo.

O ADOLESCENTE

— Vá para o inferno! — gritei-lhe, repelindo-lhe o dedo.

Mas de repente, e completamente de improviso, pôs-se ele a rir mansa, longa, alegremente. Por fim pôs o chapéu na cabeça e, com uma fisionomia já mudada e sombria, observou, franzindo o cenho:

— Seria preciso dar uma lição à locadora... Seria preciso expulsá-las do apartamento, eis aí! E o mais cedo possível, de outro modo... Verá! Lembre-se do que digo, verá! Com os diabos! —alegrou-se ele de repente. — Vai esperar Gricha?

— Não, não o esperarei — respondi, bem decidido.

— Vamos, não importa...

Sem acrescentar uma sílaba, voltou-se, saiu e meteu-se pela escada, sem honrar, nem mesmo com um olhar, a locadora que parecia esperar explicações e notícias. Eu também peguei meu chapéu e, depois de ter pedido à locadora que dissesse que Dolgorúki tinha vindo, desci correndo.

III

Perdera meu tempo. Assim que me vi fora, pus-me à procura dum alojamento. Estava distraído; vagueei várias horas pelas ruas, entrei nuns cinco ou seis imóveis, mas estou certo de que deixei passar uns vinte sem notar. Para meu grande desaponto, jamais teria pensado que fosse tão difícil encontrar um alojamento: por toda parte quartos como o de Vássin, e bem piores ainda, e a preços impossíveis, pelo menos para meu orçamento. Pedia simplesmente um canto, onde pudesse pelo menos estender-me, e respondiam-me com desprezo que, nesse caso, era preciso dirigir-me aos "locadores de cantos". Além disso, por toda parte uma multidão de locatários isolados, com os quais, a julgar-lhes pela cara, eu jamais poderia viver; teria mesmo pago para não viver ao lado deles. Senhores sem paletó, de colete, a barba hirsuta, curiosos e sem-cerimônia. Eram uns dez, num quarto microscópico, jogando cartas e bebendo cerveja: ofereciam-me um quarto contíguo. Em outros lugares, era eu quem, às perguntas dos locadores, respondia tão estupidamente, que me olhavam com espanto; num lugar mesmo, zanguei-me. Aliás, é inútil descrever todos esses detalhes ínfimos; queria somente dizer que, terrivelmente cansado, comi alguma coisa num albergue, quando já era quase noite. Voltei à decisão definitiva de que iria imediatamente entregar, só e em pessoa, a Viersílov a carta referente à herança (sem a menor explicação), apanharia lá em cima minhas coisas, encheria minha mala e um embrulho e iria passar a noite num hotel. Havia, era do meu conhecimento, ao fim da Obúkhovski Prospekt,[37] perto do Arco do Triunfo, albergues onde se podia obter um quarto isolado, mediante trinta copeques; decidi, por uma noite, fazer esse sacrifício, a fim de não ficar por mais tempo em casa de Viersílov. Ora, ao passar diante do Instituto Tecnológico, deu-me de súbito a fantasia de entrar em casa de Tatiana Pávlovna, que morava em frente. Como pretexto, tinha aquela mesma carta referente à herança, mas minha vontade indomável tinha naturalmente outras causas, que sou, aliás, incapaz de explicar hoje: fazia-se no meu espírito terrível confusão entre "a criança de peito", "as exceções que se tornam

---

37 Perspectiva (avenida) Obukhov

a regra geral" e o resto. Eu queria contar, ou antes dar-me ares, ou então discutir, ou mesmo chorar, ignoro-o, mas o fato é que subi a escada de Tatiana Pávlovna. Só estivera em casa dela uma vez, no começo de minha estada em Moscou, para lhe dar não sei mais que recado de parte de minha mãe e me lembro de que entrei, dei o recado e retirei-me um minuto depois, sem me sentar e ela não me reteve.

Toquei a campainha. A cozinheira abriu logo a porta e introduziu-me silenciosamente. Todos estes detalhes são necessários para fazer compreender como pôde produzir-se um acontecimento tão louco, que teve também colossal importância sobre tudo quanto se seguiu. Em primeiro lugar, a cozinheira. Era uma finlandesa rabugenta e de nariz chato que, creio, detestava sua patroa, Tatiana Pávlovna, que, pelo contrário, não podia separar-se dela, por motivo duma dessas paixões que têm as solteironas pelos velhos totós sempre de nariz úmido ou pelos gatos perpetuamente adormecidos. A finlandesa, ou se amuava e resmungava, ou então, após alguma discussão, não abria a boca semanas inteiras, para punir sua patroa. Sem dúvida, eu apareci num desses dias de silêncio, porque, à minha pergunta: "A senhora está?", que me lembro positivamente ter-lhe feito, ela não respondeu e voltou, sem abrir a boca, para sua cozinha. Depois disso, persuadido naturalmente de que a senhora estava em casa, entrei e, não encontrando ninguém, esperei, pensando que Tatiana Pávlovna ia sair de seu quarto; se não fosse assim, por que a cozinheira teria me deixado entrar? Fiquei de pé dois ou três minutos; caía a noite e o apartamento já sombrio de Tatiana Pávlovna tornara-se ainda menos aprazível com aquelas ondas de chita da Índia pendendo por toda parte. Duas palavras a respeito daquele feio apartamento, para dar a compreender o lugar em que a coisa se passou. Por conta de seu caráter autoritário e teimoso e de suas velhas fantasias senhoriais, Tatiana Pávlovna não podia acomodar-se à vida em hotéis: alugara aquela paródia de apartamento tão só para viver sozinha e ser dona em sua casa. Aqueles dois quartos eram literalmente duas gaiolas de canários, coladas uma à outra, uma menor que outra, no segundo andar e dando para o pátio. Ao entrar, encontrava a gente, em primeiro lugar um pequeno corredor muito estreito, dum *archin e* meio de largura; à esquerda, as duas gaiolas de canários já mencionadas; e bem em frente, ao fundo do corredor, a entrada duma minúscula cozinha. O *sajenh* e meio cúbico de ar, indispensável ao homem para uma duração de doze horas, existiam talvez, mas decerto não mais. As peças eram tremendamente baixas e, para cúmulo de estupidez, as janelas, as portas, os móveis, tudo, tudo estava atapetado ou coberto de chita da Índia, de bela chita, francesa, com florões; mas o quarto parecia duas vezes mais sombrio ainda e assemelhava-se ao interior duma diligência. Na peça onde eu esperava, a gente podia, rigorosamente falando, mover-se, se bem que estivesse toda ela atravancada de móveis e, aliás, não feios de todo: havia ali toda espécie de mesinhas com incrustações, ornadas de bronze, caixas, uma penteadeira elegante e até mesmo rica. Mas o quartinho seguinte, donde esperava vê-la sair, seu quarto de dormir, separado do em que me achava por uma cortina, não continha, literalmente, como o soube depois, senão um leito. Todos estes detalhes são indispensáveis para compreender a tolice que cometi.

De modo que esperava sem experimentar a menor dúvida, quando a sineta tocou. Ouvi a cozinheira percorrer o corredor sem se apressar e introduzir em silêncio, exatamente como fizera comigo ainda há pouco, vários visitantes. Eram duas senhoras e ambas falavam em voz alta, mas qual não foi meu espanto quando, pela voz, reconheci numa delas Tatiana Pávlovna, e na outra a mulher que eu estava bem menos preparado para encontrar agora, sobretudo naquele lugar! Não havia erro possível, ouvira aquela voz sonora, forte e metálica, ontem, três minutos somente, é verdade, mas ficara no meu coração. Sim, era bem "a mulher de ontem". Que fazer? Não dirijo, de modo algum, esta pergunta ao leitor. Limito-me a evocar aquele minuto e estou ainda hoje absolutamente fora de condições de explicar como ocorreu que me lançasse para trás da cortina e me encontrasse no quarto de Tatiana Pávlovna. Em suma, ocultei-me e mal tivera tempo de dar aquele salto, quando elas entraram. Por que não fui ao encontro delas, em vez de esconder-me? Ignoro-o; tudo isso aconteceu por acaso, sem que me desse conta.

No quarto, tropecei no leito e verifiquei imediatamente que havia uma porta que dava para a cozinha, portanto uma saída possível em caso de desgraça, pela qual se podia escapar perfeitamente. Mas, horror!, a porta estava fechada a chave e esta não se achava na fechadura. Desesperado, deixei-me cair sobre o leito; era claro para mim que ia agora escutar a conversa e, desde as primeiras frases, desde os primeiros sons, adivinhei que a conversa delas era secreta e muito delicada. Oh! é bem certo que um homem nobre e leal deveria ter-se levantado, mesmo naquele momento, saído e dito em voz alta: "Estou aqui, esperem!", e, apesar do ridículo de sua situação, retirar-se; mas não me levantei e não saí; da mais ignóbil das maneiras, tive medo.

— Katierina Nikoláievna, minha cara, você me magoa profundamente — suplicava Tatiana Pávlovna —, acalme-se duma vez por todas, isto não convém ao seu caráter. Por toda parte onde você se encontra, há felicidade, e ei-la de repente... Mas eu, pelo menos, espero que continue a crer em mim, você sabe a que ponto lhe sou devotada. Pelo menos tanto quanto a Andriéi Pietróvitch, a quem não oculto, no entanto, minha eterna fidelidade... Pois bem então! Acredite-me, juro-lhe pela minha honra que ele não possui aquele documento, e talvez ninguém o tenha; aliás, ele não é capaz de semelhantes intrigas, você faz mal em suspeitar. Vocês dois é que imaginaram essa hostilidade...

— O documento existe e ele é capaz de tudo. Ontem, entro, e meu primeiro encontro é com *ce petit espion,* que ele impôs ao príncipe.

— Ora vamos! *Ce petit espion?* Em primeiro lugar, ele não é *espion* absolutamente. Fui eu que insisti para que o colocassem em casa do príncipe, de outro modo teria perdido a cabeça em Moscou ou morrido de fome. Tais são, pelo menos, as informações recebidas de lá; e sobretudo aquele garoto ainda tosco não passa de um imbecil. Como haveria de ser espião?

— Sim, um imbecil, o que não o impede, aliás, de ser um tratante. Se eu não tivesse aquele desgosto, teria morrido de rir, ontem: ele ficou lívido, aproximou-se, quis fazer bonito, pôs-se a falar francês. E dizer-se que, em Moscou, Maria Ivânovna me falava dele como de um gênio! Essa condenada carta existe e se encontra em alguma parte, no lugar mais perigoso, foi a conclusão a que cheguei pela fisionomia daquela Maria Ivânovna.

— Mas, meu bem, você mesma diz que não há nada em casa dela!

— Pelo contrário, há alguma coisa, ela mente. E, pode-se dizer, ela sabe mentir! Antes de Moscou, eu ainda tinha uma esperança de que não restasse mais nenhum papel, mas aqui, aqui...

— Oh! minha cara, dizem, pelo contrário, que é uma criatura excelente e muito sensata. Seu defunto marido estimava-a mais do que a todas as suas sobrinhas. É verdade que não a conheço bem, mas você deveria tratar de agradar-lhe um pouco, meu bem! Não terá dificuldade em vencer. Eu mesma, que sou velha, pois bem, estou encantada com você, pronta a beijá-la... Pois bem, que lhe custaria seduzi-la?

— Procurei seduzi-la, Tatiana Pávlovna, ensaiei, ela mesma ficou encantada. Mas o caso é que é muito ladina, sim, muito ladina... Não, é um caráter inteiriço, e original, um caráter moscovita... Imagine que ela me aconselhou a dirigir-me aqui a um tal de Kraft, que foi auxiliar de Andrónikov. Talvez saiba ele alguma coisa! Tenho já alguma ideia desse Kraft e até mesmo me lembro dele um pouco. Mas no momento em que ela me falou desse Kraft, tive imediatamente a convicção de que, longe de ignorar, ela mente, sabe de tudo.

— Mas por que então, por que isso? Em todo caso, pode-se colher informação com esse Kraft! É um alemão, nada falador e muito honesto, lembro-me. É verdade que seria preciso interrogá-lo! Mas acho que ele não se encontra mais em Petersburgo...

— Voltou ontem, estou vindo da casa dele... Justamente por isso é que me vê você tão alarmada, toda trêmula, braços e pernas. Queria saber de você, Tatiana Pávlovna, meu anjo, já que conhece todo mundo, se não haveria meio de dar uma busca nos papéis dele. Deve ter certamente deixado papéis. Para quem irão eles? Talvez venham a cair ainda em mãos perigosas. Vim pedir-lhe um conselho.

— Mas de que papéis fala você afinal? — interrogou Tatiana Pávlovna, que não estava compreendendo nada. — Você acaba de dizer que vem da casa de Kraft.

— Sim, sim, estou vindo de lá, mas o caso é que ele se suicidou! Ontem de noite.

Saltei de cima do leito. Pudera manter-me calado enquanto ouvia tratarem-me de espião e de idiota; quanto mais avançavam elas na sua conversa, menos me parecia possível mostrar-me, era inconcebível! Resolvi comigo mesmo esperar, o coração deixando de palpitar, até o momento em que Tatiana Pávlovna fosse levar à porta a visitante (se, para felicidade minha, não tivesse necessidade de entrar antes no seu quarto), e em seguida, uma vez que Akhmákova saísse, estava pronto a brigar com Tatiana Pávlovna!... Mas agora que, ao saber da morte de Kraft, tinha saltado de cima do leito, fui tomado duma espécie de convulsão. Sem mais pensar em nada, sem raciocinar, sem dar-me conta de nada, dei um passo, ergui a cortina e achei-me diante delas. Estava ainda bastante claro para que pudessem enxergar-me, pálido e trêmulo... Lançaram um grito. Como não gritar?

— Kraft? — balbuciei eu, voltando-me para Akhmákova. — Suicidou-se? Ontem? Ao pôr do sol?

— Onde estavas? Donde sais? — guinchou Tatiana Pávlovna, que me fincou literalmente as unhas nas costas. — Tu nos espionavas? Tu nos escutavas?

— Que é que eu lhe dizia? — disse Katierina Nikoláievna, erguendo-se do divã e apontando para mim com o dedo. Saí dos eixos.

— Mentiras! Tolices! — interrompi, furioso. — Ainda há pouco a senhora chamou-me de espião! Meu Deus! Vale a pena não já espionar, mas viver aqui embaixo, ao lado de gente como a senhora? Os homens generosos acabam suicidando-se: Kraft matou-se por causa da ideia, por causa de Hécuba!... Mas como saberia a senhora quem é Hécuba?... Aqui, somos obrigados a viver no meio das intrigas de vocês, a patinhar entre suas mentiras, seus disfarces, seus manejos subterrâneos... Basta!

— Dê-lhe uma bofetada! Dê-lhe uma bofetada! — gritou Tatiana Pávlovna. E como Katierina Nikoláievna continuasse a fitar-me (lembro-me de tudo, até o mínimo detalhe) sem desviar a vista, mas sem se mexer, Tatiana Pávlovna veio no mesmo instante executar seu conselho em pessoa... tanto que ergui, por instinto, a mão para proteger meu rosto. Por causa deste gesto, pareceu-lhe que eu a ameaçava.

— Vamos, bate, bate então! Prova que sempre foste um malandro... És o mais forte. Por que haverás de constranger-te diante de pobres mulheres?

— Basta de calúnia, basta! — gritei. — Jamais erguerei a mão contra uma mulher! A senhora é uma descarada, Tatiana Pávlovna, sempre me desprezou. De que serve respeitar as pessoas? A senhora ri, Katierina Nikoláievna? Deve ser sem dúvida de minha cara. Sim, Deus não me deu uma cara como a dos ajudantes de campo da senhora. E, no entanto, diante da senhora, não me sinto humilhado, mas, pelo contrário, superior... Enfim, pouco importam as expressões, mas não sou culpado! Entrei aqui por acaso, Tatiana Pávlovna. A única culpada é a sua finlandesa, ou, para melhor dizer, sua paixão por ela. Por que ela não me respondeu, quando lhe perguntei se a senhora estava em casa, e por que me conduziu diretamente para aqui? Em seguida, hão de convir, pareceu-me tão monstruoso surgir do quarto duma mulher que decidi suportar em silêncio todos os insultos de vocês a ter de mostrar-me... Continua a rir, Katierina Nikoláievna?

— Vai-te, vai-te, fora daqui! — gritou Tatiana Pávlovna, quase me empurrando. — Não leve em conta suas mentiras, Katierina Nikoláievna, já lhe disse que lá fora o tinham em conta de louco!

— Um louco? Lá fora? Quem e donde saiu isso? Mas pouco importa, já chega! Katierina Nikoláievna, juro-lhe por tudo quanto há de mais sagrado, essa conversa e tudo quanto eu vi ficarão entre nós... É culpa minha se descobri seus segredos? Tanto mais quanto, já amanhã mesmo, deixo meu emprego em casa de seu pai. De modo que pode a senhora ficar tranquila a respeito da sorte do documento que está procurando.

— Como?... De que documento fala o senhor? — Katierina Nikoláievna ficou de tal modo perturbada, que empalideceu totalmente. Talvez tenha sido mera impressão minha. Compreendi que havia falado demais.

Saí rapidamente. Acompanharam-me com os olhos, em silêncio, e lia-se em seu olhar um espanto extremo. Em suma, havia-lhes proposto um enigma...

CAPÍTULO IX

I

Apressei-me em voltar para casa e, oh! maravilha!, estava muito contente comigo mesmo. Sem dúvida, não se deve falar daquela maneira a mulheres, e sobretudo a mulheres como aquelas, ou mais exatamente a uma tal mulher, porque não levava em conta Tatiana Pávlovna. Talvez não seja permitido dizer diante de uma mulher daquela qualidade: "Cuspo em suas intrigas!", mas eu havia dito e era disso que estava contente. Sem falar do resto, estava pelo menos certo de que, tomando aquele tom, apagara tudo quanto havia de ridículo na minha posição. Mas não tive tempo de pensar longamente em tudo isso: meu cérebro estava ocupado por Kraft. Não que ele me atormentasse muito, mas, apesar de tudo, estava abalado até o fundo da alma; e mesmo a tal ponto que o sentimento comum de prazer que experimentam os homens na presença da desgraça alheia, por exemplo, quando alguém quebra uma perna, perde a honra, é privado dum ser querido, etc., até mesmo esse sentimento comum de ignóbil satisfação cedia inteiramente em mim a outro, a uma sensação extremamente imperiosa, ao pesar, à pena... seria mesmo à pena? Ignoro... em todo o caso a um sentimento extremamente poderoso e bom. E disto eu também colhia satisfação. É espantosa a multidão de ideias estranhas que nos pode atravessar o espírito, justamente quando somos abalados por alguma notícia colossal que deveria, parece, abafar os outros sentimentos e dispersar todas as ideias estranhas, sobretudo as ideias sem importância; ora, são elas, pelo contrário, que se apresentam. Lembro-me ainda de que fui tomado pouco a pouco dum tremor nervoso bastante sensível, que durou vários minutos e até mesmo todo o tempo em que fiquei em casa para ter uma explicação com Viersílov.

Essa explicação realizou-se em circunstâncias singulares e inusitadas. Já disse que morávamos num pavilhão no pátio; esse apartamento tinha o número treze. Antes mesmo de transpor o portão, ouvi uma voz de mulher, que perguntava em voz alta, com impaciência e irritação: "Onde é o apartamento número treze?". Era uma senhora que acabava de abrir a porta duma lojinha contígua. Mas sem dúvida não lhe responderam nada ou mesmo mandaram-na passear, porque ela tornou a descer os degraus, cheia de cólera e desespero:

— Onde está afinal o porteiro? — gritou ela, batendo com o pé.

Desde muito havia-lhe reconhecido a voz.

— Vou ao apartamento número treze — disse, aproximando-me dela. — A quem procura?

— Há uma hora que procuro o porteiro, perguntei a todo mundo, subi todas as escadas.

— É no pátio. Não está me reconhecendo?

Ela, porém, já me havia reconhecido.

— A senhora quer ver Viersílov? Tem algum negócio com ele? Eu também — continuei. — Vim despedir-me dele para sempre. Vamos lá!

— É filho dele?

— Isto nada significa. Admitamos, se quiser, que seja eu filho dele. Muito embora me chamo Dolgorúki. Sou filho ilegítimo. Esse senhor tem uma multidão de filhos ilegítimos. Quando a consciência e a honra o exigem, até mesmo um filho ilegítimo abandona a casa paterna. Já está na *Bíblia*. Além disso, ele recebeu uma herança de que não quero partilhar. Contento-me com o trabalho de minhas mãos. Quando preciso, um coração generoso sacrifica até mesmo a vida. Kraft suicidou-se, por causa da ideia, imagine, Kraft, um rapaz tão cheio de promessas... Por aqui, por aqui! Moramos num pavilhão isolado. Lê-se já na *Bíblia* que os filhos deixem seus pais e fundem seu ninho... Quando a ideia nos arrasta... quando existe uma ideia!...

A ideia é tudo, tudo está na ideia...

Continuei algum tempo este falatório, até o momento em que chegamos à nossa casa. O leitor deve sem dúvida ter notado que não me poupo e trato-me como é devido. Quero aprender a dizer a verdade. Viersílov estava em casa. Entrei sem tirar meu capote; ela também. Estava levemente vestida; sobre um vestido escuro agitava-se no alto um pedaço de não sei quê, destinado a figurar uma gola ou mantilha; trazia na cabeça um velho gorro pelado que em nada concorria para embelezá-la. Quando entramos na sala, minha mãe ocupava seu lugar habitual diante de sua costura, minha irmã saiu de seu quarto para ver quem era e parou na soleira. Viersílov, como de costume, nada fazia e levantou-se para receber-nos... Fixou em mim um olhar severo e interrogativo.

— Nada tenho a ver com isso — apressei-me em tranquilizá-lo, afastando-me. — Encontrei esta senhora diante da porta; procurava o senhor e não achava ninguém que a encaminhasse. Mas tenho também um assunto especial a tratar com o senhor, o que farei com prazer depois...

Nem por isso deixou Viersílov de examinar-me curiosamente.

— Com licença! — começou a moça, impaciente. Viersílov voltou-se para ela.

— Refleti longamente no motivo que o fez deixar ontem este dinheiro... Eu... em resumo, eis seu dinheiro! — Lançou quase um grito, como anteriormente, e atirou sobre a mesa um maço de cédulas. — Fui obrigada a ir à Repartição de Endereços para saber onde o senhor morava, senão teria vindo mais cedo. Escute, a senhora! — disse ela, voltando-se de repente para minha mãe, que ficou totalmente branca. — Não quero ofendê-la, a senhora tem cara de honesta e talvez também sua filha. Ignoro que a senhora seja sua esposa, mas saiba que esse senhor recorta dos jornais os anúncios que, com seus derradeiros copeques, publicam as governantas e as professoras, para depois procurar essas infelizes, em busca de vantagens desonestas, engodando-as com dinheiro. Não compreendo como pude ontem aceitar o dinheiro dele! Tinha um ar tão leal! Alto lá! Nem uma palavra! O senhor é um velhaco! Mesmo que o senhor tivesse intenções honestas, não quero suas esmolas. Nem uma palavra! Nem uma palavra! Oh! Como me satisfaz denunciá-lo perante as senhoras de sua casa! Maldito seja!

E foi saindo à pressa, mas na soleira voltou-se um instante, somente para gritar:

— Dizem que o senhor recebeu uma herança!

Em seguida desapareceu como uma sombra. Lembro ainda uma vez: parecia uma fúria. Viersílov estava profundamente impressionado; ficou pensativo, como se refletisse em alguma coisa; por fim, dirigiu-se bruscamente a mim:

— Não a conheces absolutamente?

— Vi-a esta manhã, por acaso, em casa de Vássin. Agitava-se no corredor, lançava gritos e amaldiçoava o senhor. Mas não chegamos a conversar e não sei nada a seu respeito. Agora, acabo de encontrá-la à porta. É sem dúvida a professora de ontem, a que "dá lições de aritmética".

— É ela. Uma vez em minha vida, pratiquei uma boa ação, e... tu, que é que te traz aqui?

— Eis uma carta! — respondi. — É inútil dar-lhe explicações: vem de Kraft, que a recebeu do falecido Andrónikov. O conteúdo vai esclarecê-lo. Acrescento que ninguém no mundo conhece agora a existência desta carta além de mim, uma vez que Kraft, que a entregou a mim ontem, suicidou-se logo após minha visita...

Enquanto eu falava, resfolegante e apressado, ele pegou a carta e, mantendo-a em suspenso sobre sua mão esquerda, continuou a fitar-me atentamente. Quando lhe anunciei o suicídio de Kraft, observei bem o seu rosto para ver o efeito produzido. Pois bem, que acreditais? A notícia não produziu nele nenhuma impressão.. Nem mesmo ergueu as sobrancelhas! Pelo contrário, vendo que eu me havia detido, tirou seu *pince-nez,* que não o abandonava nunca e que pendia duma fita negra, aproximou a carta de uma vela e, após uma olhadela para a assinatura, começou a lê-la. Não saberei dizer quanto me magoou aquela orgulhosa insensibilidade. Devia conhecer muito bem Kraft. Uma notícia, apesar de tudo, tão extraordinária! Enfim, eu teria naturalmente querido produzir certo efeito. Após meio minuto de espera, sabendo que a carta era longa, voltei as costas e retirei-me. Minha mala estava pronta desde muito tempo, só restava fazer um embrulho de alguns objetos. Pensei em minha mãe: não me havia aproximado dela. Dez minutos mais tarde, quando eu estava pronto e disposto a ir procurar um fiacre, entrou minha irmã em minha mansarda.

— Toma, mamãe envia-te teus sessenta rublos e roga-te ainda uma vez mais que desculpes haver ela falado a Andriéi Pietróvitch. E depois, eis ainda vinte rublos. Deste ontem para tua pensão cinquenta rublos; mamãe diz que não tem o direito de cobrar-te mais de trinta, porque não gastou mais do que isso para ti e envia-te os vinte rublos restantes.

— Obrigado, se é verdade o que ela diz. Adeus, minha irmã, vou-me embora.

— Para onde vais?

— Para o albergue, enquanto espero, unicamente para não passar uma noite mais nesta casa. Dize a mamãe que a amo.

— Ela sabe. Sabe que amas também Andriéi Pietróvitch. Como não te envergonhaste de haver trazido aquela infeliz?

— Não a trouxe, juro. Encontrei-a em frente à porta.

— Não, foste tu que a trouxeste.

— Garanto-te...

— Reflete bem, interroga-te, e verás que és tu também que és causa...

— Fiquei apenas muito contente por ter envergonhado Viersílov. Imagina que ele tem de Lídia Akhmákova uma criança de peito... Mas que é que te digo...

— Ele? Uma criança de peito? Mas não é dele! Onde ouviste contar semelhante mentira?

— Que sabes disso?

— Como não haveria de saber? Pois eu mesma embalei nos braços, em Luga, essa menina! Escuta, irmão: vejo, desde muito tempo que, sem nada saber, ofendes Andriéi Pietróvitch e mamãe ao mesmo tempo.

— Pois bem, se ele tem razão, eu é que estou errado, eis tudo. Mas a vocês, não as amo menos. Por que coraste, minha irmã? Ora! coras ainda mais agora. Bem, apesar de tudo, provocarei em duelo aquele principezinho, por causa da bofetada que deu em Viersílov em Ems. Se Viersílov nada tem que ver com o caso de Akhmákova, tanto melhor.

— Que dizes, meu irmão? Reflete um pouco!

O ADOLESCENTE

— Por felicidade o processo acabou... Ora, eis que agora empalideceste.

— Mas o príncipe não se baterá contigo — sorriu Lisa, um pálido sorriso em meio de seu medo.

— Então vou ofendê-lo em público. Que tens, Lisa?

Ela havia empalidecido a ponto de não mais poder continuar em pé e deixara-se cair sobre o divã.

— Lisa!

Era sua mãe que a chamava lá embaixo.

Ela se recompôs e levantou, sorriu-me ternamente.

— Meu irmão, põe de parte essas tolices ou espera saberes mais, o que sabes é muito pouco.

— Vou me lembrar, Lisa, de que empalideceste ao saber que me bateria em duelo.

— Sim, sim, lembra-te disso! — Sorriu ainda uma vez em sinal de adeus e desceu.

Chamei um cocheiro e, com sua ajuda, transportei minhas coisas. Ninguém em casa fez obstáculo, nem me deteve. Não fui dizer adeus à minha mãe para não encontrar Viersílov. Quando já estava instalado no fiacre, uma ideia atravessou-me o espírito:

— Fontanka, Siemiônovski Most! — ordenei, inopinadamente. E voltei à casa de Vássin.

II

Pensara de súbito que Vássin já sabia da notícia e talvez soubesse cem vezes mais do que eu. Foi o que aconteceu. Vássin comunicou-me logo e com solicitude todos os detalhes, aliás sem grande entusiasmo. Conclui que ele estava fatigado e era verdade. Estivera de manhã em casa de Kraft. Kraft dera em si mesmo um tiro de revólver (aquele mesmo revólver!) na véspera, logo que a noite caiu por completo, como se depreendia de seu diário. A derradeira anotação fora feita justamente antes do suicídio: escrevia que estava quase em trevas e mal distinguia as letras; mas não queria acender a vela, com receio de provocar depois um incêndio. "Quanto a acender para apagá-la, antes de dar o tiro, com a minha vida, não quero", acrescentava estranhamente na derradeira linha. Ele começara esse diário na antevéspera, assim que regressara a Petersburgo, antes da visita à casa de Diergatchov. Depois de minha partida, havia anotações a todos os quartos de hora; as três ou quatro últimas tinham sido feitas a cada cinco minutos. Admirei-me bastante por Vássin, que tivera o diário tanto tempo sob sua vista (tinham-no dado para ler), não ter tirado cópia, tanto mais quanto não ocupava ele mais de uma folha e todas as anotações eram curtas: "pelo menos a última página!". Vássin fez-me notar com um sorriso que se lembrava de tudo, que as anotações não obedeciam a uma ordem e eram a propósito de tudo quanto passava pela cabeça de Kraft. Ia responder-lhe que era justamente o que lhes dava valor, mas desisti e insisti em que se recordasse ele de alguma frase. Lembrou-se com efeito de algumas linhas, cerca de uma hora antes do tiro de revólver, em que se dizia que "sentia arrepio"; "para aquecer-me, tivera vontade de beber um gole, mas a ideia de que a efusão de sangue seria talvez mais abundante havia-o detido". E tudo é nesse gênero, mais ou menos, concluiu Vássin.

— E eis o que vocês chamam de tolices! — exclamei.

— Quando falei eu de tolices, afinal? Limitei-me a não tirar cópia. Mas, embora não sejam tolices, é esse diário, na verdade, bastante vulgar, ou antes, natural, isto é, precisamente aquilo que deveria ser em semelhante caso...

— Mas os derradeiros pensamentos, os derradeiros pensamentos!

— Os derradeiros pensamentos são por vezes espantosamente nulos. Conheço um suicida que se queixa em seu diário de não ser visitado, numa hora tão grave, por nenhum "pensamento superior": nada senão pensamentos vazios e fúteis.

— E o arrepio, é também um pensamento vazio?

— Você quer falar do arrepio, ou então da efusão de sangue? É fato conhecido que muitos daqueles que têm a força de pensar na sua morte iminente, voluntária ou não, são muitas vezes levados a preocupar-se com o estado no qual encontrarão seu corpo. É dentro desse espírito que Kraft temia uma efusão de sangue demasiado forte.

— Ignoro se o fato é conhecido... e se é bem exato — murmurei —, mas causa-me admiração que o senhor ache isso tudo tão natural. Não há, no entanto, muito tempo, Kraft conversava, comovia-se, estava sentado entre nós! Será possível que o senhor não tenha a menor compaixão por ele?

— Oh! decerto, tenho compaixão, mas é outro negócio. Em todo o caso, o próprio Kraft apresentou sua morte sob o aspecto duma dedução lógica. Acontece que tudo quanto se disse a respeito dele ontem em casa de Diergatchov é exato; deixou um caderno desta grossura de conclusões científicas, segundo as quais os russos são uma raça de segunda ordem, tudo isso baseado na frenologia e até mesmo nas matemáticas, e, em consequência, não vale a pena viver quando se é russo. Se quiser, o que há aqui de mais característico é que se podem tirar todas as conclusões à vontade, mas queimar os miolos por causa dessas conclusões, eis o que não acontece todos os dias.

— É preciso pelo menos fazer justiça a seu caráter.

— E talvez a outra coisa também — observou Vássin, evasivo. Mas era claro que ele tinha em vista a tolice ou a fraqueza do cérebro. Tudo aquilo me irritava.

— Foi o senhor mesmo quem falou ontem de sentimentos, Vássin.

— Não os nego hoje tampouco. Mas, na presença do fato consumado, encontro nele algo de tão grosseiramente errôneo que meu julgamento severo exclui, malgrado meu, até a piedade.

— Sabe que eu já tinha adivinhado pelos seus olhos que o senhor iria falar mal de Kraft e, para não ouvi-lo assim falar, resolvera não pedir sua opinião? Mas o senhor a expôs por si mesmo e sou obrigado, a contragosto, a estar de acordo; e, no entanto, não estou satisfeito com o senhor! Tenho pena de Kraft.

— Veja: creio que estamos nos afastando...

— Sim, sim... — interrompi. — Mas o que é pelo menos tranquilizador é que sempre, em semelhantes casos, os sobreviventes, juízes do defunto, podem dizer a si mesmos: "Por mais que o suicida seja um homem digno de compaixão e de indulgência, nós permanecemos, nós, e por conseguinte não há motivo para nos afligirmos além da conta".

— Sim, é justo, se tomamos a coisa desse ponto de vista. Ah!, mas creio que o senhor está brincando. É muito espirituoso. Tenho hábito de tomar chá a esta hora. Vou pedir. O senhor irá decerto fazer-me companhia.

E saiu, medindo com os olhos minha mala e meu embrulho.

Tivera vontade de soltar alguma maldade, para vingar Kraft. Dissera-a como pudera, mas o mais curioso é que ele tinha a princípio tomado a sério minha frase "Nós permanecemos, nós". Entretanto, fosse como fosse, ele tinha mais razão do que eu, mesmo no que se referia a sentimentos. No íntimo reconhecia isso sem o menor desprazer, mas sentia positivamente que não gostava dele.

Quando trouxeram o chá, expliquei-lhe que lhe pedia hospitalidade por uma noite somente e que, se não fosse possível. bastava dizer: iria para o albergue. Em seguida, expus-lhe brevemente minhas razões, invocando bem simplesmente o fato de ter rompido para sempre com Viersílov, sem entrar em detalhes. Vássin escutou-me com atenção, mas sem nenhuma emoção. Em geral, limitava-se a responder às perguntas, aliás amavelmente e de modo bastante completo. A respeito da carta, a propósito da qual viera pela manhã pedir-lhe conselho, não disse uma palavra; expliquei-lhe minha visita precedente como uma simples visita. Depois da palavra dada a Viersílov, de que aquela carta não seria conhecida de ninguém a não ser eu, não achava mais que tivesse o direito de falar a seu respeito a quem quer que fosse. Era-me, aliás, particularmente desagradável falar de certas coisas a Vássin. De certas, mas não de outras: consegui interessá-lo contando-lhe as cenas ocorridas no corredor e na casa das vizinhas, as quais tiveram seu epílogo em casa de Viersílov. Escutou-me com extrema atenção, sobretudo quando se tratou de Stiebielhkov. No momento em que Stiebielhkov fazia perguntas a respeito de Diergatchov, fez-me repetir duas vezes e ficou mesmo pensativo; aliás, por fim desatou a rir. Pareceu-me, de repente, naquele instante que nada, nem ninguém, poderia jamais embaraçar Vássin; esta ideia apresentou-se a mim, se bem me lembro, sob uma forma muito lisonjeira para ele.

— Não pude aproveitar grande coisa do que me disse o Senhor Stiebielhkov — conclui eu a respeito. — Fala evasivamente... há sempre nele algo de tão leviano...

Vássin fez logo uma cara séria.

— É verdade que não possui ele o dom da palavra, mas é somente à primeira vista; acontece-lhe fazer observações de extraordinária justeza; pessoas assim são, aliás, homens práticos, homens de negócios, mais do que de pensamento; é preciso aceitá-los como são...

Era exatamente o que tinha eu adivinhado havia pouco.

— No entanto, causou em casa de suas vizinhas um tremendo escândalo e quem sabe como tudo aquilo poderia ter terminado?

A propósito daquelas vizinhas confiou-me Vássin que elas estavam aqui havia cerca de três semanas e tinham vindo da província. Moravam num quartinho e, segundo todas as aparências, eram muito pobres; estavam ali à espera de alguma coisa. Não sabia que a moça tinha posto um anúncio nos jornais como professora, mas soubera que Viersílov as havia visitado; fora na sua ausência, mas sua locadora lhe contara. As vizinhas, pelo contrário, não se davam com ninguém, nem mesmo com a locadora. Notara nos últimos dias que, com efeito, alguma coisa não andava bem, em casa delas, mas nunca houvera cenas como as de hoje. Lembro-me de nossa conversa a propósito das vizinhas por causa das consequências; reinava em casa delas naquele momento um silêncio de morte. Vássin soube com muito interesse que Stiebielhkov julgara necessário falar das vizinhas com a locadora e que repetira por duas vezes: "Você verá! Você verá!".

— E o senhor verá que essa ideia — acrescentou Vássin — não lhe veio sem razão; ele tem, a este respeito, uma visão bem penetrante.

— Então, na sua opinião, seria preciso aconselhar à locadora que as pusesse para fora?

— Não, não se trata de pô-las para fora, mas tenho medo de que aconteça alguma complicação... Aliás, todas essas complicações, duma maneira ou doutra, acabam sempre... Deixemos isso.

A respeito da visita de Viersílov às vizinhas, recusou-se categoricamente a dar sua opinião.

— Tudo é possível. O bom homem sentiu o dinheiro no bolso... Aliás, é possível também que tenha querido muito simplesmente dar esmola; está nas suas tradições e talvez nos seus pendores.

Contei-lhe as referências de Stiebielhkov a uma criança de peito.

— Nisso Stiebielhkov está completamente errado — declarou Vássin, com uma seriedade e um tom particulares (ouço-o ainda). — Stiebielhkov fia-se por vezes exageradamente no seu senso prático e apressa-se em concluir de acordo com a sua lógica, muitas vezes bastante penetrante. Entretanto, o acontecimento pode tomar uma cor infinitamente mais fantástica e por completo inesperada se se levam em conta as pessoas em causa. Foi o que aconteceu no caso: conhecendo uma parte do negócio, concluiu ele que a criança pertence a Viersílov; e, no entanto, não é dele.

Insisti, e eis o que soube, para grande espanto meu: a menina era do Príncipe Sierguiéi Sokólhski. Lídia Akhmákova, por causa de sua doença ou bem simplesmente por causa de seu caráter caprichoso, agia por vezes como verdadeira louca. Apaixonara-se pelo príncipe antes da chegada de Viersílov, e o príncipe "não se constrangera em aceitar seu amor", segundo a expressão de Vássin. A ligação durou o espaço dum instante. Brigaram, como já se sabe, e Lídia pôs o príncipe para fora, "com o que, ao que parece, ele se regozijou". Era uma moça bem estranha, acrescentou Vássin: é muito possível que jamais tivesse tido juízo perfeito. Mas, ao partir para Paris, o príncipe ignorava completamente em que estado deixava sua vítima, ignorou-o até o fim, até sua volta. Tendo-se tornado amigo da moça, ofereceu-lhe casamento, precisamente em razão de seu estado já visível (e de que, parece, os parentes não suspeitaram, quase até o fim). A moça apaixonada estava no paraíso e, na proposta de Viersílov, "viu outra coisa mais do que um sacrifício", e, aliás, ela também o apreciava. "Ele também, diga-se a propósito, soube arranjar bem as coisas", acrescentou Vássin. A criança (uma menina) nasceu um mês ou seis semanas antes do termo, puseram-na com uma ama-de-leite em alguma parte na Alemanha, depois Viersílov retomou-a e se acha agora na Rússia, em Petersburgo talvez.

— E as cabeças de fósforo?

— Nada sei absolutamente — disse Vássin. Lídia Akhmákova morreu quinze dias após o parto; o que se passou, ignoro. O príncipe soube, logo que voltou de Paris, da existência da criança e, parece, não acreditou a princípio que fosse sua... Por fim, de todos os lados, conserva-se esta história secreta até agora.

— Mas quem é, pois, esse príncipe? — exclamei, indignado. — É maneira essa de agir para com uma jovem doente?

— Ela não estava no momento tão doente... e depois foi ela mesma quem o mandou embora... É verdade que ele se aproveitou um pouco depressa demais dessa despedida.

— Justifica semelhante celerado?

— Não, somente não o chamo de celerado. Há nisso bem outra coisa que perversidade. Aliás, é um negócio bem ordinário.

— Diga-me, Vássin, conheceu-o de perto? Gostaria muito de fiar-me na sua opinião, por causa de uma circunstância que me toca muito de perto.

Mas aqui Vássin respondeu com extrema reserva. Conhecia o príncipe, mas a respeito das circunstâncias em que fizera esse conhecimento, guardava um silêncio intencional. Confiou-me em seguida que seu caráter lhe dava direito a certa indulgência. "Está cheio de bons pendores, é influenciável, mas não tem bastante razão, nem bastante vontade para dominar seus desejos. É um homem sem cultura, há uma massa de ideias e de coisas que o ultrapassam; e, malgrado isso, atira-se sobre elas. Por exemplo, lhe azucrinará os ouvidos com declarações deste gênero: 'Sou príncipe e descendo de Rurik. Mas por que não seria eu ajudante de sapateiro, se tenho necessidade de ganhar minha vida e se sou incapaz de fazer outra coisa? Teria como tabuleta: *Príncipe Fulano, sapateiro*... Que de mais nobre?' Diz isto e é capaz de fazê-lo..., eis o que é grave — acrescentou Vássin. — Ora, não é isto absolutamente por convicção, mas simplesmente por leviandade de espírito e impressionabilidade. Em seguida virá fatalmente o arrependimento e então está sempre pronto a algum extremo absolutamente oposto. E eis toda a sua vida. Na nossa época, há muitos homens que se encontram assim acuados em um beco sem saída — concluiu Vássin — unicamente porque nasceram em nossa época."

Isto me pôs pensativo.

— É verdade que foi ele expulso outrora de seu regimento? — informei-me.

— Ignoro se foi expulso, mas o fato é que deixou seu regimento após certos desgostos. o senhor não ignora que, no outono passado, estando reformado, passou dois ou três meses em Luga?

— Eu... Sei que o senhor estava então em Luga.

— Sim, encontrei-me também ali um certo tempo. O príncipe conhecia igualmente Elisavieta Makárovna.

— Sim? Ignorava-o. É verdade que tenho conversado tão pouco com minha irmã... Mas ele teria sido recebido em casa de minha mãe? — exclamei.

— Oh! não! Era um conhecimento demasiado distante, por intermédio duma terceira casa.

— Sim, mas minha irmã falou-me daquela criança. Estava também em Luga?

— Durante algum tempo.

— E onde está agora?

— Decerto em Petersburgo.

— Não acreditaria nunca — exclamei, numa extrema perturbação — que *minha mãe pudesse estar* mergulhada no que quer que seja nesta história, com aquela Lídia!

— Nesta história, fora de todas essas intrigas, que não tento analisar, o papel de Viersílov nada teve, no fundo, de tão condenável assim — observou Vássin, com um sorriso indulgente. Creio que já estava farto de conversar comigo, mas não queria demonstrar.

— Jamais, jamais acreditarei que uma mulher — exclamei de novo — tenha podido ceder seu marido a outra mulher! Não, é uma coisa em que não acreditarei nunca!... Juro! minha mãe não se meteu nessa história!

— Parece-me, no entanto, que ela não se opôs.

— No seu lugar, por simples orgulho, eu teria feito o mesmo.

— Pela minha parte, recuso-me completamente a fazer qualquer julgamento — concluiu Vássin.

Com efeito, Vássin, com toda a sua inteligência, não compreendia nada das mulheres, tanto que todo um ciclo de ideias e de fenômenos lhe era desconhecido. Calei-me. Vássin trabalhava provisoriamente numa sociedade anônima e eu sabia que ele levava trabalho para fazer em casa. Em resposta às minhas instantes perguntas, confessou que tinha com efeito contabilidades a fazer e roguei-lhe calorosamente que não se constrangesse por minha causa. Isto, creio, causou-lhe prazer; mas, antes de ocupar sua escrivaninha, quis fazer minha cama no divã. Pretendia primeiro ceder-me a dele, mas como me recusei a aceitar, ficou, creio, também satisfeito. Procurou-se em casa da locadora um travesseiro e um cobertor; Vássin mostrou-se extremamente polido e amável, mas eu sentia certo desprazer em vê-lo incomodar-se por minha causa. Encontrara-me mais à vontade, três semanas antes, quando passara a noite por acaso em casa de Iefim, no lado petersburguês. Também ele fizera minha cama em cima do divã e às ocultas de sua tia, supondo, não sei por quê, que ela ficaria descontente se soubesse que camaradas vinham dormir em casa dele. Tínhamos rido muito, estendido uma camisa fazendo de lençol e enrolado um capote feito um travesseiro. Lembro-me de que Zviériev, uma vez tudo terminado, deu no divã um tapa afetuoso e disse:

— *Vous dormirez comme un petit roi.*[38]

E aquela alegria boba e aquela frase francesa que lhe sentava bem, como um avental numa vaca, tiveram como resultado eu passar em casa daquele palhaço uma noite excelente. Quanto a Vássin, fiquei encantado quando, por fim, sentou-se à mesa e voltou-me as costas. Estendi-me sobre o divã e, olhando-lhe o dorso, refleti longamente em muitas coisas.

III

E não faltava em quê. Minha alma achava-se perturbada, sem nada de completo nela. Mas certas sensações se salientavam, se bem que nenhuma me arrastasse completamente atrás de si, tal era a quantidade delas. Tudo cintilava por assim dizer sem nexo, nem continuidade, e eu mesmo não queria deter-me em coisa algu-

---

38 Vós dormireis como um pequeno rei.

ma, nem estabelecer nenhuma ordem. Até mesmo a lembrança de Kraft recuou insensivelmente para o segundo plano. O que mais me perturbava era minha própria situação, o fato de haver agora "rompido", de ter ali minha mala, de não estar em casa, de começar uma vida toda nova. Era como se até aquele dia todas as minhas intenções e meus preparativos tivessem sido uma pilhéria e como se agora de repente, e sobretudo subitamente, tudo começasse na realidade. Esta ideia encorajava-me e, a despeito da perturbação que sentia por muitos motivos, regozijava-me. Mas... mas havia outras sensações; uma delas em particular tinha grande vontade de pôr-se à frente e conquistar minha alma e, coisa estranha, essa sensação também me encorajava, me impelia, parecia, para algo de loucamente alegre. No entanto, aquilo começara pelo medo: eu tinha medo desde muito tempo, de haver, no meu ardor e na minha surpresa, falado demais a Akhmákova, a propósito do documento. "Sim, falei demais — pensava. — Elas com certeza terão adivinhado alguma coisa... Que desgraça! Certamente não me deixarão em repouso, se lhes ocorrer uma suspeita. Afinal, talvez não me descubram. Vou me esconder! Mas se se puserem em minha perseguição?" Então tornei a ver-me, até nos mínimos detalhes e com um prazer crescente, diante de Katierina Nikoláievna, tornei a ver seus olhos atrevidos, mas terrivelmente espantados, olhando-me à queima-roupa. Deixara-a, ao partir, naquele espanto; "seus olhos, no entanto, não são totalmente negros... só os cílios são muito negros, e é isso que torna os olhos tão sombrios..."

E, de repente, lembro-me, aquela recordação causou-me um tremendo desagrado... despeito, náusea, por ela e por mim. Fazia a mim mesmo não sei que censuras, procurava pensar em outra coisa. "Por que não tenho a menor indignação contra Viersílov por causa daquela história com a vizinha?", pensei, de repente. Quanto a mim, estava firmemente persuadido de que ele havia bancado de amoroso e que fora ali apenas para divertir-se, mas no fundo isso não me revoltava. Parecia-me mesmo que era impossível imaginá-lo de outro modo e por mais que me sentisse contente por terem-no coberto de vergonha, não o acusava. Não era isso que me importava; era ele ter me olhado com enorme ódio, quando eu entrei com a vizinha; ele jamais mostrara tal olhar. "Enfim, também ele me levou a sério", pensei com uma palpitação do coração. Oh, se não o amasse, não me regozijaria tanto com o seu ódio!

Por fim, o sono apoderou-se de mim e adormeci completamente. É como através de um sonho que revejo Vássin, depois que acabou seu trabalho, repondo tudo cuidadosamente em ordem e, após ter olhado fixamente para meu divã, tirar a roupa e apagar a vela. Era mais de meia-noite.

IV

Duas horas mais tarde, quase em ponto, despertei em sobressalto e sentei-me no divã. Por trás da porta, na casa das vizinhas, ouviam-se gritos horríveis, prantos e gemidos. Nossa porta estava escancarada e, no corredor, já iluminado, pessoas gritavam e corriam. Quis chamar Vássin, mas adivinhei logo que não estava mais no seu leito. Não sabendo onde encontrar os fósforos, peguei, tateando, minhas roupas e vesti-me à pressa, no escuro. A locadora e todos os locatários pareciam talvez ter marcado encontro na casa das vizinhas. Os gritos provinham em suma de uma só voz, a da vizinha idosa, e a jovem voz de ontem, de que me lembrava muito bem, estava completamente silenciosa. Foi a primeira observação que me atravessou o espírito. Não estava ainda completamente vestido, quando Vássin entrou precipitadamente. Num instante, com mão familiarizada, achou os fósforos e alumiou o quarto. Estava em camisa, com roupão de quarto e de chinelos, começando logo a vestir-se.

— Que se passou? — gritei-lhe.

— Uma história bem desagradável e bem aborrecida! — respondeu, quase com cólera. — Aquela jovem vizinha, de que o senhor me falou, enforcou-se em seu quarto.

Lancei um grito. Não saberia dizer a que ponto minha alma foi ferida pela dor. Saímos para o corredor. Não ousava, confesso, entrar no quarto das vizinhas. Foi somente depois que vi a desgraçada, já dependurada, e ainda assim a certa distância. Estava coberta por um lençol, por baixo do qual apontavam as duas solas estreitas de seus sapatos. Não olhei seu rosto. A mãe achava-se num estado espantoso; nossa locadora estava a seu lado, bem pouco espantada aliás. Todos os locatários achavam-se aglomerados. Não eram numerosos; somente um velho marinheiro, sempre resmungão e exigente e que, no entanto, hoje se conservava perfeitamente tranquilo, alguns recém-chegados da província de Tver, um velho e uma velha, marido e mulher, pessoas bastante venerandas e da classe burocrática. Não descreverei o resto daquela noite, o vaivém, as visitas das autoridades. Até o nascer do dia fui literalmente agitado por um pequeno tremor rápido e julguei de meu dever não me deitar, se bem que nada tivesse a fazer. Todo mundo, aliás, mostrava uma fisionomia desperta, e até mesmo divertida. Vássin saiu não sei para onde. A locadora mostrou-se uma mulher bastante estimável, até mesmo mais do que eu pensava. Convenci-a (e honro-me disso) de que não era bom deixar a mãe assim sozinha com o cadáver de sua filha e que ela devia, pelo menos até o dia seguinte, transportá-la para seu quarto. Consentiu logo e por mais que a mãe se debatesse e chorasse, recusando-se a abandonar o cadáver, foi mesmo assim levada para o quarto da locadora, que imediatamente acendeu o samovar. Depois disso, os locatários dispersaram-se para seus quartos e fecharam-se a chave. Mas eu não quis, de modo algum, tornar a deitar-me e fiquei muito tempo no quarto da locadora, contente por ter ali um estranho, capaz, quanto ao mais, de contar-lhe coisas a propósito do caso. O samovar foi bem recebido e duma maneira geral o samovar é a coisa mais indispensável na Rússia em todas as catástrofes e todas as desgraças, sobretudo nas mais horríveis, nas mais súbitas e nas mais excêntricas; a própria mãe bebeu duas chávenas de chá, naturalmente após toda espécie de súplicas e quase à força. E no entanto, para falar com sinceridade, jamais vi desespero mais cruel e mais sincero. Após os primeiros soluços e os gritos histéricos, começou a falar mesmo muito voluntariamente e escutei com avidez o seu relato. Há desgraçadas, sobretudo mulheres, a quem se deve, em semelhantes casos, deixar falar o mais possível. Há além disso caracteres tão perseguidos, por assim dizer, pela desgraça, tão crivados de provações ao longo de sua vida, tão acabrunhados pelos pesares de toda espécie, grandes e pequenos, que nada os espanta mais, até mesmo as catástrofes súbitas, e que, mesmo diante do cadáver do ser mais querido, não esquecerão jamais uma só das regras, tão caramente adquiridas, da arte de conquistar a benevolência alheia. Não condeno; não é nem egoísmo vulgar, nem grosseria de educação; talvez seja possível encontrar nesses corações mais ouro que nas heroínas de muito nobre aparência, mas o longo hábito da humilhação, o instinto da conservação, transes perpétuos, uma longa opressão dominam por fim. Nisto, a pobre suicida não se assemelhava à sua mãe. Mas de rosto eram completamente parecidas, se bem que a morta fosse positivamente bela. A mãe ainda não era velha, andava pelos cinquenta, era loura também, mas com os olhos fundos e as faces cavadas e com grandes dentes amarelos e desiguais. Tudo nela era amarelo: a pele do rosto e das mãos lembrava o pergaminho; o vestido, de cor escura, havia também amarelecido de velhice e a unha do índice de sua mão direita, não sei por quê, estava cuidadosamente coberta de cera amarela.

A narrativa da pobre mulher carecia por vezes de nexo. Contarei o que compreendi e aquilo de que me lembro.

V

Tinham vindo de Moscou. Era viúva desde muito tempo, "mas viúva de conselheiro palaciano". Seu marido era funcionário e quase nada lhe deixara "salvo duzentos rublos de pensão, mas que são duzentos rublos?". Tinha, no entanto, educado Ólia, mandara-a para o ginásio... "E como aprendia bem, como aprendia! Recebera ao sair do ginásio a medalha de prata..." (Aqui, naturalmente, longas lágrimas.) Seu marido perdera com um comerciante de Petersburgo um pequeno capital de quase quatro mil rublos. De repente, esse comerciante refizera fortuna, "tenho documentos, procurei advogados, disseram-me: reclame, e certamente receberá a soma inteira"... Foi o que fiz, o comerciante mostrou-se tratável. "Vão vocês mesmas", disseram-me. Fizemos nossas malas, Ólia e eu, e eis-nos aqui há já um mês. Temos alguns recursos; alugamos esse quarto porque é o menor de todos, mas numa casa decente, nós mesmas o vimos, e para nós isto é que conta em primeiro lugar: a mulheres como nós, sem experiência, todo mundo poderia causar-nos mal. Pois bem, pagamos um mês adiantado, como pudemos. Tudo em Petersburgo custa caro. Mas o nosso comerciante recusa-se a pagar: "Não as conheço e nem quero conhecê-las". E meus documentos que não estão em ordem, eu mesma bem vejo isso! Aconselham-me a consultar um advogado famoso: foi professor, não é um simples advogado, mas um jurista, de sorte que deve dizer com segurança o que é preciso fazer. Fui levar-lhe os nossos quinze últimos rublos. Pois bem: mostrou-se tal qual é e não me escutou nem três minutos: "Vejo de que se trata — diz ele —, sei. Se ele quiser, pagará; se não quiser, não pagará. Se a senhora intentar um processo, terá talvez de pagar as custas, o melhor é agir amigavelmente". Chegou mesmo a brincar com o *Evangelho*: "Fazei a paz enquanto estiverdes em caminho, antes de pagardes o vosso último cêntimo". Conduziu-me à saída, rindo. Quinze rublos perdidos! Torno a encontrar Ólia, ficamos uma diante da outra, e eu choro... Ela não chora, fica assim mesmo, orgulhosa, indignada. E assim é que ela sempre foi toda a sua vida, mesmo quando pequenina, jamais "oh!", nem "ah!", jamais lágrimas, ficava de olhos severos, eu chegava a sentir um arrepio nas costas, só de olhá-la. Acreditem, se quiserem: tinha medo dela, medo deveras, desde muito tempo; por vezes tinha vontade de queixar-

-me, mas não ousava em sua frente. Voltei à casa do comerciante uma derradeira vez, desfiz-me em lágrimas em casa dele: "Bem" — disse ele, sem ouvir mais nada. Devo dizer-lhes que, como não contássemos demorar tanto tempo, estamos sem dinheiro. Vendi algumas roupas. Levamo-las à casa de penhores e estamos vivendo disso. Tudo já fora parar ali. Então, deu-me ela sua última camisa e verti lágrimas amargas. Ela bateu com o pé e correu em pessoa à casa do comerciante. É um viúvo. Falou-lhe assim: "Venha depois de amanhã às cinco horas. Terei talvez alguma coisa a dizer-lhe". Ela voltou alegre: "Eis o que ele disse: terei alguma coisa a dizer-lhe". Também eu estava contente, mas sentia um peso no coração: vai-se passar alguma coisa!, dizia a mim mesma, mas o quê, não tinha eu coragem de fazê-la falar. No dia marcado, voltou ela da casa do comerciante, pálida, toda trêmula e atirou-se sobre o leito: compreendera tudo, não ousei nem mesmo perguntar-lhe. Pois bem: que pensam que ele fez? Ofereceu-lhe quinze rublos, o bandido, e disse: "Se fores donzela, acrescentarei mais quarenta." Disse-lhe isto, cara a cara, sem vergonha. Então ela se lançou contra ele, pelo que me contou, mas ele repeliu-a a pontapés e trancou-se a chave num outro quarto. No entanto, confesso-lhes, em toda a consciência, não tínhamos quase nada para comer. Pegamos um bolero, forrado de pele de lebre, e vendemo-lo. Em seguida foi ela ao jornal e pôs um anúncio: "Preparo para todas as ciências e para Aritmética". "Hão de pagar-me bem uns trinta copeques", dizia-me. E ao vê-la, assim nas últimas, eu, sua mãe, eu mesma me aterrorizava. Ela não me dizia nada, ficava sentada horas inteiras à janela, a olhar o telhado da casa fronteira e em seguida lançava um grito: "Mas irei lavar roupa, esfregar soalhos, se for preciso". Frases assim e batia com o pé. É que não tínhamos amigos aqui, ninguém a quem pudéssemos ir procurar. Que iríamos tornar-nos? E sempre tinha medo de falar com ela. Dormia certa vez em pleno dia quando, de repente, desperta, abre os olhos e fita-me. Eu estava sentada sobre a mala e olhei-a também. Levanta-se sem dizer nada, aproxima-se de mim, abraça-me com força, com muita força e ambas não nos contemos mais, choramos perdidamente, sem nos desprendermos dos braços uma da outra. Era a primeira vez que lhe acontecia isso em sua vida. Estávamos assim abraçadas, quando eis que chega a Nastássia da senhora e diz: "Está aí uma senhora à sua procura". Foi há quatro dias. Entra a tal senhora, muito bem vestida, falando russo, mas com uma espécie de sotaque alemão: "Publicou um anúncio no jornal? Dá lições?". Acolhemo-la com alegria, fizemo-la sentar e ela ria amavelmente: "Não é para mim, é para minha sobrinha, que tem filhos pequenos; venha ver-nos, se quiser, e haveremos de entender-nos". Deu seu endereço: Vosniessiénski Most, número tal, apartamento número tal. E depois partiu. Minha querida Ólia lá foi, correu lá naquele mesmo dia. Pois bem, voltou duas horas depois num completo estado de histeria. Contou-me imediatamente: "Pergunto ao porteiro: onde é o apartamento número tal?", o porteiro olha-me: "E de que tem a senhora necessidade nesse apartamento?". Diz isso dum modo estranho, tanto que já se podia desconfiar de alguma coisa. Mas ela era tão orgulhosa, tão impaciente, que não tolerava perguntas nem grosserias. "Pois então, pode ir!", disse o porteiro, mostrando-lhe com o dedo a escada. Volta-lhe as costas e volta para seu cubículo. Pois bem, imaginem o que se passou! Ela entra, indaga, e logo mulheres acorrem de todos os lados: "Entre! Entre!". Todas se precipitam, rindo, pintadas, mulheres sujas, toca-se piano, arrastam-na. "Eu queria fugir, elas, porém, não me largavam." Teve medo, suas pernas bambeavam-lhe, continuavam as mulheres a segurá-la, mas falavam-lhe docemente, ternamente, encorajavam-na, abriu-se uma garrafa de vinho do Porto, queriam que ela bebesse. Ela então sobressaltou-se, gritou injúrias, toda trêmula: "Larguem-me! Larguem-me!". Lançou-se para a porta, seguravam-na, ela gritava. Então saltou a outra, a tal que viera à nossa casa. deu duas bofetadas em Ólia e empurrou-a para fora: "Não vales a pena, porcaria, não mereces morar numa casa decente!". E outra grita-lhe na escada: "Tu mesma vieste oferecer-te, porque nada tens para comer em casa, de outro modo com semelhante cara, nem mesmo te teríamos olhado!". Toda aquela noite passou-a ela com febre e delirando. De manhã, seus olhos brilhavam. Levanta-se: "Vou dar queixa!". Eu, não digo nada, mas penso comigo mesma: "Dar queixa como? Não se têm provas". Ela passeia para lá e para cá, torce as mãos, correm-lhe as lágrimas; mas aperta os lábios, fica imóvel. Desde aquele momento todo o seu rosto enegreceu, até o derradeiro instante. Dois dias depois, achava-se melhor, não dizia mais nada, até dava para acreditar que estivesse calma. Foi então que veio, às quatro horas da tarde, o Senhor Viersílov. Pois bem, vou lhes dizer francamente: não posso ainda compreender como Ólia, tão desconfiada, tenha podido escutá-lo, desde a primeira palavra. O que nos atraía a ambas era o ar sério dele, até mesmo severo, sua maneira suave de falar, tão polida, e não somente polida, respeitosa mesmo, e, no entanto, não se via nele adulação: via-se que aquilo partia de seu bom coração:

— Li seu anúncio no jornal. Não o redigiu totalmente como deveria ter sido redigido e isso poderia até mesmo prejudicá-la.

Em seguida explicou alguma coisa, que eu não compreendi bem, a propósito de Aritmética. Vi somente Ólia corar (e deve ser um homem muito inteligente!). Ouço-a mesmo agradecer-lhe. Ele fez lhe perguntas, via-se que morava em Moscou desde muito tempo, conhecia pessoalmente uma diretora de ginásio.

— Vou lhe arranjar aulas — disse ele — porque conheço muita gente aqui, posso mesmo pedir a pessoas muito influentes, e até, se quiser, um lugar permanente, pode-se arranjar... Enquanto se espera, perdoe-me uma pergunta direta: em que posso agora ser-lhe útil? Não sou eu que lhe faço um obséquio, mas a senhorita, pelo contrário, que me causará, se me permitir que lhe preste um pequeno serviço. Poderá me restituir, se quiser, logo que tiver obtido seu lugar. Quanto a mim, creia-me pela minha honra, se caísse um dia na situação em que a senhorita se encontra e se, pelo contrário, a senhorita se tornasse rica, pois bem, não teria vergonha em pedir seu auxílio, havia de lhe enviar minha mulher e minha filha..."

Não tornarei a dizer-lhes todas as suas palavras, decerto, somente, derramei lágrimas vendo os lábios de Ólia tremerem de gratidão. Respondeu-lhe desta forma:

— Aceito porque tenho confiança em um homem leal e humano que poderia ser meu pai...

Disse-lhe isto tão bem, tão breve, tão nobremente: "um homem humano"! Ele se levanta imediatamente:

— Com certeza, com toda certeza, vou lhe arranjar aulas e um lugar, hoje mesmo cuidarei disso, tanto mais quanto a senhorita tem títulos perfeitamente suficientes...

Esqueci de dizer-lhes que, logo, ao entrar, ele havia examinado os diplomas do ginásio, porque ela os havia mostrado, e interrogara-a a respeito de toda espécie de assuntos...

— Viu como ele me interrogou? — disse-me depois Ólia. — Como é inteligente! Como é agradável conversar com um homem tão culto, tão instruído!...

Estava resplandecente de alegria. Havia sessenta rublos em cima da mesa:

— Tome-os — disse-me. — Terei um emprego. Esta será a primeira dívida que pagaremos, para que ele veja que somos honradas, porque delicadas ele já viu que somos.

Em seguida calou-se. Via que ela respirava profundamente:

— Sabe de uma coisa, mamãe? Se fôssemos gente grosseira, não teríamos aceitado, por orgulho, mas aceitando, mostramos com isso nossa delicadeza, mostramos que temos confiança nele, um homem respeitável de cabelos brancos, não é verdade?

A princípio não compreendi bem e disse:

— E por quê, Ólia, não aceitar um benefício de um homem nobre e rico, se além do mais tem bom coração?

Ela franziu o cenho:

— Não, mamãe, não é isto, não é de benefício que se trata, mas de humanidade. Quanto ao dinheiro, talvez tivesse sido melhor não aceitá-lo. Uma vez que ele prometeu arranjar-me um emprego, isto bastaria... embora tenhamos muita necessidade de dinheiro.

E eu:

— Ora, Ólia, estamos numa situação que nada podemos recusar.

E cheguei mesmo a rir ao dizer isto. Estava no íntimo contente. Mas uma hora depois, voltou ela à carga; num tom categórico:

— Espere um pouco, mamãe, antes de gastar esse dinheiro.

— Como? — perguntei.

— Sim, espere! — E não disse mais nada.

Ficou a noite toda, silenciosa. Mas às duas horas da madrugada, acordo e ouço Ólia a revolver-se na cama:

— Mamãe, não está dormindo?

— Não.

— A senhora sabe? Ele quis ofender-me.

— Que é que estás dizendo?

— Decerto, decerto. É um homem vil e sobretudo não gaste um só copeque do dinheiro dele.

Ia responder-lhe, comecei mesmo a chorar em minha cama; ela, porém, voltou-se para o lado da parede, dizendo:

— Não me responda, deixe-me dormir!

De manhã, olho-a e não a reconheço mais. Acreditem-me ou não, mas juro-lhes, perante Deus, que não estava mais no seu juízo!

Desde que a haviam tratado daquela maneira naquela casa infame, seu coração não estava mais em seu lugar e sua razão também... Olho-a naquela manhã e não sei que pensar; tenho medo; digo a mim mesma: não devo contradizê-la. Ela me pergunta:

— Mamãe, ele não deixou seu endereço?

— Não tens razão, Ólia; tu o ouviste falar ontem, elogiaste-o, em seguida estavas prestes a chorar lágrimas de gratidão.

Não lhe disse mais nada. Ela, porém, lança gritos, bate com o pé:

— A senhora só tem sentimentos baixos. Vê-se bem isso: a velha educação do tempo da servidão!...

Ah! o que não me disse ela!... Pega seu chapéu, sai, grito por ela na escada. Digo a mim mesma: que tem ela? para onde foi? Partira para a Repartição de Endereços, a fim de saber onde morava o Senhor Viersílov. Ao voltar, disse-me:

— Não passará de hoje; vou devolver-lhe seu dinheiro, vou atirá-lo em seu rosto; quis ofender-me da mesma maneira que Safrónov (era o nosso comerciante), mas Safrónov agiu como mujique grosseiro e esse como um hipócrita astuto.

Justamente naquele momento, bate à porta aquele senhor de ontem:

— Ouvi falarem de Viersílov. Posso dar-lhe informações.

Ouvindo o nome de Viersílov, ela se joga contra ele, toda furiosa, pondo-se a falar. Eu a olhava e não acreditava nos meus olhos: ela que é tão calada! Jamais falara daquela maneira e, com mais forte razão, a um desconhecido. Suas faces estavam rubras, seus olhos cintilavam... E ele disse:

— A senhorita tem razão. Viersílov é justamente como aqueles generais que os jornais descrevem; o general põe no peito todas as suas condecorações e passa pela casa de todas as governantas que inserem anúncios nos jornais, passa e encontra o que quer; se não o encontra, fica conversando, promete mundos e fundos e retira-se. É quando menos uma distração que arranjou.

A própria Ólia desata a rir, mas uma espécie de riso mau. Aquele senhor pega-lhe a mão e coloca-a sobre seu coração:

— Eu mesmo possuo certo capital, que poderia sempre propor a uma beldade, mas começo por beijar esta gentil mãozinha...

E vejo que ele a puxa para si, a fim de beijá-la. Ela salta e eu com ela, desta vez, e juntas o pomos para fora. À noite, Ólia toma de mim o dinheiro, sai correndo e volta dizendo:

— Mamãe, vinguei-me daquele patife!

— Ah! minha Ólia, foi talvez nossa felicidade que afugentamos, talvez tenhas ofendido um homem nobre e benfeitor!

Choro de desgosto; não podia mais conter-me. Então grita ela para mim:

— Não quero, não quero! Mesmo se fosse o homem mais honesto do mundo, não quero suas esmolas! Não quero que tenham piedade de mim!

Deito-me, sem uma ideia no cérebro. Quantas vezes olhei aquele prego que existe lá na parede, no lugar onde deve ter havido um espelho! Pois bem, não suspeitava de nada, nem ontem, nem antes, não adivinhava nada e, sobretudo, não esperava isso de minha Ólia. Durmo, como de costume, pesadamente, ronco, é o sangue que me sobe à cabeça.. Doutras vezes, desce-me ao coração e grito quando durmo, fazendo que Ólia me acorde durante a noite: "Que quer dizer isso, mamãe? A senhora tem um sono tão pesado que a gente não consegue acordá-la, quando preciso." — "Ah! sim, minha querida Ólia, tenho sono pesado, muito pesado". Portanto, deve-se crer que eu roncava assim ontem. Era o que ela esperava: então levantou-se sem temor. Havia lá uma correia de mala, uma correia comprida, solta por ali durante todo aquele mês, bem em evidência. Ontem de manhã ainda dizia a mim mesma: "É preciso guardá-la afinal, para não ficar solta assim." Em seguida, sem dúvida, ela empurrou a cadeira com o pé; para que não fizesse barulho, pusera sua saia por baixo. E sem dúvida foi muito tempo depois, uma boa hora ou mais, que eu acordei. Chamo: "Ólia, Ólia!". Tive imediatamente uma espécie de visão, por assim dizer. Ou era porque não ouvia sua respiração no leito, ou porque distinguia na escuridão que seu leito parecia estar vazio. O certo é que me levanto de repente e alongo o braço: ninguém no leito, o travesseiro está frio! Então meu coração desanda, estou como que inconsciente, minha razão se perturba: "Deve ter saído", digo a mim mesma. Dou um passo, e depois, perto do leito, no ângulo, diante da porta, parece-me vê--la de pé. Olho-a sem nada dizer e ela também no escuro me olha, sem fazer um movimento... Mas por que subiu ela na cadeira? Digo baixinho: "Ólia, estou com medo, Ólia, tu me ouves?". Então, de súbito, tudo se esclarece, dou um passo, lanço meus dois braços para a frente, sobre ela, abraço-a, e ela, ela se balança entre minhas mãos, agarro-a, e ela continua a balançar-se. Então compreendo tudo e não quero compreender... Quero gritar, o grito não me sai da garganta... Ah! penso eu. Caio por terra, com todo o meu peso, e foi então que gritei...

— Vássin — digo-lhe pela manhã, entre cinco e seis horas —, se não fosse esse seu Stiebielhkov, tudo isso não teria talvez acontecido.

— Quem sabe? Teria certamente acontecido. Não é permitido julgar assim. Tudo já estava pronto... verdade que por vezes esse Stiebielhkov...

Não terminou e franziu mui desagradavelmente a testa. Pelas seis horas, saiu; estava sempre muito atarefado. Por fim, fiquei só. Era já dia. A cabeça girava-me ligeiramente. A imagem de Viersílov veio-me ao espírito: o relato daquela senhora o mostrava a uma outra luz. Para refletir mais à minha vontade, estirei-me sobre o leito de Vássin, tal como estava, vestido e calçado, por um pequeno instante, sem a menor intenção de dormir, e de repente adormeci, não me lembro mesmo como tal aconteceu. Dormi perto de quatro horas; ninguém me acordou.

Capítulo X

I

Acordei ali pelas dez e meia e por muito tempo não quis acreditar nos meus olhos: sobre o divã onde dormira na véspera estava sentada minha mãe e, ao lado dela, a infeliz vizinha, a mãe da suicida. Todas duas estavam de mãos dadas e conversavam em voz baixa, sem dúvida para não me despertar e ambas choravam. Levantei-me e adiantei-me para beijar minha mãe. Toda radiante, beijou-me e benzeu--me três vezes com a mão direita. Não tínhamos pronunciado uma palavra ainda, quando a porta se abriu: Viersílov e Vássin entraram. Minha mãe logo se levantou, levando a vizinha. Vássin estendeu-me a mão; Viersílov não me disse uma palavra e deixou-se cair na poltrona. Minha mãe e ele estavam ali provavelmente desde algum tempo. Seu rosto mostrava-se tenso e preocupado.

— O que lamento mais — explicava ele lentamente a Vássin, continuando sem dúvida a conversa começada — é não poder ter arranjado tudo isso ontem de noite. Essa terrível desgraça não teria decerto ocorrido! Havia tempo, não eram ainda oito horas. Assim que ela saiu de minha casa, decidi-me intimamente segui-la

O ADOLESCENTE 145

até aqui e convencê-la de seu erro, mas aquele negócio imprevisto e urgente, que aliás eu teria podido muito bem adiar para hoje... e mesmo por uma semana, aquele lamentável negócio tudo impediu e tudo estragou. São coisas que acontecem!

— Talvez o senhor não tivesse conseguido convencê-la. Além do senhor, havia já excesso de rancor acumulado — observou incidentemente Vássin.

— Não, teria sido bem-sucedido. Teria sido por certo bem sucedido. Tinha ainda uma ideia na cabeça, pedir a Sófia Andriéievna que viesse em meu lugar. Atravessou-me o espírito, mas só fez atravessar. Sófia Andriéievna teria tido êxito e a desgraçada estaria ainda viva. Não, jamais me meterei... a praticar "boas ações"... Na primeira vez que o fiz... E eu que pensava que ainda era de meu tempo e compreendia a juventude moderna! Sim, nossos velhos cérebros já estão envelhecidos antes mesmo de ter amadurecido. A propósito há uma quantidade tremenda de homens que, por hábito, continuam a considerar-se da jovem geração porque ontem ainda dela faziam parte e não se dão conta de que já estão para trás.

— Houve nisso um mal-entendido, um mal-entendido demasiado evidente — notou Vássin, com sensatez. — A mãe dela diz que, após a terrível vergonha pela qual ela passou na pensão alegre, ficara como que fora do juízo. Acrescente as circunstâncias, a primeira ofensa do comerciante... tudo isso teria podido ocorrer outra vez, exatamente da mesma maneira e não caracteriza, de modo algum, na minha opinião, a juventude de hoje.

— Ela se mostra ligeiramente impaciente, a juventude de hoje, sem falar, é natural, dessa medíocre compreensão da realidade que é própria, sem dúvida, da juventude de todos os tempos, mas ainda mais desta de hoje... Diga-me, que arranjou aqui o Senhor Stiebielhkov?

— O Senhor Stiebielhkov é o causador de tudo. — Era eu que intervinha na conversa. — Sem ele, nada teria acontecido; atirou azeite na fogueira.

Viersílov escutou, mas sem olhar-me. Vássin fechou a cara.

— Censuro-me também uma circunstância ridícula — continuava Viersílov, sem se apressar e arrastando as palavras. — Parece-me que, segundo meu mau hábito, permiti-me com ela uma espécie de jovialidade, uma risadinha leve, em uma palavra, não fui suficientemente cortante, seco e sombrio, três qualidades que, creio, são também muito apreciadas pela nossa jovem geração... Em uma palavra, dei-lhe oportunidade de que me tomasse por um Céladon[39] ambulante.

— Pelo contrário — interrompi, de novo, com violência —, a mãe assegura que o senhor produziu uma excelente impressão, justamente pela sua seriedade, pela sua severidade mesmo, pela sua sinceridade. São suas próprias palavras. A defunta, logo depois que o senhor se retirou, fez-lhe o elogio precisamente neste sentido.

— S...sim? — balbuciou Viersílov, lançando afinal um olhar furtivo para mim. — Tome, pois, este papel, é indispensável para o caso — disse ele, estendendo para Vássin um pedaço de papel minúsculo. Vássin tomou-o e, vendo que eu olhava curiosamente, passou-o a mim. Era um bilhete, duas linhas irregulares, rascunhadas a lápis, e provavelmente no escuro:

---

39 Personagem de *L'Astrée*, célebre romance de Honoré d'Urfé (1567-1625), escritor francês tido como o primeiro, na cronologia, dos romancistas franceses. A palavra tornou-se sinônimo de amoroso, constante e tímido.

Mamãe, minha querida mamãe, perdoe-me ter falhado o começo de minha vida. Sua Ólia que tanto desgosto lhe causou.

— Encontraram-no somente esta manhã — explicou Vássin.

— Que bilhete singular! — exclamei, admirado.

— Singular em quê? — perguntou Vássin.

— Será que se pode, em semelhante momento, escrever nesse estilo humorístico?

Vássin olhou-me com um ar interrogativo.

— Esse mesmo humor é singular — continuei. — É gíria de colégio... Pois bem, quem, pois, em semelhante momento e num bilhete à sua infeliz mãe, sua mãe a quem ela amava, vê-se bem, pode escrever: "Falhei meu começo na vida"?

— E por que não se pode? — Vássin continuava sem compreender.

— Não há aí o menor humor — observou afinal Viersílov. — A expressão sem dúvida é imprópria, destoa, pode nascer com efeito em algum jargão de ginasianos ou em alguma gíria, como o disseste, ou então ainda pode provir de algum romance-folhetim, mas ao empregá-la a defunta certamente não notou que ela destoava e, crê-me, empregou-a nesse terrível bilhete de um modo perfeitamente ingênuo e sério.

— É impossível, ela terminou seus estudos e tirou medalha de prata.

— A medalha de prata nada tem a ver com isso. Em nossos dias, há muitos que terminam seus estudos dessa maneira.

— Ainda a juventude? — sorriu Vássin.

— De modo algum — respondeu-lhe Viersílov, ficando em pé e tomando seu chapéu. — Se a geração atual é menos literária, possui sem nenhuma dúvida... outros méritos — acrescentou ele, com uma seriedade insólita. — E depois, "muitos" não são "todos". O senhor, por exemplo, não o acusarei de ter uma bagagem literária insuficiente e, no entanto, é ainda um homem jovem.

— Mas Vássin não achou nada de mau nesse "começo falhado"! — não pude impedir-me de observar.

Viersílov estendeu silenciosamente a mão a Vássin. Este pegou também seu gorro para sair com ele e gritou para mim: "Até logo!". Viersílov saiu sem me prestar atenção. Eu também não tinha tempo a perder: era preciso a todo preço correr à procura dum alojamento, agora mais do que nunca! Minha mãe não estava mais ali, partira, levando a vizinha. Encontrei-me na rua cheio de excelente humor... Uma sensação nova e imensa nascia em minha alma. Além disso, como por acaso, tudo me saiu a contento: dei extraordinariamente depressa com um alojamento perfeitamente conveniente; voltarei a isto mais tarde; no momento, liquidemos com o essencial.

Ainda não passava de uma hora, quando voltei à casa de Vássin para pegar minha mala. Encontrei-o justamente em casa. Vendo-me, exclamou com ar jovial e sincero:

— Quanto me alegra que me tenha encontrado em casa! Ia sair. Tenho a comunicar-lhe um fato que, estou certo, lhe interessará bastante.

— Tenho de antemão certeza! — exclamei.

— Oh! que ar alegre o seu! Diga-me: tinha conhecimento de certa carta que estava em casa de Kraft e que caiu ontem em mãos de Viersílov, a propósito da herança que lhe foi adjudicada? O testador nela explica sua vontade num sentido oposto à decisão do tribunal. Essa carta data de muito tempo. Em uma palavra, não sei exatamente qual o seu conteúdo, mas o senhor mesmo de nada sabe?

— Decerto que sim! Kraft levou-me anteontem à sua casa de parte daqueles senhores, para me entregar aquela carta e fui eu quem a entregou ontem a Viersílov.

— Sim? É bem o que eu pensava. Imagine que o negócio de que falava ainda há pouco aqui Viersílov, e que o impediu de vir ontem à noite convencer aquela senhorita, pois bem, o tal negócio foi suscitado por aquela carta. Viersílov foi diretamente, ontem à noite, à casa do advogado do Príncipe Sokólhski, entregou-lhe aquela carta e renunciou a toda a herança. Na hora atual, essa renúncia já se revestiu de forma legal. Viersílov não faz uma doação, reconhece com esse ato o direito legal dos príncipes.

Fiquei atônito, mas encantado. Para falar a verdade, estava absolutamente convencido de que Viersílov destruiria a carta. Melhor ainda: dissera mesmo a Kraft que seria uma desonestidade e havia-o repetido ainda a mim mesmo no restaurante, dissera mesmo comigo que "contava tratar com um homem puro e não com aquele", mas entre mim, isto é, no mais profundo de meu coração, achava que era impossível agir de outro modo que não fosse suprimindo radicalmente o documento. Quer dizer que eu via naquilo a coisa mais ordinária do mundo. Se, em seguida, tivesse acusado Viersílov, teria sido de propósito, por fórmula, isto é, para conservar minha superioridade sobre ele. Mas agora, ao saber da façanha de Viersílov, sentia um entusiasmo sincero e completo; lamentava e condenava meu cinismo e minha indiferença pela virtude e elevava instantaneamente Viersílov a uma altura infinita acima de mim. Quase beijei Vássin.

— Que homem! Que homem! Quem seria capaz de fazer tanto? — exclamei, no meu embriagamento.

— Reconheço, com o senhor, que muitos homens não o teriam feito... e que esse passo é, sem contestação, altamente desinteressado...

— "Mas"?... Acabe, Vássin, há um "mas"?...

— Decerto, há um "mas". O passo dado por Viersílov foi, na minha opinião, um pouco precipitado e um pouco menos franco — disse Vássin, sorrindo.

— Menos franco?

— Sim. Ele quer oferecer-se algo assim como um "pedestal". Porque, em todo o caso, teria sido possível fazer a mesma coisa sem prejuízo a si mesmo. Senão a metade, pelo menos certa parte da herança poderia agora voltar a Viersílov, mesmo com a lealdade mais suscetível, tanto mais quanto o documento não tinha valor decisório e a causa já estava ganha. É a opinião do advogado da parte contrária; acabo de conversar com ele. A decisão não teria sido menos bela e foi unicamente pelo desejo da vaidade que se deu o contrário. O Senhor Viersílov acalorou-se demais, principalmente e apressou-se além da conta. Ele mesmo não dizia ainda há pouco que teria podido adiar por uma semana...

— Sabe de uma coisa, Vássin? Não posso impedir-me de estar de acordo com o senhor, mas... prefiro ver as coisas à minha maneira! Isto me agrada mais!

— É questão de gosto. Foi o senhor quem me provocou. Eu não pedia outra coisa melhor senão calar-me.

— E mesmo que haja nisso um "pedestal", é melhor que assim seja! — continuei. — Por mais que um pedestal seja um pedestal, nem por isso deixa de ser uma coisa muito estimável. É apesar de tudo um "ideal" e, se certas almas de hoje não o têm, não é um progresso; com uma pequena deformação, se quiser, mas prefiro que ele exista! E certamente outro tanto pensa o senhor, Vássin, meu amigo Vássin, meu caro Vássin! Em uma palavra, entusiasmei-me, naturalmente, mas o senhor me compreende bem. De outro modo, não seria Vássin. Em todo o caso, abraço-o e beijo-o, Vássin!

— Com alegria?

— Com imensa alegria! Porque aquele homem "estava morto e ressuscitou, estava perdido e foi achado"! Vássin, sou um mau rapaz e não valho o que o senhor vale. É bem por isso que tenho consciência de ser em certos momentos completamente outro, mais elevado e mais profundo. Por ter-lhe feito anteontem o elogio em pleno rosto (fiz isso unicamente porque o senhor me havia humilhado e abatido) detestei-o durante dois bons dias! Prometi a mim mesmo, esta noite, não mais vir vê-lo e, se vim ontem de manhã, foi unicamente de raiva, compreenda bem, "de raiva". Sentado nesta cadeira, sozinho, criticava seu quarto e o senhor mesmo e cada um de seus livros e sua locadora, esforçava-me em rebaixá-lo e em zombar do senhor...

— Não haveria necessidade de contar-me isso...

— Ontem de noite, tendo concluído de uma de suas frases que o senhor não compreendia a mulher, senti-me feliz por poder apanhá-lo nesse ponto fraco. Ainda há pouco, a propósito do "começo falhado", sentia-me ainda uma vez loucamente feliz por apanhá-lo em falta e tudo isso porque fizera o seu elogio naquela ocasião...

— Mas isto se compreende muito bem! — exclamou afinal Vássin (continuava a sorrir, sem demonstrar o menor espanto). — Mas é o que acontece sempre, mais ou menos a todo mundo, e até mesmo é o primeiro movimento. Mas ninguém o confessa e aliás não se deve confessá-lo, uma vez que isso passa e não acarreta nenhuma consequência.

— A todo mundo? Será possível? Todos os homens são assim? E o senhor, ao dizer isso, sente-se tranquilo? Mas, com semelhantes ideias, a vida é impossível.

— Então, segundo sua opinião:

> Mais cara é-me a ilusão que nos eleva
> Que mil baixas verdades![40]

— É bem verdade! — exclamei. — Esses dois versos encerram um axioma sagrado!

— Não sei de nada: não pretendo de nenhum modo decidir se esses versos são verdadeiros ou não. A verdade, como sempre, deve estar em alguma parte no *meio*: isto é, num caso uma santa verdade e no outro uma mentira. Só há uma coisa que sei muito bem: é que muito tempo ainda ficará essa ideia como um dos grandes pontos em litígio entre os homens. Noto, em todo o caso, que o senhor tem agora vontade de dançar. Pois bem, dance! O exercício é bom e estou justamente esta manhã esmagado de trabalho... Aliás, já nos atrasamos!

---

40 Palavras do Poeta na peça de Púchkin, *O herói*

— Vou-me embora, vou-me embora! Uma palavra somente — gritei, já pegando minha mala. — Se mais uma vez "atirei-me ao pescoço de alguém", foi unicamente porque o senhor me comunicou a notícia; assim que cheguei, com uma alegria muito sincera e porque o senhor se sentiu "feliz" por eu o ter encontrado em casa, e isto depois da história do "começo falhado". Esse contentamento sincero revirou meu "jovem coração" a seu favor. Pois bem, adeus, adeus, tratarei de não vir mais aqui durante o maior tempo possível e sei que isto lhe será extremamente agradável. Leio em seus olhos. E aliás será uma excelente coisa para nós dois...

Sempre parolando assim e quase sufocando-me com semelhante parolagem, peguei minha mala e saí com ela para meu novo alojamento. O que me agradava sobretudo era que Viersílov estivera ainda há pouco muito zangado comigo, recusara-se a falar-me e olhar-me. Guardada minha mala, corri à casa de meu velho príncipe. Aqueles dois dias sem ele tinham sido para mim, confesso-o, um pouco penosos. Aliás, ele já devia ter tido conhecimento da conduta de Viersílov.

II

Bem sabia que ele se regozijaria intensamente por ver-me e, juro-o, mesmo sem Viersílov, teria ido à sua casa hoje. Estava simplesmente amedrontado, ontem e ainda há pouco, com a ideia de que talvez encontrasse Katierina Nikoláievna. Mas agora não tinha mais medo de nada.

Abraçou-me, cheio de alegria.

— Aquele Viersílov! Soube o essencial.

— *Cher enfant,* meu caro amigo, que coisa nobre, elevada! Até mesmo Kilian (o funcionário lá de baixo) ficou transtornado. É uma loucura da parte dele, mas é deslumbrante, uma verdadeira proeza! É preciso saber apreciar o ideal!

— Não é mesmo? Não é mesmo? Temos estado sempre de acordo a este respeito.

— Meu caro, estamos sempre de acordo. Onde estavas? Queria decididamente ir ver-te, mas não sabia onde encontrar-te... Não podia, contudo, ir à casa de Viersílov... embora hoje, depois de tudo isso... Sabes, meu amigo? Foi isso que lhe permitiu triunfar sobre as mulheres, são rasgos desse gênero, tenho certeza...

— A propósito, para não esquecer... reservei-o justamente para o senhor. Ontem, um descarado muito indigno, injuriando Viersílov, na minha presença, tratou-o de "profeta para mulheres". Que expressão esquisita! Retive essa expressão para lhe contar...

— "Profeta para mulheres!" *Mais... c'est charmant!* Hah! hah! hah! Mas isso assenta-lhe muito bem!... ou antes, não lhe assenta absolutamente! Ora! Mas atingiu bem o alvo... ou antes não atingiu de todo, mas...

— Não tem importância, não tem importância, não se perturbe. Leve em consideração apenas a frase de espírito!

— A expressão é admirável e, fica sabendo, tem um sentido muito profundo... A ideia é completamente justa! Quero dizer, tu acreditarás talvez. Em suma, vou te confiar um pequeno segredo. Notaste outro dia aquela Olimpiada? Acreditarias que ela tem um fraco por Andriéi Pietróvitch, a ponto mesmo, creio, de alimentar alguma esperança...

— De alimentar?... Que tome cuidado! — exclamei, fazendo um gesto de punho fechado, na minha indignação.

— *Mon cher,* não grites. É sempre assim, aliás tens sempre razão de teu ponto de vista. A propósito, meu amigo, que te aconteceu da outra vez, na presença de Katierina Nikoláievna? Cambaleaste... pensei que ias cair e cheguei quase a adiantar-me para segurar-te.

— Não é o momento para falar disso. Pois bem, em uma palavra, fiquei simplesmente confuso, por certo motivo...

— E acabas ainda agora de corar.

— Que necessidade tem o senhor de insistir nisso ainda? O senhor sabe que ela não gosta de Viersílov... e depois, todos esses negócios, pois bem, fiquei perturbado. Vamos, deixemos isto para mais tarde!

— Deixemos, deixemos, também acho... Em suma, tenho muita culpa para contigo e até mesmo, deves lembrar-te, censurei então... Esquece isto, meu amigo! Ela mudara também de opinião a teu respeito, pressinto... Mas eis o Príncipe Sierioja!

Vi entrar um jovem e belo oficial. Examinei-o com um olhar ávido, porque jamais o havia visto. Digo belo, porque era o que toda gente dizia dele, mas havia, naquele rosto belo e jovem, não sei que de muito pouco sedutor. Noto-o aqui como a impressão do primeiro momento, da primeira olhadela lançada a ele, impressão que sempre guardei. Era magro, de boa estatura, castanho. Tinha a tez viçosa mas um tanto amarelada, e o olhar decidido. Seus belos olhos escuros pareciam levemente severos, mesmo quando ele estava perfeitamente calmo. Mas seu olhar decidido era justamente desagradável porque se sentia que sua decisão lhe custava bastante barato. Enfim, não sei como exprimir-me... Sem dúvida, sua fisionomia era capaz de passar bruscamente do severo ao amável, a uma expressão espantosamente doce e terna e isso com indiscutível sinceridade. Essa sinceridade atraía. Ainda um traço: malgrado sua amabilidade e sua sinceridade, aquela fisionomia jamais estava alegre; mesmo quando o príncipe ria de boa vontade, sentia-se apesar de tudo que não devia haver nele verdadeira alegria, leve e luminosa... Mas é extremamente difícil descrever um rosto. Sou absolutamente incapaz disso. O velho príncipe apressou-se logo em apresentar-nos, segundo seu tolo hábito.

— Meu jovem amigo, Arkádi Andriéievitch (ainda Andriéievitch!) Dolgorúki.

O jovem príncipe voltou-se para meu lado com uma expressão duplamente respeitosa, mas via-se que meu nome era-lhe totalmente desconhecido.

— É parente... de Andriéi Pietrovitch — murmurou meu insuportável príncipe! (Como são por vezes insuportáveis, esses velhinhos, com seus hábitos!) o jovem príncipe logo adivinhou.

— Ouvi falar há muito tempo... — disse ele, rapidamente. — Tive o grande prazer de conhecer, o ano passado em Luga, sua irmã, Elisavieta Makárovna... Ela também me falou a seu respeito...

Cheguei mesmo a ficar surpreso: um contentamento sincero brilhava no seu rosto.

— Permita, príncipe — balbuciei, levando para trás meus dois braços —, devo dizer-lhe sinceramente e regozija-me que seja na presença de nosso caro príncipe que desejava bastante encontrá-lo e bem recentemente, ainda ontem, tinha esse desejo, mas com uma intenção bem diferente. Digo-o francamente, embora lhe possa

O ADOLESCENTE

causar espanto. Em suma, queria provocá-lo, por causa da injúria que fez a Viersílov em Ems, há dezoito meses. E até mesmo que devesse o senhor recusar meu desafio porque não passo de um ginasiano e de um adolescente ainda melhor, nem por isso deixaria de fazê-lo, qualquer que pudesse ser sua resposta e fizesse o senhor o que fizesse... E tenho ainda hoje, confesso, a mesma intenção...

O velho príncipe me disse mais tarde que eu havia proferido esta frase com bastante nobreza.

Sincero desprazer marcou-se no rosto do príncipe.

— O senhor não me deixou terminar — respondeu ele com ar importante. — Se lhe dirigi estas poucas palavras de todo o meu coração, a razão disto consiste nos sentimentos verdadeiros que tenho agora por Andriéi Pietróvitch. Lamento não poder comunicar-lhe imediatamente todas as circunstâncias, mas, asseguro-lhe, sob palavra de honra, que desde muito tempo já considero meu desgraçado gesto de Ems com o mais profundo pesar. Vindo a Petersburgo, resolvi conceder todas as satisfações possíveis a Andriéi Pietróvitch, isto é, pedir-lhe perdão, bem francamente, literalmente, na forma que ele próprio fixará. Influências muito altas e muito poderosas foram causa dessa mudança de opinião. O fato de termos estado em litígio em nada influiu na minha decisão. Sua maneira de agir ontem comigo transtornou-me por assim dizer, e mesmo neste instante, acredite-me, não consegui ainda voltar a mim. Pois bem, devo preveni-lo de que vim à casa do príncipe para comunicar-lhe um fato duma extrema importância: há três horas, isto é, exatamente no momento em que se redigia aquele ato com o advogado, o homem de confiança de Andriéi Pietróvitch veio procurar-me e transmitiu-me de sua parte um desafio ... um desafio em regra por causa do caso de Ems...

— Ele o desafiou? — exclamei e senti meus olhos faiscarem e o sangue subir-me ao rosto.

— Sim, desafiou-me. Logo aceitei o desafio, mas resolvi, antes do encontro, dirigir-lhe uma carta expondo-lhe meu modo de julgar o ato que pratiquei e meu arrependimento por aquele tremendo erro... porque não foi senão um erro, um erro infeliz e fatal! Quero lembrá-lo que minha posição no regimento fazia-me correr um grande risco: uma carta como aquela na véspera de um encontro tornava-me passível de um julgamento público desfavorável... compreende? Mas apesar disto, estava decidido. E só me faltou o tempo para enviar-lhe a carta, porque, uma hora após o desafio, recebi dele novo bilhete rogando-me que o desculpasse por haver-me importunado, que esquecesse seu desafio e acrescentando que lamentava "esse acesso passageiro de covardia e egoísmo", são seus próprios termos. Facilita-me assim consideravelmente o passo dado... a carta. Ainda não a enviei, mas vim justamente falar a este respeito com o príncipe. E acredite, eu próprio sofri as censuras de minha consciência infinitamente mais que qualquer outra pessoa... Esta explicação o satisfaz, Arkádi Andriéievitch,[41] pelo menos agora, neste momento? Quer dar-me a honra de acreditar na minha perfeita sinceridade?

Estava completamente vencido. Via uma indiscutível franqueza, que não esperava de modo algum. Não esperava, aliás, nada de semelhante. Balbuciei não sei mais o que em resposta e estendi-lhe francamente as duas mãos; ele as apertou ale-

---

41 O príncipe chama-o por esse nome porque assim lhe foi apresentado pelo velho Príncipe Sokhólhski.

gremente entre as suas. Depois levou o príncipe de parte e conversou cinco minutos com ele em seu quarto.

— Se o senhor quiser fazer-me um grandíssimo prazer — disse-me ele, com voz alta e franca, ao sair do quarto do príncipe — vamos sair juntos e lhe mostrarei a carta que vou mandar a Andriéi Pietróvitch e na mesma ocasião a que recebi dele.

Consenti com extremo prazer. Meu príncipe apressou-se em levar-me à porta e me chamou, também, por um minutinho, ao seu quarto.

— *Mon ami,* como me sinto feliz, como me sinto feliz... Falaremos de tudo isso mais tarde. A propósito, tenho aqui na minha pasta duas cartas, uma que é preciso levar e explicar pessoalmente, a outra para o banco, e lá também...

E encarregou-me de duas missões supostamente urgentes e exigindo, segundo ele, muito esforço e atenção. Tratava-se de ir lá, de entregar uma carta, de assinar, etc.

— Ah! quão astuto é o senhor! — exclamei, recebendo as cartas. — Juro-lhe que tudo é só para salvar as aparências e que não há nada absolutamente a fazer. O senhor imaginou esses dois encargos expressamente para me fazer crer que lhe sou útil e que não ganho o seu dinheiro à toa!

— *Mon enfant,* juro-te que te enganas. São dois encargos perfeitamente urgentes... *Cher enfant!* — exclamou, de repente, enternecendo-se ao extremo — meu caro rapaz! (Pôs suas duas mãos sobre minha cabeça.) Eu te abençoo, bem como ao teu destino... Sejamos sempre tão puros de coração como hoje... Sejamos bons e belos o mais possível... Amemos tudo quanto é belo... sob os aspectos mais variados... Vamos, *enfin, enfin, rendons grâce... et je te benis!*[42]

Não chegou a terminar e pôs-se a soluçar sobre minha cabeça. Confesso que estive a ponto de chorar também; pelo menos, beijei sinceramente e com prazer o original velhinho. Trocamos mil beijos.

III

O Príncipe Sierioja (quero dizer Sierguiéi Pietróvitch e assim o chamarei doravante) levou-me a sua casa, num carro elegante, e comecei por admirar a magnificência de seu apartamento. Ou antes, sem falar de magnificência, era um apartamento próprio de "gente da alta": peças vastas e elevadas, luminosas (vi duas, as outras estavam fechadas), móveis que, sem lembrar absolutamente Versalhes ou a Renascença, eram fofos, confortáveis, abundantes, do mais alto chique; tapetes, madeiras esculpidas e estatuetas. Entretanto toda gente dizia que eles eram paupérrimos, que não tinham mais nada. Eu tinha ouvido dizer, apesar de tudo, que aquele príncipe atirava areia nos olhos das pessoas onde quer que pudesse, aqui, em Moscou, no seu antigo regimento, em Paris, dizendo-se jogador e estar endividado. Quanto a mim, estava com uma sobrecasaca enrugada e ainda por cima coberta de pelos, porque tinha eu dormido vestido, e trazia a minha camisa há quatro **dias** no corpo. Aliás, aquela sobrecasaca ainda estava mais ou menos suportá**vel, mas,** uma vez em casa do príncipe, lembrei-me da recomendação de Viersílov de **mandar** fazer novo terno.

---

42   Enfim, enfim, demos graças... e eu te abençoo!

— Imagine o senhor que passei a noite sem tirar a roupa, por ocasião de um suicídio — disse eu, com ar distraído. Mas como ele manifestou logo atenção, contei-lhe em poucas palavras a história. O que mais o preocupava, no entanto, era sua carta. Eu achava singular que ele não houvesse sorrido ao menos, nem mesmo esboçado o menor gesto nesse sentido, quando lhe anunciara ainda há pouco, sem mais nem menos, que pretendia provocá-lo em duelo. Sem dúvida eu tinha sabido obrigá-lo a não rir, mas nem por isso deixava de ser estranho da parte de semelhante homem. Sentamos um em face do outro, no meio da sala, diante de uma imensa escrivaninha e ele me mostrou sua carta a Viersílov, já pronta e passada a limpo. Aquele documento assemelhava-se muito a tudo quanto ele acabava de me dizer em casa do meu príncipe; estava mesmo escrito com certo calor. Eu não sabia ainda, é verdade, o que pensar definitivamente daquela franqueza aparente e daquelas disposições para o bem, mas começava já a deixar-me seduzir, porque, em suma, que razão eu tinha para não acreditar naquilo? Qualquer que fosse o homem e quaisquer que fossem os boatos que corriam a seu respeito, nem por isso podia deixar de ter boas inclinações. Li também o derradeiro bilhete de Viersílov sete linhas, no qual renunciava a seu desafio. Muito embora nele falasse, com efeito, com todas as letras, na sua "covardia" e no seu "egoísmo", aquele bilhete distinguia-se no seu conjunto por certa altivez... ou antes, sentia-se em toda aquela atitude não sei qual desdém. Mas evitei fazê-lo notar.

— E o senhor, que pensa dessa renúncia? — perguntei. — Acredita que ele tenha tido medo?

— Decerto que não — sorriu o príncipe, mas seu sorriso era sério. Tornava-se, aliás, cada vez mais preocupado. — Conheço por demais a coragem desse homem. Trata-se sem dúvida de um critério pessoal... de seu próprio modo de pensar...

— Sem dúvida alguma — interrompi, calorosamente. — Um tal Vássin diz que há nessa história da carta e da renúncia à herança um "pedestal"... propositado. Na minha opinião essas coisas não se fazem para exibição, mas correspondem a um sentimento profundo, íntimo.

— Conheço muito bem o Senhor Vássin — disse o príncipe.

— Ah! sim. Deve tê-lo vista em Luga.

Olhamo-nos, de repente, e lembro-me de ter corado um pouco. Em todo caso, ele interrompeu a conversa. Eu, pelo menos, estava com muita vontade de continuar a falar. A ideia de um encontro que tivera na véspera incitava-me a fazer-lhe certas perguntas, mas não sabia como iniciá-las. E em geral não me sentia totalmente à vontade. O que me impressionava também era sua boa educação, sua polidez, a desenvoltura de seus modos, em uma palavra, todo aquele brilho que tais pessoas adquirem quase que desde o berço. Notara em sua carta dois grosseiros erros de gramática. Em geral, em encontros semelhantes, jamais me rebaixo, torno-me pelo contrário insolente, o que por vezes pode ser mau. Mas no caso presente, era a isso impelido ainda mais pela ideia de que estava coberto de pelos, tanto que exagerei mesmo um pouco e caí na familiaridade... Havia notado, disfarçadamente, que o príncipe me examinava por vezes com toda atenção.

— Diga, príncipe — interpelei-o de repente —, o senhor não acha ridículo, no seu foro íntimo, que um fedelho como eu tenha querido provocá-lo em duelo e sobretudo por causa duma ofensa feita a terceiro?

— Quando se trata dum pai, é permitido que a gente se sinta ofendido. Não, não vejo nada de ridículo nisso.

— E a mim parece que é tremendamente ridículo... do ponto de vista de um outro... isto é, naturalmente não do meu. Tanta mais quanto sou Dolgorúki e não Viersílov. E se o senhor não diz a verdade, ou se adoça as coisas por conveniência mundana, então o senhor me engana em tudo mais?

— Não, não vejo nisso nada de ridículo — repetiu ele, com grande seriedade. — O senhor não pode, no entanto, deixar de sentir em si mesmo o sangue de seu pai!... Sem dúvida, é ainda jovem e... não sei... mas parece-me que um menor não tem o direito de bater-se e não se tem o direito de aceitar-lhe o desafio... de acordo com os regulamentos... Mas, se o senhor quer, só pode haver aí uma objeção séria: se dirige seu desafio sem que o ofendido o saiba, esse ofendido cuja injúria o senhor pretende vingar, manifesta por isso mesmo certa falta de respeito para com ele. Não é verdade?

Nossa conversa foi bruscamente interrompida por um criado que entrou para anunciar alguém. Vendo-o, o príncipe, que sem dúvida o esperava, levantou sem terminar o que dizia e avançou rapidamente ao encontro dele, tanto que o outro falou a meia voz, não tendo eu ouvido nada.

— Desculpe-me — disse o príncipe —, volto dentro dum minuto.

E saiu. Fiquei só. Pus-me a andar na sala, para lá e para cá refletindo. Coisa estranha, ele me agradava e não me desagradava de todo. Havia algo que não teria sabido explicar, mas que me causava repulsa. "Se não está de modo algum zombando de mim, então, sem dúvida, é tremendamente franco; mas, se estivesse zombando de mim, então... eu o acharia mais inteligente..." Esta ideia estranha atravessou-me o espírito. Aproximei-me da mesa e reli a carta a Viersílov. Assim distraído, não senti o tempo passar e, quando voltei a mim, notei secretamente que o minuto do príncipe durava já um bom quarto de hora. Fiquei um pouco perturbado; pus-me outra vez a andar para lá e para cá, por fim peguei meu chapéu e, lembro-me, decidi ir-me embora: se viesse alguém, mandaria chamar o príncipe, e, quando ele chegasse, me despediria, assegurando-lhe que tinha um negócio urgente e não podia mais esperar. Achava que seria isso o mais digno, porque estava um tanto atormentado pela ideia de que, deixando-me assim por tanto tempo, demonstrava desdém para comigo.

As duas portas fechadas daquela sala encontravam-se nas duas extremidades duma mesma parede. Como tivesse esquecido por qual das duas havíamos entrado, ou antes por distração, abri uma delas e, de repente, vi, numa sala longa e estreita, sentada num divã, minha irmã Lisa. Não havia outra pessoa e ela parecia estar esperando alguém. Mas mal tivera tempo de admirar-me, quando ouvi a voz do príncipe, que falava em voz alta e voltava a seu gabinete. Tornei a fechar depressa a porta e o príncipe que entrava pela outra não notou nada. Lembro-me de que ele se confundia em desculpas, falou de não sei qual Anna Fiódorovna... Mas eu estava tão surpreso e perturbado que não compreendi quase nada e balbuciei que tinha necessidade absoluta de voltar para casa, depois do que saí a passos precipitados. Aquele príncipe tão bem-educado deve ter evidentemente reparado em minha conduta com curiosidade. Acompanhou-me até a antecâmara sempre falando, enquanto eu nada respondia e nem o fitava.

IV

Uma vez na rua, dobrei à esquerda e caminhei ao acaso. Tudo se confundia na minha cabeça. Caminhava lentamente e creio bem que andara ainda muito pouco, uns quinhentos passos, quando senti, de repente, que me tocavam levemente no ombro. Voltei-me e vi Lisa: havia-me alcançado e dava-me uma ligeira pancada com a sombrinha. Havia no seu olhar radiante uma alegria louca e um toque de malícia.

— Como estou contente por ver que te dirigiste para este lado! De outro modo não te teria encontrado hoje!

Estava um pouco ofegante por causa da marcha rápida.

— Como estás fatigada!

— Corri tanto para alcançar-te!

— Lisa, foste tu mesma que vi ainda há pouco?

— Onde afinal?

— Em casa do príncipe... do Príncipe Sokólhski...

— Não, não era eu, não pudeste ver-me...

Calei-me e demos uma dezena de passos. Lisa desatou a rir:

— Era eu, era eu decerto! Escuta uma coisa! Mas tu me viste, olhaste-me bem nos olhos e eu também te olhei. Por que me perguntas se era eu mesma? Caráter engraçado! Sabes que estava com uma vontade enorme de rir, quando me fitaste bem no rosto? Tinhas uma cara tão engraçada!

Ria sem parar. Senti todo o meu aborrecimento abandonar-me.

— Mas, com os diabos, como te achaste ali?

— Em casa de Anna Fiódorovna.

— Que Anna Fiódorovna?

— Stolbiéieva. Quando morávamos em Luga, passava em casa dela dias inteiros. Recebia-nos, a mamãe e a mim, e vinha também à nossa casa. Não ia, por assim dizer, à casa de ninguém. Era uma parenta afastada de Andriéi Pietróvitch e também dos Príncipes Sokólhski. Deve ser mais ou menos tia-avó, do príncipe.

— E então ela mora em casa do príncipe?

— Não, é o príncipe que mora em casa dela.

— Então de quem é o apartamento?

— Dela. Há já um ano que todo o apartamento é dela. O príncipe acaba de chegar e hospedou-se lá. Ela mesma chegou a Petersburgo há uns quatro dias.

— Está bem... sabes duma coisa, minha irmã? Para o inferno o apartamento e a dona dele...

— Não digas isso, ela é boa...

— Admito, aliás tem meios para isso. Nós também somos bons! Olha um pouco: que dia! Que bom dia! Como estás bonita hoje, Lisa! Mas, no íntimo, não passas duma menina travessa.

— Dize-me, Arkádi, aquela moça de ontem...

— Ah! que lástima, Lisa! Ah! que lástima!

— Ah! que lástima! Que destino! Sabes, fazemos mal em estar tão alegres, enquanto sua alma voa agora nas trevas, numa escuridão sem fundo, com seu pecado e seu ressentimento... Arkádi, mas quem é culpado de seu pecado? Ah! Como é terrível! Pensas algumas vezes nessas trevas? ah! como tenho medo da morte! E que pecado é isso! Não gosto da escuridão; ah! esse sol, quanto é bem melhor! Mamãe diz que é pecado ter medo... Arkádi, conheces bem a mamãe?

— Ainda muito pouco, Lisa, conheço-a muito pouco.

— Ah! que criatura é ela! Deves, deves conhecê-la! É preciso sobretudo compreendê-la...

— Mas tu mesma, eu não te conhecia, e agora conheço-te totalmente. Em um minuto penetrei o teu íntimo inteiramente, Lisa. Muito embora tenhas medo da morte, deves ser altiva, ousada, corajosa. Vales mais do que eu, infinitamente mais! Amo-te loucamente, Lisa. Ah! Lisa! A morte pode vir quando quiser, mas no momento, vivamos, vivamos! Lastimemos aquela infeliz, mas abençoemos a vida. Não tenho razão? Tenho minha "ideia", Lisa. Lisa, sabes que Viersílov renunciou à herança?

— Como não haveria de saber? Mamãe e eu nos beijamos.

— Não conheces minha alma, Lisa, não sabes o que era para mim aquele homem...

— Ora, sei de tudo!

— Sabes de tudo? Ah! decerto! Tens espírito; até mesmo mais que Vássin. Mamãe e tu tendes olhos penetrantes, humanos, quero dizer o olhar, não os olhos, engano-me... Sou muitas vezes um bom imbecil, Lisa...

— É preciso ter-te nas mãos, eis tudo!

— Pois bem! toma-me, Lisa. Como é bom olhar-te hoje! Mas sabes que és adorável? Jamais vira teus olhos... Acabo de vê-los pela primeira vez... Onde os apanhaste hoje, Lisa? Onde os compraste? Quanto pagaste por eles? Lisa, eu não tinha amigo e depois considero essa "ideia" como uma tolice mas contigo não é uma tolice... Queres que sejamos amigos? Compreendes bem o que quero dizer?

— Compreendo muito bem.

— E, sabes, sem contrato, sem condições, seremos amigos bem simplesmente!

— Sim, bem simplesmente, bem simplesmente. Mas há uma condição: se um dia nos acusarmos um ao outro, se ficarmos descontentes por alguma coisa, se estivermos de mau humor, se mesmo esquecermos tudo, pois bem, não esqueceremos jamais nem este dia, nem esta hora! Vamos dar nossa palavra. Prometamos lembrar eternamente deste dia em que passeamos juntos, de mãos dadas e em que tanto rimos e em que tivemos tanta felicidade... Sim? É sim?

— Sim, Lisa, sim, juro. Mas, Lisa, parece que te ouço pela primeira vez... Lisa, leste muito?

— Ainda não me havias feito esta pergunta! Foi ontem pela primeira vez, quando me enganei a respeito duma palavra, que você se dignou prestar atenção a isso, caro senhor, senhor filósofo.

— E por que não começaste tu a falar comigo, se me mostrava tão bobo?

— Esperava sempre que te tornasses mais inteligente. Eu o entendi desde o começo, Arkádi Makárovitch. E logo disse a mim mesma: ele virá, acabará seguramente por vir. E preferi deixar-lhe a honra de dar o primeiro passo: "Não — dizia a mim mesma — cabe a ti agora correr atrás de mim!".

— Ah! é assim, sua coquetinha? Pois bem, Lisa, confessa-o francamente, andaste a zombar de mim durante todo este mês?

O ADOLESCENTE

— Oh! és bem ridículo, és abominavelmente ridículo, Arkádi! E sabes? Talvez tenha sido justamente por isso que gostei de ti este mês, porque és tão original. Mas és muitas vezes um mau original, digo isto para que não te orgulhes. Mas sabes quem ainda riu de ti? Mamãe riu, rimos juntas: "Que original! — cochichávamos as duas. — Que original, ainda assim!". E tu, imaginavas durante esse tempo que estávamos ali a tremer diante de ti.

— Lisa, que pensas de Viersílov?

— Muitas coisas. Mas sabes? Não vamos falar dele agora. Não é o dia para isso, não é mesmo?

— Tens razão. Não, és tremendamente inteligente, Lisa! És seguramente mais inteligente do que eu. Pois bem? Espera um pouco e acabarei com tudo isso e então te direi talvez alguma coisa...

— Por que franziste o cenho?

— Não franzi nada absolutamente, Lisa, não é nada... Vês, Lisa, vale mais a pena dizer francamente: não gosto quando se toca com o dedo certos lugares melindrosos de minha alma... ou antes quando se faz alarde de certos sentimentos para que toda gente os admire. É vergonhoso, não é? Por isso é que prefiro por vezes franzir o cenho e nada dizer. És inteligente, deves compreender.

— Mas eu também sou assim. Compreendo-te perfeitamente e, fica sabendo, mamãe também é assim.

— Ohl Lisa! Se ao menos pudéssemos viver muito tempo aqui embaixo! Hem? Que disseste?

— Mas eu não disse nada.

— Olhas para mim?

— Mas também me olhas. Olho-te e amo-te.

Reconduzi-a quase até em casa e dei-lhe meu endereço. Ao deixá-la, beijei-a pela primeira vez em minha vida...

V

E tudo isso teria sido bem, se não houvesse uma sombra: uma ideia triste agitava-se em mim desde a noite e não me saía do espírito. Era que, quando na véspera à noite encontrara diante de nossa porta aquela infeliz, eu lhe havia dito que eu mesmo ia retirar-me da casa, do ninho, que se deixava os maus para formar seu ninho próprio, e que Viersílov tinha muitos bastardos. Estas palavras, de um filho sobre seu pai, tinham certamente confirmado todas as suas suspeitas a respeito de Viersílov e a impressão de que tinha ele querido ofendê-la. Acusava Stiebielhkov e talvez fosse eu quem havia derramado azeite na fogueira. Terrível pensamento, terrível ainda hoje... Mas então, naquela manhã, por mais que começasse a atormentar-me, parecia-me que não era senão uma tolice: "Ora vamos, havia já em mim excesso de rancor acumulado — repetia a mim mesmo, de tempo em tempo. — Ora, isto passará! Vou me recuperar! Resgatarei isso duma maneira ou doutra... por meio de alguma boa ação... Tenho ainda cinquenta anos diante de mim!".

Mas a ideia continuava a agitar-se.

Segunda parte

Capítulo primeiro

I

Salto um intervalo de cerca de dois meses. Não fique o leitor inquieto: tudo se esclarecerá com a continuação. Anoto o dia quinze de novembro, dia por demais memorável para mim, por muitas razões. Em primeiro lugar, ninguém daqueles que me tenham visto dois meses antes teria podido reconhecer-me; pelo menos exteriormente, isto é, teria me reconhecido, é certo, mas sem compreender bem as coisas. Estou trajado como um elegante: é o primeiro ponto. O "francês consciencioso e cheio de gosto", que certo dia me recomendava Viersílov, fez-me um terno completo, mas mesmo ele já foi posto de lado: tenho agora outros alfaiates, de grau superior, de primeiríssima classe e até mesmo conta em suas alfaiatarias. Tenho também conta num restaurante seleto, mas ali sinto ainda um pouco de medo e, sempre que tenho dinheiro, pago imediatamente, embora saiba que é de mau gosto e que assim me comprometo. No Niévski, mantenho as melhores relações com um cabeleireiro francês e quando vou lá refrescar a cabeça, conta-me até anedotas. E, confesso, exercito-me com ele em falar francês. Conheço a língua e até mesmo bastante convenientemente, mas na alta sociedade tenho sempre alguma timidez em arriscar-me a falá-la; acresce que meu sotaque deve estar bastante longe do sotaque parisiense. Tenho também Matviéi, o cocheiro, o bom trotador, que está às minhas ordens, quando o chamo. Ele tem um potro baio, claro (não gosto dos cavalos cinzentos). Há, no entanto, certas coisas que não vão bem... É quinze de novembro. Há três dias instalou-se o inverno e conservo ainda minha peliça velha, de pelo de toupeira, presente de Viersílov. Se a vendesse, teria bem uns vinte e cinco rublos. É preciso encomendar uma nova e meus bolsos estão vazios. Além disso, preciso, desde hoje, reunir dinheiro para esta noite e isto a todo preço, de outro modo sou um desgraçado, estou perdido; são minhas próprias expressões de então. Oh! que miséria! E donde provieram de repente essas cédulas de mil, esses trotadores e os Borel? Como pude esquecer assim tudo, mudar a este ponto? Oh! vergonha! Leitor, empreendo agora a história de minha vergonha e de minha desonra e nada pode ser para mim mais infamante que essas recordações.

Falo como juiz e sei que sou culpado. No turbilhão que me arrebatava então, embora estivesse só, sem guia nem conselheiro, tinha já consciência de minha queda, juro, e por conseguinte não tenho desculpa. E, no entanto, durante aqueles *dois meses*, fui quase feliz. Por que quase? Fui demasiado feliz! E mesmo a tal ponto que a consciência de minha desonra, que me aparecia por instantes (instantes frequentes!) e que fazia minha alma fremir, aquela consciência, seria possível acreditar?, embriagava-me ainda mais: "Se tenho de cair, caiamos completamente. Aliás, não cairei, vou me livrar de apuros! Tenho minha estrela!". Avançava por uma frágil passarela de lascas de madeira, sem parapeito, por cima do precipício e sentia-me

O ADOLESCENTE

alegre por avançar assim; gostava de olhar o precipício. O perigo ali estava e sentia-me alegre. "E a ideia? A ideia viria depois, a ideia podia esperar; tudo aquilo não era senão um desvio. Por que não me conceder um pouco de prazer?" Eis bem em que minha ideia é má, repito ainda uma vez: é que ela tolera absolutamente todos os desvios. Se fosse menos firme e menos radical, talvez temesse dela desviar-me.

No momento, conservava meu pequeno alojamento; conservava, mas não morava nele. Tinha lá minha mala, meu saco de viagem e outros objetos. Minha residência principal era em casa do Príncipe Sierguiéi Sokólhski. Ali passava os dias, dormia, às vezes durante semanas inteiras... Como veio isso a acontecer, será visto agora mesmo: no momento, falemos de meu pequeno quarto. Já lhe queria bem: fora lá que Viersílov em pessoa me procurara pela primeira vez depois de nossa discussão, repetindo depois com frequência suas visitas. Repito, aquele tempo foi para mim de terrível vergonha, mas também duma imensa felicidade... Tudo então me saía bem, tudo me sorria! "Para que aquelas caras tristes de outrora — dizia a mim mesmo, naqueles instantes de embriaguez —, para que aqueles constrangimentos dolorosos, minha infância isolada e triste, meus sonhos absurdos debaixo das cobertas, meus juramentos, meus cálculos, e até mesmo minha ideia?" Tudo isso, eu tinha figurado e imaginado e resultava que o mundo era bem outro; tudo me era tão alegre e fácil: tinha ainda... mas deixemos isso... Ai! tudo se fazia em nome do amor, da grandeza da alma, da honra, e tudo resultou em seguida monstruoso, insolente, desonroso.

Basta!

II

Veio ver-me pela primeira vez, dois dias depois de nossa ruptura. Eu não estava em casa. Esperou-me. Quando entrei no meu minúsculo quartinho, não obstante ter estado à sua espera durante todos aqueles três dias, meus olhos se velaram e meu coração bateu com tanta força que parei no limiar. Por felicidade, ele estava com meu locador que, para evitar que o visitante se aborrecesse, achara útil travar depressa conhecimento com ele e estava a fazer-lhe uma narrativa entusiasmada. Era um conselheiro titular, de uns quarenta anos, muito marcado de varíolas, muito pobre, tendo a seu cargo uma mulher tísica e um filho doente; de caráter extremamente comunicativo e pacífico, aliás bastante delicado. Regozijei-me com a presença dele; e até mesmo tirava-me de embaraço, porque, de outro modo, que teria eu dito a Viersílov? Sabia, sabia seriamente, durante aqueles três dias, que Viersílov seria o primeiro a procurar-me, tal como eu o primeiro a ir a casa dele, não por obstinação, mas justamente por afeição por ele, por não sei qual inveja amorosa, não consigo exprimir esse sentimento. Aliás, em geral, o leitor não encontrará em mim eloquência. Mas não obstante ter esperado por ele todos aqueles três dias e imaginá-lo quase constantemente a entrar, era incapaz de representar-me de antemão, apesar de todos os meus esforços, a respeito de que falaríamos juntos, de repente, depois de tudo quanto se havia passado.

— Ah! aqui estás, afinal! — E estendeu-me cordialmente a mão, sem se levantar. — Senta-te aí, ao nosso lado. Piotr **Ipolíto**vitch estava-me contando uma história bem interessante a respeito daquela pedra, perto das casernas de Paulo... ou naquelas paragens...

— Sim, conheço aquela pedra — respondi, o mais depressa possível, sentando-me numa cadeira ao lado deles. Estavam diante da mesa. Todo o quarto formava um quadrado de exatamente quatro metros de lado. Eu respirava penosamente.

Um clarão de contentamento brilhou nos olhos de Viersílov: sem dúvida, não estava tranquilo, sem dúvida pensava que eu quereria fazer gestos. Agora estava tranquilizado.

— Recomece do princípio, Piotr Ipolítovitch.

Tratavam-se já pelos prenomes e patronímicos.

— Pois bem. Foi ao tempo do defunto imperador que a coisa aconteceu — disse Piotr Ipolítovitch, voltando-se para mim. Falava nervosamente e com uma espécie de sofrimento, como se estivesse atormentado de antemão pelo êxito de seus efeitos. — O senhor conhece então aquela pedra, uma enorme pedra em plena rua e que só faz atrapalhar. O imperador passou por lá bastantes vezes e aquela pedra sempre ali estava. Por fim aquilo lhe desagradou e com razão: uma verdadeira montanha, uma montanha em plena rua, que estragava a paisagem. "Tirem aquela pedra dali!" Dissera: "Tirem a pedra!". O senhor compreende bem o que isso significava: "Tirem a pedra!". Lembra-se do defunto imperador? Que fazer com aquela pedra? Todo mundo perdia a cabeça. Havia o Conselho Municipal e depois não me lembro mais quem precisamente, mas um dos mais altos personagens daquela época, encarregado daquela missão. Eis o que vem a saber aquele personagem: dizem-lhe que aquilo custará quinze mil rublos, nada menos, e ainda por cima rublos de prata (porque acabava-se de trocar as cédulas por prata, sob o defunto imperador). "Quinze mil rublos? Será possível?" A princípio os ingleses queriam colocar trilhos, pô-la em cima e depois transportá-la a vapor; mas quanto isso não iria custar? Não havia ainda estrada de ferro, a não ser a Tsarskosiélhskaia em funcionamento...

— Bem, mas não podiam serrá-la? — Eu começava a franzir os supercílios; estava cheio de desgosto e de vergonha diante de Viersílov; mas ele escutava com visível prazer. Compreendia que o locador lhe era bem-vindo, porque também ele sentia vergonha, diante de mim, via isso bem; era até mesmo tocante de sua parte.

— Serrá-la? Foi justamente a ideia que surgiu então, a de Monferrand, o senhor bem sabe, o que estava construindo naquele momento Isaakiévski Sobor. [43] Vão serrá-la, dizia ele, e então será transportada. Sim, mas a que preço?

— Não era lá tão caro assim, bastava serrá-la e transportá-la.

— Não, permita, era preciso instalar uma máquina, uma máquina a vapor e depois, para onde transportá-la? Uma montanha daquele tamanho! Dizia-se que não custaria menos de dez mil rublos, dez ou doze mil.

— Escute, Piotr Ipolítovitch, são tolices, tudo isso não se passou assim... — Mas naquele momento Viersílov lançou-me uma piscadela imperceptível e entrevi nela uma compaixão tão delicada pelo meu locador, até mesmo tal sofrimento por ele, que aquilo me agradou enormemente e disparei a rir.

— Pois bem! Pois bem! — disse o outro, alegre, que nada tinha notado e que temia terrivelmente, como todos esses contadores, ser interrompido por perguntas.

---

43   Catedral de Santo Isaac.

O ADOLESCENTE

— Então chegou um burguês, jovem ainda, o senhor sabe, um verdadeiro russo, de barbicha em ponta, cafetã caindo até os calcanhares, talvez um tanto alegre... aliás, não, não bebera. Ei-lo que chega justamente no momento em que eles estavam em conferência, os ingleses e Monferrand. E o personagem encarregado do caso, que acaba de chegar de carro, ouve e zanga-se: como é que se discutia tanto tempo e não se resolvia nada? De repente, nota a uma boa distância aquele burguês ali plantado e que sorri com certa malícia, ou antes sem malícia, não é isto, mas...

— Com ironia — propôs Viersílov com prudência.

— Com ironia, isto é, um pouco irônico, aquele bom sorriso russo, que os senhores conhecem. Pois bem, o personagem, sob o efeito do descontentamento, os senhores sabem, grita-lhe: "E tu aí, barbudo, que é que esperas? Quem és?"

— Ora, alteza — disse ele —, estou olhando para a pedra. — Era mesmo alteza; talvez fosse o Príncipe Suvórov, o italiano, o descendente do general... Na verdade, não, não era Suvórov, é pena. Esqueci quem era, mas os senhores sabem, muito embora fosse uma alteza, era um puro russo, um verdadeiro tipo russo, um patriota, um largo coração russo; portanto, adivinhou tudo.

— Vamos, será que poderás transportar a pedra? Por que ris?

— É por causa dos ingleses, alteza. Pedem decididamente muito caro, porque a bolsa russa está bem provida e eles não têm o que comer em sua terra. Dai-me cem rublos, alteza, e já amanhã à noite a pedra terá sido removida.

Os senhores podem imaginar a cena. Os ingleses, naturalmente, querem devorá-lo mesmo cru; Monferrand ri: somente aquele príncipe, aquele bom coração russo, diz:

— Deem-lhe cem rublos! E então, tu a removerás?

— Logo amanhã à noite, nós a removeremos, alteza.

— E como te arranjarás para isso?

— Isto, seja dito sem ofensa a vossa alteza, é nosso segredo — respondeu ele e os senhores sabem, em boa língua russa. Isso agradou ao príncipe.

— Está bem, deem-lhe tudo quanto ele quiser!

E deixaram-no ali. Pois bem, que esperam os senhores? Que fez ele como dizia?

O narrador parou e passeou por nós um olhar enternecido.

— Não sei — sorriu Viersílov. (Eu estava de cara fechada.)

— Pois bem, fez, e como? — exclamou o locador, tão triunfante como se tivesse sido ele mesmo o autor da proeza. — Alugou mujiques com enxadas, alguns bons russos muito simplesmente, e cavou um fosso em redor da pedra. Ficaram cavando a noite inteira, fizeram um enorme buraco, exatamente do tamanho da pedra e um dedo talvez mais profundo, e quando tudo terminou, ordenou ele que cavassem pouco a pouco e prudentemente por baixo da pedra. Naturalmente, dentro em pouco não teve a pedra mais terra para sustentá-la e perdeu seu equilíbrio; uma vez vacilante, empurraram-na do outro lado à força de braços, à russa, e puft! Eis a pedra no buraco! Tapou-se o resto à pá, bateu-se a terra com um maço e refez-se o calçamento por cima. A pedra tinha desaparecido! Tudo estava limpo!

— Vejam só isso! — disse Viersílov.

— *Juntou-se uma multidão, o povo acorreu!* Os tais ingleses, que tinham tudo adivinhado desde muito tempo, ficam fulos de raiva. Chega Monferrand: "É trabalho à maneira de mujique — diz ele, — era demasiado simples!". "Mas nisto estava o segredo: em ser simples demais, mas os senhores não pensaram nisso, seus imbecis!" E ainda vou lhes dizer isto: o chefão, o personagem do Governo, abraçou-o e beijou-o: "Mas donde és?" — "Eu? Da província de Jaroslávskaia, alteza. Somos canteiros, é o nosso ofício e no verão vimos à capital vender frutas". Pois bem, a coisa chegou aos ouvidos das autoridades, que ordenaram lhe pendurassem uma medalha no pescoço; ele andava por ali assim, com a medalha no pescoço, depois foi beber. Os senhores sabem disso: nós, russos, não nos podemos conter! É por isso que agora nos deixamos devorar pelos estrangeiros, não é?

— Decerto, o espírito russo... — começou Viersílov.

Mas aqui o narrador, para felicidade sua, foi chamado por sua mulher doente e saiu correndo para atendê-la. De outro modo, eu não teria podido conter-me. Viersílov ria.

— Mas, meu caro, ele me divertiu uma boa hora antes de tua chegada. Essa pedra... é o que há de mais ignobilmente patriota entre todas as narrativas desse gênero. Mas como interrompê-lo? Bem viste, espasmava-se de prazer. Na verdade, creio bem que a tal pedra ainda está no mesmo lugar, se não me engano, e de modo nenhum dentro do buraco...

— Ah! meu Deus! — exclamei. — Mas se é verdade! Como ousou ele...

— Que dizes? Mas parece que estás mesmo indignado. Ele deve ter feito confusão. Ouvi na minha infância uma história desse gênero, a propósito duma pedra, mas, com certeza, não essa. "A coisa chegou aos ouvidos das autoridades." Mas toda a sua alma cantava naquele momento: "chegou aos ouvidos das autoridades!". Nesse meio lamentável, anedotas dessa qualidade são necessárias. Há uma infinidade delas, sobretudo por causa da intemperança deles. Nada aprenderam, nada sabem exatamente. Pois bem, fora das cartas e de seu ofício, tem vontade de falar de algo de humano, de poético... Que é, afinal, esse Piotr Ipolítovitch?

— A mais pobre das criaturas, um infeliz.

— Pois bem, vês, talvez, nem mesmo jogue cartas. Repito-te, ao contar essas patranhas, ele satisfaz seu amor pelo próximo: quis causar-nos prazer. Seu sentimento patriótico também está satisfeito; por exemplo, há ainda aquela anedota de que Zaviálov[44] recebeu dos ingleses a oferta de um milhão, com a condição apenas de não por sua marca em seus produtos...

— Ah! meu Deus! essa anedota eu conheço.

— E quem não a conhece? Ele também sabe, ao contar sua história, que tu decerto já ouviste, mas apesar de tudo conta-a, imaginando voluntariamente que não a conheces. A visão do rei da Suécia parece já fora de moda, mas, na minha juventude, repetiam-na com delícia e com cochichos misteriosos,[45] da mesma maneira que aquela outra história segundo a qual, no começo do século, certo personagem teria ficado de joelhos em pleno senado diante dos senadores.[46] Havia também muitas anedotas a propósito do Comandante Bachútski[47] e do rapto dum

---

44 Conhecido industrial russo da época.

45 O rei da Suécia, Carlos XI, vira em sonhos, numa sala iluminada, grande número de jovens serem estrangulados na presença de um rei de 15 anos. Esta visão foi divulgada e espalhada na corte de Alexandre I, da Rússia, pelo embaixador da Suécia, franco-maçom, Stedding.

46 Segundo uma anedota popular, então corrente, a personagem aludida teria sido do Imperador Alexandre I.

47 Pávil Bachútski (1771-1836), bravo oficial que fez todas as campanhas da Revolução e do Império. Promovido a general, exerceu as funções de comandante da guarnição de Petersburgo.

monumento. Adoram as anedotas a respeito da corte: por exemplo, as histórias a respeito de Tchernichov, um ministro do último reinado que, com setenta anos de idade, modificara de tal maneira sua fisionomia que não lhe davam mais de trinta e o próprio imperador defunto não dava crédito a seus olhos, quando o via nas paradas militares...[48]

— Também conheço isso.

— E quem não conhece? Todas essas anedotas são o cúmulo do mau-gosto. Mas fica sabendo que essa categoria de mau-gosto é muito mais larga e mais profundamente espalhada do que acreditamos. O desejo de mentir para dar prazer a seu próximo, irás encontrá-lo até mesmo na melhor sociedade, porque sofremos todos dessa intemperança de nossos corações. Somente, entre nós, são histórias dum outro gênero: que não se conta entre nós da América, por exemplo? É espantoso! E dos homens de Estado, ainda por cima! Pertenço eu mesmo, confesso, àquela categoria e toda a vida sofri por causa disso...

— Eu mesmo contei várias vezes a história de Tchernichov.

— Tu também, já?

— Há aqui, além de mim, outro locatário, um funcionário, também com marcas de varíola, e já velho, mas tremendamente realista, e assim que Piotr Ipolítovitch abre a boca, põe-se a interrompê-lo e a contradizê-lo. E a tal ponto chega a coisa que o outro o lisonjeia como um escravo e só procura ser-lhe agradável, apenas para fazer-se escutar.

— Isto é outro gênero de mau-gosto e até mesmo mais repugnante talvez que o primeiro. O primeiro é todo entusiasmo! "Deixa-me somente mentir, e verás como é bonito!" O segundo é apenas prosa e melancolia: "Não me contes patranhas: onde foi? quando? em que ano?". Numa palavra: um homem sem coração. Meu amigo, permite sempre aos homens que mintam um pouco, é bem inocente. Deixa-os mentir até mesmo muito. Em primeiro lugar, provarás com isso tua delicadeza; em segundo lugar, em troca, vão te deixar mentir também: duas enormes vantagens de uma vez. Que diabo! É preciso amar seu próximo. Mas estou com pressa. Estás maravilhosamente instalado — acrescentou ele, levantando-se da cadeira. — Contarei a Sófia Andriéievna e à tua irmã que te visitei e encontrei-te de boa saúde. Até logo, meu caro.

Como? Mas era tudo? Não tinha absolutamente necessidade disso; esperava outra coisa, o "essencial", se bem que compreendesse perfeitamente que não podia ser de outro modo. Acompanhei-o, com uma vela na mão, até a escada; o locador fez menção de sair de seu quarto, mas sem ruído, e sem que Viersílov o visse, agarrei-o pelo braço e empurrei-o brutalmente. Arregalou os olhos, espantado, mas desapareceu instantaneamente.

— Essas escadas... — resmungava Viersílov, arrastando as palavras, para dizer alguma coisa e temendo sem dúvida que eu mesmo dissesse alguma coisa — essas escadas, já me desacostumei delas, e tu estás no segundo andar. Basta, encontrei meu caminho agora... Não te inquietes, meu caro, arriscas-te a um resfriado.

Mas não o deixei. Descemos juntos até o primeiro andar.

---

48 Alieksandr Tchernichov (1786-1857), depois de ter-se distinguido em Austerlitz como chefe de guerrilheiros em 1812, foi encarregado por Alexandre I de missões diplomáticas, feito conde por Nicolau I e Ministro da Guerra de 1827-1852.

— Esperei-o todos estes três dias.

Esta frase escapou-me como que contra minha vontade. Engasguei-me.

— Obrigado, meu caro.

— Sabia com certeza que o senhor viria.

— E eu sabia que sabias que eu viria. Obrigado, meu caro.

Calou-se. Estávamos diante da porta e eu continuava a segui-lo. Abriu; o vento que irrompeu bruscamente apagou minha vela. Então, peguei-o pelo braço; estávamos completamente às escuras. Ele estremeceu, mas não disse nada. Agarrei-lhe a mão e me pus a beijá-la ansiosamente, várias vezes, uma multidão de vezes.

— Meu caro filho, por que me amas tanto? — disse ele, mas noutro tom. Sua voz tremia e soava de maneira toda nova. Parecia que não era ele quem falava.

Eu queria responder, mas fui incapaz disso e tornei a subir, correndo. Ele ficou esperando no mesmo lugar e foi somente quando cheguei em meu andar que ouvi a porta da rua abrir e tornar a fechar com ruído. Escapando do locador, que se encontrava ainda uma vez à minha passagem, introduzi-me no meu quarto, corri precipitadamente o ferrolho e, sem acender a vela, lancei-me em cima de minha cama, com o rosto contra o travesseiro e chorei, chorei, chorei. Era a primeira vez que chorava desde o pensionato Touchard! Aqueles soluços escapavam-me com tanta força e sentia-me tão feliz... Mas como descrevê-lo?

Acabo de traçar estas palavras sem corar, porque tudo aquilo estava bem talvez, apesar de todo o seu absurdo.

III

Mas quanto teve de sofrer! Mostrei-me um terrível déspota. Naturalmente, jamais voltamos a tratar daquela cena. Pelo contrário, tornamos a encontrar-nos dois dias depois, como se nada tivesse acontecido. Mais ainda: fui quase grosseiro, naquela segunda noite e também ele me pareceu seco. Foi novamente em meu quarto; não sei por que, não fora ainda à casa dele, malgrado meu desejo de ver minha mãe.

Não falamos, durante todo aquele tempo, isto é, durante aqueles dois meses, senão dos assuntos mais abstratos. E disso é que me admiro: não fazíamos senão tratar de questões abstratas, as mais humanas e as mais indispensáveis sem dúvida, mas sem tocar absolutamente no essencial. Ora, no essencial muitas e muitas coisas tinham necessidade de ser determinadas e esclarecidas, e até mesmo uma necessidade urgente, mas era justamente disso que não falávamos. Nada digo mesmo de minha mãe, nem de Lisa... nem, afinal, de mim mesmo, de toda a minha história. Se era vergonha, ou então alguma infantilidade de juventude, ignoro. Suponho que era por infantilidade, porque a vergonha podia apesar de tudo ser superada. Eu o tiranizei tremendamente e até mesmo caí por várias vezes na insolência e contra meu coração: aquilo ocorria por si, irresistivelmente, não conseguia impedir. No tom de sua voz havia, como outrora, ligeira ironia, embora sempre extremamente acariciante, a despeito de tudo. O que me impressionava, também, era que ele preferisse vir ao meu quarto, tanto que acabei por ir muito raramente à casa de minha mãe, uma vez por semana, não mais, sobretudo nos últimos tempos, quando me deixei arrastar pelo torvelinho. Vinha sempre à noite e ficava a conversar; gostava também de prosar com meu locador; isto me causava raiva, da parte de um homem como ele. Uma ideia atravessou-me o espírito; não haveria outra pessoa a cuja casa ele pudesse ir? Mas sabia com certeza que ele tinha amizades; nos últimos tempos, reatara mesmo muitas das antigas relações mundanas, negligenciadas no ano anterior; mas ele não parecia atraído mais da conta por isso e não havia renovado bom número delas senão oficialmente; preferia vir ao meu quarto. Sentia-me por vezes bastante emocionado ao ver que, apresentando-se à noite, quase de todas as vezes ele mostrava uma espécie de timidez no momento de abrir a porta e, no primeiro instante, olhava-me sempre tendo nos olhos uma singular inquietação: "Será que não te incomodo? Diz com franqueza e vou embora". Chegava mesmo a dizer isso algumas vezes. Numa delas, por exemplo, justamente naqueles últimos tempos, entrou no momento em que eu já estava todo vestido com um terno que acabava de vir do alfaiate e me preparava para ir à casa do Príncipe Sierioja, a fim de dirigir-me com ele aonde tínhamos de ir. (Aonde, explicarei mais tarde.) Entrou e sentou-se, sem notar provavelmente que eu me preparava para sair; tinha por momentos extraordinárias distrações. Como por acaso, pôs-se a falar do locador. Fiquei com raiva.

— Para o diabo o locador!

— Ah! meu caro! — E de repente, levantou-se. — Mas creio que te preparas para sair e eu te incomodo... Perdoa-me, rogo-te.

E apressou-se humildemente em sair. Era aquela humilhação diante de mim, da parte de tal homem, tão mundano e tão independente, e dotado de tanta originalidade, que ressuscitava, de chofre, em meu coração toda a minha ternura por ele, toda a minha confiança nele. Mas se me amava de tal modo, por que então não me detivera, ao tempo de minha infâmia? Bastaria que dissesse uma palavra e eu teria talvez me contido. Talvez também não. Mas via, no entanto, aquela minha elegância, aquelas fanfarronadas, aquele Matviéi (quis mesmo uma vez levá-lo para casa no meu trenó, mas sempre se recusara e isto reproduzira-se mesmo várias vezes e ele sempre recusara). Via, no entanto, que eu gastava somas loucas, e nem uma palavra, nem uma palavra, nem a menor curiosidade! Isto ainda me acanhava diante dele; exibia tudo, sem lhe dizer naturalmente uma palavra de explicação. Ele não me interrogava e eu tampouco falava.

Entretanto, duas ou três vezes, estivemos a ponto de falar do essencial. Uma vez, no começo, após a renúncia da herança, perguntei-lhe de que ele ia viver agora.

— Sempre vou dar um jeito, meu amigo — declarou, com uma calma extraordinária.

Sei hoje que até mesmo o pequeníssimo capital de Tatiana Pávlovna, cinco mil rublos, foi gasto pela metade por Viersílov, naqueles dois últimos anos.

Outra vez, viemos a falar de minha mãe:

— Meu amigo — disse ele, de repente, com tristeza —, disse muitas vezes a Sófia Andriéievna, nos começos de nossa união, ou antes, nos começos, no meio e no fim: "Minha querida, eu te atormento e te atormentarei sempre, e não o lamento, enquanto estiveres diante de mim; mas se morreres, sei que me deixarei morrer *como castigo*".

Lembro-me, aliás, de que se mostrou naquele noite particularmente franco:

— Se eu ainda fosse uma nulidade sem caráter e se sofresse por ter consciência disso! Mas não, sei bem que sou infinitamente forte. Forte de que, a teu ver? Pois bem, justamente dessa força imediata de poder adaptar-me ao que quer que seja, que é tão característica dos russos inteligentes de nossa geração. Nada pode demolir-me, nada pode destruir-me e nada me espanta. Sou tão vigoroso como um cão de pastor. Posso experimentar do modo mais cômodo do mundo dois sentimentos opostos no mesmo instante, sem que minha vontade disso participe. Mas sei, no entanto, que é desleal, sobretudo porque é por demais sensato. Vivi até os cinquenta anos e até hoje ignoro se é um bem ou um mal ter chegado a esta idade. Amo, sem dúvida, a vida, e isto ressalta diretamente dos fatos; mas para um homem como eu, amar a vida é uma covardia. Há algo de novo nestes últimos tempos: os Kraft não se adaptam e rebentam os miolos. É demasiado claro que os Kraft são imbecis; enquanto que nós, sim, nós somos inteligentes, de modo que não há paralelo a fazer e a questão permanece aberta. Será possível que a terra só exista para gente como nós? É provável que sim. Mas esta ideia é por demais desoladora. Enfim... enfim a questão permanece aberta.

Falava com tristeza e, entretanto, eu não sabia se ele estava sendo sincero ou não. Havia sempre nele não sei que dobra da qual não queria a preço algum desfazer-se.

IV

Crivei-o então de perguntas. Lancei-me a ele como um esfaimado a um pedaço de pão. Respondia-me sempre com amabilidade e simplicidade, mas ao fim ia parar sempre em aforismos gerais, tanto que, em suma, era impossível arrancar qualquer coisa dele. Ora, todas aquelas questões haviam-me perturbado a vida inteira e, reconheço francamente, já em Moscou adiava-lhes a solução para nosso encontro em Petersburgo. Declarei-lhe mesmo isso e ele não zombou de mim: pelo contrário, lembro-me, apertou-me a mão. Sobre a política geral e os problemas sociais, quase nada pude arrancar dele e, no entanto, essas questões, tendo-se em conta minha ideia, eram as que mais me perturbavam. A respeito de pessoas como Diergatchov, arranquei-lhe uma vez esta observação: "Estão abaixo de toda crítica", mas logo acrescentou, esquisitamente, que se reservava o direito de não ligar à sua opinião "nenhuma importância". Como acabarão os Estados contemporâneos e o universo? Como se restabelecerá a paz social? A tudo isso fez ouvidos moucos durante muito tempo; por fim obtive penosamente dele estas poucas palavras:

— Penso que tudo isso se passará da maneira mais ordinária. Muito simplesmente, todos os Estados, apesar do equilíbrio dos orçamentos e da ausência de déficit, estarão *un beau matin* definitivamente encalacrados e todos, até o derradeiro, vão recusar fazer o pagamento, para se renovar em seguida, todos, até o derradeiro, numa bancarrota universal. Entretanto, todos os elementos conservadores do mundo inteiro vão se opor a isso, porque são eles que hão de ser acionistas e credores e não quererão admitir a falência. Então vai se produzir naturalmente uma espécie de oxidação geral; em seguida, todos aqueles que nunca tiveram ações e que nunca tiveram nada em geral, isto é, todos os mendigos, recusarão naturalmente participar da oxidação... Será a batalha e, após setenta e sete derrotas, os mendigos aniquilarão os acionistas, vão arrebatar suas ações e tomarão seu lugar, como acionistas também, entende-se. Talvez digam algo de novo, talvez não. O mais provável é que abram também falência. Em seguida, meu amigo, sou incapaz de ler mais longe nos destinos que transformarão a face deste mundo. Aliás, consulta o *Apocalipse*...

— Mas serão as coisas tão materiais? Será unicamente pelas finanças que acabará o mundo presente?

— Oh! é bem certo que só apanhei um canto do quadro, mas esse canto liga-se a todo o resto por laços indissolúveis.

— E então que fazer?

— Ah! meu Deus, não te apresses por demais: tudo isso não está perto de acontecer. Duma maneira geral, o melhor é nada fazer absolutamente. Vocês têm pelo menos a consciência tranquila, uma vez que não participaram de nada.

— Ah! basta! Falemos seriamente. Quero saber o que tenho de fazer e como devo viver.

— O que tens a fazer, meu caro? Sê honesto, não mintas nunca, não desejes a casa de teu próximo, em suma, relê os Dez Mandamentos: tudo isso está ali escrito para toda a eternidade.

— Basta, basta, tudo isso é tão velho, e depois não são senão palavras, quando é preciso agir.

— Pois bem, se estás presa de um tédio demasiado intenso, trata de amar alguém ou alguma coisa ou mesmo muito simplesmente de ligar-te a alguma coisa.

— O senhor ri sempre! Depois, que farei sozinho, com seus Dez Mandamentos?

— Trata de praticá-los, a despeito de tuas perguntas e de tuas dúvidas e serás um grande homem.

— Ignorado de todos.

— Nada de oculto existe que um dia não se descubra.

— O senhor está sempre brincando!

— Pois bem, se levas tudo tão a sério, o melhor é tratares de especializar-te o mais depressa possível. Torna-te arquiteto ou advogado. Terás então uma ocupação verdadeira e séria, aplaudirás a ti mesmo e vais te esquecer de todas essas infantilidades.

Calei-me. Que poderia eu tirar dele mais? E no entanto, após cada uma de suas conversas, eu ficava mais perturbado do que antes. Além disso, via claramente que ele permanecia sempre em sua casa como um mistério; era bem isso que me atraía para ele cada vez mais.

— Escute — interrompi-o um dia —, sempre suspeitei de que o senhor falava assim unicamente por despeito e por sofrimento, ao passo que no fundo de si mesmo é fanático por não sei qual ideia superior que oculta ou que tem vergonha de confessar.

— Agradeço-te, meu caro.

— Escute! Nada de mais sublime do que tornar-se útil. Diga-me em que, no momento dado, posso ser mais útil. Sei que o senhor não resolverá a questão. Mas tenho necessidade somente de sua opinião: diga-me e farei o que o senhor disser, juro! Pois bem, em que consiste esse grande pensamento?

— Trocar as pedras em pão, eis o grande pensamento.

— É o maior? Não, na verdade, o senhor indicou toda uma via a seguir. No entanto vai me dizer: é a maior?

— É muito grande, meu amigo, é muito grande. Mas não é a maior; é grande, mas de segunda ordem, e grande somente no momento presente; uma vez saciado o homem perderá a lembrança; pelo contrário, dirá logo: "Bom, eis-me saciado. E agora, que vou fazer?". A questão permanece eternamente em aberto.

— O senhor gostaria sempre de calar-se!

— Lembra-te, meu amigo, de que o silêncio é coisa sem perigo, boa e bela.

— Bela?

— Decerto. O silêncio é sempre belo e o silencioso é sempre mais belo que o falador.

— Mas falar como fazemos, o senhor e eu, equivale de todo modo a ficar calado. Para o diabo essa beleza, para o diabo semelhante vantagem!

— Meu caro — disse-me ele, de repente, mudando ligeiramente de tom, até mesmo com sentimento e certa insistência particular —, meu caro, não quero absolutamente seduzir-te com alguma boa virtude burguesa em troca de teus ideais. Não te digo que a felicidade vale mais que o heroísmo. Pelo contrário, o heroísmo é superior a não importa que felicidade e basta a disposição ao heroísmo para constituir a felicidade. Assim, é coisa bem resolvida entre nós. Se tenho respeito por ti, é porque soubeste, na nossa época apodrecida, criar para ti, em teu coração, uma ideia tua (fica tranquilo, lembro-me bem disso). No entanto, é possível não sonhar também com o equilíbrio, pois que desejas agora uma vida estrondosa, incendiar não sei o que, despedaçar não sei o que, elevar-te acima de toda a Rússia, passar como uma nuvem fulgurante, deixar todo mundo cheio de espanto e de admiração e desaparecer tu mesmo nos Estados Unidos. Há seguramente algo assim em teu coração e é por isso que acho inútil prevenir-te, porque tomei por ti uma afeição sincera.

Disto também que podia eu tirar? Não havia nisto senão inquietação a meu respeito, a propósito de minha sorte material. Era o pai com seus sentimentos prosaicos, embora bons, mas era isto o que me era preciso, em presença de ideias pelas quais todo pai leal deveria enviar seu filho à morte, como o velho Horácio os seus pela ideia Romana?

Interrogava-o muitas vezes sobre a religião, mas era aí que o nevoeiro se mostrava mais denso. Se eu perguntava: "que devo fazer nesse sentido?", respondia-me da maneira mais tola, como a uma criancinha: é preciso crer em Deus, meu caro.

— Mas se não creio em tudo isso? — exclamei uma vez, em minha irritação.

— Então, está muito bem, meu caro.

— Muito bem, como assim?

— É um excelente sinal, meu amigo; é mesmo o mais seguro de todos, porque o nosso ateu russo, se apenas é verdadeiramente ateu e tem ainda que seja um tantinho de espírito, é o melhor homem do mundo, sempre pronto a acariciar Deus, porque é bom, e bom porque vive com imensa satisfação pelo fato de ser ateu. Nossos ateus são pessoas respeitáveis e completamente seguras, são por assim dizer o sustentáculo da pátria...

Era por certo alguma coisa, mas não era o que eu queria. Uma vez somente, enunciou seu pensamento, mas com tanta estranheza que fiquei ainda mais espantado, sobretudo levando-se em conta todos aqueles catolicismos e todos aqueles cilícios de que eu ouvira falar.

— Meu caro — disse-me ele um dia, não em casa, mas na rua, após uma longa conversa, quando o levava de volta. — Meu amigo, amar os homens como eles são é quase impossível. E, no entanto, é preciso. Por isso deves fazer-lhes bem, refreando teus sentimentos, tapando o nariz e fechando os olhos (esta derradeira condição é indispensável). Suporta o mal que eles te fazem, sem querer-lhes mal por isso, se possível, lembrando-te de que és homem também. Naturalmente, tens o direito de ser severo com eles, se te foi dado ser, um pouco que seja, mais inteligente que a média. Os homens são por natureza baixos e gostam de amar por medo; não te deixes prender a esse amor e não deixes de desprezá-los. Em alguma parte, no *Corão*, Alá ordena a seu profeta que olhasse os recalcitrantes como camundongos, que lhes faça bem e siga seu caminho. É um pouco orgulhoso, mas é justo. Sabe desprezá-los, mesmo quando são bons, porque é então sobretudo que se mostram infectos. Oh! meu amigo, é porque me conheço bem que falo assim! Quem quer que não seja demasiado estúpido não pode viver sem se desprezar, honesto ou desonesto, pouco importa. Amar seu próximo e não desprezá-lo é impossível. Na minha opinião, o homem foi criado fisicamente incapaz de amar seu próximo. Há nisso um erro de linguagem desde o começo, e o amor à humanidade deve ser compreendido unicamente à humanidade que tu crias para ti mesmo em teu coração (em outros termos, eu me crio a mim mesmo bem como o amor por mim), e que por consequência não existirá jamais realmente.

— Ela não existirá nunca?

— Reconheço, meu amigo, que isso seria um pouco estúpido, mas não é culpa minha. E como não me pediram minha opinião no momento da criação do mundo, reservo-me o direito de ter minha opinião própria.

— Como se pode, depois disto, chamá-lo de cristão — exclamei —, monge carregado de cilícios, pregador? Não compreendo!

— E quem, pois, me chama assim?

Contei-lhe. Escutou-me muito atentamente, mas deixou morrer a conversa...

Não consigo lembrar-me a que propósito tivemos essa conversa memorável. Mas chegou mesmo a zangar-se, o que não lhe acontecia quase nunca. Falava com ardor e sem ironia, como se se dirigisse a um outro. Mas ainda aí não lhe dei crédito: ele não podia, no entanto, com um garoto como eu, tratar, seriamente, de assuntos semelhantes!

CAPÍTULO II

I

Naquela manhã, quinze de novembro, encontrei-o em casa do Príncipe Sierioja. Fora eu quem o apresentara ao príncipe, mas já tinham tido, sem mim, numerosos pontos de contato (quero referir-me aquelas velhas histórias no estrangeiro, etc.). Além disso, o príncipe havia prometido destinar-lhe pelo menos um terço da herança, o que daria uns vinte mil rublos. Lembro-me de que achei bastante singular que só lhe destinasse um terço e não a metade: mas não disse nada. Essa promessa o príncipe a fizera por iniciativa própria; Viersílov não pronunciara sequer uma palavra, nem fizera a mínima alusão a isso; o próprio príncipe espontaneamente fez a proposta e Viersílov admitiu a coisa em silêncio e não a relembrou nunca mais, nem mesmo jamais fez menção de se lembrar de modo algum da promessa. Notarei, de passagem, que o príncipe, no começo, mostrou-se absolutamente encantado com ele e em particular com as suas preleções, ficou mesmo entusiasmado e me disse isso por mais de uma vez. Exclamava por vezes, a sós comigo e quase com desespero, que era tão inculto que havia seguido um caminho falso!... Éramos então amigos!... Esforçava-me, de meu lado, por inspirar a Viersílov uma boa opinião a respeito do príncipe, defendia seus defeitos, embora os enxergasse bem; mas Viersílov ficava silencioso ou sorria.

— Se tem ele defeitos, tem pelo menos tantas qualidades quantos defeitos! — exclamei um dia, a sós com Viersílov.

— Como o tratas bem, grande Deus! — zombou ele.

— Em quê? Não compreendo.

— Tantas qualidades! Mas ele fará milagres, se tem tantas qualidades quanto defeitos!

Não era evidentemente uma opinião. Em suma, evitava então falar do príncipe, como em geral de todas as coisas essenciais; mas do príncipe ainda mais. Já suspeitava de que ia ver o príncipe sem mim e com ele entreter relações particulares, mas admitia a coisa. Não tinha ciúme tampouco de que lhe falasse mais seriamente do que a mim, de maneira mais positiva, por assim dizer, com menos ironia; mas tão feliz me sentia então que isso mesmo me causava prazer. Desculpava-o ainda pelo fato do príncipe ser um tanto limitado e, por conseguinte, gostava da precisão nos termos, era incapaz mesmo de compreender certas brincadeiras. Pois bem, nos últimos tempos começava a emancipar-se. Seus sentimentos para com Viersílov pareciam mesmo modificar-se. Viersílov, sempre sensível, notou. Prevenirei também que o príncipe mudou no mesmo momento a meu respeito, de maneira demasiado visível; de nossa anterior amizade, quase dolorosa, não restavam mais senão algumas formas mortas. Entretanto, continuava a ir à sua casa; aliás, como teria agido de outro modo, uma vez metido em tudo isso? Oh! como era eu então um novato! A simplicidade do coração pode conduzir um homem a semelhante grau de inabilidade e de rebaixamento? Aceitava dinheiro dele e acreditava que era a coisa sem consequência, na ordem das coisas. Ou antes, não é isto: sabia já que não ficava bem aceitar, mas não pensava nisso. Não era por causa do dinheiro que ia à casa dele, se bem que tivesse tremenda necessidade de dinheiro. Sabia que não ia lá por causa do dinheiro, mas compreendia que ia todos os dias buscar dinheiro. Mas encontrava-me no turbilhão e além disso minha alma achava-se então ocupada com coisa bem diversa; cantava em minha alma!

Ao entrar, pela onze horas da manhã, encontrei Viersílov ao fim duma longa tirada; o príncipe escutava, andando para lá e para cá e Viersílov estava sentado. O príncipe parecia uma tanto perturbado. Viersílov possuía quase o dom de perturbá-lo. O príncipe era uma criatura extremamente receptiva, até à ingenuidade, o que me levava bem muitas vezes a olhá-lo com certo desdém. Mas, repito, naqueles últimos dias aparecera nele uma espécie de manifesta maldade. Interrompeu-se ao ver-me e seu rosto como que se contraiu. Sabia que o assaltava toda espécie de inquietações acumuladas, mas era pena que eu só conhecesse delas a décima parte; o resto era então para mim segredo absoluto. Era estúpido e desagradável, porque eu me punha muitas vezes a consolá-lo e a dar-lhe conselhos, zombando com desdém de sua franqueza; pelo fato de deixar-se dominar por "semelhantes tolices"! Mantinha-se em silêncio; mas era impossível que não me odiasse terrivelmente naqueles momentos; eu estava numa situação demasiado falsa, sem mesmo suspeitar disso. Oh!, Deus é minha testemunha, eu não suspeitava do essencial!

Entretanto, estendeu-me com polidez a mão. Viersílov abanou a cabeça, sem interromper o que dizia. Instalei-me no divã. Que modo de falar eu tinha então e que maneiras! Bancava o importante, tratava os amigos dele como se fossem meus... Oh! se houvesse meio agora de apagar tudo isso, quão diferente seria meu procedimento.

Duas palavras, para não me esquecer: o príncipe morava então no mesmo apartamento, mas ocupava-o agora quase inteiramente; sua proprietária, a Stolbiéieva, só havia passado ali um mês e tornara a partir não sei para onde.

II

Falavam a respeito da nobreza. Notarei que essa ideia atormentava muito o príncipe, malgrado seus ares de progressista, e suponho mesmo que não poucos lados maus de sua vida provieram disso, começaram por isso: estimando seu título de príncipe e privado de fortuna, passou toda a sua existência a gastar dinheiro por falso orgulho e afundou-se em dívidas. Viersílov insinuou-lhe bastantes vezes que não era nisso que residia a nobreza e esforçou-se por fazer penetrar-lhe no coração uma concepção mais elevada; mas o príncipe acabou por levar a mal que quisessem dar-lhe lições. Era evidentemente alguma cena desse gênero que se passava naquela manhã, mas eu não assistira ao começo. As palavras de Viersílov pareceram-me a princípio retrógradas, mas corrigiu-se em seguida.

— A palavra honra significa dever — dizia ele (reproduzo somente o sentido pelo que dele me recordo). — Quando num Estado domina uma classe privilegiada, o país é forte. A classe dominante tem sempre sua honra e sua religião da honra, que pode aliás ser falsa, mas serve de cimento e consolida a nação; é útil moral e mais ainda politicamente. Mas os escravos padecem, quero dizer, todos aqueles que não pertencem àquela casta. Para que eles não padeçam, concedem-lhes a igualdade de direitos. Foi o que se fez entre nós e está muito bem. Mas todas as experiências que se realizaram até aqui e em toda parte (isto é, na Europa) mostram que a igualdade de direitos acarreta um rebaixamento do sentimento da honra e, por consequência, do dever. O egoísmo substituiu a antiga ideia que cimentava o país e tudo se dissolveu em liberdade dos indivíduos. Libertados, os homens que ficaram sem ideia para cimentá-los acabaram por perder de tal maneira toda ligação superior que cessaram mesmo de defender sua liberdade. Mas a nobreza russa jamais se assemelhou à do Ocidente. Ainda hoje, depois de ter perdido seus direitos, nossa nobreza poderia continuar como uma ordem superior, conservadora da honra, das luzes, da ciência e das ideias superiores, sobretudo ao deixar de ser uma casta fechada, o que seria a morte da ideia. Pelo contrário, as portas da nobreza estão entreabertas entre nós desde muito tempo; hoje, chegou o momento de abri-las definitivamente. Que cada façanha da honra, da ciência e da coragem confira a cada um de nós o direito de aderir a essa categoria superior. Assim, a classe degenera por si mesma numa reunião dos melhores, no sentido literal e verdadeiro, e não no sentido antigo de casta privilegiada. Sob essa forma nova, ou, para melhor dizer, renovada, essa classe poderia se manter.

O príncipe disse, agressivo:

— Que restaria então da nobreza? É uma espécie de loja maçônica que o senhor projeta, não é mais a nobreza.

Repito, o príncipe era incrivelmente inculto. Cheguei a mexer-me no divã, com desgosto, muito embora não estivesse tampouco de acordo com Viersílov. Este compreendeu muito bem que o príncipe estava irritado.

— Ignoro em que sentido o senhor fala de maçonaria — respondeu. — Mas mesmo se um príncipe russo repele semelhante ideia, pois bem, é que o momento ainda não chegou. A ideia da honra e da instrução como regra de conduta de quem quer que queira ligar-se a uma corporação não fechada e renovada sem cessar é por certo uma utopia, mas por que seria impossível? Se essa ideia está viva, ainda que seja apenas em alguns cérebros, não está perdida, brilha como um ponto luminoso em trevas profundas.

— O senhor gosta de empregar as palavras, ideia superior, grande ideia, ideia que cimenta, e tudo mais. Gostaria de saber o que entende o senhor precisamente por grande ideia.

— Não sei bem o que responder-lhe, meu caro príncipe — disse Viersílov, com fina zombaria. — se lhe confesso que sou incapaz de responder, será ainda mais verdadeiro. Uma grande ideia é, comumente, um sentimento que por vezes fica muito tempo sem definição. Sei somente que foi sempre isso que deu nascimento à vida viva, isto é, não livresca e factícia, mas pelo contrário alegre e sem aborrecimento. Assim a ideia superior, donde ela emana, é em absoluto indispensável, a despeito de todos, naturalmente.

— Por que a despeito de todos?

— Porque é aborrecido viver com ideias. Sem ideias, estamos sempre alegres.

O príncipe engoliu a pílula.

— E que é afinal, na sua opinião, essa vida viva? — (Estava claramente furioso.)

— Não sei tampouco, príncipe; sei somente que deve ser alguma coisa infinitamente simples, totalmente comum, que salta aos olhos todos os dias e todos os minutos, tão simples que temos dificuldade em crer que seja tão simples e que passamos naturalmente diante dela, há bem milhares de anos, sem notá-la, nem reconhecê-la.

— Queria dizer simplesmente que sua ideia da nobreza é ao mesmo tempo a negação da nobreza — disse o príncipe.

— Pois bem então, já que faz questão disso, a nobreza talvez jamais existiu entre nós.

— Tudo isso é terrivelmente sombrio e obscuro. Quando se fala, creio que se deve explicar...

A fronte do príncipe enrugou-se. Lançou uma olhadela para o relógio da parede. Viersílov levantou-se e pegou seu chapéu:

— Explicar? — disse. — Não, vale mais a pena não explicar e aliás é meu fraco, falar sem explicações. Sim, é assim. Outra esquisitice ainda: se me acontece meter-me a explicar uma ideia na qual acredito, quase sempre no final de minha exposição, deixo eu mesmo de crer nela. Receio que o mesmo aconteça hoje. Até logo, meu caro príncipe. Sempre sou levado a tagarelar em sua casa. Sou imperdoável.

Saiu. O príncipe acompanhou-o polidamente, mas eu me sentia ofendido.

— Por que você se aborreceu? — largou ele, de repente, sem me olhar e passando sem parar.

— Estou aborrecido — comecei com um tremor na voz — porque encontrei no senhor tamanha mudança de tom a meu respeito e mesmo a respeito de Viersílov que... Sem dúvida Viersílov começou talvez de maneira um tanto retrógrada, mas em seguida conteve-se, e... havia talvez em suas palavras um pensamento profundo, mas o senhor não o compreendeu e...

— Não gosto que me deem lições e que me tratem como a um menino! — cortou ele, quase encolerizado.

— Príncipe, eis palavra que...

— Nada de gestos dramáticos, por favor! Dê-me esse prazer! Eu sei, o que faço é indigno, sou um pródigo, um jogador, um ladrão talvez... Sim, um ladrão, pois que perco o dinheiro de minha família, mas não quero que ninguém se erija em meu juiz. Não quero, não tolerarei. Sou o meu próprio juiz. E com que rimam tais ambiguidades? Se há algo a dizer-me, que o diga francamente, em lugar de se perder em profecias nebulosas. Mas para me dizer isso, é preciso que tenha o direito de o fazer, é preciso ele próprio ser honesto...

— Em primeiro lugar, não assisti ao começo e ignoro a respeito de que falavam; em seguida, em que Viersílov não é honesto? Permita-me que lhe faça esta pergunta...

— Basta, rogo-lhe, basta! Você pediu-me ontem trezentos rublos: ei-los! — Depositou o dinheiro em cima da mesa, sentou-se numa poltrona, encostou-se nervosamente no espaldar e cruzou as pernas. Parei, perturbado:

— Não sei... — balbuciei. — É verdade que pedi... e esse dinheiro é-me bastante necessário, mas, diante desse tom...

— Deixe de lado o tom. Se pronunciei alguma palavra ferina, desculpe-me. Asseguro-lhe que tenho outras preocupações. Escute uma coisa séria: recebi uma carta de Moscou. Meu irmão Sacha, ainda menino, como sabe, morreu há três dias. Meu pai, como também você sabe, está há dois anos paralítico e escreveram-me que ele vai mal, que não pode mais articular uma palavra e não reconhece mais ninguém. Lá regozijam-se de antemão, por causa da herança, e querem levá-lo ao estrangeiro; mas o médico me escreveu dizendo que só restam ao velho uns quinze dias de vida. Portanto ficamos minha mãe, minha irmã e eu, e assim encontro-me quase sozinho... Em uma palavra, eis-me só... Essa herança... essa herança, oh!, talvez tivesse valido mais que não tivesse vindo! Mas eis o que tinha a comunicar-lhe: dessa herança prometi a Andriéi Pietróvitch um mínimo de vinte mil... Ora, imagine você que as formalidades impediram-me até hoje de fazer alguma coisa. E mesmo eu... isto é, nós... isto é, meu pai ainda não entrou na posse desses bens. Contudo, perdi tanto dinheiro nestas três últimas semanas, e aquele tratante do Stiebielhkov cobra tais juros... Acabo de dar-lhe pouco mais ou menos meus derradeiros...

— Oh! príncipe, se é assim...

— Não é por isso. Absolutamente! Stiebielhkov me trará dinheiro certamente hoje e será o bastante para o momento, mas que homem dos diabos esse Stiebielhkov! Roguei-lhe que me arranjasse dez mil rublos para poder ao menos dar dez mil a Andriéi Pietróvitch. Minha promessa de repartir com ele essa terça parte atormenta-me, martiriza-me. Dei minha palavra e tenho de cumpri-la. E, juro-lhe, estou louco por libertar-me de meus compromissos, pelo menos desse lado. São pesados, bem pesados, insuportáveis! É uma relação que me pesa... Não posso ver Andriéi Pietróvitch porque não posso encará-lo... Por que ele abusa?

— Em que é que ele abusa, príncipe? — Parei diante dele, espantado. — Ele terá feito alguma vez alusões?

— Oh! não! E estimo que seja assim. Mas eu mesmo as faço. Afinal, cada vez mais me afundo... esse Stiebielhkov...

— Escute, príncipe, acalme-se, rogo-lhe. Vejo que quanto mais o senhor insiste, mais transtornado fica. E, no entanto, tudo isso não passa talvez duma miragem. Oh! eu também me afundei de modo imperdoável e baixo; mas sei que é coisa passageira... Seria suficiente tornar a ganhar certa soma e então... diga-me, com esses trezentos vão se completar dois mil e quinhentos que lhe devo, não é?

— Não os estou reclamando, parece-me. — O príncipe mostrou-se de súbito zangado.

— O senhor diz que deve dez mil a Viersílov. Se aceitar agora seu dinheiro, entrará ele na conta dos vinte mil de Viersílov. Não o aceitarei de outro modo. Mas... mas eu mesmo lhe pagarei decerto... O senhor acreditaria por acaso que Viersílov venha à sua casa por causa de seu dinheiro?

— Ia me sentir melhor, se ele viesse por causa de seu dinheiro — declarou o príncipe, enigmático.

— O senhor falou em uma relação que lhe pesa... Se se trata de Viersílov e de mim, é ofensivo. Afinal, o senhor diz: "Por que ele próprio não é o que quer que os outros sejam?". Eis sua lógica! Em primeiro lugar, não é lógica, permita que lhe diga, porque, mesmo que ele não fosse o que exige, isto não o impediria de pregar a verdade... Enfim, por que essa expressão "ele prega"? O senhor o chama ainda de profeta. Diga-me, foi o senhor que o chamou de profeta para mulheres simplórias, na Alemanha?

— Não, não fui eu.

— Stiebielhkov me disse que foi.

— Mentiu. Não sou capaz de descobrir apelidos ridículos. Mas se alguém se mete a pregar a virtude, que seja ele próprio virtuoso: eis minha lógica, e se ela é falsa, pouco importa. Quero que seja assim, e será assim. E que ninguém ouse vir julgar-me em minha casa e tratar-me como a um menino! Basta! — exclamou ele, fazendo-me sinal com a mão para não continuar. — Ah! afinal!

A porta abriu-se e Stiebielhkov entrou.

O ADOLESCENTE

175

III

Era o mesmo de sempre, sempre elegantemente vestido, de peito proeminente, com o mesmo costume de fitar a gente tolamente bem nos olhos, crendo-se mais astuto que os outros e muito satisfeito consigo mesmo. Mas desta vez, ao entrar, lançou um curioso olhar em derredor; havia no seu olhar não sei que de particularmente prudente e penetrante; parecia que procurava adivinhar alguma coisa em nossas fisionomias. Aliás, acalmou-se num instante e um sorriso cheio de presunção iluminou seus lábios, aquele sorriso de pedinchão insolente que tanto desagrado me causava.

Sabia desde muito tempo que ele atormentava muito o príncipe. Já viera ali uma ou duas vezes, quando eu estava presente. Eu... também tivera negócios com ele naquele último mês, mas agora, por certo motivo, fiquei um tanto surpreendido com sua visita.

— Imediatamente — disse-lhe o príncipe, sem mesmo cumprimentá-lo e, voltando-nos as costas, tirou de sua escrivaninha papéis e contas. Quanto a mim, estava seriamente magoado com aquelas derradeiras palavras do príncipe; a alusão à desonestidade de Viersílov era tão clara (e tão surpreendente!) que era impossível deixá-la sem uma explicação radical. Mas diante de Stiebielhkov nem se devia pensar nisso. Estendi-me de novo sobre o divã e abri um livro que estava diante de mim:

— Bielínski, [49] segunda parte! É uma novidade. Está querendo instruir-se? — gritei para o príncipe, num tom provavelmente muito falso.

Ele estava muito preocupado e apressado, mas às minhas palavras voltou-se vivamente:

— Rogo-lhe, deixe esse livro tranquilo — disse, cortante.

Isto ultrapassava os limites. Sobretudo na presença de Stiebielhkov! Como que de propósito, fez Stiebielhkov uma careta ignóbil e astuta e, com uma piscadela de olhos, indicou-me o príncipe à sorrelfa. Virei a cara àquele cretino.

— Não se zangue, príncipe. Cedo-o ao homem mais essencial e me eclipso...

Tinha resolvido não me constranger.

— Eu sou o homem mais essencial? — perguntou Stiebielhkov, apontando-se alegremente com o dedo.

— Sim, é o senhor. O senhor é o homem mais essencial, e, aliás, sabe bem disso.

— Mas não, permita. Há em toda parte aqui embaixo um segundo. Eu sou esse segundo. O primeiro faz e o segundo toma. Assim, o segundo torna-se primeiro e o primeiro segundo. É verdade ou não?

— É possível, somente não compreendo, como de costume.

— Permita. Houve na França a revolução e guilhotinaram todo mundo. Napoleão chegou e tomou tudo. A revolução é o primeiro e Napoleão é o segundo. Pois bem, Napoleão tornou-se o primeiro e a revolução a segunda. É verdade ou não?

Direi de passagem que, quando ele se pôs a falar da Revolução Francesa, reencontrei nele sua malícia da vez anterior, que me divertia bastante: continuava a ver em mim um revolucionário e todas as vezes que me encontrava achava necessário lançar-me algumas frases desse gênero.

---

49 Crítico positivista e radical (1812-1848), a quem Dostoiévski admirou durante algum tempo.

Ficaram uns dez minutos sem que se ouvisse nada e de repente recomeçaram a falar em voz alta. Falavam ambos, mas o príncipe se pôs em breve a gritar: parecia uma violenta irritação, que atingia quase a raiva. Ele era por vezes bastante arrebatado e por isso relevava-lhe muitas coisas. Mas naquele mesmo instante entrou um criado; mostrei-lhe a peça onde ele se encontrava e tudo se acalmou lá dentro, instantaneamente. Em breve o príncipe reapareceu, de rosto preocupado, mas com um sorriso. O criado voltou correndo e meio minuto depois aparecia um visitante.

Era um personagem imponente, com agulhetas e condecorações imperiais, um senhor duns trinta anos no máximo, da alta sociedade e de aparência severa. Devo prevenir o leitor de que o Príncipe Sierguiéi Pietróvitch não pertencia verdadeiramente à alta sociedade petersburguesa, malgrado a vontade ardente que tinha disso (conhecia essa vontade), e por consequência devia apreciar altamente semelhante visita. Era um conhecimento que, eu sabia, acabava de se travar, após grandes esforços do príncipe; o visitante pagava agora uma visita, mas, por desgraça, apanhava o dono da casa de surpresa. Vi com que sofrimento e com que olhar desvairado o príncipe se voltou um instante para Stiebielhkov; mas este sustentou aquele olhar como se de nada se tratasse e, sem nem sonhar em retirar-se, sentou com ar desprendido sobre o divã e se pôs a assanhar os cabelos com a mão, sem dúvida em sinal de independência. Tomou mesmo um aspecto grave. Em uma palavra, estava impossível! Quanto a mim, já sabia naquela época manter-me e não teria feito mais ninguém se envergonhar por minha causa, mas qual não foi meu espanto, quando percebi também posto em mim aquele mesmo olhar desvairado, lamentável e odiento, do príncipe: tinha, portanto, vergonha de nós dois, punha-me no mesmo plano que Stiebielhkov! Esta ideia encheu-me de raiva; instalei-me ainda mais confortavelmente e folheei o livro com o ar de alguém a quem nada importa. Stiebielhkov, pelo contrário, revirou muito os olhos, curvou-se para diante e prestou ouvidos à conversa, julgando sem dúvida que isso era polido e amável. O visitante lançou-lhe uma ou duas olhadelas; para mim também, aliás.

Comunicaram-se notícias de família; aquele senhor conhecera a mãe do príncipe, que provinha duma família conhecida. Tanto quanto pude compreendê-lo, o visitante, apesar de sua amabilidade e simplicidade aparente de tom, era por demais guindado e julgava-se tão superior que uma visita dele devia ser, na sua opinião, uma honra extrema para quem quer que fosse. Se o príncipe tivesse estado sozinho, isto é, sem nós, estou convencido de que ele se teria mostrado mais digno e mais recatado; mas algo de trêmulo em seu sorriso, talvez afável em excesso e não sei que distração estranha o atraiçoavam.

Não havia cinco minutos que estavam sentados, quando foi anunciado outro visitante e, como por acaso, elegantemente comprometedor. Conhecia-o bem e ouvira falar muito dele, se bem que ele absolutamente não me conhecesse. Era um homem muito jovem, aliás já de vinte e três anos, trajado admiravelmente, de boa família e bonito de cara, mas que não pertencia certamente à boa sociedade. No ano precedente, servia ainda num dos mais célebres regimentos de cavalaria da Guarda, mas fora obrigado a reformar-se e todo mundo sabia por quê. Seus pais tinham mesmo anunciado nos jornais que não se responsabilizavam pelas suas dívidas, mas nem por isso ele deixava de fazer farras, arranjando dinheiro a dez por cento ao mês, jogando forte nas sociedades de jogo e arruinando-se por uma francesa famosa. Havia ganho, mais ou menos a uma semana, numa noite uma dúzia de mil rublos e sentia-se triunfante. Mantinha as melhores relações com o príncipe: jogavam muitas vezes juntos e com despesas comuns; o príncipe chegou mesmo a estremecer vendo-o, notei do lugar onde estava. Aquele rapaz sentia-se em toda parte como em sua casa, falava alto sem se constranger diante de qualquer pessoa e dizia alegremente tudo quanto lhe vinha ao espírito e, como é natural, não podia vir-lhe ao espírito que nosso anfitrião tremesse de tal maneira pela sua posição social, diante de seu elevado visitante.

Assim que entrou, interrompeu a conversa e começou de imediato a contar o jogo da véspera, antes mesmo de sentar.

— O senhor estava lá também, creio — disse, após sua terceira frase, voltando-se para o visitante importante, que tomava por algum dos seus conhecidos. Mas logo depois, tendo-o examinado, gritou:

— Ah! perdão! Tomei-o também por um dos de ontem.

— Alieksiéi Vladímirovitch Darzan, Ipolit Alieksándrovitch Nachtchókin — disse o príncipe, apressando-se em apresentá-los. Aquele rapaz era apesar de tudo apresentável: o nome era bom e conhecido; mas para nós, não o havia apresentado e ficamos nos nossos cantos. Recusei-me absolutamente a voltar a cabeça para o lado deles. Mas Stiebielhkov, à vista do rapaz, exibiu um ricto alegre e fez menção de abrir a boca. Tudo aquilo começava a divertir-me.

— Encontrei-o muitas vezes, no ano passado, em casa da Princesa Vieríguina — disse Darzan.

— Lembro-me disso, mas o senhor andava então de uniforme, creio — respondeu amavelmente Nachtchókin.

— Sim, andava de uniforme, mas graças a... olhem quem está aqui: Stiebielhkov! A que acaso se deve sua presença? Foi justamente graças a senhores como esse que deixei de andar de uniforme. — Apontou francamente Stiebielhkov e desatou a rir. Stiebielhkov também riu jovial, tomando sem dúvida aquela frase por uma amabilidade. O príncipe corou e apressou-se em fazer alguma pergunta a Nachtchókin enquanto Darzan, aproximando-se de Stiebielhkov, travava com ele uma conversação muito animada, mas à meia voz.

— O senhor deve ter conhecido muito bem no estrangeiro Katierina Nikoláievna Akhmákova, não? — perguntou o visitante ao príncipe.

— Oh! sim, muito bem...

— Creio que surgirá em breve aqui uma notícia. Dizem que ela vai casar-se com o Barão Bioring.

— É verdade! — exclamou Darzan.

— O senhor o sabe... de maneira certa? — perguntou o príncipe a Nachtchókin, com uma perturbação visível e imprimindo à sua pergunta um acento particular.

— Disseram-me. E creio bem que já se fala disso. Mas não sei com certeza.

— Oh! é certo! — afirmou Darzan, aproximando-se deles. — Dubássov me disse ontem: é sempre o primeiro a saber dessas notícias. Aliás, o príncipe deveria saber...

Nachtchókin esperou que Darzan terminasse e voltou-se de novo para o príncipe:

— Ela só muito raramente aparece em sociedade.

— Seu pai estava doente no mês passado — observou, seco, o príncipe.

— É uma senhorita que teve aventuras, parece-me! — largou de chofre Darzan.

Ergui a cabeça e levantei-me.

— Tenho o prazer de conhecer pessoalmente Katierina Nikoláievna e creio dever assegurar-lhe que todos esses boatos escandalosos não passam de mentiras e de infâmia... foram inventados por aqueles... que giravam em torno dela, mas fracassaram.

Após esta tola interrupção, calei-me, continuando a fitar os circunstantes, com o rosto aceso e o busto erguido. Todo mundo voltou-se para meu lado, mas de súbito Stiebielhkov deu uma risadinha; Darzan, surpreso, sorriu também.

— Arkádi Makárovitch Dolgorúki! — disse o príncipe a Darzan, apontando para mim.

— Ah! acredite-me, príncipe — disse Darzan, voltando-se para mim, com ar franco e benevolente. — Não sou eu quem o diz; se houve boatos, não fui eu quem os espalhou.

— Oh! não o acuso! — respondi, rápido. Mas já Stiebielhkov dava gargalhadas, como não é admissível e era — a coisa esclareceu-se mais tarde — porque Darzan me chamara príncipe. Ainda uma peça que me pregava aquele nome infernal! Agora ainda, coro à ideia de que não tenha sabido, por falsa vergonha, naturalmente, desfazer no mesmo instante aquela tolice e declarar, alto e bom som, que era Dolgorúki simplesmente. Era a primeira vez que aquilo me ocorria. Darzan olhou perplexo para Stiebielhkov todo risos e para mim.

— Ah! sim! quem é essa linda mulher que acabo de encontrar na sua escada, elegante e viva? — perguntou de súbito Darzan ao príncipe.

— Não sei quem seja — respondeu este rapidamente, corando.

— Quem o saberá então? — perguntou Darzan, risonho.

— Na verdade... é bem talvez... — e o príncipe interrompeu-se.

— É... mas é a irmãzinha dele... Elisavieta Makárovna! — largou Stiebielhkov, apontando para mim. — Eu também acabo de encontrá-la...

— Ah! efetivamente! — concordou o príncipe, desta vez com uma fisionomia bastante grave e séria. — Deve ser Elisavieta Makárovna, grande amiga de Anna Fiódorovna Stolbiéieva; em cuja casa moro neste momento. Decerto veio ver Dária Onísimovna, outra boa amiga de Anna Fiódorovna, que lhe confiou sua casa ao partir...

Era bem isso. Essa Dária Onísimovna era a mãe da pobre Ólia, de quem já falei e que Tatiana Pávlovna havia afinal colocado em casa de Stolbiéievna. Sabia perfeitamente que Lisa ia à casa da Stolbiéieva e por vezes via em seguida a pobre Dária Onísimovna, pela qual todo mundo entre entre nós havia tomado amizade; mas, naquele momento, após aquela declaração muito precisa do príncipe e sobretudo após a absurda saída de Stiebielhkov e talvez também porque acabavam de me chamar príncipe, senti-me corar da cabeça aos pés. Por felicidade, naquele mesmo instante, Nachtchókin levantou para despedir-se; estendeu a mão também a Darzan. Durante o instante em que ficamos sós com Stiebielhkov, este apontou-me Darzan, que estava de costas para nós, na soleira; mostrei o punho a Stiebielhkov.

Um minuto depois, Darzan também se retirou, depois de ter combinado com o príncipe um encontro para o dia seguinte, numa casa de jogo, é claro. Ao sair, gritou alguma coisa a Stiebielhkov e inclinou-se ligeiramente diante de mim. Mal ele partiu, saltou Stiebielhkov de seu lugar e plantou-se no meio da sala, com um dedo no ar:

— Aquele senhorzinho deu na semana passada o seguinte golpe: assinou uma letra, com falso endosso, em nome da Avieriánov. Essa encantadora letra ainda existe. Não é permitido! É do direito comum! Oito mil rublos!

— E o senhor é quem está de posse dessa letra? — perguntei-lhe com um olhar feroz.

— O que tenho é um banco, um *mont-de-piété*,[50] e não uma letra. Sabe o senhor o que é o *mont-de-piété* de Paris? É pão e felicidade para os pobres. Pois bem, tenho um *mont-de-piété* meu...

O príncipe deteve-o, brutal e malignamente:

— E o senhor, que faz aqui? Por que ficou?

— O que? — disse Stiebielhkov, piscando os olhos. — E a coisa?

— Não, não e não! — gritou o príncipe, batendo os pés. — Já disse!

— Vamos, se é assim... está bem. Apenas, não é tudo isso...

Deu meia volta e saiu brusco, baixando a cabeça e curvando o dorso. O príncipe gritou-lhe na soleira:

— E saiba que não tenho medo do senhor!

Estava irritadíssimo. Teve vontade de sentar-se, mas vendo-me, não o fez. Seu olhar parecia dizer-me também: "E tu, que fazes aqui?".

— Príncipe... — comecei.

— Não tenho tempo, na verdade. Arkádi Makárovitch. Preciso sair.

— Um instantinho, príncipe, é muito importante. E, em primeiro lugar, torne a aceitar seus trezentos rublos.

— Que é que isso quer dizer ainda?

Andava, mas parou.

— É que depois do que se passou... e do que o senhor disse de Viersílov, que ele é desonesto, e enfim seu tom durante todo este tempo... Em uma palavra, não posso aceitar.

— No entanto, aceitou um mês inteiro.

Sentou bruscamente. Eu estava de pé, diante da mesa; com uma das mãos comprimia o livro de Bielínski e com a outra segurava meu chapéu.

— Os sentimentos eram outros, príncipe... E, afinal, jamais teria chegado a certa soma... Aquele jogo... Em suma, não posso.

— Você não se distinguiu de maneira alguma e por isso se enche de raiva. Peço-lhe que deixe esse livro sossegado.

— Que quer dizer com isso de "não se distinguiu de maneira alguma"? Afinal, colocou-me o senhor na presença de seus convidados, quase no mesmo nível de Stiebielhkov.

— Eis, pois, a chave do enigma! — disse ele, com um sorriso mordaz. — Além do mais, você ficou confuso por ter-se ouvido chamar príncipe.

Soltou uma risada maligna. Explodi:

— Não compreendo mesmo... Príncipe, eis um título que nem de graça eu quereria.

— Conheço seu caráter. Como gritou duma maneira engraçada para defender Akhmákova... Largue esse livro!

— Que significa isso? — exclamei também.

---

50 Casa de Penhores.

— Lar-gue-es-se-li-vro! — berrou ele, erguendo-se furioso em sua poltrona, como prestes a lançar-se contra mim.

— Eis o que ultrapassa afinal todos os limites! — disse eu, saindo depressa da sala. Mas ainda não chegara à sua extremidade, quando ele gritou para mim da soleira de seu gabinete:

— Volte. Arkádi Makárovitch! Vo-o-ol-te! Volte imediatamente!

Não lhe dava mais ouvidos e ia saindo. Alcançou-me a passos rápidos, agarrou-me pelo braço e arrastou-me para seu gabinete. Não opus resistência.

— Tome! — disse ele, pálido de emoção, estendendo-me os trezentos rublos abandonados por mim. — Tome-os, eu o quero... de outro modo nós... eu o quero!

— Mas, príncipe, como poderia eu aceitá-los?

— Pois bem, peço-lhe perdão, se quiser. Vamos, perdoe-me.

— Príncipe, sempre gostei do senhor, e se o senhor também...

— Eu também. Tome...

Aceitei. Seus lábios tremiam.

— Compreendo, príncipe, o senhor está com raiva daquele velhaco... Mas não aceitarei, apesar de tudo, senão nos beijarmos, como depois de nossas anteriores zangas...

Ao dizer estas palavras também eu tremia.

— Temos ternuras — resmungou o príncipe, sorrindo timidamente. Mas inclinou-se e beijou-me. Estremeci: no instante mesmo daquele beijo, li no seu rosto uma aversão decidida.

— Ele lhe trouxe o dinheiro, pelo menos?...

— Ora, pouco importa.

— É pelo senhor que...

— Trouxe-o, trouxe-o...

— Príncipe, éramos amigos... e, afinal, Viersílov...

— Sim, sim. Está bem!

— Afinal, não sei verdadeiramente se trezentos rublos...

Tinha-os entre as mãos.

— Aceite, aceite! — E riu de novo, mas havia no seu sorriso algo de mau.

Aceitei.

Capítulo III

I

Aceitei, porque gostava dele. Àquele que não me acreditar responderei que, pelo menos no instante em que aceitei aquele dinheiro, estava firmemente convencido de que podia, se quisesse, arranjá-lo em outra parte. Portanto, aceitei-o, não por necessidade, mas por delicadeza, para não magoá-lo. Ai!, eis como eu raciocinava naquela ocasião! Mas achava-me, apesar de tudo, muito mal à vontade de deixá-lo. Verificava a meu respeito uma enorme mudança naquela manhã. Ele não havia usado jamais semelhante tom e contra Viersílov era uma revolta declarada. Sem dúvida, Stiebielhkov pusera-o de mau humor; mas aquilo havia começado antes de Stiebielhkov. Repito: a mudança podia notar-se já nos dias anteriores, mas não daquela maneira, não a tal ponto e isso era o importante.

O que talvez o tivesse levado a agir assim fora a tola notícia a respeito daquele ajudante de campo de Sua Majestade, o Barão Bioring... Eu também tinha saído perturbado, mas... O fato é que eu tinha no momento outro clarão diante dos olhos e deixava passar muita coisa sem lhe prestar atenção: apressava-me em deixá-las passar, punha em fuga tudo quanto era sombrio e dirigia-me para o que brilhava...

Não era ainda uma hora da tarde. Da casa do príncipe, dirigi-me com meu Matviéi, acreditem-no ou não, diretamente à casa de Stiebielhkov. Ele acabava de surpreender-me, menos pela sua visita ao príncipe (prometera-lhe ir) do que pelas piscadelas de olhos que me dirigira de acordo com seu tolo costume, mas por um tema bem diferente daquele que eu esperava. Recebera dele, na véspera à noite e pelo correio, um bilhete bastante enigmático no qual me suplicava que fosse vê-lo hoje entre uma e duas horas: "tinha de comunicar-me certas coisas inesperadas". E a respeito desse bilhete, nada dissera ainda há pouco, em casa do príncipe. Que segredos poderia haver entre Stiebielhkov e mim? A simples ideia disso era ridícula. Mas, com tudo o que se passara, não deixava eu de sentir um pequeno tremor ao dirigir-me à casa dele. Sem dúvida, fora procurá-lo uma vez, havia quinze dias, por uma questão de dinheiro, e ele me dispusera a quantia, mas não nos havíamos entendido e eu não tinha aceitado. Ele então resmungara algo de obscuro, como de seu hábito, e havia-me parecido que queria fazer-me uma proposta, condições especiais... E, como eu o havia tratado com desdém todas as vezes que o encontrara em casa do príncipe, repeli altivamente toda ideia de condições especiais e saí, muito embora ele me tivesse seguido correndo até a porta; tinha então pedido emprestado ao príncipe.

Stiebielhkov vivia totalmente à parte e ricamente: um apartamento de quatro belas peças, um belo mobiliário, dois criados, homem e mulher, mais um econômo, aliás de idade madura. Entrei cheio de cólera.

— Escute, meu caro — fui dizendo, desde a porta —, antes de tudo, que significa este bilhete? Não admito correspondência entre o senhor e mim. E por que não me disse o que queria dizer-me, ainda há pouco em casa do príncipe? Estava às suas ordens.

— E o senhor, também, por que não falava ainda há pouco? Por que não me perguntou? — E abriu a boca num sorriso de perfeito contentamento.

— Muito simplesmente porque não sou eu que tenho necessidade do senhor, mas o senhor de mim! — exclamei, com furor.

— E então por que veio ver-me, se é assim? — Saltou quase de seu lugar, cheio de prazer. Dei imediatamente meia volta, para retirar-me, mas ele me agarrou pelo ombro.

— Não, não. Estava brincando. O negócio é sério, vai ver.

Sentei. Confesso: a curiosidade venceu. Instalamo-nos na extremidade duma *vasta escrivaninha, um diante* do outro. Ele sorriu com malícia e levantou o dedo.

— Por favor, sem malícias e sem levantar o dedo! E sobretudo sem alegorias, Ao fato, imediatamente, ou então vou-me embora! — gritei-lhe, de novo enraivecido.

— O senhor é... orgulhoso! — declarou ele, com uma censura idiota, balançando-se na sua poltrona e elevando todas as rugas de sua testa.

— É assim que é preciso agir com o senhor.

— O senhor... recebeu hoje dinheiro em casa do príncipe. Trezentos rublos. Tenho dinheiro, eu. O meu vale mais.

— E donde soube o senhor que eu aceitei? — Estava tremendamente surpreendido. — Foi ele quem lhe disse?

— Foi, sim, quem me disse. Acalme-se, foi incidentemente, de passagem, não de propósito. Disse. O senhor podia, no entanto, não aceitar. É verdade ou não?

— Mas ouvi dizer que o senhor escorchava as pessoas com seus juros.

— Tenho meu *mont-de-piéte*, não escorcho. Dou somente aos amigos, não aos outros; para os outros há o *mont-de-piéte*...

Esse *mont-de-piéte* era muito simplesmente juro sobre penhores, sob um nome de empréstimo, num outro apartamento e a empresa andava muito bem.

— Aos amigos forneço gordas somas.

— E o príncipe é um desses amigos?

— É, sim. Mas... conta pataratas. Que tome cuidado!

— Estará ele a tal ponto em suas mãos? Deve-lhe muito?

— Ele?... Muito.

— Vai lhe pagar. Tem uma herança...

— Essa herança não é dele. Deve-me dinheiro e outra coisa também. A herança não basta. Eu lhe emprestarei sem juros.

— Também a título de amigo? Que fiz para merecer isso? — perguntei, rindo.

— Vai merecer. — Avançou para mim com todo o seu corpo e fez menção de erguer o dedo.

— Stiebielhkov, sem dedo! Ou então vou-me embora.

— Escute... ele pode casar com Anna Andriéievna! — E deu uma piscadela infernal.

— Escute, Stiebielhkov, a conversa está tomando um caráter tão escandaloso... Como ousa o senhor mencionar o nome de Anna Andriéievna?

— Não se zangue.

— Estou-me violentando para ouvi-lo, porque vejo dentro disso alguma maquinação e quero saber... Mas posso deixar de conter-me, Stiebielhkov!

— Não se zangue, não banque o orgulhoso. Não banque o orgulhoso um instantinho. Sabe da história de Anna Andriéievna? Sabe que o príncipe pode casar-se?

— Naturalmente, ouvi falar desse projeto, sei de tudo. Mas jamais falei disso ao Príncipe Sokólhski, que até hoje está doente. Mas nunca disse nada e não participei disso. Declaro unicamente a título de explicação e permito-me perguntar-lhe em primeiro lugar: por que tratou desse assunto comigo? E em segundo lugar: como acontece que fale o príncipe dessas coisas com o senhor?

— Não é ele que fala disso comigo; não quer falar-me, sou eu que lhe falo e ele não quer me escutar. Pôs-se a gritar ainda há pouco.

— Compreendo-o! Aprovo-o!

— O velho, o Príncipe Sokólhski, dotará ricamente Anna Andriéievna. Gosta dela. Então o noivo, o Príncipe Sokólhski, devolverá meu dinheiro. E vai me pagar também a outra dívida. Pagará, com certeza! Ao passo que agora, não tem meios.

— Mas eu, em que lhe posso ser útil?

— Para uma questão essencial: o senhor os conhece. O senhor é conhecido em toda parte. Pode saber de tudo.

— Com os diabos... saber o quê?

— Se o príncipe quer, se Anna Andriéievna quer, se o velho príncipe quer. O senhor pode saber a verdade.

— E o senhor ousa propor-me ser seu espião e ainda por dinheiro?! — agitei-me, indignado.

— Não banque o orgulhoso, não banque o orgulhoso. Não banque o orgulhoso ainda um pouquinho, por não mais de cinco minutos.

Obrigou-me a sentar de novo. Via-se que não tinha medo nem de meus gestos nem de minhas explosões de voz. Decidi escutá-lo até o fim.

— Preciso somente saber, saber depressa, porque... porque em breve será talvez demasiado tarde. O senhor viu ainda há pouco como ele engoliu a pílula, quando o oficial falou do barão e de Akhmákova?

Rebaixava-me, decididamente, escutando por mais tempo, mas minha curiosidade estava interessada de maneira irresistível.

— Escute o senhor... o senhor é um patife — disse eu, num tom categórico. — se ficar aqui ouvindo e se lhe permitir que fale dessas pessoas... e se mesmo lhe responder, não é absolutamente que lhe reconheça esse direito. Vejo somente nisso não sei que maquinação. E em primeiro lugar, que esperança pode fundamentar o príncipe sobre Katierina Nikoláievna?

— Nenhuma, mas está furioso.

— É falso.

— Está furioso. Agora, pois, no que se refere à Akhmákova... passo! Adeus, aí perdeu a partida. Resta Andriéievna. Darei ao senhor dois mil... sem juros nem promissória.

Dito isto, encostou-se, decidido e grave, no espaldar de sua cadeira e fitou-me de olhos bem abertos. Olhei-o também da mesma forma.

— O senhor se veste em um alfaiate da rua Bolchaia Millionaia. Precisa de dinheiro para isso, precisa. Meu dinheiro vale mais do que o dele. Darei mais de dois mil...

— Mas por quê? Por que, pois, com os diabos?

Bati com o pé. Ele se curvou para mim e declarou de maneira expressiva:

— Para que o senhor não me estorve.

— Mas, mesmo sem isso, não me meto em tal! — gritei.

— Sei que o senhor não diz nada. É bom.

— Não tenho necessidade de sua aprovação. Desejaria muito, de minha parte, que tal se desse, mas acho que nada tenho com isso e para mim seria até mesmo inconveniente.

— Está vendo, está vendo? Inconveniente! — E levantou o dedo.

— Que quer dizer esse "está vendo"?

— Inconveniente... Ah! ah! ah! — E desatou a rir. — Compreendo, compreendo que seria inconveniente para o senhor, mas... não me estorvará?

Piscou o olho, mas havia naquela piscadela algo de horrivelmente atrevido, até mesmo zombador, baixo! Supunha ele em mim alguma baixeza e contava com essa baixeza. Era claro, mas continuava a não compreender onde queria ele chegar.

— Anna Andriéievna também é sua irmã — declarou ele, intencionalmente.

— Proíbo-lhe que fale disso. E, qualquer modo, o senhor não tem o direito de falar de Anna Andriéievna.

— Não banque o orgulhoso, ainda um minutinho! Escute-me: ele receberá dinheiro e vai distribuí-lo a todo mundo — disse Stiebielhkov, com ponderação —, todo mundo, está-me acompanhando?

— Então o senhor acredita que aceitarei o dinheiro dele?

— O senhor o aceita bem agora.

— Recebo o dinheiro que me pertence.

— Que lhe pertence?

— É o dinheiro de Viersílov. Ele deve vinte mil rublos a Viersílov.

— Deve a Viersílov e não ao senhor.

— Viersílov... é meu pai.

— Não. O senhor... é Dolgorúki e não Viersílov.

— Pouco importa! — Pude com efeito raciocinar assim! Sabia que isso importava muito: não era tão estúpido. Mas ainda uma vez era por delicadeza que raciocinava assim. — Basta — gritei. — Não compreendo nada de nada. Como ousou o senhor fazer-me vir aqui para semelhantes bobagens?

— Será possível que o senhor não compreenda mesmo? Faz de propósito — declarou lentamente Stiebielhkov, lançando-me um olhar penetrante acompanhado dum sorriso de desconfiança.

— Juro-lhe que não compreendo.

— Digo que ele poderá dar dinheiro a todo mundo, todo mundo, basta que o senhor não atrapalhe, não o dissuada...

— O senhor perdeu a cabeça! A quem alude com esse "todo mundo"? Sustentará Viersílov?

— O senhor não é o único, nem tampouco Viersílov... Há outras pessoas. Anna Andriéievna é tão sua irmã quanto Elisavieta Makárovna!

Eu olhava, de olhos escancarados. De repente, surgiu no ignóbil olhar dele uma espécie de compaixão por mim:

— O senhor não compreende, ora, tanto melhor! Está bem, está muito bem que o senhor não compreenda. É louvável... se é bem verdade mesmo que não compreenda.

Estava eu completamente furioso.

— Vá para o diabo com suas tolices! O senhor está maluco! — gritei, pegando meu chapéu.

— Não são tolices! Vai-se embora? O senhor sabe que voltará.

— Não! — disse eu, categoricamente, já na soleira.

— O senhor voltará e então... então falaremos de outro modo. Falaremos de coisas sérias. Dois mil, lembre-se bem!

II

Causara em mim uma impressão tão perturbadora e tão suja que, ao sair, esforcei-me em não pensar mais naquilo e limitei-me a cuspir, cheio de desgosto. A ideia do príncipe ter sido capaz de falar-lhe a meu respeito e daquele dinheiro causava-me o efeito duma picada de agulha. "Tornarei a ganhá-lo e o devolverei hoje mesmo", pensei decididamente.

Por mais estúpido e confuso que fosse Stiebielhkov, via agora o patife em todo o seu esplendor e sobretudo não podia deixar de haver naquilo alguma intriga. Eu só não tinha tempo então para ocupar-me em destrinçar intrigas e nisso estava a principal causa de minha cegueira momentânea! Olhei meu relógio com inquietação, mas não eram ainda duas horas; portanto, podia fazer ainda uma visita, de outro modo até às três horas estaria morto de emoção. Dirigi-me à casa de Anna Andriéievna Viersílova, minha irmã. Fazia muito tempo que tornara a vê-la, em casa de meu velho príncipe, durante a doença deste. Atormentava-me a consciência a ideia de que não me encontrava com ela havia três ou quatro dias. Mas foi Anna Andriéievna quem me tirou de dificuldades: o príncipe tinha por ela verdadeira paixão e havia-a mesmo chamado, em minha presença, de seu anjo da guarda. A propósito, a ideia de casá-la com o Príncipe Sierguiéi Pietróvitch nascera com efeito na cabeça de meu bom velho e exprimira-me mesmo isso mais de uma vez, em segredo, naturalmente. Dera parte disso a Viersílov, tendo notado já antes que, se ele se mostrava indiferente a todas as coisas essenciais, interessava-se entretanto sempre pelas notícias que lhe dava de meus encontros com Anna Andriéievna. Viersílov murmurara então que Anna Andriéievna era bastante inteligente e podia dispensar, num assunto tão delicado, conselhos estranhos. Stiebielhkov estava evidentemente certo ao supor que o velho lhe daria um dote, mas como ele tinha se atrevido a contar assim com alguma coisa? O príncipe acabava de gritar-lhe que não tinha medo dele, mas, de fato, não teria sido a respeito de Anna Andriéievna que Stiebielhkov lhe falara em seu gabinete? Imagino a que ponto eu teria ficado furioso, se estivesse em lugar dele.

Nos últimos tempos, ia bastantes vezes à casa de Anna Andriéievna. Mas ocorria sempre uma coisa estranha: era sempre ela quem me marcava encontro e me esperava decerto, mas assim que eu entrava ela me dava a impressão de que minha chegada era totalmente inoportuna; observara esse traço nela, mas nem por isso deixava de lhe ser afeiçoado. Morava em casa de sua avó, Fanariótova, naturalmente a título de pupila (Viersílov em nada contribuía para sua manutenção), mas desempenhando um papel bem diferente do que se atribui comumente às pupilas das senhoras nobres: como por exemplo, a da velha condessa, em *A dama de espadas*, de Púchkin. A própria Anna Andriéievna era uma espécie de condessa. Tinha na casa aposentos próprios, completamente à parte, embora no mesmo andar e no mesmo apartamento que a Fanariótova, mas constituídos por duas peças isoladas, de modo que, nem ao entrar, nem ao sair, eu encontrava algum dos Fanariótovi. Tinha ela o direito de receber quem quisesse e de empregar seu tempo como entendesse. É verdade que já estava com vinte e três anos. No ano passado, quase cessara de aparecer na sociedade, muito embora Fanariótova não poupasse despesas para sua neta, a quem amava muito, segundo ouvi dizer. Pelo contrário, o que me agradava em casa de Anna Andriéievna era encontrá-la sempre em trajes muito modestos, sempre ocupada, com uma costura ou um livro na mão. Havia no seu aspecto algo de monástico, de quase monacal, que também me agradava. Não era loquaz, mas falava sempre com ponderação e gostava muito de ouvir, coisa de que sempre tenho sido incapaz. Quando lhe dizia que, sem ter nenhum traço comum, me fazia ela lembrar enormemente Viersílov, não deixava de corar um tantinho. Corava muitas vezes, e sempre com rapidez, mas de leve, e esta particularidade de seu rosto me agradava bastante. Em casa dela, jamais chamava Viersílov por seu sobrenome: era sempre Andriéi Pietróvitch e isto parecia surgir naturalmente. Tinha mesmo notado que, em casa dos Fanariótovi, em geral, devia-se ter um pouco de vergonha de Viersílov; quanto a mim, notara isso somente em Anna Andriéievna, se bem que ainda não sabia se "vergonha" é, no caso, o termo próprio; mas havia algo disso. Falava também com ela a respeito do Príncipe Sierguiéi Pietróvitch e ela prestava muita atenção, parecia interessar-se por aquelas informações; mas acontecia sempre que era eu quem as comunicava e ela jamais me interrogava. Jamais ousei entretê-la sobre a possibilidade de um casamento entre eles, muito embora tivesse vontade disso muitas vezes, porque a mim mesmo essa ideia era bastante agradável. Mas no seu quarto havia uma multidão de assuntos que eu não ousava tentar abordar e, no entanto, achava-me infinitamente bem no seu quarto. O que eu amava também muito era o fato de ela ser muito culta e de ler enormemente, mesmo os livros sérios; lia muito mais que eu.

Da primeira vez foi ela quem me convidou a ir à sua casa. Compreendia já que ela talvez contava colher de mim alguma notícia. Oh! naquela época muitas pessoas podiam colher de mim muitas coisas! "Mas que importa — dizia a mim mesmo —, não é somente por isso que ela me recebe." Em suma, sentia-me mesmo feliz por poder ser-lhe útil e... quando me achava sentado perto dela, parecia-me sempre que era minha irmã que estava a meu lado, se bem que nunca tivéssemos falado, quando juntos, de nosso parentesco, nem com palavras, nem por alusão; era de dizer que jamais existira. Em visita à sua casa, parecia-me totalmente impossível abordar tal assunto e, olhando-a, uma ideia absurda atravessava-me por vezes o espírito: que ela talvez ignorasse tal parentesco, visto aquela maneira de portar-se comigo!

III

Ao entrar, encontrei Lisa em casa dela. Fiquei quase aturdido. Sabia muito bem que elas já se tinham visto; o fato ocorrera em casa da criança de peito. Falarei talvez mais tarde, se a ocasião apresentar-se, dessa fantasia que tivera a orgulhosa e pudica Anna Andriéievna de ver aquela criança, bem como de seu encontro lá com Lisa; mas não esperava absolutamente que Anna Andriéivna convidasse Lisa a frequentar-lhe a casa. Fiquei portanto agradavelmente surpreendido. Sem dar nenhuma demonstração, naturalmente, cumprimentei Anna Andriéievna, apertei calorosamente a mão de Lisa e sentei-me ao lado dela. Estavam ambas ocupadas com negócios "sérios": sobre a mesa e sobre seus joelhos achava-se estendido um vestido de gala de Anna Andriéievna, rico mas antigo, isto é, já usado três vezes, e que ela queria transformar. Lisa era uma grande artista na matéria e tinha gosto: realizava-se, pois, um conselho de guerra entre aquelas "mulheres sábias". Lembrei-me de Viersílov e desatei a rir; estava, aliás, de um humor radiante.

— Você está bem alegre hoje e isto me agrada muito! — disse Anna Andriéievna, destacando gravemente cada palavra. Tinha uma voz de contralto quente e vibrante, mas pronunciava sempre calmamente, tranquilamente, baixando um pouco seus longos cílios, com um sorriso fugitivo no seu rosto pálido.

— Lisa sabe quanto sou desagradável quando não estou alegre — respondi, com jovialidade.

— Anna Andriéievna talvez também o saiba! — Era uma farpa daquela marota da Lisa contra mim. Queridinha! Se eu tivesse sabido o que então lhe pesava no coração!

— Que você está fazendo agora? — perguntou Anna Andriéievna. (Notem que era ela quem me tinha pedido para vir vê-la naquele dia.)

— Agora, estou aqui e pergunto a mim mesmo por que tenho sempre mais prazer em encontrá-la diante de um livro do que diante dum bordado. Não, na verdade, os trabalhos de senhora não vão bem com vocês. A este respeito, sou da opinião de Andriéi Pietróvitch.

— Ainda não se decidiu a entrar para a Universidade?

— Sou-lhe infinitamente reconhecido pelo fato de não ter esquecido nossas conversas anteriores. É sinal de que pensa algumas vezes em mim. Mas... no que concerne à Universidade, ainda não tomei decisão e depois tenho meus objetivos.

— Quer dizer que tem ele seu segredo — observou Lisa.

— Não venha com brincadeiras, Lisa. Um homem inteligente disse, não faz muito, que todo nosso movimento progressista destes últimos vinte anos revelou antes de tudo quanto somos grosseiramente incultos. E, como é natural, não esqueceu nossas Universidades.

— Ora, papai disse a verdade; muitas vezes repetes suas ideias — observou Lisa.

— Lisa, até parece, na tua opinião, que eu não tenho cérebro.

— É inútil em nossa época ouvir os discursos das pessoas inteligentes e retê--los — replicou Anna Andriéievna, intercedendo ligeiramente em meu favor.

— Justamente, Anna Andriéievna — prossegui, com ardor. — Quem na hora presente não pensar na Rússia não é um cidadão! Considero a Rússia dum ponto de vista talvez singular: atravessamos a invasão tártara, depois dois séculos de escravidão, sem dúvida porque um e outro foram de nosso gosto. Agora, deram-nos a liberdade e trata-se de suportá-la: seremos capazes disso? Será a liberdade igualmente de nosso gosto? Eis a questão.

Lisa lançou um rápido olhar a Anna Andriéievna; esta baixou logo a cabeça e fez menção de procurar alguma coisa; vi que Lisa se continha com todas as suas forças, mas de repente nossos olhares se encontraram por acaso e ela disparou a rir. Explodi:

— Lisa, és inconcebível!

— Perdão! — disse ela, bruscamente, deixando de rir e quase pesarosa —, não sei o que tenho na cabeça...

E lágrimas tremeram de repente na sua voz. Tive tremenda vergonha. Peguei--lhe a mão e beijei-a com força.

— Você é bom — disse-me docemente Anna Andriéievna, vendo-me beijar a mão de Lisa.

— Sinto-me sobretudo feliz, Lisa, por encontrar-te uma vez a rir. Você acreditaria, Anna Andriéievna, que em todos estes últimos dias ela me acolheu com um olhar singular e com uma espécie de pergunta em seu olhar? "Pois bem, soubeste de alguma coisa? Vai tudo bem?" Na verdade, há nela algo nesse gênero.

Anna Andriéievna olhou-o lenta e fixamente. Lisa baixou os olhos. Via, aliás, muito bem que eram as duas infinitamente mais íntimas do que eu teria suposto ao entrar; agradou-me bastante tal ideia.

— Você acaba de dizer que sou bom; não saberia crer quanto me torno melhor em sua casa e como nela me sinto bem, Anna Andriéievna! — disse, com emoção.

— E eu estou encantada por ouvi-lo falar assim neste momento — ela me respondeu com gravidade. Devo dizer que ela nunca me falava de minha vida desordenada, nem do turbilhão em que eu estava mergulhando, muito embora, eu o sabia, estivesse informada de tudo e até mesmo interrogasse os outros a meu respeito. Assim, era em suma a primeira alusão, e meu coração sentiu-se mais inclinado por ela.

— E nosso doente? — perguntei.

— Oh! vai indo muito melhor: já sai. Ontem e hoje foi dar um passeio. Mas você mesmo não foi vê-lo hoje? Está à sua espera.

— Sou bem culpado para com ele, mas é você quem o visita agora e me substituiu perfeitamente. É um grande volúvel e trocou-me por você.

Ela mostrou um rosto muito sério, porque minha brincadeira podia muito bem passar por vulgar.

— Estou vindo da casa do Príncipe Sierguiéi Pietróvitch e eu... A propósito, Lisa, estiveste em casa de Dária Onísimovna?

— Sim! — respondeu, brevemente, sem erguer a cabeça. — Mas parece-me que vais todos os dias à casa do príncipe doente? — perguntou, de repente, talvez para dizer alguma coisa.

— Sim, vou lá, mas não vou até o fim — respondi, rindo. — Entro e dobro à esquerda.

— Até mesmo o príncipe notou que você vai muitas vezes aos aposentos de Katierina Nikoláievna. Falava disso ontem e riu muito — disse Anna Andriéievna.

— E de que afinal ria ele?

— Brincava, você bem sabe. Dizia que, ao contrário, uma mulher jovem e bela sempre produz num rapaz da sua idade uma impressão de indignação e de cólera... — disse, rindo, Anna Andriéievna.

— Escute... Sabe que é uma frase muito feliz? — exclamei. — Decerto não é dele, foi você que lhe soprou!

— E por que? Não, é dele.

— E se aquela beldade lhe presta atenção, ainda que ele seja tão ínfimo, que ele se conserve no seu canto e fique furioso por ser "seu petiz" e se de repente ela o prefere à turba dos adoradores que a cercam, que acontecerá então? — perguntei bruscamente, com uma fisionomia atrevida e provocante. Meu coração batia.

— Então estás perdido diante dela. — Lisa desatou a rir.

— Perdido? — exclamei. — Não, não estou perdido. Creio bem que jamais estarei perdido. Se uma mulher se atravessar no meu caminho, será obrigada a acompanhar-me. Não me barram a estrada impunemente...

Lisa disse-me um dia, incidentemente, muito tempo depois, que eu havia pronunciado essa frase de um modo estranho, com uma terrível seriedade e como que mergulhado de repente em minhas reflexões; mas naquele momento era tão engraçado que ela não teve meio de conter-se. Efetivamente, Anna Andriéievna desatou ainda uma vez a rir.

— Riam, zombem de mim! — Exclamei, numa espécie de embriaguez, porque toda aquela conversa e sua tendência agradavam-me enormemente. — De parte de você, é para mim um prazer. Gosto de seu riso, Anna Andriéievna. É sua característica: fica silenciosa e depois, de repente, desata a rir, num instante, quando, um segundo antes, nada em seu rosto teria tal prenunciado. Conheci, de longe, uma senhora em Moscou, porque a observava de meu canto: era quase tão bonita como você, mas não sabia rir e seu rosto, tão sedutor quanto o seu, perdia sua sedução; o que me atrai tanto em você é essa faculdade... Há muito tempo queria dizer-lhe isso.

Quando pronunciei a frase a respeito da senhora "tão bonita como você", estava valendo-me dum ardil: fingi que essa frase escapara-me sem que a tivesse podido conter, sem mesmo tê-la notado; sabia que esse louvor escapado seria mais apreciado que não importa qual cumprimento alambicado. E muito embora Anna Andriéievna tivesse corado, estava eu certo de que ficara satisfeita. A própria senhora era imaginária: jamais conhecera semelhante senhora em Moscou: era unicamente para lisonjear Anna Andriéievna e causar-lhe prazer.

— Seria mesmo possível acreditar — mostrava um sorriso encantador — que você andou estes dias sob a influência de alguma beldade.

Tinha a impressão de quem ia voar... Tinha mesmo vontade de fazer-lhe uma confidência... mas contive-me.

— A propósito, você teve ainda há pouco, a respeito da Katierina Nikoláievna, uma expressão totalmente hostil.

— Se me exprimi mal — meus olhos lançaram um clarão —, a culpa cabe àquela monstruosa calúnia, segundo a qual ela seria inimiga de Andriéi Pietróvitch; caluniam-no, também, dizendo que a teria amado, que lhe teria feito propostas de casamento e outras tolices. Essa ideia não é menos monstruosa do que aquela outra calúnia de ela haver proposto ao Príncipe Sierguiéi Pietróvitch, quando seu marido ainda estava vivo, desposá-lo quando ficasse viúva, mas depois não manteve a promessa. Sei de primeira mão que tudo isso é falso e que não houve senão uma simples brincadeira. Sei de primeira mão. Uma vez, lá no estrangeiro, num momento de alegria, ela disse, com efeito, ao príncipe: "talvez no futuro"... Mas seria outra coisa que não uma frase no ar? Sei muito bem que o príncipe, pela sua parte, não pode dar nenhum valor a uma promessa desse gênero, e nem tem tampouco intenção disso — acrescentei, acautelando-me. — Tem ideias bem diferentes — insinuei, com astúcia. — Nachtchókin dizia ainda há pouco em casa dele que Katierina Nikoláievna casaria com o Barão Bioring. Pois bem, acreditem-me, suportou esta notícia admiravelmente, fiquem certas disto.

— Nachtchókin estava em casa dele? — perguntou Anna Andriéievna, com gravidade e como que espantada.

— Estava; creio que é dessas pessoas da alta que...

— E Nachtchókin falou-lhe desse casamento com Bioring? — continuou Anna Andriéievna, subitamente interessada.

— Do casamento, não, mas de sua possibilidade, dum boato. Disse que tal boato corre na sociedade. Quanto a mim, estou convencido de que é uma tolice.

Anna Andriéievna refletiu e curvou-se sobre seu bordado.

— Gosto do Príncipe Sierguiéi Pietróvitch — acrescentei, de repente, com entusiasmo. — Tem seus defeitos, é incontestável, já lhes falei disso, certa estreiteza de ideias... mas esses defeitos mesmos dão testemunho da nobreza de sua alma, não é verdade? Por exemplo, hoje mesmo, estivemos a ponto de brigar por causa de uma ideia: está convencido de que, para falar de nobreza, deve-se ser nobre obrigatoriamente, ou tudo quanto se diz não passa de mentira. Pois bem, é lógico isso? Testemunha, porém, suas altas exigências em questão de honra, de dever, de justiça... não tenho razão? Ah! meu Deus, que horas são? — exclamei, tendo meu olhar caído por acaso no quadrante do relógio colocado em cima da lareira.

— Três menos dez — declarou ela, tranquilamente, depois de ter olhado o relógio. Durante todo o tempo em que estive falando do príncipe, escutava-me, de olhos baixos, com certa ironia astuta, mas gentil: sabia por que eu o louvava tanto. Lisa escutava, com a cabeça inclinada sobre seu bordado, e desde muito tempo não tomava mais parte na conversa.

Tive um sobressalto, como sob o efeito duma queimadura.

— Está com pressa?

— Sim... não... Estou com pressa, é verdade. Mas um instante... Uma palavra apenas, Anna Andriéievna — comecei, todo emocionado —, não posso deixar de a dizer hoje! Quero confessar-lhe que já abençoei frequentes vezes sua bondade e a delicadeza com que me convidou a visitá-la... Nossas relações produziram em mim a mais forte impressão... Em sua casa, purifico-me; saio de sua casa melhor do que era. É verdade. Quando estou a seu lado, não só não posso dizer nada de mal, como não posso mesmo ter maus pensamentos; eles desaparecem em sua presença. Se uma má lembrança me atravessa a mente, a seu lado, logo coro disso e me envergonho. E fique sabendo que foi para mim particularmente agradável encontrar minha irmã hoje em sua casa... Testemunha isto tamanha nobreza de sua parte... um sentimento tão belo... Em uma palavra, você me disse algo de tão fraternal, se me permite afinal quebrar o gelo, que eu...

Enquanto eu falava, ela havia levantado e corava cada vez mais. De repente, amedrontou-se, como se houvesse certo limite que não se devesse ultrapassar, e interrompeu-me rapidamente.

— Acredite, saberei apreciar de todo o meu coração seus sentimentos... Sem palavras, já tinha compreendido... desde muito tempo já...

Interrompeu-se, perturbada, apertando-me a mão. De repente, Lisa puxou-me, às escondidas, pela manga. Despedi-me e saí; mas, ao chegar à outra sala, Lisa alcançou-me.

IV

— Lisa, por que me puxaste pela manga? — perguntei.

— Ela é má, astuta, não merece... Recebe-te para saber coisas — confiou-me ela, num cochicho rápido e cheio de ódio. Jamais lhe vira semelhante fisionomia.

— Que estás dizendo, Lisa? Uma moça tão deliciosa!

— Então sou eu que sou má.

— Que tens?

O ADOLESCENTE

191

— Sou muito má. Talvez seja ela a mais deliciosa das moças, sou eu que sou má. Vai, deixa-me. Escuta bem: mamãe te pede "o que ela mesma não ousa dizer". São sua próprias palavras. Meu caro Arkádi! Deixa de jogar, meu caro, suplico-te... mamãe também...

— Lisa, eu também penso nisso, mas... Sei que é covardia, mas... são tolices e nada mais! Vês bem que me endividei como um imbecil e quero tornar a ganhar para libertar-me. Há meio de ganhar, porque até agora tenho jogado sem cálculo, ao acaso, como um imbecil, ao passo que agora tremerei por causa de cada rublo... Não serei eu, se não ganhar! Não é em mim uma paixão; não é a coisa essencial, é apenas passageiro, asseguro-te! Sou demasiado forte para deixar quando quiser... Restitui-rei o dinheiro e então serei de vocês integralmente, sem partilha, e não te esqueças de dizer a mamãe que não as abandonarei...

— Aqueles trezentos rublos de ainda há pouco custaram-te muito!

— E donde soubeste isso? — Estremeci.

— Dária Onísimovna ouviu tudo...

Mas naquele momento, Lisa, de repente, empurrou-me para trás do repos-teiro e encontramo-nos ambos no "farol", salinha redonda toda cercada de janelas. Ainda não me recobrara de minha surpresa, quando ouvi uma voz conhecida, um barulho de esporas e adivinhei uns passos familiares.

— O Príncipe Sierioja? — cochichei.

— Ele mesmo — cochichou ela.

— Por que tiveste tanto medo?

— À toa. Não quero, por coisa alguma deste mundo, que ele me veja aqui...

— Ora! Mas será que ele anda atrás de ti, por acaso? — disse eu, rindo. — Terá de avir-se comigo... Aonde vais?

— Saiamos. Vou contigo.

— Já te despediste lá dentro?

— Sim. Minha capa está na antecâmara...

Saímos. Na escada, veio-me uma ideia:

— Sabes? Talvez ele tenha vindo fazer-lhe uma proposta.

— N-ã-o... não fará proposta — foi ela dizendo, lenta e firmemente, em voz baixa.

— Sabes de uma coisa, minha irmã? Muito embora tenha acabado de zangar--me com ele, pois já te contaram... juro-te, gosto dele sinceramente e desejo-lhe to-dos os êxitos. Fizemos as pazes. Somos tão bons, quando nos sentimos felizes... Vês? Ele possui tendências muito boas... e humanidade... pelo menos os germes... e, entre as mãos de uma moça firme e inteligente como a Viersílov, vai ficar totalmente ao nível e se tornará feliz. É pena que, num certo momento... Mas vamos andar um bocado juntos, gostaria de contar-te...

— Não, vai só, vou para outro lado. Virás almoçar?

— Virei, virei, prometo. Escuta, Lisa: há um individuo ignóbil, em suma, a mais infame das criaturas, Stiebielhkov, se o conheces, que exerce sobre os negócios dele uma terrível influência... Tem promissórias... em suma, tem-no entre suas pa-tas e tem-no bem e o outro já caiu tão baixo que ambos não veem mais outra saída senão numa proposta de casamento a Anna Andriéievna. Seria preciso preveni-la seriamente; aliás, são bobagens ela mesma arranjará tudo isso mais tarde. E como é, acreditas que ela o recusará?

— Adeus. Não tenho tempo! — interrompeu Lisa, e vi, de repente, no seu olhar fugitivo tanto ódio que exclamei imediatamente, espantado:

— Lisa, minha querida, por que...?

— Não é contra ti. Somente, não jogues mais...

— Ah! é por causa do jogo? Não jogarei mais, está acabado.

— Disseste ainda há pouco: "quando estamos felizes". Pois bem, tu te sentes muito feliz?

— Tremendamente feliz!, Lisa, tremendamente! Meu Deus, mas já são três horas, até mesmo mais!... Adeus, minha Lisotchka, dize-me, minha querida, pode-se fazer uma mulher esperar? É permitido?

— Num encontro marcado? — Lisa sorriu apenas, um sorriso natimorto, trêmulo.

— Dá-me tua mão, para me trazer felicidade.

— Trazer-te felicidade? Minha mão? Por coisa alguma do mundo.

E ela afastou-se rapidamente. Lançara aquele grito com tal seriedade! Corri para meu trenó.

Sim, sim, era aquela felicidade a causa principal de eu não compreender, toupeira cega, nem ver nada fora de mim!

Capítulo IV

I

Até mesmo hoje tenho medo de contar. Tudo isso é antigo. Mas tudo isso, ainda agora, é para mim como uma miragem. Como semelhante mulher pudera marcar um encontro a um fedelho tão ignóbil como eu, naquela época? Eis o que havia à primeira vista! Quando, depois de ter deixado Lisa, afastei-me rapidamente, o coração bateu-me, imaginei mesmo ter perdido a razão: a ideia de um encontro marcado pareceu-me de súbito um absurdo tão evidente que não havia meio de acreditar nele. E, no entanto, não tinha a menor dúvida; melhor ainda: quanto mais o absurdo me parecia evidente, mais acreditava nele.

Já havia soado as três horas e era isso que me inquietava: "Uma vez que há encontro marcado, como posso me atrasar?". Apresentavam-se também a meu espírito perguntas bobas do gênero desta: "Que é que vale mais agora: a audácia ou a timidez?". Mas tudo isso só fazia passar, porque em meu coração estava o essencial, um essencial que eu não podia determinar. Fora dito na véspera: "Estarei amanhã, às três horas, em casa de Tatiana Pávlovna". Era tudo. Mas, em primeiro lugar, em casa dela, no seu quarto, eu era sempre recebido em particular e ela podia me dizer tudo quanto quisesse, sem precisar de transportar-se à casa de Tatiana Pávlovna. Então que adiantava marcar outro lugar, em casa de Tatiana Pávlovna? Ainda uma pergunta: estará Tatiana Pávlovna em casa ou não? Se se trata dum encontro marcado, Tatiana Pávlovna não vai estar lá. E como fazer para que ela não esteja, sem lhe explicar tudo de antemão? Então Tatiana Pávlovna participa também do segredo? Esta ideia parecia-me horrível, inconveniente, quase grosseira.

Afinal, ela podia ter tido muito simplesmente a intenção de visitar Tatiana Pávlovna: comunicara-me isso ontem, sem nenhum outro fim e eu é que imaginara coisas. Aquilo fora dito de passagem, tão negligente, tão tranquilamente, e depois de uma reunião bem aborrecida, porque durante todo o tempo que estive em casa dela ficara como que desorientado: permanecia no lugar, murmurando e não sabendo o que dizer, furioso e tímido, enquanto ela se preparava para sair, como viera a verificar-se em seguida, e mostrara-se contente ao me ver partir. Todas estas reflexões turbilhonavam-me no cérebro. Resolvi afinal: "Irei, tocarei a campainha, a cozinheira abrirá e perguntarei: Tatiana Pávlovna está em casa?" Se não estiver, será mesmo um "encontro marcado". Mas não tinha a menor dúvida, a menor mesmo!

Subi correndo e lá, no patamar, diante da porta, todo o meu terror desapareceu: "Vamos — disse a mim mesmo —, contanto que tudo se passe depressa, pelo menos!". A cozinheira abriu e fanhoseou com sua fleuma repugnante que Tatiana Pávlovna não estava em casa. "Mas não há ninguém mais? Ninguém está esperando Tatiana Pávlovna?" Queria fazer esta pergunta, mas não a fiz. "Eu mesmo verificarei." Murmurando para a cozinheira que esperaria, tirei minha peliça e abri a porta...

Katierina Nikoláievna estava sentada diante da janela e esperava Tatiana Pávlovna.

— Ela não está aí? — perguntou-me com precaução e inquietude, assim que me viu. Sua voz e seu rosto correspondiam tão pouco à minha expectativa que parei na soleira.

— Ela quem? — balbuciei.

— Tatiana Pávlovna! Eu lhe havia, no entanto, pedido, ontem, que o senhor lhe dissesse que eu estaria em casa dela às três horas.

— Eu... mas não a vi.

— Esqueceu-se?

Sentei, como que fulminado. Eis, pois, do que se tratava: era claro como o dia! E eu, eu que me encarniçava ainda em crer!

— Não me lembro da senhora ter pedido que lhe desse esse recado. A senhora não pediu nada: disse-me somente que estaria aqui às três horas — interrompi, impaciente. Não olhava para ela.

— Ah! — exclamou, de repente. — Então, se esqueceu de dizer-lhe e se o senhor mesmo sabia que eu estaria aqui, por que veio?

Ergui a cabeça: nem zombaria, nem cólera no seu rosto, mas um sorriso luminoso e alegre, uma malícia redobrada na sua expressão — sua expressão de sempre, aliás —, uma malícia quase infantil: "Pois bem, estás vendo? Apanhei-te! Que é que vais dizer, agora?", parecia exprimir todo o seu rosto.

Não quis responder e baixei os olhos. Esse silêncio durou um meio minuto.

— Vem de casa do papai? — perguntou ela bruscamente.

— Estou vinda da casa de Anna Andriéievna. Não estive em casa do Príncipe Nikolai Ivânovitch... e a senhora bem sabia disso — acrescentei.

— Não lhe aconteceu nada em casa de Anna Andriéievna?

— Quer dizer que estou com cara de louco? Não, já estava com esta cara antes de ver Anna Andriéievna.

— E não ficou mais inteligente em casa dela?

— Não. Soube lá que a senhora ia casar-se com o Barão Bioring.

— Foi ela quem disse? — interessou-se ela, de súbito.

— Não, fui eu que lhe dei a notícia, por tê-la ouvido dizer por Nachtchókin ao Príncipe Sierguiéi Pietróvitch.

Continuava a não erguer os olhos para ela; olhá-la era ficar banhado de luz, de alegria e de felicidade, e eu não queria ser ditoso. O ferro da indignação estava fincado no meu peito e num instante havia tomado uma decisão colossal. Em seguida, pus-me a falar, não sei mais de que. Sufocava e balbuciava, mas agora olhava-a ousadamente. Meu coração batia. Disse não sei que frase, que nada tinha de ver com o momento, aliás bastante bem torneada. Escutou-me a princípio com um sorriso sereno e paciente, que não lhe abandonava o rosto; mas, pouco a pouco, o espanto, depois o terror, atravessaram seu olhar imóvel. Seu sorriso não a abandonava, no entanto, mas aquele mesmo sorriso estremecia por vezes.

— Que tem? — perguntei de chofre, notando que ela havia tremido da cabeça aos pés.

— Tenho medo do senhor — respondeu-me, quase alarmada.

— Por que não vai embora? Agora que Tatiana Pávlovna não está e sabe bem que ela não virá, não é sua obrigação levantar e sair?

— Queria esperar por ela, mas agora... com efeito...

Levantara a meio.

— Não, não, fique sentada! — disse, detendo-a. — A senhora acaba de estremecer de novo, mas no seu terror ainda sorri... Mantém sempre seu sorriso... Veja, agora, sorriu completamente...

— Está delirando?

— Estou delirando.

— Tenho medo... — cochichou ela, ainda.

— De quê?

— Tenho medo de que o senhor... de que o senhor dê murros na parede... — sorriu de novo, mas com um medo verdadeiro.

— Não posso suportar seu sorriso!...

E de novo rompi a falar. Voava quase. Alguma coisa me impelia. Nunca, jamais, havia-lhe falado daquela maneira: houvera sempre uma timidez. E agora também, mas falava, entretanto; lembro-me de que falei a respeito de seu rosto: "Não posso suportar mais seu sorriso! — exclamei de repente. — E eu que a via, já em Moscou, temível, magnífica, deixando cair pérfidas palavras mundanas! Sim, em Moscou; falávamos já a seu respeito lá com Maria Ivânovna, procurávamos vê-la tal como a senhora devia ser... Lembra-se de Maria Ivânovna? Esteve em casa dela. Durante a viagem, via a senhora em sonho, a noite inteira, no meu vagão. Aqui, antes de sua chegada, observei um mês inteiro seu retrato no escritório de seu pai e nada adivinhei. A expressão de seu rosto é duma malícia infantil e duma simplicidade infinita: eis aí! Sempre a admirei, vendo-a. Oh! a senhora sabe também assumir uma fisionomia orgulhosa e esmagar com um olhar: lembro-me de como me olhou em casa de seu pai, quando chegou de Moscou... Vi-a então, e, no entanto, se me tivessem perguntado logo depois como a senhora era, não seria capaz de dizer. Nem mesmo seu tamanho! Logo depois de tê-la visto, fiquei cego. Seu retrato em nada se parece com a senhora: não tem os olhos escuros, mas claros, são seus longos cílios que os fazem parecer escuros. É gorda, de estatura mediana, mas leve, uma gordura camponesa jovem e sadia. Seu rosto também é completamente rústico, um rosto de beldade de aldeia. Não se ofenda, é uma excelente coisa um rosto redondo, vermelho, claro, ousado, risonho e... tímido! Sim, tímido. Tímida, Katierina Nikoláievna Akhmákova! Tímida e casta, juro-o! Mais do que casta, infantil: eis o seu rosto! Sempre me impressionou e sempre perguntei a mim mesmo: é mesmo aquela mulher? Agora sei, a senhora é muito inteligente, mas no começo acreditava que a senhora fosse um tanto simplória. Tem o espírito alegre, mas sem belezas fictícias... o que amo ainda é o seu eterno sorriso: isso é o meu paraíso! Amo ainda a sua calma, a sua doçura, a sua maneira de falar, serena, tranquila e quase preguiçosa. É dessa preguiça que gosto. Creio que, se uma ponte desabasse sob seus pés, a senhora continuaria falando nesse tom sereno e medido... Acreditava que a senhora fosse o cúmulo do orgulho e das paixões, e há dois meses que a senhora conversa comigo como uma estudante com um estudante... Jamais imaginava uma fronte como essa: um pouco baixa, como uma estátua, mas macia e branca como mármore, sob uma cabeleira suntuosa. Tem o busto alto, o passo leve, uma beleza extraordinária e nem o menor orgulho. Somente agora é que creio, recusava-me sempre a crer nisso!

Ela ouviu, de olhos escancarados, essa tirada bárbara. Via que eu estava tremendo. Por várias vezes, ergueu num gesto gracioso e prudente sua mãozinha enluvada, para me deter, mas de cada vez retirava-a, perplexa e medrosa. Por vezes mesmo, recuava rapidamente, por completo. Duas ou três vezes, um sorriso iluminou de novo seu rosto; num momento, corou muito, mas no final, ficou realmente com medo e empalideceu. Mal eu me havia calado, estendeu a mão e disse, com uma voz suplicante, mas sempre serena:

— Não deve dizer isso... Não é permitido falar assim...

E, súbito, levantou pegou sem pressa sua echarpe e seu regalo de zibelina.

— Vai embora? — perguntei.

— Decididamente. Tenho medo do senhor... O senhor abusa... — disse ela, como com pesar e censura.

— Escute-me, não vou derrubar paredes, juro.

— Mas já começou! — Não se conteve mais e sorriu. — Não estou nem mesmo certa de que o senhor me deixe passar. — E creio que ela temia realmente que eu lhe barrasse a passagem.

— Eu mesmo lhe abrirei a porta, vá embora, mas fique bem sabendo que tomei uma imensa decisão; e se quer dar luz à minha alma, volte, sente e escute apenas duas palavras. Se não, vá-se embora, e eu mesmo lhe abrirei a porta!

Ela me olhou e tornou a tomar assento.

— Com que indignação uma outra teria saído e a senhora volta a sentar! — exclamei no meu embriagamento.

— O senhor nunca havia tomado a liberdade de falar assim.

— Era tímido então. Agora também: não sabia o que diria, quando cheguei. Imagina que não sou mais tímido? Sempre sou. Mas tomei de repente uma imensa decisão e senti que a poria em prática. Tendo-a tomado, perdi a cabeça e pus-me a falar... Escuta-me, eis minhas duas palavras: sou seu espião, sim ou não? Responda-me. Eis uma pergunta!

O rubor subiu-lhe bruscamente ao rosto.

— Não responda ainda, Katierina Nikoláievna, continue a ouvir e, em seguida, diga-me toda a verdade.

Havia derrubado dum golpe todas as barreiras e voava no espaço.

II

— Há dois meses, eu estava aqui, por trás do reposteiro... a senhora sabe... e a senhora conversava com Tatiana Pávlovna a respeito da carta. Surgi, fora de mim, e falei demais. A senhora compreendeu imediatamente que eu sabia de alguma coisa... não podia deixar de compreender... a senhora procurava um documento importante e receava por ele... Espere, Katierina Nikoláievna, não fale ainda. Declaro-lhe que suas suspeitas eram fundadas: esse documento existe... isto é, existia... vi-o; é sua carta a Andrónikov, não é?

— Viu essa carta? — perguntou ela rapidamente, cheia de perturbação e de emoção. — Onde a viu?

— Vi-a... via-a em casa de Kraft... o que se suicidou...

— Deveras? Viu-a com seus olhos? E que é feito dela?

— Kraft rasgou-a.

— Na sua frente? O senhor viu isso?

— Na minha frente. Rasgou-a, na previsão de sua morte, sem dúvida... Eu não sabia que ele ia dar um tiro em si mesmo...

— De modo que foi destruída. Deus seja louvado! — declarou, lentamente, depois de um suspiro e benzeu-se.

Não lhe mentira. Ou antes, mentira, sim, porque o documento estava em minha casa e jamais estivera em casa de Kraft, mas isso não passava de um detalhe. Sobre o essencial, não mentira, porque, no instante mesmo em que mentia, prometia a mim mesmo queimar aquela carta na mesma noite. E juro, se a tivesse no bolso naquele instante, a teria tirado e devolvido; mas não a tinha comigo, estava em casa. Aliás, talvez não a houvesse restituído, porque me teria sido muito difícil confessar-lhe que a carta estava em minha casa e que a havia conservado por tanto tempo sem a entregar. Pouco importa: teria queimado-a em casa, em todo o caso, e não menti! Era puro naquele instante, posso jurar.

— Nesse caso — continuei, quase fora de mim —, diga-me uma coisa: por que me atraiu, mimou-me e recebeu em sua casa, senão porque suspeitava de que eu conhecesse o documento? Espere — continuei —, Katierina Nikoláievna, ainda um minutinho, não fale e deixe-me terminar: durante todo o tempo em que vim vê-la, durante todo esse tempo suspeitava de que a senhora me mimava unicamente para me fazer falar dessa carta, para obrigar-me a confessar... Espere ainda um minuto; suspeitava, mas sofria. Sua duplicidade era-me insuportável porque... porque eu havia descoberto na senhora a mais nobre das criaturas! Digo, francamente, sim, digo francamente: era seu inimigo, mas tinha descoberto na senhora a mais nobre das criaturas! Tudo foi vencido duma vez. Mas a duplicidade, quero dizer, a suspeita de duplicidade, esmagava-me... Agora deve decidir-se tudo, tudo explicar-se, chegou o momento; mas espere ainda um pouco, não fale, fique sabendo de que maneira *considero tudo isso agora*, no momento presente; digo francamente: se tudo se passou mesmo assim, não me zangarei... queria dizer antes: não me ofenderei, porque é tão natural, compreendo bem. Que pode haver aqui de contrário à natureza e de mau? A senhora vive atormentada por causa desse documento, suspeita de que alguém sabe de tudo, pois bem, a senhora podia muito bem desejar que aquele indivíduo falasse... Não há nisso nada de mal, absolutamente nada. Falo sinceramente.

Mas, no entanto, é preciso que me diga agora uma coisa... que confesse (perdoe esta palavra). Tenho necessidade de saber a verdade. Tenho tanta necessidade! De modo que, diga-me: foi para fazer-me falar do documento que me mimou... Katierina Nikoláievna?

Falava sem poder parar e minha testa estava ardente. Escuta-me agora sem inquietação; pelo contrário, sua fisionomia traía emoção; mas mostrava um rosto um pouco tímido, talvez por vergonha.

— Foi por isso — pronunciou com lentidão e à meia voz. — Perdoe-me, errei — acrescentou, de repente, estendendo ligeiramente as mãos para mim.

Não esperava por isso. Esperava tudo menos aquelas três palavras; mesmo da parte dela, que eu agora conhecia.

— E a senhora me diz: "Errei!", muito tranquilamente: "Errei!" — exclamei.

— Oh! há muito tempo já que me sinto culpada para com o senhor... E sinto-me feliz hoje por ver tudo esclarecido...

— Há muito tempo? E por que não o disse há mais tempo?

— É que não sabia como dizê-lo — sorriu ela. — Ou antes, teria bem sabido — sorriu ainda —, mas tinha remorsos... porque é bem verdade que no começo eu o atraí, como diz o senhor, unicamente por isso, mas em seguida eu mesma me senti desgostosa... e toda essa falsidade me aborreceu, asseguro-lhe! — acrescentou com amargor —, e depois todos esses embaraços também!

— E por que, por que não fazer francamente a pergunta? A senhora teria dito: "O senhor conhece a carta, por que finge?". E imediatamente eu lhe teria dito tudo, teria confessado tudo imediatamente.

— É que eu tinha um pouco de... medo do senhor. Confesso, também não tinha confiança no senhor. E depois, na verdade, se usei de manha, o senhor também fez a mesma coisa — acrescentou, com uma risada.

— Sim, sim, eu era indigno! — exclamei, desconcertado! — Oh! a senhora não conhece ainda todo o abismo de minha queda!

— Ora vamos, eis agora os abismos! Reconheço seu estilo. — Sorriu com doçura. — Aquela carta — acrescentou, pesarosa — foi o ato mais triste e mais inconsiderado de minha vida. Minha consciência sempre me censurou. Sob a influência das circunstâncias e dos meus temores, duvidei do meu querido e magnânimo pai. Sabendo que aquela carta poderia cair... entre as mãos de pessoas más... tendo todo fundamento para pensar assim (disse isto com ardor), tremia com receio de que se servissem dela, de que a mostrassem a papai... E isto poderia produzir nele uma impressão demasiado forte... no seu estado... sobre sua saúde... e teria me detestado... Sim — acrescentou, olhando-me bem nos olhos e depois de ter surpreendido sem dúvida algum clarão no meu olhar —, sim, temia também por mim mesma: temia que... sob a influência de sua doença... ele me privasse de sua proteção... este sentimento estava também presente, mas nisso certamente pecava contra ele: é tão bom e tão magnânimo que decerto me haveria perdoado. Eis tudo quanto se passou. E quanto à minha conduta para com o senhor, pois bem, não deveria ter agido como agi! — terminou ela, com uma súbita vergonha. — O senhor me fez sentir envergonhada.

— Não, a senhora não tem de que envergonhar-se! — exclamei.

— Contava realmente... com sua veemência... e confesso — disse, baixando os olhos.

— Katierina Nikoláievna! Quem, quem pois, diga-me, a obriga a fazer-me semelhantes confissões? — exclamei como que embriagado. — Que lhe custava levantar e, com expressões escolhidas, da maneira mais delicada, provar-me, como dois e dois são quatro, que tudo isso ocorreu mesmo, mas que, apesar de tudo, nada houve: a senhora compreende, como se sabe comumente tratar a verdade entre vós, na vossa alta sociedade? Sou estúpido e grosseiro, teria acreditado imediatamente na senhora, teria acreditado em tudo quanto partisse de seus lábios! Que lhe custava agir desse modo? A senhora não tinha medo de mim, não é mesmo? Como pôde abaixar-se voluntariamente diante dum intrigantezinho, de um miserável adolescente?

— Nisto, pelo menos, não me abaixei diante do senhor — declarou ela, com infinita dignidade, nem tendo compreendido, sem dúvida, minha exclamação.

— Pelo contrário, pelo contrário! É o que morro de gritar!

— Ai de mim! Era tão mau e tão inconsiderado de minha parte! — exclamou ela, levando sua mão ao rosto, como para se ocultar atrás dela. — Já ontem me sentia envergonhada e por isso não me sentia à vontade quando o senhor foi ver-me... A verdade é — acrescentou ela — que agora as circunstâncias eram tais que me era preciso absolutamente saber enfim toda a verdade a respeito da sorte daquela desgraçada carta, que eu já começava a esquecer... porque não era somente por causa dela que eu o recebia em minha casa — acrescentou bruscamente.

Meu coração tremeu.

— Decerto que não — e sorriu delicadamente —, decerto que não! Eu... O senhor observou muito bem ainda há pouco, Arkádi Makárovitch, que muitas vezes conversávamos juntos como um estudante com uma estudante. Asseguro-lhe que me entedio frequentemente muito na sociedade; sobretudo desde minha estada no estrangeiro e após todas essas desgraças de família... Saio mesmo muito raramente e não é só por preguiça. Tenho muitas vezes vontade de retirar-me para o campo. Lá releria meus livros preferidos, desde muito tempo abandonados e que não consigo reler. Mas já lhe falei de tudo isso. Lembra-se de que riu porque leio os jornais russos na razão de dois por dia?

— Não ri...

— Foi sem dúvida porque também estava emocionado. Confessei isso ao senhor há muito tempo: sou russa e amo a Rússia. Lembra-se de que líamos juntos os fatos, como o senhor os chamava (sorriu)? Apesar do senhor parecer bem muitas vezes um tanto... singular, animava-se por vezes a ponto de dizer a frase justa e interessava-se justamente pelas coisas que a mim interessavam. Quando o senhor se mostra estudante, é verdadeiramente gentil e original. Os outros papéis lhe ficam menos bem — acrescentou, com um sorriso delicioso e astuto. Lembra-se de que passamos algumas vezes horas inteiras ocupados com números, contávamos e medíamos, procurávamos quantas escolas há em nosso país, e qual o rumo que a cultura seguia? Contávamos os assassinatos e os casos criminais, comparávamos com as boas notícias... Queríamos saber para onde tudo isso tendia e o que nos ocorrerá finalmente. Encontrei entre nós sinceridade. Na sociedade, não é assim que falam a nós, a nós, mulheres. Na semana passada, falava ao Príncipe N***, a respeito de Bismarck, porque me interessava muito por este e não sabia o que pensar. Imagine que ele sentou ao meu lado e se pôs a me contar histórias, com muitos detalhes, mas sempre com uma espécie de ironia e com aquela condescendência, insuportável para mim, de que fazem uso comumente os "grandes homens" para conosco, mulheres, se nos metemos "naquilo que não é de nossa conta"... Lembra-se de como estivemos a ponto de brigar por causa de Bismarck? O senhor queria provar-me que a sua ideia era infinitamente superior à de Bismarck. — Riu de repente. — Só encontrei em minha vida duas pessoas que me tenham falado com verdadeira seriedade: meu defunto marido, um homem muito, muitíssimo inteligente e... cheio de nobreza — pronunciou esta palavra num tom compenetrado — e depois, mas o senhor sabe quem...

— Viersílov? — exclamei. Estava ofegante.

— Sim. Gostava muito de ouvi-lo, tornara-me no final completamente... talvez mesmo demasiado franca com ele, mas naquele momento não me acreditou.

— Não acreditou na senhora?

— Aliás, ninguém jamais acreditou em mim.

— Mas Viersílov, Viersílov!

— Não se contentou em não acreditar em mim — disse ela, baixando os olhos e sorrindo estranhamente —, achou que eu tinha "todos os vícios".

— A senhora não tem um sequer!

— Não, tenho alguns também eu.

— Viersílov não gostava da senhora, de modo que não a compreendeu — exclamei, de olhos brilhantes.

Alguma coisa mudou em seu rosto.

— Deixe isso e não me fale nunca de... desse homem... — acrescentou, com ardor e forte insistência. — Mas basta. Está na hora. (Levantou para sair.) — Pois bem, perdoa-me, sim ou não? — perguntou, olhando-me claramente.

— Eu... perdoá-la? Escute, Katierina Nikoláievna, e não se zangue! É verdade que vai casar?

— Não está de todo decidido — disse ela, como que espantada, perturbada.

— É boa pessoa? Perdão, perdoe-me esta pergunta.

— Sim, muito boa...

— Não me responda mais, não me conceda mais uma resposta! Sei bem, essas perguntas são impossíveis, partidas de mim! Queria somente saber se é digno ou não, mas eu mesmo tirarei informações.

— Ah! escute então! — disse ela, com medo.

— Não, não quero, não quero. Passarei de largo... Mas eis o que lhe direi: que Deus lhe conceda todas as felicidades, todas quantas a senhora desejar... em troca de toda felicidade que a senhora acaba de dar-me, numa pequena hora! Está agora gravada para sempre na minha memória. Adquiri um tesouro: o pensamento de sua perfeição. Supunha perfídia, uma galantaria grosseira, e sentia-me infeliz... porque não podia ligar essa ideia à sua pessoa... Nestes últimos dias, pensava nisso noite e dia; e agora tudo está claro como o dia! Ao vir aqui, pensava que levaria de volta hipocrisia, astúcia, inquisidor sinuoso e encontrei honra, glória, estudante!... A senhora ri? Pois seja, pois seja! É que a senhora é uma santa, não pode rir do que é sagrado...

— Oh! não, rio somente porque o senhor usa palavras tão terríveis... Que é por exemplo um "inquisidor sinuoso"? — E desatou a rir.

— Escapou-lhe hoje uma frase preciosa — continuei, entusiasmado. — Como pode dizer em minha frente que contava com minha veemência? Acho mesmo que a senhora é uma santa e a senhora mesma o reconhece, pois que se imagina culpada de não sei qual falta e quer castigar-se... muito embora, na realidade, não haja falta absolutamente, pois que, mesmo se houvesse qualquer coisa, tudo quanto vem da senhora é santo! Mas, no entanto, teria podido não pronunciar essa palavra, essa expressão!... Uma franqueza tão pouco natural prova somente sua suprema candura, seu respeito por mim, sua fé em mim — exclamei, incoerentemente. — Oh! não core, não core... E quem, pois, quem pode caluniá-la e dizer que a senhora é uma mulher apaixonada? Oh! perdoe-me: vejo uma expressão de dor no seu rosto, perdoe a um adolescente exaltado suas frases desajeitadas! Mas trata-se agora de frases, de expressões? A senhora não está acima de todas as expressões?... Viersílov disse um dia que se Otelo matou Desdêmona e se matou em seguida, não foi por ciúme, mas porque lhe haviam roubado o seu ideal... Compreendi-o bem, porque me restituíram hoje meu ideal!

— O senhor me louva demasiado: não o mereço! — declarou ela, com sentimento. — Lembra-se do que lhe dizia de seus olhos? — acrescentou, tranquilamente.

— Que não são olhos, mas dois microscópios, e que faço de cada mosca um camelo! Não, não, não há camelo no saco!... Como, retira-se?

Ela estava no meio da sala, com o regalo e o xale na mão.

— Não, esperarei que o senhor se vá, irei depois. Tenho de escrever umas duas linhas a Tatiana Pávlovna.

— Vou-me embora, vou-me embora, mas ainda uma vez: seja feliz, só ou com aquele a quem escolher! Quanto a mim, só tenho necessidade de meu ideal.

— Meu caro, meu bom Arkádi Makárovitch, acredite-me, pensarei no senhor... Meu pai sempre se refere assim ao senhor: o gentil, o bom rapaz. Acredite-me, vou me lembrar sempre de suas histórias a respeito do pobre rapazinho abandonado em casa de estranhos, de seus sonhos solitários... Compreendo muito bem como se formou sua alma... Mas agora, por mais estudantes que sejamos — acrescentou com um sorriso suplicante e pudico, apertando-me a mão —, não temos mais o direito de ver-nos como outrora e... mas está-me compreendendo?

— Não temos mais o direito?

— Não, e desde muito tempo... E a culpa é minha... Vejo que é agora completamente impossível... Vamos nos encontrar algumas vezes em casa do papai...

— A senhora teme a veemência de meus sentimentos. Não tem confiança em mim? — queria eu exclamar, mas, de repente, ela teve tal vergonha diante de mim que as palavras não me saíam mais da garganta.

— Diga-me — deteve-me de repente, bem perto da porta —, viu com seus olhos que... aquela carta... foi rasgada? Lembra-se bem? E como soube que era mesmo a carta a Andrónikov?

— Kraft contou-me qual o seu conteúdo, cheguei mesmo a vê-la... Adeus! Quando estava em sua casa, mostrava-me tímido em sua presença, mas, quando a senhora saía, eu estava pronto a me jogar no chão e beijar o pedaço do soalho onde estivera pousado seu pé... — disse eu, de súbito, sem saber como nem por que, e, sem olhá-la, saí rapidamente.

Corri para minha casa; minha alma estava toda tomada de entusiasmo. Tudo me atravessava o espírito como um turbilhão e meu coração estava repleno. Ao aproximar-me da casa de minha mãe, lembrei-me, de repente, da ingratidão de Lisa para com Anna Andriéievna, de sua frase cruel, monstruosa, de ainda há pouco, e senti de chofre o coração cheio de dor por elas duas! "Como tem todas o coração duro! Mas Lisa, que tem ela então?", pensei, pisando o patamar.

Mandei Matviéi embora e ordenei-lhe que fosse apanhar-me em casa às nove horas.

Capítulo V

I

Cheguei atrasado para o jantar, mas não estavam ainda à mesa: esperavam-me. Talvez porque comesse raramente em casa deles, fizeram algo de fora do comum: sardinhas, [51] como entradas, etc. Mas, para grande espanto meu e meu grande pesar, encontrei todos preocupados, carrancudos. Lisa mal sorriu ao ver-me e mamãe estava visivelmente inquieta; Viersílov sorria, mas com esforço. "Não teriam discutido?", pensei. No começo, tudo correu bem. Viersílov torceu a cara um pouco diante de sopa de aletria fresca e fez uma verdadeira careta quando foram servidas as almôndegas.

— Basta-me prevenir que meu estômago não suporta um prato para que, logo no dia seguinte, apareça ele! — deixou escapar, com aborrecimento.

— Mas, Andriéi Pietróvitch, que quer você? Não se pode inventar cada dia um prato novo — respondeu timidamente minha mãe.

— Tua mãe é completamente o oposto de certos jornais nossos para os quais tudo quanto é novo é bom.

Viersílov queria pilheriar, dizer algo de engraçado e de cordial, mas não conseguiu; só fez amedrontar ainda mais minha mãe que, naturalmente, nada compreendeu da comparação com os jornais e lançou olhares desvairados. Nesse instante, entrou Tatiana Pávlovna, que declarou já ter comido e sentou no divã ao lado de minha mãe.

Ainda não conseguira ganhar as boas graças daquela pessoa; pelo contrário, atacava-me cada vez mais, a propósito de tudo e de nada. Seu descontentamento aumentara ainda mais nos últimos tempos. Não podia ver meu terno elegante e Lisa confiara-me que ela tivera quase um ataque ao saber que eu tinha um cocheiro às minhas ordens. Acabara por evitá-la tanto quanto possível. Havia dois meses, após a restituição da herança, correra à casa dela para contar-lhe a conduta de Viersílov, mas não encontrara a menor simpatia; pelo contrário, ficara terrivelmente descontente: desagradava-lhe bastante que se tivesse entregado tudo e não apenas a metade; quanto a mim, fez-me a seguinte observação virulenta:

— Aposto que estás certo de que ele entregou o dinheiro e provocou o outro a duelo unicamente para elevar-se na estima de Arkádi Makárovitch.

É que ela havia quase adivinhado! Eu tinha então uma espécie de sentimento *dessa natureza.*

---

51 Como o caviar entre nós, o *foi-grass* entre os franceses, etc., eram as sardinhas, entre os russos de então, iguaria fina e exótica, que somente uns poucos privilegiados se davam ao luxo de ter na mesa.

Assim que ela entrou, compreendi logo que iria fatalmente cair-me em cima; estava mesmo bastante convencido que era esse o motivo de sua vinda. Por isso tomei imediatamente um tom por demais displicente, o que aliás nada me custava, uma vez que continuava radiante de alegria. Notarei, uma vez por todas, que esse tom displicente não me ia nunca bem, não convinha à minha fisionomia e, pelo contrário, cobria-me sempre de vergonha. Foi o que aconteceu: fui em breve apanhado em flagrante delito de mentira. Sem nenhum mau sentimento, por pura leviandade, tendo notado que Lisa estava tremendamente triste, larguei, de repente, sem refletir no que dizia:

— Há um século que não como aqui e eis-te, como por acaso, toda tristonha, Lisa!

— Estou com dor de cabeça — disse ela.

— Ah! meu Deus — atacou Tatiana Pávlovna —, ela está doente. Mas que importa isso? Arkádi Makárovitch dignou-se vir jantar: é preciso dançar e regozijar-se.

— A senhora é decididamente o flagelo de minha existência, Tatiana Pávlovna! Não virei mais aqui, quando a senhora cá estiver!

E com sincero aborrecimento, bati na mesa. Minha mãe sobressaltou-se e Viersílov fitou-me com um ar estranho. Disparei na risada e pedi perdão.

— Tatiana Pávlovna, retiro o "flagelo" — disse eu, voltando-me para ela, no mesmo tom displicente.

— Não, não — cortou ela —, estou infinitamente mais lisonjeada por ser teu flagelo em vez de outra coisa, fica certo disto.

— Meu caro, é preciso saber suportar os pequenos flagelos da existência — sussurrou Viersílov, sorridente. — sem flagelos, a vida não tem encanto.

— Sabe duma coisa? O senhor é por vezes um retrógrado terrível — exclamei, rindo nervoso.

— Meu amigo, isso é para mim o mesmo!

— Não, absolutamente o mesmo! Por que não dizer francamente a um asno que ele é um asno?

— É a teu respeito que queres falar? Em primeiro lugar, não quero nem posso julgar ninguém.

— Por que não quer? Por que não pode?

— Preguiça e aversão. Uma mulher inteligente dizia-me um dia: não tenho o direito de julgar os outros porque não sei sofrer; ora, para erigir-se em juiz, é preciso ganhar pelos sofrimentos próprios o direito de julgar. É um pouco grandiloquente, mas, aplicado a mim, é talvez verdade, e submeti-me por vontade própria a este julgamento.

— Será possível que tenha sido Tatiana Pávlovna quem lhe haja dito isso? — exclamei.

— Como o adivinhaste? — Viersílov lançou-me uma olhadela ligeiramente espantada.

— Li-o na fisionomia dela: contraiu-a.

Adivinhara por acaso. Aquela frase, como o soube mais tarde, fora dita na véspera a Viersílov por Tatiana Pávlovna, no curso duma conversa animada. (Em geral, repito, com minhas alegrias e minha expansividade, surgira ali muito fora de propósito: cada um deles tinha sua preocupação e muito penosa.)

— Não compreendo nada disso, tudo é por demais abstrato. Eis um traço de seu caráter: é de aterrorizar esse seu gosto de falar de coisas abstratas, Andriéi Pietróvitch. É sinal de egoísmo: somente os egoístas gostam de falar de coisas abstratas.

— Boa frase, mas não insistas.

— Não, permita! — insisti, com minha natural expansividade. — Que significa isso de ganhar pelos sofrimentos próprios o direito de julgar? Todo homem de bem pode ser juiz, eis o que penso.

— Se assim for, não encontrarás juízes.

— Conheço um.

— Quem, então?

— Está aqui conversando comigo.

Viersílov deu uma risada engraçada, curvou-se bem contra a minha orelha e, pegando-me pelo ombro, cochichou: "Ele está mentindo para ti".

Não compreendi ainda qual era então seu pensamento, mas ele sem dúvida se encontrava naquele instante numa perturbação extrema (em consequência de certa notícia, como o conjeturei mais tarde). Mas aquela frase: "ele está mentindo para ti" era tão inesperada, fora dita tão seriamente e com uma expressão tão singular, de modo algum pilhérica, que estremeci, nervoso, senti-me quase amedrontado e lancei-lhe um olhar selvagem; mas Viersílov apressou-se em rir.

— Vamos, Deus seja louvado! — disse minha mãe, que ficara com medo, vendo-o cochichar-me ao ouvido. — De outro modo iria crer... Quanto a ti, meu caro Arkádi, não nos querias mal; pessoas inteligentes, sempre as encontrarás, mas quem te amará, se não estivermos presentes?

— Justamente por isto é que o amor dos pais é imoral, mamãe: não é merecido. E o amor deve ser merecido.

— Tu o merecerás mais tarde. Enquanto esperamos, amamos-te de graça.

Todos dispararam a rir.

— Pois bem, mamãe, a senhora talvez não tenha feito de propósito, mas acertou direitinho! — exclamei, rindo também.

— E imaginavas talvez que há razões para amar-te? — Era Tatiana Pávlovna que se lançava de novo contra mim. — Sim, amam-te de graça, ou antes, amam-te, apesar de sua aversão!

— Ah! não, absolutamente! — exclamei num tom alegre. — Sabe quem me disse hoje que gosta de mim?

— Se alguém o disse, foi para zombar de ti! — continuou de repente Tatiana Pávlovna, com uma malícia pouco natural, como se tivesse esperado de mim precisamente aquela frase. — Sim, um homem delicado, e mais ainda uma mulher, deve sentir aversão pelo negror de tua alma, tens uma risca entre os cabelos, camisa fina, roupas da casa de bom alfaiate francês, mas tudo isso não passa de lama! Quem te vestiu, quem te nutriu, quem te dá dinheiro para jogar na roleta? Estás lembrado daquele a quem não tens vergonha de pedir esse dinheiro?

Minha mãe corou completamente. Jamais vira tamanha vergonha em seu rosto. A raiva tomou conta de mim:

— Se gasto é meu dinheiro e não tenho contas a dar a ninguém — declarei, escarlate.

— Teu dinheiro? Como assim, teu dinheiro?

— Se não é o meu, é o de Andriéi Pietróvitch. Não me recusará... Tomei-o emprestado do príncipe, por conta de sua dívida a Andriéi Pietróvitch...

— Meu amigo — declarou firmemente Viersílov —, não tem ele um só copeque meu.

A frase era terrível. Fiquei pregado no lugar. Sem dúvida, lembrando-me de meu completo estado de alma de então, paradoxal e desordenado, teria devido livrar-me daquele apuro graças a algum ímpeto de nobreza, a alguma frase retumbante ou alguma outra coisa neste gênero; mas, de repente, notei no rosto ensombrecido de Lisa uma expressão má, acusadora, uma expressão injusta, quase uma zombaria, e um demônio empurrou-me:

— Parece-me, senhorita — voltei-me totalmente para ela, de repente —, que frequenta demasiado Dária Onísimovna, em casa do príncipe. Posso pedir-lhe que remeta ao príncipe estes trezentos rublos, por causa dos quais me atormentou bastante hoje?

Tirei o dinheiro do bolso e o estendi para ela. Pois bem, seria crível? Essas vis palavras foram ditas sem nenhum objetivo, isto é, sem a menor alusão ao que quer que fosse. Alusão não podia haver, aliás, porque naquele momento não sabia eu de nada absolutamente. Talvez tivesse somente o desejo de atirar-lhe uma indireta, relativamente muito inocente, mais ou menos como isto: a senhorita, que se mete no que não é de sua conta, talvez a consentisse, uma vez que faz absoluta questão de meter seu nariz em toda parte, em ir ver o príncipe, esse jovem, esse oficial petersburguês, e entregar-lhe isto, já que aprecia tanto meter-se em assuntos de rapazes. Mas qual não foi minha estupefação, quando minha mãe se levantou bruscamente e, erguendo o dedo para ameaçar-me, lançou este grito:

— Cala-te! Cala-te!

Nada podia esperar de semelhante de sua parte e eu mesmo sobressaltei-me, não de medo, mas com uma espécie de sofrimento, uma ferida torturante no coração, adivinhando, de chofre, que acabara de produzir-se algo de terrível. Mas mamãe não resistiu muito tempo: ocultando o rosto nas mãos, saiu rapidamente da sala. Lisa seguiu-a, sem olhar para meu lado. Tatiana Pávlovna fitou-me um meio minuto em silêncio:

— Será possível que tenhas querido dizer uma sujeira? — exclamou ela, enigmaticamente, olhando-me com profundo espanto. Mas, sem esperar minha resposta, saiu correndo também. Viersílov levantou-se da mesa com uma fisionomia hostil, quase má, e pegou a um canto o seu chapéu.

— Estimo que não sejas tão imbecil... mas simplesmente um simplório — murmurou, zombeteiro. — Se elas voltarem, dize-lhes que não me esperem para a sobremesa: vou dar uma volta.

Fiquei só. A princípio achei aquilo estranho, depois ofensivo, por fim vi claramente que estava errado. Não sabia, aliás, em que, mas pressentia alguma coisa. Sentei-me em frente da janela e esperei. Ao fim duma dezena de minutos, peguei também meu chapéu e subi para minha antiga mansarda. Sabia que elas estavam lá, isto é, mamãe e Lisa, e que Tatiana partira mesmo. Encontrei, com efeito, ambas juntas em meu divã, conversando em voz baixa. Quando apareci, o cochicho cessou de imediato. Para grande espanto meu, não se mostraram zangadas; pelo menos mamãe me sorriu.

— Perdão, mamãe — comecei.

— Ora, ora, não é nada — interrompeu ela. — Basta que se amem mutuamente e nunca briguem. Deus lhes enviará a felicidade.

— Ele, mamãe, nunca me fará mal algum, sou eu que digo! — afirmou Lisa, com convicção e sentimento.

— Se não fosse aquela Tatiana Pávlovna, nada de tudo isso teria acontecido! — exclamei. — É uma criatura daninha.

— Está vendo, mamãe? Está ouvindo? — disse Lisa, apontando para mim.

— E eis o que vou dizer a ambas — declarei. — Se há algo de mau aqui na terra, sou eu só, tudo mais é encantador!

— Meu pequeno Arkádi, não te zangues, meu querido. Se pelo menos pudesses deixar de...

— De jogar? De jogar? Deixarei, mamãe. Irei hoje pela derradeira vez, sobretudo depois do que Andriéi Pietróvitch acaba de declarar bem alto, que não tem em mãos do príncipe nem um copeque sequer. Vocês não poderiam crer no quanto corei de vergonha... Mas devo explicar-lhes... Minha querida mamãe, pronunciei aqui, da última vez... uma frase desastrada... Mamãe, menti: quero crer sinceramente, fiz-me de fanfarrão, mas amo muito o Cristo...

Tivéramos, com efeito, na vez anterior, uma conversa desse gênero. Minha mães ficara muito pesarosa e muito alarmada. Depois de me ter ouvido agora, sorriu para mim como para uma criança:

— O Cristo, meu pequeno Arkádi, perdoará tudo: tuas blasfêmias e pior ainda. O Cristo é um pai, o Cristo não tem necessidade de nada e resplandecerá até nas trevas mais profundas...

Despedi-me delas e saí pensando na possibilidade que tinha de ver naquele mesmo dia Viersílov; tinha muito que conversar com ele e ainda há pouco fora isso impossível. Tinha grande suspeita de que estivesse a esperar-me em minha casa. Para lá me dirigi a pé; começava a gelar um pouco e o passeio tornava-se muito agradável.

II

Eu morava perto da Vosniessiénsk Most, num vasto edifício, dando para o pátio. Ao entrar no portal, dei com Viersílov, que vinha de meus aposentos.

— Segundo meu costume, vim, passeando, até tua casa e cheguei mesmo a esperar no quarto de Piotr Ipolítovitch, mas acabei aborrecendo-me. Estão sempre discutindo aqui em tua casa e até mesmo hoje a mulher dele está de cama, a chorar. Lancei uma olhadela e vim-me embora.

Experimentei certo descontentamento.

— Creio bem que sou a única pessoa a quem o senhor visita e que fora de mim e de Piotr Ipolítovitch não visita ninguém em Petersburgo.

— Meu amigo... que te importa isso?

— E agora, aonde vai?

— Não, não tornarei a subir a teu quarto. Se queres, passeemos, a tardinha está esplêndida.

— Se, em lugar de considerações abstratas, o senhor me tivesse falada humanamente, se, por exemplo, me tivesse feito uma simples alusão àquele jogo maldito, talvez eu não me tivesse deixado levar como um imbecil — disse, de repente.

— Estás arrependido? Está bem — respondeu, pesando suas palavras. — sempre suspeitei que o jogo em ti não era o essencial, mas um simples desvio pas-sa-gei-ro... Tens razão, meu amigo, o jogo é uma porcaria e depois pode-se perder.

— E perder também o dinheiro dos outros.

— Perdeste o dinheiro dos outros?

— O do senhor. Pedi emprestado ao príncipe por conta do dinheiro do senhor. Era sem dúvida um absurdo e uma tolice de minha parte... considerar seu dinheiro como meu, mas queria sempre jogar para tornar a ganhar.

— Previno-te ainda uma vez, meu caro, de que o príncipe não tem dinheiro meu. Sei que aquele rapaz se encontra, ele próprio, em grande aperto e acho que não me deve nada, apesar de suas promessas.

— Neste caso, minha situação é duas vezes pior... É cômica! E a que título me dará ele dinheiro e eu aceitarei, depois disso?

— É problema teu... Na verdade, não tens direito algum ao dinheiro dele, sabes?

— Fora da camaradagem...

— Nenhum fora da camaradagem? Não haveria alguma outra razão que te permitisse tomar-lhe dinheiro emprestado? Vejamos, em virtude de certas considerações?...

— Que considerações? Não compreendo.

— Tanto melhor, se não compreenderes. Confesso, meu amigo, que estava persuadido disso. *Brisons là, mon cher.*[52] E trata apesar de tudo de não mais jogar.

— Se pelo menos o senhor tivesse me dito isso mais cedo! E ainda agora, o senhor não diz, sussurra.

— Se tivesse dito mais cedo, só teríamos feito zangar-nos e não terias tanto prazer em receber-me em tua casa, à noite. Fica sabendo, meu amigo, de que todos esses conselhos salutares não são, de antemão, senão intrusões na consciência alheia. Já fiz suficientes intrusões dessa natureza e, afinal de contas, isto só me trouxe troças e zombarias. As troças e as zombarias pouco me importam, mas o importante é que tais manobras não conduzem a nada: por mais que você se meta, ninguém lhe dará ouvidos... e todo mundo o detesta.

— Folgo de ver que o senhor começa a falar-me de outras coisas que não as abstratas. Tenho ainda uma coisa a pedir-lhe, desde muito tempo, mas nunca o pude até hoje. É bom que estejamos na rua. O senhor se lembra daquela noite, em sua casa, a última noite, há dois meses, em que estava o senhor sentado em meu quarto, no meu "ataúde", e em que eu o interrogava a respeito de mamãe e de Makar Ivânovitch? Lembra-se de quanto me mostrava então sem cerimônia com o senhor? É possível permitir a um filho ainda fedelho falar naqueles termos a respeito de sua mãe? Pois bem, o senhor não pronunciou uma só palavra: pelo contrário, o senhor mesmo "desabotoou-se" e com isso fez aumentar a minha desenvoltura.

— Meu amigo, folgo muito por ouvir-te exprimir... semelhantes sentimentos... Sim, lembro-me bem, esperava, com efeito, naquele momento, o aparecimento

---

52 Mudemos de conversa, meu caro.

dum rubor no teu rosto e se te deixava expandir era talvez para impelir-te até o limite...

— E não fez então senão enganar-me e turvar ainda mais a fonte pura que havia na minha alma! Sim, sou um miserável adolescente e ignoro por vezes o que é bem e o que é mal. Se o senhor me tivesse mostrado o caminho, um pouco que fosse, eu teria compreendido e teria logo enveredado pelo caminho direito. Mas o senhor só fez irritar-me.

— *Cher enfant*, sempre pressenti que, duma maneira ou doutra, chegaríamos a um acordo: esse rubor no teu rosto surgiu agora por si mesmo, sem indicação de minha parte, e, juro, vale isto melhor para ti... Noto, meu caro, que ganhaste muito nestes últimos tempos... Não teria sido pelo convívio com aquele jovem príncipe?

— Não me elogie, não gosto disso. Não me deixe no coração essa penosa suspeita de que me elogia por hipocrisia, às custas da verdade, para não cessar de agradar-me. Nestes últimos tempos... veja o senhor... frequentei mulheres. Sou muito bem recebido, por exemplo, em casa de Anna Andriéievna, sabia?

— Sei disso por ela mesma, meu amigo. Sim, ela é encantadora e inteligente. *Mais brisons là, mon cher*. É engraçado, sinto-me mal hoje, talvez seja o tédio. Atribuo-o às hemorroidas. Que se passou lá em casa? Nada? Fizeste as pazes, houve troca de beijos, naturalmente? *Cela va sans dire*.[53] É triste algumas vezes ser obrigado a ir tornar a vê-las, mesmo depois do pior passeio. Asseguro-te, há vezes em que dou um largo rodeio sob a chuva, para retardar o momento de voltar para casa... Que tédio, que tédio, meu Deus!

— Mamãe...

— Tua mãe é a mais perfeita e a mais deliciosa das criaturas, mas... Em suma, não as valho, muito provavelmente. As propósito, que tem elas hoje? Todos estes últimos dias tem elas todas, como dizer... É que sabes?, procuro sempre ignorar, mas parece-me que se atou entre elas hoje... Não notaste nada?

— Não sei absolutamente de nada e até mesmo nada teria notado, sem aquela maldita Tatiana Pávlovna, que não pode impedir-se de morder. O senhor tem razão: há qualquer coisa. Encontrei Lisa em casa de Anna Andriéievna; estava um pouco... causou-me mesmo espanto. O senhor sabe, sem dúvida, que é ela recebida em casa de Anna Andriéievna?

— Sei, meu amigo, e tu... quando estiveste em casa de Anna Andriéievna? A que horas, exatamente? Tenho necessidade de saber por causa de certo fato.

— Entre duas e três. E imagine o senhor que, no momento em que eu saía, chegava o príncipe...

Contei-lhe toda a minha visita até nos mínimos detalhes. Ele escutou sem dizer uma palavra; a respeito do casamento possível do príncipe com Anna Andriéievna, não pronunciou uma palavra; aos meus elogios entusiastas a Anna Andriéievna, sussurrou de novo que era encantadora.

— Causei-lhe tremendo espanto hoje, comunicando-lhe a notícia bem fresca de que Katierina Nikoláievna Akhmákova vai casar com o Barão Bioring — disse eu bruscamente, *como se a frase me houvesse escapado*.

---

53   É claro.

— Sim? Pois bem, imagina que ela me comunicou essa mesma notícia esta manhã, antes do meio-dia, isto é, bem antes de teres podido causar-lhe espanto.

— Que está dizendo? — Estava pregado no lugar. — E donde pôde saber? Mas que digo? Decerto pôde saber antes de mim, mas imagine o senhor que ela a ouviu de minha boca como uma verdadeira novidade! Enfim... enfim! Viva a largueza de ideias! É preciso admitir largamente todos os caracteres, não é? Eu, por exemplo, teria imediatamente divulgado tudo, enquanto que ela a oculta na sua caixinha de rapé... De acordo, de acordo... E, no entanto, é a mais encantadora das criaturas e o mais admirável dos caracteres!

— Sem dúvida, cada qual tem sua maneira própria! Mas o mais original é que esses caracteres admiráveis excelem por vezes em apresentar singulares enigmas. Imagina que Anna Andriéievna, hoje mesmo, lança-me à queima-roupas esta pergunta: "O senhor ama Katierina Nikoláievna Akhmákova, sim ou não?".

— Que pergunta inverossímil e absurda! — exclamei, mais uma vez confuso. Sentia a vista turva. Jamais tratara aquele assunto com ele e era ele mesmo quem agora...

— E como ela a formulou?

— Mas de maneira alguma, meu amigo. A caixinha de rapé fechou-se logo, mais hermética do que antes. E nota bem, jamais admitira a possibilidade de tais conversas entre nós, ela tampouco, aliás... Mas tu mesmo dizes que a conheces, podes, pois, imaginar até que ponto semelhante pergunta lhe assenta... Não saberias de alguma coisa?

— O enigma é para mim o mesmo que é para o senhor. Uma curiosidade talvez, uma brincadeira.

— Pelo contrário, a pergunta era muito séria. Não era uma pergunta, mas quase um interrogatório, e visivelmente por motivos extraordinários e categóricos. Vais vê-la? Podes saber de alguma coisa? É mesmo um pedido, porque, vês...

— Mas a possibilidade, o meio somente de supor que o senhor amasse Katierina Nikoláievna! Perdoe-me, não consigo sair de minha estupefação. Jamais, jamais permiti a mim mesmo falar-lhe desse assunto, nem de nada semelhante...

— E agiste sabiamente, meu caro.

— Suas antigas complicações e suas antigas relações seriam naturalmente entre nós um assunto inconveniente. Teria sido mesmo tolo de minha parte. Mas, justamente nestes últimos tempos, nestes últimos dias, exclamei mais de uma vez para mim mesmo: pois bem, se ele amasse um dia aquela mulher, fosse apenas um instante? — Oh! o senhor jamais haveria de cometer a respeito dela erro tão terrível como o que ocorreu depois! O que ocorreu, eu sei: conheço a hostilidade e a aversão mútuas, por assim dizer, de um pelo outro, ouvi falar, até mesmo demais, a esse respeito, já em Moscou, e justamente o que ressalta antes de tudo, aqui, é esse fato de uma aversão louca, de uma hostilidade encarniçada, exatamente o contrário do amor. E eis que Anna Andriéievna lhe pergunta de chofre se o senhor ama aquela mulher! É possível que esteja tão mal informada? É bem estranho! Queria rir, garanto-lhe, queria rir.

— Mas noto, meu caro — percebi na sua voz não sei que de nervoso e de íntimo, penetrando até o coração, o que lhe acontecia bem raramente —, que tu mesmo falas disso com muito ardor. Acabas de dizer que visitas senhoras... Naturalmente, tenho acanhamento em interrogar-te... sobre semelhante assunto, como acabas de dizer... Mas aquela mulher não se encontra na lista de teus novos amigos?

— Aquela mulher... — minha voz tremeu de repente. — Escute, Andriéi Pietróvitch, escute: aquela mulher é o que o senhor ainda há pouco disse na casa desse príncipe, a respeito da vida viva, lembra-se? O senhor disse que essa vida verdadeira é algo de tão franco e de tão simples, tão nítida a nossos olhos, que precisamente por causa dessa retitude e dessa nitidez é impossível acreditar que seja aquilo que procuramos toda a nossa vida com tanta dificuldade... Pois bem, com este critério foi que o senhor acolheu a mulher ideal, mas reconheceu na perfeição, no ideal, todos os vícios! Eis aí!

O leitor pode julgar até que ponto estava fora de mim.

— "Todos os vícios!" Oh! oh! Eis uma frase que conheço! — exclamou Viersílov. — Se já chegamos ao ponto de ter sido essa frase comunicada a ti, conviria talvez que te felicitasse. Isto supõe entre vocês dois tal intimidade que seria preciso talvez louvar-te por uma modéstia e por uma discrição de que são capazes bem poucos jovens...

— Modéstia, discrição! Oh! não, não! — exclamei, corando e apertando-lhe ao mesmo tempo a mão, que já havia segurado e que, sem que me desse conta disso, não havia largado. — Não, por coisa alguma do mundo!... Não há lugar para felicitações a mim e nada de semelhante poderá jamais ocorrer, jamais! — Sufocava e voava, tinha tanta vontade de voar! Encontrava nisso tantos encantos! — O senhor sabe... oh! se isso acontecesse um dia, uma só pequenina vez! Veja o senhor, meu caro, meu gentil *bátiuchka* — permite-me que o chame de *bátiuchka*? —, não é somente um pai a seu filho, mas não importa quem deve proibir-se de falar a uma terceira pessoa de suas relações com uma mulher, por mais puras que sejam! E até mesmo, quanto mais puras sejam, mais devem permanecer secretas! É repugnante, é grosseiro, em suma, não há confidente possível aqui! Mas se não há nada, absolutamente nada, pode-se falar então, é permitido?

— Se teu coração diz.

— Uma pergunta indiscreta, muito indiscreta: o senhor, na sua vida, conheceu mulheres, teve ligações?... Pergunto em geral, em geral, não em particular! — Eu corava, sufocava-me de entusiasmo.

— Pois bem, admitamos que sim.

— Então, eis um caso que o senhor vai explicar-me, pois que tem mais experiência: uma mulher lhe diz, de repente, ao deixá-lo, à toa, subitamente, olhando de lado: "Estarei amanhã às três horas em tal lugar"... em casa de Tatiana Pávlovna, por exemplo. — Tinha avançado e iria até o fim. O coração palpitava-me, cessou mesmo de bater. Queria parar de falar: impossível! Ele era todo ouvidos.

— Portanto, no dia seguinte às três horas, estou em casa de Tatiana Pávlovna, entro e raciocino assim: "A cozinheira vai abrir-me a porta — o senhor conhece a cozinheira? — e vou lhe perguntar imediatamente: Tatiana Pávlovna está em casa? E se ela me disser que Tatiana Pávlovna não está em casa, mas que há uma senhora à espera dela", então que devo concluir, diga, se o senhor... Em uma palavra, se o senhor...

— Muito simplesmente, que te marcaram um encontro. Mas o caso ocorreu? E era hoje? Sim?

— Oh! não! não! não! de jeito nenhum, de jeito nenhum! Ocorreu, mas não assim! Um encontro, mas não para isso, e declaro antes de tudo, para não ser desonesto, ocorreu, mas...

— Meu amigo, tudo isso começa a tornar-se tão curioso que te proponho...

— Dê dez e até cinco copeques aos pobres... Só para um trago! Só uns copeques, é um tenente quem pede, um antigo tenente!

O alto vulto de um pedinte, talvez mesmo um tenente reformado, barrava-nos de súbito o caminho. O mais curioso era que estava muito bem vestido para seu ofício; o que não o impedia de estirar a mão.

III

É de propósito que menciono esse miserável episódio do miserável tenente, porque Viersílov se apresenta sempre à minha memória acompanhado de todos os detalhes, mesmo os mais miúdos, daquela circunstância para mim fatal. Fatal, mas eu não sabia!

— Deixe-me, ou chamo imediatamente a polícia! — Viersílov havia elevado a voz de repente e de maneira pouco natural, parando diante do tenente. Jamais teria esperado semelhante cólera da parte de semelhante filósofo e por um motivo tão ínfimo. E notai, interrompíamos nossa palestra no ponto mais interessante para ele, como acabava de declarar.

— Então, não tem o senhor nem uma moedinha? — gritou grosseiramente o tenente, com um gesto do braço. — Qual o canalha que não tem hoje dinheiro a rodo! Ralé! Velhaco! Traz gola de castor e faz do dar uma moedinha um caso de Estado!

— Polícia! — gritou Viersílov.

Mas não precisava de gritar: o polícia estava justamente ali, na esquina, e ouvira as injúrias do tenente.

— Peço-lhe que seja testemunha do insulto. Quanto a você, acompanhe-nos ao posto!

— Ora! ora! Que me importa. Você não pode provar nada! Sobretudo não provará que é inteligente!

— Não o solte, guarda e conduza-nos! — concluiu imperiosamente Viersílov.

— Ao posto? Para que? — cochichei-lhe.

— Não há remédio, meu caro. Essa desordem nas ruas começa a aborrecer-me e, se cada qual cumprisse seu dever, toda gente ia sentir-se melhor. *C'est comique, mais c'est ce que nous ferons.*[54]

Durante uns cem passos, o tenente mostrou-se muito acalorado; bancava de corajoso e orgulhoso; assegurava que "era impossível", que... "por causa de uma moedinha", etc. Por fim, começou a cochichar ao ouvido do polícia. Este, homem, discreto e inimigo visivelmente de agitações na rua, parecia ser-lhe favorável, mas só em certo sentido. Murmurava-lhe à meia voz que "agora não havia mais meio", que "o caso estava iniciado", e que "se, por exemplo, ele se desculpasse e o cavalheiro consentisse em aceitar suas desculpas, então talvez...".

---

54 É cômico, mas é o que faremos.

— Vamos, es-cu-te, meu bom senhor, aonde vamos? Pergunto-lhe: para onde corremos? Que há de sensato nisso? — gritou o tenente. — Se um desgraçado, no meio de seus fracassos, consente em oferecer suas desculpas... se afinal tem o senhor necessidade de humilhá-lo... Não estamos num salão, que diabo! Estamos na rua! Para a rua, isto basta como pedido de desculpas...

Viersílov parou e desatou a rir. Eu estava pronto a pensar que ele começara toda aquela história para divertir-se; mas não havia nada disso.

— Desculpo-o inteiramente, senhor oficial, e asseguro-lhe que não é o senhor destituído de inteligência. Aja assim, mesmo num salão; em breve, também para os salões, será isto perfeitamente suficiente; enquanto espera, eis aqui duas moedas, vá beber e comer. Desculpe-me, senhor agente, o incômodo. Queria agradecer-lhe o trabalho que tomou, mas colocou-se o senhor agora em tal pé de nobreza... Meu caro — dirigiu-se a mim —, há por ali um botequim; não passa, aliás, de uma horrenda cloaca, mas pode-se tomar chá ali e convido-te... Estamos bem perto, vamos lá.

Repito: jamais o vira em semelhante agitação. No entanto, seu rosto mostrava-se alegre e radiante. Mas notei que, quando tirou de seu porta-moedas duas moedas para dá-las ao oficial, suas mãos tremiam e seus dedos não lhe obedeciam mais, tanto que acabou por pedir-me que tirasse as moedas e desse-as ao tenente; não posso esquecer isso.

Conduziu-me a um boteco, abaixo do nível da rua. Não havia lá muita gente. Um realejo rouco e desafinado fazia-se ouvir; tresandava a guardanapos sujos; instalamo-nos num canto.

— Talvez não saibas, mas gosto por vezes, por tédio... por terrível tédio de coração... de descer a estas cloacas. Este cenário, esta ária saltitante da Lúcia,[55] estes garçons trajados à russa até a inconveniência, esta fumaça de tabaco, estes gritos de jogadores de bilhar, tudo é tão vulgar e tão prosaico que chega a ser quase fantástico. Pois bem, meu caro, onde estávamos? Aquele filho de Marte interrompeu-nos no ponto mais interessante, creio... Mas eis o chá; adoro o chá, aqui... Imagina que Piotr Ipolítovitch afirmava ainda há pouco àquele outro locatário bexigoso que o Parlamento inglês formara, no século passado, uma comissão de juristas para examinar todo o processo de Cristo perante o sumo-sacerdote e Pilatos, unicamente para saber como a coisa se passaria hoje segundo nossas leis, e que o negócio foi todo montado com toda a solenidade requerida, com advogados, promotores e tudo mais... e que os jurados foram obrigados a dar um veredicto de culpabilidade... É espantoso! O imbecil do locatário pôs-se a discutir, zangou-se e declarou que se mudaria logo amanhã... a locadora desfez-se em lágrimas, porque perde uma renda... *Mais passons!*[56] Há por vezes nestes botecos rouxinóis. Conheces aquela velha anedota moscovita à Piotr Ipolítovitch? Um rouxinol canta num botequim de Moscou; entra um desses negociantes de maus bofes: — "Quanto custa o rouxinol?" — "Cem rublos!" — "Mandem assá-lo e sirvam-no!" Assim se fez. "Cortem-me dele um pedaço de dois cêntimos!" Contei isto um dia a Piotr Ipolítovitch, mas não quis acreditar, chegou mesmo a indignar-se...

Falou ainda muito. Cito estes fragmentos a título de amostra. Interrompia-me sem cessar, desde que eu abria a boca para começar uma história minha e lar-

---

55 *Lúcia de Lammermoor*, ópera em três atos. Libreto de Salvatore Cammarano, extraído do conhecido romance de Walter Scott *A noiva de Lammermoor* (1818). Música de Caetano Donizzeti, célebre compositor italiano.

56 Mas deixemos isso!

gava qualquer tolice completamente original e sem nenhuma relação com ela; falava exaltado, alegre; ria de tudo e até mesmo escarnecia; o que jamais o vira fazer. Engoliu dum trago um copo de chá e serviu-se dum segundo. Agora compreendo: assemelhava-se a um homem que recebeu uma carta querida, curiosa e há muito esperada, que colocou diante de si e que, de propósito, não abre. Pelo contrário, revira-a longamente entre os dedos, examina o envelope, o selo, vai a uma outra sala dar ordens, recua, em uma palavra, o minuto mais interessante, sabendo bem que ela não lhe escapará e tudo isso para aumentar seu prazer.

Naturalmente, contei-lhe tudo, tudo desde o começo, e minha narrativa durou talvez uma hora. Como poderia ser de outro modo? Já ainda há pouco eu tinha sede de falar. Comecei pelo nosso primeiro encontro em casa do príncipe, após a chegada dela; depois contei como tudo se sucedera pouco a pouco. Não saltei nada, e nada podia saltar, ele mesmo me punha no caminho, adivinhava, soprava-me. Parecia-me, por instantes, que eu vivia um conto fantástico, que ele sempre estivera ali, sentado ou de pé em alguma parte, por trás da porta, todas as vezes, durante todos aqueles dois meses: sabia de antemão cada um dos meus gestos, cada um de meus sentimentos. Eu sentia um gosto infinito em fazer-lhe esta confissão, porque via nele tanta doçura cordial, tanta finura psicológica, tão espantosa aptidão para adivinhar tudo com apenas meias palavras... Escutava-me, ternamente, como uma mulher. Portou-se sobretudo tão bem que eu não experimentava vergonha nenhuma; por vezes fazia-me parar bruscamente para algum detalhe; muitas vezes interrompia-me e repetia nervosamente: "Não esqueças os detalhes, não esqueças sobretudo os detalhes; quanto mais miúdo é um traço, mais importante é por vezes". Repetiu isso várias vezes. Oh! sem dúvida, ao começar, eu a havia tratado com arrogância, mas bem depressa recaí na verdade. Contei sinceramente que estava pronto a beijar o lugar do soalho onde pousara seu pé. O mais belo, o mais esplêndido era que ele compreendia perfeitamente que se podia sofrer de medo por causa do documento e ao mesmo tempo permanecer uma criatura pura e sem mancha, tal como ela se havia revelado naquele mesmo dia a mim. Compreendera perfeitamente a palavra "estudante". Mas como eu já estivesse no fim, notei que seu bondoso sorriso era atravessado de tempo em tempo por uma impaciência demasiado visível, algo de brusco e de distraído. Quando cheguei ao documento, pensei entre mim: "Digo-lhe a verdade verdadeira ou não?" e não disse, apesar de todo o meu entusiasmo. Noto-o aqui para lembrar-me disso toda a minha vida. Expliquei-lhe a coisa da mesma maneira que a ela, isto é, invocando o nome de Kraft. Seus olhos iluminaram-se. Uma ruga estranha formou-se na sua testa, uma ruga muito sombria.

— E lembras-te bem de que Kraft haja queimado aquela carta na luz da vela? Não te enganas?

— Não, não me engano — confirmei.

— É que essa carta é de extrema importância para ela e, se a tivesses hoje nas mãos, poderias hoje mesmo... — Mas o que eu poderia, não disse. — Então, é bem verdade, não a tens mais entre as mãos?

Estremeci por dentro, mas não exteriormente. Exteriormente, não me traí de forma alguma: nem um piscar de olhos. Nem mesmo queria acreditar na pergunta.

— Como, entre as mãos? Que eu a tenha agora entre as mãos? Mas uma vez que Kraft a queimou!

— Sim? — Fixou em mim um olhar de fogo, imóvel, de que ainda me lembro. Aliás, estava sorridente, mas toda a sua bonomia, toda a feminilidade de sua expressão tinham subitamente desaparecido. Tomou um ar indeterminado e desorientado; mostrava-se cada vez mais distraído. Se tivesse sido mais senhor de si, tão senhor como fora até então, não me teria feito aquela pergunta sobre o documento; se a fizera é que com certeza estava fora de si. Mas é hoje que falo assim; na época, não penetrei tão depressa a mudança que lhe sobreviera; eu continuava a voar e minha alma estava cheia da mesma música. Mas minha narrativa terminara; fitei-o.

— Espantoso! — declarou ele, de chofre quando lhe contei até a derradeira vírgula. — Espantoso, meu amigo: dizes que estiveste lá de três às quatro e que Tatiana Pávlovna não estava em casa?

— Exatamente, de três às quatro e meia.

— Pois bem, imagina que fui à casa da Tatiana Pávlovna às três e meia bem exatas e recebeu-me ela na cozinha; passo quase sempre pela escada de serviço.

— Como, recebeu-o na cozinha? — exclamei, recuando, cheio de espanto.

— Sim, e ela declarou-me que não podia receber-me; fiquei uns dois minutos. Aliás fora apenas convidá-la para jantar.

— Talvez estivesse acabando de chegar.

— Não sei. Decerto que não. Estava de roupão. Eram exatamente três horas e meia.

— Mas... Tatiana Pávlovna não lhe disse que eu estava lá?

— Não, não me disse que estavas lá... De outro modo, eu o teria sabido e nada te teria perguntado.

— Escute, é muito importante...

— Sim... depende do ponto de vista. Empalideceste, meu caro. Mas que há de tão importante?

— Enganaram-me como a uma criança!

— Muito simplesmente ela teve medo de tua veemência, como disse. E ocultou-se por trás de Tatiana Pávlovna.

— Meu Deus, que história! Escute, deixou-me dizer tudo aquilo na presença duma terceira pessoa, diante de Tatiana Pávlovna! A outra ouviu então tudo o que eu dizia! É... é mesmo terrível pensar nisso!

— *C'est selon. mon cher!*[57] Além disso, tu mesmo falaste ainda há pouco da largueza de vistas a respeito da mulher em geral e exclamaste: "Viva a largueza de vistas!".

— Se eu fosse Otelo e o senhor Iago, não poderia o senhor dizer melhor... Mas estou brincando! Não pode haver Otelo, pois que não há relações desse gênero. E como não rir? Pois seja! Creio, apesar de tudo, no que está infinitamente acima de mim e não perco meu ideal!... Se é uma brincadeira da parte dela, perdoo. Brincar com um miserável adolescente, admito! Jamais assumi disfarce algum, e o estudante... o estudante estava ali, estava na sua alma, estava no seu coração, existe e existirá! Basta! Escute, o que o senhor acha: é preciso ir imediatamente à casa dela, para saber toda a verdade, ou não?

Disse: "como não rir?", mas tinha as lágrimas nos olhos.

---

57   É conforme, meu caro.

— Pois bem: vai, meu amigo, se tens vontade.

— Sinto-me como que emporcalhado por ter-lhe contado tudo isso. Não se zangue, mas não é permitido, repito-lhe, não é permitido falar de uma mulher a uma terceira pessoa. O confidente nunca compreenderá. Um anjo mesmo não compreenderia. Quando o senhor respeitar uma mulher, não tome confidente; se o senhor se respeita a si mesmo, não tome confidente! Neste momento, não me respeito. Até à vista, não perdoarei jamais a mim mesmo...

— Vamos, meu amigo, exageras. Tu mesmo dizes, nada se passou.

Saímos e despedimo-nos.

— Mas não me beijarás então nunca de todo o teu coração, como criança, como um filho beija seu pai? — disse-me ele, com um tremor singular na voz. Beijei-o com fervor.

— Meu caro... sê sempre tão puro quanto és neste momento.

Jamais o beijara e jamais teria imaginado que ele próprio reclamasse isso.

Capítulo VI

I

"Está claro, é preciso ir lá!", decidi, apressando-me em voltar para casa. "É preciso ir lá de imediato. É bem provável que a encontre sozinha. Sozinha ou com alguém, pouco importa: pode-se chamá-la. Vai me receber; ficará admirada, mas me receberá. Se não me receber, insistirei para que me receba, mandarei dizer-lhe que é absolutamente necessário. Vai pensar que se trata do documento e me receberá. E saberei tudo, a respeito de Tatiana. Em seguida... está bem, em seguida, o quê? Se não tiver razão, vou compensá-la; se tiver eu razão e ela não, então será o fim de tudo! De toda maneira, é o fim de tudo! Que tenho a perder? Nada. Vamos, vamos lá!"

Ora, não esquecerei jamais e vou lembrar disso com orgulho, não fui lá! Ninguém saberá, isto vai ficar ignorado, mas basta que eu saiba, eu, e que tenha sido capaz naquele momento de um instante de infinita nobreza! "É uma tentação e passarei adiante" — decidi por fim, depois de ter refletido. Quiseram amedrontar-me, mas não acreditei, não perdi minha fé na sua pureza! De que serve ir lá e informar-me de quê? Por que ela deveria absolutamente crer em mim como creio nela, crer na minha pureza, não temer minha veemência e não se ocultar atrás de Tatiana? Não mereci ainda nada de tudo isso a seus olhos. Que ela ignore pois que o mereço, que não me deixo seduzir pelas tentações, que não creio nas más línguas, seja! Pelo contrário, eu sei tudo e me respeitarei ainda mais. Respeitarei meu sentimento. Oh! sim, ela deixou que eu falasse diante de Tatiana, admitiu Tatiana, sabia que Tatiana estava lá e escutava (porque ela não podia deixar de escutar), sabia que Tatiana zomba de mim, é espantoso, é espantoso! Mas... se era impossível evitar? Que poderia ela fazer na sua situação e como acusá-la disso? Eu não menti a propósito de Kraft? Não a enganei, também eu, porque também era impossível evitar? Menti também eu, porque era também impossível evitar? Também eu menti, involuntária, inocentemente. Ah! meu Deus! — exclamei, de repente, corando, cheio de dor: eu mesmo, eu mesmo que é que acabo de fazer? Não fui eu que a atraí diante daquela mesma Tatiana, não sou eu que acabo de contar tudo a Viersílov? Mas por que falar de mim? Há uma grande diferença. Tratava-se somente do documento; no fundo, não falei a Viersílov senão a respeito do documento, porque não havia nenhuma outra coisa a contar-lhe e nada podia haver. Não fui eu que o preveni primeiro e que gritei que não podia haver nenhuma outra coisa no caso? É um homem que compreende as coisas. Hum... Mas, no entanto, que ódio no seu coração, ainda agora, contra aquela mulher! Que drama deve ter ocorrido outrora entre eles e por quê? Naturalmente por amor-próprio! "Viersílov não é capaz de nenhum sentimento, exceto um amor--próprio ilimitado!"

Sim, este derradeiro pensamento escapou-me e nem mesmo notei. Eis, pois, as ideias que, sucessivamente, uma após outra, atravessaram meu cérebro e eu era então sincero comigo mesmo: não trapaceava, não enganava a mim mesmo; e se há alguma coisa que não tenha compreendido naquele instante, é apenas porque a compreensão me faltou, e não por hipocrisia diante de mim mesmo.

Voltei para casa numa tremenda excitação e, não sei por que, de humor muito jovial, embora bastante confuso. Mas temia analisar-me e esforçava-me com todas as minhas forças por distrair-me. Fui logo procurar a locadora: houvera, de fato, entre ela e seu marido uma terrível disputa. Era uma mulher de funcionário, completamente tuberculosa e bondosa, mas, como todas as tuberculosas, caprichosa ao extremo. Tratei logo de reconciliá-los, procurei o locatário, um imbecil muito grosseiro, marcado de varíola, vaidoso em excesso, que trabalhava num banco, um tal Tcherviákov, de quem eu não gostava, mas com o qual entretinha, entretanto, relações pacíficas, porque tinha a fraqueza de zombar com ele de Piotr Ipolítovitch. Depressa o convenci de que não se mudasse, aliás ele não estava de modo algum decidido a isso. Afinal, acalmei definitivamente a locadora e, além disso, soube arranjar-lhe muito bem o travesseiro: "Eis de que jamais seria capaz Piotr Ipolítovitch!", concluiu ela, maliciosamente. Em seguida, ocupei--me em preparar-lhe as cataplasmas e com minhas próprias mãos arranjei-lhe duas perfeitamente notáveis. O pobre Piotr Ipolítovitch olhava-me com inveja, mas nem mesmo lhe permiti que tocasse nelas e fui recompensado, literalmente, com lágrimas de reconhecimento. Depois, lembro-me, de repente, tudo aquilo me aborreceu e adivinhei súbito que não era de modo algum por bondade de alma que cuidava da doente, mas à toa, não sabia por que, ou por alguma razão totalmente diversa.

Esperava, nervoso, Matviéi. Naquela noite decidira tentar uma derradeira vez a sorte e... e, fora da sorte, experimentava terrível necessidade de jogar; de outro modo aquilo teria sido insuportável. Se não tivesse ido a alguma parte, não teria talvez suportado, e teria partido para a casa dela. Matviéi devia chegar dentro em pouco, mas de repente a porta abriu-se e vi entrar uma visitante inesperada. Dária Onísimovna. Franzi o cenho e demonstrei espanto. Ela sabia onde eu morava porque viera uma vez trazer-me um recado de minha mãe. Mandei que se sentasse e olhei-a com um olhar interrogativo.

Ela não disse nada, limitando-se a olhar-me fixamente e a sorrir com humil- dade.

— Não foi Lisa que a mandou? — perguntei, de súbito.

— Não, vim à toa.

Preveni-a de que ia sair; respondeu de novo que viera à toa e que ia também sair. Senti, de súbito, não sei que compaixão. Devo notar que, de nós todos, de minha mãe e, em particular, de Tatiana Pávlovna, ela recebera muitas demonstrações de simpatia, mas que depois de havê-la colocado na casa de Stolbiéieva todos os nossos haviam-na quase esquecido, exceto talvez Lisa, que a visitava muitas vezes. A causa, creio bem, provinha dela mesma, porque tinha a particularidade de afastar-se e de ocultar-se, apesar de toda a sua humildade e de seus sorrisos implorativos. Quanto a mim, aqueles sorrisos não me agradavam: via-a sempre contrafazer seu rosto e vim a pensar um dia que ela não havia chorado Ólia por muito tempo. Mas daquela vez, não sei por que, tive piedade dela.

Ora, sem dizer uma palavra, curvou-se de súbito, baixou os olhos, e, lançando os dois braços para a frente, pegou-me pela cintura, enquanto seu rosto inclinava-se sobre meus joelhos. Agarrou minha mão, imaginava já que era para beijá-la, mas levou-a a seus olhos e lágrimas quentes correram sobre ela, em torrentes. Os soluços sacudiam-na toda, mas chorava sem ruído. Senti-me mal, se bem que experimentasse um começo de irritação. Mas abraçava-me com inteira confiança, sem temer zangar-me, ao passo que ainda há pouco me sorria tímida e servilmente. Roguei-lhe que se acalmasse.

— Meu bom senhor, não sei mais que fazer de mim mesma. Assim que escurece, não me suporto mais; quando cai a noite, não posso mais aguentar-me, é preciso sair para a rua, para o escuro. É o sonho sobretudo que me atrai. Um sonho que nasceu no meu cérebro, de que, quando sair à rua, a encontrarei. Ando e parece-me vê-la. Quer dizer que são os outros que andam e eu ando atrás, de propósito, e digo a mim mesma: não será ela? Sim, sim, ei-la, é bem ela, a minha Ólia! E reflito, reflito. Tornei-me louca afinal, à força de correr em meio da multidão, sinto-me nauseada. Dou encontrão nas pessoas, como se estivesse bêbeda, algumas atiram-me injúrias. Mas guardo tudo isso para mim e não vou mais à casa de ninguém. Aliás, aonde quer que eu vá, encontro-me ainda pior. Ainda há pouco passei diante de sua casa e disse a mim mesma: "Se eu entrasse? Ele é melhor que os outros e depois assistiu à coisa". Meu bom senhor, perdoe-me; vou-me embora imediatamente e irei...

Levantou-se de súbito e fez menção de retirar-se. Nesse momento chegou Matviéi; a fiz sentar a meu lado no trenó e, de passagem, deixei-a em casa, na casa da Stolbiéieva.

II

Eu frequentava nos derradeiros tempos a roleta de Ziérchtchikov. Até então eu ia a três casas, sempre com o príncipe, que me introduzia naqueles lugares. Em uma dessas três casas, entregavam-se sobretudo ao bacará e o jogo era alto. Mas não me dava bem ali: via que teria sido preciso muito dinheiro e além disso compareciam ali muitos indivíduos insolentes e muitos rapazes da alta sociedade com os bolsos bem repletos. Era justamente do que gostava o príncipe; gostava de jogar, mas gostava também de andar metido com aqueles desmiolados. Notei que, se entrava por vezes lado a lado comigo, no correr da noite afastava-se de mim e não me apresentava a nenhum dos seus. Eu tinha o ar de um perfeito selvagem, a ponto de atrair por vezes a atenção. Na mesa de jogo, acontecia-me algumas vezes conversar com um ou com outro; mas uma vez tentei, no dia seguinte, naquele mesmo salão, cumprimentar um jovem cavalheiro com o qual não somente falara, mas até mesmo rira na véspera, sentado a seu lado (e até mesmo lhe adivinhara duas cartas). Pois bem: não me reconheceu. Ou antes, pior ainda: olhou-me com um espanto fingido e passou adiante com um sorriso. De modo que abandonei em breve aquela casa e preferi frequentar uma cloaca — não saberia dar-lhe outro nome. Era uma roleta assaz miserável, minúscula, mantida por uma prostituta, que entretanto jamais se mostrava na sala. Ali, estava-se à vontade e, muito embora aparecessem oficiais e comerciantes ricos, tudo se passava em família, o que atraía, aliás, muitas pessoas. Além disso, a sorte me sorria ali muitas vezes. Mas deixei de lá ir após uma nojenta história ocorrida um belo dia em pleno jogo e que acabou por uma rixa entre dois jogadores. Foi então que comecei a frequentar Ziérchtchikov, a cuja casa, ainda uma vez, me conduzira o príncipe. Era um capitão de Artilharia reformado, e o tom de seus serões era bastante suportável, um pouco militar, muito exigente no cumprimento das formalidades, rápido e prático. Por exemplo, nunca tinham ali entrada baderneiros e grandes farristas. Além disso, o jogo estava mesmo muito longe da baderna. Jogava-se no bacará e na roleta. Até aquela noite de quinze de novembro, eu estivera lá ao todo umas duas vezes e Ziérchtchikov, creio, conhecia-me de vista; mas eu ainda não tinha nenhum conhecido. Como de propósito, o príncipe apareceu naquela noite com Darzan, já perto da meia-noite, de volta do bacará daqueles desmiolados da alta sociedade que eu tinha abandonado; de modo que naquela noite me achava como um desconhecido numa multidão estrangeira.

Se tivesse um leitor que houvesse lido tudo quanto já escrevi de minhas aventuras, não teria mais, bem decerto, de explicar-lhe que não nasci verdadeiramente para a sociedade, qualquer que ela seja. Em primeiro lugar, não sei portar-me na sociedade. Quando vou a um lugar onde há muita gente, parece-me sempre que todos os olhares me eletrizam. Sinto-me nervoso, acho-me fisicamente pouco à vontade, até mesmo em lugares como um teatro, sem falar das residências particulares. Em todas aquelas roletas e aquelas reuniões, era absolutamente incapaz de assumir uma atitude: ora, sentado, censurava-me o excesso de mansidão e de polidez, ora me levantava e cometia alguma grosseria. E, no entanto, não importa qual patife, em comparação comigo, sabia portar-se com um desembaraço admirável,e era isso que mais raiva me causava, tanto que perdia cada vez mais o sangue-frio. Direi francamente, não só hoje, mas mesmo então, toda aquela sociedade e até mesmo os ganhos no jogo, se devo tudo dizer, acabaram por parecer-me repugnantes e aborrecidos. Isto mesmo: aborrecidos. Experimentava sem dúvida um prazer extremo, mas esse prazer vinha através do sofrimento; tudo aquilo, quero dizer, as pessoas, o jogo e eu mesmo sobretudo com eles, parecia-me espantosamente sujo. "Basta que eu ganhe e mandarei tudo para o diabo!", dizia a mim mesmo todas as vezes, ao acordar ao romper do dia, após o jogo da noite. O ganho, por exemplo: não amava absolutamente o dinheiro. Não vou repetir a frase banal, comum em tal caso, que jogava pelo prazer de jogar, pelas sensações, pelo gozo do risco, do acaso e do resto e de modo algum pelo ganho. Tinha tremenda necessidade de dinheiro e sem dúvida não era meu caminho, não era minha ideia, mas de uma maneira ou de outra não estava menos decidido então a tentar também, a título de experiência, aquele caminho. Havia uma ideia potente que me perturbava sempre: "Chegaste à conclusão de que podes tornar-te milionário com certeza, sob a condição de ter um caráter suficientemente forte! Já deste prova de teu caráter; pois bem, mostra, aqui também, o que vales: a roleta exigiria mais caráter que tua ideia?". Eis o que repetia a mim mesmo. E como estou ainda hoje convencido de que, nos jogos de azar, com uma calma perfeita, permitindo conservar toda a finura da razão, é impossível não suplantar a grosseria do acaso cego e deixar de ganhar, devia fatalmente, naquela época, irritar-me cada vez mais vendo que por vezes perdia meu sangue-frio e me exaltava como um rapazinho. "Eu, que pude suportar a fome, não poderia suportar a mim mesmo, em semelhante imbecilidade?!" Eis o que me enfezava. Além disso, a consciência que possuía, por mais ridículo e rebaixado que parecesse, um tesouro de força que os obrigaria a todos a mudar um dia de opinião a meu respeito, essa consciência — desde os meus anos de infância humilhada — era então a única fonte da minha vida, minha luz e meu patrimônio, minha arma e meu consolo, de outro modo teria talvez me matado ainda menino. Assim, poderia deixar de zangar-me contra mim mesmo, vendo a lastimável criatura em que me tornava diante de uma mesa de jogo? Eis por que não podia abandonar mais o jogo: vejo claramente hoje. Fora dessa razão principal, o amor-próprio mesquinho sofria também: a perda no jogo rebaixava-me aos olhos do príncipe, aos olhos de Viersílov, se bem que este nada se dignasse dizer, aos olhos de todos e até mesmo de Tatiana — era pelo menos o que me parecia, o que eu sentia. Enfim, farei ainda uma confissão: já estava corrompido; já me era difícil renunciar ao meu jantar de sete pratos no restaurante, a Matviéi, ao magazine inglês, à opinião de meu perfumista, a tudo isso afinal. Já tinha então consciência disso, mas fechava os olhos; hoje, ao escrever, é que me ruborizo.

III

Tendo entrado sozinho e encontrando-me em meio duma multidão desconhecida, instalei-me a princípio a um canto da mesa e comecei a jogar pequenas somas. Fiquei assim duas horas sem mover-me. Foram duas horas dum terrível marasmo: nem sorte, nem má sorte. Deixava passar oportunidade espantosas, procurando não me zangar, vencer pelo meu sangue-frio e pela minha firmeza. Afinal de contas, deu-se que, durante aquelas duas horas, eu não tinha nem ganho nem perdido: de trezentos rublos havia perdido dez a quinze. Esse miserável resultado encheu-me de raiva. Além disso, ocorreu uma história das mais desagradáveis. Sei que se encontram por vezes em torno dessas roletas ladrões, não vindos da rua, mas entre os jogadores conhecidos. Por exemplo, estou persuadido de que o famoso jogador Afiérdov é um ladrão; exibe-se hoje na cidade; encontrei-o bem recentemente com seus dois pôneis, mas nem por isso deixa de ser um ladrão e roubou-me. Mas esta história fica para mais tarde; naquela noite era apenas o prelúdio: ficara sentado aquelas duas horas no canto da mesa e à minha esquerda se encontrava, durante todo o tempo, um janota muito elegante, um judeuzinho, creio; faz parte de não sei mais o que e até mesmo escreve e consegue imprimir-se. No derradeiro minuto, ganhei de repente vinte rublos. Duas cédulas vermelhas estavam ali à minha frente, quando de chofre vi aquele judeuzinho estender a mão e puxar para si, o mais tranquilamente possível, uma de minhas cédulas. Ia detê-lo, mas, com o ar mais insolente e sem elevar a voz, não é que ele me declara que aquele ganho é dele, que acabara de fazer uma parada e que ganhara? Nem mesmo quis continuar a conversa e virou as costas. Como de propósito, estava eu naquele segundo num estado de espírito muito idiota: imaginara uma grande ideia. Cuspi, levantei-me rapidamente e retirei-me, sem querer discutir, fazendo-lhe presente de minha cédula vermelha. Teria sido, aliás, penoso ajustar contas com semelhante patife, porque já se passara tempo; o jogo continuara. Pois bem, foi isso de minha parte um erro imenso, que iria ter consequências: três ou quatro jogadores em redor de nós tinham notado nossa discussão e, vendo-me recuar tão facilmente, deviam ter pensado de mim: é um deles! Era exatamente meia-noite; passei para a sala vizinha, refleti, tracei novo plano, voltei e troquei na banca minhas cédulas por moedas de ouro. Achei-me possuidor de mais de quarenta moedas. Separei-as em dez partes e resolvi fazer paradas dez vezes em seguida no zero, quatro meias imperiais, de cada vez, uma após outra: "Se ganhar, será sorte minha; se perder, tanto melhor: não jogarei mais". Notarei que em todas aquelas duas horas o zero não saíra uma vez sequer, tanto que no final ninguém jogava nele.

Eu jogava de pé, silencioso, franzindo os supercílios e apertando os dentes. Na terceira vez, Ziérchtchikov anunciou em voz alta o zero, que não saíra toda a noite. Contaram-me cento e quarenta meias imperiais de ouro. Restavam-me ainda sete paradas. Continuei, e, entretanto, tudo, em redor de mim, se agitava e dançava.

— Venha para cá! — gritei, do outro lado da mesa, para um jogador junto do qual me encontrava um instante antes, um sujeito de fartos bigodes brancos, de rosto escarlate e de casaca, que, desde várias horas já, arriscava com uma paciência inexprimível pequeníssimas somas, perdendo de todas a vezes. — Venha para cá! É aqui que está a sorte!

— É a mim que o senhor se dirige? — gritou o bigodudo lá da ponta da mesa, com um espanto ameaçador.

— Ao senhor, sim! Aí onde está perde tudo!

— O senhor não tem nada com isto. Rogo-lhe que me deixe tranquilo.

Mas não podia mais conter-me. Diante de mim, do outro lado da mesa, estava sentado um oficial idoso. Olhando minha parada, murmurou a seu vizinho:

— É estranho: o zero. Não me decidirei jamais pelo zero.

— Ouse, pois, coronel! — gritei eu, jogando nele de novo.

— Rogo-lhe também que me deixe tranquilo. Não tenho necessidade de seus conselhos — retrucou-me, violentamente. — O senhor faz barulho demais aqui.

— Dou-lhe um bom conselho. Pois bem, quer apostar comigo que o zero vai dar de novo? Dez moedas de ouro: quer?

E avancei dez meias imperiais.

— Dez moedas? Uma aposta? Aceito — declarou ele, seco e severo. — Aposto contra o senhor que o zero não sairá mais.

— Dez luíses de ouro, coronel.

— Quais dez luíses de ouro?

— Dez meias imperiais, coronel. Em estilo nobre: dez luíses de ouro.

— Diga então: meias imperiais e não brinque comigo.

Não tinha naturalmente a esperança de ganhar minha aposta: havia trinta e seis possibilidades contra uma de que o zero não desse: mas fizera a proposta em primeiro lugar para chamar a atenção, e em seguida porque queria atrair todo mundo para mim. Via por demais que ninguém ali me estimava e que me faziam sentir isso com um prazer particular. A roleta pôs-se a girar e qual não foi a estupefação geral quando o zero saiu uma vez mais! Houve mesmo uma exclamação geral. Então a glória do ganho nublou-me o cérebro. Imediatamente contaram-me cento e quarenta meias imperiais. Ziérchtchikov perguntou-me se eu não queria receber uma parte em cédulas, mas respondi-lhe com um resmungo, porque me achava literalmente incapaz de explicar-me calma e claramente. A cabeça girava-me, minhas pernas fraquejavam. Senti, de repente, que ia agora correr um risco terrível; além disso, tinha vontade de empreender ainda alguma coisa, de propor ainda alguma aposta, de contar para não importa quem alguns milhares de rublos. Juntei maquinalmente com a palma da mão meu monte de cédulas e de moedas de ouro e não pude decidir-me a contá-las. Naquele momento, notei de súbito por trás de mim o príncipe e Darzan; acabavam de voltar de seu bacará onde, como o soube mais tarde, tinham perdido tudo.

— Hei, Darzan — gritei-lhe —, eis onde está a sorte! Aposte no zero.

— Perdi tudo, não tenho mais dinheiro! — respondeu ele, secamente. O príncipe tinha o ar de nada notar e de não me conhecer.

— Dinheiro? Aqui está! — gritei, mostrando-lhe meu monte de ouro. — Quanto quer?

— Com os diabos! — gritou Darzan todo vermelho. — Não lhe pedi nada, parece-me.

— Chamam-no! — Era Ziérchtchikov quem me puxava pela manga.

O coronel já me chamava várias vezes e quase com injúrias, depois que perdera sua aposta de dez imperiais.

— Tome! — gritou-me, ele, escarlate de cólera. — Não sou obrigado a esperá-lo. Diria depois que nada recebeu. Conte!

— Acredito no senhor, coronel, acredito no senhor, acredito no senhor sem precisar de contar. Somente, peço-lhe, não grite contra mim, não se zangue. — E raspei com a mão o seu monte de ouro.

— Meu caro senhor, rogo-lhe que dirija seus entusiasmos a algum outro e não a mim — gritou violentamente o coronel. — Não guardamos os porcos juntos.

— É estranho que deixem entrar aqui indivíduos dessa qualidade! Quem é? Um rapazola qualquer! — exclamaram à meia voz.

Mas eu não escutava, fazia paradas ao acaso e mais sobre o zero. Coloquei todo um maço de cédulas irisadas sobre os dezoito primeiros números.

— Vamos embora, Darzan! — disse o príncipe, atrás de mim.

— Para casa? — E voltei-me para eles. — Esperem-me, iremos juntos. Acabei.

Meu número ganhou; era um ganho enorme. "Basta!", exclamei e, com mãos trêmulas, juntei o ouro e derramei-o nos meus bolsos sem contar, amarfanhando desajeitadamente em meus dedos os maços de cédulas, pois queria meter todos de uma vez, num bolso de lado. De repente, uma mão rechonchuda com um anel, a de Afiérdov, que estava agora à minha direito e tinha também apostado fortes somas, pousou-se sobre três de minhas cédulas irisadas e cobriu-as com a palma de sua mão.

— Permita, estas não são suas! — disse ele, severamente e destacando as sílabas, com uma voz aliás bastante doce.

Era aquilo o prelúdio que, em seguida, alguns dias mais tarde, deveria ter sérias consequências. Hoje, juro-o pela minha honra, aquelas três cédulas de cem rublos eram bem minhas, mas, para desgraça minha, por mais que estivesse persuadido disso então, restava um décimo de dúvida e, para um homem honesto, nisto está tudo; ora, sou um homem honesto. Sobretudo, não sabia então com certeza que Afiérdov era um ladrão; ignorava então até seu nome, de modo que podia crer verdadeiramente que me enganara e que aquelas três cédulas não estavam no número das que acabavam de contar para mim. Durante toda a noite, não contara uma vez sequer meu monte de dinheiro e contentava-me com juntá-lo com minhas mãos, enquanto Afiérdov tinha diante de si seu dinheiro, ao lado do meu, mas em boa ordem e bem contado. Enfim, Afiérdov era conhecido na casa, consideravam-no um ricaço, tratavam-no com respeito: tudo isso se impunha a mim e, uma vez mais, não protestei. Terrível erro! O pior de tudo era que me encontrava em pleno entusiasmo.

— É pena que não me lembre exatamente; mas parece-me bem que essas cédulas são minhas — disse eu, com os lábios tremendo de indignação. Estas palavras suscitaram logo um murmúrio.

— Para dizer semelhantes coisas é preciso que se tenha certeza e o senhor acaba de proclamar que não se lembra exatamente — disse Afiérdov, num tom insuportavelmente superior.

— Mas quem é esse afinal? Como se permitem coisas assim? — fizeram-se ouvir várias exclamações.

— Não é a primeira vez. Ainda há pouco houve a mesma história com Rechberg por causa de uma cédula de dez rublos — disse perto de mim uma voz canalha.

— Pois bem, basta, basta! — exclamei. — Não protesto. Tome-as! Príncipe... mas onde estão o príncipe e Darzan? Partiram? Senhores, não viram para que lado foram o príncipe e Darzan?

Juntei finalmente todo o meu dinheiro e, sem ter tempo de meter num bolso algumas imperiais que tinha ainda na mão, atirei-me no encalço do príncipe e de Darzan. O leitor vê bem que não me poupo e que me rememoro inteirinho, talvez como era naquele minuto, até a derradeira tolice, para que se compreenda bem o que se passou em seguida.

O príncipe e Darzan já estavam no pé da escada, não tinham prestado a mínima atenção ao meu apelo e aos meus gritos. Alcancei-os, mas parei um segundo diante do suíço e meti-lhe na mão três meias imperiais, sabe o diabo por que. Olhou-me, intrigado, sem mesmo agradecer-me. Mas isso me importava pouco e, se Matviéi se tivesse encontrado ali, teria lhe posto na mão com certeza um punhado cheio de moedas de ouro, tinha, creio eu, a firme intenção disso, mas, ao pôr pé no patamar, lembrei-me de repente de que o havia mandado embora. Naquele momento, fizeram avançar o trenó do príncipe que subiu nele.

— Vou com o senhor, príncipe, à sua casa! — gritei, segurando a cobertura do trenó e erguendo-a para sentar-me; mas bruscamente, passando diante de mim,

Darzan deu um salto e o cocheiro, arrancando-me da mão a cobertura, recobriu com ela seus senhores.

— Com os diabos! — gritei, fora de mim. Tudo se passava como se tivesse eu erguido a cobertura para Darzan, como um lacaio.

— Para casa! — gritou o príncipe.

— Pare! — berrei, agarrando-me ao trenó. Mas o cavalo partiu e eu rolei na neve. Acreditei mesmo tê-los ouvido rir. Levantei-me, saltei instantaneamente para o primeiro fiacre que se apresentou e voei à casa do príncipe, fustigando a cada instante meu pobre pangaré.

IV

Como por acaso, o pangaré avançava com uma lentidão que não era natural; tinha, no entanto, prometido um rublo. O cocheiro não cessava de fustigá-lo e, como era justo, fustigava-o por um rublo. Meu coração palpitava. Pus-me a falar ao cocheiro, mas as palavras não me saíam da boca, balbuciava não sei que tolices. Eis em que estado cheguei à casa do príncipe. Ele tinha deixado Darzan em casa deste e estava só. Pálido e carrancudo, andava para lá e para cá, no seu gabinete. Repito-o uma vez mais: perdera muito. Olhou-me com uma perplexidade distraída.

— Você ainda? — exclamou, fechando mais a cara.

— É para romper de uma vez, senhor! — disse eu, sufocando-me. — Como ousou agir daquela forma comigo?

Lançou-me uma olhadela interrogativa.

— Se ia levar Darzan, bastava que me dissesse que iria levá-lo, quando, no entanto, fez o cavalo partir e eu...

— Ah! sim, você caiu na neve, creio. — E riu-me, na cara.

— A coisas assim responde-se por um desafio e por isso vamos primeiro regularizar nossas contas...

Com mão trêmula, tirei meu dinheiro; pousei-o sobre o divã, sobre o consolo de mármore e até mesmo sobre um livro aberto, aos pacotes, às mãos cheias, aos montes. Várias moedas rolaram sobre o tapete.

— Ah! sim, você ganhou, creio?... Percebe-se pelo seu tom.

Nunca me falara com tanta insolência. Eu estava muito pálido.

— Há aqui... não sei quanto. Seria preciso contar... Devo-lhe uns três mil... ou então quanto?... Mais, ou menos?

— Parece-me que não o estou obrigando a pagar-me.

— Não, sou eu mesmo quem quer e o senhor deve saber por quê. Sei que nesse pacote irisado[58] há mil rublos. Tome! — Pus-me a contar com mão trêmula, mas desisti. — Não adianta, sei que tem mil rublos. Pois bem, fico com estes mil para mim, e todo o resto, todos esses montes, tome-os em pagamento de minha dívida, de uma parte de minha dívida: penso que anda por uns dois mil ou talvez mais!

— E esses mil, guarda-os você ainda assim para si mesmo? — disse o príncipe, sorrindo.

---

58   Alusão à cor que tinham as cédulas de cem rublos.

O ADOLESCENTE

— Tem necessidade deles? Neste caso... eu lhe... pensava que o senhor não quereria... mas, se for preciso... eis...

— Não, não os quero. — Afastou-se de mim com desprezo e voltou a palmilhar o quarto. — E por que, com os diabos, teve você essa ideia de pagar sua dívidas? — Voltou-se de chofre para mim, com um semblante provocativo.

— Pago-lhe esse dinheiro para exigir contas do senhor! — berrei, de minha parte.

— Vá para o diabo com suas bravatas e seus gestos sempiternos! — E bateu com os pés, como fora de si. — Há muito tempo que eu queria pô-los para fora de minha casa, a todos dois, a você e a Viersílov.

— O senhor perdeu a cabeça! — gritei. E era como se fosse verdade.

— Vocês dois puseram-me em tortura, com suas frases bombásticas. Sempre frases, frases, frases! Sobre a honra, por exemplo! Ufa! Há muito tempo que queria romper... Estou contente, contentíssimo por ter chegado a ocasião. Acreditava-me amarrado e corava por ser obrigado a recebê-los... aos dois! Pois bem, agora não me considero mais ligado por coisa alguma, por coisa alguma, fique sabendo bem! E o seu Viersílov que me estimulava a atacar Akhmákova e difamá-la... Depois disso, não se arrisquem a falar mais de honra em minha casa! Vocês são uns desonestos... todos dois, todos dois. E você, você não tinha vergonha de receber meu dinheiro?

Eu tinha a vista turva.

— Tomava-o emprestado como a um amigo — comecei, bem de manso. — Foi o senhor que o ofereceu e acreditei em suas boas disposições.

— Não sou seu amigo! Dei-lhe o dinheiro, mas não por isso. Você sabe bem por quê.

— Era por conta do dinheiro de Viersílov. Era decerto estúpido, mas...

— Você não podia tomá-lo por conta do dinheiro de Viersílov sem autorização dele e eu não podia dar-lhe seu dinheiro sem sua permissão... Dava-lhe, pois, dinheiro meu e você sabia; você sabia e aceitava; e eu suportei em minha casa essa odiosa comédia!

— Que é que eu sabia? Que comédia? E por que então o senhor me dava dinheiro?

— *Pour vos beaux yeux, mon cousin!*[59] — E gargalhou em minha cara.

— Com os diabos! — rugi eu. — Tome tudo! Aqui estão estes mil rublos também. Agora, estamos quites, e amanhã...

Atirei o maço de cédulas que havia reservado para mim. Bateu-lhe no colete e rolou no chão. Deu o príncipe três passos rápidos, imensos, e declarou-me à queima-roupa:

— Ousaria você dizer — falava furioso e destacando cada sílaba — que, aceitando meu dinheiro durante todo este mês, não sabia que sua irmã estava grávida de mim?

— O quê? Como? — exclamei. Minhas pernas fraquejaram-me e deixei-me cair sem forças no divã.

Disse-me ele mesmo depois que eu me tornara literalmente branco como um lenço. Meu espírito perturbou-se. Lembro-me de que nos olhamos em silêncio

---

59 Pelos seus belos olhos, meu primo.

bem nos olhos. Uma espécie de terror percorreu-lhe o rosto; ele inclinou-se bruscamente, agarrou-me pelos ombros e amparou-me. Lembro-me muito bem de seu sorriso imóvel; liam-se nele a desconfiança e o espanto. Sim! Não esperava de sua palavras semelhante efeito, porque estava convencido de minha culpabilidade.

Aquilo acabou por uma vertigem que me tomou, por um minuto apenas; recuperei os sentidos, pus-me de pé, olhei-o e compreendi. A verdade revelou-se de repente ao meu espírito, por tanto tempo adormecido! Se me tivessem dito de antemão e se me tivessem perguntado: "Que faria você dele naquele momento?", teria certamente respondido que o faria em pedaços. Mas sucedeu justamente o contrário e de modo algum por minha vontade: de repente ocultei meu rosto em minhas duas mãos e derramei lágrimas amargas. Eis o que aconteceu! O menino voltava a aparecer no rapaz. Quero dizer que o menino estava ainda vivo em minha alma, ocupando toda uma metade dela. Caí sobre o divã e solucei: "Lisa! Lisa! Infeliz!". O príncipe então acreditou em mim completamente.

— Meu Deus! quanto sou culpado para com você! — exclamou ele, com um pesar profundo. — Oh! quantas coisas vis pensei a seu respeito, com minhas suspeitas... Perdoe-me, Arkádi Makárovitch!

Estremeci, quis dizer-lhe alguma coisa, plantei-me diante dele, mas sem nada dizer fugi do quarto e do apartamento. Voltei para casa a pé e mal me lembro como. Lancei-me sobre minha cama, com o rosto no travesseiro, no escuro, e pensei, pensei. Em tais momentos, os pensamentos jamais se seguem com coerência. O espírito e a imaginação estavam como que suspensos a um fio e lembro-me de que me pus a pensar em coisas absolutamente estranhas e até mesmo em só Deus sabe o quê. Mas meu pesar e minha desgraça voltaram a fazer-se sentir de súbito com dor e sofrimento e recomecei a torcer as mãos, gritando: "Lisa! Lisa!". Depois do que chorei de novo. Não sei mais como foi que adormeci. Mas dormi um sono profundo e delicioso.

CAPÍTULO VII

I

Despertei pelas oito horas da manhã, fechei no mesmo momento minha porta a chave, sentei-me diante da janela e recomecei a pensar. Fiquei assim até as dez horas. A criada bateu duas vezes, mas mandei-a para o diabo. Por fim, depois das dez horas, bateram de novo. Estava prestes a gritar ainda, mas era Lisa. A criada entrou com ela, trouxe meu café e dispôs-se a acender a lareira. Pô-la para fora era impossível. Durante todo o tempo que Fiokla levou a arrumar a lenha e a acendê-la, eu caminhava para lá e para cá a grandes passadas no meu quartinho, sem travar a conversa e evitando mesmo fitar Lisa. A criada agia com uma lentidão inexprimível, de propósito, como fazem todas as criadas em semelhantes casos, quando notam que os patrões tem constrangimento em falar diante delas. Lisa estava sentada numa cadeira ao pé da janela e acompanhava-me com o olhar.

— Teu café vai esfriar — disse, de repente.

Olhei-a: sem a menor perturbação, uma calma perfeita, até mesmo um sorriso nos lábios.

— Eis como são as mulheres — pensei, erguendo os ombros. Por fim a criada acabou de acender a lareira e começou a arrumar o quarto, mas mandei-a embora com energia e tornei a fechar a porta a chave.

— Dize-me, se te convém, por que fechaste a porta? — perguntou Lisa. Plantei-me diante dela.

— Lisa, como pudeste crer que me enganarias de semelhante maneira? — exclamei de repente, sem ter de modo algum refletido em que começaria assim. Desta vez não foram as lágrimas, mas um sentimento quase mau que me atravessou subitamente o coração, tanto que eu mesmo não esperava por isso. Lisa corou, mas não respondeu, continuando somente a olhar-me bem fixamente os olhos.

— Um momento, Lisa, um momento. Oh! como sou estúpido! Mas sou mesmo tão estúpido? Todas as alusões reuniram-se num só feixe, somente ontem, mas até então, como eu poderia adivinhar? Por que ias à casa da Stolbiéieva e à casa dessa... Dária Onísimovna? Mas considerava-te como um sol, Lisa, de modo que como poderia ter-me vindo ao espírito?... Lembras-te de como te encontrei, há dois meses, em casa dele e de como saímos juntos a passear ao sol e de quanto nos rejubilamos... Já estava então ocorrendo? Sim?

Respondeu inclinado afirmativamente a cabeça.

— Então tu me enganavas já naquele momento! Não, Lisa, não era tolice, era antes egoísmo de minha parte. Não se trata da tolice, mas do egoísmo de meu coração e... e talvez de minha fé na tua santidade. Oh! sempre estive convencido de que vocês todos eram infinitamente superiores a mim, e... eis aí! Ontem afinal, num mesmo dia, não pude compreender, apesar de todos os indícios... E depois, ontem, estava preocupado com coisa bem diversa!

Então, lembrei-me de repente de Katierina Nikoláievna. E tornei a sentir mais uma vez uma dor semelhante a uma picada de agulha no coração e corei completamente. Naquele instante, é claro, não se podia esperar bondade de minha parte.

— Mas de que te justificas? Parece-me, Arkádi, que tens pressa em justificar-te, mas de quê? — perguntou mansamente Lisa, mas com voz firme e convicta.

— Como, de quê? Mas que devo fazer agora? Ainda que fosse somente esta pergunta! E perguntas: "de quê?" Não sei como conduzir-me! Não sei como agem os irmãos em semelhantes casos... Sei que obrigam de pistola em punho o sedutor a casar-se... Agirei como deve fazer um, homem de bem! Mas justamente ignoro como deve agir um homem de bem! Por quê? Porque não somos nobres, nós; ele é príncipe e está fazendo carreira; não haverá de querer dar-nos ouvidos, a nós, as pessoas de bem. Nem mesmo somos irmão e irmã, mas bastardos sem nome, filhos de servos; será que os príncipes casam-se com servas? Oh! que infâmia! E tu ficas aí a olhar-me, pasmada!

— Creio que estás sofrendo muito! — Lisa corou de novo. — Mas precipitas-te demais e te atormentas.

— Precipitas-te? Mas será que ainda não esperei demais, na tua opinião? É a ti que cabe, Lisa, falar-me assim? (Deixara-me por fim arrebatar-me pela minha indignação.) Quanta vergonha, no entanto, sofri e quanto deve ter-me desprezado aquele príncipe! Oh! agora tudo está claro, todo o quadro está diante de meus olhos:

imaginou ele que me calava ou mesmo arrebitava o nariz e gabava-me da "honra" enorme — eis o que ele pode pensar de mim! E que era por causa de minha irmã, pelo preço da vergonha de minha irmã que eu tomava dinheiro dele! Eis o que lhe era odioso ver e eu o justifico. Justifico-o totalmente: ver e receber todos os dias um indivíduo infame porque é o irmão, e ainda por cima ouvi-lo falar de honra... Eis o que seca um coração, mesmo um coração como o dele! E tu toleraste tudo isso, não me previeste! Ele me desprezava tanto que falava de mim a Stiebielhkov e me disse mesmo ontem que queria pôr-nos para fora de sua casa, a Viersílov e a mim. E Stiebielhkov que me dizia: "Anna Andriéievna não é menos irmã sua que Elisavieta Makárovna!". E eu, eu que me estendia insolentemente em casa dele em cima de seus divãs, que me colava como um igual aos seus amigos! Para o diabo todos! E tu, tu permitiste tudo isso! Decerto o próprio Darzan está prevenido agora, a julgar pelo seu tom ontem à noite... Todo mundo, todo mundo sabe, exceto eu!

— Ninguém sabe de nada. Ele não falou a nenhum de seus amigos e não pode falar-lhes — interrompeu Lisa. — Quanto a esse Stiebielhkov, bem sei somente que Stiebielhkov o atormenta e que esse Stiebielhkov pode, quando muito, ter apenas uma suspeita... Quanto a ti, falei-lhe várias vezes de ti e acreditou inteiramente no que lhe dizia, que ignoravas tudo, somente não sei por que nem como veio essa história a surgir entre vocês.

— Ah! ainda bem que ontem lhe paguei minha dívida. Há isso sempre a menos sobre o coração! Lisa, mamãe tem conhecimento disso? Mas como não haveria de saber: foi ontem, ontem que ela se insurgiu contra mim!... Oh! Lisa! Mas será que te julgas verdadeiramente inocente, que não te acusas de nada absolutamente? Ignoro como se julgam essas coisas hoje e quais são tuas ideias, quero dizer a meu respeito, de mamãe, de teu irmão, de teu pai... Viersílov o sabe?

— Mamãe nada lhe disse; ele nada pergunta; decerto não quer perguntar.

— Sabe, mas não quer saber. É bem isto. Eis o que está bem de acordo com ele! Pois bem, podes zombar de teu irmão, do idiota do teu irmão, quando fala ele de pistolas, mas tua mãe, tua mãe? Jamais disseste a ti mesma, Lisa, que isso é uma afronta para mamãe? Esta ideia atormentou-me a noite inteira; eis o primeiro pensamento de mamãe hoje: "Foi porque eu também pequei; tal mãe, tal filha!".

— Oh! que coisas más e cruéis acabas de dizer! — exclamou Lisa com lágrimas a correrem-lhe dos olhos. Ficou em pé e caminhou apressada para a porta.

— Para! Para! — Agarrei-a e a fiz sentar de novo, sentando-me a seu lado, mas sem retirar a mão.

— Pensava bem, ao vir aqui, que tudo isso iria acontecer e que terias absolutamente necessidade de que eu mesma me acusasse. Fica contente: acuso-me. Era somente por orgulho que me conservava calada ainda há pouco, que não dizia nada, mas tenho muito mais compaixão de ti e de mamãe que de mim mesma... — Não pôde concluir, desatando a chorar.

— Basta, Lisa! Não, não tenho necessidade de nada. Não sou teu juiz, Lisa. E mamãe? Dize-me, há muito tempo que ela sabe?

— Creio que sim, mas não faz muito tempo que lhe contei, quando isso aconteceu — declarou ela, baixinho, baixando os olhos.

— E então?

— Ela disse: "Fica com ele!" — afirmou Lisa ainda mais baixinho.

— Oh! Lisa, sim, fica com ele! Nada faças para impedi-lo de nascer, Deus te livre!

— Nada farei — respondeu ela firmemente e ergueu de novo os olhos para mim. — Fica tranquilo — acrescentou —, não se trata disso absolutamente.

— Lisa, minha querida, vejo somente que não sei de nada; em contraposição, acabo de saber quanto te amo. Só há uma coisa que não compreendo, Lisa: tudo está claro agora, mas não compreenderei jamais absolutamente por que te apaixonaste por ele! Como pudeste amar semelhante homem? Eis a questão!

— E certamente esta ideia também te atormentou durante a noite? — Lisa sorriu mansamente.

— Para, Lisa, é uma pergunta estúpida, e tu zombas de mim. Zomba, mas apesar de tudo é impossível não ficar espantado: tu e ele, dois opostos! A ele, estudei: sombrio, suspeitoso, talvez muito bom, admito, mas em contraposição extremamente levado a ver em toda parte o mal (nisso, pelo menos, é completamente igual a mim!). Respeita apaixonadamente a aristocracia, admito ainda, vejo, mas, creio bem, somente como ideal. É levado a arrepender-se toda a sua vida, sem cessar, amaldiçoa-se e arrepende-se, mas jamais se corrige, aliás, nisto também, é talvez igual a mim. Mil preconceitos, mil ideias falsas, e nem uma ideia! Procura as grandes façanhas e acumula as pequenas patifarias. Perdão, Lisa! De fato, sou um imbecil: falando assim, ofendo-te, sei, compreendo...

— O retrato seria verdadeiro — Lisa sorriu —, somente tens demasiada raiva contra ele por minha causa e por isso nada é exato. Desde o começo, desconfiou de ti e não pudeste vê-lo por completo, enquanto que comigo, já em Luga... Não tem visto senão a mim, desde Luga... Sim, é suspeitoso e doentio, e sem mim teria já perdido o juízo; e, se me abandonar, vai perdê-lo ou então estourará os miolos; creio que compreende e sabe isso — acrescentou Lisa, como para si, pensativa. — Sim, é sempre fraco, mas esses fracos são capazes por vezes de coisas extremamente fortes... Como falaste esquisitamente da pistola. Arkádi: não é preciso nada disso e sei o que se passará. Não sou eu que o persigo, mas ele que corre atrás de mim. Mamãe chora e diz: "Se casares com ele, serás infeliz, ele deixará de amar-te". Não creio em nada disso; infeliz, talvez venha a ser, mas ele não deixará de amar-me. Não é por isso que retardava sempre meu consentimento, é por outra razão. Há já dois meses que nego meu consentimento, mas hoje disse-lhe: "Sim, caso-me contigo". Arkádi, sabes que ontem (seus olhos brilhavam e deitou de súbito seus dois braços em redor de meu pescoço) ele foi à casa de Anna Andriéievna e lhe disse, com toda a clareza, com toda a franqueza, que não pode amá-la?... Sim, explicou-se completamente e por essa parte tudo acabou agora! Aliás, jamais teve essa ideia, foi tudo um sonho forjado pelo Príncipe Nikolai Ivânovitch e esses carrascos faziam pressão sobre ele, Stiebielhkov e um outro ainda... Em recompensa, disse-lhe hoje: "Sim". Meu caro Arkádi, ele insiste para que voltes, não te ofendas com a história de ontem. Hoje não está bem e ficará o dia inteiro em casa. Na verdade, não está passando bem de saúde, Arkádi; não creio que seja um pretexto. Enviou-me muito especialmente e pediu-me que te dissesse que tem necessidade de ti, que tem muitas coisas a dizer-te e que aqui, em tua casa, neste quarto, seria fora de lugar. Então, até a vista! Ah! Arkádi, é vergonhoso dizer isso, mas, ao vir para aqui, tinha um medo terrível de que não me ames mais. Fiz sinais-da-cruz durante todo o trajeto. E tu és tão bom, tão gentil! Não esquecerei jamais disso! Vou à casa de mamãe. E tu, ama-o ao menos um pouco, sim?

Beijei-a com fervor e disse-lhe:

— Creio, Lisa, que és um caráter enérgico. Sim, creio, não és tu que corres atrás dele, mas antes ele que corre atrás de ti, somente, apesar de tudo...

— Somente apesar de tudo "por que te apaixonaste por ele? Eis a questão"! — insistiu Lisa, com uma risada maligna, como outrora, e pronunciou totalmente igual a mim: "Eis a questão!". E, exatamente, como eu faço, pronunciando essa frase, ergueu o índice à altura dos olhos. Beijamo-nos, mas, quando ela partiu, meu coração fechou-se de novo.

II

Vou anotar aqui para mim: houve, por exemplo, instantes, após a partida de Lisa, em que os pensamentos mais inesperados me atravessavam em multidão o cérebro e estava até mesmo bem satisfeito com isso. "Vamos, para que me meto nisso? — dizia a mim mesmo. — Que tenho a ver com isso? Coisas que tais acontecem a todo mundo ou quase. Aconteceu a Lisa, e depois? Será que estou obrigado a salvar a honra da família?" Anoto todas essas covardias para mostrar a que ponto estava ainda vacilante, na compreensão do bem e do mal. Só o sentimento me salvava: sabia que Lisa era infeliz, que mamãe era infeliz, sabia pelo sentimento, quando pensava nelas e por consequência sentia também que tudo quanto ocorrera não devia ser coisa boa.

Agora previno que, a partir daquele dia até a catástrofe de minha doença, os acontecimentos se sucederam com tal rapidez que eu mesmo me espanto, pensando nisso hoje, ter podido suportar tudo, não ter sido esmagado pelo destino. Enervaram minha inteligência e até mesmo meus sentimentos e se, finalmente, não suportando mais, tivesse cometido um crime (crime que esteve a ponto de efetuar-se), os jurados teriam podido muito bem absolver-me. Mas tratarei de contar tudo numa ordem rigorosa, se bem que, previno de antemão, tenha havido muito pouca ordem então em meus sentimentos. Os acontecimentos assaltaram-me como uma tempestade, e as ideias turbilhonaram na minha cabeça como as folhas secas de outono. Estando, como estava, todo forjado de ideias alheias, onde encontrar as minhas quando me eram necessárias para uma decisão independente? Não tinha absolutamente quem me guiasse.

Decidi ir à noite à casa do príncipe, para conversar a respeito de tudo com toda a liberdade e fiquei em casa até o anoitecer. Mas ao crepúsculo recebi pelo correio novo bilhete de Stiebielhkov, três linhas, pedindo e insistindo e da maneira mais convincente que fosse vê-lo no dia seguinte às onze horas da manhã, "para negócios da mais alta importância, verá o senhor mesmo quais". Depois de refletir, decidi agir de acordo com as circunstâncias, visto como o dia seguinte ainda estava longe.

Já eram oito horas; teria me posto a caminho desde muito tempo, mas continuava a esperar Viersílov: tinha tanta coisa a expor-lhe e meu coração ardia. Mas Viersílov não vinha e não veio absolutamente. Não podia mais, no momento, mostrar-me em casa de mamãe e de Lisa e aliás pressentia que Viersílov ali não estivera o dia inteiro. Fui a pé e, de caminho, tive a ideia de dar uma olhada no botequim da véspera, abaixo do nível da rua. Viersílov estava lá, no seu lugar da véspera.

— Bem imaginava que virias — disse ele com um sorriso esquisito e um olhar estranho. Seu sorriso não tinha sinal nenhum de bondade. Havia muito tempo que não via sorriso semelhante em seu rosto.

Sentei-me à sua mesa e contei-lhe, desde o começo, todos os fatos concernentes ao príncipe e a Lisa e minha cena da véspera na casa do príncipe, depois da roleta; não esqueci tampouco o que ganhei na roleta. Escutou-me muito atentamente e interrogou-me a respeito da decisão tomada pelo príncipe de casar-se com Lisa.

— *Pauvre enfant!* Talvez não ganhe nada com isso. Mas sem dúvida ele não cumprirá sua palavra... muito embora seja capaz disso...

— Diga-me, como amigo, o senhor sabia, o senhor pressentia?

— Meu amigo, que eu podia fazer? Tudo isso é negócio de sentimento e de consciência, ainda só do lado dessa infeliz menina. Repito: já me meti bastante, há tempos, com a consciência dos outros, o que é a mais inepta das pretensões! Não recusarei jamais ajudar alguém na desgraça, na medida das minhas forças e se entendo do caso alguma coisa. Mas tu, meu caro, de nada suspeitaste durante todo esse tempo?

— Mas como o senhor pôde — exclamei todo exaltado —, como pôde, suspeitando ainda que um pouco somente de que eu conhecia a ligação de Lisa com o príncipe, e vendo que, ao mesmo tempo, aceitava eu dinheiro do príncipe, como pode o senhor conversar comigo, ficar sentado a meu lado, estender-me a mão, a mim, a quem o senhor devia no entanto considerar como um miserável? Porque, poderia apostar, o senhor suspeitava certamente de que eu soubesse de tudo e aceitasse o dinheiro do príncipe em troca de minha irmã, com conhecimento de causa!

— Ainda uma vez, é caso de consciência — sorriu ele. — E sabes — acrescentou distintamente, com não sei qual sentimento enigmático —, sabes se eu não temia, como tu ontem numa outra ocasião, perder meu ideal e encontrar em lugar do meu rapaz leal e arrebatado um canalha? Com medo disso, fui adiando o momento. Por que não supor em mim, em lugar de preguiça ou de perfídia, algo de mais inocente, de estúpido, se quiseres, mas de um pouco mais nobre? *Que diable!* Sou entretanto muito frequentemente estúpido sem nobreza. Que proveito tiraria de ti, se já tivesses tais inclinações? Aconselhar e corrigir em casos tais é velhacaria; terias perdido todo o valor a meus olhos, mesmo uma vez emendado...

— E de Lisa, tem o senhor compaixão? Tem compaixão?

— Tenho grande compaixão, meu caro. E donde tiraste que sou tão insensível?... Pelo contrário, procuro por todos os meios... Pois bem, e tu? Como vão teus negócios?

— Deixemos os meus negócios; não tenho mais negócios meus. Escute, por que duvida o senhor de que ele se case com ela? Esteve ontem em casa de Anna Andriéievna e renunciou positivamente... quero dizer, àquela tola ideia... que nasceu no espírito do Príncipe Nikolai Ivânovitch, de casá-los. Renunciou positivamente a isso.

— Sim? e quando isso? E de quem o soubeste? — informou-se, cheio de curiosidade. Contei-lhe tudo quanto sabia.

— Hum... — ele disse, pensativo e como que refletindo consigo mesmo. — Então, isso se passou uma hora exatamente antes... da outra explicação. Hum... sim,

O ADOLESCENTE

sem dúvida, semelhante explicação pôde ter lugar entre eles... se bem que, entretanto, eu sei, nada jamais tenha sido dito nem feito lá, até este dia, nem dum lado, nem do outro... Sim, decerto, bastam-me duas palavras para uma explicação. Mas eis — de repente soltou uma risada estranha —, vou dar-te uma notícia extraordinária e que te interessará certamente: se teu príncipe tivesse feito ontem seu pedido a Anna Andriéievna — o que, tendo suspeitas a respeito de Lisa, teria eu posto em jogo todas as minhas forças para não aceitar, *entre nous soit dit* —, Anna Andriéievna lhe teria logo e em qualquer caso dito não. Creio que gostas muito de Anna Andriéievna, tu a respeitas, tu a aprecias. É muito gentil de tua parte e, por consequência, haverás de ficar contente por ela: pois bem, meu caro, ela vai casar e, a julgar pelo seu caráter, casará com certeza e eu, como é natural, dou-lhe minha benção.

— Ela vai casar? Com quem então? — exclamei, com tremendo espanto.

— Adivinha. Vamos, não quero atormentar-te: com o Príncipe Nikolai Ivânovitch, o teu caro velhote.

Escancarei os olhos.

— Deve-se crer que desde muito tempo ela já nutria essa ideia e por certo a trabalhou com arte em todas as facetas — continuou ele, lenta e distintamente. — Acho que isso deve ter-se passado exatamente uma hora após a visita do Príncipe Sierioja. (Eis bem um exemplo de suas incursões intempestivas!) Ela mesma foi muito simplesmente à casa do Príncipe Nikolai Ivânovitch e lhe propôs casamento.

— Como? Ela lhe propôs casamento? O senhor quer dizer que ele lhe fez seu pedido?

— Ele nada, ora essa! Foi ela, ela própria! O fato é que ele está em pleno entusiasmo. Parece que está agora a admirar-se de que a ideia não tenha partido dele próprio. Ouvi mesmo dizer que está doente... de entusiasmo também, sem dúvida.

— Mas escute, o senhor fala tão ironicamente... Mal posso acreditar; e como ela pôde fazer-lhe essa proposta? Que disse?

— Fica persuadido, meu amigo, de que me regozijo sinceramente — respondeu ele, mostrando de repente uma fisionomia espantosamente séria. — Ele é velho, sem dúvida, mas pode casar-se, em virtude de todas as leis e costumes. Quanto a ela, ainda uma vez estamos aqui no domínio da consciência alheia, como já te repeti, meu amigo. Aliás, ela é bastante competente para ter sua opinião própria e sua decisão. Quanto aos detalhes, de que palavras se serviu, não sou capaz de te dizer, meu amigo. Em todo o caso, soube sair-se bem e talvez como nós não seríamos capazes de fazer, nem tu, nem eu. O melhor é que, em tudo isso, não há o menor escândalo, tudo ocorreu *très comme il faut*[60] aos olhos do mundo. É demasiado claro que ela quis criar uma posição para si na sociedade, mas merece isto. Todas estas, meu amigo, são coisas completamente mundanas. Seu pedido deve ter sido feito em termos admiráveis e refinados. Ela é um caráter severo, meu amigo, uma monja, como tu a definiste um dia; "uma moça de sangue-frio", como a chamo desde muito tempo. É que ela é quase pupila dele, sabes, e mais de uma vez foi por ele beneficiada. Há muito tempo já, assegurava-me que tinha por ele tanto respeito e tanta estima, tanta piedade e tanta simpatia!, e o resto, tanto que estava eu mais ou menos preparado. Tudo isso foi-me comunicado esta manhã, em seu nome e a pedido seu,

---

60 Muito como deve ser.

por meu filho e seu irmão, Andriéi Andriéivitch, que não conheces, creio, e que vejo exatamente uma vez cada semestre. Aprova respeitosamente o passo que ela deu.

— Então é já coisa pública? Meu Deus! Como me espanta tudo isso!

— Não, não está de todo público, por algum tempo ainda... quanto, não sei. Em geral, estou completamente de fora. Mas tudo isso é verdade.

— Mas agora, Katierina Nikoláievna... Que acha o senhor? Será do gosto de Bioring esse prelúdio?

— Eis o que ignoro... No fundo, que é que não será do gosto dele? Mas, acredita-me, Anna Andriéievna, a este respeito também, é uma pessoa de grande tato. Essa Anna Andriéievna! Justamente me perguntava ontem de manhã se gosto da senhora viúva Akhmákova. Lembras-te do que te dizia ontem com espanto: não poderia ela casar com o pai, se eu me casava com a filha? Compreendes agora?

— Ah! com efeito! — exclamei. — Mas Anna Andriéievna podia supor deveras que o senhor... poderia querer casar com Katierina Nikoláievna?

— Pelo visto, assim é, meu amigo. Enfim... enfim, creio que é tempo de ires para onde ias. Vês, estou sempre com dor de cabeça. Vou pedir que toquem a *Lúcia*. Gosto da solenidade do tédio, creio que já te disse isto... Vivo imperdoavelmente a repetir-me... Talvez, ainda assim, vá-me embora daqui. Amo-te, meu caro, mas adeus! Quando tenho dor de cabeça ou de dentes, sinto sempre sede de solidão.

Uma prega dolorosa apareceu em seu rosto; creio agora, estava com dor de cabeça, de cabeça principalmente...

— Até amanhã — disse eu.

— Que quer dizer: amanhã? E que se passará amanhã? — E sorriu, convulsivamente.

— Irei à sua casa, ou o senhor virá cá.

— Não, não virei aqui, mas tu é que irás à minha...

Havia no seu rosto algo de mau, mas não prestei atenção a isso. Era um tamanho acontecimento!

III

O príncipe estava com efeito doente: ficara em casa, com a cabeça enfaixada em um pano molhado. Esperava-me com impaciência; mas não era somente a cabeça que lhe doía, era toda a sua pessoa que sofria moralmente. Ainda uma advertência: naqueles derradeiros tempos e até a catástrofe, só encontrei pessoas superexcitadas quase até a loucura, tanto que, contra minha vontade, viria a sofrer o contágio. Cheguei, confesso-o, com maus sentimentos e depois tinha grande vergonha por haver chorado em casa dele na véspera. Tinham-me tão habilmente iludido, Lisa e ele, que eu não podia deixar de julgar-me um imbecil. Em suma, no momento em que entrei em casa dele, meu coração batia descompassado. Mas tudo isso era superficial e aquele descompasso logo desapareceu. Devo fazer-lhe esta justiça: assim que sua susceptibilidade morria ou se partia, entregava-se ele por completo; descobriram-se nele traços quase infantis de ternura, de confiança e de amor. Beijou-me com lágrimas nos olhos e começou logo a falar do assunto... Sim, tinha na verdade grande necessidade de mim: havia muita desordem nas suas palavras e na sequência de suas ideias.

O ADOLESCENTE

233

Declarou-me com muita firmeza sua intenção de casar com Lisa e o mais cedo possível.

— O fato de ela não ser nobre, acredite-me, não me perturbou um só instante — disse-me. — Meu avô era casado com uma serva, que cantava num palco particular de uma propriedade vizinha. Sem dúvida, minha família nutria a meu respeito esperanças *sui generis,* mas será obrigada agora a ceder e isto sem luta. Quero romper, romper definitivamente com todo esse mundo de agora! Algo de diferente, de novo! Não compreendo por que sua irmã se apaixonou por mim; mas pode muito bem ser que, sem ela, eu já não estaria mais neste mundo. Juro-lhe, de todo o meu coração, que vejo agora no meu encontro com ela em Luga o dedo da Providência. Creio que ela me amou por causa da imensidão de minha queda... Mas você compreende isto, Arkádi Makárovitch?

— Perfeitamente! — declarei, com uma voz cheia de convicção. Estava sentado na poltrona diante da mesa e ele andava para lá e para cá.

— Devo contar-lhe toda essa história de nosso encontro, sem nada dissimular. Tudo começou por um segredo íntimo que ela soube, porque não o confiei senão a ela. E ninguém até hoje o sabe. Chegara a Luga com o desespero na alma, e morava em casa da Stolbiéieva, não sei mais por quê, talvez porque procurasse o isolamento mais completo. Acabava de deixar o Exército. Entrara para meu regimento ao regressar do estrangeiro com Andriéi Pietróvitch. Tinha então fortuna, atirei o dinheiro pelas janelas, vivia à grande; mas meus camaradas oficiais não gostavam de mim e, no entanto, esforçava-me para não ofendê-los. Devo confessar-lhe, ninguém jamais gostou de mim. Havia lá um corneteiro, um tal Stiepânov, é preciso dizer-lhe, extremamente oco, nulo e até mesmo mais ou menos embrutecido, em suma, sem nada de notável. Aliás, incontestavelmente honesto. Agarrou-se a mim. Não me constrangia com ele, passava em minha casa, sentado a um canto, dias inteiros, sem abrir a boca, mas com dignidade e não me incomodava em nada. Contei-lhe um dia uma anedota em voga, a respeito da qual inventei não sei quantas tolices: a filha do coronel não era indiferente a meu respeito, o coronel, contando comigo, faria tudo o que eu quisesse... Em resumo, omito os detalhes, mas resultaram disso mais tarde mexericos extremamente complicados e extremamente sujos. Vieram não de Stiepânov, mas de meu ordenança, interrogado pelo oficiais no momento em que a história estourou, citou Stiepânov, ou antes, disse que fora eu que contara a coisa a Stiepânov. Stiepânov achou-se na impossibilidade de negar que a tinha ouvido; era uma questão de honra. E como a essa história eu havia ajuntado dois bons terços de coisas inventadas, os oficiais ficaram indignados e o coronel teve de reunir-nos em sua casa e dar explicações. Foi então que se fez a Stiepânov, na presença de todos, a pergunta: "Ouviu, sim ou não?". Ele diz a verdade completa. Pois bem, como me portei, eu, príncipe desde mil anos? Neguei e disse em face de Stiepânov que ele havia mentido, oh! polidamente, isto é, que ele não havia compreendido bem, etc. Aqui ainda omito os detalhes, mas a vantagem de minha posição era que, pelo fato de estar Stiepânov todo o tempo em minha casa, eu podia, não sem alguma verossimilhança, apresentar a coisa como se ele tivesse se entendido com meu ordenança *em vista de certos proveitos.* Stiepânov limitou-se a olhar-me, sem dizer palavra, e a erguer os ombros. Lembro-me de seu olhar, não o esquecerei jamais. Em seguida, apresentou imediatamente seu pedido de demissão. Mas você jamais adivinhará o que aconteceu. Os oficiais, todos, até o último, visitaram-no e insistiram com ele para que não se fosse embora. Quinze dias mais tarde era eu quem deixava o regimento: ninguém me punha para fora, ninguém me convidava a sair, pretextei um motivo de família para demitir-me. Eis como acabou o caso. A princípio fiquei indiferente, zangara-me mesmo com eles; morava em Luga, travei conhecimento com Elisavieta Makárovna, mas em seguida, um mês mais tarde, comecei a olhar para meu revólver e a pensar na morte. Vejo sempre as coisas em tom negro, Arkádi Makárovitch. Preparei uma carta para o coronel e para os camaradas do regimento, a fim de confessar minha mentira e reabilitar Stiepânov. Escrita a carta, apresentei a mim mesmo este problema: enviá-la e viver, ou então enviá-la e morrer? Teria sido incapaz de encontrar a solução. O acaso, o acaso cego, após uma conversa rápida e singular com Elisavieta Makárovna, aproximou-me de repente dela. Até então ela frequentava a casa da Stolbiéieva; encontrávamos-nos, trocávamos cumprimentos e nos falávamos raramente. De súbito, contei-lhe tudo. Foi então que ela me estendeu a mão.

— E como ela resolveu o problema?

— Não enviei a carta. Foi ela quem assim decidiu. Motivava-o assim: se eu enviasse a carta, agiria sem dúvida nobremente, bastante nobremente, para lavar minha vergonha e mais ainda, mas eu mesmo suportaria dar tal passo? Sua opinião era que ninguém o teria suportado, porque então todo o futuro estaria perdido e toda ressurreição para uma nova vida seria impossível. E depois, podia admitir-se, se Stiepânov tivesse sofrido; mas ele não fora reabilitado pelo corpo de oficiais? Em suma, um paradoxo; mas conteve-me e entreguei-me inteiramente a ela.

— Ela decidiu jesuiticamente e como mulher! — exclamei. — Já o amava!

— E foi o que me fez renascer para uma vida nova. Jurei a mim mesmo transformar-me, mudar de vida, adquirir mérito a meus próprios olhos e aos olhos dela. E eis em que veio tudo a dar! Corremos, você e eu, as espeluncas, jogamos bacará; não pude refrear-me diante de uma herança, só vi meu prazer diante de minha carreira, deixei-me seduzir por toda aquela gente, pelas carruagens... Atormentei Lisa. Oh! vergonha!

Esfregou a testa com a mão e pôs-se a andar pelo quarto.

— É o destino geral dos russos que nos espera a você e a mim, Arkádi Makárovitch: você não sabe o que fazer e eu não sei o que fazer. Desde que um russo tenha saído por pouco que seja da fronteira oficialmente traçada para ele pelo costume, ei-lo logo sem saber mais o que fazer. Na fronteira, tudo é claro: ordenado, posto, situação na sociedade, equipagem, visitas, função, mulher. Ao menor obstáculo, que resta de mim? Uma folha sacudida pelo vento. Não sei mais que fazer! Nestes dois meses, tenho procurado manter-me na fronteira, tenho querido amar minha fronteira, tenho-me afundado na minha fronteira. Você não sabe ainda a profundidade de minha nova queda: amava Lisa, amava-a sinceramente, e ao mesmo tempo pensava na Akhmákova!

— Será possível? — exclamei, cheio de dor. — A propósito, príncipe, que me dizia o senhor ontem a respeito de Viersílov: que ele o incitava a não sei que infâmia contra Katierina Nikoláievna?

— Tenha talvez exagerado. Sou talvez tão culpado contra ele, pelo fato de minha suscetibilidade, como contra você. Deixe isso. Pois bem, imagina você que,

O ADOLESCENTE

durante todo aquele tempo, desde Luga talvez, não acarinhei nenhum ideal elevado de vida? Juro-lhe que esse ideal jamais me deixou, estava diante de mim constantemente, sem perder nada de sua beleza em minha alma. Lembrava-me do juramento feito a Elisavieta Makárovna de me regenerar. Falando-me aqui ontem de nobreza, Andriéi Pietróvitch nada de novo me disse, fique certo. Meu ideal está solidamente assentado: várias dezenas de hectares (somente várias dezenas, porque não me resta, por assim dizer, mais nada de minha herança); depois uma ruptura completa, absolutamente completa, com a sociedade e a carreira; uma morada rústica, minha família, eu mesmo lavrador ou algo no gênero. Oh!, na nossa família não é novidade: o irmão de meu pai empurrava a charrua, meu avô também. Somos príncipes desde mil anos e nobres como os Rohan,[61] mas somos pobres. E eis o que ensinarei a meus filhos: "Lembra-te toda a tua vida de que és nobre, de que o sangue sagrado dos príncipes russos corre nas tuas veias, mas não cores porque teu pai haja empurrado a charrua: ele o fez como príncipe". Não lhes deixarei outra fortuna senão esse pedaço de terra, mas em contraposição vou lhes dar uma instrução superior, farei disso um dever. Lisa me ajudará: Lisa, filhos, o trabalho, oh! quanto sonhamos com tudo isso, ela e eu, aqui mesmo, neste apartamento! Pois bem, ao mesmo tempo, sonhava com a Akhmákova, sem amar absolutamente aquela criatura, diante da possibilidade de um casamento mundano e rico! E foi somente depois da notícia, trazida ontem por Nachtchókin, a respeito desse Bioring, que resolvi ir à casa de Anna Andriéievna.

— Mas o senhor foi lá para desistir, não é isso? Eis uma atitude leal, creio!

— Crê? — Plantou-se diante de mim. — Não, você não conhece ainda a minha natureza! Ou então... ou então há alguma coisa que eu mesmo não conheço: porque não deve ser isso somente a natureza. Gosto sinceramente de você, Arkádi Makárovitch, e além disso tenho sido profundamente culpado para com você durante estes dois meses, e é por isso que quero que, como irmão de Lisa, saiba de tudo: fui à casa de Anna Andriéievna para lhe fazer meu pedido de casamento e não para desistir.

— Será possível? Mas Lisa dizia...

— Enganei Lisa.

— Permita: o senhor fez um pedido em regra e Anna Andriéievna recusou? Sim? Foi bem isso? Os detalhes são muito importantes para mim, príncipe.

— Não, não fiz pedido absolutamente, mas apenas porque não tive tempo. Foi ela que me advertiu, não com as palavras próprias, evidentemente, mas em termos claros e bastante transparentes, com delicadeza, deu-me a entender que essa ideia era doravante impossível.

— Assim, tudo se passa como se o senhor não tivesse feito pedido, e seu orgulho está salvo!

— Você pode raciocinar assim? E o julgamento de minha própria consciência, e Lisa a quem enganei... e quis abandonar, por consequência? E a palavra que dera a mim mesmo e a toda a linhagem de meus ancestrais, de me regenerar e de resgatar minhas infâmias passadas? Suplico-lhe, não lhe fale disso. Seria talvez a única coisa que ela não pudesse perdoar-me! Desde ontem estou doente. E sobretudo, parece-

---

61   Ilustre família francesa, descendente de antigos reis e duques da Bretanha, cujos membros mais conhecidos foram: Henrique, Duque de Rohan e Príncipe de Léon; Luís, Cavalheiro de Rohan, e Eduardo, Príncipe de Rohan, tendo todos eles exercido altos cargos e grande influência na época.

-me que agora tudo está acabado e que o derradeiro dos príncipes Sokólhski vai partir para o presídio. Pobre Lisa! Eu o esperava com impaciência, Arkádi Makárovitch, para revelar-lhe, na qualidade de irmão de Lisa, o que ela não sabe ainda. Sou um criminoso de direito comum e participo da fabricação de falsas ações de uma companhia de estrada de ferro.

— Ainda mais isso? Como? Para o presídio? — Sobressaltei-me e fitei-o com terror. Seu rosto exprimia uma amargura profunda, sombria e sem remédio.

— Sente — disse ele, sentando por sua vez numa poltrona diante de mim. — Em primeiro lugar, fique sabendo isto: há mais de um ano, naquele mesmo verão em Sem, de Lisa e Katierina Nikoláievna e em seguida de Paris, precisamente no momento em que ia passar dois meses na capital francesa, quando já estava lá faltou-me dinheiro. Foi então que se apresentou Stiebielhkov que, aliás, já conhecia. Deu-me dinheiro e prometeu dar-me mais ainda, mas pediu-me por seu lado que o ajudasse: tinha necessidade de alguém, artista desenhista, gravador, litógrafo e o resto... químico e técnico, tudo isso para certos fins. Esse fins deixou que eu os adivinhasse desde a primeira vez de modo bastante claro. Pois bem, conhecia meu caráter, tudo aquilo me divertiu, sem mais. É que eu tinha conhecido, ainda nos bancos escolares, um indivíduo que é atualmente um emigrante russo, aliás não russo de origem, e que mora em alguma parte de Hamburgo. Já estivera metido na Rússia numa história de papéis falsos. Era com esse indivíduo que contava Stiebielhkov, mas tinha necessidade de uma recomendação para ele e se dirigiu a mim. Dei-lhe umas duas linhas de meu próprio punho e não pensei mais nisso. Mais tarde, ele me viu ainda várias vezes e recebi dele ao todo cerca de três mil rublos. Tinha-me literalmente esquecido de todo aquele negócio. Aqui, pedia-lhe sempre emprestado sobre penhores e promissórias e ele se arrastava diante de mim como um escravo. Subitamente, venho a saber dele, ontem, pela primeira vez, que sou um criminoso de direito comum.

— Quando, ontem?

— Ontem, sim, no momento em que gritávamos com ele no meu gabinete, justamente antes da chegada de Nachtchókin. Pela primeira vez, e agora em termos muito claros, ousou falar-me de Anna Andriéievna. Levantei a mão para bater-lhe, mas de repente se levantou e declarou-me que era eu solidário com ele e devia lembrar-me de que era seu cúmplice, que eu era um celerado como ele. Em suma, se não são essas suas expressões, o sentido é o mesmo.

— Ora, bobagens. Deve ser um sonho.

— Não, não é um sonho. Esteve aqui em casa hoje e explicou-se mais detalhadamente. Essas ações estão desde muito tempo em circulação e outras serão postas. Parece que começaram aqui e ali a descobrir a fraude. Naturalmente, estou por completo fora disso, mas "o senhor dignou-se dar-me na época aquele pequeno bilhete". Eis o que me disse Stiebielhkov.

— Mas o senhor não sabia mesmo para que era, ou sabia?

— Sabia — respondeu o príncipe, em voz baixa e baixou também os olhos. — Ou antes, veja você, sabia sem saber. Ria, a coisa me divertia. Não pensava em nada no momento, tanto mais quanto não tinha nenhuma necessidade de falsas ações e não me preparava absolutamente para fabricá-las. Apesar de tudo, aqueles três mil rublos que ele me deu então, não os inscreveu na minha conta e aceitei isso.

O ADOLESCENTE

E depois, que sabe você? Talvez tenha sido eu mesmo falso moedeiro! Não podia deixar de saber, não era uma criança; sabia, somente aquilo me divertia e ajudei criminosos... ajudei-os em troca de dinheiro! Portanto, sou também falso moedeiro!

— Oh! o senhor está exagerando! É culpado, mas está exagerando!

— O que há de grave é que há nisso um tal Jibiélski, jovem ainda, que trabalha na justiça, algo assim como secretário de advogado fraudulento. Participou também dessa história das ações, em seguida veio-me várias vezes procurar da parte daquele senhor de Hamburgo, por causa de tolices naturalmente, não sabia eu mesmo com exatidão por quê, e nunca se referia às tais ações... Somente, conservou em seu poder dois documentos de meu punho, sempre bilhetes de duas linhas e também esses servem como testemunho; compreendi bem, hoje. Stiebielhkov explica que esse Jibiélski é incômodo: roubou não sei o quê, o dinheiro de não sei mais quem, do Tesouro creio, e tem a intenção de roubar ainda e de emigrar em seguida; pois bem, ele precisa de não menos de oito mil rublos, a título de ajuda, para emigrar. Minha parte da herança satisfaz a Stiebielhkov, mas este diz que é preciso satisfazer também Jibiélski... Numa palavra: que eu renuncie à minha parte da herança e, mais ainda, que eu entre com dez mil rublos, eis a última intimação deles. Com esta condição, entregam meus dois bilhetes. Estão de acordo, não resta dúvida.

— Que absurdo! Mas, se o denunciarem, entregam-se também! Não farão isso.

— Compreendo bem. Aliás, não ameaçam denunciar-me; dizem somente: "Não vamos denunciá-lo, mas, se o negócio for descoberto...". Eis o que dizem; é tudo, mas parece-me que é bastante! Não é disto que se trata: aconteça o que acontecer e mesmo se tivesse eu esses bilhetes agora em meu bolso... mas e ser solidário com esses canalhas, ser companheiro deles eternamente, eternamente? Mentir à Rússia, mentir aos filhos, mentir a Lisa, mentir à própria consciência?...

— Lisa sabe?

— Não, não sabe de nada. Na sua posição, não sobreviveria a isso. Visto agora o uniforme e cada vez que cruzo com um soldado de meu regimento, a cada segundo, tenho a consciência de ser indigno de vesti-lo.

— Escute! — exclamei de repente. — Não há necessidade de muita palavra. O senhor só tem uma única via de salvação. Vá procurar o Príncipe Nikolai Ivânovitch, peça-lhe dez mil rublos, peça sem nada revelar-lhe, chame em seguida esses dois canalhas, regularize definitivamente suas contas e resgate os bilhetes... E tudo está acabado! Tudo está acabado, vá lavrar a terra! Abaixo as fantasias, confie-se à vida!

— Tinha pensado nisso — disse ele, com firmeza. — Durante todo o dia de hoje, refleti e por fim decidi. Só esperava por você. Irei. Sabe que em toda a minha vida nunca tomei um copeque sequer do Príncipe Nikolai Ivânovitch? Ele se tem mostrado bom para com nossa família e até mesmo... testemunhou interesse por nós, mas em suma, eu pessoalmente jamais lhe pedi dinheiro. Mas agora estou decidido... Note bem que nosso ramo é mais antigo que o do Príncipe Nikolai Ivânovitch. Eles pertencem ao ramo mais recente, até mesmo colateral, quase contestado... Nossos antepassados eram inimigos. No começo da reforma de Pedro, o Grande, meu tataravô, também Pedro, era e permaneceu dissidente e andou vagando pelos *bosques de Kostromskaia*. Esse Príncipe Pedro casou-se, em segundas núpcias, com uma mulher que não era nobre e foi então que surgiram esses outros Sokólshki; mas... de que falava eu?

Estava muito cansado, como que fatigado de falar.

— Acalme-se — eu disse, levantando e pegando meu chapéu —, vá deitar-se, antes de qualquer outra coisa. Quanto ao Príncipe Nikolai Ivânovitch, não recusará decerto, principalmente agora, na alegria em que se encontra. Sabe da história? Não? Não é possível! Soube duma coisa absurda: vai casar. É segredo, mas não para o senhor, naturalmente.

E contei-lhe tudo, já de pé, com o chapéu na mão. Não sabia de nada. Indagou rapidamente dos detalhes, sobretudo da época, do lugar e do grau de verossimilhança. Não lhe ocultei, naturalmente, o que ocorrera, pelo que se dizia, logo após a visita dele na véspera à casa de Anna Andriéievna. Não saberia descrever a impressão penosa que esta notícia causou nele; seu rosto deformou-se, ficou como que arado de rugas, um sorriso torvo contraiu convulsivamente seus lábios; acabou por ficar lívido e mergulhar num profundo devaneio, baixando os olhos. Via demasiado claramente que seu amor-próprio fora tremendamente ferido, ontem, pela recusa de Anna Andriéievna. Talvez, no seu estado mórbido, imaginasse demasiado vivamente naquele instante o papel ridículo e humilhante que desempenhara na véspera, diante daquela moça de quem esperava o consentimento com tanta certeza, via-se bem agora. Enfim, foi talvez o pensamento da infâmia que cometera para com Lisa, infâmia gratuita! É curioso ver o que os homens da sociedade pensam uns dos outros e a que título podem respeitar-se mutuamente: aquele príncipe podia, no entanto, supor que Anna Andriéievna conhecesse já sua ligação com Lisa, irmã dela em suma, e que, se não sabia, ia saber certamente um dia; pois bem, apesar disso, não duvidava da decisão dela!

— Como então pode você crer — fitou bruscamente em mim olhos cheios de orgulho e de insolência — que eu seria capaz, eu, de ir agora, depois de semelhante notícia, pedir dinheiro ao Príncipe Nikolai Ivânovitch? Ele, o noivo da noiva que acaba de me recusar sua mão! Mas seria mendicidade, servilidade! Não, tudo está perdido agora e, se a ajuda daquele velho era minha derradeira esperança, deixemos perecer também esta esperança!

Estava de acordo com ele no íntimo de mim mesmo; mas era preciso entretanto considerar as coisas mais largamente: o velho príncipe era um homem, um noivo? Várias ideias agitavam-se no meu cérebro. Já havia resolvido ir visitá-lo no dia seguinte. Enquanto esperava, esforcei-me por amenizar a impressão causada e mandar para a cama o pobre príncipe:

— O senhor passará uma boa noite e suas ideias ficarão mais nítidas, há de ver!

Apertou-me calorosamente a mão, mas sem beijar-me. Dei-lhe minha palavra de que viria vê-lo no dia seguinte:

— Conversaremos, conversaremos: temos muito que falar.

A estas palavras sorriu com um jeito fatalista.

Capítulo VIII

I

Durante toda aquela noite sonhei com a roleta, o jogo, os ajustes de conta. Calculava, como diante de uma mesa de jogo, paradas, oportunidades, e foi a noite inteira uma espécie de pesadelo esmagador. Direi a verdade: durante todo o dia anterior, apesar de todas as minha impressões extraordinárias, havia relembrado por instantes o que ganhara em casa de Ziérchtchikov. Afugentava a ideia, mas não podia repelir a impressão e estremecia a cada lembrança. Aquele ganho mordera-me o coração. Teria nascido jogador? Em todo caso, certamente com as qualidades de um jogador. Mesmo hoje, ao escrever estas linhas, gosto por vezes de pensar no jogo! Acontece-me passar horas inteiras, em silêncio, fazendo cálculos de jogo e ver-me em sonho apostando e ganhando. Sim, tenho qualidades bem diversas e minha alma não está tranquila.

Às dez horas, contava ir à casa de Stiebielhkov e a pé. Mandei embora Matviéi assim que ele apareceu. Enquanto tomava café, tratei de examinar as coisas. Estava contente; entrando um instante em mim mesmo, adivinhei que estava contente sobretudo porque estaria hoje na casa do Príncipe Nikolai Ivânovitch. Mas aquele dia de minha vida foi fatal e inesperado e começou por uma surpresa.

Às dez horas em ponto, minha porta escancarou-se e vi entrar, como uma rajada, Tatiana Pávlovna. Podia esperar tudo menos sua visita e saltei espantado. Seu rosto estava carrancudo, seus gestos desordenados e, se lhe tivesse perguntado, talvez ela tivesse sido incapaz de dizer por que irrompera assim pela minha casa adentro. Devo prevenir de antemão que ela acabava de receber uma notícia extraordinária, esmagadora, e estava ainda sob sua primeira impressão. Ora, a notícia dizia-me também respeito. Aliás, passou ela em minha casa um meio minuto, um minuto se quiserdes, certamente não mais. E caiu-me em cima:

— Aqui estás! — plantou-se diante de mim, toda inclinada para a frente. — Aqui estás, canalha! Que fizeste? Como? Não sabes? Bebe seu chá! Ah! meu tagarela, meu moinho de palavras, namorado de papelão... Mas precisavas apanhar de chicote, de chicote, de chicote!

— Tatiana Pávlovna, que aconteceu? Que se passou? Mamãe?

— Vais saber! — ameaçou ela, saindo. Já havia desaparecido. Lancei-me naturalmente em sua perseguição, mas uma ideia deteve-me, ou antes, não uma ideia, mas uma vaga inquietação: sentia que nos seus gritos "o namorado de papelão" estava a frase essencial. Sem dúvida, nada teria adivinhado por mim mesmo, mas saí rapidamente, para acabar o mais cedo possível a conversa com Stiebielhkov e ir em seguida à casa do Príncipe Nikolai Ivânovitch. "Lá é que está a chave de tudo!", pensava, instintivamente.

Coisa de admirar: Stiebielhkov já sabia toda a história de Anna Andriéievna e até mesmo em seus detalhes; não contarei sua conversa e seus gestos, mas estava *encantado, arrebatado* de entusiasmo, diante do valor artístico daquela façanha.

— Aí tem o senhor uma verdadeira personalidade! Não, veja, uma personalidade! — exclamava ele. — Não, não é como nós; nós ficamos tranquilos aqui, ela, porém, ela tem vontade de beber a água na sua própria fonte e bebeu-a. É... é uma estátua antiga de Minerva, mas que anda e usa vestidos modernos!

Roguei-lhe que passasse ao assunto; todo ele, como o tinha perfeitamente adivinhado, consistia em persuadir e convencer o príncipe a ir pedir um socorro definitivo ao Príncipe Nikolai Ivânovitch.

— De outro modo, poderá isso resultar muito, muito mal para ele e não por culpa minha. É ou não bem verdade?

Fitava-me bem nos olhos, mas não supunha, sem dúvida, que eu soubesse alguma coisa mais do que na véspera. Não podia supor. Naturalmente, não deixei adivinhar, nem por palavra, nem por alusão, o que sabia das ações. Nossa explicação não foi longa; quase imediatamente prometeu-me dinheiro, "e uma soma gordinha, gordinha, sabe o senhor? Somente, faça tudo quanto puder para que o príncipe vá lá. É urgente, urgentíssimo. Tudo está aí: é tremendamente urgente!".

Não quis entrar em discussões com ele como na véspera, e fiz menção de retirar-me, dizendo-lhe, ao acaso, que trataria de... Mas de repente ele me causou um espanto inexprimível: já me dirigia para a porta quando, de súbito, abraçou-me afetuosamente a cintura e começou a dizer-me... as coisas mais incompreensíveis.

Omito os detalhes e não transcreverei todo o teor da conversa, para não fatigar. Mas eis o sentido: propôs-me apresentá-lo ao Senhor Diergatchov, "uma vez que o senhor frequenta aquela casa"!

Prestei instantaneamente atenção, procurando com todas as minhas forças não me trair por nenhum gesto. Respondi de pronto que não conhecia lá ninguém e que, se lá estivera, fora apenas uma vez por acaso.

— Mas se foi o senhor admitido uma vez, poderá ir lá uma segunda, não é verdade?

Perguntei-lhe franca, mas muito friamente, em que isso o interessava. E até hoje não consigo compreender como se pode encontrar tanta ingenuidade em certas pessoas que, pelo visto, não são tolas e são mesmo práticas; assim o definira Vássin. Explicou-me com absoluta franqueza que, segundo suas suspeitas, se passava em casa de Diergatchov certamente algo de proibido, de severamente proibido, que me bastaria estudar para poder tirar disso vantagem. E, todo sorridente, piscou o olho esquerdo.

Nada respondi de afirmativo, mas fingi refletir e prometi pensar no caso, após o que apressei-me em retirar-me. As coisas complicavam-se. Voei à casa de Vássin e encontrei-o justamente em casa.

— Ah! você também! — Assim que me viu, acolheu-me com esta frase enigmática.

Sem dar-lhe atenção, fui diretamente ao assunto e contei-lhe tudo. Ficou visivelmente impressionado, mas sem perder absolutamente o seu sangue-frio. Pediu-me todos os detalhes.

— É bem possível que você não tenha compreendido bem.

— Não, compreendi bem, o sentido era absolutamente claro.

— Em todo caso, sou-lhe infinitamente reconhecido — acrescentou com sinceridade. — Sim, deveras, se tudo se passou mesmo assim, é que ele supunha que você não poderia resistir a certa soma.

O ADOLESCENTE

— E além do mais conhece bem minha situação; não fazia senão jogar, procedia mal, Vássin.

— Ouvi dizer isso.

— O mais enigmático para mim é que ele sabe que você também frequenta aquela casa — arrisquei.

— Sabe perfeitamente — respondeu Vássin, de modo muito simples — que nada tenho a ver ali. Todos aqueles rapazes são sobretudo tagarelas, nada mais; você se recorda disso, aliás, melhor do que ninguém.

Pareceu-me que tinha certa desconfiança de mim.

— Em todo caso, sou-lhe infinitamente reconhecido.

— Ouvi dizer que os negócios do Senhor Stiebielhkov não iam muito bem — aventurei-me a indagar —, pelo menos ouvi falar de certas ações...

— E de que ações você ouviu falar?

Havia citado expressamente as ações, mas de modo algum para contar-lhe o segredo do príncipe. Queria somente fazer uma alusão e julgar, pelo seu rosto, pelos seus olhos, se ele sabia alguma coisa. Atingira o meu alvo: por um movimento imperceptível e instantâneo de seu rosto, adivinhei que ele sabia talvez alguma coisa. Não respondi à sua pergunta e calei-me; quanto a ele, coisa curiosa, não insistiu.

— Como vai Elisavieta Makárovna? — informou-se, com interesse.

— Vai bem. Minha irmã sempre o estimou...

Um contentamento brilhou-lhe nos olhos: tinha adivinhado desde muito tempo que Lisa não lhe era indiferente.

— Recebi nestes últimos dias a visita do Príncipe Sierguiéi Pietróvitch — confiou-me ele, de chofre.

— Quando? — exclamei.

— Há exatamente quatro dias.

— Ontem não?

— Não, não ontem. — Lançou-me um olhar interrogador. — Mais tarde, vou lhe falar talvez com mais detalhes dessa visita, mas no momento creio necessário preveni-lo — disse Vássin misteriosamente — de que ele me pareceu achar-se num estado anormal de ânimo... e mesmo de espírito. E depois, tive ainda outra visita — sorriu de repente —, agora mesmo justamente antes de você, e fui obrigado a concluir também que não era normal o estado do visitante.

— O príncipe estava aqui ainda há pouco?

— Não, não o príncipe, agora não estou mais falando do príncipe. Tive aqui ainda há pouco Andriéi Pietróvitch Viersílov... você de nada sabe? Nada aconteceu a ele?

— Pode bem ser que lhe haja acontecido alguma coisa, mas... poderia dizer-me o que se passou aqui, em sua casa? — perguntei, precipitadamente.

— Deveria é claro guardar segredo... Eis uma conversa engraçada essa entre nós: sempre segredos — sorriu de novo. — Aliás, Andriéi Pietróvitch não me pediu segredo. Mas você é seu filho e, conhecendo seus sentimentos para com ele, parece-me que farei bem por esta vez em preveni-lo. Imagine que veio ele fazer-me esta pergunta: "Se por acaso um desses dias, muito proximamente, fosse eu obrigado a bater-me em duelo, consentiria em ser minha testemunha?". Naturalmente, recusei-me de maneira peremptória.

Eu estava infinitamente admirado; aquela notícia era a mais inquietante de todas; acontecera alguma coisa, ocorrera necessariamente algum acontecimento que não sabia eu ainda qual fosse! Lembrei-me de repente de que Viersílov me havia dito na véspera: "Não sou eu que irei à tua casa, mas tu que correrás à minha". Voei para a casa do Príncipe Nikolai Ivânovitch, pressentindo ainda mais que lá estaria a chave do enigma. Vássin, ao deixar-me, agradeceu-me ainda uma vez.

II

O velho príncipe estava sentado diante de sua lareira, com as pernas enroladas numa manta. Acolheu-me com um olhar ligeiramente interrogativo, como que surpreso pela minha visita, e, no entanto, quase todos os dias, mandava chamar-me. Aliás, cumprimentou-me amável, mas respondeu às minhas primeiras perguntas com uma espécie de desdém e com um ar terrivelmente distraído. Por instantes, parecia refletir e olhava-me fixo, como se tivesse esquecido de alguma coisa que lhe voltava agora e que com certeza devia referir-se a mim. Disse francamente que sabia de tudo e que me sentia feliz. Um bom sorriso afável estampou-se logo em seus lábios. Animou-se. Sua prudência e sua desconfiança desapareceram; parecia tê-las esquecido. E decerto tinha-as esquecido.

— Meu caro amigo, sabia bem que serias o primeiro a vir e, sabes, ainda ontem, disse a mim mesmo: "Quem irá mesmo ficar contente? Ele". Nenhuma outra pessoa, bem decerto. Mas isto não importa. As pessoas são más línguas... mas pouco importa... *Cher enfant*, tudo isso é tão elevado e tão delicioso... Mas tu a conheces muito bem. De resto, Anna Andriéievna tem a teu respeito a melhor opinião. Tem um rosto severo e encantador, um rosto de álbum inglês. É a mais deliciosa das gravuras inglesas... Há dois anos, eu tinha toda uma coleção dessas gravuras... Sempre tive essa intenção, sempre; admira-me somente jamais ter pensado nisso.

— Mas, pelo que me lembro, o senhor sempre amou e distinguiu Anna Andriéievna.

— Meu amigo, não queremos prejudicar ninguém. Viver com amigos, parentes, pessoas queridas é o paraíso. Somos todos poetas... Em suma, é coisa conhecida desde os tempos pré-históricos. Sabes? Passaremos o verão primeiro em Soden, depois em Badgastein.[62] Mas quanto tempo faz que não vens aqui! Por onde andaste? Esperava-te. Quantos, quantos acontecimentos desde então, não é verdade? Lamento somente não estar tranquilo: assim que fico só, fico inquieto. Eis por que não devo ficar só, não é? É claro como o dia. Acabo de compreendê-lo desde sua primeiras palavras. Oh! meu amigo, ela disse apenas duas palavras, mas... eram como a mais maravilhosa das poesias. Mas é irmão dela, quase irmão, não é? Meu caro, não era isso por coisa nenhuma que gostava tanto de ti! Pressentia tudo isso, juro-te. Beijei-lhe a mão e chorei.

Tirou seu lenço, como se fosse chorar de novo. Estava fortemente abalado e, creio, num dos mais tristes estados em que pude vê-lo durante todo o tempo que

---

62 Famosas estações de águas na Áustria.

O ADOLESCENTE

o conheci. Comumente, e mesmo quase sempre, mostrava-se incomparavelmente mais esperto e mais jovial.

— Perdoarei a todos, meu amigo — balbuciou em seguida. — Tenho vontade de perdoar a todo mundo e há muito tempo que não me zango com ninguém. A arte, *la poésie dans la vie*, [63] o auxílio aos infelizes e ela, a beldade bíblica! *Quelle charmante personne*,[64] hem? *Les chants de Salomon... non, ce n'est pas Salomon, c'est David qui mettai une jeune belle dans son lit pour se chauffer dans sa vieillesse. Enfin David, Salomon*,[65] tudo isso gira-me na cabeça, um verdadeiro turbilhão. Toda coisa, *cher enfant*, pode ser ao mesmo tempo majestosa e ridícula. *Cette jeune belle de la vieillesse de David, c'est tout un poème*,[66] ao passo que Paul de Kock[67] não tem gosto, nem medida, se bem que tenha talento... Katierina Nikoláievna sorriu... Disse-lhe que não a incomodaríamos. Começamos nosso romance, deixassem que o terminássemos. É um sonho, se quiserem, mas não nos arrebatem nosso sonho.

— Como assim, um sonho, príncipe?

— Um sonho? Como assim, um sonho? Sonho embora, mas deixem-nos morrer com ele.

— Oh! príncipe, por que morrer? Agora o que é preciso é viver!

— E que dizia eu então? Não digo outra coisa. Não sei verdadeiramente por que a vida é tão curta. Para que não nos entediemos, sem dúvida, porque a vida também é uma obra de arte do Criador, sob a forma definitiva e impecável de uma poesia de Púchkin. A brevidade é a primeira condição da arte. Mas os que não se entediam deveriam ter permissão para viver mais tempo.

— Diga-me, príncipe, já se tornou público?

— Não, meu caro, absolutamente. Entendemo-nos apenas entre nós. Em família, em família, apenas em família. No momento. Só me abri inteiramente com Katierina Nikoláievna, porque me sinto culpado para com ela. É que Katierina Nikoláievna é um anjo, um anjo!

— Sim, sim!

— Sim? E tu também dizes sim? E eu que te acreditava inimigo dela. Ah! a propósito, pediu-me que não mais te recebesse. Imagina que, quando entraste, esqueci-me completamente disso.

— Que diz o senhor? — estremeci. — E por quê? Quando?

(Meu pressentimento não me havia enganado; era bem alguma coisa neste gênero que eu pressentia desde a visita de Tatiana!)

— Ontem, meu amigo, ontem. Não compreendo mesmo como pudeste entrar, porque foram tomadas medidas para evitar isso. Como entraste?

— Muito simplesmente.

— É o mais provável. Se entrasses por meio de astúcia, teriam certamente impedido, mas como entraste muito simplesmente, deixaram-te passar. A simplicidade, *mon cher*, é em suma a melhor das astúcias.

---

63 A poesia na vida.

64 Que criatura encantadora!

65 Os cânticos de Salomão... não, não foi Salomão, e sim Davi quem punha uma bela jovem no seu leito para aquecer-se na sua velhice. Enfim Davi, Salomão.

66 Aquela jovem beldade da velhice de Davi é todo um poema.

67 Escritor francês (1794-1871), autor fecundo de numerosos romances cheios de humor e malícia, por vezes quase grosseira e apimentada.

— Não compreendo nada. Então, o senhor também decidiu não mais me receber?

— Não, meu amigo, disse que nada tinha com isso... Isto é, dei meu pleno consentimento. E, fica bem convencido, meu caro rapaz, gosto imensamente de ti. Mas Katierina Nikoláievna exigiu-o com demasiada insistência... Ah! ei-la!

Naquele instante surgiu na soleira Katierina Nikoláievna. Estava vestida para sair e, como sempre antes, vinha beijar seu pai. Vendo-me, parou, perturbou-se, voltou as costas e saiu.

— *Voilà!* — exclamou o príncipe, estupefato e terrivelmente emocionado.

— É um mal-entendido! — exclamei. — Um minuto só... eu... eu voltarei imediatamente, príncipe!

E corri no encalço de Katierina Nikoláievna.

Tudo quanto se passou em seguida ocorreu tão rapidamente que, longe de poder refletir, não pude mesmo preparar um pouco que fosse minha conduta. Se tivesse podido preparar-me, com certeza teria me conduzido doutra maneira! Mas estava perdido como uma criancinha. Precipitei-me para os aposentos dela, mas um criado me disse que Katierina Nikoláievna tinha saído naquele instante, estava tomando um carro. Lancei-me às cegas para a escadaria. Katierina Nikoláievna ia descendo, envolta numa peliça, e a seu lado caminhava, ou, para melhor dizer, conduzia-a um oficial alto e bem feito, de uniforme, sem capote, sabre ao lado; um criado carregava atrás seu capote. Era o barão, coronel, de trinta e cinco anos, o tipo do oficial elegante, seco, o rosto um pouco demasiado oval, os bigodes ruivos e até mesmo os cílios. Seu rosto não era nada belo, mas mostrava uma expressão dura e desafiadora. Descrevo-o às pressas, tal como o vi naquele momento. Até ali, jamais o havia encontrado. Corri atrás deles sem chapéu e sem peliça. Katierina Nikoláievna foi a primeira a notar-me e cochichou-lhe algo ao ouvido. Ele voltou a cabeça e logo fez um sinal ao criado e ao suíço. O criado deu um passo para mim, diante da porta, mas empurrei-o com a mão e, atrás dos dois, saltei para o patamar. Bioring fez Katierina Nikoláievna sentar-se no carro.

— Katierina Nikoláievna! Katierina Nikoláievna! — exclamei estupidamente (como um imbecil! como um imbecil! Oh! lembro-me de tudo. Eu estava sem chapéu!).

Bioring, furioso, voltou-se ainda uma vez e gritou em voz alta ao criado uma ou duas palavras que não distingui. Senti que me agarravam pelo cotovelo. Naquele instante, o carro partiu; lancei um grito e atirei-me atrás. Katierina Nikoláievna, eu bem via, olhava pela janela do carro e parecia estar muito inquieta. Mas no meu gesto rápido, no momento em que me lancei, dei um forte encontrão, sem pensar nisso de modo algum, em Bioring e creio que lhe pisei o pé. Ele lançou um pequeno grito, trincou os dentes e, agarrando-me pelo ombro com uma mão vigorosa, *empurrou-me* tão raivosamente que recuei uns três bons passos. Naquele momento, estenderam-lhe o capote, que ele vestiu, subiu ao seu trenó e de lá ainda lançou um grito de ameaça, apontando-me aos criados e ao suíço. Agarraram-me e seguraram-me: um criado atirou-me minha peliça, outro estendeu-me meu chapéu e não me lembro mais do que me disseram: falavam e estava eu ali a ouvi-los sem nada compreender. Mas de repente larguei-os ali e saí correndo.

O ADOLESCENTE

III

Sem nada distinguir, dando encontrões nos passantes, sempre correndo, cheguei por fim à casa de Tatiana Pávlovna, sem ter mesmo pensado em tomar um fiacre no caminho. Bioring tinha-me empurrado em sua presença! Sem dúvida, tinha-lhe pisado o pé e ele me empurrava instintivamente, como um homem a quem esmagaram um calo (talvez, de fato, lhe tivesse eu esmagado um calo!). Ela, porém, vira e vira que os criados me agarravam, tudo isso em sua presença, diante dela! Quando entrei intempestivamente em casa de Tatiana Pávlovna, não pude a princípio dizer uma palavra, meu maxilar inferior estava como que sacudido por febre. Estava efetivamente com febre e além do mais chorava... Estava realmente ofendido!

— Oh! Com que então, puseram-no para fora? Bem feito! — disse Tatiana Pávlovna.

Deixei-me cair, sem nada dizer, sobre o divã e fitei-a.

— Mas que tem ele afinal? — disse ela, olhando-me com atenção. — Vamos, toma este copo, bebe um pouco dágua, bebe! E conta-me que tolice nova fizeste.

Balbuciei que me haviam posto para fora e que Bioring me havia empurrado na rua.

— És capaz de compreender alguma coisa, sim ou não? Pois bem, lê, deleita-te! — E, pegando de cima da mesa um bilhete, entregou-o a mim, e plantou-se à minha frente. Reconheci logo a letra de Viersílov. Havia apenas algumas linhas; era um bilhete dirigido a Katierina Nikoláievna. Estremeci; instantaneamente, a faculdade de compreender voltou-me em todo o seu vigor. Eis o conteúdo daquele terrível bilhete, escandaloso, absurdo, criminoso, palavra por palavra:

> Senhora Katierina Nikoláievna,
> Por mais perversa que seja a senhora, por natureza e por habilidade, pensava, não obstante, que a senhora dominaria suas paixões e que, pelo menos, não atentaria contra crianças. Mas mesmo isto não a amedrontou. Informo-a de que o documento que conhece não foi certamente queimado numa vela e nunca esteve em casa de Kraft, de sorte que não tem a senhora nada a ganhar com isso. Assim não corrompa inutilmente um rapaz. Poupe-o, é ainda menor, quase uma criança, e não atingiu ainda seu completo desenvolvimento intelectual e físico: de que lhe serve ele? Interesso-me por ele e foi por isso que me arrisquei a escrever-lhe, se bem que nenhum êxito espere. Tenho a honra de preveni-la de que estou enviando cópia deste bilhete ao Barão Bioring.
>
> *A. Viersílov*

Fiquei totalmente pálido ao ler, depois explodi de repente e meus lábios tremeram de indignação.

— É de mim que se trata? Foi a propósito do que lhe revelei anteontem! — exclamei, furioso.

— Foi justamente o que lhe revelaste! — E Tatiana arrancou-me o bilhete da mão.

— Mas... não é, não é absolutamente o que eu dizia! Oh! meu Deus! Que poderá ela pensar de mim agora? Mas está louco ele? É um louco... Vi-o ontem. Quando foi enviada a carta?

— Ontem, durante o dia; chegou à tarde e hoje ela me entregou pessoalmente.

— Mas eu o vi ontem, ele está louco! Viersílov não pode ter escrito isto, é obra de um louco! Quem pode escrever assim a uma mulher?

— Justamente os loucos furiosos do gênero dele, quando a inveja e a cólera os tornam cegos e surdos e o sangue se muda em suas veias em vitríolo... E tu não sabias ainda o que ele vale! Ele agora vai ver o que lhe acontece! Será reduzido a cozido. Oferece-se ele próprio à guilhotina! Teria feito melhor se se dirigisse uma noite à linha Nikoláievskaia, pusesse a cabeça sobre os trilhos para que a decepassem certamente, se a acha demasiado pesada para carregar! E que é que te impelia a falar-lhe? Que necessidade tinhas de excitá-lo? Quiseste gabar-te?

— Mas que ódio! Que ódio! — Bati com a mão na cabeça. — E por quê? Por quê? Contra uma mulher! Que é que ela lhe fez? Que relações tiveram eles, para que possam ser escritas cartas assim?

— O ódio! — repetiu Tatiana Pávlovna, macaqueando-me com uma ironia furiosa.

O sangue subiu-me de novo ao rosto: pareceu-me de súbito compreender alguma coisa de completamente novo; olhei-a com um olhar interrogador, com todas as minhas forças.

— Vai-te daqui! — guinchou ela, dando-me as costas e ameaçando-me com a mão. — Já chega de tanta complicação com vocês todos! Acabou agora! Poderão todos ser tragados pela terra... Só de tua mãe é que tenho ainda compaixão...

Corri, como era natural, à casa de Viersílov. Mas que perfídia, que perfídia!

IV

Viersílov não estava só. Direi de antemão: depois de ter enviado na véspera aquela carta a Katierina Nikoláievna e despachado com efeito uma cópia (Deus sabe por quê!) ao Barão Bioring, devia naturalmente esperar no correr do dia certas consequências do passo que dera, e portanto tomara certas medidas: desde a manhã transportara mamãe e Lisa (que, soube-o mais tarde, tendo voltado pela manhã, caíra doente e estava de cama) para cima, para o "ataúde", enquanto os quartos e sobretudo nosso salão tinham sido cuidadosamente varridos e arrumados. E, com efeito, às duas horas da tarde, apresentou-se um Barão R***, militar, coronel, um senhor duns quarenta anos, de origem alemã, grande, seco e parecendo fisicamente muito forte, ruivo, também, como Bioring, somente um pouco calvo. Era um desses Barões R***, tão numerosos no Exército russo, todos gente muito susceptível em questões de honra, sem nenhuma fortuna, vivendo de seu soldo, grandes militares e grandes batalhadores. Não assistira ao começo da explicação entre eles; estavam todos dois muito animados, e como poderia ter sido de outro modo? Viersílov achava-se no divã diante da mesa, o barão numa poltrona de lado. Viersílov estava pálido, mas falava comedidamente e pesando suas palavras; o barão elevava a voz e parecia levado aos gestos bruscos, mas retinha-se, tinha um olhar severo, altivo e até mesmo desdenhoso, embora não sem algum espanto. Vendo-me, franziu o cenho, mas Viersílov regozijou-se quase ao ver-me:

— Boa tarde, meu caro. Barão, eis justamente o rapaz de que se fala no bilhete. Acredite-me, longe de nos incomodar, pode mesmo ser-nos útil. (O barão olhou-me de alto e baixo com desprezo.) Meu caro — acrescentou Viersílov —, alegra-me tua vinda. Fica a um canto, rogo-te, enquanto esperas que acabemos. Fique tranquilo, barão, ele se conservará no seu canto...

Isso me era indiferente, pois que estava decidido e, além disso, tudo me causava estupefação; sentei-me sem dizer palavra, o mais possível no canto e ali fiquei sem um piscar de olhos e sem mover-me até o fim da explicação...

— Repito-lhe ainda uma vez, barão — disse Viersílov, destacando fortemente todas as palavras —, que considero Katierina Nikoláievna Akhmákova, a quem escrevi aquela carta indigna e malsã, não somente como a mais nobre das criaturas, mas também como o cúmulo de todas as perfeições!

— Semelhante refutação de suas próprias palavras, como já disse, assemelha-se bastante à sua confirmação — rugiu o barão. — Suas expressões são positivamente desrespeitosas.

— E, no entanto, o mais seguro será tomá-las o senhor no sentido literal. É que, veja o senhor, sofro de ataques... e de diversas desordens, sou mesmo obrigado a tratar-me e aconteceu-me num desses momentos...

— Essas explicações não poderiam ser admitidas. Repito-lhe ainda uma vez que o senhor continua a perseverar no seu erro. Talvez queria propositalmente enganar a si mesmo. Preveni-o, desde o começo, de que a questão referente aquela senhora, isto é, sua carta à Generala Akhmákova, deve ser definitivamente afastada da explicação presente; e o senhor sempre a voltar a ela. O Barão Bioring pediu-me e encarregou-me de esclarecer unicamente o que a ele concerne, isto é, sua insolente remessa daquela cópia e em seguida e pós-escrito, em que o senhor se confessa pronto a responder a não importa quem e não importa como.

— Mas parece-me que este último ponto é claro sem mais ampla explicação.

— Compreendo, sei. O senhor nem mesmo se desculpa, continuou a afirmar que está pronto a responder a não importa quem e não importa como. Mas seria escapulir-se sem mais tropeços. Por isso considero-me no direito, visto o aspecto que o senhor quer absolutamente dar à explicação, de exprimir-lhe minha opinião sem constrangimento: cheguei a esta conclusão de que o Barão Bioring não poderia de maneira alguma entender-se com o senhor... num pé de igualdade.

— Esta solução é naturalmente das mais vantajosas para seu amigo o Barão Bioring e, confesso o senhor não me causa espanto nenhum: esperava por isso.

Vou anotar entre parênteses: vira bem, desde as primeiras palavras, desde a primeira olhadela, que Viersílov procurava uma explosão, provocava e atiçava aquele barão irritável e punha talvez sua paciência a uma prova demasiado rude. O barão estava sobre brasas.

— Sabia que o senhor podia mostrar-se espirituoso, mas espírito não é inteligência.

— Observação extraordinariamente profunda, coronel!

— Não tenho necessidade de seus elogios — gritou o barão —, e não vim aqui falar à toa. Digne-se escutar-me: o Barão Bioring, ao receber sua carta, achou-se em extrema perplexidade porque ela tresandava a asilo de alienados. E sem dúvida teria sido possível encontrar logo meios para... acalmar o senhor. Mas, por certas razões particulares, teve-se certa consideração pelo senhor e tomaram-se informações: verificou-se que o senhor pertenceu à boa sociedade e que serviu outrora na Guarda, mas foi excluído dessa sociedade e sua reputação é mais que duvidosa. Não obstante, apesar disso, vim até aqui para dar-me conta pessoalmente e eis que, por acréscimo, o senhor se permite ainda brincar com as palavras e deu o senhor mesmo testemunho de que está sujeito a ataques... Basta! A situação do Barão Bioring e sua reputação não podem acomodar-se a isso... Em suma, senhor, estou encarregado de declarar-lhe que, se esse ato ou qualquer ato da mesma natureza se repetir, serão encontrados meios de acalmá-lo imediatamente, meios muito seguros e muito rápidos, asseguro-lhe. Não vivemos nas matas, mas num Estado policiado!

— Está bem certo disso, meu bom Barão R***?

— Com os demônios! — O barão levantou-se de chofre. — O senhor me tenta a provar-lhe aqui mesmo que não sou seu bom barão.

— Ainda uma vez, previno-o — Viersílov também se levantou, — de que minha mulher e minha filha não estão longe... também lhe rogarei que não fale tão alto, porque seus gritos chegam até elas.

— Sua mulher... Com os diabos!... Se fiquei assim a conversar com o senhor foi unicamente com a intenção de tirar a limpo esse sujo negócio — continuou o barão sempre encolerizado e sem baixar a voz absolutamente. — Basta! — gritou, enfurecido. — O senhor está não somente excluído do rol das pessoas decentes, mas é um maníaco, um verdadeiro maníaco, um maluco, e foi mesmo isso que me disseram que o senhor era! O senhor é indigno de indulgência e declaro-lhe que hoje mesmo serão tomadas medidas e o senhor será chamado a um lugar onde saberão chamá-lo à razão... e será expulso da cidade!

Saiu da sala rapidamente e a grandes passadas. Viersílov não o reconduziu. Permanecia de pé, olhando-me distraidamente e como sem ver-me; de repente, sorriu, agitou sua cabeleira e, pegando seu chapéu, dirigiu-se também para a porta. Peguei-lhe a mão.

— Ah! é verdade, estavas aí! Ouviste? — Parou diante de mim.

— Como o senhor pôde agir assim? Como o senhor pôde deformar assim, desonrar... com tanta perfídia?

Olhava-me fixamente, mas seu sorriso expandia-se cada vez mais e transformava-se verdadeiramente em risada.

— Mas foi a mim que desonraram... diante dela! Diante dela! Achincalharam-me diante de seus olhos; e ele... empurrou-me — exclamei, fora de mim.

— É possível? Ah! meu pobre filho, como tenho compaixão de ti... Achincalharam-te!

— O senhor ri, o senhor ri de mim! Acha isso engraçado!

Libertou rapidamente sua mão da minha, pegou seu chapéu e, rindo, rindo agora uma franca risada, saiu da sala. Ir atrás dele? Para quê? Compreendera tudo e tudo perdera num minuto! De repente, vi mamãe; tinha descido e olhava timidamente.

— Ele saiu?

Beijei-a em silêncio e ela me beijou com força, com muita força, colando-se a mim.

— Mamãe querida, pode ficar aqui ainda? Vamo-nos imediatamente, eu a abrigarei, trabalharei pela senhora como um danado, pela senhora e por Lisa... Abandonemo-los a todos, todos e vamo-nos embora. Ficaremos sozinhos. Mamãe, a senhora se lembra de quando foi visitar-me no pensionato Touchard e eu recusei reconhecê-la?

— Lembro-me, meu filho. Toda a minha existência tenho sido culpada para contigo; pus-te no mundo e não te conhecia.

— Foi ele o culpado, mamãe; foi ele a causa de tudo. Jamais nos amou.

— Sim, amou-nos.

— Vamos embora, mamãe.

— Como haveria de deixá-lo? Ele será feliz?

— Onde está Lisa?

— Na cama. Assim que voltou, caiu doente. Tenho medo. Por que estão tão furiosos contra ele? Que irão fazer-lhe? Aonde ele foi? Por que aquele oficial faz ameaças?

— Não lhe acontecerá nada, mamãe, nunca lhe acontece nada. Nunca, jamais lhe acontecerá nada. Nada pode acontecer-lhe. É um homem feito assim! Mas eis Tatiana Pávlovna. Pergunte-lhe se não acredita em mim. (Tatiana Pávlovna acabava de entrar.) Até a vista, mamãe. Volto em seguida e vou lhe fazer ainda uma vez o mesmo pedido...

Escapuli-me. Não podia ver ninguém, ainda menos. Tatiana Pávlovna. A própria mamãe me torturava. Queria estar só, sozinho.

V

Mas não chegara ainda à rua seguinte e já me sentia incapaz de andar; dava absurdos encontrões às pessoas, estranhas e indiferentes; mas onde meter-me? A quem eu era útil e de que precisava agora? Arrastei-me maquinalmente até a casa do Príncipe Sierguiéi Pietróvitch, sem pensar de modo algum nele. Não estava em casa. Disse a Piotr (seu criado) que esperaria no gabinete dele (como o fizera tantas vezes). Era uma vasta peça de teto altíssimo, atravancada de móveis. Meti-me no canto mais escuro, sentei-me num divã e, com os cotovelos apoiados na mesa, pus a cabeça entre as mãos. Sim, a questão era: de que precisava agora? Se era capaz de formular a pergunta, não conseguia, porém, dar-lhe uma resposta.

Mas não podia raciocinar, nem interrogar. Já preveni acima que, ao final daquele período, me achava esmagado pelos acontecimentos. Agora, sentado, era como um caos que turbilhonava no meu cérebro. "Sim, nada vi, nada compreendi daquele homem": tal era a ideia que, por momentos, me atravessava a mente. "ainda há pouco riu em minha cara: não, não era de mim; era sempre de Bioring e não de mim. Anteontem ao jantar, sabia já de tudo e estava sombrio. Recolheu minha tola confissão no botequim e tudo deformou à custa da verdade. Que necessidade tinha ele da verdade? Não crê nem uma meia palavra do que lhe escreveu. Precisava apenas ferir, ferir sem razão, sem mesmo saber por quê, agarrando-se a um pretexto e o pretexto fui eu que o forneci... Gesto de cão raivoso! Vai agora matar Bioring? E por quê? Seu coração sabe por quê! Mas eu ignoro o que ele tem no coração... Não,

não, ainda agora ignoro. Ele a ama com tanta paixão? Ou bem a odeia com tanta paixão? Ignoro e ele mesmo será que sabe? Por que eu disse a mamãe, que nada pode acontecer a ele? E que eu queria dizer com isso? Perdi-o ou não o perdi?

"... Ela viu como me empurravam... Riu também, ou não? Eu teria rido! Era o espião que recebia uma tunda, o espião!...

"E que significa (esta ideia veio-me de repente), que significa isso que ele pôs naquela carta infame: que o documento não fora queimado, mas existia ainda?...

"Ele não matará Bioring, está certamente neste momento no botequim, escutando a *Lúcia!* Mas talvez depois da *Lúcia* vá matar Bioring. Bioring empurrou-me, quase me bateu. Bateu-me? Bioring desdenha até bater-se com Viersílov: irá bater-se comigo? eu devesse tocaiá-lo amanhã na rua e matá-lo com um tiro de revólver..." Esta ideia concebi-a de modo totalmente maquinal, sem nela me deter de maneira alguma.

Por instantes, imaginava que a porta ia abrir-se, dando passagem a Katierina Nikoláievna: entraria e me estenderia a mão e dispararíamos a rir os dois... Ah! o estudante, meu caro! Esta ideia apresentou-se, ou antes este desejo, quando a peça ficou totalmente escura. "Mas já faz muito tempo que estava eu diante dela e lhe dizia adeus, enquanto ela me estendia a mão e ria? Como pode isto acontecer: em tão pouco tempo uma distância tão tremenda?! Ir vê-la muito simplesmente e explicar-me com ela, imediatamente, simplesmente, simplesmente! Senhor, mas é um mundo todo novo que acaba de começar! Sim, um mundo novo, completamente, completamente novo... Lisa, o príncipe, é ainda o tempo antigo... Agora, estou em casa do príncipe. E mamãe, como tem podido viver com ele, se é verdade? Eu teria podido, posso tudo, ela, porém? Que irá acontecer agora?" E, como num turbilhão, as silhuetas de Lisa, Anna Andriéievna, Stiebielhkov, do príncipe, de Afiérdov, de todos, desfilaram sem deixar traços no meu cérebro doente. As ideias tornavam-se cada vez mais informes e intangíveis; ficava contente quando podia compreender uma e agarrá-la.

"Tenho minha ideia! — pensei de repente —, mas é bem verdade? Não será uma frase aprendida de cor? Minha ideia, aquela escuridão e solidão, mas agora posso encolher-me na escuridão anterior? Ah! meu Deus, mas o caso é que não queimei o documento! Esqueci-me de queimá-lo anteontem. Vou voltar para casa e o queimarei na vela, sim, na vela; somente não sei se é mesmo o que penso agora..."

Estava escuro desde muito tempo. Piotr trouxe velas. Parou em minha frente e perguntou-me se havia comido. Limitei-me a fazer um gesto com a mão. Entretanto, uma hora depois, trouxe-me chá de que bebi com avidez uma xícara. Em seguida perguntei-lhe a hora. Eram oito e meia e nem mesmo me espantei de estar ali desde as cinco horas.

— Vim três vezes — disse Piotr —, mas creio que o senhor dormia.

Não me lembrava de tê-lo visto entrar. Não sei por quê, mas de súbito bastante aterrorizado por ter dormido, levantei-me e pus-me a andar para lá e para cá, para não mais adormecer. Por fim, a cabeça começou a doer-me. Às dez horas em ponto, o príncipe entrou e espantei-me por havê-lo esperado. Tinha me esquecido completamente dele, completamente.

— Você estava aqui e fui procurá-lo em sua casa! — disse-me. Seu rosto estava sombrio e severo, sem o menor sorrido. Nos seus olhos, uma ideia fixa.

— Andei para lá e para cá o dia inteiro e empreguei todos os meios — continuou com um ar concentrado. — Tudo fracassou e agora é horrível... (N.B.: não estivera em casa do Príncipe Nikolai Ivânovitch.) Vi Jibiélsk, é um homem impossível. Veja você: é preciso primeiro ter o dinheiro, em seguida veremos. Se é impossível com dinheiro, então... Mas decidi hoje não pensar nisso... Hoje tratemos apenas de arranjar o dinheiro, amanhã veremos. O dinheiro que você ganhou anteontem ainda está intacto, até o último copeque. São três mil rublos, menos três rublos. Descontada sua dívida, restam a entregar-lhe trezentos rublos. Tome-os e acrescente-lhes setecentos para completar mil e eu ficarei com os dois mil restantes. Em seguida iremos à casa de Ziérchtchikov, vamos nos instalar nas duas extremidades opostas e trataremos de ganhar dez mil rublos, talvez consigamos alguma coisa, se não... É a única saída que me resta.

Mirou-me com ar fatal.

— Sim, sim — exclamei de repente, como ressuscitando. — Vamos lá! Só esperava pelo senhor...

Notai bem que, em todas aquelas horas, não tinha pensado um só instante na roleta.

— E a infâmia? A baixeza do ato? — perguntou de súbito o príncipe.

— O quê? O fato de irmos à roleta? Mas tudo depende dela! — exclamei. — O dinheiro é tudo! Nós é que somos santos, o senhor e eu, ao passo que Bioring se vendeu, Anna Andriéievna se vendeu, e Viersílov, sabe o senhor que Viersílov é um maníaco? Um maníaco! Um maníaco!

— Está passando bem, Arkádi Makárovitch? Está com uns olhos estranhos.

— O senhor diz isto para ir lá sem mim. Agora, não o deixo mais. Não é por coisa nenhuma que sonhei a noite inteira com o jogo. Vamos lá! Vamos lá! — gritei, como se tivesse de repente encontrado a solução do enigma.

— Pois bem, vamos, se bem que você esteja febril e lá...

Não terminou. Havia no seu rosto algo de doloroso, de espantoso. Já íamos saindo.

— Sabe — disse-me de repente, parando na soleira — que há ainda uma saída além do jogo?

— Qual?

— Uma saída principesca!

— Qual então? Qual?

— Vai conhecê-la mais tarde. Saiba somente que agora sou indigno dela, porque é demasiado tarde. Vamos e lembre-se de minhas palavras. Tentemos a saída plebeia... Será que, por acaso, eu não saberei, conscientemente, de minha plenas vontade, que vou agir como um lacaio?

VI

Voei para a roleta como se lá estivessem concentradas a salvação, a saída, e, no entanto, como já disse, antes da chegada do príncipe não pensava nisso. Aliás, ia jogar não por mim, mas com o dinheiro do príncipe e para o príncipe. Não chego a compreender o que me atraía, mas era atraído irresistivelmente. Não, nunca aquelas pessoas, aqueles rostos, aqueles crupiês, aqueles gritos de jogadores, toda aquela sala ignóbil de Ziérchtchikov me pareceram tão repugnantes, tão sombrios, tão grosseiros, nem tão tristes como daquela vez! Lembro-me muito bem do luto e do pesar que por momentos me dominavam o coração durante todas aquelas horas passadas ali, diante da mesa. Mas por que não me ia embora? Por que suportava, como se me tivesse imposto uma faxina, um sacrifício, uma proeza? Direi somente isto: não saberia afirmar verdadeiramente que estivesse então no pleno uso de minha razão. E, no entanto, jamais joguei tão sensatamente como naquela noite. Estava silencioso e concentrado, atento e calculador de fazer tremer; estava paciente e avaro, e ao mesmo tempo decidido, nos momentos decisivos. Instalei-me de novo diante do zero, isto é, ainda uma vez entre Ziérchtchikov e Afiérdov, que se sentava sempre à direita de Ziérchtchikov. Detestava aquele lugar, mas queria absolutamente apostar no zero e todos os outros lugares em torno do zero estavam tomados. Jogávamos havia mais de uma hora; por fim, vi do meu lugar que o príncipe acabava de levantar-se e, pálido, avançara para nossa extremidade e parara diante de mim, do outro lado da mesa: perdera tudo e observava meu jogo em silêncio, provavelmente sem nada compreender dele e sem mesmo pensar no jogo. Eu começava justamente a ganhar e Ziérchtchikov contara para mim certa quantia. De repente Afiérdov, sem dizer palavra, à minha vista, com a maior insolência, pegou uma das minha cédulas de cem rublos e juntou-a ao monte que tinha diante de si. Lancei um grito e agarrei-lhe a mão. Então aconteceu-me algo de inesperado para mim mesmo: senti-me como que desenfreado; todos os horrores e todas as ofensas do dia encontravam-se subitamente concentrados naquele único instante, naquele desaparecimento da cédula. Era de dizer que tudo o que se acumulara e comprimira em mim só esperava aquele instante para explodir.

— É um ladrão! Acaba de roubar-me uma cédula de cem! — gritei, fora de mim, olhando a todos em redor.

Não descreverei todo o tumulto que estas palavras produziram. Semelhante caso era naquele local absolutamente novo. Portavam-se decentemente em casa de Ziérchtchikov e ela gozava de renome por isso. Mas eu estava fora de mim. No meio do tumulto e dos gritos, ouviu-se de repente a voz de Ziérchtchikov:

— Desapareceram mesmo, não há que dizer. Estavam aqui! Quatrocentos rublos!

Foi outro negócio: um maço de quatrocentos rublos desaparecera da banca, diante do nariz do próprio Ziérchtchikov. Este mostrava o lugar onde estava: ele estava aqui agora mesmo, e aquele lugar era bem perto de mim, junto de mim, tocava o lugar onde estava meu dinheiro, em suma estava infinitamente mais perto de mim do que de Afiérdov.

— O ladrão está aqui! Foi ele de novo quem roubou, revistem-no! — exclamei, mostrando Afiérdov.

— Tudo isso provém — começou uma voz imponente e tonitruante no meio dos gritos — do fato de deixarem penetrar aqui não importa quem. Pessoas sem recomendação! Quem o trouxe? Quem é?

— Um tal Dolgorúki.

— Príncipe Dolgorúki?

— Foi o Príncipe Sokólhski quem o trouxe — gritou alguém.

O ADOLESCENTE

253

— Escute, príncipe — gritei-lhe eu, fora de mim, do outro lado da mesa —, eles acreditam que eu sou o ladrão, quando acabam de roubar-me agora mesmo! Diga-lhes, diga-lhes quem eu sou!

Então se produziu a coisa mais espantosa de todas aquelas que se tinham produzido naquele dia... e mesmo em toda a minha vida: o príncipe renegou-me. Vi-o erguer os ombros e, em resposta às perguntas que caíam sobre ele, declarou com voz nítida e cortante:

— Não respondo por ninguém. Rogo-lhes que me deixem em paz.

Entretanto, Afiérdov erguia-se entre a multidão, reclamando em voz alta que o revistassem. Já estava revirando seus bolsos. Mas às suas reclamações respondia-se com gritos: "Não! não! conhece-se o ladrão!" Dois criados, já chamados, agarraram-me dos braços pelas costas.

— Não me deixarei revistar, não o permitirei! — Gritei, procurando libertar-me.

Mas levaram-me para uma sala vizinha e ali, em meio da multidão, revistaram-me por completo até a derradeira dobra. Eu gritava e debatia-me.

— Sem dúvida atirou-o no chão, procure-se um pouco! — decidiu alguém.

— Mas onde procurar agora, no chão?

— Debaixo da mesa. Sem dúvida teve tempo de atirá-los lá.

— Decerto não resta mais sinal...

Levaram-me, mas pude entretanto deter-me na soleira e gritar, com uma raiva louca:

— A roleta é proibida pela polícia. Hoje mesmo denunciarei a todos!

Fizeram-me descer a escada, puseram-me meu capote e... abriram diante de mim a porta da rua.

Capítulo IX

I

O dia terminara com uma catástrofe, mas restava a noite. Eis o que me lembro daquela noite.

Creio que era um pouco mais de meia-noite quando me encontrei na rua. A noite estava clara, calma e fria. Corri quase, numa pressa febril, mas não para casa. "Por que voltar para casa? Pensava-se lá em casa, agora? Numa casa se vive, amanhã despertarei para viver: será possível agora?" Vagueei pois pelas ruas, sem distinguir para onde ia, e ignoro, aliás, se queria ir para alguma parte. Sentia muito calor e abria por momentos minha pesada peliça. "Doravante nenhuma ação — parecia-me naquele momento — pode ter mais objetivo algum." Coisa estranha: parecia-me sem cessar que tudo, em redor de mim, até mesmo o ar que respirava, pertencesse a outro planeta, como se me tivesse de súbito encontrado na lua. Tudo, a cidade, os transeuntes, o passeio sobre o qual eu corria, tudo aquilo não me pertencia mais. "Isto é a Praça dos Palácios; isto é a catedral de Santo Isaac — dizia a mim mesmo —, mas agora nada mais tenho com isto." Tudo se tornara estranho, tudo havia cessado bruscamente de me pertencer. "Tinha mamãe, Lisa; pois bem, agora que tenho que ver com Lisa e mamãe? Tudo está acabado, tudo chegou ao fim de repente, exceto uma coisa: que sou por toda a eternidade um ladrão."

Como provar que não sou um ladrão? Será possível, agora? Partir para a América? Pois bem! Que é que provarei com isso? Viersílov será o primeiro a acreditar que roubei! A ideia? Que ideia? Que é agora a ideia? Dentro de cinquenta anos, de cem anos, quando eu passar, sempre se achará alguém para dizer, mostrando-me com o dedo: "Aquele é um ladrão. Inaugurou sua ideia roubando dinheiro na roleta...".

Tinha rancor? Não sei de nada. Talvez sim. É singular, mas sempre tive, talvez desde minha mais tenra infância, essa característica: se me causam mal, se levaram esse mal ao cúmulo, se me ofenderam até o derradeiro limite, sempre tive um desejo insaciável de submeter-me passivamente ao ultraje e até mesmo ir ao encontro dos desejos do ofensor: "Veja, o senhor me humilhou, pois bem, eu mesmo vou me humilhar ainda mais. Olhe, admire!". Touchard me batia e queria mostrar que eu era um criado e não um filho de senador: pois bem, eu entrava logo no meu papel de criado, não me limitava a entregar-lhe suas roupas, pegava eu mesmo a escova e me punha na obrigação de retirar delas a menor poeira, sem que ele houvesse pedido ou ordenado, perseguia-o por vezes, de escova na mão, no ardor de meu zelo de criado, para tirar a derradeira sujeirinha de seu paletó, a ponto de ele próprio deter-me algumas vezes: "Basta, basta, Arkádi, é bastante!". Quando voltava e tirava seu sobretudo, eu o escovava, dobrava-o cuidadosamente e cobria-o com um pano de seda de quadradinhos. Sabia que os camaradas zombavam de mim e me desprezavam, sabia muito bem, mas era isso que me agradava: "Quiseram que eu fosse criado, pois bem, sou! Se temos de ser lacaio, sejamos lacaio completo". Esse ódio passivo e esse rancor secreto pude conservá-los durante anos. Em casa de Ziérchtchikov, tinha gritado, completamente fora de mim, para toda a sala: "Eu os denunciarei, a roleta está proibida pela polícia". Pois bem, juro, havia nisso um sentimento do mesmo gênero: tinham-me humilhado, revistado, tratado publicamente de ladrão, matado, em uma palavra, "pois bem, saibam todos, vocês adivinharam, não sou somente um ladrão, sou também um delator!". Lembrando-me disso hoje, é assim que explico e resumo tudo isso; mas então não se tratava de analisar; lancei aquele grito sem intenção, um segundo antes ignorava que o lançaria; saiu de mim, mas porque tinha essa característica em mim.

No momento em que corria, o delírio por certo havia começado, mas me recordo muito bem de que agia conscientemente. Mas, digo com toda segurança, todo um ciclo de ideias e de conclusões estava já fechado para mim mesmo naquele momento, sentia no meu íntimo que podia ter certos pensamentos e que não podia absolutamente ter alguns outros. Da mesma maneira, algumas de minhas decisões, embora tomadas com uma consciência lúcida, podiam então não ter a menor lógica interna. Mais ainda, lembro-me muito bem de que podia em certos momentos ter perfeita consciência do absurdo de uma decisão e, ao mesmo tempo, empreender de imediato e muito conscientemente sua execução. Sim, o crime tocaiava-me naquela noite e foi somente por acaso que não ocorreu.

Subitamente veio-me ao espírito a frase de Tatiana Pávlovna e respeito de Viersílov: "Que ele vá à linha Nikoláievskaia e ponha a cabeça em cima dos trilhos:

O ADOLESCENTE

será devidamente cortada". Este pensamento dominou por um instante todos os meus sentimentos, mas expulsei-o imediatamente e com pesar: "Colocar a cabeça sobre os trilhos e morrer? Mas amanhã se dirá: se fez isso, é porque roubou, teve vergonha. Não, nunca!". Pois bem, naquele instante, lembro-me, tive de repente um raio de ódio terrível. "E então? — dizia a mim mesmo. — É impossível doravante justificar-me, é impossível começar uma vida nova. É preciso, pois, que me submeta, que seja o lacaio, o cão, a mosca, o delator, o verdadeiro delator agora, e durante esse tempo preparar-me bem mansamente e, um belo dia, fazer saltar tudo pelos ares, tudo aniquilar, o mundo inteiro, os culpados e os inocentes. Então, todo mundo ficará sabendo bruscamente que foi aquele a quem trataram como ladrão... E somente então matar-me."

Não sei mais como fui dar a um beco perto do bulevar dos Cavaleiros da Guarda. Estava orlado dos dois lados, por cerca de uma centena de passos, por altos muros servindo de tapume a quintais. Por trás de um deles, à esquerda, vi um imenso monte de lenha, um verdadeiro estaleiro que ultrapassava o muro em mais de dois metros. Parei de súbito e pus-me a refletir. Tinha no bolso fósforos de cera numa caixinha de prata. Repito, tinha então uma consciência nítida do que meditava e queria fazer e é assim que me lembro daquilo ainda hoje, mas por qual razão queria fazer, ignoro absolutamente. Lembro-me somente de que fui tomado de chofre por aquele desejo. "Subir ao muro é perfeitamente possível", eu raciocinava, havia justamente, a dois passos dali, um portão fechado sem dúvida desde longos meses. "Pousando o pé sobre o rebordo da base — continuei a refletir —, seria possível, agarrando-se ao dintel da porta, subir ao muro e ninguém verá nada; ninguém! Silêncio completo! Lá em cima do muro, vou me instalar comodamente e porei fogo na lenha. É fácil, mesmo sem tornar a descer, pois que a lenha quase toca o muro. Com frio, o fogo pegará magnificamente; basta estender a mão para alcançar uma acha de bétula... e até mesmo por que uma acha? Pode-se diretamente, sentado no muro, arrancar com a mão um pouco de cortiça e acendê-la com o fósforo, acendê-la e metê-la em seguida no meio da lenha e está pronto o incêndio. Saltaria para baixo do muro e iria embora, nem precisaria mesmo correr, porque demorarão a perceber o incêndio." Calculava assim tudo e bruscamente decidi-me por completo. Sentia um prazer extremo, um gozo, e trepei no muro. Sabia subir muito bem: já no ginásio, era a ginástica o meu forte; mas estava com galochas e isto foi uma dificuldade. Consegui, no entanto, agarrar com uma das mãos um rebordo apenas perceptível e içar-me; ia lançar a outra mão para me agarrar ao alto do muro, quando, de repente, perdi pé e caí de costas. Suponho que minha nuca bateu no chão e fiquei sem dúvida um ou dois minutos sem sentidos. Voltando a mim, fechei maquinalmente minha peliça, tendo sofrido um frio insuportável, e, sabendo ainda mais o que fazia, arrastei-me para um canto do portão e ali me encolhi, agachado, enroscado em mim mesmo, num vão entre o portal e a saliência do muro. Minhas ideias estavam em desordem, e, sem dúvida, adormeci muito depressa. Lembro-me agora como num sonho que, de repente, repercutiu em meus ouvidos um som de sinos, profundo e pesado, e que o escutei, deliciado...

II

O sino soava precisamente uma vez a cada dois ou mesmo três segundos, entretanto não era um toque de rebate, mas um som agradável e largo e eu o distingui de súbito: mas é um som bem conhecido, o de São Nikolai, a igreja vermelha diante da casa de Touchard! — antiga igreja moscovita, de que me recordo tão bem, construída no tempo de Alieksiéi Mikháilovitch, com seus dentilhões, suas múltiplas cúpulas, suas colunas. A semana de Páscoa vem de terminar. Sobre as esqueléticas bétulas do jardim dos Touchard já tremem as folhas verdes recém-brotadas. O sol vivo do fim da tarde lança seus raios oblíquos na nossa sala de aula e eu, no meu quartinho à esquerda, para onde Touchard me relegara havia já um ano, separado dos filhos de condes e senadores, recebo uma visita. Sim, filho sem família, tenho pela primeira vez uma visita, desde que estou em casa de Touchard. E reconheci-a assim que entrou: era mamãe. Se bem que, desde o tempo em que me fazia comungar na igreja da aldeia e onde o pombo atravessava a cúpula, não a vira mais uma única vez. Estávamos ali os dois e eu a contemplava estranhamente. Mais tarde, muitos anos depois, soube que, naquela ocasião, tendo ficado sozinha sem Viersílov, que partira para o estrangeiro de repente, ela viera a Moscou, por sua própria iniciativa, com seu minguado dinheiro, quase às ocultas daqueles que deviam cuidar dela, e isto apenas para me ver. Era estranho também: ao entrar, conversara com Touchard, mas a mim não dissera que era minha mãe. Estava ali perto de mim, e, lembro-me, causou-me mesmo espanto ouvi-la falar tão pouco. Trazia uma trouxa que abriu: havia ali dentro seis laranjas, alguns bolos de centeio e mel e dois pãezinhos e respondi com ar afetado que éramos muito bem nutridos e que nos davam todos os dias com o chá um pão inteiro.

— Não importa, meu filho, eu dissera a mim mesma ingenuamente: "Talvez não o alimentem bem na tal escola". Não me queiras mal, meu bem.

— E Antonina Vassílievna (a mulher de Touchard) ficará magoada. Os camaradas também vão zombar de mim...

— Então não os queres? Mas talvez queiras comê-los, assim mesmo.

— Deixe-os, se faz questão...

Nem mesmo toquei naqueles presentes; as laranjas e os bolos estavam em cima da mesa diante de mim, enquanto eu permanecia sentado, de olhos baixos, mas com um grande ar de dignidade. Quem sabe, talvez tivesse também vontade de não lhe ocultar que sua visita me causava vergonha diante dos colegas; de lhe mostrar um tantinho, para que ela compreendesse: "Estás vendo? Causas-me vergonha e não compreendes isto por ti mesma?". Eu que, já naquele tempo, corria atrás de Touchard, com a escova na mão para tirar dele o mínimo grão de pó! Imaginava também quantas zombarias teria de suportar da parte dos outros meninos assim que ela partisse, e talvez também de Touchard em pessoa. Por isso não havia em meu coração um único bom sentimento para com ela. Olhava de través seu vestido escuro e velho, suas mãos bastante grosseiras, quase de trabalhadora, seus sapatos totalmente toscos e seu rosto grandemente emagrecido; sua fronte já estava sulcada de pequenas rugas, muito embora Antonina Vassílievna me tenha dito mais tarde, naquela noite, após a partida dela: "Sua mamãe deve ter sido bonita outrora".

Estávamos, pois, assim, quando Agáfia entrou com uma bandeja, sobre a qual havia uma xícara de café. Era de tarde, e os Touchard, aquela hora, tomavam sempre café em seus aposentos, no salão. Mas mamãe agradeceu e não aceitou a xícara: soube mais tarde que ela nunca bebia café, porque lhe provocava palpitações do coração. Os Touchard, dentro de si mesmos, consideravam a visita e a autorização que lhe fora dada de me ver como uma condescendência extrema de sua parte, de modo que a xícara de café enviada à minha mãe era, por assim dizer, o cúmulo da humanidade, uma façanha que, dada a relatividade de todas as coisas, fazia uma honra extrema a seus sentimentos civilizados e às suas concepções europeias. Mas, como que de propósito, minha mãe recusou-a.

Chamaram-me aos aposentos de Touchard. Disse-me que pegasse todos os meus cadernos e todos os meus livros e os mostrasse à minha mãe: "Para que ela veja quanto você já aproveitou no meu estabelecimento". Então Antonina Vassílievna, de lábios franzidos, sussurrou-me de sua parte, num tom zombeteiro:

— Creio que nosso café não agradou à sua mamãe.

Peguei meus cadernos e levei-os à minha mãe, que esperava. Passei diante dos filhos de condes e de senadores, aglomerados na sala de aula, à espera de nós dois. Achei mesmo certo prazer em executar a ordem de Touchard com uma exatidão literal. Abria metodicamente meus cadernos e explicava: "Eis as lições de Gramática francesa. Aqui, são os ditados. Aqui, a conjugação dos verbos auxiliares *avoir* e *être*.[68] Aqui, a Geografia, a descrição das principais cidades da Europa e de todas as partes do mundo, etc.". Durante uma boa meia hora, ou mais, expliquei tudo isso com uma vozinha regular, baixando os olhos como um menino bem-educado. Sabia que mamãe não entendia nada de ciências, que talvez não soubesse escrever, mas era nisso que meu papel me agradava. Não consegui, no entanto, fatigá-la; escutava tudo sem me interromper, com uma atenção extrema e até mesmo com pena, tanto que no final fiquei farto e eu mesmo dei a coisa por terminada. Aliás, seu olhar era triste e não sei que digno de dó se lia no seu rosto.

Levantou, por fim, para ir embora. De repente, entrou Touchard em pessoa. Com uma gravidade imbecil, perguntou-lhe se estava satisfeita com os êxitos de seu filho. Mamãe balbuciou agradecimentos sem nexo. Chegou então Antonina Vassílievna. Minha mãe rogou a ambos que não abandonassem o órfão, "porque é quase um órfão agora, continuem com seus benefícios...". E, com lágrimas nos olhos, cumprimentou a ambos, a cada um separadamente, a cada um com uma profunda vênia, como fazem as pessoas do povo, quando vêm pedir alguma coisa a gente importante. Os Touchard não esperavam tanto, e Antonina Vassílievna ficou visivelmente amansada; sem dúvida mudou logo de conclusão quanto à xícara de café. Redobrando de gravidade, Touchard respondeu com humanidade, dizendo que não fazia distinção entre os meninos, que todos ali eram seus filhos e ele o pai de todos, que eu estava quase no mesmo nível que os filhos de senadores e de condes, e que era mister apreciar isso, etc., etc. Minha mãe confundia-se em cumprimentos, mas, por fim, voltou-se para mim e disse com lágrimas nos olhos: "Adeus, meu filho".

Beijou-me, ou antes, eu permiti que ela me beijasse. Teria querido manifestamente beijar-me mais, apertar-me contra ela, mas teve vergonha diante das pes-

---

68 Ter e ser.

O ADOLESCENTE

soas, foi invadida por algum pesar, ou bem ainda adivinhou que eu tinha vergonha dela, em todo o caso apressou-se, depois de um derradeiro cumprimento aos Touchard, em dirigir-se para a saída. Fiquei plantando ali.

— *Mais suivez donc votre mère* — disse Antonina Vassílievna. — *Il n'a pas de coeur, cet enfant!*[69]

Em resposta, Touchard ergueu os ombros, o que queria dizer: "Não é por coisa nenhuma que eu o trato como criado".

Docilmente, desci atrás de mamãe; saímos para o patamar. Sabia que os outros me olhavam agora pela janela. Minha mãe voltou-se para a igreja e fez profundos sinais-da-cruz; seus lábios tremiam; um sino tangia gravemente, sonoro e pausado, no alto da torre. Ela se voltou para mim e não se conteve mais: pousou as duas mãos sobre minha cabeça e desfez-se em lágrimas.

— *Mámienhka*, basta... tenho vergonha... eles nos veem pela janela...

Ela recuou e apressou-se:

— Está bem! O Senhor... o Senhor seja contigo!... Que os anjos do céu te guardem e a Santa Virgem e São Nikolai... Meu Deus! meu Deus! — repetia ela, com palavras apressadas, sempre a benzer-me, tratando de depositar sobre mim cada vez mais cruzes e cada vez mais depressa. — Meu bem, meu bem! Mas espera um pouco...

Meteu rapidamente a mão em seu bolso e dele tirou um lenço, um lenço azul de quadrados, com uma ponta fortemente amarrada, cujo nó se pôs a desmanchar... Mas não o conseguia...

— Vamos, não tem importância, fica com este lenço, está limpo, poderás usá-lo talvez. Há nele uma quatro moedas de centavos, creio, talvez possas comprar alguma coisa com elas. Não me queiras mal, meu filho, não tenho mais... não me queiras mal, meu bem.

Peguei o lenço; tinha bem vontade de fazer-lhe notar que éramos muito bem tratados pelo Senhor Touchard e por Antonina Vassílievna e não tínhamos necessidade de nada, mas contive-me e aceitei o lenço.

Ela me benzeu uma vez mais, cochichou ainda uma vez não sei que oração e de repente — exatamente como lá em cima aos Touchard — fez para mim uma vênia profunda, lenta e demorada; não o esquecerei jamais! Estremeci da cabeça aos pés, sem saber mesmo por quê. Que queria ela dizer com aquela vênia? Seria sua falta que reconhecia diante de mim, como imaginei muito mais tarde? Ignoro. Mas então, tive ainda mais vergonha, porque eles estavam lá em cima a olhar, e Lambert iria talvez bater-me.

Por fim ela se foi. As laranjas e os bolos já tinham sido comidos antes de minha volta pelos filhos de condes e senadores, e as quatro moedas me foram logo arrebatadas por Lambert. Compraram com elas na pastelaria chocolate e bolos e não me deram nem um pedacinho para provar.

Passaram-se seis meses. Estamos agora em outubro; vento e intempéries. Esqueci completamente minha mãe. O ódio, um ódio surdo contra tudo, já penetrou no meu coração, impregnou-o completamente; embora continuasse como dantes a escovar as roupas de Touchard, detesto-o agora com todas as forças e

---

69   Mas acompanhe sua mãe afinal. Não tem coração esse menino!

cada dia mais. Ora, um dia, à hora triste do crepúsculo, quando remexia em minha gaveta encontrei de repente num canto o lenço de cambraia azul de minha mãe; estava ali desde o dia em que lá o metera. Tirei-o e examinei-o com certa curiosidade mesmo; a extremidade conservava ainda o traço visível do nó e até mesmo a marca redonda duma moeda; alias recoloquei o lenço no lugar e tornei a fechar a gaveta. Era véspera de festa e os sinos começaram a tocar chamando para o ofício da noite. Logo depois do jantar, os meninos tinham ido para casa de sua famílias, mas desta vez Lambert ficara, porque não o tinham mandado buscar. Continuava a bater-me como dantes, mas agora confiava-me muitas coisas e tinha necessidade de mim. Falamos a noite toda das pistolas de Lepage,[70] que nenhum de nós dois tinha visto, dos sabres tchecos e dos golpes dados com eles, do bom negócio que seria formar um bando de assaltantes, e por fim Lambert chegou ao seu passatempo favorito, referente a certo assunto infame, e, muito embora me enchesse de espanto no íntimo, gostava muito de ouvi-lo. Mas dessa vez achei-o de repente insuportável e lhe disse que estava com dor de cabeça. Às dez horas fomos deitar-nos; meti a cabeça debaixo da coberta e de sob o travesseiro tirei o lenço azul: tinha voltado uma hora antes a tirá-lo de minha gaveta e, assim que fizemos nossas camas, depositara-o debaixo do travesseiro. Apertei-o contra meu rosto e pus-me a beijá-lo: *Mámienhka, mámienhka* — murmurava para aquela lembrança, e todo o meu peito estava apertado como num torno. Ao fechar os olhos, revi seu rosto de lábios trêmulos no momento em que ela se benzia diante da igreja e benzia em seguida a mim mesmo, enquanto eu lhe dizia: "Tenho vergonha, estão nos olhando". "*Mámienhka*, minha *mámienhka*, pelo menos uma vez em minha vida tive-te ao meu lado... Onde estás agora, minha visitante longínqua? Lembras-te agora de teu pobre rapazinho a quem vieste visitar?... Mostra-te agora uma só vez ainda, vem ver-me ao menos em sonho, para que eu te diga quanto te amo, para que possa abraçar-te e beijar teus olhos azuis, dizer-te que não tenho mais absolutamente vergonha de ti agora, que te amava então também e que meu coração sofria, enquanto permanecia ali como um lacaio. Não saberás nunca, mamãe, quanto te amava então! Minha *mámienhka*, onde estás agora? ouves-me? *Mámienhka, mámienhka*, lembras-te do pombo, na aldeia?..."

— Ah! Com os diabos!... mas que tem ele? — resmunga Lambert do fundo de seu leito. — Espera um pouco! Impede que a gente durma...

Salta afinal de seu leito, corre até o meu e arranca a coberta, mas agarro-me a ela com força, aquela coberta na qual ,minha cabeça está envolta.

— Estás chorando? Por que gemes, idiota? Eis o que mereces! Toma! — E bate-me, dá-me murros nas costas, nas costelas, cada vez com mais força, machucando-me e... de repente abro os olhos...

Já amanhecera completamente, a geada brilha sobre a neve, sobre o muro... Estou sentado, encolhido, semimorto, entorpecido dentro de minha peliça, e alguém se conserva diante de mim, acorda-me, com muitas injúrias, batendo-me nas costelas com a ponta de seu pé direito. Levanto-me e olho: um homem com uma rica peliça de pele de urso, gorro de zibelina, olhos negros, dentes brancos a desco-

---

70   Armeiro francês, na época.

O ADOLESCENTE

berto, branco, vermelho, um rosto semelhante a uma máscara... Inclinou-se bem perto de mim e a cada sopro de sua boca escapa-se um vapor gelado:

— Estás gelado, pedaço de bêbedo, idiota! Vais ficar gelado como um cão! De pé, de pé!

— Lambert! — gritei.

— Quem és?

— Dolgorúki.

— Que Dolgorúki?

— Dolgorúki simplesmente!... Touchard... Aquele em quem fincaste um garfo na costela, no botequim...

— Ah! ah! ah! — exclama ele, mostrando um longo sorriso de homem que se recorda. (Tinha-se esquecido de mim, talvez!) Ah! então és tu?

Levanta-me, põe-me de pé; mal me posso manter, mal me posso mover; ele me conduz, segurando-me pela mão. Olha-me bem nos olhos, como para se lembrar e compreender e escuta-me com a máxima atenção. Eu balbucio também com todas as minhas forças sem descanso e sem demora, e sinto-me contente, contente por falar e contente por ver Lambert. Será porque me apareceu ele como a "salvação"? ou bem então porque me lancei nos seus braços naquele momento pelo fato de tê-lo tomado como um homem do outro mundo, ignoro-o — não raciocinava então; mas lancei-me em seus braços sem raciocinar. Que disse eu? Não me lembro mais absolutamente e não era sem dúvida nada de muito coerente; não devo ter nem mesmo articulado as palavras claramente; mas ele me prestava muita atenção. Parou o primeiro fiacre que apareceu e alguns minutos mais tarde eu estava no quente, em seu quarto.

III

Todo homem, qualquer que ele seja, conserva certamente a lembrança de algum incidente pessoal que considera ou é levado a considerar como fantástico, fora de costume, incomum, quase maravilhoso: sonho, encontro, predição, pressentimento ou alguma outra coisa neste gênero. Sou até o presente levado a ver nesse encontro com Lambert algo de profético mesmo... a julgar pelo menos por suas circunstâncias e suas consequências. Tudo isso ocorreu, por certo lado, da maneira mais natural do mundo; muito simplesmente ele regressava de uma de suas ocupações noturnas (qual fosse, vai se ver mais tarde) meio ébrio, e, ao parar por um instante diante de um portão, avistou-me. Estava em Petersburgo desde alguns dias apenas.

A peça na qual me encontrava era um quartinho, mobiliado de forma muito simples, desses vulgares prédios petersburgueses de aluguel, de segunda ordem. Lambert, aliás, estava admirável e ricamente trajado. Duas malas de viagem estavam no chão, esvaziadas só pela metade. Um canto do quarto era isolado por um biombo, que ocultava o leito.

— *Alphonsine*! — gritou Lambert.

— *Présente*! — respondeu de trás do biombo uma voz feminina trêmula, com sotaque parisiense, e dois minutos mais tarde no máximo saltou *Mademoiselle* Alfonsina, ligeiramente vestida, de roupão, pois estava levantando da cama. Uma estranha criatura, alta e seca como um cavaco, jovem, morena, cintura alta, rosto longo, olhos saltitantes e faces cavadas, uma criatura tremendamente gasta!

— Depressa! (Traduzo porque ele lhe falava em francês) Deve haver em casa deles um samovar pronto. Depressa, água fervente, vinho tinto e açúcar, um copo e depressa, ele está gelado. É meu amigo... Passou a noite na neve.

— *Malheureux!*[71] — exclamou ela, torcendo as mãos, num gesto teatral.

— Vamos! Fora! — gritou Lambert, como se falasse a um cão e ameaçando-a com o dedo; ela parou logo seus gestos e correu a executar a ordem.

Ele me examinou e apalpou, tomou meu pulso, tocou-me a testa, as têmporas.

— É estranho — resmungava — que não estejas completamente gelado... É verdade que estavas metido na tua peliça, inclusive a cabeça, como numa toca forrada...

O copo de água quente apareceu, engoli-o com avidez e me reanimou logo; voltei a balbuciar; estava meio deitado no canto, sobre o divã e não parava mais de falar — aturdia-me com palavras —, mas que contava eu assim? Não me lembro mais de nada absolutamente. Há momentos e mesmo episódios inteiros que esqueci totalmente. Repito: será que ele compreendeu alguma coisa do que eu contava? Ignoro. Mas em seguida adivinhei bem uma coisa: é que ele me havia compreendido muito bem a ponto de concluir que aquele encontro comigo não devia ser negligenciado... Explicarei depois, a tempo devido, em que podia consistir o seu cálculo.

Eu não estava somente bastante animado, estava mesmo, creio, alegre por instantes. Lembro-me do sol que, de repente, iluminou o quarto quando foram levantadas as cortinas e a estufa que crepitou quando a acenderam — quem e como, não me lembro. Lembro-me também do minúsculo cachorrinho preto que *Mademoiselle* Alfonsina segurava entre as mãos, apertando-o galantemente contra o coração. Aquele cãozinho me distraía muito, tanto que cessei até de falar e estendi as mãos para ele umas duas vezes, mas Lambert fez um sinal e Alfonsina com seu cão desapareceu instantaneamente atrás do biombo.

Ele mesmo estava muito silencioso, sentado diante de mim e escutava atento, inclinado para mim, sem se afastar; por vezes abria um sorriso longo e lento, mostrava os dentes e piscava os olhos, como num esforço para compreender e adivinhar. Conservei a lembrança nítida de que, quando lhe contei a história do documento, não conseguia exprimir-me claramente e fazer um relato coerente: via demasiado bem no seu rosto que não conseguia compreender-me; arriscou mesmo uma pergunta, o que era perigoso, porque assim que me interrompiam, eu mudava de assunto e esquecia do que estava falando. Quanto tempo ficamos assim a conversar, não sei e sou mesmo incapaz de dar-me conta. Levantou-se de repente e chamou Alfonsina:

— Ele tem necessidade de calma. Será preciso talvez chamar o doutor. Faça-se tudo quanto ele pedir, isto é... *vous comprenez, ma fille. Vous avez de l'argent?* Não? Aqui tem! — E tirou uma nota de dez rublos, depois cochichou-lhe alguma coisa: *vous comprenez! vous comprenez!*, dizia, ameaçando-a com o dedo e franzindo severamente o cenho. Vi que ela tremia muito diante dele.

---

71 Infeliz!

O ADOLESCENTE

— Vou voltar. Quanto a ti, dorme, é o que tens de melhor a fazer — disse-me, sorrindo. Pegou seu chapéu.

— *Mais vous n'avez pas dormi du tout, Maurice!* — gritou Alfonsina, patética.

— *Taisez-vous, je dormirai après*[72] — e saiu.

— *Sauvée!*[73] — murmurou ela, pateticamente, mostrando-me as costas de sua mão.

— *Monsieur, Monsieur!* — Pôs-se imediatamente a declamar, plantando-se no meio do quarto. — *Jamais homme ne fut si cruel, si Bismarck, que cet être, qui regarde une femme comme une saleté de hasard. Une femme, qu'est-ce que ça dans notre époque? "Tue la!" voilà le dernier mot de l'Académie Francaise!...*[74]

Arregalei os olhos. Estava vendo duplo, percebia agora duas Alfonsinas... De repente notei que ela chorava, estremeci e dei-me conta de que ela me falava já desde muito tempo e que, por consequência, durante todo aquele tempo eu dormira ou estivera sem sentidos.

— *... Hélas! de quoi m'aurait servi de le découvrir plus tôt* — exclamou ela — *et n'aurais-je pas autant gagné à tenir ma honte cachée toute ma vie? Peut-être n'est-il pas honnête à une demoiselle de s'expliquer si librement devant Monsieur, mais enfin, je vous avoue que, s'il m'était permis de vouloir quelque chose, oh! ce serait de lui plonger au coeur mon couteau, mais en détournant les yeux, de peur que son regard exécrable ne fit trembler mon bras et ne glaçât mon courage! Il a assassiné ce pope russe, Monsieur, il lui arracha sa barbe rousse, pour la vendre à un artiste en cheveux au pont des Maréchaux, tout près de la maison de Monsieur Andrieux — hautes nouveautés, articles de Paris, linge, chemises, vous savez, n'est-ce pas... Oh! Monsieur, quand l'amitié rassemble à table épouse, enfants, soeurs, amis, quand une vive allégresse enflamme mon coeur, je vous le demande, Monsieur: est-il bonheur préférable à celui dont tout jouit! Mais il rit, Monsieur, ce monstre exécrable et inconcevable, et si ce n'était pas par l'entremise de Monsieur Andrieux jamais, oh! jamais je ne serais... Mais quoi, Monsieur, qu'avez-vous, Monsieur?*[75]

Lançou-se para mim: eu sentia um arrepio, creio, talvez mesmo tivesse desmaiado. Não saberia dizer que impressão penosa e dolorosa produzia em mim aquela criatura semilouca. Talvez ela imaginasse que devia distrair-me, em todo caso não me deixava um instante. Talvez tivesse representado outrora; declamava, girava, falava sem descanso, enquanto que já desde muito tempo eu me conservava calado. Tudo quanto pude compreender do que ela falava foi que mantivera relações íntimas com *la maison de Monsieur Andrieux, hautes nouveautés, articles de Paris*, etc., e até mesmo que saía talvez de *la maison de Monsieur Andrieux*, mas que fora arran-

---

72 Cale-se, dormirei depois.

73 Salva!

74 Jamais homem algum foi tão cruel, tão Bismarck, como essa criatura, que olha uma mulher como uma sujeira fortuita. Uma mulher, que é isso, em nossa época? "Mata-a!", eis a derradeira palavra da Academia Francesa!...

75 Ai! de que me teria servido descobri-lo mais cedo? Eu não teria ganho muito mais conservando minha vergonha oculta toda a minha vida? Talvez não seja decente para uma senhorita explicar-se com tanta liberdade diante do senhor, mas, afinal, confesso-lhe que, se me fosse permitido querer alguma coisa, oh! seria cravar-lhe no coração minha faca, mas desviando os olhos, com medo de que seu olhar execrável fizesse tremer meu braço e gelasse a minha coragem! Ele assassinou aquele pope russo, senhor, arrancou-lhe a barba ruiva, para vendê-la a um artista cabeleireiro na Ponte dos Marechais, bem perto da casa do Senhor Andrieux — altas novidades, artigos de Paris, linho, camisas, o senhor sabe, não é... Oh! senhor, quando a amizade reúne à mesa esposa, filhos, irmãs, amigos; quando uma viva alegria inflama meu coração, pergunto-lhe, senhor: há felicidade preferível àquela de que tudo goza? Mas ele ri, senhor: aquele monstro execrável e inconcebível, e se não fosse a intervenção do senhor Andrieux, jamais, oh! jamais seria eu... Mas que é isso, senhor, que tem, senhor?

cada para sempre a *Monsieur Andrieux, par ce monstre furieux et inconcévable*,[76] e nisso é que consistia sua tragédia... Soluçava, mas parecia-me que era simplesmente *pro forma* e que não chorava absolutamente; tinha por vezes a impressão de que ela ia cair desfeita totalmente em pó, como um esqueleto; falava com uma voz abafada, trêmula; a palavra *préférable* pronunciava-a ela "préféaable" e sobre a sílaba "a" fazia ouvir um balido de ovelha. Quando recuperei os sentidos, a vi fazendo piruetas no meio do quarto, mas sem dançar, porque aquela pirueta se reportava à sua narrativa, que ela assim completava pela mímica. De repente, correu a abrir um pequeno piano, já velho e desafinado, que estava no quarto, bateu nas teclas e cantou... Creio que durante uma dezena de minutos ou mais perdi os sentidos e adormeci, mas o cãozinho latiu e eu abri os olhos: a consciência voltara-me por um instante completamente e iluminava-me com toda a sua luz, sobressaltei-me, espantado: "Lambert, estou em casa de Lambert!" — disse a mim mesmo e, pegando meu chapéu, atirei-me para minha peliça.

— *Où allez-vous, Monsieur?*[77] — gritou-me a vigilante Alfonsina.

— Quero ir-me embora, quero partir! Deixe-me, não me retenha...

— *Oui, Monsieur!* — confirmou com todas as sua forças Alfonsina, que correu a abrir-me a porta do corredor. — *Mais ce n'est pas loin, Monsieur, du tout, ça ne vaut pas la peine de mettre votre chouba, c'est ici près, Monsieur!*[78] — exclamou ela, para que todo o corredor ouvisse. Assim que saí do quarto, dobrei à direita.

— *Par ici, Monsieur, c'est par ici!* — gritava ela a plenos pulmões, agarrando-se à minha peliça com seus dedos longos e ossudos, enquanto com a outra mão me mostrava à esquerda, no corredor, um lugar aonde eu não tinha nenhuma intenção de ir. Escapei-me e corri para a porta de saída para a escada.

— *Il s'en va, il s'en va!*[79] — gritava Alfonsina com sua voz rachada, correndo atrás de mim. — *Mais il me tuera, Monsieur, il me tuera!*[80]

Mas eu já estava na escada e, se bem que ela continuasse no meu encalço até nos degraus, consegui abrir a porta de baixo, saltar para a rua e lançar-me no primeiro fiacre. Dei o endereço de minha mãe...

IV

Mas a consciência, depois de haver luzido um instante, extinguiu-se rapidamente. Lembro-me somente de como me transportaram e conduziram à casa de mamãe, mas lá caí quase imediatamente sem sentidos. No dia seguinte, como me contaram mais tarde (e de resto eu mesmo me lembrava), minha razão aclarou-se ainda por um instante. Revejo-me no quarto de Viersílov, em cima de seu divã; lembro-me de ter visto em redor de mim os rostos de Viersílov, de mamãe, de Lisa; lembro-me muito bem de como Viersílov me falou de Ziérchtchikov e do príncipe, mostrou-me certa carta, procurou acalmar-me. Contavam mais tarde que eu fazia

---

76 Senhor Andrieux, por aquele monstro furioso e inconcebível.
77 Aonde vai, senhor?
78 Mas não é longe, senhor, absolutamente, não vale a pena vestir sua peliça, é aqui perto, senhor.
79 Ele vai embora, ele vai embora!
80 Mas ele me matará, senhor, ele me matará!

sempre perguntas aterrorizadas a respeito dum tal Lambert e que ouvia sempre os latidos de um cãozinho. Mas esta fraca luz de consciência logo ensombreceu-se. Ao anoitecer daquele segundo dia, eu já estava em plena febre. Mas vou me adiantar aos acontecimentos para explicar o que se segue.

Quando naquela noite escapei de casa de Ziérchtchikov e tudo se acalmou um pouco na sala, Ziérchtchikov, continuando de novo o jogo, declarou de repente, com voz retumbante, que ocorrera deplorável erro: o dinheiro perdido, os quatrocentos rublos, tinha sido encontrado num monte de outro dinheiro e as contas da banca estavam perfeitamente certas. Então o príncipe, que ficara na sala, abordou Ziérchtchikov e insistiu para que ele proclamasse publicamente a minha inocência e, além disso, me exprimisse por escrito suas desculpas. Ziérchtchikov achou esta última exigência legítima e deu sua palavra, diante de todo mundo, de que me dirigiria, desde o dia seguinte, uma carta de explicação e desculpas. O príncipe comunicou-lhe o endereço de Viersílov e, com efeito, logo no dia seguinte, Viersílov recebeu de Ziérchtchikov uma carta a mim endereçada, com mais de mil e trezentos rublos, que me pertenciam e que eu tinha esquecido na roleta. Assim, o caso ocorrido em casa de Ziérchtchikov estava terminado; esta alegre notícia contribuiu muito para minha volta à saúde, quando recuperei os sentidos.

O príncipe, de volta do jogo, escreveu naquela noite duas cartas, uma a mim, a outra ao seu antigo regimento, onde tivera aquele caso com o corneteiro Stiepânov. Enviou-as ambas no dia seguinte de manhã. Depois do quê, escreveu um relatório a seus chefes e bem cedo apresentou-se em pessoa, com esse relatório em mãos, ao coronel e declarou-lhe que, "criminoso de direito comum, cúmplice num negócio de fabricação de ações falsas, entregava-se à justiça e pedia para ser julgado". Ao mesmo tempo, entregou-lhe o relatório em que estava tudo exposto por escrito. Prenderem-no.

Eis a carta que me escreveu naquela noite, palavra por palavra:

Inestimável Arkádi Makárovitch:

Depois de ter tentado a saída plebeia, perdi ao mesmo tempo o direito de consolar-me, um tantinho que fosse, de ter sabido enfim decidir-me a um ato corajoso e justo. Sou culpado perante a pátria e perante minha raça por esse crime, eu, derradeiro de minha raça, castigo-me a mim mesmo. Não compreendo como pude agarrar-me a um baixo instinto de conservação e pensar um momento em me resgatar a preço de dinheiro. Apesar de tudo, diante de minha consciência, teria permanecido sempre um criminoso. Aquelas pessoas, mesmo se me tivessem restituído os bilhetes que me comprometem, não me teriam jamais deixado em repouso durante toda a minha vida! Que restava fazer? Viver com eles, estar com eles ao longo de toda a minha existência: eis a sorte que me esperava! Não podia aceitá-la e por fim encontrei em mim mesmo bastante firmeza ou talvez desespero para agir como faço agora.

Escrevi ao meu antigo regimento, a meus antigos camaradas para justificar Stiepânov. Não há e não poderia haver neste ato nenhuma proeza redentora, não é senão o testamento de um homem que será amanhã um morto. Eis como é preciso compreendê-lo.

Perdoe-me ter-me afastado de você na sala de jogo; é que naquele momento não estava seguro de você. Agora que sou já um homem morto, posso fazer semelhantes confissões... do outro mundo.

Pobre Lisa! Não sabia nada desta decisão; que ela não me amaldiçoe, mas que raciocine. Não posso justificar-me, não encontro mesmo palavras para explicar o que quer que seja. Saiba também, Arkádi Makárovitch, que ontem de manhã, quando ela veio ver-me pela derradeira vez, revelei-lhe meu embuste, confessei-lhe que fora à casa de Anna Andriéievna com a intenção de lhe pedir a mão. Não podia guardar isso na consciência antes de minha derradeira decisão, já tomada, à vista de seu amor, e tudo revelei. Ela perdoou, perdoou tudo, mas não acreditei nela; não é um perdão; em seu lugar, eu não teria podido perdoar.

Lembre-se de mim.

Seu desgraçado e último príncipe

SOKHÓLHSKI

Estive de cama sem conhecimento exatamente nove dias.

TERCEIRA PARTE

CAPÍTULO PRIMEIRO

I

Agora falemos de coisa inteiramente diversa.

Sempre digo: "de outra coisa, falemos de outra coisa", e volto sempre a mim. Tenho, no entanto, declarado mil vezes que não tinha a menor intenção de contar minha vida e estava firmemente decidido a não fazer isso, ao começar estas notas; compreendo demasiado bem que não ofereço nenhum interesse ao leitor. Descrevo e quero descrever os outros, e não a mim, e se é sempre minha pessoa que volta à minha pena, isso não passa dum deplorável erro; impossível escapar-lhe, apesar de todo o meu desejo. O que mais me penaliza é que, ao contar com tanto ardor minhas próprias aventuras, ao mesmo tempo dou lugar a crer que sou ainda o que era então. O leitor deve, aliás, lembrar-se de que tenho exclamado mais de uma vez: "Ah! se fosse possível mudar o passado e recomeçar tudo de novo!". Não teria podido lançar esta exclamação, se não estivesse agora radicalmente mudado, se não me tivesse tornado um homem bem diferente. É por demais evidente; se fosse possível somente imaginar a que ponto me aborrecem todas essas desculpas e prefácios que sou obrigado a inserir a todo instante, em pleno meio de minhas notas!

Mas vamos ao fato!

Após nove dias de inconsciência, voltei a mim, ressuscitado, mas não corrigido; minha renascença era aliás estúpida, se a tomarmos no sentido lato, e talvez que, se fosse hoje, se passasse isso de outra maneira. A ideia, isto é, o sentimento, consistia, ainda uma vez, unicamente (como mil vezes antes) em abandoná-los totalmente, mas de maneira absoluta e não como antes, quando eu me havia proposto mil vezes este tema sem chegar jamais à execução. Não queria vingar-me de ninguém, dou minha palavra de honra, muito embora tivesse queixa de todos. Preparava-me para partir sem desgosto, sem maldições, mas queria minha própria força, verdadeira desta vez, independente deles todos e do mundo inteiro; eu que estivera a ponto de fazer as pazes com o mundo! Anoto meu sonho de então, não como uma ideia, mas como minha sensação irresistível do momento. Não queria ainda formulá-la, enquanto estava de cama. Doente e sem forças, deitado no quarto de Viersílov, que eles tinham deixado para mim, sentia dolorosamente a que grau de impotência havia caído: uma palhinha estendida na cama e não um homem! E não era a doença a causa única disso e quanto eu sofria! Assim, do mais profundo de meu ser, de todas as minhas forças, começou a elevar-se um protesto, e sufocava de não sei qual sentimento de insolência infinitamente exagerada e de desafio. Não me recordo de nenhuma época de toda a minha vida em que tenha estado mais repleto de sensações orgulhosas, do que naqueles primeiros dias de minha convalescença, *isto é, quando a palhinha* estava caída no leito.

Mas, enquanto esperava, calava-me e tinha mesmo resolvido não refletir em nada! Sondava os rostos deles, para procurar ali adivinhar tudo aquilo de que tinha necessidade. Via-se que eles tampouco mostravam vontade de interrogar-me, de demonstrar curiosidade, mas conversavam comigo a respeito de coisas indiferentes. Isto me agradava e ao mesmo tempo me causava pesar; não explicarei esta contradição. Via Lisa mais raramente do que minha mãe, muito embora aparecesse todos os dias e até mesmo duas vezes por dia. De certos fragmentos de conversas e pelo semblante de todos concluí que Lisa tinha uma infinidade de preocupações e que muitas vezes estava ausente de casa, por causa de seus negócios. Esta simples ideia de que ela pudesse ter "seus negócios" encerrava algo de chocante para mim; aliás, tudo isso não passava de sensações mórbidas, puramente fisiológicas, que é inútil descrever. Tatiana Pávlovna vinha também ver-me todos os dias e, sem mostrar-se absolutamente terna, não me injuriava como outrora, o que me causou muito vexame, como lhe declarei ingenuamente:

— A senhora, Tatiana Pávlovna, quando não diz injúrias, é bastante aborrecida!

— Está bem, não virei mais ver-te — interrompia ela e retirava-se. Eu ficava contente por haver expulsado pelo menos uma.

Mas atormentava sobretudo mamãe, era ela quem principalmente me irritava. Fora tomado dum apetite feroz e resmungava muito porque minha comida estava sempre em atraso (o que não acontecia nunca). Mamãe não sabia o que imaginar para agradar-me. Uma vez, trouxe-me sopa e, segundo seu hábito, ela mesma me dava as colheradas. Eu resmungava, enquanto engolia. De repente, fiquei com vergonha de resmungar: "Ela é talvez a única a quem amo e é a ela que atormento!". Mas minha maldade não desaparecia e de repente essa maldade me fez derramar lágrimas. A coitada imaginou que eu chorava de enternecimento; e curvou-se sobre mim e beijou-me longamente. Fiquei rígido, deixei passar a tempestade, mas na realidade, naquele minuto, eu a detestava. No entanto, sempre amei mamãe, então também a amava, não é verdade que a detestava, somente ocorria o que ocorre sempre: o mais amado é aquele a quem primeiro se ofende.

Aquele a quem odiava bastante naqueles primeiros dias era um doutor. Esse doutor era um jovem de porte orgulhoso, que falava brutalmente e até mesmo com grosseria. Era caso de dizer que todos eles, esses homens de ciência, tivessem ficado sabendo na véspera de uma descoberta extraordinária e súbita, quando na verdade ontem nada aconteceu de particular; mas tais são sempre a mediocridade e a rua. Aguentei por muito tempo, mas por fim explodi brutalmente e declarei-lhe, diante de todos os nossos, que ele fazia mal em incomodar-se, que me curaria muito bem sem ele, que com seu ar de realista estava cheio demais de preconceitos e não compreendia ainda que a medicina jamais curara alguém; que afinal, segundo toda verossimilhança, devia ser grosseiramente inculto, "como todos os nossos técnicos e especialistas de hoje, que nestes últimos tempos levantam tão alto o nariz". O doutor ofendeu-se grandemente (com o que provou o que era), mas continuou suas visitas. Declarei por fim a Viersílov que, se o doutor não deixasse de vir, ia lhe dizer coisas dez vezes mais desagradáveis ainda. Viersílov obervou apenas que coisas duas vezes mais desagradáveis do que aquelas que eu já dissera eram perfeitamente impossíveis, quanto mais dez vezes. Fiquei satisfeito com a observação dele.

Que homem, no entanto! É de Viersílov que falo. Era ele, ele só, a causa de tudo — pois bem somente a ele é que não queria mal. Não era apenas sua maneira de agir para comigo que me seduzira. Creio que tínhamos então sentido os dois que devíamos muitas explicações um ao outro... e que por esta razão o melhor era jamais nos explicarmos. É infinitamente agradável, em semelhantes situações, avir-se com um homem inteligente! Já disse na segunda parte de minha narrativa, antecipadamente, que ele me havia falado de maneira muito breve e muito clara da carta que o príncipe detido me dirigira, de Ziérchtchikov, de sua explicação em meu favor, etc. Como houvesse resolvido calar-me, fiz-lhe também, tão brevemente quanto possível, duas ou três perguntas muito curtas; a elas respondeu de modo nítido e preciso, mas sem palavras supérfluas e, o que vale mais, sem sentimentos supérfluos. Os sentimentos supérfluos eram aquilo que eu mais temia então.

De Lambert, não digo nada, mas o leitor certamente adivinhou que eu pensava muito nele. No delírio, havia várias vezes falado de Lambert; mas, uma vez de volta à consciência, ao lançar algumas olhadelas em torno de mim, bem depressa dei-me conta de que toda a história de Lambert permanecia um mistério e que eles não sabiam de nada, inclusive Viersílov. Então rejubilei-me e meu medo passou. Mas enganava-me, como o soube mais tarde, para grande espanto meu: aparecera já durante a minha doença, mas Viersílov nada me dissera e concluí que, para Lambert, eu já estava no outro mundo. Não obstante, pensava muitas vezes nele; mais ainda, pensava não somente sem desgosto, não somente com curiosidade, mas até mesmo com simpatia, como se tivesse pressentido algo de novo, respondendo aos novos sentimentos e aos novos planos que iam nascendo em mim. Em suma, decidi pensar em Lambert antes de tudo, quando me resolvesse a começar a pensar. Uma coisa estranha: esquecera-me completamente do lugar onde ele morava e em que rua tudo aquilo se passara. O quarto, Alfonsina, o cãozinho, o corredor, de tudo me lembrava; teria podido desenhá-lo imediatamente; mas onde tudo isso se passara, em qual rua e em qual casa, tinha esquecido completamente. E, o que é mais singular ainda, só me dei conta disso no terceiro ou quarto dia de minha plena consciência, quando já havia muito tempo que eu começara a me inquietar a respeito de Lambert.

Assim, eis quais foram minhas primeiras sensações, após minha ressurreição. Só anotei o mais superficial e é provável que não tenha sabido anotar o essencial. Com efeito, foi talvez o essencial que naquele momento justamente se determinou e formulou em meu coração; não passava, no entanto, todo o tempo a zangar-me e a enraivecer-me porque não me traziam meu caldo. Oh! lembro-me de quão triste estava, de quanto me aborrecia por vezes, sobretudo quando ficava muito tempo sozinho! Quanto a eles, como que de propósito, tinham bem depressa compreendido que me sentia pouco à vontade em seu convívio e que sua compaixão me irritava, por isso deixavam-me só cada vez mais: excesso de delicadeza!

II

No quarto dia de minha plena consciência, estava em meu leito, cerca de duas horas da tarde, sem ninguém a meu lado. O tempo estava claro e eu sabia que, depois das três horas, quando o sol declinasse, um raio vermelho e oblíquo atingiria o ângulo de minha parede e iluminaria aquele lugar com uma mancha deslumbrante. Sabia por causa dos dias precedentes, sabia também que seria obrigatoriamente dentro de uma hora e esse fato de saber de antemão, como dois e dois são quatro, irritou-me até o furor. Revirei-me convulsivamente e por inteiro e, de repente, no silêncio profundo, ouvi nitidamente estas palavras: "Senhor Jesus Cristo, Deus nosso, tende piedade de nós." Tinham sido pronunciadas num meio murmúrio, depois seguiu-se um profundo suspiro do fundo do peito, depois de novo tudo recaiu no silêncio. Ergui rapidamente a cabeça.

Já antes, isto é, na véspera, e mesmo na antevéspera, notara algo de particular nos nossos três quartos de baixo. No quartinho onde viviam outrora mamãe e Lisa, do outro lado da sala grande, devia estar alojada agora alguma outra pessoa. Já ouvira várias vezes certos ruídos, de dia e de noite, mas sempre durante muito curtos instantes, e logo o silêncio voltava a reinar, absoluto, por várias horas, de sorte que não havia prestado atenção àquilo. Viera-me na véspera a ideia de que era Viersílov, tanto mais quanto um momento depois aparecera para ver-me; no entanto, sabia, de maneira certa, pela conversa deles, que Viersílov mudara-se, durante minha doença, para outro apartamento, onde passava a noite. Quanto a mamãe e Lisa, sabia eu desde muito tempo que se haviam mudado ambas (para minha tranquilidade, penso) para o andar superior, para o meu antigo "ataúde", e chegara mesmo a dizer a mim próprio um dia: "Como puderam elas duas caber ali?". E, de repente, ocorria agora que o antigo quarto delas estava ocupado por outra pessoa e que esse alguém não era absolutamente Viersílov. Com uma ligeireza de que não me teria suposto capaz (imaginando até então que estava absolutamente sem forças), tirei as pernas para fora do leito, calcei chinelos, lancei sobre meus ombros um roupão cinzento, de pele de cordeiro, que estava ali à mão (sacrificado por Viersílov) e me pus a caminho, atravessando nosso salão, para o antigo quarto de minha mãe. O que lá vi deixou-me inteiramente desconcertado; não supunha nada de semelhante e detive-me, como que pregado no lugar, na soleira.

Ali se achava um velho de cabelos brancos, com uma grande barba tremendamente branca. Era claro que ali se achava desde muito tempo. Estava sentado, não sobre o leito, mas sobre a arca de mamãe, com as costas somente apoiadas no leito. Aliás, mantinha-se tão ereto que parecia não ter necessidade nenhuma de sustentáculo, se bem que estivesse manifestamente doente. Trazia, sobre a camisa, um paletó forrado de pelo de carneiro, cobria seus joelhos a manta de mamãe e os pés estavam metidos em chinelos. Devia ter alta estatura, os ombros eram largos, o semblante alegre apesar da doença, de certa palidez e de um pouco de magreza, o rosto oval, com cabelos muitos espessos, mas não muito compridos, e parecia ter mais de setenta anos. Perto dele, numa mesinha ao alcance de sua mão, viam-se três ou quatro livros e óculos de prata. Embora não tivesse a menor ideia de tê-lo visto alguma vez, adivinhei instantaneamente quem fosse, somente não conseguia compreender de que maneira passara tanto tempo, quase lado a lado comigo, tão *silenciosamente* que eu nada suspeitara até então.

Não se moveu ao ver-me, mas observou-me fixamente e em silêncio e o mesmo fiz eu, com a diferença, porém, de que mostrava imenso espanto e ele nenhum absolutamente. Pelo contrário, depois de ter-me examinado da cabeça aos pés, até o derradeiro traço, durante aqueles cinco ou dez segundos de silêncio, sorriu de repente e deu mesmo uma risadinha apenas perceptível, que logo se extinguiu, mas cujo traço luminoso e alegre permaneceu no seu rosto e sobretudo no seus olhos, muito azuis, radiosos, grandes, mas de pálpebras opadas e caídas pela velhice e cercados duma infinidade de pequeninas rugas. Foi sobretudo seu riso que agiu sobre mim.

Tenho esta ideia de que, quando um homem ri, é, na maior parte do tempo, repugnante de ver. O riso manifesta comumente nas pessoas não sei que de vulgar e de envilecedor, muito embora quem ri quase sempre nada saiba da impressão que causa. Ignora-a, da mesma maneira que se ignora em geral o aspecto que se tem, quando se dorme. Há adormecidos cujo rosto permanece inteligente, e outros, inteligentes aliás, cujo rosto, quando dormem, torna-se quase estúpido e portanto ridículo. Ignoro donde provém isso: quero dizer apenas que tanto o que ri como o que dorme, na maior parte das vezes, nada sabem de seus rostos. Há uma multidão extraordinária de homens que não sabem absolutamente rir. De fato, não se tem de saber: é um dom que não se adquire. Ou então, para adquiri-lo, é preciso refazer sua educação, tornar-se melhor e triunfar de seus maus instintos: então o riso de semelhante homem poderia muito provavelmente melhorar. Há pessoas traídas pelo riso: sabe-se logo o que elas têm nas entranhas. Mesmo um riso incontestavelmente inteligente é por vezes repulsivo. O riso exige antes de tudo a franqueza: onde encontrar a franqueza entre os homens? O riso exige a bondade e as pessoas riem a maior parte do tempo por maldade. O riso franco e sem maldade é a alegria: onde encontrar a alegria em nossa época e as pessoas sabem ser alegres? (Pelo que diz respeito à alegria em nossa época, a observação é de Viersílov, que eu guardei de memória.) A alegria do homem é seu traço mais revelador, com os pés e as mãos. Há caracteres que não conseguis devassar: mas um dia esse homem explode numa risada bem franca e eis de repente todo o seu caráter exposto diante de vós. Somente as pessoas que gozam do desenvolvimento mais elevado e mais feliz podem ter uma alegria comunicativa, isto é, irresistível e boa. Não quero falar do desenvolvimento intelectual, mas do caráter, do conjunto do homem. Assim: se quiserdes estudar um homem e conhecer sua alma, não presteis atenção à maneira pela qual ele se cala, ou pela qual fala, ou pela qual chora, ou mesmo pela qual se emociona com as mais nobres ideias. Olhai antes quando ri. Se ri bem, é que é bom. E notai bem todos os matizes: é preciso, por exemplo, que seu riso não vos pareça estúpido em nenhum caso, por mais alegre e ingênuo que seja. Assim que notardes o menor traço de estupidez no seu riso é certo ser esse homem de espírito limitado, ainda mesmo que nele pululem as ideias. Se seu rosto não é estúpido, mas se o homem, ao rir, vos pareceu de repente ridículo nem que seja um tantinho, sabei então que esse homem não possui o verdadeiro respeito de si mesmo, ou pelo menos não o possui perfeitamente. Enfim, se esse riso, embora comunicativo, vos parece entretanto vulgar, que tudo quanto havíeis notado nele de nobre e de elevado era ou deliberadamente rebuscado e fictício, ou então inconscientemente imitado e que fatalmente acabará mal mais tarde, vai se ocupar com coisas proveitosas e rejeitará sem piedade suas ideias generosas como erros e arrebatamentos de mocidade.

Não é sem intenção que insiro aqui esta longa tirada a respeito do riso, sacrificando-lhe a continuação da narrativa; considero-a como uma das mais sérias conclusões que tirei da vida. E recomendo-a muito particularmente às jovens noivas *em vésperas de casar* com o homem escolhido, mas que ainda o encaram com desconfiança e perplexidade e não estão definitivamente decididas. Não zombeis de um pobre adolescente que se mete a dar lições em matéria nupcial, de que não entende patavina. Só compreendo uma coisa; é que o riso é a mais segura prova da alma. Olhai uma criança: certas crianças sabem rir com perfeição e por isso são irresistíveis. Uma criança que chora é-me odiosa, mas a que ri e se rejubila é um raio do paraíso, uma revelação do futuro, em que o homem se tornará, por fim, tão puro e ingênuo como uma criança. Pois bem, não sei que de infantil e de incrivelmente sedutor passou pelo riso efêmero daquele ancião. Logo me aproximei dele.

III

— Senta-te, senta-te um instante, tuas pernas ainda não estão sólidas — diz-me ele, amavelmente, indicando-me um lugar a seu lado e continuando a olhar-me de frente, com o mesmo olhar radioso. Sentei-me junto dele e disse-lhe:

— Conheço-o. O senhor é Makar Ivânovitch.

— Sim, meu caro. É bom que estejas agora de pé. És jovem, é bom para ti. Ao velho, o túmulo; ao jovem, a vida.

— O senhor está doente?

— Sim, meu amigo, das pernas sobretudo; ainda me trouxeram até aqui, as pobrezinhas, mas, assim que me sentei, incharam. Começou isto na quinta-feira passada, quando o termômetro parou (N.B.: isto é, gelou). Antes, untava-as com uma pomada, já vês. Foi o Doutor Lichten Edmond Kárlovitch quem a recomendou em Moscou, há três anos, e fazia-me bem essa pomada, muito bem. E depois, desde ontem, as costas também; podia dizer que cães me comem... Não durmo mais à noite.

— E como se dá que não se ouça o senhor absolutamente, aqui? — interrompi-o. Olhou-me e pareceu refletir:

— Contanto que não acordes tua mãe — acrescentou, como a uma súbita lembrança. — Ela agitou-se a noite inteira, ao lado, mas sem rumor, parecia uma mosca; agora repousa; eu sei. Oh! é triste ser um pobre velho! — suspirou. — Pergunta-se a que está vossa alma agarrada, e no entanto, ela se aguenta firme, está contente por ver o dia; mesmo se fosse preciso recomeçar a sua vida, creio bem que minha alma não teria medo disso; mas talvez seja um pecado pensar assim.

— E por que um pecado?

— É um sonho, esta ideia, e um velho deve ir deste mundo em beleza. Sim, acolher a morte com murmúrios ou descontentamento é um grande pecado. Enfim, se é por alegria espiritual que se ama a vida, creio que Deus lhe perdoará, mesmo a um velho. É difícil para o homem saber o que é pecado e o que não é; é um mistério que ultrapassa o entendimento humano. Um velho, este deve estar sempre contente, deve morrer na plena luz de seu espírito, bem-aventuradamente e em beleza, saturado de dias, aspirando após a sua derradeira hora e contente por ir-se como uma espiga para o feixe, cumprido o seu mistério.

— O senhor fala sempre de mistério; que quer dizer "cumprido o seu mistério"? — perguntei, lançando um olhar para a porta. Sentia-me contente por estarmos sós e nos cercar um silêncio imperturbável. O sol brilhava vivamente na janela, antes de seu declínio. Ele falava com um pouco de ênfase e sem precisão, mas com muita sinceridade e numa forte excitação, como se estivesse verdadeiramente alegre com a minha presença. Mas notei nele um estado febril indubitável e até mesmo bastante perceptível. Eu estava doente também, tinha igualmente febre, desde o instante em que entrara ali.

— Que é um mistério? Tudo é mistério, meu amigo, o mistério de Deus está em toda parte. Em cada árvore, em cada talo de erva, esse mistério está encerrado. Um passarinho que canta, as estrelas todas que brilham na noite, tudo é mistério, o mesmo mistério. Mas o maior de todos os mistérios é o que espera a alma do homem no outro mundo. É isso, meu amigo!

— Não sei em que sentido o senhor... Não é, decerto, para irritá-lo, e esteja persuadido de que creio em Deus, mas todos esses mistérios foram desde muito tempo explicados pela razão e o que ainda não foi vai ser, é absolutamente certo, e talvez no menor prazo possível. A Botânica sabe perfeitamente como brota a árvore, o fisiologista e o anatomista sabem mesmo por que o pássaro canta, ou vão saber em breve, e quanto às estrelas, não somente foram contadas, mas cada um de seus movimentos foi calculado com erro de um minuto quase, tanto que se pode predizer com mil anos de antecipação, e com a mesma exatidão, o aparecimento de não importa qual cometa... E agora é-nos revelada a própria composição das constelações mais longínquas. Tome um microscópio — é um vidro de aumento que faz ver os objetos um milhão de vezes maiores — e olhe nele uma gota dágua; verá ali todo um mundo novo, toda uma vida de criaturas vivas e, no entanto, isso também era um mistério que, como vê, nós descobrimos.

— Já ouvi falar disso, meu filho, e muitas vezes, por várias pessoas. Não o nego: é coisa grande e famosa; tudo foi entregue ao homem pela vontade de Deus; não é por nenhum motivo que Deus lhe deu o sopro da vida: "Vive e conhece".

— Ora, são lugares-comuns isso. O senhor não é, no entanto, um inimigo da ciência, um clerical, não é mesmo? Quero dizer que não sei se o senhor compreende...

— Não, meu filho, desde minha tenra idade respeitei a ciência e, sem que dela entenda, não murmuro contra ela; o que não me foi dado, a outros o foi. E talvez seja melhor assim: a cada qual o seu dom. É que, meu caro amigo, a ciência não aproveita a todos. As pessoas são intemperantes, cada qual quer assombrar o universo, e eu também talvez, e mais ainda que os outros, se fosse instruído. Enquanto que, ignorante como sou agora, como posso gloriar-me, quando nada sei? Tu és jovem e inteligente, é teu destino, estuda, pois. Procura conhecer tudo a fim de que, quando encontrares um ímpio ou um insolente, saibas responder-lhe e não possa ele inundar-te de vãs palavras e perturbar teu cérebro sem maturidade. Quando ao tal vidro, não faz muito tempo que o vi.

Retomou fôlego e suspirou. Decididamente, minha chegada lhe proporcionava um prazer extremo. Tinha uma sede mórbida de comunicação. Além disso, não me enganarei decerto ao afirmar que ele me olhava, por instantes, com um afeto extraordinário: pousava ternamente a mão sobre a minha, acariciava meu ombro... mas também, por instantes, é preciso confessá-lo, parecia ter-me, por completo esquecido. Parecia que estava só e, se continuava a falar com ardor, era, parece, no vácuo.

— Há, meu amigo — continuou —, no eremitério de Guennádieva Pustinha, um homem de grande senso. É de raça nobre, tenente-coronel e possui grande fortuna. Quando estava no século, não quis casar-se; vai fazer em breve dez anos que está separado do mundo, por amor ao silêncio e à solidão, dando repouso aos seus sentidos das vaidades mundanas. Cumpre toda a regra monástica, mas não quer professar. E, meu amigo, há tantos livros em seu quarto que jamais vi tantos em parte alguma; ele mesmo me disse que valem uns oito mil rublos. Chama-se Piotr Valieriánovitch. Em diversas épocas ensinou-me muitas coisas e sempre gostei muito de ouvi-lo. Uma vez lhe disse: "Como pois, com um espírito tão vasto quanto o seu e levando há já dez anos uma vida de monge que realizou o completo abandono de sua vontade, como pois não deseja receber o hábito para ser ainda mais perfeito?". E ele: "Como, velho, ousas falar de meu espírito? Talvez que, justamente, seja prisioneiro de meu espírito, em lugar de domá-lo. E quanto à minha obediência, talvez que desde muito tempo já tenha eu perdido a justa estima de minha pessoa. E falas também do abandono de minha vontade? Pois bem, abandonarei imediatamente meu dinheiro, renunciarei a todos os meus títulos, depositarei sobre esta mesa todas estas condecorações, mas meu cachimbo... há já dez anos que creio bem jamais poder a ele renunciar! Que monge seria eu depois disso, de que abandono de minha vontade posso louvar-me?". Espantei-me então diante daquela humildade. Pois bem, no verão passado, aí pelo São Pedro, voltei àquele eremitério — foi Deus quem o quis — e que é que vejo na sua cela? Justamente aquele objeto: um microscópio, que ele mandara buscar no estrangeiro, a alto preço. "Espera um pouco — disse-me —, vou mostrar-te uma coisa maravilhosa e que jamais viste até agora. Estás vendo esta gota d'água límpida como uma lágrima, pois bem, olha o que tem ela dentro e verificarás que a mecânica descobrirá em breve todos os segredos do bom Deus... não nos deixará nem um sequer." Eis o que ele disse e que eu retive. Eu já havia olhado num microscópio trinta e cinco anos antes, em casa de Alieksandr Vladímirovitch Malgassov, nosso amo, o tio de Andriéi Pietróvitch, pelo lado materno, cujos bens passaram em seguida, após sua morte, para Andriéi Pietróvitch. Era um senhor importante, um grande general, mantinha uma matilha numerosa e vivi muitos anos ao lado dele na qualidade de monteiro. Instalara, também ele, um microscópio, que trouxera também consigo, e mandou chamar todo o seu pessoal, uns após outros, homens e mulheres, para olharem e mostrava-se ali também uma pulga e um piolho, uma ponta de agulha, um cabelo e uma gota d'água. Como nos divertimos! A gente tinha medo de aproximar-se, mas tinha-se medo também do senhor; não era de brincadeiras. Uns não sabiam olhar, fechavam os olhos e não viam nada; os outros gritavam de medo e o *stárosta* Savin Makárov fechou os olhos com as duas mãos, gritando: "Fazei de mim o que quiserdes, mas não irei!". Quanta risada então! No entanto, não confessei a Piotr Valieriánovitch que, havia muito tempo antes, mais de trinta e cinco anos, vira aquela mesma maravilha; ele tinha muito prazer em mostrá-la. Pelo contrário, fingi admirar-me e espantar-me. Deixa-me ele um momento e depois me pergunta: "Pois bem, velho, que dizes disso?". Levanto-me e digo-lhe: "O Senhor disse: faça-se a luz e a luz foi feita". E ele, bruscamente: "Não teriam sido as trevas?". Disse isto gaiatamente, mas sem rir. Fiquei surpreso naquele momento e ele quase se zangou e não disse mais nada.

— É muito simples: o seu Piotr Valieriánovitch está no mosteiro para comer *kutiá* e fazer reverências, mas não crê em Deus e o senhor surgiu ali num daqueles momentos, eis tudo — digo-lhe eu. — Além do mais, é um homem bastante estranho: decerto vira aquele microscópio uma dezena de vezes, mas por que somente na décima primeira ficar louco por ele? É uma impressionabilidade um tanto nervosa... Efeito do mosteiro sem dúvida.

— É um homem puro e de espírito elevado — declarou o velho com convicção —, não é um ímpio. Tem inteligência para vender, mas seu coração está inquieto. Pessoas dessa espécie vêm-nos agora das massas, dentre os senhores sábios. E eis ainda o que te vou dizer: o homem castiga-se a si mesmo. Evita-os, não os atormentes e antes de adormeceres menciona-os em tuas preces, porque esses homens buscam Deus. Fazes tua oração antes de dormir?

— Não. Acho que é um rito inútil. Mas devo confessar-lhe que Piotr Valeriánovitch me agrada: ele pelo menos não é um trapo, mas um homem, e se assemelha um pouco a um outro que nos está próximo e que nós dois conhecemos.

O velho não prestou atenção senão à primeira frase de minha resposta:

— Não tens razão, meu amigo, não fazendo tua oração. É uma boa coisa, que rejubila o coração, e antes do sono e do sonho, e quando a gente acorda à noite. Eu assim te digo. Num verão, no mês de julho, dirigíamo-nos, apressados, para o mosteiro da Virgem por motivo de uma festa. Quanto mais nos aproximávamos, mais gente se juntava a nós, e chegamos por fim a ser uns duzentos, todos com pressa de beijar as santas e veneráveis relíquias dos dois grandes taumaturgos Aníki e Grigóri. Tinha-se passado a noite num campo e abri os olhos bem cedo, quando toda a gente ainda dormia e o próprio sol ainda não nascera da mata. Pois bem, meu filho, ergui a cabeça, abarquei com uma olhadela o horizonte e suspirei: por toda parte uma beleza inefável! Tudo está calmo, o ar ligeiro, a erva brota — brota, ervinha do bom Deus! O passarinho canta — canta, pois, passarinho do bom Deus! a criancinha pipila nos braços de sua mãe — Deus te guarde, homenzinho, cresce e sê feliz! E, pela primeira vez talvez em toda a minha vida, senti que tudo isso se continha dentro em mim... Voltei a deitar-me e adormeci com um sono tão leve! Belo é o mundo, meu caro! Se estivesse melhor, ia seguir caminho logo na primavera. Haja mistérios! Tanto melhor. É terrível para o coração e maravilhoso, mas esse medo rejubila o coração: "Tudo está em ti, Senhor, eu mesmo estou em ti, recebe-me!". Não murmures, rapaz: tanto mais beleza quanto mais mistério — acrescentou com enternecimento.

— "Tanto mais beleza quanto mais mistério..." Vou me lembrar destas palavras. É terrível, como se exprimia o senhor inexatamente, mas compreendo... O que me impressiona é que o senhor saiba e compreenda muito mais coisas do que possa exprimir; até parece que o senhor fala como em delírio... — Esta frase escapou-me, ao ver seus olhos febris e seu rosto pálido. Mas ele, creio, não me ouviu.

— Sabes, meu caro rapazinho — continuou ele, como que prosseguindo seu discurso interrompido —, sabes que há um limite à lembrança do homem na Terra? Esse limite à lembrança do homem foi fixado em cem anos somente. Cem anos após sua morte, sua lembrança pode ainda subsistir entre seus filhos ou seus netos, que ainda viram o seu rosto; mais tarde, se sua lembrança dura ainda, é apenas oral, mental, porque todos aqueles que viram seu rosto vivo passarão. E seu túmulo no cemitério será oculto pela relva, sua lousa vai se quebrar, todos os homens o esquecerão e até mesmo sua posteridade, em seguida até seu nome será esquecido, porque muito poucos restam na lembrança dos homens — pois bem, seja! Que meus amigos me esqueçam, mas eu os amo do fundo do túmulo. Ouço-vos, criancinhas, vossas vozes alegres, ouço vossos passos sobre os túmulos de vossos pais no dia dos mortos. Enquanto esperais, vivei ao sol, regozijai-vos, e eu rezarei a Deus por vós, descerei em vós em vossos sonhos... O amor subsiste após a morte!...

Estava com a mesma febre que ele; em lugar de retirar-me ou de pedir-lhe que se acalmasse, ou talvez colocá-lo no leito, porque parecia estar ele em pleno delírio, peguei-lhe de repente a mão e, inclinando-me para ele e apertando-lhe a mão, disse num murmúrio comovido e com lágrimas no coração.

— Sinto-me feliz por vê-lo. Esperava-o talvez desde muito tempo. Não amo a ninguém entre eles: não tem beleza... Não os seguirei, não sei para onde ir. Irei com o senhor...

Mas, por felicidade, minha mãe entrou naquele momento; de outro modo, não sei como teria aquilo acabado. Ela entrou com o semblante de uma pessoa que acaba de despertar e que está alarmada. Trazia na mão um frasco e uma colher de sopa. Vendo-nos exclamou:

— Bem o sabia! Não lhe dei seu quinino a tempo e ei-lo todo febril! Dormi demais, Makar Ivânovitch, meu caro!

Levantei-me e saí. Ela lhe deu ainda assim sua porção e deitou-o. Eu também meti-me no meu leito, mas extremamente perturbado. Voltara com uma grande curiosidade e refletia com todos os meus sentidos naquele encontro. Que eu esperava disso então? Ignoro. Sem dúvida, raciocinava sem nexo e o que se sucedia no meu espírito não eram ideias, mas pedaços de ideias. Estava deitado com o rosto voltado para a parede; de repente, vi no canto a mancha escarlate e luminosa do sol poente, aquela mesma mancha que esperava outrora com tantas maldições, e lembro-me de que toda a minha alma se exaltou, como se um clarão novo penetrasse no meu coração. Lembro-me daquele minuto delicioso, não quero esquecê-lo. Foi apenas um instante de esperança nova e de força nova... Já estava convalescente e por conseguinte aqueles acessos podiam ser a consequência inevitável do estado de meus nervos, mas aquela esperança luminosa, creio ainda nela hoje — eis o que quis hoje anotar e reter. Evidentemente, sabia já muito bem que não iria sair a peregrinar com Makar Ivânovitch e ignorava eu mesmo em que consistia a aspiração nova que apoderara de mim, mas já havia pronunciado aquela frase, embora no delírio: "Eles não tem beleza!". "Está acabado — pensei no meu arrebatamento —, a partir deste momento procuro a beleza, eles não a tem, e por isso os deixo." Houve como um frufrulhar de roupas atrás de mim. Voltei-me: era mamãe que se curvava sobre mim e fitava-me nos olhos com uma curiosidade tímida. Peguei-lhe de chofre na mão:

— Por que pois, mamãe, nunca me disseram nada a respeito de nosso caro hóspede? — perguntei-lhe bruscamente, sem mesmo esperar que fosse dizer isso. Toda a sua inquietação desapareceu logo e a alegria iluminou seu rosto, mas não me respondeu, exceto dizendo estas poucas palavras:

— Não te esqueças tampouco de Lisa; tu esqueceste Lisa.

Disse isto rapidamente, corando, e fez menção de retirar-se depressa, porque tinha horror, também ela, de exibir seus sentimentos; a este respeito assemelhava--se a mim, isto é, era reservada e casta: além disso, naturalmente, não teria querido tratar comigo aquele assunto: Makar Ivânovitch; o que tínhamos podido dizer-nos por aquela troca de olhares bastava. Mas fui eu, que detesto toda exibição de sentimentos, que a retive à força pela mão: olhava-lhe docemente os olhos, ria doce e ternamente, e com a outra mão acariciava seu querido rosto, sua faces cavadas. Ela se curvou e apoiou sua fronte contra a minha:

— Bem, o Cristo seja contigo! — disse, de repente, reerguendo-se e toda radiante. — Trata de ficar bom. Ficarei agradecida. Ele está doente, bem doente... Nossa vida está nas mãos de Deus... Ah! mas que disse eu? Isto não pode ser!...

Retirou-se. Sempre honrara muito durante toda a sua vida, no medo e no tremor e no respeito, seu legítimo esposo, o peregrino Makar Ivânovitch, que a havia magnanimamente e de uma vez por todas perdoado.

Capítulo II

I

Eu não havia esquecido Lisa. Mamãe se enganava. Aquela mãe sensível via que havia uma espécie de frieza entre o irmão e a irmã, mas não se tratava de desafeição e bem antes de ciúme. Vou-me explicar, dada a continuação, em duas palavras.

A pobre Lisa, depois da detenção do príncipe, fora tomada de não sei que orgulho arrogante, e altivez inabordável, quase insuportável; mas todo mundo na casa adivinhou a verdade, isto é, que ela sofria e, quanto a mim, se a princípio mostrei-me amuado e fechei a cara diante daquelas maneiras, foi unicamente por causa de minha susceptibilidade mesquinha, decuplicada ainda pela doença — é pelo menos o que penso hoje. Mas jamais cessei de amar Lisa. Muito pelo contrário, amava-a ainda mais. Somente não queria dar o primeiro passo, embora compreendendo que ela tampouco não o daria, a preço nenhum.

Assim que se tornou conhecido o caso do príncipe, logo depois de sua detenção, Lisa tratou imediatamente de tomar a nosso respeito e a respeito de todo mundo a atitude de uma pessoa que não poderia nem mesmo admitir a ideia de que se pudesse lamentá-la ou consolá-la, justificando o príncipe. Pelo contrário, enquanto cuidava de não se explicar e de nunca discutir, tinha sempre o ar de se gloriar da conduta de seu desgraçado noivo, como dum supremo heroísmo. Parecia dizer-nos a todos e a todo instante (sem pronunciar uma palavra, repito): "Nenhum de vocês fará coisa igual. Não seria você que iria entregar-se por motivos de honra e de dever. É que nenhum de vocês tem a consciência tão delicada e tão pura. Quanto a seus atos, quem é que não tem alguma má ação na consciência? Somente, os outros se ocultam, ao passo que ele preferiu perder-se a permanecer indigno a seus próprios olhos". Eis o que significava visivelmente cada um de seus gestos. Não sei, mas me parece que teria agido exatamente da mesma maneira no lugar dela. Não sei tampouco se são bem essas ideias que ela trazia no íntimo de seu coração, no íntimo de si mesma: suspeito que não. Pela outra metade de sua razão, a metade clara, devia fatalmente discernir toda a nulidade de seu herói; porque quem recusara reconhecer hoje que aquele homem infeliz e até mesmo magnânimo em seu gênero era ao mesmo tempo uma perfeita nulidade? Essa susceptibilidade mesma, essa disposição para se atirar contra nós todos, essas eternas suspeitas de que pudéssemos pensar dele outra coisa, tudo isso deixava adivinhar que se formara nos arcanos de seu coração uma opinião bem diferente a respeito de seu desventurado amigo. Apresso-me, no entanto, a acrescentar que, a meu ver, tinha ela razão pelo menos na metade; era mais perdoável do que nós todos a respeito da conclusão definitiva. Eu mesmo, confesso de todo coração, agora que tudo isso passou, não sei absolutamente como julgar, como apreciar definitivamente aquele infeliz, que propôs a todos nós semelhante enigma.

Não obstante, por causa dela, transformava-se a casa num pequeno inferno. Lisa, que tanto amara, devia sofrer muito. Com seu caráter, preferiu sofrer em silêncio. Seu caráter era semelhante ao meu, isto é, autoritário e orgulhoso, e sempre acreditei, creio ainda hoje, que havia amado o príncipe por autoritarismo, porque ele era sem caráter e, desde a primeira palavra e a primeira hora, havia-se inteiramente submetido a ela. Tudo isso se passa por si mesmo no coração, sem nenhum cálculo prévio; mas esse amor do mais forte pelo fraco é por vezes infinitamente mais violento malgrado seu, assume-se a responsabilidade pelo seu amigo fraco. Pelo menos, é o que creio. Todos os nossos, desde o começo, cercaram-na da mais terna solicitude, mamãe sobretudo; ela, porém, não se enterneceu, não correspondeu àquela simpatia e pareceu repelir toda ajuda. Com mamãe, conversava ainda, no começo, mas de dia para dia fazia-se mais avara de palavras, mais desabrida e mesmo mais cruel. Consultava a princípio Viersílov, mas em breve tomou para conselheiro e adjunto Vássin, o que soube mais tarde com espanto... Ia diariamente à casa de Vássin, percorria também os tribunais, via os chefes do príncipe, os advogados, o promotor; para o final, passava dias inteiros sem quase ser vista em casa. Naturalmente, duas vezes por dia, visitava o príncipe, que estava na prisão, na divisão dos nobres, mas aquelas entrevistas, como me dei conta mais tarde, eram muito penosas para Lisa. Evidentemente, qual a terceira pessoa que pode conhecer perfeitamente os assuntos de dois amorosos? Sei, no entanto, que o príncipe a ofendia profundamente, por momentos, e como? Coisa curiosa: por um ciúme incessante. Mas voltaremos a isso mais tarde. Acrescentarei somente uma ideia: é difícil decidir qual dos dois atormentava mais o outro. Lisa, que, entre nós, se gloriava de seu herói, comportava-se talvez de maneira bem diversa diante dele, como tenho motivo para suspeitar, segundo certos dados de que tratarei também mais tarde.

Assim, no que concerne a meus sentimentos e minhas relações com Lisa, tudo quanto se via não era senão uma mentira proposital e ciumenta de uma parte e de outra, mas jamais nos amamos mais do que naquele momento. Acrescentarei ainda que, desde o aparecimento em nossa casa de Makar Ivânovitch, após o primeiro movimento de espanto e de curiosidade, Lisa comportou-se para com ele com uma espécie de desdém, até mesmo de altivez. Parecia fazer de propósito, não lhe concedendo a menor atenção.

Tendo jurado a mim mesmo guardar silêncio, como expliquei no capítulo precedente, pensava, como era natural, em teoria, isto é, nos meus sonhos, manter minha palavra. Oh! com Viersílov, por exemplo, teria antes falado de zoologia ou dos imperadores romanos que dela ou, por exemplo, daquela linha essencial de sua carta em que a informava de que o documento não fora queimado, mas existia e aparecia em público — naquela linha na qual me pus imediatamente a pensar comigo mesmo, desde que recuperei a consciência e a razão me voltou após a febre. Mas ai! desde os primeiros passos práticos, e quase antes deles, adivinhei a que ponto era difícil e impossível persistir em semelhantes decisões preconcebidas. Desde o dia seguinte ao meu primeiro encontro com Makar Ivânovitch, fiquei tremendamente emocionado por uma circunstância inesperada.

II

Foi essa emoção causada pela visita imprevista de Dária Onísimovna, a mãe da pobre Ólia. Já havia sabido por minha mãe que ela viera duas vezes durante minha doença e se interessava muito pela minha saúde. Fora efetivamente por minha causa que viera aquela "excelente mulher", como a chamava sempre minha mãe, ou antes, muito simplesmente, vinha ver minha mãe, segundo o costume estabelecido? Não pergunto a mim mesmo. Minha mãe contava-me sempre os acontecimentos da casa, comumente no momento em que vinha fazer-me tomar minha sopa (na época em que não podia ainda eu mesmo alimentar-me) para me distrair; esforçava-me todas as vezes por mostrar que me interessava muito pouco por aquelas informações, de modo que não lhe fiz mais perguntas a respeito de Dária Onísimovna. Não disse mesmo nada.

Eram cerca de onze horas: ia levantar-me para transportar-me para a poltrona perto da mesa, quando ela entrou. Fiquei de propósito na cama. Mamãe estava muito ocupada lá em cima e não desceu para vê-la, de modo que encontramo-nos a sós. Ela instalou-se diante de mim, numa cadeira perto da parede, sorrindo e sem pronunciar uma palavra. Eu pressentia um longo silêncio; aliás, em geral sua chegada produzia em mim uma impressão das mais irritantes. Não lhe dirigi nem mesmo um aceno de cabeça e olhei-a fixamente bem nos olhos; mas ela também me fitava o rosto.

— Aborrece-se agora sozinha, sem o príncipe? — perguntei-lhe, de repente, perdendo a paciência.

— Não, não mora mais lá. Graças a Anna Andriéievna, tomo conta agora de seu filhinho.

— Que filhinho?

— O de Andriéi Pietróvitch — declarou ela, num murmúrio confidencial, olhando para a porta.

— Mas se está lá Tatiana Pávlovna...

— E Tatiana Pávlovna, e Anna Andriéievna, e também Elisavieta Makárovna, e sua mamãe... todas. Todas se interessam. Tatiana Pávlovna e Anna Andriéievna estão muito amigas agora.

Era uma novidade. Animava-se bastante ao falar. Olhei-a com ódio.

— A senhora está bastante excitada, desde a derradeira vez que veio.

— Ah! é mesmo!

— Engordou, creio?

Olhou-me duma maneira engraçada.

— Ama-a muito agora, muito.

— A quem?

— Mas a Anna Andriéievna. Muito! Uma pessoa tão nobre e tão sensata...

— Bem! E como ela está agora?

— Muito calma, muito calma.

— Sempre foi calma.

— Decerto, sempre.

— Se veio contar-me mexericos — exclamei, de repente, não me contendo mais —, saiba que não me meto em nada e que decidi largar aí... tudo e todos... não me importo com coisa nenhuma. Vou-me embora!

Calei-me, porque a razão me voltou. Não queria rebaixar-me a explicar-lhe meus novos objetivos. Escutou-me sem espanto e sem perturbação, mas seguiu-se novo silêncio. De súbito ela se levantou, dirigiu-se para a porta e lançou uma olhadela para o quarto vizinho. Depois de haver-se certificado de que não havia ninguém e estávamos sós, voltou a mais tranquilamente possível e tornou a sentar no mesmo lugar.

— Eis o que está bem! — E desatei a rir.

— E seu quarto na casa dos funcionários, vai conservá-lo? — perguntou, de repente, inclinando-se ligeiramente para mim e baixando a voz, como se fosse a questão essencial motivadora de sua vinda.

— Meu quarto? Não sei. Talvez o deixe... Sei lá!

— É que os locadores o esperam com muito interesse. O funcionário está muito impaciente, sua esposa também. Andriéi Pietróvitch assegurou-lhes que o senhor voltaria com certeza.

— Mas que tem a senhora com isso?

— Anna Andriéievna também queria saber; ficou muito contente ao saber que o senhor ficaria lá.

— E por que está tão certa de que ficarei naquele quarto?

Queria acrescentar: "e que tem ele com isso?", mas evitei fazer a pergunta, por orgulho.

— É que o Senhor Lambert lhe confirmou isso.

— O quê-ê-ê?

— O Senhor Lambert. Também ele confirmou com toda a certeza a Andriéi Pietróvitch que o senhor ficaria e garantiu também a Anna Andriéievna.

Fiquei totalmente abalado. Que história mais? De modo que Lambert já conhecia Viersílov, Lambert penetrou até junto de Viersílov! Lambert e Anna Andriéievna! Chegou também até ela! Uma febre apoderou-se de mim, mas calei-me. Terrível afluxo de orgulho inundou minha alma, de orgulho ou de outra coisa. Mas foi como se eu dissesse a mim mesmo naquele momento: "Se pedir uma única palavra de explicação, vou me meter de novo nesse mundo e não o deixarei nunca mais". O ódio inflamou-se dentro de meu coração. Resolvi com todas as minhas forças calar-me e fiquei imóvel no meu leito. Ela também ficou silenciosa um bom minuto.

— E o Príncipe Nikolai Ivânovitch? — perguntei, de repente, como que perdendo a cabeça. Fizera a pergunta num tom decidido, para mudar de assunto; e, de novo, contra minha vontade, fiz a pergunta essencial, voltava por mim mesmo, como um louco, ao mundo de que tão convulsivamente acabara de decidir fugir.

— Está em Tsárskoie Sieló. Um tanto doente. A cidade está cheia agora dessa febre. Toda gente aconselhou-o a retirar-se para Tsárskoie, para sua casa ali, por causa do bom ar.

Não respondi.

— Anna Andriéievna e a generala vão vê-lo de três em três dias. Viajam juntas.

Anna Andriéievna e a generala (quer dizer, ela), amigas! Viajam juntas! Não digo nada.

— É que se tornaram muito amigas e Anna Andriéievna diz tanto bem de Katierina Nikoláievna...

Conservava-me silencioso.

— Katierina Nikoláievna está de novo vivamente interessada pela sociedade. Sempre festas, em que refulge; dizem que a corte inteira está fascinada por ela... Quanto ao Senhor Bioring, foi tudo abandonado, não se fará mais o casamento; é o que todo mundo afirma... desde a ocasião em que...

Queria dizer: desde a carta de Viersílov. Senti um tremor, mas não disse uma palavra.

— Quanto Anna Andriéievna lamenta o Príncipe Sierguiéi Pietróvitch! E Katierina Nikoláeivna também! Não cessam de falar dele, dizem que será absolvido, e o outro condenado, o tal Stiebielhkov...

Olhei-a com ódio. Ela levantou-se e, de repente, curvou-e para mim.

— Anna Andriéievna recomendou-me muito que me informasse da saúde do senhor — declarou ela, mal cochichando —, e ordenou-me mesmo que lhe pedisse para ir vê-la assim que o senhor saísse de casa. Até a vista! Trate de sarar e direi que...

Saiu. Sentei-me em minha cama. Um suor frio correu-me pela testa, mas o que eu sentia não era medo: a notícia, incompreensível para mim e monstruosa, referente a Lambert e suas intrigas, não havia de modo algum me apavorado, relativamente ao pavor talvez irrefletido que se apoderara de mim durante minha doença e nos primeiros dias de minha convalescença à lembrança de meu encontro com ele, naquela noite. Pelo contrário, naquele primeiro instante de perturbação, em meu leito, logo após a partida de Dária Onísimovna, nem sequer pensei em Lambert, mas... o que tomou logo conta de mim foi a notícia da ruptura dela com Bioring, de sua felicidade na alta-roda, de suas festas, de seus êxitos, de seu esplendor. "Ela refulge", dissera Dária Onísimovna. E senti de repente que não tinha a força de arrancar-me daquele turbilhão, se bem que tivesse encontrado a de enrijecer-me, de calar-me, de não interrogar Dária Onísimovna, depois de suas estupefacientes novidades! Uma sede desmedida daquela vida, deles, apoderou-se de mim e... também não sei que outra sede deliciosa que sentia até a felicidade e até um sofrimento torturante. Meus pensamentos turbilhonavam, mas deixava-os turbilhonar. "De que serve raciocinar?", dizia a mim mesmo. "No entanto, a própria mamãe ocultou-me a visita de Lambert", pensei, a espaços, sem continuidade: "É que Viersílov lhe mandou que se calasse... Morrerei, mas não interrogarei Viersílov a respeito de Lambert!" "Viersílov — voltava eu a pensar — Viersílov e Lambert, oh! quantas novidades entre eles! Que ardiloso esse Viersílov! Fez medo ao alemão, a Bioring, com aquela carta; caluniou-a; *la calomnie... il en reste toujours quelque chose*,[81] e aquele mundano alemão teve medo do escândalo — ah! ah! boa lição para ela!" "Lambert... mas não teria Lambert chegado também até ela? Mas decerto! E por que ela recusaria ligar-se a ele?"

Aqui, cessei de chofre de agitar esses pensamentos incoerentes e, em desespero, caí com a cabeça sobre o travesseiro. "Ah! não, não!" — exclamei, numa decisão

---

81 A calúnia... dela resta sempre alguma coisa.

súbita. Saltei do leito, calcei meus chinelos, vesti meu roupão e segui direto para o quarto de Makar Ivânovitch, como se lá estivesse o remédio para as obsessões, a salvação, a âncora a que me agarraria.

Com efeito, poderia dar-se que sentisse então aquela ideia com todas as forças de minha alma; de outro modo, por que pois teria dado aquele salto irresistível e súbito e corrido, em semelhante estado moral ao quarto de Makar Ivânovitch?

III

Mas no quarto de Makar Ivânovitch, encontrei visitantes inesperados, mamãe e o doutor. Como imaginara, ao seguir para lá, que encontraria o velho sozinho, como na véspera, parei na soleira, num estado de estúpida perplexidade. Mas nem tivera tempo de franzir o cenho e logo chegou também Viersílov e atrás dele, de súbito, Lisa... Estavam, pois, todos reunidos no quarto de Makar Ivânovitch e justamente quando não era preciso estar!

— Vim informar-me de sua saúde — disse eu, indo diretamente a Makar Ivânovitch.

— Obrigado, meu filho, sabia que virias! Ainda esta noite pensava em ti.

Olhava-me ternamente bem nos olhos e eu via que ele me amava talvez mais do que todos os outros. Mas notei instantaneamente e malgrado meu que, se seu rosto estava alegre,a doença nem por isso deixara de fazer progressos durante a noite. O doutor acabava de examiná-lo muito seriamente. Soube mais tarde que o doutor (o rapaz com o qual discutira e que tratava de Makar Ivânovitch desde a chegada deste) cuidava de seu paciente com muita atenção e — não sou capaz de dizê-lo na língua médica — supunha ele estivesse com uma complicação de várias doenças. Como me dei conta à primeira vista, Makar Ivânovitch já havia travado com ele as relações mais cordiais; isto não me agradou no momento; aliás, achava-me de muito mau-humor naquele instante.

— Pois bem, Alieksandr Siemiônovitch, como vai passando hoje o nosso caro doente? — informou-se Viersílov. Se não estivesse tão abalado, meu primeiro cuidado teria sido estudar curiosamente as relações de Viersílov com aquele velho e já havia pensado nisso na véspera. O que me impressionou, sobretudo agora, foi a expressão extremamente doce e afável de seu rosto; havia nele algo de absolutamente sincero. Já fiz notar, creio, que a fisionomia de Viersílov tornava-se duma beleza admirável logo que ele se mostrava um pouco simples.

— Mas só fazemos discutir — respondeu o doutor.

— Com Makar Ivânovitch? Não creio absolutamente: com ele, não se pode discutir.

— Mas não quer dar-me ouvidos: não dorme de noite...

— Ora, pare com isso, Alieksandr Siemiônovitch, basta de carões! — disse, rindo, Makar Ivânovitch. — Então, meu caro Andriéi Pietróvitch, que aconteceu com a nossa senhorita? Ela está por aí a manhã inteira a agitar-se, a inquietar-se — acrescentou ele, mostrando minha mãe.

— Ah! Andriéi Pietróvitch! — exclamou minha mãe com, efetivamente, uma extrema inquietação. — Conta-nos depressa, não nos deixe nesta ansiedade: que fizeram com a nossa desventurada?

O ADOLESCENTE

283

— Condenaram a nossa senhorita!

— Oh! — exclamou minha mãe.

— Acalma-te. Ela não será deportada para a Sibéria: quinze rublos de multa apenas. É uma comédia!

Sentou-se, o doutor também. Falavam de Tatiana Pávlovna e eu não sabia ainda de nada daquela história. Estava à esquerda de Makar Ivânovitch e Lisa sentou-se diante de mim, à direita; mostrava-se visivelmente pesarosa, era o seu pesar cotidiano que viera contar à mamãe; de perturbação e descontentamento era a expressão de seu rosto. Naquele momento, trocamos um olhar e disse a mim mesmo de repente: "Estamos ambos desorientados e cabe-me dar o primeiro passo para ela". Meu coração adoçou-se de repente para com ela. Entretanto Viersílov começava a contar a aventura da manhã.

Tatiana Pávlovna comparecera de manhã com sua cozinheira perante o juiz de paz. O caso era perfeitamente ridículo; já disse que a finlandesa intratável, quando estava furiosa, mantinha-se calada por vezes durante semanas, sem responder uma palavra sequer às perguntas de sua patroa; mencionei também o fraco que tinha por ela Tatiana Pávlovna, que dela tudo suportava e não a teria por coisa alguma posto para fora. Todos esses caprichos psicológicos de solteironas e de patroas são a meus olhos totalmente dignos de desprezo e de modo algum de atenção, e, se me resolvo a mencionar aqui essa história, é unicamente porque aquela cozinheira desempenhará mais tarde em minha narrativa certo papel nada negligenciável e fatal. Portanto, perdendo paciência por fim com aquela finlandesa teimosa, que nada lhe respondia havia já várias semanas, Tatiana Pávlovna de súbito batera nela, o que jamais acontecera. A finlandesa, na ocasião, não proferiu o menor som, mas pôs-se em contato no mesmo dia com um locatário que morava num quarto dando para a mesma escada de serviço, em algum canto, embaixo, um alferes reformado, Osietrov, que exercia a profissão de solicitador para toda espécie de negócios e, naturalmente, encaminhava queixas desse gênero aos tribunais, na sua luta pela existência. O resultado foi citarem Tatiana Pávlovna perante o juiz de paz e arrolarem Viersílov como testemunha.

Viersílov fez toda a sua narrativa com muita alacridade e num tom divertido, tanto que chegou a provocar risos em mamãe; imitou os vários personagens: Tatiana, o alferes e a cozinheira. A cozinheira começara por declarar ao juiz que reclamava uma indenização em dinheiro, "de outro modo, se meterem a madama na prisão, para quem prepararei eu o jantar"? Às perguntas do juiz, respondia Tatiana Pávlovna com muita altivez, sem se dignar mesmo justificar-se; concluiu, pelo contrário, com estas palavras: "Bati nela e tornarei a bater", o que lhe acarretou a condenação imediata a três rublos de multa por insultar o juiz. O alferes, rapaz desengonçado e magro, pôs-se a fazer um longo discurso a favor de sua cliente, mas atrapalhou-se vergonhosamente, causando riso à sala inteira. Os debates não tardaram a encerrar-se e Tatiana Pávlovna foi condenada a pagar a Mária, a ofendida, quinze rublos. Sem esperar, tirou imediatamente seu porta-moedas e contou a quantia. Sem demora, surgiu o alferes e estendeu a mão, mas Tatiana Pávlovna afastou aquela mão, quase nela batendo, e voltou-se para Mária: "Está bem, não se inquiete minha senhora, pode juntá-los à minha conta. Quanto a este, eu lhe pagarei. Estás vendo, Mária, que bobalhão foste buscar?", disse Tatiana Pávlovna, mostrando o alferes e grandemente alegre pelo fato de Mária ter afinal aberto a boca. — "Bobalhão ele é, senhora — respondeu Mária, com um olhar malicioso. — Costeletas com ervilhas foi o que a senhora encomendou para hoje? Não entendi bem ainda há pouco. Estava com pressa de vir para cá." — "Não, não, com couve, Mária, e sobretudo não as deixe tostar, como ontem." — "Terei todo cuidado, sobretudo hoje, minha senhora. Dê-me sua mão", e, em sinal de reconciliação, beijou a mão de sua patroa. Em suma, causou hilaridade a todos.

— Que mulher esquisita! — disse minha mãe, abanando a cabeça, muito satisfeita, aliás, com a informação, bem como com a narrativa de Andriéi Pietróvitch, mas olhando às furtadelas e com a inquietação para Lisa.

— A senhorita sempre teve caráter, desde sua infância — disse Makar Ivânovitch, rindo.

— Bílis e ociosidade! — declarou o médico.

— Sou eu que tenho caráter, sou eu a bílis e a ociosidade? — Era Tatiana Pávlovna que irrompia de súbito, visivelmente muito satisfeita consigo mesma. — Farias melhor, Alieksandr Siemiônovitch, não dizendo besteira; conheceste-me quando não tinhas ainda dez anos e sabes se sou ociosa ou não e, quanto à bílis, há um ano já que me tratas e não consegues curar-me. Deverias ter vergonha! Bem, vocês zombaram bastante de mim; obrigado, Andriéi Pietróvitch, por ter ido depor. Pois bem, meu caro Makar Ivânovitch, minha visita é somente para ti e não para aquele (apontou para mim, mas logo depois deu-me uma palmadinha cordial no ombro; jamais a vira de um humor tão alegre).

— Então? — concluiu, voltando-se de repente para o doutor e franzindo o cenho com ar preocupado.

— Ora, ele não quer ficar deitado e, sentado, só faz fatigar-se.

— Mas só ficarei um momento, com nosso amigos — murmurou Makar Ivânovitch, com um rosto suplicante, como uma criança.

— Eh! Sim, gostamos disso, gostamos de tagarelar em público, quando se forma uma roda em torno da gente. Conheço nosso Makar — disse Tatiana Pávlovna.

— E é desembaraçada, oh! quanto! — sorriu ainda o velho, voltando-se para o médico. Espera um pouco, deixa-me dizer: vou me meter na cama, sei, mas entre nós se diz: "Quem na cama se meter, talvez não mais se possa erguer". Eis aqui minha opinião, meu amigo.

— Ah! já esperava, sempre os preconceitos populares: "Se na cama me meter, talvez não mais me possa erguer", sei o que se teme por demais muitas vezes entre o povo e prefere-se mesmo mais passar a doença, de pé, a ir para um hospital. Mas para o senhor, Makar Ivânovitch, é muito simplesmente o tédio, a saudade da liberdade e da estrada real. Eis toda a sua doença: perdeu o hábito de ficar parado num lugar. O senhor não é o que se chama um peregrino? É sim, a vagabundagem é uma espécie de paixão em nosso povo. Notei mais de uma vez. Nosso povo é o vagabundo por excelência.

— Então na tua opinião Makar Ivânovitch é um vagabundo? — perguntou Tatiana Pávlovitch.

— Oh! não neste sentido. Empregava a palavra no seu sentido geral. O vagabundo religioso, piedoso, mas vagabundo ainda assim. No bom sentido, no sentido honroso, mas um vagabundo... Do ponto de vista médico...

O ADOLESCENTE

285

Voltei-me de chofre para o médico:

— Asseguro-lhe que os vagabundos são antes o senhor, eu e todas as pessoas aqui presentes, e não esse velho, que teria ainda tantas lições a dar-nos, porque tem um princípio firme na vida, ao passo que nós todos, tais como somos, nada temos de sólido... De fato, o senhor não pode compreender.

Falara com brutalidade, mas era para isso que viera. No fundo, não sei por que continuava ali e sentia-me numa espécie de loucura.

— O quê? — Tatiana Pávlovna olhou-me com um olhar suspeitoso. — Pois bem, como o achaste, Makar Ivânovitch? — disse ela, apontando-me com o dedo.

— Que Deus o abençoe! Tem o espírito vivo — disse o velho com seriedade, mas à palavra "vivo" quase todos desataram a rir. Fiquei teso; quem mais ria era o doutor. O desagradável é que então ignorava eu a combinação prévia deles. Viersílov, o doutor e Tatiana Pávlovna tinham combinado, desde já três dias, tudo fazer para desviar mamãe de seus maus pressentimentos e de seus temores por Makar Ivânovitch, que estava infinitamente mais doente e mais incurável do que suspeitava eu então. Eis por que todos brincavam e esforçavam-se por rir. Somente, o doutor era um bobo e, por natureza, não sabia brincar: foi a causa de tudo quanto se seguiu. Se tivesse sabido da combinação deles, teria agido doutra forma; Lisa tampouco o sabia.

Fiquei a escutar atentamente. Falavam e riam, enquanto eu tinha na cabeça Dária Onísimovna com suas novidades, e não podia livrar-me delas. Parecia-me vê-la ali, sentada, olhando, levantando prudentemente e lançando uma olhadela para o quarto contíguo. Por fim, de repente, dispararam a rir: Tatiana Pávlovna, não sei a que propósito, chamara de chofre o doutor de ateu. "Mas é coisa sabida que os senhores todos, doutores de desgraças, não passam de ateus!"

— Makar Ivânovitch! — exclamou o doutor, fingindo, da maneira mais tola possível, estar ofendido e reclamar justiça. — Sou ateu, sim ou não?

— Tu, ateu? Não, não és ateu — respondeu gravemente o velho, olhando-o fixamente —, não, graças a Deus! — Abanou a cabeça. — És demasiado alegre.

— Então quando se é alegre, não se pode ser ateu? — observou com ironia o médico.

— É, no seu gênero, um pensamento! — disse Viersílov, mas sem rir.

— É um forte pensamento! — exclamei, malgrado meu, impressionado por aquela ideia. O doutor olhava em redor de si, com ar interrogador.

— Essas pessoas instruídas, esses professores (sem dúvida tinha-se dito antes alguma coisa a respeito de professores) — começou Makar Ivânovitch, baixando ligeiramente os olhos —, causavam-me a princípio um medo terrível; sentia-me tímido diante deles, porque temia mais do que tudo os ateus. Dizia a mim mesmo: "Só tenho uma alma; se a perder, não tornarei a encontrar outra". Mais tarde, porém, retomei coragem: "Ora pois, não são, no entanto, deuses, são homens como nós, sujeitos às mesmas paixões". E depois a curiosidade era forte: "Quero saber enfim o que é o ateísmo". Somente, meu amigo, depois essa curiosidade também passou.

Calou-se um momento, mas bem decidido a continuar, com o mesmo sorriso digno e grave. Existe uma ingenuidade que se fia em todos e em cada um, sem suspeitar da zombaria. Essas pessoas são sempre limitadas, porque estão prestes a desabafar diante do primeiro que chega aquilo que tem de mais precioso no coração. Mas me parecia que havia em Makar Ivânovitch algo de diferente e que não era apenas a inocência de sua simplicidade que o impelia a falar: adivinhava-se um propagandista. Eu havia captado com satisfação certa ironia, até mesmo um pouco maldosa, para com o doutor e talvez também para com Viersílov. Aquela conversa era visivelmente a continuação de suas precedentes discussões da semana; mas, por desgraça, tinham ainda uma vez deixado escapar a mesma frase fatal que tanto me eletrizara na véspera e me levou a uma saída que ainda hoje lamento.

— O homem ateu — continuou o velho, com um ar concentrado —, talvez que ainda o receie. Somente, eis aqui, meu caro Alieksandr Siemiônovitch, esse ateu jamais o encontrei, nem uma só vez, e em seu lugar encontrei o ateu trapalhão, eis como é preciso chamá-lo. São gente de toda espécie; não se pode nem mesmo distinguir quais; grandes e pequenos, tolos e sábios, e até mesmo gente do povo, e todos trapalhões. Passam toda a sua vida a ler e a raciocinar, estão saturados do encanto dos livros, mas permanecem sempre na dúvida, sem nada poder decidir. Há-os de tal modo dispersivos que nem de si mesmos mais se apercebem; outros são mais endurecidos do que pedra e seu coração é percorrido por sonhos; outros são insensíveis e levianos, contanto que larguem suas pilhérias. Outros só tiraram de seus livros a flor e ainda assim de acordo com a sua ideia própria; mas são sempre trapalhões e indecisos. Eis o que lhes direi ainda: há muito tédio. O homenzinho está passando necessidades, não tem pão, nada para dar aos filhos, dorme em palha picante, mas conserva o coração sempre alegre e leve; pratica pecados e diz grosserias, mas o coração permanece leve. O grande homem enfarta-se de bebida e de comida, está sentado em cima dum monte de ouro, mas seu coração está sempre cheio de tédio. Há-os que atravessaram todas as ciências, mas o tédio está sempre ali. Creio bem que, quanto mais espírito se tem, maior é o tédio. Tomem simplesmente uma coisa: ensina-se desde que o mundo é mundo. Pois bem, que é que se aprendeu de bom, para que o mundo seja uma morada bela e alegre o mais possível e transbordante de todas as alegrias? E lhes direi ainda: não tem beleza, não querem mesmo saber dela; são todos mortos, somente cada qual gaba sua morte e não sonha com voltar-se para a única Verdade; viver Deus não passa de tormento. Acontece assim que amaldiçoamos aquilo que nos alumia e isto sem mesmo saber. E que bom-senso há nisso? O homem não pode viver sem se ajoelhar; não se suportaria, nenhum homem seria capaz. Se rejeita Deus, ajoelha-se diante de um ídolo, de madeira, ou de ouro, ou imaginário. São todos idólatras, e não ateus, eis como é preciso chamá-los. E como não ser ateu? Há-os que são verdadeiramente ateus, somente esses são muito mais terríveis que os outros, porque se apresentam com o nome de Deus na boca. Ouvi falar muitas vezes deles, mas nunca os encontrei. Mas existem, meu amigo, e creio que devem existir.

— Há-os, Makar Ivânovitch — confirmou de repente Viersílov, — há-os e devem existir.

— Bem decerto que os há e devem existir! — esta frase escapou-me irresistivelmente e com ardor, não sei por quê; mas o tom de Viersílov havia-me arrebatado e uma ideia me seduzia na expressão: "devem existir". Aquela conversa era para mim completamente inesperada. Mas naquele momento ocorreu de súbito qualquer coisa de completamente inesperado também.

IV

O dia estava notavelmente luminoso. Habitualmente, no quarto de Makar Ivânovitch não se erguia o estore durante todo o dia, por ordem do doutor; somente o que havia sobre a janela não era um estore, mas uma cortina, de modo que o alto da janela não ficava por isso mesmo coberto; na verdade, o velho se sentia mal, quando não via absolutamente o sol, com o antigo estore. Ora, nós ficamos justamente até o momento em que um raio de sol veio cair em pleno rosto de Makar Ivânovitch. Ocupado com a conversa, a princípio ele não deu atenção àquilo, mas desviou várias vezes a cabeça maquinalmente, enquanto falava, porque aquele raio cintilante o incomodava e irritava seus olhos doentes. Mamãe, de pé junto dele, já havia olhado várias vezes para a janela com inquietação; teria sido preciso bem simplesmente tapá-la por completo, mas, para não perturbar a conversa, imaginou tentar puxar para a direita o tamborete sobre o qual estava sentado Makar Ivânovitch; bastava empurrá-lo uns três *viérchoki*, oito no máximo. Já se curvara várias vezes para pôr a mão em cima, mas não pudera descolá-lo; o tamborete, com Makar Ivânovitch sentado em cima, não se movia. Percebendo os esforços dela, mas de todo inconscientemente, no ardor da conversa, Makar Ivânovitch tentara várias vezes levantar-se, mas suas pernas não lhe obedeciam. Mamãe continuava, no entanto, a fazer todos os seus esforços e a puxar e por fim tudo isso impacientou Lisa. Lembro-me de certos olhares brilhantes, irritados; somente, no primeiro instante, não sabia a que atribuí-los e além disso estava distraído pela conversa. De repente, retumbou aquele convite violento, quase um grito, dirigido a Makar Ivânovitch:

— Mas levante, pois, um pouco, não está vendo o trabalho que mamãe faz?

O velho olhou-a rapidamente, compreendeu logo e tratou imediatamente de obedecer, mas sem êxito; mal se erguera uns dois *viérchok*, recaiu sobre o tamborete.

— Não posso, minha filha — respondeu ele, lamentosamente, a Lisa, olhando-a cheio de humildade.

— Contar histórias capazes de encher um livro o senhor pode, mas para fazer um movimento não tem força!

— Lisa! — gritou Tatiana Pávlovna. Makar Ivânovitch fez de novo um esforço extraordinário.

— Agarre sua muleta, está no chão e ajude-se! — gritou ainda uma vez Lisa.

— É verdade! — disse o velho, que se apressou a agarrar sua muleta.

— É preciso muito simplesmente levantá-lo! — disse Viersílov, erguendo-se. O doutor pôs-se em movimento. Tatiana Pávlovna correu, mas não chegaram a tempo: Makar Ivânovitch, apoiado com todas as suas forças na muleta, erguera-se de repente e mantinha-se de pé, olhando em torno de si, alegre e triunfante:

— Consegui, vejam só! — exclamou ele, quase com orgulho, rindo alegremente. — Obrigado, minha filha, fizeste-me crer em mim, quando eu acreditava que minha pernas não prestavam mais para nada...

Mas não ficou muito tempo de pé. Não havia ainda terminado sua frase, quando a muleta, sobre a qual se apoiava com todo o seu peso, escorregou de repente sobre o tapete, e, como suas pernas quase não o sustentavam mais completamente, desabou com todo o corpo sobre o soalho. Foi quase horrível de ver-se, lembro-me. Ouviu-se um "Oh!" geral, correram para levantá-lo, mas, graças a Deus, nada dele quebrara; seus dois joelhos haviam batido no soalho pesadamente, com barulho, mas ele tivera tempo de estender a mão direita e manter-se sobre ela. Levantaram-no e puseram-no na cama. Estava muito pálido, não de medo, mas por causa do abalo. (O doutor encontrara nele, além do mais, uma doença de coração.) Mamãe estava fora de si, de susto. De repente, Makar Ivânovitch, sempre pálido, com o corpo todo sacudido e parecendo mal ter voltado a si, virou-se para Lisa e, com uma voz mansa, quase terna, disse-lhe:

— Não, minha filha, vês? Minhas pernas não me aguentam mais!

Não saberia transmitir a impressão que senti. As palavras do pobre velho não revelavam o menor acento de queixa ou de censura; pelo contrário, era visível que não havia notado, desde o começo, a menor maldade nas palavras de Lisa e que tomara seus gritos a ele dirigidos como uma coisa devida, isto é, como uma reprimenda merecida pela sua falta. Tudo isso agiu terrivelmente sobre Lisa também. No momento da queda, ela havia saltado como todos e mantinha-se, como morta, sofrendo naturalmente porque tinha sido causa de tudo. Mas, ouvindo aquelas palavras, quase instantaneamente corou por completo de vergonha e de arrependimento.

— Basta! — comandou, de súbito, Tatiana Pávlovna. — Tudo isso provém dessas conversas! Que cada qual volte para seus aposentos. Mas que se há de fazer quando o próprio doutor começa a tagarelar?

— É mesmo assim — replicou Alieksandr Siemiônovitch, azafamado em torno do doente. — Perdão, Tatiana Pávlovna, ele tem necessidade de repouso!

Mas Tatiana Pávlovna não escutava mais: havia um meio minuto que observava Lisa silenciosamente bem de perto.

— Vem cá, Lisa, e beija-me, velha tola que sou; se quiseres, é claro! — declarou ela, subitamente.

E ela beijou-a, ignoro por quê, mas era bem isso que era preciso fazer; a tal ponto que eu mesmo estive prestes a correr para beijar Tatiana Pávlovna. Com efeito, não se devia esmagar Lisa sob censuras, mas acolher com alegria e felicitações o novo e bom sentimento que iria certamente nascer nela. No entanto, em lugar de todos esses sentimentos, levantei de repente e, martelando as palavras, comecei:

— Makar Ivânovitch, o senhor empregou mais uma vez a palavra "beleza" e justamente ontem e todos estes dias essa palavra tem me atormentado... Toda a minha vida, aliás, me atormentou, somente outrora eu não sabia o que era. Considero esta coincidência como fatal, quase maravilhosa... Declaro na sua presença...

Mas me detiveram. Repito: ignorava a combinação entre eles referente a mamãe e Makar Ivânovitch; e, de acordo com meus atos passados, eles me julgavam naturalmente capaz de um escândalo daquele gênero.

— Acalme-o, acalme-o! — Tatiana Pávlovna estava totalmente encolerizada. Mamãe se pôs a tremer. Vendo o espanto geral, Makar Ivânovitch amedrontou-se também.

— Arkádi, cala-te! — gritou severamente Viersílov.

— Ver todos vocês em volta desse recém-nascido — elevei a voz ainda mais e mostrei Makar — é para mim uma monstruosidade. Só há aqui uma santa, é mamãe, e ainda...

O ADOLESCENTE

289

— O senhor vai causar-lhe medo! — insistiu o doutor.

— Sei que sou inimigo de todo mundo — balbuciei (ou algo neste gosto), mas depois de novo olhar circular, lancei uma olhadela provocante a Viersílov.

— Arkádi! — gritou ele de novo. — Já se passou aqui entre nós uma cena análoga. Rogo-te, contém-te agora!

Não saberei exprimir o sentimento poderoso com que pronunciou estas palavras. Havia em suas feições um pesar extraordinário, sincero, completo. O mais espantoso era que tinha uma fisionomia contrita: era eu o juiz e ele o criminoso. Tudo isso me levou ao extremo.

— Sim! — exclamei, em resposta —, essa cena ocorreu já no dia em que enterrei Viersílov, em que o arranquei de meu coração... Em seguida, houve a ressurreição dos mortos, mas agora... agora está tudo liquidado! Mas... ides ver, vós todos, de que sou capaz! Não esperais o que posso provar!

Dito isto, corri para meu quarto. Viersílov correu atrás de mim.

V

Tive uma recaída: um acesso fortíssimo de febre, e à noite, delírio. Mas nem tudo era delírio: havia inúmeros sonhos, toda uma procissão sem medida, dos quais retive um, ou o fragmento de um, toda a minha vida. Reproduzo-o sem nenhuma explicação; esse sonho era profético e não posso passar por cima dele.

Encontrei-me de repente, tendo no coração uma intenção grande e altiva, num quarto vasto e alto; somente não era em casa de Tatiana Pávlovna: lembro-me muito bem desse quarto; faço esta observação antecipadamente. Mas embora esteja só, sinto sempre, com inquietação e sofrimento, que não estou totalmente só, que esperam de mim alguma coisa. Em alguma parte, atrás da porta, há pessoas que esperam o que vou fazer. Uma sensação insuportável: "Ah! se estivesse só!". E, de repente, ela entra. Tem o ar tímido, está com um medo terrível, procura meus olhos. Tenho entre as mãos o documento. Ela sorri para seduzir-me, cola-se a mim; tenho compaixão, mas começo a sentir aversão. De repente ela cobre meu rosto, com suas mãos. Lanço o documento sobre a mesa com inexprimível desprezo: "Não me pergunte nada, tome, não lhe exijo nada! Vingo-me pelo desprezo de todas as injúrias sofridas!".

Saio do quarto, cheio dum imenso orgulho. Mas na soleira, na escuridão, Lambert me detém: "Imbecil! Idiota!", cochicha ele com todas as suas forças, segurando-me pelo braço: "Ela vai abrir em Vassílievski Óstrov um pensionato para mocinhas da nobreza" (N.B., isto é, para ganhar sua vida, se seu pai, informado por mim da existência do documento, a deserdar e puser para fora de sua casa. Anoto as expressões de Lambert literalmente, tais como as ouvi em sonho).

— Arkádi Makárovitch busca "a beleza" — é a vozinha de Anna Andriéievna que ouço ali bem perto; mas não era o louvor, era pelo contrário uma zombaria insuportável que vibrava naquelas palavras. Volto para o quarto com Lambert. Mas à vista dele, ela se põe de súbito a rir escarninhamente. Minha primeira impressão é um tremendo espanto, um espanto tal que paro e me recuso a avançar. Olho-a e não creio nos meus olhos; era como se ela tivesse de repente arrancado uma máscara de seu rosto: as feições são as mesmas, mas cada uma delas deformada por uma desmedida insolência. "O resgate, senhora, o resgate!", grita Lambert e os dois riem escarninhamente às escâncaras e meu coração para de bater: "Será possível que essa mulher desavergonhada seja a mesma da qual bastava um único olhar para inflamar de virtude o meu coração?".

— Eis de que são eles capazes por dinheiro, esses orgulhosos, na alta sociedade! — exclama Lambert.

Mas a impudente não se perturba com tão pouco; escarnece precisamente por me ver tão espantado. Ah!, está pronta ao resgate, vejo-o, e... que se passa em mim? Não experimento mais nem compaixão nem aversão. Tremo como nunca... Novo sentimento apodera-se de mim, inexprimível, que jamais conheci e poderoso como o universo inteiro... Não tenho mais força para retirar-me, por coisa alguma do mundo! Oh! como me agrada que se mostre tão descarada! Pego-a pelas mãos, cujo contato me abala dolorosamente e aproximo meus lábios de seus lábios insolentes, vermelhos, trêmulos de risos e que me chamam.

Longe de mim essa recordação humilhante! Maldito sonho! Juro, antes desse sonho infame não havia nada no meu espírito que tivesse qualquer semelhança com esse pensamento vergonhoso! Não, nem mesmo um devaneio involuntário nesse gênero (entretanto, guardava o documento costurado no meu bolso e por vezes levava a mão ao meu bolso com um sorriso estranho). Donde viera tudo de repente? É que eu tinha uma alma de aranha! Quero dizer que tudo estava desde muito tempo em germe e repousava no meu coração perverso, no meu desejo, mas o coração era ainda retido pela vergonha, em estado de vigília, e o espírito não ousava ainda imaginar conscientemente nada de semelhante. Em sonho, pelo contrário, a alma havia apresentado e exibido ela mesma tudo quanto havia no coração, com uma precisão perfeita e num quadro muito completo, e sob forma profética. Era bem isso que eu queria provar-lhes, fugindo naquela manhã do quarto de Makar Ivânovitch? Mas basta, nem mais uma palavra a este respeito antes do momento! Esse sonho que tive é uma das mais singulares aventuras de minha vida.

Capítulo III

I

Três dias mais tarde, levantei-me pela manhã e senti, de repente, uma vez de pé, que não voltaria mais ao leito. Experimentei em todo o meu ser a aproximação da cura. Não valeria talvez a pena anotar todos estes detalhes miúdos mas então sobreveio uma série de dias nos quais nada ocorreu de particular, e que, apesar disso ficaram todos na minha memória como alguma coisa de tranquilo e de alegre: é uma raridade nas minhas recordações. No momento, não formularei meu estado mental; se o leitor soubesse em que ele consistia, não ia querer acreditar. Vale mais a pena que isso ressalte mais tarde dos fatos. Na expectativa, direi somente isto: que o leitor se lembre de "uma alma de aranha". E isto, naquele que queria abandoná-los e com eles ao mundo inteiro, em nome da beleza! A sede da beleza estava no seu auge, era bem verdade, mas como ela pode aliar-se a outras sedes, e quais!, é para mim um mistério. Foi isso sempre um mistério e mil vezes me admirei dessa faculdade que tem o homem (e, creio, o homem russo por excelência) de acalentar no seu coração o mais sublime ideal ao lado da pior baixeza, e sempre com uma absoluta sinceridade. Será essa famosa largueza de espírito do russo que o conduzirá longe, ou muito simplesmente baixeza? Eis a questão.

Mas deixemos isso. Duma maneira ou de outra, houve uma acalmia. Compreendera que era preciso a qualquer preço recuperar a saúde, e o mais breve possível, para começar o mais cedo a agir, e por isso decidi viver higienicamente e obedecer ao doutor (qualquer que ele fosse), adiando as intenções belicosas, com uma extrema sensatez (fruto da largueza de espírito), até o dia de minha saída, isto é, até a cura. Como todas as impressões pacíficas e os gozos da acalmia podiam conciliar-se com as palpitações alarmadas e agradavelmente dolorosas de meu coração, ao pressentimento das borrascosas decisões próximas, ignoro, mas atribuo sempre à largueza de espírito. No entanto, não sentia mais a inquietação de outrora; tinha adiado tudo para a data fixada, sem tremer diante do futuro como ainda outrora, mas como homem rico, seguro de seus recursos e de suas forças. A arrogância e o desafio diante do destino que me esperava iam em crescendo, um pouco, creio, por causa de minha cura já real e da volta rápida das energias vitais. Aqueles poucos dias de cura definitiva e mesmo efetiva, lembro-me ainda deles com grande satisfação.

Tinham-me perdoado tudo, quero dizer, meu rompante, aquelas mesmas pessoas a quem tratara cara a cara como monstros! É isso que amo nas pessoas: o que chamo de inteligência do coração; pelo menos, isso me seduziu logo, até certo ponto evidentemente. Com Viersílov, por exemplo, continuávamos a frequentar-nos como bons velhos amigos, mas até certo ponto: assim que ele manifestava excessiva expansão (e isto acontecia), nós nos contínhamos logo, os dois, com um tantinho de vergonha. Há casos em que o vencedor não pode impedir-se de corar de seu vencido, justamente porque o venceu. O vencedor era eu, evidentemente; mas corava por causa disso.

Naquela manhã, isto é, no dia em que levantei do leito após minha recaída, ele veio visitar-me e foi então que soube de sua parte, pela primeira vez, a combinação que haviam concluído juntos a propósito de mamãe e de Makar Ivânovitch; acrescentou que o velho ia melhor, mas que, apesar de tudo, o doutor não respondia por ele. Fiz-lhe, de todo o coração, a promessa de ser mais prudente no futuro. No momento em que Viersílov me contava tudo isso, notei de repente, pela primeira vez, que estava ele próprio muito sinceramente preocupado com aquele velho, isto é, infinitamente mais do que eu teria podido esperar dum homem como ele, e que o considerava como uma criatura particularmente querida para ele e não somente por causa de mamãe. A coisa interessou-me, espantou-me quase, e, reconheço-o, sem Viersílov havia muitas coisas que me teriam escapado e que eu não teria suficientemente apreciado naquele velho, que me deixou uma das lembranças mais sólidas e mais originais de meu coração.

Viersílov parecia temer pelas minhas relações com Makar Ivânovitch, ou antes não se fiava nem na minha inteligência, nem no meu tato, e por isso ficou extremamente satisfeito mais tarde, quando percebeu que também eu era por vezes capaz de compreender como era preciso comportar-se com um homem de ideias e de concepções totalmente diversas, em uma palavra, que eu sabia ser, quando era preciso, conciliante e aberto. Reconheço também (sem me rebaixar, creio) que encontrei naquela criatura vinda do povo algo de absolutamente novo para mim quanto aos sentimentos e ideias, algo de desconhecido para mim, de infinitamente mais nítido e mais consolador do que a maneira pela qual eu compreendia aquelas coisas antes. Apesar de tudo, não havia meio de deixar de sair dos eixos por vezes, diante de certos preconceitos categóricos nos quais ele acreditava com uma calma e uma certeza imperturbáveis. Mas nisso, naturalmente, a causa única acabava-se na sua falta de instrução e sua alma era bastante bem organizada, tão bem mesmo que jamais encontrei em alguém nada de superior nesse gênero.

II

Antes de tudo, o que me atraía nele, como já o fiz ver mais acima, era sua extrema candura e uma ausência total de amor-próprio; pressentia-se um coração quase sem pecado. Tinha a alegria do coração e, por consequência, também a beleza. Dessa palavrinha "alegria" ele gostava muito e empregava-a com frequência. Sem dúvida, ele era por vezes tomado duma espécie de excitação mórbida, duma doença do enternecimento, um pouco, aliás, suponho, porque a febre, para falar com propriedade, não o largou durante todo aquele tempo; mas isto não impediu a beleza. Havia também contrastes: ao lado duma maravilhosa ingenuidade, que por vezes não notava em nada a ironia (muitas vezes com grande despeito meu), havia também não sei que fina astúcia, sobretudo nas escaramuças polêmicas. Gostava da polêmica, mas somente uma vez ou outra e à sua maneira. Via-se que vagara muito pela Rússia, muito ouvira, mas repito, gostava acima de tudo do patético e por conseguinte de tudo quanto a ele levava, gostando ele próprio de contar coisas patéticas. Em geral, gostava muito de contar. Ouvi de sua boca uma porção de narrativas a respeito de suas próprias viagens, toda espécie de lendas sobre a vida oculta dos ascetas mais antigos. Esses assuntos não me são absolutamente familiares, mas creio que ele acrescentava a essas lendas muitas mentiras, provindas, na maior parte, da tradição oral de nosso povo. Havia coisas verdadeiramente impossíveis de admitir. Mas ao lado das deformações evidentes ou das puras mentiras, resplandecia sempre não sei que de maravilhosamente sólido, cheio de sentimento popular e sempre patético... Retive, por exemplo, dentre todas aquelas narrativas, a longa história chamada *Vida de Maria Egipcíaca*.[82] Dessa *Vida* e de quase todas as outras análogas, eu não tinha até então a menor ideia. Digo francamente: era impossível ouvi-las sem chorar, não de enternecimento, mas por uma espécie de entusiasmo estranho: sentia-se naquilo algo de extraordinário e de ardente, como a areia aquecida ao rubro do deserto habitado por leões, através do qual vagava a santa. Mas não é disso que quero falar e além disso falta-me a competência para fazê-lo.

Além de patético, o que me agradava nele eram certas opiniões originais ao extremo a respeito de algumas questões excessivamente litigiosas ainda em nossa época. Um dia, por exemplo, contava a história recente dum soldado que dera bai-

---

82 Santa Maria Egipcíaca (345-421), célebre cortesã de Alexandria, depois canonizada. Tendo levado uma vida licenciosa na juventude, abandona, arrependida, o mundo e se retira ao deserto onde morre após quarenta e sete anos de penitência.

xa. Quase fora testemunha do acontecimento. O tal soldado voltara para sua terrinha e, tornando a ver-se entre os mujiques, não se dera bem entre eles e por sua vez não lhes caíra no agrado. Nosso homem perdeu o tino, pôs-se a beber e cometeu não sei mais que ato de pilhagem; não havia provas certas; prenderam-no, no entanto, e julgaram-no. O advogado já o havia quase inocentado: não havia provas!, quando de repente o seu cliente, que escutava, levantou-se de chofre e interrompeu seu defensor: "Não, espera um pouco". E contou tudo até o derradeiro grãozinho de trigo. Reconheceu-se culpado de tudo, com lágrimas e arrependimento. Os jurados retiraram-se, fecharam-se numa sala, para depois dela saírem, sentenciando: "Não, ele não é culpado". Gritos de alegria de toda parte. Mas o soldado ficou pregado no lugar, como se o tivessem transformado numa coluna, não empreendendo nada; não compreendeu nada tampouco do que o presidente do tribunal lhe disse para seu governo, ao pô-lo em liberdade. Foi-se embora, não acreditando em seu próprios olhos. Ficou acabrunhado, pôs-se a pensar coisas, sem comer nem beber, não falando mais com as pessoas. Cinco dias depois, enforcou-se. "Eis o que é viver com um pecado na consciência!", concluiu Makar Ivânovitch. Esse relato carece evidentemente de valor e histórias dessa espécie encontram-se agora em quantidade em todos os jornais, mas o que me agradou foi o tom, e, mais ainda, certas palavras exprimindo verdadeiramente uma ideia nova. Contando, por exemplo, como o soldado, de regresso à aldeia, não agradou mais aos camponeses, exprimiu-se desta maneira Makar Ivânovitch: "Sabe-se o que é um soldado: um soldado é mujique estragado". Falando em seguida do advogado que estivera a ponto de ganhar a causa, disse também: "Sabe-se o que é um advogado: um advogado é uma consciência de aluguel". Estas duas frases disse-as ele sem o menor esforço e sem prestar-lhes atenção e, no entanto, elas continham toda uma concepção própria a respeito das duas coisas, concepção que, se não é a de todo povo, é bem a de Makar Ivânovitch, propriamente e não tomada de empréstimo a alguém! Essas opiniões já feitas do povo a respeito desse ou daquele assunto são por vezes de uma originalidade verdadeiramente maravilhosa.

— Makar Ivânovitch, que pensa o senhor do pecado do suicídio? — perguntei-lhe a esse mesmo respeito.

— O suicídio é o maior pecado do homem — respondeu ele, com um suspiro —, mas só Deus é o juiz, porque somente Ele conhece tudo, as medidas e os limites. Nosso dever é rezar por tão grandes pecadores. Cada vez que ouvires falar de um pecado como esse, reza, antes de adormecer, uma oração contrita por esse pecador; pelo menos suspira por ele junto a Deus; mesmo que não o hajas conhecido absolutamente, nem por isso tua oração deixará de ser eficaz.

— Mas de que lhe servirá minha oração, se já está condenado?

— E que sabes tu? Muitos, oh!, muitos não creem e confundem assim as pessoas mal informadas; não lhes dês ouvidos, porque eles não sabem aonde vão. A prece de um homem ainda vivo por um condenado chega verdadeiramente a Deus. Mas que acontecerá àquele que não tem ninguém que reze por ele? De modo que, quando rezares, antes de deitar-te, acrescenta ao terminar: "Senhor Jesus, tende piedade também de todos aqueles que não tem ninguém que reze por eles". Esta oração é muito eficaz e muito agradável. Da mesma maneira para todos os pecadores ainda vivos: "Senhor, pelos meios que sabeis, salvai todos os impenitentes!". Esta oração também é boa.

Prometi-lhe fazer essas orações, sentindo que tal promessa lhe causaria um prazer extremo. E, de fato, a alegria brilhou no seu rosto; mas apresso-me em acrescentar que, em semelhante caso, não me olhava jamais com sobranceria, como certa espécie de eremita poderia tratar um vulgar adolescente; pelo contrário, gostava bem de me ouvir muitas vezes e até mesmo sem dar mostras de cansaço, a respeito de diferentes assuntos, achando que tratava sem dúvida com um rapaz, mas também que esse rapaz era infinitamente mais instruído do que ele. Gostava, por exemplo, muito frequentemente de falar dos eremitas e colocava o deserto imensamente acima da vida errante. Eu lhe fazia ardentes objeções, insistindo no egoísmo daquelas pessoas que abandonam o mundo e o bem que poderiam fazer à humanidade, tendo apenas em vista a ideia egoística de sua salvação. A princípio não compreendia, suponho mesmo que jamais me compreendeu, mas defendia muito o deserto. "Em primeiro lugar, a pessoa tem piedade de si mesma, naturalmente (isto é, no momento em que se instala no deserto), em seguida se rejubila cada dia mais e depois, afinal, vê Deus." Desenrolei então diante dele um quadro completo da atividade útil do sábio, do médico, do amigo, em geral, da humanidade no mundo, e elevei-o a um verdadeiro entusiasmo, pois que ele próprio falava disso com ardor; por momentos aprovava-me: "Sim, meu filho, sim, Deus te abençoe, tens razão". Mas quando acabei, não estava, no entanto, completamente de acordo comigo: "É bem isto — suspirou profundamente —, mas há muitos que se mantém firmes e não se deixam distrair. O dinheiro não é Deus, mas é um semideus, é uma grande tentação; e depois, há também a mulher, e depois a dúvida, e depois a inveja. Esquecem-se do principal e vão dedicar-se ao detalhe. Bem diferentemente ocorre no deserto. No deserto, o homem se fortifica para todas as façanhas. Meu amigo! Mas que se passa no mundo?". E exclamou, com um sentimento extraordinário: "Não é apenas um sonho? Toma areia e semeia-a sobre seixos; quando essa areia amarela brotar sobre teus seixos, então teu sonho se realizará no mundo, como se diz entre nós. Mas diz o Cristo: 'Vai, distribui tua riqueza e faze-te o servidor de todos.' E serás mais rico do que antes, uma infinidade de vezes; porque não é o alimento apenas, nem as roupas luxuosas, nem o orgulho, nem a inveja que dão a felicidade, mas o amor infinitamente multiplicado. Não é uma pequena riqueza, nem cem mil, nem um milhão, mas o universo inteiro que ganharás! Agora, amealhamos sem saciar-nos e dissipamos loucamente: mas então não haverá órfãos nem pobres, porque todos me pertencem, todos são meus parentes, ganhei-os todos, comprei-os todos até o derradeiro! Hoje, não é raro que até mesmo o grande e o rico fiquem indiferentes ao número de seus dias, e não saibam eles próprios que distração inventar; mas então teus dias e tuas horas serão multiplicados mil vezes, porque, não quererás mais perder um só minutinho e de cada um tomarás consciência na alegria de teu coração. Então, adquirirás a sabedoria não somente por meio dos livros, porque estarás com o próprio Deus face a face; e a terra resplandecerá mais do que o sol, e não haverá nem pesar, nem suspiro, mas somente um único paraíso sem preço..."

Eis os acessos de entusiasmo que Viersílov amava, creio, enormemente. Daquela vez, achava-se ele justamente no quarto.

— Makar Ivânovitch! — interrompi-o, de repente, acalorado eu mesmo além da conta (lembro-me daquela noite). — Mas é o comunismo, um verdadeiro comunismo que o senhor está pregando!

E, como ele não soubesse absolutamente nada da doutrina comunista e ouvisse mesmo a palavra pela primeira vez, pus-me logo a explicar-lhe tudo quanto a respeito sabia. Confesso que sabia pouco e mal, e agora ainda não tenho nenhuma competência na matéria, mas o que eu sabia, expus, apesar de tudo, com muito ardor. Lembro-me ainda com prazer da impressão extraordinária que causei no velho. Não era mesmo uma impressão, mas quase um abalo. Interessava-se enormemente pelos detalhes históricos: Onde? Como? Quem o fez? Quem o disse? notei, aliás, que era isso, em geral, uma particularmente do povo: não se contenta com a ideia geral; desde que se interessa muito por ela, reclama de modo absoluto detalhes firmes e precisos. Eu me perdia nos detalhes e, como Viersílov estava presente, sentia um pouco de vergonha diante dele e acalorava-me além da conta. Afinal, Makar Ivânovitch, todo enternecido, não fazia senão repetir após cada frase: "Sim, sim!", mas visivelmente sem compreender e sem seguir o fio da conversa. Aquilo me aborreceu, mas de repente Viersílov interrompeu a conversa, levantou-se e declarou que era hora de ir dormir. Estávamos todos ali, sem faltar um, e já era tarde. Quando, alguns minutos mais tarde, ele deu uma olhadela ao meu quarto, perguntei-lhe logo como achava Makar Ivânovitch em geral e o que pensava dele. Soltou uma risada alegre (não era de todo por causa de meus erros a respeito do comunismo; pelo contrário, não falou disso). Repito mais uma vez: estava literalmente preso a Makar Ivânovitch e surpreendia muitas vezes em seu rosto um sorriso extraordinariamente sedutor, quando escutava o ancião. Aquele sorriso não lhe impedia, aliás, a crítica.

— Makar Ivânovitch, antes de tudo, não é um mujique, mas um servo doméstico — declarou com muita solicitude —, um antigo servo doméstico e um antigo servidor, nascido servidor e de um servidor. Esses servos e esses domésticos partilhavam bem muitas vezes dos interesses da vida privada, intelectual e espiritual de seus amos, no tempo antigo. Nota bem que Makar Ivânovitch, ainda hoje, se interessa sobretudo pelos acontecimentos da vida senhorial e aristocrática. Não sabes ainda a que ponto ele tem curiosidade por certos acontecimentos que se desenrolaram em nosso país nestes últimos tempos. Sabes que é um grande político? Eis um que não se leva pela ponta do nariz, é preciso contar-lhe tudo, quem faz a guerra e onde e se nós também a faremos... Outrora, com conversas desse gênero, proporcionei-lhe verdadeira beatitude. Respeita muito a ciência e entre todas as ciências prefere a Astronomia. Com tudo isso, criou em si mesmo algo de tão independente que é impossível mudá-lo. Há nele convicções, firmes, bastante nítidas... e sinceras. Apesar de sua completa ignorância, é capaz de causar-nos admiração de repente com um conhecimento inesperado de certas noções que jamais se teria suposto existirem nele. Louva o deserto com entusiasmo, mas não irá por coisa alguma do mundo nem para o deserto, nem para o convento, porque é sobretudo um vagabundo, como gentilmente o chamou Alieksandr Siemiônovitch, a quem, seja dito de passagem, fazes mal em detestar. Que mais? Ele é um tanto artista, tem uma quantidade de frases suas próprias e outras também que não são suas. Sua lógica claudica um pouco. Mostra-se algumas vezes muito abstrato, com acessos de sentimentalismo, mas de sentimentalismo puramente popular, ou, para dizer melhor, acessos desse patético nacional que nosso povo introduziu tão largamente no seu sentimento religioso. Deixo de lado sua pureza de coração e sua bondade: não nos cabe abordar esse assunto...

III

Para dar por terminado o retrato de Makar Ivânovitch, reproduzirei uma de sua narrativas, tirada de sua vida privada. O caráter dessas narrativas era singular, ou antes, não tinha nenhum caráter comum; era impossível colher delas alguma moral, ou alguma tendência geral, exceto serem todas mais ou menos patéticas. Mas havia-as também que não eram, havia-as mesmo muito divertidas, havia mesmo zombarias dirigidas a certos monges desviados, tanto que prejudicava ele sua ideia contando-as, para o que cheguei a chamar-lhe a atenção; mas não compreendeu o que eu queria dizer. Era por vezes difícil adivinhar o que o levava assim a contar, de modo que eu mesmo me admirava de semelhante loquacidade, atribuída por mim em parte à senilidade e a um estado mórbido.

— Não é mais o que era — cochichou-me um dia Viersílov. — Antes não era de todo assim. Morrerá em breve, muito mais cedo do que pensamos, e é preciso estarmos prontos.

Esqueci-me de dizer que se haviam estabelecido em nossa casa como que serões regulares. Exceto mamãe, que não deixava Makar Ivânovitch, encontrava-se todas as noites em seu quarto Viersílov; eu também lá comparecia e, aliás, não tinha outro lugar aonde ir. Nos derradeiros dias, Lisa aparecia comumente, embora mais tarde que os outros, e ficava quase sempre silenciosa. Havia também Tatiana Pávlovna e, se bem que raramente, o doutor. Não sei como tal se deu, mas me aproximara bruscamente do doutor; não em grande escala, mas em todo caso, não mais rompantes como outrora. O que me agradava nele era certa simplicidade que por fim viera a notar e certo apego à nossa família, tanto que decidi por fim perdoar-lhe seu orgulho médico e além disso ensinei-lhe a lavar as mãos e limpar as unhas, uma vez que decididamente ele não podia andar com roupa branca limpa. Fiz-lhe compreender que não era absolutamente por causa da elegância, nem por causa das belas-artes, mas que a limpeza entrava naturalmente nas funções de um doutor e provei-lhe. Por fim, Lukiéria vinha muitas vezes de sua cozinha até a porta e escutava por trás dela o que contava Makar Ivânovitch. Um dia, Viersílov convidou-a a entrar e sentar-se conosco. Isso me agradou; mas desde aquele dia ela parou de vir. Cada qual com seu caráter!

Insiro aqui uma dessas narrativas, ao acaso, apenas porque foi a que melhor retive. É a história de um negociante, e creio que histórias como essa ocorrem aos milhares, em nossas cidades, grandes e pequenas, bastando apenas saber olhá-las. O leitor tem liberdade de saltar a narrativa, tanto mais quanto a narro em seu estilo.

IV

Houve uma vez entre nós, na cidade de Afímievsk, o milagre que agora vou contar-vos. Vivia ali certa vez um negociante chamado Skotobóinikov, Maksim Ivânovitch. Não havia homem mais rico em toda a região. Construíra uma fábrica de chita e dava emprego a várias centenas de operários. Acabou por se julgar importante demais. E, é bem preciso dizê-lo, todo mundo estava às suas ordens. As autoridades não lhe criavam dificuldades e o *arkhimandrit* agradecia-lhe o seu zelo: dava muita esmola ao convento e, quando lhe vinha a veneta, suspirava grandemente pela sua alma e preocupava-se bastante com sua vida futura. Era viúvo sem filhos; a respeito de sua esposa corria boato de que a havia mimado muito no primeiro ano e que, na sua mocidade, fora ele um estroina; somente tudo isso se passara havia bastante tempo antes; quanto a casar de novo, não queria nem ouvir falar disso. Tinha um fraco também pela bebida e quando lhe vinha a vontade, viam-no correr bêbedo pela cidade, nu e lançando gritos; a cidade não é grande e tudo se sabe. Passado aquilo, voltava ao sério e tudo quanto julgava era bem julgado, tudo quanto ordenava, bem ordenado. Com as pessoas regularizava suas contas, fantasiosamente. Pegava seu ábaco e montava os óculos no nariz: "E tu, Fomá, quanto te devo?" — "Nada recebi desde o Natal, Maksim Ivânovitch. São trinta e nove rublos que me deves." — "O quê? Tanto dinheiro? É demais para ti; não os vales; não te convém absolutamente; vamos, dez rublos de menos, e aqui estão vinte e nove! Toma". O outro nada diz; ninguém pia uma palavra, silêncio geral.

— Bem sei quanto é preciso dar-lhes. Com essa gente é impossível agir de outra maneira. Essa gente daqui está pobre. Sem mim, há muito tempo que estariam todos mortos de fome, todos, tantos quantos sejam. Repito-vos, são todos uns ladrões; tem os olhos maiores que a barriga e nenhum empenho põem no trabalho que fazem. Acrescentai ainda que são beberrões: dai-lhes o seu salário e eles o levarão ao botequim, donde regressam sem um pelo na pele, nus como vermes. E depois, são velhacos; vão sentar-se numa pedra diante do botequim e é de vê-los a gemer: "*Mámienhka* querida, por que me puseste no mundo, pobre bêbedo que sou? Semelhante bêbedo! Ah! melhor teria sido que o tivesses estrangulado quando nasceu!". Pode dizer-se que isso é um homem? Uma besta e não um homem. É preciso antes de tudo educá-lo e em seguida dar-lhe dinheiro. Eu sei quando é preciso dar.

Pois bem, eis como Maksim Ivânovitch falava do povo de Afímievsk. Era mau de sua parte, mas era verdade; nossa gente era fraca, sem firmeza.

Havia naquela mesma cidade outro comerciante, mas morreu; era um homem jovem e leviano, falira e perdera todo o seu capital. No derradeiro ano, debatia-se como um peixe em cima da areia, mas sua hora tinha chegado. Com Maksim Ivânovitch discutia todo o tempo e devia-lhe dinheiro a rodo. Ainda no seu derradeiro suspiro, amaldiçoava Maksim Ivânovitch. Deixou viúva ainda jovem com cinco filhos. Uma viúva é como uma andorinha sem refúgio, é uma dura provação e sobretudo com cinco filhinhos, quando nada se tem para dar-lhes de comer: o único bem que lhes restava era uma casa de madeira que Maksim Ivânovitch lhes arrebatou para pagar-se. Então plantou os filhos todos em fileira diante da porta da igreja: o maior tinha bem uns oito anos, um menino, os outros eram meninas, todas menores uma que as outras; a mais velha tinha quatro anos e a mais moça ainda mamava. Acabada a missa, sai Maksim Ivânovitch e todos os menininhos, em fila, se ajoelham diante dele (ela lhes ensinara antes) e cruzam diante dele suas mãozinhas juntas, enquanto que atrás deles, com o quinto no braço, ela o cumprimenta até o chão, diante de todo mundo:

— Meu bom Senhor Maksim Ivânovitch, tenha piedade de pobres órfãos, não lhes arrebate o derradeiro pedaço de pão, nem os expulse do ninho paterno!

Todos os menininhos derramaram lágrimas: ela lhes ensinara bem a lição! Dizia a si mesma: diante do povo, ele terá vergonha e perdoará, restituirá a casa aos órfãos. Somente aconteceu o contrário. Maksim Ivânovitch para e diz:

— Tu, jovem viúva, o que queres é um marido e não é pelos órfãos que choras. Teu defunto marido amaldiçoou-me no seu leito de morte.

E prosseguiu caminho, sem restituir a casa. "Por que deixa-se comover por tais sandices? Dai o dedo ao vilão, e ele vos tomará a mão! Tudo isso não conduz a nada e só causa desassossego." Já corria o boato de que, quando aquela viúva ainda era solteira, dez anos antes, ele lhe oferecera gorda soma (ela era muito bonita), esquecendo-se de que aquele pecado é o mesmo que arruinar uma igreja do bom Deus: mas a coisa dera em nada. Sujeiras dessa laia, praticara-as não poucas na cidade e até mesmo em toda a província. Mas naquele caso, ultrapassou todas as medidas.

A mãe lançou urros com seus filhotinhos. Ele pôs os órfãos para fora da casa, não somente por maldade, mas porque por vezes o próprio indivíduo não sabe por qual razão teima em sua ideia. O caso é que a ajudaram a princípio, depois ela tratou de alugar seus serviços. Somente, que se pode ganhar entre nós, além do emprego na fábrica? Lavar um soalho aqui, capinar um jardim ali, esquentar um banho e ainda por cima com uma criancinha nos braços a choramingar e as quatro outras a correr na rua sem camisa! Quando as pusera de joelhos diante da igreja, traziam ainda seus sapatinhos e suas capinhas, como filhos de negociante, apesar de tudo; ao passo que, agora, corriam descalços. Sabeis bem que as roupas não duram nas crianças. No fundo, de que precisam esses petizes? Basta que faça sol para estarem contentes, não sentem a desgraça, são como passarinhos, sua vozinhas ressoam como guizos. A viúva dizia a si mesma: "Vai chegar o inverno. Que farei de vocês? Se ao menos o bom Deus quisesse levar vocês naquela ocasião!". Mas não teve de esperar até o inverno. Há nas nossas regiões um tosse infantil, a coqueluche, que passa de um para o outro. A princípio, a pequenina ainda de peito, morreu. Em seguida as outras caíram doentes, e as quatro filhas, no mesmo outono, foram levadas, uma após outra. É verdade que uma delas foi esmagada na rua. Pois bem, que é que crês? Ela as enterrou e lançou gritos; antes, amaldiçoava-as, e quando Deus as levou, chorou-as. Eis bem aqui o coração materno!

Restava-lhe vivo o mais velho, o menininho, e tremia por ele, já nem respirava. Era magrinho e débil, uma coisinha delicada como uma menina. Ela levou-o à fábrica, à casa de seu padrinho que era o diretor e depois alugou-se como criada em casa de um funcionário. Um dia em que o menino corria pelo pátio, chega Maksim Ivânovitch no seu carro, bêbedo. No pé da escada, o menino vai ao seu encontro, escorrega e choca-se contra ele no momento em que descia do carro, batendo-lhe com as duas mãos na barriga. Maksim Ivânovitch agarra o menino pelos cabelos: "De quem é este menino? Uma vara! Açoitem-no agora mesmo, na minha presença!". O menino está morto de medo, açoitam-no, ele dá gritos. "E ainda gritas? Açoitem-no até que deixe de gritar!". Açoitaram-no mais, ele não parava, porém, de gritar, até o momento em que desmaiou por completo. Então pararam, tiveram medo: o menino não mais respira, permanece deitado no chão, sem sentidos. Contaram depois que não lhe haviam batido muito, mas que ele era muito medroso. Maksim

Ivânovitch também se amedrontou! "De quem é esse menino?", pergunta. Dizem-lhe. "Vejam só isso! Levem-no à casa de sua mãe. Que tinha ele de andar solto aqui pela fábrica?" Dois dias mais tarde, pergunta: "E o menino?". As notícias eram más: estava doente, deitado num canto em casa de sua mãe, porque naquela ocasião havia ela abandonado seu emprego em casa dos funcionários e o menino estava com congestão pulmonar. "Vejam só isso. E por quê, em suma? Se o tivessem açoitado seriamente... mas o que lhe fizeram foi medo principalmente. Já bati em muitos outros da mesma maneira e jamais tive complicações." Esperava que a mãe fosse queixar-se e bancava o orgulhoso. Somente, como haveria ela de queixar-se? Não ousou. Então, enviou-lhe quinze rublos e um médico, de sua parte. Não porque tivesse medo, mas à toa, depois de pensar. Em seguida sobreveio-lhe a sede de álcool e passou mais de três semanas em bebedeiras.

Passou-se o inverno. No dia de Páscoa, em plena festa, Maksim Ivânovitch pergunta ainda: "Então, e o menino?". Durante todo o inverno mantivera-se calado, nada perguntava. Responderam-lhe: "Está curado, em casa de sua mãe, que trabalha fora, em serviços diários." No mesmo dia, foi Maksim Ivânovitch procurar a viúva, sem entrar em casa, mas mandou-a chamar à entrada, enquanto ele permanecia no carro: "Escuta, digna viúva, quero bem a teu filho, quero ser seu verdadeiro benfeitor e fazer-lhe benefícios sem limites: levo-o comigo, para minha casa, a partir de hoje. E se me agradar um pouco, vou lhe deixar um capital suficiente; e se me agradar completamente, posso fazê-lo, após minha morte, herdeiro de toda a nossa fortuna, como se fosse meu filho, com a condição somente de que não venhas nunca à minha casa, exceto no dia das grandes festas. Se te convém assim, então amanhã de manhã leva-me o menino, que não há de viver sempre a brincar pelas ruas." Dito isto, vai-se embora de volta e a mãe fica como louca. Pessoas que ouviram aquilo, dizem-lhe: "Quando o menino crescer, vai te censurar porque o privaste de semelhante sorte". A noite inteira, chorou por ele, mas depois, de manhã, levou-o. O menino estava mais morto do que vivo.

Maksim Ivânovitch vestiu-o como se fosse um senhorzinho e contratou um professor, pondo-o desde logo a estudar. Não lhe tirava a vista de cima, tinha-o sempre a seu lado. Assim que o menino começava a bocejar, gritava-lhe: "Pega teu livro! Estuda: quero fazer-te um homem". Mas o menino era fraquinho, desde aquela vez, depois dos açoites. Tossia. "Então a vida não é boa em minha casa?", admira-se Maksim Ivânovitch. "Em casa de sua mãe, andava descalço, roía crostas de pão e aqui está ele agora mais raquítico do que antes." Então o professor lhe disse: "As crianças têm necessidade de correr, não podem estar a estudar o tempo inteiro, precisam de movimento...". E explicou-lhe tudo isso com razões. Maksim Ivânovitch pensou: "Dizes a verdade". Esse professor era Piotr Stiepânovitch — que Deus o tenha em sua guarda! —, uma espécie de santo. Bebia, e até mesmo um pouco demais, de modo que o tinham despedido de todos os empregos, vivendo, em suma, de esmolas, e, no entanto, era um cérebro potente, forte em ciências. "Meu lugar não é aqui — dizia a si mesmo —, deveria ser professor de Universidade, ao passo que estou aqui na lama e "até mesmo minhas roupas tem nojo de mim." Então Maksim Ivânovitch grita para o menino: "Vai correr!" e o menino mal respira diante dele. Chegou mesmo a não suportar-lhe mais a voz: era tomado de temores. Maksim Ivânovitch admira-se cada vez mais: "Não se sabe o que tem ele na barriga. Tiro-o da lama, visto-o com roupas finas, tem botinas de bom couro, uma camisa bordada, trato-o como filho de general e ainda assim não gosta de mim? Por que me olha como um lobinho?". Desde muito tempo, nada mais que fizesse Maksim Ivânovitch causava espanto, mas a partir daquele momento recomeçou o povo a espantar-se: ele não sabia o que mais imaginar, estava ligado àquele menino, não podia mais deixá-lo. "Enforcado seja, mas vou lhe mudar o caráter. Seu pai amaldiçoou-me no seu leito de morte, depois de ter recebido a santa comunhão. É o pai escrito e escarrado." Nem uma vez sequer bati-lhe com varas (tinha muito medo de fazer isso, desde a outra vez). O menino já vivia apavorado. Não houve necessidade de varas.

Então ocorreu a coisa. Um dia em que ele acabava de sair da sala, o menino largou seu livro para subir a uma cadeira: sua bola tinha caído em cima de um guarda-roupa. Queria apanhá-la, mas sua manga prendeu-se a uma lâmpada de porcelana que estava ali em cima; a lâmpada cai por terra e quebra-se em mil pedaços, com um barulho que repercutiu na casa inteira. Era um objeto de preço, uma porcelana de Saxe. Lá da terceira sala ouve Maksim Ivânovitch o barulho e põe-se a gritar. O menino foge em disparada, apavorado, escapa pelo terraço, atravessa o jardim e, pela porta de trás, vai dar diretamente no cais. Há ali um bulevar, com velhos cítisos, em suma, um lugar ameno. O menino correu para a água, as pessoas o viram, abriu os braços, justamente no lugar onde a barca atraca e depois teve medo talvez diante da água, ficando pregado no lugar. O local é largo, o rio rápido, passam barcaças; do outro lado, lojas, uma praça, uma igreja, com cúpulas de ouro que brilham. Justamente a Coronela Ferzing descia para a barca com sua filha — tínhamos na cidade um regimento de infantaria. A filha, uma menina também de oito anos, com seu vestido branco, olha o menino e ri; tinha na mão uma gaiolinha de madeira e dentro um ouriço. "Veja, mamãe, como o menino está olhando para o meu ouriço!" — "Não — diz a coronela —, está simplesmente com medo de alguma coisa." — "Por que você teve tanto medo, gentil menino?" (Foi assim que contaram depois.) "E quem é esse gentil menino? Como está bem vestido! Quem é você, meu menino?" Ele nunca vira um ouriço: aproxima-se e olha. Já se esquecera: ah! as crianças! — "Que é isso aí?" — "Isto — diz a menina — é um ouriço. Compramo-lo ainda há pouco de um mujique que o encontrou na mata." — "E que é um ouriço?" Riu, quer tocá-lo com o dedo, o ouriço se eriça e a menina acha graça: "Vamos levá-lo para casa e dar-lhe de comer". — "Oh! dê-me seu ouriço!" Pedia assim, bem gentilmente! Mal acabara de falar, ouve-se a voz de Maksim Ivânovitch que grita do alto: "Ah! está ali! Pegai-o!". (Estava tão furioso que correra atrás do menino sem trazer o chapéu.) O menino lembra-se de tudo, lança um grito, avança para a água, cerrando os punhozinhos sobre o peito, olha para o céu (viu-se isso, viu-se isso!) e pafe! Cai dentro d'água! Gritos, pessoas que se lançam da barca, pensaram agarrá-lo, mas a água havia-o arrebatado, o rio tem forte corrente e quando o retiraram, estava morto. Era fraco do peito e não pudera suportar a água. Não era preciso muito para isso, não é mesmo? E nas nossas terras, que se saiba, nunca se ouviu dizer que uma criança de tão tenra idade tenha atentado contra a vida! Esse tão grande pecado! E que é que àquela alminha poderia dizer lá em cima ao bom Deus?

Maksim Ivânovitch passou desde aquele dia a refletir no caso. E transformou-se a ponto de tornar-se irreconhecível. Sua tristeza foi enorme naquela ocasião. Pôs-se a beber, bebeu muito, depois parou: não lhe serviu de nada. Cessou também de ir à fábrica, a ninguém dava ouvidos. Quando lhe falavam, não respondia, ou então fazia sinal com a mão como se dissesse que o estavam aborrecendo. Assim se passaram uns dois meses, em seguida pôs-se a falar sozinho. Andava falando a si mesmo. Perto da cidade, a pequena aldeia de Vaskova ardeu, nove casas incendiadas: Maksim Ivânovitch foi ver. Os incendiados cercaram-no, lançaram gritos: prometeu ajudá-los e deu ordens, em seguida chamou o intendente e anulou tudo: "Não se deve dar-lhes coisa alguma!", sem dizer por quê. "O Senhor fez de mim uma espécie de flagelo para todos os homens, uma espécie de monstro. Pois assim seja! Minha fama espalhou-se como o vento." O *arkhimandrit* em pessoa foi vê-lo: era um velho monge severo, que introduzira o regime de comunidade no mosteiro. "Que se passa contigo?", perguntou-lhe severamente. — "É isto." E Maksim Ivânovitch abriu-lhe um livro e indicou-lhe a passagem:

> Porém o que escandalizar um destes pequeninos, que creem em mim, melhor lhe fora que se lhe pendurasse ao pescoço a mó que um asno faz girar, e que o lançassem no fundo do mar.[83]

— Sim — disse o *arkhimandrit* —, ainda que não se diga isso diretamente; mas há ainda assim uma relação. É uma desgraça, quando um homem perde a medida: está liquidado. Tu te elevaste demais.

Maksim Ivânovitch estava rígido: parecia tomado de tétano. O *arkhimandrit* olha-o:

— Escuta — diz-lhe — grava bem. Foi dito: "As palavras do desesperado são levadas pelo vento". E lembra-te ainda disto: que os anjos do bom Deus são eles próprios imperfeitos, e que o único perfeito e sem pecado é Deus, Jesus Cristo, a Quem os anjos servem. Aliás, tu não quiseste a morte daquele menino, foste somente imprudente. Eis, porém, o que acho mesmo admirável: cometeste tantos outros pecados mais graves, reduziste tanta gente à mendicidade, corrompeste tantas pessoas, impeliste tantas à morte, tudo como se as tivesses matado! E as irmãs dele não morreram antes, todas quatro em tenra idade, quase sob teus olhos? Por que somente esse é que te perturba? Será que por acaso hajas esquecido todos os precedentes, sem falar mesmo de lamentá-los? Por que te apavoraste tanto por causa daquele menino, da morte do qual não és totalmente culpado?

— É que o vejo em sonho — declarou Maksim Ivânovitch.

— E com isso?

Mas não lhe revelou mais nada e ficou silencioso. O *arkhimandrit* admirou-se e retirou-se: nada a fazer!

Então Maksim Ivânovitch mandou chamar o professor, Piotr Stiepânovitch; não se viam desde o acidente.

— Lembras-te? — perguntou-lhe.

— Lembro-me, sim

— Dizem que pintaste quadros a óleo para o botequim e fizeste uma cópia do retrato do bispo. Será que me podes fazer um quadro a cores?

— Sim, posso; tenho todo o talento para isso e posso fazer tudo.

---

83   São Marcos, C. XVIII, v. 6.

— Então, faze-me um quadro, o maior possível, que tome toda a parede, e nele porás primeiro o rio, a rampa e a barca, fazendo que todas as pessoas que lá estavam naquele dia, nele apareçam. E que haja a coronela e sua filhinha, bem como o ouriço. E faze-me a outra margem completa, que se veja como ela é, a igreja, a praça, as lojas e o ponto em que as carruagens estacionam, tudo como na realidade. E diante da barca, o menino, justamente à beira do rio, naquele lugar lá, e que esteja absolutamente com seus dois pequenos punhos apertados assim sobre o peito, sobre os seus dois pequenos peitos. Absolutamente! E depois, diante dele, do outro lado, acima da igreja, abrirás o céu, e que todos os anjos no esplendor celeste voem ao encontro dele. Podes fazer isto ou não?

— Posso tudo.

— É que eu poderia, em lugar de um pinta-monos como tu, mandar vir de Moscou o melhor pintor, ou mesmo de Londres, mas somente tu é que te lembras de como era o rosto dele. Se não ficar parecido, ou não muito, vou te dar cinquenta rublos, mas se o fizeres perfeitamente parecido, te darei duzentos. Lembra-te, os olhinhos azuis... E que o quadro seja o maior possível, o maior possível.

Tomaram suas disposições; Piotr Stiepânovitch pôs-se à obra, mas logo procura o comerciante:

— Não, não há meio de fazer como queres.

— Por quê?

— É que esse pecado, o suicídio, é o maior de todos os pecados. Como podem os anjos acolhê-lo, depois de semelhante pecado?

— Mas é uma criança, não é responsável.

— Não, não era mais uma criancinha, já tinha a idade da razão. Tinha oito anos, quando a coisa aconteceu. É, apesar de tudo, um pouco responsável.

Maksim Ivânovitch espantou-se sobremaneira.

— Então — disse Piotr Stiepânovitch —, eis o que imaginei: inútil abrir o céu e pintar anjos. Farei somente cair do céu, ao encontro dele, um clarão; um simples raio de luz: será ainda assim alguma coisa.

Fizeram o clarão cair. E eu mesmo vi, mais tarde, aquele quadro e aquele raio de luz, e o rio, todo azul, costeando a parede; havia ali o menino, suas duas mãozinhas cerradas sobre o peito, e a menininha e o ouriço; tudo estava no quadro. Somente Maksim Ivânovitch não mostrou o quadro a ninguém: fechou-o a chave no seu gabinete. E, no entanto, todo mundo na cidade correu a vê-lo; mandou pôr a todos para fora. Falou-se muito disso. Mas Piotr Stiepânovitch parecia não ser mais o mesmo homem: "Posso tudo agora. Meu verdadeiro lugar é em Petersburgo, na corte". Era o mais amável dos homens, somente gostava de engrandecer-se desmedidamente. E seu destino em breve o atingiu: tendo recebido seus duzentos rublos, pôs-se logo a beber e a mostrar seu dinheiro a todo mundo, para se gabar; foi morto uma noite, em estado de embriaguez, por um de nossos operários com o qual estava bebendo e que lhe arrebatou o dinheiro; tudo isso foi descoberto pela manhã.

E o fim de tudo foi tal que ainda hoje está na memória de todos lá. Um belo dia, Maksim Ivânovitch chega de carro em casa da viúva, que morava numa pequena isbá no fim da cidade. Desta vez entrou no pátio; plantou-se diante dela e fez-lhe uma saudação até o chão. A mulher, depois de todas aquelas desgraças, estava doente, mal se arrastava. "Minha cara, minha digna viúva, vem, casa comigo, monstro que sou, restitui-me a força de viver!" A mulher olha-o, nem viva, nem morta. "Quero — diz-lhe ele — que tenhamos ainda um menininho, e, se o tivermos, será sinal de que o outro nos perdoou a nós dois, a ti e a mim. Foi ele quem ordenou." Ela vê que ele não está mais em seu pleno juízo, que está fora de si e, no entanto, não se contém:

— Besteiras, tudo isso — responde-lhe —, e covardia. Por causa dessa covardia, perdi todos os meus filhos. Não posso nem mesmo vê-lo diante de mim e como haveria de poder condenar-me para sempre a semelhante martírio?

Maksim Ivânovitch foi-se embora, mas não desistiu. Comoveu-se toda a cidade com semelhante milagre. Maksim Ivânovitch arranjou medianeiras. Fez vir da província duas de sua tias, que eram burguesas. Tias ou não tias, em todo o caso parentas, portanto em todo bem, toda honra; puseram-se a exortar a viúva, a lisonjeá-la, não saíam mais de sua casa. Ele enviou também gente da cidade, negociantes, a mulher do arcipreste, esposas de funcionários; toda a cidade fez-lhe a corte, ela porém tudo desdenhava: "Se ainda meus órfãos ressuscitassem, mas agora, de que serve? Seria um pecado diante de meus orfãozinhos!". Ele conseguiu dobrar até mesmo o *arkhimandrit*, que também foi soprar-lhe ao ouvido: "Podes bem fazer nascer nele um novo homem". Ela tomou medo. As pessoas admiravam-se de sua conduta: "Como se pode recusar semelhante felicidade?". E eis de que maneira ele a conquistou afinal: "Ele se suicidou, apesar de tudo; não era mais uma criancinha, já estava na idade da razão, somente a idade o impedia de receber a santa comunhão sem confissão, por consequência já era um pouco responsável. Se te casas comigo, faço uma grande promessa: mandarei construir uma nova igreja unicamente para o repouso eterno de sua alma". A este argumento, ela se rendeu, consentiu. E o casamento efetuou-se.

O resultado causou espanto a todo mundo. Viveram, desde o primeiro dia, em acordo perfeito e sincero, mantendo inviolável fidelidade mútua, como uma só alma em dois corpos. Concebeu ela no mesmo inverno e puseram-se a visitar igrejas e a temer a cólera do Senhor. Estiveram em três mosteiros e escutaram as profecias. Ele ergueu o templo prometido e construiu na cidade um hospital e um asilo. Deu uma parte de seu capital para as viúvas e os órfãos. Recordou-se de todos aqueles a quem fizera algum mal e desejou fazer restituições; mas pôs-se a espalhar dinheiro sem medida, de sorte que sua esposa e o *arkhimandrit* lhe contiveram a mão: "Basta! Basta assim". Maksim Ivânovitch obedeceu. "Uma vez enganei Fomá." Restitui-se então o devido a Fomá. Fomá derramou lágrimas: "Era inútil... Já recebemos muito do senhor, somos-lhe eternamente gratos". Todo mundo, pois, estava edificado, o que prova que o homem vive de bons exemplos. A nossa gente tem bom coração.

Foi a própria esposa quem passou a gerir a fábrica e de tal maneira que ainda hoje é lembrada. Ele não cessou de beber, ela porém o vigiara naqueles dias e tentou curá-lo. Seus discursos tornaram-se graves e até mesmo sua voz mudou. Tornou-se infinitamente compassivo, até mesmo para com os animais. Um dia, em que viu de sua janela um homem dar em seu cavalo chicotadas na cabeça, mandou comprar o animal por duas vezes mais caro que valia. E recebeu o dom das lágrimas: quando conversava com alguém, viam-no subitamente inundado de lágrimas. Quando chegou o tempo, o Senhor ouviu-lhes afinal as preces e enviou-lhes um filho. E, pela primeira vez desde sua desgraça, Maksim Ivânovitch apareceu radiante; distribuiu muitas esmolas, remiu muitas dívidas e convidou toda a cidade para o batizado.

Convidou, mas no dia seguinte, assim que a noite caiu, saiu de casa. Sua esposa viu que algo não ia bem e levou-lhe o recém-nascido: "Nosso filho nos perdoou, escutou nossos lamentos e nossas preces". É preciso dizer que jamais tinham abordado este assunto durante todo o ano: guardavam-no os dois para si. E Maksim Ivânovitch olhou-a, sombrio como a noite: "Espera, ele não viera mais durante todo o ano, pois bem, esta noite revi-o em sonho". — "Foi então que o horror penetrou também no coração, após aquelas palavras singulares", lembrava ela depois.

Não fora por coisa alguma que o menino voltara. Apenas Maksim Ivânovitch pronunciara aquelas palavras, no mesmo instante ocorreu alguma coisa ao recém-nascido: caiu bruscamente doente. Esteve oito dias doente, rezava-se sem cessar e chamavam-se médicos. Mandou-se buscar em Moscou, pela estrada de ferro, o primeiro entre todos os doutores. Chegou e zangou-se: "Sou o primeiro de todos os doutores, toda Moscou me aguarda". Receitou gotas e apressou-se em partir. Levava oitocentos rublos e ao entardecer a criança morreu.

Que aconteceu em seguida? Maksim Ivânovitch abandonou toda a sua fortuna à sua cara esposa, entregou-lhe todos os seus capitais e todos os seus papéis, executou tudo isso segundo as regras e formas legais, em seguida plantou-se diante dela e cumprimentou-a até o chão: "Deixa-me, minha esposa inestimável, ir salvar minha alma enquanto tenho meios de fazê-lo. Se passar este tempo sem resultado para minha alma, não voltarei mais. Tenho sido duro e cruel, tenho feito os outros sofrerem, mas penso que minhas dores por vir e minha vida errante me valerão a misericórdia de Deus, porque abandonar tudo isso não é uma pequena cruz, nem uma pequena dor". Sua esposa tentou acalmá-lo à força de lágrimas: "Só tenho a ti agora na terra. Quem tomará conta de mim? Durante este ano meu coração abriu-se para a ternura". E toda a cidade exortou-o um mês inteiro, suplicou-lhe, decidiu-se retê-lo à força. Mas não quis escutar ninguém, foi-se embora secretamente uma noite e não voltou mais. Dizem que anda ainda agora a vagar e a sofrer e cada ano faz uma visita a sua esposa querida.

CAPÍTULO IV

I

Chego agora à catástrofe definitiva que termina estas notas. Mas, antes de continuar, sou obrigado a antecipar os acontecimentos e explicar uma coisa da qual nada sabia na época, mas que vim a conhecer e a explicar-me perfeitamente muito mais tarde, quando tudo estava terminado. De outro modo não poderia ser claro, seria preciso que eu me exprimisse por enigmas. Assim darei esta explicação franca e simples, sacrificando o pretenso lado artístico, e o farei como se não fosse eu quem escrevesse, sem que meu coração mostrasse interesse, sob a forma duma espécie de notícia local de jornal.

Lambert, meu colega de infância, teria muito bem podido, e mesmo literalmente, estar filiado àqueles ignóbeis bandos de pequenos intrigantes que se associam para o que hoje se chama chantagem e sobre os quais recaem agora certas definições e penas do Código. O bando do qual participava Lambert formara-se em Moscou e ali já havia cometido não pequeno número de falcatruas (foi mais tarde descoberto em parte). Soube depois que tinham tido, em Moscou, durante certo tempo, um dirigente extraordinariamente experimentado e não tolo de todo, um homem já maduro. Executavam suas façanhas, ora o bando todo, ora pequenos grupos. Ao lado de coisas extremamente sujas e inomináveis (de que trataram os jornais), entregavam-se também a casos bastante complicados e até mesmo astutos, sob a direção de seu chefe. Conheci alguns desses casos mais tarde, mas não entrarei em detalhes. Mencionarei somente que o traço mais característico da ação deles consistia em descobrir os segredos de homens por vezes muito honestos e altamente colocados; após o que iam procurar essas pessoas e as ameaçavam de publicar certos documentos (que por vezes não possuíam absolutamente), exigindo delas dinheiro para permanecer em silêncio. Há coisas que não são repreensíveis e não são absolutamente criminosas, mas de que o homem mais honesto e mais firme teme a publicação. Exploravam na maior parte do tempo os segredos de família. Para mostrar com que habilidade operava por vezes seu chefe, contarei, sem nenhum detalhe, em três linhas, uma de suas façanhas. Ocorrera numa casa bastante honrada um ato realmente lamentável e até mesmo criminoso; a mulher de um homem conhecido e respeitado tinha uma ligação secreta com um jovem e rico oficial. Farejaram o caso e eis o que fizeram: informaram o rapaz de que iriam avisar o marido. Não tinham a menor prova e o rapaz sabia perfeitamente, coisa que eles aliás não ocultavam; mas toda a habilidade do processo e toda a astúcia de seu cálculo consistiam, naquela circunstância, na consideração de que o marido, prevenido, agiria, mesmo sem provas, exatamente da mesma maneira e executaria exatamente as mesmas gestões que poria em prática se tivesse recebido as provas mais matemáticas. Especulavam aqui sobre o conhecimento do caráter daquele homem e da sua situação familiar. Havia no bando um rapaz da melhor sociedade e que conseguira previamente obter as informações úteis. Extorquiram do amoroso uma elevadíssima soma e sem o menor perigo para eles, uma vez que a própria vítima não desejava senão o silêncio.

Embora participando daquilo, Lambert não pertencia completamente àquele bando moscovita. Mas, tendo tomado gosto pela coisa, começou pouco a pouco e a título de ensaio a operar por sua conta. Vou dizer logo: não tinha de todo aptidões para aquilo. Era astuto e calculista, mas demasiado ardoroso e além disso demasiado simples ou, para melhor dizer, demasiado ingênuo: não conhecia nem os homens nem a sociedade. Creio, por exemplo, que não compreendia totalmente o papel daquele chefe de Moscou e que dirigir e organizar semelhantes empreitadas parecia-lhe muito fácil. Enfim, acreditava que quase todo mundo fosse tão velhaco quanto ele. Ou bem, por exemplo, tendo uma vez imaginado que alguém tinha medo ou devia ter medo por essa ou aquela razão, não duvidava mais doravante de que o outro tivesse realmente medo: era um axioma. Não me exprimo bem; mais tarde tudo isso será esclarecido pelos fatos, mas, a meu ver, era de educação bastante grosseira e havia certos sentimentos bons e nobres nos quais não somente não acreditava, mas de que nem mesmo tinha ideia.

Dirigiu-se a Petersburgo porque, desde muito tempo já, sonhava com a capital como um campo de ação mais vasto do que Moscou, e também porque já dera com os burros n'água em Moscou e era procurado ali por certa pessoa animada das piores intenções a seu respeito. Uma vez em Petersburgo, pôs-se logo em relações com um antigo camarada. Mas achou o campo reduzido, os negócios mesquinhos. As amizades aumentaram depois, sem grandes resultados: "As pessoas daqui são bichinhos meninotes e nada mais", disse-me mais tarde. Ora, numa bela manhã, ao romper do dia, eis que ele dá comigo, gelado, ao pé dum muro e vem assim a encontrar a pista dum riquíssimo negócio. Tal era pelo menos sua opinião.

Todo esse negócio decorria das coisas que contei então em casa dele, quando me degelava. Eu estava, sem dúvida, por assim dizer, delirando. Mas nem por isso deixava de depreender-se do que eu dizia, que, de todas as minhas amarguras daquele dia fatal, a que me voltava mais à memória e me pesava unicamente no coração era a injúria recebida de Bioring e dela, de outro modo não teria sido ela o único assunto de meu delírio em casa de Lambert: eu teria delirado, por exemplo, a propósito de Ziérchtchikov; ora, só me referia àquilo, como o soube mais tarde do próprio Lambert. Além disso, estava entusiasmado e considerava, naquela terrível manhã, Lambert e Alfonsina como espécies de libertadores e de salvadores. Quando mais tarde, durante minha convalescença, perguntava a mim mesmo ainda no meu leito: "Que pode Lambert saber pelo que eu dizia e até que ponto me entreguei a ele?", não me ocorria jamais a menor suspeita de que ele pudesse ter sabido tanta coisa! Bem decerto, a julgar pelos meus remorsos, então eu já supunha que devia ter falado demais; repito, porém, jamais teria suposto que chegara a tal ponto! Esperava também, e contava com isso, que não tinha força naquele momento de pronunciar palavras articuladas, disso me restando uma lembrança bem nítida; e, no entanto, verificou-se na realidade que então eu pronunciava muito mais claramente do que o supunha e esperava. Mas o importante é que tudo isso só se descobriu mais tarde e muito tempo depois: e nisso consistia a minha desgraça.

Pelo meu delírio, pelo meu falatório, balbucios, entusiasmos e tudo mais, soube ele primeiramente: quase todos os nomes, com exatidão, e até mesmo certos endereços. Em segundo lugar, formou uma ideia bastante aproximada do papel daqueles personagens (o velho príncipe, ela, Bioring, Anna Andriéievna e até mesmo Viersílov). Em terceiro lugar, soube que eu me considerava ofendido e ameaçava vingar-me; enfim, e em quarto lugar e sobretudo, soube que existia certo documento misterioso e oculto, uma carta que bastaria mostrar a um velho príncipe semilouco para que, ao lê-la e saber que sua própria filha o julgava louco e consultava juristas, para mandá-lo internar, ficasse definitivamente louco, ou então a expulsasse de sua casa e a deserdasse, ou então se casasse com uma *Mademoiselle* Viersílov com a qual já pretendia casar-se apesar da oposição que se fazia a isso. Em resumo, Lambert soube duma porção de coisas; sem dúvida, muitas outras permaneciam obscuras, mas nem por isso o chantagista deixava de estar no rastro. Quando, mais tarde, fugi da casa de Alfonsina, ele descobriu imediatamente meu endereço (da maneira mais simples do mundo: no Registro de Endereços);[84] em seguida, tomou imediatamente as informações necessárias que lhe deram a conhecer que todos os indivíduos por mim citados existiam realmente. Então deu o primeiro passo.

---

84 Repartição que funcionava na Delegacia de Polícia, onde se podia obter o endereço de qualquer pessoa.

O essencial era existir um documento e ser eu o seu detentor. Esse documento possuía alto valor; Lambert não duvidava disso. Omito aqui uma circunstância que será preferível mencionar mais tarde no lugar devido; direi apenas que essa circunstância confirmou Lambert poderosamente na sua convicção quanto à existência real e sobretudo o valor do documento. (Circunstância fatal, previno logo, e que eu não podia de modo algum imaginar na época, nem mesmo até o fim de toda a história, até o momento em que tudo desmoronou de repente e se esclareceu por si mesmo.) Assim, bem convencido desse ponto essencial, foi ter, antes de tudo, com Anna Andriéievna.

É ainda para mim um enigma: como pôde aquele Lambert insinuar-se e penetrar até junto de uma pessoa tão inabordável e sublime como Anna Andriéievna? Tomara suas informações, sem dúvida, mas que adiantava isso? Estava bem vestido, sem dúvida, tinha sotaque parisiense e usava um nome francês; mas como Anna Andriéievna não descobriu imediatamente o intrujão? Ou então seria preciso supor que tinha ela necessidade daquele intrujão, precisamente naquele momento? Seria possível?

Jamais pude conhecer os pormenores da entrevista deles, mas muitas vezes, mais tarde, imaginei a cena. O mais provável é que Lambert, desde as primeiras palavras e os primeiros gestos, desempenhou perante ela o papel do amigo de infância que treme por causa de um camarada amado e querido. Em todo caso, desde essa primeira entrevista, ele soube lançar uma alusão muito clara ao documento de que era eu detentor, dar-lhe a entender que era um segredo, que era, ele, Lambert, o único a possuí-lo e que eu contava com esse documento para vingar-me da Generala Akhmákova, e assim por diante. Sobretudo, pôde explicar-lhe, com toda a precisão desejável, a importância e o valor daquele papel. Quanto a Anna Andriéievna, estava justamente numa situação de não poder deixar de agarrar-se a uma notícia daquele gênero, nem ouvi-la com extrema atenção e... não se deixar prender ao anzol — por causa da luta pela existência.

Justamente naquela ocasião acabavam de separá-la de seu noivo e de levá-lo, sob tutela, a Tsárskoie Sieló, tendo sido ela também posta sob vigilância. Ora, apresenta-se uma verdadeira boa fortuna: não são mais cochichos de comadres, nem queixas lacrimejantes, nem falinhas e mexericos, há agora uma carta, um manuscrito, isto é, uma prova matemática das intenções pérfidas da filha do príncipe e de todos aqueles que o arrebatam dela, a prova, por consequência, de que ele precisa salvar-se, mesmo pela fuga, salvar-se correndo para junto dela, para junto dela, Anna Andriéievna, e casar-se com ela em vinte e quatro horas; senão será internado num asilo de loucos.

Talvez tenha sido o próprio Lambert que não andou com ardis absolutamente, nem um só minuto, com aquela senhorita, mas foi-lhe logo dizendo, brutalmente, sem mais aquela: "*Mademoiselle*, ou ficará solteirona, ou então será princesa e milionária: eis o documento, vou subtraí-lo daquele rapaz e passá-lo às suas mãos... em troca duma cédula de trinta mil". Creio mesmo que foi o que aconteceu. Sim, julgava todo mundo tão velhaco quanto ele próprio; repito: tinha a ingenuidade do velhaco, a inocência do velhaco... Duma maneira ou doutra, é muito possível que Anna Andriéievna também, em face de semelhante ataque, não se tenha perturbado um só instante, tenha sabido perfeitamente conter-se e escutar o chantagista que lhe falava no seu estilo próprio — tudo por "largueza de espírito". Sem dúvida, no começo, corou um pouco, mas enrijeceu-se e escutou até o fim. Como imagino bem aquela mulher inabordável, altiva, verdadeiramente digna e dotada de tal espírito, às voltas com Lambert! Sim... justamente dotada de um tal espírito! Um espírito russo, de semelhantes envergadura, amoroso da largueza; e, além do mais, um espírito de mulher e em semelhantes circunstâncias!

Agora vou resumir: no dia e na hora de minha saída, após minha doença, ocupava Lambert as duas posições seguintes (agora é que sei com certeza): em primeiro lugar, exigir de Anna Andriéievna, em troca do documento, uma cédula de pelo menos trinta mil; em seguida, ajudá-la a fazer medo ao príncipe, a raptá-lo e a casá-lo com ela bruscamente — em suma, algo neste gênero. Houve mesmo todo um plano estabelecido; esperava-se somente meu concurso, isto é, o documento.

Segundo projeto: trair Anna Andriéievna, abandoná-la e vender o documento à Generala Akhmákova, se houvesse mais vantagens. Neste caso, contava-se também com Bioring. Mas Lambert ainda não estivera com a generala. Havia-a simplesmente seguido. Também nisso, contava comigo.

Oh! eu era bastante necessário para ele, não eu propriamente, mas o documento. A meu respeito, tinha também dois planos. O primeiro consistia, se não houvesse nenhum outro meio, em agir de acordo comigo e pôr-me a meias no negócio, depois de se ter previamente apoderado de mim moral e fisicamente. Mas o segundo plano lhe sorria bem mais: consistia em enganar-me como a um rapazinho e roubar-me o documento ou mesmo tirá-lo de mim à força. Ele estimava e acarinhava este plano nos seus sonhos. Repito: havia certa circunstância por causa da qual ele não duvidava, por assim dizer, do êxito de seu segundo plano, mas já disse que a explicarei mais tarde. Em todo caso, esperava-me com uma impaciência convulsiva: tudo dependia de mim, todos os passos e a escolha do plano.

É preciso fazer-lhe justiça: dominou-se até o momento querido, apesar da sua febre. Não veio ver-me durante minha doença — uma vez somente passou em minha casa e falou a Viersílov; não me atormentou, não me fez medo, conservou a meu respeito, até o dia e hora de minha saída, um ar de completa independência. Quanto ao fato de eu poder comunicar, ou remeter, ou destruir o documento, estava tranquilo a respeito. Pudera concluir de minhas palavras em sua casa que eu mesmo levava em muita conta esse segredo e temia que o documento fosse conhecido. Que eu iria primeiro à casa dele e à de ninguém mais, desde o primeiro dia de minha cura, não duvidava tampouco: Dária Onísimovna viera ver-me, em parte por ordem dele e sabia que minha curiosidade e meu temor já estavam despertados e que eu não me conteria... Além disso, tomara todas as medidas, pudera saber até o dia de minha saída, tanto que eu não podia de modo algum escapar-lhe, ainda mesmo que o tivesse querido.

Mas, se Lambert me esperava, Anna Andriéievna me esperava talvez ainda mais. Direi francamente: Lambert podia ter razão preparando-se para traí-la e a culpa estava da parte dela. Apesar do seu acordo certo (ignoro a forma, mas não duvido do fato), Anna Andriéievna, até o derradeiro minuto, não foi inteiramente franca com ele. Não se abandonou. Fizera alusão a toda espécie de consentimento de sua parte e a toda espécie de promessas, mas somente alusão; escutara, talvez, todo o seu plano nos detalhes, mas havia-o aprovado apenas com seu silêncio. Tenho sólidas razões para acreditar que assim seja e a causa disso está no fato de que ela me esperava. Preferia tratar comigo a fazê-lo com um velhaco como Lambert: é para mim um fato evidente! E compreendo-a: mas o erro estava em que Lambert também compreendeu isso por fim. Teria sido demasiado desvantajoso para ele, se ela me subtraísse o documento sem o auxilio dele, entrasse em acordo comigo, excluindo-o. Além disso, naquele momento, estava já convencido da gravidade do "negócio". Outro no seu lugar teria tremido, teria continuado a alimentar dúvidas; mas Lambert era jovem, audacioso, sedento de ganho imediato, conhecia pouco os homens e supunha-os todos desonestos; um homem como ele não podia duvidar mais, tanto mais quanto já obtivera de Anna Andriéievna todas as confirmações essenciais.

Uma palavra ainda e a mais importante: sabia Viersílov, naquele dia, de alguma coisa? Participava já de certos planos, ao menos afastados, em comum com Lambert? Não, não, e não, naquele momento não participava ainda, se bem que talvez uma palavra fatal tivesse já sido arriscada... Mas basta, basta: estou-me antecipando verdadeiramente demais.

Pois bem, e eu? Eu sabia de alguma coisa? Que sabia eu no dia de minha saída? Ao começar esta notícia, preveni que de nada sabia no dia de minha saída, que soube de tudo muito mais tarde e até mesmo quando estava tudo concluído. É verdade, mas é toda a verdade? Não, toda não. Eu já sabia de algumas coisa, é certo, sabia mesmo muito, mas como? Que o leitor se lembre do sonho! Se semelhante sonho pode existir, se pode arrancar-se de meu coração e formular-se daquela maneira, é que eu ignorava ainda aquela massa de coisas, mas as pressentia de acordo com o que acabo de explicar aqui e que só soube com efeito no momento em que tudo já estava acabado. Saber, não sabia, mas meu coração batia por força dos pressentimentos e os maus espíritos haviam-se apoderado de meus sonhos. Eis pois para a casa de que homem eu corria, sabendo perfeitamente quem ele era e pressentindo mesmo os detalhes! E por que corria assim? Imaginai uma coisa: agora, neste instante mesmo em que escrevo, parece-me que já sabia naquele momento, nos mínimos detalhes, por que ia ao encontro dele, quando, na realidade, ainda uma vez, não sabia de nada. O leitor compreenderá talvez. Agora, ao fato, e todos os fatos uns após outros.

II

Tudo começou assim: dois dias antes de minha primeira saída, Lisa chegou em casa, à tarde, toda alarmada. Estava terrivelmente envergonhada; e acontecera-lhe com efeito algo de intolerável.

Já mencionei suas relações com Vássin. Fora encontrá-lo não somente para nos mostrar que não tinha necessidade de nós, mas também porque o estimava realmente. Tinham-se conhecido em Luga e sempre me parecera que Vássin não era indiferente a Lisa. Na desgraça que a atingia, ela podia, é claro, desejar os conselhos de um espírito firme, calmo, sempre elevado, como o supunha em Vássin. Além disso, as mulheres não são peritas na apreciação dos espíritos masculinos, desde que um homem lhes agrade. Aceitam de boa-vontade paradoxos como conclusões estritas, uma vez que esses paradoxos coincidam com os desejos delas. O que Lisa apreciava em Vássin era o interesse que ele mostrava pela sua situação presente e, como lhe parecera desde as primeiras vezes, sua simpatia pelo príncipe. Suspeitando, aliás dos sentimentos dele para com ela, não podia deixar de levar em boa conta aquela simpatia dele pelo seu rival. O príncipe, a quem confiara que ia por vezes consultar Vássin, acolheu essa notícia, desde a primeira vez, com extrema inquietação; ficou com ciúme dela. Lisa sentiu-se magoada e continuou, intencionalmente doravante, a ver Vássin. O príncipe calou-se, mas ficou sombrio. Lisa confessou-me mais tarde (muito tempo depois) que Vássin cessou bem depressa de agradar-lhe; era tranquilo e aquela tranquilidade perpétua e regular que lhe havia de tal modo agradado no começo pareceu-lhe em seguida bastante desagradável. Era, sem dúvida, um homem prático, e lhe havia realmente dado vários conselhos excelentes ao que parecia, mas todos esses conselhos, como por acaso, tinham-se mostrado inexequíveis. Formulava às vezes opiniões demasiado arrogantes e sem a menor timidez diante dela; cada vez com menos timidez — o que ela atribuiu a certo desinteresse involuntário e crescente pela sua situação. Uma vez, agradeceu-lhe por continuar a tratar-me com benevolência e, sendo tão intelectualmente superior a mim, conversar comigo como um igual (quer dizer que ela lhe transmitiu minhas próprias palavras). Ele respondeu-lhe:

— Não é isso e não é por isso. É que entre ele e os outros, não vejo a menor diferença. Não o julgo nem mais tolo que as pessoas inteligentes, nem pior que os bons. Sou o mesmo para todos, porque a meus olhos todos são idênticos.

— Como? O senhor não vê diferenças?

— Oh! bem decerto as pessoas diferem umas das outras em tal ou qual ponto, mas a meus olhos essas diferenças não existem porque não me afetam; para mim, todos são iguais e tudo me é igual, e por isso é que sou igualmente bom com todo mundo.

— E não se aborrece?

— Não; estou sempre contente comigo mesmo.

— E não tem desejos?

— É claro. Mas não muitos. Não tenho necessidade de nada, ou de quase nada, nem mesmo de um rublo a mais. Eu vestido de ouro, ou eu tal como sou, é tudo uma coisa só; os trajes de ouro nada acrescentarão a Vássin. Os bons pedaços não me seduzem: existem lugares ou honrarias que valham o lugar que valho?

Lisa assegurou-me, pela sua honra, que ele lhe declarou um dia tudo isso textualmente. De fato, antes de julgar, seria preciso saber as circunstâncias em que foram pronunciadas aquelas palavras.

Lisa chegou pouco a pouco a esta conclusão de que, para com o príncipe também, ele tinha indulgência, talvez somente porque todo mundo era igual a seus olhos e as diferenças não existiam e de modo algum por simpatia por ela; mas, pelo fim, ele perdeu visivelmente sua indiferença e passou a julgar o príncipe não só com desaprovação, mas até mesmo com uma ironia desdenhosa. Isto enervou Lisa, mas nem por isso Vássin mudou de parecer. Principalmente, usava sempre de expressões delicadas, mesmo condenado mostrava-se sem indignação, limitando-se a tirar as conclusões lógicas da nulidade do herói de Lisa; nesta lógica consistia a ironia. Enfim, deduziu-lhe frontalmente todo o irracional de seu amor, toda a natureza constrangida desse amor. "Você errou nos seus sentimentos e os erros, uma vez reconhecidos, devem ser necessariamente reparados."

Isso mesmo havia ocorrido naquele dia. Lisa, indignada, levanta para retirar-se, mas que fez então e que concluiu aquele homem sensato? Com o ar mais nobre e até mesmo com sentimento, pediu-a em casamento. Lisa tratou-o, ali mesmo e bem na cara, de idiota e saiu.

Propor-lhe trair um desgraçado porque esse desgraçado não a vale e sobretudo fazer essa proposta a uma mulher grávida desse desgraçado, eis a inteligência dessa gente! Chamo a isso de tremenda limitação nas teorias e de ignorância absoluta da vida, proveniente dum imenso orgulho. Ainda por cima, Lisa percebeu com clareza que ele estava orgulhoso de sua conduta, ainda que fosse somente porque a sabia grávida. Com lágrimas de indignação, correu a ter com o príncipe, mas este — este chegou mesmo a ultrapassar Vássin. Parece que teria podido convencer-se, após o relato dela, de que não havia mais motivo para ter ciúme; ora, foi então que ele perdeu a cabeça. Aliás, todos os ciumentos são assim! Fez-lhe uma cena terrível e ofendeu-a tanto que ela esteve a dois dedos de romper imediatamente todas as relações com ele.

Voltou entretanto para casa, dominando-se ainda, mas não pode deixar de confiar tudo à minha mãe. Naquela tarde, tornaram a estar de perfeito acordo exatamente como outrora: o gelo se partira; ambas, naturalmente, choraram a mais não poder, abraçadas, segundo seu costume, e Lisa pareceu acalmar-se, embora ficando muito sombria. À noite, permaneceu no quarto de Makar Ivânovitch, sem pronunciar uma palavra, mas sem sair do quarto. Escutou com muita atenção o que ele dizia. Depois do dia do tamborete tinha por ele um respeito extraordinário e um pouco tímido, mantendo-se além disso pouco loquaz.

Mas dessa vez, Makar Ivânovitch, de maneira um tanto inesperada e surpreendente, mudou de conversa; anotarei que Viersílov e o doutor tinham confabulado pela manhã a respeito da saúde dele, com ar bastante preocupado. Anotarei também que, desde vários dias já, se preparava em nossa casa a festa de aniversário de mamãe, a ocorrer exatamente dentro de cinco dias, falando-se disso muitas vezes. A este propósito, Makar Ivânovitch lançou-se de repente a evocar recordações e relembrou a infância de mamãe, na época em que "ela não se mantinha ainda nas suas perninhas".

— Eu não a deixava — lembrava o ancião. — Ensinava-lhe a andar, punha-a num canto, a três passos de mim, e depois chamava-a e ela atravessava o quarto toda cambaleante, sem medo, rindo, e corria até mim, lançava-se em meus braços e abraçava-me o pescoço. Em seguida, eu te contava histórias, Sófia Andriéievna, eras doida por histórias; ficavas duas horas seguidas, sentada em meus joelhos a ouvir-me. Todo mundo se admirava na isbá: "Olhem como ela é agarrada a Makar". Ou então, levava-te para a floresta, descobria um framboeseiro, sentava-te ali e fazia para ti um assobio de madeira. Depois de ter passeado bastante, voltávamos para casa: a criança dormia nos meus braços. Um dia, ela teve medo do lobo, lançou-se contra mim toda trêmula , mas não havia lobo nenhum.

— Disso eu me lembro — disse mamãe.

— Lembras-te? Não é possível!

— Lembro-me de muitas coisas. Até onde posso remontar nas minhas recordações, sempre encontro seu amor e sua ternura por mim — disse ela com voz compenetrada, corando toda.

Makar Ivânovitch esperou um instante:

— Adeus, meus filhos, vou-me. Agora, chegou o fim de minha vida. Na minha velhice, encontrei a consolação de todas as minhas penas; obrigado, meus amigos.

— Não diga isso, meu caro Makar Ivânovitch — exclamou Viersílov, um tanto comovido. — Dizia-me o doutor ainda há pouco que você está incomparavelmente melhor...

Mamãe escutava com a maior atenção, mas amedrontada.

— Que sabe ele, o teu Alieksandr Siemiônovitch? — sorriu Makar Ivânovitch. — É muito delicado, mas é tudo. Basta, meus amigos, ou será que pensais que tenho medo de morrer? Esta manhã, após minhas orações, veio-me ao coração uma espécie de pressentimento de que não sairei mais daqui: alguém me disse. Pois bem, vamos, bendito seja o nome do Senhor! Somente, gostaria de contemplar-vos a todos ainda. Jó, o Sofredor, ao olhar seus novos netos, consolava-se, mas ele se esquecia dos precedentes, e poderia esquecê-los? Não, é impossível! Somente com os anos, o pesar se mistura à alegria, transforma-se num suspiro feliz. É assim no mundo: cada alma é ao mesmo tempo experimentada e consolada. Decidi, meus filhos, dizer-vos uma palavra, não mais do que isso — continuou ele, com um doce e belo sorriso, que jamais esquecerei; depois, voltando-se de repente para mim: — Tu, meu querido, enche-te de zelo pela Santa Igreja, e, quando chegar o momento, morre por ela, se preciso; mas espera, não te espantes, não é para agora logo — acrescentou, rindo. — Agora, não pensa nisso, mais tarde, talvez, venhas a pensar. Somente uma coisa ainda: se projetas fazer algum bem, faze-o por Deus e não por gosto. Mantém-te firmemente no teu propósito e não cedas a qualquer espécie de covardia; mas age pouco a pouco, sem te precipitares, nem te arrojares impetuosamente; pois bem, eis tudo de quanto precisas. Ainda isto: habitua-te a fazer tuas orações todos os dias sem falta. Digo-te isto mesmo, talvez o recordes algum dia. Ao senhor também, Andriéi Pietróvitch, meu caro, queria dizer algumas palavras, mas Deus haverá bem de encontrar seu coração sem mim. Há muito tempo que deixamos de falar dessa coisa, desde que aquela flecha traspassou meu coração. Mas agora, ao ir-me, relembrarei somente... a promessa que o senhor me fez então...

Pronunciou estas derradeiras palavras num murmúrio, de cabeça baixa.

— Makar Ivânovitch! — disse Viersílov, com emoção e levantando.

— Bem, bem, não se perturbe, meu caro, é uma simples lembrança... O mais culpado para com Deus naquele caso fui eu! Muito embora fosse o senhor meu amo, eu não devia ceder àquela fraqueza. Assim, tu também, Sófia, não perturbes excessivamente tua alma, uma vez que todo o teu pecado é o meu e creio bem que naquele momento não estavas em tua razão, e o senhor tampouco, meu caro, não mais do que ela — sorriu, com os lábios trêmulos por causa de alguma dor. — Teria podido dar-te um ensino, naquela ocasião, minha esposa, mesmo a pauladas, e teria sido mesmo meu dever agir assim, mas tive compaixão, quando caíste diante de mim, em lágrimas e me revelaste... Beijavas meus pés... Não é uma censura, minha bem-amada, é apenas para lembrar a Andriéi Pietróvitch... pois que o senhor mesmo, meu caro, se lembra de sua promessa de gentil-homem, e de que o casamento cobre tudo... Falo diante de meus filhinhos...

Estava extremamente comovido e olhava Viersílov como se esperasse dele uma palavra de confirmação. Repito, tudo isso era tão inesperado que fiquei pregado na minha cadeira, sem um movimento. Viersílov estava pelo menos tão emocionado quanto ele. Aproximou-se em silêncio de mamãe e abraçou-a fortemente; mamãe em seguida aproximou-se, sem nada dizer tampouco, na direção de Makar Ivânovitch e fez-lhe uma profunda reverência.

Em uma palavra, a cena era patética. Daquela vez não havia nenhuma pessoa estranha no quarto, nem mesmo Tatiana Pávlovna. Lisa havia-se erguido toda na sua cadeira e escutava em silêncio; de repente levantou e disse com firmeza a Makar Ivânovitch:

— Abençoe-me também, Makar Ivânovitch, por causa da grande provação que me espera. Amanhã decide-se todo o meu destino... Reze hoje por mim.

E saiu. Sei que Makar Ivânovitch estava já informado a respeito dela por mamãe. Mas era a primeira vez naquela noite que eu via Viersílov e mamãe juntos; até então, só vira junto dele uma escrava. Havia uma enormidade de coisas que eu não sabia ainda e que jamais notara naquele homem que eu já havia condenado e foi por isso que voltei para o quarto perturbado. É preciso dizer que justamente naquele momento todas as minhas dúvidas a seu respeito se haviam tornado mais densas; nunca como agora me parecera tão misterioso, tão enigmático; mas isto é toda a história que estou escrevendo; tudo virá a seu tempo.

"No entanto — pensava eu comigo mesmo, pondo-me na cama —, deu ele a Makar Ivânovitch sua palavra de gentil-homem, de casar com minha mãe no caso em que ela ficasse viúva. Nada me dissera outrora disso, ao falar-me de Makar Ivânovitch."

No dia seguinte, Lisa não esteve em casa o dia todo e quando regressou, era já bastante tarde, dirigindo-se imediatamente ao quarto de Makar Ivânovitch. Eu não queria incomodá-los, mas tendo notado que lá já estavam mamãe e Viersílov, entrei no entanto. Lisa estava sentada ao lado do ancião e chorava sobre seu ombro; o velho, com um semblante triste, acariciava-lhe a cabeça em silêncio.

Viersílov explicou-me (em meu quarto, depois) que o príncipe mantinha-se firme e estava decidido a casar com Lisa na primeira oportunidade, mesmo antes da decisão do tribunal. Lisa tinha dificuldade em decidir, se bem que não tivesse já quase mais o direito de não decidir. Makar Ivânovitch também lhe ordenava que casasse. Naturalmente, tudo isso teria se arranjado por si mesmo depois e ela o teria certamente desposado espontaneamente, sem ordem nem hesitação, mas no momento estava tão cruelmente ofendida por aquele a quem amava e tão humilhada por aquele amor, mesmo a seus próprios olhos, que lhe era difícil decidir. Além da ofensa, misturava-se àquilo ainda uma nova circunstância de que eu não podia suspeitar.

— Ouviste falar de toda aquela mocidade presa ontem na Pietersbúrgskaia Storoná? — acrescentou de repente Viersílov.

— O que? Diergatchov? — exclamei.

— Sim. E Vássin também.

Fiquei estupefato, sobretudo por causa de Vássin.

— Será que ele se meteu em alguma coisa? Que irão fazer deles, meu Deus? e justamente no momento em que Lisa tanto o acusou!... Que poderá acontecer-lhes, na sua opinião? Stiebielhkov deve estar metido nisso! Juro-lhe, Stiebielhkov deve estar metido nisso!

— Deixemos isso — disse Viersílov, lançando-me um olhar singular (como se olha um homem que não compreende nada e não adivinha nada) —, quem sabe o que há nesse caso? Quem pode saber o que farão deles? Não era o que eu queria dizer: soube que querias sair amanhã. Não irás ver o Príncipe Sierguiéi Pietróvitch?

— Irei, sem dúvida, muito embora, confesso, essa visita me seja muito penosa. Tem alguma coisa a mandar dizer-lhe?

— Não, nada. Eu mesmo irei vê-lo. Tenho compaixão de Lisa. Que conselho pode dar-lhe Makar Ivânovitch? Ele mesmo não entende nada, nem dos homens, nem da vida. Ainda uma coisa, meu caro (havia muito tempo que ele não me chamava mais "meu caro"), há nisso... alguns jovens... dos quais um é teu antigo camarada Lambert... Causam-me todos o efeito de horrendos velhacos... Queria simplesmente prevenir-te... Mas tudo isso é negócio teu e compreendo que não tenho o direito...

— Andriéi Pietróvitch — agarrei-lhe a mão, sem pensar e quase com entusiasmo, como me acontece muitas vezes (isto se passava na escuridão quase completa) —, Andriéi Pietróvitch, não disse nada, o senhor bem viu, não disse nada até agora e sabe por quê? Para evitar os seus segredos. Estou bem resolvido a jamais conhecê-los. Sou covarde, tenho medo de que seus segredos venham a me arrancar o senhor do coração e para sempre desta vez, o que não desejo. Então, por que o senhor haveria de conhecer os meus? Fique indiferente a qualquer destino que eu tome! Não é assim?

— Tens razão, mas nem mais uma palavra, suplico-te! — declarou ele, deixando-me. Assim, por acaso, tivemos essa pequena explicação. Mas ele só fizera aumentar minha perturbação antes do novo passo do dia seguinte, de sorte que passei a noite inteira acordando vezes seguidas. Mas achava-me bem.

III

No dia seguinte, quando saí de casa, já eram dez horas; mas fiz todos os esforços para sair às ocultas, sem despedida, sem uma palavra, ou melhor dizendo, esquivei-me. Por que agia dessa maneira? Ignoro mas, mesmo se mamãe me tivesse visto sair e tivesse travado conversa, eu teria respondido com maus modos. Uma vez na rua, quando respirei o ar fresco, estremeci com uma sensação muito forte, quase animal e que chamarei de carnívora. Por que e aonde eu ia? Era totalmente indeterminado e ao mesmo tempo carnívoro. Tinha medo e alegria ao mesmo tempo.

"Vou ou não vou embora, hoje?", pensava eu então, animado comigo mesmo, sabendo muito bem que aquele passo daquela manhã, uma vez dado, seria definitivo e irreparável para toda a minha vida. Mas de que serve falar por enigmas?

Fui diretamente à prisão do príncipe. Havia três dias já, Tatiana Pávlovna me dera um cartão para o diretor, o qual me recebeu muito bem. Não sei se era um homem bom e creio que isso é supérfluo; mas autorizou minha entrevista com o príncipe e arranjou-a no seu quarto, que nos cedeu amavelmente. O quarto era, como todos os quartos, vulgar, de funcionário médio alojado pelo Estado. É supérfluo também, creio, descrevê-lo. De modo que fiquei a sós com o príncipe.

Recebeu-me com um traje de casa meio militar, mas com roupa interior muito limpa, uma gravata elegante, lavado e penteado, e, com tudo isso, terrivelmente emagrecido e amarelado. Notei aquele amarelão até nos seus olhos. Em suma, estava tão mudado que me detive estupefato.

— Como o senhor está mudado! — exclamei.

— Não é nada! Sente-se, meu caro — com um ar um tanto pretensioso mostrou-me uma poltrona e sentou-se diante de mim. — Abordemos o ponto essencial: você vê, meu caro Alieksiéi Makárovitch...

— Arkádi! — retifiquei.

— Como? Ah! sim; bem, bem, pouco importa. Ah! sim! — acabava de compreender. — Perdão, meu caro, cheguemos ao ponto essencial...

Em uma palavra, estava furiosamente apressado para chegar ao seu objetivo. Penetrava-o, da cabeça aos pés, não sei que ideia essencial, que desejava formular e expor-me. Falava muito e depressa, explicando-se com esforço e sofrimento, e gesticulando, mas a princípio eu não compreendia absolutamente nada.

— Em suma (já empregara esta palavra uma boa dezena de vezes), em suma — concluiu ele —, se o importunei, Arkádi Makárovitch, se tanto insisti ontem, por intermédio de Lisa, para que você viesse, é que é urgente, mas, como a decisão deve ser excepcional e definitiva, nós...

— Permita, príncipe — interrompi-o —, o senhor mandou chamar-me ontem? Lisa não me transmitiu absolutamente nenhum recado.

— Como? — exclamou ele, parando bruscamente, numa admiração extrema, quase apavorado.

— Ela não me transmitiu absolutamente nada. Voltou ontem de tarde tão transtornada que não pôde dizer-me uma palavra sequer.

O príncipe estremeceu.

— Está dizendo mesmo a verdade, Arkádi Makárovitch? Neste caso, é...

— Mas que há nisso de tão...? Por que está tão inquieto? Ela esqueceu, muito simplesmente, ou então alguma coisa...

Sentou, mas como que estupidificado. Parecia que a notícia de que Lisa nada me transmitira o havia esmagado. Continuou bem depressa a falar e agitou os braços, mas era sempre terrivelmente difícil de compreender.

— Espere! — declarou de repente, calando-se e erguendo o dedo no ar. — Espere: são... são... se não me engano... são aquelas histórias — murmurou, com um sorriso de maníaco —, e por consequência...

— Isto não tem absolutamente importância alguma! — interrompi-o. — E não compreendo por que uma circunstância tão fútil atormenta-o tão intensamente... Ah! príncipe, desde aquele momento, desde aquela noite, lembra-se...

— Que noite e o quê? — gritou ele, de mau-humor, visivelmente descontente por ter sido interrompido.

— Na casa de Ziérchtchikov, onde nos vimos na última vez, o senhor sabe, antes de sua carta. O senhor estava também espantosamente transtornado. Mas entre então e agora há tal diferença que me espanto de vê-lo... Ou será que o senhor não se recorda?

— Ah! sim! — declarou ele, com uma voz de homem do mundo e como que se recordando de repente —, ah! sim! Naquela noite... Ouvi dizer... Pois bem, como está passando? E como se encontra agora depois de todas aquelas histórias, Arkádi Makárovitch?... Mas vamos ao ponto essencial. É que você veja, persigo três objetivos, tenho três alvos diante de mim e...

Pôs-se de novo a falar de seu ponto essencial. Compreendi por fim que estava às voltas com um homem em cuja cabeça teria sido preciso imediatamente aplicar pelo menos um pano embebido de vinagre, ou então dar-lhe uma sangria. Toda a sua conversa sem nexo girava, como era justo, em torno do processo, em torno do resultado possível; em torno da visita que lhe fizera o comandante do regimento em pessoa, que o havia longamente desviado de certo passo, mas a quem não dera ouvidos; em torno de um bilhete que acabara de enviar a alguma parte; em torno de um promotor; em torno da ideia de que o exilariam certamente para algum lugar, destituído de seus direitos, no norte da Rússia; em torno da possibilidade de fazer-se colono e de reabilitar-se em Tachkent; em torno das lições que daria a seu filho (a nascer, de Lisa), que levaria consigo para o deserto, em Arkangelsk, em Kholmogóri. "Se quis saber sua opinião, Arkádi Makárovitch, creia bem que é porque aprecio de tal modo... Se você soubesse, se você soubesse, Arkádi Makárovitch, meu caro, meu caro irmão, o que é para mim Lisa, o que ela tem sido para mim aqui, agora, todo este tempo!" — exclamou de repente, segurando a cabeça entre as mãos.

— Sierguiéi Pietróvitch, será possível que queira o senhor sua morte, levando-a com o senhor para Kholmogóri?! — Esta frase escapou-me contra a vontade. A sorte de Lisa, ligada àquele maníaco por toda a sua vida, aparecia-me bruscamente em toda a sua clareza e como que pela primeira vez. Olhou-me, levantou de novo, deu um passo, voltou as costas e tornou a sentar, conservando sempre a cabeça entre as mãos.

— Sonho sempre com aranhas! — disse ele, de súbito.

— O senhor acha-se numa perturbação tremenda. Eu lhe aconselharia príncipe, a meter-se na cama e chamar depressa o doutor.

— Não, permita, mais tarde. Sobretudo, mandei chamá-lo para explicar-lhe... a propósito do casamento. O casamento, como você sabe, vai se realizar aqui mesmo, já disse. A autorização está dada, e até mesmo encorajam-me... Quanto a Lisa...

— Príncipe, tenha piedade de Lisa, meu caro! — exclamei. — Não a atormente, agora pelo menos, não seja ciumento.

— Como? — exclamou ele, olhando-me com seus olhos exorbitados e cortando todo o seu rosto com um sorriso demorado, absurdamente interrogador. Via-se que a palavra ciumento havia-o chocado tremendamente.

— Perdão, príncipe, foi contra minha vontade. É que conheci nestes últimos dias um velho, meu pai legal... Oh!, se o senhor o visse, ficaria mais tranquilo... Lisa também aprecia-o tanto...

— Ah! sim, Lisa... Ah! sim, é seu pai? Sim... *pardon, mon cher*, há alguma coisa... Lembro-me... ela contou-me... um velhinho... Creio, creio. Conheci também um velhinho... *Mais passons*, o essencial é esclarecer o fundo da coisa, é preciso...

Levantei-me para retirar-me. Causava-me dó vê-lo.

— Não compreendo! — declarou ele, severo e grave, vendo que eu me retirava.

— Causa-me mal, vê-lo — disse eu.

— Arkádi Makárovitch, uma palavra ainda, uma palavra só! — E segurou-me pelos ombros, com um ar e um gesto completamente diferentes, e fez-me sentar na cadeira. — Ouviu falar daquela gente, sabe quem são, não é? — E inclinou-se para mim.

— Ah! sim! Diergatchov. Stiebielhkov deve estar metido nisso! — exclamei, sem poder conter-me.

— Sim, Stiebielhkov e... você não sabia?

Parou e fixou-me de novo com os mesmos olhos esbugalhados e o mesmo sorriso demorado, convulsivo, estupidamente interrogador, cada vez mais largo. Seu rosto empalidecia pouco a pouco. De repente fui tomado dum tremor: lembrei-me do olhar de Viersílov, quando me anunciara na véspera a detenção de Vássin.

— Oh! será possível? — exclamei, espantado.

— Você vê, Arkádi Makárovitch, mandei chamá-lo justamente para explicar-lhe... Queria... — cochichou ele rapidamente.

— Foi o senhor quem denunciou Vássin? — exclamei.

— Não, é que, vê você, havia lá um manuscrito. Vássin entregara-o a Lisa antes do derradeiro dia... para que o guardasse. E ela o deixou aqui para que eu desse uma olhadela, depois do que, aconteceu terem-se zangado no dia seguinte...

— E o senhor enviou o manuscrito às autoridades?

— Arkádi Makárovitch! Arkádi Makárovitch!

— E assim — exclamei, saltando e martelando minhas palavras, —, sem outro motivo, sem outro fim, apenas porque o infeliz Vássin é seu rival, apenas por ciúme, o senhor remeteu o manuscrito confiado a Lisa... a quem o remeteu? A quem? Ao promotor?

Mas ele não teve tempo de responder; e que teria podido responder? Estava plantado diante de mim como uma estátua, sempre o mesmo sorriso doentio e o mesmo olhar imóvel; mas de súbito a porta abriu-se e Lisa entrou. Caiu quase desmaiada, vendo-nos juntos.

— Tu, aqui? Como estás aqui? — gritava ela, com um rosto bruscamente mudado e tomando-me as mãos. — Então... sabes?

Já lera no meu rosto que eu sabia. Abracei-a rapidamente, sem que ela pudesse a isso opor-se, com força, com muita força. E pela primeira vez compreendi, naquele instante, em toda a sua intensidade, que pesar sem remédio, sem limites e sem aurora pesava para sempre sobre todo o destino daquela... buscadora benévola de tormentos!

— Mas pode-se falar com ele agora? — perguntou ela, arrancando-se de chofre de mim. — Pode-se ficar com ele? Por que estás aqui? Olha, olha! Será possível julgá-lo?

Havia no seu rosto um sofrimento e uma compaixão infinitos, no momento em que, assim exclamando, mostrava-me o infeliz. Ele estava sobre a cadeira, com o rosto oculto nas mãos. E tinha ela razão: era um homem presa de febre ardente, irresponsável; três dias antes, talvez já estivesse irresponsável. Naquela mesma manhã, puseram-no na enfermaria e à noite o delírio já se havia declarado.

IV

Depois de ter estado com o príncipe, que deixei com Lisa, cerca de uma hora da tarde, dirigi-me ao meu antigo alojamento. Esqueci-me de dizer que o tempo estava úmido, nublado, com um começo de degelo e um vento tépido capaz de causar nervoso até em um elefante. O locador acolheu-me com alegria, todo solícito e agitado, o que detesto em momentos semelhantes. Mostrei-me seco e fui direto a meu quarto, mas ele seguiu-me. Não ousava interrogar-me, mas a curiosidade brilhava nos seus olhos e tinha o ar de alguém que já tem o direito de ser curioso. Deveria ter sido polido, para meu próprio bem; mas muito embora tivesse a maior necessidade de saber alguma coisa (e sabia que o saberia), era-me odioso lançar-me num interrogatório. Informei-me da saúde de sua mulher e fomos ao quarto dela. Ela me acolheu com atenção, mas com ar extremamente sério e pouco loquaz; isso me acalmou um pouco. Em suma, vim a saber daquela vez coisas bem espantosas.

Naturalmente, Lambert aparecera e após ter vindo ainda duas vezes visitara todas as peças, dizendo que talvez alugasse. Dária Onísimovna viera várias vezes, e sua vinda causara estranheza: "Ela também se mostrou muito curiosa" — acrescentou o locador, — mas não lhe dei o prazer de perguntar-lhe em que consistia sua curiosidade. Em geral, não interrogava, ele era o único a falar e eu fingia remexer na minha mala (onde não restava quase mais nada). Mas o mais irritante é que ele também teve a fantasia de bancar de misterioso e, notando que eu me abstinha de interrogar, achou necessário fazer-se mais fragmentário, quase enigmático.

— Veio também uma senhorita — acrescentou ele, olhando-me com estranheza.

— Que senhorita?

— Anna Andriéievna. Veio duas vezes. Travou conhecimento com minha mulher. Uma pessoa muito gentil, muito agradável. Semelhante conhecimento é bem apreciável, Arkádi Makárovitch... — Ao dizer isto, deu mesmo um passo para mim: queria tanto fazer-me compreender alguma coisa!

— Duas vezes? Não é possível! — mostrei-me espantado.

— Da segunda vez, estava com seu irmão.

"Era Lambert," pensei, para meu desgosto.

— Não, não veio com o Senhor Lambert — adivinhara de súbito, como se seus olhos tivessem saltado dentro de minha alma —, com seu irmão, um jovem Senhor Viersílov. É camarista, creio eu.

Eu estava muito perturbado. Ele me olhava, com um sorriso horrivelmente acariciante.

— Ah! mais alguém veio perguntar pelo senhor: aquela senhorita, a francesa, Senhorita Alfonsina de Verdun. Ah! como canta bem! Como declama belamente versos! Foi às ocultas a Tsárskoie Sieló ver o Príncipe Nikolai Ivânovitch, para vender-lhe um cãozinho raro, todo negro, não maior do que o punho...

Roguei-lhe que me deixasse só, pretextando uma dor de cabeça. Satisfez-me instantaneamente, sem mesmo acabar sua frase, não somente sem o menor desgosto, mas quase com prazer, fazendo com a mão um gesto misterioso que queria dizer: compreendo, compreendo. Não disse nada, mas saiu na ponta dos pés, proporcionando-se esse prazer. Há pessoas bem desagradáveis neste mundo.

O ADOLESCENTE

Fiquei só, a refletir, uma hora e meia. Aliás, não refleti em nada, limitei-me a sonhar. Estava perturbado, mas de modo algum espantado. Esperava mesmo mais, maravilhas maiores. "Já devem tê-las realizado!", pensei. Estava desde muito tempo bem convencido, já em casa, de que a máquina deles estava de novo montada e em plena marcha. "Só estou faltando eu a eles, eis tudo", disse ainda a mim mesmo, com um contentamento nervoso e agradável. Esperavam-me com todas as suas forças, queriam tramar alguma coisa no meu quarto, era claro como o dia. "E se fosse o casamento do velho príncipe? Todo mundo lhe cai em cima. Eu apenas estarei de acordo? Eis, senhores, a questão", conclui ainda com uma altivez satisfeita.

"Se me envolver nisso, serei arrebatado logo no turbilhão, como uma palhinha. Estou livre agora, neste momento, ou já não estou mais? Posso ainda, ao voltar esta noite à casa de mamãe, dizer a mim mesmo como todos os dias: sou eu mesmo?" Eis a substância de minhas perguntas ou, para melhor dizer, das batidas de meu coração, durante aquela hora e meia que passei num canto, em cima da cama, com os cotovelos fincados sobre os joelhos e a cabeça entre as mãos. Sabia bem, sabia já que todas essas perguntas não passavam de futilidades e que o que me atraía era ela e somente ela! Enfim, posso dizer com toda a nitidez e escrever com todas as letras sobre o papel, porque mesmo hoje, no momento em que escrevo, após um ano decorrido, não sei ainda o nome que é preciso dar ao sentimento que experimentava então!

Decerto, tinha eu pena de Lisa e meu coração era presa da menos hipócrita das dores! Este sentimento somente de dor por ela teria podido, parece, acalmar ou apagar em mim, não fosse senão por algum tempo, o sentimento carnívoro (torno a empregar esta palavra). Mas arrebatava-me uma curiosidade sem limites e uma espécie de medo, e ainda um sentimento, não sei qual, sei somente e sabia já naquele momento que não era bom. Talvez eu aspirasse cair aos pés dela, talvez também tivesse querido entregá-la a todos os tormentos e provar-lhe alguma coisa depressa, depressa. Nenhuma dor, nenhuma compaixão por Lisa podia mais deter-me. Vamos, eu podia sair dali e voltar para casa... para ver Makar Ivânovitch?

"Mas será verdadeiramente uma coisa impossível: ir à casa deles, saber deles tudo quanto há e deixá-los bruscamente e para sempre, passando ileso diante das maravilhas e dos monstros?"

Às três horas, depois de dominar-me e dando-me conta de que estava quase atrasado, saí rapidamente, tomei um coche e voei à casa de Anna Andriéievna.

CAPÍTULO V

I

Assim que me anunciaram, Anna Andriéievna abandonou seu bordado e apressou-se em vir receber-me na sua primeira sala, o que jamais acontecera até então. Estendeu-me as mãos e corou rapidamente. Em silêncio, conduziu-me a seu quarto, pegou de novo seu bordado e mandou-me sentar a seu lado; mas não bordava mais, continuava a encarar-me com um interesse caloroso, calada.

— Você mandou-me Dária Onísimovna — comecei eu, à queima-roupa, um pouco constrangido ainda assim por aquele interesse demasiado acentuado, que me era, aliás, agradável.

Ela tomou de repente a palavra, sem responder à minha pergunta:

— Contaram-me, sei tudo. Aquela noite terrível... Quanto você deve ter sofrido! É verdade, é bem verdade que o encontraram desfalecido, exposto à geada?

— Contaram-lhe... Lambert?... — balbuciei, corando.

— Ele me contou tudo naquela ocasião; mas eu esperava você. Veio à minha casa espantado! Na sua casa... lá, onde você estava de cama, doente, não quiseram deixá-lo entrar para uma visita... receberam-no de um modo estranho... Não sei verdadeiramente como se passou isso, mas ele me falou muito daquela noite; disse-me que, ao abrir os olhos, você imediatamente citou meu nome... falou de seu carinho por mim. Fiquei comovida até as lágrimas, Arkádi Makárovitch, e ignoro mesmo por que tenho merecido tanta simpatia de sua parte, sobretudo no estado em que você se achava! Diga-me, o Senhor Lambert é seu amigo de infância?

— Sim, somente naquele caso... confesso que fui imprudente, talvez lhe haja falado demais.

— Oh! eu já teria sabido daquela negra e terrível intriga, mesmo sem ele. Sempre, sempre pressenti que eles o impeliriam a tal extremo. Diga-me, é verdade que Bioring ousou levantar a mão contra você?

Falava como se fosse unicamente por causa de Bioring e por causa dela que eu tinha ido parar ao pé do muro. "Mas tem ela razão!" — disse a mim mesmo. Entretanto, explodi:

— Se tivesse levantado a mão contra mim, não teria saído disso impune e eu não estaria aqui, diante de você, sem haver tirado vingança — respondi, com ardor.

Parecia-me sobretudo que, por alguma razão, queria espicaçar-me, excitar-me contra alguém (sabia bem contra quem); e, no entanto, rendia-me a isso.

— Se você me diz haver previsto que me impeliriam a isso, da parte da Katierina Nikoláievna houve somente um mal-entendido... se bem que, é verdade, ela tenha mudado bem depressa seus bons sentimentos para comigo por causa do tal mal-entendido...

— É bem isto, mudou bem depressa! — continuou Anna Andriéievna, com uma espécie de ímpeto de simpatia. — Oh! se você soubesse que intriga se trama agora! Decerto, Arkádi Makárovitch, agora você tem muita dificuldade em compreender toda a delicadeza de minha posição — declarou ela, corando e baixando as pálpebras. — Desde então, na manhã mesmo em que nos vimos pela última vez, dei um passo que todo mundo não é capaz de compreender e de estimar como o compreenderia um homem tendo sua inteligência ainda intacta, seu coração amoroso, puro e não corrompido. Esteja certo, meu amigo, de que sou capaz de apreciar seu carinho e retribuí-lo com uma gratidão eterna. No mundo, sem dúvida, vão me atirar pedras, já me atiraram. Mas mesmo que eles tivessem razão no seu ignóbil ponto de vista, quem pois poderia, quem pois ousaria entre eles condenar-me? Fui abandonada por meu pai desde a minha infância; nós, os Viersílov, uma velha e nobre família russa, somos aventureiros, e eu como o pão alheio, por caridade. Não seria natural que me dirigisse àquele que, desde minha infância, me servia de pai e que me cumulou de benefícios durante tantos anos? Só Deus vê e julga meus sentimentos a seu respeito, não admito o julgamento dos homens sobre o passo que dei! E quando, além disso, se trama a mais pérfida e a mais negra das intrigas, quando um pai magnânimo e confiante vai ser vítima de sua própria filha, isso é suportável? Não, perderei nisso minha reputação, mas vou salvá-lo! Estou pronta a desempenhar em casa dele o papel de criada, de guarda, de enfermeira, mas não deixarei que triunfe um cálculo frio, mundano, odioso!

Falava com uma animação extraordinária, talvez meio afetada, mas apesar de tudo sincera, porque se via a que ponto estava interessada naquele negócio. Sentia bem que ela mentia (sinceramente, aliás, porque pode-se mentir sinceramente) e que se mostrava falsa; mas é espantoso o que se passa com as mulheres: aquela espécie de bom-tom, aquelas fórmulas superiores, aquela altivez mundana e aquela orgulhosa castidade, tudo aquilo me desorientava e eu ficava de acordo com ela em todos os pontos, isto é, enquanto estava em casa dela; pelo menos, não ousei contradizê-la. Oh! o homem vive decididamente como escravo moral da mulher, sobretudo se é magnânimo! Uma mulher como aquela pode convencer de não importa que um homem generoso. "Ela e Lambert, meu Deus!", pensava eu, olhando-a, perplexo. Aliás direi tudo: sou, ainda hoje, incapaz de julgá-la. É bem verdade que só Deus podia ver seus sentimentos e além disso o homem é uma máquina tão complicada que por vezes nada se compreende dele, sobretudo se esse homem... é uma mulher.

— Anna Andriéievna, que espera então de mim? — perguntei, com ar bastante decidido.

— Como? Que significa sua pergunta, Arkádi Makárovitch?

— Parece-me, depois de tudo isso... e de acordo com certas outras considerações... — expliquei, atrapalhando-me —, que você mandou-me chamar porque esperava alguma coisa de mim. Mas o quê, precisamente?

Sem responder à pergunta, ela se pôs de novo a falar, bastante depressa e com igual animação:

— Mas não posso, sou demasiado orgulhosa para entrar em explicações e regateações com desconhecidos como o Senhor Lambert. Era você que eu esperava e não o Senhor Lambert. Minha situação é crítica, tremenda, Arkádi Makárovitch! Sou obrigada a usar de astúcia, cercada que estou pelas intrigas daquela mulher, e é insuportável. Rebaixo-me quase até a intriga e esperava-o como a um salvador. Não devo ser acusada porque olho avidamente em redor de mim para descobrir pelo menos um amigo e é por isso que não posso deixar de acolher com alegria esse amigo; aquele que pôde, mesmo naquela noite, quase morrendo gelado, lembrar-se de mim e repetir somente o meu nome, é-me certamente devotado. É o que tenho dito a mim mesma durante todo este tempo e por isso contava com você.

Olhava-me bem nos olhos, com uma interrogação impaciente. E eis que de novo me faltou a coragem de desiludi-la e explicar-lhe francamente que Lambert a havia enganado e que eu nunca lhe havia dito que era tão devotado a ela e que não havia nunca repetido somente o seu nome. Assim, com meu silêncio, confirmei a mentira de Lambert. Sei bem que ela mesma compreendia perfeitamente que Lambert havia exagerado ou mesmo lhe mentira, apenas para ter um pretexto honroso de apresentar-se em casa dela e de entrar em relações com ela; se me fitava bem nos olhos, como que convencida da sinceridade de minhas palavras e de meu devotamento, era naturalmente porque sabia bem que eu não ousaria desmenti-las, por delicadeza e, por assim dizer, por causa de minha juventude. Aliás, ignoro se esta hipótese é justa ou não. Talvez eu seja tremendamente perverso.

— Meu irmão tomará minha defesa — declarou ela, de repente, com ardor, vendo que eu não queria responder.

— Disseram-me que você foi visitar-me, em companhia dele — balbuciei, confuso.

— Mas aquele infeliz Príncipe Nikolai Ivânovitch, não tem quase mais refúgio contra toda essa intriga ou, para melhor dizer, contra sua própria filha, a não ser o quarto de você, isto é, o quarto de um amigo; ele não tem o direito, deveras, de considerá-lo, a você pelo menos, como um amigo? Assim, se você quer fazer alguma coisa por ele, faça, somente se puder, somente se tiver o coração nobre e ousado... e, enfim, se verdadeiramente pode fazer alguma coisa. Oh! não é por mim, não, não é por mim, é por um infeliz velho que é o único que o estima sinceramente, que se ligou a você como a seu próprio filho e ainda hoje sente sua falta. Para mim, não espero nada, nem mesmo de você, pois que meu próprio pai representou comigo uma comédia pérfida e má!

— Parece-me que Andriéi Pietróvitch... — comecei.

— Andriéi Pietróvitch — interrompeu-me ela, com um sorriso amargo —, Andriéi Pietróvitch respondeu à minha pergunta direta dando-me sua palavra de honra de que jamais teve a menor intenção a respeito da Katierina Nikoláievna, no que acreditei piamente, dando o passo que dei; e, no entanto, só se manteve ele tranquilo até o momento em que recebeu a primeira notícia de um tal Senhor Bioring.

— Não é verdade! — exclamei. — Houve um instante em que, também eu, acreditei no seu amor por aquela mulher, mas não é verdade... Sim, mesmo que assim fosse, parece-me que agora ele poderia estar absolutamente tranquilo... desde a retirada daquele senhor.

— Que senhor?

— Bioring.

— E quem lhe falou da retirada dele? Esse senhor jamais teve talvez tanta força como agora — disse ela, rindo maldosamente; pareceu-me mesmo que me olhava também com ironia.

— Dária Onísimovna me contou — balbuciei numa perturbação que não tive força de dissimular e que ela percebeu muito bem.

— Dária Onísimovna é uma encantadora pessoa e não posso decerto impedir que ela me ame, mas não tem possibilidade nenhuma de saber aquilo que não lhe diz respeito.

Meu coração sentiu um choque; e, como contasse ela justamente despertar minha indignação, a indignação ferveu em mim, não contra aquela mulher, mas contra a própria Anna Andriéievna. Levantei-me:

— Como homem honrado, devo preveni-la, Anna Andriéievna, de que sua expectativa... a meu respeito... poderia bem ser vã...

— Espero que você tome minha defesa. — Olhou-me firmemente. — A defesa de uma pessoa abandonada de todos... de sua irmã, se assim prefere, Arkádi Makárovitch!

Um instante mais e desataria a chorar.

O ADOLESCENTE

— Então melhor será que não espere, porque talvez não aconteça nada — balbuciei com um sentimento infinitamente penoso.

— Como devo compreender suas palavras? — perguntou ela, com muita precaução.

— Apenas assim: abandonarei todos e basta! — exclamei, bruscamente, quase furioso. — Rasgarei o documento. Adeus!

Cumprimentei-a e saí em silêncio, sem ousar quase olhá-la. Mas não chegara ainda ao pé da escada, quando Dária Onísimovna me alcançava com uma folha de papel de carta dobrada em duas. Donde vinha Dária Onísimovna, onde estava instalada enquanto eu falava com Anna Andriéievna, é o que não consigo compreender. Sem dizer palavra, entregou-me o papel e fugiu. Desdobrei a folha: trazia, em caracteres nítidos e precisos, o endereço de Lambert e visivelmente tudo estava preparado desde alguns dias. Lembrei-me de repente de que, no dia em que Dária Onísimovna fora à minha casa, eu deixara escapar que não sabia onde morava Lambert, mas era no sentido de que não sabia mesmo e não querendo saber. O endereço de Lambert consegui por Lisa, a quem pedira que se informasse no Registro de Endereços. A saída de Anna Andriéievna pareceu-me demasiado decidida, até mesmo cínica: desconsiderando minha recusa em colaborar, enviava-me diretamente à casa de Lambert, maneira de me dar a entender que não acreditava absolutamente em mim. Era demasiado claro que sabia já toda a história do documento; e por quem, senão Lambert, à casa de quem me enviava, justamente para que nos entendêssemos?

"Decididamente, tomam-me todos, até o último, por um rapazola sem vontade e sem caráter, com o qual se pode fazer tudo quanto se quiser!" — pensei, com indignação.

II

Não obstante, fui à casa de Lambert. Onde mais poderia satisfazer minha curiosidade? Lambert morava muito longe, na travessa Pieriulok, perto do Jardim de Verão,[85] sempre no mesmo apartamento; mas quando fugira de casa dele, reparara tão pouco no caminho e na distância que, ao receber de Lisa, quatro dias antes, o seu endereço, espantara-me e quase recusara acreditar que ele morasse ali. Diante da porta do apartamento, no terceiro andar, notei, ao subir a escada, dois jovens e pensei que haviam tocado a campainha antes de mim e esperaram que lhe abrissem. Enquanto eu subia, ambos, de costas para a porta, encaravam-me cuidadosamente. "É uma casa de apartamento. Vão sem dúvida aos aposentos de outros locatários", disse a mim mesmo, ao chegar junto deles. Seria muito desagradável encontrar alguém em casa de Lambert. Procurando não olhar para eles, estendi a mão para a campainha.

— Espere! — gritou-me um deles.

— Espere, por obséquio, antes de tocar — disse o outro, com uma vozinha sonora e terna, ligeiramente arrastada. — Vamos acabar agora mesmo e depois tocaremos juntos, se o senhor quiser.

---

85 Palácio, tanto quanto o Jardim de Inverno, o Eremitério e outros edifícios faustosos, erguido para o deleite da aristocracia petersburguesa.

Parei. Eram ainda muito jovens, de vinte a vinte e dois anos. Faziam ali, diante da porta, algo de estranho e esforcei-me por compreender tudo, não sem certo espanto. O que tinha gritado "Espere!" era muito alto, com uns dez *viérchoki* pelo menos, magro e anêmico, mas muito musculoso, com uma cabeça muito pequena para seu tamanho e uma expressão singular, comicamente sombria, num rosto levemente picado de varíola, mas bastante inteligente e até mesmo agradável. Seus olhos fitavam com fixidez e com uma firmeza inútil e até mesmo supérflua. Estava muito mal trajado, com um velho capote estofado com uma golinha de pelo de gineta já puída, demasiado curto para seu tamanho — visivelmente emprestado de alguém —, botas ordinárias quase de camponês, e na cabeça uma cartola já ruça e tremendamente amassada. No conjunto, um sujeito sujo: suas mãos, sem luvas, estavam sujas e as unhas grandes, de luto. Seu companheiro, pelo contrário, trajava-se elegantemente: uma leve peliça de marta, um chapéu elegante, luvas novas e claras cobrindo dedos finos; era de minha altura, mas com uma expressão extremamente agradável no rosto fresco e juvenil.

O compridão tirava a gravata, uma fita já gasta e engordurada, reduzida quase a cordão, enquanto seu gentil camarada, tirando do bolso outra gravata preta, novinha, saída da loja, atava-lhe ao pescoço. Estendia docilmente e com uma terrível seriedade o pescoço, muito comprido, deixando cair seu capote.

— Não, é impossível, com uma camisa tão suja; não só não fará nenhum efeito, mas parecerás ainda mais sujo. Bem te disse que pusesses um colarinho postiço. Não sei... E o senhor, não saberia? — disse ele, voltando-se para mim.

— O quê? — perguntei.

— Pôr-lhe a gravata. Veja o senhor: é preciso fazer de maneira que não se veja sua camisa suja, de outro modo todo o efeito será perdido. Acabo de comprar expressamente para ele uma gravata na loja Filip, o cabeleireiro, por um rublo.

— Era teu aquele rublo? — balbuciou o compridão.

— Sim. Agora, não tenho nem mais um copeque. Então, o senhor não sabe? Será preciso pedir a Alfonsina.

— O senhor vai ao quarto de Lambert? — perguntou-me bruscamente o compridão.

— Sim, ao quarto de Lambert — respondi, não menos decididamente, encarando-o.

— Dolgorúki? — tornou a perguntar no mesmo tom e com a mesma voz.

— Não, não é Koróvkin — respondi, da mesma maneira brutal, porque tinha ouvido mal.

— Dolgorúki? — gritou quase o compridão, repetindo-se e avançando para mim, quase ameaçador. Seu companheiro desatou então a rir.

— Ele diz "Dolgorowky" e não Koróvkin — explicou-me. — Como o senhor deve saber, os franceses, do *Journal des Débats*,[86] estropiam muitas vezes os nomes russos...

— De *L'Indépendance*[87] — resmungou o compridão.

— Pouco importa. De *L'Indépendance* também. Escrevem, por exemplo, Dolgorowky em vez de Dolgorúki, eu mesmo li, e a V...ov chamam sempre de *Comte Wallonieff*.

---

86 Famoso jornal francês da época.

87 Jornal belga.

— Dobovny! — gritou o compridão.

— Sim, há também um tal "Dobovny"; eu mesmo o li, e rimos ambos: uma tal *Madame Dobovny*, russa, no estrangeiro... Mas, vês, para que citar todos? — disse ele, voltando-se para o compridão.

— Perdão, o senhor é mesmo Dolgorúki?

— Sim, Dolgorúki. Mas como sabe?

O compridão cochichou alguma coisa ao ouvido do jovenzinho simpático, que franziu o cenho e fez um gesto de negação; mas o compridão voltou-se de chofre para mim:

— *Monsieur le prince, vous n'avez pas de rouble d'argent pour nous, pas deux, mais un seul, voulez-vous?*[88]

— Ah! como te mostras odioso! — gritou o baixinho.

— *Nous vous rendons,*[89] concluiu o compridão, pronunciando grosseira e pessimamente as palavras francesas.

— Não repare, é um cínico, sabe? — e o baixinho desatou a rir. — O senhor pensa que ele não sabe falar francês? Fala como um parisiense, apenas arremeda os russos, que sempre tem em sociedade uma vontade louca de falar francês entre si, quando não sabem...

— *Dans les wagons* — explicou o compridão.

— Pois bem, sim, nos vagões também. Como és aborrecido! De que serve explicar-se? Que vontade doida de fazer-se passar por imbecil!

Entretanto, eu tirara do bolso um rublo e oferecera-o ao compridão.

— *Nous vous rendons* — disse ele, embolsando o rublo. Depois, voltando-se de repente para a porta, com uma fisionomia absolutamente imóvel e séria, pôs-se a bater nela com a ponta de sua enorme bota, aliás sem a mínima irritação.

— Ah! queres arranjar mais outra briga com Lambert? — observou o baixote, com inquietação. — Muito melhor será que o senhor toque.

Toquei, mas nem por isso deixou o compridão os seus pontapés.

— *Ah! sacré...*[90]

Era a voz de Lambert que se fazia ouvir por trás da porta. Abriu rapidamente.

— *Dites donc, voulez-vous que je vous casse la tête, mon ami?*[91] — gritou ele para o compridão.

— *Mon ami, voilà Dolgorowky, l'autre mon ami,*[92] — declarou o compridão, séria e gravemente, encarando Lambert, rubro de cólera. Mas este, vendo-me, mudou por completo.

— És tu, Arkádi? Afinal! Bem, como vais, ficaste bom?

Pegou-me as mãos e apertou-as fortemente. Em suma, mostrava um entusiasmo tão sincero que na mesma hora fiquei encantado e até mesmo enternecido para com ele.

— É a minha primeira visita!

— Alphonsine! — gritou Lambert.

---

88 Senhor príncipe, não terá o senhor um rublo de prata para nós, não dois, mas um só, por favor?

89 Nós lhe restituiremos. Tradução correta de *nous vous le rendrons*, deturpada, na fala, pela personagem.

90 Ah! maldito...

91 Mas diga, quer que lhe rebente a cabeça, meu amigo?

92 Meu amigo, aqui está *Dolgorowky*, meu outro amigo.

Ela saltou instantaneamente de trás do biombo.

— *Le voilà!*[93]

— *C'est lui!*[94] — exclamou Alfonsina, batendo palmas. Depois, abrindo as mãos, atirou-se para me abraçar, mas Lambert me defendeu.

— Não... não... puxa fora! — gritou-lhe ele, como a um cãozinho. — Estás vendo, Arkádi: combinamos hoje com alguns amigos ir jantar juntos nos Tártaros. Não te largo mais. Virás conosco. Jantaremos juntos. Vou me livrar sem demora deles e depois conversaremos. Entra, pois! Vamos sair agora mesmo, um minuto só...

Entrei e parei no meio do quarto olhando em redor de mim e evocando minhas lembranças. Lambert vestia-se às pressas por trás do biombo. O compridão e seu camarada entraram também atrás de nós, apesar do que dissera Lambert. Estávamos todos de pé.

— *Mademoiselle Alphonsine, voulez-vous me baiser?*[95] — berrou o compridão.

— *Mademoiselle Alphonsine* — disse o baixinho, avançando e mostrando-lhe a gravata. Ela, porém, atirou-se furiosamente contra eles:

— *Ah! le petit vilain!* — era contra o baixinho que gritava —, *ne m'approchez pas, ne me salissez pas. Et vous, le grand dadais, je vous flanque à la porte tous les deux, savez-vous cela?*[96]

O jovenzinho, muito embora ela se desviasse dele com desdém e desprezo, como se tivesse temido deveras sujar-se (o que eu não compreendia bem, porque ele estava muito limpinho e apareceu muito bem vestido, depois que se desembaraçou de sua peliça), o jovenzinho rogou-lhe com insistência que desse o nó da gravata do bestalhão e lhe emprestasse, previamente, um dos colarinhos postiços e limpos de Lambert. Ela quase bateu neles, cheia de indignação, diante de tal proposta, mas Lambert, que ouvira, gritou-lhe de trás do biombo que não os retivesse e fizesse o que eles pediam — "de outro modo não nos deixarão tranquilos" —, e Alfonsina pegou logo um colarinho postiço e se pôs a enfeitar com ele o compridão sem a menor aversão. E ele, como na escada, estendeu o pescoço, enquanto ela lhe amarrava a gravata.

— *Mademoiselle Alphonsine, avez-vous vendu votre bologne?* — perguntou.

— *Qu'est-ce que ça, ma bologne?*[97]

O pequenote explicou que *ma bologne* significava apenas um cãozinho.

— *Tiens, quel est ce baragouin?*[98]

— *Je parle comme une dame russe sur les eaux minérales*[99] — observou *le grand dadais*, continuando de pescoço estendido.

— *Qu'est-ce que ça qu'une dame russe sur les eaux minérales? Et... où est donc votre jolie montre que Lambert vous a donnée?*[100] — disse ela, voltando-se bruscamente para o mais jovem.

---

93 Ei-lo!

94 É ele!

95 Senhorita Alfonsina, quer dar-me um beijo?

96 Ah! o vilãozinho! Não se aproxime de mim, não me suje. E você, meu bestalhão, ponho-o pela porta afora, todos os dois, sabem disso?

97 Que é isso, minha "bologne"?

98 Ah! que gíria é essa?

99 Falo como uma dama russa sobre as estações de águas.

100 Que é que é isso duma dama russa sobre as estações de águas? E... onde está afinal seu belo relógio que Lambert lhe deu?

— Como? De novo sem relógio? — fez-se ouvir Lambert, furioso, por trás do biombo.

— Comemo-lo! — rosnou *le grand dadais*.

— Vendi-o por oito rublos: era de prata dourada e você dizia que era de ouro. Esse relógios agora valem dezesseis rublos nas lojas — respondeu o jovem a Lambert, justificando-se sem entusiasmo.

— É preciso acabar com isso! — continuou Lambert, ainda mais furioso. — Meu jovem amigo, se compro para você roupas e lhe dou coisas delicadas, não é para que as gaste por causa do bestalhão do seu amigo... Que gravata é essa que você ainda foi comprar para ele?

— Isto? Custa apenas um rublo. E não foi dinheiro seu. Não tinha gravata nenhuma. Agora é preciso comprar-lhe um chapéu.

— Besteiras! — disse Lambert, totalmente encolerizado desta vez. — Dei-lhe o bastante para comprar também um chapéu, mas ele, ele trata logo de ir comer ostras regadas a champanhe. Fede. É um porcalhão. Não se pode levá-lo a parte alguma. Como o levarei para jantar?

— De carro! — rosnou o bestalhão. — *nous avons un rouble d'argent que nous avons prêté chez notre nouvel ami.*[101]

— Não lhe dês nada, Arkádi, nada! — gritou ainda Lambert.

— Permita, Lambert. Exijo de você dez rublos imediatamente — disse de súbito o pequeno, tão furioso que ficou todo vermelho e pareceu quase duas vezes mais bonito. — E não diga mais tolices como aquela que acaba de dizer a Dolgorúki. Reclamo dez rublos para devolver imediatamente seu rublo a Dolgorúki, e com o restante comprarei um chapéu para Andriéi, vai ver.

Lambert saiu de trás do biombo:

— Aqui estão três cédulas amarelas, três rublos, e mais nada até terça-feira, e não me apareçam mais... do contrário...

Le grand dadais arrancou-lhe o dinheiro das mãos.

— Dolgorowky, aqui está um rublo, *nous vous rendons avec beaucoup de grace.*[102] Piétia, vamos! — gritou para seu companheiro. Depois, de repente, erguendo no ar e brandindo as duas cédulas, encarando Lambert, clamou com todas as suas forças:

— *Ohé, Lambert! ou est Lambert? as-tu vu Lambert?*[103]

— Cale-se! Cale-se! — berrou Lambert, com uma cólera espantosa. Vi que havia em tudo aquilo alguma velha história que eu ignorava completamente e olhava com espanto. Mas o compridão não se atemorizou absolutamente com a cólera de Lambert. Pelo contrário, berrou ainda mais forte: *Ohé Lambert!* e o resto. Saíram e alcançaram a escada. Lambert saiu correndo atrás deles, mas voltou.

— Ah! vou mandá-los embora! Custam-me mais caro do que me trazem... Vamos, Arkádi! Estou atrasado. Estou sendo esperado lá embaixo por um... por uma pessoa útil... Um velhaco também... São todos uns velhacos! Os canalhas! Canalhas! — exclamou ainda, quase rangendo os dentes. Mas de chofre conteve-se definitivamente.

---

101 Temos um rublo de prata que nosso novo amigo nos emprestou.

102 Nós lhe restituímos com muita gratidão.

103 Olé! Lambert! onde está Lambert? viste Lambert?

— Estou muito contente com tua vinda. Alphonsine! Não penses em sair! Vamos!

Diante da porta um carro de luxo esperava. Instalamo-nos nele, mas durante todo o trajeto ele não conseguiu acalmar-se por completo de não sei que furor contra aqueles rapazes. Espantava-me vê-lo tomar as coisas tão seriamente e também que eles se tivessem mostrado tão desrespeitosos para com Lambert, e que Lambert tivesse quase tremido diante deles. Sempre me parecia, segundo uma velha impressão de infância, que todo mundo devia ter medo de Lambert, tanto que, apesar de toda a minha independência, eu mesmo tinha medo dele naquele instante.

— Digo-te que são uns horrendos canalhas — continuava a extravasar sua cólera. — Acredita-me: aquele grandalhão submeteu-me a um verdadeiro martírio, há três dias, na alta sociedade. Estava diante de mim a gritar: *Ohé, Lambert!* Na alta sociedade! Todo mundo ria. Sabia-se que era para que eu lhe desse dinheiro. Vês daqui a cena. Tive que dar. Oh! são uns patifes! Foi oficial-aluno e expulsaram-no da escola, podes imaginar; é instruído; foi educado numa boa casa; numa boa casa, podes acreditar! Tem ideias, teria podido... Diabos! é forte como um Hércules. Presta serviços, mas não muitos. E tu podes verificá-lo: não lava as mãos. Recomendei-o a uma senhora, uma velha aristocrata, como um arrependido que queria matar-se de remorsos. Foi vê-la, sentou-se e pôs-se a assobiar! O outro é um bom rapaz, filho dum general; sua família envergonha-se dele, arranquei-o do tribunal, salvei-o, e eis como ele me paga. Não há homem aqui! Mas vou botá-los para fora, pelo pescoço!

— Conhecem meu nome. Foste tu que lhes falaste de mim?

— Cometi esta tolice. No jantar, rogo-te, domina-te, mantém-te em teu lugar... Aparecerá lá outro horrendo canalha. Esse é um canalha hediondo e terrivelmente astuto. Aliás, por aqui só existe a ralé; nem um só homem honesto! Mas acabaremos com isso, e depois... Que te apetece comer? Na verdade, não importa, os jantares são bons. Sou eu quem paga, não te inquietes. Alegra-me ver-te tão bem vestido. Posso dar-te dinheiro. Vem sempre a mim. Imagina que sempre lhes dei de beber e de comer, todos os dias pasteizinhos; aquele relógio, que ele vendeu, é já a segunda vez que faz isso. O pequenote, Trichátov... viste como Alfonsina tem horror até mesmo de olhá-lo e como lhe proíbe que se aproxime dela? — pois não é que, em pleno restaurante, na presença de oficiais, põe-se a gritar: "Quero galinholas"? E deram-lhe as galinholas! Mas ele vai levar o troco.

— Lembras-te, Lambert, do dia em que fomos contigo ao botequim, em Moscou, e me deste uma garfada? Tinhas quinhentos rublos contigo naquele dia.

— Sim, lembro-me. Com os diabos, como não haveria de lembrar-me?! Gosto de ti... Acredita-me. Ninguém gosta de ti, mas eu gosto. Só eu, lembra-te bem... O tal, que vai aparecer lá, o picado de varíola, é o mais astuto dos canalhas; não lhe respondas, se te falar, e, se começar a te fazer perguntas, responde-lhe tolices, não digas nada...

Pelo menos, sua perturbação impediu-o de me fazer perguntas durante o trajeto. Fiquei mesmo magoado por vê-lo tão seguro a meu respeito, sem suspeitar em mim a menor desconfiança. Pareceu-me que imaginava tolamente poder ainda dar-me ordens como outrora. "E ainda por cima é tremendamente inculto", pensei, entrando no restaurante.

III

Esse restaurante, na Morskaia,[104] já fora por mim frequentado na época de minha queda vergonhosa e de minha devassidão, e por consequência a vista daquelas salas, daqueles garçons que me viam e encaravam como a um visitante conhecido, a impressão, enfim, produzida por aqueles misteriosos amigos de Lambert, por aquela companhia em cujo meio me encontrava de repente e à qual tinha o ar de pertencer, e sobretudo um vago pressentimento de que ia voluntariamente ao encontro de certas sujeiras e que acabaria sem dúvida por uma má ação, tudo isso pareceu de repente me atravessar. Houve um instante em que estive a ponto de retirar-me; mas esse instante passou e fiquei.

O bexiguento, que Lambert tanto temia, já estava lá à nossa espera. Era um desses indivíduos de aparência estupidamente atenta e prática que tanto detesto desde a infância. Cerca de quarenta e cinco anos, estatura média, alguns cabelos brancos, um rosto glabro até a obscenidade e pequenas suíças grisalhantes, cortadas rentes, como duas salsichas sobre as duas faces duma cara extraordinariamente chata e má. Como não podia deixar de ser, era fastidioso, sério, pouco loquaz e até mesmo, segundo o costume de todos os indivíduos de sua igualha, orgulhoso. Observou-me dos pés à cabeça, muito atentamente, mas não disse palavra, e Lambert teve a inabilidade de, fazendo-nos sentar à mesma mesa, não achar necessário apresentar-nos. De modo que o sujeito pode tomar-me por um dos chantagistas que acompanhavam Lambert. A estes jovens (chegados quase ao mesmo tempo que nós) não disse nada, tampouco, durante toda a refeição, mas via-se, entretanto, que os conhecia intimamente. Só falava com Lambert e ainda assim cochichando quase e, aliás, era Lambert mais ou menos o único a falar, contentando-se o bexiguento com responder uma vez ou outra, com palavras zangadas e provocativas. Mantinha uma atitude altiva, mostrava-se mordaz e zombeteiro, ao passo que Lambert, pelo contrário, estava muito excitado e parecia todo tempo insistir sem dúvida com ele para participar de certa empreitada. Uma vez, estendi a mão para uma garrafa de vinho tinto; o bexiguento pegou uma garrafa de xerez e a passou para mim; ainda não me dirigira a palavra:

— Experimente deste — disse, entregando-me a garrafa.

Então adivinhei que ele também devia saber tudo quanto se podia humanamente saber a meu respeito, e minha história, e meu nome, e talvez o que Lambert achava que eu ia fazer. A ideia de que ele me tomava por um empregado de Lambert encheu-me de raiva ainda uma vez e li no rosto de Lambert uma inquietação muito intensa e muito tola, assim que o outro me dirigiu a palavra. O bexiguento notou isso e desatou a rir. "Decididamente, Lambert depende deles todos", disse a mim mesmo, detestando-o naquele momento de todo o meu coração. De modo que, sentados embora à mesma mesa, estávamos divididos em dois grupos: o bexiguento com Lambert, perto da janela, um em face do outro; eu ao lado do sebento Andriéiev e, diante de mim. Trichátov. Lambert estava com pressa de acabar e insistia continuamente com o garçom. Quando serviram o champanhe, estendeu de repente sua taça para mim:

---

104 Logradouro onde se localizavam os melhores restaurantes, lojas de luxo, casa e vilas particulares, muito frequentado pela gente elegante de Petersburgo.

— À tua saúde, brindemos! — disse, interrompendo sua conversa com o bexiguento.

— Permita que beba também à sua saúde! — interveio o gentil Trichátov, estendendo para mim sua taça, do outro lado da mesa. Até a champanhe, estivera pensativo e silencioso. O *dadais* não dizia absolutamente nada, mas comia em silêncio e muito.

— De boa vontade! — respondi a Trichátov.

Tocamos as taças e bebemos.

— E eu não beberei à sua saúde — disse de repente o *dadais*, voltando-se para mim. — Não que deseje sua morte, mas para que o senhor não beba mais hoje. — Pronunciou estas palavras sombria e sentenciosamente.

— Para o senhor, três taças chegam perfeitamente. Estou vendo que o senhor põe reparo no meu punho sujo — continuou ele, expondo sua mão fechada sobre a mesa. — Não o lavo e alugo-o tal como está, não lavado, a Lambert, para partir as cabeças dos outros nos negócios para ele delicados.

Dito isto, assestou sobre a mesa um murro tão violento que os pratos e copos saltaram. Alem de nós, havia naquela sala quatro outras mesas com pessoas jantando: oficiais e senhores distintos. Era um restaurante da moda; instantaneamente todas as conversas interromperam-se e todos os olhares se voltaram para nosso canto. Desde muito tempo, aliás, despertávamos certa curiosidade. Lambert corou da cabeça aos pés.

— Ah! ei-lo que recomeça! Parece-me, Nikolai Siemiônovitch, que lhe pedi para conter-se! — declarou ele, num cochicho furioso, dirigido a Andriéiev. Este mirou-o com um olhar prolongado e lento:

— Não quero que meu novo amigo Dolgorowky beba hoje vinho demais.

Lambert corou ainda mais. O bexiguento escutava em silêncio, mas com visível satisfação. A saída de Andriéiev agradava-lhe. Somente eu não compreendia por que não devia beber.

— Faz isso simplesmente para extorquir dinheiro! Você receberá ainda sete rublos, compreendeu? depois do jantar, com a condição de deixar-nos terminar. Não nos comprometa! — disse Lambert, rangendo os dentes.

— Ah! ah! — mugiu vitoriosamente o *dadais*. Isto encantou decididamente o bexiguento, que deu uma risadinha.

— Escuta, tu exageras... — disse Trichátov a seu amigo com inquietude e quase com dor, querendo visivelmente contê-lo. Andriéiev calou-se, mas não por muito tempo; não entrava isso nos seus cálculos. A cinco passos de nós, na segunda mesa, jantavam dois senhores, conversando animadamente. Eram já maduros e de aspecto extremamente susceptível. Um, grande e gordíssimo, o outro igualmente muito gordo, porém baixo. Falavam em polonês a respeito dos últimos acontecimentos de Paris. Desde muito tempo já, o *dadais* olhava-os curiosamente, prestando ouvidos. O polonesinho causou-lhe sem dúvida a impressão dum personagem cômico, e logo tomou-lhe ódio, a exemplo de todos os indivíduos biliosos e doentes do fígado, nos quais isso ocorre sempre bruscamente, até mesmo sem motivo algum. De repente, o polonesinho pronunciou o nome do Deputado Madier de Montjau, mas, segundo o costume de muitos poloneses, fê-lo à polonesa, acentuando a penúltima sílaba, o que dava Mádier de Móntjau. Não era preciso mais para o *dadais*... Voltou-se para os poloneses e, erguendo-se gravemente, em alta e distinta voz, pronunciou, como se fizesse uma pergunta:

— Mádier de Móntjau?

Os poloneses voltaram-se furiosos.

— Que deseja? — gritou em russo o polonês grande e gordo, ameaçador. O *dadais* esperava-o justamente aí:

— Mádier de Móntjau? — repetiu, de maneira a ser ouvido por toda a sala, sem dar mais amplas explicações, exatamente como ainda há pouco diante da porta repetia-me estupidamente, avançando para mim: Dolgorowky? Os poloneses sobressaltaram-se. Lambert levantou-se e fez menção de atirar-se contra Andriéiev. Mas, abandonando-o, adiantou-se para os poloneses e confundiu-se em desculpas.

— São palhaços, *pan*, palhaços! — repetia, desdenhoso, o polonês baixinho, todo vermelho como uma cenoura, indignado. — Breve não se poderá mais vir aqui!

Toda a sala agitava-se, ouviam-se murmúrios por toda parte, risadas mais ainda, porém.

— Saia... peço-lhe... vamo-nos embora! — balbuciava Lambert, totalmente transtornado, procurando empurrar Andriéiev para fora da sala. Depois de ter lançado a Lambert um olhar inquisitivo e adivinhado que agora ele lhe daria dinheiro, Andriéiev consentiu em acompanhá-lo. Havia-lhe sem dúvida mais de uma vez extorquido dinheiro desta maneira cínica. Trichátov queria também correr atrás deles, mas olhou-me e deteve-se.

— Ah! que coisa suja! — disse ele, ocultando os olhos com seus dedos delicados.

— Bem suja, com efeito! — cochichou o bexiguento, desta vez com fisionomia descontente. Entretanto, Lambert voltara, quase branco, e, com gestos animados, cochichava alguma coisa ao bexiguento, que já ordenara que lhe trouxessem depressa o café. Escutava com ar desdenhoso. Via-se que sua vontade era retirar-se. E, no entanto, toda aquela história não passava de uma infantilidade. Trichátov, com sua xícara de café, passou para meu lado e sentou-se junto de mim.

— Gosto muito daquele Andriéiev — disse-me com uma fisionomia tão franca como se sempre tivéssemos tratado desse assunto. — O senhor não pode imaginar quanto é ele infeliz. Bebeu e comeu o dote de sua irmã; em geral bebeu-lhes e comeu-lhes tudo durante o ano em que estava de serviço militar e vejo que agora se atormenta por isso. Se não toma banho, é de desespero. Vêm-lhe ideias loucas: diz-me de repente que ser velhaco ou homem honesto é tudo uma coisa só, não há diferença; que nada se deve fazer, nem de bom, nem de mau; é possível praticar indiferentemente o bem e o mal, mas o melhor é ficar deitado sem tirar a roupa um mês inteiro, beber, comer e dormir... e nada mais. Mas, acredite-me, tudo isso, ele diz assim à toa. E saiba, penso mesmo que o golpe que ele acaba de dar é para romper definitivamente com Lambert. Ainda ontem me dizia isto. Acredita que, por vezes, de noite ou quando fica muito tempo sozinho, se põe a chorar? E fique sabendo que, quando ele chora, é à sua maneira, como nenhuma outra pessoa chora: urra, lança urros horríveis e torna-se ainda mais lamentável... Um homem tão grande, tão forte, pondo-se assim a berrar... Que infeliz, não é mesmo? Quero salvá-lo, mas eu mesmo sou um tipo tão sujo, um rapaz perdido, que o senhor não poderia acreditar! Deixaria que eu entrasse em sua casa, Dolgorúki, se eu fosse alguma vez visitá-lo?

— Decerto, gosto muito de você.

— E por que afinal? Enfim, obrigado. Escute, bebamos ainda uma taça. Mas que digo? Não beba. Ele lhe disse a verdade: não deve beber mais — lançou-me uma olhadela expressiva —, mas eu beberei ainda assim. Isto não adianta mais nada e não posso mais me conter em nada. Diga-me que não devo mais jantar nos restaurantes: pois bem, estou disposto a tudo para neles jantar ainda. Oh! queremos sinceramente ser honestos, asseguro-lhe, somente adiamos sempre para mais tarde,

E os anos passam, os melhores anos![105]

Mas ele, tenho bastante medo de que acabe enforcando-se. Irá enforcar-se sem dizer nada a ninguém. É desse feitio. Hoje todo mundo se enforca. Quem sabe? Haverá talvez muitos como nós? Eu, por exemplo, não posso absolutamente viver sem dinheiro demais. O dinheiro supérfluo é-me muito mais necessário do que o dinheiro indispensável. Escute, gosta de música? Sou louco por música. Tocarei alguma coisa, quando for visitá-lo. Toco muito bem piano e estudei durante muito tempo. Estudei seriamente. Se compusesse uma ópera, sabe?, tiraria um tema do *Fausto*. Gosto muito desse tema. Construo sempre uma cena numa catedral, à toa, somente na minha cabeça, imagino-a. Uma catedral gótica, o interior, os coros, os hinos, Margarida entra e, o senhor sabe, coros medievais, que neles se sinta o século XV. Margarida está melancólica: primeiro um recitativo em voz baixa, mas terrível, torturante. E os coros repercutem um canto sombrio, severo, indiferente:

Dies irae, dies illa![106]

E de repente, a voz do diabo, o canto do diabo. Está invisível, só se ouve o seu canto, ao lado dos hinos, com os hinos, coincidindo quase com eles e, no entanto, completamente diferente, eis ao que é preciso chegar! O canto é longo, infatigável, é um tenor, um tenor absoluto. Começa docemente, ternamente? "Lembras-te, Margarida, quando, ainda inocente, ainda criança, vinhas com tua mamãe e esta catedral e balbuciavas orações dum velho livro?" Mas o canto torna-se cada vez mais forte, cada vez mais apaixonado, mais ardente. As notas são mais altas: sentem-se nelas lágrimas, um tédio, incansável, sem remédio e enfim o desespero: "Nada de perdão, Margarida! Nada de perdão aqui para ti!". Margarida quer rezar, mas de seu peito só se escapam gritos, o senhor sabe, quando a gente tem convulsões à força de lágrimas no peito, e o canto de Satã não se cala mais, penetra cada vez mais profundamente na alma como uma ponta de espada, sempre mais alto e de repente interrompe-se com este grito: "Tudo está acabado, maldita!". Margarida cai de joelhos, junta as mãos diante de si e então é a sua prece, algo de muito curto, um meio recitativo, mas ingênuo, sem arte, algo de poderosamente medieval, quatro versos, quatro versos somente — Stradella[107] tem dessas notas — e, com a derradeira nota, o espasmo! Um desmaio. Levantam-na, carregam-na: então, de repente, o trovão do coro. Um raio, um coro inspirado, triunfante, esmagador, alguma coisa no gênero

---

105   Verso tirado dum poema de Liérmontov.

106   Dia de cólera, aquele dia!

107   Compositor e cantor napolitano do século XVII, discípulo de Scarlatti.

de nosso hino dos Querubins.[108] Tudo é abalado até suas bases e tudo vai dar no Hosana! Parecia o grito de todo o universo, enquanto a levam. Levam-na e o pano cai! Não, o senhor sabe, se eu fosse capaz, faria alguma coisa! Apenas não sirvo mais para nada. Contento-me com sonhar. Sonho com isso todo o tempo, sonho! Toda a minha vida não é mais do que um sonho, à noite também sonho. Ah! Dolgoruki, já leu *O bazar de antiguidades*, de Dickens?

— Sim, por quê?

— Lembra-se...? Espere, beberei mais uma taça. Lembra-se daquela passagem, lá para o fim, em que os dois, aquele velho maluco e aquela encantadora menina de treze anos, sua neta, encontraram um abrigo, depois de sua fuga fantástica e de suas peregrinações, em alguma parte lá bem no interior da Inglaterra, perto duma velha catedral gótica e a mocinha obtém ali um emprego de guia, para mostrar a catedral aos visitantes? Um dia, o sol se põe e aquela criança, de pé, no adro da catedral, inundada por seus derradeiros raios, olha o poente, numa doce e pensativa contemplação em sua alma infantil, em sua alma admirada, como se se encontrasse diante de um enigma, porque uma e outra não são senão enigmas: o sol, pensamento de Deus, e a catedral, pensamento dos homens!... Não é verdade?... Oh! não sei bem exprimir-me, mas Deus ama esses primeiros pensamentos das crianças... E ali, perto dela, sobre os degraus, aquele velho maluco, seu avô, observa-a com um olhar fixo... O senhor sabe, não há nisso nada de extraordinário, nessa cena de Dickens, apenas a gente não a esquecerá nunca mais, e ficou na memória da Europa inteira. Por quê? Eis o que é belo! É que há ali a inocência! Ah! não sei, o que há ali é somente a beleza. No ginásio, lia sempre romances. Sabe que tenho uma irmã no campo, um ano apenas mais velha do que eu? Agora foi tudo vendido lá e não temos mais campo! Estávamos juntos no terraço, debaixo de nossas velhas tílias, lendo aquele romance, e o sol também se punha: de repente deixamos de ler e dissemo-nos um ao outro que nós também seríamos bons, seríamos belos... Preparava-me então para entrar na Universidade... É que, como o senhor sabe, Dolgoruki, cada qual tem suas recordações!...

E de repente inclinou sua bela cabeça sobre meu ombro e desfez-se em lágrimas. Tive pena, muita pena dele. Sem dúvida bebera muito vinho, mas falava-me tão sinceramente, tão fraternalmente, com tanto sentimento... E, naquele instante, ouviu-se na rua um grito e grandes pancadas na janela (as janelas eram duma só peça, grandes e ao rés-do-chão, de sorte que podia-se da rua bater nelas). Era Andriéiev, que tinham posto para fora.

— *Ohé, Lambert! Où est Lambert? As-tu vu Lambert?*

Irrompeu lá da rua esse grito selvagem.

— Ah! mas está ele ainda aqui? Não partiu? — exclamou o pequenote, saltando de seu lugar.

— A conta! — gritou Lambert ao garçom. Suas mãos tremiam de cólera quando pagou a conta, mas o bexiguento não lhe permitiu que pagasse sua despesa.

— E por que não? Fui eu que o convidei e o senhor aceitou o convite.

— Não, permita. — O bexiguento tirou seu porta-moedas e, depois de ter feito o cálculo, pagou sua parte.

---

108 Uma das partes mais solenes da missa ortodoxa.

— O senhor me ofende, Siemion Sídoritch.

— Acho melhor assim! — cortou Siemion Sídoritch. Pegou seu chapéu e, sem se despedir de ninguém, saiu sozinho da sala. Lambert atirou seu dinheiro ao garçom e apressou-se em correr atrás dele, a ponto de esquecer-me na sua perturbação. Trichátov e eu saímos por último. Andriéiev estava plantado diante da porta como um marco, esperando Trichátov.

— Bandido! — gritou Lambert, que não podia mais conter-se.

— Ora essa! — rugiu Andriéiev e, com as costas da mão, bateu-lhe na cartola que rolou para o leito da rua. Lambert correu humildemente para apanhá-la.

— *Vingt-cinq roubles!* — Andriéiev mostrou a Trichátov a cédula que acabava de arrancar de Lambert.

— Basta! — gritou-lhe Trichátov. — Por que sempre tais escândalos?... E por que o escorchaste em vinte e cinco rublos? Devia-te apenas sete.

— Por quê? Prometeu-me fazer-nos jantar à parte, com mulheres, e em lugar de mulheres serviu-nos aquele bexiguento. Além disso, não acabei de comer e tive de ficar de fora, enregelando-me, justamente por dezoito rublos. Com os sete rublos que nos devia, somam vinte e cinco.

— Vão para o diabo todos dois! — berrou Lambert. — Expulso-os a ambos e lhes mostrarei...

— Lambert, sou eu que o expulso, serei eu que lhe mostrarei! — gritou Andriéiev. — *Adieu, mon prince!* Não beba mais vinho! Piétia, em frente, marche! *Ohé, Lambert! Où est Lambert? As-tu vu Lambert?* — soltou ele uma derradeira vez, afastando-se a passos gigantescos.

— Então, permite que vá visitá-lo? — balbuciou-me às pressas Trichátov, apressando-se no encalço de seu amigo.

Fiquei a sós com Lambert.

— Pois bem... vamos! — disse ele, como se tivesse dificuldade em retomar fôlego e até mesmo como que transtornado.

— Ir aonde? Não irei contigo a parte nenhuma! — apressei-me em gritar, num tom provocante.

— Como assim? — perguntou ele, medrosamente, voltando de súbito a si. — Mas esperava justamente ficarmos sós!

— Mas ir aonde?

Confesso-o, estava com a cabeça um tanto tonta também, depois de três taças de champanhe e dois pequenos copos de xerez.

— Aqui, aqui, estás vendo?

— Mas ali há ostras frescas, estás vendo? Está escrito. Cheira mal...

— Isto é porque acabas de jantar, mas essa casa aí é o restaurante de Miliutin. Não comeremos as ostras, mas vou te pagar champanhe.

— Não quero! Tu queres obrigar-me a beber.

— Foram eles que te disseram isto. Zombaram de ti. Acreditas neles, naqueles canalhas?

— Não, Trichátov não é um canalha. Aliás, saberei eu mesmo ser prudente. Aí está!

— Então, tens caráter tu mesmo?

— Sim, tenho caráter, um pouco mais que tu, uma vez que és escravo do primeiro que aparece. Cobriste-nos de vergonha, pediste perdão, como um lacaio, àqueles poloneses. É verdade então que recebeste muitas vezes pancadas nos botequins?

— Mas temos que conversar, imbecil! — gritou ele, com uma impaciência desdenhosa que parecia dizer: "E tu também?". — Então tens medo ou o quê? És meu amigo, sim ou não?

— Não sou teu amigo e tu não passas de um trapaceiro. Pois bem, vamos! Quero somente mostrar-te que não tenho medo de ti. Ah! como isto cheira mal, como cheira a queijo! Que porcaria!

Capítulo VI

I

Rogo mais uma vez ao leitor que se lembre de que restava eu com a cabeça um pouco tonta, sem o que teria falado e agido de outro modo. Naquele boteco, numa sala de trás, podia-se com efeito comer ostras e nós nos instalamos numa mesa coberta por uma toalha ordinária e suja. Lambert pediu champanhe; uma taça cheia dum vinho frio cor de ouro apareceu diante de mim, olhando-me com um ar sedutor; mas eu estava descontente.

— Vês tu, Lambert, o que me fere sobretudo é que imaginas poder, agora ainda, dar-me ordens como no pensionato Touchard, quando tu é que és escravo deles todos aqui.

— Imbecil! Vamos, toquemos as taças!

— Nem mesmo te dignas dissimular diante de mim; se, pelo menos, me ocultasses que queres obrigar-me a beber!

— Contas lorotas e estás bêbedo. É preciso beber mais, ficarás mais alegre. Vamos, toma tua taça, toma-a pois!

— Como assim: "Toma-a, pois!". Vou-me embora, eis tudo.

E com efeito ia-me retirar. Ficou furioso:

— Foi Trichátov quem te contou histórias contra mim; vi vocês dois cochichando juntos. Pois bem, não passas dum imbecil. Alfonsina passa mal do coração, quando ele se aproxima dela... É repugnante. Vou te dizer o que ele vale.

— Já disseste. Só tens Alfonsina na boca. És tremendamente ordinário.

— Ordinário? — Não compreendia. — Ei-lo agora com o bexiguento. Por isso é que os expulsei. São desonestos. Aquele bexiguento é um celerado, vai pervertê-los. Eu, pelo contrário, exigia que sempre se portassem com nobreza.

Sentei-me, peguei maquinalmente a taça e bebi um gole.

— Estou infinitamente acima de ti pela minha instrução — disse. Mas ele já estava por demais contente pelo fato de ter-me sentado de novo. Imediatamente encheu mais uma vez minha taça.

— Mas tu tens medo deles, não é? — continuei a inferná-lo (e certamente mostrava-me mais irritante do que ele próprio). — Andriéiev derrubou teu chapéu e tu lhe deste vinte e cinco rublos de recompensa.

O ADOLESCENTE

— Sim, mas ele vai me pagar. Revoltam-se, mas vou domá-los...

— O bexiguento traz-te num aperto. Sabes? parece-me que não te resta mais ninguém agora senão eu. Todas as tuas esperanças agora repousam apenas em mim. Hem?

— Sim, meu pequeno Arkádi, é bem verdade: és o único amigo que me resta. Bem o disseste! — E deu-me um tapinha no ombro.

Que fazer com um homem tão grosseiro? Era totalmente inculto e tomava uma zombaria por um elogio.

— Poderias evitar-me complicações, se fosses um bom camarada, Arkádi! — prosseguiu, olhando-me com ternura.

— E como assim?

— Bem o sabes. Sem mim, não passas dum imbecil e ficarás assim sempre, enquanto que eu posso dar-te trinta cédulas de mil e combinando tudo pela metade, sabes bem que isso renderia. Repara um pouco o que és: não tens nada, nem nome, nem família. E ali, dum golpe, será uma fortuna. Com semelhante soma, podes começar uma carreira!

Fiquei estupefato com tal proceder. Supunha que ele ia valer-se de ardis e eis que abordava o assunto diretamente, puerilmente. Resolvi escutá-lo, por largueza de espírito e... por causa duma louca curiosidade.

— Olha, Lambert: não compreenderás talvez isto, mas consinto em escutar-te porque tenho largueza de espírito — declarei com firmeza e bebi outro gole. Lambert logo encheu a taça.

— Pois bem, eis do que se trata, Arkádi: se um indivíduo como Bioring se tivesse permitido dizer-me injúrias e bater-me diante de uma dama a quem adoro, pois bem, não sei o que teria feito! Tu suportaste isso e enches-me de desgosto. Não passas de um trapo.

— Ousas dizer que Bioring me bateu? — exclamei, corando. — Eu é que bati nele e não ele em mim.

— Não, foi ele que bateu em ti e não tu nele.

— Mentes, cheguei mesmo a esmagar-lhe o pé!

— Mas ele empurrou-te e ordenou aos lacaios que te levassem... E ela, que estava na carruagem, ficou a olhar-te e a rir de ti! Sabe que não tens pai e que se pode fazer-te tudo engolir.

— Não sei, Lambert, mas conversamos neste momento como colegiais e tenho vergonha de ti. Queres simplesmente azucrinar-me e tão grosseiramente, tão abertamente, que se diria que estás tratando com um garoto de dezesseis anos. Puseste-te em acordo com Anna Andriéievna! — exclamei, tremendo de cólera e sempre bebendo maquinalmente, aos goles.

— Anna Andriéievna é uma velhaca! É capaz de enganar a ti, a mim, ao mundo inteiro. Eu te esperava, porque é mais capaz de te arranjar com a outra.

— Que outra?

— A Senhora Akhmákova. Sei de tudo. Tu mesmo me disseste que ela receia a carta que tens em tua casa...

— Que carta?... Mentes... Viste-a? — balbuciei todo comovido.

— Vi-a. É bela. *Très belle*, tens gosto.

— Sei que a viste. Mas não tiveste a ousadia de falar-lhe e não quero tampouco que tomes a liberdade de falar-lhe.

— És ainda jovem e ela zomba de ti, eis tudo. Havia lá em Moscou uma dessas virtuosas. Ah! como arrebitava o nariz! Pois bem, quando a ameaçaram de contar tudo, pôs-se a tremer e ficou imediatamente obediente. E ganhamos as duas coisas: o dinheiro e o resto; compreende? Agora está de novo na sociedade, inabordável, voa alto, com os diabos, e que carruagem! E se visses em que espelunca a coisa se passou! Ainda não viveste. Se soubesses que elas não têm medo de certas espeluncas...

— Bem o imaginava — balbuciei sem poder conter-me.

— São corruptas até a medula dos ossos. Não sabes de que elas são capazes! Alfonsina viveu numa dessas casas de tolerância. Pois bem, causava-lhe asco!

— Também imaginava isso — confirmei ainda uma vez.

— Batem-te e tens pena...

— Lambert, és um canalha, és um maldito! — exclamei, compreendendo tudo e tremendo. — Vi tudo isso em sonho. Estavas lá com Anna Andriéievna... Oh! és um amaldiçoado! Será que imaginavas que fosse um canalha até esse ponto? Vi isso em sonho e portanto sabia o que me virias dizer. E afinal as coisas não podem ser tão simples, para que me fales tão francamente, tão simplesmente!

— Vejam só, ele fica com raiva! Tá, tá, tá! — exclamou Lambert, rindo e triunfante. — Pois bem, Arkacha, sei agora de tudo quanto precisava. Por isso é que te esperava. Escuta-me: tu a amas e queres vingar-te de Bioring. Eis o que queria saber. Já o suspeitava, ao esperar-te aqui. *Ceci posé, cela change la question.*[109] E tanto melhor, porque ela também te ama. Casa-te sem demora, é o melhor. Aliás, não podes fazer de outro modo, escolheste a coisa mais segura. Em seguida, fica sabendo, Arkádi, que tens um amigo: sou eu, de quem podes fazer o que quiseres. Esse amigo te ajudará e te casará. Tudo arranjarei, nem que tenha de tirar de debaixo da terra, meu Arkacha. Em troca, darás em seguida a teu velho camarada trinta cédulazinhas pelo seu trabalho. Hem? Vou te ajudar, não te preocupes. Nestas espécies de negócios, conheço todos os pormenores. Vão te dar o dote completo, e eis-te rico, com uma bela carreira diante de ti!

A cabeça girava-me, mas não deixava contudo de olhar para Lambert com espanto. Estava sério, ou antes via claramente que ele próprio acreditava na possibilidade de casar-me, que adotava mesmo essa ideia com entusiasmo. Além disso, via também que me apanhava na armadilha como uma criança (já via, com certeza, naquela ocasião); mas a ideia desse casamento com ela havia penetrado em mim tão completamente que, embora admirando-me de que pudesse Lambert acreditar em semelhante fantasia, eu mesmo lhe havia de modo irresistível dado fé, sem perder um só instante a consciência de que era coisa manifestamente irrealizável. Não sei como tudo isso se conciliava.

— Mas será possível? — balbuciei.

— E por que não? Tu lhe mostras o documento, ela ficará com medo e casará contigo, para não perder o dinheiro.

Resolvi não deter Lambert nas suas canalhices, porque ele as expunha tão ingenuamente diante de mim que nem sequer suspeitava de que pudesse eu de repente indignar-me. Entretanto, murmurei que não ia querer casar apenas pela força:

---

109 Isto posto, muda a questão.

— Por preço algum casaria à força. Como podes ser bastante vil para acreditar-me capaz disso?

— Ah! eis aí! Mas será ela mesma que se oferecerá: não tu, porém ela. Terá medo e casará contigo. E casará contigo também porque te ama — acrescentou Lambert, reanimando-se.

— Estás inventando. Zombas de mim. E como sabes que ela me ama?

— Decerto que sei. Anna Andriéievna também o supõe. Sou sério e digo-te a verdade: Anna Andriéievna pensa assim. Mais tarde te contarei ainda alguma coisa, quando vieres ver-me e verás que ela te ama. Alfonsina esteve em Tsárskoie Sieló; tomou suas informações...

— E que ela pôde saber lá?

— Vamos à minha casa. Ela mesma te contará, será mais agradável para ti. E depois? Será que não vales como qualquer outro? És belo, bem-educado...

— Sim, sou bem-educado — murmurei, mal respirando. Meu coração batia prestes a romper-se e naturalmente não era o vinho a única causa disso.

— És belo, trajas bem.

— Sim, trajo bem.

— E és bom...

— Sim, sou bom.

— Por que, pois, não consentiria ela? Bioring, apesar de tudo, não a quererá sem dinheiro, e tu podes privá-la de seu dinheiro. Ela terá medo então. Casas-te com ela e num golpe vingas-te de Bioring. Bem me disseste, naquela noite, quando estavas gelado, que ela estava enamorada de ti.

— Como, disse-te isto? Decerto não falei assim.

— Não, não, disseste.

— Foi no delírio. Então devo ter-te falado também do documento.

— Sim, disseste que tinhas essa famosa carta. E eu disse a mim mesmo: como se dá que, tendo essa carta, ele perca seu tempo?

— Fantasia tudo isso! Não sou bastante tolo para acreditar nelas — balbuciei.

— Em primeiro lugar, a diferença de idade. Em seguida, não tenho nome.

— Digo-te que ela casará contigo. É impossível que tal não ocorra, quando há tanto dinheiro a perder. Arranjarei isso. Além do mais, ela te ama. Bem sabes que aquele velho príncipe está em muito boas disposições para contigo. Sabes que relações podes ter graças à sua proteção. Quanto a isso do nome, não se tem necessidade dele hoje em dia: desde que tenhas dinheiro, só tens de andar para a frente e irás longe, e daqui a dez anos terás tantos milhões que toda a Rússia tremerá: que necessidade terás de nome? Pode-se comprar na Áustria um título de barão. Uma vez casado, a tens na mão. É preciso saber manejar as mulheres. Uma mulher amorosa gosta que a tratem com energia. A mulher gosta da força de caráter no homem. Quando lhes fizeres medo com a carta, terás ocasião de mostrar tua força de caráter. "Tão jovem — dirá ela —, e já com tal força de caráter!"

Permaneci na minha cadeira como que aturdido. Com nenhuma outra pessoa chegaria a ponto de manter conversação tão tola. Mas não sei que sede deliciosa me levava a prolongá-la. Além do mais, Lambert era demasiado estúpido e demasiado vil para que a gente se visse obrigado a corar diante dele.

— Não; olha Lambert — disse eu, de repente —, como queiras, mas há muitos absurdos. Se te falo, é porque somos camaradas e não temos que corar um do outro. Mas com outro não teria me rebaixado a tal ponto. E sobretudo, por que afirmas com tanta convicção que ela me ama? Está certo isso que disseste ainda há pouco a respeito da fortuna. Mas, fica sabendo, Lambert, que não conheces a alta sociedade: tudo se passa dentro dela no regime mais patriarcal, isto é, no regime dos clãs, por assim dizer, e agora que ela não conhece ainda minhas capacidades, nem até onde posso chegar na vida, terá, apesar de tudo, vergonha de mim. Mas não te ocultarei, Lambert, que há no caso, com efeito, um ponto que pode causar esperança. Escuta: ela pode casar comigo por gratidão, porque posso livrá-la do ódio de um homem. E ela tem medo desse homem.

— Ah! queres falar de teu pai? Então ele a ama muito? — E Lambert estremeceu, de repente, com uma extraordinária curiosidade.

— Oh! não! — exclamei. — Como és terrível e estúpido ao mesmo tempo, Lambert! Eu poderia querer casar com ela, se ele a amasse? O filho e o pai! Seria vergonhoso, ainda assim. Ele ama mamãe; vi-o beijando mamãe, eu, que outrora imaginava que ele amasse Katierina Nikoláievna! Agora vejo bem que ele pôde amá-la outrora, mas desde muito tempo a detesta... Quer vingar-se e ela tem medo disso porque, vou te dizer, Lambert, ele é terrível quando começa a vingar-se. Torna-se quase louco. Quando quer, é capaz de tudo. São ódios de velhas famílias, por motivo de altas razões de princípios. Na nossa época, cospe-se sobre todos os princípios; na nossa época, não há mais princípios, mas somente casos particulares. Ah! Lambert, não compreendes nada: és estúpido como teus pés; falo-te agora desses princípios e certamente não compreendes nada. És tremendamente inculto. Lembras-te de como me batias? Agora, sou mais forte do que tu, sabes disto?

— Meu Arkacha, vamos à minha casa! Passaremos a noite juntos, beberemos mais uma garrafa e Alfonsina cantará, acompanhando-se à guitarra.

— Não, não irei. Escute, Lambert, tenho minha ideia. Se isso não der certo e eu não me casar, vou me recolher à minha ideia. Tu não tens ideia.

— Bem, bem, depois me contarás, vamos!

— Não irei! — E fiquei em pé. — Não quero e não irei. Irei à tua casa, mas não passas de um canalha. Vou te dar trinta mil rublos, pois seja, mas sou mais puro do que tu e mais nobre... Vejo bem que queres enganar-me. Mas quanto a ela, proíbo-te mesmo que penses: está acima de nós todos, e teus planos são uma tamanha sujeira que até me causas espanto, Lambert. Quero casar, é outro negócio, mas não tenho necessidade de capital, desprezo o capital. Não aceitarei, ainda mesmo que ela me oferecesse sua fortuna de joelhos... Casar, casar-me, isto é outra coisa. E tu sabes, disseste bem a respeito de mantê-la com mão firme. Amar, amar apaixonadamente com toda a grandeza d'alma de que o homem é capaz e que uma mulher não poderá jamais ter, mas ser também déspota, eis o que é bem bom. Porque, como sabes, Lambert, a mulher ama o despotismo. Tu, Lambert, conheces as mulheres, mas quanto ao mais, és espantosamente estúpido. E sabes, Lambert, que não és tão totalmente repugnante como pareces, és simplório. Gosto de ti. Ah! Lambert, por que és tão intrujão? Seria tão alegre viver contigo! Vê Trichátov como é gentil.

Estas derradeiras frases sem nexo foram balbuciadas já na rua. Oh! lembro-me dos menores detalhes: é preciso que o leitor veja como, com todos os meus entusiasmos, todos os meus juramentos e meus propósitos de reverter ao bem e de buscar a beleza, pude então cair tão facilmente e em semelhante lama! E, juro, se não estivesse perfeita e inteiramente convencido de que sou agora outro homem e adquiri o hábito da vida prática, por preço algum faria semelhantes confissões.

Tínhamos saído do estabelecimento e Lambert me sustentava, cercando-me levemente a cintura. De repente voltei os olhos para ele e vi no seu olhar fixo, perscrutador, terrivelmente atento e perfeitamente sóbrio, quase a mesma expressão que nele havia naquela manhã em que estava eu ficando gelado e em que ele me conduziu, cercando-me com seu braço exatamente da mesma maneira, até um carro, ouvindo de orelhas e olhos atentos meus balbucios desconexos. As pessoas meio embriagadas, mas ainda não completamente bêbedas, tem de repente instantes de inteira lucidez.

— Não irei à tua casa por preço algum! — disse eu, firme e categórico, olhando-o com um ar zombeteiro e repelindo seu braço.

— Bem, basta. Mandarei Alfonsina fazer chá para ti.

Ele estava profundamente convicto de que eu não lhe escaparia. Cercava-me e sustentava-me com prazer, como sua vítima, e era bem certo que lhe era necessário, precisamente naquela noite e naquele estado. Mais tarde se verá por quê.

— Não irei! — repetia. — Cocheiro!

Um trenó passava justamente na ocasião. Pulei para dentro dele.

— Aonde vais? Que fazes? — berrou Lambert, com um medo tremendo, retendo-me pela minha peliça.

— E não tentes seguir-me! — exclamei. — não corras atrás de mim.

Naquele momento o cocheiro chicoteou seu cavalo e minha peliça escapou das mãos de Lambert.

— Não importa, haverás de vir! — gritou ele de longe, com uma voz iracunda.

— Irei, se quiser. Sou livre! — gritei-lhe do trenó, voltando-me.

II

Não me perseguiu, sem dúvida porque não encontrou outro carro à mão e pude escapar-lhe. Mas fiz-me conduzir somente até a Sienaia Plóchtchad;[110] ali, levantei-me e dispensei o trenó. Tinha uma vontade louca de andar a pé. Não sentia nem fadiga nem grande embriaguez. Tinha somente uma espécie de atrevimento, de afluxo de força, uma aptidão extraordinária para qualquer empreendimento, uma infinidade de ideias agradáveis na cabeça.

Meu coração batia e bastante intensamente: ouvia cada batida. E tudo me era agradável, tão fácil! Ao passar diante do posto de Sienaia, tive uma vontade louca de abordar a sentinela e de abraçá-la. Era o degelo, a praça estava negra e tresandava, mas tudo me agradava, até mesmo a praça.

"Vou entrar agora pela Obúkhovski Próspekt[111] — dizia a mim mesmo. — Em seguida, voltarei à esquerda e irei sair no Siemiónovski Polk,[112] darei uma volta, é delicioso, tudo é delicioso. Estou com minha peliça desabotoada: ninguém tenta

---

110 Praça Sienaia, perto do Mercado do Feno, logradouro de São Petersburgo.
111 Avenida Obúkhovski.
112 Regimento de São Simeão.

agarrá-la, onde estão, pois, os ladrões? Talvez lhes dê minha peliça. Que necessidade tenho dela? Uma peliça é uma propriedade. *La propriété, c'est le vol.*[113] Mas é idiota. Como tudo é belo! Não faz mal que haja degelo. De que serve a geada? Não seria preciso absolutamente geada. Faz bem dizer bobagens. Ora, que foi que eu disse, pois, a Lambert a respeito dos princípios? Dizia que não há princípios, mas simplesmente casos particulares. Menti, foi uma supermentira! De propósito, para dar-me importância. É um tanto vergonhoso, mas não importa, repararei isso. Não tenhas vergonha, não te atormentes, Arkádi Makárovitch! Arkádi Makárovitch, você me agrada. Você me agrada mesmo muito, meu jovem amigo. É pena que seja você um... um trapaceirinho... e... e... ah!... ah!...

Parei de súbito e todo o meu coração foi novamente invadido pela embriaguez.

"Senhor! Que foi que ele disse? disse que ela me ama. Oh! o canalha mentiu! Disse para que eu fosse passar a noite em casa dele. De fato, talvez não. Disse que Anna Andriéievna também acredita nisso... Ah! ah! Talvez Dária Onísimovna possa ter sabido alguma coisa: mete o nariz em toda parte, aquela! E por que, afinal, não fui à casa dele? Teria me contado tudo. Hum! tem seu plano. Pressentia tudo isso até nos mínimos recantos. Um sonho. Está bem concebido, Senhor Lambert, apenas, o senhor mente, isto não se passará assim. Mas talvez sim! Talvez sim! Ele não será capaz de casar-me? É bem capaz disso. É ingênuo e crédulo. É estúpido e audacioso, como todos os homens de negócios. A bestice e a audácia reunidas são uma grande força. Confesso que você teve medo de Lambert, Arkádi Makárovitch! E que necessidade ele tem de gente honesta? Fala assim, com toda a seriedade: não há um só homem honesto aqui! Mas, e tu então? Ora! Que digo eu? Será que as pessoas honestas não são necessárias aos canalhas? Na trapaçaria, as pessoas honestas são ainda mais necessárias que alhures. Ah! ah! ah! não sabia ainda disso, Arkádi Makárovitch, na sua completa inocência? Senhor! E se na verdade ele conseguir casar-me?"

Parei de novo. Devo confessar aqui uma tolice (já que se passou há muito tempo), devo confessar que desejava desde muito tempo casar, antes não queria e isso jamais teria acontecido (e não acontecerá jamais, dou minha palavra), porém mais de uma vez e muito tempo ainda antes tinha sonhado como seria bom casar, um número incalculável de vezes, sobretudo ao adormecer cada noite. Isso começara quanto tinha eu dezesseis anos. Havia no ginásio um camarada de minha idade, Lavróvski, um rapazinho tão gentil, tranquilo e bonito, que só tinha, aliás, isso de notável. Quase nunca falava com ele. De repente, encontramo-nos a sós um dia, sentados um ao lado do outro. Ele estava muito pensativo e disse-me de repente: "ah! Dolgorúki, que lhe pareceria, se casássemos agora? E quando casar então, a não ser agora? É a melhor época e, no entanto, é impossível!". Disse isto sinceramente. E de repente senti-me de acordo com sua opinião de toda a minha alma, porque então já sonhava a mesma coisa. Em seguida, tornamos a encontrar-nos vários dias em seguida e falávamos daquilo sempre, às ocultas, por assim dizer. Mais tarde, não sei como aconteceu, mas separamo-nos e deixamos de falar-nos. Pois bem, foi então que me pus a sonhar. Era inútil sem dúvida mencioná-lo, mas quis somente indicar quanto algumas vezes as coisas remontam a muito longe...

---

113 A propriedade é um roubo.

O ADOLESCENTE

"Só há uma objeção séria — sonhava eu, continuando a caminhar. — Oh! sem dúvida, uma miserável diferença de idade não é um obstáculo, mas eis aqui: ela é tão aristocrática e eu sou Dolgorúki tão-somente! Sujo negócio! Hum! Viersílov poderia bem, casando-se com mamãe, pedir ao governo a permissão de adotar-me... em recompensa aos serviços prestados pelo pai... Serviu no Exército, portanto prestou serviços. Era conselheiro de paz... Ora, diabos me levem! Que ignomínia!"

Lancei esta exclamação e, bruscamente, pela terceira vez, parei, mas como que esmagado ali mesmo. Um sentimento doloroso de humilhação à ideia de que tivesse podido formular um desejo tão vergonhoso como esse de mudar de nome por adoção, essa traição a toda a minha infância, tudo isso aniquilou num instante todas as minhas disposições precedentes, toda a minha alegria evaporou-se em fumaça. "Não, não o direi a ninguém — pensei, corando terrivelmente. — Se me rebaixei a tal ponto, é que... estou apaixonado e sou um idiota. Não, se há um ponto a respeito do qual Lambert tem razão, é quando diz que agora não se tem mais necessidade de toda essas tolices e que na nossa época o essencial é o homem e, em seguida, seu dinheiro. Ou antes, não o dinheiro, mas seu poder. Com esta fortuna, lanço-me na minha ideia, e daqui a dez anos toda a Rússia tremeria diante de mim e eu me vingaria de todo mundo. De que servem tantas cerimônias com ela? Nisto Lambert também tem razão. Ela terá medo e casará comigo muito simplesmente. Dará seu consentimento, da maneira mais simples e mais banal do mundo e ela casará comigo. 'Não sabes, não sabes em que espelunca isso se passava!' Era a frase de Lambert que me voltava à memória." E é verdade — eu confirmava. Lambert tem razão em todos os pontos. Tem mil vezes mais razão do que eu e Viersílov e todos esses idealistas! É um realista, ele. Ela verá que tenho força de caráter e dirá: "Tem mesmo caráter!". Lambert é um canalha e só pensa em arrancar de mim os trinta mil, mas apesar de tudo é meu único amigo. Nenhuma outra amizade possível, foram pessoas práticas que imaginaram tudo isso. E a ela, nem mesmo a humilho. Será que a humilho? Absolutamente. Todas as mulheres são semelhantes! Existe uma só mulher sem baixeza? Por isso tem necessidade do homem. Foram criadas para a submissão. A mulher é vício e escândalo, o homem, nobreza e generosidade. Será assim até a consumação dos séculos. Proponho-me utilizar o documento: pois bem, isso não tem importância. Isso não impedirá nem a nobreza nem a generosidade. Não existe Schiller em estado puro; inventaram-nos. Pouco importa que haja lixo, se o alvo é magnífico! Depois tudo será lavado, repassado. Mas agora isso... é tão-somente largueza de espírito, é a verdade prática. Eis como se chama isso hoje!

Oh! repito-o ainda: que me perdoem reproduzir aqui todo esse delírio de bêbedo, sem omitir uma linha. Não é senão a quinta-essência de minhas ideias do momento, mas me parece, no entanto, que são as próprias palavras que empreguei. Devia reproduzi-las, pois que escrevo para julgar-me. Que haverá para julgar, senão isso? Pode haver na vida nada de mais sério? O vinho não me justificava. *In vino veritas*.[114]

---

114   No vinha a verdade.

O ADOLESCENTE

Assim pensando, e todo mergulhado em minhas imaginações, não notei que chegara afinal à casa, quero dizer ao apartamento de mamãe. Nem mesmo notara como tinha entrado; mas acabava de pôr o pé na nossa minúscula antecâmara, quando compreendi de súbito que se passara em nossa casa algo de extraordinário. Falava-se em voz alta nos quartos, lançavam-se gritos e ouvia-se o choro de mamãe. No limiar, estive a ponto de ser derrubado por Lukiéria, que passava como um turbilhão do quarto de Makar Ivânovitch, porque estavam todos ali reunidos.

Estavam ali Viersílov e mamãe. Mamãe estava deitada nos braços dele que a apertava fortemente contra seu coração. Makar Ivânovitch estava sentado, segundo seu costume, sobre seu tamborete, mas como que sem forças, enquanto que Lisa lhe sustentava com dificuldade o ombro para impedi-lo de cair; era claro que sua tendência era sempre para cair. Dei vivamente um passo para ele, estremeci e adivinhei: o velho estava morto.

Acabava de morrer, um minuto talvez antes de minha chegada. Dez minutos antes, sentia-se ainda como sempre. Lisa estava só com ele; sentada a seu lado, contava-lhe seus pesares, enquanto ele, como na véspera, lhe acariciava a cabeça. De repente, foi ele tomado dum tremor (contava Lisa), quis erguer-se, quis gritar, mas recaiu em silêncio sobre o lado esquerdo. "Foi o coração!", disse Viersílov. Lisa lançou um grito que pôs em sobressalto a casa inteira, todos acorreram — e tudo isso acabava de se passar um minuto talvez antes de minha chegada!

— Arkádi! — gritou-me Viersílov —, corre imediatamente à casa de Tatiana Pávlovna. Deve certamente estar em casa. Que ela venha imediatamente. Toma um carro. Vai depressa, suplico-te!

Seus olhos brilhavam, lembro-me bem. Em seu rosto, nada notei que se assemelhasse a um puro pesar, a lágrimas: somente choravam mamãe, Lisa e Lukiéria. Pelo contrário, retive-o perfeitamente, o que me chamava a atenção em seu rosto, era uma excitação extraordinária, uma espécie de entusiasmo. Corri à casa de Tatiana Pávlovna. O caminho, como se sabe pelo que precede, não ela longo. Não tomei carro, mas fiz todo o trajeto a trote, sem parar. Estava com o espírito turvo e, mesmo assim, quase entusiasta. Compreendia que acabava de ocorrer um acontecimento radical. Minha embriaguez havia completamente desaparecido, até a derradeira gota, e com ela todas as ideias ignóbeis, quando toquei a campainha da casa de Tatiana Pávlovna.

A finlandesa abriu: "A senhora saiu!" — e quis logo tornar a fechar.

— Saiu como? — disse eu, introduzindo-me à força na antecâmara. — Mas é impossível! Makar Ivânovitch morreu!

— O qu-ê-ê? — repercutiu bruscamente o grito de Tatiana Pávlovna, através da porta fechada de seu salão.

— Morreu! Makar Ivânovitch morreu! Andriéi Pietróvitch roga-lhe que vá imediatamente.

— Mentes!...

O ferrolho rangeu, mas a porta não se abriu senão uma polegada:

— Que é que há! Conta!

— Não sei. Acabo de chegar: ele estava morto. Andriéi Pietróvitch disse: foi o coração!

— Imediatamente! Imediatamente! Corre, dize que já vou. Mas vai depressa, depressa! Pois bem, para que ficas aí parado?

Via nitidamente, através da porta entreaberta, que alguém acabava de sair de trás do reposteiro que dissimulava o leito de Tatiana Pávlovna. Maquinalmente, instintivamente, pusera a mão no ferrolho e não deixei que a porta se tornasse a fechar.

— Arkádi Makárovitch! É verdade que ele morreu? — Era uma voz conhecida, doce, igual, metálica, que fez tremer tudo instantaneamente na minha alma: na sua pergunta, sentia-se um tom compenetrado, comovido.

— Se é assim — Tatiana Pávlovna abandonou de repente a porta —, se é assim, arranje-se você mesma como quiser. Você foi quem quis!

Saiu precipitadamente do quarto, agarrando de passagem um xale e uma curta peliça e correu para a escada. Ficamos sós. Tirei a peliça, dei um passo e tornei a fechar a porta.

Ela estava ali diante de mim, como da outra vez, como no dia da entrevista, o rosto claro, o olhar claro e como da outra vez estendeu-me as duas mãos. Fui como que ceifado ali mesmo e caí literalmente a seus pés.

III

Ia eu chorar, não sei por quê. Não sei mais como ela me fez sentar a seu lado. Lembro-me somente de que, numa recordação inapreciável, estávamos sentados lado a lado, mão na mão, e conversávamos precipitadamente: ela me interrogava a respeito do velho e de sua morte e eu lhe contava, de modo que se teria podido crer que eu chorava por Makar Ivânovitch, quando teria sido isto o cúmulo do absurdo; e sei que ela jamais teria podido supor em mim uma vulgaridade tão infantil. Afinal, dominei-me de repente e tive vergonha. Suponho agora que chorava então unicamente de entusiasmo e creio que ela o compreendeu muito bem, de sorte que, quanto a esta lembrança, estou tranquilo.

Pareceu-me, de repente, muito estranho que ela me interrogasse de tal maneira a respeito de Makar Ivânovitch.

— Mas você o conhecia? — perguntei, cheio de espanto.

— Desde muito tempo. Jamais o vi, mas desempenhou um papel na minha vida. Ouvi dizer, outrora, muitas coisas dele, pelo homem a quem temo. Você sabe o que quero dizer.

— Sei somente que aquele homem estava infinitamente mais perto de seu coração do que você me confessou — disse eu, sem saber o que queria exprimir com isto, mas em tom de censura e de cenho franzido.

— Você diz que ele beijou ainda há pouco sua mãe? Beijou-a? Você viu com seus próprios olhos? — continuou ela a interrogar-me, sem me escutar.

— Sim, vi. E acredite que tudo aquilo era perfeitamente sincero e generoso! — apressei-me em confirmar, vendo sua alegria.

— Graças a Deus! — Benzeu-se. — Agora, ei-lo livre! Aquele admirável ancião acorrentava-lhe a existência. Com sua morte, veremos ressurgir nele o dever e... a dignidade, como já aconteceu uma vez. É que ele é antes de tudo generoso, acalmará o coração de sua mãe, a quem ama mais que tudo no mundo, e ele próprio por fim se acalmará e, graças a Deus, já era tempo.

— Ele lhe é assim tão querido?

— Sim, muito querido, embora não no sentido em que ele o quereria e no qual você o entende.

— Mas agora é por ele ou por você que você teme? — perguntei de chofre.

— Oh! são perguntas difíceis, deixemo-las.

— Deixemo-las, está entendido; somente, eu não sabia nada de tudo isso, e de muitas coisas talvez. Enfim, você tem razão, agora tudo está mudado e, se alguém ressuscitou, fui o primeiro. Pensei mal de você, Katierina Nikoláievna, e, talvez não haja uma hora, cometi uma baixeza para com você, em ato também, mas saiba que, sentado agora junto de você, não experimento o mínimo remorso. É que agora tudo desapareceu, tudo mudou, e o homem que, há uma hora, meditava contra você uma baixeza, não mais o conheço e não quero conhecê-lo!

— Acalme-se! — sorriu ela. — Parece que você delira um pouco.

— Será que a gente pode julgar a si mesmo, ao lado de você? — continuei. — Seja leal, seja baixo, é o mesmo: você é inacessível como o sol... Diga-me, como você pode vir ao meu encontro depois de tudo quanto se passou? Mas se soubesse o que se passou há uma hora, não mais que uma hora! Que sonho se realizou!

— Sei tudo, creio — disse ela, com um manso sorriso. — Você quis ainda há pouco vingar-se de mim, jurou a si mesmo perder-me, e decerto teria matado ou posto mal aquele que tivesse ousado pronunciar uma só palavra contra mim em sua presença.

Sem dúvida sorria e brincava; mas era unicamente um efeito de sua extrema bondade, porque naquele momento toda a sua alma estava plena, dei-me conta disso depois, duma imensa preocupação pessoal e de um sentimento tão forte e tão poderoso que não podia conversar comigo e responder às minhas perguntas vazias e irritantes, senão da maneira pela qual se responde por vezes às perguntas pueris e teimosas dum menino, para ver-se livre dele. Compreendi isso de repente e tive vergonha, mas não podia mais deter-me.

— Não — exclamei, já não me contendo mais —, não, não matei aquele que dizia mal de você; pelo contrário, apoiei-o até.

— Oh! pelo amor de Deus, não me conte nada, é inútil, não é preciso — e estendeu a mão para deter-me, até mesmo com certo sofrimento no rosto. Mas eu já havia saltado e estava de pé diante dela para declarar-lhe tudo e, se o tivesse feito, o que aconteceu em seguida não teria acontecido, porque certamente eu teria acabado por confessar tudo e por entregar-lhe o documento. Mas de repente, ela desatou a rir:

— Inútil, não tenho necessidade de nada, de nenhum detalhe! Todos os seus crimes, eu os conheço. Aposto que quis casar comigo ou algo de parecido e que acabava de entender-se a respeito com um de seus auxiliares, um de seus antigos companheiros de escola... Ah! creio que adivinhei! — exclamou, olhando-me com seriedade.

— Como... como pôde adivinhar? — balbuciei como um imbecil, estuporado.

— Ora, não faltava mais nada! Mas basta, basta! Perdoo-lhe, contanto que não fale mais disso. — Fez ainda um gesto com a mão, com manifesta impaciência. — Eu também gosto de sonhar e se você soubesse a que processos recorro em meus sonhos, quando nada me retém mais! Basta, você só faz me perturbar. Estou muito contente por Tatiana Pávlovna ter saído; queria muito vê-lo, e, na presença dela, não poderíamos falar como estamos fazendo. Parece-me que sou culpada para com você pelo que aconteceu então. Sim? Não é isto mesmo?

— Você, culpada? Mas então fui eu que a entreguei a ele. O que será que você pôde pensar de mim? Refleti nisso todo este tempo, todos estes dias, refleti nisso a cada instante e sentia isso. (Não lhe mentia.)

— Fez mal em atormentar-se assim. Compreendi demasiado bem no momento como tudo se passara. Você confessou-lhe muito simplesmente na sua alegria que estava apaixonado por mim e que eu... não o desiludia. Não é em vão que você tem vinte anos. É que você o ama mais que a tudo no mundo, procura nele um amigo, um ideal. Compreendi bem, mas era já demasiado tarde. Sim, decerto, fiz mal, também eu. Deveria ter chamado você imediatamente para acalmá-lo, mas estava de mau-humor e dei ordem para não recebê-lo mais em minha casa. Foi então que ocorreu a cena diante da porta e depois aquela noite. E saiba você que, durante todo aquele tempo, da mesma maneira que você, acariciei o sonho de vê-lo às ocultas, somente não sabia como levar isso a efeito. E que você acha que eu temia mais que tudo? Pois bem, era que você acreditasse em calúnias a meu respeito.

— Jamais! — exclamei.

— Estimo suas anteriores entrevistas. O que amo em você é o jovem e até mesmo talvez essa sinceridade... É que tenho um gênio extremamente sério. Sou a mais séria e a mais triste das mulheres de hoje, fique sabendo... Ah! ah! ah! Haveremos ainda de conversar a sós; agora não estou completamente no meu juízo, estou demasiado comovida e... creio que até mesmo histérica. Mas afinal, afinal, ele me deixará viver em paz!

Esta exclamação escapou-lhe de improviso; compreendi-a logo e não quis dar-me por entendido, mas estava todo trêmulo.

— Ele sabe que lhe perdoei! — exclamou ela, de novo, como se falasse a si mesma.

— Como você pôde lhe perdoar aquela carta? E como ele poderia saber que você lhe perdoou? — perguntei, não me contendo mais.

— Como? Oh! ele bem sabe! — ela continuou a responder, mas com ar de esquecer-se de minha presença e de falar a si mesma. — Agora ele recuperou seus sentidos. E como não haveria de saber que o perdoei, quando conhece de cor toda a minha alma? Bem sabe que sou um tanto do mesmo gênero que ele.

— Você?

— Sim e ele sabe. Oh! não sou apaixonado, sou calma, mas também eu quereria, como ele, que todo mundo fosse bom... Não foi sem razão que se apaixonou por mim.

— Então por que ele dizia que você possuía todos os vícios?

— Dizia-o à toa; no seu íntimo, tem um segredo bem diferente. Mas a carta dele não é mesmo bem engraçada?

— Engraçada? (Escutava-a com toda a atenção; suponho que ela estivesse mesmo numa crise de histeria e... que não falasse talvez de todo para mim; mas não podia impedir-me de interrogá-la!)

— Engraçada, decerto, e quanto eu riria bem, se... se não tivesse tanto medo. Não sou, no entanto, tão covarde, não acredite nisto! Mas aquela carta impediu-me de dormir naquela noite; estava escrita com sangue, sangue de doente... Depois de semelhante carta, que restava fazer? Amo a vida, temo enormemente pela minha vida, neste ponto sou horrivelmente covarde... Ah! escute! — exclamou de repente —, vá procurá-lo! Ele está só, não está sem dúvida mais lá, terá certamente partido para algum lugar, descubra-o depressa, imediatamente, corra atrás dele, mostre-lhe que é um filho amoroso, prove-lhe, que é um rapaz bondoso e gentil, meu estudante, que eu... Oh! Deus o faça feliz! Não amo ninguém, e isto é melhor, mas desejo a todos a felicidade, a todos, e a ele em primeiro lugar, que ele fique bem ciente disto... e mesmo imediatamente, isto seria para mim tão agradável...

Levantou e desapareceu de repente por trás do reposteiro; naquele momento lágrimas brilhavam no seu rosto (lágrimas histéricas, após a risada). Fiquei sozinho, comovido e perturbado. Ignorava deveras a que atribuir semelhante emoção que jamais teria suposto nela. Algo parecia contrair-se em meu coração.

Esperei cinco minutos, depois dez; um profundo silêncio impressionou-me de repente e decidi olhar pela porta e chamar. Ao meu apelo, mostrou-se Mária, que me declarou com o tom mais calmo que a senhora se tinha desde muito tempo vestido e saíra pela escada de serviço.

Capítulo VII

I

Só me faltava isso. Peguei minha peliça e, vestindo-a às pressas, saí dali, pensando: "Ela quer que eu vá à casa dele, mas onde o encontrarei?".

Além de tudo mais, impressionava-me esta pergunta: "Por que ela pensa que agora os tempos mudaram e ele a deixará tranquila? Decerto porque vai casar com mamãe, mas que tem ela a ver com isso? Alegra-se pelo fato dele casar com mamãe, ou bem pelo contrário sente-se infeliz por isso? Não virá daí sua histeria? Por que não sou capaz de resolver tal problema?".

Anoto esta segunda ideia, que me atravessou então o espírito, para recordá-la, literalmente: é importante. Aquela noite foi fatal. A gente acaba, mesmo contra a vontade, a crer na predestinação: não dera ainda cem passos na direção do apartamento de mamãe, quando dei com aquele a quem procurava. Segurou-me pelo ombro e fez-me parar.

— És tu? — exclamou alegremente e, ao mesmo tempo, com o maior espanto. — Imagina que passei por tua casa — disse ele, depressa —, procurei-te, perguntei por ti. É de ti somente que tenho necessidade agora em todo o universo! Teu burocrata contou-me não sei que histórias; mas não estavas em casa e parti, esquecendo mesmo de mandar dizer-te que fosses imediatamente à minha casa. Pois bem, enquanto caminhava, tinha a convicção inabalável de que a sorte não podia deixar de pôr-te no meu caminho, no momento em que me eras tão necessário. E tu és a primeira pessoa que encontro! Vamos à minha casa. Jamais vieste à minha casa...

Em suma, nós nos procurávamos mutuamente e acontecera a cada um de nós uma aventura idêntica. Apressamos o passo.

Em caminho, não me dirigiu senão curtas frases: deixara mamãe com Tatiana Pávlovna, etc., etc. Conduzia-me, segurando-me pela mão. Sua casa não era longe dali e em breve chegamos. Com efeito, nunca fora à casa dele. Era um pequeno alojamento de três peças, alugado por ele (ou mais exatamente alugado por Tatiana Pávlovna) unicamente para a "criança de peito". Aquele apartamento estivera sempre sob a vigilância de Tatiana Pávlovna e nela havia uma criada com o menino (agora Dária Onísimovna); mas sempre havia também um quarto para Viersílov, o primeiro ao entrar, bastante espaçoso e bastante bem mobiliado, uma espécie de gabinete de leitura e de trabalho. Havia, com efeito, sobre a mesa, num armário e sobre várias prateleiras, uma multidão de livros (no apartamento de mamãe quase não os havia): viam-se papéis todos escritos, maços de cartas: em suma, tudo isso assemelhava-se a um canto desde muito tempo habitado e sei que Viersílov, já outrora (embora bastante raramente), transportava-se para aquele apartamento, a fim de nele ficar até semanas inteiras. O primeiro objeto que me prendeu a atenção foi um retrato de mamãe, pendurado por cima da escrivaninha, numa magnífica moldura de madeira esculpida; uma fotografia, tirada, evidentemente, no estrangeiro, objeto de alto preço, a julgar pelas suas dimensões inusitadas. Não conhecia aquele retrato, e jamais ouvira falar dele até então, mas o que me impressionou sobretudo foi sua extraordinária semelhança, semelhança espiritual, por assim dizer: parecia um verdadeiro retrato de mão dum artista e não uma prova mecânica. Assim que entrei, fiquei, malgrado meu, estupefato diante dele.

— Não é verdade? Não é verdade? — repetiu Viersílov.

Queria dizer: "Não está parecido?". Voltei-me para ele e fiquei impressionado com a expressão de seu rosto. Estava um pouco pálido, mas seu olhar ardente e quente brilhava de felicidade e de energia: ainda não lhe conhecia semelhante expressão.

— Não sabia que o senhor amava tanto a mamãe! — cortei de repente, cheio de entusiasmo.

Sorriu, beatificamente, refletindo aliás também um sofrimento, ou, para melhor dizer, um sentimento humano, superior... não sei como explicar-me. Mas as pessoas de alta cultura, parece-me, não podem ter o rosto triunfal e vitoriosamente feliz. Sem responder, arrancou da parede com as duas mãos o retrato, aproximou-o de si e beijou-o. depois tornou tranquilamente a colocá-lo na parede.

— Observa — disse ele. — As fotografias são muito raramente parecidas e isto se compreende: o original, isto é, cada um de nós, é tão raramente semelhante a si mesmo... Há somente raros instantes em que o rosto reflete o traço essencial do homem, seu pensamento mais característico. O artista estuda o rosto e adivinha esse pensamento essencial, mesmo se no momento em que pinta, ele não está marcado com rosto. A fotografia surpreende o homem tal como é, e é bastante possível que em certos momentos Napoleão tivesse sido surpreendido com expressão de estúpido e Bismarck com expressão de ternura. Mas aqui, neste retrato, o sol apanhou como por acaso Sônia no seu instante essencial, pudica, docemente amorosa, com sua castidade um pouco selvagem, medrosa. Como ela era feliz então, uma vez convencida de que eu desejava tanto ter seu retrato! Essa fotografia não data de muito tempo, mas era ela ainda assim então mais jovem e mais bonita; e, no entanto, tinha já aquelas faces cavadas, aquelas rugas na testa, aquela timidez medrosa no olhar, que só fazem crescer com os anos, cada vez mais acentuadas. Acreditarias, meu filho? Sou quase incapaz agora de imaginá-la com outro rosto. E, no entanto, foi ela também jovem e encantadora! As mulheres russas envelhecem depressa, sua beleza é passageira e decerto isto não provém somente de certas particularidades etnográficas, mas também do fato de saberem amar sem reservas. De chofre, a mulher russa dá tudo, se ama, o instante e o destino, o presente e o futuro: não sabem economizar, não fazem reservas e sua beleza passa depressa para aqueles a quem elas amam. Aquelas faces cavadas são ainda o resto de beleza que sacrificou a mim, para meu gozo passageiro. Mostras-te contente porque tenho amado tua mãe; não acreditavas talvez que a tivesse amado? Sim, meu amigo, amei-a muito, mas nunca lhe fiz senão mal. Há ali outro retrato. Vê, olha-o também.

Tomou-o de cima da mesa e me passou. Era também uma fotografia, de formato infinitamente mais reduzido, numa pequena moldura de madeira oval e delicada: um rosto de moça, magra e tísica, e apesar de tudo bonito; pensativo, e ao mesmo tempo estranhamente destituído de pensamento. Os traços regulares, de um tipo refinado pelas gerações, mas causando uma impressão mórbida: seria possível acreditar que aquela criatura fora bruscamente dominada por alguma ideia fixa, dolorosa porque acima de suas forças.

— Essa... é a moça com a qual o senhor queria casar lá e que morreu tuberculosa?... A enteada dela? — perguntei um tanto timidamente.

— Sim, queria casar com ela. Morreu tuberculosa, a enteada dela. Sabia que sabias... São mexericos. Aliás, fora de mexericos, nada podias saber aqui. Deixa aí este retrato, meu amigo. Trata-se de uma pobre louca e nada mais.

— Completamente louca?

— Ou idiota. Mas louca também, creio. Teve um filho do Príncipe Sierguiéi Pietróvitch (por loucura e não por amor; foi um dos atos mais ignóbeis do Príncipe Sierguiéi Pietróvitch). Essa criança está agora aqui, neste quarto, e desde muito tempo queria mostrá-la a ti. O Príncipe Sierguiéi Pietróvitch não ousou vir aqui ver seu filho: foi a convenção que concluímos juntos no estrangeiro. Tomei a criança para mim, com permissão de tua mãe. Com a permissão de tua mãe, queria também desposar aquela... desgraçada...

— Serão possíveis permissões tais? — perguntei com calor.

— Por certo! ela as deu: tem-se ciúme duma mulher, mas aquela não era uma mulher.

— Não era uma mulher para todos os outros; mas para mamãe? Não acreditarei jamais que mamãe não tenho tido ciúmes! — exclamei.

— E tens razão. Dei-me conta disso quando tudo já estava acabado, isto é, uma vez dada a permissão. Mas deixemos isso. A coisa não se realizou, por causa da morte de Lídia e talvez não se tivesse realizado tampouco, se tivesse vivido. Em todo o caso, mesmo agora, não deixo que tua mãe venha ver a criança. Não é senão um episódio. Meu caro, há muito tempo que te esperava aqui. Desde muito tempo, sonhava com um encontro nosso aqui. Sabes há quanto tempo? Dois anos.

Olhou-me, com um olhar sincero e autêntico, com um caloroso impulso de coração. Peguei-lhe a mão:

— Por que tardou em fazê-lo, por que não me chamava? Se soubesse o que aconteceu... e não teria acontecido, se o senhor me tivesse feito um sinal...

Nesse instante trouxeram o samovar e Dária Onísimovna, de repente, trouxe a criança adormecida.

— Olha-a — disse Viersílov. — Amo-a e dei ordem para trazerem-na expressamente para que a vejas. Agora, leva-a, Dária Onísimovna. Senta-te ao lado do samovar. Imaginarei que sempre vivemos assim, tu e eu, e que todas as noites nos reuníamos assim, sem nos separarmos jamais. Deixa-me olhar-te: põe-te assim, para que veja teu rosto. Como gosto de teu rosto! Como já o imaginava, quando esperava que viesses de Moscou! Perguntas-me por que não te mandei procurar desde muito tempo. Espera, vais talvez compreender agora.

— Foi somente a morte do velho que lhe libertou a língua? É singular...

Pronunciei esta frase, mas nem por isso deixava de olhá-lo com amor. Conversávamos como dois amigos, no sentido superior e integral da palavra. Trouxeram-me aqui para explicar-se, contar-me alguma coisa, justificar-se... Ora, antes de qualquer palavra, já estava tudo claro e justificado. O que quer que pudesse agora saber dele, não afetava o resultado: este já fora atingido. Nós ambos o sabíamos, cheios de felicidade e nos olhávamos.

— Não, não foi a morte daquele ancião — respondeu ele —, não foi somente a sua morte; há outra coisa também que agiu no mesmo sentido... Deus abençoa este instante e a nossa vida, doravante e por muito tempo! Conversemos, meu caro. Desvio-me sempre, deixo-me distrair, quero falar de uma coisa e perco-me em mil detalhes à margem. É sempre o que acontece, quando o coração está repleto... Mas conversemos; é chegado o momento e há muito tempo que estou fascinado por ti, meu menino.

Recostou-se no espaldar de sua cadeira e observou-me ainda uma vez da cabeça aos pés.

— Como é estranho! Como é engraçado ouvir! — repetia eu, mergulhado no meu arrebatamento.

Mas eis que de repente, lembro-me, reapareceu em seu rosto sua habitual ruga de pesar e de zombaria juntos, tão conhecida minha. Enrijeceu-se e começou com certo esforço.

II

— Pois bem, eis aqui, Arkádi, se te tivesse chamado mais cedo, que te teria dito? Esta pergunta é toda a minha resposta.

— Quer dizer que hoje é o senhor o marido de mamãe e meu pai, ao passo que então... não teria sabido o que dizer-me a respeito de minha posição social. É bem isto?

— Não isso somente. Há muitas coisas que eu teria sido obrigado a calar. Há muitas coisas ridículas, humilhantes mesmo, porque se assemelham a passes de mágica, sim, a truques de truões. Como teríamos podido compreender-nos mutuamente, quando só me compreendi a mim mesmo hoje, à cinco horas da tarde, exatamente duas horas antes da morte de Makar Ivânovitch? Olhas-me com uma perplexidade penosa. Não te inquietes: explicarei o fato. Mas o que disse é perfeitamente justo: toda uma vida passada nas peregrinações e nas dúvidas, e de repente sua solução, em tal dia, às cinco horas da tarde. É mesmo vexatório, não? Não há ainda muito tempo, teria ficado verdadeiramente ofendido com isso.

Escutava, com efeito, com uma perplexidade dolorosa; via, fortemente marcada, a velha ruga de Viersílov, que não teria querido tornar a encontrar naquela noite, depois das palavras já ditas. De repente exclamei:

— Meu Deus! O senhor recebeu alguma coisa dela... hoje, às cinco horas?

Olhou-me fixamente e, impressionado, de modo visível, pela minha exclamação e talvez também pela minha expressão: "dela", disse, com um sorriso pensativo:

— Saberás tudo. E naturalmente não te ocultarei nada do que for preciso, pois foi para isso que te trouxe aqui. Mas trataremos disso mais tarde. Vês, meu amigo, desde muito tempo eu já sabia que temos filhos que, desde sua infância, fazem a si mesmos perguntas a respeito de sua família, ficam magoados por causa da fealdade de seu pai e do meio em que vivem. Notei tais crianças inquietas desde os meus tempos de escola e concluí então que isso provinha do fato de terem conhecido muito cedo a inveja. Somente em seguida fiz parte eu mesmo do número dessas crianças, mas... perdão, meu caro, sou tremendamente distraído. Queria somente dizer quanto tenho temido constantemente aqui por ti, quase todo este tempo. Sempre te vi como uma dessas criaturinhas, mas conscientes de seu talento e refugiando-se na solidão. Eu também, como tu, jamais gostei de meus camaradas. Desgraçadas criaturas essas, abandonadas às suas próprias forças e a seus sonhos e dotadas duma sede apaixonada, demasiado precoce e quase vindicativa, de beleza; sim, vindicativa. Mas basta, meu caro, ainda uma vez desviei-me... Antes de começar a amar-te, já te via, com teus sonhos de solitário, de selvagem... Mas basta; esqueci-me verdadeiramente do que queria falar... Aliás, tudo isso também tinha de ser dito. Antes, antes, que poderia eu ter-te dito? Agora, vejo teu olhar fixo em mim e sei que é meu filho quem me fita. Ontem ainda, não podia crer que me surpreenderia uma ocasião, como hoje, conversando com meu filho.

Tornava-se com efeito distraído ao extremo e ao mesmo tempo parecia profundamente emocionado.

— Agora não tenho mais necessidade de pensar nem de sonhar, agora basta-me tê-lo. Eu o seguirei! — disse eu, a ele me entregando de toda a minha alma.

— Seguir-me, a mim? Mas justamente minhas peregrinações terminaram, precisamente hoje: chegas atrasado, meu caro. Hoje é o fim do derradeiro ato, cai o pano. Este derradeiro ato durou muito tempo. Começou há muitos anos, quando me refugiei pela última vez no estrangeiro. Tudo abandonei então e, fica sabendo, meu amigo, deixei então tua mãe e declarei-lhe isso. Deves saber. Expliquei-lhe que partia para sempre, que ela não me veria nunca mais. O pior é que me esqueci até mesmo de deixar-lhe dinheiro. Não pensei tampouco um só instante em ti. Fui-me com a intenção de permanecer na Europa, meu caro, e nunca mais voltar para casa. Emigrei.

— Para unir-se a Herzen?[115] Para fazer propaganda no estrangeiro? Decerto o senhor participou toda a sua vida de alguma conspiração — exclamei, incapaz de conter-me.

---

115   Publicista radical que havia abandonado a Rússia em 1847 e passara a residir no estrangeiro. Publicou em Londres, de 1858 a 1869, um semanário, *O sino* (em russo *Kolokol*). Morreu em Paris em 1870. Dostoiévski visitou-o em Londres, 1862.

— Não, meu amigo, não participei de nenhuma conspiração. Vi teus olhos cintilarem; gosto de tuas exclamações, meu caro. Não, parti simplesmente por tédio. Em consequência de um tédio súbito. Era o tédio do gentil-homem russo, não encontro expressão melhor para isso. Um tédio de gentil-homem russo, e nada mais.

— A servidão... a libertação do povo? — murmurei, ofegante.

— A servidão? Crês que eu lamentava a servidão? Que não podia suportar a libertação do povo? Nada disso, meu amigo, aliás, fomos nós que o libertamos. Emigrei sem o menor ressentimento. Acabava de ser conselheiro de paz e fizera tudo quanto pudera; encarniçara-me com desinteresse e, se parti, não foi nem mesmo por ter sido mal recompensado pelo meu liberalismo. Ninguém então foi recompensado entre nós, quero dizer as pessoas como eu. Parti antes por orgulho que por arrependimento, e, acredita, estou bem longe de crer que haja chegado para mim o momento de acabar minha vida como modesto sapateiro. *Je suis gentilhomme avant tout et je mourrai gentilhomme!* Mas nem por isso deixava de sentir-me triste. Há, na Rússia, talvez um milhar de pessoas como eu; não mais, é bem suficiente, porém, para que a ideia não morra. Somos os portadores da ideia, meu caro! Meu amigo, falo-te com a esperança estranha de que compreenderás este mistifório. Fiz-te vir aqui não por um capricho de meu coração: havia muito tempo que pensava no que te diria... a ti, sim, a ti! Aliás... aliás...

— Não, não, fale — exclamei. — Leio em seu rosto a sinceridade... E então, a Europa não o ressuscitou?... Que era esse seu "tédio de gentil-homem"? Perdoe-me, mas não compreendo ainda.

— Se a Europa me ressuscitou? Mas eu mesmo partia para enterrá-la!

— Enterrá-la? — repeti, atônito.

Sorriu.

— Arkádi, meu amigo, agora minha alma enterneceu-se e meu espírito perturbou-se. Não esquecerei jamais meus primeiros instantes de Europa. Já havia vivido na Europa, mas então estava-se numa época especial e jamais ali havia posto o pé com um pesar tão desesperado, nem... com tanto amor. Vou te contar uma de minhas primeiras impressões de então, um sonho que tive, um verdadeiro sonho.

"Era ainda da Alemanha. Acabava de deixar Dresden, ultrapassara por distração uma estação onde precisava mudar de trem e fora dar em outro ramal. Obrigaram-me logo a descer; era um pouco mais de duas horas da tarde; o tempo estava claro. Era uma cidadezinha da Alemanha. Indicaram-me um hotel. Era preciso esperar: o próximo trem passaria às onze horas da noite. Estava até mesmo encantado com a aventura, porque nada exigia pressa de mim. Vagabundeava, meu amigo, era um vagabundo. O hotel era pequeno e ruim, mas afogado em meio da verdura e das platibandas floridas, como sempre ocorre entre eles. Deram-me um quarto estreito e, como eu tivesse passado a noite inteira viajando, adormeci após o almoço, pelas quatro horas da tarde.

"E tive um sonho absolutamente inesperado, porque jamais vira coisas semelhantes. Há em Dresden, no Museu, um quadro de Claude Lorrain[116] que o catálogo intitula *Acis e Galatéia*. Sempre o chamei *A idade de ouro*, ignoro, aliás, por quê. Vira-

---

116   Claude Gelée, le Lorrain (1660-1682), pintor e gravador francês. Passou a maior parte da sua vida em Roma. Pode ser considerado como um dos precursores do impressionismo e um dos mestres franceses da pintura paisagística.

-o precedentemente e agora, três dias antes, ainda o notara de passagem. Vi, pois, em sonho, aquele quadro, mas não em pintura e, sim, como uma coisa real. Não sei, aliás, exatamente o que vi assim; como no quadro, um canto do Arquipélago, há mais de três mil anos. Vagas azuis e cariciosas, ilhas e rochedos, uma praia florida, no horizonte um panorama deslumbrante, um pôr-de-sol arrebatador... impossível descrever isso com palavras. É a humanidade europeia em seu berço: esta ideia encheu minha alma dum amor filial. Era aquele o paraíso terreal da humanidade: os deuses descendo do céu e aparentando-se com os homens... Oh! como eram belos aqueles homens! Levantavam-se e deitavam-se felizes e inocentes; os prados e bosques enchiam-se de seus cantos e de seus gritos de alegria; um imenso excesso de energias virgens difundia-se em amor e em alegria ingênua. O sol inundava-os de calor e de luz, admirando tão maravilhosas crianças... Sonho maravilhoso, sublime aberração de humanidade! A idade de ouro é o sonho mais inverossímil de todos quantos já existiram, mas homens deram por ele toda a sua vida e todas as suas forças, por ele morreram e foram mortos os profetas, sem ele não querem os povos viver e nem mesmo podem morrer! E toda aquela sensação vivi-a naquele sonho; os rochedos e o mar, os raios oblíquos do sol poente, tudo isso parecia-me vê-lo ainda, quando acordei e abri os olhos, literalmente banhados de lágrimas. Sentia-me feliz, lembro-me. Uma sensação de felicidade ainda não experimentada atravessou-me o coração, até a dor; era um amor por toda a humanidade. Estava agora totalmente escuro. Através da verdura das flores colocadas sobre a janela, um feixe de raios oblíquos varava a vidraça de meu quartinho e inundava-me de luz. Pois bem, meu amigo, pois bem, aquele sol poente do primeiro dia da humanidade europeia, que eu via no meu sonho, transformou-se de repente para mim, assim que despertei, em uma realidade, em sol poente do derradeiro dia da humanidade europeia! Naquele momento, sobretudo, ouvia-se tanger sobre a Europa um dobre de enterro. Não quero falar apenas da guerra, nem das Tulherias; sabia bem que isso tudo passaria, toda a figura do velho mundo europeu, cedo ou tarde; mas eu, como russo europeu, não podia admitir. Sim, acabavam então de incendiar as Tulherias... Oh! fica tranquilo, sei que era lógico. E compreendo bem o poder irresistível da ideia corrente, mas, como representante do alto pensamento russo, não podia admiti-lo, porque o alto pensamento russo é a conciliação universal das ideias. E quem teria podido compreender então esse pensamento, no mundo inteiro? Eu vagava somente. Não falo de mim pessoalmente, mas do pensamento russo. Lá fora, havia combate e lógica; lá fora, o francês não era senão francês, o alemão, alemão, e isto com uma intensidade mais forte que nunca no curso de toda a sua historia; por consequência, jamais o francês fez tanto mal à França, nem o alemão à sua Alemanha do que naquela época! Em toda a Europa, não havia então um só europeu! Eu somente, entre todos os revolucionários, podia dizer-lhes em rosto que suas Tulherias eram um erro. Eu somente, entre todos os conservadores-vingadores, podia dizer aos vingadores que as Tulherias eram um crime sem dúvida, mas nem por isso deixavam de ser lógicas. E isto, meu menino, porque sozinho, na qualidade de russo, era então na Europa, 'o único europeu'. Não falo de mim, falo de todo o pensamento russo. Vagabundeava, meu amigo, vagabundeava e sabia muito bem que só me restava calar-me e vagabundear... Mas apesar de tudo estava triste. É que, meu filho, não posso deixar de respeitar minha nobreza. Ris, creio?"

— Não, não rio — declarei com voz compenetrada. — Não estou rindo, absolutamente. O senhor transtornou-me o coração com sua visão da Idade de Ouro e fique bem certo de que começo a compreendê-lo. Mas o que me torna mais feliz é ver que o senhor se respeita tanto. Apresso-me em declarar-lhe. Jamais teria esperado isso do senhor!

— Já te disse que gosto de tuas exclamações, meu caro! — Sorriu de novo, diante de minha observação ingênua, e, erguendo-se da cadeira, começou, sem dar-se disso conta, a percorrer o quarto para lá e para cá. Levantei-me também. Ele continuou a falar na sua língua estranha, mas com extrema penetração de pensamento.

III

— Sim, meu filho, repito-te, não posso deixar de respeitar minha nobreza. Criou-se entre nós, no curso dos séculos, um tipo superior de civilização desconhecido em outra parte, que não se encontra mesmo em todo o universo: o de sofrer pelo mundo. É esse um tipo russo, mas, como nasce da categoria mais cultivada do povo russo, tenho, pois, a honra de a ele pertencer. Encerra o futuro da Rússia, não somos talvez senão uns mil indivíduos, talvez mais, talvez menos, mas toda a Rússia não viveu até agora senão para produzir esse milhar. É pouco, dirão, haverá escândalo pelo fato de por causa de um milhar de homens terem sido gastos tantos séculos e tantos milhões de indivíduos. Na minha opinião, não é pouco.

Escutava com dificuldade. Via aparecer a convicção, a tendência de toda uma vida. Aquele milhar de homens traía-o inteiramente! Sentia que aquele excesso de expansão comigo provinha dum abalo interior. Dizia-me todas aquelas palavras calorosas porque me amava; mas a causa pela qual se pusera de repente a falar e pela qual quisera falar-me, precisamente a mim, continuava sempre desconhecida para mim.

— Emigrei — prosseguiu ele —, e nada do que deixava atrás de mim causava-me saudade. Tudo quanto possuía de forças, pusera-o ao serviço da Rússia enquanto nela vivera; uma vez partido, continuei a servi-la, apenas alargando minha ideia. Mas, servindo-a assim, servia-a infinitamente melhor do que se tivesse sido muito simplesmente russo, como o francês de então não era senão francês, e o alemão senão alemão. Na Europa, ainda não compreendem isso. A Europa criou os nobres tipos de francês, do inglês, do alemão, mas de seu homem futuro não sabe ainda quase nada. E creio bem que não quer ainda nada saber. É compreensível: não são livres, ao passo que nós somos livres. Eu somente na Europa, com meu tédio russo, era então livre.

"Presta bem atenção, meu amigo, numa esquisitice: cada francês pode servir, não só a sua França, mas a humanidade, com a condição de apenas de ficar sobretudo francês; o mesmo para o inglês e para o alemão. Somente o russo, mesmo em nossa época, isto é, bem antes de que seja traçado o balanço geral, recebeu a faculdade de ser o mais russo precisamente quando é o mais europeu. É a diferença nacional mais essencial que nos separa de todos os outros e, a este respeito, não somos iguais a ninguém. Na França, sou francês, sou alemão com o alemão, grego com o grego da antiguidade e, por isso mesmo, sempre russo no máximo. Por isso mesmo, sou verdadeiramente russo e presto o máximo de serviços à Rússia, porque dou valor ao seu pensamento principal. Sou o pioneiro desse pensamento. Emigrei, mas deixei a Rússia? Não, continuei a servi-la. Mesmo que nada tenha feito na Europa, mesmo que tenha lá ido simplesmente para andar à toa (e sabia que ia lá unicamente para isso) era bastante para que eu lá fosse com meu pensamento e com minha consciência. Transportei para lá o meu tédio russo. Oh! não era somente o sangue que corria então que tanto me espantou, não foram mesmo as Tulherias, mas tudo quanto se devia seguir. Estavam condenados a bater-se ainda por muito tempo, porque são ainda demasiado alemães e demasiado franceses e não acabaram sua atuação nesses papéis. Até então, eu tinha pena das destruições. Para o russo a Europa é tão preciosa quanto a Rússia; cada pedra dali é doce e querida ao seu coração. A Europa não era menos nossa pátria quanto a Rússia. Mais mesmo! É impossível amar a Rússia mais do que eu amo, mas nunca me censurei por achar Veneza, Roma, Paris, seus tesouros de ciência e de arte, toda sua história, mais amáveis que a Rússia. Oh! os russos têm amor àquelas velhas pedras estrangeiras, àquelas maravilhas do velho mundo, àqueles restos de milagres sagrados; e até mesmo tudo isso nos é mais querido que a eles! Têm agora outros pensamentos e outros sentimentos, deixaram de apreciar as velhas pedras... Lá, o conservador não luta mais senão pela existência; o extremista só age para reclamar seu direito a um pedaço de pão. Somente a Rússia não vive só para si mesma, mas para o pensamento, e, reconhece isto, meu amigo, é um fato notável que, há quase perto de um século, a Rússia não vive decididamente mais para si mesma, mas unicamente para a Europa! Quanto a eles, estão destinados a terríveis sofrimentos, antes de alcançar o reino de Deus."

Eu o escutava, confesso, numa perturbação extrema; até mesmo o tom de seu discurso me espantava, se bem que não pudesse impedir-me de ficar impressionado pelas sua ideias. Tinha um medo doentio da mentira. Bruscamente aparteei-o com voz severa:

— O senhor acaba de dizer: "o reino de Deus". Soube que lá fora o senhor fazia-se pregador, usava cilícios...

— Quanto aos meus cilícios, deixa-os de parte — sorriu ele. — É negócio todo diferente. Naquela época não pregava ainda nada, mas o Deus deles causava-me dó, é verdade. Acabavam de proclamar o ateísmo... um punhado dentre eles, mas pouco importa; eram apenas os primeiros precursores, mas era o primeiro passo na execução, eis o que era grave. Sempre a sua lógica. Ora, a lógica comporta sempre o tédio. Eu pertencia a outra civilização e meu coração não admitia aquilo. Aquela ingratidão com que eles se separavam de uma ideia, aqueles assobios, aqueles arremessos de lama eram-me insuportáveis. Aqueles processos de sapateiro remendão causavam-me medo. Aliás, a realidade sempre cheira à bota, mesmo quando se tende de maneira esplendente para o ideal, e eu devia sem dúvida saber; entretanto eu era outro tipo de homem: tinha liberdade de escolha e eles não. Chorava, chorava por eles, chorava por causa da velha ideia e eram talvez lágrimas verdadeiras que eu chorava, sem belas palavras.

— O senhor acreditava com tanta firmeza em Deus? — perguntei, incrédulo.

— Meu amigo, eis uma pergunta talvez supérflua. Suponhamos mesmo que eu não acreditasse tanto; não podia entretanto impedir-me de lamentar uma ideia. Por momentos, não conseguia imaginar como o homem poderia viver sem Deus, nem se seria jamais possível isso. Meu coração respondia sempre que era impossível; mas talvez em algum período fosse possível... Para mim, não há dúvida alguma de que esse período chegará; mas então eu imaginava quadro bem diverso...

— Qual?

Sem dúvida ele já me declarara que se sentia feliz; havia evidentemente em suas palavras muito entusiasmo; é assim que recordo muito do que me disse então. Respeitando aquele homem, não ousarei certamente trasladar agora para o papel tudo quanto nos dissemos então; mas certos traços do quadro singular que consegui obter dele devem ser aqui mencionados. Sobretudo, eu sempre fora atormentado por aqueles cilícios e queria tirar isso a limpo: por isso insistia. Várias ideias fantásticas e extremamente singulares expressas por ele naquele dia ficaram gravadas no meu coração para todo o sempre.

— Imagino, meu caro — começou ele, com um sorriso meditativo —, o combate agora terminado e a luta acalmada. Após as maldições, os arremessos de lama e os assobios, a acalmia veio e os homens ficaram sós, como queriam: a grande ideia de outrora deixou-os; a grande fonte de energia que até aqui os alimentou e aqueceu retirou-se, como o sol majestoso e sedutor do quadro de Claude Lorrain, mas agora era o derradeiro dia da humanidade. E de repente os homens compreenderam que tinham ficado completamente sós, sentiram bruscamente um grande abandono de órfãos. Meu caro filho, jamais pude imaginar os homens ingratos e embrutecidos. Tornados órfãos, os homens procurariam logo apertar-se uns contra os outros, mais estreitamente e mais afetuosamente; dariam as mãos, compreendendo que doravante são todos uns pelos outros. Então desapareceria a grande ideia da imortalidade e seria preciso substituí-la; todo esse grande excesso de amor para com Aquele que era também a imortalidade seria desviado para a natureza, para o mundo, para os homens, para cada haste de erva. Cairiam de amores pela terra e pela vida irresistivelmente e na medida mesma em que tomassem progressiva consciência de seu estado passageiro e limitado, de um amor particular que não seria mais o de outrora. Notariam e descobririam na natureza fenômenos e mistérios até agora insuspeitados, porque a olhariam com um olho novo, com um olhar de amoroso para sua bem-amada. Despertariam e teriam pressa em abraçar-se mutuamente, ávidos de amar-se, sabendo que seus dias são efêmeros e que é tudo o que lhes resta. Trabalhariam uns para os outros e cada qual daria tudo a todos e com isso se sentiria feliz. Cada criança saberia e sentiria que todo homem na terra é para ele um pai e uma mãe. "Que seja amanhã meu derradeiro dia, — diria cada qual a si mesmo, olhando o sol poente — morrerei, mas pouco importa: eles ficarão, todos, e após eles, seus filhos." — E este pensamento de que eles ficarão, continuando a amar-se e a tremer uns pelos outros, substituiria a ideia do reencontro além-túmulo. Oh! quanto se apressariam em amar, para afogar o grande pesar de seus corações! Seriam orgulhosos e atrevidos para si mesmos, mas tímidos para os outros; cada qual tremeria pela vida e pela felicidade de cada um. Seriam ternos uns para com os outros e não teriam vergonha, como hoje, trocariam mútuas carícias como crianças. Ao encontrar-se, compartilhariam um olhar profundo e cheio de inteligência e nos seus olhares haveria amor e pesar.

"Meu caro — interrompeu-se ele, de repente, com um sorriso —, tudo isso não passa de uma fantasia e até mesmo das mais inverossímeis; mas imaginei-a bem muitas vezes porque jamais pude viver sem ela, nem impedir-me de nela pensar. Não falo de minha fé: minha fé não é grande: sou deísta, deísta filósofo, como todo esse milhar de homens, pelo menos suponho, mas... mas o que é notável, é que sempre terminei meu quadro por uma visão, como em Heine,[117] "do Cristo sobre o Báltico". Jamais pude passar sem Ele. Não podia deixar de vê-lo afinal, entre os homens tornados órfãos. Vinha a eles, estendia para eles os braços e dizia: "Como pudestes esquecer-me?" Então uma espécie de véu cairia de todos os olhos e ecoaria o hino entusiasta da nova e derradeira ressurreição...

"Deixemos isto, meu amigo; quanto aos meus cilícios é uma tolice: não te inquietes. Uma coisa ainda: sabes que sou pudico e sóbrio na minha linguagem; se me deixei levar a falar tanto foi... por causa de diversos sentimentos e porque estou contigo; a nenhuma pessoa direi jamais nada. Acrescento isto para tranquilizar-te."

Mas eu estava realmente comovido; a mentira que eu temia não estava ali e sentia-me particularmente feliz por ver doravante com clareza que ele vivia de fato presa do tédio, que sofria, e que certamente amava muito: e era o que me comovia mais. Falei-lhe nisso com arrebatamento.

— Mas o senhor sabe — acrescentei de repente — que me parece que, apesar do todo o seu tédio, o senhor devia ser mesmo muito feliz naquela época?

Desatou alegremente a rir.

— Tuas observações hoje acertam bem no alvo — disse ele. — Sim, era feliz, e poderia eu ser infeliz, com semelhante tédio? Não há criatura mais livre e mais feliz do que o vagabundo russo e europeu que pertence ao nosso milhar de indivíduos. Falo seriamente, pois há nisso muito de sério. Sim, meu tédio, eu não o teria trocado por não importa qual felicidade. Neste sentido, sempre fui feliz, meu caro, toda a minha vida. E foi por pura felicidade que amei então tua mãe pela primeira vez em minha vida.

— Como pela primeira vez em sua vida?

— É isso. Vagando e em meu tédio, de repente amei-a como jamais a amara antes e logo mandei chamá-la.

— Oh! conte-me isso, fale-me de mamãe.

— Mas foi para isso que te chamei e, bem sabes — sorriu alegremente —, já temia que me dispensasses de falar de mamãe, em troca de Herzen ou de alguma conspiraçãozinha...

Capítulo VIII

I

Uma vez que passamos todo o serão a conversar e entramos noite adentro, não reproduzirei tudo quanto foi dito, mas somente o que me explicou afinal um ponto enigmático de sua vida.

Começarei por isto: não constitui mais nenhuma dúvida para mim que tenha

---

117 Heinrich Heine (1797-1856), poeta e prosador alemão dos mais importantes, de ascendência hebraica. Autor de *Intermezzo, Livro dos cantos, Romancero, Impressões de viagem,* etc.

amado mamãe e que, se a abandonou e se separou dela, partindo para o estrangeiro, foi pelo fato de estar por demais acabrunhado de tédio ou qualquer outra razão deste gênero, o que acontece aliás a todo mundo aqui na terra, mas é sempre difícil de explicar. No estrangeiro, aliás, após muito tempo decorrido, voltou de súbito a sentir de novo amor por mamãe, de longe, em pensamento, e mandou buscá-la. Um capricho, alguém poderia dizer, mas eu direi de outro modo: na minha opinião, havia ali tudo quanto pode haver de sério na vida de um homem, apesar de todas as misturas cuja presença admito em parte. Mas juro, seu tédio europeu está fora de dúvida, e não está somente no nível, mas infinitamente acima de não importa qual dessas atividades práticas de hoje, a construção de estradas de ferro por exemplo. No seu amor à humanidade, vejo um sentimento extremamente sincero e profundo, sem a menor falsidade; e no seu amor por mamãe, algo de absolutamente indiscutível, embora talvez também um tanto fantástico. No estrangeiro, no tédio e felicidade, e, acrescentarei ainda, no isolamento mais estritamente monacal (esta informação particular foi-me fornecida mais tarde por Tatiana Pávlovna), lembrou-se de súbito de mamãe, lembrou-se precisamente de suas faces cavadas e imediatamente mandou buscá-la.

— Meu amigo — esta frase escapou-lhe entre outras —, senti de chofre que servir a ideia não me libertava absolutamente, como criatura moral e sensata, do dever de me tornar, no curso de minha vida, uma pessoa ao menos praticamente feliz.

— Então, foi um pensamento tão livresco a causa de tudo? — perguntei, perplexo.

— Não é um pensamento livresco. De fato, talvez sim. Tudo se confunde: amava tua mãe realmente, sinceramente, não absolutamente de maneira livresca. Se não a tivesse amado daquela maneira, não a teria mandado buscar, teria feito a felicidade do primeiro alemão ou da primeira alemã que aparecesse, uma vez descoberta essa ideia. Quanto a fazer obrigatoriamente a felicidade duma criatura pelo menos no curso de sua vida, mas praticamente, isto é, efetivamente, tornada mandamento para todo homem culto, exatamente como poderia fazer uma lei ou uma obrigação para todo camponês de plantar pelo menos uma árvore em sua vida, dado o desflorestamento da Rússia; aliás, uma árvore seria pouco, seria possível ordenar que plantasse uma cada ano. Um homem superior e culto que persegue um elevado pensamento, volta por vezes as costas à vida cotidiana, torna-se ridículo, caprichoso e frio e até mesmo, direi francamente, estúpido, na vida prática, entende-se, mas também, afinal, até nas suas teorias. Assim, o dever de se ocupar com a prática e de fazer a felicidade verdadeira de pelo menos uma criatura real curaria e rejuvenesceria em primeiro lugar o benfeitor. Como teoria é muito ridícula, mas, se isso entrasse na prática e se transformasse em costume, não seria tão estúpido. Experimentei-o por mim mesmo: desde que comecei a desenvolver essa ideia dum novo mandamento — no começo, à maneira de brincadeira, naturalmente —, comecei a compreender quanto era grande o amor que se aninhava em mim por tua mãe. Até então não havia absolutamente compreendido que a amava. Enquanto vivia com ela, contentava-me em encontrar nisso o meu prazer no período de sua beleza; mais tarde tornei-me caprichoso. Foi somente na Alemanha que compreendi que a amava. Isso começou pelas sua faces cavadas, que eu não podia jamais rememorar, que eu via mesmo por vezes com uma dor no coração, literalmente uma dor, verdadeira, física. Há lembranças dolorosas, meu caro, que causam um mal real; existem em cada um de nós, ou pouco falta, mas são esquecidas; acontece, porém, que, de repente, a gente relembra logo, por vezes um simples traço e não se pode mais destacar daquilo. Pus-me, pois, a recordar mil detalhes de minha vida com Sônia; no final, eles voltavam por si mesmos e sitiavam-me em massa; estiveram a ponto de me matar de tormentos, enquanto a esperava. Mas atormentava-me sobretudo a lembrança de seu eterno rebaixamento diante de mim, a ideia de que ela sempre se considerara como infinitamente abaixo de mim sob todos os aspectos e — imagina — até mesmo fisicamente. Sofria rajadas de vergonha e de rubor, quando, por vezes, olhava suas mãos e seus dedos, que nada tinham de aristocráticos. Não era somente de seus dedos, mas de toda a sua pessoa que ela se envergonhava, se bem que eu amasse sua beleza. Mostrava-se sempre para comigo pudica até a selvageria. E o que era mau era que, nesse pudor, se sentia sempre uma espécie de medo. Em suma, considerava-se diante de mim, como não sei que de inexistente, ou de quase inconveniente. Por vezes, sem dúvida, no começo, acreditava que ela via em mim sempre seu amo e tinha medo de mim, mas não era isso de modo nenhum. E, no entanto, juro, era ela mais que qualquer outro capaz de compreender meus defeitos e jamais encontrei em toda a minha vida coração de mulher tão delicado e tão perspicaz. Como se sentia infeliz quando, no começo, quando ela era ainda tão bela, eu a obrigava a se enfeitar. Havia naquilo amor-próprio e também outro sentimento pronto a magoar-se: compreendia que não seria jamais uma dama e que com um traje estrangeiro seria muito simplesmente ridícula. Como mulher, não queria ser ridícula na sua indumentária e compreendia que cada mulher deve ter seu traje próprio, o que milhares e centenas de milhares de mulheres não compreenderão jamais; que estejam na moda e é bastante! Tinha ela medo de meu olhar zombeteiro, aí está! Mas era-me sobretudo penoso lembrar-me de seus olhares profundamente espantadiços, que muitas vezes surpreendia pousados em mim, durante toda a nossa união: sentia-se neles uma perfeita compreensão de sua sorte e do futuro que a esperava, a ponto de sentir-me eu mesmo constrangido, se bem que, confesso, não entrasse em conversa com ela e tratasse-a sempre com certo desdém. E, sabes, ela não foi sempre medrosa e arisca como hoje; agora ainda, acontece-lhe alegrar-se de chofre, e ficar bonita como uma mulher de vinte anos; mas então, na sua juventude, adorava por vezes tagarelar e rir, naturalmente na sua sociedade, com as arrumadeiras, com nossos familiares; e quanto estremecia quando, subitamente, eu a surpreendia rindo! Como corava depressa e me olhava com medo! Um dia, já bem perto da véspera do dia em que me separaria dela, entrei em seu quarto e encontrei-a sozinha, sem trabalho de costura, de cotovelos sobre a mesa e numa profunda meditação. Não lhe acontecia quase nunca estar assim desocupada. Naquele momento, já havia deixado de acariciá-la desde muito tempo. Pude aproximar-me dela muito de mansinho, na ponta dos pés e de repente agarrá-la e beijá-la... Estremeceu: não esquecerei jamais aquele enlevo, aquela felicidade que se pintou em seu rosto, e de repente tudo aquilo deu lugar a um rápido rubor e seus olhos lançaram um clarão. Sabes o que li naquele clarão? "Deste-me uma esmola, eis o que é isto!" Soluçou como uma histérica, sob o pretexto de que eu a havia assustado; mas eu mesmo fiquei pensativo. Em geral, todas essas recordações são uma coisa bem penosa, meu amigo. É como entre os grandes artistas: há por vezes nos seus poemas cenas tão dolorosas, que nos fazem mal em seguida a vida inteira quando recordadas, por exemplo o último monólogo de Otelo, Ievguéni aos pés de Tatiana,[118] ou então o encontro do forçado evadido com a criança, a menina, na noite fria, junto dum poço, em *Os miseráveis*, de Victor Hugo; isso atravessa o coração da gente uma vez e depois a ferida permanece para sempre. Oh! como eu esperava Sônia e como queria beijá-la o mais cedo possível! Sonhava, com uma impaciência convulsa, com todo um programa de vida nova; sonhava com destruir pouco a pouco em sua alma, graças a um esforço metódico, seu eterno medo diante de mim, com fazer-lhe compreender o que ela valia, quanto mesmo estava ela acima de mim. Oh! eu bem sabia, já naquele momento, que sempre começava a amar tua mãe desde que estávamos separados e que me arrefecia sempre, quando estávamos de novo reunidos. Mas naquele momento havia outra coisa, não era isso.

Estava admirado; uma pergunta atravessou-me a mente: "E ela?".

— E então, como se deu o encontro? — perguntei, prudentemente.

— Naquela ocasião? Mas não ocorreu nunca. Ela chegou com dificuldade até Königsberg e ali ficou, enquanto eu me encontrava à margem do Reno. Não fui encontrá-la, mandei-lhe dizer que me esperasse. Vimo-nos muito mais tarde, oh! muito tempo depois, quando fui pedir-lhe permissão para me casar.

II

Não reproduzirei aqui o essencial do assunto, isto é, o que pude dele reter. Aliás, ele próprio pôs-se a falar sem nexo. O que dizia tornou-se de súbito dez vezes mais incoerente e mais desordenado, assim que chegou a esse ponto.

Encontrou Katierina Nikoláievna por acaso, precisamente quando esperava mamãe, no minuto mais impaciente daquela espera. Estavam todos então veraneando, à margem do Reno, numa estação de águas. O marido de Katierina Nikoláievna achava-se já quase moribundo ou, pelo menos, condenado pelos médicos. Ela o impressionou desde o primeiro encontro: parecia ter sido enfeitiçado. Era uma fatalidade. Reparei que anotando e recordando agora tudo isso, não tenho lembrança de que ele tenha alguma vez empregado no seu relato a palavra "amor" nem que haja dito ter sido fascinado. Quanto à palavras "fatalidade" essa retive-a.

E foi de fato uma fatalidade. Ele não quis aquilo, não quis amar. Não sei se sou capaz de explicar claramente; mas toda a sua alma estava indignada por ter tal coisa podido acontecer-lhe. Tudo quanto havia nele de livre fora bruscamente aniquilado diante daquele encontro e o homem viu-se para sempre ligado a uma mulher que nada tinha em comum com ele. Não desejara aquela escravidão da paixão. Direi hoje com franqueza: Katierina Nikoláievna é um tipo raro de mulher do mundo, tipo que, talvez, não se encontre naqueles meios. É um tipo de mulher simples e franca no mais alto ponto. Ouvi dizer, ou antes sei de fonte certa, que era por isso que se tornava irresistível na sociedade quando nela se mostrava (muitas vezes dela se afastava completamente). Viersílov, naturalmente, por ocasião daquele primeiro encontro, não acreditou que ela fosse senhora dessas qualidades e acreditou justa-

---

118 No livro *Ievguéni Oniéguin*, de Púchkin.

O ADOLESCENTE

363

mente o contrário, isto é, que era afetada e hipócrita. Reproduzirei aqui, antecipando, o julgamento que ela proferiu a respeito dele: assegurava que ele não pudera ter dela outra opinião, "porque um idealista, entrechocando-se com a realidade, é sempre mais levado que os outros a supor toda espécie de sujeiras". Ignoro se isto é verdade em geral no que se refere aos idealistas, mas era perfeitamente verdadeiro a respeito dele. Acrescentarei talvez aqui meu próprio julgamento, que se formou no meu espírito enquanto o escutava: disse a mim mesmo que ele amava mamãe com um amor por assim dizer humanitário e universal em vez de com o simples amor com que amamos em geral as mulheres e que, ao primeiro encontro com uma mulher a quem amou com esse amor simples, repeliu logo esse amor, sem dúvida por falta de hábito. Mas talvez seja uma ideia falsa: aliás, não a expus a ele. Teria sido uma falta de tato; juro que ele se achava num estado em que devia ser poupado: estava transtornado. Em certos trechos de seu relato, interrompia-se por vezes e ficava em silêncio por vários minutos, andando pelo quarto com um rosto carrancudo...

Ela não tardou em penetrar-lhe o segredo. Oh! talvez tivesse coqueteado com ele de propósito. Até mesmo as mulheres mais puras são vulgares em casos assim, é nelas um instinto irresistível. Tudo acabou por um rompimento violento e creio mesmo que ele quis matá-la; causou-lhe medo e teria talvez matado mesmo; mas tudo isso transformou-se bruscamente em ódio. Em seguida, sobreveio um período singular: dominou-o de súbito uma ideia estranha: matar-se por meio da disciplina, essa mesma disciplina que os monges empregam. Por meio de uma prática progressiva e metódica, a gente domina a própria vontade, começando pelas coisas mais ridículas e mais miúdas, para acabar por conquistar triunfo completo sobre a vontade, tornando-se livre. Acrescentou que nos monges era coisa séria, pois que erigida em ciência graças a mil anos de experiência. Mas o mais notável é que essa ideia de disciplina veio-lhe então não para se desembaraçar de Katierina Nikoláievna, mas graças a uma convicção integral de que, longe de amá-la doravante, odiava-a ao derradeiro ponto. Acreditou de tal forma em seu ódio por ela que imaginou de repente enamorar-se de sua enteada, enganada pelo príncipe, e casar-se com ela, persuadindo-se de seu novo amor e atraindo irresistivelmente o amor da pobre idiota, amor que lhe proporcionou, nos derradeiros meses de sua vida, felicidade perfeita. Por que, em lugar dela, não se lembrou ele de mamãe, que continuava a esperá-lo em Königsberg? Resta isto para mim inexplicado... Pelo contrário, esqueceu mamãe súbita e completamente, a ponto de deixar de mandar-lhe dinheiro para manter-se, tanto que deu ela então sua salvação a Tatiana Pávlovna. Entretanto, de repente, foi ao seu encontro para lhe pedir a permissão de casar-se com aquela moça; sob o pretexto de que semelhante noiva não era uma mulher. Oh! talvez isso tudo seja o retrato de um homem livresco, como o qualificou mais tarde Katierina Nikoláievna. Mas por que esses homens livrescos (se são verdadeiramente livrescos) são capazes apesar de tudo de atormentar-se tão verdadeiramente e de chegar a semelhantes tragédias? Aliás, naquela noite, pensei um pouco de outra maneira e fui abalado por uma ideia:

— Toda a sua cultura, toda a sua alma, deve-as o senhor ao sofrimento e aos combates de toda a sua vida, ao passo que ela recebeu a perfeição gratuitamente. É uma desigualdade... Nisso é que se torna revoltante a mulher. — Disse não para ficar bem visto aos olhos dele, mas com ardor e até mesmo indignação.

— A perfeição? Sua perfeição? Mas ela não possui a mínima perfeição! — declarou ele, quase espantado com as minhas palavras. — É a mais ordinária das mulheres, até mesmo uma mulher sem valor nenhum... Mas é obrigada a ter todas as perfeições!

— Por que isso, obrigada?

— Porque tendo semelhante poder, é obrigada a ter todas as perfeições! — exclamou, encolerizado.

— O mais triste é que o senhor se vê agora todo atormentado! — Esta frase escapara-me a contragosto meu.

— Agora? Atormentado? — repetiu, parando diante de mim, numa espécie de perplexidade. De súbito, um sorriso tranquilo, pensativo e prolongado, iluminou-lhe o rosto e ele ergueu o dedo, como se lembrando de alguma coisa. Em seguida, completamente de volta a si, pegou de cima da mesa uma carta aberta e atirou-a à minha frente:

— Toma, lê! Deves saber tudo absolutamente... Por que me deixaste durante tanto tempo mexer nessas velhas patranhas? Não faço senão sujar e irritar meu coração!...

Não saberia exprimir meu espanto! Aquela carta era-lhe dirigida por ela, naquele mesmo dia e chegara às cinco horas da tarde. Li-a, tremendo quase de emoção. Não era longa, mas escrita com tanta franqueza e sinceridade que, ao lê-la, parecia-me vê-la diante de mim e ouvir suas palavras. De maneira perfeitamente verídica (e por consequência quase tocante), confessava-lhe seu temor e em seguida suplicava-lhe que a deixasse em paz. Ao terminar, informava-o de que agora casaria decididamente com Bioring. Até então ela nunca lhe havia escrito.

E eis o que compreendi das explicações dele.

Acabara apenas de ler aquela carta, quando sentiu de chofre em si um fenômeno totalmente inesperado: pela primeira vez naqueles dois anos fatais, não sentia o menor ódio contra ela, nem o menor abalo, como no momento em que, ainda outrora, perdera a cabeça ao simples nome de Bioring. "Pelo contrário, dirigi-lhe minha benção de todo o meu coração", disse-me com profundo sentimento. Escutei estas palavras com admiração. Assim, tudo quanto havia nele de paixão, de sofrimento, desaparecera de repente, por si mesmo, como um sonho, como uma obsessão de dois anos. Admirado de si mesmo, apressara-se em ir à casa de mamãe e entrara no momento preciso em que ela se tornara "livre" e em que o ancião, que na véspera a legara a ele, acabava de morrer. Essas duas coincidências haviam-no transtornado. Um momento depois, pusera-se à minha procura e não esquecerei jamais que tenha tão depressa pensado em mim.

Não esquecerei tampouco o fim daquele serão. Aquele homem achou-se ainda uma vez e de súbito totalmente transformado. Ficamos juntos até alta noite. Que efeito produziu em nós aquela notícia, direi mais tarde, no tempo devido; no momento, vou me limitar a algumas palavras de conclusão a respeito dele. Ao refletir hoje, compreendo que o que me seduziu mais então, foi aquela espécie de humildade diante de mim, aquela sinceridade tão verdadeira diante de um rapazola de minha espécie! "Era cegueira, mas abençoada seja! — exclamou. — Sem essa cegueira, eu não teria talvez jamais tornado a encontrar em meu coração, tão completamente e para sempre, minha única rainha, minha mártir, tua mãe." Estas palavras entusias-

O ADOLESCENTE

365

tas que lhe escaparam irresistivelmente, anoto-as de modo bem particular, na previsão do que virá depois. Mas então ele se apoderou de minha alma e dominou-a.

Lembro-me de que ao final estávamos numa alegria louca. Mandou buscar champanhe e bebemos à saúde de mamãe e ao futuro. Estava tão cheio de vida, tão disposto a viver! Mas se estávamos loucamente alegres, não era por efeito do vinho: não tínhamos bebido senão duas taças cada um. Não sei por quê, mas no fim ríamos sem poder conter-nos. Pusemo-nos a falar de coisas indiferentes; contou anedotas, eu também. Aquelas risadas e aquelas anedotas eram perfeitamente inocentes, de modo algum zombeteiras, mas nos alegravam. Não queria deixar-me ir: "Fica, fica, fica ainda!" — repetia e eu ficava. Chegou a sair para acompanhar-me; a noite estava esplêndida, geava levemente.

— Diga-me: o senhor já lhe respondeu? — perguntei de repente, completamente de improviso, apertando-lhe uma última vez a mão, numa encruzilhada.

— Não, ainda não. Mas não tem importância. Volta amanhã, vem mais cedo... Ah! uma coisa ainda: abandona completamente Lambert e rasga o "documento" o mais depressa possível. Adeus!

Dito isto, foi-se embora de súbito; fiquei plantado no lugar e tão perturbado que não ousei chamá-lo. A palavra documento havia-me sobretudo abalado. De quem teria ele sabido, e em termos tão precisos, senão de Lambert? Voltei para casa numa perturbação extrema. Uma ideia atravessou-me o cérebro: como pôde acontecer que uma obsessão de dois anos tenha desaparecido como um sonho, como uma fumaça, como uma visão.

Capítulo IX

I

Acordei de manhã mais animado e bem disposto. Censurei-me mesmo, involuntária e cordialmente, certa ligeireza e uma espécie de desdém com que, lembrava-me, escutara na véspera certas passagens da confissão dele. Era por vezes desordenada, certas revelações eram um pouco nebulosas e mesmo incoerentes; mas preparara-se ele para um discurso de orador quando me convidara a ir à sua casa? Tinha-me simplesmente feito uma grande honra dirigindo-se a mim como a seu único amigo, numa ocasião como aquela e jamais me esquecerei disto. Pelo contrário, sua confissão era comovedora, muito embora possa-se zombar de mim por causa desta expressão, e se por vezes continha elementos cínicos ou mesmo um pouco ridículos, eu era demasiado liberal para não compreender ou não admitir o realismo — sem macular aliás o ideal. Sobretudo, havia afinal compreendido aquele homem e estava um pouco zangado e despeitado por ter sido tão simples: sempre colocara aquele homem em meu coração a uma altura extrema, nas nuvens; era-me absolutamente necessário vestir de mistério o seu destino e desejava naturalmente que esse mistério não fosse descoberto com tanta facilidade. Aliás, no seu encontro com ela e nos seus dois anos de sofrimentos, houvera também muita coisa complicada: "Não tinha desejado a fatalidade; tinha necessidade de ser livre e não da servidão do destino; fora essa servidão do destino que o obrigara a magoar a mamãe que o esperava em Königsberg...". Além disso, aquele homem era, em todo o caso, para mim um pregador; trazia em seu coração a idade de ouro e conhecia o futuro do ateísmo. Pois bem, seu encontro com ela havia quebrado tudo, tudo deformara! Oh! decerto não a traí, mas, no entanto, tomei o partido dele. Mamãe, por exemplo, raciocinava eu, nada teria perturbado no destino dele, mesmo que o desposasse. Compreendia-o; era tudo diferente de seu encontro com a outra. Mamãe, sem dúvida, não lhe teria ainda assim dado a calma, mas era mesmo melhor assim: homens como esses devem ser julgados de outro modo, sua vida será sempre assim: não há nada nisso de monstruoso; pelo contrário, a monstruosidade seria se encontrassem a calma ou, em geral, se se tornassem semelhantes a todos os homens médios... Seu elogio da nobreza e sua frase: "Morrerei gentil-homem" não me perturbavam absolutamente: compreendia de que espécie de gentil-homem se tratava; o que dá tudo e se faz o núncio do cidadão do universo e da grande ideia russa da reunião universal das ideias. Tudo isso eram talvez tolices, quero dizer "a reunião universal das ideias" (que é evidentemente indispensável), mas ainda assim era já bastante bom que ele dedicasse todas a sua vida à ideia e não ao estúpido bezerro de ouro. Meu Deus! mas que, depois que concebi a minha ideia, será que me curvei diante do bezerro de ouro, será do dinheiro que eu tinha necessidade? Juro: não necessitava senão da ideia! Juro, não teria forrado de veludo para mim uma cadeira sequer, nem um único divã e teria comido, com cem milhões, o mesmo prato de sopa de hoje!

Vesti-me e senti-me irresistivelmente impelido para ele. Acrescentarei: por conta de sua alusão da véspera ao documento, estava também cinco vezes mais tranquilo do que na véspera. Primeiro, esperava explicar-me com ele; depois, se Lambert se tivesse insinuado também em casa dele e lhe houvesse falado de alguma coisa, sensação extraordinária; era a ideia de que agora ele não a amava mais; tinha disso uma persuasão absoluta e sentia que era um peso tremendo de que se libertara meu coração. Lembro-me mesmo duma suposição que me atravessou então o cérebro: a monstruosidade e o absurdo de sua derradeira e furiosa rebentina ao saber notícia de Bioring e o envio de sua carta injuriosa; esse excesso tinha podido ser o anúncio e a previsão duma mudança radical nos seus sentimentos e de uma pronta volta ao bom-senso; devia ser, dizia eu a mim mesmo, pouco mais ou menos, como numa doença e devia chegar ao ponto oposto: um episódio médico e nada mais! Esta ideia enchia-me de felicidade.

"E agora, que ela disponha de seu destino como o entender, que se case com seu Bioring como lhe agradar, mas pelo menos que ele, meu pai, meu amigo, não a ame mais!", exclamei. Aliás, havia certo mistério nos meus próprios sentimentos, mas aqui, nestas memórias, não tenho vontade de insistir no assunto.

Chega. Agora, relatarei todos os horrores que se seguiram e toda a maquinação dos fatos, desta vez sem quaisquer considerações.

II

Às dez horas, como me preparasse para sair (para ir à casa dele, naturalmente), apareceu Dária Onísimovna. Perguntei-lhe alegremente se não vinha da parte dele e tive o pesar de saber que não era absolutamente da parte dele, mas da de Anna Andriéievna e que ela, Dária Onísimovna, "saíra do apartamento ao nascer do dia".

— De que apartamento?

— Mas daquele, o de ontem. O apartamento de ontem, com a criancinha, está alugado em meu nome, mas é Tatiana Pávlovna quem paga...

— Que me importa isso! — interrompi-a, zangado. — Mas ele, pelo menos, está em casa? Vou encontrá-lo lá?

Fiquei espantado ao saber que ele saíra ainda mais cedo do que ela; portanto, ela saíra ao nascer do dia e ele ainda antes.

— E agora, já terá voltado?

— Não, não voltou decerto e talvez mesmo não volte, absolutamente — declarou ela, olhando-me com seu olhar agudo e velhaco, que não desviava de mim, justamente como por ocasião da visita já contada, quando eu estava de cama, doente. O que me enraivecia sobretudo eram aqueles mistérios e aquelas bobagens que reapareciam: aquela gente, decididamente, não podia passar sem mistério e ardil.

— Por que disse que ele certamente não voltará? Que quer dizer com isso? Foi à casa de mamãe, eis tudo!

— Não sei.

— Mas a senhora, por que veio?

Declarou-me que, no momento, vinha da casa de Anna Andriéievna e que esta me convidava e me esperava urgentemente agora, senão "será demasiado tarde". De novo, esta palavra enigmática fez-me sair dos eixos:

— Por que demasiado tarde? Não quero ir lá e não irei! Não me deixarei dominar uma vez mais! Diga-lhe que mando ao diabo Lambert e acrescente que se ela me enviar o seu Lambert, será posto de porta afora aos empurrões. Diga-lhe assim mesmo!

Dária Onísimovna, ficou apavorada.

— Há! Não, não! — deu um passo para mim, juntando as mãos e quase a suplicar-me — não se impaciente assim. A coisa é grave, mesmo muito grave para o senhor, para eles também, para Andriéi Pietróvitch, para sua mamãe, para todo mundo... Vá ver imediatamente Anna Andriéievna, porque ela não pode esperá-lo mais muito tempo... Asseguro-lhe sobre minha honra... Depois, o senhor tomará uma decisão.

Olhei-a com surpresa e aversão.

— Bobagens! Não se passará nada absolutamente, não irei! — exclamei com teimosia e maldade. — Agora, tudo está mudado! Será a senhora capaz de compreender? Adeus, Dária Onísimovna, não irei, de propósito, e de propósito não quero perguntar-lhe nada. Vocês me fariam perder a cabeça. Não quero meter-me nas complicações de vocês.

Mas, uma vez que ela não se retirava e continuava plantada ali, peguei minha peliça e meu gorro e saí, deixando-a no meio do quarto. Não havia no meu quarto nem cartas, nem papéis, e quase nunca o fechava a chave ao sair. Mas não chegara ainda à porta da rua, quando meu locador, Piotr Ipolítovitch, sem chapéu e de jaquetão, correu atrás de mim:

— Arkádi Makárovitch! Arkádi Makárovitch!

— Que é que quer ainda o senhor?

— Não tem ordens a dar ao sair?

— Não.

Olhou-me com um olhar penetrante e visivelmente inquieto:

— A respeito do alojamento, por exemplo?

— Como? A respeito do alojamento? Mandei-lhe o dinheiro do trimestre!

— Mas não, não se trata de dinheiro — disse ele, sorrindo de repente e demoradamente e continuando a devassar-me com o olhar.

— Afinal, que tem vocês todos? — gritei, quase com raiva. — Que lhe é preciso ainda?

Esperou alguns segundos, como se esperasse sempre alguma coisa de mim.

— Então, vai me dizer mais tarde... já que agora não está disposto — resmungou ele, com um sorriso ainda mais demorado. — Pois bem, vá, é preciso que eu vá também ao meu emprego.

Tornou a subir a escada correndo. Naturalmente, tudo aquilo fazia pensar. Faço propósito de não negligenciar detalhe algum de todos aqueles pequenos absurdos do momento, porque cada qual entrou mais tarde para o buquê definitivo e nele encontrou seu lugar, como poderá o leitor ficar persuadido, pois que é a pura verdade. Se eu estava tão transtornado e tão irritado era que acabara de reencontrar nas palavras deles aquele tom de intriga e de enigma de que tinha náusea e que me relembrava o passado. Mas prossegui.

Viersílov não estava em casa; partira, com efeito, ao nascer do dia; "Estará certamente em casa de mamãe", pensei, teimando. Nada perguntei à ama da criança, uma boa mulher bastante tola; não havia na casa nenhuma outra pessoa. Corria à casa de mamãe e, confesso, numa tal inquietação que a meio do caminho tomei um carro. Não aparecia em casa de mamãe desde a véspera à noite. Só estavam com ela Tatiana Pávlovna e Lisa. Assim que entrei, Lisa preparou-se para sair.

Continuavam lá em cima, no meu "ataúde". No salão, embaixo, estava Makar Ivânovitch estendido sobre a mesa e um velho desconhecido lia lentamente salmos. Não descreverei mais nada do que não tiver ligação direta com o assunto. Anotarei somente que o caixão, já feito e já ali, na sala, não era ordinário: embora preto, estava forrado de veludo e a mortalha que cobria o corpo era cara, luxo que não convinha ao ancião, nem às suas convicções; mas tal fora o desejo imperioso de mamãe e de Tatiana Pávlovna.

Não esperava naturalmente encontrá-las alegres; mas de súbito o pesar esmagador, a inquietação e a preocupação que li em seus olhos impressionaram-me, e concluí ali mesmo que havia certamente outra coisa que não só o defunto. De tudo isso, repito, me lembro perfeitamente.

Apesar de tudo, beijei ternamente mamãe e logo interroguei-a a respeito dele. No mesmo instante, acendeu-se em seu olhar uma curiosidade alarmada. Acrescentei apressadamente que tínhamos passado o serão juntos até alta noite, mas que hoje ele não estava em casa, desde o nascer do dia, quando ele próprio me convidara na véspera, ao separar-nos, para ir lá o mais cedo possível. Mamãe não respondeu nada, mas Tatiana Pávlovna, aproveitando uma ocasião, ameaçou-me com o dedo.

— Até a vista, mano! — cortou, de repente, Lisa, saindo rapidamente do quarto. Naturalmente, alcancei-a, mas estava parada diante da porta de saída.

O ADOLESCENTE

— Já imaginava que terias a ideia de seguir-me — disse ela, num cochicho rápido.

— Que se passa, Lisa?

— Eu mesma não sei de nada; mas, muitas coisas. É certamente o desfecho daquela "eterna história". Ele não veio, mas tem informações a seu respeito. Não te contarão nada, fica tranquilo, e não lhes perguntes tampouco, se tens um tantinho de miolo; mamãe está mais morta que viva. Eu tampouco nada perguntei. Até a vista!

Abriu a porta.

— Lisa, e tu não sabes de nada? — E saltei atrás dela pelo vestíbulo. Sua fisionomia tremendamente fatigada, desesperada, varava-me o coração. Olhou-me, não com cólera, mas quase com crueldade, sorriu com amargura e fez um sinal de desespero:

— E mesmo se ele estivesse morto, seria muito melhor! — gritou-me da escada enquanto descia. Referia-se ao Príncipe Sierguiéi Pietróvitch, que estava então de cama com febre e sem conhecimento. "A eterna história! Que eterna história?", pensei com irritação e tive logo vontade de contar-lhes pelo menos uma parte de minhas impressões da véspera, após sua confissão noturna e essa mesma confissão. "Fazem a respeito dele não sei que más ideias; pois bem, que fiquem sabendo tudo!" Eis o pensamento que me atravessou a mente.

Lembro-me de que comecei meu relato muito habilmente. No mesmo instante, uma curiosidade louca estampou-se em seus rostos. Por uma vez ao menos, a própria Tatiana Pávlovna bebia minhas palavras; mamãe mostrava-se mais reservada; grande gravidade na fisionomia, mas um sorriso leve, admirável, embora absolutamente desesperado, iluminou seu rosto e nele perdurou quase até o fim da narrativa. Eu falava, naturalmente bem, sabendo embora que me tornava para elas quase ininteligível. Para grande espanto meu, Tatiana Pávlovna não me fez chicanas, nem pediu detalhes precisos, não me aprontou armadilhas, como fazia sempre, quando eu me punha a falar. Limitava-se, de tempos em tempos, a cerrar os lábios e a semicerrar os olhos, como num esforço para compreender. Por instantes, parecia-me mesmo que elas apreendiam tudo, mas era quase impossível. Por exemplo, falei das convicções dele, sobretudo de seu entusiasmo por mamãe, de seu amor por mamãe, contei como havia beijado o retrato dela... Ao escutar-me, trocavam em silêncio olhares rápidos; mamãe ficou toda corada; aliás continuaram as duas sem nada dizer. Em seguida... em seguida não pude naturalmente, diante de mamãe, tocar no ponto essencial, isto é, no encontro dele com a outra e sua "ressurreição" moral após aquela carta; ora, o essencial estava ali, de sorte que todos os seus sentimentos da véspera, com os quais esperava alegrar tanto mamãe, permaneceram naturalmente incompreendidos, e não por culpa minha, pois que tudo quanto era possível contar, contei muito bem. Quando terminei, estava absolutamente atrapalhado; o silêncio delas não cessara e sentia-me muito pouco à vontade ali entre elas.

— Decerto, já voltou. Talvez esteja em minha casa, à minha espera — disse, levantando-me para retirar-me.

— Pois bem, vá lá, vá lá! — confirmou Tatiana Pávlovna, categórica.

— Estiveste embaixo? — perguntou-me mamãe, num murmúrio.

— Sim, ajoelhei-me e rezei com ele. Que belo rosto calmo tem ele, mamãe! *Obrigado por não ter nada poupado para dar-lhe um belo caixão.* A princípio isso me pareceu estranho, mas logo imediatamente pensei que teria feito outro tanto.

— Virás amanhã à igreja? — perguntou ela e seus lábios tremeram.

— Que tem a senhora, mamãe? — perguntei, admirado. — Hoje também irei assistir ao ofício e voltarei ainda; e depois... amanhã é seu aniversário, mamãe, minha querida amiga! Se ele tivesse vivido mais três dias apenas!

Retirei-me tomado dum doloroso espanto: que pergunta engraçada! Perguntar-me se irei ou não à igreja! E se estão tão preocupadas por minha causa, que pensam então dele?

Sabia que Tatiana Pávlovna correria atrás de mim e por isso parei de propósito na soleira. Ela me alcançou com efeito, empurrou-me com a mão até a escada, passou à minha frente e fechou a porta.

— Tatiana Pávlovna! Então não espera a senhora Andriéi Pietróvitch nem hoje, nem mesmo amanhã? Estou aterrorizado...

— Cala-te. É muito importante estares aterrorizado! Fala: não disseste tudo, ao contares aquelas histórias de ontem.

Não achei necessário dissimular e, quase zangado com Viersílov, contei-lhe toda a história da carta de Katierina Nikoláievna e do efeito produzido, isto é, sua ressurreição para uma nova vida. Com grande surpresa minha, o fato daquela carta não lhe causou o mínimo espanto e compreendi que ela já estava prevenida.

— Estás mentindo?

— Não, não estou mentindo.

— E achas — sorriu perfidamente, como se refletindo — que ele ressuscitou? Só faltava isto! É verdade que ele beijou o retrato?

— É verdade, Tatiana Pávlovna.

— Beijou-o com sentimento, não fingiu?

— Fingiu? Será que ele finge algumas vezes? A senhora deveria envergonhar-se, Tatiana Pávlovna. Tem alma grosseira, alma de mulher.

Disse isto com ardor, ela, porém, fingiu não ter entendido. Estava de novo mergulhada em seus pensamentos, a despeito do frio que reinava na escada. Eu estava de peliça, ao passo que ela trazia apenas o vestido.

— Vou te confiar mesmo assim uma coisa, mas é uma pena que sejas tão bobo — afirmou com desprezo e como que aborrecida. — Escuta, pois: vai então à casa de Anna Andriéievna e olha o que lá se passa, em casa dela... Ou antes, não vás lá; nunca passarás de um imbecil! Vamos, anda, que fazes aí, plantado como um marco?

— Ah! não! Não irei à casa de Anna Andriéievna. E, no entanto, a própria Anna Andriéievna mandou chamar-me.

— Ela própria? Por Dária Onísimovna? — E voltou-se bruscamente para mim; já se ia retirando e abria a porta, mas tornou a fechá-la.

— Por coisa alguma do mundo irei à casa de Anna Andriéievna! — repeti com prazer. — E não irei, porque acabam de tratar-me de imbecil, justamente quando nunca fui tão penetrante como hoje. Desvendo todas as histórias de vocês. Em todo o caso, não irei à casa de Anna Andriéievna.

— Bem o sabia! — exclamou ela, mas sem responder ao que eu havia dito, prosseguindo nas suas reflexões. — Vão agora amarrá-la e metê-la no saco.

— A quem? A Anna Andriéievna?

— Idiota!

— Então a respeito de quem está falando? De Katierina Nikoláievna? Que saco? — Eu estava tremendamente aterrorizado. Uma ideia vaga, mas horrível, atravessou-me toda a alma. Tatiana lançou-me um olhar percuciente:

— E tu, que tens com isso? — perguntou ela, de chofre. — Que papel desempenhas nisso? Ouvi falar de ti também. Toma cuidado!

— Escute, Tatiana Pávlovna. Vou lhe contar um segredo terrível, mas não agora, não tenho tempo: amanhã, em particular. Somente, diga-me agora mesmo toda a verdade e de que saco se trata... porque estou tremendo todo...

— Pouco me importa que tremas todo! — exclamou ela. — Qual é ainda esse mistério que queres contar-me amanhã? Vamos, diz francamente, não sabes de nada? — E fixou em mim um olhar interrogador. — Será que não lhe juraste então que havias queimado a carta de Kraft?

— Tatiana Pávlovna, repito-lhe, não me atormente — continuei, por minha vez, sem responder à sua pergunta, porque estava fora de mim —, preste atenção, Tatiana Pávlovna: o fato de a senhora me esconder alguma coisa poderá dar causa a algo de pior... Ontem à noite ele estava em plena ressurreição!

— Vai-te para o diabo, farsante! Estás apaixonado, tu também, como um fedelho. O pai e o filho enamorados da mesma mulher! Puxa! Que nojentos!

Desapareceu, batendo a porta com indignação. Furioso diante do cinismo descarado, impudente, de suas derradeiras palavras, esse cinismo de que só uma mulher é capaz, saí dali correndo, profundamente magoado. Mas não reproduzirei minhas impressões perturbadas: dei minha palavra; contarei somente os fatos, que, agora, darão a chave de tudo. Naturalmente, dei novo pulo à casa dele e de novo soube pela ama que ele não voltara.

— E não voltará?

— Só Deus sabe!

III

Os fatos, os fatos!... Mas compreende o leitor alguma coisa? Lembro-me até que ponto, eu mesmo, fui então esmagado por esses mesmos fatos, que não conseguia compreender, tanto que no fim do dia tinha a cabeça literalmente revirada. Por isso, em duas ou três palavras, anteciparei os acontecimentos.

Eis em que consistiam todos os meus tormentos: se na véspera ele ressuscitara e deixara de amá-la, neste caso onde devia estar hoje? Resposta: antes de tudo, em minha casa, comigo, a quem ontem abraçou, e logo depois em casa de mamãe, cujo retrato beijou. Pois bem, em lugar dessas duas visitas naturais, acontecia que deixava sua casa ao nascer do dia e desaparecera não se sabia onde, e Dária Onísimovna contava que sem dúvida ele não voltaria. Mais ainda: Lisa falava do desfecho duma "eterna história", assegurava que mamãe tinha certas informações a respeito dele, mais recentes ainda; além disso, conhecia-se certamente a carta de Katierina Nikoláievna (havia-o notado), e apesar de tudo não se acreditava na sua ressurreição para uma nova vida, se bem que me tivessem ouvido atentamente. Mamãe estava mais morta do que viva e Tatiana Pávlovna sorria perfidamente àquela palavra "ressurreição". Mas então seria o caso de ter-lhe ocorrido, durante a noite, outra revolução, nova crise, e isto depois do seu entusiasmo de ontem, de seu enternecimento, de todo aquele patético? De modo que, toda aquela ressurreição rebentara como uma bolha de sabão. E talvez agora estivesse ele presa da mesma raiva que tomara depois do caso de Bioring! Então que seria de mamãe, de mim, de nós todos e... que seria afinal dela? De que saco falava Tatiana, enviando-me à casa de Anna Andriéievna? Era então ali que se encontrava aquele saco, em casa de Anna Andriéievna? E por que em casa de Anna Andriéievna? Corri, decerto, à casa de Anna Andriéievna. Foi de propósito, por despeito, que disse que não iria; agora corria para lá. Mas que disse Tatiana do documento? Não foi ele quem me disse ontem: "Queima o documento"?

Tais eram meus pensamentos. Eis o que me estrangulava. Mas tinha sobretudo necessidade dele. Com ele, sentia isso, num piscar de olhos teria resolvido tudo; teríamos nos compreendido por meias palavras. Teria segurado suas mãos, as teria apertado; teria encontrado em meu coração palavras calorosas, pensava eu a contragosto. Teria triunfado de sua loucura!... Mas onde estava ele? Onde estava ele? Só me faltava, em semelhante ocasião, encontrar Lambert, quando eu estava tão exaltado! Ainda alguns passos e cheguei à casa, quando, de repente, dei com Lambert. Lançou gritos de alegria ao ver-me e pegou-me pela mão.

— É a terceira vez que venho à tua casa... *Enfin*! Vamos almoçar.

— Para! Vens de minha casa?... Andriéi Pietróvitch não estava lá?

— Não. Não há ninguém. Deixa-os a todos! Imbecil! Tu te zangaste ontem; estavas bêbedo e preciso falar-te seriamente. Soube hoje de excelentes notícias a respeito do que dizíamos ontem...

— Lambert — interrompi-o, ofegante e apressado, declamando ligeiramente, malgrado meu —, se parei, foi unicamente para romper de uma vez para sempre contigo. Já te disse isso ontem, mas obstinas-te em não me compreender. Lambert és uma criança e bobo como um francês. Imaginas sempre que estás no Pensionato Touchard e que continuo tão bobo como era ali... Mas não sou mais tão bobo quanto era no Pensionato Touchard... Ontem estava bêbedo, não de vinho, mas porque já estava excitado; se aprovei o que contavas foi porque fingia, para conhecer teu pensamento. Enganava-te e tu te rejubilaste, e acreditaste em mim e continuaste a tagarelar. Fica sabendo: casar-me com ela é uma tolice em que até mesmo um aluno da classe preparatória jamais acreditaria. Pode-se imaginar que eu haja acreditado? No entanto, tu o imaginaste! É que não és recebido na boa sociedade e não sabes o que ali acontece. As coisas não se passam tão facilmente entre eles, na alta-roda. Que ela venha a decidir subitamente casar comigo, não é coisa tão simples... agora vou te dizer claramente o que queres: queres atrair-me para fazer-me beber, para que eu entregue o documento e participe contigo de alguma tratantada contra Katierina Nikoláievna! Pois bem, enganas-te, jamais irei à tua casa e hás de saber também que, já amanhã, ou em todo o caso, depois de amanhã, estará aquele papel nas mãos dela, porque aquele documento lhe pertence, porque foi ela quem o escreveu, e eu vou entregá-lo pessoalmente e, se queres saber onde, pois bem, fica sabendo que o remeterei por intermédio de Tatiana Pávlovna e que, em troca, nada reclamarei dela... E agora: em frente, marcha! De outro modo, de outro modo, Lambert, serei menos delicado...

O ADOLESCENTE

373

Terminado isto, fui tomado dum tremor. A pior coisa, o pior hábito, um hábito que prejudica todo homem e em qualquer circunstância, é querer mostrar-se. Que diabo me levou a acalorar-me diante dele a ponto de contar-lhe, ao acabar o que dizia e martelando com prazer as palavras e elevando cada vez mais a voz, aquele detalhe completamente supérfluo que entregaria a ela o documento por intermédio de Tatiana Pávlovna e em casa desta? Tivera uma vontade brusca de fulminá-lo de estupor! Quando lhe falei tão cruamente do documento e percebi de súbito seu espanto imbecil, veio-me a vontade de esmagá-lo ainda mais com a precisão dos detalhes. Pois bem, aquela tagarelice vaidosa de comadre foi mais tarde causa de horríveis desgraças, porque aquele detalhe referente a Tatiana Pávlovna e seu alojamento gravou-se logo no seu espírito de canalha e de homem prático nos negócios escusos; nos grandes e nos sérios era uma nulidade e nada compreendia, mas para detalhes como aquele tinha sempre faro. Se eu não houvesse nomeado Tatiana Pávlovna, muitas desgraças não teriam acontecido. Entretanto, depois de ter me escutado, ele se achou a princípio completamente desconcertado.

— Escuta— gaguejou —, Alfonsina... Alfonsina cantará... Alfonsina esteve em casa dela; escuta: tenho uma carta, quase uma carta, em que Akhmákova fala de ti, foi o bexiguento que a arranjou. Lembras-te do bexiguento? Verás, verás, vamos lá!

— Mentes! Mostra a carta!

— Está em casa, em casa de Alfonsina, vamos lá!

Mentia, naturalmente, delirava, no seu medo de que lhe escapasse; mas larguei-o de repente no meio da rua e, quando ele fez menção de seguir-me, parei e ameacei-o com o punho. Hesitou um momento, o que me permitiu fugir. Talvez novo plano já lhe germinasse na cabeça. Mas para mim as surpresas e os encontros inopinados não estavam terminados. Quando me lembro daquele dia de desgraças, parece-me sempre que aquelas surpresas e aqueles encontros inopinados combinaram-se para chover sobre mim de não sei qual cornucópia. Mal abrira a porta do apartamento, encontrei, já na antecâmara, um rapaz de elevada estatura, de rosto oval e pálido, porte majestoso e distinto, trazendo uma maravilhosa peliça. Usava um *pince-nez*; mas, logo depois que me viu, retirou-o (sem dúvida por cortesia) e, tirando polidamente com a mão sua cartola, sem parar de resto, disse-me com um sorriso delicado: *Ah! bonsoir!* Depois desceu a escada. Logo nos reconhecemos, se bem que só o tivesse visto uma vez, de passagem, em Moscou. Era o irmão de Anna Andriéievna, o camareiro, o jovem Viersílov, filho de Viersílov, e por consequência, quase meu irmão. Estava acompanhado pela locadora (seu marido ainda não voltara da repartição). Depois que ele saiu, atirei-me a ela:

— Que faz ele aqui? Estava no meu quarto?

— Oh não, no seu quarto, não. Foi a mim que veio ver... — cortou ela, rápida e secamente, voltando-me as costas.

— Não, isto não ficará assim! — exclamei. — Queira responder-me: que veio ele fazer?

— Ah! meu Deus! Então é preciso contar-lhe por que as pessoas vem cá? Creio que nós também podemos ter os nossos negócios. Aquele jovem talvez tenha vindo pedir dinheiro emprestado, perguntar-me um endereço. Talvez já lhe houvesse prometido da última vez...

— Como? Da última vez?

— Ah! meu Deus! Mas não é a primeira vez que ele vem cá!

Foi-se embora. Compreendera que o tom mudava na casa: metiam-se a dizer-me grosseiras! Outro segredo! Os segredos acumulavam-se a cada passo, a cada hora. Da primeira vez o jovem Viersílov viera com sua irmã, Anna Andriéievna, enquanto eu estava doente; lembrava-me muito bem disso e também de que Anna Andriéievna deixara escapar na véspera uma pequena frase espantosa: que talvez o velho príncipe se refugiasse em minha casa... mas tudo aquilo era tão confuso e tão anormal que não podia compreender quase nada. Bati na testa e, sem mesmo sentar-me para repousar, corri à casa de Anna Andriéievna. Não estava em casa, mas o suíço respondeu-me que ela partira para Tsárskoie Sieló; só voltaria no dia seguinte, mais ou menos àquela mesma hora.

— Para Tsárskoie Sieló? Decerto para a casa do velho príncipe e seu irmão inspeciona o meu alojamento! Não, é impossível!

Rangia os dentes. "E se há nisso com efeito uma ameaça, defenderei a pobre mulher!".

De volta da casa de Anna Andriéievna, não entrei na minha, porque de repente no meu cérebro inflamado surgiu a lembrança do botequim, junto ao canal, aonde Andriéi Pietróvitch tinha o costume de ir em suas horas de tristeza. Cheio de regozijo a esta ideia, corri para lá no mesmo momento; já eram mais de três horas e a tarde caía. No botequim, disseram-me que ele tinha estado lá: "Ficou um momento e depois partiu. Talvez volte". Decidi de súbito, com toda a minha energia, esperá-lo e mandei que me servissem jantar; havia pelo menos uma esperança.

Jantei, comi até mesmo demais, para ter o direito de ficar o maior tempo possível, creio bem que fiquei ali umas quatro horas. Não descrevo meu pesar e minha impaciência febril. Tudo em mim era abalado e tremia. Aquele realejo, aqueles bebedores, todo aquele tédio gravaram-se em minha alma, talvez por toda a vida! Não descrevo tampouco os pensamentos que se elevavam em minha cabeça como uma nuvem de folhas secas, no outono, após um furacão; era na verdade algo nesse gênero e, confesso, sentia por momentos faltar-me a razão.

Mas o que me atormentava até o sofrimento (deixando, naturalmente, de lado o sofrimento principal), era uma impressão tenaz, venenosa, tenaz como uma mosca de outono, na qual a gente não pensa, mas gira em torno de nós, importuna-nos e de chofre nos pica dolorosamente. Não era senão uma lembrança, um acontecimento a respeito do qual ainda não falei a ninguém no mundo. Eis de que se trata, porque é preciso ainda assim contá-lo em alguma parte.

IV

No momento em que, em Moscou, já estava decidido que eu partiria para Petersburgo, fizeram-me saber por Nikolai Siemiônovitch que eu esperasse o dinheiro que me enviariam para a viagem. Da parte de quem viria esse dinheiro foi coisa de que não indaguei; sabia que era de Viersílov e como naquela época, noite e dia, eu sonhava, com um bater de coração e com planos audaciosos, no meu encontro com Viersílov, cessei completamente de falar disso em voz alta, até mesmo com Mária Ivânovna. Lembro, aliás, que tinha meu dinheiro próprio para a viagem; mas decidi, apesar de tudo, esperar! Supunha que o dinheiro viria pelo correio.

Ora, um belo dia, Nikolai Siemiónovitch, regressando à casa, declarou-me (brevemente, segundo seu costume, e sem insistir) que eu deveria ir no dia seguinte à Mojáiskaia Úlitsa, às onze horas da manhã, à casa e apartamento do príncipe V...ski e que ali o camareiro Viersílov, filho de Andriéi Pietróvitch, que havia chegado de Petersburgo e se hospedara em casa de seu colega de ginásio, o Príncipe V...ski, me entregaria a soma enviada para a viagem. A coisa parecia muito simples: Andriéi Pietróvitch teria podido muito bem confiar aquele encargo a seu filho, em lugar de enviar a soma pelo Correio; apesar disso, essa notícia abafou-me e amedrontou-me de maneira pouco natural. Não havia dúvida alguma de que Viersílov queria que eu travasse conhecimento com seu filho, meu irmão; assim desenhavam-se as intenções e os sentimentos do homem com quem eu sonhava. Mas uma questão colossal se apresentava: como eu iria e como deveria conduzir-me, naquele encontro totalmente inesperado e não teria minha dignidade de sofrer com isso?

No dia seguinte, às onze horas em ponto, apresentei-me no apartamento do Príncipe V...ski, uma instalação de solteirão, mas, pelo que me pareceu, luxuosamente mobiliada, com criados de libré. Parei na antecâmara. Do interior chegavam rumores de conversação animada e de risada: além do camareiro tinha o príncipe outros convidados. Fiz-me anunciar, e sem dúvida em termos bastante altivos, pelo menos, ao retirar-se, o lacaio olhou-me com estranheza e até mesmo, ao que me pareceu, menos respeitosamente do que teria convindo. Para meu grande espanto, ficou bastante tempo ausente, cerca de cinco minutos, e durante aquele tempo ouviam-se sempre as mesmas risadas e os mesmos ecos de conversação.

Eu esperava, naturalmente, de pé, sabendo muito bem que sendo um senhor como ele, era inconveniente, impossível, sentar-me na antecâmara, onde se conservavam os lacaios. Por outra parte, não queria, a preço algum, por minha própria autoridade e sem convite particular, pôr o pé no salão, isso por orgulho; por orgulho refinado, é possível, mas era preciso agir assim. Fiquei admirado ao ver os lacaios que ficavam (dois) permitir-se sentarem-se na minha presença. Voltei o rosto para não notar isso e não obstante pus-me a tremer da cabeça aos pés. De repente, dando meia volta e abordando um dos lacaios ordenei-lhes que fosse imediatamente anunciar-me ainda uma vez. Apesar do meu olhar severo e minha extrema excitação, o lacaio olhou-me, cheio de preguiça, sem se levantar e foi o outro quem respondeu em lugar dele:

— Já foi anunciado, fique tranquilo!

Resolvi esperar ainda um minuto somente eu mesmo, se possível, menos de um minuto, e depois ir-me embora. Estava corretamente trajado; meu terno e meus sobretudos eram novos, minha roupa branca absolutamente limpa, tendo Maria Ivânovna tomado com ela um cuidado todo especial para a ocasião. Mas, no que se refere aos lacaios, soube de fonte certa, muito mais tarde e já em Petersburgo, que eles tinham sido informados na véspera, por um criado vindo com Viersílov, que ia chegar um sujeito, irmão natural e estudante. Agora, sei disso com toda a certeza.

Passou-se o minuto. Aquela sensação singular que a gente experimenta quando quer tomar uma decisão e não consegue: partir, ou não, ir-se embora, ou não?, sentia-a eu a cada segundo, quase estremecendo; de repente apareceu o lacaio que fora anunciar-me. Tinha na mão, entre os dedos, quatro cédulas vermelhas, quarenta rublos.

— Tome, queira receber estes quarenta rublos!

Fervi. Que injúria! Durante toda a noite precedente, sonhara com o encontro organizado por Viersílov entre os dois irmãos; toda a noite perguntara a mim mesmo febrilmente como iria conduzir-me para não deixar que me rebaixassem — não deixar diminuir todo o ciclo de ideias que forjara no meu isolamento e do qual podia orgulhar-me em não importa que meio. Pensava em quanto me mostraria nobre, orgulhoso e triste talvez, mesmo na presença do Príncipe V...ski e em como seria dessa maneira introduzido diretamente naquele mundo. Oh! não me poupo; é bem assim que deve ser registrado o fato, em seus menores detalhes! E bruscamente, aqueles quarenta rublos, enviados por meio de um lacaio, na antecâmara, após dez minutos de espera, e diretamente da mão, dos dedos do lacaio, e não sobre uma bandeja ou num envelope!

Gritei com tanta força para o lacaio que ele tremeu e recuou; ordenei-lhe imediatamente que tornasse a levar o dinheiro: "Que seu amo me entregue em pessoa!" — em suma, minha exigência era naturalmente incoerente e decerto incompreensível para o lacaio. Entretanto, gritei tão alto que ele me obedeceu. Além disso, meus gritos foram ouvidos no salão e as conversas e risadas cessaram logo.

Quase imediatamente, ouvi passos, importantes, medidos, macios, e a elevada estatura dum jovem belo e altivo (pareceu-me então ainda mais pálido e mais magro do que por ocasião desse segundo encontro) mostrou-se na soleira, ou antes parou a menos de um *archin* antes da soleira. Trazia um maravilhoso roupão de quarto de seda vermelha e chinelos, um lornhão. Sem dizer uma palavra, assestou seu lornhão para meu lado e pôs-se a examinar-me. Como um animal selvagem, dei um passo para ele e plantei-me numa atitude de desafio, olhando-o fixamente. Mas ele só me examinou assim um instante, não mais de dez segundos; de repente, surgiu-lhe nos lábios um sorriso de escárnio imperceptível e, no entanto, infinitamente ferino, ferino justamente porque quase imperceptível; girou nos calcanhares em silêncio e voltou para o apartamento, sem mais se apressar, tão mansa e regularmente como tinha vindo. Oh! esses insolentes aprendem desde a infância, em sua família, com suas mães, a ofender os outros! Naturalmente, perdi a presença de espírito... Oh! por que a perdi?

Quase no mesmo instante, o mesmo lacaio voltou com mesmas cédulas nas mãos:

— Queira aceitar. É uma remessa de Petersburgo. Não se pode receber o senhor. Numa outra ocasião, talvez, quando meu senhor estiver mais livre. — Senti que aquelas últimas palavras foram por ele acrescentadas por conta própria. Mas minha confusão continuava; peguei o dinheiro e dirigi-me para a porta; foi mesmo em consequência da confusão que o aceitei, pois que era preciso recusá-lo; mas desejando o lacaio naturalmente ofender-me, permitiu-se uma verdadeira saída de lacaio: bruscamente escancarou a porta à minha frente e, conservando-a escancarada, pronunciou com voz grave e enfática, quando passei diante dele:

— Faça o favor!

— Canalha! — berrei, erguendo o braço, mas sem deixá-lo recair. — E teu amo é outro! Vá dizer-lhe imediatamente! — acrescentei, alcançando rapidamente a escada.

— O senhor não tem o direito! Se dissesse isso imediatamente ao meu senhor, ele poderia mandá-lo conduzir neste momento à delegacia com um bilhete seu. Quanto a ameaçar-me, não tem o senhor o direito...

Desci a escada. A escada era luxuosa, a descoberto e do alto podia-se ver-me completamente, enquanto eu desci pisando o tapete vermelho. Os três lacaios surgiram e postaram-se no alto da rampa. Naturalmente, decidi manter-me em silêncio: como haveria de discutir com lacaios? Cheguei embaixo sem apressar o passo e creio mesmo que retardando-o.

Oh! haverá talvez filósofos (vergonha para eles!) que dirão que isto são tolices, irritação de fedelho;pois seja! Mas para mim era uma ferida, uma ferida que ainda não cicatrizou, mesmo no minuto presente em que escrevo e em que tudo já está acabado e até mesmo vingado. Oh! juro, juro! Não sou rancoroso nem vingativo. Sem dúvida, tenho sempre vontade, até o sofrimento, de vingar-me quando me ofendem, mas, juro, é somente por generosidade. Vou lhe retribuir generosamente, mas de maneira que ele o sinta, que o compreenda e eis-me vingado! A este propósito, acrescentarei: não sou vingativo, mas rancoroso, embora generoso: será o mesmo com os outros? Naquele momento, pois, chegara com sentimentos generosos, talvez ridículos, pois seja! porém vale mais ser ridículo e magnânimo que não ser ridículo, mas baixo, vulgar, medíocre! Daquele encontro com meu "irmão" não falei a ninguém, nem mesmo a Maria Ivânovna, nem mesmo a Lisa, em Petersburgo: aquele encontro equivalia a uma bofetada vergonhosamente recebida. E eis que, de repente, dava com aquele senhor no momento em que menos o esperava. Sorri para mim, tira o chapéu e diz-me de chofre, cordialmente: *Bonsoir*. Naturalmente, era caso para ficar-se pensativo... Mas a ferida se reabrira!

V

Após mais de quatro horas passadas no botequim, saí de lá, de repente, correndo, como que dominado por um ataque, para ir, como era natural, à casa de Viersílov, e mais uma vez não o encontrei em casa: não voltara absolutamente; a ama estava preocupada e rogou-me de súbito que lhe mandasse de volta Dária Onísimovna. Como se fosse bem nisso que eu pensasse! Corri também à casa de mamãe, mas não entrei, e chamei Lukiéria no vestíbulo. Disse-me que ele não estava lá e que Lisa tampouco havia regressado. Vi que Lukiéria teria querido também fazer uma pergunta e, talvez também, encarregar-me de um recado; mas era lá nisso que eu pensava?! Restava uma derradeira esperança: teria ele ido à minha casa? Mas não acreditava mais nisso.

Já preveni que quase perdera a razão. Ora, eis que de repente encontro em meu quarto Alfonsina e meu locador. Saíam naquele momento, é verdade, e Piotr Ipolítovitch trazia uma vela na mão.

— Que significa isso? — gritei quase absurdamente para o locador. — Como ousou o senhor introduzir essa criatura em meu quarto?

— Ah! — exclamou Alfonsina. — *Et les amis?*

— Fora daqui! — berrei.

— *Mais c'est un ours!*[119] — e voou para o corredor, fazendo uma cara de susto e desaparecendo logo no quarto da locadora. Piotr Ipolítovitch, sempre com a vela na mão, aproximou-se de mim, com fisionomia severa:

— Permita-me que lhe faça observar, Arkádi Makárovitch, que o senhor se acalora por demais. Por mais que o respeitemos, devemos dizer que a Senhorita Alfonsina não é uma criatura e mesmo muito pelo contrário. Veio visitar não o senhor, mas minha mulher. São conhecidas desde algum tempo.

— E como tomou o senhor a liberdade de introduzi-la no meu quarto? — repeti, segurando a cabeça que quase de súbito me estava doendo tremendamente.

— Ora, por acaso. Entrei para fechar o postigo que eu havia aberto para arejar e, como prosseguíssemos com Alfonsina Kárlovna nossa conversa anterior, entrou ela, conversando, no seu quarto, unicamente para acompanhar-me.

— É falso. Alfonsina é uma espiã, Lambert é um espião! Talvez o senhor mesmo seja outro! E Alfonsina entrou no meu quarto para roubar alguma coisa.

— Como queira. Hoje o senhor diz uma coisa, amanhã outra. Mas aluguei meu apartamento por algum tempo. Minha mulher e eu vamos nos mudar para o gabinete; de modo que Alfonsina Kárlovna é agora locatária aqui, tão locatária quanto o senhor.

— Foi a Lambert que o senhor alugou o apartamento? — gritei, espantado.

— Não, a Lambert não — sorriu com a habitual lentidão, sorriso em que se lia, aliás, certa firmeza que sucedia ao embaraço da manhã —, e suponho que o senhor saiba mesmo a quem; somente finge não saber, apenas para se divertir e é por isso que se zanga. Boa noite!

— Sim, sim, deixe-me tranquilo, deixe-me tranquilo! — E fiz um gesto com a mão, chorando quase, de modo que ele me fitou, espantado; não obstante, saiu. Corri o ferrolho da porta e estendi-me sobre a cama, com a cabeça no travesseiro. Eis como se passou para mim aquele primeiro e terrível dia dos três últimos dias fatais que terminam minhas memórias.

Capítulo X

I

Mas, ainda uma vez, anteciparei os acontecimentos: julgo necessário dar desde agora alguns esclarecimentos ao leitor, porque se misturaram ao curso lógico desta história tantos incidentes fortuitos que, sem explicações prévias, seria impossível achar caminho. Tratava-se daquele saco de que falara Tatiana Pávlovna. Consistia em que Anna Andriéievna havia arriscado, afinal, o passo mais ousado que se podia imaginar na sua situação. Eis na verdade uma mulher de caráter! Se bem que o velho príncipe, sob o pretexto de saúde, se tivesse confinado em Tsárkoie Sieló, de modo que a notícia de seu casamento com Anna Andriéievna não pudera espalhar-se na sociedade e fora por um momento afogada por assim dizer em

---

119   Mas é um urso.

germe, apesar disso, o fraco ancião, do qual se podia fazer tudo quanto se quisesse, não teria jamais consentido, por preço algum, em abandonar sua ideia e trair Anna Andriéievna, que o havia pedido em casamento. A este respeito era um cavalheiro; cedo ou tarde, podia de repente erguer-se e pôr em execução seu intento com uma energia indomável, o que acontece tantas vezes, justamente aos caracteres fracos, porque há um limite além do qual não se deve impeli-los. Além disso, ele se dava perfeita conta da situação delicada de Anna Andriéievna, a quem respeitava infinitamente, bem como da possibilidade de falatórios, de zombarias, de boatos maldosos a seu respeito. O que o acalmava e detinha no momento era apenas o fato de Katierina Nikoláievna nunca ter-se permitido, nem por palavras, nem por alusões, emitir na sua presença uma opinião desabonadora sobre Anna Andriéievna, nem nada manifestar contra sua intenção de desposá-la. Pelo contrário, testemunhava uma alegria extrema, uma extrema atenção pela noiva de seu pai. Achava-se assim Anna Andriéievna numa situação extremamente delicada, compreendendo bem, com seu faro de mulher, que, arriscando o menor ataque contra Katierina Nikoláievna, diante da qual o príncipe vivia também em adoração, hoje mesmo mais do que nunca e justamente porque ela havia tão generosa e tão respeitosamente concordado em que se casasse, ofenderia seus sentimentos mais delicados e despertaria nele uma desconfiança a seu respeito e talvez mesmo indignação. Era, pois, sobre esse campo que se travava no momento a batalha: as duas rivais pareciam competir em delicadeza e paciência, e o príncipe, finalmente, não sabia mais qual das duas era mais admirável. Segundo o costume de todos os homens fracos, mas de coração terno, acabou por sofrer e por acusar-se a si mesmo de tudo. Sua melancolia, dizem, chegou a ser doença; seus nervos, destrambelhavam-se, e, em lugar de se restabelecer em Tsárskoie, esteve, assegurava-se, a ponto de ir para a cama.

Anotarei aqui entre parênteses uma coisa que só vim a saber muito tempo depois: Bioring teria proposto muito simplesmente a Katierina Nikoláievna levar o velho para o estrangeiro, preparando-o para isso por meio de alguma astúcia, fazendo correr secretamente a razão; após o que, no estrangeiro, fácil seria obter um atestado dos médicos. Mas era o que Katierina Nikoláievna não teria aceitado por coisa alguma no mundo; pelo menos afirmava-se assim mais tarde. Teria, pois, repelido esse projeto com indignação. Tudo isso não passa de um boato muito remoto, mas creio nele.

Ora, estando o caso, por assim dizer, metido num beco sem saída, eis que Anna Andriéievna sabe por Lambert que existe uma carta na qual a filha consulta um jurista a respeito do meio de fazer declarar louco seu pai. Seu espírito orgulhoso e vingativo ficou excitado ao extremo ponto. Lembrando-se de suas anteriores conversações comigo e reaproximando uma multidão de circunstâncias ínfimas, não pôde duvidar da exatidão da notícia. Então, naquele coração de mulher, firme e inflexível, amadureceu irresistivelmente um plano de ataque. Consistia em revelar bruscamente ao príncipe, sem rodeios nem frases de espécie alguma, toda a história, em amedrontá-lo, em abalá-lo, em mostrar-lhe que o asilo de alienados o esperava fatalmente e, no momento em que ele se obstinasse, se indignasse, se recusasse a crer, mostrar-lhe a carta de sua filha: "Essa intenção de declará-lo louco já existiu: portanto, hoje, para impedir seu casamento, com mais forte razão". Em seguida, pegar o velho apavorado, siderado, e transportá-lo para Petersburgo, diretamente para minha casa.

Era um risco terrível, mas ela contava firmemente com seu poder. Direi aqui, afastando-me um instante de meu assunto e antecipando de muito os acontecimentos, que não se enganava a respeito do efeito do golpe; pelo contrário, ultrapassou sua expectativa. A notícia daquela carta agiu sobre o velho príncipe ainda mais fortemente do que ela mesma e nós todos o supúnhamos. Jamais soubera, até então, que o príncipe já conhecesse alguma coisa daquela carta; mas segundo o costume de todos os homens fracos e tímidos, não acreditara naquele boato e defendera-se com todas as suas forças, para conservar sua tranquilidade; mais ainda, acusava-se de ingratidão e leviandade. Acrescentarei também que o fato da existência da carta agiu do mesmo modo sobre Katierina Nikoláievna de maneira infinitamente mais forte do que o esperava eu então... Em suma, aquele papel revelou-se muito mais importante do que eu supunha, eu que o trazia no meu bolso. Mas estou antecipando demais.

Mas por que, alguém poderia perguntar, trazê-lo para minha casa? Por que trazer o príncipe para nossos miseráveis quartinhos e apavorá-lo talvez com tão miserável quadro? Se era impossível mantê-lo em sua casa (porque podia-se ali impedir de súbito todo o empreendimento), por que não lhe dar um alojamento rico, como o propunha Lambert? Mas nisso consistia todo o risco do passo extraordinário de Anna Andriéievna.

O essencial era, logo depois da chegada do príncipe, apresentar-lhe o documento; mas eu não queria entregá-lo por coisa alguma no mundo. Como não houvesse tempo a perder, contando sempre Anna Andriéievna com seu poder, decidiu-se empreender a coisa sem o documento, mas conduzindo o príncipe diretamente para minha casa. E por quê? Justamente para me comprometer em primeiro lugar e, como diz o provérbio, de uma cajadada matar dois coelhos. Contava agir também sobre mim pelo choque, pelo abalo, pela surpresa. Refletia que, vendo em minha casa o velho, vendo seu pavor, sua fraqueza e dando ouvidos à prece comum deles dois, eu me renderia e apresentaria o documento! Confesso, o cálculo era hábil e inteligente, psicológico e esteve mesmo a ponto de ser bem sucedido. Quanto ao velho, Anna Andriéievna o enganou, obrigou-o a crer mesmo apenas em palavras, declarando-lhe muito simplesmente que o conduzia para minha casa. Tudo isso vim a saber mais tarde. Bastou-lhe a notícia de que o documento estava em minha casa para liquidar em seu coração tímido as derradeiras dúvidas sobre a realidade do fato, tanto gostava de mim e me respeitava!

Anotarei ainda que a própria Anna Andriéievna não duvidou um só instante de que o documento estivesse ainda em minha casa e não o tivesse entregue ainda. Sobretudo, compreendia mal meu caráter, contava cinicamente com minha inocência, minha simplicidade, até mesmo minha sensibilidade; por outra parte, achava que, mesmo se eu me decidisse a remeter a carta a Katierina Nikoláievna por exemplo, seria necessariamente em certas circunstâncias especiais: essas circunstâncias, apressava-se em preveni-las, em preveni-las pela surpresa, pelo ataque brusco, pelo choque.

Enfim, fora assegurada de tudo isso por Lambert. Já disse que a situação de Lambert era naquele momento extremamente crítica: ele, o traidor, queria, com todas as suas forças, afastar-me de Anna Andriéievna, para que, de acordo com ele, vendesse o documento a Akhmákova, o que ele achava mais vantajoso. Mas, como, por coisa alguma no mundo, eu não consentia em entregar o documento até o derradeiro instante, resolveu, no caso mais desfavorável, ajudar mesmo a Anna Andriéievna, para não perder todo o lucro, e era por isso que se encarniçava em oferecer-lhe seus serviços, até a derradeira hora, e sei que propôs mesmo arranjar-lhe, se preciso, um padre... Mas Anna Andriéievna rogou-lhe, com um sorriso de desprezo, que se calasse. Lambert parecia-lhe horrivelmente grosseiro e só despertava nela uma aversão completa; por prudência, aceitava entretanto seus serviços, que consistiam, por exemplo, em espionagem. A propósito, ignoro até hoje se haviam comprado Piotr Ipolítovitch, meu locador, ou não, e se ele havia recebido alguma coisa deles pelos seus serviços, ou então se se metera muito simplesmente na sociedade deles, por gosto da intriga; mas também ele me espionava e, quanto à sua mulher, fazia isso com certeza.

Compreenderá agora o leitor que, estando em parte prevenido, eu não podia, entretanto, adivinhar que, no dia seguinte, ou dois dias depois encontraria o velho príncipe em minha casa. Não teria jamais podido supor semelhante audácia da parte de Anna Andriéievna! Em palavras, podia-se dizer tudo quanto se quisesse, fazer alusão a não importa o quê; mas decidir-se, empreender e realizar! — não, eu vos digo, era uma mulher de caráter!

II

Prossigo.

Acordei de manhã bastante tarde. Tivera um sono extraordinariamente pesado e sem sonhos, lembro-me com espanto, de modo que, assim que despertei, senti de novo em mim uma extraordinária coragem moral, como se o dia da véspera não tivesse existido. Decidi não ir à casa de mamãe e seguir diretamente para a capela do cemitério. Após a cerimônia, iria à casa de mamãe para não mais deixá-la o dia inteiro. Estava firmemente convencido de que o encontraria, em todo o caso, em casa de mamãe, cedo ou tarde, no correr do dia, mas que o encontraria.

Nem Alfonsina, nem o locador estavam mais ali, desde muito tempo. Não queria pedir nada à locadora e decidira em geral cessar todas as relações com eles e até mesmo deixar a casa o mais cedo possível; foi por isso que, assim que me trouxeram o café, encerrei-me de novo. Mas logo bateram à minha porta; fiquei admirado: era Trichátov.

Abri-lhe logo e, alegre, convidei-o a entrar. Mas ele recusou-se:

— Tenho apenas duas palavras a dizer-lhe, na soleira... Ou então talvez seja melhor entrar. Creio que aqui seja preciso falar ao pé do ouvido. Mas não sentarei. Está reparando no meu sobretudo ordinário? Lambert tomou-me a peliça.

Com efeito, trazia uma velha capa, em mau estado e demasiado longa para sua altura. Estava ali, plantado diante de mim, sombrio e preocupado, com as mãos nos bolsos e sem tirar o chapéu:

— Não sentarei, não sentarei. Escute, Dolgorúki, não conheço nenhum detalhe, mas sei que Lambert maquina contra o senhor alguma traição, pronta e inevitável, sei com toda certeza. De modo que tome cuidado. Foi o bexiguento quem me revelou a coisa. Lembra-se do bexiguento? Mas não me disse do que se trata, de sorte que não posso dizer-lhe muita coisa. Vim somente preveni-lo. Até à vista!

— Mas sente então, meu caro Trichátov! Apesar de estar com pressa, sinto-me feliz em vê-lo... — exclamei.

— Não, não, não sentarei. Mas vou lembrar que me recebeu bem. Ah! Dolgorúki, de que serve enganar os outros? Conscientemente, de minha plena vontade, consenti em todas as espécies de sujeiras, em tais ignomínias que tenho até vergonha de nomeá-las em sua casa. Agora mesmo, em casa do bexiguento... Adeus! Não mereço sentar em sua casa.

— Pare com isso, Trichátov, meu caro...

— Não, veja só, Dolgorúki, sou descarado diante de todo mundo e vou agora meter-me na farra. Em breve terei uma peliça ainda mais bela e passearei de caleça. Mas saberei, apesar de tudo, no meu íntimo, que não sentei em sua casa, porque não me achei digno disso; porque, diante do senhor, sou vil. Terei ainda assim o prazer de me recordar disso, no momento em que me encontrar numa farra crapulosa. Adeus, vamos, adeus! Não lhe dou a mão tampouco. A própria Alfonsina não me toma a mão. E rogo-lhe, não corra atrás de mim e não venha ver-me. Fizemos um trato.

O estranho rapaz girou nos calcanhares e retirou-se. Não tinha tempo, mas prometi a mim mesmo descobri-lo a qualquer preço, em curto prazo, assim que nossos negócios se arranjassem.

Em seguida, não descreverei toda aquela manhã e, no entanto, teria havido muitas lembranças a conservar. Viersílov não estava na cerimônia e, creio mesmo que, pela atitude deles, seria possível concluir, já antes da encomendação do corpo, que não o esperavam na igreja. Mamãe rezava com fervor, estava toda entregue à sua oração. Junto do corpo, só estavam Tatiana Pávlovna e Lisa. Mas não descrevo, não descrevo nada. Após o enterro, todos voltaram para casa e puseram-se à mesa. E uma vez mais concluí pelas suas fisionomias que não o esperavam tampouco à mesa. Quando nos levantamos aproximei-me de mamãe, beijei-a com calor e desejei-lhe um feliz aniversário; Lisa, depois de mim, fez o mesmo.

— Escuta, meu irmão — cochichou-me, às ocultas —, esperam-no.

— Adivinho, Lisa, vejo.

— Ele virá decerto.

Devem, disse a mim mesmo, ter informações precisas. Mas não fiz perguntas. Se bem não descreva meus sentimentos, todo aquele enigma, apesar do meu bom-humor, pesava-me sobre o coração. Instalamo-nos todos no salão, à mesa redonda, em torno de mamãe. Oh! como me sentia feliz por estar com ela e olhá-la! Mamãe pediu-me de repente que lhe lesse uma mensagem do *Evangelho*. Li-lhe um capítulo de São Lucas. Ela não chorava, não estava mesmo demasiado triste, mas nunca seu rosto me parecera tão impregnado de espiritualidade. No seu olhar brilhava uma ideia, mas não cheguei a notar que ela esperasse alguma coisa com impaciência. A conversa não se esgotava; recordou-se bastante o defunto, Tatiana Pávlovna também contou muitas coisas dele que eu de todo ignorava até ali. E, em geral, se quisessem tomar apontamentos, muito assunto haveria para isso. A própria Tatiana Pávlovna parecia ter mudado de atitude por completo: estava muito calma, muito acariciante e sobretudo, também ela, muito tranquila, se bem que falasse muito, para distrair mamãe. Mas lembro-me direitinho de um detalhe: mamãe estava no divã e à esquerda, sobre uma mesinha, via-se pousada uma imagem que parecia posta ali de propósito, um velho ícone, sem camada de metal, com simples auréolas sobre as cabeças dos dois santos que ali estavam representados. Aquela imagem pertencia a Makar Ivânovitch. Eu sabia disso e sabia também que o defunto nunca se separava dela e considerava-a miraculosa. Tatiana Pávlovna olhou-a várias vezes.

— Escuta, Sófia — disse ela, de repente, mudando de conversa —, não seria melhor colocar esse ícone de pé sobre a mesa, apoiando-o contra a parede e acender uma lâmpada em frente?

— Não, fica melhor colocado como está — disse mamãe.

— É verdade. De outro modo, parecerá bem solene...

No momento não compreendi nada, mas o fato era que aquela imagem fora legada desde muito tempo já por Makar Ivânovitch, de viva voz, a Andriéi Pietróvitch, e que mamãe se preparava para a entregar a ele.

Eram já cinco horas da tarde; nossa conversa prolongava-se e de repente notei no rosto de mamãe uma espécie de estremecimento: endireitou-se depressa e prestou ouvidos, ao passo que Tatiana Pávlovitch, que falava naquele momento, continuava sem nada notar. Voltei-me logo para a porta e um instante depois avistei na soleira Andriéi Pietróvitch. Não passara pelo patamar, mas pela escada de serviço, pela cozinha e pelo corredor e somente mamãe, dentre nós todos, ouvira-lhe os passos. Vou agora descrever toda a cena insensata que se seguiu, gesto por gesto, palavra por palavra; foi curta.

A princípio não notei no seu rosto, à primeira vista pelo menos, a menor mudança. Estava trajado como sempre, isto é, quase elegantemente. Tinha um pequeno buquê, porém caro, de flores frescas. Aproximou-se e entregou-o a mamãe, com um sorriso. Ela olhou-o com um espanto assustado, mas aceitou o buquê, e, de repente, um rubor animou levemente sua faces pálidas e a alegria brilhou nos seus olhos.

— Já imaginava que me receberias assim, Sônia — declarou ele. Como nos tivéssemos todos levantado à sua entrada, aproximou-se da mesa e ocupou a cadeira de Lisa, que estava à esquerda perto de mamãe, e sentou-se sem perceber que tomava o lugar de outra pessoa. Assim achou-se justamente ao lado da mesinha sobre a qual estava pousada a imagem.

— Boa tarde a todos. Sônia, quis absolutamente trazer-te hoje esse buquê para teu aniversário; se não vim ao enterro, foi para não me apresentar diante de um morto com um buquê. Mas não me esperavas para o enterro, bem sei. O velho não se zangará por causa dessas flores, pois que ele próprio nos ordenou a alegria, não é? Creio que está aqui, em alguma parte, neste quarto.

Mamãe fitou-o com estranheza; Tatiana Pávlovna ficou um tanto transtornada.

— Quem está aqui no quarto? — perguntou ela.

— O defunto. Mas deixemos isso. Vocês sabem que o homem que não crê inteiramente em todos esses milagres é sempre o mais levado aos preconceitos... Mas falemos antes do buquê: não compreendo como o trouxe até aqui. Por três vezes tive vontade de atirá-lo na neve e espezinhá-lo.

Mamãe estremeceu.

— Tinha uma vontade louca disso. Tem piedade de mim, Sônia, e de minha pobre cabeça. Tive essa vontade porque ele era demasiado belo. Que há no mundo de mais belo que uma flor? Trago-o e por toda parte é neve e geada. Nossa geada e as flores: que contraste! Mas não é isso que me interessa: tinha vontade de espezinhá-lo simplesmente porque era belo. Sônia, vou desaparecer de novo, mas voltarei bem depressa, porque me parece que terei medo. Terei medo. Quem, pois, me curará do medo, onde encontrar um anjo como Sônia? Mas que imagem é essa que tem aí? Ah! é a do defunto, lembro-me. Vinha-lhe de sua família, de seu avô; em toda a sua vida, nunca se separou dela, sei, lembro-me, ele a legou a mim; lembro-me bem... e creio que é um ícone de velhos-crentes...[120] deixa-me ver.

Pegou o ícone, aproximou-o da vela e observou-o fixamente. Mas, depois de tê-lo nas mãos alguns segundos apenas, depositou-o em cima da mesa, desta vez à sua frente. Admirava-me, mas todas aquelas frases estranhas tinham sido pronunciadas tão inopinadamente que eu não podia ainda reunir minhas ideias. Lembro-me somente de que um pavor mórbido penetrou-me o coração. O terror de mamãe mudava-se em perplexidade e em compaixão; via nele antes de tudo um infeliz; já antes lhe acontecera falar quase tão estranhamente. Lisa ficou de repente pálida ao extremo e fez-me um sinal com a cabeça, designando-o. Mas a mais aterrorizada de todas era Tatiana Pávlovna.

— Mas que tem você, meu caro Andriéi Pietróvitch? — perguntou ela, com precaução.

— Não sei verdadeiramente o que tenho, minha cara Tatiana Pávlovna. Fique tranquila, lembro-me ainda de que é Tatiana Pávlovna e que é encantadora. Mas vim cá apenas por um minuto; desejaria dizer a Sônia algo de bom e procuro uma palavra, muito embora meu coração esteja cheio de palavras, que não sei pronunciar e que são, na verdade, palavras estranhas. Sabem que me parece que me desdobro? — Olhou-nos a todos com uma fisionomia terrivelmente séria e com a mais sincera vontade de comunicar-se. — Na verdade, desdobro-me pelo pensamento e é o que tanto temo. Parece que a gente tem junto de si o seu duplo; a gente é sensata e razoável, mas o outro quer absolutamente fazer ao nosso lado um absurdo ou por vezes uma coisa muito engraçada, e de repente a gente percebe que somos nós mesmos que queremos fazer essa coisa engraçada, e Deus sabe por quê; a gente o quer como que a contragosto, a gente o quer em si mesmo, mas a isso opondo-se com todas as forças. Conheci uma vez um doutor que, nas exéquias de seu pai, em plena igreja, pôs-se de chofre a assobiar. Na verdade, tinha medo hoje de vir ao enterro, porque metera na cabeça essa certeza absoluta de que, de repente, me poria a assobiar ou a estourar de rir, como aquele infeliz doutor, que acabou bastante mal... E na verdade não sei por que a lembrança daquele doutor me volta todo o tempo hoje; volta-me tanto que não consigo livrar-me dela. Sabes, Sônia? Eis que retomo a imagem (pegara-a e girava-a entre as mãos) e, sabes?, tenho uma vontade louca, neste segundo mesmo, de atirá-la contra a estufa, naquele canto. Estou certo de que se quebrará com o golpe em duas metades, nem mais nem menos.

Dizia tudo isto sem a menor afetação, sem a menor vontade de dizer alguma expressão sutil; falava de maneira totalmente simples e mais horrível era, portanto; Parecia temer efetivamente alguma coisa; notei de súbito que suas mãos tremiam ligeiramente.

— Andriéi Pietróvitch! — exclamou mamãe, juntando as mãos.

— Larga, larga a imagem, Andriéi Pietróvitch! Larga-a, põe-na aí! — disse Ta-

---

120   Seita religiosa dos "Velhos-Crentes", que se formou na Rússia no século XVII.

O ADOLESCENTE

tiana Pávlovna, num sobressalto. — Tira a roupa e deita-te. Arkádi, vai chamar o médico!

— No entanto... no entanto, como vocês estão agitados! — disse ele, docemente, abarcando-nos a todos com um olhar fixo. Em seguida, pousou os dois cotovelos sobre a mesa e pegou a cabeça entre as mãos:

— Faço-lhes medo, mas eis, meus amigos: causem-me um pouquinho de prazer, tornem a sentar-se e acalmem-se todos, por um minuto apenas! Sônia, não foi nada disto que vim dizer; vim comunicar alguma coisa, mas muitíssimo diversa. Adeus, Sônia, parto de novo em viagem, como parti já várias vezes... Certamente voltarei para ti um dia: neste sentido, és inevitável. Para quem, pois, voltaria, quando tudo estiver acabado? Acredita, Sônia, vim para ti hoje como para um anjo, e não para um inimigo: que inimigo podes ser para mim, como haverias de ser meu inimigo? Não creias que quero quebrar essa imagem, porque, sabes, Sônia, tenho apesar de tudo vontade de quebrá-la...

Quando Tatiana Pávlovna havia gritado ainda há pouco: "Larga a imagem!", arrancara-a das mãos dele. Segurava-a agora nas suas. De repente, ao pronunciar suas derradeiras palavras, deu um salto, arrancou instantaneamente a imagem das mãos de Tatiana e, brandindo-a selvagemente, bateu com ela e com toda a força no canto da estufa de ladrilhos de louça. O ícone partiu-se exatamente em duas metades... Voltou-se bruscamente para nós, seu rosto pálido tornou-se de repente rubro, quase vermelho e todas as suas feições tremiam:

— Não tomes isso como uma alegoria, Sônia, não foi a herança de Makar que eu parti, foi somente à toa, para quebrar, sem mais nada... Mas, apesar de tudo, voltarei para ti, voltarei para o derradeiro anjo! Afinal de contas, toma isso, se quiseres, por uma alegoria, porque era também!...

E saiu do quarto a passos precipitados, desta vez ainda pela cozinha (onde tinham ficado sua peliça e seu gorro). Não contarei com detalhes o que aconteceu a mamãe: mortalmente aterrorizada, estava de pé, com os braços erguidos e cruzados sobre a cabeça e de súbito gritou:

— Andriéi Pietróvitch! Volta ao menos para dizer adeus, meu querido!

— Ele voltará, Sófia, ele voltará! Não te inquietes! — gritou Tatiana, toda trêmula , num terrível acesso de raiva, de raiva animal. — Não ouviste? Prometeu voltar! Deixa aquele pobre louco passear ainda uma derradeira vez. Quando estiver velho, paralítico, quem, então, irá amimá-lo, não é, senão tu, sua velha criada? Ele o proclama bem alto, não tem vergonha...

Quanto a nós, Lisa desmaiara. Eu quis correr atrás dele, mas lancei-me para mamãe. Abracei-a e mantive-a em meus braços. Likiéria correu com um copo dágua para Lisa. Mas mamãe logo de refez; deixou-se cair sobre o divã, cobriu o rosto com as mãos e chorou.

— Apesar de tudo, apesar de tudo... corre atrás dele! — gritou de súbito Tatiana Pávlovna, com todas as suas forças, como voltando a si. — Vai... vai... corre atrás dele, não o deixes um passo sequer, vai depressa! — E fazia todos os esforços para separar-me de mamãe. — Então serei eu que corro atrás dele!

— Arkacha, vai, corre depressa atrás dele! — gritou de chofre mamãe também.

Saí a correr, também pela cozinha e pelo pátio; mas ele já não era visto em parte alguma. Ao longe, no passeio, avistavam-se nas trevas as manchas negras dos transeuntes; corri a alcançá-los e, ao chegar perto de cada um, encarava-o, depois passava adiante. Cheguei assim até uma encruzilhada.

"Ninguém deve zangar-se contra um louco; ora Tatiana está cheia de cólera contra ele; portanto, ele não está louco de todo..." Tal foi a ideia que me atravessou a mente. Parecia-me que tudo aquilo era alegoria e que ele quis acabar definitivamente com alguma coisa, como com aquele ícone, e queria que mamãe e nós todos compreendêssemos isso. Mas seu duplo estava certamente também a seu lado; disso não havia dúvida alguma...

III

Entretanto ele não estava em parte alguma e não adiantava correr à casa dele: era difícil imaginar que houvesse regressado muito simplesmente para casa. De repente tive uma ideia e corri à casa de Anna Andriéievna.

Anna Andriéievna já havia voltado e introduziram-me imediatamente. Entrei, dominando-me tanto quanto possível. Permanecendo em pé, contei-lhe desde logo a cena que acabava de passar-se, isto é, a história do "duplo". Não esquecerei jamais e não lhe perdoarei jamais a curiosidade ávida, mas implacavelmente tranquila e segura, com que me escutava, igualmente em pé.

— Onde está ele? Talvez você saiba — concluí, com insistência. — Tatiana Pávlovna queria enviar-me ontem à sua casa...

— É que eu queria vê-lo ontem. Ele esteve ontem em Tsárkoie, esteve também em minha casa. Mas agora (olhou o relógio) são sete horas... Deve estar certamente em sua casa.

— Vejo que você sabe de tudo. Então, fale, fale! — exclamei.

— Sei de muito, mas não de tudo. Naturalmente, não há nada a ocultar-lhe... — Olhou-me de um modo estranho, sorrindo e parecendo refletir. — Ontem de manhã, enviou a Katierina Nikoléievna, em resposta à sua carta, um pedido formal de casamento.

— Não é verdade! — escancarava os olhos.

— A carta passou por minhas mãos; fui eu quem a levei, fechada. Desta vez, agiu cavalheirescamente e nada me dissimulou.

— Anna Andriéievna, não compreendo nada.

— É, sem dúvida, difícil de compreender. Mas é como quando um jogador lança sobre a mesa seu derradeiro *tchervóniets*, e tem no bolso um revólver embalado. Eis o sentido de sua proposta de casamento. Tem nove probabilidades sobre dez de que ela não o aceite; mas contava pelo menos com a décima e confesso que é muito curioso para mim... Aliás, talvez estivesse fora de si... o duplo de que você acaba de falar tão justamente.

— E você ri? Posso crer que a carta tenha sido transmitida por seu intermédio? Você não é a noiva do pai dela? Poupe-me, Anna Andriéievna.

— Rogou-me que sacrificasse meu destino à sua felicidade. Ou antes, na verdade, não rogou: tudo se fez sem palavras, mas li tudo nos seus olhos. Ah! meu

Deus, mas que é preciso mais? Ele foi a Königsberg, à casa de sua mãe, pedir-lhe permissão para casar-se com a enteada de Madame Akhmákova, não foi mesmo? Eis o que se assemelha bastante à sua conduta de ontem, quando me escolheu para sua delegada e sua confidente.

Estava um pouco pálida. Mas sua calma não era senão um sarcasmo reforça-do. Oh! muito lhe perdoei naquele momento, compreendo pouco a pouco as coisas. Refleti, no espaço de um minuto; ela se mantinha calada e esperava.

— Sabe — eu disse, rindo de repente —, que você remeteu a carta porque não havia risco algum para você, porque de toda maneira o casamento não se realizará? Mas ele? E ela, afinal? Naturalmente, voltará costas à proposta dele, e então... então que poderá acontecer? Onde está ele agora, Anna Andriéievna? — exclamei. — Cada minuto é precioso, a cada instante uma desgraça poderá ocorrer!

— Ele está em casa, já lhe disse. Na sua carta a Katierina Nikoláievna, que entreguei ontem, pedia-lhe, em todo caso, um encontro em casa dele, hoje às sete horas precisas da noite. E ela prometeu ir.

— Ela, em casa dele? Como é possível?

— E por que não? O apartamento pertence a Dária Onísimovna: terão podido muito bem encontrar-se lá como visitas a ela...

— Mas ela tem medo dele... Pode matá-la!

Anna Andriéievna limitou-se a sorrir:

— Katierina Nikoláievna, apesar de todo o seu medo, que eu mesma notei mui-to bem, sempre nutriu, já outrora, certa admiração ou certo espanto pela nobreza de princípios e elevação de espírito de Andriéi Pietróvitch. Desta vez, confiou nele, a fim de dar tudo por terminado para sempre. E ele, na sua carta, deu-lhe sua palavra mais solene, mais cavalheiresca, de que ela nada tem a temer... Em suma, não me recordo das expressões da carta, ela, porém, confiou nele... pela derradeira vez, por assim di-zer... e, por assim dizer, respondeu por meio dos sentimentos mais heroicos. É possí-vel que haja aqui um torneio de cavalheirismo de uma parte e doutra.

— E o duplo, o duplo! — exclamei. — Ele terá perdido o juízo?

— Dando ontem sua palavra de ir à entrevista, Katierina Nikoláievna não pre-via, sem dúvida, a possibilidade de semelhante acidente.

Voltei costas de repente e saí correndo... para a casa dele, para vê-los, natural-mente! Mas voltei da antecâmara ainda por um segundo:

— Mas talvez seja o que você quer: que ele a mate!

Lançando este grito, saí correndo da casa.

Se bem que tremesse todo, como num acesso febril, entrei no apartamento sem fazer rumor, pela cozinha e mandei em voz baixa chamar Dária Onísimovna; ela mesma apareceu logo e lançou-me em silêncio um olhar tremendamente in-terrogador.

— O senhor? Não está em casa.

Mas expus redondamente e com precisão, num cochicho rápido, que sabia de tudo por intermédio de Anna Andriéievna e que vinha da casa dela.

— Dária Onísimovna, onde estão eles?

— No salão, lá onde estava o senhor anteontem, à mesa...

— Dária Onísimovna, deixe-me ir lá!

— Como o poderei?

— Lá não, mas no quarto ao lado, Dária Onísimovna. Anna Andriéievna talvez o queira também. Se não o quisesse, não me teria dito que eles estavam aqui. Não me ouvirão... É ela mesma quem o quer...

— E se ela não o quiser? — disse Dária Onísimovna, sem deixar de olhar-me.

— Dária Onísimovna, lembro-me de sua Ólia... Deixe-me passar.

De repente seu lábios e seu queixo tremeram:

— Meu caro, é bem por Ólia... pelos teus sentimentos... Não abandones Anna Andriéievna, meu caro! Não a abandonarás? Não a abandonarás?

— Não, não a abandonarei.

— Dá-me tua palavra de honra de que não entrarás no salão e não gritarás, se te introduzir no quarto vizinho!

— Juro-o pela minha honra, Dária Onísimovna!

Ela tomou-me pela minha sobrecasaca, conduziu-me a um quarto sombrio, contíguo à sala em que eles se encontravam. Levou-me sem rumor, por um tapete macio, até a porta, colocou-me diante do reposteiro corrido e, erguendo um cantinho dele, mostrou-me os dois.

Fiquei ali e ela se retirou. Fiquei, naturalmente. Compreendia que estava escutando indevidamente, que surpreendia o segredo alheio, mas fiquei. Como não ficar? E o duplo? Ele já não havia quebrado o ícone à minha vista?

IV

Estavam sentados um diante do outro, à mesma mesa onde na véspera tínhamos bebido juntos à sua ressurreição. Podia distinguir perfeitamente suas fisionomias. Ela trajava um vestido preto, bela e calma na aparência, como sempre. Ele falava e ela escutava-o com uma atenção extraordinária e cortês. Talvez tivesse sido possível adivinhar nela certa timidez. Ele, pelo contrário, estava bastante excitado. Eu chegara em plena conversa e por isso fiquei um instante sem compreender bem. Lembro-me de que ela perguntou de repente:

— E sou eu a causa?

— Não, sou eu — respondeu ele. — Você é culpada, sem o ser. Você sabe, são coisas que acontecem. São as faltas mais imperdoáveis e quase sempre punidas — acrescentou com um riso singular. — E eu que pensei um instante tê-la completamente esquecido e que ria verdadeiramente de minha tola paixão... Mas você sabe. Afinal de contas, por que eu me preocuparia com o homem com quem vai casar? Dirigi-lhe ontem um pedido de casamento. Não me queira mal. Foi uma tolice. Mas nada tenho para substituí-la... Que outra coisa podia fazer senão aquela tolice? Não sei...

Ao dizer isto, explodiu numa risada desvairada, erguendo bruscamente os olhos para ela. Até então falava tendo o ar de quem olhava de lado. Se eu estivesse no lugar dela, aquela risada teria me causado medo, eu o sentia. De repente, ele levantou-se de sua cadeira:

— Diga-me, como você pôde consentir em vir aqui? — perguntou-lhe de repente, como se recordasse da coisa essencial. — Meu convite e toda a minha carta não passavam de uma tolice... Espere, posso ainda adivinhar como se tenha dado você ter consentido em vir, mas por que veio? Eis a questão. Seria simplesmente por medo?

— Vim vê-lo — declarou ela, examinando-o com uma prudência cheia de temor. Ambos ficaram um meio minuto em silêncio. Viersílov tornou a sentar e, com uma voz doce, mas compenetrada, quase trêmula, começou:

— Há muito tempo que não a via, Katierina Nikoláievna, há tanto tempo que quase não achava mais possível encontrar-me um dia, como hoje, sentado a seu lado, a olhar seu rosto e a ouvir sua voz... Há dois anos que não nos vemos, há dois anos que não nos falamos. Não contava falar-lhe nunca mais. Vamos, pois seja! O que se passou está passado e o que é hoje desaparecerá amanhã como uma fumaça, assim seja! Consinto nisso, porque ainda uma vez não tenho com que substituí-la. Mas não se vá agora sem nada — acrescentou, de repente, quase suplicante. — Já que me fez a esmola de vir, não se vá sem nada: responda a uma pergunta!

— E que pergunta?

— Não nos tornaremos a ver nunca mais. Que lhe custa? Diga-me a verdade de uma vez por todas. Responda a uma pergunta que as pessoas sensatas jamais fazem: amou-me ao menos um momento, ou então... enganei-me?

Ela ficou toda corada.

— Eu o amei — respondeu.

Esperava que ela dissesse isso. Oh! a verídica! oh! a sincera! oh! a leal!

— E agora? — continuou ele.

— Agora, não o amo mais.

— E ri?

— Não, se ri agora foi a contragosto, porque sabia bem que você perguntaria: "E agora?". E sorri... porque, quando a gente adivinha, sorri sempre...

Era estranho. Jamais a vira assim prudente, quase tímida mesmo e confusa a tal ponto. Ele a devorava com os olhos.

— Sei que você não me ama... e nem um pouco?

— Talvez nem um pouco. Não o amo — acrescentou, com firmeza, sem sorrir e sem corar. — Sim, amei-o, mas não muito tempo. Cessei bem depressa de amá-lo...

— Sei, sei, viu que não era o que lhe convinha, mas... que lhe convém? Me explique ainda uma vez...

— Será que já lhe expliquei alguma vez? O que me convém? Mas sou a mais vulgar das mulheres; sou uma mulher tranquila, gosto... gosto das pessoas alegres.

— Alegres?

— Você mesmo vê quanto sou incapaz de manter uma conversa com você. Parece-me que, se tivesse podido amar-me menos, eu o teria amado então — e de novo sorriu timidamente. A mais completa sinceridade brilhava na sua resposta. Como ela não compreendia que aquela resposta era a fórmula mais definitiva das relações deles, explicando tudo e decidindo tudo? Como ele devia compreendê-lo bem! Mas olhou-a e sorriu dum modo singular:

— Bioring é alegre?

— Não deve inquietá-lo — respondeu ela um pouco apressada —, absolutamente. Caso com ele apenas porque com ele serei mais tranquila do que com qualquer outro. Minha alma ficará toda para mim.

— Dizem que você está de novo fascinada pelo mundo, pela sociedade?

— Pela sociedade não. Sei que reina no nosso mundo a mesma desordem que em toda parte. Mas do exterior as formas são ainda belas, de sorte que, se se vive apenas de passagem, está-se melhor lá que em outra parte.

— Ouvi muitas vezes esta palavra desordem. Você deve ter tido muito medo de minha desordem... cilícios, ideias, tolices?

— Não, não era bem isso...

— E o que, então? Diga francamente, pelo amor de Deus!

— Ora, vou dizer francamente, porque o considero como um espírito elevado... Sempre achei em você algo de ridículo.

Dito isto, corou de repente, como se tivesse tido consciência de ter cometido uma imprudência extrema.

— Pois bem, por causa dessa palavra que você pronunciou, sou capaz de muito perdoar-lhe — declarou ele estranhamente.

— Não disse tudo — apressou-se ela em acrescentar, sempre corando. — Sou eu que sou ridícula... por lhe falar como uma tola.

— Não, você não é ridícula, é simplesmente uma mulher do mundo, depravada! — E empalideceu terrivelmente. — Ainda há pouco eu também não disse tudo, quando lhe perguntei por que veio. Quer que eu acabe? Existe aqui uma carta, um documento e você tem disso um medo terrível, porque seu pai, de posse dessa carta, pode amaldiçoá-la ainda vivo e privá-la legitimamente de sua herança por testamento. Você teme essa carta e... veio procurá-la — declarou ele, tremendo quase dos pés à cabeça e até mesmo quase batendo dentes. Ela escutou-o com uma expressão aborrecida e dolorosa.

— Sei que você pode causar-me uma porção de dissabores — declarou ela, como que a defender-se de suas palavras —, mas vim menos para persuadi-lo a não me perseguir do que para vê-lo. Tinha mesmo o maior desejo de encontrá-lo, há já tanto tempo... Mas encontrei o mesmo de outrora — acrescentou de repente, como arrastada por uma ideia particular e decisiva, e até mesmo por certo sentimento estranho e súbito.

— E esperava encontrar outro bem diverso? Depois de minha carta a respeito de sua perversão? Diga-me, veio aqui sem o menor medo?

— Vim porque o amei outrora. Mas, rogo-lhe, não me ameace. Enquanto estivermos juntos, não me lembre meus maus pensamentos, meus maus sentimentos. Se pudesse falar-me de outra coisa, ficaria muito feliz. As ameaças podem vir depois, mas no momento, por favor, algo de diferente... É verdade, vim para vê-lo e ouvi-lo por um instante. Se não é capaz disso, mate-me agora mesmo, mas não me ameace e não se atormente a si mesmo diante de mim — concluiu, olhando-o numa expectativa estranha, como se na verdade o supusesse capaz de matá-la. Ele levantou-se de novo e, examinando-a com um olhar fervente, disse com firmeza:

— Você sairá daqui sem a menor ofensa.

— Ah! sim, sua palavra de honra! — sorriu ela.

— Não, não é somente porque dei minha palavra de honra na carta, é porque quero pensar e pensarei em você a noite inteira...

— Para atormentar-se?

— Vejo-a quando estou só, sempre. Não faço senão conversar com você. Vou às baiúcas e antros e, como contraste, aparece você imediatamente diante de mim. Mas você ri sempre de mim, como agora... — disse isto como fora de si.

— Nunca, nunca ri de você! — exclamou ela com voz compenetrada e com extrema compaixão pintada no rosto. — Se vim, é que fiz todos os meus esforços para não magoá-lo no que quer que fosse — acrescentou de súbito. — Vim aqui para dizer-lhe que o amo quase... Perdoe-me, talvez me tenha expressado mal — apressou-se em acrescentar.

Ele riu.

— Por que você não sabe fingir? Por que é tão simplória, por que não é como toda gente?... Ora, como se pode dizer a um homem a quem se põe para fora: "Eu o amo quase"?

— É que não soube exprimir-me, não disse como devia dizer. É que diante de você, sempre tive vergonha, jamais soube falar, desde nosso primeiro encontro. E se não me expressei bem, dizendo que "eu o amo quase", é que, também no meu pensamento, era quase assim. Eis por que o disse, se bem que o ame com esse amor... com esse amor comum com que se ama a toda gente e que nunca temos vergonha de confessar...

Em silêncio, sem desviar dela o olhar ardente, prestava atenção:

— Eu a ofendo sem dúvida — continuou ele, como fora de si. — Deve ser efetivamente o que se chama uma paixão... Sei uma coisa, é que com você sou um homem acabado; sem você, também. Sem você ou com você é tudo a mesma coisa. Onde quer que você esteja, está sempre comigo. Sei também que posso odiá-la muito mais do que posso amá-la... Aliás, há já muito tempo que não penso em mais nada, tudo me é igual. Somente é pena que eu tenha amado uma mulher como você...

A voz lhe faltava; continuou, como que sufocando-se:

— Que quer? Você acha bárbaro o falar assim? — disse ele, com um pálido sorriso. — Creio que, se isso pudesse seduzi-la, eu ficaria em alguma parte trinta anos plantado numa só perna... Vejo que lhe causo piedade. Seu rosto diz: "Amaria você se pudesse, mas não posso...". É isto? Pouco importa, não sou orgulhoso. Estou pronto, como um mendigo, a receber de você não importa qual esmola, está ouvindo? não importa qual... Que orgulho pode ter um mendigo?

Ela levantou-se e aproximou-se dele:

— Meu amigo! — declarou, tocando-lhe no ombro com a mão e com um sentimento inexprimível no rosto. — Não posso ouvir tais palavras! Pensarei em você toda a minha vida como no mais sagrado entre tudo quanto posso respeitar e amar. Andriéi Pietróvitch, compreenda-me... Não foi por coisa nenhuma que vim, meu caro, você que me tem sido e me é sempre tão caro! Não esquecerei jamais quanto me comoveu por ocasião de nossos primeiros encontros. Pois bem, separemo-nos como amigos e você vai ser meu pensamento mais sério e mais querido durante toda a minha vida!

— Separemo-nos, e então eu a amarei. Eu a amarei, mas separemo-nos. Escute — disse ele, todo pálido —, faça-me ainda uma esmola: não me ame, não viva comigo, não nos vejamos mais: serei seu escravo se me chamar, desaparecerei imediatamente se não quiser mais ver-me, nem ouvir-me, somente... somente não case!

Meu coração cerrou-se até doer, quando ouvi essas palavras. Essa prece ingenuamente humilhada era tanto mais digna de dó, varava tanto mais o coração quando era mais franca e mais impossível. Sim, sem dúvida, pedia uma esmola! Ele podia crer que ela consentiria? E, no entanto, ele se rebaixava até a rogativa; tratava de implorar! Aquele derradeiro grau de decadência era insuportável de ver. Quanto a ela, todos os traços de seu rosto deformaram-se de dor. Mas, antes que ela tivesse dito uma palavra, ele prosseguiu:

— Eu a destruirei! — declarou, de súbito, com uma voz estranha, mudada, que não era mais a sua.

Ela, porém, lhe respondeu também estranhamente, também com uma voz inesperada que não era mais a sua.

— Se lhe concedo essa esmola, você se vingará mais tarde ainda mais cruelmente do que me ameaça agora, porque não se esquecerá jamais de que se fez mendigo diante de mim... Não posso ouvir essas ameaças de sua boca! — concluiu, quase com indignação, lançando-lhe um olhar de desafio.

— Ameaças de sua boca, isto é, da boca de semelhante mendigo! Eu estava brincando — disse ele, melifluamente, com um sorriso. — Não lhe farei nada, não tenha receio, vá-se embora... e esse documento, farei todos os esforços para mandá-lo a você, mas vá, vá embora! Escrevi-lhe uma carta absurda, a essa carta absurda você respondeu e veio: estamos quites. Por aqui! — e mostrou-lhe a porta (ela queria passar pela peça na qual me encontrava escondido pelo reposteiro).

— Perdoe-me, se puder — disse ela, parando no limiar.

— E se nos encontrarmos um dia totalmente amigos e nos recordarmos desta cena também com um a boa risada? — disse ele de súbito. Mas todos os traços de seu rosto tremiam, como em um homem presa duma crise.

— Deus o queira! — exclamou ela, juntando as mãos, mas olhando receosamente seu rosto, como adivinhando o que ele queria dizer.

— Vá-se embora! Somos demasiado inteligentes os dois, mas você... Oh! você é uma pessoa do meu gênero! Escrevi-lhe uma carta louca e você consentiu em vir, para dizer-me que quase me ama. Não, você e eu, temos a mesma loucura! Somos famosos originais! Seja sempre assim louca, não mude, e haveremos de encontrar-nos reconciliados e amigos, assim lhe predigo e juro!

— E então eu o amarei, irremissivelmente, sinto-o desde agora! — Não mais se conteve e lançou-lhe do limiar essas derradeiras palavras.

Saiu. Apressei-me a passar sem barulho para a cozinha e, quase sem olhar para Dária Onísimovna, que me esperava, lancei-me correndo pela escada de serviço e pelo pátio, chegando à rua. Mas mal tive tempo de vê-la subir a um carro que a esperava diante da porta. Pus-me a correr pela rua.

Capítulo XI

I

Acorri à casa de Lambert. Oh! por mais que queira não consigo dar uma aparência lógica e descobrir um grãozinho de bom-senso em minha conduta daquela tarde e de toda aquela noite. Mesmo hoje que posso considerar todo o conjunto dos acontecimentos, acho-me incapaz de apresentá-los com o nexo e a clareza desejados. Havia naquilo um sentimento ou, para melhor dizer, todo um caos de sentimentos entre os quais devia naturalmente perder-me. Sem dúvida, havia um, essencial, que me esmagava e dominava todos os outros, mas... devo confessá-lo? Tanto mais que não estou certo...

Irrompi em casa de Lambert, naturalmente fora de mim. Cheguei a assustá-los, a ele e a Alfonsina. Sempre notei que os franceses, até mesmo os mais desmiolados, os mais devassos, são extremamente apegados, nas sua intimidade, a certa ordem burguesa, a certo trem de vida, terrivelmente prosaico, rotineiro e ritual, adotado uma vez por todas. Aliás Lambert compreendeu muito depressa que acontecera alguma coisa e ficou encantado por ver que eu afinal tinha ido à sua casa. Só pensava nisso, dia e noite, todos aqueles dias! Quanto lhe era eu necessário! E agora que perdera toda a esperança, eu me apresentava de repente, espontaneamente, e além do mais numa tal loucura, exatamente no estado que lhe era preciso.

— Lambert, vinho! — gritei. — Dê-me de beber! Deixe-me fazer barulho! Alfonsina, onde está sua guitarra?

Não descrevo a cena, é supérfluo. Bebemos e contei-lhe tudo, tudo. Ele escutava com avidez. Fui eu quem, em primeiro lugar, lhe propôs uma conjura, um incêndio. Primeiro, devíamos atrair Katierina Nikoláievna à nossa casa por meio duma carta...

— Pode-se fazer isso — aprovava Lambert, captando no voo cada uma de minhas palavras.

Em seguida, para maior segurança, era preciso enviar-lhe nessa carta toda a coisa de seu documento, para que ela pudesse bem ver que não a enganavam.

— É isto, eis o que é preciso fazer! — aprovava Lambert, que não cessava de trocar olhares com Alfonsina.

Em terceiro lugar, era Lambert quem devia convidá-la, por sua própria conta, sob o disfarce de um desconhecido chegado de Moscou e eu devia levar Viersílov...

— E Viersílov também, talvez — aprovava Lambert.

— Mas talvez, não. Certamente! — exclamei. — É indispensável! Por ele é que tudo será feito! — expliquei, bebendo gole atrás de gole. (Bebíamos todos três, mas creio bem que bebi, sozinho, toda a garrafa de champanhe, enquanto eles fingiam simplesmente fazê-lo.) — Vamos nos instalar com Viersílov na outra peça (Lambert, é preciso arranjar outra peça!) e, no momento em que de súbito ela consentir em tudo, no resgate em dinheiro e no outro resgate, porque são todos nojentos, então Viersílov e eu apareceremos e vamos convencê-la de toda a sua ignomínia. Vendo quanto ela é repelente, Viersílov ficará curado de repente e a expulsará a pontapés. Mas precisamos ainda de Bioring, para que ele também a veja! — acrescentei entusiasmado.

— Não, Bioring é inútil — observou Lambert.

— Sim, sim! — berrei, de novo. — Tu não compreendes nada disso, Lambert, porque és uma besta! Pelo contrário, é preciso que haja um escândalo na alta-roda: assim nos vingamos da alta-roda e dela. Que ela seja castigada! Lambert, ela te dará uma letra de câmbio... Eu não tenho necessidade de dinheiro, cuspirei em cima do dinheiro, mas tu o beijarás e o enfiarás em teu bolso com meus escarros. Mas eu, eu a terei posto rasa como o chão!

— Sim, sim — aprovava sempre Lambert. — É isso... — Não cessava de trocar olhares com Alfonsina.

— Lambert! Ela está em adoração diante de Viersílov; acabo de me convencer disso — balbuciei.

— Por felicidade viste tudo. Não teria jamais suspeitado que tivesses semelhante talento de espião, nem tanto espírito! — Disse isso para ganhar-me as boas graças.

— Mentes, francês, não sou espião, mas tenho muito espírito! E sabes tu, Lambert? Ela ama-o! — continuei, tratando penosamente de exprimir meu pensamento. — Ela, porém, não se casará com ele, porque Bioring é da Guarda, ao passo que Viersílov não passa de um homem generoso e de um amigo da humanidade, e portanto um personagem cômico, para eles, e nada mais! Oh! ela compreende essa paixão e dela goza, coqueteia, atrai-o, mas não se casará com ele! É uma mulher, é uma serpente! Toda mulher é serpente e toda serpente é mulher. É preciso curá-lo; é preciso fazer cair o véu de seus olhos: que ele a veja tal como ela é e ficará curado. Eu o trarei, Lambert.

— Muito bem! — continuava Lambert a aprovar, enchendo meu copo a cada instante.

Tremia sobretudo à ideia de me ser desagradável, de me contradizer e procurava levar-me a beber cada vez mais! Era tão grosseiro e tão evidente que, mesmo eu, não podia deixar de dar conta disso. Mas por coisa nenhuma do mundo, teria me retirado; continuava a beber e a falar e tinha uma vontade louca de dizer de uma vez por todas o que eu pensava. Quando Lambert foi buscar outra garrafa, Alfonsina tocou em sua guitarra uma canção espanhola; quase me desfaço em lágrimas.

— Lambert! Sabes de tudo? — exclamei, com um sentimento profundo. — É preciso absolutamente salvar aquele homem, porque ele está... enfeitiçado. Se ela casasse com ele, desde manhã, após a primeira noite, a expulsaria a pontapés... porque é o que acontece. Porque aquele amor selvagem, violento, age como um ataque, como uma doença, como o salto perigoso e, apenas satisfeito, logo o véu cai e surge o sentimento oposto: aversão e ódio, desejo de destruir, de esmagar. Conheces a história de Abisag,[121] Lambert? Leste-a?

— Não, não me lembro. É um romance? — balbuciou Lambert.

— Não sabes nada de nada, Lambert. És tremendamente, tremendamente inculto... Mas que me importa? Pouco importa! Oh! ele ama mamãe; beijou seu retrato; expulsará a outra desde o dia seguinte e voltará para mamãe; mas será demasiado tarde e é por isso que devemos salvá-lo desde agora...

Por fim, chorei amargamente; mas continuava a falar e a beber; é inaudito o quanto bebi. O traço mais característico era que Lambert, durante todo o serão, só pediu uma vez notícias do documento, isto é, perguntou onde ele estava. Não me pediu para mostrá-lo, para exibi-lo ali na mesa. Que havia, no entanto, de mais natural que fazer tal pergunta, no momento em que nos combinávamos para agir? Ainda outro detalhe: dizíamos somente que era preciso agir assim, que nós "o" faríamos sem falta, mas onde, quando e como, a este respeito nem uma palavra! Ele só fazia aprovar-me e trocar olhares com Alfonsina e nada mais! Sem dúvida estava eu então incapaz de dar-me conta disso, mas ainda assim me lembro.

---

121 Figura bíblica; a sulamita que aquecia a velhice de Davi, e depois casou com seu filho Adonias.

Acabei por adormecer em cima do divã dele, sem me despir. Dormi muito tempo e acordei muito tarde. Lembro-me de que, uma vez despertado, fiquei algum tempo estendido no divã, como tonto, tratando de reunir minhas ideias e minhas recordações, fingindo dormir ainda. Mas Lambert não estava mais ali: saíra. Já eram mais de nove horas; ouvia-se o crepitar da estufa, exatamente como da outra vez, quando, depois da famosa noite, eu reabrira os olhos em casa de Lambert. Mas por trás do biombo Alfonsina me tocaiava: notei-o logo, porque por duas vezes ela olhou e observou-me, mas eu fechava sempre os olhos e fingia dormir. Agia dessa maneira porque estava deprimido e tinha necessidade de compreender onde me achava. Sentia com horror todo o absurdo e toda a ignomínia de minha confissão noturna a Lambert, de meu conluio com ele e meu erro por ter vinda à sua casa! Mas, graças de Deus, o documento continuava em meu poder, costurado no meu bolso de lado; tateei-o com a mão: estava ali! Portanto, bastava dar um pulo e fugir; quanto a corar em seguida diante de Lambert, era inútil: Lambert não o merecia.

Mas eu corava diante de mim mesmo! Fazia-me juiz de mim mesmo e... meu Deus! que se passava em minha alma? Não descreverei aquele sentimento infernal, intolerável, aquela sensação de lama e torpeza. Devo, no entanto, confessá-lo, porque creio chegado o momento. Deve constar de minhas memórias. De modo que, saiba-se bem, se queria eu desonrá-la, se me preparava para ser testemunha da cena durante a qual ela pagaria seu resgate a Lambert (oh! baixeza!), não era de modo algum para salvar aquele louco de Viersílov e restituí-lo a mamãe, era porque... estava eu mesmo talvez apaixonado por ela, apaixonado e com ciúme! Com ciúme de quem?... De Bioring? De Viersílov? De todos aqueles a quem ela olharia e com quem conversaria no baile, enquanto eu ficaria no meu canto, com vergonha de mim mesmo?... Oh! monstruosidade!

Em suma, ignoro de quem tinha ciúme; mas sentia somente, e disso me persuadira na véspera à tarde, como dois e dois são quatro, de que ela estava perdida para mim, de que aquela mulher me repeliria e zombaria de minha falsidade e de meu absurdo. Ela é verídica e leal; eu, sou um espião, e receptador de documentos!

Tudo isso guardei-o para mim desde aquele momento, mas agora a hora chegou, e... faço o balanço. Mas, ainda uma vez, e pela derradeira vez: pode dar-se que, por uma boa metade ou mesmo por três quartos, me tenha caluniado! Naquela noite, eu a odiava como um danado e mais tarde como um bêbedo desenfreado. Já o disse, era um caos de sentimentos e de sensações no qual era eu incapaz de reencontrar-me. Mas, não importa, era preciso exprimi-los, pois que uma parte pelo menos desses sentimentos certamente existiu.

Com um irresistível desgosto e uma irresistível intenção de tudo apagar, saltei de repente do divã; mas apenas dera esse salto, Alfonsina instantaneamente acorreu. Agarrei minha peliça e meu gorro e lhe disse que transmitisse a Lambert que, na véspera, estava delirando, que havia caluniado uma mulher, que havia pilheriado e que não se permitisse ele jamais pôr de novo os pés em minha casa... Tudo isso, exprimia-o, mal ou bem, apressando-me, em francês e sem dúvida muito obscuramente, mas, para grande espanto meu, Alfonsina compreendeu perfeitamente: coisa mais espantosa ainda, pareceu mesmo regozijar-se.

— *Oui, oui* — aprovava-me —, *c'est une honte! Une dame... Oh! vous êtes généreux, vous! Soyez tranquille, je ferai voir raison à Lambert!...*[122]

Tanto que naquele instante devia parecer atrapalhado, vendo uma reviravolta tão inesperada nos seus sentimentos e por consequência também, sem dúvida, nos de Lambert. Não obstante, saí em silêncio; a perturbação reinava em minha alma e eu raciocinava mal. Oh! em seguida, examinei tudo, mas então era demasiado tarde! Oh! que infernal maquinação saiu dali! Paro aqui, para explicar de antemão, porque de outro modo o leitor seria incapaz de compreender.

O fato é que, desde minha primeira entrevista com Lambert, quando me degelava em casa dele, lhe havia sussurrado como um imbecil que o documento estava costurado no meu bolso. Naquele momento adormecera de súbito por algum tempo sobre seu divã no canto, e Lambert havia imediatamente tateado meu bolso e convencera-se de que efetivamente um papel estava ali costurado. Em seguida, pudera convencer-se por várias vezes de que o papel continuava ali: por exemplo, durante nossa refeição nos Tártaros, lembro-me de que me havia enlaçado várias vezes pela cintura. Compreendendo enfim qual a importância daquele papel, erguera todo um plano particular de que eu de modo algum suspeitava. Imaginava sempre, como um imbecil, que, se me convidava à sua casa com tanto encarniçamento, era muito simplesmente para inclinar-me a entrar para seu bando e agir com eles. Mas, ai!, convidava-me para coisa mais diversa! Convidava-me para me deixar embriagado e, no momento em que me deitasse, privado de conhecimento, e me pusesse a roncar, cortar meu bolso e apoderar-se do documento. Foi exatamente o que fizeram naquela noite. Alfonsina e ele; foi Alfonsina quem cortou o bolso. Uma vez de posse da carta, da carta dela, de meu documento de Moscou, pegaram uma vulgar folha de papel de cartas da mesma dimensão e colocaram-na no mesmo lugar, depois recoseram tudo como se nada tivesse havido, de modo que não percebi nada. Foi Alfonsina quem recoseu também. E eu, eu, quase até o fim, durante um dia e meio ainda, continuei a crer-me o detentor do segredo, a crer que a sorte de Katierina Nikoláievna continuava a estar em minhas mãos!

Uma derradeira palavra: aquele roubo do documento foi a causa de tudo, de todas as outras desgraças!

II

Eis agora os derradeiros dias de minhas memórias e chego ao fim do fim.

Eram cerca de dez horas e meia quando, muito excitado e, tanto quanto me lembro, estranhamente distraído, mas com uma decisão definitiva no coração, cheguei ao meu quarto. Não me apressava, sabia já o que faria. E de repente, mal punha o pé no nosso corredor, quando compreendi que nova desgraça havia caído sobre nós e que ocorrera uma complicação extraordinária: o velho príncipe, transportado naquele momento de Tsárkoie Sieló, achava-se no meu apartamento, com Anna Andriéievna a seu lado!

Tinham-no instalado, não no meu quarto, mas nos dois quartos contíguos, nos do locador. Na véspera ainda, tinham sido feitas naquelas duas peças algumas

---

122 Sim, sim, é uma vergonha! Uma dama... Oh! o senhor é generoso! Fique tranquilo, farei Lambert ser razoável...

modificações e embelezamentos, aliás muito ligeiros. O locador mudara-se com sua mulher para o gabinete do locatário bexiguento e caprichoso de quem falei e este fora meter-se não sei onde.

Acolheu-me o locador, que se enfiou imediatamente no meu quarto. Tinha o ar menos decidido do que na véspera, mas achava-se numa excitação insólita, ao nível dos acontecimentos, se se pode dizer. Não lhe dirigi a palavra, mas, retirando-me para um canto e segurando a cabeça entre as mãos, fiquei assim um minuto. Ele pensou a princípio que eu tomava uma pose, mas por fim não se conteve mais e espantou-se:

— Há alguma coisa? — balbuciou. — Eu o esperava para perguntar-lhe — acrescentou, vendo que eu não lhe respondia —,se o senhor não quereria abrir essa porta, para comunicar-se diretamente com os aposentos do príncipe... em vez de fazê-lo pelo corredor. — Mostrava uma porta lateral, sempre fechada, comunicando com seus dois quartos, portanto agora com os aposentos do príncipe.

— Piotr Ipolítovitch — declarei-lhe com uma fisionomia grave —, peço-lhe que vá imediatamente convidar Anna Andriéievna a vir aqui conversar comigo. Há muito tempo que estão eles aqui?

— Vai fazer daqui a pouco uma hora.

— Pois bem, vá!

Ele foi e me trouxe a estranha resposta de que Anna Andriéievna e o Príncipe Nikolai Ivànovitch me esperavam com impaciência em seu aposentos; de modo que Anna Andriéievna não quisera vir, reajustei e escovei minha sobrecasaca, amarrotada durante a noite, lavei o rosto, penteei-me, tudo sem pressa; depois, compreendendo bem que era preciso ser prudente, dirigi-me aos aposentos do velho.

O príncipe estava sentado sobre um divã diante de uma mesa redonda, enquanto Anna Andriéievna, num outro canto, diante de outra mesa coberta por uma toalha e sobre a qual fervia o samovar da casa, mais reluzente do que nunca, preparava-lhe chá. Entrei com a mesma fisionomia severa e o velhinho, que havia de pronto reparado nisso, estremeceu; rapidamente, seu sorriso cedeu lugar a um verdadeiro espanto; mas não insisti, pus-me a rir e estendi-lhe as mãos; o coitado lançou-se nos meus braços.

Sem dúvida alguma, compreendi logo de que se tratava. Em primeiro lugar, era claro como dois e dois são quatro, que dum velho ainda quase esperto e apesar de tudo bastante sensato, dotado de certo caráter, tinham feito, depois que não mais nos víramos, uma espécie de múmia, uma verdadeira criança, medrosa e desconfiada. Acrescentarei que ele sabia perfeitamente por que o haviam trazido para ali e tudo se passara exatamente com o expliquei antes. Tinham-no, literalmente, e sem cuidados, derrubado, quebrado, esmagado com a notícia da traição de sua filha e do asilo de alienados. Deixara-se conduzir, quase inconsciente, por medo, do que fazia. Disseram-lhe que eu era o detentor do segredo e que tinha a chave da solução definitiva. Direi imediatamente: eram essa solução definitiva e essa chave que ele temia mais do que tudo no mundo. Esperava ver-me entrar em seu quarto trazendo a sentença na testa e o papel na mão, e mostrava-se loucamente feliz por ver-me, enquanto esperava, disposto a rir e a tagarelar a respeito de qualquer outra coisa. Depois que nos abraçamos, desatou a chorar. Confesso, chorei um pouquinho também; mas senti de repente imensa compaixão por ele... O cãozinho de Alfonsi-

O ADOLESCENTE

399

na fazia ouvir um latido fraquinho como uma sineta e atirou-se do divã para mim. Aquele cão em miniatura não o largava mais desde que ele o adquirira; dormia com ele.

— *Oh! je disais qu'il a du coeur!*[123] — disse ele, designando-me a Anna Andriéievna.

— Como o senhor se reanimou, príncipe! Que fisionomia viçosa e fresca tem o senhor! — observei. Ali era justamente o contrário: era uma múmia, e eu falava assim unicamente para encorajá-lo.

— *N'est-ce pas? N'est-ce pas?*[124] — repetia ele, todo alegre.

— Mas tome afinal o seu chá. Se me oferecer uma xícara, beberei também em sua companhia.

— Maravilhosa ideia! "Bebamos e gozemos...", como é que é? Há uns versos assim. Anna Andriéievna, sirva-lhe chá; *Il prend toujours par les sentiments...*[125] Dê--nos chá, minha querida.

Anna Andriéievna serviu o chá, mas de repente voltou-se para mim e começou, com extrema solenidade.

— Arkádi Makárovitch, eis-nos ambos, meu benfeitor o Príncipe Nikolai Ivânovitch e eu, refugiados em sua casa. Estimo que tenhamos vindo para sua casa, somente para sua casa, e que ambos lhe peçamos asilo. Lembre-se de que quase todo o destino desse santo homem, nobre e aflito, está em suas mãos... Esperamos a decisão de seu reto coração!

Mas não pôde acabar; o príncipe foi tomado de medo e quase tremeu de pavor:

— *Après, après, n'est-ce pas, chère amie?*[126] — repetia ele, erguendo as mãos para ela.

Não saberia exprimir e impressão penosa que me causou aquela interrupção. Não respondi nada e contentei-me com uma saudação fria e grave; em seguida, pus--me à mesa e falei intencionalmente de outra coisa, de bobagens, pus-me a rir e a pilheriar... O velho mostrava visível gratidão e regozijou-se com entusiasmo. Mas sua alegria, embora exaltada, era manifestamente frágil e podia num instante dar lugar a um completo desencorajamento; era claro à primeira vista.

— *Cher enfant!* Soube que estiveste doente... Ah! *pardon!* Disseram-me que estiveste muito ocupado todo este tempo com espiritismo.

— Nem mesmo pensei nisso — disse eu, sorrindo.

— Não, quem foi então que me falou de es-pi-ri-tis-mo?

— Foi o funcionário que mora aqui, Piotr Ipolítovitch, que falava nisso ainda há pouco — explicou Anna Andriéievna. — É um homem muito jovial e que conhece uma quantidade enorme de anedotas. Quer que o chame?

— *Oui, oui, il est charmant...* conhece anedotas, mas será melhor chamá-lo mais tarde. Vamos chamá-lo e ele nos contará tudo; *mais après*. Imagina que, ainda há pouco, punham a mesa e ei-lo que diz: "Fiquem tranquilos, ela não sairá voando, não somos espíritas. Será que, entre os espíritas, as mesas saem voando?".

— Não sei. Dizem que elas se levantam completamente.

---

123 Oh! dizia que era homem de coração!
124 Não é? Não é?
125 Segue sempre os sentimentos.
126 Depois, depois, não é querida amiga?

— *Mais c'est terrible ce que tu dis!* — e lançou-me um olhar de espanto.

— Oh! não se inquiete, são tolices.

— É bem o que digo. Nastássia Stiepânovna Salomiéievna... tu a conheces bem... Ah! com efeito, não a conheces... Pois bem, imagina que ela também crê no espiritismo e, imagine isto, *chère enfant* — voltou-se para Anna Andriéievna — disse-lhe um dia: nos ministérios também há mesas, com oito pares de mãos de burocratas pousados nelas e que não cessam de escrever; pois bem, por que essas mesas não dançam? Imagina se elas se põem de súbito a dançar! Uma revolta de mesas no Ministério das Finanças ou de Instrução Pública, era só o que faltava!

— Que coisas engraçadas o senhor sempre diz, príncipe! — exclamei, procurando rir sinceramente.

— *N'est-pas? Je ne parle pas trop, mais je dis bien.*[127]

— Vou buscar Piotr Ipolítovitch — disse Anna Andriéievna, levantando-se. O contentamento brilhava no seu rosto: vendo-me tão amável para com o velho, regozijava-se. Mal saíra ela, porém, mudou instantaneamente a fisionomia do velho. Olhou apressadamente para a porta, passeou uma olhadela por todo o quarto e, inclinando-se de seu divã para mim, cochichou-me com voz cheia de espanto:

— *Cher ami!* Se pudesse vê-las a ambas aqui juntas! *Oh! cher enfant!*

— Príncipe, acalme-se!...

— Sim, sim, mas... nós as reconciliaremos, *n'est-ce pas?* É uma miserável briguinha entre duas mulheres muito dignas, *n'est-ce pas?* Só confio em ti... Vamos regularizar tudo isto aqui. Mas que alojamento estranho... — Acrescentou, lançando um olhar quase receoso — e, sabes? Esse locador... tem uma cara extravagante... Dize-me, não é perigoso?

— O locador? Qual nada! Em que poderia ser perigoso?

— *C'est ça.*[128] Tanto melhor. *Il semble qu'il est bête, ce gentil-homme. Cher enfant,*[129] pelo amor de Cristo, não digas a Anna Andriéievna que tenho medo de tudo aqui. Elogiei tudo, desde minha chegada aqui, até mesmo o locador. Escuta, sabes da história de Von Sohn,[130] lembras-te?

— Sim, e então?

— *Rien, rien du tout... Mais je suis libre ici, n'est-ce pas?*[131] Que achas? Nada, nada pode acontecer-me aqui... no mesmo gênero?

— Mas asseguro-lhe, meu caro... acredite em mim...

— *Mon ami, mon enfant!* — exclamou ele, de repente, juntando as mãos diante de si e nada mais ocultando de seu pavor. — Se tens com efeito alguma coisa... documentos... em suma, se tens alguma coisa a dizer-me, pois bem, não digas; pelo amor de Deus, não digas nada; não fales... por mais tempo possível, não fales...

Queria abraçar-me; as lágrimas corriam-lhe pelo rosto, não saberei dizer quanto se cerrou meu coração: o pobre velho assemelhava-se a uma criança lamentável, fraca, apavorada, arrancada de seu ninho natal por ciganos e levada para casa

---

127   Não é? Não falo demais, mas digo bem.

128   É isto.

129   Parece bobo aquele cavalheiro. Caro filho.

130   Protagonista de ruidoso processo em Petersburgo, de 1869-1870. Homem idoso, foi assassinado numa pensão, posto numa mala e expedido como bagagem para Moscou. Durante o crime, os pensionistas dançavam e cantavam.

131   Nada, nada absolutamente. Mas estou livre aqui, não é?

de estranhos. Mas não deixaram que nos abraçássemos: a porta abriu-se e Anna An-driéievna entrou, não entretanto com o locador, mas com seu irmão, o camareiro. Essa novidade confundiu-me; levantei-me e dirigi-me para a porta.

— Arkádi Makárovitch, permita-me que o apresente — declarou em voz alta Anna Andriéievna, de modo que, contra minha vontade, fui obrigado a parar.

— Conheço já "demasiado bem" seu irmão — disse eu, martelando as palavras e fazendo apoio no demasiado.

— Ah! que engano terrível! E sou tão culpado, meu caro An... Andriéi Makárovitch — balbuciou o rapaz, aproximando-se de mim com ar bastante desenvolto e pegando minha mão, antes que eu pudesse retirá-la. — O causador de tudo foi o meu Stiepan; anunciou-o de maneira tão atrapalhada, que o tomei por outro. Passou-se isso em Moscou — explicou ele a sua irmã. — Em seguida, fiz todos os esforços para encontrá-lo e para explicar-lhe a coisa, mas caí doente; pode perguntar à minha irmã... *Cher Prince, nous devons être amis, même par droit de naissance...*[132]

E o insolente rapaz ousou mesmo pousar a mão sobre meu ombro, o que era bem o cúmulo de familiaridade. Saltei para o lado, mas, confuso, preferi retirar-me sem pronunciar uma palavra. De volta ao meu quarto, sentei-me no leito, pensativo e perturbado. A intriga sufocava-me, mas não podia, no entanto, aturdir e esmagar dum golpe Anna Andriéievna. Senti de chofre que também a amava e que sua situação era terrível.

III

Como eu esperava, ela entrou no meu quarto, deixando o príncipe com seu irmão, que se pusera a repetir ao príncipe toda espécie de mexericos mundanos, fresquinhos e quentes, o que havia instantaneamente cativado e divertido o influenciável ancião. Em silêncio e com ar interrogativo, levantei-me do leito.

— Disse-lhe tudo, Arkádi Makárovitch — começou ela, redondamente. — Nossa sorte está em suas mãos.

— Mas também a preveni de que não podia... Os deveres mais sagrados impedem-me de fazer aquilo com que você conta...

— Deveras? É sua resposta? Então, quero mesmo perecer, mas o velho? Fique sabendo que ainda esta noite ele perderá a razão!

— Não, perderá a razão se lhe mostrar uma carta de sua filha, na qual ela consulta um advogado para saber como fazer para declarar seu pai louco! — exclamei com ardor. — Eis o que ele não suportará. Fique sabendo: ele não crê nessa carta, já me disse isso!

Mentia, afirmando o que ele me havia dito. Mas isto vinha a propósito.

— Já disse? Eu bem imaginava! Neste caso, estou perdida; ele já chorou e pediu para voltar para casa.

— Diga-me em que consiste precisamente o seu plano — pedi-lhe com insistência.

Ela corou, por orgulho ferido, por assim dizer, mas enrijeceu-se:

---

132 Caro príncipe, devemos ser amigos, mesmo por direito de nascimento...

— Com essa carta de sua filha nas mãos, estamos justificados aos olhos do mundo. Eu logo iria procurar o Príncipe V*** e Boris Mikháilovitch Pielíchtchev, seus amigos de infância; são dois personagens honrados e influentes na sociedade, e sei que há dois anos manifestaram sua indignação contra certos atos daquela filha ávida e implacável. Com certeza vão reconciliá-lo com sua filha, a meu pedido, e eu mesma insistirei nisso; mas, em contraposição, a situação mudará por completo. Além disso, meus parentes, os Fanatiótovi, conto bem com isso, vão se decidir nesse momento a sustentar meus direitos. Mas para mim o que conta sobretudo é a felicidade dele; que ele compreenda por fim e aprecie quem lhe é realmente devotado. Sem dúvida, conto antes de tudo com sua influência, Arkádi Makárovitch. Você gosta tanto dele... Mas quem gosta dele, a não ser você e eu? Só tem feito falar em você durante estes últimos dias; sentia saudades de você, você é "seu jovem amigo"... Não é preciso acrescentar que, por toda a minha vida, minha gratidão não conhecerá limites...

Agora, prometia-me uma recompensa, dinheiro talvez!

Interrompi-a brutalmente:

— Não adianta falar, não posso! — declarei com um tom de decisão inflexível. — Posso somente pagar-lhe com a mesma sinceridade e explicar-lhe minhas derradeiras intenções: remeterei dentro em pouco essa carta fatal a Katierina Nikoláievna, em mão própria, mas com a condição de que, com tudo o que aconteceu agora, não faça ela escândalo e dê de antemão sua palavra de não impedir a felicidade de vocês. É tudo quanto posso fazer.

— É impossível! — declarou ela, corando totalmente. A simples ideia de que Katierina Nikoláievna poderia poupá-la excitava sua indignação.

— Não mudarei de decisão, Anna Andriéievna.

— Mudará talvez.

— Dirija-se a Lambert.

— Arkádi Makárovitch, você não sabe as desgraças que possam originar-se de sua teimosia — ela atirou com severidade e furor.

— Desgraças vão se originar, é certo... Minha cabeça está tonta. Mas basta: decidi e está acabado. Somente, peço-lhe, pelo amor de Deus, não me traga seu irmão.

— Mas ele deseja justamente fazer desaparecer...

— Não há nada a fazer desaparecer! Não preciso disso, não quero, não quero! — exclamei, segurando minha cabeça (oh! talvez a tenha tratado com demasiado orgulho!). Diga-me, entretanto, onde o príncipe passará a noite? Aqui?

— Passará a noite aqui, em sua casa e com você...

— Pois mudo-me esta mesma tarde!

Logo depois destas palavras cruéis, peguei meu gorro e comecei a vestir minha peliça. Anna Andriéievna observava-me em silêncio, com ar sombrio. Eu tinha compaixão, sim, tinha compaixão daquela moça orgulhosa! Mas saí do quarto sem lhe deixar uma palavra de esperança.

IV

Tratarei de abreviar. Minha decisão estava tomada de modo irrevogável e segui diretamente para a casa de Tatiana Pávlovna. Ai! uma grande desgraça poderia ter sido evitada, se a tivesse encontrado em casa; mas, como por acaso, naquele dia a má sorte andava atrás de mim. Passei naturalmente também em casa de mamãe, primeiro para visitar minha mãe doente, depois porque contava encontrar lá, quase com certeza, Tatiana Pávlovna; esta, porém, não estava lá tampouco; acabava de sair, mamãe estava na casa e Lisa ficara sozinha com ela. Lisa pediu-me que não entrasse para não acordar mamãe: "Ela não dormiu a noite inteira, só faz atormentar-se. Por felicidade pegou agora mesmo no sono". Beijei Lisa e disse-lhe em duas palavras que tomara uma decisão imensa e fatal e que ia pô-la em execução. Escutou-me sem grande espanto, como se fossem as palavras mais comuns. Estavam todos de tal modo acostumados às minhas intermináveis derradeiras decisões e em seguida ao seu covarde abandono! Mas agora, agora era bem diferente! Passei apesar de tudo no botequim e ali fiquei um momento à espera, para encontrar em seguida com certeza Tatiana Pávlovna. Explicarei, aliás, por que tinha de repente tanta necessidade daquela mulher. É que eu queria enviá-la imediatamente à casa de Katierina Nikoláievna para fazê-la ir à sua casa, dela Tatiana, em cuja presença eu restituiria o documento, depois de ter-lhe explicado de uma vez por todas... Em suma, queria somente o bem; queria justificar-me duma vez por todas. Resolvido este ponto, decidi absoluta e resolutamente dizer algumas palavras em favor de Anna Andriéievna e, se possível, levar Katierina Nikoláievna e Tatiana Pávlovna (como testemunhas) à minha casa, isto é, aos aposentos do príncipe e ali reconciliar as mulheres inimigas, ressuscitar o príncipe e... e..., em uma palavra, ali, naquele pequeno grupo, pelo menos desde aquele dia, tornar todo mundo feliz, depois do que não restariam mais senão Viersílov e mamãe. Não podia duvidar do bom êxito: Katierina Nikoláievna, cheia de gratidão pela restituição de sua carta, em troca da qual nada lhe pediria, não haveria de repelir meu pedido. Ai! continuava a imaginar que tinha o documento em meu poder! Oh! em que situação estúpida e indigna me encontrava sem o saber!

A escuridão já havia caído e podiam ser umas quatro horas, quando me apresentei de novo em casa de Tatiana Pávlovna. Mária respondeu grosseiramente que ela não havia voltado. Lembro-me muito bem agora de seu olhar de soslaio; mas, no momento, não podia suspeitar de nada. Pelo contrário, fui traspassado por esta outra ideia: ao descer irritado e um tanto desencorajado, a escada da casa de Tatiana Pávlovna, lembrei-me do pobre príncipe que ainda há pouco me estendia os braços e censurei-me de súbito acremente por tê-lo abandonado, talvez por despeito pessoal. Com inquietações, comecei a imaginar o que pudera ter ocorrido em seus aposentos na minha ausência, talvez algo de muito mau e apressei-me em voltar para casa. Ora, em casa tinham apenas ocorrido os seguintes acontecimentos.

Ao deixar-me, cheia de cólera, Anna Andriéievna não tinha ainda perdido coragem. É preciso dizer que, desde manhã, mandara à casa de Lambert, depois outra vez ainda, e, como Lambert nunca estivesse em casa, enviara por fim seu próprio irmão à sua procura. Diante de minha resistência, a coitada punha sua derradeira esperança em Lambert e em sua influência sobre mim. Esperava-o com impaciência e admirava-se somente de que ele, que não a deixava e rondava em torno dela até aquele dia, a tivesse de súbito abandonado e desaparecido. Ai! não lhe podia vir à ideia que Lambert, agora detentor do documento, tomara decisões bem diversas e portanto ocultava-se como era natural e até mesmo se escondia propositadamente dela.

De modo que, com a inquietação e um alarme crescente no coração, Anna Andriéievna quase não tinha mais a força de distrair o velho; e, no entanto, a inquietação dele tomara proporções temíveis. Fazia perguntas estranhas e medrosas, punha-se a olhar com suspeita e por várias vezes desatou a chorar. O jovem Viersílov não ficou muito tempo. Depois dele, Anna Andriéievna levou afinal Piotr Ipolítovitch, com quem tanto contava, mas este, longe de agradar, só fez inspirar aversão. Duma maneira geral, o príncipe olhava Piotr Ipolítovitch com uma desconfiança e uma suspeita sempre maiores. Este, como por acaso, pusera-se novamente a tagarelar a respeito do espiritismo e de outros prodígios a que ele próprio assistira: um charlatão de passagem, que cortara cabeças em público, todo mundo via o sangue correndo, em seguida recolocava-as nos pescoços, onde se recolavam, igualmente em público, e tudo isso teria acontecido em 1859. O príncipe ficou tão apavorado e ao mesmo tempo foi dominado por tamanha indignação que Anna Andriéievna viu se obrigada a afastar imediatamente o narrador. Por felicidade chegou o jantar, especialmente encomendado desde a véspera (graças aos cuidados de Lambert e Alfonsina) em casa de notável cozinheiro francês da vizinhança, que estava desempregado e procurava um lugar numa casa aristocrática ou num clube. Aquele jantar com champanhe alegrou grandemente o velho; comeu muito e pilheriou muito. Depois da refeição, sentiu-se naturalmente pesado e teve vontade de dormir; como ele fizesse sempre a sesta, Anna Andriéievna preparara-lhe uma cama. Enquanto ia adormecendo, beijava-lhe as mãos e dizia que ela era seu paraíso, sua esperança, sua huri, sua flor de ouro; numa palavra, valeu-se das expressões mais orientais. Por fim adormeceu e foi então que eu voltei.

Anna Andriéievna apressou-se em entrar no meu quarto, juntou diante de mim as mãos e disse que me suplicava não mais por ela, mas pelo príncipe, que não me fosse embora, mas fosse vê-lo, quando ele acordasse. "Sem você, ele está perdido, terá um ataque; receio que ele não chegue até a noite..." Acrescentou que tinha necessidade absoluta de ausentar-se, "talvez mesmo por duas horas e, que, por consequência, deixava o príncipe aos meus cuidados". Dei-lhe calorosamente minha palavra de que ficaria lá até a noite e que, quando ele acordasse, faria todos os esforços para distraí-lo.

— E eu cumprirei o meu dever! — concluiu ela, com energia.

Foi-se embora. Acrescentarei, antecipadamente: partiu à procura de Lambert; era sua derradeira esperança; além disso, visitou seu irmão e seus parentes Fanariótovi; compreende-se em que estado de alma deve ter voltado.

O príncipe acordou cerca de uma hora após a saída dela. Através da parede ouvi-o gemer e corri logo ao seu quarto; encontrei-o sentado no leito, de roupão, mas tão aterrorizado pela solidão, pela luz da lâmpada única e por aquele quarto estranho que, no momento em que entrei, estremeceu, teve um susto e lançou um grito. Corri para ele e, quando viu que era eu, abraçou-me com lágrimas de alegria.

— Tinham-me dito que te havias mudado, que ficaste com medo e fugiste.

— Quem pôde dizer-lhe isso?

— Quem? Ora, talvez fui eu que o inventei, talvez também alguém me tenha dito. Imagina que tive ainda há pouco um sonho: vejo de repente entrar um velho barbudo com um ícone, um ícone quebrado em dois pedaços, que me diz: "Assim se partirá tua vida!".

— Ah! meu Deus, decerto soube isso de alguém, que Viersílov quebrou ontem um ícone.

— *N'est-ce pas?* Sim, sim, soube. Soube esta manhã de parte de Dária Onísimovna. Ela trouxe para cá minha mala e meu cão.

— Eis um sonho engraçado!

— Pouco importa! E imagina que o tal velho não cessava de ameaçar-me com o dedo. Mas onde está Anna Andriéievna?

— Voltará agora mesmo.

— Donde? Aonde foi ela? — exclamou ele, dolorosamente.

— Não, não, está aqui agora mesmo. Pediu-me para ficar um momento aqui com o senhor.

— *Oui*, ela voltará. De modo que o nosso Andriéi Pietróvitch perdeu o juízo? "E tão súbita e tão lestamente[133]!" Sempre lhe predisse que acabaria assim. Espera, meu amigo...

De repente, agarrou-se à minha sobrecasaca e atraiu-me para ele.

— O locador — disse em voz baixa — trouxe-me ainda há pouco fotografias, imorais fotografias de mulheres, nada mais senão mulheres nuas em diversas poses orientais, e pôs-se a mostrar-mas à luz... Eu, vês tu?, fiz-lhes o elogio, a contragosto, mas é da mesma maneira que levavam mulheres de má vida àquele desgraçado, para em seguida embriagá-lo mais facilmente...

— O senhor refere-se ainda a von Sohn. Mas deixemos isso, príncipe! O locador é um imbecil, muito simplesmente.

— Um imbecil, muito simplesmente! *C'est mon opinion.* Meu amigo, se puderes, salva-me daqui!

E de repente juntou as mãos, suplicando-me.

— Príncipe, farei tudo quanto puder! Sou todo seu... Meu caro príncipe, espere e talvez eu arranje tudo...

— *N'est-ce pas?* Não faremos nem uma, nem duas, fugiremos e deixaremos nossa mala para lhe fazer crer que voltaremos.

— Fugir para onde? E Anna Andriéievna?

— Não, não, com Anna Andriéievna... *Oh! mon cher!* tenho a cabeça a ferver... Espera: há ali, no saco da direita, um retrato de Kátia; meti-o lá às ocultas ainda há pouco para Anna Andriéievna e sobretudo essa Dária Onísimovna não o notem; tira-o depressa, pelo amor de Deus, e presta bem atenção para que não nos surpreendam... Não haverá meio de correr o ferrolho na porta?

Encontrei efetivamente no saco de viagem uma fotografia de Katierina Nikoláievna, numa moldura oval. Pegou-a, levou-a à luz e lágrimas correram de súbito pelas suas faces magras e amarelas:

— *C'est un ange! c'est un ange du ciel!* — exclamou ele. — Toda a minha vida fui culpado para com ela... E agora também! *Chère enfant*, não acredito em nada, em nada! Meu amigo, dize-me: será possível que queiram encerrar-me num asilo de loucos? *Je dis des choses charmantes et tout le monde rit...*[134] e eis o homem que mandariam para um asilo de loucos!

---

133   Verso de peça de Griboiédov, *A desgraça de ter talento*, referente a um louco.

134   Digo coisas encantadoras e todo mundo ri.

— É impossível! — exclamei. — É um engano. Conheço seus sentimentos.

— Tu também conheces seus sentimentos? Pois bem, tanto melhor! Meu amigo, tu me ressuscitaste. Que não me disseram eles de ti! Chama Kátia aqui, meu amigo, e que elas se beijem, as duas, diante de mim. Eu as levarei para casa e poremos o locador para fora!

Levantou-se, juntou as mãos e de repente ajoelhou-se diante de mim:

— *Cher* — cochichou-me, com um medo insensato, tremendo como uma folha —, meu amigo, dize-me toda a verdade: aonde vão meter-me agora?

— Meu Deus! — exclamei, erguendo-o e sentando-o no leito. — O senhor não acredita em mim, nem mesmo em mim? Acredita que também eu participe da conjura? Mas não permitirei a ninguém aqui tocar-lhe com o dedo!

— *C'est ça*, não permitas! — balbuciou ele, apertando com força meus cotovelos com suas duas mãos e continuando a tremer. — Não me entregues a ninguém! E tu mesmo, não me mintas... porque... será impossível que me levem daqui? Escuta-me, esse locador, Ipolit, ou como é mesmo o nome dele? não é... doutor?

— Que doutor?

— Mas isto aqui... não é um hospício de loucos, este quarto aqui?

Mas neste instante, de súbito, a porta abriu-se e Anna Andriéievna entrou. Tinha sem dúvida escutado à porta e, não mais se contendo, abrira demasiado bruscamente: o príncipe, que estremecia ao menor rangido, lançou um grito e mergulhou a cabeça em seu travesseiro. Teve por fim uma espécie de ataque, que se desfez em soluços.

— Eis o fruto de seu belo trabalho! — disse-lhe, mostrando-lhe o velho.

— Não, é o fruto do trabalho de você! — disse ela, elevando a voz. — Pela última vez, dirijo-me a você, Arkádi Makárovitch: quer revelar a intriga infernal montada contra esse velho sem defesa e sacrificar "seus sonhos de amor insensatos e pueris" para salvar sua própria irmã?

— Eu os salvarei a todos, mas somente como o disse ainda há pouco! Dou um salto e numa hora talvez Katierina Nikoláievna em pessoa estará aqui! Vou reconciliar todos vocês e todo mundo será feliz! — exclamei, quase inspirado.

— Traze-a, traze-a aqui! — disse o príncipe, enfim recuperando os sentidos. — Conduze-me à casa dela! Quero Kátia, quero ver Kátia e abençoá-la! — exclamava, erguendo os braços e arrancando-se do leito.

— Está vendo, mas ele poderia ainda justificar minha conduta aos olhos do mundo, enquanto eu, hoje, eis-me desonrada! Basta! Minha consciência está pura. Sou abandonada por todos, até mesmo por meu próprio irmão, que receou um fracasso... Mas cumprirei meu dever e ficarei junto desse coitado, para servir-lhe de criada, ou enfermeira!

Mas não havia tempo a perder e saí correndo do quarto:

— Votarei dentro de uma hora e não voltarei só! — gritei do limiar.

O ADOLESCENTE

Capítulo XII

I

Afinal encontrei Tatiana Pávlovna! Dum jato expus-lhe tudo, toda a história do documento e tudo quanto se passava em nossa casa, até o último detalhe. Se bem que ela compreendesse perfeitamente e fosse capaz de apreender o caso em duas palavras, minha exposição levou, creio, uns dez minutos. Era o único a falar, dizia toda a verdade e não corava. Silenciosa e imóvel, direita como uma estaca, permanecia sentada na sua cadeira, os lábios cerrados, sem tirar de mim os olhos, escutando-me com a mais viva atenção. Mas quando acabei, saltou de repente e tão precipitadamente que eu também saltei.

— Ah! canalhinha! Então aquela carta estava com efeito costurada na tua roupa e foi aquela imbecil de Maria Ivânovna quem a costurou? Ah! canalha, sem--vergonha! Então era para domar os corações que chegavas aqui, para conquistar a alta-roda, para te vingares em não importa quem pelo fato de seres um bastardo?

— Tatiana Pávlovna — exclamei —, proíbo-a de injuriar-me! Foi talvez a senhora, com suas injúrias, desde o começo, a causa de todo esse horror aqui. Sim, sou bastardo e talvez quis com efeito vingar-me de não importa quem, já que o próprio diabo seria incapaz de descobrir o culpado; mas lembre-se de que repudiei minha aliança com os canalhas e que dominei minhas paixões! Colocarei sem nada dizer o documento diante dela e irei embora, sem mesmo esperar uma palavra sua. A senhora será testemunha!

— Entrega essa carta, entrega-a imediatamente, coloca-a aqui em cima da mesa! Quem sabe se não estás mentindo?

— Está costurada no meu bolso; foi Maria Ivânovna em pessoa quem a costurou; e aqui, quando fizeram para mim uma sobrecasaca nova, tirei-a da antiga e costurei-a eu mesmo nesta; ei-la, aqui, pegue, tateie, não estou mentindo!

— Pois bem, me dá aqui, tira-a! — encarniçava-se Tatiana Pávlovna.

— Por coisa alguma do mundo, repito. Vou colocá-la diante dela na sua presença e sairei sem esperar uma palavra sequer. Mas é preciso que ela saiba e que ela veja com seus próprios olhos que sou eu, eu mesmo quem a entrega, voluntariamente, sem constrangimento e sem recompensa.

— Para fazer bonito mais uma vez, não é? Continuas apaixonado?

— Diga maldades tantas vezes quantas lhe aprouver. Pois seja, mereci-as e não me ofendo. Ela verá em mim talvez um rapazola que a tocaiou e imaginou uma conjura. Pois seja! mas confesse que eu domei a mim mesmo, que pus sua felicidade acima de tudo no mundo! Pouco importa, Tatiana Pávlovna, pouco importa! Grito a mim mesmo: coragem e esperança! É talvez meu primeiro passo na carreira, sim, mas acabou bem, acabou nobremente! Depois, se a amo — continuei, inspirado e com os olhos brilhantes —, não me envergonho disso: mamãe é um anjo do céu, e ela é uma rainha da terra! Viersílov voltará para mamãe e diante dela não tenho de que corar; ouvi o que diziam, ela e Viersílov, eu estava por trás do reposteiro... Oh! sim, todos três somos gentes da mesma loucura. Sabe de quem é esta frase: "gente da mesma loucura"? É dele, de Andriéi Pietróvitch! E sabe que somos aqui, mais de três, talvez, sofrendo esse mesmo gênero de loucura? Sim, aposto que a senhora é a quarta! Quer que lhe diga? Aposto que a senhora mesma esteve apaixonada, toda a sua vida, por Andriéi Pietróvitch, e que continua ainda agora...

Repito, estava como que inspirado e feliz, mas não tive tempo de acabar: de repente, com um gesto extraordinariamente rápido, agarrou-me pelos cabelos e curvou-me a cabeça duas vezes com toda a sua força para baixo... depois largou-me ali e retirou-se para um canto, o rosto contra a parede e oculto no seu lenço:

— Canalha! Não me digas mais semelhantes coisas! — disse, chorando.

Era tão inesperado que fiquei naturalmente aturdido. Fiquei plantado ali, a olhá-la, sem saber que fazer.

— Oh! imbecil! Vem cá, vem beijar tua velha idiota! — continuou ela, de chofre, rindo e chorando. — E não repitas mais nunca essas coisa... Amo-te, toda a minha vida te amei... idiota!

Beijei-a. Direi entre parênteses que a partir daquele momento, Tatiana Pávlovna e eu ficamos amigos.

— Ah! sim! Mas que faço eu aqui! — exclamou ela de repente, batendo na testa. — Que é que me dizes? Que o velho príncipe está em tua casa? É bem verdade?

— Garanto-lhe.

— Ah! meu Deus! Estou com uma dor no coração! — Pôs-se a girar e a azafamar-se pelo quarto. — E é assim que o tratam! Será que os idiotas nunca são punidos? E desde manhã? Vai bem, essa Anna Andriéievna! Vejam-me só essa freirinha! E a outra, a Militrisa,[135] não sabe de nada!

— Que Militrisa?

— Mas a rainha da terra, o ideal, sei o quê! E que vamos fazer agora?

— Tatiana Pávlovna! — exclamei, volvendo a mim. — Estamos dizendo bobagens e esquecemos o principal: vim buscar Katierina Nikoláievna e esperam-me lá.

E expliquei-lhe que entregaria o documento com a condição de que ela me prometesse fazer imediatamente as pazes com Anna Andriéievna e consentir mesmo no seu casamento...

— Está muito bem — interrompeu Tatiana Pávlovna —, eu também já lhe repeti isso centenas de vezes. De qualquer maneira, ele morrerá antes do casamento, não casará com ela e, se deixa dinheiro no seu testamento a Anna, de toda maneira já está escrito sem isso...

— Será que Katierina Nikoláievna lamenta apenas o dinheiro?

— Não, temia sempre que o documento estivesse em casa dela, de Anna, e eu também. Era ela que nós vigiávamos. A filha não tinha vontade de abalar o velho, mas quanto ao alemão, Bioring, é verdade que ele lamentava o dinheiro.

— E depois disso, ela pode casar com Bioring?

— E que queres fazer com uma idiota? Quando se é idiota, é para toda a vida. Ele lhe proporcionará, fica sabendo, uma espécie de tranquilidade: "É preciso mesmo casar com alguém. Pois bem, tanta faz ele como qualquer outro". Vamos, veremos a tranquilidade que vai dar-lhe! Depois, ela morderá os dedos, mas será tarde demais.

---

135 Filha do Rei Kirbit, personagem do romance de cavalaria, *Bova, o filho do rei*, muito popular entre o povo russo. A palavra é corruptela de meretriz.

— Então, por que o permite? Gosta dela, no entanto. Disse-lhe em face, que gostava dela.

— Gosto, sim, e gosto mais dela do que vocês todos juntos... O que não impede que ela seja uma famosa idiota!

— Então corra à casa dela imediatamente. Tomaremos uma decisão e vamos levá-la a seu pai.

— Mas é impossível, impossível, pedaço de idiota! É justamente o que é impossível! Ai! que fazer? Ah! a cabeça anda-me à roda. — E agitou-se de novo, apanhando porém seu xale. — Ah! se tivesses vindo quatro horas mais cedo! Agora já são sete horas, ela já saiu para jantar em casa de Pielíchtchevi e ir com eles depois à Ópera.

— Senhor! E se corrêssemos à Ópera?... Mas não, é impossível! Mas que será do velho? Morrerá talvez esta noite!

— Escuta-me, não vás lá, vai para a casa de tua mãe, passa a noite lá e amanhã cedo...

— Não, por coisa alguma no mundo abandonarei o velho, aconteça o que acontecer.

— Tens razão, não abandones. Mas eu, sabes?... correrei apesar de tudo à casa dela e deixarei um recado... Bem sabes, escreverei à nossa maneira (ela compreenderá!) que o documento está lá e que, amanhã, às dez horas da manhã em ponto, esteja ela em minha casa sem falta! Fica tranquilo, ela virá, vai me dar ouvidos, a mim. E num instante arranjaremos tudo. Quanto a ti, corre até lá e arranja-te com o velho... deita-o. Talvez ele se aguente até de manhã! Não amedrontes tampouco Anna; é que gosto dela também. És injusto para com ela porque não podes compreender: está ofendida, tem sido ofendida desde sua infância. Ah! o que vocês todos me tem custado, todos! Mas não te esqueças: diz-lhe de minha parte que o caso corre por minha conta, pessoalmente e de todo coração, e que fique tranquila, seu orgulho não terá de sofrer... É que brigamos estes dias, trocamos desaforos! Vamos, corre lá... Espera, mostra-me ainda teu bolso... é bem verdade, bem verdade? Hem? É bem verdade? Então, dá aqui essa carta, ao menos por esta noite, para que a queres? Deixa-a aqui, não a comerei. Talvez venhas a perdê-la justamente esta noite... mudarás de opinião.

— Por coisa alguma do mundo! — exclamei. — Pegue, tateie, olhe! Mas por coisa alguma do mundo a deixarei!

— Vejo bem que há um papel! — Tateava com os dedos. — Bem, está bom. Vai-te e eu talvez dê um pulo ao teatro. Foi uma boa ideia que tiveste. Mas vai correndo, pois, vai-te!

— Tatiana Pávlovna, um instante! E mamãe?

— Vai bem.

— E Andriéi Pietróvitch?

Fez um gesto evasivo.

— Recuperará o juízo.

Saí correndo, encorajado, cheio de esperança, se bem que o resultado viesse a ser muitíssimo diverso do que o esperado. Mas ai! a sorte decidira diferentemente e eu ignorava o que ela preparava para mim. É verdade que existe um destino nesta terra.

II

Da escada, ouvi barulho em nossos aposentos. A porta do apartamento estava aberta. No corredor mantinha-se um lacaio desconhecido, de libré. Piotr Ipolítovitch e sua mulher, ambos amedrontados, estavam também no corredor, em posição de expectativa. A porta do príncipe estava aberta: no interior repercutia uma voz tonitruante, que reconheci logo como a de Bioring. Não dera ainda dois passos quando vi de súbito o príncipe, todo lacrimoso, tremente, trazido pelo corredor por Bioring e seu companheiro, o Barão R***, o mesmo que viera combinar o duelo com Viersílov. O príncipe soluçava, apertava a abraçava Bioring. Bioring gritava contra Anna Andriéievna, que havia também saído para o corredor acompanhando o príncipe; ele a ameaçava e, creio, batia com o pé: em suma, portava-se como grosseiro soldado alemão, apesar de toda a sua linha social. Soube-se mais tarde que lhe ocorrera a ideia de que Anna Andriéievna cometera algum crime de direito comum e devia agora responder pela sua conduta perante a justiça. Por ignorância do caso, exagerava-o, como acontece a muitos e é por isso que se julgava no direito de agir absolutamente sem cerimônia. Sobretudo não tivera tempo de aprofundar: tinham-no avisado de tudo, anonimamente, como se ficou sabendo depois (e como o mencionarei dentro em pouco) e acorrera naquele estado de cavalheiro encolerizado no qual até mesmo os indivíduos de mais espírito daquela nacionalidade estão prontos por vezes a se agredir como trapeiros. Anna Andriéievna acolhera todo aquele assalto com perfeita dignidade, mas não fui testemunha disso. Vi somente que depois de ter tirado o velho para o corredor, Bioring deixou-o de repente em mãos do Barão R*** e, voltando-se precipitadamente em resposta a alguma observação dela:

— A senhora é uma intrigante. O que quer é o dinheiro dele! A partir deste momento está desonrada perante a sociedade e dará contas à justiça!...

— O senhor é que explora um pobre doente e o levou à loucura... E grita contra mim porque sou uma mulher e não tenho ninguém para me defender...

— Ah! sim! A senhora é noiva dele, noiva dele! — zombou maldosa e raivosamente Bioring.

— Barão, barão... *Chère enfant, je vous aime* — choramingou o príncipe, estendendo as mãos para Anna Andriéievna.

— Venha, príncipe, venha, há uma conjura contra o senhor e talvez contra sua vida! — gritou Bioring.

— *Oui, oui, je comprends, j'ai compris au commencement...*[136]

— Príncipe — disse Anna Andriéievna, elevando a voz —, o senhor me ofende e deixa que me ofendam!

— Fora daqui! — gritou-lhe de repente Bioring.

Não pude mais conter-me.

— Canalha! — berrei. — Anna Andriéievna, sou seu defensor!

Não tenho nem a intenção nem a possibilidade de anotar todos os pormenores. Foi uma cena terrível e ignóbil. Perdi de súbito a razão. Creio que me atirei e bati nele: pelo menos, dei-lhe um forte empurrão. Ele me bateu também com toda a sua força, na cabeça, tanto que caí no chão. De volta a mim, lancei-me atrás deles

---

136 Sim, sim, compreendo, compreendi desde o começo...

O ADOLESCENTE

na escada; lembro-me de que o sangue me corria do nariz. Diante da porta, um carro os esperava. Enquanto instalavam o príncipe, saltei sobre o veículo e, apesar do lacaio que me afastava, atirei-me de novo em cima de Bioring. Não me lembro mais como chegou a polícia. Bioring agarrou-me pela gola e ordenou imperiosamente ao guarda que me conduzisse ao posto. Gritei que ele devia ir também, para que se instaurasse processo e que não tinham o direito de prender-me quase ao sair de minha casa. Mas, como isso se passava na rua e não no apartamento, como eu gritasse, praguejasse e me debatesse como um bêbedo, como Bioring estivesse fardado, o guarda levou-me. Mas então fui totalmente dominado pelo furor e, resistindo com todas as minhas forças, bati, creio bem, no guarda. Depois, lembro-me, chegaram mais dois que me levaram. Mal me lembro como me introduziram numa peça enfumaçada, tresandante a tabaco, com uma multidão de indivíduos de toda espécie, sentados ou de pé, esperando ou escrevendo; ali, também, continuei a gritar: reclamava o processo, o caso se complicava com resistência e rebelião contra a autoridade. Aliás, eu estava demasiado descomposto. De repente alguém gritou contra mim. O guarda entretanto acusava-me de briga e fazia seu relato: um coronel...

— Seu nome? — gritaram.

— Dolgorúki — berrei.

— Príncipe Dolgorúki?

Fora de mim, respondi com três palavrões, depois... depois lembro-me de que me levaram para um gabinete escuro, até que me desembriagasse. Oh! não protesto. Todo mundo leu recentemente nos jornais a queixa dum senhor que passou uma noite inteira no posto, acorrentado na cela de desembriagamento, e aquele, creio bem, estava completamente inocente; eu era culpado. Estirei-me numa esteira, em companhia de dois indivíduos que dormiam sono de cadáveres. A cabeça doía-me, as têmporas latejavam-me, o coração palpitava. Sem dúvida perdera o conhecimento e delirava. Lembro-me somente de que despertei em plena noite e sentei-me na esteira. Bruscamente lembrei-me de tudo, compreendi tudo e, com os cotovelos nos joelhos, a cabeça entre as mãos, mergulhei numa profunda meditação.

Oh! não vou descrever aqui meus sentimentos, não tenho tempo. Anotarei somente isto: nunca vivi, talvez, instantes mais alegres do que aqueles minutos de meditação, na noite profunda, sobre a esteira, no posto policial. Isto poderá parecer estranho ao leitor, como uma fanfarronada, um desejo de brilhar pela originalidade, e, no entanto, é como digo. Foi um desses instantes que acontecem talvez a todo homem, porém não mais de uma vez na vida. Naquele instante, decide-se sua sorte, determinam-se suas opiniões, diz-se a si mesmos duma vez por todas: "Eis onde está a verdade e aonde é preciso ir para encontrá-la". Sim, aquele instante iluminou minha alma. Ofendido pelo descarado do Bioring e contando logo no dia seguinte ser ofendido por aquela mulher da alta-roda, sabia bem que podia tirar uma terrível vingança, mas resolvi não me vingar. Resolvi, malgrado a tentação, não revelar o documento, não o dar a conhecer à sociedade (como já girava a ideia em minha cabeça); repetia a mim mesmo que logo no dia seguinte colocaria aquela carta diante dela e que, se fosse preciso, em lugar de gratidão, obteria seu sorriso zombeteiro, mas que, apesar de tudo, não diria uma palavra e que a deixaria para sempre... Mas inútil insistir. Quanto ao que se passaria no dia seguinte, quando me fariam comparecer perante as autoridades e ao que fariam de mim, quase me esqueci de pensar nisso. Benzi-me com amor, deitei-me sobre a esteira e dormi um claro sono de criança.

Acordei tarde, com o dia já claro. Estava agora sozinho na cela. Sentei-me e pus-me a esperar em silêncio, muito tempo, cerca de uma hora; eram sem dúvida nove horas quase, quando de repente me chamaram. Poderia entrar em maiores detalhes, mas isso não vale a pena, pois toda essa história está agora passada; será bastante dizer o essencial. Anotarei somente que, para grande espanto meu, trataram-me com uma polidez inusitada: fizeram-me algumas perguntas, respondi não sei mais quê e puseram-me em liberdade imediatamente. Saí em silêncio e li com satisfação nos olhos deles certo espanto para com um homem que, numa situação semelhante, soubera nada perder de sua dignidade. Se não tivesse reparado, não teria anotado aqui. Diante da porta, Tatiana Pávlovna me esperava. Explicarei em duas palavras por que me livrara com tanta facilidade.

De manhã cedo, cerca das oito horas talvez, Tatiana Pávlovna correra à minha casa, isto é, à casa de Piotr Ipolítovitch, esperando ainda lá encontrar o príncipe, e bruscamente viera a saber de todos os horrores da véspera e sobretudo que eu fora detido. Num piscar de olhos foi à casa de Katierina Nikoláievna (que, já na véspera, de volta do teatro, tivera uma entrevista com seu pai que acabavam de levar-lhe), acordou-a, fez-lhe medo e exigiu minha libertação imediata. Munida dum bilhete dela, voou logo à casa de Bioring e exigiu imediatamente dele outro bilhete para quem de direito, contendo um pedido "instante de me libertar sem demora, uma vez que fora detido por engano". Com este bilhete, chegou aos posto e seu pedido foi atendido.

III

Agora volto ao ponto essencial.

Tatiana Pávlovna pegou-me pelo braço, instalou-me num carro e levou-me à sua casa. Lá, mandou buscar sem demora um samovar, lavou-me a cara e fez meu asseio na sua cozinha. Naquela mesma cozinha, disse-me em voz alta que às onze e meia, Katierina Nikoláievna estaria em casa dela Tatiana, em pessoa — tinham combinado isso as duas havia pouco — para me ver. Foi então que Mária ouviu estas palavras. Um minuto depois, trouxe o samovar e, dois minutos ainda, mais tarde, quando de repente Tatiana Pávlovna a chamou, não respondeu: tinha saído. Rogo ao leitor que anote bem; eram então, suponho, dez horas menos um quarto. Tatiana Pávlovna ficou zangada por ela ter desaparecido sem permissão; mas disse a si mesma apenas que ela fora ao armazém e não pensou mais nisso. Tínhamos outra coisa em que pensar; falávamos sem cessar, porque havia muito assunto, de sorte que eu, por exemplo, não notei, por assim dizer, o desaparecimento de Mária. Rogo ao leitor que se lembre disso também.

Não é preciso dizer que eu estava aturdido; expunha meus sentimentos e sobretudo esperávamos Katierina Nikoláievna e a ideia que dentro de uma hora eu a tornaria a encontrar afinal, e ainda num momento tão decisivo de minha vida, dava-me tremores. Por fim, depois que bebi duas xícaras, Tatiana Pávlovna levantou bruscamente, pegou as tesouras em cima da mesa e disse:

— Põe para cá teu bolso: é preciso retirar a carta. Não se pode, no entanto, cortá-la diante dela!

— Sim! — exclamei, desabotoando minha sobrecasaca.

— Como está enredado! Quem coseu isso?

— Fui eu, Tatiana Pávlovna, eu mesmo.

— Está-se vendo que foste tu. Vamos...

Retiramos a carta; o velho envelope era bem o mesmo, mas dentro só havia um papel em branco.

— Que quer dizer isso? — exclamou Tatiana Pávlovna, voltando-o em todos os sentidos... — Que tens?

Eu estava de pé, com a língua paralisada, lívido... e de chofre deixei-me cair sem forças sobre a cadeira, quase perdendo os sentidos.

— Que quer dizer isso ainda? — berrou Tatiana Pávlovna. — Onde está teu bilhete?

— Lambert! — exclamei de súbito, em sobressalto. Tinha adivinhado enfim e batia na testa.

Às carreiras, perdendo fôlego, expliquei-lhe tudo, a noite em casa de Lambert e nossa conjura de então; aliás eu já lhe havia confessado essa conjura na véspera.

— Foi roubada! Foi roubada! — gritava eu, batendo os pés e arrancando os cabelos.

— Que desgraça! — decidiu de repente Tatiana Pávlovna, compreendendo o que se tratava. — Que horas são?

Eram cerca de onze horas.

— E Mária que não está em casa. Mária, Mária!

— Que deseja a senhora? — respondeu de súbito Mária, do fundo da cozinha.

— Estás aí? Mas que fazes agora? Vou dar um pulo à casa dela... E tu, besta-lhão! Bestalhão!

— Eu vou à casa de Lambert! — berrei —, e vou estrangulá-lo se for preciso.

— Senhora! — anunciou Mária de sua cozinha. — Há aqui uma pessoa que pergunta pela senhora...

Não havia terminado ainda sua frase e já a pessoa irrompia por si mesma, com gritos e urros. Era Alfonsina. Não descreverei a cena em todos os seus detalhes; era uma verdadeira cena: trapaça e mentira, mas deve-se anotar que Alfonsina a desempenhou maravilhosamente. Com lágrimas de arrependimento e gestos frenéticos, contou (em francês, é claro) que a carta fora ela que a roubara, que estava agora em casa de Lambert e que Lambert, de acordo com aquele bandido, *cet homme noir*, queria atrair à sua casa *madame la générale* e matá-la, imediatamente, dentro de uma hora... que tudo soubera da boca deles e que fora tomada dum medo terrível, vendo nas mãos deles uma pistola, *le pistolet*, e que correra para cá, para nossa casa, para que fôssemos lá, para que a salvássemos, para que a preveníssemos... *Cet homme noir*...

Em suma, tudo aquilo era extremamente verossímil e até mesmo a tolice de certas explicações de Alfonsina aumentava a verossimilhança.

— Que *homme noir*? — gritou Tatiana Pávlovna.

— *Tiens, j'ai oublié son nom... Un home affreux... Tiens, Viersíloff.*[137]

— Viersílov? É impossível! — exclamei.

---

137 Ora, esqueci seu nome... Um homem horrível... Ah! Viersílov.

— Não é não, ele é capaz disso! — gritou Tatiana Pávlovna. — Mas diga-me, senhorinha, sem saltar, sem agitar os braços, que é que eles querem fazer? Explique--se razoavelmente: não posso crer que queiram atirar nela...

A senhorinha explicou nestes termos (N.B.: não passava tudo de mentira, previno ainda uma vez): Viersílov ficará atrás da porta, e Lambert, assim que ela entrar, mostrar-lhe-á *cette lettre*, então Viersílov saltará e eles a... *Oh! ils feront leur vengeance!*[138] E ela, Alfonsina, teme uma desgraça, porque foi cúmplice e *cette dame, la générale*, chegará certamente "imediatamente, imediatamente", porque lhe enviaram cópia da carta e ela verá imediatamente que são eles detentores deveras do original, então ela irá; ora, foi Lambert sozinho que lhe escreveu a carta; ela nada sabe de Viersílov; Lambert apresentou-se como uma pessoa chegada de Moscou, da parte *d'une dame de Moscou*. (N.B.: Maria Ivânovna!)

— Ah! tenho uma dor no coração! Sinto-me mal! — exclamou Tatiana Pávlovna.

— *Sauvez-la, sauvez-la!*[139] — gritava Alfonsina.

Certamente, mesmo à primeira vista, havia naquela notícia insensata algo de incoerente, mas não havia tempo para refletir nisso, porque, com efeito, tudo era horrivelmente verossímil. Podia-se ainda supor, com muita verossimilhança que, tendo recebido o convite de Lambert, Katierina Nikoláievna passaria primeiro em nossa casa, em casa de Tatiana Pávlovna, para tirar a coisa a limpo; mas também isso podia muito bem não acontecer e ela podia ir diretamente à casa deles e então estava perdida! Era, no entanto, difícil de crer que ela se lançasse assim em casa de um desconhecido como Lambert ao seu primeiro apelo; mas ainda uma vez isso também podia acontecer, por exemplo, depois de ter visto a cópia e ter-se convencido de que sua carta estava realmente em casa deles, e então era a mesma catástrofe. Sobretudo, não nos restava um minuto a perder, até mesmo para refletir.

— E Viersílov a estrangulará! Se desceu até Lambert, decerto a estrangulará! É o duplo! — exclamei.

— Ah! esse duplo! — disse Tatiana Pávlovna, torcendo as mãos. — Vamos, nada a fazer — decidiu de repente. — Toma teu gorro e tua peliça e vamos lá juntos. Conduza-nos, senhorinha. Ah! como é longe! Mária, Mária, se Katierina Nikoláievna vier, dize-lhe que volto imediatamente, que ela se sente e me espere, e, se não quiser esperar-me, feche a porta a chave e mantém-na aqui à força. Dize-lhe que sou eu quem assim o quer. Vou te dar cem rublos, Mária, se me prestares esse serviço.

Corremos para a escada. Sem dúvida alguma, nada havia de melhor a fazer, pois que em todo o caso o mal principal estava em casa de Lambert e que, se Katierina Nikoláievna viesse, com efeito, em primeiro lugar, à casa de Tatiana Pávlovna, Mária sempre poderia retê-la. No entanto, Tatiana Pávlovna, que já havia chamado um cocheiro, mudou de repente de opinião:

— Vai com ela! — ordenou-me, deixando-me com Alfonsina. — E morre lá, se for preciso, entendes? Eu irei procurar-te, mas antes darei um pulo à casa dela, talvez a encontre, porque, digas o que disseres, tenho suspeitas!

Voou à casa de Katierina Nikoláievna. Alfonsina e eu corremos à casa de Lambert. Despachei o cocheiro e continuei ao mesmo tempo a interrogar Alfonsina,

138 Oh! eles se vingarão!
139 Salvem-na, salvem-na!

mas está só respondia por meio de exclamações e finalmente com lágrimas. Mas Deus velava e nos protegeu a todos, no momento em que estava tudo suspenso por um fio. Não tínhamos feito ainda a quarta parte do caminho, quando de repente ouvi um grito às minhas costas: chamavam-me pelo meu nome. Voltei-me: era Trichátov que nos alcançava de carro.

— Aonde vai? — gritou ele com ar de espanto. — E com ela, com Alfonsina?

— Trichátov! — gritei-lhe. — Você disse a verdade: uma desgraça! Vou à casa daquele canalha do Lambert! Vamos juntos, haverá mais gente!

— Volte, volte imediatamente! — gritou Trichátov. — Lambert mente e Alfonsina também. Foi o bexiguento que me enviou; eles não estão em casa: acabo de encontrar Viersílov e Lambert; foram à casa de Tatiana Pávlovna... estão lá agora...

Mandei parar o coche e subi para ele, sentando-me ao lado de Trichátov. Ainda agora não compreendo como pude tomar de súbito essa decisão, mas de chofre acreditei nele e de chofre me decidi. Alfonsina lançou gritos terríveis, mas deixamo-la ali e ignoro se nos seguiu ou se voltou para sua casa; em todo o caso não mais a vi.

No coche, Trichátov confiou-me, tanto quanto pôde e ofegando, que havia um golpe preparado, que Lambert pusera-se de acordo com o bexiguento, mas que este o traía no derradeiro minuto e acabava de enviá-lo, a ele, Trichátov, à casa de Tatiana Pávlovna, para avisá-la de que não desse crédito a Lambert e Alfonsina. Acrescentou que de nada mais sabia, porque o bexiguento não lhe dissera mais, não tivera tempo, porque por sua parte estava apressado e tudo aquilo era urgente. "Vi — continuou Trichátov — que vocês tinham partido e corri atrás." Era evidente que aquele bexiguento também sabia tudo, pois que enviara Trichátov diretamente à casa de Tatiana Pávlovna; mas isto era novo enigma.

Para que não haja confusão nas ideias, antes de descrever a catástrofe, explicarei toda a verdade verdadeira e anteciparei ainda uma vez.

IV

Depois de ter roubado a carta, Lambert logo se pusera em contato com Viersílov. Como pudera Viersílov entrar em acordo com Lambert, não o direi ainda; isto virá mais tarde; em todo o caso, era sempre o duplo! Mas, uma vez aliado a Viersílov, devia Lambert atrair, tão habilmente quanto possível, Katierina Nikoláievna. Viersílov afirmava-lhe francamente que ela não viria. Mas Lambert, depois que, na antevéspera à noite, eu o encontrara na rua e, para me gabar, lhe declarara que restituiria a carta em casa de Tatiana Pávlovna, organizou no mesmo instante uma espécie de vigilância ao apartamento de Tatiana Pávlovna: comprara Mária. Dera-lhe vinte rublos; em seguida, dois dias depois, uma vez praticado o roubo, fizera-lhe uma segunda visita e então havia-se entendido definitivamente com ela, prometendo-lhe pelos seus serviços duzentos rublos.

Eis por que Mária, assim que ouvira que às onze e meia Katierina Nikoláievna estaria em casa de Tatiana Pávlovna e eu estaria lá também, logo saíra correndo da casa e, de carro, foi levar a notícia a Lambert. Era justamente o que ela devia comunicar a Lambert, nisto consistiam os seus serviços. Viersílov encontrava-se precisamente naquele momento em casa de Lambert. Num piscar de olhos, imaginou aquela infernal combinação. Dizem que os loucos tem seus momentos de horrível lucidez.

Consistia a combinação em nos atrair a nós dois, Tatiana e eu, para fora da casa, a qualquer preço, nem que fosse por um quarto de hora, mas antes da chegada da Katierina Nikoléievna. Em seguida, esperar na rua e, assim que Tatiana Pávlovna e eu saíssemos, penetrar no apartamento que Mária lhes abriria e ali esperar Katierina Nikoláievna. Durante esse tempo, devia Alfonsina reter-nos a todo custo onde ela quisesse e como quisesse. Ora, Katierina Nikoláievna devia chegar, como o prometera, às onze e meia, por consequência bem antes de podermos estar de regresso. (Naturalmente, Katierina Nikoláievna não recebera o menor convite de Lambert e Alfonsina mentira: toda essa história fora Viersílov quem a inventara em todos os seus detalhes; Alfonsina desempenhava apenas o papel do traidor apavorado.) Evidentemente, corriam um risco, mas o raciocínio era justo: "Se isso der resultado, é perfeito; se não, não estará tudo ainda perdido porque temos o documento". Mas a coisa deu bom resultado e não podia deixar de dar, uma vez que não podíamos deixar de correr atrás de Alfonsina, em virtude desta simples suposição: "E se fosse verdade?". Repito: não tínhamos tempo de raciocinar.

V

Irrompemos, Trichátov e eu, na cozinha e encontramos Mária toda assustada. Causara-lhe surpresa, ao fazer entrarem Lambert e Viersílov, ver de súbito nas mãos de Lambert um revólver. Recebera, é verdade, o dinheiro, mas o revólver não entrava nos seus planos. Estava perplexa e , assim que me viu, lançou-se para mim:

— A generala veio e eles tem um pistola!

— Trichátov, fique aqui na cozinha — ordenei. — Assim que eu gritar, corra em meu auxilio com todas as suas forças.

Mária abriu-me a porta do corredor e eu me introduzi no quarto da Tatiana Pávlovna, aquele quartinho onde só havia lugar para a cama de Tatiana Pávlovna e onde, já uma vez, escutara por acaso uma conversa. Sentei-me na cama e descobri de repente uma fresta no reposteiro.

No quarto já se ouvia alvoroço e falava-se em voz alta; farei observar que Katierina Nikoláievna tinha entrado exatamente um minuto depois deles. Aquele barulho e aquelas conversas já as ouvira da cozinha; os gritos partiam de Lambert. Ela estava sentada sobre o divã e ele, plantado diante dela, gritava como um idiota. Sei agora por que ele havia perdido tão estupidamente seu sangue-frio: estava com pressa, temia ser surpreendido. Explicarei mais tarde qual era a pessoa que ele temia. Tinha a carta na mão. Mas Viersílov não estava no quarto; preparava-me para saltar ao primeiro perigo. Transcrevo somente o sentido das conversas; há talvez muitas coisas de que não me lembro bem, mas estava então demasiado comovido para tudo reter com a mais estrita precisão.

— Esta carta vale trinta mil rublos e a senhora se espanta! Vale cem mil e só peço trinta! — disse Lambert em voz alta e acalorando-se terrivelmente.

Embora visivelmente amedrontada, Katierina Nikoláievna olhava-o com uma surpresa desdenhosa.

— Estou vendo que é uma cilada e nada compreendo disso — disse ela —, mas se é verdade que tem essa carta...

— Aqui a tem, ei-la, olhe-a, olhe-a! Não é ela? Uma cédula de trinta mil, nem um copeque a menos! — Interrompeu-a Lambert.

— Não tenho dinheiro comigo.

— Escreva uma promissória, aqui tem papel. Depois, irá buscar o dinheiro e eu esperarei, mas não mais de uma semana. Quando trouxer o dinheiro, devolvo-lhe a promissória com a carta.

— O senhor me fala duma maneira engraçada. Engana-se. Vão lhe tomar hoje mesmo esse documento, se eu for fazer uma queixa.

— A quem? Ah! ah! ah! E o escândalo? E a carta, que nós mostraremos ao príncipe? Onde vão achá-la? Não guardo documentos em minha casa. Farei que seja mostrada ao príncipe por uma terceira pessoa. Não teime, minha senhora. Agradeça-me pedir tão pouco, um outro em meu lugar exigiria ainda certos favores... a senhora sabe quais... os que nenhuma bela mulher recusa, num caso embaraçoso, eis quais são eles... Ah! ah! ah! *Vous êtes belle, vous!*

Katierina Nikoláievna deu apenas um salto, corou completamente e... cuspiu-lhe na cara. Em seguida dirigiu-se rapidamente para a porta. Então aquele imbecil de Lambert tirou seu revólver. Como idiota chapado que era, acreditava cegamente no efeito que produziria o documento, isto é, não levara em consideração a pessoa com quem teria de tratar, justamente porque, como já disse, supunha em todo mundo os mesmos sentimentos ignóbeis que possuía. Desde a primeira palavra, havia-a irritado por sua grosseria, quando não teria talvez recusado uma transação financeira.

— Não se mova! — berrou ele, que ficara furioso por causa da cusparada, segurando-a pelo ombro e mostrando-lhe o revólver, evidentemente para causar-lhe medo. Ela lançou um grito e deixou-se cair sobre o divã. Lancei-me para dentro do quarto; mas, naquele mesmo instante, pela porta do corredor entrou Viersílov. (Estava lá à espera.) Mal tivera tempo de lançar uma olhadela e já ele arrancava o revólver da mão de Lambert e com toda a sua força assestou-lhe pancadas na cabeça. Lambert vacilou e caiu sem sentidos; o sangue corria em ondas de seu crânio sobre o tapete.

Avistando Viersílov, ela se tornou de súbito pálida como um pano; olhou-o por alguns instantes fixamente, tomada dum pavor indizível, e de repente desmaiou. Ele lançou-se sobre ela. Tudo isso parece-me vê-lo ainda. Lembro-me de ter visto com terror seu rosto vermelho, quase carmesim, e seus olhos injetados de sangue. Creio que, embora notando minha presença no quarto, não me havia reconhecido. Tomou-a, inanimada, ergueu-a com uma força incrível, carregou-a nos braços tão facilmente como se fosse uma pena e, com um ar insensato, pôs-se a passeá-la pelo quarto como a uma criança. O quarto era minúsculo, mas ele andava dum lado para outro, sem compreender por que agia assim. No espaço dum instante, perdera a razão. *Continuava a olhá-la,* contemplava-lhe o rosto. Corri atrás dele: tinha medo principalmente do revólver, que ele conservava na mão direita e mantinha bem de encontro à cabeça dela. Mas repeliu-me uma vez com o cotovelo e de outra com o pé. Eu queria chamar Trichátov, mas temia também irritar o louco. Por fim, afastei de repente o reposteiro e supliquei-lhe que a depositasse no leito. Ele se aproximou e deitou-a ali, mas plantou-se diante dela, olhou-a bem nos olhos um minuto, fixamente, e de chofre, inclinando-se, beijou-lhe por duas vezes os lábios brancos. Compreendi afinal que estava ele decididamente fora de si. De repente brandiu contra ela o revólver, mas, como se uma ideia lhe tivesse sobrevindo subitamente, agarrou-o pela coronha e visou-lhe a cabeça. Instantaneamente, com todas as minhas forças, agarrei-lhe o braço e chamei Trichátov. Lembro-me de que lutamos os dois contra ele, mas conseguiu libertar seu braço e atirar contra si mesmo. Tinha querido matá-la e depois suicidar-se. Mas, como o tivéssemos impedido de matá-la, apontou diretamente o revólver contra seu próprio coração. Tive entretanto tempo de repelir seu braço para o alto e a bala alojou-se-lhe no ombro. Naquele instante, um grito e Tatiana Pávlovna irromperam no quarto. Mas ele já estava caído, sem sentidos, no tapete, ao lado de Lambert.

Capítulo XIII
(CONCLUSÃO)

I

Após aquela cena, já se passaram cerca de seis meses, muita água correu sob as pontes, muitas coisas mudaram completamente e para mim uma vida nova começou... Mas eu também vou libertar o leitor.

Para mim, pelo menos, a primeira questão, e então e muito tempo ainda depois, foi: como pode Viersílov aliar-se a um Lambert e que fim tinha então em vista? Pouco a pouco, cheguei a certa explicação: na minha opinião, Viersílov, naquele momento, isto é, durante todo aquele último dia e na véspera, não podia ter nenhum fim firme e até mesmo, creio bem, não raciocinava mais absolutamente, mas se encontrava sob a influência de não sei que turbilhão de sentimentos. Aliás, não admito nele verdadeira loucura, tanto mais que ainda hoje não está ele louco de todo. Mas admito, sem hesitar, o duplo. Que é, afinal, o duplo? O duplo, pelo menos segundo o livro de medicina dum especialista que, mais tarde, li muito de propósito, não é nada senão o primeiro degrau dum sério desarranjo mental que pode conduzir a um fim bastante mau. O próprio Viersílov, por ocasião da cena em casa de mamãe, nos havia explicado, com terrível sinceridade, esse desdobramento de seus sentimentos e de sua vontade. Mas, ainda uma vez o repito: aquela cena em casa de mamãe, aquele ícone partido, tudo aquilo produziu-se incontestavelmente sob a influência dum verdadeiro duplo e, no entanto, sempre me pareceu desde então que se misturava àquilo certa alegoria malévola, uma espécie de ódio às esperanças das mulheres, uma espécie de maldade a respeito de seus direitos e de seu julgamento, e foi então que, de combinação com o duplo, rebentara a imagem! Como se dissesse: "Assim serão partidas vossas esperanças!". Em suma, havia o duplo, havia também uma simples veneta... Mas tudo isso são conjeturas minhas; é difícil decidir com certeza.

Apesar de seu culto por Katierina Nikoláievna, sempre conservara uma desconfiança sincera e profunda para com suas qualidades morais. Creio que o que ele esperava, então, atrás da porta, era que ela se humilhasse diante de Lambert. Mas mesmo que esperasse, queria isso? Repito ainda uma vez: creio firmemente que ele não queria nada absolutamente e que nem mesmo raciocinava. Tinha simplesmente vontade de estar ali, de aparecer em seguida, de lhe dizer não importa o que e talvez... talvez ultrajá-la, talvez também matá-la... Naquele momento, tudo era possível; somente, ao chegar com Lambert, não sabia nada do que iria ocorrer. Acrescentarei que o revólver pertencia a Lambert e que ele chegara sem armas. Diante da altiva dignidade dela e sobretudo não podendo mais ver a torpeza de Lambert que a ameaçava, precipitou-se e foi então que perdeu a razão. Queria atirar nela naquele momento? A meu ver, ele próprio nada sabia, mas teria certamente atirado, se não lhe tivéssemos segurado o braço.

Seu ferimento não era mortal. Curou-se, mas depois de ter ficado muito tempo de cama, em casa de mamãe, é claro. Agora que escrevo estas linhas, estamos na primavera, em meados de maio, o dia está esplêndido, e nossas janelas, abertas. Mamãe está sentada ao lado dele, que lhe acaricia as faces e os cabelos e olha-a bem nos olhos com ternura. Não é mais senão a metade do Viersílov de outrora; não deixa mais mamãe e não a deixará nunca mais. Recebeu mesmo "o dom das lágrimas", segundo a expressão do inesquecível Makar Ivânovitch, na sua história do comerciante; parece-me, aliás, que Viersílov viverá muito tempo. Conosco, mostra-se completamente simples e sincero como uma criança, sem perder aliás a medida, nem a contenção e sem nada dizer de excessivo. Continua com toda a sua inteligência e todo seu caráter moral, se bem que tudo quanto havia nele de ideal tenha-se tornado ainda mais saliente. Direi redondamente que jamais o amei tanto como hoje e lamento não ter tempo nem lugar para falar dele com mais detalhes. Entretanto contarei uma história recente (há muitas): por ocasião da Quaresma, já estava curado e na sexta semana declarou que comungaria. Havia uns trinta anos que não o fazia, creio, ou mais. Mamãe estava feliz; não se prepararam mais senão pratos abstinenciais, porém bastante caros e refinados. Do quarto contíguo, ouvia-o cantar, na segunda e na terça-feira: "Eis o noivo que vem" e entusiasmar-se com o canto e a letra. Naqueles dois dias falou admiravelmente e por várias vezes sobre a religião; mas na quarta-feira tudo foi interrompido. Dominou-o subitânea irritação, um contraste divertido, como dizia ele, rindo. Algo lhe desagradara no aspecto do padre, na cena; em todo o caso, ao voltar, disse de repente com um suave sorriso: "Meus amigos, amo muito a Deus, mas para aquilo não estou pronto". No mesmo dia, serviu-se rosbife ao jantar. Mas sei que muitas vezes, ainda agora, mamãe se senta ao lado dele, e com uma voz mansa, com um manso sorriso, aborda com ele os assuntos mais abstratos: agora foi ela tomada de não sei qual audácia diante dele. Como isso aconteceu, ignoro-o. Senta-se a seu lado e lhe fala, a maior parte das vezes em voz baixa. Ele escuta com um sorriso, acaricia-lhe os cabelos, beija-lhe as mãos e a mais perfeita felicidade brilha-lhe no rosto. Tem crises, algumas vezes, quase histéricas. Então, pega a fotografia dela, aquela que ele beijava na famosa noite, olha-a de olhos cheios de lágrimas, beija-a, recorda-se e nos chama a todos, mas nesses momentos fala pouco. Parece ter esquecido completamente Katierina Nikoláievna, não lhe disse o nome nem uma só vez. De seu casamento com mamãe, ainda não se cuidou. Queria-se, no verão, levá-lo ao estrangeiro; mas Tatiana Pávlovna insistiu para que nada disso se fizesse e aliás ele mesmo não quis. Passarão o verão no campo, em alguma parte, no distrito de Petersburgo. A propósito, vivemos todos no momento às custas de Tatiana Pávlovna. Acrescentarei uma coisa: sinto uma tristeza tremenda por ter-me, ao longo destas memórias, permitido muitas vezes tratar essa pessoa com irreverência e desdém. Mas escrevi representando-me por demais exatamente tal como era eu em cada um dos momentos descritos. Depois de ter terminado, escrita a derradeira linha, senti de repente que me havia reeducado a mim mesmo, precisamente por meio desse processo de evocação e de registro de minhas recordações. Renego muita coisa do que escrevi e sobretudo o tom de certas frases ou páginas, mas não quero apagar nem corrigir uma só palavra.

Disse que ele não se refere mais absolutamente a Katierina Nikoláievna: creio mesmo que ele esteja completamente curado. A respeito de Katierina Nikoláievna, Tatiana Pávlovna e eu somos os únicos a falar, e ainda assim em segredo. Katierina Nikoláievna encontra-se agora no estrangeiro; vi-a antes de sua partida e estive várias vezes em casa dela. Do estrangeiro, já recebi duas cartas suas, às quais respondi. Do conteúdo dessas cartas e dos assuntos que tratamos, ao deixar-nos antes de sua partida, nada direi: é outra história, toda nova, e que talvez esteja ainda toda inteira no futuro. Mesmo com Tatiana Pávlovna há certos assuntos que não trato; mas basta. Acrescentarei somente que Katierina Nikoláievna não casou e viaja com Pielíchtchev. Seu pai morreu e ela é a mais rica das viúvas. Encontra-se atualmente em Paris. Sua ruptura com Bioring ocorreu rapidamente e por si mesma, isto é, da maneira mais natural do mundo. Aliás, contarei isto.

Na manhã da terrível cena, o bexiguento, aquele mesmo para o qual haviam passado Trichátov e seu amigo, tivera tempo de avisar Bioring da conjura em preparo. Eis como tal se deu: Lambert tinha, apesar de tudo, decidido que ele havia de participar dela e, já de posse do documento, comunicara-lhe todos os detalhes e todas as circunstâncias do plano e por fim o derradeiro estado dele, isto é, a combinação por Viersílov para enganar Tatiana Pávlovna. Mas, no momento decisivo, o bexiguento preferiu trair Lambert, porque era o mais atilado de todos e previu naqueles projetos a possibilidade de um crime. E sobretudo, julgava a gratidão de Bioring infinitamente mais segura que o plano fantástico dum Lambert, exaltado e inábil, e de um Viersílov, quase louco de paixão. Tudo isso soube-o mais tarde de boca de Trichátov. A propósito, ignoro e não compreendo as relações que existiam entre Lambert e o bexiguento e por que Lambert não podia passar sem ele. Mas para mim a questão mais curiosa é esta: que necessidade tinha Lambert de Viersílov, quando, tendo o documento, podia perfeitamente prescindir de seu concurso? Agora, a resposta é clara: tinha necessidade de Viersílov primeiro porque ele conhecia as circunstância e sobretudo tinha necessidade de dinheiro, Lambert julgou seu concurso extremamente útil. Mas Bioring não chegou no momento devido. Chegou uma hora somente depois do tiro, quando o apartamento de Tatiana Pávlovna já apresentava um aspecto todo diverso. Com efeito, cinco minutos depois que Viersílov caiu sobre o tapete, todo ensanguentado. Lambert recuperou os sentidos e se levantou, quando todos o acreditávamos morto. Com espanto, lançou um olhar em redor, compreendeu tudo de súbito e dirigiu-se à cozinha sem dizer uma palavra, vestiu sua peliça e desapareceu para sempre. O documento ficara em cima da mesa. Ouvi dizer que Lambert nem chegou a adoecer, esteve apenas um pouco dolorido; o golpe derrubara-o e provocara uma efusão de sangue, sem acarretar nenhum mal. Entretanto Trichátov já havia corrido a chamar o doutor; mas antes da chegada do doutor, Viersílov havia recuperado os sentidos e, ainda antes dele, Tatiana Pávlovna havia chamado à vida Katierina Nikoláievna e conseguira reconduzi-la à sua casa. Assim, quando Bioring chegou correndo à nossa casa, só havia em casa de Tatiana Pávlovna eu, o doutor, Viersílov ferido e mamãe, ainda doente, mas que viera por si mesma atrás dele, chamada por aquele mesmo Trichátov. Bioring olhou com espanto e, assim que soube que Katierina Nikoláievna já havia partido, seguiu para a casa dela, sem ter pronunciado em nossa casa uma só palavra.

Estava perturbado; via claramente que doravante o escândalo e a publicidade eram quase inevitáveis. Não houve entretanto escândalo, mas correram somente boatos. Sem dúvida foi impossível ocultar o tiro, mas toda a história, na sua parte essencial, ficou mais ou menos ignorada; o inquérito estabeleceu somente que um tal V***, amoroso, aliás casado e quase quinquagenário, num acesso de paixão e no momento em que declarava essa paixão a uma pessoa digna do maior respeito, mas que não partilhava absolutamente de seus sentimentos, dera um tiro em si mesmo num acesso de loucura. Não se soube de mais nada e foi sob essa forma que a notícia passou obscuramente nos jornais, sem nomes próprios, com apenas as iniciais. Sei por exemplo que Lambert jamais foi inquietado. Não obstante, Bioring, que sabia da verdade, teve grande medo. Como por acaso, soubera subitamente da entrevista que se realizara entre Katierina Nikoláievna e Viersílov, apaixonado por ela, dois dias antes da catástrofe. Ficou cheio de raiva e teve a audácia, bastante imprudente, de observar a Katierina Nikoláievna que, depois disso, não lhe causava espanto que pudessem ocorrer histórias tão fantásticas. Katierina Nikoláievna significou-lhe imediatamente sua despedida, sem cólera, mas sem hesitação. Todo o seu preconceito sobre a oportunidade de um casamento com aquele homem esvaneceu-se como um vapor. Talvez que, já muito tempo antes, tivesse percebido quem ele fosse; talvez que também, depois do abalo sofrido, tenham bruscamente mudado alguns de seus pontos de vista e de seus sentimentos. Mas ainda a este respeito, calo-me. Acrescentarei somente que Lambert fugiu para Moscou e soube que ali se deixou apanhar num outro negócio. Quanto a Trichátov, há muito tempo, mais ou menos, desde a mesma época, que o perdi de vista, apesar de todos os esforços que continuo a fazer para encontrá-lo. Desapareceu depois da morte de seu amigo *le grande dadais*, que deu um tiro na cabeça.

II

Mencionei a morte do velho Príncipe Nikolai Ivânovitch. Aquele bom e simpático ancião morreu pouco depois do acontecimento, cerca de um mês, à noite, no seu leito, vítima dum ataque de apoplexia. Desde o dia que passara em meu apartamento, não o havia mais tornado a ver. Contava-se dele que, no decorrer daquele mês, se tornara infinitamente mais discreto, até mesmo mais sério, não tinha mais medo e não chorava mais, não tendo mesmo, durante todo aquele tempo, pronunciado uma só palavra a respeito de Anna Andriéievna. Todo o seu amor concentrara-se em sua filha. Justamente uma semana antes de sua morte, propusera-lhe Katierina Nikoláievna chamar-me para distraí-lo, mas havia franzido as sobrancelhas:

reproduzo o fato sem outra explicação. Suas terras encontraram-se em bom estado e além disso possuía um capital bastante vultoso. Cerca de um terço desse capital teve de ser, de acordo com o testamento do ancião, distribuído entre suas inúmeras afilhadas; mas causou grande admiração a toda gente que Anna Andriéievna nem aos menos tivesse sido mencionado nesse testamento: seu nome estava ausente dele. Eis entretanto o que sei, como fato absolutamente certo: alguns dias somente antes de sua morte, o velho, que mandara chamar sua filha e seus amigos, Pielí-chtchev e o Príncipe V***, ordenou a Katierina Nikoláievna, no caso possível de seu fim próximo, que retirasse daquele capital uma parte de sessenta mil rublos para Anna Andriéievna. Exprimiu sua vontade de maneira nítida, breve e precisa, sem se permitir uma só exclamação nem qualquer comentário. Depois de sua morte, quando tudo se esclareceu, Katierina Nikoláievna informou a Anna Andriéievna, por intermédio de seu agente de negócios, que poderia receber aqueles sessenta mil rublos, quando quisesse; mas Anna Andriéievna, secamente e sem palavras inúteis, declinou da oferta: recusou-se a receber o dinheiro, apesar de todas as garantias de que tal era efetivamente a vontade do príncipe. O dinheiro continua guardado e ainda agora Katierina Nikoláievna espera que ela mude de opinião; mas tal não se dará e sei disso com certeza, porque sou hoje um dos mais próximos amigos de Anna Andriéievna. Sua recusa causou alguma sensação e falou-se disso. Sua tia Fanariótova, a princípio descontente por causa de seu escândalo com o velho prín-cipe, mudou de repente de opinião e, após sua recusa do dinheiro, manifestou-lhe solenemente seu respeito. Em contraposição, seu irmão rompeu definitivamente com ela por causa dessa mesma recusa. Mas, se bem que vá muitas vezes à casa de Anna Andriéievna, não saberia dizer que tenhamos uma grande intimidade; a res-peito do passado, não conversamos nunca; recebe-me de muito boa-vontade, mas fala-me um tanto abstratamente. Entre outras coisas, declarou-me com firmeza que estava decidida a fazer-se freira; foi não há muito tempo; mas não creio que tal se dê e só vejo nisso uma explosão de amargura.

Mas verdadeira explosão de amargura é sobretudo a propósito de minha irmã Lisa que devo pronunciar. Desgraça é a sua e de que valem todos os meus fra-cassos ao lado de seu destino amargo? Primeiro, o Príncipe Sierguiéi Pietróvitch não se curou e, antes do julgamento, morreu no hospital. Morreu antes do Príncipe Ni-kolai Ivânovitch. Lisa ficou só, com o filho a nascer. Não chorava e parecia mesmo calma; tornou-se mansa, submissa; mas todo o ardor antigo de seu coração estava como que enterrado no seu íntimo. Ajudava humildemente mamãe, cuidava de Andriéi Pietróvitch doente, mas tornou-se terrivelmente taciturna, não querendo mais nada olhar, nem ninguém, como se tudo lhe fosse indiferente, como se nada lhe importasse. Quando Viersílov melhorou, começou a dormir muito. Eu levava--lhe livros, ela, porém, não os lia. Emagreceu de fazer medo. Não ousava consolá-la, se bem que muitas vezes fosse ter com ela com esta intenção; mas em sua presença tinha uma espécie de dificuldade em aproximar-me dela e as palavras não me vi-nham para abordar esse assunto. Isso durou até um terrível acidente: caiu de nossa escada, não do alto, de três degraus apenas, mas teve um mau sucesso e sua doença prolongou-se por quase todo o inverno. Agora já está de pé, mas sua saúde não se restabelecerá por muito tempo após semelhantes golpe. Continua, como sempre, silenciosa conosco e pensativa, mas com mamãe recomeçou a conversar um pouco.

Durante todos estes dias temos tido um maravilhoso sol de primavera, alto e claro, e relembrava sempre no meu íntimo aquela manhã ensolarada em que, no outono passado, nós passeávamos juntos, ambos alegres e cheios de esperança, amorosos um do outro. Ai!, que se passou depois? Não me queixo. Para mim começou uma nova vida. Mas para ela? Seu futuro é um enigma e não posso olhá-la sem dor.

Há três semanas, consegui, no entanto, interessá-la, falando-lhe de Vássin. Foi afinal absolvido e posto em liberdade definitivamente. Aquele homem cheio de senso forneceu, dizem, as explicações mais precisas e as informações mais interessantes, que o justificaram inteiramente na opinião das pessoas de que dependia sua sorte. Aliás, verificou-se que seu famoso manuscrito não passava de uma tradução do francês, material que reunia exclusivamente para si, contando tirar dele mais tarde um útil artigo para revista. Partiu agora para a província de...; quanto a seu padrasto Stiebielhkov, está na prisão ainda por causa de seu processo, que, segundo o que soube, só tem feito crescer e embelezar. Lisa soube dessas notícias de Vássin, com um sorriso estranho e deu-me a entender que era o que devia acontecer-lhe. Mas estava visivelmente contente: sem dúvida pelo fato de não ter a intervenção do falecido Príncipe Sierguiéi Pietróvitch prejudicado Vássin. De Diergatchov e dos outros, nada tenho a dizer aqui.

Terminei. Alguns leitores haveriam talvez de querer saber mais alguma coisa: que aconteceu à minha ideia, que vida nova é essa que começou para mim e de que falo tão misteriosamente? Mas esta nova vida, esta via nova que se abre diante de mim, é justamente minha ideia, a mesma de outrora, mas sob uma forma bem diversa, a ponto de não ser mais reconhecida. Tudo isto não pode entrar nestas memórias, porque é coisa totalmente diferente. A antiga vida está acabada e a nova só agora é que começa. Acrescentarei, no entanto, o indispensável. Tatiana Pávlovna, minha amiga sincera e amada, insiste comigo quase todos os dias para que entre decididamente e o mais depressa possível para a Universidade: "Em seguida, quando tiveres terminado teus estudos, verás o que tens a fazer. No momento, acaba teus estudos." Confesso que esta proposta me faz refletir, mas ignoro totalmente a decisão que tomarei. Objetei-lhe, no entanto, que agora não tenho nem mesmo mais o direito de estudar, porque devo trabalhar para sustentar mamãe e Lisa. Ela, porém, me oferece sua fortuna e assegura-me que será suficiente para todo o tempo de meus estudos. Resolvi finalmente pedir conselho a alguém. Depois de ter olhado bem em redor de mim, escolhi esse homem com cuidado e crítica. É Nikolai Siemiônovitch, meu antigo professor de Moscou, o marido de Maria Ivânovna. Não que tenha eu tal necessidade de conselhos; mas tive muito simplesmente uma vontade irresistível de saber a opinião daquele egoísta absolutamente imparcial e mesmo um pouco frio, mas incontestavelmente inteligente. Enviei-lhe meu manuscrito completo, pedindo-lhe segredo, porque não o havia mostrado ainda a ninguém, sobretudo não a Tatiana Pávlovna. O manuscrito voltou-me quinze dias mais tarde, acompanhado duma carta bastante longa. Darei somente alguns extratos dessa carta, porque acho nela certa opinião geral que tem um valor explicativo. Eis esses extratos.

III

"... Meu inesquecível Arkádi Makárovitch: você jamais pode empregar mais utilmente seus lazeres passageiros do que o fez agora, escrevendo essas Memórias! Forneceu a si mesmo, por assim dizer, um relatório meditado de seus primeiros passos, tempestuosos e arriscados, na carreira da vida. Creio firmemente que essa exposição lhe permitiu, com efeito, em muitos pontos, refazer sua educação, como você mesmo diz. Não me permitirei a menor crítica verdadeira, se bem que cada página provoque reflexões... por exemplo, esse fato de você ter por tanto tempo e tão teimosamente guardado em sua casa o documento é característico no mais alto grau... Mas isto não passa de uma observação entre centenas, que tomei a liberdade de fazer. Aprecio muito, igualmente, por você ter-se decidido a me comunicar, e sem dúvida só a mim, o mistério de sua ideia, segundo sua própria expressão. Mas quando me pede que lhe dê a conhecer minha opinião a respeito dessa ideia, sou obrigado a recusar-me categoricamente: primeiro, não caberia numa carta; depois, não estou preparado para responder e tenho ainda necessidade de digerir tudo isso. Observarei somente que sua ideia se distingue pela sua originalidade, ao passo que os jovens da geração atual se lançam na maior parte das vezes em ideias já feitas, que não nascem deles, cujo número é extremamente reduzido e que são muitas vezes perigosas. Sua Ideia preservou-o por exemplo, pelo menos por algum tempo, das dos Senhores Diergatchov e Cia., que são seguramente menos originais. Enfim, estou completamente de acordo com a opinião da estimadíssima Tatiana Pávlovna, que conheci pessoalmente, mas que não tivera até aqui ocasião de apreciar como merece. Sua ideia de fazê-lo entrar para a Universidade será para você eminentemente benéfica. Sem nenhuma dúvida, a ciência e a vida alargarão ainda, em três ou quatro anos, o horizonte de seu pensamento e de suas aspirações, e se, após a Universidade, quiser você voltar ainda à sua ideia, nada lho impedirá.

"Permita-me agora, sem que me haja pedido, que lhe exponha francamente certas reflexões ou impressões que me vieram à leitura dessas memórias tão sinceras. Sim, estou de acordo com Andriéi Pietróvitch de que havia realmente que temer a respeito de você e de sua juventude isolada. Há muitos rapazes como você, e sua inteligência, está com efeito sempre ameaçada de desenvolver-se do mau lado: subserviência à Moltchálin,[140] ou então desejo oculto da desordem. Esse desejo da desordem provém, e mesmo a maior parte das vezes talvez, duma sede secreta de ordem e de beleza (emprego a sua palavra). A juventude é pura pelo simples fato de ser juventude. Talvez esses arrebatamentos tão precoces de loucura encerrem justamente essa sede de ordem e essa busca da verdade. De quem a culpa, se certos jovens de nossa época veem essa verdade e essa ordem em coisas tão tolas e tão ridículas que não se compreende mesmo como eles podem ter acreditado nelas! Direi a este propósito que outrora, numa época que não está tão distante, o espaço de uma geração somente, era possível ter menos piedade por esses interessantes jovens, porque então acabavam quase sempre por se agregar com êxito à camada superior de nossa sociedade culta, formando um todo com ela. Se, por exemplo, no começo do caminho, davam-se conta da desordem e do absurdo, da ausência de nobreza de seu meio familiar, da ausência de tradições e de belas formas, pois bem, era

---

140   Personagem da já citada comédia de Griboiédov.

tanto melhor, porque em seguida aspiravam conscientemente a todas essas coisas e se habituavam por isso mesmo a apreciá-las. Agora, as coisas se passam um tanto diferentemente, porque não se sabe mais a quem se agregar.

"Vou me explicar com a ajuda duma comparação ou, se se quiser, de uma similitude. Se fosse romancista e se tivesse talento, escolheria sempre meus heróis na velha nobreza russa, porque é somente nesse meio de homens cultos que se pode encontrar a bela ordem e a bela impressão que se mostram tão necessárias num romance para dar ao leitor o sentimento do que é distinto. Falando assim, não estou brincando, se bem que não seja eu mesmo nobre, como você sabe, aliás. Púchkin já havia anunciado os assuntos de seus futuros romances, em *As tradições de uma família russa*, e, acredite, há realmente aí tudo quanto temos tido até agora de belo. Há aí, pelo menos, tudo quanto temos tido de um pouco perfeito. Se falo assim, não é que esteja absolutamente de acordo com a exatidão e a verdade dessa beleza; mas havia aí, por exemplo, formas perfeitas de honra e de dever que, fora da nobreza, não estão em parte alguma da Rússia não somente perfeitas, mas nem mesmo esboçadas. Falo como homem calmo e que procura a calma.

"É boa essa honra, é verdadeiro esse dever? É outra questão. Mas o importante para mim é o caráter perfeito dessas formas, é certa ordem, não prescrita, mas emanando da vida dessa nobreza. Meu Deus, o que nos importa mais é ter enfim uma ordem, qualquer que ela seja, mas bem nossa! Nisto reside a esperança e, por assim dizer, o repouso: algo enfim de construído, que não seja mais essa eterna demolição, esses cavacos que voam por toda parte, esses resíduos e essas porcarias donde nada sai desde, dentro em pouco, duzentos anos.

"Não me acuse de eslavofilia; falo unicamente por misantropia, porque tenho o coração pesado! Desde algum tempo, assistimos a um movimento absolutamente oposto ao que acabo de descrever. Não é mais a porcaria que sobe até a camada superior da sociedade, são pelo contrário pedaços e blocos que se destacam, com uma pressa jovial, do tipo da beleza para não formar senão um mesmo montão com os homens da desordem e do ódio. Não são isolados os casos em que os pais e os chefes de velhas famílias cultas zombam agora de coisas nas quais, talvez, seus filhos quisessem ainda crer. Ainda por cima, ninguém se coíbe de ocultar a seus filhos sua alegria ávida de ter subitamente adquirido o direito à desonra, direito de que de repente se apropriaram em massa e não sei como. Não quero falar dos verdadeiros progressistas, meu caríssimo Arkádi Makárovitch, mas desse montão, inumerável hoje, a propósito do qual se disse: *Gattez le Russe, et vous verrez le Tartare*.[141] Acredite, os verdadeiros liberais, os verdadeiros e generosos amigos da humanidade, estão longe de ser tão numerosos entre nós quanto nos pareceu de repente.

"Mas tudo isso é... filosofia. Voltemos ao nosso romancista imaginário. A situação de nosso romancista, naquele caso, seria bem determinada; não poderia escrever senão no gênero histórico, porque a beleza-tipo não existe mais em nossa época, e, se restam destroços dela, segundo a opinião hoje dominante, não lhe conservaram a beleza. Decerto, no gênero histórico também, pode-se representar uma multidão de detalhes ainda extremamente agradáveis e consoladores! Pode-se mesmo tão bem cativar o leitor que ele tomará um quadro histórico por uma

---

141 Raspai o russo e vereis o tártaro.

realidade ainda possível hoje. Essa obra, com a condição de ter um grande talento, pertenceria menos à literatura russa que à história. Seria um quadro, esteticamente acabado, da miragem russa, que existiu realmente até o dia em que se percebeu que era uma miragem. O neto dos heróis do quadro representando uma família russa de mediana cultura durante três gerações e em relação com a história russa, esse descendente de seus antepassados, não poderia mais ser figurado, no seu tipo contemporâneo, de outro modo que não como um misantropo, um isolado e um triste. Mesmo ainda, deveria ser uma espécie de original, do qual o leitor poderia julgar, à primeira vista, que se afastou do caminho batido e que lhe falta o solo aos pés. Ainda um pouco e esse neto misantropo desaparecerá por sua vez; virão novos personagens, ainda desconhecidos, e nova miragem; mas que personagens? Se não são belos, não há mais romance russo possível. Mas ai!, será somente o romance que se tornará então impossível?

"Sem ir procurar mais longe, voltarei a seu manuscrito. Olhe por exemplo as duas famílias do Senhor Viersílov (permita-me, por esta vez, ser completamente franco). Em primeiro lugar, não me estenderei a respeito do próprio Andriéi Pietróvitch; apesar de tudo, é ainda assim um pai de família. É um nobre de velhíssima raça e ao mesmo tempo um *communard* de Paris[142]. É um verdadeiro poeta que ama a Rússia, mas por outra parte a nega. Não tem religião, mas está pronto a morrer quase, por não sei que de indeterminado que é incapaz de nomear, mas em que crê apaixonadamente, a exemplo de uma multidão de nossos civilizadores europeus do período petersburguês da história da Rússia. Mas basta a respeito dele; tomemos sua verdadeira família: de seu filho não falarei, não merece esta honra. Os que tem olhos sabem de antemão como acabarão esses desmiolados e aonde conduzirão os outros. Mas tomemos sua filha, Anna Andriéievna; eis uma moça de caráter, não é? É um personagem que tem as dimensões da mãe Mitrofánia,[143] naturalmente sem nada predizer-lhe de criminoso, o que seria verdadeiramente injusto de minha parte. Diga-me agora, Arkádi Makárovitch, que essa família é uma exceção e eu me regozijarei. Mas pelo contrário, não seria mais justo concluir que há já uma multidão dessas famílias russas, incontestavelmente nobres, que se transformam, em massa, com uma força irresistível, em famílias de acaso e que se misturam com estas últimas no caos e na desordem geral? Você esboça no seu manuscrito o tipo de uma dessas famílias de acaso. Sim, Arkádi Makárovitch, você é um membro duma família de acaso, em oposição aos tipos ainda recentes de filhos nobres que tiveram uma infância e uma adolescência tão diferentes das suas.

"Confesso, não quereria ser o romancista de um herói duma família de acaso.

"Labor ingrato e sem beleza. Esses tipos, em todo o caso, são ainda da vida corrente e por conseguinte não podem ser esteticamente perfeitos. Graves erros são possíveis, exageros, esquecimentos. Em todo o caso, teríamos de adivinhar demais. Que deve fazer, apesar de tudo, o escritor que não se quer limitar ao gênero histórico, que é possuído do desejo do atual? Adivinhar e... enganar-se.

---

142   Partidário da Comuna de Paris, poder revolucionário instalado depois do levantamento do estado de sítio desta cidade, pelos prussianos, e a insurreição do 18 de março de 1871.

143   Abadessa de um convento de Sierpúkhov, nascida Baronesa Rosen. Perseguida por causa de certas práticas médicas ilegais, foi condenada a três anos de exílio na Sibéria.

"Entretanto, Memórias como as suas poderiam, creio, servir de materiais para uma futura obra de arte, um futuro quadro, desordenado, mas duma época já passada. Decerto, quando a atualidade tiver passado e vier o futuro, o artista vindouro descobrirá formas belas até mesmo para figurar a desordem e o caos passados. Então serão necessárias Memórias como as suas; fornecerão materiais, contanto que sejam sinceras, a despeito de seu caráter caótico e fortuito... Subsistirão pelo menos alguns traços verídicos, que permitirão adivinhar o que pode ocultar-se na alma de tal ou tal adolescente do tempo das perturbações, inquérito que não é absolutamente desprezível, pois que são os adolescentes que formam uma geração..."

Os irmãos Karamázovi

Os irmãos Karamázovi[1]
(1879)

A Anna Grigórievna Dostoiévskaia[2]
Em verdade, em verdade vos digo que se o grão de trigo que cai na terra
não morrer, fica infecundo: mas se morrer, produz muito fruto.
SÃO JOÃO, *cap. XII, vers. 24 e 25*

Prefácio

Ao começar a biografia de meu herói, Alieksiéi Fiódorovitch, sinto-me um tanto perplexo. Com efeito, se bem que o chame meu herói, sei que ele não é um grande homem; prevejo também perguntas deste gênero: "Em que é notável Alieksiéi Fiódorovitch, para que tenha sido escolhido como seu herói? Que fez ele? Quem o conhece e por quê? Tenho eu, leitor, alguma razão para consagrar meu tempo a estudar-lhe a vida?"

A derradeira pergunta é a mais embaraçosa, porque só lhe posso responder dizendo: "Talvez o senhor mesmo descubra isso no romance". Mas se o lerem, sem achar que meu herói é notável? Digo isto, porque prevejo, infelizmente, a coisa. A meus olhos, ele é notável, mas duvido bastante de que consiga convencer o leitor. O fato é que ele age, seguramente, mas de uma maneira vaga e obscura. Aliás, seria estranho, em nossa época, exigir clareza das pessoas! Uma coisa, no entanto, está fora de dúvida: é um homem estranho, até mesmo um original. Mas a estranheza e a originalidade prejudicam, em lugar de conferir um direito à atenção, sobretudo quando todo mundo se esforça por coordenar as individualidades e destacar um sentido geral do absurdo coletivo. O original, na maior parte dos casos, é o indivíduo que se põe de parte. Não é verdade?

No caso de me contradizerem, a propósito deste último ponto, dizendo: "Não é verdade", ou "não é sempre verdade", retomo coragem a respeito do valor de meu herói. Porque não somente o original não é "sempre" o indivíduo que se põe de parte, mas acontece-lhe deter a quinta-essência do patrimônio comum, enquanto que seus contemporâneos o repudiaram por algum tempo.

Aliás, em vez de engajar-me nessas explicações destituídas de interesse e confusas, teria começado bem simplesmente, sem prefácio — se minha obra agradar, hão de lê-la —, mas a desgraça está em que, além de uma biografia, tenho dois romances. O principal é o segundo, é a atividade de meu herói em nossa época, no momento presente. O primeiro desenrola-se há treze anos, para dizer a verdade, é apenas um momento da primeira juventude do herói. É indispensável, porque, sem ele, muitas coisas ficariam incompreensíveis no segundo. Mas isto só faz aumen-

---

1 Plural russo de Karamázov. Nome forjado, composto provavelmente do substantivo *kara*, castigo, punição, e do verbo *mázat*, sujar, pintar, não acertar. Seria, simbolicamente, aquele que com o seu comportamento desacertado provoca a própria punição.

2 Segunda esposa de Dostoiévski. A companhia e a dedicação dessa mulher lhe permitiram a calma e a estabilidade necessárias à realização de seus últimos e melhores romances.

tar o meu embaraço: se eu, biógrafo, acho que um romance teria bastado para um herói tão modesto e vago, como apresentar-me com dois e justificar tal pretensão?

Desesperando de resolver essas questões, deixo-as em suspenso. Naturalmente, o leitor perspicaz já adivinhou que tal era meu fim desde o começo e leva-me a mal que perca um tempo precioso em palavras inúteis. Ao que responderei que o fiz por polidez, e em seguida por astúcia, a fim de que se fique prevenido de antemão. Além do mais, folgo que meu romance se divida por si mesmo em duas narrativas, "contudo conservando sua unidade integral"; depois de ter tomado conhecimento do primeiro, o leitor verá por si mesmo se vale e pena abordar o segundo. Sem dúvida, cada qual é livre; pode-se fechar o livro desde as primeiras páginas da primeira narrativa para não mais abri-lo. Mas há leitores delicados que querem ir até o fim, para não deixar de ser imparciais; tais são, por exemplo, todos os críticos russos. Sente-se a gente de coração mais leve para com eles. Malgrado sua consciência metódica, forneço-lhes um argumento dos mais fundamentados para abandonar a narrativa no primeiro episódio do romance. Eis terminado o meu prefácio. Convenho que é supérfluo, mas, já que está escrito, deixemo-lo.

E agora, comecemos.

O Autor.

Primeira Parte

Livro I / História de uma família

I / Fiódor Pávlovitch Karamázov

Alieksiéi Fiódorovitch Karamázov era o terceiro filho de um proprietário de terras de nosso distrito, Fiódor Pávlovitch, tão conhecido em seu tempo (dele se lembram, aliás, ainda) pelo seu fim trágico, ocorrido há treze anos e de que falarei mais adiante. No momento, vou me limitar a dizer desse "proprietário" (chamavam-no assim, se bem que jamais tivesse morado em "propriedade") que era o tipo estranho, embora bastante frequente, da criatura vil e corrompida ao mesmo tempo que absurda. Sabia arranjar perfeitamente seus negócios proveitosos, mas nada mais. Fiódor Pávlovitch, por exemplo, começou quase do nada: era um modesto proprietário, gostando muito de jantar em casa dos outros, com fama de parasita. E no entanto, ao morrer, possuía mais de cem mil rublos em metal sonante. Isto não o impediu de ser, durante sua vida, um dos piores malucos de nosso distrito. Repito, não se trata de estupidez — a maior parte desses malucos é bastante inteligente e astuta — mas de extravagância específica e nacional.

Foi casado duas vezes e teve três filhos; o mais velho, Dimítri, da primeira mulher, e os dois outros, Ivan e Alieksiéi, da segunda. Sua primeira mulher pertencia a uma família nobre, os Miúsovi, proprietários bastante ricos do mesmo distrito. Como pôde uma moça tendo um dote, bonita e além do mais viva e espirituosa, tal como se encontra muito entre nossas contemporâneas, casar com tão nulo "doidelo" (era assim que o chamavam)? Acho inútil explicar demasiado longamente. Conheci uma jovem, da penúltima geração "romântica", que, após vários anos de amor misterioso por um senhor, com o qual poderia casar-se bem tranquilamente, acabou imaginando obstáculos intransponíveis a esse casamento. Numa noite de tempestade precipitou-se, do alto de um penhasco, num rio impetuoso e profundo, e pereceu vítima de sua imaginação, unicamente para parecer-se com a Ofélia de Shakespeare. Se aquele penhasco, de que ela gostava particularmente, tivesse sido menos pitoresco ou substituído por uma margem chata e prosaica, ela não teria, sem dúvida, se suicidado. O fato é autêntico e creio que entre as duas ou três últimas gerações russas houve numerosos casos análogos. Do mesmo modo, a decisão que Adelaida Miúsova tomou foi sem dúvida o eco de influências estrangeiras, a exasperação de uma alma cativa. Queria talvez afirmar sua independência de mulher, protestar contras as convenções sociais, contra o despotismo de sua família. Sua imaginação complacente pintou-lhe — por um curto momento — Fiódor Pávlovitch, apesar de sua reputação de papa-jantares, como um dos personagens mais ousados e mais maliciosos daquela época em via de melhoramento, quando ele era, muito simplesmente, um pregador de más peças. O picante da aventura foi um rapto que encantou Adelaida Ivânovna. A situação de Fiódor Pávlovitch dispunha-o então a semelhantes proezas; estava louco por abrir caminho a qualquer preço: introduzir-

-se em uma boa família e receber um dote era bastante atraente. Quanto ao amor, não se cuidava disso nem de um lado nem de outro, apesar da beleza da moça. Esse episódio foi provavelmente único na história de Fiódor Pávlovitch, grande amador do belo sexo, a vida inteira, sempre pronto a agarrar-se a qualquer saia, contanto que ela lhe agradasse. Ora, aquela mulher foi a única que não exerceu sobre ele atração nenhuma do ponto de vista sensual.

Adelaida Ivânovna não tardou a verificar que só sentia desprezo pelo seu marido. Nestas condições, as consequências do matrimônio não se fizeram esperar. Se bem que a família se tivesse resignado bem depressa ao acontecido e remetido seu dote à fugitiva, uma existência desordenada e cenas contínuas começaram. Conta-se que a jovem senhora mostrou-se muito mais nobre e mais digna do que Fiódor Pávlovitch, que lhe escamoteou desde o começo, como se soube mais tarde, todo seu capital, vinte e cinco mil rublos, de que ela não mais ouviu falar. Durante algum tempo ele fez tudo para que sua mulher lhe transmitisse, por um documento em boa e devida forma, uma pequena aldeia e uma casa de cidade bastante bonita, que faziam parte de seu dote. Teria certamente logrado isso, tanto era o desprezo e desgosto que lhe causava com suas extorsões e exigências descaradas, levando-a por lassidão a dizer "sim". Por felicidade, a família dela interveio e refreou a rapacidade de seu marido. É notório que os esposos chegavam frequentemente à troca de pancadas e pretende-se que não era Fiódor Pávlovitch quem as dava, mas Adelaida Ivânovna, mulher arrebatada, atrevida, morena irascível, dotada de estupendo vigor. Por fim abandonou a casa e fugiu com um seminarista que não tinha onde cair morto, deixando a cargo do marido um menino de três anos, Mítia. Fiódor Pávlovitch não tardou em transformar sua casa num harém e em organizar pândegas e bebedeiras. Entrementes, percorria toda a província, lamentando-se com todos da deserção de Adelaida Ivânovna, com pormenores chocantes sobre sua vida conjugal. Parecia achar prazer em representar diante de todo mundo o papel ridículo de marido enganado, em pintar seu infortúnio, carregando as cores. "É caso de pensar que você subiu de grau, Fiódor Pávlovitch, tão contente se mostra, apesar da aflição", diziam-lhe os trocistas. Muitos ajuntavam que ele se sentia feliz em mostrar-se na sua nova atitude de bufão e que, de propósito, para fazer rir mais, fingia não notar sua situação cômica. Quem sabe, aliás, fosse ingenuidade de sua parte? Por fim, conseguiu descobrir a pista da fugitiva. A desgraçada achava-se em Petersburgo, para onde fora com seu seminarista e onde começara a agir publicamente com a maior liberdade. Fiódor Pávlovitch começou a se agitar e preparou-se para partir — com que fim? — ele mesmo não sabia nada. Talvez tivesse verdadeiramente feito a viagem a Petersburgo, mas, tomada esta decisão, achou que tinha o direito, para se dar coragem, de embriagar-se desenfreadamente. Enquanto isto, soube a família de sua mulher da morte desta, em Petersburgo. Morrera de repente, num pardieiro, de febre tifoide, dizem uns, de fome, segundo outros. Fiódor Pávlovitch estava bêbedo, quando lhe anunciaram a morte de sua mulher; conta-se que correu para a rua e se pôs a gritar, na sua alegria, de braços levantados para o céu: "Agora, deixa morrer o teu servo."[3] Outros pretendem que soluçava como uma criança, a ponto de causar pena vê-lo, malgrado a aversão que inspirava. Pode dar-se que ambas as

---

3 São Lucas, c. II, v. 29.

versões sejam verdadeiras, isto é, que se regozijou com sua libertação, chorando a sua libertadora. Bem muitas vezes as pessoas, mesmo más, são mais ingênuas, mais simples do que o pensamos. Nós também, aliás.

II / KARAMÁZOV LIVRA-SE DE SEU PRIMEIRO FILHO

Pode-se bem imaginar que pai e que educador seria tal homem. Como era de prever, desinteressou-se totalmente do filho que tivera de Adelaida Ivânovna, não por animosidade ou rancor conjugal, mas simplesmente porque se esquecera dele por completo. Enquanto importunava todos com suas lágrimas e suas queixas e fazia de sua casa um antro de corrupção, foi o pequeno Mítia recolhido por Grigóri, um servidor fiel; se este não tivesse tomado conta dele, o menino não teria tido talvez nem mesmo quem lhe trocasse as fraldas. Além disso, sua família por parte de mãe pareceu esquecê-lo. Seu avô morrera, sua avó, estabelecida em Moscou, era muito doente e sua tias haviam-se casado, de modo que Mítia teve de passar quase um ano em casa de Grigóri e morar em sua isbá. Aliás, se seu pai se tivesse lembrado dele (de fato não podia ignorar sua existência), teria mandado o menino de volta para a isbá, para não ser incomodado nas suas orgias. Mas, entrementes, chegou de Paris o primo da falecida Adelaida Ivânovna, Piotr Alieksándrovitch Miúsov, que devia, mais tarde, passar muitos anos no estrangeiro. Naquela época, era ainda bastante moço e se distinguia de sua família pela sua cultura, sua estada na capital e no estrangeiro. Tendo sempre tido a mentalidade ocidental, tornou-se, para o fim de sua vida, um liberal à moda dos anos de 40 e 50. No curso de sua carreira, esteve em relações com numerosos ultraliberais, na Rússia e no estrangeiro, conheceu pessoalmente Proudhon e Bakunin.[4] Gostava de evocar os três dias da Revolução de Fevereiro de 1848,[5] em Paris, dando a entender que chegara mesmo a tomar parte nas barricadas. Era uma das melhores recordações de sua juventude. Possuía uma fortuna independente, cerca de mil almas,[6] para contar à moda antiga. Sua soberba propriedade encontrava-se nas proximidades de nossa cidadezinha e se limitava com as terras de nosso famoso mosteiro. Logo de posse de sua herança. Piotr Alieksándrovitch iniciou contra os monges um processo interminável, por causa de certos direitos de pesca ou de corte de madeira, não sei mais ao certo, mas achou de seu dever, na qualidade de cidadão esclarecido, processar os "clericais". Tendo sabido das desgraças de Adelaida Ivânovna, de quem se lembrava, e posto ao corrente da existência de Mítia, meteu-se no caso, malgrado sua indignação juvenil e seu desprezo por Fiódor Pávlovitch. Foi então que o viu pela primeira vez. Declarou-lhe abertamente sua intenção de encarregar-se da educação do menino. Muito tempo depois, contava, como traço característico, que Fiódor Pávlovitch, quando se tratou de Mítia, pareceu um momento não compreender absolutamente de qual filho se tratava e até mesmo admirar-se de ter um menino em alguma parte, em sua casa. Mesmo exagerado, o relato de Piotr Alieksándrovitch estava próximo da verdade.

4   Pierre Joseph Proudhon (1809-1865), socialista francês, autor de teorias famosas sobre a propriedade. Mikhail Bakunin (1814-1876), filósofo russo, um dos chefes da I Internacional.

5   Alusão à sublevação, em Paris, que destronou Luís Felipe (24-II-1848).

6   Servos da gleba. Calculava-se a riqueza dos proprietários rurais pelo número de "almas" que eles possuíam.

Efetivamente, Fiódor Pávlovitch gostou toda a sua vida de tomar atitudes, de representar um papel, por vezes sem necessidade nenhuma, e mesmo em detrimento seu, como naquele caso particular. É, aliás, um traço especial de muitas pessoas, mesmo inteligentes. Piotr Alieksándrovitch levou a coisa a sério e foi até nomeado tutor do menino (juntamente com Fiódor Pávlovitch), uma vez que a mãe dele deixara uma casa e terras. Mítia foi morar em casa daquele primo que não tinha família. Com pressa de regressar a Paris, depois de haver regularizado seus negócios e assegurado o pagamento de sua rendas, confiou o menino a uma de suas tias que morava em Moscou. Mais tarde, tendo-se aclimatado na França, esqueceu do menino, sobretudo quando estourou a Revolução de Fevereiro, que lhe impressionou a imaginação para o resto de seus dias. Tendo morrido a tia que morava em Moscou, Mítia foi recolhido por uma de suas filhas casadas. Mudou, ao que parece, pela quarta vez, de lar. Não me alongo a este respeito no momento, tanto mais quanto ainda muito se falará desse primeiro rebento de Fiódor Pávlovitch, e limito-me aos detalhes indispensáveis, sem os quais é impossível começar o romance.

Em primeiro lugar, esse Dimítri foi o único dos três filhos de Fiódor Pávlovitch que cresceu com a ideia de que tinha alguma fortuna e seria independente ao atingir a maioridade. Sua infância e sua juventude foram agitadas: deixou o ginásio antes do termo, entrou em seguida para uma escola militar, partiu para o Cáucaso, serviu no Exército, foi degradado por haver-se batido em duelo, voltou ao serviço, entregou-se à orgia, gastou dinheiro em quantidade. Recebeu dinheiro de seu pai somente quando atingiu a maioridade, mas fizera dívidas enquanto esperava. Só veio a ver pela primeira vez Fiódor Pávlovitch, depois de sua maioridade, quando chegou à nossa província especialmente para informar-se a respeito de sua fortuna. Seu pai, ao que parece, não lhe agradou desde o começo; ficou pouco tempo em casa dele e apressou-se em partir, levando certa soma, depois de haver concluído um acordo a respeito das rendas de sua propriedade. Coisa curiosa: nada pôde arrancar de seu pai a respeito de seu rendimento e do valor do domínio. Fiódor Pávlovitch notou então — e importa reparar nisso — que Mítia fazia de sua fortuna uma ideia falsa e exagerada. Ficou muito contente com isto, tendo em vista seus interesses particulares. Concluiu de tudo que o rapaz era estouvado, arrebatado, de paixões vivas, um boêmio ao qual bastava dar um osso a roer para acalmá-lo até nova ordem. Fiódor Pávlovitch explorou a situação, limitando-se a largar de tempos em tempos pequenas somas, até que um belo dia, quatro anos depois, Mítia, perdida a paciência, reapareceu na localidade para exigir uma regularização de contas definitiva. Para estupefação sua, aconteceu que não possuía mais nada; era mesmo difícil verificar as contas: já havia recebido em espécie, de Fiódor Pávlovitch, o valor total de seus bens; talvez mesmo viesse a ser seu devedor; de acordo com tal e tal arranjo, concluído em tal e tal data, não tinha direito de reclamar mais, etc. O rapaz ficou consternado; suspeitou da falsidade, da fraude, ficou fora de si, quase perdeu a razão. Esta circunstância provocou a catástrofe cuja narrativa forma o assunto de meu primeiro romance, ou antes seu quadro exterior. Mas antes de iniciar dito romance, é preciso falar ainda dos dois outros filhos de Fiódor Pávlovitch e explicar-lhes a proveniência.

III / Novo casamento e novos filhos

Fiódor Pávlovitch, depois de livrar-se do pequeno Mítia, contratou em breve um segundo casamento, que durou oito anos. Escolheu por esposa desta segunda vez também uma mulher bastante jovem, de uma outra província, aonde tinha ido, em companhia de um judeu, para tratar de um pequeno negócio. Embora boêmio, bêbedo e debochado, nunca deixava de ocupar-se com boa colocação de seu capital e arranjava quase sempre bem os seus negócios, mas quase sempre desonestamente. Sófia Ivânovna, órfã desde a infância, filha de um obscuro diácono, vivera na opulenta casa de sua benfeitora, a viúva, altamente colocada, do General Vórokhov, que a educava e a maltratava. Ignoro os detalhes, ouvi simplesmente dizer que a moça, doce, paciente e cândida, tentara enforcar-se, pendurando-se dum prego, na despensa, tão farta estava dos caprichos e das eternas censuras daquela velha, não má no íntimo, mas a quem sua ociosidade tornava insuportável. Fiódor Pávlovitch pediu sua mão; tomaram informações a seu respeito. Mas isto se passava em outra província; que podia, aliás, compreender uma moça de dezesseis anos, senão que valia mais lançar-se à água do que ficar em casa de sua benfeitora? Foi assim que a infeliz substituiu sua benfeitora por benfeitor. Desta vez, Fiódor Pávlovitch não recebeu um vintém, por que a generala, furiosa, nada dera, a não ser sua maldição. De resto, não contava ele com o dinheiro. A beleza notável da moça e sobretudo sua candura tinham-no encantado. Estava maravilhado, ele, o volutuoso, até então apaixonado apenas pelos encantos grosseiros. "Aqueles olhos inocentes traspassavam-me a alma", dizia mais tarde com um riso canalha. Aliás, aquela criatura corrupta não podia experimentar senão atração sensual. Fiódor Pávlovitch não se incomodou com sua mulher. Como era ela por assim dizer "culpada" para com ele, que a havia quase "salvado da corda", aproveitando, além disso, de sua doçura e de sua resignação espantosas, pisou aos pés a decência conjugal mais elementar. Sua casa tornou-se teatro de orgias nas quais tomavam parte mulheres de má vida. Um traço a notar é que o criado Grigóri, criatura taciturna, discutidor estúpido e teimoso, que detestava sua primeira patroa, tomou o partido da segunda, discutindo por causa dela com seu amo duma maneira quase intolerável da parte dum criado. Um dia, chegou a ponto de expulsar as mulheres que se entregavam a orgias em casa de Fiódor Pávlovitch. Mais tarde, a infeliz jovem senhora, aterrorizada desde a infância, foi presa duma doença nervosa, frequente entre as aldeãs, e que lhes vale o nome de "possessas". Por vezes, a doente, vítima de terríveis crises de histeria, perdia a razão. Deu, no entanto, a seu marido, dois filhos: o primeiro, Ivan, após um ano de casamento; o segundo, Alieksiéi, três anos mais tarde. Quando ela morreu, estava o jovem Alieksiéi com quatro anos de idade e, por mais estranho que isto pareça, nunca se esqueceu de sua mãe durante toda a sua vida, mas como através de um sonho. Morta sua mãe, tiveram os dois meninos a mesma sorte que o primeiro: seu pai esqueceu-se deles, abandonou-os totalmente, e eles foram recolhidos pelo mesmo Grigóri na sua isbá. Foi lá que os encontrou a velha generala, a benfeitora que havia educado a mãe deles. Vivia ainda e, durante aqueles oito anos, seu rancor não se desarmara. Perfeitamente informada da existência que levava sua Sófia, ao saber de sua doença e dos escândalos que ela suportava, declarou duas ou três vezes aos parasitas que a cercavam: "Bem feito; Deus a castiga por causa de sua ingratidão".

Três meses, exatamente, após a morte de Sófia Ivânovna, apareceu a generala em nossa cidade e apresentou-se em casa de Fiódor Pávlovitch. Sua visita não durou senão uma meia hora, mas aproveitou seu tempo. Era de noite. Fiódor Pávlovitch, a quem não via desde oito anos, apresentou-se em estado de embriaguez. Conta-se que, desde que ela o viu, e sem explicações, lhe deu duas bofetadas ressoantes, e puxou-lhe de alto a baixo o topete umas três vezes. Sem acrescentar uma palavra, foi diretamente à isbá, onde se encontravam os meninos. Não estavam lavados, nem vestidos com roupas limpas; vendo isto, a irascível velha assentou também uma bofetada na cara de Grigóri e declarou-lhe que levava os meninos. Tais como estavam, enrolou-os numa manta de viagem, pô-los na carruagem e tornou a partir. Grigóri guardou a bofetada como bom servidor e absteve-se de qualquer insolência; ao reconduzir a velha senhora à carruagem, disse num tom grave, depois de ter-se inclinado profundamente, que "Deus a recompensaria pela sua boa ação". "Não passas de um bobalhão", gritou-lhe ela à guisa de adeus. Tendo examinado o caso, Fiódor Pávlovitch declarou-se satisfeito, concedeu mais tarde seu consentimento formal à educação dos meninos em casa da generala. Foi à cidade vangloriar-se das bofetadas recebidas.

Pouco tempo depois, a generala morreu; deixava, por testamento, mil rublos a cada um dos dois petizes "para sua instrução"; esse dinheiro devia ser despendido integralmente em proveito deles, e, de acordo com a doadora, deveria bastar até sua maioridade, sendo já tal soma muito para semelhantes crianças. Se outros quisessem dar mais, que dessem de seu bolso, etc.

Não li o testamento, mas ele trazia um trecho estranho, naquele gosto por demais original. O principal herdeiro da velha senhora era, por felicidade, um homem honesto, marechal da nobreza da província, Iefim Pietróvitch Poliénov.[7] Tendo compreendido, pelas cartas de Fiódor Pávlovitch, que dele nada retiraria para a educação de seus filhos (contudo este último nunca recusava categoricamente, mas arrastava as coisas indefinidamente, fazendo por vezes sentimentalismo), interessou-se pelos órfãos e concebeu afeição especial pelo caçula, que ficou muito tempo na sua família. Chamo a atenção do leitor para isso. Se os jovens deviam a alguém sua educação e sua instrução, era justamente a Iefim Pietróvitch, caráter nobre raramente encontrado. Conservou intacto para as crianças seu pequeno capital, que, na ocasião de sua maioridade, atingia dois mil rublos com os juros, educou-os às suas custas, gastando nisso, para cada um, bem mais de mil rublos, não farei agora um relato detalhado da infância e da juventude deles, limitando às principais circunstâncias. O mais velho, Ivan, tornou-se um adolescente sombrio e fechado, nada tímido, mas compreendera bem cedo que seu irmão e ele cresciam em casa de estranhos, de graça, que tinham como pai um indivíduo que lhes causava vergonha, etc. Esse rapaz mostrou, desde sua mais tenra idade (pelo que se conta, pelo menos), brilhantes capacidades para o estudo. Com a idade de cerca de treze anos, deixou a família de Iefim Pietróvitch para seguir os cursos de um ginásio de Moscou, e tomar pensão em casa de um famoso pedagogo, amigo de infância de seu benfeitor. Mais tarde, Ivan contava que Iefim Pietróvitch fora inspirado por seu "ardor pelo bem" e pela ideia de que um adolescente genialmente dotado devia ser educado por um edu-

---

7   Literalmente: troncudo.

cador genial. De resto, nem seu protetor, nem o educador de gênio existiam mais, quando o rapaz entrou para a universidade. Não tendo Iefim Pietróvitch tomado bem suas disposições e como o pagamento do legado da generala ia-se arrastando, em consequência de diversas formalidades e retardamentos inevitáveis entre nós, o rapaz viu-se em apertos nos seus dois primeiros anos de universidade, obrigado a ganhar sua vida enquanto fazia seus estudos. É preciso notar que então não tentou de modo algum corresponder-se com seu pai — talvez por altivez, por desdém para com ele —, talvez também o frio cálculo de sua razão lhe demonstrasse que nada tinha a esperar dele. Seja como for, o rapaz não se perturbou, encontrou trabalho, a princípio deu aulas a vinte copeques, em seguida redigiu artigos de dez linhas a respeito de cenas da rua, assinados "Uma Testemunha Ocular", que levava a diversos jornais. Esses artigos, dizem, eram sempre curiosos e espirituosos, o que lhes assegurou bom êxito. Dessa maneira o jovem repórter mostrou sua superioridade prática e intelectual sobre os numerosos estudantes dos dois sexos, sempre necessitados, que, em Petersburgo e em Moscou, assaltam ordinariamente, da manhã à noite, as redações dos jornais e revistas, não imaginando nada de melhor senão reiterar seu eterno pedido de traduções do francês e cópias. Uma vez conhecido nas redações, Ivan Fiódorovitch não perdeu o contacto; nos seus derradeiros anos de universidade, pôs-se com muito talento e escrever resenhas de obras especiais, fazendo-se assim conhecido nos círculos literários. Mas somente para o fim é que conseguiu, por acaso, despertar uma atenção particular num círculo de leitores muito mais extenso. O caso era bastante curioso. À sua saída da universidade e quando se preparava para partir para o estrangeiro com seus dois mil rublos, publicou Ivan Fiódorovitch, num grande jornal, um artigo estranho, que atraiu a atenção até mesmo dos profanos. O assunto era-lhe aparentemente desconhecido, uma vez que seguira os cursos de Ciências Naturais e o artigo tratava a questão dos tribunais eclesiásticos, suscitada, então, por toda parte. Examinando algumas opiniões emitidas a respeito dessa matéria, expunha igualmente suas opiniões pessoais. O que impressionava, era o tom e o inesperado da conclusão. Ora, muitos eclesiásticos tinham o autor como seu partidário. Por outra parte, os leigos, bem como os ateus, aplaudiam suas ideias. Afinal de contas, algumas pessoas decidiram que o artigo inteiro não passava de uma desavergonhada mistificação. Se menciono esse episódio é sobretudo porque o artigo em questão chegou até o nosso famoso mosteiro — onde havia interesse pela questão dos tribunais eclesiásticos — e ali provocou grande perplexidade. Uma vez conhecido o nome do autor, o fato de ser originário de nossa cidade e filho daquele mesmo Fiódor Pávlovitch aumentou o interesse. Pela mesma época, apareceu o autor em pessoa.

Por que Ivan Fiódorovitch viera à casa de seu pai, já o perguntava eu então a mim mesmo, lembro-me, com certa inquietude. Aquela chegada tão fatal, que engendrou tantas consequências, permaneceu por muito tempo inexplicada para mim. Na verdade, era estranho que um jovem tão sábio, de aparência tão altiva e tão reservada, aparecesse numa casa tão escandalosa, em casa de tal pai. Este ignorara-o toda a sua vida, não se lembrava dele e — se bem que não tivesse, por coisa alguma do mundo, dado dinheiro, se lhe pedissem — temia sempre que seus filhos aparecessem para o reclamar. E eis que o rapaz se instala na casa de tal pai, passa junto com ele um mês, depois dois, e se entendem maravilhosamente. Não fui eu o único a espantar-me com tal acordo. Piotr Alieksándrovitch Miúsov, de quem já se falou, passava uma temporada então entre nós, na sua propriedade suburbana, vindo de Paris, onde fixara residência. Estava surpreendido mais que todos, tendo travado conhecimento com o rapaz que o interessava bastante e com o qual rivalizava em erudição. "Ele é altivo, dizia-nos. — Saberá sempre arranjar-se; desde agora, tem com que partir para o estrangeiro. Que faz ele aqui? Todos sabem que não veio cá procurar seu pai para pedir dinheiro, que aquele recusaria, aliás. Não gosta de beber, nem de requestar mulheres; no entanto, o velho não pode passar sem ele, de tal modo estão de acordo." Era verdade; o jovem exercia visível influência sobre o velho, que por vezes o atendia, se bem que muito teimoso e caprichoso; começou mesmo a comportar-se mais decentemente...

Soube-se mais tarde que Ivan chegara igualmente por causa da demanda e dos interesses de seu irmão mais velho, Dimítri, que ele viu pela primeira vez nessa ocasião, mas com o qual já se correspondia, a respeito de um negócio importante. Vai se falar disso pormenorizadamente a seu tempo. Mesmo quando fiquei ao corrente, pareceu-me Ivan Fiódorovitch enigmático e sua chegada à nossa cidade difícil de explicar.

Acrescentarei que ele mantinha papel de árbitro e de reconciliador entre seu pai e seu irmão mais velho, então totalmente desavindos, tendo este último intentado mesmo uma ação na justiça.

Pela primeira vez, repito, essa família, da qual certos membros nunca se tinham visto, achou-se reunida. Somente o caçula, Alieksiéi, morava entre nós havia já um ano. É difícil falar dele neste preâmbulo, antes dele entrar em cena no romance. Devo, no entanto, estender-me a seu respeito para elucidar um ponto estranho, isto é, que meu herói aparece, desde a primeira cena, sob o hábito de um noviço. Havia um ano, com efeito, que morava em nosso mosteiro e se preparava para ali passar o resto de seus dias.

IV / O terceiro filho Aliócha

Tinha vinte anos (seus irmãos, Ivan e Dimítri estavam então, respectivamente, com vinte e quatro e vinte e oito anos). Devo prevenir que esse jovem Aliócha não era absolutamente um fanático, nem mesmo, pelo que creio, um místico. Na minha opinião, era simplesmente um filantropo na dianteira do seu tempo, e se escolhera a vida monástica, era porque então somente ela o atraía e representava para ele a ascensão ideal para o amor radioso de sua alma liberta das trevas e do ódio daqui embaixo. Atraía-o essa via, apenas porque havia nela encontrado um ser excepcional a seus olhos, o nosso famoso *stáriets*[8] Zósima, ao qual se ligara com todo o fervor noviço de seu coração sedento. Convenho que ele era já bastante estranho, tendo isso começado desde o berço. Já contei que, tendo perdido sua mãe aos quatro anos, dela se lembrou toda a sua vida, de seu rosto, de suas carícias, "como se eu a visse viva". Semelhantes recordações podem persistir (cada qual o sabe), mesmo numa idade mais tenra, mas não permanecem como pontos luminosos nas trevas,

---

8 Monge idoso e pobre, respeitado pela sua bondade e sabedoria.

como o fragmento de um imenso quadro que tivesse desaparecido. Era o caso para ele: lembrava-se duma suave noite de verão, da janela aberta aos raios oblíquos do sol poente; a um canto do quarto uma imagem santa com a lâmpada acesa e, diante da imagem, sua mãe ajoelhada, soluçando como numa crise de nervos, lançando gemidos e exclamações. Ela o tomara em seus braços, apertando-o a ponto de sufocá-lo e implorava por ele à Santa Virgem, afrouxando seu amplexo para empurrá-lo para a imagem como se o pusesse sob sua proteção... mas a ama acorre e arranca-o, apavorada, dos braços de sua mãe. Tal era a cena! AlióCha lembrava-se do rosto de sua mãe, exaltado, mas sublime, segundo suas recordações. Mas não gostava de falar disso. Na sua infância e na sua mocidade, era antes concentrado e até mesmo taciturno, não por timidez ou selvageria, pelo contrário, mas por uma espécie de preocupação interior tão profunda que o fazia esquecer dos que o cercavam. Mas gostava de seus semelhantes, toda a sua vida teve fé neles, sem passar jamais por simplório ou ingênuo. Algo nele revelava que não queria ser o juiz alheio, nem censurar as pessoas ou condená-las por preço algum. Parecia mesmo tudo admitir, sem reprovação, embora muitas vezes com profunda melancolia. Bem mais ainda, conseguira neste sentido ficar inacessível ao espanto e ao medo, desde sua primeira mocidade. Chegado aos vinte anos à casa de seu pai, um foco de baixo deboche, ele, casto e puro, retirava-se em silêncio, quando a vida se lhe tornava intolerável, mas sem testemunhar a ninguém reprovação alguma nem desprezo. Tendo seu pai sido outrora parasita e, por consequência, sutil e sensível às ofensas, acolheu-o a princípio de má-vontade. "Ele se cala, dizia ele, mas nem por isso deixa de pensar." Entretanto, não tardou em beijá-lo, em acariciá-lo; eram, na verdade, lágrimas e um enternecimento de bêbedo, mas via-se que o amava com um amor sincero, profundo, que até então fora incapaz de sentir por quem quer que fosse... Sim, aquele adolescente era amado por todos, em toda parte aonde fosse, e isto desde sua infância. Na família de seu benfeitor, Iefim Pietróvitch Poliénov, tinham-se de tal modo ligado a ele que todos os consideravam como filho da casa. Ora, entrara em casa deles numa idade em que a criança é ainda incapaz de cálculo e de astúcia, em que ignora as intrigas que atraem o favor e a arte de se fazer amar. Esse dom de despertar a simpatia era por consequência natural nele, espontâneo, sem artifício. O mesmo ocorria na escola e, no entanto, as crianças como Aliócha atraem a desconfiança de seus camaradas, suas zombarias e, por vezes, o ódio. Desde a infância, ele gostava, por exemplo, de isolar-se para sonhar, para ler num canto; contudo, foi objeto da afeição geral durante sua permanência na escola. Não era brincalhão, nem mesmo alegre; observando-se, via-se depressa que não era melancolia, mas, pelo contrário, uma disposição igual e serena. Entre seus condiscípulos, jamais queria pôr-se à frente. Por esta razão, talvez, jamais temia alguém e os rapazes notavam que, longe de orgulhar-se disso, parecia ignorar sua ousadia, sua intrepidez. Não era rancoroso. Uma hora após ter sido ofendido, respondia ao ofensor ou dirigia-lhe ele próprio a palavra, com um ar confiante, tranquilo, como se nada se tivesse passado entre eles. Não parecia então ter esquecido a ofensa, ou decidido perdoá-la, mas não se considerava ofendido e isto fazia com que conquistasse o coração dos meninos. Um só traço de seu caráter incitava frequentemente todos os seus camaradas a zombarem dele, não por maldade, mas por divertimento. Era dum pudor, duma castidade exaltada, feroz. Não podia suportar certas palavras e certas conversas a respeito de mulheres.

Essas "certas" palavras e conversas são infelizmente tradicionais nas escolas. Jovens de alma e coração puros, quase crianças ainda, gostam muitas vezes de entreter-se com cenas e imagens de que os próprios soldados nem sempre falam; aliás, estes últimos sabem menos a este respeito que os rapazes de nossa sociedade culta. Não há ainda aí, admito, corrupção moral, nem verdadeiro cinismo, mas a aparência disso; e isso passa frequentemente aos olhos deles como algo de delicado, de fino, digno de ser imitado. Vendo Aliócha Karamázov tapar rapidamente os ouvidos, quando se falava "daquilo", formavam por vezes círculo em redor dele, afastavam suas mãos à força e gritavam-lhe obscenidades. Alieksiéi debatia-se, deitava-se no chão, ocultando o rosto; suportava a ofensa em silêncio e sem se zangar. Por fim deixavam-no em repouso, cessavam de chamá-lo de "mocinha", sentia-se mesmo compaixão por ele. Na classe, era um dos melhores alunos, mas nunca obteve o primeiro lugar.

Após a morte de Iefim Pietróvitch, Aliócha passou ainda dois anos no ginásio. A viúva partiu em breve para uma longa viagem à Itália, com toda a sua família, que se compunha de mulheres. O rapaz foi morar em casa de parentes afastados do defunto, duas senhoras que ele jamais vira. Ignorava as condições; era aliás nele um traço bastante característico o jamais inquietar-se à custa de quem vivia. A este respeito, era totalmente o contrário de seu irmão mais velho, Ivan, que conhecera a pobreza nos seus dois primeiros anos de universidade, vivendo de seu trabalho, e que havia sofrido, desde sua infância, por ter de comer o pão de um benfeitor. Mas não se podia julgar severamente essa particularidade do caráter de Alieksiéi, porque bastava conhecê-lo um pouco para que se ficasse convencido que era um desses inocentes capazes de dar todo o seu capital a uma boa obra, ou mesmo a um cavalheiro de indústria, se lhe pedisse. Em geral ignorava o valor do dinheiro não sabia o que fazer dele durante semanas ou gastava-o num piscar de olhos. Piotr Alieksándrovitch Miúsov, bastante meticuloso no que se refere a dinheiro e honestidade burguesa, tendo tido mais tarde ocasião de observar Alieksiéi, caracterizou-o desta maneira: "Eis talvez o único homem no mundo que, se ficasse sem recursos numa grande cidade desconhecida, não morreria de fome, nem de frio, porque imediatamente o nutririam, viriam em seu auxílio, se não ele mesmo se livraria logo de apertos, sem trabalho nem humilhação, e seria um prazer para os outros prestar-lhe serviços".

No ginásio, não terminou seus estudos: restava-lhe ainda um ano, quando declarou de repente àquelas senhoras que partia para a casa de seu pai por causa de um negócio que lhe viera à cabeça. As senhoras lamentaram-no muito; elas não queriam que ele empenhasse o relógio que lhe tinha dado a família de seu benfeitor, antes de partir para o estrangeiro; foi provido de dinheiro com abundância, bem como de roupa branca e vestes, mas ele devolveu-lhes a metade da soma declarando que fazia questão de viajar em terceira classe. Como seu pai lhe perguntasse por que viera antes de ter acabado seus estudos, não respondeu nada, mas mostrou-se mais pensativo que de costume. Em breve verificou-se que ele procurava o túmulo de sua mãe. Confessou mesmo não ter vindo senão para isto. Mas não era provavelmente a única causa de sua chegada. Sem dúvida, ignorava então que ele mesmo não teria podido explicar com certeza o que havia de súbito surgido em seu íntimo para arrastá-lo irresistivelmente a uma via nova, desconhecida. Fiódor Pávlovitch não pode indicar-lhe o túmulo de sua mãe, porque ali jamais voltara e esquecera o lugar após tantos anos...

Falemos de Fiódor Pávlovitch. Ficara muito tempo ausente de nossa cidade. Três ou quatro anos após a morte de sua segunda mulher, partiu para o sul da Rússia e chegou por fim a Odessa, onde passou vários anos. Travou conhecimento, segundo suas próprias palavras, com "muitos judeus, judias e judotes de toda a laia" e acabou por ser recebido "não só em casa dos judeus, mas também em casa dos israelitas". É preciso crer que, durante esse período, aperfeiçoara a arte de juntar e de subtrair dinheiro. Reapareceu em nossa cidade três anos somente antes da chegada de Alió007cha. Seus antigos conhecidos acharam-no bastante envelhecido, se bem que não fosse muito idoso. Mostrou-se mais descarado do que nunca: o antigo bufão experimentava agora a necessidade de rir à custa dos outros. Gostava de frequentar os bordéis duma maneira mais repugnante do que outrora e, graças a ele, novos cabarés abriram-se em nosso distrito. Atribuíam-lhe um capital de cem mil rublos ou quase, e dentro em breve muitas pessoas tornaram-se seus devedores, em troca de sólidas garantias. Nos últimos tempos, ficara enrugado, começava a perder o equilíbrio temperamental e o controle de si mesmo; caiu numa espécie de idiotismo, começando por uma coisa e acabando por outra, incapaz de concentrar-se e embriagando-se cada vez mais. Sem aquele mesmo criado, Grigóri, que havia também envelhecido muito e o vigiava por vezes como um guia, a existência de Fiódor Pávlovitch teria sido eriçada de dificuldades. A chegada de Alió04cha influiu sobre ele do ponto de vista moral, e recordações, que dormiam desde muito tempo, despertaram-se na alma daquele velho prematuro: "Sabes — repetia ele a seu filho, observando-o — que te pareces com a endemoniada?". Era assim que chamava sua segunda mulher. Foi o criado Grigóri quem indicou a Aliócha o túmulo da "endemoniada". Conduziu-o ao cemitério, mostrou-lhe num canto afastado uma placa de ferro fundido, modesta mas decente, em que estavam gravados o nome, a condição, a idade da defunta, com a data de sua morte; embaixo figurava uma quadra, como se leem frequentemente sobre o túmulo das pessoas da classe média. Coisa de espantar: aquela laje era obra de Grigóri. Fora ele que a colocara, às suas custas, sobre o túmulo da pobre "endemoniada", depois de ter muitas vezes importunado seu patrão com suas alusões; este partira afinal para Odessa, dando de ombros a respeito de túmulos e de todas as suas recordações. Aliócha não mostrou nenhuma emoção especial diante do túmulo de sua mãe; prestou atenção ao relato grave que lhe fez Grigóri a respeito da colocação da laje, permaneceu curvado e retirou-se sem ter pronunciado uma palavra. Depois, não voltou mais ao cemitério, talvez por um ano inteiro. Mas esse episódio produziu em Fiódor Pávlovitch um efeito bastante original. Pegou mil rublos e levou-os ao nosso mosteiro para o repouso da alma de sua mulher, não a segunda, a "endemoniada", mas a primeira, aquela que lhe batia. Na mesma noite, embriagou-se e falou mal dos monges na presença de Aliócha. Ele próprio estava longe de ter sentimentos religiosos; talvez jamais tivesse posto uma vela de cinco copeques diante de uma imagem. Os sentimentos e o pensamento de semelhantes indivíduos têm por vezes impulsos tão bruscos quanto estranhos.

Já disse que ele havia ficado bastante enrugado. Sua fisionomia trazia então os traços reveladores da existência que levara. Às pequenas bolsas que pendiam sob *seus olhinhos sempre* descarados, desconfiados, maliciosos, às rugas profundas que sulcavam sua cara gorda vinha juntar-se, sob seu queixo pontudo, um gordo pomo-de-adão, carnudo, que lhe dava o ar de um luxurioso repelente. Juntai a isto uma larga boca de carniceiro, de lábios intumescidos, em que apareciam os cacos enegrecidos de seus dentes apodrecidos. Espalhava saliva toda vez que falava. De resto, gostava de zombar de sua figura, se bem que ela lhe agradasse, sobretudo seu nariz, não muito grande, mas bastante reduzido e curvo. "Um verdadeiro nariz romano", dizia ele. "Com meu pomo-de-adão, pareço um perfeito patrício da decadência." Orgulhava-se disso.

Algum tempo depois da descoberta do túmulo de sua mãe, declarou-lhe Alió-cha, inesperadamente, que queria entrar para o convento onde os monges estavam dispostos a admiti-lo como noviço. Acrescentou que era seu mais caro desejo e que lhe implorava o consentimento paterno. O velho já sabia que o *stáriets* Zósima[9] produzira sobre seu "manso rapaz" uma impressão particular.

— Esse *stáriets* é seguramente entre eles o monge mais honesto — declarou, depois de ter ouvido Alióocha, num silêncio pensativo, mas sem se espantar com o pedido dele. — Hum! Eis aonde queres ir, meu manso rapaz! — Estava meio bêbedo. Abria-se no seu rosto um sorriso de ébrio, marcado de astúcia e finura. — Hum! Previa que irias chegar a isso, imagina tu! Era bem isto que tinhas em vista. Pois bem, seja! tens dois mil rublos, será teu dote; quanto a mim, meu anjo, não te abandonarei nunca e pagarei por ti o que for preciso, se o pedirem. Senão, de que serve tomarmos compromisso, não é verdade? Precisas de tanto dinheiro quanto de alpiste um canário... Hum! Sabes? Há um convento, com um lugarejo, nos arredores da cidade, habitado, como ninguém o ignora, pelas "esposas dos monges", é assim que as chamam. São umas trinta, creio... Visitei-o. É interessante no seu gênero. Interrompe a monotonia. Por desgraça, só se encontram ali russas, nem uma francesa. Seria possível tê-las, não faltam fundos para isso. Quando o souberem, virão. Aqui, não há mulheres, mas duzentos monges. Jejuam conscientemente. Convenho... Hum! Com que então, queres fazer-te monge? Causas-me dó, Alióocha; na verdade, tinha-te criado afeição... Aliás, eis uma boa ocasião: reza por nós, pecadores de consciência sobrecarregada. Tenho muitas vezes perguntando a mim mesmo: quem rezará um dia por mim? Meu querido rapaz, sou totalmente ignorante a este respeito, talvez o saibas, não? Totalmente. Mas vês, apesar da minha estupidez, reflito por vezes; penso que os diabos me arrastarão com toda a certeza com seus ganchos, após a minha morte. E digo a mim mesmo: donde vem esses ganchos? De que são? De ferro? Onde os forjam? Será que eles possuem uma fábrica? Os religiosos, por exemplo, estão convencidos de que o inferno tem teto. Ora, tenho muita vontade de acreditar no inferno, mas sem teto, é mais delicado, mais iluminado, como entre os luteranos. No fundo, não será a mesma coisa, com ou sem teto? Eis a dificuldade! Ora, se não há teto, então não há ganchos. Mas seria incrível: quem me arrastaria então, com ganchos? Porque se não me arrastarem, onde estaria a justiça neste mundo? Seria preciso inventar esses ganchos, especialmente para mim, para mim só. Se soubesses, Alióocha, que descarado sou eu!...

— Não há ganchos lá — declarou Alióocha, em voz baixa, olhando seriamente para seu pai.

— Ah! só há sombras de ganchos. Sei, sei. Era assim que um francês descrevia o inferno. *J'ai vu l'ombre d'un cocher qui, avec l'ombre d'une brosse, frottait*

---

9   É esta a grafia usada por Dostoiévski nesta obra, embora a forma Zóssim seja mais correta e usual.

l'ombre d'un carrosse.[10] Donde sabes tu, meu caro, que não há ganchos? Uma vez entre os monges, mudarás de tom. Mas afinal, parte, vai destrinçar a verdade e vem informar-me. Será mais conveniente para ti estar entre os monges do que em minha casa, velho bêbedo, com mulheres... se bem que estejas, como um anjo, acima de tudo isso. Talvez o mesmo aconteça lá e, se te deixo ir, é que conto com isso. Não és tolo. Teu ardor se extinguirá e voltarás curado. Quanto a mim, vou te esperar, porque sinto que és o único neste mundo que não me censurou, meu querido rapaz, não posso deixar de senti-lo!...

E pôs-se a choramingar. Estava sentimental. Sim, era mau e sentimental.

V / Os "Stártsi"[11]

O leitor imaginará talvez que o meu herói fosse um indivíduo doentio e extático, um pálido sonhador, macilento, atacado de tuberculose. Pelo contrário, Aliócha, que tinha então dezenove anos, era um jovem bem feito, de faces vermelhas, de olhar límpido, transbordante de saúde. Era mesmo bastante belo, de talhe esbelto, cabelos castanhos, rosto regular, embora um pouco alongado, olhos dum cinzento-escuro, brilhantes, rasgados, pensativo e parecendo bastante calmo. Podem talvez dizer que faces vermelhas não impedem de ser fanático ou místico; ora, parece-me que Aliócha era, mais que qualquer outra pessoa, realista. Oh! bem decerto, no convento acreditava perfeitamente nos milagres, mas, na minha opinião, os milagres jamais perturbarão o realista. Não são eles que o levam a crer. Um verdadeiro realista, se é incrédulo, encontra sempre em si a força e faculdade de não crer mesmo no milagre e se este último se apresenta como um fato incontestável, duvidará de seus sentidos em vez mesmo de admitir o fato. Se o admitir, será como um fato natural, mas desconhecido dele até então. No realista, a fé não nasce do milagre. O apóstolo Tomé declarou que não acreditaria enquanto não visse; em seguida, diz: "Meu Senhor e meu Deus!". Fora o milagre que o obrigara a crer? Era bem provável que não, mas ele acreditava unicamente porque desejava crer; talvez tivesse já a fé inteira nas dobras ocultas de seu coração, mesmo quando declarava: "Só acreditarei depois que tiver visto".

Talvez alguém pense que Aliócha era obtuso, pouco desenvolvido, que não terminara seus estudos. Este último fato é exato, mas seria bastante injusto dizer que fosse ele obtuso ou estúpido. Repito o que já disse: escolhera aquela via unicamente porque somente ela o atraía então e representava a ascensão ideal para a luz de sua alma desprendida das trevas. Além disso, era aquele rapaz da época mais recente, isto é, leal, ávido de verdade, procurando-a com fé, e, uma vez encontrada, querendo dela participar com toda a força de sua alma, querendo realizações imediatas e pronto a tudo sacrificar com este fim, até mesmo sua vida. Entretanto, esses rapazes não compreendem, desgraçadamente, que sacrificar sua vida é a coisa mais fácil em muitos casos, ao passo que consagrar, por exemplo, cinco ou seis anos de sua bela mocidade ao estudo e à ciência — não fosse senão para decuplicar sua

---

10   "Vi a sombra de um cocheiro que, com a sombra de uma escova, esfregava a sombra de uma carruagem." Versos tirados de uma paródia do Livro VI da *Eneida* pelos irmãos Perrault, em 1646.

11   Plural russo de *stáriets*.

forças, a fim de servir à verdade e atingir o fim proposto — é um sacrifício que os ultrapassa. Aliócha só fizera escolher a via oposta a todas as outras, mas com a mesma sede de realizações imediata. Logo que se convenceu, após sérias reflexões, de que Deus e a imortalidade existem, disse a si mesmo, naturalmente: "Quero viver para a imortalidade, não admito compromissos". Igualmente, se tivesse concluído que não há nem Deus nem imortalidade, teria se tornado imediatamente ateu e socialista (porque o socialismo não é apenas a questão operária ou do quarto estado, mas é sobretudo a questão do ateísmo, de sua encarnação contemporânea, a questão da torre de Babel, que se construiu sem Deus, não para atingir os céus da terra, mas para abaixar os céus até a terra). Parecia estranho e impossível a Aliócha viver como antes. Está dito: "Abandona tudo quanto tens e segue-me, se queres ser perfeito". Aliócha dizia a si mesmo: "Não posso dar em lugar de 'tudo' dois rublos e em lugar de 'segue-me', ir somente à missa". Entre as recordações de sua tenra infância, lembrava-se talvez de nosso mosteiro, aonde sua mãe talvez o levara para assistir aos ofícios. Talvez tivesse ali sofrido a influência dos raios oblíquos do sol poente diante da imagem para o qual o voltava sua mãe, a endemoniada. Chegou entre nós pensativo, unicamente para ver se se tratava aqui de tudo ou somente de dois rublos, e encontrou no convento aquele *stáriets*.

Era o *stáriets* Zósima, como já o expliquei acima; seria preciso dizer algumas palavras a propósito dos *stártsi* nos nossos mosteiros e lamento não ter, neste domínio, toda a competência necessária. Tentarei, no entanto, fazê-lo a grandes traços. Os especialistas competentes asseguram que a instituição dos *stártsi* apareceu nos mosteiros russos em época recente, há menos de um século, quando, em todo o Oriente ortodoxo, sobretudo no Sinai e no Monte Atos, ela existe desde bem mais de mil anos. Pretende-se que os *stártsi* existiam na Rússia em tempos bastante antigos, ou que deveriam ter existido, mas que, em consequência das calamidades que sobrevieram, o jugo tártaro, as perturbações, a interrupção das antigas relações com o Oriente, após a queda de Constantinopla, essa instituição se perdeu entre nós e os *stártsi* desapareceram. Foi ressuscitada por um dos maiores ascetas, Paísi Vielitchkóvski, e por seus discípulos, mas até o presente, após um século, existe ela em muito poucos conventos e foi mesmo, ou pouco faltou, alvo de perseguições, como uma inovação desconhecida na Rússia. Florescia sobretudo no famoso eremitério de Kózilhskaia Optínaia.[12] Ignoro quando e por quem ela foi implantada em nosso mosteiro, mas já se haviam sucedido ali três *stártsi*, dos quais Zósima era o último. Estava quase a sucumbir à fraqueza e às doenças e não se sabia por quem substituí--lo. Para nosso mosteiro, era essa uma séria questão, porque, até o presente, nada o havia distinguido; não possuía nem relíquias santas nem ícones miraculosos, ligando-se as tradições gloriosas à nossa história. Faltavam-lhe igualmente os altos fatos históricos e os serviços prestados à pátria. Tornara-se florescente e famoso em toda a Rússia, graças a seus *stártsi*, que os peregrinos vinham em multidão ver e ouvir de todos os pontos da Rússia, a milhares de verstas. Que é um *stáriets*? O *stáriets* é aquele que absorve vossa alma e vossa vontade nas suas. Tendo escolhido um *stáriets*, vós abdicais de vossa vontade e lha entregais com toda a obediência, com inteira resignação. O penitente submete-se voluntariamente a essa prova, a essa

---

12   Mosteiro famoso na província da Kaluga.

dura aprendizagem, na esperança de, após um longo estágio, vencer-se a si mesmo, dominar-se a ponto de atingir afinal, depois de ter obedecido toda a sua vida, a liberdade perfeita, isto é, a liberdade para consigo mesmo, e evitar a sorte daqueles que viveram sem se encontrar a si mesmos. Esta invenção, isto é, a instituição dos *stártsi* não é teórica, mas tirada, no Oriente, de uma prática milenar. As obrigações para com o *stáriets* são bem diversas da "obediência" habitual que sempre existiu igualmente nos mosteiros russos. Lá, a confissão de todos os militantes ao *stáriets* é perpétua, e o elo que liga o confessor ao confessado, indissolúvel. Conta-se que, nos tempos antigos do Cristianismo, um noviço, depois de haver deixado de cumprir um dever prescrito pelo seu *stáriets*, abandonou o mosteiro para dirigir-se a outro país, da Síria ao Egito. Ali, praticou atos sublimes e foi por fim julgado digno de sofrer o martírio pela fé. Já a Igreja ia enterrá-lo, reverenciando-o como um santo, quando o diácono proferiu: "Que os catecúmenos saiam!", o caixão que continha o corpo do mártir foi arrancado de seu lugar e projetado fora do templo três vezes em seguida. Soube-se por fim que aquele santo mártir havia infringido a obediência e abandonado o seu *stáriets* e que, por consequência, não podia ser perdoado sem o consentimento deste último, malgrado sua vida sublime. Mas quando o *stáriets*, chamado, o desligou da obediência, pode-se enterrá-lo sem dificuldade. Sem dúvida, não passa isso de uma antiga lenda, mas eis um fato recente. Um religioso cuidava de sua salvação no Monte Atos, ao qual queria de toda a sua alma, como um santuário e um retiro tranquilo, quando seu *stáriets* lhe ordenou, de repente, que partisse para ir primeiro a Jerusalém, visitar os Lugares Santos, depois voltar ao Norte, na Sibéria. "Lá é que é teu lugar e não aqui." Consternado e desolado, o monge foi procurar o patriarca em Constantinopla e suplicou-lhe que o libertasse da obediência, mas o chefe da Igreja respondeu-lhe que, não somente ele, patriarca, não podia desligá-lo, mas não havia nenhum poder no mundo capaz de fazê-lo, exceto o *stáriets* do qual ele dependia. Vê-se dessa forma que, em certos casos, os *stártsi* estão investidos duma autoridade sem limites e incompreensível. Eis por que, em muitos de nossos mosteiros, essa instituição foi a princípio quase perseguida. No entanto o povo testemunhou imediatamente grande veneração pelos *stártsi*. Por isso o povinho e as pessoas mais distintas vinham em multidão prosternar-se diante dos *stártsi* de nosso mosteiro e lhes confessavam suas dúvidas, seus pecados, seus sofrimentos, implorando conselhos e direções. Vendo o que, os adversários dos *stártsi* lhes censuravam, entre outras acusações, envilecerem arbitrariamente o sacramento da confissão, se bem que as confidências ininterruptas do noviço ou dum leigo ao *stáriets* não tivessem de modo algum o caráter dum sacramento. Seja como for, a instituição dos *stártsi* manteve-se e implanta-se pouco a pouco nos mosteiros russos. É verdade que esse meio experimentado e já milenar de regeneração moral, que faz o homem passar da escravidão à liberdade, aperfeiçoando-o, pode também tornar-se uma arma de dois gumes: em lugar da humildade e do domínio de si mesmo, pode desenvolver um orgulho satânico e fazer um escravo em lugar de um homem livre.

O *stáriets* Zósima tinha sessenta e cinco anos; descendia duma família de proprietários; na sua mocidade servira no Exército como oficial, no Cáucaso. Sem dúvida, Aliócha ficou impressionado por certa qualidade especial da alma dele. Vivia na mesma cela do *stáriets*, que muito o amava e o mantinha a seu lado. É preciso notar que, vivendo no mosteiro, Aliócha não estava preso por nenhum laço; podia ir aonde bem quisesse, dias inteiros, e se usava batina, era voluntariamente, para não se distinguir de ninguém no mosteiro. Talvez a imaginação juvenil de Aliócha tivesse sido muito impressionada pela força e pela glória que cercavam seu *stáriets* como uma auréola. A propósito do *stáriets* Zósima, muitos contavam que à força de acolher, desde numerosos anos, todos aqueles que vinham expandir seu coração, ávidos de seus conselhos e de suas consolações, havia, para o fim, adquirido grande perspicácia. Ao primeiro olhar lançado sobre um desconhecido, adivinhava o motivo de sua vinda, o que lhe era preciso e até mesmo o que lhe atormentava a consciência. O penitente ficava espantado, confuso e por vezes mesmo apavorado por sentir-se penetrado, antes de ter proferido uma palavra. Aliócha notara que muitos daqueles que vinham pela primeira vez entreter-se em particular com o *stáriets* entravam em seu aposento com temor e inquietação; quase todos saíam radiantes e o rosto mais sombrio iluminava-se de satisfação. O que o surpreendia também é que o *stáriets*, longe de ser severo, parecia mesmo satisfeito. Os monges diziam dele que se ligava aos mais pecadores e os estimava na proporção de seus pecados. Mesmo para o fim de sua vida, contava o *stáriets*, entre os monges, inimigos e invejosos, mas seu número diminuía, se bem que figurassem nele personalidades importantes do convento. Tal era um dos mais antigos religiosos, por demais taciturno e jejuador extraordinário. No entanto, a grande maioria era partidária do *stáriets* Zósima e muitos o amavam sinceramente, de todo o seu coração; alguns lhe eram mesmo ligados quase fanaticamente. Estes diziam, mas em voz baixa, que era um santo, de certo, e, prevendo seu fim próximo, aguardavam imediatos milagres que espalhariam grande glória sobre o mosteiro. Alieksiéi cria cegamente na força miraculosa do *stáriets*, da mesma maneira que acreditava no relato do caixão projetado fora da igreja. Entre as pessoas que levavam ao *stáriets* crianças ou parentes doentes, para que eles lhes impusessem as mãos e rezasse uma oração em sua intenção, via Aliócha muitos voltarem em breve, por vezes no dia seguinte, para agradecer-lhe de joelhos o ter-lhes curado seus doentes. Havia cura ou somente melhoria natural do estado deles? Aliócha nem sequer fazia a si mesmo a pergunta, porque acreditava absolutamente na força espiritual de seu mestre e a glória dele era como o seu próprio triunfo. Batia-lhe o coração e ficava radiante, sobretudo quando o *stáriets* saía a ter com a multidão dos peregrinos que o esperavam nas portas do eremitério, pessoas do povo vindas de todos os pontos da Rússia para vê-lo e receber sua benção. Prosternavam-se diante dele, choravam, beijavam seus pés e o lugar onde ele se achava, lançando gritos; as mulheres estendiam para ele seus filhos; traziam possessos. O *stáriets* falava-lhes, fazia uma curta oração, dava-lhes sua benção, depois mandava-os embora. Nos derradeiros tempos, a doença o havia enfraquecido de tal modo que ele mal podia deixar sua cela e os peregrinos aguardavam sua saída para o mosteiro, por vezes dias inteiros. Aliócha não perguntava a si mesmo absolutamente por que eles o amavam tanto, por que se prosternavam diante dele com lágrimas de enternecimento, vendo seu rosto. Oh! Compreendia perfeitamente que para a alma resignada do simples povo russo, vergado sob o trabalho e o pesar, mas sobretudo sob a injustiça e o pecado contínuos — o seu e o do mundo — não há maior necessidade e consolo do que encontrar um santuário ou um santo, cair de joelhos, adorá-lo: "Se o pecado, a mentira, a tentação são nossa partilha, há no entanto em alguma parte do mundo um ser santo e sublime; possui a verdade, conhece-a; portanto, ela descerá um dia até nós e reinará sobre a terra inteira, como foi prometido". Aliócha sabia que é assim que o povo sente e até mesmo raciocina; compreendia isto, mas que o *stáriets* fosse precisamente esse santo, esse depositário da verdade divina aos olhos do povo, estava disso persuadido tanto quanto aqueles mujiques e aquelas mulheres doentes que lhe estendiam seus filhos. A convicção de que o *stáriets*, após sua morte, atrairia uma glória extraordinária para o mosteiro reinava na sua alma mais forte talvez do que entre os monges. Desde algum tempo, seu coração aquecia-se sempre mais à labareda dum profundo entusiasmo interior. Não o perturbava absolutamente nada ver no *stáriets* um indivíduo isolado: "Dá no mesmo, há no seu coração o mistério da renovação para todos, esse poder que instaurará por fim a verdade na terra e todos serão santos, amarão uns aos outros; não haverá mais nem ricos nem pobres, nem elevados nem humilhados; todos serão como os filhos de Deus e será isto o advento do reino do Cristo". Eis com que sonhava o coração de Aliócha.

Parece que impressionou fortemente a Aliócha a chegada de seus dois irmãos, que ele não conhecia absolutamente até então. Ligara-se mais a Dimítri, se bem que este tivesse chegado mais tarde. Quanto a Ivan, interessava-se muito por ele, mas os dois jovens permaneciam estranhos um ao outro e, no entanto, dois meses se haviam passado durante os quais viam-se bastante frequentemente. Aliócha era taciturno; além disso, parecia esperar não se sabia o quê, ter vergonha de alguma coisa; muito embora tivesse notado no começo os olhares curiosos que lhe lançava seu irmão, cessou Ivan em breve de prestar-lhe atenção. Aliócha sentiu por isso alguma confusão. Atribuiu a indiferença de seu irmão à desigualdade de sua idade e de sua instrução. Mas tinha uma grande ideia. O pouco interesse que lhe testemunhava Ivan podia provir de uma causa que ele ignorava. Parecia este absorvido por algo de importante, como se visasse a um alvo muito difícil, o que teria explicado sua distração a respeito dele. Alieksiéi perguntou igualmente a si mesmo se não havia naquilo o desprezo de um ateu sábio por um pobre noviço. Não podia sentir-se ofendido com tal desprezo, se é que ele existia, mas aguardava com um vago alarme, que ele próprio não explicava a si mesmo, no momento em que seu irmão queria aproximar-se dele. Seu irmão Dimítri falava de Ivan com o mais profundo respeito, num tom circunspecto. Contou a Aliócha os detalhes do importante negócio que havia aproximado estreitamente os dois mais velhos. O entusiasmo com que Dimítri falava de Ivan impressionava tanto mais Aliócha quanto, comparado a seu irmão, Dimítri era quase um ignorante; o contraste da personalidade deles e de seus caracteres era tão vivo que se teria dificilmente imaginado dois seres tão diferentes.

Foi então que teve lugar a entrevista, ou antes a reunião, na cela do *stáriets*, de todos os membros daquela família mal harmonizada, reunião que exerceu influência extraordinária sobre Aliócha. O pretexto que a motivou era na realidade mentiroso. O desacordo entre Dimítri e seu pai, a respeito da herança de sua mãe e das contas da propriedade, atingia então seu auge. As relações tinham-se envenenado a ponto de tornar-se insuportáveis. Foi Fiódor Pávlovitch quem sugeriu, por brincadeira, que se reunissem todos na cela do *stáriets* Zósima; sem recorrer à sua intervenção, eles poderiam entender-se mais decentemente, sendo capazes a dignidade e a pessoa do *stáriets* de impor a reconciliação. Dimítri, que jamais estivera em casa dele e jamais o vira, pensou que quisessem amedrontá-lo daquela maneira; mas como ele próprio se censurava secretamente de muitas explosões bastante bruscas em sua querela com seu pai, aceitou o desafio. É preciso notar que não residia, como Ivan, em casa de seu pai, mas na outra extremidade da cidade. Piotr Alieksándrovitch Miúsov, que morava então em nossa cidade, agarrou-se a essa ideia. Liberal dos anos 40 e 50, livre-pensador e ateu, tomou neste caso uma parte extraordinária, por tédio, talvez, ou para se divertir. Tomou-o subitamente a fantasia de ver o mosteiro e o "santo". Como seu antigo processo contra o mosteiro durasse ainda — o litígio tinha por objeto a delimitação de suas terras e certos direitos de pesca e de corte —, apressou-se em aproveitar dessa ocasião, sob o pretexto de entender-se com o Padre Abade, a fim de dar por terminado aquele negócio amigavelmente. Um visitante animado de tão boas intenções podia ser recebido no mosteiro com mais atenções que um simples curioso. Estas considerações fizeram com que se insistisse junto ao *stáriets*, o qual, desde algum tempo, não deixava mais sua cela e recusava mesmo, por causa de sua doença, receber os simples visitantes. Deu seu consentimento e foi marcado o dia. "Quem me encarregou de decidir entre eles?", declarou ele somente a Aliócha, com um sorriso.

Ao saber dessa reunião, ficou Aliócha muito perturbado. Se algum dos adversários em luta podia tomar aquela entrevista a sério, era seguramente seu irmão Dimítri, e somente ele; os outros iriam com intenções frívolas e talvez ofensivas para o *stáriets*. Aliócha o compreendia bem. Seu irmão Ivan e Miúsov ali se dirigiam levados pela curiosidade e seu pai para fazer o papel de palhaço, se bem que guardando silêncio. Conhecia-o a fundo. Repito, aquele rapaz não era tão ingênuo como todos acreditavam. Aguardava com ansiedade o dia marcado. Sem dúvida levava muito em questão ver cessar por fim o desacordo na sua família. Mas preocupava-se sobretudo com o *stáriets*; tremia por ele, pela sua glória, temendo as ofensas, particularmente as finas zombarias de Miúsov e as reticências do erudito Ivan. Queria mesmo tentar prevenir o *stáriets*, falar-lhe a respeito daqueles visitantes eventuais, mas refletiu e calou-se. Na véspera do dia marcado, mandou dizer a Dimítri que o amava muito e esperava dele o cumprimento de sua promessa. Dimítri, que procurou em vão lembrar-se de ter prometido alguma coisa, respondeu-lhe por carta que faria tudo para evitar a baixeza. Embora cheio de respeito pelo *stáriets* e por Ivan, via naquilo uma armadilha ou uma comédia indigna. "Entretanto, preferirei engolir minha língua a faltar ao respeito ao santo homem que veneras", dizia Dimítri, terminando sua carta. Aliócha nem por isso ficou reconfortado.

Livro II / Uma reunião intempestiva

I / A chegada ao mosteiro

Estava um dia magnífico, quente e claro. Era no fim de agosto. A entrevista com o *stáriets* fora marcada para imediatamente depois da última missa, às onze e meia. Os nossos visitantes chegaram quase no fim da cerimônia em duas carruagens. A primeira, uma elegante caleça puxada por dois cavalos de preço, estava ocupada por Piotr Alieksándrovitch Miúsov e um parente afastado, Piotr Fomitch Kolgánov, de vinte anos de idade. Este rapaz preparava-se para entrar na universidade. Miúsov, de quem ele era hóspede, propunha-lhe levá-lo ao estrangeiro, a Zurique ou a Iena, para ali acabar seus estudos, mas ele não havia ainda tomado decisão. Pensativo e distraído, tinha um aspecto agradável, uma constituição robusta, a estatura bastante elevada. De olhar estranhamente fixo, o que é próprio das pessoas distraídas, olhava-nos por vezes muito tempo sem ver-nos, taciturno e algo embaraçado, acontecia-lhe — somente na intimidade — mostrar-se de repente bastante loquaz, veemente, jovial, rindo só Deus sabe de quê. Mas sua imaginação não passava de um fogo de palha, assim que acendia logo se apagava. Andava sempre bem vestido e até mesmo com apuro. Possuidor de certa fortuna, tinha ainda mais em perspectiva. Entretinha com Aliócha relações amigáveis.

Fiódor Pávlovitch e seu filho tinham tomado lugar em uma caleça de aluguel bastante estragada, mas espaçosa, atrelada a dois velhos cavalos malhados de preto e branco, que seguiam a uma distância respeitável. Dimítri tinha sido prevenido na véspera da hora da entrevista, mas estava atrasado. Os visitantes deixaram suas carruagens perto da cerca, na hospedaria, e transpuseram a pé as portas do mosteiro. Exceto Fiódor Pávlovitch, os três outros jamais tinham visto o mosteiro e Miúsov havia trinta anos que não entrava numa igreja. Olhava com certa curiosidade, assumindo um ar desenvolto. Mas o interior do mosteiro, de parte a igreja e as dependências, aliás, bastante banais, nada oferecia a seu espírito observador. Os derradeiros fiéis que saíam da igreja benziam-se de gorros nas mãos. Entre o povinho viam-se também pessoas de uma posição mais elevada: duas ou três damas, um velho general, todos hospedados na pousada. Mendigos cercaram nossos visitantes, mas ninguém lhes deu esmola. Somente Pietrucha Kolgánov tirou dez copeques de seu porta moedas e, acanhado Deus sabe por quê, introduziu-os rapidamente na mão de uma mulher, murmurando: "Reparta-os." Nenhum de seus companheiros lhe fez qualquer observação, o que teve como resultado aumentar-lhe a confusão.

Coisa estranha: teriam deveras devido esperá-los e até mesmo testemunhar-lhes algumas atenções; um deles acabava de fazer um donativo de mil rublos, o outro era um proprietário bastante rico, que mantinha os monges mais ou menos sob sua dependência, no que dizia respeito à pesca, de acordo com o rumo que tomasse o processo. No entanto nenhuma personalidade oficial se encontrava lá para recebê-los. Miúsov contemplava com ar distraído as lápides tumulares em redor da igreja e quis fazer a observação de que os ocupantes daqueles túmulos deviam ter pago bastante caro o direito de ser enterrados em um lugar tão "santo", mas manteve-se em silêncio: sua ironia de liberal dava lugar à irritação.

— A quem, diabo, devemos dirigir-nos nesta casa onde todos mandam?... Seria preciso saber, porque o tempo passa — murmurou ele, como consigo mesmo.

De repente, aproximou-se deles um personagem calvo, de idade madura, numa ampla veste de verão e de olhos ternos. De chapéu na mão, apresentou-se, ceceando, como o proprietário de terras Maksímov, do governo de Tula. Deu-se conta imediatamente do embaraço daqueles senhores.

— O *stáriets* Zósima mora no eremitério, à parte, a quatrocentos passos do mosteiro; é preciso atravessar o bosquezinho...

— Sei bem — respondeu Fiódor Pávlovitch. — Não nos lembramos bem da estrada, pois faz muito tempo que não venho por aqui.

— Passem por aquela porta, depois sigam diretamente pelo bosquezinho. Permitam-me que os acompanhe... eu mesmo... por aqui, por aqui...

Saíram da cerca e meteram-se no bosque. O proprietário Maksímov, de uns sessenta anos de idade, caminhava, ou antes corria ao lado deles, examinando-os a todos com uma curiosidade incômoda. Esbugalhava os olhos.

— Fique o senhor sabendo que nós vamos à casa desse *stáriets* para tratar de um negócio pessoal — observou friamente Miúsov. — Obtivemos, por assim dizer, "uma audiência" desse personagem; de modo que, apesar de nossa gratidão, não lhe propomos que entre conosco.

— Já estive ali... *Un chevalier parfait* — declarou, dando um piparote no ar, o proprietário.

— Quem é *ce chevalier?* — perguntou Miúsov.

— O *stáriets*, o famoso *stáriets*... a glória e a honra do mosteiro, Zósima. Aquele *stáriets*, vejam...

Sua tagarelice foi interrompida por um monge, com capuz, de pequena estatura, pálido e desfeito, que alcançou o grupo. Fiódor Pávlovitch e Miúsov pararam. O monge saudou-os com grande polidez e lhes disse:

— Senhores, o Padre Abade convida-os a todos a jantar, depois da visita ao eremitério. É à uma hora em ponto. O senhor também — disse ele a Maksímov.

— Não haverei de faltar — exclamou Fiódor Pávlovitch, encantado pelo convite. — O senhor sabe que todos prometemos portar-nos decentemente... E o senhor virá, Piotr Alieksándrovitch?

— Como não? Por que estou aqui, senão para observar os costumes deles? Uma só coisa me embaraça, Fiódor Pávlovitch, é encontrar-me agora com o senhor.

— Sim, Dimítri Fiódorovitch ainda não chegou.

— Seria perfeito se ele faltasse; o senhor acredita que isso seja um prazer para mim, essa história dos senhores e o senhor ainda de quebra? Estaremos lá para o almoço; agradeça ao Padre Abade — disse ele ao monge.

— Perdão, tenho de conduzi-los à casa do *stáriets* — respondeu este.

— Neste caso vou diretamente à casa do Padre Abade, sim, vou durante este tempo à casa do Padre Abade — gorjeou Maksímov.

— O Padre Abade está muito ocupado neste momento, mas será como o senhor quiser... — disse o monge, perplexo.

— Que sujeito cacete esse velho! — observou Miúsov, quando Maksímov voltou ao mosteiro.

— Parece-se com von Sohn — declarou, de repente, Fiódor Pávlovitch.

— É tudo quanto o senhor sabe... em que se parece ele com von Sohn? O senhor mesmo já o viu?

— Vi-lhe a fotografia. Se bem que as feições não sejam idênticas, há qualquer coisa de indefinível. É totalmente o sósia de von Sohn. Reconheço-o apenas pela fisionomia.

— Ah! Talvez o senhor seja entendido nisso. Todavia, Fiódor Pávlovitch, o senhor acaba de lembrar que prometemos portar-nos decentemente; não se esqueça disto. Digo-lhe que se contenha. Se o senhor começa a fazer-se de palhaço, eu não tenho a intenção de ser metido no mesmo cesto que o senhor. Veja esse homem — disse ele dirigindo-se ao monge —, tenho medo de ir com ele à casa de pessoas distintas.

Um pálido sorriso, não desprovido de astúcia, apareceu nos lábios exangues do monge, que, no entanto, nada respondeu, deixando ver claramente que se calava pela consciência de sua própria dignidade. Miúsov franziu ainda mais o cenho.

"Oh! Que o diabo leve a todas essas criaturas de exterior, plasmado pelos séculos, mas cujo íntimo não é senão charlatanismo e absurdo!" — ele dizia a si mesmo.

— Eis o eremitério, chegamos — gritou Fiódor Pávlovitch, que se pôs a fazer grandes sinais-da-cruz diante dos santos pintados por cima e de lado do portal.

— Cada qual vive como lhe agrada — declarou ele. — E o provérbio russo diz com razão: "A monge duma outra ordem não imponhas tua regra". Há aqui vinte e cinco bons padres que tratam de sua salvação, contemplam-se uns aos outros e comem couves. E nem uma mulher transpôs esse portal, eis o que é espantoso. No entanto, ouvi dizer que o *stáriets* recebia senhoras — disse ele ao monge.

— As mulheres do povo esperam-no lá embaixo, perto da galeria, veja, estão sentadas no chão. Para as senhoras da sociedade prepararam dois quartos na própria galeria, mas fora da cerca, veja aquelas janelas; o *stáriets* ali chega por um corredor interno, quando sua saúde permite. Há uma Senhora Khokhlakova, proprietária em Khárkov, que quer consultá-lo a respeito de sua filha, atacada de fraqueza. Teve de prometer vir vê-las, se bem que nestes últimos tempos esteja muito fraco e não se mostre em público.

— Há, pois, no eremitério uma porta entreaberta do lado das senhoras. Não estou fazendo mau juízo, meu padre! No Monte Atos, o senhor deve saber, não somente são proibidas as visitas femininas, mas não se tolera nenhuma mulher, nem fêmea, galinhas, peruas, bezerras...

— Fiódor Pávlovitch, vou-me embora e deixo-o sozinho. Vão mandá-lo embora a braços, preste atenção no que estou dizendo.

— Em que é que eu o incomodo, Piotr Alieksándrovitch? Olhe! — exclamou ele, de repente, uma vez transposta a cerca. — Veja em que vale de rosas eles moram!

Efetivamente, se bem que não houvesse então rosas, via-se uma profusão de flores outonais, magníficas e raras. Mãos experimentadas deviam cuidar delas. Havia canteiros em redor das igrejas e entre os túmulos. Flores cercavam ainda a casinha de madeira, um rés-do-chão, precedido duma galeria, onde se encontrava a cela do *stáriets*.

— Era assim também no tempo do *stáriets* precedente, Varsonófi? Dizem que ele não gostava da elegância, arrebatava-se e recebia mesmo as senhoras às bengaladas — observou Fiódor Pávlovitch, subindo o patamar.

— O *stáriets* Varsonófi parecia por vezes, com efeito, um pobre de espírito, mas exagera-se muito a este respeito. Nunca bateu em ninguém com o báculo — respondeu o monge. — Agora, senhores, um minuto, vou anunciá-los.

— Fiódor Pávlovitch, pela derradeira vez lhe digo, comporte-se bem, do contrário, ai do senhor! — murmurou ainda uma vez Miúsov.

— Gostaria bem de saber o que o comove dessa maneira — observou Fiódor Pávlovitch, zombeteiro. — São seus pecados que o amedrontam? Porque dizem que, com um simples olhar, ele adivinha com quem está tratando. Mas como pode fazer tal caso da opinião deles o senhor, um parisiense, um progressista? Palavra, o senhor me espanta!

Miúsov não teve oportunidade de responder a este sarcasmo; convidavam-nos a entrar. Sentiu ligeira irritação. "Pois bem! Sei de antemão que, nervoso como estou, irei discutir, acalorar-me... rebaixar-me, a mim e a minhas ideias", disse a si mesmo.

II / UM VELHO PALHAÇO

Entraram quase ao mesmo tempo que o *stáriets*, que, desde a chegada deles, havia saído de seu quarto de dormir. Na cela, tinham sido precedidos por dois religiosos do eremitério: um era o padre bibliotecário, o outro o Padre Paísi, doente, apesar de sua idade pouco avançada, mas erudito, segundo se dizia. Também estava ali um rapaz (ficou de pé todo o tempo), parecendo ter vinte e dois anos de idade, de sobrecasaca, seminarista e futuro teólogo, protegido pelo mosteiro e pela confraria. Era de estatura bastante elevada, tinha o rosto fresco, os pômulos salientes, com olhinhos castanhos de olhar inteligente. Seu rosto exprimia deferência, mas sem obsequiosidade. Não cumprimentou os visitantes, considerando-se não como igual deles, mas como um subalterno.

O *stáriets* Zósima apareceu, em companhia de um noviço e de Aliócha. Os religiosos levantaram-se, fizeram-lhe profunda reverência, com os dedos tocando a terra, receberam sua benção, beijaram-lhe a mão. Aquela cerimônia, marcada de grande seriedade, nada tendo da etiqueta vulgar, exalava uma espécie de emoção. No entanto, pareceu a Miúsov que aquilo se fazia com uma finalidade de sugestão premeditada. Conservava-se à frente de seus companheiros. Teria sido conveniente, quaisquer que fossem suas ideias — e por simples polidez, para se conformar com os usos —, que se aproximassem do *stáriets* para receber sua benção, se não para beijar-lhe a mão. Foi no que pensara na véspera, mas as reverências e os beijos dos monges fizeram-no mudar de resolução. Fez uma reverência grave e digna, de homem da sociedade, e foi sentar-se. Fiódor Pávlovitch fez a mesma coisa, macaqueando dessa vez Miúsov. A saudação de Ivan Fiódorovitch foi das mais corteses, mas também ele conservou seus braços ao longo dos quadris. Quanto a Kolgánov, tal era sua confusão que não fez saudação nenhuma. O *stáriets* deixou recair sua mão prestes a abençoá-los e convidou todos a sentarem-se. O sangue subiu às faces de Aliócha, estava envergonhado. Seus maus pressentimentos realizavam-se.

O *stáriets* tomou lugar num pequeno divã de couro — móvel bastante antigo — e fez seus visitantes sentarem-se perto da parede em frente, em quatro cadeiras de acaju, recobertas de couro bastante surrado. Os religiosos instalaram-se de lado, um na porta, outra na janela. O seminarista, Aliócha e o noviço ficaram de pé. A cela não era vasta e mostrava certo ar de coisa velha. Continha somente alguns móveis e objetos grosseiros, pobres, o estritamente necessário. Dois jarros de flores na janela, a um canto, numerosos ícones; um deles representava uma Virgem de grandes dimensões, pintada provavelmente muito tempo antes do Raskol.[13] Uma lâmpada ardia diante dela. Não longe, dois outros ícones de revestimentos cintilantes, depois dois querubins esculpidos, pequenos ovos de porcelana, um crucifixo de marfim, com uma *Mater* Dolorosa que o abraçava, e algumas gravuras estrangeiras, reproduções de grandes pintores italianos dos séculos passados. Ao lado dessas obras de valor, exibiam-se litografias russas para uso do povo, representando santos, mártires, prelados, as quais se vendiam por alguns copeques em todas as feiras. Miúsov lançou uma olhadela rápida sobre aquelas imagens, depois fixou seu olhar no *stáriets*. Respeitava sua maneira de ver, fraqueza desculpável, seguramente, se se considera que já tinha cinquenta anos, idade em que um homem do mundo, inteligente e opulento, leva-se sempre mais a sério, por vezes mesmo contra a sua vontade.

Desde o começo, o *stáriets* causara-lhe desagrado. Havia efetivamente em sua figura algo que teria desagradado a muitos outros que não apenas a Miúsov. Era um homenzinho curvado, de pernas muito fracas, de sessenta anos somente, mas que parecia ter dez anos mais, por causa de sua doença. Todo o seu rosto, aliás bastante seco, estava sulcado de pequenas rugas, sobretudo em redor dos olhos. Tinha os olhos claros, não muito grandes, vivos e brilhantes como dois pontos luminosos. Seus cabelos grisalhos chegavam-lhe apenas às têmporas; sua barba, pequena e rala, acabava em ponta; os lábios, delgados como duas correias, sorriam frequentemente; o nariz agudo lembrava um pássaro.

"Segundo toda aparência, uma alma malévola e arrogante", pensou. Em geral, estava muito descontente consigo mesmo.

O soar da hora ajudou o início do diálogo. Um pequeno relógio de pesos bateu doze pancadas.

— A hora exata — exclamou Fiódor Pávlovitch — e meu filho Dimítri Fiódorovitch que não chega! Peço-lhe desculpas por ele, santo *stáriets*! (Aliócha estremeceu ao ouvir aquelas palavras de "santo *stáriets*".) Sou sempre pontual, dentro do minuto, lembrando-me de que a pontualidade é a polidez dos reis.

— No entanto, o senhor não é nenhum rei — resmungou Miúsov, incapaz de conter-se.

— É verdade, não sou. E imagine, Piotr Alieksándrovitch, que eu mesmo sabia, palavra! E falo sempre assim, fora de propósito! Vossa Reverência — exclamou ele, de súbito, num tom patético — tem diante de si um verdadeiro palhaço. É minha maneira de apresentar-se. Um velho hábito, ai de mim! Ora, se falo por vezes fora de propósito, é intencionalmente, com o fim de fazer ri e ser agradável. É preciso ser agradável, não é verdade? Há sete anos, cheguei a uma cidadezinha para tratar duns negocinhos, umas contas a meias com uns negociantezinhos. Fomos à casa do *isprávnik*, uma vez que tínhamos algo a pedir-lhe e para convidá-lo a comer conosco. Aparece o *isprávnik*: era um homem de alta estatura, gordo, louro e carrancudo — os indivíduos mais perigosos em semelhante caso, pois a bílis os atormenta. Abordo-o com a desenvoltura de um homem do mundo: "Senhor Isprávnik — disse eu —, o senhor será talvez, por assim dizer, o nosso Naprávnik?"[14] — "Que Naprávnik?" — perguntou ele. Vi imediatamente que aquilo não pegava, que ele continu-

---

13   Literalmente: cisão. Seita religiosa dos "velhos crentes" que provocou o cisma na igreja russa, em meados do século XVII, contra as reformas do Patriarca Nikhon.

14   Nome forjado. Do verbo *napravliat*, endireitar, dirigir.

ava todo grave; obstinei-me: "É uma brincadeira, quis tornar todos alegres, porque o Senhor Naprávnik é um chefe de orquestra conhecido; ora, para a harmonia de nosso empreendimento, precisamos justamente duma espécie de chefe de orquestra". A explicação e a comparação eram razoáveis, não? "Perdão — disse ele —, sou *isprávnik* e não permito que se façam trocadilhos a respeito de minha profissão." Volta as costas e retira-se. Corro atrás dele, gritando: "Sim, sim, o senhor é *isprávnik* e não Naprávnik." — "Não — replicou ele —, o senhor disse, sou Naprávnik." Imaginem que isso fez fracassar nosso negócio! Nem por isso me emendei. Prejudico-me por causa de minha amabilidade! Certa vez, há muitos anos, eu dizia a um personagem importante: "Sua esposa é uma mulher coceguenta", no sentido de ser muito sensível em questões de honra, de qualidades morais, por assim dizer, ao que ele me replica: "O senhor lhe fez cócegas?". Não pude conter-me, banquemos o amável, pensei: "Sim, fiz-lhe cócegas"; mas então quem me fez cócegas foi ele... Aconteceu há muito tempo, por isso não tenho vergonha de contar; é sempre assim que causo prejuízo a mim mesmo.

— E está causando agora — murmurou Miúsov, com desagrado.

O *stáriets* examinava um a um, em silêncio.

— Deveras? Imagine que eu já sabia, Piotr Alieksándrovitch, e, até mesmo, saiba que pressentia o que faço, desde que comecei a falar, e até mesmo, saiba-o, pressentia que o senhor seria o primeiro a me observar isso. Nesses momentos, quando vejo que minha pilhérias não dão resultado, Reverendíssimo Senhor, minhas bochechas começam a dessecar-se na direção das gengivas, tenho quase como uma convulsão; isto remonta à minha mocidade, quando era parasita em casa dos nobres e ganhava meu pão por meio dessa habilidade. Sou um palhaço autêntico, inato, Reverendíssimo Senhor, a mesma coisa que um idiota; não nego que um espírito mau more talvez em mim, bem modesto em todo caso; se fosse mais importante, teria se alojado em outra parte, somente não no senhor, Piotr Alieksándrovitch, porque o senhor não é importante. Em compensação, creio, creio em Deus. Nestes últimos tempos, tinha dúvidas; mas agora espero sublimes palavras. Pareço-me com o filósofo Diderot,[15] Reverendíssimo Senhor. O senhor sabe, santíssimo padre, como ele se apresentou diante do metropolita Platon, no reinado da Imperatriz Katierina? Entrou e largou sem mais: "Não há Deus". Ao que o grande prelado respondeu, de dedo erguido: "O insensato disse em seu coração: 'Não há Deus!'". Imediatamente Diderot lançou-se a seus pés: "Creio — exclamou ele. — e quero ser batizado". Batizaram-no ali mesmo. A Princesa Dachkova[16] foi a madrinha, e Potiomkin,[17] o padrinho...

— Fiódor Pávlovitch, é intolerável! Porque o senhor mesmo sabe que está mentindo e que essa estúpida anedota é falsa; por que fazer-se malicioso? — proferiu com voz trêmula Miúsov, que já não conseguia se conter.

---

15   Denis Diderot (1713-1784), pensador, escritor e crítico francês, diretor principal da *Enciclopédia*. Ateu convicto, foi grande admirador da vida e suas formas e reconduziu a moral à fisiologia. Fez uma viagem à Rússia para agradecer a Katierina II os benefícios dela recebidos.

16   Katierina Romanovna, Princesa Dachkova, mulher de letras, amiga de Katierina II e presidenta da Academia de Ciências (1743-1810).

17   Grigóri Alieksándrovitch Potiomkin (1739-1790), o célebre príncipe de Táuride, marechal-de-campo e favorito de Katierina II. Projetou expulsar totalmente os turcos da Europa.

— Toda a minha vida pressenti que era isso uma mentira! — exclamou Fiódor Pávlovitch, entusiasmando-se. — Em compensação, senhores, vou lhes dizer toda a verdade. Eminente *stáriets*, perdoe-me, eu mesmo inventei esse fim, ainda há pouco, com o batismo de Diderot; isto jamais me ocorrera antes. Inventei-o para dar certo ar picante ao caso. Se me faço de malicioso, Piotr Alieksándrovitch, é para ser mais gentil. De resto, por vezes, não sei eu mesmo por quê. Quanto a Diderot, ouvi contar isto: "O insensato disse..." umas vinte vezes na minha juventude, pelos proprietários de terras do país, quando morava entre eles; ouvi dizer, Piotr Alieksándrovitch, de sua própria tia, Mavra Fomínichna. Até agora, estão todos persuadidos de que o ímpio Diderot fora à casa do metropolita Platon para discutir a existência de Deus...

Miúsov levantara-se, não somente porque perdera a paciência, mas achava-se fora de si. Estava furioso e compreendia que isso o tornava ridículo. Com efeito, passava-se na cela algo de intolerável. Havia quarenta ou cinquenta anos, ainda no tempo dos precedentes *stártsi*, os visitantes reuniam-se naquela cela, mas sempre com a mais profunda veneração. Quase todos quantos eram admitidos compreendiam que lhes era concedido um insigne favor. Muitos, dentre eles, punham-se de joelhos e assim ficavam durante toda a visita. Pessoas de posição elevada, eruditos e até mesmo livres-pensadores, vindos, quer por curiosidade, que por qualquer outro motivo, achavam um dever o testemunhar ao *stáriets* profunda deferência e grandes atenções, durante toda a entrevista — quer fosse pública ou privada —, tanto mais quanto não havia questão de dinheiro. Só havia o amor e a bondade, em presença do arrependimento e da sede de resolver algum difícil problema moral ou uma crise da vida do coração. Assim, as piadas a que se entregara Fiódor Pávlovitch, chocantes em tal lugar, haviam provocado o embaraço e o espanto das testemunhas, em todo o caso de várias dentre elas. Os religiosos, que permaneciam impassíveis, fixavam sua atenção no que iria dizer o *stáriets*, mas pareciam já prestes a levantar-se como Miúsov. Aliócha tinha vontade de chorar e curvava a cabeça. Toda a sua esperança repousava em seu irmão Ivan, o único cuja influência seria capaz de deter seu pai, e estava estupefato por vê-lo sentado, imóvel, de olhos baixos, aguardando com curiosidade o desenlace daquela cena, como se fosse completamente estranho a ela. Era impossível a Aliócha olhar para Rakítin (o seminarista), com o qual vivia quase em intimidade: conhecia seus pensamentos (era aliás o único a conhecê-los em todo o mosteiro).

— Desculpe-me... — começou Miúsov, dirigindo-se ao *stáriets*, — se pareço tomar parte nessa indigna pilhéria. Errei ao acreditar que, até mesmo um indivíduo da qualidade de Fiódor Pávlovitch, visitando uma personalidade tão respeitável, saberia compreender suas obrigações... não pensava que seria preciso desculpar-me por ter vindo com ele...

Piotr Alieksándrovitch não acabou e, todo confuso, queria sair já do quarto.

— Não se inquiete, rogo-lhe — disse o *stáriets*, que, erguendo-se sobre seus pés débeis, pegou Piotr Alieksándrovitch pelas duas mãos e obrigou-o a tornar a sentar-se. — Acalme-se, rogo-lhe. O senhor é meu hóspede.

Dito isto, e após uma reverência, voltou a sentar-se no divã.

— Eminente *stáriets*, diga-me, será que minha vivacidade o ofende? — exclamou de repente, Fiódor Pávlovitch, agarrando-se nos dois braços da poltrona, como prestes a saltar, de acordo com a resposta que recebesse.

OS IRMÃOS KARAMÁZOVI 457

— Rogo-lhe igualmente que não se inquiete e não se constranja — declarou o *stáriets* com majestade. — Não se constranja, esteja como que em sua casa. Sobretudo não tenha tanta vergonha de si mesmo, porque todo o mal vem daí.

— Completamente como em minha casa? Isto é, ao natural? Oh! é demais, é muito demais. Aceito, porém, com enternecimento! Sabe, meu venerando padre? Não me leve a mal mostrar-me ao natural, é por demais arriscado... eu mesmo não chego a esse ponto. Digo isto para que o senhor se previna. Pois bem! o resto está ainda enterrado nas trevas do desconhecido, se bem que alguns quisessem enforcar-me. Isto dirige-se ao senhor, Piotr Alieksándrovitch; quanto ao senhor, santa criatura, eis o que declaro: "Estou transbordante de entusiasmo!" Levantou-se e, de braços para o ar, proferiu: "Bendito o ventre que te concebeu e benditos os peitos que te amamentaram, os peitos sobretudo!". Com aquela sua observação de há pouco: " Não tenha tanta vergonha de si mesmo, porque todo o mal vem daí",o senhor como que me transpassou e leu em mim. Justamente, quando me dirijo às pessoas, parece-me que sou a mais vil de todas e que todo mundo me toma por um palhaço; então digo a mim mesmo: "Sejamos palhaço, não temo vossa opinião, porque vós sois todos, até o derradeiro, mais vis do que eu!". Eis por que sou palhaço, por vergonha, eminente padre, por vergonha. Somente por timidez é que me faço de valentão. Porque se estivesse certo, ao entrar, de que todos me acolheriam como um ser simpático e ajuizado, meu Deus!, como eu seria bom! Mestre — ficou de repente de joelhos —, que é preciso fazer para ganhar a vida eterna?

Mesmo então, era difícil saber se brincava ou cedia ao enternecimento.

O *stáriets* ergueu os olhos para ele e declarou, sorrindo:

— Há muito tempo que o senhor mesmo sabe o que é preciso fazer; não lhe falta senso: não se entregue à embriaguez e à intemperança de linguagem; não se entregue à sensualidade, sobretudo ao amor ao dinheiro; e feche seus botequins de bebida, pelo menos dois ou três, se não pode fechá-los todos. Mas sobretudo, antes de tudo, não minta.

— É a propósito de Diderot que o senhor diz isso?

— Não, não é a propósito de Diderot. Sobretudo não minta ao senhor mesmo. Aquele que mente a si mesmo e escuta sua própria mentira vai ao ponto de não mais distinguir a verdade, nem em si, nem em torno de si; perde pois o respeito de si e dos outros. Não respeitando ninguém, deixa de amar; e para se ocupar, e para se distrair, na ausência de amor, entrega-se às paixões e aos gozos grosseiros; chega até a bestialidade em seus vícios, e tudo isso provém da mentira contínua a si mesmo e aos outros. Aquele que mente a si mesmo pode ser o primeiro a ofender-se. É por vezes bastante agradável ofender a si mesmo, não é verdade? Um indivíduo sabe que ninguém o ofendeu, mas que ele mesmo forjou uma ofensa e mente para embelezar, enegrecendo de propósito o quadro, que se ligou a uma palavra e fez dum montículo uma montanha — ele próprio sabe, portanto é o primeiro a ofender-se, até o prazer, até experimentar uma grande satisfação, e por isso mesmo chega ao verdadeiro ódio... Mas levante, torne a sentar, rogo-lhe; isto, também é um gesto falso...

— Bem-aventurado! Deixai-me beijar-vos a mão. — Fiódor Pávlovitch ficou em pé e pousou os lábios sobre a mão descarnada do *stáriets*. — Justamente, justamente, ofender-se a si mesmo causa prazer. O senhor disse tão bem, como jamais ouvi dizer. Justamente, justamente, senti prazer em toda a minha vida com as ofensas, por um sentimento de estética, porque ser ofendido não somente causa prazer, mas por vezes é belo. Eis o que o senhor esqueceu, eminente *stáriets*: a beleza! Vou anotar no meu caderninho! Quanto a mentir, não faço senão isso em toda a minha vida, a cada dia e a cada hora. Na verdade, sou mentira e o pai da mentira! Aliás, creio que não é o pai da mentira, embaraço-me nos textos, pois bem, o filho da mentira, e isto basta. Somente... meu anjo... pode-se por vezes florear a respeito de Diderot! Isto não faz mal, ao passo que certas palavras podem fazer mal. Eminente *stáriets*, a propósito, recordo-me de que, há três anos, tinha prometido a mim mesmo vir aqui informar-me e descobrir com insistência a verdade; peça somente a Piotr Alieksándrovitch que não me interrompa. Eis de que se trata. É verdade, reverendo padre, o que se conta em alguma parte das *Vidas dos santos*, a respeito dum santo taumaturgo, que sofreu o martírio pela fé e, depois de ter sido decapitado, ergueu do chão sua cabeça e, "beijando-a delicadamente", a carregou muito tempo em seus braços? É verdade ou não, meus padres?

— Não, não é verdade — disse o *stáriets*.

— Não há nada de semelhante em nenhuma *Vidas dos santos*. A propósito de que santo diz o senhor que se relata esse fato? — perguntou um religioso, o padre bibliotecário.

— Ignoro qual. Não tenho conhecimento disso. Induziram-me em erro. Ouvi dizer e sabe por quem? Por esse mesmo Piotr Alieksándrovitch Miúsov, que ainda há pouco se zangava a respeito de Diderot; era ele quem contava isso.

— Jamais lhe contei isso, pela razão muito justa de que não converso nunca com o senhor.

— É verdade que não contou isso a mim, mas numa reunião social em que me encontrava há poucos anos. Se lembro o fato, é que o senhor abalou minha fé com essa narrativa cômica, Piotr Alieksándrovitch. O senhor de nada sabia, mas voltei para minha casa com a fé abalada e desde então vacilo cada vez mais. Sim, Piotr Alieksándrovitch, foi o senhor causa duma grande queda. É coisa bem diversa de Diderot!

Fiódor Pávlovitch acalorava-se duma maneira patética, se bem que fosse evidente para todos que ele de novo não fazia senão exibir-se. Mas Miúsov estava exacerbado.

— Que absurdo, como tudo isso, aliás! — murmurou ele. — Talvez tenha contado isso uma vez, na verdade... mas não ao senhor. Falaram-me disso. Ouvi em Paris um francês contar que se lê entre nós esse episódio na missa, nas *Vidas dos santos*. Foi um erudito que tem especialmente estudado a estatística da Rússia... há muito tempo. Quanto a mim, não li as *Vidas dos santos* e não as lerei... Pode-se bem dizer coisas durante o jantar... Nós estávamos jantando, então...

— Sim, os senhores estavam jantando então e eu perdi a fé! — disse para aborrecê-lo Fiódor Pávlovitch.

— Que me importa sua fé! — ia gritar Miúsov, mas conteve-se e proferiu com desprezo: — O senhor emporcalha literalmente tudo quanto toca.

O *stáriets* levantou-se de repente.

— Desculpem-me, senhores, deixá-los a sós por alguns minutos — disse ele, dirigindo-se a todos os visitantes —, mas já me esperavam antes da chegada dos senhores. Quanto ao senhor, abstenha-se de mentir — acrescentou, voltando-se para Fiódor Pávlovitch, com o rosto alegre.

Saiu da cela. Aliócha e o noviço lançaram-se a ajudá-lo a descer a escada. Aliócha sufocava; sentia-se feliz por sair, feliz igualmente por ver o *stáriets* alegre e não ofendido. O *stáriets* dirigia-se para a galeria, a fim de abençoar aquelas que o esperavam, mas Fiódor Pávlovitch deteve-o às portas da cela.

— Bem-aventurado! — exclamou ele, sentimentalmente. — Permita-me que lhe beije ainda uma vez a mão! Com o senhor, pode-se conversar, pode-se viver. O senhor pensa que minto sempre assim e que banco de palhaço? Era para verificar se se pode viver com o senhor, se há lugar para minha humildade ao lado de sua altivez. Passo-lhe um certificado de sociabilidade! Agora, nem mais uma palavra. Vou sentar-me e ficar em silêncio. Cabe ao senhor falar, Piotr Alieksándrovitch, o senhor passa a ser o personagem principal... por dez minutos.

III / As mulheres crentes

Embaixo da galeria de madeira que dava para o muro exterior do recinto apertavam-se umas vinte mulheres do povo. Tinham-nas prevenido de que o *stáriets* sairia afinal e haviam-se agrupado à espera. As proprietárias Khokhlakovi esperavam-no igualmente, mas num quarto da galeria, reservado às visitantes de qualidade. Eram duas: a mãe e a filha. A primeira, senhora rica e sempre trajada com gosto, era ainda bastante jovem e de exterior bastante agradável, de olhos vivos e quase negros. Tinha apenas trinta e três anos e estava viúva havia cinco. Sua filha, de quatorze anos, tinha as pernas paralíticas. A pobre menina não andava mais havia seis meses; carregavam-na numa cadeira de rodas. Tinha um rosto delicioso, um pouco emagrecido pela doença, mas alegre. Algo de folgazão brilhava nos seus grandes olhos sombrios, de longas pestanas. Desde uma semana, viviam em nossa cidade, mais por negócios que por devoção, mas já haviam visitado o *stáriets* três dias antes. Agora voltavam e, embora sabendo que o *stáriets* não podia quase receber mais ninguém, suplicavam que lhes concedesse "a felicidade de ver o grande curador". Aguardando a vinda dele, a mãe estava sentada ao lado da poltrona de sua filha; a dois passos mantinha-se de pé um velho monge, vindo dum longínquo convento do Norte e que desejava receber a benção do *stáriets*. Mas este, quando apareceu na galeria, dirigiu-se diretamente ao povo. A multidão comprimia-se em torno do patamar de três degraus que reunia a galeria baixa ao solo. O *stáriets* manteve-se no degrau superior, revestiu-se da estola e pôs-se a abençoar as mulheres que o cercavam. Trouxeram-lhe uma possessa que seguravam pelas duas mãos. Assim que ela avistou o *stáriets*, foi tomada dum soluço, lançando gemidos e sacudida por espasmos, como numa crise de eclampsia. Tendo-lhe coberto a cabeça com a estola, pronunciou o *stáriets* sobre ela uma curta prece e ela acalmou-se imediatamente. Ignoro o que se passa agora, mas na minha infância tive muitas vezes ocasião de ver e de ouvir essas possessas, nas aldeias e nos conventos. Levadas à missa, ganiam e ladravam na igreja, mas quando traziam o santo sacramento e elas dele se aproximavam, a "crise demoníaca" cessava imediatamente e as doentes se acalmavam sempre por certo tempo. Ainda menino, isso me espantava e me surpreendia bastante. Ouvia então certos proprietários rurais e sobretudo professores da cidade responderem às minhas perguntas que aquilo era uma simulação para não trabalhar e que se podia sempre reprimi-la, mostrando severidade. Citavam-se em apoio disto diversas anedotas. Mais tarde, soube com espanto, de médicos especialistas, que não havia ali nenhuma simulação, que era uma terrível doença das mulheres, atestando, mais particularmente na Rússia, a dura condição de nossa camponesa. Provinha de trabalhos estafantes, executados muito cedo, após laboriosos partos mal efetuados, sem nenhuma ajuda médica; além disso, desespero, maus tratos, etc., etc., o que certas naturezas femininas não podem suportar, apesar do exemplo geral. A cura estranha e súbita de uma possessa presa de convulsões, desde que a aproximavam das sagradas espécies, cura atribuída então à simulação e, além do mais, a um ardil empregado, por assim dizer, pelos próprios "clérigos", efetuava-se provavelmente também da maneira mais natural. As mulheres que conduziam a doente, e sobretudo ela própria, estavam persuadidas, como duma verdade evidente, de que o espírito impuro que a possuía não poderia jamais resistir na presença do santo sacramento, diante do qual inclinavam a infeliz. De modo que, numa mulher nervosa e psiquicamente doente, produzia-se sempre (e isto devia ser) como que um abalo nervoso de todo o organismo, abalo causado pela expectativa do milagre da cura e pela fé absoluta na sua realização. E ele se realizava, nem que fosse por um minuto. Foi o que ocorreu, assim que o *stáriets* cobriu a doente com a estola.

Muitas das mulheres que se comprimiam em redor dele vertiam lágrimas de enternecimento e de entusiasmo, sob a impressão daquele minuto; outras avançavam para beijar nem que fosse a orla do hábito dele; algumas lamentavam-se. Ele as abençoava a todas e conversava com elas. Conhecia já a possessa, que morava numa aldeia a seis verstas do mosteiro; não era a primeira vez que a traziam.

— Eis uma que vem de longe! — disse ele, apontando uma mulher ainda jovem, mas muito magra e desfeita, o rosto mais enegrecido que queimado. Estava de joelhos e fitava o *stáriets* com um olhar imóvel. Seu olhar tinha qualquer coisa de desvairado.

— Venho de longe, *bátiuchka*, de longe, a trezentas verstas daqui. De longe, meu pai, de longe — repetiu a mulher como um estribilho, balançando a cabeça da direita para a esquerda, com a face apoiada na palma de sua mão. Falava como que se lamentando. Há no povo uma dor silenciosa e paciente; entra em si mesma e se cala. Mas há uma outra que explode: manifesta-se por lágrimas e se expande em lamentações, sobretudo entre as mulheres. Não é mais ligeira que a dor silenciosa. As lamentações só se acalmam, roendo e dilacerando o coração. Semelhante dor não quer consolações, repasta-se com a ideia de ser inextinguível. As lamentações são apenas a necessidade de irritar cada vez mais a ferida.

— A senhora é da cidade, sem dúvida? — continuou o *stáriets*, olhando-a com curiosidade.

— Moramos na cidade, *bátiuchka*; somos do campo, mas moramos na cidade. Vim para ver-te. Ouvimos falar de ti, *bátiuchka*. Enterrei meu filhinho bem novo, fui rogar a Deus, estive em três conventos e disseram-me: "Vai lá embaixo também, Nastássiuchka, isto é, vir ter com o senhor, *bátiuchka*, com o senhor". Vim, estava ontem de noite na igreja e eis-me aqui.

— Por que choras?

— Choro pelo meu filho, *bátiuchka*; ele estava com três anos, ia fazê-los dentro de três meses. É por causa dele que me atormento. Era o último; Nikítuchka e eu tivemos quatro, mas os meninos não ficam em nossa casa, bem-amado, não ficam. Enterrei os três primeiros, não tinha tanto pesar, mas este último, não posso esquecê-lo. É como se tivesse ficado diante de mim, não se vai embora. Estou de alma ressequida. Contemplo sua roupinha, sua camisinha, suas botinas, e soluço. Exponho tudo quanto restou depois dele, cada coisa, contemplo-as e choro. Digo a Nikítuchka, meu marido: "Ah, meu senhor, deixa-me ir em peregrinação". Ele é cocheiro, temos de tudo, meu pai, temos de tudo, vivemos por nossa conta, tudo nos pertence, os cavalos e os carros. Mas de que servem agora todos esses bens? Sem mim, meu Nikítuchka deve ter-se posto a beber, decerto, e, já antes, assim que eu me afastava fraquejava ele. Mas agora não penso mais nele, há três meses que abandonei a casa. Esqueci tudo e não quero mais lembrar-me de nada; que farei dele agora? Rompi com ele e com todos. E agora, não desejaria ver minha casa e meus bens e preferiria mesmo ter perdido a vista.

— Escuta, mãe — proferiu o *stáriets*. — Outrora um grande santo avistou no templo uma mãe que chorava como tu, também por causa de seu filho único que o Senhor havia igualmente chamado a si. "Não sabes — disse-lhe o santo — como são atrevidas essas criancinhas diante do Trono de Deus? Não há mesmo ninguém mais atrevido, no reino dos céus. 'Senhor, Tu nos deste a vida — dizem eles a Deus —, mas apenas vimos o dia. Tu a tomaste de nós.' Pedem e reclamam tão atrevidamente que o Senhor faz deles logo anjos. Por isso, disse o santo, rejubila-te e não chores. Teu filho acha-se agora na casa do Senhor, no coro dos anjos." Eis o que disse, nos tempos antigos, o santo à mulher que chorava. Era um grande santo e nada podia dizer-lhe que não fosse verdade. Sabe pois, mãe, que teu filho também se acha decerto diante do Trono do Senhor, regozija-se, diverte-se e roga a Deus por ti. Podes chorar, mas rejubila-te.

A mulher escutava-o, com a face na mão, inclinada. Suspirou profundamente.

— Era da mesma maneira que Nikítuchka me consolava: "Não és razoável — dizia ele —, por que choras? Nosso filho, decerto, canta agora com os anjos junto do Senhor". Diz-me isto e ele mesmo chora, vejo suas lágrimas. "Eu sei — digo eu —, Nikítuchka. Onde estaria ele senão na casa do Senhor? Somente não está mais aqui conosco, neste momento, bem perto, como ficava outrora." Oh! se eu pudesse revê-lo uma vez, uma vez, apenas, sem me aproximar dele, sem falar, ocultando-me em um canto. Vê-lo somente um minuto, ouvi-lo brincar lá fora, vir, como vinha por vezes, gritar com sua vozinha: "Mamãe, onde estás?". Se eu pudesse ouvir seus pezinhos trotarem pelo quarto; bem muitas vezes, lembro-me, corria para mim com gritos e risadas. Se pudesse ao menos ouvi-lo! Mas ele não está mais lá, *bátiuchka*, e não o ouvirei nunca mais! Eis o seu cinto, mas ele não está mais lá e tudo acabou para sempre!...

Tirou do seu seio o cinturãozinho de passamanaria de seu filho; assim que o olhou, foi abalada por soluços, ocultando os olhos com seus dedos através dos quais corriam torrentes de lágrimas.

— Ah! — exclamou o *stáriets* —, isto é o antigo "Raquel chorando seus filhos sem poder ser consolada, porque eles não mais existem". Tal é a sorte que vos está destinada neste mundo, ó mães! Não te consoles, não é preciso que te consoles, chora, mas cada vez que chorares, lembra-te de que teu filho é um dos anjos de Deus, que, lá do alto, te olha e te vê, que se rejubila com tuas lágrimas e mostra-as ao Senhor; por muito tempo ainda tuas lágrimas maternais correrão, mas afinal vão se tornar uma alegria tranquila, tuas lágrimas amargas serão lágrimas de enterneci-mento e de purificação, que salvam do pecado. Rogarei pelo repouso da alma de teu filho. Como se chamava ele?

— Alieksiéi, *bátiuchka*.

— Um belo nome. Tinha por santo padroeiro Alieksiéi, "homem de Deus"?

— Sim, *bátiuchka*, Alieksiéi, "homem de Deus".[18]

— Que grande santo! Rogarei por ele, mãe, não esquecerei tua aflição em minhas preces; rogarei também pela saúde de teu marido, mas é um pecado abandoná-lo, volta para ele, toma bastante cuidado com ele. Lá do alto, teu filho vê que abandonaste seu pai e chora por vós. Por que perturbar a sua beatitude? Ele vive, porque a alma vive eternamente, não está em casa, mas encontra-se bem perto de vós, invisível. Como ele virá à tua casa, se dizes que a detestas? Para quem virá ele, se não vos encontra em casa, se não vos encontra juntos, o pai e a mãe? Ele te aparece agora e ficas atormentada; depois vai te enviar doces sonhos. Volta para teu marido, mãe, hoje mesmo.

— Irei, bem-amado, segundo a tua palavra: leste em meu coração, Nikítu-chka, tu me esperas, meu querido, tu me esperas — começava a mulher a lamentar--se, mas já o *stáriets* se voltava para uma velhinha, vestida não de peregrina, mas de citadina. Pelos seus olhos, via-se que tinha um caso, que viera para comunicar alguma coisa. Era a viúva dum suboficial, morador de nossa cidade. Seu filho, Vás-sienhka, empregado num comissariado, partira para Irkutsk, na Sibéria. Escrevera duas vezes, mas havia um ano que ela estava sem notícias; havia-se informado, mas na verdade não sabia mesmo onde informar-se.

— Um dia destes, Stiepanida Ilínichna Biedriáguina, uma rica comerciante, me dizia: "Escreve o nome de teu filho num papel, Prókhorovna, vai à igreja e enco-menda preces pelo repouso de sua alma. Sua alma ficará angustiada e ele te escre-verá. É este — afirmou Stiepanida Ilínichna — um meio seguro e frequentemente posto em prática". Tenho somente dúvidas... Tu, que és nossa luz, dize-me se isso é verdade ou mentira, bem ou mal?

— Guarda-te bem disso. É até vergonhoso pedi-lo. Como se pode rezar pelo repouso de uma alma viva, e ainda por cima sua própria mãe? É um grande pecado, como a feitiçaria; somente tua ignorância vale-te o perdão. Reza, antes, pela saúde dele à Rainha dos Céus, a Pronta Medianeira, Auxiliadora dos Pecadores, a fim de que ela te perdoe o teu erro. Escuta, Prókhorovna: ou teu filho voltará em breve para ti, ou enviará decerto uma carta. Fica sabendo. Vai em paz, teu filho está vivo, digo-te.

— Bem-amado, que Deus te recompense, a ti, nosso benfeitor, que reza por nós todos e pelos nossos pecados...

Mas o *stáriets* já havia notado na multidão o olhar ardente, dirigido para ele, duma camponesa de aspecto de tuberculosa, acabada, se bem que ainda jovem. Ela olhava em silêncio, seus olhos imploravam alguma coisa, mas parecia temer aproximar-se.

— Que queres, minha cara?

— Alivia minha alma, bem-amado — murmurou ela, docemente. Sem pressa, ficou de joelhos, prosternou-se a seus pés. — Pequei, meu bom pai, e tenho medo do meu pecado.

---

18 Santo Aleixo, Alieksiéi, um dos santos mais populares da hagiografia russa.

O *stáriets* sentou-se sobre o derradeiro degrau. A mulher aproximou-se dele, sempre de joelhos.

— Sou viúva há três anos — começou ela à meia voz. — Era penoso viver com meu marido, era velho e batia-me duramente. Estava deitado, doente, e, pensava eu, olhando-o: "Mas se ele restabelecer-se e levantar-se de novo, que acontecerá então?". E esta ideia não me deixou mais...

— Espera — disse o *stáriets* e aproximou seu ouvido dos lábios dela. A mulher continuou com uma voz que mal se ouvia. Logo terminou.

— Há três anos? — perguntou o *stáriets*.

— Três anos. A princípio, não pensava nisso, mas a doença chegou e estou cheia de angústia.

— Vens de longe?

— Caminhei quinhentas verstas.

— Confessaste-te?

— Confessei-me duas vezes.

— Foste admitida à comunhão?

— Admitiram-me. Tenho medo; tenho medo de morrer.

— Não temas nada e nunca tenhas medo, não te apoquentes. Contanto que o arrependimento perdure, Deus perdoa tudo. Não há pecado sobre a terra que Deus não perdoe àquele que se arrepende sinceramente. O homem não pode cometer pecado tão grande que esgote o amor infinito de Deus. Porque, poderá haver pecado que ultrapasse o amor de Deus? Sem cessar, não sonhes senão com o arrependimento e bane todo temor. Crê que Deus te ama como não podes imaginá-lo, se bem que te ame em teu pecado e com teu pecado. Haverá mais alegria nos céus por um pecador que se arrepende do que por dez justos. Não te aflijas a respeito dos outros e não te irrites com as injúrias. Perdoa em teu coração ao defunto todas as suas ofensas contra ti, reconcilia-te com ele em verdade. Se te arrependes, é que o amas. Ora, se amas, serás já de Deus... O amor tudo redime e tudo salva. Se eu, um pecador como tu, me enterneci, se tive piedade de ti, com mais forte razão o Senhor. O amor é um tesouro tão inestimável que em troca podes adquirir o mundo inteiro e redimir não só teus pecados, mas os dos outros. Vai e não temas nada.

Fez três vezes sobre ela o sinal-da-cruz, tirou de seu pescoço uma pequena imagem, passou-a no pescoço da pecadora, que se prosternou em silêncio até o chão. Ele se levantou e olhou alegremente uma mulher robusta que trazia nos braços um bebê.

— Venho de Vichegórie, bem-amado.

— Tu te cansaste andando seis verstas com esse menino. Que queres?

— Vim ver-te. Não é a primeira vez, já te esqueceste? Tens memória fraca, se não te lembras de mim. Dizia-se lá em nossa aldeia que estavas doente. "Pois bem — pensei —, eu mesma irei vê-lo!" Vejo que não tens nada. Viverás ainda vinte anos, palavra! Não rezam bastante por ti, como haverias de cair doente?

— Obrigado por tudo, minha cara.

— A propósito, tenho um pequeno pedido e fazer-te. Aqui estão sessenta copeques. Dá-os a uma outra mais pobre do que eu. Ao vir para cá, pensava: "valerá melhor entregá-los a ele, que saberá a quem dá-los".

— Obrigado, minha cara, obrigado, minha boa mulher, eu te amo. Não deixarei de fazer o que pedes. É uma menina que tens nos braços?

— Uma menina, bem-amado, Lisavieta.

— Que o Senhor vos abençoe a todas duas, a ti e à pequena Lisavieta. Tu alegraste meu coração, mãe. Adeus, minhas queridas filhas.

Abençoou a todas e fez-lhes uma profunda reverência.

IV / UMA DAMA SEM MUITA FÉ

A dama proprietária, recentemente chegada, testemunha dessa conversação com as mulheres do povo e da benção, vertia suaves lágrimas que enxugava com seu lenço. Era uma mulher da sociedade, sensível, de tendências virtuosas. Quando o *stáriets* a abordou, por fim, acolheu-o com entusiasmo.

— Experimentei uma tal impressão, contemplando essa cena enternecedora... — a emoção cortou-lhe a palavra. — Oh! Compreendo que o povo vos ame, eu mesma amo o povo. Como não se haveria de amar nosso excelente povo russo, tão ingênuo na sua grandeza?

— Como vai sua filha? Quis de novo entreter-se comigo?

— Oh! Pedi instantemente, tenho suplicado, estava pronta a me pôr de joelhos e a ficar três dias diante de vossas janelas, até que me deixásseis entrar. Vimos, grande curador, exprimir-vos todo o nosso reconhecimento entusiasta. Porque fostes vós que curastes Lisa, completamente, quinta-feira, rezando diante dela e impondo-lhe as mãos. Tínhamos pressa em beijar essas mãos, em testemunhar nossos sentimentos e nossa veneração.

— Eu a curei, diz a senhora? Ela, porém, está ainda deitada em sua poltrona.

— Mas as febres noturnas desapareceram completamente há dois dias, a partir de quinta-feira — disse a dama com uma solicitude nervosa. — Não é tudo: suas pernas fortificaram-se. Esta manhã, levantou-se de boa saúde. Olhai suas cores e seus olhos que brilham. Chorava constantemente, agora ri, está alegre, jovial. Hoje, exigiu que a pusessem de pé e manteve-se um minuto sozinha, sem nenhum apoio. Quer apostar comigo que dentro de quinze dias dançará uma quadrilha? Mandei chamar o Doutor Herzenstube; ele levanta os olhos e diz: "Estou admirado, não compreendo nada disso". E queríeis vós que não vos incomodássemos, que não acorrêssemos aqui, para agradecer-vos? Lisa, vamos, agradece!

O rostinho de Lisa tornou-se subitamente sério. Ergueu-se de sua poltrona tanto quanto pôde e, fitando o *stáriets*, juntou as mãos, mas não pode conter-se e pôs-se a rir.

— É dele que rio, dele — disse ela, mostrando Aliócha, contrariada por não poder impedir-se de rir. Observando-se o rapaz, que se mantinha por trás do *stáriets*, seria possível ver que suas faces se cobriam dum rápido rubor. Seus olhos brilharam e ele os baixou.

— Ela tem um recado para você, Alieksiéi Fiódorovitch... Como vai você? — continuou ela dirigindo-se a Aliócha e estendendo-lhe a mão deliciosamente enluvada. O *stáriets* voltou-se e examinou Aliócha. Este aproximou-se de Lisa e estendeu-lhe a mão, sorrindo acanhadamente. Lisa assumiu um ar grave.

— Katierina Ivânovna pediu-me que lhe remetesse isto — e entregou-lhe uma pequena carta. — Ela lhe pede que vá vê-la o mais cedo possível e sem falta.

— Ela me pede que eu vá à casa dela? Por que?... — murmurou Aliócha com profundo espanto. Seu rosto tornou-se preocupado.

— Oh! É a propósito de Dimítri Fiódorovitch e... de todos esses últimos acontecimentos — explicou rapidamente a mãe. — Katierina Ivânovna firmou-se agora numa decisão... mas para isso deseja vê-lo... Por quê? Ignoro-o, decerto, mas pediu ela que fosse o mais cedo possível e você não deixará de ir lá, os sentimentos cristãos o obrigam a isto.

— Vi-a uma vez ao todo — continuou Aliócha, sempre perplexo.

— Oh! É uma criatura tão nobre, tão inacessível!... Quando menos pelos seus sofrimentos... Considere o que tem ela suportado, o que ela suporta agora e o que a espera... Tudo isto é horrível, horrível!

— Está bem, irei — decidiu Alieksiéi, depois de ter lido o bilhete, curto e enigmático, que não continha nenhuma explicação, a não ser a súplica instante para que ele fosse.

— Ah! Como é gentil de sua parte — exclamou Lisa, animadamente. — Dizia eu a mamãe: "Ele jamais irá, está tratando de sua salvação". Como você é bom! Sempre pensei que você era bom. É um prazer lhe dizer isto agora!

— Lisa! — disse gravemente a mãe, que, aliás, sorriu.

— Você nos esqueceu, Alieksiéi Fiódorovitch, não quer absolutamente visitar-nos. Entretanto, Lisa me disse duas vezes que só se encontrava bem em sua companhia. — Aliócha ergueu seus olhos baixos, corou de novo e sorriu sem saber por quê. Aliás o *stáriets* não o observava mais. Entrara em conversa com o monge que aguardava sua vinda, como o dissemos, ao lado da cadeira de Lisa. Era, pelo que se via, um monge duma condição das mais modestas, de ideias estreitas e paradas, mas crente e obstinado a seu modo. Contou que vivia longe, no Norte, em Obdorsk, no convento de São Silvestre, pobre mosteiro, que só contava nove monges. O *stáriets* abençoou-o, convidou-o a vir à sua cela, quando bem lhe parecesse.

— Como tentais semelhantes coisas? — perguntou o monge, mostrando gravemente Lisa. Fazia alusão à sua "cura".

— É ainda demasiado cedo para falar disso. Um alívio não é a cura completa e pode ter outras causas. Mas o que pode passar-se é unicamente devido à vontade de Deus. Tudo vem dele. Venha ver-me, padre — acrescentou ele —, eu não poderei vir sempre; estou doente e sei que meus dias estão contados.

— Oh! não, não, Deus não vos arrebatará de nós, vivereis ainda muito tempo, muito tempo — exclamou a mãe. — Além disso, qual a vossa doença? Pareceis de tão bom aspecto, alegre e feliz.

— Sinto-me muito melhor hoje, mas sei que não é por muito tempo. Conheço agora a fundo minha doença. Se lhe pareço tão alegre, nada me pode causar mais prazer que ouvi-la dizer isto. Porque a felicidade é o fim do homem, e aquele que tem sido completamente feliz tem o direito de dizer a si mesmo: "Cumpri a lei divina nesta terra". Os justos, os santos, os mártires todos foram felizes.

— Oh! As ousadas, as sublimes palavras! — exclamou a mãe. — Elas nos traspassam! Entretanto, onde está a felicidade? Quem pode dizer-se feliz? Oh! já que tivestes a bondade de permitir que vos viéssemos ver ainda hoje, escutai tudo quanto não vos disse na derradeira vez, tudo quanto não ousava dizer-vos, aquilo de que sofro desde tanto tempo! Porque eu sofro, desculpai-me, eu sofro... — e, num ímpeto de fervor, juntou as mãos diante dele.

— De que, particularmente?

— Sofro... porque não creio...

— Não crê em Deus?

— Oh! Não, não, não ouso pensar nisso, mas a vida futura, que enigma! E ninguém pode responder a isto! Escutai-me, vós que conheceis a alma humana e a curais; sem dúvida, não ouso pedir-vos que me acrediteis absolutamente, mas asseguro-vos, da maneira mais solene, que não é por leviandade que falo agora, essa ideia da vida de além-túmulo me emociona até o sofrimento, até o espanto e o pavor... E não sei a quem dirigir-me, não ousei toda a minha vida... Agora me permito dirigir-me a vós... Oh! Deus! Por quem me tomais?

Bateu as mãos uma contra a outra.

— Não se inquiete com a minha opinião — respondeu o *stáriets*. — Creio perfeitamente na sinceridade de sua angústia.

— Oh! Como vos sou grata! Vede: fecho os olhos e sonho. Se todos acreditam, donde vem isso? Assegura-se que tudo isto provém a princípio do medo, inspirado pelos fenômenos grandiosos da Natureza, mas que nada existe. Pois bem! penso eu, acreditei toda a minha vida; morrerei e não haverá nada e somente "a relva brotará sobre o túmulo", como se exprime um escritor. É horrível! Como recuperar a fé? Aliás, acreditei apenas durante minha infância, mecanicamente, sem pensar em nada... Como me convencer? Vim inclinar-me diante de vós e rogar-vos que me esclareçais. Porque se deixo passar a ocasião presente nunca mais me responderão. Como persuadir-me? De acordo com que provas? Quanto sou infeliz! Em redor de mim, ninguém se preocupa com isto, quase ninguém; ora, não posso suportar isto sozinha. É esmagador!

— Decerto, é esmagador. Mas onde nada se pode provar, pode a gente persuadir-se.

— Como? De que maneira?

— Pela experiência do amor que age. Esforce-se por amar seu próximo com ardor e sem cessar. À medida que progredir no amor, a senhora se convencerá da existência de Deus e da imortalidade de sua alma. Se for até a abnegação total no seu amor ao próximo, então acreditará indubitavelmente e nenhuma dúvida mesmo poderá aflorar sua lama. Isto está demonstrado pela experiência.

— O amor que age! Eis ainda uma questão, e que questão! Vede: amo tanto a humanidade que, acreditaríeis vós?, sonho por vezes abandonar tudo quanto tenho, deixar Lisa e fazer-me irmã de caridade. Fecho os olhos, sonho e devaneio; nesses momentos, sinto em mim uma força invisível. Nenhum ferimento, nenhuma chaga purulenta poderia horrorizar-me. Eu cuidarei delas, as lavarei com minhas próprias mãos, serei a enfermeira desses pacientes, prestes a beijar suas úlceras...

— Já é muito que a senhora tenha tais pensamentos. Por acaso vai lhe acontecer praticar verdadeiramente uma boa ação.

— Sim, mas eu poderia suportar muito tempo tal existência? — continuou a dama, apaixonadamente, com um ar quase desvairado. — Eis a questão capital, a que mais me atormenta. Fecho os olhos e pergunto a mim mesma: "Persistirias muito tempo nessa via? Mas se o doente, cujas úlceras tu lavas, pagar-te com ingratidão, puser-se a atormentar-te com seus caprichos, sem apreciar nem notar teu devotamento, se gritar contra ti, se mostrar-se exigente e queixar-se mesmo à diretoria (como acontece muitas vezes quando se sofre muito), farás então o quê? Continuará o teu amor?". Imaginai que já decidi, com um arrepio: "Se há alguma coisa que possa esfriar imediatamente meu amor 'que age' em favor da humanidade, é unicamente a ingratidão". Numa palavra: trabalho por um salário, exijo-o imediatamente, sob forma de elogios e de amor em troca do meu. De outro modo, não posso amar ninguém.

Depois de haver-se assim fustigado, num acesso de sinceridade, ela fitou o *stáriets* com um atrevimento provocante.

— É exatamente o que me contava, há muito tempo, aliás, um médico — obsevou o *stáriets*. — Era um homem de idade madura e verdadeiramente inteligente, exprimia-se tão francamente quanto a senhora, se bem que brincando, mas com tristeza. "Eu amo — dizia ele — a humanidade, mas admiro-me de mim mesmo. Tanto mais amo a humanidade em geral, quanto menos amo as pessoas em particular, como indivíduos. Muitas vezes tenho sonhado apaixonadamente em servir à humanidade, e talvez tivesse verdadeiramente subido ao calvário por meus semelhantes, se tivesse sido preciso, muito embora não possa viver com ninguém dois dias no mesmo quarto. Sei por experiência. Desde que alguém está junto de mim, sua personalidade oprime meu amor-próprio e constrange minha liberdade. Em vinte e quatro horas, posso mesmo antipatizar com as melhores pessoas: uma, porque fica muito tempo na mesa, outra, porque está resfriada e só faz espirrar. Torno-me o inimigo dos homens, apenas se acham eles em contato comigo. Em compensação, invariavelmente, quanto mais detesto as pessoas em particular, tanto mais ardo de amor pela humanidade em geral."

— Mas que fazer? Que fazer em semelhante caso? É de desesperar.

— Não, porque basta que a senhora fique desolada. Faça o que puder e isso será levado em conta. A senhora já fez muito para ser capaz de conhecer-se a si mesma, de maneira tão profunda, tão sincera. Se me falou agora com tal franqueza, unicamente para receber meus elogios pela sua veracidade, não atingirá nada, seguramente, no domínio do amor que age. Tudo se limitará a sonhos e sua vida vai se escoar como um sonho. Então, naturalmente, esquecerá a vida futura e para o fim vai se tranquilizar duma maneira ou de outra.

— Vós me acabrunhais! Compreendo somente agora, como acabais de dizer-me, que, ao contar-vos o horror que sinto pela ingratidão, esperava vossos elogios à minha sinceridade, e nada mais. Sugeristes, captastes meus pensamentos para revelá-los a mim.

— Fala sério? Pois bem! depois de tal confissão, creio que a senhora é boa e sincera. Se não atingir a felicidade, lembre-se sempre de que está no bom caminho e trate de não sair dele. sobretudo, evite toda mentira, particularmente a mentira para consigo mesma. Observe sua mentira, examine-a a cada instante. evite também a repugnância para com os outros e para consigo mesma: o que lhe parece mau na senhora mesma está purificado, pelo simples fato de que o notou na senhora. Evite também o temor, se bem que ele seja somente a consequência de toda mentira. Não tema jamais sua própria covardia na procura do amor, não se deixe mesmo atemorizar demais pelas suas más ações a esse propósito. Lamento nada poder dizer-lhe de mais rejubilante, porque o amor que age, comparado com o amor contemplativo, é algo de cruel e de atemorizante. O amor contemplativo tem sede de realização imediata e de atenção geral. Chega-se ao ponto de dar sua vida, com a condição de que isso não dure muito tempo, e que tudo se acabe rapidamente, como no palco, sob os olhares e os elogios. O amor atuante é o trabalho e o domínio de si, e para alguns toda uma ciência. Ora, predigo-lhe que no momento mesmo em que a senhora verificar com terror que, apesar de todos os seus esforços, não somente a senhora não se aproximou do alvo, mas até mesmo dele se afastou — nesse momento, predigo-lhe — a senhora atingirá o alvo e verá acima da senhora a força misteriosa do Senhor, que a terá guiado com amor, sem que a senhora soubesse. Desculpe-me não poder demorar mais tempo com a senhora. Esperam-me. Adeus.

A dama chorava.

— Lisa, Lisa, abençoai-a — disse ela com ímpeto.

— Ela não merece ser amada. Vi-a divertir-se todo o tempo — brincou o *stáriets*. — Por que zombou de Alieksiéi?

Lisa, com efeito, dedicara-se todo o tempo a isso. Desde muito tempo, desde o ano anterior, notara que Aliócha se perturbava na sua presença, evitava olhá-la, e isto tornou-se muito divertido para ela. Fitava-o, buscava seu olhar. Não resistindo àquele olhar fixo, obstinado sobre ele, Aliócha, impelido por uma força invisível, olhava-a por sua vez; imediatamente ela se abria num sorriso triunfante. Isto aumentava a confusão e o despeito de Aliócha. Afinal, afastou-se completamente dela, ocultando-se por trás do *stáriets*. Ao fim de alguns minutos, como que hipnotizado, voltou-se para ver se o olhavam. Lisa, quase fora de sua cadeira, observava-o de viés e esperava impacientemente que ele a olhasse; tendo assim captado o olhar dele, explodiu em tal gargalhada que o *stáriets* não pode conter-se.

— Por que, sua brejeira, você faz que ele core dessa maneira?

Lisa ficou toda vermelha, seus olhos brilharam, seu rosto ficou sério e com voz lamentosa, indignada, disse nervosamente:

— Por que ele esqueceu tudo? Quando eu era bem pequenina, carregava-me em seus braços, brincávamos juntos. Foi ele quem me ensinou a ler, sabíeis? Há dois anos, ao partir, disse que não o esqueceria jamais, que éramos amigos para sempre, para sempre! E ei-lo agora que tem medo de mim, como se eu fosse comê-lo. Por que não se aproxima e não quer falar? Por qual razão não nos vem ver? Não é porque vós o retenhais, pois sabemos que ele vai a toda parte. Não é conveniente para mim convidá-lo. Deveria ele lembrar-se por primeiro, se não esqueceu. Não, agora trata de sua salvação! Por que o revestistes desse hábito de longas abas?... Se correr, cairá...

De súbito, não suportando mais, ocultou o rosto nas mãos e rebentou numa gargalhada nervosa, prolongada, silenciosa, que a sacudia toda. O *stáriets*, que a havia escutado sorrindo, abençoou-a com ternura; ao beijar-lhe a mão, ela a apertou contra seus olhos e se pôs a chorar.

— Não vos zangueis comigo, sou uma bobinha, não valho coisa alguma... Aliócha tem talvez razão em não querer ir à casa duma moça tão ridícula.

— Eu vou mandá-lo lá, sem falta — cortou o *stáriets*.

V / Assim seja!

A ausência do *stáriets* durara cerca de vinte e cinco minutos. Era mais de meio-dia e meia e Dimítri Fiódorovitch, por causa de quem se havia convocado a reunião, ainda não tinha chegado. Mas tinham-no quase esquecido e quando o *stáriets* reapareceu na cela encontrou seus visitantes ocupados numa conversação bastante animada. Travava-se, sobretudo, entre Ivan Fiódorovitch e os dois religiosos. Miúsov a ela se misturava com ardor, mas sem grande êxito. Ficava em segundo plano e não lhe respondiam, o que só fazia aumentar sua irritabilidade. Anteriormente, já havia feito duelo de erudição com Ivan Fiódorovitch e não podia suportar de sangue-frio certa falta de atenções da parte deste último. "Até agora, pelo menos, estava eu ao nível de tudo quanto há de progressista na Europa, mas essa nova geração nos ignora totalmente", pensava consigo mesmo. Fiódor Pávlovitch, que havia jurado ficar sentado sem dizer palavra, guardou silêncio por algum tempo, mas observava, com um sorriso zombeteiro, seu vizinho Piotr Alieksándrovitch, cuja irritação o alegrava visivelmente. Desde muito tempo se dispunha a lhe pagar na mesma moeda e não queria deixar passar a ocasião. Por fim, não se conteve mais, inclinou-se para o ombro de seu vizinho e mexeu com ele à meia voz.

— Por que não partiu ainda há pouco, depois da anedota do santo e consentiu em ficar em companhia tão inconveniente? É que, sentindo-se humilhado e ofendido, o senhor ficou para mostrar seu espírito e tirar sua vingança. Agora o senhor não se irá embora, sem tê-lo mostrado.

— O senhor recomeça? Vou-me embora agora mesmo, pelo contrário.

— Será o último a sair — lançou-lhe Fiódor Pávlovitch.

O *stáriets* voltou quase imediatamente.

A discussão parou por um minuto, mas tendo o *stáriets* retomado seu lugar, passeou seu olhar sobre os assistentes como para convidá-los a continuar. Aliócha, que conhecia cada expressão de seu rosto, viu que ele estava extenuado e exigia demais de suas forças. Nos últimos tempos de sua doença, desmaiava de fraqueza. A palidez que era o sintoma disto espalhava-se agora pelo seu rosto; tinha os lábios exangues, mas não queria evidentemente despedir a assembleia, tendo para isto suas razões. Quais? Aliócha observava-o com atenção.

— Comentamos um artigo bastante curioso do senhor — explicou o Padre Iósif, o bibliotecário, designando Ivan Fiódorovitch. — Há muitas apreciações novas, mas a tese parece de dois gumes. É um artigo em resposta a um padre, autor de uma obra a respeito dos tribunais eclesiásticos e da extensão de seus direitos.

— Infelizmente, não li seu artigo, mas ouvi falar dele — respondeu o *stáriets*, olhando atentamente para Ivan Fiódorovitch.

— O senhor coloca-se dum ponto de vista bastante curioso — continuou o padre bibliotecário. — Parece rejeitar absolutamente a separação da Igreja e do Estado na questão dos tribunais eclesiásticos.

— É curioso, mas em qual sentido? — perguntou o *stáriets* a Ivan Fiódorovitch.

Este respondeu-lhe afinal, não com um ar altivo, pedante, como Aliócha receava ainda na véspera, mas num tom modesto, discreto, excluindo qualquer segunda intenção.

— Parto do princípio de que esta confusão dos elementos essenciais da Igreja e do Estado, tomados separadamente, durará sem dúvida sempre, se bem que seja impossível e jamais se possa levá-la a um estado não somente normal mas um pouco conciliável, porque repousa sobre uma mentira. Um compromisso entre a Igreja e o Estado, em questões tais como a da justiça, por exemplo, é, na minha opinião, essencialmente impossível. O eclesiástico a quem replico sustenta que a Igreja ocupa no Estado um lugar preciso e definido. Objetei-lhe que a Igreja, pelo contrário, longe de ocupar apenas um canto no Estado, devia absorver o Estado inteiro, e que se isto é atualmente impossível, deveria ser, por definição, o alvo direto e principal de todo o desenvolvimento ulterior da sociedade cristã...

— Perfeitamente justo — declarou com voz firme e nervosa o Padre Paísi, religioso taciturno e erudito.

— É ultramontanismo puro! — exclamou Miúsov, cruzando as pernas em sua impaciência.

— Pois se nem sequer temos montes em nosso país! — exclamou o Padre Iósif, que continuou, dirigindo-se ao *stáriets*. — O senhor refuta os princípios "fundamentais e essenciais" de seu adversário, um eclesiástico, notai-o. Ei-los: em primeiro lugar: "Nenhuma associação pública pode nem deve atribuir-se o poder, dispor dos direitos políticos e civis de seus membros"; em segundo lugar: "O poder, em matéria civil e criminal, não deve pertencer à Igreja, porque é incompatível com sua natureza, como instituição divina e como associação que se propõe fins religiosos". Afinal, em terceiro lugar: "A Igreja é um reino que não é deste mundo".

— Este é um jogo de palavras totalmente indigno de um eclesiástico! — interrompeu, de novo, o Padre Paísi, com impaciência. — Li a obra que o senhor refuta — disse ele, dirigindo-se a Ivan Fiódorovitch —, e fiquei surpreso diante das palavras daquele padre: "A igreja é um reino que não é deste mundo". Se ela não é deste mundo, não poderia existir sobre a terra. No *Santo Evangelho*, as palavras "não é deste mundo" são empregadas num outro sentido. É impossível brincar com semelhantes palavras. Nosso Senhor Jesus Cristo veio precisamente estabelecer a Igreja sobre a terra. O reino dos céus, bem entendido, não é deste mundo, mas do céu, e nele só se entra pela Igreja, a qual foi fundada e estabelecida sobre a terra. Também os trocadilhos mundanos a este respeito são impossíveis e indignos. A Igreja é verdadeiramente um reino, está destinada a reinar, e finalmente seu reino se estenderá sobre o universo inteiro, temos disso a promessa...

Calou-se de repente, como que se contendo. Ivan Fiódorovitch, depois de havê-lo escutado com deferência e atenção, com a maior calma, continuou com a mesma simplicidade, dirigindo-se ao *stáriets*.

— A ideia mestra de meu artigo é que o Cristianismo, nos três primeiros séculos de sua existência, aparece sobre a terra como uma Igreja e não era outra coisa. Quando o Estado romano pagão adotou o Cristianismo, aconteceu que, tornado cristão, incorporou a si a Igreja, mas continuou a ser um Estado pagão numa multidão de atribuições. No fundo, era isso inevitável. Roma, como Estado, herdara por demais da civilização e da sabedoria pagãs, como, por exemplo, os fins e as próprias bases do Estado. A Igreja do Cristo, entrada no Estado, não podia evidentemente nada cortar de suas bases, da pedra sobre a qual repousava; só podia prosseguir os seus fins, firmemente estabelecidos e indicados pelo próprio Senhor, entre outros: converter em Igreja o mundo inteiro e, por consequência, o Estado pagão antigo. Dessa maneira (isto é, em vista do futuro), não era a Igreja que devia procurar para si um lugar definido no Estado, como "toda associação pública", ou como "uma associação que se propunha fins religiosos" (para empregar os termos do autor que refuto), mas, pelo contrário, todo Estado terrestre devia posteriormente converter-se em Igreja, não ser senão isso, renunciar a seus outros fins incompatíveis com os da Igreja. Isto não o humilha absolutamente, não diminui nem sua honra, nem sua glória, como grande Estado, nem a glória de seus chefes, mas isto a faz deixar a falsa via, ainda pagã e errada, pela via justa, a única que leva aos fins eternos. Eis por que o autor do livro sobre as *Bases da Justiça Eclesiástica* teria pensado com justeza se, procurando e propondo essas bases, as tivesse considerado como um compromisso provisório, necessário ainda à nossa época pecadora e imperfeita, mas nada mais. Desde, porém, que o autor ousa declarar que as bases que propõe agora, e das quais o Padre Iósif acaba de enumerar uma parte, são inabaláveis, primordiais, eternas, está ele em oposição direta à Igreja e sua predestinação santa imutável. Eis a exposição completa de meu artigo.

— Isto é, em duas palavras — disse o Padre Iósif, fazendo força sobre cada palavra —, segundo certas teorias, que não fizeram senão revelar-se por demais no nosso século XIX, a Igreja deve converter-se em Estado, passar como que dum tipo inferior a um superior, a fim de absorver-se em seguida nele, depois de ter cedido à ciência, ao espírito do tempo, à civilização. Se ela se recusa a isso e resiste, não lhe reservam no Estado senão um pequeno lugar, vigiando-a, e por toda parte é esse o caso na Europa de nossos dias. Pelo contrário, segundo a concepção e a esperança russas, não é a Igreja que deve converter-se em Estado como que dum tipo inferior em um superior, é, pelo contrário, o Estado que deve finalmente mostrar-se digno de ser unicamente uma Igreja e nada mais. Assim seja! Assim seja!

— Pois bem, confesso, o senhor me reconfortou um pouco — disse Miúsov, sorrindo e cruzando de novo as pernas. — Tanto quanto o compreendo, é a realização dum ideal infinitamente longínquo, por ocasião do regresso do Cristo. É tudo quanto se quer. O sonho utópico do desaparecimento das guerras, dos diplomatas, dos bancos, etc... Alguma coisa que se assemelhe mesmo ao socialismo. Ora, eu pensava que tudo isso era sério, que a Igreja ia "agora", por exemplo, julgar os criminosos, condenar ao chicote, à galé e até mesmo à pena de morte.

— Se houvesse atualmente um só tribunal eclesiástico, a Igreja não enviaria agora às galés ou ao suplício. O crime e a maneira de encará-lo deveriam então seguramente modificar-se pouco a pouco, não duma só vez, mas, no entanto, bastante depressa... — declarou num tom tranquilo Ivan Fiódorovitch.

— Fala seriamente? — interrogou Miúsov, fitando-o.

— Se a Igreja absorvesse tudo, excomungaria o criminoso e o refratário, mas não cortaria as cabeças — continuou Ivan Fiódorovitch. — Pergunto-vos: aonde iria o excomungado? Porque deveria, então, não somente separar-se das pessoas, mas do Cristo. Pelo seu crime, ia se insurgir não só contra as pessoas, mas contra a Igreja do Cristo. É o caso, atualmente, sem dúvida, no sentido estrito, no entanto não é proclamado, e a consciência do criminoso de hoje transige muitas vezes: "Roubei, diz ela, mas não vou contra a Igreja, não sou o inimigo do Cristo". Eis o que diz frequentemente o criminoso de hoje. Pois bem, quando a Igreja tiver substituído o Estado, para ele será difícil falar assim, a menos que negue a Igreja na terra inteira: "Todos, diria ele, estão no erro, todos se desviaram, a Igreja deles é falsa, somente eu, assassino e ladrão, sou a verdadeira Igreja cristã". É dificílimo manter esta linguagem, isto requer condições extraordinárias, circunstâncias que raramente existem. Atualmente, considerai de outra parte o ponto de vista da própria Igreja para com o crime: será que não deveria modificar-se em oposição ao de hoje, que é quase pagão, e, de meio mecânico de cortar um membro gangrenado, como se pratica atualmente para preservar a sociedade, transformar-se totalmente na ideia da regeneração do homem, de sua ressurreição e de sua salvação...?

— Que quer dizer isso? Deixo de novo de compreender — interrompeu Miúsov. — Ainda um sonho. Algo de informe, de incompreensível. Que excomunhão é essa? Creio que o senhor se diverte simplesmente, Ivan Fiódorovitch.

— Na realidade, é assim mesmo atualmente — começou o *stáriets* e todos se voltaram para ele. — Se não houvesse agora a Igreja do Cristo, não haveria para o criminoso nem freio a seus crimes, nem castigo, uma vez cometidos, isto é, um castigo real, não mecânico, como o senhor acaba de dizer, e que não faz senão irritar na maior parte dos casos, mas o único eficaz, o único que amedronta e acalma e que consiste na confissão de sua própria consciência...

— Como se pode dar isso, permita-me que lhe pergunte? — disse Miúsov com viva curiosidade.

— Pois vou dizer-lhe — prosseguiu o *stáriets*. — Todas essas deportações a trabalhos forçados, agravadas outrora por punições corporais, não emendam ninguém e sobretudo não atemorizam quase nenhum criminoso, o número dos crimes não somente não diminui, mas só faz aumentar, à medida que se avança. Estarão nisto de acordo comigo. Resulta que dessa maneira não fica a sociedade de modo algum preservada, porque, muito embora o membro nocivo seja mecanicamente cortado e mandado para longe, oculto à vista, outro criminoso surgiu em seu lugar, talvez mesmo dois. Se alguma coisa protege ainda a sociedade, mesmo em nossos dias, emenda o próprio criminoso e faz dele outro homem, é ainda unicamente a lei do Cristo que se manifesta pela voz de sua própria consciência. Somente depois de ter reconhecido a sua falta como filho da sociedade do Cristo, isto é, da Igreja, é que a reconhecerá diante da própria sociedade, isto é, diante da Igreja. Dessa maneira, é somente diante da Igreja que o criminoso contemporâneo é capaz de reconhecer sua falta e não diante do Estado. Se a justiça pertencesse à sociedade na qualidade de Igreja, saberia então a quem revogar da excomunhão, a quem admitir em seu seio. Agora a Igreja, não tendo nenhuma justiça efetiva, mas somente a possibilidade de uma condenação moral, renuncia ela própria a castigar efetivamente o criminoso. Não o excomunga, cerca-o de sua edificação paternal. Mais ainda, esforça-se mesmo por conservar com o criminoso todas as relações entre a Igreja e o cristão; admite-os aos ofícios, à comunhão, faz-lhe caridade e trata-o mais como transviado do que como criminoso. E que seria do criminoso, Senhor, se a sociedade cristã, isto é, a Igreja, o rejeitasse como o rejeita e o exclui a lei civil? Que aconteceria, se a Igreja o excomungasse cada vez que o castiga a lei do Estado? Não poderia haver maior desespero, pelo menos para os criminosos russo, porque estes ainda tem fé. Ora, aliás, quem sabe, aconteceria talvez uma coisa terrível — a perda da fé no coração ulcerado do criminoso, e, então, que haveria? Mas a Igreja, como uma mãe terna, renuncia ela mesma ao castigo efetivo, visto que sem isto o culpado já é demasiado duramente punido pelo tribunal secular e é preciso haver alguém que tenha compaixão dele. renuncia a isso sobretudo porque a justiça da Igreja encerra em si unicamente a verdade e não pode juntar-se, por consequência, essencial e moralmente, a nenhuma outra, mesmo sob a forma de compromisso provisório. Aqui, é impossível transigir. O criminoso estrangeiro, dizem, arrepende-se raramente, porque as doutrinas contemporâneas o confirmam na ideia de que seu crime não é um crime, mas somente uma revolta contra a força que o oprime injustamente. A sociedade o afasta de si mesma por meio de uma força que triunfa dele totalmente de maneira mecânica e acompanha essa exclusão de ódio (é assim, pelo menos, que se conta na Europa) — de ódio e de uma indiferença, dum esquecimento completos a respeito do destino ulterior desse homem, do ponto de vista fraternal. Dessa maneira, tudo se passa sem que a Igreja testemunhe a menor compaixão, porque em numerosos casos não há mais Igreja lá, não subsistem senão eclesiásticos e edifícios magníficos, esforçando-se as próprias Igrejas desde muito tempo por passar do tipo inferior, como Igreja, ao tipo superior, como Estado. É assim pelo menos, parece, nos países luteranos. Em Roma, há já mil anos que em lugar da Igreja proclamou-se o Estado. Assim o próprio criminoso não se reconhece membro da Igreja e, excomungado, cai no desespero. Se volta para a sociedade, é frequentemente com tal ódio que a própria sociedade o exclui espontaneamente de seu seio. Podeis julgar como isso acaba. Em numerosos casos, parece que o mesmo ocorre entre nós; mas o fato é que, de parte os tribunais estabelecidos, temos além disso a Igreja, que não perde jamais o contacto com o criminoso, que é para ela um filho sempre caro; além do mais, existe e subsiste, ainda que apenas em ideia, a justiça da Igreja, se bem que não efetiva agora, mas viva para o futuro, mesmo em sonho, e reconhecida certamente pelo próprio criminoso, pelo instinto de sua alma. O que se acaba de dizer aqui é justo, a saber, que se a justiça da Igreja entrasse em vigor, isto é, que se a sociedade inteira se convertesse em Igreja, então não somente a justiça da Igreja influiria sobre a emenda do criminoso como não o faz nunca atualmente, mas os próprios crimes diminuiriam em proporção inverossímil. E a Igreja, sem dúvida alguma, compreenderia no futuro, em numerosos casos, o crime e os criminosos duma maneira toda diferente da atual; saberia converter o excomungado, prevenir as intenções criminosas, regenerar o decaído. É verdade — e o *stáriets* sorriu — que a sociedade cristã não está ainda preparada para isso e só repousa sobre sete justos; mas como eles não se enfraquecem, permanece ela na expectativa de sua transformação completa de associação quase pagã, em igreja única, universal e reinante. Assim será, nem que seja no fim dos séculos, porque só isto esta predestinado a cumprir-se! E não há por que preocupar-se a propósito dos tempos e dos prazos, porque o mistério deles depende da sabedoria de Deus, de Sua presciência, de Seu amor. E o que, a vistas humanas, parece bastante afastado está talvez, pela predestinação divina, em vésperas de cumprir-se. Assim seja!

— Assim seja! — confirmou respeitosamente o Padre Paísi.

— Estranho, estranho no mais alto grau! — proferiu Miúsov, num tom de indignação contida.

— Que encontra nisso de estranho? — informou-se com precaução o Padre Iósif.

— Francamente, que é que isso significa? — exclamou Miúsov, de súbito agressivo. — O Estado é eliminado e instaura-se a Igreja em seu lugar! É ultramontanismo na segunda potência. O próprio Grigóri Siedmói[19] não o tinha sonhado!

— Sua interpretação é o contrário da verdade! — disse severamente o Padre Paísi. — Não é a Igreja que se converte em Estado, notai bem, isto é Roma e seu sonho, é a terceira tentação diabólica. Pelo contrário, é o Estado que se converte em Igreja, que se eleva até ela e torna-se uma Igreja sobre a terra inteira, o que é diametralmente oposto a Roma, ao ultramontanismo, à vossa interpretação, e não é senão a missão sublime reservada à ortodoxia no mundo. É no Oriente que essa estrela começará a resplender.

Miúsov manteve um silêncio significativo. Toda a sua pessoa refletia uma dignidade extraordinária. Um sorriso de condescendência apareceu em seus lábios. Aliócha observava-o, com o coração palpitante. Toda aquela conversação havia-o emocionado extremamente. Olhou por acaso para Rakítin, imóvel no mesmo lugar, o qual escutava atento, de olhos baixo. Pelo seu rubor, adivinhou Aliócha que estava tão comovido quanto ele próprio; sabia por quê.

— Permiti-me, senhores, que vos conte uma anedota — começou Miúsov, com ar digno e imponente. — Tive ocasião, em Paris, após o golpe de Estado de dezembro, de visitar um de meus conhecidos, personagem importante, então no poder. Encontrei em casa dele um indivíduo bastante curioso que, sem ser de todo um policial, dirigia uma brigada da polícia política, posto bastante influente. Aproveitando da ocasião, conversei com ele por curiosidade; recebido na qualidade de subalterno que apresenta um relatório, ao ver-me em bons termos com seu chefe, testemunhou-me relativa franqueza, isto é, mais polidez que franqueza, à maneira dos franceses, tanto mais quanto sabia eu era estrangeiro. Mas compreendi-o perfeitamente. Tratava-se dos socialistas revolucionários que estavam então sendo perseguidos. Negligenciando o resto de sua conversa, vou me contentar em relatar uma observação muito curiosa que escapou àquele personagem: "Não tememos demais — declarou ele — todos esses socialistas, anarquistas, ateus e revolucionários, nós os vigiamos e estamos ao corrente de seus atos e gestos. Mas entre eles existe uma categoria particular, na verdade pouco numerosa: são os que creem em Deus, embora sendo socialistas. Eis os que tememos mais que todos, é uma corja temível! O socialista cristão é mais perigoso que o socialista ateu". Estas palavras tinham-me abalado então, e agora, senhores, junto de vós, elas me voltam à memória...

— Quer dizer que o senhor as aplica a nós e vê em nós socialistas? — perguntou sem rebuços o Padre Paísi. Mas antes que Piotr Alieksándrovitch tivesse encontrado uma resposta, a porta se abriu e Dimítri Fiódorovitch entrou, consideravelmente atrasado. Na verdade, não o esperavam mais e sua aparição súbita causou a princípio certa surpresa.

VI / POR QUE TAL HOMEM EXISTE?

Dimítri Fiódorovitch, jovem homem de 28 anos, de estatura média e de presença agradável, parecia, no entanto, notavelmente mais velho. Era musculoso e adivinhava-se nele uma força física considerável; no entanto, seu rosto magro, de

---

19 Gregório VII, um dos maiores pontífices romanos, Papa entre 1073-1085, fez-se célebre pelas suas lutas com o Imperador da Alemanha, Henrique IV.

faces chupadas, a tez dum amarelo doentio, tinha uma expressão enfermiça. Seus olhos negros, à flor da testa, mostravam um olhar vago, se bem que parecesse obstinado. Mesmo quando estava agitado e falava com irritação, seu olhar não correspondia a seu estado de alma e exprimia algo de diferente, por vezes nada em harmonia com o minuto presente. "É difícil saber em que ele pensa", costumavam dizer os que falavam com ele. Em certos dias, seu riso súbito, atestando ideias alegres e travessas, surpreendia aqueles que o acreditavam, no mesmo momento, pelos seus olhos, pensativo e tristonho. Aliás, sua expressão um pouco sofredora naquele momento nada tinha de espantoso; todo mundo estava a par de sua vida agitada e dos excessos a que se entregava naqueles últimos tempos, da mesma maneira que se conhecia a exasperação que dele se apoderava em suas discussões com seu pai, por questões de dinheiro. Circulavam na cidade anedotas a este respeito. Na verdade, era irascível por natureza, "de um espírito impetuoso e irregular", como o caracterizou numa reunião nosso juiz de paz Siemion Ivânovitch Katchálhnikov. Entrou vestido de modo elegante e irreprochável, com a sobrecasaca abotoada, de luvas pretas, a cartola na mão. Como oficial desde pouco tempo reformado, só trazia no momento os bigodes. Seus cabelos castanhos estavam cortados curtos e penteados para a frente. Caminhava a grandes passadas, com ar decidido. Tendo parado um instante na soleira da porta, passeou o olhar pela assistência e dirigiu-se diretamente ao *stáriets*, adivinhando nele o dono da casa. Fez-lhe uma profunda vênia e pediu-lhe a benção. Tendo-se levantado o *stáriets* para a conceder, Dimítri Fiódorovitch beijou-lhe a mão com respeito e declarou com agitação e com um ar quase irritado:

— Queria desculpar-me por me ter feito esperar tanto. Mas como insistisse em conhecer a hora da entrevista, o criado Smierdiákov, enviado por meu pai, respondeu-me duas vezes, categoricamente, que estava marcada para uma hora. E, agora, venho a saber...

— Não se atormente — disse o *stáriets* —, não é nada, o senhor está um pouco atrasado, não há mal nisso.

— Sou-lhe muito grato e não esperava menos de sua bondade.

Depois destas palavras lacônicas, Dimítri Fiódorovitch inclinou-se de novo, depois, voltando-se para o lado de seu pai, fez-lhe a mesma saudação profunda e respeitosa. Via-se que ele premeditara aquela saudação, com sinceridade, considerando como uma obrigação exprimir assim a sua deferência e suas boas intenções. Fiódor Pávlovitch, se bem que apanhado de improviso, saiu-se à sua maneira: em resposta à saudação do filho, levantou-se de sua cadeira e retribuiu-lhe igualmente. Seu rosto se tornou grave e imponente, o que não deixava de dar-lhe um aspecto mau. Depois de ter respondido em silêncio às saudações dos presentes. Dimítri Fiódorovitch dirigiu-se com seu passo decidido para a janela e ocupou o único assento livre, não longe do Padre Paísi; inclinado sobre sua cadeira, preparou-se para escutar a continuação da conversa interrompida.

A chegada de Dimítri Fiódorovitch passara-se em dois ou três minutos e a conversação prosseguiu. Mas desta vez Piotr Alieksándrovitch não achou necessário responder à pergunta premente e quase irritada do Padre Paísi.

— Permitam-me que abandone esse assunto — declarou ele, com certa desenvoltura mundana. — É aliás um assunto delicado. Vejam Ivan Fiódorovitch sorrindo para meu lado; tem provavelmente algo de curioso a dizer a esse propósito. Perguntem-lhe.

— Nada de particular — respondeu logo Ivan Fiódorovitch. — Farei somente observar que, desde muito tempo já, o liberalismo europeu em geral e mesmo nosso diletantismo liberal russo confundem frequentemente os resultados finais do socialismo com os do Cristianismo. Essa conclusão extravagante é aliás um traço característico. Por outro lado, como se vê, não somente os liberais e os diletantes confundem em muitos casos o socialismo e o Cristianismo, há também os gendarmes, no estrangeiro, bem entendido. A anedota parisiense do senhor é bastante característica a esse respeito, Piotr Alieksándrovitch.

— Em geral, peço de novo permissão para abandonar o assunto — repetiu Piotr Alieksándrovitch. — Antes vou lhes contar outra anedota bastante interessante e bastante característica, a propósito de Ivan Fiódorovitch. Há cinco dias, numa reunião em que se achavam sobretudo senhoras, declarou ele solenemente, no curso duma discussão, que nada no mundo obrigava as pessoas a amar seus semelhantes, que não existia nenhuma lei natural ordenando ao homem que amasse a humanidade; que se o amor havia reinado até o presente sobre a terra, era isto devido não à lei natural, mas unicamente à crença das pessoas em sua imortalidade. Ivan Fiódorovitch acrescentou entre parênteses que nisso está toda a lei natural, de sorte que se destruís no homem a fé em sua imortalidade, não somente o amor secará nele, mas também a força de continuar a vida no mundo. Mais ainda, não haverá então nada de imoral, tudo será autorizado, até mesmo a antropofagia. Não é tudo: terminou afirmando que para cada indivíduo — nós agora, por exemplo — que não acredita nem em Deus, nem em sua imortalidade,a lei moral da natureza devia imediatamente tornar-se o inverno absoluto da precedente lei religiosa; que o egoísmo, mesmo levado até a perversidade, devia não somente ser autorizado, mas reconhecido como a saída necessária, a mais razoável e quase a mais nobre. De acordo com tal paradoxo, julguem o resto, senhores, julguem o que o nosso querido e excêntrico Ivan Fiódorovitch acha bom proclamar e suas intenções eventuais...

— Com licença — exclamou de súbito Dimítri Fiódorovitch. — Se bem entendi, "a perversidade deve não somente ser autorizada, mas reconhecida como a saída mais necessária e a mais razoável de cada ateu"! É bem isto?

— É exatamente isso — disse o Padre Paísi.

— Haverei de lembrar-me!

Dito isto, Dimítri Fiódorovitch calou-se tão subitamente quanto tinha tomado parte na conversa. Todos os olharam com curiosidade.

— Será possível que o senhor encare dessa forma as consequências do desaparecimento nas pessoas da crença na imortalidade da alma? — perguntou de súbito o *stáriets* a Ivan Fiódorovitch.

— Sim, afirmei-o. Não há virtude sem imortalidade.

— É feliz se assim acredita; pode-se ser muito infeliz!

— Por que infeliz? — objetou Ivan Fiódorovitch, sorrindo.

— Porque, segundo toda aparência, o senhor não crê nem na imortalidade da alma, nem mesmo no que escreveu a respeito da questão da Igreja.

— Talvez o senhor tenha razão!... No entanto, não brinquei de modo algum — confessou de modo estranho Ivan Fiódorovitch, corando imediatamente.

— O senhor não brincou absolutamente, é verdade. Essa ideia não está ainda resolvida no seu coração e tortura-o. Mas o mártir também gosta por vezes de divertir-se com seu desespero, igualmente como para esquecê-lo. No momento, é por desespero que o senhor se diverte com artigos de revistas e com discussões mundanas, sem acreditar na sua dialética e zombando dela dolorosamente a sós consigo. Esta questão não está ainda resolvida no senhor, e é isso que causa seu tormento, porque ela reclama imperiosa uma solução.

— Mas ela pode ser resolvida em mim, resolvida no sentido positivo? — perguntou ainda de modo estranho Ivan Fiódorovitch, olhando o *stáriets* com um sorriso inexplicável.

— Se não puder ser resolvida no sentido positivo, não o será nunca no sentido negativo; o senhor mesmo conhece essa propriedade de seu coração; é isso que o tortura. Mas agradeça ao Criador o ter-lhe dado um coração sublime, capaz de assim atormentar-se, "de meditar nas coisas celestes e procurá-las, porque nossa morada está nos céus". Que Deus lhe conceda encontrar a solução ainda aqui embaixo e abençoe os seus caminhos!

O *stáriets* ergueu a mão e quis, de seu lugar, fazer o sinal-da-cruz sobre Ivan Fiódorovitch. Mas este se levantou, foi até ele, recebeu sua benção e, tendo-lhe beijado a mão, voltou a seu lugar sem dizer uma palavra. Tinha o ar firme e sério. Essa atitude e toda a sua conversa precedente com o *stáriets*, que não era esperada de sua parte, impressionaram a todos por não sei que de enigmático e solene; de sorte que um silêncio geral reinou por um instante e o rosto de Aliócha exprimia quase terror. Mas Miúsov ergueu os ombros ao mesmo tempo que Fiódor Pávlovitch ficava em pé.

— Divino e santo *stáriets* — exclamou ele, designado Iván Fiódorovitch —, eis meu filho bem-amado, a carne de minha carne! É por assim dizer o meu muito reverencioso Karl Moor, mas eis meu outro filho que acaba de chegar, Dimítri Fiódorovitch, contra o qual exijo satisfação perante o senhor — é o irreverentíssimo Frantz Moor —, ambos tirados de *Os bandidos*, de Schiller; e eu, nesta circunstância, sou o Regierender Graf von Moor![20] Julgue-nos e salve-nos! Temos necessidade não somente de suas preces, mas de seus vaticínios!

— Fale duma maneira ajuizada e não comece por ofender seus próximos — respondeu o *stáriets* com voz extenuada. Sua fadiga aumentava e suas forças decresciam visivelmente.

— É uma comédia indigna que eu previa, ao vir aqui! — exclamou com indignação Dimítri Fiódorovitch que também se havia erguido. — Desculpe-me, reverendo padre, sou pouco instruído e ignoro mesmo como o chamam, mas enganaram-no, e foi o senhor demasiado bom para nos conceder esta entrevista em sua casa. Meu pai tinha necessidade absoluta de escândalo. Com que fim? É negócio dele. Só age calculadamente. Mas agora creio saber por quê...

— Todo mundo me acusa! — gritou por sua vez Fiódor Pávlovitch — inclusive Piotr Alieksándrovitch. Sim, o senhor me acusou, Piotr Alieksándrovitch! — prosseguiu, voltando-se para Miúsov, se bem que este não pensasse absolutamente em interrompê-lo. — Acusam-me de ter ocultado o dinheiro de meu filho e de não lhe ter dado um vintém sequer! Mas, pergunto-lhes, não há tribunais? Ali, Dimítri Fió-

---

20   Outro dos principais personagens de *Os bandidos*, de Schiller.

dorovitch, de acordo com seus recibos, de acordo com as cartas e convênios, será feita a conta do que você tinha, de suas despesas e do que lhe resta! Por que evita Piotr Alieksándrovitch pronunciar-se? Dimítri Fiódorovitch não lhe é estranho. É porque estão todos contra mim; ora, Dimítri Fiódorovitch continua a dever-me, não uma pequena soma, mas vários milhares de rublos, do que posso dar as provas. Seus excessos provocam conversinhas da cidade inteira. Nas suas antigas guarnições gastou mais de um milhar de rublos para seduzir moças honestas; nós o sabemos, Dimítri Fiódorovitch, da maneira mais circunstanciada, e vou demonstrá-lo... Reverendo padre, o senhor acreditaria, que fez com que se apaixonasse por ele uma moça das mais distintas, de excelente família, com fortuna, filha de seu antigo chefe, um bravo coronel que serviu meritoriamente à Pátria, condecorado com o colar de Santa Anna com gládios? Essa moça, que ele comprometeu, oferecendo-se para casar com ela, mora agora aqui, órfã, é sua noiva, e aos olhos dela ele frequenta uma sereia. Se bem que esta última tenha vivido em união livre com um homem respeitável, mas de caráter independente, é uma fortaleza inexpugnável para todos, tal como uma mulher legítima, porque ela é virtuosa, sim, meus reverendos padres, ela é virtuosa! Ora, Dimítri Fiódorovitch quer abrir aquela fortaleza com uma chave de ouro, eis por que faz-se de bravo agora comigo, quer subtrair-me dinheiro, já gastou milhares de rublos por causa dessa sereia; além disso anda pedindo dinheiro emprestado sem cessar e a quem, sabem os senhores? Devo dizê-lo ou não, Mítia?

— Cale-se! — exclamou Dimítri Fiódorovitch. — Espere que eu me retire, evite enodoar na minha presença a mais nobre das moças... É já uma vergonha para ela que tenha ousado fazer alusão a isso... Não tolerarei!

Estava sufocado.

— Mítia, Mítia! — gritou Fiódor Pávlovitch, nervoso e fazendo força para chorar. — E a benção paterna, que fazes dela? Se eu amaldiçoar-te, que acontecerá?

— Tartufo sem-vergonha! — rugiu Dimítri Fiódorovitch.

— É assim que trata a seu pai, a seu pai! Como o fará aos outros? Escutem, senhores, há aqui um homem pobre mas honrado; capitão reformado, que foi dispensado em consequência de uma desgraça, mas não em virtude de um julgamento, de reputação intacta, sobrecarregado de numerosa família. Há três semanas, o nosso Dimítri Fiódorovitch agarrou-o pela barba num botequim, arrastou-o pela rua e surrou-o em público, pela razão desse homem estar em segredo encarregado de meus interesses em determinado negócio.

— Mentira tudo isso! Aparentemente é verdade, no fundo, pura mentira! — disse Dimítri Fiódorovitch, tremendo de cólera. — Meu pai, não justifico minha conduta; sim, convenho publicamente que fui brutal para com esse capitão. Agora lamento isso e minha brutalidade me causa horror, mas esse capitão, encarregado de seus negócios, foi procurar aquela pessoa que o senhor chama de sereia e lhe propôs de parte do senhor avaliar minha promissórias, que estão em seu poder, a fim de perseguir-me e mandar-me prender, no caso de apertá-lo eu demais a propósito de nosso ajuste de contas. Se o senhor quer atirar-me na prisão é unicamente por ciúme dela, porque o senhor mesmo começou a andar em roda dessa mulher — estou ao corrente de tudo. Ela só fez rir, está ouvindo? E foi zombando do senhor que o repetiu. Tal é, meus reverendos padres, esse homem, esse pai que censura a má conduta de seu filho. Os senhores, que são testemunhas, perdoem minha cólera, mas eu pressentia que esse pérfido velho os convocara a todos aqui para provocar um escândalo. Vim na intenção de perdoar, se ele me estendesse a mão, de perdoar-lhe e de pedir-lhe perdão! Mas como ele acaba de insultar não somente a mim, mas a moça mais nobre, cujo nome não ouso pronunciar em vão, porque a respeito, decidi desmascará-lo publicamente, se bem que seja meu pai.

Não pôde continuar. Seus olhos faiscavam, respirava com dificuldade. Todos os presentes estavam emocionados, exceto o *stáriets*, todos se haviam levantado, agitados. Os religiosos olhavam com olhar severo, mas aguardavam a vontade do *stáriets*. Este último estava pálido, não de emoção, mas de fraqueza doentia. Um sorriso suplicante desenhava-se em seus lábios; erguia por vezes a mão como para conter aqueles furiosos. Teria podido, com um só gesto, pôr fim à cena; mas parecia esperar qualquer coisa e olhava fixamente, como se quisesse ainda compreender um ponto que lhe teria escapado. Por fim, Piotr Alieksándrovitch sentiu-se definitivamente humilhado, atingido na sua dignidade.

— No escândalo que acaba de desenrolar-se, somos todos culpados! — declarou ele, apaixonadamente. — Mas não previa tudo isso vindo aqui, se bem que soubesse com quem tratava... É preciso acabar com isso sem tardar. Meu reverendo padre, fique certo de que eu não conhecia exatamente todos os detalhes revelados aqui, não queria acreditar neles e fico conhecendo-os pela primeira vez. O pai está com ciúmes de seu filho por causa de uma mulher de má vida e entende-se com essa criatura para lançá-lo na prisão... E é em semelhante companhia que me fizeram vir aqui... Enganaram-me, declaro ter sido enganado tanto quanto os outros...

— Dimítri Fiódorovitch! — gritou de súbito Fiódor Pávlovitch, com uma voz que não era a sua. — Se não fosse você meu filho, eu o desafiaria agora mesmo a um duelo... a pistola, a três passos... através de um lenço, através de um lenço — terminou ele, sapateando.

Há nos velhos mentirosos que representaram comédia a vida inteira momentos em que entram de tal maneira em seu papel que tremem e choram com verdadeira emoção, se bem que no mesmo instante possam dizer a si mesmos (ou logo depois): "Tu mentes, velho descarado, és um ator mesmo agora, apesar de tua santa cólera".

Dimítri Fiódorovitch ficou sombrio, mirando seu pai com um desprezo indizível.

— Eu pensava... — disse ele em voz baixa — eu pensava voltar ao país natal com aquele anjo, minha noiva, para cuidar da velhice dele, e que vejo? Um debochado luxurioso e um vil comediante!

— A um duelo! — gritou de novo o velho, ofegante e babando a cada palavra. — Quanto ao senhor Piotr Alieksándrovitch Miúsov, fique sabendo que em toda a sua linhagem não há talvez mulher mais nobre e mais honesta — está entendendo? —, mais honesta do que essa criatura, como se permitiu o senhor chamá-la ainda há pouco! Quanto a você, Dimítri Fiódorovitch, que substituiu sua noiva por essa "criatura", você mesmo julgou que sua noiva não valia a sola dos sapatos dela!

— É vergonhoso! — deixou escapar o Padre Iósif.

— É vergonhoso e infame! — gritou com uma voz juvenil, trêmula de emoção, o rosto rubro, Kolgánov, que havia até então guardado silêncio.

— Por que tal homem existe? — rugiu surdamente Dimítri Fiódorovitch, a quem a cólera quase enlouquecia. Ergueu os ombros a ponto de parecer corcunda. — Não, dizei–me, pode–se permitir ainda que ele desonre a terra? — Lançou um olhar circundante e apontou para o velho com a mão. Falava num tom lento, medido.

— Estais ouvindo, monges, estais ouvindo o parricida?! — exclamou Fiódor Pávlovitch, dirigindo–se ao Padre Iósif. — Eis a resposta ao vosso "É vergonhoso!". Que é que é vergonhoso? Essa "criatura", essa "mulher de má vida" é talvez mais santa que vós todos, senhores religiosos, que tratais de vossa salvação! Ela caiu talvez na sua juventude, vítima do meio, mas "muito amou". Ora, o Cristo também perdoou aquela que muito amou...

— O Cristo não perdoou tal amor... — deixou escapar em sua impaciência o manso Padre Iósif.

— Não, foi esse amor mesmo, monges, esse mesmo. Cuidais de vossa salvação comendo couves e vos acreditais sábios. Comeis cadozes, um por dia, e pensais poder comprar Deus com cadozes.

— É intolerável, intolerável! — ouviu–se de todos os lados. Mas essa cena escandalosa cessou da maneira mais inesperada. De súbito, o *stáriets* se levantou. Aliekséi, que quase enlouquecera de medo por ele e por todos, pôde, no entanto, segurá–lo pelo braço. O *stáriets* dirigiu–se para o lado de Dimítri Fiódorovitch e, ao chegar bem perto, ajoelhou–se diante dele. Aliócha pensou que ele tivesse caído de fraqueza, mas não era nada disso. Uma vez de joelhos, o *stáriets* prosternou–se aos pés de Dimítri Fiódorovitch numa profunda saudação, precisa e consciente; sua testa aflorou mesmo a terra. Aliócha ficou de tal maneira estupefato que nem mesmo o ajudou a levantar. Um leve sorriso pairava–lhe nos lábios.

— Perdoem, perdoem todos! — disse ele, saudando seus hóspedes para todos os lados.

Dimítri Fiódorovitch ficou alguns instantes como que petrificado: prosternar–se diante dele! Que significava aquilo? Por fim exclamou: "Ó Deus!", cobriu o rosto com as mãos e lançou–se para fora do quarto. Todos os hóspedes seguiram–no em fila, tão perturbados que se esqueceram de despedir–se do dono da casa e de cumprimentá–lo. Somente os religiosos se aproximaram para receber–lhe a benção.

— Por que ele se prosternou? Será algum símbolo? — Fiódor Pávlovitch, de súbito acalmado, procurava assim travar uma conversa, não ousando, aliás, dirigir–se a alguém em particular. Transpunham naquele momento a cerca do eremitério.

— Não respondo por alienados — respondeu logo Piotr Alieksándrovitch, com aspereza. — Mas, em compensação, desembaraço–me de sua companhia, Fiódor Pávlovitch, e acredite que é para sempre. Onde está aquele monge de há pouco?...

"Aquele monge", isto é, o que os havia convidado a jantar com o Padre Abade, não se fizera esperar. Encontrara os hóspedes a tempo, no momento em que estes desciam o patamar, como se todo o tempo estivesse à espera deles.

— Tenha a bondade, reverendo padre, de assegurar ao Padre Abade o meu profundo respeito e apresentar–lhe minhas desculpas; em consequência de circunstâncias imprevistas, é–me impossível, apesar de todo o meu desejo, aceitar o convite — declarou Piotr Alieksándrovitch ao monge, com irritação.

— A circunstância imprevista sou eu! — interveio logo Fiódor Pávlovitch. — Escute, meu padre, é que Piotr Alieksándrovitch não quer ficar a meu lado, se não iria agora mesmo. Vá, Piotr Alieksándrovitch, não deixe de ir à casa do Padre Abade, e bom apetite! Fique sabendo que sou eu que me escapulo e não o senhor. Volto para casa, lá poderei comer, aqui, sinto–me incapaz, meu bem–amado parente.

— Não sou seu parente, jamais o fui, vil indivíduo.

— Disse isto de propósito para fazer–lhe raiva, porque o senhor repudia esse parentesco embora seja meu parente, apesar de seus ares de importância, vou lhe provar pelo almanaque eclesiástico; eu te mando o carro, Ivan, fica também, se quiseres. Piotr Alieksándrovitch, as conveniências lhe ordenam que se apresente em casa do Padre Abade; é preciso pedir desculpas das tolices que cometemos lá.

— É verdade que se vai embora? Não está mentindo?

— Piotr Alieksándrovitch, como eu ousaria depois do que se passou? Deixei–me arrebatar, senhores, perdoem–me. Além disso, estou transtornado! E tenho vergonha. Senhores, pode–se ter o coração de Alexandre da Macedônia ou o de um cãozinho. Eu me assemelho ao cãozinho Fidelhka. Tornei–me tímido. Pois bem! Como ir jantar depois de tal leviandade, encher–me dos assados do mosteiro? Tenho vergonha, não posso, desculpem–me!

"O diabo sabe de que é ele capaz! Não terá ele a intenção de nos enganar?" Miúsov parou, irresoluto, seguindo com um olhar perplexo o palhaço que se afastava. Este voltou–se e vendo que Piotr Alieksándrovitch o observava, enviou–lhe com a mão um beijo.

— Vai à casa do Padre Abade? — perguntou Miúsov a Ivan Fiódorovitch, num tom brusco.

— Por que não? Ele mandou convidar–me especialmente desde ontem.

— Por desgraça, sinto–me verdadeiramente quase obrigado a comparecer a esse maldito jantar — continuou Miúsov no mesmo tom de irritação amarga, sem mesmo tomar cuidado com o mongezinho que o ouvia. — É preciso pelo menos desculpar–nos do que se passou e explicar que não fomos nós... Que pensa disto?

— Sim, é preciso explicar que não fomos nós. Além disso, meu pai não estará lá — observou Ivan Fiódorovitch.

— Era só o que faltava que seu pai estivesse lá! Maldito jantar.

No entanto todos para ele se dirigiam. O mongezinho escutava em silêncio. Ao atravessar o bosque, fez notar que o Padre Abade esperava desde muito tempo e estava atrasado mais de meia hora. Não lhe responderam. Miúsov mirava Ivan Fiódorovitch com um ar cheio de ódio.

"Ele vai ao jantar como se nada se tivesse passado", pensava. "Uma testa de bronze e uma consciência de Karamázov!"

VII / Um seminarista ambicioso

Alióc
ha conduziu o *stáriets* ao seu quarto de dormir e o fez sentar no leito. Era uma peça muito pequena, com o mobiliário indispensável; a cama de ferra estreita tinha apenas uma almofada de feltro à guisa de colchão. A um canto, sobre uma estante, perto dos ícones, repousavam a cruz e o *Evangelho*. O *stáriets* deixou–se cair, extenuado. Seus olhos brilhavam, resfolegava. Uma vez sentado olhou fixamente Alióc
ha, como se meditasse em alguma coisa.

— Vai, meu caro, vai, Porfíri me basta, apressa–te. Têm necessidade de ti em casa do Padre Abade, servirás à mesa.

— Permita–me ficar aqui — disse Aliócha, com voz suplicante.

— És mais necessário lá. A paz não reina ali. Servirás e vais ser útil. Vêm os maus espíritos, recita uma oração. Fica sabendo, meu filho (o *stáriets* gostava de chamá–lo assim), que no futuro teu lugar não será aqui. Lembra–te disto, rapaz. Assim que Deus me tiver julgado digno de comparecer perante ele, deixa o mosteiro. Parte imediatamente.

Aliócha estremeceu.

— Que tens? Teu lugar não é aqui no momento. Abençoo–te tendo em vista uma grande tarefa a cumprir no mundo. Peregrinarás muito tempo. Deverás casar, é preciso. Deverás suportar tudo até voltares. Haverá muito que fazer. Mas não duvido de ti. Eis por que te envio. Que o Cristo seja contigo! Guarda–O e Ele te guardará. Experimentarás uma grande dor e ao mesmo tempo serás feliz. Tal é tua vocação: procurar a felicidade na dor. Trabalha, trabalha sem cessar. Lembra–te de minhas palavras, doravante, porque vou me entreter ainda contigo, mas meus dias e mesmo minhas horas estão contados.

Viva agitação pintou–se no rosto de Aliócha. Seus lábios tremiam.

— Que tens de novo? — sorriu docemente o *stáriets*. — Que os mundanos chorem seus mortos; aqui nos regozijamos quando um padre agoniza. Nós nos rejubilamos e rezamos por ele. Deixa–me. Tenho de rezar. Vai, despacha–te. Fica junto de teus irmãos, e não somente junto de um, mas de ambos.

O *stáriets* ergueu a mão para abençoá–lo. Era impossível fazer objeções, muito embora Aliócha tivesse grande vontade de ficar. Queria também perguntar–lhe, estava mesmo com a pergunta nos lábios, o que significava aquela prosternação diante de seu irmão Dimítri, mas não ousou. Sabia que o próprio *stáriets* lhe teria explicado, se pudesse. Portanto, não queria. Ora, aquela saudação até o chão havia enchido Aliócha de grande espanto: havia naquilo um sentido misterioso. Misterioso e talvez terrível. Uma vez fora da cerca do eremitério, para chegar ao mosteiro no começo da refeição em casa do Padre Abade (devia servir à mesa), seu coração se fechou e teve de deter–se: parecia–lhe ouvir de novo as palavras do *stáriets* predizendo seu fim próximo. O que tinha predito o *stáriets* com tal exatidão devia cumprir–se sem nenhuma dúvida. Aliócha acreditava naquilo cegamente. Mas como ficaria sem ele, sem vê–lo, nem ouvi–lo? E aonde iria? Ordenavam–lhe que não chorasse e que deixasse o mosteiro. Senhor! Desde muito tempo Aliócha não sentia semelhante angústia. Atravessou rapidamente o bosque que separava o eremitério do mosteiro e, incapaz de suportar os pensamentos que o acabrunhavam, pôs–se a contemplar os pinheiros seculares que orlavam o caminho. O trajeto não era longo, quinhentos passos no máximo; não se podia encontrar ninguém àquela hora, mas à primeira volta avistou Rakítin. Este esperava alguém.

— Seria a mim que esperava? — perguntou Aliócha, quando o alcançou.

— Justamente — respondeu Rakítin, sorrindo. — Apressas–te em ir à casa do Padre Abade. Sei; oferece um jantar. Desde o dia em que recebeu o bispo e o General Parkhátov — lembras–te? — não houve jantar igual. Lá não estarei, mas tu vais para lá, servirás os pratos. Dize–me, Aliócha, que significa esse sonho? Queria perguntar–te.

— Que sonho?

— Mas aquela prosternação diante de teu irmão Dimítri Fiódorovitch. Bateu até com a cabeça no chão!

— Falas do Padre Zósima?

— Sim, dele.

— A testa?

— Ah! me exprimi com irreverência! Não tem importância. Pois bem, que significa aquele sonho?

— Ignoro, Micha, o que ele significa!

— Estava certo de que ele não o explicaria. Isto nada tem de espantoso, são sempre as mesmas santas frioleiras. Mas o truque foi jogado de propósito. Agora vão os beatos falar na cidade e espalhar na província: "Que significa esse sonho?". Na minha opinião, o velho é perspicaz; farejou um crime. Isso lá na tua casa está de feder.

— Que crime?

Rakítin queria evidentemente dizer alguma coisa.

— Será na tua família que ele ocorrerá, esse crime. Entre teus irmão e teu rico papai. Eis por que o Padre Zósima bateu com a testa para qualquer eventualidade. Depois, que acontecerá? "Ah! isto fora predito pelo santo eremita, ele profetizou." No entanto, que profecia há nisso de bater com a cabeça? Não, dirão, é um símbolo, uma alegoria, e Deus sabe o quê! Será divulgado e lembrado: ele adivinhou o crime, designou o criminoso. Os "inocentes" agem sempre assim; fazem sobre o botequim o sinal da cruz e atiram pedras no templo. Da mesma maneira o teu *stáriets*: para um sábio, pauladas, mas diante de um assassino curva a cabeça.

— Que crime? Diante de qual assassino? Que é que estás contando?

Alióchia ficou como que pregado no lugar. Rakítin também parou.

— Que crime? Como se não soubesse! Aposto que já pensaste nisso. A propósito, é curioso; escuta, Alióchia, tu dizes sempre a verdade, se bem que te assentes sempre entre duas cadeiras; pensaste nisso ou não? Responde.

— Pensei nisso — respondeu Alióchia em voz baixa. Rakítin perturbou–se.

— Como, também tu já pensaste nisso? — exclamou ele.

— Eu... não é que tenha pensado precisamente nisso — murmurou Alióchia –, mas acabas de falar tão estranhamente a esse respeito que me pareceu tê–lo pensado eu mesmo.

— Estás vendo? (E como o exprimiste claramente!) Estás vendo? Hoje, ao veres teu pai e teu irmão Mítia, pensaste em um crime. Portanto, não me engano.

— Espera, espera um pouco — interrompeu–o Alióchia, perturbado. — Donde tiras tudo isso? E, em primeiro lugar, por que isso te interessa tanto?

— Duas perguntas diferentes, mas naturais. Responderei a cada uma separadamente. Donde tiro tudo isso? De nenhuma parte o teria tirado, se não tivesse compreendido hoje Dimítri Fiódorovitch, teu irmão, dum relance e totalmente, tal como ele é, segundo certa linha. Entre essas pessoas muito honestas, mas sensuais, há uma linha que não se deve transpor. De outro modo, golpeará seu pai até mesmo com uma faca. Ora, seu pai é um bêbedo e debochado desenfreado, que jamais conheceu a medida em coisa alguma; nenhum dos dois se conterá, e pronto, eis todos dois no fosso.

— Não, Micha, se é só isso, reconfortas–me. Isso não chegará a esse ponto.

— Mas por que tremes tanto? Sabes por que? Ele pode ser um homem honesto, Mítia (é estúpido, mas honesto), apenas é um sensual. Eis sua definição e o fundo de sua natureza. Foi seu pai quem lhe transmitiu sua abjeta sensualidade. A respeito de ti, somente, Aliócha, é que me espanto; como se dá que sejas virgem? És, no entanto, um Karamázov! Na família de vocês, a sensualidade chega até o frenesi. Ora, esses três seres sensuais espiam-se agora... de faca no bolso. Três deram cabeçadas, podes ser o quarto.

— Enganas-te certamente a respeito daquela mulher. Dimítri a... despreza — disse Aliócha, fremente.

— Grúchenhka?[21] Não, irmão, ele não a despreza. Já que abandonou publicamente sua noiva por causa dela, não a despreza. Aqui, irmão, aqui há qualquer coisa que não compreendes agora. Que um homem se apaixone por uma beldade qualquer, por um corpo de mulher, até mesmo somente por uma parte desse corpo (um voluptuoso me compreenderia imediatamente), entregará por causa dela seus próprios filhos, venderá pai e mãe, a Rússia e a pátria; honesto, irá roubar; manso, assassinará; fiel, trairá. O cantor dos pés femininos, Púchkin, celebrou-os em versos; outros não os cantam, mas não podem olhá-los a sangue-frio. Mas não há somente os pés... Aqui irmão, o desprezo é impotente. Ele despreza Grúchenhka, mas não pode destacar-se dela.

— Compreendo isso — disse, de repente, Aliócha.

— Deveras? E tu o compreendes, na verdade, para que o confesses desde a primeira palavra — declarou Rakítin com uma alegria maldosa. — Isso escapou-te por acaso. Nem por isso deixa a confissão de ser mais preciosa; por consequência, a sensualidade é para ti um assunto conhecido, já pensaste nela! Ah! o santinho! Tu és santo, Aliócha, convenho, mas és um santinho, e o diabo sabe em que é que já não pensaste, o diabo sabe o que já conheces! És virgem, mas já penetraste bastantes coisas, observo-te desde muito tempo. És tu mesmo um Karamázov, és um completo; portanto, a raça e a seleção significam alguma coisa, és sensual por teu pai e "inocente" por tua mãe. Por que tremes? Será verdade o que digo? Sabes? Grúchenhka me pediu: "Que venha aqui (isto é, tu) e eu lhe arrancarei a batina". E como tivesse insistindo: "Que venha, que venha!", disse a mim mesmo: por que ela está tão curiosa dele? sabes, ela também é uma mulher extraordinária!

— Vais lhe dizer que não irei, jura — disse Aliócha, com um sorriso constrangido. — Acaba, Mikhail, o que começaste, em seguida te direi o que penso.

— Para que acabar? Tudo é claro. Tudo isso, irmão, é uma velha canção. Se tu mesmo tens um temperamento sensual, que será de teu irmão Ivan, filho da mesma mãe? Porque também ele é um Karamázov. Ora, a natureza dos Karamázovi se resume assim: sensuais, ávidos no ganho e malucos! Teu irmão Ivan distrai-se agora escrevendo artigos de teologia por um cálculo estúpido que se ignora, sendo ele próprio ateu, e confessa essa baixeza. Além disso, está a ponto de conquistar a noiva de seu irmão Mítia e parece perto de seu fim. De que maneira? Com o consentimento do próprio Mítia, porque este lhe cede a noiva com o único fim de se desembaraçar dela e ir juntar-se a Grúchenhka. E tudo isso não obstante sua nobreza e seu desinteresse, veja bem. Tais indivíduos são os mais fatais. Como entendê-los afinal?

---

21 Variante carinhosa do diminutivo de Agrafiena, Grucha, que é também nome comum, e significa pera.

Tendo plena consciência de sua baixeza comportam-se baixamente. Escuta agora: um velho barra o caminho a Mítia, seu próprio pai. Porque este está loucamente apaixonado por Grúchenhka, fica com a boca cheia dágua somente ao vê-la. Foi unicamente por causa dela que provocou tal escândalo, somente porque Miúsov tinha ousado chamá-la de criatura depravada. Está mais amoroso do que um gato. Antes, ela estava somente a seu serviço para certos negócios equívocos e nas suas tavernas; agora, depois de a ter examinado bem ele percebeu que ela lhe agradava, encarniça-se atrás dela e faz-lhe propostas desonestas naturalmente; pois bem, o pai e o filho encontram-se nesta estrada. Mas Grúchenhka reserva-se, hesita ainda e mexe com os dois, examina qual é o mais vantajoso, porque se se pode arrancar muito dinheiro do pai, em compensação ele não se casará, talvez se torne avarento para o fim e fechará sua bolsa. Em semelhantes caso, Mítia também tem seu valor; não tem dinheiro mas pode casar. Sim, é capaz disso! Abandonará sua noiva, uma beldade incomparável, Katierina Ivânovna, rica, nobre, e filha de coronel, para se casar com Grúchenhka, outrora mantida por Samsónov, um velho comerciante, mujique depravado e prefeito da cidade. De tudo isso, podem verdadeiramente resultar um conflito e um crime. Ora, é o que espera teu irmão Ivan. Assim ele dá um golpe duplo: toma posse de Katierina Ivânovna, pela qual morre de amores, e se apropria de seu dote de sessenta mil rublos. Para um pobre-diabo como ele, um pobretão, não é coisa de desdenhar, no começo. E nota bem! Não somente não ofenderá Mítia, mas este lhe será grato até a morte. Porque sei de boa fonte que, na última semana, achando-se Mítia embriagado num restaurante com ciganos, exclamou que era indigno dela. A própria Katierina Ivânovna acabará não repelindo um homem encantador como Ivan Fiódorovitch; já hesita entre eles. Mas como pode esse Ivan seduzir-vos para que estejais todos em êxtase diante dele? Ri-se de vós. Estou extasiado, diz ele, e festejo às vossas custas.

— Donde sabes tudo isso? Por que falas com tal segurança? — perguntou bruscamente AlióCha, franzindo o cenho.

— Mas por que me interrogas, temendo de antemão a resposta? Isto significa que reconheces que disse a verdade.

— Não gostas de Ivan. Ivan não se deixa seduzir pelo dinheiro.

— Deveras? E a beleza de Katierina Ivânovna? Não se trata somente de dinheiro, muito embora sessenta mil rublos sejam bastante atraentes.

— Ivan olha mais alto. Milhares de rublos não o deslumbrariam. Não é nem o dinheiro nem a tranquilidade que ele procura. Ivan procura talvez o sofrimento.

— Que sonho é esse ainda? Ah! vós outros... os nobres!

— Ora! Micha, sua alma é impetuosa. Seu espírito é cativo. Ele tem um grande pensamento ainda não resolvido. É daqueles que não tem necessidade de milhões, mas de resolver seu pensamento.

— É um plágio, AlióCha, parafraseias o teu *stáriets*. Ora! Ivan propôs-vos um enigma! — gritou com visível animosidade Rakítin, cujo rosto se alterou e cujos lábios se contraíram. — E um enigma estúpido, não há nele nada a adivinhar. Faze um pequeno esforço e compreenderás. Seu artigo é ridículo e inepto. Ouvi ainda há pouco sua absurda teoria: "Se não há imortalidade da alma, então não há virtude, o que quer dizer que tudo é permitido". Lembras-te de como teu irmão Mítia gritou: "Lembrarei disso!". É uma teoria sedutora para os tratantes... Mas estou insultando, é uma estupidez... não os tratantes, mas os fanfarrões da escola com "uma profundeza de pensamento insolúvel". É um falastraz e isto que dizer simplesmente no fundo: "Boné branco e branco boné". Toda a sua teoria não passa duma infâmia! A humanidade encontra em si mesma a força de viver para a virtude, mesmo sem crer na imortalidade da alma! Tira–a do amor à liberdade, à igualdade e à fraternidade...

Rakítin acalorara–se, tinha dificuldade em conter–se. Mas de repente parou, como se se lembrasse de alguma coisa.

— Pois bem, basta! — disse ele, com um sorriso ainda mais forçado. — Por que ris? Pensas que sou um casca–grossa?

— Não, nem mesmo tinha ideia de pensá–lo. És inteligente, mas... Deixemos isso. Sorri por estupidez. Compreendo que possas acalorar–te, Micha. Adivinhei pelo teu arrebatamento que tu mesmo não és indiferente para com Katierina Ivânovna. Há muito tempo que duvidava disso, irmão. Eis por que não gostas de Ivan. Tens ciúmes dele.

— E também do dinheiro dela? Vai até o fim.

— Não, não falarei do dinheiro, não quero ofender–te.

— Creio, porque o disseste, mas que o diabo vos leve, a ti e a teu irmão Ivan! Nenhum de vós compreende que, mesmo posta de parte Katierina Ivânovna, ele é muito pouco simpático. Que razão terei para gostar dele, com a breca! Ele me faz a honra de injuriar–me. Não terei o direito de retribuir–lhe?

— Jamais o ouvi dizer bem ou mal de ti. Não fala absolutamente de ti.

— Pois bem, contaram–me que anteontem, em casa de Katierina Ivânovna, disse boas de mim, tanto se interessava por este teu criado. Depois disso, ignoro qual irmão tem ciúme do outro. Ele achou bom insinuar que, se eu não desistir da carreira de *arkhimandrit* e não largar a batina num futuro bem próximo, partirei para Petersburgo, entrarei para uma grande revista na qualidade de crítico, escreverei por uma dezena de anos e acabarei por tornar–me proprietário da revista. Então vou publicá-la com orientação liberal e ateia, com uma tintura socialista, certo verniz mesmo de socialismo, mas tomando minhas precauções, isto é, nadando entre duas águas e ludibriando os imbecis. Sempre segundo teu irmão, apesar dessa tintura de socialismo, colocarei minhas rendas em conta corrente, pondo–as no momento em circulação, sob a direção dum judeuzinho qualquer, até que eu consiga construir um grande imóvel em Petersburgo; meus escritórios ocuparão um andar e alugarei os outros. Designou mesmo o local da casa, perto da nova ponte de pedra que se projeta, parece entre a Litiéinaia Úlitsa e Vibórskaia Storoná...

— Ah! Micha, isto se realizará talvez de ponta a ponta! — exclamou Aliócha que não pode conter um riso jovial.

— E você também zomba, Alieksiéi Fiódorovitch?

— Não, não, estou brincando, desculpa–me. Pensava em outra coisa bem diversa. Mas, dize–me, quem pôde comunicar–te tais detalhes, de quem os terias sabido? Porque não estavas em casa de Katierina Ivânovna, quando ele falava de ti.

— É verdade, mas Dimítri Fiódorovitch ali se achava e ouvi–o repetir isso, isto é, escutei contra a minha vontade, oculto no quarto de dormir de Grúchenhka, donde não podia sair em sua presença.

— Ah! sim, esquecia–me de que é tua parenta.

— Minha parenta? Essa Gruchka seria minha parenta? — exclamou Rakítin, todo vermelho. — Perdeste a razão? Tens o cérebro desarranjado.

— Como? Não é tua parenta? Ouvi dizer isto.

— Onde pudeste ouvi–lo? Ah! Senhores Karamázovi, tomais ares de alta e velha nobreza, quando teu pai bancava o palhaço na mesa alheia e figurava por favor na cozinha. Admitamos, não passo de filho de pope, um vil plebeu, ao lado de vós, nobres, mas não me insulteis com tão alegre sem–cerimônia. Tenho também minha honra, Alieksiéi Fiódorovitch. Não posso ser parente de Gruchka, uma mulher pública, compreende pois!

Rakítin estava violentamente superexcitado.

— Desculpa–me, pelo amor de Deus, não o teria nunca acreditado, aliás. Ela é de fato... uma mulher pública? — Aliócha ficou completamente rubro. — Repito, disseram–me mesmo que era tua parenta. Vais muitas vezes à casa dela e tu mesmo me disseste que não tinhas ligação com ela... Jamais teria acreditado que a desprezasses tanto! Ela merece mesmo isso?

— Se a frequento, tenho talvez minhas razões para isso, mas basta. Quanto ao parentesco, será antes teu irmão ou mesmo teu pai que a fará entrar na tua família e não na minha. Mas eis–nos chegados. Vai antes à cozinha... Ora! Que é que há? Que está acontecendo? Estaríamos atrasados? Mas não é possível que já tenham acabado de jantar! A menos que os Karamázovi não tenham feito das suas. Deve ser isto. Eis teu pai e Ivan Fiódorovitch que o segue. Fugiram da casa do Padre Abade. Eis o Padre Isídor no patamar a gritar alguma coisa na direção deles. E teu pai que grita agitando os braços. Decerto está descompondo. Eis Miúsov que parte de caleça, não o vês correr? O proprietário Maksímov corre; é um verdadeiro escândalo; o jantar não se realizou! Será que eles bateram no Padre Abade? Ou então foram surrados! Bem mereciam uma surra!...

Rakítin tinha razão de fazer essas exclamações. Ocorrera de fato um escândalo inaudito e inesperado. Tudo se passara "por inspiração do momento".

VIII / Um escândalo

Quando Miúsov e Ivan Fiódorovitch iam entrar em casa do Padre Abade, produziu–se em Piotr Alieksándrovitch — que era um homem educado — uma reviravolta delicada. Teve vergonha de sua cólera. Sentia em seu íntimo que teria devido estimar pelo seu justo valor o lamentável Fiódor Pávlovitch, conservar seu sangue–frio na cela do *stáriets*, e não perder a cabeça, como fora o caso. "Os monges não têm culpa nenhuma", decidiu ele de repente no patamar do Abade. "Ora, se há aqui pessoas decentes (o Padre Nikolai, o Abade, é, parece, da nobreza), por que não me mostrar para com eles delicado, amável e polido? Não discutirei, farei mesmo coro, conquistarei a simpatia deles pela minha amabilidade e... por fim, provarei que não sou o companheiro daquele Esopo,[22] daquele palhaço, daquele saltimbanco, e que fui metido nisso com eles todos..."

---

22 Apelido dado ao velho Fiódor Pávlovitch com a intenção, expressamente pejorativa, de emprestar lhe as qualidades negativas de vagabundagem e histrionismo atribuídas à semilendária figura do também velho, feio, gago e corcunda fabulista grego, mas cujo engenho e sutileza são igualmente proverbiais. Esopo viveu entre os anos 620-560 a.C. na corte de Creso, e morreu ao ser atirado do alto de um precipício, como castigo por um crime que lhe foi falsamente atribuído.

Resolveu ceder–lhes definitivamente os direitos de corte e pesca, de uma vez por todas, naquele dia mesmo — tanto mais que aquilo não tinha valor –, e de cessar os processos contra o mosteiro.

Todas essas boas intenções afirmaram–se ainda, quando entraram na sala de jantar do Padre Abade. Não era na verdade uma, porque não havia senão duas peças, aliás muito mais espaçosas e mais cômodas que as do *stáriets*. Mas o mobiliário não brilhava pelo conforto: os móveis eram de acaju, recobertos de couro à antiga moda de 1820, e até mesmo os soalhos não eram pintados. Em compensação, tudo rebrilhava de limpeza, havendo nas janelas muitas flores caras; mas a elegância principal residia naquele momento na mesa suntuosamente servida — relativamente, como era natural; a toalha era imaculada, a prataria cintilava; sobre a mesa três espécies de pão muito bem cozidos, duas garrafas de vinho, dois jarros de excelente hidromel do mosteiro e um garrafão cheio de *kvas* reputado das redondezas. Não havia vodca. Rakítin contou mais tarde que o jantar compreendia daquela vez cinco pratos: uma sopa de esturjão com bocados de peixe; depois um peixe cozido, preparado segundo uma receita especial e deliciosa; bolinhos de esturjão, gelados e compota, e por fim um prato de doce de batata em estilo de manjar branco.

Rakítin havia farejado tudo isto, e, incapaz de conter–se, lançou uma olhadela à cozinha do Padre Abade, onde tinha conhecidos. Tinha–os por toda parte e ficava sabendo o que queria saber. Era um coração atormentado e invejoso. Tinha plena consciência de seus dons indiscutíveis; fazia mesmo deles, na sua presunção, uma ideia exagerada. Sabia–se destinado a desempenhar um papel, mas Aliócha, que lhe era muito ligado, afligia–se por ver seu amigo desprovido de consciência e não se aperceber disso. Rakítin, pelo contrário, sabendo que jamais roubaria dinheiro a seu alcance, estimava–se por isto como homem de perfeita honorabilidade. A este respeito nem Aliócha nem ninguém podia influir sobre ele.

Rakítin era um personagem por demais mesquinho para figurar na refeição; em compensação o Padre Iósif e o Padre Paísi tinham sido convidados, bem como um outro religioso. Eles aguardavam já na sala de jantar, quando entraram Piotr Alieksándrovitch, Kolgánov e Ivan Fiódorovitch. O proprietário de terras Maksímov mantinha–se à parte. O Padre Abade avançou para o meio da sala para acolher seus convidados. Era um velho grande e magro, mas ainda vigoroso, de cabelos negros já grisalhos, de rosto comprido, emaciado e grave. Cumprimentou seus hóspedes em silêncio e estes vieram por sua vez receber sua benção. Miúsov tentou mesmo beijar–lhe a mão, mas o Abade preveniu seu gesto, retirando–a. Ivan Fiódorovitch e Kolgánov foram até ao extremo, fazendo estalar os lábios à maneira da gente do povo.

— Devemos apresentar–vos todas as nossas desculpas, meu Reverando Padre — começou Piotr Alieksándrovitch, com um gracioso sorriso, mas num tom grave e respeitoso –, porque chegamos sozinhos, sem nosso companheiro Fiódor Pávlovitch, que convidastes; teve de renunciar a acompanhar–nos e não sem motivo. Na cela do reverendo Padre Zózima, arrebatado por sua infeliz querela com seu filho, pronunciou algumas palavras bastante fora de propósito... em suma, bastante inconvenientes... do que Vossa Reverendíssima deve ter tido já conhecimento (olhou para os religiosos). Assim, cônscio de sua falta e deplorando–a sinceramente, ele experimentou uma vergonha invencível e nos rogou, a seu filho Ivan e a mim, que vos exprimíssemos seu sincero pesar, sua contrição e seu arrependimento... Em suma, espera e quer tudo reparar mais tarde, e agora, pedindo vossa benção, roga–vos que esqueçais o que se passou...

Miúsov calou–se. Tendo chegado ao fim de sua tirada, ficou perfeitamente satisfeito consigo mesmo, a ponto de esquecer completamente sua recente irritação. Experimentava de novo sincero e vivo amor pela humanidade. O Padre Abade, que o tinha escutado gravemente, inclinou a cabeça e respondeu:

— Lamento vivamente sua ausência. Participando desta refeição, talvez tivesse tomado afeição por nós, o mesmo acontecendo de nossa parte. Senhores, queiram tomar lugares.

Colocou–se diante da imagem e começou uma oração. Todos inclinaram–se respeitosamente e o proprietário Maksímov colocou–se mesmo na frente de mãos juntas, em sinal de particular veneração.

E foi então que Fiódor Pávlovitch fez mais uma das suas. Deve–se notar que ele de fato tivera a intenção de partir e compreendera a impossibilidade, depois de seu vergonhoso procedimento em casa do *stáriets*, de ir jantar em casa do Padre Abade, como se nada tivesse acontecido. Não que se sentisse tão envergonhado assim e fizesse censuras a si mesmo; talvez mesmo muito pelo contrário; no entanto, sentia a inconveniência de ir jantar. Mas assim que a caleça de molas gementes chegou ao patamar da hospedaria, ele parou antes de nela subir. Lembrou–se de suas próprias palavras em casa de *stáriets*. "Parece–me sempre, ao entrar em alguma parte, que sou mais vil que todos e que todos me tomam por um palhaço. Então digo a mim mesmo: sejamos verdadeiramente o palhaço, porque todos, até o derradeiro de vós, sois mais estúpidos e mais vis do que eu." Queria vingar–se em todo mundo de suas próprias vilanias. Lembrou–se, de repente, a esse propósito, de como outrora lhe haviam perguntado uma vez: "Por que detesta tanto tal pessoa?". E respondera então, num acesso de bufonesco descaramento: "Ela não me fez nada, é verdade, mas eu lhe preguei uma má peça e logo depois comecei a detestá–la". A esta lembrança, sorriu maldosa e silenciosamente numa hesitação de um minuto. Seus olhos cintilaram e seus lábios tremeram. "Já que comecei, é preciso ir até o fim", decidiu ele, bruscamente. Naquele instante, seria possível exprimir assim seu sentimento mais íntimo: "É agora impossível reabilitar–me, então zombemos deles até a impudência: não tenho vergonha diante de vós, e eis tudo!". Ordenou ao cocheiro que esperasse e voltou a grandes passadas para o mosteiro, diretamente para a casa do Padre Abade. Não sabia ainda o que faria, mas sabia que não mais se dominava, que o menor impulso o impeliria aos derradeiros limites de alguma indignidade, mas somente uma indignidade, e não algum delito ou algum ataque tal que o levasse perante a justiça. Neste último caso, sabia sempre conter–se e se admirava mesmo disso por vezes. Apareceu na sala de jantar do Abade, quando todos iam sentar–se à mesa depois da oração. Parou na soleira, examinou as pessoas presentes, fitando–as diretamente no rosto, e explodiu numa risada prolongada e impudente.

— Pensavam que eu tinha partido e eis–me aqui! — gritou ele com voz retumbante.

Os presentes olharam–no um instante em silêncio e de súbito todos sentiram *que iria passar–se* uma cena repugnante e que um escândalo era inevitável. Piotr Alieksándrovitch passou bruscamente da quietude ao pior mau–humor. Sua cólera extinta reacendeu–se, sua indignação acalmada trovejou de repente.

— Não! Não posso suportar isso! — berrou. — Não sou capaz, não sou absolutamente capaz!

O sangue subia–lhe à cabeça. Atrapalhava–se, mas não se tratava de fazer estilo e pegou seu chapéu.

— De que ele não é capaz? — exclamou Fiódor Pávlovitch. — Devo entrar ou não, pergunto a Vossa Reverendíssima? Aceita–me como convidado?

— Rogamos–lhe de todo o coração — respondeu o Padre Abade. — Senhores! Permito–me — acrescentou ele — rogar–vos com insistência que deixeis em repouso vossas querelas fortuitas, que vos reunais no amor e na união fraternal, implorando ao Senhor, no nosso pacífico jantar...

— Não, não, é impossível — gritou Piotr Alieksándrovitch, fora de si.

— Ora, se é impossível a Piotr Alieksándrovitch, também o é a mim, e não ficarei. Por isso é que vim. Estarei agora em toda parte com o senhor, Piotr Alieksándrovitch: o senhor irá embora e eu também; o senhor ficará e eu também ficarei. O senhor feriu–o acima de tudo ao falar em união fraternal, Padre Abade; ele não quer confessar–se meu parente. Não é, von Sohn? Ei–lo aqui, von Sohn. Bom dia, von Sohn.

— É a mim que...? — murmurou estupefato o proprietário Maksímov.

— Naturalmente, a ti. Sabe Vossa Reverendíssima quem é von Sohn? Foi caso num processo criminal: mataram-no num lupanar — é assim que chamais, creio, esses lugares –, mataram–no e despojaram–no e, malgrado sua idade respeitável, meteram–no num caixote e expediram–no de Petersburgo para Moscou, no furgão das bagagens, com uma etiqueta. E durante a operação, as mulheres do bordel cantavam canções e tocavam harpa, isto é, piano. Pois aí tem os senhores, esse personagem é von Sohn. Ressuscitou dentre os mortos, não é, von Sohn?

— Que é isso? Como? — ressoaram vozes no grupo dos religiosos.

— Partamos! — gritou Piotr Alieksándrovitch, dirigindo–se a Kolgánov.

— Não, com licença! — atalhou Fiódor Pávlovitch, dando mais um passo para dentro da sala. — Deixem–me acabar. Lá, na cela do *stáriets*, os senhores me censuraram por haver supostamente faltado ao respeito falando dos cadozes. Piotr Alieksándrovitc Miúsov, meu parente, gosta de que haja no discurso *plus de noblesse que de sincérité*;[23] eu, pelo contrário, gosto de que meu discurso tenha *plus de sincérité que de noblesse* e tanto pior para a *noblesse*. Não é, von Sohn? Permita–me, Padre Abade, ainda que eu seja um palhaço e mantenha esse papel, sou um cavalheiro de honra e quero demonstrá–lo. Sim, sou um cavalheiro de honra, ao passo que Piotr Alieksándrovitch só tem... um arraigado amor–próprio e nada mais. Vim aqui talvez, ainda há pouco, para ver e explicar–me. Meu filho Alieksiéi procura aqui sua salvação; sou pai, preocupo–me com sua sorte e isto é o meu dever. Enquanto me oferecia em espetáculo, escutava tudo, olhava tudo sem ter ar de o fazer, e agora quero oferecer–lhes o derradeiro ato da representação. Que se passa entre nós? Entre nós, o que cai fica estendido. Uma vez caído, caído fica por todos os séculos. É verdade! Mas não, eu quero reerguer–me. Santos Padres, estou indignado pela vossa maneira de agir. A confissão é um grande sacramento que eu venero e diante do qual estou pronto a prosternar–me; ora, lá, na cela, todos se ajoelham e se confessam em voz

---

23   Mais nobreza que sinceridade.

alta. É permitido confessar–se em voz alta? Os Santos Padres instituíram a confissão auricular; apenas neste caso a confissão é um sacramento e isto desde toda a antiguidade. Ora, como eu explicaria, diante de toda gente que eu, por exemplo, eu... isto e aquilo, enfim, os senhores compreendem, não é? Por vezes é indecente falar. Não é um escândalo? Não, meus padres, convosco pode–se ser arrastado para a seita dos *khlisti*...[24] Na primeira ocasião, escreverei ao Sínodo e retirarei meu filho de vossa casa.

Uma explicação se faz precisa. Fiódor Pávlovitch ouvira cantar o galo, mas não sabia onde. Haviam corrido outrora boatos malévolos que chegaram aos ouvidos do bispo (não somente a propósito de nosso mosteiro, mas de outros), segundo os quais prestava–se aos *stártsi* um respeito exagerado, em prejuízo da dignidade do abade, abusando–se, entre outras coisas, do sacramento da confissão, etc. Acusações ineptas, que caíram por si mesmas, a seu tempo, entre nós e por toda parte. Mas o demônio, que se havia apoderado de Fiódor Pávlovitch e o arrebatava mais longe a um abismo de vergonha soprara–lhe essa acusação, da qual ele próprio não compreendia a primeira palavra. Aliás, não soubera formulá–la convenientemente, tanto mais que desta vez, na cela do *stáriets*, ninguém se havia ajoelhado nem se confessado em voz alta. Fiódor Pávlovitch não pudera pois ver nada de semelhante e baseava–se unicamente nos antigos boatos e comadrices de que se lembrava mais ou menos. Mas, tendo lançado essa tolice, sentiu–lhe o absurdo e quis logo provar a seus auditores, e sobretudo a si mesmo, que nada havia dito de absurdo. E, muito embora soubesse perfeitamente que tudo quanto diria não faria senão agravar aquele absurdo, não pôde conter–se e escorregou como sobre uma ladeira.

— Que baixeza! — gritou Piotr Alieksándrovitch.

— Desculpe — disse de repente o Padre Abade. — Foi dito outrora: "Começaram a falar muito de mim e mesmo a falar mal. Depois de ter escutado tudo, digo a mim mesmo: é um remédio enviado por Jesus para curar minha alma vaidosa". Deste modo nós lhe agradecemos humildemente, caríssimo hóspede.

E fez uma profunda saudação a Fiódor Pávlovitch.

— Ora, ora, ora. Beatice tudo isso. Velhas frases e velhos gestos. Velhas mentiras e formalismo das saudações até o chão! Nós conhecemos essas saudações! "Um beijo nos lábios e um punhal no coração", como em *Os bandidos*, de Schiller. Não gosto da falsidade, meus padres, quero a verdade. Mas a verdade não está nos cadozes e eu a proclamei! Monges, por que jejuais? Porque esperais uma recompensa nos céus! Então, para tal recompensa, também eu irei jejuar! Não, santo monge, sê virtuoso na vida, serve a sociedade sem encerrar–te num mosteiro, onde és custeado de tudo e sem esperar recompensa lá em cima. Eis o que será mais difícil. Sei também fazer frases, Padre Abade. Que prepararam eles? — continuou ele aproximando–se da mesa. — Vinho velho do Porto, Médoc,[25] da casa dos irmãos Elissiéievi.[26] Ah! Meus padres, isto já não se parece com os cadozes. Vejam–se essas garrafas, ah! ah! Mas quem vos arranjou tudo isto? É o mujique russo, o trabalhador que vos

---

24 Adeptos da seita dos *khristi* (cristos) ou, por zombaria, dos *khlisti* ou *khlistóvstvo* (flagelantes), que apareceu na Rússia no século XVII. Tiveram seus profetas e praticaram exageradamente seus ritos, entre eles o da autoflagelação, daí o nome pejorativo que lhes deram.

25 Região do sudoeste da França, famosa pelos seus vinhos, situada entre a costa atlântica e estuário do Gironde, no Departamento do mesmo nome.

26 Sobrenome de conhecidos comerciantes russos da época, proprietários de famosos armazéns de comestíveis finos.

traz sua oferta ganha com suas mãos calosas, arrebatada à sua família e às necessidades do Estado! Reverendos padres, vós explorais o povo!

— É na verdade indigno de sua parte — proferiu o Padre Iósif.

O Padre Países mantinha um silêncio obstinado. Miúsov lançou-se para fora da sala acompanhado por Kolgánov.

— Pois bem, meus padres, eu sigo Piotr Alieksándrovitch! Não voltarei mais, ainda que me pedísseis de joelhos, nunca mais. Enviei-vos mil rublos e vós arregalastes os olhos, ah! ah! Mas não acrescentarei nada. Vingo minha juventude passada e as humilhações sofridas. — Deu um murro sobre a mesa, num acesso de indignação fingida. — Este mosteiro desempenhou uma grande papel na minha vida! Quantas lágrimas amargas verti por causa dele! Vós virastes contra mim minha mulher, a endemoniada. Cumulastes-me de maldições, desacreditastes-me na vizinhança! É demais, meus padres, nós vivemos numa época liberal, no século dos barcos a vapor e dos caminhos de ferro. Vós não tereis nada de mim, nem mil rublos, nem cem, nem um.

Explico de novo. Jamais o nosso mosteiro tivera tal lugar na vida dele e não o fizera verter lágrimas amargas, mas ele se havia de tal modo deixado levar por essas lágrimas imaginárias que esteve um momento quase a ponto de acreditar nelas; teria chorado de enternecimento, mas sentiu logo que era tempo de dar marcha à ré. Diante de sua odiosa mentira, o Padre Abade inclinou a cabeça e declarou de novo num tom grave.

— Está de novo escrito: "Suporta pacientemente a calúnia de que és vítima e não te perturbes, nem aborreças aquele que é o autor dela". Agiremos de conformidade com isto.

— Ora, ora, ora, o belo palavreado! Continuai, meus padres, eu vou-me embora. Retomarei definitivamente meu filho Aliieksiéi, em virtude de minha autoridade paterna. Ivan Fiódorovitch, meu respeitosíssimo filho, permita-me que lhe ordene que me siga! Von Sohn, de que serve ficar aqui! Vem à minha casa, na cidade. Ninguém se aborrece em minha casa. Fica a uma versta daqui quando muito; em lugar de óleo de linhaça, darei um leitão recheado de trigo mourisco; jantaremos, oferecerei conhaque, depois licores, há uma bonita mulher... Ah! Von Sohn, não deixes passar tua felicidade!

Saiu gritando e gesticulando. Foi nesse momento que Rakítin o avistou e apontou-o a Alióicha.

— Aliieksiéi — gritou-lhe seu pai, de longe –, vem hoje instalar-te em minha casa definitivamente, pega teu travesseiro, teu colchão e que nada teu fique aqui.

Alióicha parou como que petrificado, observando atentamente aquela cena, sem dizer uma palavra. Fiódor Pávlovitch subiu à caleça, seguido de Ivan Fiódorovitch, silencioso e sombrio, que nem mesmo se voltou para cumprimentar Alióicha. Mas passou-se então uma cena de saltimbanco, quase inverossímil, para coroamento de tudo. De repente, apareceu perto do estribo o proprietário rural Maksímov. Corria sem fôlego, para chegar a tempo. Tal era sua pressa que, na sua impaciência, colocou uma perna no estribo onde se encontrava ainda a de Ivan Fiódorovitch e, agarrando-se ao assento, tentou subir.

— Eu também o sigo! — gritou ele, saltitando, com um riso alegre, um ar de beatitude e pronto a tudo. — Leve-me com o senhor!

— Pois é, não dizia eu, que era von Sohn? — exclamou Fiódor Pávlovitch, encantado. — O verdadeiro von Sohn ressuscitado dentre os mortos! Como saíste de lá? Que é que fabricavas lá e como pudeste renunciar ao jantar? Porque é preciso ter testa de bronze! Eu tenho uma testa assim, mas a tua me causa admiração, camarada. Salta, salta mais depressa. Deixa–o subir, Vânia, a gente se divertirá. Que se estenda aí, a nossos pés, ouviu, com Sohn? Ou então vamos instalá–lo na boleia com o cocheiro! Salta na boleia, von Sohn.

Mas Ivan Fiódorovitch, que já tomara lugar, sem dizer palavra, repeliu, com um forte empurrão no peito, Maksímov, que recuou uns dois metros. Se não caiu, foi mero acaso.

— A caminho! — gritou, com raiva, ao cocheiro, Ivan Fiódorovitch.

— Como! Que fazes, que fazes? Por que tratá–lo assim? — objetou Fiódor Pávlovitch, mas a caleça já havia partido. Ivan Fiódorovitch não respondeu nada.

— Só se vendo como és! — continuou Fiódor Pávlovitch, após um silêncio de dois minutos, olhando seu filho de través. — Porque foste tu que imaginaste essa visita ao mosteiro, que a provocaste e aprovaste. Por que te zangas agora?

— Basta de dizer estupidezas! Repouse um pouco pelo menos, agora — replicou num tom rude Ivan Fiódorovitch. Fiódor Pávlovitch calou–se ainda dois minutos.

— Seria bom agora beber conhaque — observou ele, sentenciosamente. Mas Ivan Fiódorovitch nada respondeu.

— Quando chegarmos, beberás também?

Ivan Fiódorovitch não pronunciava uma palavra sequer.

Fiódor Pávlovitch esperou ainda dois minutos.

–No entanto, retirarei Aliócha do mosteiro, se bem que isto lhe seja bastante desagradável, respeitoso "Karl von Moor".

Ivan Fiódorovitch ergueu desdenhosamente os ombros, voltou–se e pôs–se a olhar a estrada. Não trocaram mais uma palavra até a casa.

LIVRO III / OS SENSUAIS

I / NA ANTECÂMARA

A casa de Fiódor Pávlovitch Karamázov estava situada bastante longe do centro da cidade mas não totalmente na periferia. Achava–se bastante deteriorada, mas tinha um exterior agradável; de um só andar, com um sótão, pintada de cinzento e de telhado vermelho de ferro. Aliás, podia durar ainda muito tempo, era espaçosa e confortável. Havia nela muitos corredores, recantos e escadas ocultas. Os ratos pululavam, mas Fiódor Pávlovitch não se inquietava muito com isto; "com eles as noites não são tão enfadonhas, quando se fica só!". Tinha, com efeito, o hábito de mandar os criados passarem a noite no pavilhão e fechava–se ele mesmo na casa. Esse pavilhão, situado no pátio, era vasto e sólido. Fiódor Pávlovitch instalara ali a cozinha, embora houvesse uma na casa; não gostava dos odores de cozinha e traziam os pratos através do pátio, tanto no inverno quanto no verão. Essa casa fora construída para uma grande família e seria possível alojar nela cinco vezes mais senhores e criados. Mas, por ocasião de nossa narrativa, o corpo principal só era habitado por Fiódor Pávlovitch e seu filho Ivan, e o pavilhão da criadagem, somente por três criados: o velho Grigóri, sua mulher Marfa e o jovem criado Smierdiákov.[27] Teremos de falar mais detalhadamente desses três personagens. Já se tratou do velho Grigóri Vassílievtch Kutúzov. Era um homem firme e inflexível, indo a seu alvo com uma retitude obstinada, contanto que esse alvo se lhe oferecesse, em virtude de quaisquer razões (muitas vezes espantosamente ilógicas), como uma verdade infalível. Numa palavra, era honesto e incorruptível. Sua mulher Marfa Ignátievna, se bem que cegamente submetida toda a sua vida à vontade de seu marido, havia-o atormentado, logo depois da libertação dos servos, para deixar Fiódor Pávlovitch e ir estabelecer uma casinha de comércio em Moscou (tinham economias); mas então Grigóri decidiu, duma vez por todas, que sua mulher não tinha razão, todas as mulheres são sempre desleais. Não deviam deixar seu antigo senhor, qualquer que ele fosse, "porque era o dever deles agora".

— Tu compreendes o que é o dever? — perguntou a Marfa Ignátievna.

— Compreendo, Grigóri Vássilievitch, mas em que é dever nosso ficar aqui? Eis o que não compreendo absolutamente — respondeu com firmeza Marfa Ignátievna.

— Que o compreendas ou não, será assim! Doravante, cala-te.

Foi o que aconteceu; ficaram, e Fiódor Pávlovitch lhes marcou modestos ordenados pagos regularmente. Mais ainda, sabia Grigóri que exercia sobre seu patrão uma influência incontestável. Ele o sentia e era justo; palhaço astucioso e obstinado, Fiódor Pávlovitch, de caráter muito firme "em certas coisas da vida", segundo sua expressão, era, para seu próprio espanto, pusilânime em algumas outras "coisas da vida". Ele próprio sabia quais e experimentava bastantes temores. Em certos casos era preciso manter-se de sobreaviso, não se podia passar sem um homem seguro; ora, Grigóri era de uma fidelidade a toda prova. Por várias vezes, no curso de sua carreira, Fiódor Pávlovitch correu o risco de ser batido, e até mesmo cruelmente, mas foi sempre Grigóri que o tirou de apuros, sem deixar de repreendê-lo todas as vezes. Mas os golpes somente não teriam amedrontado Fiódor Pávlovitch; havia casos mais salientes, por vezes mesmo bastante delicados e complicados, em que ele próprio teria sido incapaz de definir a necessidade extraordinária de alguém seguro e íntimo, que se apoderava bruscamente dele, sem que soubesse por quê. Eram quase casos patológicos: visceralmente corrompido e muitas vezes luxurioso até a crueldade, tal como um inseto malfazejo, Fiódor Pávlovitch, em minutos de embriaguez, sentia de súbito uma apreensão, uma comoção moral, que tinham um contragolpe quase físico sobre sua alma. "Parece então que minha alma palpita na minha garganta", dizia ele por vezes. Era naqueles momentos que gostava de ter a seu lado, no seu círculo imediato, um homem devotado, firme, não corrompido como ele e que, muito embora testemunha de seu mau procedimento e ao corrente de seus segredos, tolerasse tudo isso por devotamento, não se lhe opusesse e, sobretudo, não lhe

---

27 Literalmente: fedorento. Mais adiante irá o leitor encontrar este apelido transformado no sobrenome Smierdiáchtchaia, fedorenta.

fizesse censuras, não o ameaçasse com nenhum castigo, quer neste mundo, quer no outro, mas que o defendesse em caso de necessidade — contra quem? Contra algo desconhecido, mas temível e perigoso. Tratava-se de ter perto de si um outro homem, devotado de longa data, para chamá-lo, num minuto de angústia, somente a fim de contemplar seu rosto, trocar talvez algumas palavras, mesmo completamente estranhas: se o via de bom-humor, sentia-se aliviado, ao passo que a tristeza aumentava, se estava ele irritado. Acontecia (bastante raramente, aliás) a Fiódor Pávlovitch ir de noite ao pavilhão acordar Grigóri, para que ele fosse ficar um momento junto dele. Grigóri chegava, seu patrão falava a respeito de insignificantes bagatelas e o despedia em breve, por vezes mesmo com pilhérias e brincadeiras, depois metia-se na cama e dormia então o sono de um justo. Algo de análogo se passara por ocasião da chegada de Aliócha. Aliócha "traspassava o coração" de Fiódor Pávlovitch, porque "ouvia, via tudo e não censurava nada". Mais ainda, trazia consigo algo de inaudito: a ausência completa de desprezo para com ele, velho; pelo contrário, uma afabilidade constante e um apego totalmente natural e sincero, quando ele merecia tão pouco. Tudo isto tinha sido, para o velho debochado sem família, uma surpresa completa, totalmente inesperada para ele que, até então, não havia amado senão a "sujeira". Com a partida de Aliócha, teve de confessar a si mesmo que compreendera alguma coisa que não quisera compreender até então.

Já mencionei, no começo de minha narrativa, que Grigóri detestava Adelaida Ivânovna, a primeira mulher de Fiódor Pávlovitch e a mãe de seu primeiro filho, Dimítri, e que, ao contrário, defendera a segunda esposa dele, a possessa Sófia Ivânovna, contra seu próprio patrão e contra aqueles que tivessem tido a ideia de pronunciar a seu respeito uma palavra malévola ou sem consideração. Sua simpatia por aquela infeliz tornara-se alguma coisa de sagrado, a ponto de, vinte anos depois, não suportar que ninguém fizesse uma alusão malévola a seu respeito sem imediatamente replicar ao ofensor. No seu aspecto exterior, Grigóri era um homem frio e grave, pouco falador, proferindo palavras ponderadas, isentas de frivolidades. À primeira vista, não se podia adivinhar se amava ou não sua mulher, doce e submissa, embora a amasse de verdade e ela o compreendesse sem dúvida. Essa Marfa Ignátievna, longe de ser estúpida, era talvez mais inteligente que seu marido, em todo o caso mais judiciosa nos negócios da vida; entretanto era-lhe cegamente submissa, desde o começo de seu casamento e respeitava-o sem contradição pela sua altitude moral. É preciso notar que trocavam muito poucas palavras, somente a propósito das coisas indispensáveis da vida corrente. O grave e majestoso Grigóri meditava sempre sozinho seus negócios e sua preocupações, de sorte que Marfa Ignátievna compreendera desde muito tempo que ele não tinha de modo algum necessidade de seus conselhos. Sentia que seu marido apreciava seu silêncio e via nisso uma prova de espírito. Ele nunca lhe batera, salvo uma vez, e não seriamente. No primeiro ano do casamento de Adelaida Ivânovna e de Fiódor Pávlovitch, no campo, as moças e as mulheres da aldeia, então ainda servas, tinham-se reunido no pátio dos patrões para dançar e cantar. Entoou-se a canção "Sobre o prado, sobre o prado", e de súbito Marfa Ignátievna, que, então, era jovem, veio colocar-se diante do coro e *executou a dança russa*, não como as outras, à moda rústica, mas como a executava, quando era arrumadeira em casa dos ricos Miúsovi, no teatro da propriedade deles, onde um mestre de dança vindo de Moscou ensinava sua arte aos atores. Grigóri vira os passos de sua mulher e, uma hora depois, de volta à isbá, deu–lhe uma lição, puxando–lhe um pouco os cabelos. Mas os golpes se limitaram a isto e não se renovaram uma vez sequer em toda a vida deles; de resto, Marfa Ignátievna prometeu a si mesma não mais dançar dali por diante.

Deus não lhes havia dado filhos, exceto um que morreu. Via–se que Grigóri gostava de crianças, não o ocultava, aliás, isto é, não se envergonhava de mostrá–lo. Quando Adelaida Ivânovna fugiu, recolheu Dimítri Fiódorovitch, de três anos de idade, e tomou cuidado dele quase um ano inteiro, penteando–o e dando–lhe banho na gamela. Mais tarde, ocupou–se também com Ivan Fiódorovitch e Alieksiéi, o que lhe valeu uma bofetada, mas já narrei tudo isto, seu próprio filho só o alegrou pela esperança da expectativa, quando Marfa Ignátievna estava grávida. Quando ele nasceu, foi tomado de pesar e de horror, porque aquele menino tinha seis dedos, vendo o quê, ficou Grigóri tão acabrunhado que não somente guardou silêncio até o dia do batizado, mas foi expressamente calar–se no jardim. Estava–se na primavera; durante três dias, ficou cavando na horta. Tendo chegado a hora do batizado, já havia Grigóri imaginado alguma coisa. Entrando na isbá, onde se haviam reunido o clero, os convidados e por fim Fiódor Pávlovitch, vindo na qualidade de padrinho, anunciou que "não se deveria de modo algum batizar o menino", isto em voz baixa, laconicamente, mal articulando uma palavra após a outra, fixando o padre com um ar idiota.

— Por que isto? — informou–se o padre com uma surpresa divertida.

— Porque é... um dragão... — murmurou Grigóri.

— Como um dragão, que dragão?

Grigóri calou–se algum tempo.

— Produziu–se uma confusão da natureza... — murmurou ele duma maneira bastante confusa, mas muito firme, e via–se que não desejava estender–se em palavras.

Houve risos e, bem entendido, o pobre menino foi batizado. Grigóri rezou com fervor perto das fontes batismais, mas persistiu na sua opinião a respeito do recém–nascido. De resto, não se opôs a nada; somente, durante as duas semanas que viveu esse menino doentio quase não olhou para ele; não queria mesmo vê–lo e ausentava–se frequentemente da isbá. Mas quando o bebê morreu de aftas ao fim de duas semanas, ele mesmo o pôs no caixão, contemplou–o com profunda angústia, e, uma vez enchida de terra a pequena cova, pôs–se de joelhos e prosternou–se até o chão. Posteriormente, durante muitos anos, não falou jamais de seu filho; por seu lado Marfa Ignátievna jamais fazia alusão a ele em sua presença e se lhe acontecia conversar com alguém a respeito de seu "filhinho", falava em voz baixa, muito embora Grigóri Vassílievitch não estivesse presente. De acordo com a observação de Marfa Ignátievna, depois daquela morte ele se interessou de preferência pelo "divino", leu as *Vidas dos santos*, a maior parte das vezes sozinho e em silêncio, pondo de cada vez seus grandes óculos redondos de prata. Lia raramente em voz alta, quando muito durante a Quaresma. Gostava extremamente do *Livro de Jó*, arranjara uma coletânea das palavras e sermões de "nosso santo Padre Isaak, o Sírio",[28] que se obstinou em ler durante anos, quase sem nada compreender daquilo, mas por esta razão

---

28 São Isaac, monge do Oriente, zeloso defensor da ortodoxia. Faleceu por volta do ano 380.

talvez apreciasse e amasse aquele livro acima de tudo. Nos últimos tempos, prestou ouvidos à doutrina dos *khlisti*, tendo tido a ocasião de aprofundá–la na vizinhança; ficou visivelmente abalado, mas não se decidiu a adotar a fé nova. Essas piedosas leituras tornavam naturalmente sua fisionomia ainda mais grave.

Talvez ele fosse inclinado ao misticismo. Ora, como fato expresso, a vinda ao mundo e a morte de seu filho de seis dedos coincidiram com outro caso bastante estranho, inesperado e original, que deixou em sua alma, como o disse ele, uma vez mais tarde, "uma marca". Na noite que se seguiu ao enterro do bebê, tendo Marfa Ignátievna despertado, acreditou ouvir o choro de um recém–nascido. Ficou amedrontada e acordou seu marido. Este, prestando ouvido, notou que eram antes gemidos, "que pareciam de uma mulher". Levantou–se, vestiu–se; era uma noite de maio bastante quente. Saiu para o patamar e verificou que os gemidos vinham do jardim. Mas, de noite, o jardim era fechado a chave do lado do pátio, e não se podia entrar nele senão por ali, dando volta a uma alta e sólida paliçada. Voltando para casa, Grigóri acendeu a lanterna, pegou a chave e, sem prestar atenção ao pavor histérico de sua mulher, persuadida de que era o choro de seu filho que a chamava, entrou em silêncio no jardim; ali, deu–se conta de que os gemidos partiam de sua sala de banhos, situada não longe da entrada, e que era, com efeito, uma mulher que gemia. Tendo aberto o banheiro, viu um espetáculo diante do qual permaneceu estupefato; uma idiota da cidade, que vagava pelas ruas e conhecida de toda a gente pelo nome de Lisavieta Smierdiáchtchaia, tendo penetrado no banheiro deles, acabava de ali dar à luz. O menino jazia ao lado dela que estava moribunda. Não dizia nada, pela simples razão de que não sabia falar. Mas tudo isto exige explicações.

II / Lisavieta Smierdiáchtchaia[29]

Havia ali uma circunstância particular que impressionou profundamente Grigóri e acabou de fortificar nele uma suspeita desagradável e repugnante. Aquela Lisavieta Smierdiáchtchaia era uma moça de estatura muito pequena, "um pouco mais de dois *archini*"; assim se lembravam dela com enternecimento, após sua morte, bondosas velhas de nossa cidade. Seu rosto de vinte anos, sadio, largo, vermelho, era completamente idiota, o olhar fixo e desagradável, se bem que plácido. Tanto no inverno quanto no verão andava sempre de pés descalços, vestida apenas de uma camisa de cânhamo. Seus cabelos quase negros, extraordinariamente espessos, frisados como uma lã, amontoavam–se em sua cabeça à maneira de um enorme boné. Além disso estavam muitas vezes sujos de terra, de lama, entremeados de folhas, de raminhos, de cavacos, porque ela dormia sempre no chão e na lama. Seu pai, Iliá, pequeno burguês sem domicílio, arruinado e valetudinário, fortemente dado à bebida, permanecia desde muitos anos, na qualidade de operário, em casa dos mesmos senhores opulentos, igualmente burgueses de nossa cidade. A mãe de Lisavieta morrera desde muito tempo. Sempre doentio e mal–humorado, Iliá batia sem piedade em sua filha quando ela chegava em casa. Mas ali ia raramente, sendo acolhida por toda parte na cidade como uma débil mental sob a proteção de Deus. Os patrões de

---

29 Literalmente: fedorenta.

Iliá, o próprio Iliá e muitas pessoas caridosas, sobretudo entre os negociantes e as negociantes, tinham tentado por várias vezes vestir Lisavieta de uma maneira mais decente, fazendo-a usar no inverno uma peliça de carneiro e calçar botas; habitualmente sujeitava-se ela docilmente a isso, depois ia-se embora e, em alguma parte, de preferência sob o pórtico da igreja, despojava-se de tudo quanto lhe haviam dado — quer fosse um lenço, uma saia, uma peliça, botas –, abandonava tudo no lugar e lá se ia de pés descalços, vestida com sua camisa como antes. Aconteceu que um novo governador, inspecionando nossa cidade, sentiu-se ferido nos seus melhores sentimentos à vista de Lisavieta e, muito embora tivesse percebido que se tratava de uma inocente, como aliás o informaram, fez no entanto observar "que uma moça vagando em camisa infringia a decência e que aquilo devia cessar no futuro". Mas, depois que o governador partiu, deixaram Lisavieta como era. Por fim, seu pai morreu, tornando-se ela mais querida a todas as pessoas piedosas da cidade como órfã. Com efeito, todos pareciam amá-la; os próprios garotos não mexiam com ela nem a maltratavam; ora, entre nós, os garotos, sobretudo os colegiais, são uma raça agressiva. Ela entrava em casas desconhecidas e ninguém a expulsava; pelo contrário, todos a tratavam bem e lhe davam um meio copeque. As moedinhas que lhe davam, levava-as ela logo para metê-las em um tronco qualquer, na Igreja ou na prisão. Se recebia, no mercado, um sequilho ou um pãozinho, não deixava de fazer presente dele ao primeiro menino que encontrasse, ou então detinha uma de nossas damas mais ricas para oferecê-lo a ela; e esta o aceitava até mesmo com alegria. Ela própria não se nutria senão de pão preto e água. Entrava por vezes numa rica loja, sentava-se, tendo junto de si mercadorias de valor, dinheiro; jamais os proprietários desconfiavam dela, sabendo que não tomaria um copeque, mesmo se pusessem milhares de rublos a seu alcance e fossem esquecidos. Ia raramente à igreja, dormia sob os pórticos, ou num pomar qualquer, depois de ter pulado a cerca (ainda agora há entre nós muitas cercas em lugar de paliçadas). Ia geralmente uma vez por semana à casa dos patrões de seu defunto pai, no inverno todos os dias, mas somente à noite, que ela passava no vestíbulo ou no estábulo. Causava espanto que ela pudesse suportar tal existência, mas estava acostumada a ela; se bem que de pequena estatura, tinha uma constituição excepcionalmente robusta. Certas pessoas da sociedade achavam que ela fazia tudo isso unicamente por orgulho, mas não havia motivo para tal; ela não sabia dizer uma palavra, por vezes somente mexia a língua e resmungava; que tinha que ver com isso o orgulho? Ora, numa noite de setembro, clara e quente, em que a lua era cheia, a uma hora já bastante tardia para nossos hábitos, um bando de cinco ou seis farristas, embriagados, voltava do clube para suas casas pelo caminho mais curto. Dos dois lados, a ruela que eles seguiam era bordada por uma cerca por trás da qual se estendiam os pomares das casas ribeirinhas; terminava num passadiço lançado sobre o longo pântano infecto que se batiza por vezes entre nós com o nome de rio. Perto da cerca, entre as urtigas e as barbanas, o nosso grupo percebeu Lisavieta adormecida. Aqueles cavalheiros embriagados pararam perto dela, explodiram em risadas e puseram-se a pilheriar da maneira mais cínica. Um filho de família imaginou de repente uma questão totalmente excêntrica, a respeito de um assunto impossível. "Pode-se, disse ele, não importa quem, aceitar um tal monstro como uma mulher, etc." Todos decidiram, com nobre aversão, que não se podia. Mas Fiódor Pávlovitch, que fazia parte do bando, adiantou-se logo, declarou que se podia perfeitamente aceitá–la como mulher e que havia mesmo ali alguma coisa de picante no seu gênero, etc. Naquela época, ele deleitava-se com afetação no seu papel de palhaço, gostava de dar–se em espetáculo e divertir os ricos, como um verdadeiro farsante, malgrado a igualdade aparente. Com um crepe no chapéu, porque acabava de saber da morte de sua primeira mulher, levava então uma vida tão crapulosa que alguns, mesmo libertinos endurecidos, se sentiam constrangidos à sua vista. Aquela opinião paradoxal de Fiódor Pávlovitch provocou a hilariedade do bando; um deles começou mesmo a provocá–lo, os outros mostraram ainda mais aversão, mas sempre com uma viva alegria; por fim todos seguiram seu caminho. Posteriormente, jurou ele que se afastara com os outros; talvez dissesse a verdade, ninguém nunca soube de nada ao certo. Mas cinco ou seis meses mais tarde, a gravidez de Lisavieta excitava a indignação de toda a cidade e procurou–se descobrir quem pudera ultrajar a pobre criatura. Um boato terrível circulou em breve, acusando Fiódor Pávlovitch. Donde vinha ele? Do bando farrista não restava então na cidade senão um homem de idade madura, respeitável conselheiro de Estado, pai de filhas adultas, o qual nada teria contado, mesmo se alguma coisa tivesse acontecido; os outros tinham–se dispersa-do. Mas o boato persistente continuava a apontar Fiódor Pávlovitch. Ele não se deu por achado e desdenhou responder a lojistas e pequenos burgueses. Era orgulhoso então e não dirigia a palavra senão à sua sociedade de funcionários e de nobres, a quem tanto divertia. Foi então que Grigóri tomou energicamente o partido de seu amo; não somente defendeu–o contra qualquer insinuação, mas discutiu bastante calorosamente a esse respeito e conseguiu mudar a opinião de muitos. "A culpa é dela mesma, daquela criatura", afirmava ele, e seu sedutor não era outro senão "Karp, o Parafuso" (assim se chamava um detento bastante perigoso, que se havia evadido da prisão da capital e se ocultara em nossa cidade). Esta conjetura pareceu plausível; foi lembrado que Karp vagueava por aquelas mesmas noites de outono e saqueara três pessoas. Mas essa aventura e esses rumores, longe de desviar as simpatias pela pobre idiota, valeram–lhe um redobramento de solicitude. Uma viúva bastante rica, a negociante Kondrátievna, decidiu recolhê–la em sua casa, no fim de abril, para que ela ali desse à luz. Vigiavam–na severamente. Apesar de tudo, uma noite, no dia mes-mo de seu parto, Lisavieta fugiu da casa de sua protetora e foi cair no jardim de Fió-dor Pávlovitch. Como pudera ela, no seu estado, transpor uma paliçada tão alta? Isto permaneceu um enigma. Uns asseguravam que a haviam carregado, outros viam naquilo uma intervenção sobrenatural. Tudo leva a crer que aquilo se realizou de uma maneira engenhosa, mas natural, e que Lisavieta, habituada a penetrar através das sebes nos pomares, para neles passar a noite, trepou, apesar de seu estado, sobre a paliçada de Fiódor Pávlovitch, donde saltou, ferindo–se no jardim. Grigóri correu a buscar sua mulher para os primeiros cuidados; ele mesmo foi à procura de uma ve-lha parteira que morava bem perto. Salvou–se o menino, mas Lisavieta morreu ao romper do dia. Grigóri pegou o recém–nascido, levou-o para o pavilhão e depositou-–o sobre os joelhos de sua mulher: "Eis um filho de Deus, um órfão de que seremos os pais. É o pequeno morto que o envia a nós. Nasceu de um filho de Satanás e duma justa. Cria-o e não chores mais doravante". Foi assim que Marfa Ignátievna criou o menino. Foi batizado pelo nome de Páviel, ao qual toda a gente ajuntou, e eles tam-bém, Fiódorovitch como nome patronímico. Fiódor Pávlovitch não fez objeção e achou mesmo a coisa divertida, negando porém energicamente aquela paternidade.

Aprovaram–no por ter recolhido o órfão. Mais tarde, deu–lhe como nome de família Smierdiákov, de acordo com o sobrenome da mãe dele, Smierdiáchtchaia. Ele servia a Fiódor Pávlovitch como segundo criado e vivia, no começo de nossa narrativa, no pavilhão, ao lado do velho Grigóri e da velha Marfa. Tinha o emprego de cozinheiro. Seria preciso consagrar–lhe um capítulo especial, mas tenho escrúpulo de reter por tanto tempo a atenção do leitor para simples criados e continuo esperando que se tratará muito naturalmente de Smierdiákov no curso da narrativa.

III / Confissão de um coração ardente, em versos

Ouvindo a ordem que lhe gritava seu pai, da caleça, ao partir do mosteiro, ficou AlióCha algum tempo imóvel e bastante perplexo. Mas dominando sua perturbação, dirigiu–se logo à cozinha do Padre Abade, para procurar saber o que tinha feito Fiódor Pávlovitch. Depois pôs–se a caminho, esperando resolver, enquanto andava, um problema que o atormentava. Vamos já declará-lo: os gritos de seu pai e a ordem de mudar–se, com travesseiros e colchão, não lhe inspiravam nenhum temor. Compreendia perfeitamente que aquela ordem, gritada entre gestos, fora dada "por pura excitação", por assim dizer, e até mesmo para a galeria, à maneira daquele pequeno burguês que recentemente na sua cidade, tendo festejado demasiado seu aniversário e furioso porque não lhe davam mais vodca, pôs–se, diante de seus convidados, a quebrar sua própria louça, a rasgar suas roupas e as de sua mulher, a partir os móveis e as vidraças, tudo isso por pura exibição. No dia seguinte, naturalmente, o burguês desembriagado lamentava as xícaras e os pires quebrados. AlióCha sabia que o velho o deixaria seguramente voltar ao mosteiro no dia seguinte, talvez naquele mesmo dia. E mais, estava persuadido de que seu pai não ia querer jamais ofendê–lo, e que jamais ninguém no mundo, não somente não ia querer, mas também não poderia. Era para ele um axioma, admitido de uma vez por todas, e a este respeito caminhava tranquilo, sem a menor excitação.

Mas naquele momento, outro temor o agitava, duma espécie bem diversa, e tanto mais penoso quanto ele mesmo não seria capaz de definir, o temor de uma mulher, daquela Katierina Ivânovna, que insistia tanto, na sua carta entregue de manhã pela Senhora Khokhlakova, para que fosse vê–la. Esse pedido e a necessidade de a ele obedecer causavam–lhe uma impressão dolorosa, que, durante toda a tarde, não fez senão agravar–se, apesar das cenas e das aventuras que se haviam desenrolado no mosteiro, etc. Seu temor não provinha de ele ignorar o que ela lhe diria e o que ele lhe responderia. Não era tampouco a mulher que ele temia nela; decerto, conhecia pouco as mulheres, mas não tinha, no entanto, vivido senão com elas, desde sua tenra infância até sua chegada ao mosteiro. Temia aquela mulher, precisamente Katierina Ivânovna, e isto desde sua primeira entrevista. Ora, ele a havia encontrado duas ou três vezes no máximo e trocado por acaso algumas palavras com ela. Lembrava–se dela como de uma bela moça, altiva e imperiosa. Não era sua beleza que o atormentava, mas algo de diferente, e sua impotência em explicar o medo que ela lhe inspirava aumentava esse medo. O fim que a jovem tinha em vista era dos mais nobres, ele o sabia: esforçava–se por salvar Dimítri, culpado para com ela, e só agia por generosidade. Pois bem, apesar de sua admiração por esses nobres sentimentos, percorria–lhe o corpo um arrepio, à medida que se aproximava da casa dela.

Deu-se conta de que não encontraria em sua companhia Ivan, seu íntimo, retido então certamente por seu pai. Quanto a Dimítri, não podia tampouco estar em casa de Katierina Ivânovna, e ele pressentia a razão disso. A conversa entre ambos ocorreria, pois, a sós, mas antes Aliócha desejava ver Dimítri e, sem mostrar-lhe a carta, trocar com ele algumas palavras. Ora, Dimítri morava longe e não estaria sem dúvida em sua casa naquele momento. Tendo parado um minuto, decidiu-se por fim. Depois de um sinal da cruz apressado, sorriu misteriosamente e dirigiu-se, resoluto, para a terrível pessoa.

Conhecia-lhe a casa. Mas se tivesse de passar pela Rua Grande, depois atravessando a praça, etc., seria bastante distante. Sem ser grande, nossa cidade é muito dispersa e as distâncias consideráveis. Além do mais seu pai o esperava; lembrava-se talvez da ordem que lhe dera e era capaz de fazer das suas. Era preciso pois apressar-se para chegar a tempo. Em virtude dessas considerações, resolveu Aliócha abreviar o caminho tomando por atalhos; conhecia todos aqueles becos como seu bolso. Por atalhos significava quase com caminhos traçados costear tapumes desertos, transpor por vezes cercas particulares, atravessar pátios onde aliás todos o conheciam e o cumprimentavam. Podia assim alcançar a Rua Grande em duas vezes menos tempo. Em certo lugar, teve de passar bem perto da casa paterna, precisamente ao lado do jardim contíguo ao deles, que dependia de uma casinha de quatro janelas arruinada e inclinada para o lado. A proprietária dessa casinha era, como Aliócha sabia, uma pequena burguesa da cidade, velha inválida, que vivia com sua filha, antiga arrumadeira na capital, recentemente ainda a serviço em casa de generais, tendo voltado para casa, havia um ano, por causa da doença de sua mãe e exibindo-se com vestidos elegantes. Essas duas mulheres tinham no entanto caído em profunda miséria e iam mesmo todos os dias, como vizinhas, procurar pão e sopa na cozinha de Fiódor Pávlovitch. Marfa Ignátievna fazia-lhes boa acolhida. Mas a filha, embora indo procurar sopa, não vendera nenhum de seus vestidos; um deles tinha mesmo uma cauda bastante comprida. Aliócha soubera desse detalhe, completamente por acaso, de boca de seu amigo Rakítin, ao qual nada escapava do que se passava na cidadezinha; é certo, porém, que o esquecera logo. Ao chegar diante do jardim da vizinha, lembrou-se daquela cauda, ergueu rapidamente sua cabeça curvada, pensativa, e... teve de súbito o encontro mais inesperado.

Por trás da cerca, de pé sobre um montículo e visível até o peito, seu irmão Dimítri fazia-lhe sinais, chamava-o com grandes gestos, evitando não somente gritar, mas até mesmo dizer uma palavra, com medo de ser ouvido. Aliócha correu para a cerca.

— Por felicidade levantaste os olhos, senão teria sido obrigado a gritar — cochichou jovialmente Dimítri Fiódorovitch. — Pula esta cerca, depressa! Como chegas a propósito! Pensava em ti...

Aliócha não estava menos contente, embaraçado apenas por ter de pular a cerca. Mas Mítia, com sua mão de atleta, ergue-o pelo cotovelo e o ajudou a saltar, o que ele fez, de batina arrepanhada, com a agilidade de um garoto.

— E agora, em frente, marcha! — murmurou Mítia, num transporte de alegria.

— Mas para onde? — perguntou do mesmo modo Aliócha, olhando por todos os lados e vendo-se num jardim deserto, onde não havia ninguém senão eles. O jardim era pequeno, mas a casa encontrava–se a cinquenta passos pelo menos. — Não há ninguém aqui. Por que falamos em voz baixa?

— Por que? Que o diabo me carregue! — exclamou de súbito Dimítri Fiódorovitch a plena voz. — Que adianta falar em voz baixa? Vês tu mesmo como se pode ser absurdo. Estou aqui para espionar um segredo. As explicações virão depois, mas, sob a impressão do mistério, pus–me a falar misteriosamente, a cochichar como um tolo, sem razão. Vamos! Vem e cala–te. Mas quero beijar–te.

Glória ao Eterno sobre a terra.
Glória ao Eterno em mim...

Eis o que eu repetia ainda há pouco, sentado no jardim, naquele lugar...

O jardim de cerca de uma *diesiatina* estava todo cercado de árvores ao longo de seu recinto: pereiras, bordos, tílias, bétulas. O centro formava uma espécie de pequeno prado onde se recolhia feno, no verão. A proprietária alugava aquele jardim desde a primavera por alguns rublos. Havia pés de framboesas, groselhas de várias espécies, igualmente perto das cercas; a horta, cultivada desde pouco tempo, achava–se perto da casa. Dimítri conduziu seu irmão para o canto mais afastado do jardim. Ali, entre as tílias muito próximas e velhas moitas de groselheiras e de sabugueiros, de bolas–de–neve e de lilás, avistavam–se as ruínas de um antigo pavilhão verde, enegrecido e empenado, de paredes com claraboia, mas ainda coberto e onde a gente podia abrigar–se da chuva. Segundo a tradição, esse pavilhão fora construído, havia cinquenta anos, por um antigo proprietário, Alieksandr Kárlovitch von Schmidt, tenente–coronel reformado. Tudo caía em poeira, o soalho estava podre, as tábuas balançavam, a madeira tresandava umidade. Havia uma mesa de madeira pintada de verde, enterrada no chão, cercada de bancos que ainda podiam servir. Aliócha notara o entusiasmo de seu irmão; ao entrar no pavilhão, viu sobre a mesa uma meia garrafa de conhaque e um copinho.

— É conhaque! — disse Mítia, com uma explosão de riso. — Vais pensar: "Ele continua bebendo". Não te fies nas aparências.

Na gente mentirosa e vã, não creias,
Às tuas suspeitas renuncia...[30]

Eu não me embriago, "beberrico", como diz aquele porco do Rakítin, teu amigo, e o dirá ainda, mesmo quando tornar–se conselheiro de Estado. Senta–te, Aliócha; gostaria de apertar–te em meus braços, de esmagar–te, porque, no mundo fióteiro, crê–me, na verdade, na ver–da–de, não amo senão a ti!

Pronunciou as derradeiras palavras numa espécie de frenesi.

— A ti e também a uma debochada pela qual me embeicei, para desgraça minha. Mas embeiçar–se não é amar. A gente pode embeiçar–se e odiar. Lembra–te disto. Até aqui, falo alegremente. Senta–te à mesa, perto de mim, para que te veja. Tu me escutarás em silêncio e direi tudo, porque o momento de falar chegou. Mas fica sabendo, refleti, é preciso falar verdadeiramente baixo porque aqui... há talvez orelhas

---

30 Poema de Niekrássov que continha: "Quando das trevas do erro..."

às escutas. Saberás tudo, disse: a continuação virá. Por que eu tinha tamanha vontade de ver-te, desde cinco dias que aqui estou e ainda há pouco? É que tu me és necessário... é que a ti somente direi tudo... é que amanhã uma vida acaba e outra começa para mim. Já experimentaste alguma vez em sonho a sensação de rolar num precipício? Pois bem, agora caio realmente. Oh! não tenho medo e tu também não. Isto é, sim, tenho medo, mas é um medo suave, ou antes, embriaguez... E depois, para o diabo! Que importa! Espírito forte, espírito fraco, espírito de mulher, que importa? Louvemos a natureza! Vê que belo sol, que céu puro, por toda parte folhagens verdes; é na verdade ainda o verão. Estamos às quatro horas da tarde, está tudo calmo!... Aonde ias?

— Ia à casa de meu pai e queria ver, de passagem, Katierina.

— À casa dela e à casa de papai? Que coincidência! Pois, por que te chamei, por que te desejava do fundo do coração, com todas as fibras de meu ser? Precisamente para mandar-te à casa de papai, depois à casa dela, a fim de acabar isso de uma vez com um e com outra. Enviar um anjo! Teria podido enviar não importa quem, mas era-me preciso um anjo. E eis que tu mesmo ias para lá!

— É mesmo? Querias mandar-me lá? — perguntou Alióchá, com uma expressão dolorosa.

— Espera, tu o sabias. Vejo que compreendeste tudo; mas cala-te. Não me lamentes, não chores!

Dimítri levantou-se, com ar meditativo:

— Foi ela quem te chamou; deve ter-te escrito, senão não irias...

— Aqui está seu bilhete... — Alióchá tirou-o de seu bolso. Mítia leu-o rapidamente.

— E tomavas o caminho mais curto! Ó deuses! Agradeço-vos o tê-lo dirigido para este lado e trazido para mim; tal como o peixinho de ouro que foi cair nas mãos do velho pescador, segundo o conto.[31] Escuta, Alióchá, escuta meu irmão. Agora, resolvi dizer tudo. É preciso que me expanda, afinal! Depois de ter-me confessado a um anjo do céu, vou confessar-me a um anjo da terra. Porque és um anjo. Tu me escutarás e me perdoarás... Tenho necessidade de ser absolvido por um ser mais nobre do que eu. Escuta, pois. Suponhamos que duas criaturas se libertem das servidões terrestres e planem numa região superior, uma delas, pelo menos. Que esta, antes de voar ou desaparecer, se aproxima da outra e lhe diga: "Faze por mim isto ou aquilo", coisas que jamais se costumam exigir, que só se pedem no leito de morte. Será que o que fica se recusará, se é um amigo, um irmão?

— Eu o farei, mas dize-me de que se trata, e dize-me quanto antes — falou Alióchá.

— Depressa... Hum! Não te apresses, Alióchá. Apressando-te, atormentas-te. É inútil apressar-se agora. O mundo entra agora numa era nova. Que pena, Alióchá, que nunca te entusiasmes. Mas que digo eu? Sou eu que careço de entusiasmo! Que digo eu, tolo que sou?

Homem, sê nobre!

De quem é este verso?

---

31 Conto popular russo que inspirou a Púchkin o seu *Conto do pescador e do peixe.*

Aliócha resolveu esperar. Compreendera que toda a sua atividade, com efeito, estava talvez concentrada agora naquele lugar. Mítia ficou um momento pensativo, de cotovelos sobre a mesa, a fronte na mão. Ambos mantinham-se calados.

— Aliócha, somente tu me escutarás sem rir. Gostaria de começar... minha confissão... por um hino à alegria, como Schiller, *An die Freude!*. Mas não sei alemão, sei somente que é *An die Freude*. Não vás imaginar que tagarelo sob o domínio da embriaguez. Para embriagar-me são precisas duas garrafas de conhaque.

> Como Sileno vermelho
> No seu asno vacilante.

Ora, não bebi um quarto de garrafa e não sou Sileno. Não Sileno, mas Hércules, porque tomei uma resolução heroica. Perdoa-me essa aproximação de mau-gosto, terás bem mais outras coisas a perdoar-me hoje. Não te inquietes, não invento, falo seriamente e vou direto ao fato. Não serei duro ao disparo como um judeu. Espera, como é que é mesmo?

Ergueu a cabeça, refletiu, depois começou a recitar com entusiasmo:

> Nu, tímido, selvagem, se ocultava
> O troglodita nas cavernas;
> O nômade nos campos pervagava
> A devastá-los sem cessar;
> O caçador com sua lança e flechas,
> Terrível, as florestas percorria;
> Desgraça para os náufragos lançados
> Pelas ondas naquela praia inóspita

> Das alturas do Olimpo, Ceres[32]
> Desce, à procura de Prosérpina,
> Ao seu amor arrebatada;
> A seus olhos o mundo é todo horror.
> Nenhum asilo, nem mesmo oferendas
> À deusa são apresentadas.
> Aqui não se conhece culto aos deuses,
> Nem templos há para adorá-los.

> Os frutos do pomar, as uvas doces
> Não alegram nenhum festim;
> Só os restos das vítimas fumegam
> Sobre as aras ensanguentadas.
> E em vão de Ceres vaga o triste olhar;
> Por toda parte avista o homem
> Numa profunda humilhação.

Soluços escaparam-se do peito de Mítia; agarrou Aliócha pela mão.

— Amigo, amigo, sim, na humilhação, na humilhação ainda agora! O homem sofre na terra males sem conta. Não penses que seja eu apenas um boneco vestido de oficial, bom para beber e para fazer farras. A humilhação, que é a partilha do

---

32 Deusa latina das colheitas, da Agricultura e da Civilização.

homem, eis, irmão, quase o único objeto de meu pensamento. Deus me guarde de mentir e de gabar–me. Penso nesse homem humilhado, porque eu mesmo sou ele.

> Para que possa sair da abjeção
> O homem, por força de sua alma,
> Deve aliança eterna concluir
> Com sua velha mãe, a Terra.

Somente, porém, como concluir essa aliança eterna? Não fecundo a terra, abrindo–lhe o seio; devo me tornar mujique ou pastor? Ando sem saber para onde vou, para a luz radiosa ou para a vergonha infecta. Está nisso a desgraça, porque tudo é enigma neste mundo. Quando me achava mergulhado na mais abjeta degradação (era todo o tempo), sempre reli esses versos a respeito de Ceres e da miséria do homem. Corrigiram–me? Não! porque sou um Karamázov! Porque, quando rolo no abismo, é diretamente, de cabeça à frente; agrada–me mesmo cair assim, vejo beleza nessa queda. E do seio da vergonha entoo um hino. Sou maldito, vil e degradado, mas beijo a fímbria da veste em que se envolve o meu Deus; sou a estrada diabólica, mas sou, no entanto, Teu Filho, Senhor, e Te amo, sinto a alegria sem a qual o mundo não poderia subsistir.

> A alegria eterna anima
> Toda a alma da criação,
> Transmite a chama da vida
> Não força oculta dos germes;
> Foi quem fez surgir a relva,
> Transformou o caos em sóis,
> Espalhados nos espaços
> Longe da vista dos homens.
>
> Tudo quanto na boa Natureza
> Respira, dela extrai sua alegria,
> Arrasta atrás de si seres e povos;
> Foi ela quem nos deu
> Amigos na desgraça,
> Dos cachos d'uva o suco,
> Das Graças a grinalda,
> Ao inseto, a luxúria...
>
> E o anjo, para levar–nos
> À presença de Deus.

Mas basta de versos. Deixa–me chorar. Que seja um absurdo de que o mundo inteiro zombe, exceto tu. Eis teus olhos brilhando. Basta de versos. Quero agora falar–te dos "insetos", daqueles a quem Deus gratificou com a luxúria. Eu mesmo sou um deles e isso se aplica a mim. Nós, Karamázovi, somos todos assim; esse inseto vive em ti, que és um anjo, e aí suscita tempestades. Porque a sensualidade é uma tempestade e até mesmo algo mais. A beleza é uma coisa terrível e espantosa. Terrível, porque indefinível, e não se pode defini–la porque Deus só criou enigmas. Os extremos se tocam, as contradições vivem juntas. Sou pouco instruído, irmão, mas tenho pensado muito nessas coisas. Quantos mistérios acabrunham o homem! Penetra–o e volta intacto. Assim a beleza. Não posso tolerar que um homem de grande coração e de alta inteligência comece pelo ideal da Madona e venha a acabar no de Sodoma. Mas o mais horrível é, trazendo no seu coração o ideal de Sodoma, não repudiar o da Madona, arder por ele como nos seus jovens dias de inocência. Não, o espírito humano é demasiado vasto, gostaria de restringi-lo. O diabo é quem sabe de tudo. O coração acha beleza até na vergonha, no ideal de Sodoma, que é o da imensa maioria. Conheces esse mistério? É o duelo do diabo e de Deus, sendo o coração humano o campo de batalha. Ora, fala–se daquilo que faz a gente sofrer. Vamos, pois, ao fato.

IV / Confissão de um coração ardente. — anedotas

Entregara–me à devassidão. Meu pai dizia ainda há pouco que gastei milhares de rublos para seduzir donzelas. Imaginação de porco! É uma mentira, porque minhas conquistas não me custaram nada, a bem dizer. Para mim o dinheiro não passa do acessório, a encenação. Hoje, sou o amante de uma dama, amanhã de uma mulher das ruas. Divirto as duas, prodigando dinheiro aos punhados, com música e ciganos. Se for possível, dou dinheiro a elas, porque de qualquer forma o dinheiro não lhes desagrada; elas nos agradecem. Amaram–me senhoritas, não todas, mas as houve e muitas. Gostava dos becos, das vielas sombrias e desertas, teatro de aventuras, de surpresas, por vezes de pérolas na lama. Exprimo–me, alegoricamente, irmão, esses becos só existiam figuradamente. Se fosses semelhante a mim, compreenderias. Gostava da devassidão pela sua abjeção mesma. Gostava da crueldade, não sou um percevejo, um inseto malfazejo? Um Karamázov, e está tudo dito! Uma vez, houve um grande piquenique, para onde fomos em sete tróicas, no inverno, num tempo sombrio; no trenó cobri de beijos minha vizinha, filha de um funcionário, sem fortuna, encantadora e tímida; no escuro, permitiu–me ela carícias demasiado livres. A pobrezinha imaginava que no dia seguinte eu iria pedi-la em casamento (porque eu era apreciado como possível noivo); mas fiquei cinco meses sem dizer-lhe uma palavra. Muitas vezes, quando se dançava, via-a seguir–me com o olhar num canto do salão, com os olhos a arderem duma terna indignação. Esse jogo só fazia deleitar minha sensualidade perversa. Cinco meses depois, ela casou com um funcionário e partiu... furiosa e talvez amando-me ainda. Vivem felizes, agora. Nota que ninguém sabe de nada, sua reputação está intacta; malgrado meus vis instintos e meu amor à baixeza, não sou desonesto. Tu coras. Teus olhos cintilam. Estás farto dessa lama. No entanto, não passam de grinaldas à Paul de Kock.[33] Tenho, irmão, um álbum inteiro de recordações. Que Deus as guarde a essas queridas criaturas. No momento de romper, evitava as querelas. Jamais vendi nem comprometi nenhuma. Mas isto basta. Crês que te chamei somente por causa dessas sujeiras? Não, foi a fim de contar–te algo de mais curioso; mas não fiques surpreendido pelo fato de eu não ter vergonha diante de ti, sinto–me mesmo à vontade.

— Fazes alusão ao meu rubor — observou, de súbito, Aliócha. — Não são tuas palavras, nem mesmo tuas ações que me fazem corar. Coro porque sou igual a ti.

---

33   Charles-Paul de Kock (1794-1871), fecundo romancista francês, autor de histórias frívolas sobre a vida das costureiras e dos pequenos burgueses.

— Tu? Estás indo um pouco longe.

— Não, não exagero — declarou Alióchá, com calor. (Via-se que estava presa dessa ideia desde muito tempo.) — A escada do vício é a mesma para todos. Acho-me no primeiro degrau; estás mais alto, no décimo terceiro, admitamos. Acho que é absolutamente a mesma coisa: uma vez posto o pé no primeiro degrau, é preciso galgar todos.

— O melhor, então, é não começar?

— Evidentemente, se é possível.

— Pois bem, és capaz?

— Creio que não.

— Cala-te, Alióchá, cala-te, meu querido, tenho vontade de beijar-te a mão cheio de enternecimento. Ah! essa marota da Grúchenhka conhece os homens; dizia-me, uma vez, que um dia ou outro te devoraria. Está bem, calo-me! Mas deixemos este terreno emporcalhado pelas moscas para chegar à minha tragédia, emporcalhada, também ela, pelas moscas, isto é, por todas as espécies de baixezas possíveis. Se bem que o velho tenha mentido a respeito de minhas pretensas seduções, isto aconteceu-me, no entanto, uma vez somente; e ainda assim não chegou a executar-se. Ele, que me censurava coisas imaginárias, nada sabe disso; não contei a ninguém, és o primeiro a quem falo, exceto Ivan, bem entendido. Ele sabe de tudo desde muito tempo. Mas Ivan é mudo como o túmulo.

— Como o túmulo?

— Sim.

Alióchá redobrou de atenção.

— Embora alferes num batalhão de linha, era objeto de certa vigilância, a modo dum deportado. Mas acolhiam-me bastante bem na cidadezinha. Prodigalizava dinheiro, acreditavam-me rico e eu acreditava que o era. Devia agradar também por outras razões. Embora abanando a cabeça por causa de minhas estroinices, tinham afeição por mim. Meu tenente-coronel, um velho, antipatizou comigo de repente. Pôs-se a amofinar-me, mas eu tinha costas largas; toda a cidade ficou a meu lado, ele não podia fazer grande coisa. A culpa era minha; por tola altivez, eu não lhe prestava as homenagens a que ele tinha direito. Aquele velho teimoso, bom homem no íntimo e muito hospitaleiro, fora casado duas vezes. Era viúvo. Sua primeira mulher, de baixa condição, deixara-lhe uma filha tão simples quanto ela mesma. A moça tinha então vinte e quatro anos e vivia com seu pai e sua tia materna. Longe de ter a ingenuidade silenciosa de sua tia, a isso juntava muita vivacidade. Jamais encontrei caráter feminino mais encantador. Chamava-se Agáfia, imagina, Agáfia Ivânovna. Bastante bonita, ao gosto russo, grande, de boas carnes, de belos olhos, mas de expressão um pouco vulgar. Ficara solteira, apesar de dois pedidos de casamento, e conservava sua jovialidade. Travei amizade com ela, tudo muito direito, com muita honestidade. Porque travei mais de uma amizade feminina, perfeitamente pura. Falava com ela em termos bastante livres e ela só fazia rir. Muitas mulheres gostam dessa liberdade de expressão, nota bem; além do mais, era muito divertido com uma moça igual a ela. Um traço ainda: não se podia qualificá-la de senhorita. Sua tia e ela viviam em casa de seu pai, numa espécie de rebaixamento voluntário, sem se igualarem ao resto da sociedade. Estimavam-na, apreciavam seus talentos de costureira, porque ela não cobrava nada, trabalhando por gentileza para suas amigas, sem todavia recusar o dinheiro, quando lhe era oferecido. Quanto ao coronel, era um dos homens notáveis do lugar. Vivia à larga. Toda a cidade era recebida em sua casa; ceava-se, dançava-se. Por ocasião de minha entrada para o batalhão, só se falava, na cidade, da próxima chegada da segunda filha do coronel. Famosa pela sua beleza, acabava de sair de um internato aristocrático da capital. É Katierina Ivânovna, a filha da segunda mulher do coronel. Esta última era nobre, de grande casa, mas não trouxera dote algum do marido; sei de boa fonte. Era de boa família, com algumas esperanças, mas nada de efetivo. No entanto, quando a jovem chegou para uma temporada, a cidadezinha ficou como que galvanizada; nossas damas mais distintas, duas Excelências, uma coronela, e todas as outras, em seguimento, disputavam-nã; festejavam-na, era a rainha dos bailes, dos piqueniques; organizaram-se quadros vivos em benefício de não sei quais professores. Quanto a mim, calo-me, farreio; imaginei então uma pilhéria à minha moda, que deu que falar à cidade inteira. Uma noite, em casa do comandante da bateria, Katierina Ivânovna lançou-me um olhar de alto a baixo; não me aproximei dela, desdenhando travarmos conhecimento. Abordei-a algum tempo depois, igualmente num sarau. Falei-lhe. Olhou-me apenas, com os lábios desdenhosos. "Espera um pouco, pensei, vou me vingar!" Eu era então um sujeito verdadeiramente estourado na maior parte dos casos e sentia isso. Sentia sobretudo que Kátienhka, longe de ser uma pensionista ingênua, tinha caráter, altivez e verdadeira virtude, sobretudo muito inteligência e instrução, o que me faltava totalmente. Pensas que eu queria pedir-lhe a mão? Absolutamente. Queria somente me vingar de sua indiferença a meu respeito. Foi então uma farsa de arrebentar. Por fim, o tenente-coronel infligiu-me três dias de detenção. Naquela ocasião, nosso pai enviou-me seis mil rublos em troca de uma renúncia formal a todos os meus direitos e pretensões à fortuna de minha mãe. Nada entendia disso então; até minha chegada aqui, irmão, até estes últimos dias e talvez mesmo agora, nada compreendi dessas disputas de dinheiro entre mim e meu pai. Mas, para o diabo tudo isso, tornaremos a falar. Já de posse desses seis mil rublos, a carta de um amigo me fez ciente de uma coisa bastante interessante, a saber, que estavam descontentes com o nosso tenente-coronel, suspeito de malversações, e que seus inimigos lhe preparavam uma surpresa. Com efeito, o chefe da divisão apareceu para dirigir-me vigorosa reprimenda. Pouco depois foi obrigado a demitir-se. Não te contarei todos os detalhes desse negócio; tinha ele, com efeito, inimigos; ocorreu na cidade brusco resfriamento de relações com ele e toda a sua família; todo mundo os abandonava. Foi então que pus em prática minha primeira treta: encontro Agáfia Ivânovna, de quem me mantinha sempre amigo, e digo-lhe: "Faltam quatro mil e quinhentos rublos na caixa de seu pai..." "Como? Quando o general veio, recentemente, a soma estava completa..." "Estava então, mas não mais agora." Ela ficou apavorada. "Não me apavore, rogo-lhe, donde soube isso?" "Tranquilize-se — digo-lhe –, não falarei a ninguém, sabe você que a esse respeito sou um túmulo. Queria somente dizer-lhe isto, de qualquer modo: quando reclamarem de seu pai esses quatro mil e quinhentos rublos que lhe faltam, em vez de passar em julgamento na sua idade e ser degradado, mande-me sua irmã secretamente; acabo de receber dinheiro, vou lhe remeter a soma e ninguém ficará sabendo de nada." "Ah! que patife é você! — disse ela. — Que canalha! Como ousa?" Ela foi-se embora, sufocada de indignação e gritei-lhe às costas que o segredo seria inviolavelmente guardado. Aquelas duas mulheres, Agáfia e sua tia, eram verdadeiros anjos; adoravam a altiva Kátia, serviam–na humildemente. Agáfia deu parte de nossa conversa à sua irmã, como vim a saber mais tarde. Era justamente o que eu precisava.

"Entrementes, chega novo major para tomar o comando do batalhão. O velho coronel cai doente; fica no quarto dois dias inteiros e não presta suas contas. O Doutor Krávtchenko assegura que a doença não é simulada. Mas eis o que eu sabia com certeza, e desde muito tempo: após cada revisão de seus chefes, o coronel fazia desaparecer certa soma por algum tempo; isto remontava a quatro anos. Emprestava–a a um homem de toda confiança, um negociante, viúvo barbudo, de óculos de ouro, Trífonov. Este ia à feira, servia–se do dinheiro para seus negócios e restituía–o logo ao coronel, com um presente e uma boa comissão. Mas desta vez, Trífonov, à sua volta da feira, nada entregara (soube–o, por acaso, de seu filho, um fedelho, garoto pervertido dos que mais o sejam). O coronel acorreu: "Jamais recebi nada do senhor", respondeu o velhaco. O infeliz não põe mais pé fora de casa, com a cabeça enrolada num penso, as três mulheres aplicando–lhe gelo sobre o crânio. Chega um ordenança com a ordem de entrega da caixa imediatamente, dentro de duas horas. Ele assinou, vi mais tarde sua assinatura no registro, levantou–se, dizendo que ia vestir seu uniforme e passou para seu quarto de dormir. Ali pegou seu fuzil de caça, carregou–o com bala, descalçou seu pé direito, apoiou a arma contra o peito, tateando com o pé para premir o gatilho. Mas Agáfia, que não esquecera minhas palavras, suspeitava de alguma coisa; tendo–se aproximado furtivamente, vigiava–o. precipitou–se, cercou–o com seus braços pelas costas; o tiro partiu para o ar, sem ferir ninguém. Os outros acorreram, arrancaram–lhe a arma, segurando–o pelas mãos... Encontrava–me então em casa, ao crepúsculo, a ponto de sair, vestido, penteado, o lenço perfumado; pegara meu casquete; de repente, a porta se abre e vejo entrar Katierina Ivânovna.

"Há coisas estranhas: ninguém a notara na rua, quando ela vinha para minha casa, nem visto, nem conhecido. Eu morava em casa de duas mulheres de funcionários, pessoas idosas; elas faziam o serviço, para tudo me escutavam com deferência e guardaram por ordem minha segredo absoluto. Compreendi no mesmo instante do que se tratava. Ela entrou, de olhar fito em mim; seus olhos sombrios exprimiam a decisão, a audácia mesmo, mas o jeito de seus lábios revelava a perplexidade.

"— Minha irmã me disse que o senhor daria quatro mil e quinhentos rublos, se eu viesse buscá–los... em pessoa. Eis–me aqui... dê–me o dinheiro!... — Sufocava, tomada de terror; sua voz extinguiu–se, seus lábios tremiam... Aliócha, tu me escutas ou dormes?"

— Mítia, sei que me dirás toda a verdade — replicou Aliócha, comovido.

— Podes contar com isso, não me pouparei. Meu primeiro pensamento foi o de um Karamázov. Um dia, irmão, fui picado por uma centopeia e tive de ficar quinze dias de cama, com febre; pois bem, senti então no coração a picada da centopeia, um animal venenoso, bem sabes. Eu a examinava de alto a baixo. Viste–a? É uma beleza. Mas era bela então pela sua nobreza moral, pela sua grandeza de alma e pelo seu devotamento filial, a meu lado, vil e repugnante personagem. Era, no entanto, de mim que "toda" ela dependia, corpo e alma, como que prisioneira. Vou te confessar: aquele pensamento, o pensamento da centopeia, dominou–me o coração com tal intensidade que acreditei morrer de angústia. Aprecia que nenhuma luta era possível: conduzir–me baixamente, como uma tarântula venenosa, sem sombra de compaixão... Isso atravessou–me mesmo o espírito. No dia seguinte, bem entendido, eu iria pedir–lhe a mão, para terminar tudo da maneira mais nobre e ninguém teria sabido nada do caso. Porque, se tenho instintos baixos, sou contudo leal. E de súbito, ouço que me murmuram ao ouvido: "Amanhã, quando fores oferecer–lhe tua mão, ela não se mostrará e mandará expulsar–te pelo cocheiro. Podes difamar–me pela cidade, dirá ela, não tenho medo de ti!". Olhei para a jovem, a fim de ver se aquela voz não mentia. A expressão de seu rosto não deixava nenhuma dúvida, iam me botar porta afora. A cólera dominou–me, tive vontade de pregar–lhe a peça mais vil, uma sujeira de bodegueiro: olhá–la ironicamente e, enquanto ela se conservasse diante de mim, consterná–la, tomando a inflexão de que só são capazes os bodegueiros:

"— Quatro mil rublos! Mas eu estava brincando! A senhorita contou muito facilmente com isso! Duzentos rublos, com prazer e de boa–vontade; mas quatro mil, é dinheiro, isso, não se pode dá–lo assim levianamente. A senhorita incomodou–se por coisa alguma.

"Vês tu, teria eu tudo perdido, ela teria fugido, mas aquela vingança infernal teria compensado o resto. Eu lhe teria pregado essa peça, pronto a lamentá–la em seguida a vida inteira! Acreditarás que, em semelhantes minutos, jamais olhei uma mulher, quem quer que ela fosse, com um ar de ódio — mas, juro sobre a cruz, durante alguns segundos contemplei–a com um ódio intenso –, o ódio que só está separado do amor mais ardente por um cabelo. Aproximei–me da janela, apoiei a fronte na vidraça gelada, lembro–me de que o frio fazia–me o efeito de uma queimadura. Não a retive muito tempo, fica tranquilo; fui à minha mesa, abri uma gaveta, dela retirei um cheque de cinco mil rublos ao portador, que se encontrava no meu dicionário francês. Sem dizer uma palavra, mostrei–lho, dobrei–o, entreguei–lho, depois eu mesmo abri a porta da antecâmara e fiz uma profunda saudação. Ela estremeceu toda, olhou fixamente um segundo, ficou branca como um linho e, sem proferir uma palavra, sem brusquidão, mas ternamente, docemente, prosternou–se a meus pés, com a fronte no chão, não como uma pensionista, mas à russa! Levantou–se e fugiu. Após sua partida, tirei minha espada e quis matar–me, por que, não sei dizer; teria sido absurdo, evidentemente; sem dúvida, por entusiasmo. Compreendes que a gente possa matar–se de alegria? Mas limitei–me a beijar a lâmina e guardei–a outra vez na bainha... Poderia muito bem não ter–te falado disso. Parece–me, aliás, que floreei um tanto, para me gabar, contando–te as lutas de minha consciência. Mas que importa! Ao diabo todos os espiões do coração humano! Eis toda a minha aventura com Katierina Ivânovna. És o único, com Ivan, a conhecê–la.

Dimítri Fiódorovitch levantou–se, dando alguns passos com hesitação, tirou seu lenço, enxugou a testa, depois tornou a sentar, mas num outro ponto, sobre o banco em frente, contra a outra parede, de modo que Aliócha teve de voltar–se totalmente para seu lado.

V / CONFISSÃO DE UM CORAÇÃO ARDENTE E DESBOCADO

— Pois bem! — disse Aliócha — conheço agora a primeira parte do caso.

— Isto é, um drama, que se passou lá. A segunda parte será uma tragédia e se desenrolará aqui.

— Não compreendo nada dessa segunda parte.

— E eu, será que eu compreendo alguma coisa?

— Escuta, Dimítri, há um ponto importante. Dize-me, ainda és noivo?

— Não fiquei noivo imediatamente, mas só três meses depois daquele acontecimento. No dia seguinte, disse a mim mesmo que estava tudo liquidado, terminado, que não haveria consequências. Ir pedi-la em casamento pareceu-me uma baixeza. De seu lado, ela não me deu sinal de vida durante as seis semanas que passou ainda na cidade. De parte uma exceção, entretanto: no dia seguinte à sua visita, a arrumadeira delas introduziu-se em minha casa e, sem dizer uma palavra, entregou-me um envelope a mim endereçado. Abro-o: continha o restante dos cinco mil rublos. Fora preciso restituir quatro mil e quinhentos, a perda de venda da obrigação ultrapassava duzentos rublos. Ela me restituía duzentos e sessenta, creio — não me lembro exatamente –, e sem uma palavra de explicação. Procurei no pacote um sinal qualquer a lápis, nada! Fiz farra com o que me restava de meu dinheiro, a tal ponto que o novo major se viu forçado a fazer-me censuras. O tenente-coronel entregara sua caixa intacta, para espanto geral, porque acreditava-se a coisa impossível. Depois do que, caiu doente, ficou três semanas de cama e sucumbiu em cinco dias a um amolecimento cerebral. Enterraram-no com honras militares, porque ele não tivera tempo de ser reformado. Katierina Ivânovna, sua irmã e sua tia, dez dias após o enterro, partiram para Moscou. No dia de sua partida somente (não as havia revisto), recebi um bilhete azul, com esta única linha escrita a lápis: "Vou lhe escrever. Espere. K.".

"Em Moscou, os negócios delas arranjaram-se duma maneira tão rápida quão extraordinária, tal como um conto das *Mil e uma noites*. A principal parenta da Katierina Ivânovna, uma generala, perdeu bruscamente suas duas sobrinhas, suas herdeiras mais próximas, mortas, na mesma semana, de varíola. Transtornada, ligou-se a Kátia como à sua própria filha, vendo nela sua derradeira esperança, refez seu testamento em seu favor e deu-lhe — de mão para mão — oitenta mil rublos de dote, para dispor deles à sua vontade. É histérica; tive ocasião de observá-la mais tarde em Moscou. Uma bela manhã, recebo pelo correio quatro mil e quinhentos rublos, com extrema surpresa minha, bem entendido. Três dias depois chega a carta prometida. Tenho-a ainda, vou conservá-la até minha morte; queres que te mostre? Merece ser lida: oferece-se ela mesma a partilhar minha vida. "Amo-o loucamente; que não me ame, não me importa, contente-se em ser meu marido. Não se espante, não o incomodarei em nada; serei um de seus móveis, o tapete sobre o qual você anda... Quero amá-lo eternamente, o salvarei de você mesmo..." Aliócha, sou mesmo indigno de repetir estas linhas em minha vil linguagem, com o tom de que jamais pude corrigir-me! Até agora, essa carta traspassou-me o coração, e acreditas que me sinto à vontade hoje? Respondi-lhe imediatamente (era-me impossível ir a Moscou). Escrevi com minhas lágrimas. Hei de me envergonhar eternamente de lhe ter lembrado que ela era agora rica e dotada — e eu sem recursos. Falei de dinheiro. Deveria ter-me contido mas minha pena traiu-me. Escrevi também a Ivan, então em Moscou, e expliquei-lhe tudo quanto era possível, uma carta de seis páginas; mandei Ivan à casa dela. Que tens que te faz olhar-me? Sim, Ivan apaixonou-se por ela; ainda está agora, sei disso. Cometi uma tolice, do ponto de vista mundano, mas talvez seja essa tolice que nos salvará a todos. Não vês que ela o honra, que o estima?

Ela pode, depois de ter–nos comparado um com o outro, amar um homem tal como eu, sobretudo depois do que se passou aqui?"

— Estou persuadido de que é um homem como tu que ela deve amar, e não um homem como ele.

— É sua própria virtude que ela ama e não a mim — deixou Dimítri escapar, sem querer, com irritação. Pôs–se a rir, mas de súbito seus olhos cintilaram; tornou–se totalmente vermelho e deu um violento murro sobre a mesa.

— Juro AlióCha — exclamou ele, num acesso de furor, não fingido contra si mesmo —, podes acreditar ou não, mas, tão verdade como Deus é santo e que o Cristo é Deus, e, se bem que eu tenha zombado de seus nobres sentimentos, não duvido da angélica sinceridade deles; sei que minha alma é um milhão de vezes mais vil que a dela. É nesta certeza que consiste a tragédia. A bela desgraça! Declame–se um pouco! Eu também declamo e, no entanto, sou perfeitamente sincero. Quanto a Ivan, imagino que ele deve maldizer a natureza, ele que é tão inteligente! Quem teve a preferência? Um monstro tal como eu, que não pude arrancar–me da devassidão, quando todos me observavam e isto sob os olhos de minha noiva! E sou eu o preferido? Mas por quê? Porque aquela moça quer, como prova de reconhecimento, constranger–se a uma existência desgraçada! É absurdo! Jamais falei a Ivan neste sentido, e ele, bem entendido, jamais fez a menor alusão a isso; mas o destino se cumprirá, cada qual segundo seus méritos; o réprobo afundará a si mesmo definitivamente no lamaçal de que gosta. Estou dizendo incoerências, as palavras não exprimem meu pensamento, como se as empregasse ao acaso, mas o que fixei vai se realizar. Eu me afogarei na lama e ela casará com Ivan.

— Irmão, espera — interrompeu AlióCha, numa agitação extraordinária. — Há um ponto que ainda não me explicaste: continuas seu noivo. Como queres romper, se ela a isso se opõe?

— Sou noivo, recebemos a benção oficial. Ocorreu em Moscou, quando cheguei em grande cerimônia, com os ícones. A generala nos abençoou; imagina que chegou mesmo a felicitar Kátia: "Escolheste bem — disse ela. — Leio em seu coração". Quanto a Ivan, não lhe agradou; ela não lhe dirigiu nenhum cumprimento. Em Moscou tive longas conversas com Kátia; pintei–me nobremente, tal como era, com toda a sinceridade. Ela tudo escutou:

> Houve um enleio encantador
> E ternas palavras ouviram–se...

Houve também palavras altivas. Arrancou–me a promessa de corrigir–me. Prometi. E eis em que ponto estou.

— E então, o quê?

— Chamei–te, trouxe–te aqui hoje, lembra–te, para enviar–te hoje mesmo à casa de Katierina Ivânovna, e...

— Que mais?

— Dize–lhe que não irei mais à casa dela, cumprimentando–a de minha parte.

— Será possível?

— Não, é impossível; assim, peço–te que vás lá em meu lugar, não poderia dizer–lhe isto eu mesmo.

— E tu, aonde irás?

— Voltarei ao meu lodaçal.

— Isto é, à casa de Gruchka! — exclamou tristemente Aliócha, juntando as mãos. — Rakítin tinha, pois, razão. E eu que acreditava que era apenas uma ligação passageira!

— Um noivo com uma amante! Seria possível, com tal noiva e aos olhos de todos? Não perdi de todo a honra. Desde o momento em que passei a frequentar Grúchenhka, deixei de ser noivo e homem honesto, dou–me conta disso. Que tens para me olhar assim? Fui à casa dela a primeira vez na intenção de bater–lhe. Soube–ra, e sei agora de fonte limpa, que aquele capitão, delegado por meu pai, entregara a Grúchenhka uma ordem de pagamento assinada por mim; tratava–se de processar–me na justiça, na esperança de abater–me e de obter minha desistência. Queriam amedrontar–me. Eu ia pois surrá–la. Já tivera ocasião de vê–la ligeiramente. Uma mulher muito ordinária. Sabia que ela era também gananciosa, emprestando com usura, velhaca e debochada, sem compaixão! Fui para dar–lhe uma correção e fiquei em casa dela. Aquela mulher é a peste. Contaminei–me, tenho–a na pele. Tudo está acabado doravante, não há mais outra perspectiva. O ciclo dos tempos passou. Eis onde me encontro. Como que de propósito eu tinha então três mil rublos no bol–so. Fomos a Mókroie, a vinte e cinco verstas daqui, mandei buscar ciganos, ofereci champanhe a todos os mujiques, às mulheres e às moças do local. Três dias depois, estava sem nada. E pensas que obtive o mínimo favor? Nada ela me mostrou. As–seguro–te, é toda sinuosa. A intrujona, seu corpo lembra uma cobra, vê–se isso em suas pernas, até o dedo mindinho de seu pé esquerdo que tem essa sinuosidade. Vi–o e beijei–o, mas foi tudo, juro–te. Ela me disse: "Queres, casarei contigo, embora pobre. Se me prometes não me bater e deixar–me fazer tudo quanto quiser, talvez me case", e riu, e ri também agora!

Dimítri Fiódorovitch ergueu–se presa duma espécie de furor. Tinha ar de ébrio. Seus olhos estavam injetados de sangue.

— Pretendes seriamente casar com ela?

— Se ela consentir, será imediatamente; se recusar, ficarei ainda assim com ela, serei seu criado. Tu, tu... Aliócha... — Parou diante dele e se pôs a sacudi-lo vio–lentamente pelos ombros. — Sabes tu, inocente, que tudo isso é delírio, um delírio inconcebível, porque há nisso uma tragédia fica sabendo, Aliócha, que posso ser um homem perdido, de paixões vis, mas que Dimítri Karamázov jamais será um ladrão, um vulgar ratoneiro! Quando eu ia à casa de Grúchenhka para castigá–la, naquela manhã mesma Katierina Ivânovna mandou-me chamar e pediu–me com grande segredo (ignoro por qual motivo) que eu fosse à sede de província enviar três mil rublos a Agáfia Ivânovna, em Moscou. Ninguém devia saber disso na cidade. Fui à casa de Grúchenhka com aqueles três mil rublos no bolso e eles serviram para pagar nossa excursão a Mókroie. Em seguida, fiz que ia à sede da província, que tinha enviado o dinheiro; quanto ao recibo, "esqueci–me" de o entregar, apesar de minha promessa. Agora, que pensas? Irás dizer–lhe: "Ele manda cumprimentá–la". Ela te perguntará: "E o dinheiro?". E tu lhe responderás: "Ele é uma criatura de uma sensualidade animal, uma criatura vil, incapaz de conter–se. Em lugar de enviar seu dinheiro, gastou–o, não podendo resistir à tentação". Mas podes também acrescen–tar: "Dimítri Fiódorovitch não é um ladrão; aqui estão os seus três mil rublos que ele restitui, envie–os a senhorita mesma a Agáfia Ivânovna e receba as homenagens dele." Seria apenas meio mal, não, porém, se ela te perguntar: "Onde está o dinheiro?".

— Mítia, és desgraçado, mas não tanto quanto pensas. Não te mates de desespero!

— Pensas que vou estourar os miolos, se não conseguir reembolsar esses três mil rublos? Absolutamente. Não tenho a mínima coragem agora; mais tarde, talvez... agora vou à casa de Grúchenhka... Lá deixarei a pele.

— E então?

— Casarei com ela, se ela me quiser; quando seus amantes chegarem, passarei para o quarto vizinho. Estarei lá para engraxar os sapatos deles, aquecer o samovar, levar recados...

— Katierina Ivânovna compreenderá tudo — declarou solenemente Aliócha. — Compreenderá teu profundo pesar e te perdoará. Tem espírito elevado, verá que não se pode ser mais desgraçado do que tu.

— Ela não perdoará tudo — sorriu Mítia. — Há nisso uma coisa imperdoável aos olhos de toda mulher. Sabes o que vale mais a pena fazer?

— Que é?

— Entregar–lhe os três mil rublos.

— Onde arranjá–los? Escuta, tenho dois mil, Ivan te dará mil, e estará completa a conta.

— Quando receberei os teus três mil rublos? És ainda menor, quanto ao mais é preciso absolutamente que rompas com ela por mim, hoje mesmo, entregando o dinheiro ou não, porque não posso demorar mais tempo, no ponto em que estão as coisa. Amanhã, já seria demasiado tarde. Vai à casa de papai.

— À casa de nosso pai?

— Sim, primeiro à casa dele. Pede–lhe o dinheiro.

— Mítia, ele jamais o dará.

— Ora essa, sei bem disso! Alieksiéi, sabes o que seja o desespero?

— Sim.

— Escuta, juridicamente, ele não me deve nada. Recebi minha parte, sei disso. Mas, moralmente, ele me deve alguma coisa, sim ou não? Foi com os vinte e oito mil rublos de minha mãe que ele ganhou cem mil. Que me dê apenas três mil rublos, não mais, e terá salvo minha alma do inferno e muitos pecados lhe serão perdoados. Vou me contentar com essa soma, juro, ele não ouvirá mais falar de mim. Forneço–lhe uma derradeira ocasião de ser um pai. Dize–lhe que é Deus que a oferece.

— Mítia, ele não os dará a preço algum.

— Sei bem disso, tenho a certeza. Agora sobretudo! Mas há melhor. Nestes últimos dias, ele soube pela primeira vez seriamente (note este advérbio) que Grúchenhka não estava brincando e se decidiria talvez a dar o salto, a casar–se comigo. Conhece o caráter daquela gata. Pois bem, ele me daria dinheiro ainda por cima, para favorecer a coisa, quando está louco por ela? Não é tudo, escuta isto. Há já cinco dias, ele separou três mil rublos em notas de cem, num grande envelope com cinco sinetes, amarrado por uma fita cor–de–rosa. Vês como estou a par? O envelope traz escrito: "Para meu anjo, Grúchenhka, se consentir em vir à minha casa". Ele mesmo rabiscou isso, às ocultas, e todo mundo ignora que ele tem esse dinheiro, exceto o criado Smierdiákov, em quem ele confia tanto quanto em si mesmo. Há três ou quatro dias que aguarda Grúchenhka, na esperança de que ela irá buscar o envelope; ela mandou avisar "que talvez fosse". Se ela for à casa do velho, eu poderei esposá–la? Tu compreendes agora por que me escondo aqui e tocaio?

— Ela?

— Sim. As proprietárias cederam um quartinho a Fomá, antigo soldado de nossa guarnição. Está a serviço delas, monta guarda de noite e caça tetrazes durante o dia. Instalei–me em casa dele; essas mulheres e ele ignoram meu segredo, isto é, que estou aqui de tocaia.

— Somente Smierdiákov o sabe?

— Sim. Será ele quem me advertirá, se Grúchenhka for à casa do velho.

— Foi ele quem te falou do pacote?

— Com efeito. É um grande segredo. O próprio Ivan ignora. O velho mandou––o dar um passeio a Tchermachniá por dois ou três dias; apareceu um comprador para a madeira, oferecendo oito mil rublos; o velho pediu a Ivan que o ajudasse, que fosse em lugar dele. Quer afastá–lo para receber Grúchenhka.

— Ele a espera, por conseguinte, hoje?

— Não, ela não irá hoje, de acordo com certos indícios. Decerto que não! — exclamou Mítia. — É também a opinião de Smierdiákov. Papai está agora à mesa com Ivan, a beber. Vai, pois, Alieksiéi, e pede–lhe esses três mil rublos.

— Mítia, meu caro, que tens pois? — exclamou Aliócha, saltando de seu lugar para examinar o rosto desvairado de Dimítri. Acreditou por um instante que ele estivesse louco.

— Pois bem! O quê? Não perdi a razão — declarou ele, de olhar fixo e quase solene. — Não temas. Sei o que digo, creio nos milagres.

— Nos milagres?

— Nos milagres da Providência. Deus conhece meu coração. Vê meu desespero. Permitiria ele que se realizasse tal horror? Aliócha, creio nos milagres, vai!

— Irei. Dize–me, vais me esperar aqui?

— Decerto. Compreendo que será demorado, não se pode abordá–lo diretamente. Está bêbedo agora. Esperarei aqui, três, quatro, cinco horas, mas fica sabendo que hoje, até mesmo à meia–noite, deves ir à casa de Katierina, com ou sem dinheiro. Dirás: "Dimítri Fiódorovitch pediu–me que lhe apresentasse seus cumprimentos". Quero que lhe repitas esta frase exatamente.

— Mítia! E se Grúchenhka for hoje... ou amanhã, ou depois de amanhã?

— Grúchenhka? Vigiarei, forçarei a porta, impedirei.

— Mas se...

— Então, matarei. Não suportarei isso.

— A quem matarás?

— O velho. Nela não tocarei.

— Irmão, que dizes?

— Não sei, não sei... Talvez mate, talvez não mate. Receio que sua cara se me torne odiosa, naquele momento. Odeio sua papada, seu nariz, seus olhos, seu sorriso impudente. Dão–me náuseas. Esse ódio é que me causa medo. Não poderia resistir a ele.

— Irei, Mítia. Creio que Deus arranjará tudo da melhor forma possível e nos poupará essas coisas horríveis.

— E eu aguardarei o milagre. Mas se ele não se realizar, então...

Aliócha, pensativo, dirigiu-se para a casa de seu pai.

VI / SMIERDIÁKOV

Encontrou Fiódor Pávlovitch ainda à mesa. Como de hábito, a mesa fora posta no salão e não na sala de jantar. Era a peça maior da casa, mobiliada com certa pretensão antiquada. Os móveis, bastante antigos, eram brancos, cobertos por um estofo vermelho, meio seda, meio algodão. Havia tremós de molduras pretensiosas, esculpidas à velha moda, igualmente brancas e douradas. Nas paredes, cuja tapeçaria branca estava rasgada em muitos lugares, figuravam dois grandes retratos, o de um antigo governador-geral da província, e o de um prelado, também morto desde muito tempo. No ângulo que fazia face à porta de entrada encontravam-se vários ícones, diante dos quais ardia uma lâmpada durante a noite, menos por devoção do que para iluminar a sala. Fiódor Pávlovitch deitava-se muito tarde, às três ou quatro horas da madrugada e até então passeava de lá para cá ou meditava em sua poltrona. Isso se tornara um hábito. Passava muitas vezes a noite sozinho, depois de ter despedido os criados, mas a maior parte do tempo o criado Smierdiákov dormia na antecâmara, deitado em cima de uma comprida arca. À chegada de Aliócha, o jantar estava no fim, havia-se servido a sobremesa e o café. Fiódor Pávlovitch gostava de doces após o jantar com conhaque. Ivan estava tomando café com seu pai. Os criados, Grigóri e Smierdiákov, conservavam-se perto da mesa. Amos e servidores achavam-se visivelmente de bom humor. Fiódor Pávlovitch ria às gargalhadas; desde o vestíbulo, reconheceu Aliócha sua risada semelhante a latidos que lhe era tão familiar. Concluiu dali que seu pai, ainda longe da embriaguez, encontrava-se em felizes disposições.

— Ei-lo afinal! — exclamou Fiódor Pávlovitch, encantado com a chegada de Aliócha. — Vem sentar-te conosco. Queres café forte? É famoso e está fervendo. Não te ofereço conhaque porque estás jejuando. Mas se quiseres... Não, te darei antes licores de boa qualidade. Smierdiákov, abre o armário, eles se acham na segunda prateleira, à direita, aqui estão as chaves. Ufa!

Aliócha fêz gesto de que recusava os licores.

— Mesmo assim serão servidos, para nós, já que não queres. Dize-me, já jantaste?

Aliócha respondeu que sim; na realidade, comera um pedaço de pão e bebera um copo de *kvas* na cozinha do Padre Abade.

— Tomarei de bom grado uma xícara de café quente.

— Ah! o espertalhão! Não recusa o café! Será preciso esquentá-lo? Mas não, está ainda fervendo. É café famoso, preparado por Smierdiákov. É mestre em fazer café, tortas e sopas de peixe. Virás um dia tomar a sopa de peixe aqui. Avisa-me com antecedência. A propósito, não te disse que transportasses teu colchão e teus travesseiros hoje mesmo? Já o fizeste? Ah! ah! ah!

— Não, não os trouxe — respondeu Aliócha, também rindo.

— Ah! tiveste medo, no entanto, tiveste medo! Serei capaz de fazer–te sofrer, meu querido? Escuta, Ivan, não posso resistir, quando ele me fita nos olhos, rindo. A alegria dilata–me as entranhas, somente ao vê–lo. Gosto dele! Aliócha, vem receber minha bênção.

Aliócha levantou, mas Fiódor Pávlovitch reconsiderara.

— Não, farei somente um sinal–da–cruz, assim, vai sentar. Pois bem, ficarás contente, a propósito de teu assunto favorito, vais rir. A burra de Balaão[34] falou, e que linguagem a dela!

A burra de Balaão não era outro senão o criado Smierdiákov, rapaz de vinte e quatro anos, insociável e taciturno, embora não fosse selvagem ou acanhado; pelo contrário, era arrogante e parecia desprezar todo mundo. Chegou o momento de falar a seu respeito, ainda que pouco. Educado por Marfa Ignátievna e Grigóri Vassílievitch, o garoto, "natureza ingrata", segundo a expressão de Grigóri, crescera selvagem no seu canto. Na sua infância; tinha prazer em enforcar os gatos, enterrando–os depois com grande cerimonial. Para fazer isto, cobria–se com uma colcha de cama, à guisa de casula, e cantava, agitando um simulacro de turíbulo, por cima do cadáver. Tudo isso no maior mistério. Grigóri surpreendeu–o um dia e chicoteou–o rudemente. Durante uma semana, o garoto enfurnou–se num canto, olhando de través. "Ele não gosta de nós, o monstro", dizia Grigóri a Marfa. "Aliás, não gosta de ninguém. És verdadeiramente um ser humano? — perguntou ele uma vez a Smierdiákov. — Não, não, nasceste da umidade do banheiro..." Smierdiákov, como se viu posteriormente, jamais lhe perdoara essas palavras. Grigóri ensinou–o a ler e a história sagrada desde que completou doze anos. Mas esta tentativa foi infeliz. Um dia, numa das primeiras lições, o menino pôs–se a rir.

— Que tens? — perguntou Grigóri, olhando–o severamente por cima de seus óculos.

— Nada. Deus criou o mundo no primeiro dia; o sol, a lua e as estrelas no quarto dia. Donde vinha, pois, a luz do primeiro dia?

Grigóri ficou estupefato. O menino olhava seu amo com ar irônico, seu olhar parecia mesmo provocá–lo. Grigóri não pode conter–se: "Eis donde ela veio!" — exclamou, esbofeteando–o violentamente. O menino não se moveu, mas meteu–se de novo no seu canto por vários dias. Uma semana depois, ele teve uma primeira crise de epilepsia, doença que não o deixou mais dali por diante. Tendo conhecimento disso, Fiódor Pávlovitch mudou logo sua maneira de tratar o garoto. Até então olhava–o com indiferença, se bem que não o repreendesse nunca e lhe desse um copeque todas as vezes que o encontrava. Quando estava de bom humor, mandava–lhe sobremesa de sua mesa. A doença do menino provocou sua solicitude; mandou buscar um médico; ensaiou–se um tratamento, mas Smierdiákov era incurável. Em média, tinha uma crise uma vez por mês, a intervalos irregulares. Os ataques variavam de intensidade, ora fracos, ora violentos. Fiódor Pávlovitch proibiu terminantemente que Grigóri batesse no menino e deu–lhe acesso à sua casa. Proibiu igualmente qualquer estudo até nova ordem. Um dia — tinha Smierdiákov então

---

34   Alusão à passagem bíblica, Números, c. XXII, vs. 22-36, em que o Profeta Balaão, montado numa burra, foi detido por um anjo que impedia o passo do animal; como Balaão castigasse repetidas vezes a besta, esta falou, repreendendo-o. Somente então Balaão viu o anjo, e diante do milagre abençoou o povo de Israel em vez de maldizê-lo, contrariando as ordens de Balak, rei dos Moabitas.

quinze anos — Fiódor Pávlovitch viu–o lendo os títulos das obras através dos vidros da biblioteca. Fiódor Pávlovitch. possuía uma centena de volumes, mas nunca fora visto a folheá–los. Deu logo as chaves a Smierdiákov. "Toma, serás meu bibliotecário; senta–te e lê, será melhor do que andares à toa pelo pátio. Toma isto — e Fiódor Pávlovitch deu–lhe *Serões na quinta de Dikanhka*.[35]

Esse livro não agradou ao rapaz, que o acabou de ler com ar sombrio, sem ter rido uma vez sequer.

— Pois bem! Não é divertido? — perguntou Fiódor Pávlovitch.

Smierdiákov permaneceu calado.

— Responde, pois, imbecil.

— Só há mentiras, aqui dentro — resmungou Smierdiákov, sorrindo.

— Vai–te para o diabo, alma de lacaio! Espera, eis aqui a *História Universal,* de Smarágdov. Aqui tudo é verdadeiro. Lê.

Mas Smierdiákov não chegou a ler dez páginas. Achava aquilo enfadonho. Não se falou mais em biblioteca. Em breve Marfa e Grigóri levaram ao conhecimento de Fiódor Pávlovitch que Smierdiákov; pouco a pouco, se tornara de trato muito difícil, fazendo–se requintado; contemplando seu prato de sopa, examinava–o, curvado, enchia uma colherada, que olhava à luz.

— Uma barata, talvez? — perguntava por vezes Grigóri.

— Ou então uma mosca?— insinuava Marfa.

O meticuloso rapaz não respondia nunca, mas procedia da mesma maneira com o pão, a carne, todas as comidas; pegando um pedaço com seu garfo, estudava–o à luz, como num microscópio, e, após reflexão, decidia–se a levá–lo à boca. "Até parece o filho de um senhor", murmurava Grigóri, olhando–o. Posto ao corrente dessa mania de Smierdiákov, Fiódor Pávlovitch logo decretou que ele tinha vocação para cozinheiro e mandou–o a aprender sua arte em Moscou. Passou ali vários anos e voltou bastante mudado de aspecto; envelhecido demasiadamente para sua idade, enrugado, amarelecido, assemelhava–se a um *skópiets*. Moralmente, era quase o mesmo de antes da partida; sempre um verdadeiro selvagem que não procurava absolutamente a sociedade. Não dizia palavra em Moscou, como se soube mais tarde. A própria cidade muito pouco o interessara. Tendo ido uma vez ao teatro, voltou descontente. Usava roupas de linho convenientes, escovava cuidadosamente seus ternos duas vezes por dia; gostava muito de engraxar suas botas elegantes, de bezerra, com uma graxa inglesa especial, que as fazia reluzir como um espelho. Revelou–se excelente cozinheiro. "Fiódor Pávlovitch decidiu pagar–lhe ordenado que era quase todo gasto em roupas, pomadas, perfumes, etc. Parecia fazer tão pouco caso das mulheres quanto dos homens, mostrando–se para com elas empertigado e quase inabordável. Fiódor Pávlovitch pôs–se a considerá–lo de um ponto de vista um pouco diferente. Suas crises, tornavam-se mais frequentes. Marfa substituía–o naqueles dias na cozinha, o que não convinha absolutamente a seu amo.

— Por que tens crises mais frequentemente? — E olhava carrancudo para o novo cozinheiro. — Deverias arranjar mulher, queres que te case?

Mas Smierdiákov não respondia nada àquelas palavras que o tornavam lívido de despeito. Fiódor Pávlovitch ia embora, dando de ombros. Sabia que ele era

---

35 Primeira coletânea de novelas de Gógol (1831).

visceralmente honesto, incapaz de tomar ou roubar o que quer que fosse e era o essencial. Estando bêbedo, perdeu Fiódor Pávlovitch em seu pátio três cédulas de cem rublos que acabava de receber e só se deu conta disso no dia seguinte. Ao remexer em seus bolsos, viu–os em cima da mesa. Smierdiákov tinha–os achado e trazido na véspera. "Nunca encontrei outro igual a ti, meu bravo", disse laconicamente Fiódor Pávlovitch e presenteou–o com dez rublos. É preciso acrescentar que não somente estava certo de sua honestidade, mas tinha afeição por ele, muito embora o rapaz lhe fizesse má cara, como aos outros. Se alguém que o visse perguntasse: por que se interessa por esse rapaz, que é que o preocupa sobretudo? — não teria podido responder, olhando–o. Entretanto; em casa, no pátio ou na rua, parava por vezes, pensativo, e ficava assim uma dezena de minutos. O rosto de Smierdiákov nada teria revelado a um fisionomista; nenhum pensamento, pelo menos, mas somente uma espécie de contemplação: Há um notável quadro do pintor Kramskói, intitulado *O contemplativo*. Uma floresta no inverno; sobre a estrada vê–se um mujique, vestido com um cafetã rasgado e com sapatos de tília. Ali está numa solidão profunda e parece refletir, mas não pensa, contempla alguma coisa. Se dessem nele um encontrão, estremeceria e olharia como quem desperta, mas sem compreender. Na verdade, voltaria logo a si, mas se lhe perguntassem em que pensava, certamente não se lembraria de nada; mas em compensação, decerto guardaria para si a impressão sob cujo império se achava durante sua contemplação. Essas impressões agradam- -lhe e se acumulam nele, imperceptivelmente, sem que o perceba, Com qual fim, ele ignora. Um dia, talvez, depois de havê–las armazenado durante anos, deixará tudo e partirá para Jerusalém, a fim de tratar de sua salvação. Ou então deitará fogo à sua aldeia natal, talvez fará mesmo as duas coisas sucessivamente. Há muitos contemplativos em nosso povo. Smierdiákov era certamente um tipo desse gênero e armazenava avidamente suas impressões, quase sem conhecer a razão disso.

VII / UMA CONTROVÉRSIA

Ora, a burra de Balaão pôs–se a falar de repente e a respeito de um tema estranho. De manhã, achando–se Grigóri na venda do comerciante Lukiánov, ouviu–o contar o seguinte. Um soldado russo foi feito prisioneiro numa região afastada por asiáticos que o intimaram, sob ameaça de tortura e morte, a abjurar o Cristianismo e a converter–se ao Islã. Tendo recusado trair sua fé, sofreu o martírio, deixou–se esfolar, morreu glorificando o Cristo. Esse fim heroico era relatado no jornal recebido naquela mesma manhã. Grigóri falou disso à mesa. Fiódor Pávlovitch sempre gostara, à sobremesa, de brincar e tagarelar, mesmo com Grigóri. Estava desta vez de humor jovial, sentindo uni relaxamento agradável. Depois de ter escutado a notícia, beberricando seu conhaque, insinuou que deveriam ter canonizado aquele soldado e transferido sua pele para um mosteiro. "O povo a cobriria de dinheiro." Grigóri fechou a cara, vendo que Fiódor Pávlovitch, longe de se emendar, continuava a zombar das coisas santas. Naquele momento, Smierdiákov, que se mantinha perto da porta, sorriu. Já antes era muitas vezes admitido na sala de jantar, ao fim da refeição. *Desde a chegada de Ivan Fiódorovitch*, ali comparecia quase diariamente.

— Pois bem? O quê? — perguntou Fiódor Pávlovitch, compreendendo que aquele sorriso visava a Grigóri.

— Penso naquele bravo soldado — disse, de repente, Smierdiákov, em voz alta. — Seu heroísmo é sublime, mas na minha opinião, não teria havido, em semelhante caso, nenhum pecado em renegar o nome do Cristo e o batismo, para assim salvar sua vida e consagrá-la às boas obras, que resgatariam um momento de fraqueza.

— Como, nenhum pecado? Mentes; isto te valerá ir para o inferno, onde te assarão como a um carneiro — replicou Fiódor Pávlovitch.

Foi então que chegou Aliócha, para grande satisfação de Fiódor Pávlovitch, como se viu.

— Trata-se de teu tema favorito ,— continuou ele, com um riso de escárnio, fazendo Aliócha sentar.

— Tolices tudo isso, não haverá nenhuma punição, não deve haver, em toda justiça — afirmou Smierdiákov.

— Como em toda justiça? — exclamou Fiódor Pávlovitch, redobrando de alegria e empurrando Aliócha com os joelhos.

— Um desavergonhado, eis o que ele é! — deixou escapar Grigóri, fitando Smierdiákov com cólera.

— Quanto a isso de desavergonhado, refreie-se, Grigóri Vassílievitch! — replicou Smierdiákov, conservando seu sangue-frio. — Pense antes que, caído em poder dos que torturam os cristãos, e intimado por eles a maldizer o nome de Deus e renegar meu batismo, minha própria razão me autoriza a isso plenamente, porque não pode haver aí nenhum pecado.

— Já o disseste, não divagues, mas prova-o! — gritou Fiódor Pávlovitch.

— Queima-panelas! —murmurou Grigóri com desprezo.

— Queima-panelas, espere um pouco, e sem palavrões, julgue você mesmo, Grigóri Vassílievitch. Porque, logo que dissesse a meus carrascos: "Não, não: sou cristão e maldigo o verdadeiro Deus", me tornaria anátema aos olhos da justiça divina, seria separado da santa Igreja, como um pagão, de sorte que, no instante mesmo, não de proferir essas palavras, mas de pensar em proferi-las, estou excomungado, não é verdade, sim ou não, Grigóri Vassílievitch? — Smierdiákov dirigia-se com satisfação visível a Grigóri, embora respondendo somente às perguntas de Fiódor Pávlovitch; dava-se perfeita conta disso, mas fingia crer que era Grigóri quem lhe fazia tais perguntas.

— Ivan!— exclamou Fiódor Pávlovitch. — Chega perto de meu ouvido. Toda essa peroração dele é para ti, quer receber teus elogios. Dá-lhe esse prazer.

Ivan ouviu com grande seriedade a observação de seu pai.

— Espera um minuto, Smierdiákov — continuou Fiódor Pávlovitch. — Ivan, aproxima-te de novo.

Ivan inclinou-se, sempre com o mesmo ar sério.

— Amo-te tanto quanto a Aliócha. Não vás crer que não te amo. Um pouco de conhaque?

— De boa-vontade. "Tu pareces já ter passado da conta", disse Ivan a si mesmo, fitando o pai. Observava Smierdiákov com extrema curiosidade.

— Já és agora maldito e anátema — explodiu Grigóri — e como ousas, depois disso, desavergonhado, discutir se...

— Nada de injúrias, Grigóri, acalma–te! — interrompeu–o Fiódor Pávlovitch.

— Tenha paciência, Grigóri Vassílievitch, ainda que seja um momentinho, e continue a escutar, porque ainda não acabei. No momento em que renego a Deus, nesse instante mesmo, tornei–me uma espécie de pagão, meu batismo apagou–se e não conta para nada, não é bem isto?

— Apressa–te em concluir, meu caro — estimulou–o Fiódor Pávlovitch, beberricando, deleitado.

— Ora, se não sou mais cristão, não menti então aos meus carrascos, quando perguntaram: "És cristão ou não?", porque já estava "descristianizado" pelo próprio Deus, em consequência apenas de minha intenção e antes de ter aberto a boca. Ora, se estou decaído, como e com que direito me pedirão contas no outro mundo, na qualidade de cristão, por ter abjurado o Cristo, quando, pela simples premeditação; já teria sido desbatizado? Se não sou mais cristão, não posso mais abjurar o Cristo, porque isto já estaria feito. Quem pois; mesmo no céu pedirá contas a um tártaro pagão por não ter nascido cristão e quem quererá puni–lo? Não diz o provérbio que não se deverá esfolar duas vezes o mesmo touro? Se o Todo–Poderoso exige contas a um tártaro, por ocasião de sua morte, suponho que o punirá levemente (não podendo absolvê–lo totalmente), estimando não ser culpa dele o ter nascido pagão, de pais que o eram. Será que o Senhor pode pegar à força um tártaro e dizer dele que era cristão? Seria o mesmo que dizer então que o Todo–Poderoso profere uma verdadeira mentira. Ora, ele pode mentir, ele que reina sobre a terra e nos céus, ainda mesmo por uma só de suas palavras?

Grigóri ficou estupefato e examinou o orador, de olhos escancarados. Embora não compreendendo bem do que se tratava, apanhara uma parte daquele galimatias e assemelhava–se a um homem que dera com a cabeça de encontro a um muro. Fiódor Pávlovitch acabou de beber seu copinho e explodiu numa risada aguda.

— Aliócha, Aliócha, que homem! Ah! o casuísta! Deve ter frequentado os jesuítas, em algum lugar, Ivan. Tresandas a jesuíta, quem pois te instruiu? Mas tu mentes desavergonhadamente, casuísta, tu divagas. Não te desoles, Grigóri, vamos reduzi–lo a pó. Responde a isto, burra: tens razão perante teus carrascos, seja, mas abjuraste a fé em teu coração e dizes tu mesmo que foste logo atingido de anátema. Ora, como tal, não podes esperar que te passem a mão pelos cabelos no inferno. Que pensas disso, meu bom padre jesuíta?

—É fora de dúvida que abjurei em meu coração, no entanto não há nisso nenhum pecado especialmente, quando muito um pecado dos mais veniais.

— Como? Dos mais veniais?

— Mentes, maldito! — murmurou Grigóri.

— Julgue você mesmo, Grigóri Vassílievitch — continuou comedidamente Smierdiákov, consciente de sua vitória, mas fazendo–se de generoso para com um adversário abatido —, julgue você mesmo; está dito na Escritura que se tiverdes fé, ainda que seja do tamanho de um grão de mostarda, e disserdes a uma montanha que se precipite no mar, ela irá, sem nenhuma demora, assim que derdes a primeira ordem. Pois bem, Grigóri Vassílievitch, se não sou crente e se você é, a ponto de me invectivar sem cessar, tente você mesmo dizer a essa montanha que vá, não para o mar (porque está ele muito longe daqui), mas mesmo para aquele riacho infecto que corre por trás de nosso jardim, e verá logo que ela não se moverá e que não haverá mudança alguma, por mais que você grite. Ora, isto significa que você não crê da maneira que convém, Grigóri Vassílievtch, e que, em compensação, você invectiva os outros. Suponhamos ainda que ninguém, em nossa época, não somente você, mas ninguém decididamente, desde as pessoas da mais alta posição até o derradeiro mujique, possa empurrar as montanhas para o mar, a não ser um homem no mundo inteiro, dois quando muito, ainda assim talvez aqueles que tratam de sua salvação, ocultamente, no deserto do Egito e que não podem ser encontrados. Se assim é, se todos os outros são incréus, será possível que estes, isto é, a população do mundo inteiro, com exceção dos dois anacoretas sejam amaldiçoados pelo Senhor, e que não perdoe Ele a nenhum, dada a Sua misericórdia bem conhecida? De modo que espero que minhas dúvidas me serão perdoadas, quando derramar lágrimas de arrependimento.

— Espera! — guinchou Fiódor Pávlovitch, no cúmulo do entusiasmo.— De modo que supões que há dois homens capazes de mover montanhas? Ivan, nota esse detalhe, nota bem. O homem russo inteiro está aí!

— O senhor notou com bastante justeza que é esse um sinal da fé popular — disse Ivan Fiódorovitch, com um sorriso de aprovação.

— Estás de acordo? É então verdade, já que estás de acordo. É exato, Aliócha? Isso se assemelha perfeitamente à fé russa?

— Não, Smierdiákov não tem de todo a fé russa — declarou Aliócha, num tom sério e firme.

— Não falo de sua fé, mas desse detalhe, desses dois anacoretas, nada mais do que esse detalhe: não é bem russo?

— Sim, esse detalhe é perfeitamente russo — aprovou Aliócha, sorrindo.

— Essa frase merece um ducado, burra, e eu o enviarei hoje mesmo, mas quanto ao resto tu mentes, tu divagas; fica sabendo, imbecil, que neste mundo todos nós não cremos somente por frivolidade, porque falta tempo; os negócios nos absorvem, os dias só têm vinte e quatro horas, não temos tempo não só de nos arrependermos, mas de dormir à vontade. Mas tu, tu abjuraste diante dos carrascos, quando não tinhas de pensar senão em tua fé e que era preciso justamente testemunhá–la! Isto constitui um pecado, meu caro, penso eu!

— Decerto, constitui um, mas um pecado venial, julgue você mesmo, Grigóri Vassílievtch. Porque se tivesse então, acreditado na verdade, como importa crer nela, teria sido verdadeiramente um pecado não sofrer o martírio e converter–me à maldita religião de Maomé. Mas não teria sofrido o martírio, porque me bastaria dizer àquela montanha: marcha e esmaga o carrasco, para que ela se pusesse logo em movimento e o esmagasse como a uma barata, e eu teria me retirado como se de nada se tratasse, glorificando e louvando a Deus. Mas se naquele momento já o tivesse tentado e gritado à montanha: esmaga os carrascos, sem que ela me obedecesse, como então, diga–me, não teria eu duvidado naquela hora terrível de pavor mortal? Fora isto, já sei que não obterei inteiramente o reino dos céus (porque se a montanha não se moveu à minha voz é que minha fé não goza de muito crédito lá em cima e que a recompensa, que me espera no outro mundo não é bastante elevada), por que, pois, ainda por cima, deveria me deixar esfolar sem nenhum proveito? Porque, mesmo esfolado até a metade das costas, minhas palavras ou meus gritos não deslocariam aquela montanha. Num tal minuto, não somente a dúvida pode invadir–nos, mas o medo pode tirar–nos a razão, e impedir–nos de decidir. Por consequência, sou tão culpado assim se salvo pelo menos a pele, não vendo em parte alguma um proveito, ou uma recompensa? Assim, confiante na misericórdia divina, espero ser inteiramente perdoado...

VIII / Saboreando o conhaque

A discussão chegara ao fim, mas, coisa estranha, Fiódor Pávlovitch, tão alegre até então, ensombreceu–se. Serviu–se de mais um copo de conhaque, o que já era demais.

— Vão–se embora, jesuítas, fora daqui! — gritou ele para os criados. — Vai–te, Smierdiákov, receberás hoje o ducado prometido. Não te desoles, Grigóri, vai procurar Marfa, ela te consolará, cuidará de ti. Esses canalhas não nos deixam descansar — disse ele, de mau–humor, quando os criados saíram obedecendo–lhe às ordens. — Smierdiákov vem agora aqui todos os dias depois do jantar. És tu que o atrais, que o tratas com mimos? — perguntou ele a Ivan Fiódorovitch.

— Claro que não — respondeu este.— Deu–lhe na veneta mostrar respeito por mim, é um lacaio, um pulha. Fará parte da vanguarda, quando o momento chegar.

— Da vanguarda?

— Haverá outros e melhores, mas haverá muitos como ele.

— E quando chegará o momento?

— O foguete arderá, mas talvez não até o fim. No momento, o povo não gosta de ouvir esses queima–panelas.

— Com efeito, aquela burra de Balaão pensa que não acaba mais, e Deus sabe até onde isso pode ir.

— Ele armazena ideias — observou Ivan, sorrindo.

— Estás vendo? Sei que ele não pode me tolerar, nem a mim nem aos outros, e a ti em primeiro lugar, se bem que creias que "lhe deu na veneta mostrar respeito por ti". E quanto a Aliócha, ele despreza Aliócha. Mas não é ladrão, nem falador; não sai espalhando coisas; faz excelentes pastéis de peixe... Ah! afinal que o diabo o leve! Vale a pena falar dele?

— Decerto que não.

— E, quanto ao que ele pensa lá consigo, é preciso em geral chicotear o mujique russo. Sempre foi minha opinião. Nosso mujique é um velhaco, indigno de compaixão, e fazem bem em bater–lhe por vezes ainda agora. É a bétula que faz a força da terra russa, e ela perecerá com as florestas. Sou a favor das pessoas de espírito. Deixamos de bater nos mujiques, por liberalismo, mas eles continuam a chicotear a si mesmos. E fazem bem. "Com a medida com que medirdes, vos medirão a vós."[36] É bem isto, não é? ... Meu caro, se soubesses como odeio a Rússia... isto é, não a Rússia, mas todos os seus vícios... e talvez a Rússia. Tout cela; c'est de la cochonnerie.[37] Sabes o que amo? Amo o espírito.

— O senhor serviu–se outro copo. Já bebeu bastante.

— Espera, tomarei ainda dois e acabou–se. Mas me interrompeste. De passa-

---

36 São Marcos, c. IV, v. 24.
37 Tudo isso é porcaria.

gem por Mókroie, conversei um dia com um velho, que me disse: "Gostamos, mais do que tudo, de condenar as moças a açoites, e encarregamos os rapazes de executar a sentença. Em seguida, o rapaz toma como noiva aquela a quem chicoteou, de modo que se tornou isso um costume entre nós para as moças". Que sádicos, hem? Digam o que disserem, é engraçado. Se fôssemos ver isso, hem? Aliócha, ficas corado? Não te envergonhes, meu filho. É pena que não tenhas ficado hoje para jantar com o Padre Abade. Teria falado aos monges a respeito das moças de Mókroie. Aliócha; não me queiras mal por ter ofendido o Padre Abade. A cólera arrebata–me. Porque, se há um Deus, se ele existe, evidentemente sou culpado então, e responderei por isso, mas se ele não existe, há necessidade ainda desses teus padres? Não seria demais se lhes cortassem a cabeça, porque eles impedem o progresso. Tu acreditas, Ivan, que isso me atormenta? Não, tu não acreditas, vejo–o nos teus olhos. Acreditas que não sou senão um palhaço, como se pretende. Aliócha, acreditas nisso, acreditas?

— Não, não acredito.

— E eu estou persuadido de que falas sinceramente e que vês com justeza. Não é como Ivan. Ivan é presunçoso... No entanto, gostaria de acabar com o teu mosteiro. Seria preciso suprimir duma vez essa engenhoca mística em toda a terra russa, para converter todos os imbecis à razão. Quanto dinheiro e quanto ouro afluíram para o Tesouro!

— Mas por que suprimir os mosteiros? — perguntou Ivan.

— A fim de que a verdade resplandeça mais depressa.

— Quando essa verdade resplandecer, primeiro irão despojá-lo, depois... vão suprimi-lo.

— Ora! Mas talvez tenhas razão. Que asno sou! — exclamou Fiódor Pávlovitch, coçando a testa. — Paz ao teu mosteiro, Aliócha, se é assim. Nós, pessoas de espírito, ficamos no quente e bebemos conhaque. É sem dúvida a vontade expressa de Deus. Ivan, dize–me; há um Deus, sim ou não? Espera, responde–me seriamente! Por que ris ainda?

— Rio de sua observação espirituosa a respeito da fé que revelou Smierdiákov a respeito dos dois eremitas capazes de mover montanhas.

— É a mesma coisa?

—Totalmente.

— Pois bem, por consequência, sou também um homem russo, com a mesma característica russa, e tu, filósofo, podes ser apanhado com uma característica do mesmo gênero. Queres que te apanhe? Apostemos que será amanhã. Mas dize–me, no entanto, há um Deus ou não? Somente é preciso que me fales seriamente.

— Não, não há Deus.

— Aliócha, Deus existe?

— Sim, existe.

— Ivan, há imortalidade? Por pequena que seja, por mais modesta?

— Não, não há.

— Nenhuma?

— Nenhuma.

— Quer dizer, um zero absoluto, ou uma parcela? Não haveria uma parcela?

— Um zero absoluto.

—Aliócha, há imortalidade?

— Sim.

— Deus e a imortalidade juntos?

—Sim. É em Deus que repousa a imortalidade.

—Hum! Deve ser Ivan quem tem razão. Senhor, quando se pensa quanto de fé e de energia essa quimera tem custado ao homem, em pura perda, desde milhares de anos! Quem, pois, zomba assim da humanidade? Ivan, pela derradeira vez e categoricamente: há um Deus, sim ou não?

— Não, pela derradeira vez.

—Quem, pois, zomba do mundo, Ivan?

— O diabo, provavelmente — escarneceu Ivan.

—O diabo existe?

—Não, não existe.

— Tanto pior. Não sei o que eu teria feito ao primeiro fanático que inventou Deus. Enforcá–lo seria insuficiente!

— Sem essa invenção, não haveria civilização.

— Deveras? Sem Deus?

— Sim. E não haveria conhaque tampouco. Vai ser preciso retirá–lo.

— Espera, espera! Ainda um copito! Ofendi Aliócha. Não me queres mal, não é, meu queridinho Alieksiéitchik?[38]

— Não, não lhe quero mal. Conheço seus pensamentos. Seu coração vale mais que sua cabeça.

— Meu coração vale mais que minha cabeça? De quem são essas palavras? Ivan, gostas de Aliócha?

— Sim, amo–o.

— Ama–o (Fiódor Pávlovitch estava meio embriagado). Escuta, Aliócha, fui grosseiro há pouco com teu *stáriets,* mas estava superexcitado. É um homem inteligente, que achas, Ivan?

— Poderia ser.

— Decerto, *il y a du Piron là–dedans.*[39] É um jesuíta russo. A necessidade de representar a comédia, de usar uma máscara de santidade, indigna–o interiormente, porque é um caráter nobre.

— Mas ele crê em Deus.

— Nem um copeque. Não o sabias? Ele mesmo fala disso a todo mundo, ou antes a todas as pessoas inteligentes que vão vê–lo. Declarou sem rebuços ao Governador Schultz: "Creio, mas ignoro em quê".

— É mesmo?

— É textual. Mas tenho-lhe estima. Há nele alguma coisa de Mefistófeles, ou melhor, do *Um herói de nosso tempo...*[40] Arbiénin, é este mesmo seu nome?... Vês tu? É um sensual, e a tal ponto que não estaria tranquilo, mesmo agora, se minha mulher, ou minha filha fossem confessar–se com ele. Quando ele começa a contar,

---

38 Diminutivo carinhoso de Alieksiéi.

39   Há Piron dentro disso. Alexis Piron (1689–1773), célebre poeta francês autor da comédia *La métromanie.* Compôs também grande número de sátiras, canções e epigramas espirituosos, e a maioria das vezes licenciosos.

40   Famoso romance de Mikhail Iúrievitch Liérmontov (1814-1841). As narrações desta obra custaram-lhe um duelo, em que perdeu a vida.

se tu soubesses... Há três anos, convidou–nos a tomar chá, com licores (porque as damas enviam–lhe licores); pôs–se a descrever sua vida de outrora, de modo que a gente só faltava morrer de rir... e como teve de avir–se para curar uma senhora... "Se não tivesse dor nas pernas, disse ele, dançaria para vocês certa dança." Hem? Que sujeito! "Eu também levei vida alegre", acrescentou ele. Extorquiu sessenta mil rublos ao negociante Diemídov.

— Como? Roubando–o?

— O outro havia–os confiado a ele, acreditando que fosse um homem de honra. "Guarde–os para mim, amanhã vão passar minha casa em revista." O santo homem guardou tudo. "Tu os deste para a Igreja", disse ele. Disse–lhe que ele era um tratante. "Não, replicou ele, mas tenho ideias largas..." De resto, é de um outro que se trata. Confundi... sem dar por isso. Ainda um copinho e pronto. Leva a garrafa, Ivan. Por que não me detiveste nas minhas mentiras?

— Sabia que o senhor mesmo se deteria.

— É falso, somente por maldade não disseste nada. No fundo, tu me desprezas. Vieste à minha casa para mostrar teu desprezo.

— Vou–me embora; o conhaque começa a subir–lhe à cabeça.

— Pedi–te insistentemente que fosses passar um ou dois dias em Tchermachniá, mas não fizeste caso.

— Partirei amanhã, já que faz tanta questão.

—Não há perigo. Queres espionar–me; tal é teu propósito, maldito, e o que te retém aqui.

O velho não se acalmava. Estava naquele ponto em que certos bêbedos, até então pacíficos, fazem de repente questão de se mostrarem malvados.

— Que tens para me olhares assim? Teus olhos me dizem: "Vil beberrão". Revelam desconfiança e desprezo. És um velhaco astuto. O olhar de Aliócha resplandece. Ele não me despreza. Alieksiéi, cuida de não amar Ivan.

— Não se zangue contra meu irmão! Basta de ofendê–lo — proferiu Aliócha, num tom firme.

— Pois bem, seja! Ah! que dor de cabeça! Ivan, leva o conhaque, pela terceira vez te digo. — Pôs–se a pensar e mostrou de súbito um sorriso astuto. — Não te zangues, Ivan, contra um pobre velho. Não gostas de mim, eu sei, mas não te zangues. Não há razão para amar–me. Partirás para Tchermachniá, irei encontrar–te lá e te levarei um presente. Lá vou te mostrar uma mocinha, atrás de quem ando há muito tempo. Anda ainda descalça, mas não tenhas medo das moças descalças, não se deve desprezá–las, elas são umas pérolas!...

E estalou um beijo na mão.

— Para mim — animou–se subitamente, como que desembriagado por um instante, abordando seu tema favorito –, para mim... Ah! meus filhos, meus leitõezinhos... para mim... jamais encontrei uma mulher feia, eis minha máxima! Compreendem? Não, não podem. Não é sangue, é leite que corre nas veias de vocês, ainda não quebraram a casca completamente! Na minha opinião, pode–se encontrar em toda mulher algo de muito interessante, que lhe é particular, somente é preciso saber descobri–lo, eis o *quid!* É um talento! Para mim nunca houve feionas. Basta o sexo e é já muito... Mas isto está fora do alcance de vocês! Até mesmo entre as solteironas velhas, encontram–se por vezes encantos tais, que a gente pergunta a si mesmo como é que imbecis puderam deixá–las envelhecer sem as notar! É preciso em primeiro lugar surpreender uma dessas que andam descalças, é assim que se deve fazer. Não sabias? É preciso que ela fique maravilhada e confusa por ver um *barin*[41] amoroso do focinhozinho dela. Por sorte, há e sempre haverá senhores para tudo ousar e criadas para obedecer–lhes. Basta isto para felicidade da existência! A propósito, Aliócha, sempre causei espanto à tua defunta mãe, mas duma outra maneira. Por vezes, depois de havê–la privado de carícias, expandia–me diante dela num momento dado, caía a seus joelhos, beijando–lhe os pés, e sempre lhe provocava uma risadinha convulsiva, aguda mas sem estrépito. Ela não ria de outra forma. Sabia que sua crise começava sempre assim, que no dia seguinte ela gritaria como uma possessa, e que aquela risadinha só exprimia a aparência de um entusiasmo; mas era sempre isto! A gente sempre encontra; quando sabe procurar. Um dia, um tal Bieliávski, um rico bonitão, que lhe fazia a corte e frequentava nossa casa, esbofeteou–me na presença dela. Mansa como um carneiro, pensei que ela ia bater–me: "Tu foste batido, ele te esbofeteou! — dizia ela. — Tu me vendias a ele... Como ele ousou, na minha presença? Trata de não me aparecer, corre a desafiá–lo a um duelo!...". Conduzi–a então ao mosteiro, onde rezaram sobre ela para acalmá–la, mas, juro–te perante Deus, Aliócha, jamais ofendi a minha pequena endemoniada. Uma vez somente, foi no primeiro ano de nosso casamento, ela rezava demais, observava estritamente as festas da Virgem, e recusava–me a entrada de seu quarto. Vou curá–la de seu misticismo! — eu pensava. "Vês — disse — este ícone que tens como milagroso? Tiro–o, vou cuspir em cima dele na tua presença e nenhum castigo sofrerei!" Meu Deus, ela vai matar–me — digo a mim mesmo. Ela, porém, teve apenas um sobressalto, juntou as mãos, ocultou seu rosto, foi tomada dum tremor e caiu sobre o soalho... Aliócha! Aliócha! Que tens? Que tens?

O velho levantou–se, aterrorizado. Desde que se começou a falar de sua mãe, o rosto de Aliócha alterava–se pouco a pouco; corou, seus olhos cintilaram, seus lábios tremeram... O velho bêbedo nada notara, até o momento em que Aliócha teve uma crise estranha, reproduzindo, traço por traço, o que acabava ele de contar a respeito da "endemoniada". De súbito, levantou–se da mesa, exatamente como sua mãe, de acordo com a narrativa, juntou as mãos, ocultou o rosto, deixou–se cair sobre sua cadeira, todo sacudido por uma crise de histeria, acompanhada de lágrimas silenciosas.

— Ivan! Ivan! Água, depressa! Completamente como a mãe dele. Tira água com a colher grande e asperge–o, como eu fazia com ela, É por causa de sua mãe, por causa de sua mãe... — murmurou ele a Ivan.

— Sua mãe era também a minha, suponho, que pensa o senhor? — Ivan não pôde impedir–se de dizer, com um desprezo cheio de cólera. Seu olhar faiscante fez o velho estremecer. Coisa estranha, por um instante, o velho pareceu perder de vista que a mãe de Aliócha era também a de Ivan...

— Como, tua mãe? — murmurou, sem compreender. — Por que dizes isto? A propósito de que mãe? Será que ela... Ah! diabo! é também a tua! Pois bem, onde tinha eu a cabeça? Desculpa–me, mas eu acreditava, Ivan... Eh! eh! eh! — Parou, com um sorriso idiota de bêbedo. No mesmo instante, um barulho reboou no vestíbulo, gritos furiosos se elevaram, a porta abriu–se e Dimítri Fiódorovitch irrompeu na sala. O velho apavorado precipitou–se para Ivan:

---

41   Senhor. Tratamento respeitoso dado outrora às pessoas da classe privilegiada. Atualmente, emprega–se no sentido irônico de comodista, preguiçoso.

OS IRMÃOS KARAMÁZOVI

— Ele vem matar–me! Não me entregues! — exclamou ele, agarrado às abas do paletó de Ivan.

IX / Os sensuais

Grigóri e Smierdiákov acorriam atrás de Dimítri. No vestíbulo, tinham lutado com ele, para impedi–lo de entrar (de conformidade com as instruções dadas por Fiódor Pávlovitch alguns dias antes). Aproveitando–se do fato de Dimítri Fiódorovitch, ao penetrar na sala, ter parado um minuto para orientar–se, Grigóri deu volta à mesa, fechou os dois batentes da porta do fundo, que dava para os aposentos interiores e conservou–se diante dessa porta, de braços estendidos em cruz, pronto a defender–lhe a entrada até o derradeiro suspiro. Vendo isso, Dimítri rugiu mais do que gritou e precipitou–se contra Grigóri.

— Então ela está aí! Foi lá que a esconderam! Para trás, patife!

Quis afastar Grigóri, mas este o repeliu. Louco de raiva, Dimítri ergueu a mão e golpeou Grigóri com toda a sua força. O velho caiu como que ceifado e Dimítri, pulando por cima de seu corpo, forçou a porta. Smierdiákov, pálido e tremendo, ficara na outra extremidade da mesa, apertado contra Fiódor Pávlovitch.

— Ela está aqui — gritou Dimítri Fiódorovitch. — Acabo de vê–la dirigir–se para esta casa, mas não pude alcançá–la. Onde ela está? Onde ela está?

Aquele grito de "ela está aqui" causou uma impressão inexplicável em Fiódor Pávlovitch; todo o seu pavor desapareceu.

— Detenham–no, detenham–no! — guinchou ele, precipitando–se no encalço de Dimítri. Enquanto isso, Grigóri havia–se levantado, mas ainda estava zonzo. Ivan Fiódorovitch e Aliócha correram para deter seu pai. No quarto vizinho, ouviu-se o barulho de um objeto que caía e quebrava. Era um grande vaso de vidro (de pouco valor), sobre um pedestal de mármore em que Dimítri tropeçara ao passar.

— Socorro! — urrou o velho.

Ivan e Aliócha alcançaram–no e arrastaram–no à força para a sala de jantar.

— Por que o persegue? Ele seria capaz de matá–lo! — exclamou com cólera Ivan Fiódorovitch.

— Vânia, Aliócha! Ela está aqui, Grúchenhka; ele mesmo disse que a viu entrar.

Fiódor Pávlovitch perdia o fôlego. Não esperava Grúchenhka naquela ocasião e a notícia imprevista de sua presença perturbava sua razão. Estava todo tremente, como que perdera o espírito.

— O senhor mesmo viu que ela não veio — gritou Ivan.

— Mas talvez pela outra entrada?

— Está fechada essa entrada, e o senhor tem a chave...

Dimítri tornou a aparecer na sala de jantar. Naturalmente, havia encontrado aquela entrada fechada e era mesmo Fiódor Pávlovitch que tinha a chave dela em seu bolso. Todas as janelas estavam igualmente fechadas; Grúchenhka não pudera, pois, entrar nem sair por nenhuma via de acesso.

— Detenham–no! — vociferou Fiódor Pávlovitch, assim que avistou Dimí-tri. — Roubou dinheiro no meu quarto de dormir! — Arrancando–se dos braços de Ivan, lançou–se de novo contra Dimítri. Este ergueu as mãos e, agarrando o velho pelos dois únicos tufos de cabelo que lhe restavam nas têmporas, o fez dar uma pirueta e atirou–o violentamente no soalho. Deu–lhe ainda dois ou três golpes com o tacão no rosto, quando ele estava caído. O velho lançou um gemido agudo. Ivan, embora mais fraco que Dimítri, agarrou–o pelo braço e afastou–o do velho. Aliócha, ajudando–o com todas as suas forças, agarrara seu irmão pela frente.

— Louco, tu o mataste! — gritou Ivan.

— Tem o que merece! — exclamou Dimítri, ofegante — Se não morreu, volta-rei. Vocês não o resguardarão.

— Dimítri, fora daqui agora mesmo! — gritou imperiosamente Aliócha.

— Alieksiéi! Só tenho confiança em ti; dize–me se Grúchenhka estava aqui há pouco ou não. Eu mesmo a vi costear a sebe e desaparecer nesta direção. Chamei–a, ela fugiu...

— Juro–te que ela não estava aqui e que ninguém a esperava!

— Mas eu a vi... portanto ela... Saberei agora mesmo onde ela está... Adeus, Alieksiéi! Nem uma palavra a Esopo a respeito do dinheiro, mas vai imediatamente à casa de Katierina Ivânovna e dize–lhe: "Ele me ordenou que a saudasse, precisa-mente que a saudasse e tornasse a saudar!". Descreve–lhe a cena.

Enquanto isso, Ivan e Grigóri tinham levantado e instalado o velho numa pol-trona. Seu rosto estava ensanguentado, mas não perdera os sentidos. Parecia–lhe sempre que Grúchenhka se encontrava em alguma parte da casa. Dimítri lançou–lhe um olhar de ódio ao retirar–se.

— Não me arrependo de ter derramado teu sangue! — exclamou ele. — Toma cuidado, velho, vigia teu sonho, porque eu também tenho um. Eu mesmo te maldi-go e te renego para sempre...

Lançou–se para fora da sala.

— Ela está aqui, ela está certamente aqui — estertorou o velho com uma voz mal perceptível, fazendo sinal a Smierdiákov.

— Não, ela não está aqui, velho insensato — gritou com raiva Ivan. — Bem! ei–lo que desmaia! Água, um guardanapo! Apressa–te, Smierdiákov!

Smierdiákov correu a buscar água. Depois que lhe tiraram a roupa, levaram o velho para o quarto de dormir e deitaram–no na cama. Cercaram–lhe a cabeça com um guardanapo molhado. Enfraquecido pelo conhaque, pelas emoções violentas e pelos golpes, ele fechou os olhos e adormeceu assim que pousou a cabeça no traves-seiro. Ivan Fiódorovitch e Aliócha voltaram ao salão. Smierdiákov retirou os cacos do vaso partido. Grigóri mantinha–se perto da mesa, sombrio, de cabeça baixa.

— Devias também molhar tua cabeça e deitar–te — disse–lhe Aliócha. — Nós cuidaremos dele; meu irmão golpeou–te violentamente a cabeça.

— Ele ousou! — proferiu Grigóri, com ar sombrio.

— Ousou também contra seu pai, não somente contra ti! — observou Ivan, com os lábios contraídos.

— Lavei–o pequenino na gamela e ele ousou! — repetiu Grigóri.

— Com os diabos! Se eu não o tivesse retido, era capaz de matá-lo. Pouco fal-tou a Esopo para morrer — murmurou Ivan a Aliócha.

— Que Deus o preserve! — exclamou Aliócha.

— Por quê? — continuou Ivan, no mesmo tom, com o rosto numa contração de ódio. — Que os reptis se devorem entre si, tal é seu destino!

Aliócha estremeceu.

— Bem entendido, não deixarei que se dê um assassinato, como fiz agora. Fica aqui, Aliócha, vou andar no pátio, começo a ter dor de cabeça.

Aliócha foi para o quarto de dormir e ficou uma hora à cabeceira de seu pai, por trás do biombo. De súbito, o velho abriu os olhos e olhou-o muito tempo em silêncio, esforçando-se visivelmente por coordenar suas lembranças. Uma agitação extraordinária pintou-se em seu rosto.

— Aliócha — cochichou ele, apreensivo —, onde está Ivan?

— No pátio; está com dor de cabeça. Está nos guardando.

— Dá-me o espelhinho que está ali.

Aliócha entregou-lhe um espelhinho oval, que se achava sobre a cômoda. O velho mirou-se nele. O nariz estava bastante inchado e, na testa, acima da sobrancelha esquerda, via-se uma equimose roxa.

— Que diz Ivan? Aliócha, meu querido, meu único filho, tenho medo de Ivan; tenho mais medo dele do que do outro. Só, de ti é que não tenho medo.

— Não tenha medo tampouco de Ivan; ele se zanga, mas o defenderá.

— Aliócha, e o outro? Correu para a casa de Grúchenhka? Meu anjo, dize-me a verdade: Grúchenka estava ainda há pouco aqui ou não?

— Ninguém a viu! É uma ilusão, ela não estava ali!

— Mítia quer casar com ela, sabes?

— Ela não quererá.

— Ela não quererá, ela não quererá a preço nenhum — exclamou o velho, fremente de alegria, como se nada lhe pudessem dizer de mais agradável no momento. No seu entusiasmo, agarrou a mão de Aliócha e a apertou contra seu coração. Lágrimas mesmo brilharam em seus olhos. — Toma essa imagem da Virgem de que falei ainda há pouco, leva-a contigo. E permito que voltes ao mosteiro... Estava brincando, não te zangues. A cabeça me dói, Aliócha... tranquiliza-me, sê meu bom anjo, dize a verdade!

— Sempre a mesma ideia, se ela veio ou não — disse tristemente Aliócha.

— Não, não, acredito em ti. Mas vai à casa de Grúchenhka, ou procura vê-la; pergunta-lhe o mais breve possível — penetra seu segredo — quem ela prefere, ele ou eu? Podes ou não?

— Se a encontrar, faço-lhe a pergunta — murmurou Aliócha, confuso.

— Não, ela não dirá — interrompeu o velho —, é uma criança terrível. Começará por beijar-te, dizendo que é a ti que ela quer. É astuta e descarada, não, não podes ir à casa dela.

— Com efeito, meu pai, não ficaria bem de jeito nenhum.

— Aonde te enviava ele, ainda há pouco, quando gritou: "Vai", ao retirar-se?

— À casa de Katierina Ivânovna.

— Para lhe pedir dinheiro?

— Não, para isso não.

— Ele não tem dinheiro, nem um copeque. Escuta, Aliócha, refletirei durante a noite. Vai–te... talvez a encontres. Vem ver–me amanhã de manhã sem falta. Tenho alguma coisa para dizer–te. Virás?

— Virei.

— Terás o ar de vir saber notícias de mim. Não digas a ninguém que te chamei. Nem uma palavra a Ivan.

— Está entendido.

— Adeus, meu anjo. Tomaste minha defesa, ainda há pouco, não o esquecerei nunca. Vou te dizer uma coisa amanhã... mas isto exige reflexão.

— Como se sente agora?

— Amanhã estarei de pé, completamente restabelecido, de perfeita saúde!...

No pátio, Aliócha encontrou Ivan sentado em um banco, perto do portão; anotava qualquer coisa a lápis no seu caderno. Aliócha informou–o de que o velho recuperara os sentidos e deixava que ele passasse a noite no mosteiro.

— Aliócha, sentiria grande prazer em ver–te amanhã de manhã — disse Ivan, num tom amável, de todo inesperado para Aliócha.

— Amanhã estarei em casa das Senhoras Khokhlakovi, talvez também em casa de Katierina Ivânovna, se não a encontrar em casa agora.

— Vais lá mesmo? É para "saudá–la, saudá–la" — pilheriou Ivan.

Aliócha perturbou–se.

— Penso ter compreendido as exclamações de Dimítri e um pouco o que se passou. Ele pediu que fosse vê–la para dizer–lhe que ele... pois bem... numa palavra, para despedir–se.

— Meu irmão, como terminará esse pesadelo para Dimítri e para nosso pai? — exclamou Aliócha.

— É difícil adivinhá–lo. Talvez dê tudo em nada. Aquela mulher é um monstro. Em todo caso, é preciso que o velho fique em casa e que Dimítri aqui não entre.

— Meu irmão, permite–me ainda uma pergunta. Pode dar–se que cada qual tenha o direito de julgar seus semelhantes e de decidir quem é digno de viver e quem não é?

— Que vem fazer aqui a apreciação dos méritos? O coração humano não se baseia sobre os méritos para resolver essa questão, mas sobre outros motivos bem mais naturais. Quanto ao direito, quem, pois, não tem o direito de desejar?

— Não a morte de outrem.

— E por que não a morte? De que serve mentir a si mesmo, quando todos vivem assim e sem dúvida não podem viver de outro modo? Pensas no que disse ainda há pouco, que "os dois reptis se devoram um ao outro"? Crês–me capaz, como Dimítri, de derramar o sangue de Esopo, de matá–lo, enfim?

— Que dizes, Ivan? Jamais me veio tal ideia! E não creio que Dimítri...

— Obrigado— disse Ivan, sorrindo. — Fica sabendo que o defenderei sempre. Mas no caso particular, deixo o campo livre a meus desejos. Até amanhã. Não me julgues, não me olhes como a um celerado — acrescentou.

Apertaram–se as mãos mais cordialmente do que jamais o fizeram. Aliócha compreendeu que seu irmão se aproximava dele com um certo fim, intencionalmente.

X / Os dois juntos

Aliócha saiu da casa de seu pai mais abatido e mais acabrunhado do que à sua chegada. Suas ideias eram fragmentárias, confusas; ele próprio se dava conta de que temia reuni-las, tirar uma conclusão geral das contradições dolorosas de que se compusera aquele dia. Experimentava um sentimento vizinho do desespero, o que jamais lhe acontecera. Uma questão dominava as outras, fatal e insolúvel: que aconteceria a seu pai e Dimítri em presença daquela mulher terrível? Vira-os engalfinhados. O único verdadeiramente infeliz era seu irmão Dimítri; a fatalidade o tocaiava. Outros encontravam-se misturados a tudo isso e talvez mais do que parecia antes a Aliócha. Era enigmático. Ivan dera os primeiros passos em sua direção, esperados desde muito tempo, e agora ele sentia certa apreensão. Outra coisa estranha: enquanto que antes ia à casa de Katierina Ivânovna numa extraordinária perturbação, nenhuma sentia agora; apressava-se mesmo, como se esperasse dela uma indicação. No entanto, o recado era ainda mais penoso de dar: a questão dos três mil rublos estava liquidada e Dimítri, sentindo-se definitivamente desonrado, cairia cada vez mais baixo. Além disso, devia Aliócha narrar a Katierina Ivânovna a cena que acabava de desenrolar-se em casa de seu pai.

Eram sete horas e a noite estava a cair, quando Aliócha chegou à casa de Katierina Ivânovna, que morava num prédio vasto e confortável da Rua Grande. Sabia que ela vivia com duas tias. Uma, a tia de sua irmã Agáfia Ivânovna, era aquela pessoa silenciosa que tomara conta dela depois que saíra do internato. A outra era uma senhora de Moscou, bastante digna, mas sem fortuna. Sabia-se que as duas senhoras se submetiam em tudo a Katierina Ivânovna é só permaneciam em sua companhia para manter o decoro. Katierina Ivânovna só dependia de sua benfeitora, a generala, cuja saúde a retinha em Moscou e a quem ela estava obrigada a dar, duas vezes por semana, notícias suas pormenorizadas.

Quando Aliócha, no vestíbulo, fez-se anunciar pela arrumadeira que lhe abrira a porta, sabia-se já no salão de sua chegada, evidentemente (talvez o tivessem visto pela janela) ; o fato é que ele ouviu rumor, passos precipitados ressoaram com um frufru de vestidos, duas ou três mulheres teriam saído correndo. Aliócha achou estranho que sua chegada produzisse tal agitação. Fizeram-no entrar logo para o salão, uma grande peça mobiliada com elegância, que nada tinha de provinciana. Muitos canapés, divãs, poltronas, mesas e centros; quadros nas paredes, vasos e lâmpadas, um molho de flores, havendo mesmo um aquário, perto da janela. O crepúsculo ensombrecia a sala. Aliócha avistou em cima dum canapé uma mantilha de seda abandonada, e sobre a mesa, em frente, duas xícaras onde restava chocolate, biscoitos, uma taça de cristal com passas de uvas, outra com bombons. Vendo aquela refeição, Aliócha adivinhou que havia convidados e franziu o cenho. Mas logo o reposteiro se ergueu e Katierina Ivânovna entrou a passos rápidos, estendendo-lhe as duas mãos com alegre sorriso. Ao mesmo tempo, uma criada trouxe e colocou em cima da mesa duas velas acesas.

— Louvado seja Deus, ei-lo afinal! Rezei a Deus o dia inteiro para que você viesse! Sente-se.

A beleza de Katierina Ivânovna já havia impressionado Aliócha três semanas antes, quando Dimítri o levara à casa dela para apresentá-lo, porque ela desejava muito conhecê–lo. Não haviam conversado por ocasião daquela entrevista. Pensando que AlióCha estava muito acanhado, Katierina Ivânovna quis pô–lo à vontade e conversou todo o tempo com Dimítri. AlióCha mantivera–se em silêncio, mas observara muitas coisas. Impressionaram–no o porte nobre, a desenvoltura altiva, a segurança da orgulhosa moça. Seus grandes olhos negros e brilhantes pareceram–lhe em perfeita harmonia com a palidez mate de seu rosto oval. Mas seus olhos, seus lábios encantadores, por mais capazes que fossem de excitar o amor de seu irmão, não poderiam talvez retê–lo por muito tempo. Foi quase franco com Dimítri, quando este, após a visita, insistiu, rogando–lhe que não ocultasse a impressão que lhe causara sua noiva.

— Serás feliz com ela, mas talvez não uma felicidade calma.

— Meu irmão, mulheres como essa permanecem iguais a si mesmas, não se resignam diante do destino. De modo que, pensas que não a amarei sempre?

— Não, tu a amarás sempre, é possível, mas não serás talvez sempre feliz com ela...

AlióCha exprimira sua opinião corando, aborrecido por ter, para ceder aos rogos de seu irmão, formulado ideias tão "tolas", porque sua opinião lhe parecera a ele próprio bastante tola, logo que fora emitida. Tivera vergonha de haver–se exprimido tão categoricamente a respeito de uma mulher. Sua surpresa foi tanto maior sentindo, ao primeiro olhar lançado agora sobre Katierina Ivânovna, que então tinha talvez se enganado no seu julgamento. Desta vez o rosto da moça irradiava uma bondade ingênua e uma sinceridade ardente. Da "altivez e orgulho" de então, que haviam impressionado tanto AlióCha, não restava senão uma nobre energia, uma confiança serena e forte em si mesma. Ao primeiro olhar, às primeiras palavras, compreendeu AlióCha que o trágico de sua situação a respeito do homem a quem ela tanto amava não lhe escapava e que, talvez, já soubesse de tudo. E no entanto, apesar disso, seu rosto radiante exprimia a fé no futuro. AlióCha sentiu–se culpado perante ela, vencido e cativo ao mesmo tempo. Além disso, observou, às suas primeiras palavras, que ela se encontrava numa violenta agitação, talvez insólita nela, e que confinava mesmo com a exaltação.

— Eu o esperava, porque é só de você, agora, que posso saber toda a verdade.

— Vim... — gaguejou AlióCha— eu... ele me enviou.

— Ah! ele o enviou? Está bem. Pressentia isso. Agora, sei tudo, tudo — disse Katierina Ivânovna, com os olhos cintilantes. — Espere, Alieksiéi Fiódorovitch, vou dizer–lhe por que desejava tanto vê–lo. Sei muito mais do que você mesmo; não são notícias que reclamo de você. Quero saber de sua derradeira impressão sobre Dimítri, quero que você me conte o mais francamente, o mais grosseiramente que puder (oh! não se acanhe!), o que pensa dele agora e de sua situação depois da entrevista de vocês, hoje. Isto valerá talvez mais que uma explicação entre nós dois, uma vez que ele não quer mais vir ver–me. Compreendeu o que espero de você? Agora, por qual motivo o enviou? Fale francamente, não mastigue as palavras...

— Encarregou–me de... saudá–la, de dizer–lhe que não viria mais e de saudá–la...

— Saudar? Disse assim, foi assim que se exprimiu?

— Sim.

— Talvez se haja enganado, por acaso, e não empregou a palavra devida.

— Não, insistiu precisamente para que eu lhe repetisse essa palavra "saudar". Recomendou–a três vezes.

O sangue subiu ao rosto de Katierina Ivânovna.

— Ajude-me, Alieksiéi Fiódorovitch, tenho agora necessidade de você. Eis o que penso, diga-me se tenho ou não razão: se ele o tivesse encarregado de saudar-me, ligeiramente, sem insistir na transmissão da palavra, sem sublinhá-la, tudo estaria acabado. Mas se apoiou particularmente nesse termo, se lhe ordenou expressamente que me transmitisse essa "saudação", é que estava superexcitado, fora de si talvez. A decisão que tomou terá espatifado a ele próprio! Não me deixou com segurança, precipitou-se ladeira abaixo. O sublinhamento dessa palavra tem o sentido de uma bravata...

— É isto, é isto — afirmou Aliócha. — Tenho a mesma impressão.

— Neste caso, nem tudo está perdido! Está ele apenas desesperado, posso ainda salvá-lo. Ele não lhe falou de dinheiro, de três mil rublos?

— Não somente me falou deles, mas é talvez isso que mais o acabrunha. Disse que nada mais lhe importa agora, agora que perdeu sua honra — respondeu Aliócha que se sentia renascer para a esperança e entrevia a possibilidade de salvar seu irmão. — Mas sabe... de que dinheiro se trata? — acrescentou ele e de repente calou-se.

— Sei desde muito tempo e com certeza. Telegrafei, para Moscou onde nada tinham recebido. Ele não remeteu o dinheiro, mas eu me calei. Soube na última semana como ele estava necessitado... Só tenho um motivo em tudo isto: é que ele saiba a quem se dirigir e onde encontrar a amizade mais fiel. Mas ele não quer acreditar que seu mais fiel amigo sou eu; só considera a mulher, em mim. Atormentei-me a semana inteira: como fazer para que ele não core diante de mim por ter gasto esses três mil rublos? Que ele se envergonhe diante de todos e se envergonhe de si mesmo, mas não diante de mim! Como ele ignora até este momento tudo quanto posso suportar por ele? Como ele pode me desconhecer, depois de tudo quanto se passou? Quero salvá-lo para sempre. Que deixe de ver em mim sua noiva! E teme pela sua honra para comigo? Mas não receia abrir-se a você, Alieksiéi Fiódorovitch. Por que não mereci ainda sua confiança?

Pronunciou estas derradeiras palavras com os olhos cheios de lágrimas.

— Devo relatar-lhe — disse Aliócha, com voz trêmula — a cena que ele acaba de ter com seu pai. — E contou tudo: como Dimítri o havia mandado pedir dinheiro, depois irrompera na casa, batera em Fiódor Pávlovitch e, na ocasião, recomendara com insistência a Aliócha que viesse "saudá-la". — Ele foi à casa daquela mulher... — acrescentou Aliócha, em voz baixa.

— Pensa que não suportarei sua ligação com aquela mulher? Ele também pensa, mas não casará com ela. — Soltou uma risadinha nervosa. — Será que um Karamázov pode queimar-se com um ardor eterno? É um entusiasmo passageiro, não é amor. Ele não casará com ela, porque ela não o quererá — disse, com o mesmo riso estranho.

— Ele se casará talvez com ela — disse tristemente Aliócha, de olhos baixos.

— Ele não se casará com ela, afirmo-lhe! Aquela moça é um anjo! Sabia? Sabia? — exclamou Katierina Ivânovna, com um calor extraordinário, — É a mais fantástica das criaturas. É sedutora, decerto, mas tem um caráter nobre e bom. Por que me olha desse jeito, Alieksiéi Fiódorovitch? Talvez minhas palavras lhe causem espanto, talvez não me acredite. Agrafiena Alieksándrovna, meu anjo — exclamou ela, de súbito, com os olhos voltados para a peça vizinha —, venha cá, este gentil rapaz está ao corrente de todos os nossos negócios, apareça, pois!

— Só esperava seu chamado — disse uma voz doce e até mesmo meliflua.

O reposteiro ergueu–se e... Grúchenhka em pessoa, risonha, alegre, caminhou para a mesa. Aliócha sentiu uma comoção. Os olhos fixos nela, não podia desviá–los de seu rosto. Ei–la, aquela mulher temível, "aquele monstro", como a chamara seu irmão Ivan meia hora antes. No entanto, ele tinha diante de si a criatura mais vulgar, mais simples à primeira vista, uma mulher encantadora e boa, bonita, decerto, mas parecendo–se com todas as mulheres bonitas "comuns". Na verdade, era até mesmo bela, bastante bela, uma beleza russa a que suscita tantas paixões. De estatura bastante elevada, sem igualar, no entanto, a de Katierina Ivânovna (que era muito alta), forte, com movimentos mansos e silenciosos, como que enlanguecidos numa doçura de acordo com sua voz. Adiantou-se, não como Katierina Ivânovna, mas com um passo firme e seguro, embora silencioso. Não fazia quase ruído ao andar. Deixou–se cair numa poltrona, com um rumor leve de seu elegante vestido de seda preta, cobriu friorentamente com um xale de lã seu pescoço branco como neve e seus largos ombros. Tinha vinte e dois anos e seu rosto indicava essa idade. Sua pele era muito branca, com um matiz de reflexos rosa–pálido, o oval do rosto um tanto largo, o maxilar inferior um pouco saliente. O lábio superior era delgado, o inferior, que avançava, duas vezes mais forte e túmido. Uma magnífica cabeleira castanha muito abundante, supercílios escuros, admiráveis olhos dum cinzento azulado de longos cílios: o mais indiferente, o mais distraído dos homens, perdido na multidão; passeando, não teria deixado de parar diante daquele rosto e de recordá–lo por muito tempo. O que mais impressionava Aliócha era sua expressão infantil e ingênua. Tinha ela um olhar e alegria de criança, aproximara–se da mesa verdadeiramente alvoroçada como se esperasse alguma coisa, curiosa e impaciente. Seu olhar alegrava a alma, Aliócha sentia. Havia ainda nela algo de que ele não teria podido ou sabido dar conta, mas que sentia talvez inconscientemente, aquela languidez de movimentos; aquela ligeireza felina de seu corpo, no entanto, vigoroso e gordo. Seu xale desenhava espáduas cheias, um firme busto de mulher jovem. Aquele corpo prometia talvez as formas da Vênus de Milo, mas já em proporções um tanto exageradas, adivinhava–se. Conhecedores da beleza russa, ao examinar Grúchenhka, teriam predito com certeza que, ao aproximar–se dos trinta anos, aquela beleza tão fresca ainda perderia sua harmonia, surgiriam alterações, o rosto se empastaria; rugas se formariam rapidamente na testa e em redor dos olhos; a tez murcharia, talvez ficasse vermelha; numa palavra, era a beleza do diabo, beleza efêmera, tão frequente na mulher russa. Aliócha, bem entendido, não pensava nisso, mas, embora sob o encanto, perguntava a si mesmo com mal–estar e como a contragosto: por que ela arrasta assim as palavras e não pode falar naturalmente? Grúchenhka achava decerto bonito aquele rotacismo e aquelas entonações cantantes. Não era senão um hábito de mau gosto, índice de uma educação inferior, duma falsa noção das conveniências. No entanto, aquela fala afetada parecia a Aliócha quase incompatível com aquela expressão ingênua e radiosa, aquele brilho dos olhos ridentes duma alegria de bebê. Katierina Ivânovna fizera–a sentar em frente de Aliócha e beijara várias vezes com entusiasmo seus lábios sorridentes. Parecia apaixonada por ela.

— Vemo–nos pela primeira vez, Alieksiéi Fiódorovitch — disse ela, encanta-da. — Queria conhecê–la, vê–la, ir à casa dela; ela mesma, porém, veio ao meu primeiro chamado. Estava certa de que arranjaríamos tudo! Meu coração pressentia-–o... Tinham–me rogado que desistisse desse passo, mas previa–lhe o resultado e não me enganei. Grúchenhka explicou–me todas as suas intenções; veio como um anjo bom trazer–me a paz e a alegria

— Você não me desdenhou, cara senhorita — disse Grúchenhka, com uma voz arrastada e seu doce sorriso.

— Evite dizer–me tais palavras, encantadora mágica! Desdenhá–la? Vou beijar mais uma vez seu lindo lábio. Tem o ar de estar intumescido, pois vou torná–lo mais intumescido ainda... Veja como ri, Alieksiéi Fiódorovitch, é uma alegria para o coração olhar esse anjo...

Alióchá corava e estremecia ligeiramente.

— Você está–me mimando, cara senhorita, mas não mereço talvez suas carícias.

— Não as merece! — exclamou com o mesmo calor Katierina Ivânovna. — Saiba, Alieksiéi Fiódorovitch, que temos aí uma cabeça fantasista, independente, mas um coração altivo, oh! muito altivo! É nobre e generosa, Alieksiéi Fiódorovitch, sabia? Era apenas infeliz, pronta inteiramente a sacrificar–se a um homem talvez indigno ou leviano. Havia um oficial a quem amava, deu–lhe tudo, há muito tempo isso, cinco anos, e ele a esqueceu, casou. Tendo ficado viúvo, escreveu; está a caminho, é a ele somente, fique sabendo, que ama e sempre amou! Ele chega, e Grúchenhka será de novo feliz, depois de ter sofrido durante cinco anos. Que se lhe pode censurar? Quem pode gabar–se de ter–lhe conquistado as belas graças? Aquele velho negociante impotente, mas era antes um pai, um amigo, um protetor; encontrou–a desesperada, atormentada, abandonada... Porque ela queria afogar–se, aquele velho a salvou, salvou–a!

— Você me defende demais, cara senhorita, vai um pouco longe demais — disse de novo, arrastadamente, Grúchenhka.

— Eu a defendo? Cabe a mim defendê–la, ousaríamos nós defendê–la? Grúchenhka, meu anjo, dê–me sua mão. Olhe essa mãozinha rechonchuda, essa deliciosa mãozinha, Alieksiéi Fiódorovitch; está vendo? Foi ela que me trouxe a felicidade, que me ressuscitou, vou beijá–la dos dois lados... assim, assim!

Beijou três vezes, como que arrebatada, a mão verdadeiramente encantadora, talvez demasiado rechonchuda, de Grúchenhka. Esta, com um riso nervoso e sonoro, consentia na carícia; mirava a "cara senhorita" e tinha prazer com aquilo... "Ela talvez, se exalte demasiado", pensou Alióchá. Corou, seu coração não estava tranquilo.

— Quer me fazer corar, cara senhorita, beijando assim minha mão diante de Alieksiéi Fiódorovitch.

— Mas foi minha intenção fazê–la corar? — proferiu Katierina Ivânovna um pouco admirada. — Ah! minha cara, como me compreende mal!

— Mas talvez não me compreenda tampouco, cara senhorita. Sou talvez pior do que pareço. Tenho coração mau, sou caprichosa. Foi somente para zombar do pobre Dimítri Fiódorovitch que o conquistei.

— Mas agora você o salvará, prometeu. Vai fazê-lo compreender, vai lhe revelar que desde muito tempo ama outro pronto a desposá–la...

— Oh não, não lhe prometi nada de semelhante. Foi você quem disse tudo isso e não eu.

— Compreendi–a mal então — declarou Katierina Ivanóvna, que baixou a voz e empalideceu ligeiramente. — Você prometeu...

— Ah! não, angélica senhorita, não lhe prometi nada — interrompeu–a Grúchenhka, com a mesma expressão alegre, tranquila, inocente. — Veja, digna senhorita, como sou má e voluntariosa. O que me agrada, faço, ainda há pouco talvez lhe haja feito uma promessa, e agora digo a mim mesma: se Mítia viesse a agradar–me de novo, porque já uma vez me agradou quase uma hora, talvez vá dizer–lhe que fique morando comigo a partir de hoje... Veja como sou inconstante...

— Ainda há pouco você falava de maneira totalmente diversa — murmurou Katierina Ivânovna.

— Sim, ainda há pouco! Mas tenho o coração terno, sou tola! Basta pensar em tudo quanto ele sofreu por mim; se, de volta para minha casa, tiver piedade dele, que acontecerá?

— Eu não esperava...

— Oh! senhorita, quanto é boa e nobre comparada comigo! E talvez, agora, vai deixar de amar–me vendo meu caráter. Dê–me sua bonita mão, angélica senhorita — pediu ela, tomando com respeito a mão de Katierina Ivânovna. — Vou beijar, sua mão, cara senhorita, como fez você à minha. Deu–me três beijos, deveria dar–lhe bem uns trezentos para ficar quite. Assim será, e depois, seja o que Deus quiser: talvez seja sua escrava e haverei de querer comprazê–la em tudo quanto Deus queira, sem convenção alguma nem promessas. Dê–me sua mão, sua linda mão, cara senhorita, bela entre todas!

Levou docemente aquela mão a seus lábios, com o fito estranho de "saldar a conta" dos beijos recebidos. Katierina Ivânovna não retirou sua mão. Havia escutado com tímida esperança a derradeira promessa de Grúchenhka, por mais estranhamente expressa que tivesse sido, de "comprazê–la em tudo"; olhava–a com ansiedade bem dentro dos olhos; via ali a mesma expressão ingênua e confiante, a mesma jovialidade serena.... "Ela é talvez demasiado ingênua!", disse a si mesma Katierina Ivânovna, num clarão de esperança. Entretanto Grúchenhka, encantada com aquela "linda mãozinha", levava–a lentamente aos lábios. Ia quase tocar–lhe, quando a reteve para refletir.

— Sabe, meu anjo — disse ela, arrastadamente, com sua voz mais melíflua –, feitas as contas, não lhe beijarei a mão. — E soltou uma risadinha alegre.

— Como queira... Que tem? — estremeceu Katierina Ivânovna.

— Lembre–se disso: você beijou minha mão, mas eu não beijei a sua.

Um clarão brilhou nos seus olhos. Fitava com obstinação Katierina Ivânovna.

— Insolente! — exclamou esta, que começava a compreender. Levantou–se vivamente, tomada de cólera. Sem se apressar, Grúchenhka fez o mesmo.

— Vou contar a Mítia que você beijou minha mão, mas que eu não quis beijar a sua. Isto vai fazê–lo rir.

— Fora daqui, canalha!

— Ah! que vergonha! É indecente de sua parte empregar tais palavras, cara senhorita.

— Fora daqui, fêmea vendida! — vociferou Katierina Ivânovna. Todo o seu rosto convulsionado tremia.

— Vendida, seja. Você mesma, mocinha, saía à noite à busca de dinheiro entre rapazes, traficando seus encantos; sei de tudo.

Katierina Ivânovna lançou um grito, quis atirar–se contra ela, mas Aliócha reteve–a com todas as suas forças.

— Não se mova, nem uma palavra! Não lhe responda, ela partirá agora mesmo!

As duas parentas de Katierina Ivânovna e a arrumadeira acorreram ao seu grito. Precipitaram–se para ela.

— Está bem! Vou–me embora — declarou Grúchenhka, tomando sua mantilha de cima do divã. — Aliócha, meu hem, acompanha–me!

— Vá–se o mais depressa possível — implorou Aliócha, de mãos juntas.

— Aliócha querido, acompanha–me. De caminho, vou te dizer uma palavra, algo de muito gentil! Foi por ti, Aliócha, que representei essa cena. Vem, meu caro, não o lamentarás ter vindo.

Aliócha voltou–se, torcendo as mãos. Grúchenhka saiu rindo, sonoramente.

Katierina Ivânovna teve um ataque de nervos; soluçava, espasmos sufocavam–na. Todos se mostravam solícitos em torno dela.

— Eu a havia prevenido — disse–lhe a mais velha das tias — e desaconselhado tal passo... você é demasiado viva... pode–se arriscar tal coisa? Você não conhece essas criaturas e dizem dessa que é a pior de todas... Você só faz o que lhe dá na cabeça!

— É uma tigresa! — vociferou Katierina Ivânovna. — Por que me reteve, Alieksiéi Fiódorovitch? Teria batido nela, batido...

Estava incapaz de conter–se diante de Alieksiéi, talvez mesmo não quisesse.

— Merecia ser chicoteada em público, pela mão do carrasco.

Alieksiéi aproximou–se da porta.

— Oh! meu Deus! — exclamou Katierina Ivânovna, juntando as mãos. — Mas ele! Pode ser tão desleal, tão inumano?! Porque foi ele que contou àquela criatura o que se passou naquele dia fatal e para sempre maldito! "Você ia traficar seus encantos, cara senhorita!" Ela sabe! Seu irmão é um canalha, Alieksiéi Fiódorovitch!

Aliócha quis dizer alguma coisa, mas não encontrou uma palavra sequer; seu coração cerrava–se a ponto de doer–lhe.

— Vá–se embora, Alieksiéi Fiódorovitch! Tenho vergonha, é horrível! Amanhã... Rogo–lhe, de joelhos, venha amanhã. Não me julgue, perdoe–me, não sei de que sou capaz! .

Aliócha saiu cambaleante. Também teve vontade de chorar; de repente a criada alcançou–o.

— A senhorita esqueceu de lhe entregar esta carta da Senhora Khokhlakova; estava com ela desde o jantar.

Aliócha pegou o pequeno envelope cor–de–rosa e meteu–o quase inconscientemente no bolso.

XI / Outra reputação perdida

Da cidade ao mosteiro era apenas uma versta. Alióchá caminhava rapidamente pela estrada, deserta àquela hora. Era quase noite e difícil, a trinta passos, distinguir os objetos. Em meio do caminho, no centro duma encruzilhada, elevava-se um salgueiro isolado, sob o qual percebia-se um vulto. Mal Alióchá chegara aquele local, o vulto destacou-se da árvore e lançou-se a ele, gritando:

— A bolsa ou a vida!

— Como, és tu, Mítia! — exclamou, espantado, Alióchá, bastante comovido.

— Ah! ah! não esperavas por isto, hem? Perguntava a mim mesmo onde esperar-te. Perto da casa dela? Há três caminhos que partem dali e eu podia não te encontrar. Tive a ideia afinal de esperar-te aqui, porque devias necessariamente passar por esta estrada, uma vez que não há outra para ir ao mosteiro. Pois bem, dize-me a verdade, esmaga-me como a uma barata... Que tens, então?

— Não é nada, irmão... É o medo. Ah! Dimítri! Ainda há pouco, esse sangue de nosso pai (Alióchá pôs-se a chorar, desde muito tinha vontade disso, parecia-lhe que alguma coisa se dilacerava dentro dele). Tu quase o mataste... tu o amaldiçoaste... e eis que agora... aqui... fazes brincadeira... a bolsa ou a vida!

— Ah! sim. Pois bem! É indecente? Não convém isto à situação?

— Oh não, dizia isto...

— Espera, olha essa noite; vê como está sombria, aquelas nuvens, esse vento que se levantou. Oculto sob o salgueiro, esperava-te e, de repente, disse a mim mesmo (Deus me seja testemunha!): "Que adianta sofrer ainda, por que esperar? Eis um salgueiro, tenho meu lenço e minha camisa, a corda , ficaria trançada em breve, com meus suspensórios ainda por cima... A terra ficaria livre de mim, não mais a desonraria com a minha presença!". E eis que ouço os teus passos. Senhor, foi como se um raio descesse sobre mim! "Há pois um homem a quem amo, ei-lo, esse homenzinho, o meu querido irmãozinho, a quem amo mais que tudo no mundo e é o único a quem amo!" Tão vivo era meu afeto, naquele minuto que pensei: "Vou atirar-me ao seu pescoço!". Mas veio-me uma ideia estúpida: "Para diverti-lo, vou fazer-lhe medo". E gritei como um imbecil: "A bolsa!". Perdoa minha tolice; é absurdo, mas no fundo da alma... sou bom... Pois bem! com o diabo! fala pois, que houve lá? Que foi que ela disse? Esmaga-me, bate-me, não me poupes! Ela está exasperada?

— Não... não é totalmente isto, Mítia. Encontrei as duas.

— Quais duas?

— Grúchenhka em casa de Katierina Ivânovna.

Dimítri ficou estupefato.

— É impossível! — exclamou. — Deliras! Grúchenhka em casa dela?

Numa narrativa despida de artifício, mas não de clareza, Alióchá expôs o essencial do que se passara, acrescentando-lhe suas próprias impressões. Seu irmão escutava-o em silêncio, fixando-o com um ar impassível, mas Alióchá via claramente que ele já havia compreendido tudo, elucidado todo o caso. À medida que a narrativa avançava, seu rosto tornava-se não sombrio, mas ameaçador. Franzia o cenho, de dentes cerrados, o olhar ainda mais fixo, mais terrível na sua obstinação... A mudança súbita que ocorreu em seu rosto encolerizado foi por isso mesmo totalmente inesperada; seus lábios crispados distenderam-se, e Dimítri Fiódorovitch explodiu na gargalhada, mais irresistível e mais franca. Ficou um bom momento sem poder falar, à força de rir.

— De modo que ela não lhe beijou a mão! Fugiu sem beijar–lhe a mão! — exclamou ele num arrebatamento mórbido, que se teria podido qualificar de impudente, se não fosse tão ingênuo. — E a outra chamou–a de tigresa? É uma mesmo! Devia subir ao cadafalso! Certamente, estou de acordo; deveriam tê–lo feito desde muito. Mas não é tudo, irmão, é preciso em primeiro lugar recuperar a saúde. Ela está toda inteira nesse beijo de mão, aquela rainha da impudência, aquela criatura infernal! É a rainha de todas as fúrias que se possam imaginar! De encher de entusiasmo, de certa maneira! Partiu para sua casa? Agora mesmo... corro até lá. Alióchca, não me acuses, convenho que seria pouco o estrangulá–la ...

— E Katierina Ivânovna? — perguntou tristemente Alióchca.

— Também a compreendo, como até agora tenho compreendido! É a descoberta das quatro partes do mundo, das cinco; quero dizer! Tal passo que deu! É bem a mesma Kátienhka, a pensionista que não receia ir ter com um oficial grosseiro, com o nobre desígnio de salvar seu pai, arriscando–se a ser insultada! Mas essa altivez, essa sede do perigo, esse desafio ao destino, até os derradeiros limites!... Sua tia, dizes, queria impedi–la? É uma mulher despótica, irmã daquela generala de Moscou; fazia muito embaraço, mas seu marido foi acusado de malversações, perdeu tudo, seus bens e o resto, sua orgulhosa esposa teve de baixar o tom. De modo que ela retinha Kátia, mas esta não a escutou? "Posso tudo vencer, tudo me é submetido, enfeitiçarei Grúchenhka, se quiser." Acreditava bem nisso, decerto, e forçou seu talento. De quem a culpa? Pensas que tenha sido intencionalmente que beijou por primeira a mão de Grúchenhka, por cálculo e por astúcia? Não, deixou–se enfeitiçar nada mais nada menos por Grúchenhka, isto é, não por ela, mas pelo seu sonho, pelo seu desejo, muito simplesmente, porque esse sonho, esse desejo eram os seus! Alióchca, como pudeste escapar a semelhantes mulheres? Fugiste; arrepanhando a batina, hem? Ah! ah! ah!

— Irmão, não pensaste, creio, na ofensa que fizeste a Katierina Ivânovna contando a Grúchenhka sua visita à tua casa; Grúchenhka lançou–lhe em rosto que "ela ia furtivamente traficar seus encantos". Há pior injúria, meu irmão?

A ideia de que seu irmão se rejubilava com a humilhação de Katierina Ivânovna atormentava Alióchca, embora sem razão, evidentemente.

— Ah! sim! — disse Dimítri, franzindo as sobrancelhas e batendo na testa. Somente agora se dava conta, se bem que Alióchca tivesse tudo contado ao mesmo tempo, a injúria e o grito de Katierina Ivânovna: "Seu irmão é um canalha!". — Sim, com efeito, devo ter falado a Grúchenhka daquele "dia fatal"; como diz Kátia. Deveras, contei–lhe, lembro–me! Foi em Mókroie, enquanto os ciganos cantavam; estava embriagado... Mas então eu soluçava, rezava de joelhos diante da imagem de Kátia. Grúchenhka compreendia–o, ela mesma chorava... Ah! diabos! poderia ser de outro modo agora? Naquele momento ela chorava, agora crava um punhal no coração. Eis as mulheres!

Pôs–se a refletir, de cabeça baixa.

— Sim, sou um verdadeiro canalha — proferiu ele, de súbito, com voz sombria. — Que tenha chorado ou não; tanto faz. Conta-lhe que aceito o qualificativo, se isto pode consolá–la. Pois bem! chega, de que serve tagarelar? Não é divertido.

Sigamos cada qual nossa estrada. Não quero mais rever–te antes do derradeiro momento. Adeus, Alieksiéi!

Apertou fortemente a mão de Aliócha e, sem erguer a cabeça, como um evadido, caminhou a grandes passadas para a cidade. Aliócha acompanhou–o com o olhar, não podendo crer que ele tivesse mesmo partido.

— Espera, Alieksiéi, ainda uma confissão, para ti somente! (Dimítri retrocedera.) — Olha–me bem no rosto: aqui, vês tu, aqui, uma infâmia execrável se prepara. (Ao dizer isto, Dimítri batia no peito com um ar estranho, como se a infâmia estivesse depositada em seu peito ou suspensa ao seu pescoço.) Já me conheces como um canalha chapado. Mas, fica sabendo, o que quer que eu tenha feito, o que quer que possa fazer no futuro, nada se compara em baixeza com a infâmia que trago no meu peito e que poderia reprimir, mas não o farei, fica sabendo. Prefiro cometê–la. Tudo te contei há pouco, exceto isto, não tinha coragem! Posso ainda deter–me e, dessa maneira, recuperar amanhã a metade de minha honra, mas não renunciarei a isto, cumprirei meu negro desígnio, poderás ser testemunha de que falo disso antes e em plena consciência. Perdição e trevas! Inútil explicar–te, ficarás sabendo a seu tempo. A lama é uma verdadeira fúria! Adeus. Não rezes por mim, não sou digno e não tenho necessidade de oração nenhuma... Sai de meu caminho!...

Afastou–se desta vez, definitivamente. Aliócha seguiu para o mosteiro. "Como! Não o verei mais? Que é que ele diz?" Isto lhe pareceu esquisito. "Amanhã, sem falta, sairei à sua procura. Que quis ele dizer?"

Contornou o mosteiro e seguiu diretamente para o eremitério, através do bosque de pinheiros. Abriram–lhe, se bem que não deixassem entrar ninguém àquela hora. Entrou na cela do *stáriets,* com o coração palpitante. "Por que partira ele? Por que o haviam enviado ao mundo? Aqui, a paz, a santidade; lá, a perturbação, as trevas nas quais a gente se perde..."

Na cela encontravam–se o noviço Porfíri e um religioso, o Padre Paísi, que o dia inteiro viera a cada hora saber notícias do Padre Zósima. Seu estado piorava, como veio a saber Aliócha, com espanto. A conversa habitual da noite com a comunidade não pudera realizar–se daquela vez. Comumente, à noite, após o ofício, a comunidade, antes de ir repousar, reunia–se na cela do *stáriets;* cada qual lhe confessava bem alto suas faltas do dia, os sonhos culpados, as ideias, as tentações, até as rusgas entre monges, se alguma ocorrera. Outros se confessavam, de joelhos. O *stáriets* absolvia, acalmava, ensinava, impunha penitências, abençoava e despedia. Era contra essas "confissões" fraternais que se levantavam os adversários do *stáriets,* dizendo que aquilo era uma profanação da confissão, como sacramento, quase um sacrilégio, se bem que fosse coisa bem diversa. Haviam mesmo feito denúncia à autoridade diocesana de que não somente aquelas confissões não atingiam o seu fim, mas eram na realidade uma fonte de pecados e de tentações. A muitos, na comunidade, repugnava ir à casa do *stáriets* e ali apareciam de má–vontade, a fim de não passarem por orgulhosos e revoltados de espírito. Contava–se que certos monges, ao ir à confissão da noite, entendiam–se entre si de antemão: "Direi que me zanguei contra ti esta manhã, tu o confirmarás", isto a fim de ter alguma coisa que dizer e ver–se livre daquilo. Aliócha sabia que as coisas se passavam por vezes assim. Sabia também que alguns se indignavam bastante contra o costume segundo o qual as cartas, mesmo dos pais, recebidas pelos solitários, eram levadas em primeiro lugar ao *stáriets* para que ele as abrisse e lesse antes de seus destinatários. Supunha-se, bem entendido, que essas práticas deviam realizar-se livremente e sinceramente, de todo o coração, com um fim de edificação salutar e de submissão voluntária; de fato, acontecia que, longe de serem sinceras, não eram senão fingidas. Mas os mais idosos e os mais experimentados da comunidade persistiam em sua ideia, estimando que "os que tinham transposto o recinto para cuidar sinceramente de sua salvação encontravam naquela obediência e naquela abdicação de si mesmos um proveito dos mais salutares; mas que os que murmuravam com repugnância não tinham a vocação e melhor teriam feito se tivessem ficado no mundo. O pecado e a tentação vos tocaiam não somente no mundo, mas no santuário, melhor valia não se prestar a isso".

— Está enfraquecendo, sonolento — murmurou o Padre Paísi a Aliócha. — É difícil despertá-lo. E para quê? Acordou por uns cinco minutos e pediu que se transmitisse sua benção à comunidade, cujas preces solicita. Amanhã de manhã, tem intenção de comungar de novo. Lembrou-se de ti, Aliócha, informou-se de onde estavas, disseram-lhe que havias partido para a cidade. "Minha benção o acompanhe ali; seu lugar é lá e não aqui." És o objeto de seu amor e de sua solicitude, compreendes essa honra? Mas por que te marca ele um estágio no mundo? Será que pressente alguma coisa no teu destino? Se voltares ao mundo, é para cumprir uma tarefa imposta pelo teu *stáriets*, compreende-o, Alieksiéi, e não para te entregares à agitação vã e às obras do século...

O Padre Paísi saiu. Alieksiéi não duvidava de que o fim do *stáriets* estivesse próximo, muito embora pudesse viver ainda um dia ou dois. Jurou a si mesmo, apesar dos compromissos tomados para com seu pai, as Senhoras Khokhlakovi, seu irmão, Katierina Ivânovna, não deixar o mosteiro no dia seguinte e ficar junto do *stáriets* até seu derradeiro momento. Seu coração abrasava-se de amor e censurava-se amargamente ter podido esquecer um instante, lá embaixo, aquele que deixara em seu leito de morte e a quem venerava acima de tudo. Passou para o quarto de dormir, ajoelhou-se, prosternou-se diante da cama dele. O *stáriets* repousava tranquilamente, mal se ouvia sua respiração. Seu rosto estava calmo.

Voltando ao quarto vizinho, onde tivera lugar a recepção da manhã, contentou-se Aliócha com tirar suas botas e estendeu-se sobre o estreito e duro divã de couro onde se acostumara a dormir, valendo-se apenas de um travesseiro. Desde muito tempo renunciara ao colchão de que falava seu pai. Só fazia tirar sua batina que lhe servia de coberta. Antes de adormecer, ajoelhou-se e pediu a Deus, numa prece fervorosa, que o esclarecesse, ansioso por tornar a encontrar o apaziguamento que experimentava sempre outrora, depois de ter louvado e glorificado a Deus, como o fazia comumente na sua prece da noite. A alegria que o invadia proporcionava-lhe um sono leve e tranquilo. Enquanto rezava, sentiu em seu bolso o envelopinho cor-de-rosa, entregue pela criada de Katierina Ivânovna, que o alcançara na rua. Ficou perturbado, mas acabou sua prece. Depois abriu o envelope, com alguma hesitação. Continha um bilhete a ele dirigido, assinado por Lisa, a filha da Senhora Khokhlakova, que zombara dele pela manhã, na presença do *stáriets*.

Alieksiéi Fiódorovitch:

Escrevo–lhe às ocultas; de todos e de minha mãe, e sei que isto não está bem. Mas não posso viver mais tempo sem dizer–lhe o que me nasceu no coração e que ninguém, a não ser nós dois, deve saber até nova ordem. Dizem que o papel não cora, que engano! Asseguro–lhe que estamos agora bem corados um e outro. Querido Aliócha, eu o amo, eu o amo desde minha infância, desde Moscou, quando você era bem diferente do que é agora. Elegi–o em meu coração para me unir a você e acabarmos nossos dias juntos. Bem entendido, com a condição de que você deixe o mosteiro. Quanto à nossa idade, esperaremos tanto quanto a lei exija. Daqui até lá, estarei restabelecida, andarei, dançarei. Isto não tem dúvida nenhuma.

Você vê que calculei tudo, mas há uma coisa que não posso imaginar: que pensará você de mim lendo estas linhas? Rio, brinco, fiz com que se zangasse há pouco, mas asseguro–lhe que antes de pegar da pena rezei diante da imagem da Virgem, quase chorando.

Meu segredo está em suas mãos e quando você vier, amanhã, não sei como poderei encará–lo. Alieksiéi Fiódorovitch, que acontecerá, se não puder impedir–me de rir ao vê–lo, como esta manhã? Você me tomará por uma zombadora implacável e duvidará de minha carta. Assim, suplico–lhe, meu querido, que não me olhe demasiado o rosto quando vier, porque pode acontecer que rebente a rir à vista de sua batina comprida... Já agora, meu coração fica gelado só de pensar nisso; para começar, lance seus olhares para mamãe ou para a janela...

Eis que lhe escrevi uma carta de amor. Meu Deus, que fiz eu? Aliócha, não me desprezes; se agi mal e o magoo, desculpe–me. Agora, a sorte de minha reputação, talvez perdida, está entre suas mãos.

Haverei de chorar hoje por certo. Adeus, até essa entrevista terrível... Lisa.

P.S. — Aliócha, venha sem falta, sem falta. Lisa.

Aliócha leu duas vezes aquela carta com surpresa, ficou pensativo, depois riu docemente de prazer. Estremeceu, aquele riso lhe parecia culpado. Mas, ao fim de um instante, repetiu o mesmo riso feliz. Tornou a pôr a carta no envelope, fez um sinal–da–cruz e deitou–se. Sua alma havia reencontrado a calma. "Senhor, perdoa–lhes a todos, protege esses infelizes e agitados, guia–os, mantém–nos no bom caminho. Tu que és o Amor, concede a todos a alegria!" E Aliócha adormeceu num sono tranquilo.

Segunda Parte

Livro IV / Os tumultos

I / O padre Fierapont

Aliócha despertou antes do amanhecer. O *stáriets* já não dormia e se sentia bastante fraco, mas quis levantar–se e sentar–se numa cadeira. Estava em plena consciência. Seu rosto, embora esgotado, refletia uma alegria serena, o olhar alegre, afável, atraía. "Talvez não veja o fim deste dia" — disse ele a Aliócha. Quis logo confessar–se e comungar. Seu diretor habitual era o Padre Païsi. Depois administraram–lhe a extrema–unção. Os religiosos reuniram–se; a cela, pouco a pouco, encheu–se; o dia amanhecera; vieram também monges do mosteiro. Depois do ofício, o *stáriets* quis despedir–se de todos e beijou a todos. Tendo em vista a exiguidade da cela, os primeiros chegados cediam lugar aos outros. Aliócha mantinha–se junto do *stáriets*, de novo sentado em sua cadeira. Falava e ensinava de acordo com suas forças; sua voz, embora fraca, era ainda bastante nítida. "Desde tantos anos vos instruo pela palavra, que se tornou isso para mim um hábito tal que o silêncio me seria quase mais penoso, caros padres e irmãos, mesmo agora, em meu estado de fraqueza", disse ele, brincando, olhando com ar enternecido àqueles que se acotovelavam em redor dele. Aliócha lembrou–se depois de algumas de suas palavras. Mas, muito embora sua voz fosse distinta e suficientemente firme, sua fala era bastante desconexa. Falou muito, como se tivesse querido, naquela hora suprema, exprimir tudo quanto não pudera dizer durante sua vida, não com o único fim de instruir, mas para fazer todos partilharem de sua alegria e de seu êxtase, expandir por uma derradeira vez seu coração...

— Amai–vos uns aos outros, meus padres — ensinava o *stáriets* (segundo as recordações de Aliócha). Amai o povo cristão. Não somos mais santos do que os leigos, por ter vindo encerrar–nos dentro destas paredes; pelo contrário, todos aqueles que estão aqui tem reconhecido, pelo simples fato de sua presença, ser piores do quê os leigos e do que todo mundo... E quanto mais o religioso viver em seu retiro, tanto mais deverá ter consciência disso. De outro modo, não valeria a pena vir para cá. Quando compreender que não somente é pior que todos os leigos, mas culpado de tudo para com todos, de todos os pecados coletivos e individuais, então somente o fim de nossa união será atingido. Porque, sabei, meus irmãos, que cada um de nós é certamente culpado aqui na terra de tudo para com todos, não somente pela falta coletiva da humanidade, mas de cada um individualmente, por todos os outros na terra inteira. Esta consciência de nossa culpabilidade é o coroamento da carreira religiosa, bem como de cada homem na terra. Porque os religiosos não são homens à parte, mas somente tais como deveriam ser todas as pessoas neste mundo. Então *somente vosso coração será* penetrado dum amor infinito, universal, jamais saciado. Então cada um de vós será capaz de ganhar o mundo inteiro pelo amor e de lavar–lhe os pecados com suas lágrimas... Que cada qual entre em si mesmo e se confesse sem cessar. Não temais vosso pecado, mesmo se tiverdes consciência dele, contanto que vos arrependais, mas não imponhais condições a Deus. Eu vos repito, não vos orgulheis, nem diante dos pequenos nem diante dos grandes. Não odieis aqueles que vos repelem, vos desonram, aqueles que vos insultam e vos caluniam. Não odieis os ateus, os professores do mal, os materialistas, mesmo os maus dentre eles, porque muitos são bons, sobretudo em nossa época. Lembrai–vos deles em vossas orações, dizei: "Salvai, Senhor, aqueles por quem ninguém reza; salvai aqueles que não querem rezar a Vós". E acrescentai: "Não é por orgulho que vos dirijo esta prece, Senhor, porque sou eu mesmo vil entre todos...". Amai o povo cristão, não abandoneis vosso rebanho aos estrangeiros, porque se adormecerdes na cupidez, virão de todos os países para arrebatar vosso rebanho. Não vos canseis de explicar o *Evangelho* ao povo... Não vos entregueis à avareza... Não vos ligueis ao ouro e à prata... Tende fé, mantende firme e alto o estandarte...

O *stáriets* exprimia–se, aliás, duma maneira mais desconexa do que foi acima exposta e do que Alióscha a escreveu depois. Por vezes parava completamente, como para reunir suas forças, ofegava, mas estava como em êxtase. Escutavam–no com enternecimento, muito embora muitos se espantassem com suas palavras e as achassem obscuras... Posteriormente, todos se recordaram delas. Quando Alióscha deixou a cela por um instante, ficou impressionado com a agitação geral e com a expectativa da comunidade que se comprimia na cela e em redor. Aquela expectativa era em alguns quase ansiosa, em outros, solene. Todos aguardavam alguma coisa de grande imediatamente após o desenlace do *stáriets*. Muito embora em certo sentido fosse essa expectativa quase frívola, os monges mais severos estão a ela sujeitos. O rosto mais sério era o do Padre Païsi. Alióscha só se ausentara porque um monge o chamava de parte de Rakítin, que viera da cidade com uma carta da Senhora Khokhlakova para ele. Comunicava curiosa notícia chegada muito a propósito. Na véspera, entre as mulheres do povo, que eram crentes e tinham vindo prestar homenagem ao *stáriets* e receber sua bênção, encontrava–se uma velha da cidade, Prókhorovna, viúva dum suboficial. Perguntara ao *stáriets* se era possível mencionar como defunto, na oração pelos mortos, seu filho Vássienhka, que partira para seu serviço militar em Irkutsk, na Sibéria, do qual ela estava sem notícias havia um ano. Ele a havia severamente proibido, tratando tal prática de análoga à feitiçaria. Mas, indulgente para com a ignorância dela, acrescentara uma consolação, "como se visse no livro do futuro" (segundo a expressão da Senhora Khokhlakova); o filho dela, Vássia, estava certamente vivo, chegaria em breve ou lhe escreveria, e para isso ela teria apenas de ficar esperando em casa. E então, acrescentava a Senhora Khokhlakova, entusiasmada, "a profecia cumprira–se ao pé da letra e mesmo além". Assim que a boa mulher regressara à sua casa, entregaram–lhe uma carta da Sibéria, que a esperava. Mais ainda, nessa carta escrita de Ekatierinburg, Vássia informava sua mãe de que voltava para a Rússia em companhia dum funcionário, e que, duas ou três semanas após o recebimento daquela carta, esperava beijar sua mãe. A Senhora Khokhlakova rogava insistentemente a Alióscha que comunicasse o novo milagre daquela predição ao Padre Abade e a toda a comunidade. "É importante que todos o saibam!", exclamava ela ao fim de sua carta, escrita à pressa: a emoção refletia–se nela em cada linha. Mas Alióscha nada tinha de comunicar à comunidade, todos já o sabiam. Ao enviar o monge à sua procura, encarregara–o Rakítin, além disso, de informar respeitosamente Sua Reverência, o Padre Paísi, que tinha de comunicar–lhe um caso sem demora, visto sua importância, e rogava–lhe humildemente que lhe perdoasse a ousadia. Tendo o monge transmitido em primeiro lugar ao Padre Paísi o pedido de Rakítin, não restava a Aliócha, depois de ter lido a carta, senão comunicá–la ao padre, a título de documentário, E eis que aquele homem rude, desconfiado, lendo, de sobrancelhas contraídas, a notícia do "milagre", não foi inteiramente senhor de seu sentimento íntimo. Seus olhos brilharam, mostrou um sorriso grave, penetrante.

— Veremos bem mais outros — deixou ele escapar.

— Veremos bem mais outros! — repetiram os monges; mas o Padre Paísi, franzindo de novo as sobrancelhas, rogou a todos que não falassem a ninguém no momento, "até que isto se confirme, porque há muita frivolidade nas notícias do mundo, e aquele caso podia ter ocorrido duma maneira natural", concluiu ele, prudentemente, como para desencargo de consciência, mas quase sem acrescentar fé ele próprio à sua reserva, o que observaram muito bem seus ouvintes. Na mesma hora, naturalmente, o "milagre" era conhecido de todo o mosteiro, e até mesmo de muitos leigos, vindos para assistir à missa. O mais impressionado parecia ser o monge chegado na véspera, de São Silvestre, pequeno mosteiro de Obdorsk, no Norte longínquo, o que prestara homenagem ao *stáriets* ao lado da Senhora Khokhlakova e lhe perguntara com ar penetrante, designando a filha daquela senhora: "Como ousa fazer tais coisas?".

Estava agora preso de certa perplexidade e não sabia quase mais em quem acreditar. Na véspera, à noite, fizera visita ao Padre Fierapont em sua cela particular, por trás do apiário, e trouxera dessa entrevista uma impressão lúgubre. O Padre Fierapont era aquele velho monge, grande jejuador e observador do silêncio, que já citamos como adversário do *stáriets* Zósima e sobretudo do "starietismo", que considerava uma novidade nociva e frívola. Era um adversário bastante temível, se bem que, taciturno, não falasse quase com ninguém. Era sobretudo perigoso por causa da sincera simpatia que lhe testemunhava a maioria da comunidade; muitos leigos o veneravam como um grande justo e um asceta, vendo nele ao mesmo tempo um verdadeiro insensato. Mas sua loucura cativava. O Padre Fierapont não ia nunca à casa do *stáriets* Zósima. Se bem que vivesse no eremitério, não lhe impunham demasiado a regra, porque ele tinha um proceder de inocente. Tinha setenta e cinco anos, senão mais, e morava por trás do apiário, no ângulo de um muro, numa cela de madeira, caindo quase em ruínas, instalada havia bastante tempo, ainda no último século, por outro grande jejuador e taciturno, o Padre Iona[42] que vivera até os cento e cinco anos e cujas façanhas constituíam ainda o objeto de narrativas bastante curiosas, no mosteiro e nos arredores.

O Padre Fierapont obtivera por fim permissão de instalar–se naquela cela isolada, uma simples isbá, mas que se assemelhava bastante a uma capela, porque continha grande quantidade de ícones com lâmpadas a arderem perpetuamente; provinham de donativos e o Padre Fierapont parecia encarregado de guardá–las e acendê–las. Comia, pelo que se contava (e era verdade), somente duas libras de pão em três dias, não mais; era o guarda do apiário, que morava no local, quem as tra-

---

42 Jonas. Nome bíblico, dado geralmente a pessoas do clero.

zia, mas trocava raramente uma palavra com aquele homem. Aquelas quatro libras, com o pão bento do domingo, enviado com regularidade ao inocente pelo Padre Abade, constituíam sua alimentação da semana. Renovava-se cada dia a água de seu jarro. Assistia raramente ao ofício. Seus admiradores encontravam-no, por vezes dias inteiros em oração, sempre ajoelhado e sem olhar em torno de si. Se entrava em conversa com eles, mostrava-se lacônico, brusco, estranho e quase sempre grosseiro. Havia, no entanto, casos muito raros em que conversava com os visitantes, mas a maior parte das vezes contentava-se com pronunciar uma palavra estranha que intrigava sempre seu interlocutor; em seguida, a despeito de todos os rogos, não dava jamais uma palavra de explicação. Jamais fora ordenado padre. Circulava um boato estranho, na verdade, entre os mais ignorantes, segundo o qual o Padre Fierapont estava em relação com os espíritos celestes e se entretinha somente com eles, o que explicava seu silêncio com as pessoas. O monge de Obdorsk, que entrara no apiário depois da indicação do guarda, monge igualmente sombrio e taciturno, dirigiu-se para o ângulo em que se erguia a cela do Padre Fierapont. "Talvez ele queira falar-te pela tua qualidade de estranho, talvez também nada consigas dele", prevenira-o o guarda. O monge aproximou-se, como contou mais tarde, com um grande medo. Já se fazia tarde. O Padre Fierapont estava sentado num banquinho, diante de sua cela. Acima de sua cabeça rumorejava levemente um velho olmo gigantesco. Caía o frescor da noite. O monge prosternou-se diante do recluso e pediu-lhe a benção.

— Queres tu, monge, que eu também me prosterne diante de ti? — proferiu o Padre Fierapont. — Levanta-te.

O monge levantou.

— Abençoante e abençoado, senta-te ali. Donde vens?

O que impressionou mais o pobre mongezinho foi que o Padre Fierapont, a despeito de seus jejuns prolongados e de sua idade avançada, tinha ainda o ar de um ancião vigoroso, de elevada estatura, mantendo-se ereto, o rosto fresco, se bem que magro; mas sadio. Tinha certamente conservado uma força notável e era de constituição atlética. Apesar de sua avançada idade, seus cabelos, outrora negros e espessos bem como sua barba, não estavam todos grisalhos. Tinha grandes olhos cinzentos, luminosos, mas bastante salientes, o que chamava a atenção. Falava acentuando fortemente a letra "o". Seu hábito consistia num longo gabão avermelhado, de pano grosseiro, como para os prisioneiros, com uma corda à guisa de cinturão. O pescoço e o peito estavam nus. Uma camisa de pano muito grosso, quase enegrecida, que ele usava durante meses, aparecia sob o gabão. Dizia-se que carregava consigo correntes de trinta e cinco libras. Estava calçado com velhos sapatos quase desfeitos.

— Acabo de chegar do pequeno mosteiro de Obdorsk, de São Silvestre — respondeu humildemente o visitante, observando o asceta com seus olhos vivos e curiosos, mas um pouco inquietos.

— Estive no teu São Silvestre. Vivi ali. Ele passa bem?

O monge perturbou-se.

— Vós sois gente de poucas luzes! Que jejum observais?

— Nossa mesa é regulada segundo o antigo uso monacal. Durante a Quaresma, nas segundas, quartas e sextas, não se servem alimentos. Nas terças e quintas, dá-se à comunidade pão branco, uma tisana com mel, amoras silvestres ou couves salgadas, e farinha de aveia. No sábado, sopa de couve, aletria com ervilhas, trigo mourisco com azeite de cânhamo. No domingo, acrescentam-se à sopa peixe seco e trigo mourisco. Na Semana Santa, da segunda ao sábado, à noite, pão, água, e somente legumes não cozidos, em quantidade moderada; ainda assim não se deve comer todos os dias, mas conformar-se com as instruções dadas para a primeira semana da Quaresma. Na Sexta-Feira Santa, jejum completo; no sábado, até as três horas da tarde, quando se pode tomar um pouco de pão e de água, e beber um copo de vinho. Na Quinta-Feira Santa, comemos alimentos cozidos sem manteiga, bebemos vinho e observamos o uso de alimentos secos. Porque já o concílio de Laodiceia se exprime assim a respeito da Quinta-Feira Santa: "Não convém romper o jejum na quinta-feira da última semana e desonrar assim a Quaresma inteira". Eis o que se passa entre nós. Mas que é isto em comparação convosco, eminente padre — acrescentou o monge que havia retomado coragem —, porque o ano inteiro, mesmo na Páscoa, vós só vos nutris de pão e água? O pão que consumimos em dois dias basta-vos para a semana inteira. Vossa abstinência é verdadeiramente maravilhosa.

— E os cogumelos? — perguntou de súbito o Padre Fierapont.

— Os cogumelos? — repetiu o monge com espanto.

— Justamente. Passo sem o pão deles, não tenho nenhuma necessidade dele, mesmo na floresta; nutro-me de cogumelos ou de bagas, eles não podem passar sem pão, estão pois ligados ao demônio. Agora, os pagãos pretendem que é inútil jejuar tanto. Tal é o raciocínio deles, arrogante e ímpio.

— Ai, sim! — suspirou o monge.

— Viste os diabos em casa deles? — perguntou o Padre Fierapont.

— Em casa de quem? — informou-se timidamente, o monge.

— No ano passado, fui à casa do Padre Abade, em Pentecostes. Depois não voltei mais lá. Vi um diabo escondido no peito de um monge, sob a batina, aparecendo somente os chifres; um segundo tinha um no seu bolso, espiando, de olhos vivos. Eu lhe fazia medo; um terceiro dava asilo a um diabinho nas suas entranhas impuras, enfim um outro carregava um, suspenso a seu pescoço, agarrado, sem o ver.

— Vós... víeis?— perguntou o monge.

— Digo-te que vejo, vejo, através. Ao deixar o Padre Abade, avistei um diabo que se escondia de mim atrás da porta, era de bela estatura, um *archin* e meio, ou mais, a cauda espessa, fulva, comprida; a ponta ficou presa na fenda, não hesitei e fechei violentamente a porta, apertando o rabo dele. O meu diabo pôs-se a gemer, a debater-se. Fiz sobre ele três vezes o sinal-da-cruz. Rebentou ali mesmo como uma aranha esmagada. Deve ter apodrecido num canto, fede, mas eles não o veem, nem o sentem. Há um ano que não vou mais lá. A ti somente, como estranho, revelo isto.

— Vossas palavras são terríveis! Dizei-me, eminente e bem-aventurado padre, é verdade o que relatam de vós nas terras mais longínquas, que estaríeis em relação permanente com o Espírito Santo?

— Ele desce por vezes sobre mim.

— Sob que forma?

— A forma dum pássaro.

— O Espírito Santo sob a forma de uma pomba?

— Isto é o Espírito Santo, sim, mas falo do Santo Espírito, que é diferente. Pode descer sob a forma dum outro pássaro, uma andorinha ou um pintassilgo, por vezes um melharuco.

— Como podeis reconhecê–lo?

— Ele fala.

— Como fala ele, em que língua?

— Na língua humana.

— E que vos diz?

— Hoje, anunciou–me a visita de um imbecil que me faria perguntas ociosas. Monge, és bem curioso.

— Vossas palavras são temíveis, bem–aventurado e venerando padre. — O monge abanava a cabeça, mas a desconfiança aparecia nos seus olhos medrosos.

— Vês aquela árvore? — perguntou, após uma pausa, o Padre Fierapont.

— Vejo, bem–aventurado padre.

— Para ti, é um olmo, mas para mim, outro quadro.

— Qual? — E o monge esperou ansiosamente.

— Vês aqueles dois ramos? De noite, por vezes, são os braços do Cristo que se estendem para mim e me procuram, vejo com nitidez e estremeço. Oh! é terrível!

— Por que terrível, se é o próprio Cristo?

— Ele me agarrará e me levará.

— Vivo?

— Não sabes então nada da glória de Elias? Ele vos agarra e vos leva...

Depois dessa conversa, o monge de Obdorsk regressou à cela que lhe haviam designado; estava bastante perplexo, mas seu coração o inclinava mais para o Padre Fierapont que para o Padre Zósima. Nosso monge estimava mais que tudo o jejum e não lhe causava surpresa que um grande jejuador como o Padre Fierapont visse maravilhas. Suas palavras tinham ar de absurdas, evidentemente, mas Deus sabia o que elas significavam e muitas vezes os inocentes, por amor do Cristo, falam e agem duma maneira ainda mais estranha. Sentia prazer em crer sinceramente no diabo e no seu rabo preso, não somente no sentido alegórico, mas literal. Além do mais, desde antes de sua chegada ao mosteiro, tivera grande prevenção contra o "starietismo", que considerava segundo muitos outros como uma inovação nociva. Durante o dia passado no mosteiro pudera notar o murmúrio secreto de certos grupos frívolos, opostos àquela instituição. Além disso, era uma natureza insinuante e sutil, testemunhando por tudo grande curiosidade. Assim a notícia, do novo "milagre" realizado pelo *stáriets* Zósima mergulhou–o numa profunda perplexidade. Mais tarde, Aliócha lembrou–se, entre os religiosos que se comprimiam em torno do *stáriets* e de sua cela, da frequente aparição daquele hóspede curioso que se intrometia em toda parte, prestando ouvidos e interrogando todo mundo. Não lhe deu atenção então... Tinha outra grande coisa na cabeça: o *stáriets*, que voltara a deitar–se, sentindo lassitude, lembrou–se dele ao despertar e reclamou sua presença. Aliócha acorreu. Em redor do moribundo estavam então apenas o Padre Paísi, o Padre Iósif e o noviço Porfíri. O velho, fixando Aliócha com seus olhos fatigados, perguntou–lhe:

— Será que os teus te esperam, meu filho?

Aliócha ficou embaraçado.

— Eles não têm necessidade de ti? Prometeste a alguém ir vê–lo hoje?

— Prometi a meu pai... a meus irmãos... a outras pessoas também...

— Estás vendo? Vai agora mesmo e não te aflijas. Fica sabendo, não morrerei sem ter pronunciado diante de ti minhas supremas palavras aqui na terra. É a ti que as legarei, meu caro filho, porque sei que me amas. E agora, vai cumprir tua promessa.

Aliócha submeteu–se logo, se bem que lhe custasse afastar–se. Mas a promessa de ouvir as derradeiras palavras de seu mestre, como um legado pessoal, arrebatava–o de alegria. Apressava–se, a fim de poder voltar mais depressa, depois de ter terminado tudo. Justamente, o Padre Païsi lhe dirigiu, antes de sua partida, palavras que o impressionaram profundamente. Foi depois de haverem deixado a cela.

— Lembra–te sempre, rapaz — começou o padre, sem preâmbulos —, de que a ciência do mundo, tendo–se desenvolvido neste século sobretudo, dissecou nossos livros santos e, após uma análise impiedosa, nada deixou subsistir. Mas dissecando as partes, perderam de vista o conjunto, e sua cegueira é de causar espanto. O conjunto se ergue diante dos olhos deles, tão inabalável quanto antes e o inferno não prevalecerá contra ele. Será que *o Evangelho* não tem dezenove séculos de existência, não vive ainda agora nas almas dos indivíduos e nos movimentos das massas populares? Subsiste mesmo, sempre inabalável, nas almas dos ateus destruidores de toda crença! Porque os que renegaram o Cristianismo e se revoltam contra ele, esses mesmos permaneceram no íntimo à imagem do Cristo, porque nem sua sabedoria nem sua paixão puderam criar outro modelo para o homem, superior ao indicado outrora pelo Cristo. As tentativas neste sentido não passaram de monstruosidades. Lembra–te disto sobretudo, rapaz, pois teu *stáriets* moribundo te envia para o mundo. Talvez lembrando–te deste grande dia, não esqueças minhas palavras, dirigidas para teu bem, porque és jovem, as tentações do mundo são grandes e não tens força para suportá–las. E agora vai, pobre órfão.

Ao terminar, o Padre Païsi deu–lhe sua benção. Refletindo nessas palavras imprevistas, compreendeu Aliócha que encontrara novo amigo e um guia cheio de amor naquele monge até então rigoroso e rude para com ele, como se *o stáriets* Zósima o houvesse legado ao morrer. "Talvez se hajam entendido entre si", pensou Aliócha. A dissertação que acabara de ouvir atestava somente o zelo do Padre Païsi: apressava–se em armar aquele jovem espírito para a luta contra as tentações e em preservar aquela jovem alma que lhe legavam, elevando em torno dela o baluarte mais sólido que pode imaginar.

II / ALIÓCHA EM CASA DE SEU PAI

Aliócha começou por ir em primeiro lugar à casa de seu pai. Ao aproximar–se, lembrou–se da recomendação feita na véspera, de entrar sem que Ivan ficasse sabendo. "Por quê? — perguntou a si mesmo. — Se meu pai quer fazer–me uma confidência, isto é razão para entrar furtivamente? Queria, sem dúvida, na sua emoção, dizer–me outra coisa ontem e não pode", decidiu ele. No entanto, sentiu–se satisfeito ao saber de Marfa Ignátievna, que lhe abriu a porta do jardim (Grigóri estava deitado, doente), que Ivan saíra havia duas horas.

—E meu pai?

— Levantou, está tomando seu café — respondeu a velha.

Aliócha entrou. O velho, sentado à sua mesa, de chinelos e com um casaco bastante surrado, examinava contas para se distrair, sem grande interesse de resto.

Encontrava-se sozinho na casa, tendo Smierdiákov saído para comprar provisões. Sua atenção estava alhures. Se bem que se tivesse levantado bem cedo e bancado o corajoso, parecia fatigado, fraco. Sua testa, onde, durante a noite, se haviam formado equimoses, estava enrolada num lenço de seda vermelha. O nariz, muito inchado, dava a seu rosto uma expressão particularmente má, irritada. O velho dava-se conta disso e acolheu Aliócha com um olhar pouco amigável.

— O café está frio — disse ele num tom seco —, não te ofereço. Hoje, meu caro, tenho apenas uma magra sopa de peixe e não convido ninguém. Por que vieste?

— Vim saber notícias suas — declarou Aliócha.

— Sim. Aliás, tinha-te pedido ontem que viesses. Tolices tudo isso. Tu te incomodaste em vão. Sabia bem que haverias de vir...

Suas palavras refletiam o sentimento mais hostil. Entretanto, havia levantado e examinava ansiosamente seu nariz no espelho (pela quadragésima vez talvez desde a manhã). Arranjou com extremo cuidado seu lenço vermelho na testa.

— O vermelho assenta melhor, o branco lembra imediatamente o hospital — observou ele, num tom sentencioso. — Pois bem! Que há de novo? Como vai teu *stáriets?*

— Está muito mal, morrerá talvez hoje — disse Aliócha; mas seu pai não lhe prestou atenção.

— Ivan saiu — disse ele, de repente. — Esforça-se por furtar a noiva de Mítia. Por isso é que permanece aqui — acrescentou com raiva, a boca contraída, olhando Aliócha.

— Ele mesmo lhe disse isso?

— Desde muito tempo, há já três semanas. Não foi para assassinar-me às ocultas que ele veio; tem pois um motivo.

— Como! Por que diz isso? — perguntou Aliócha, com angústia.

— Não pede dinheiro, é verdade, aliás, não terá nada. Eu, meu caríssimo Alieksiéi Fiódorovitch, tenho a intenção de viver o máximo tempo possível, toma nota disso; assim, tenho necessidade de todo o meu dinheiro, e quanto mais avançar em idade, mais precisarei — continuou Fiódor Pávlovitch, com as mãos nos bolsos de seu casaco manchado, de durante amarela. — Agora, aos cinquenta e cinco anos, conservei minha força viril, e conto bem que isso durará ainda vinte anos; ora, envelhecerei, ficarei repulsivo; as mulheres não virão mais de boa-vontade; então, precisarei de dinheiro. Eis por que, agora, amealho o mais possível, para mim só, meu caro filho Alieksiéi Fiódorovitch, fica sabendo bem, porque quero viver até o fim na libertinagem. É a existência mais agradável; todo mundo deblatera contra ela e todo mundo nela vive, mas às ocultas, e eu, em pleno dia. É por causa de minha franqueza que todos os canalhas me caíram em cima. Quanto ao teu paraíso, Alieksiéi Fiódorovitch, fica sabendo que não o quero, é até mesmo inconveniente para um homem às direitas, se é que existe. A gente dorme para não mais despertar, eis minha ideia. Manda dizer uma missa por mim, se quiseres, senão, que o diabo vos leve! Eis minha filosofia. Ontem, Ivan falou bem a este respeito, no entanto, estávamos bêbedos. É um falador desprovido de erudição... não tem instrução; cala-se e ri da gente em silêncio, eis todo o seu talento.

Aliócha escutava sem dizer palavra.

— Por que ele não fala comigo? E quando fala, faz–se malicioso; é um miserável o teu Ivan! Casarei imediatamente com Grúchenhka, se quiser. Porque com dinheiro basta querer, Alieksiéi Fiódorovitch, tem–se tudo. É disto, que Ivan tem medo, vigia–me para impedir meu casamento, e por esta razão impele Mítia a fazer dela sua esposa; dessa maneira, entende preservar–me de Gruchka (na esperança de herdar, se não me casar com ela!); por outra parte, se Mítia se casar com ela, toma–lhe Ivan sua rica noiva, eis seu cálculo! É um miserável o teu Ivan!

— Como o senhor está irascível! É o resultado de ontem; o senhor deveria deitar–se — disse Alióscha.

— Tuas palavras não me irritam — observou o velho — ao passo que vindas de Ivan me zangariam; somente contigo tenho tido bons momentos, porque sou mau.

— O senhor não é mau, o senhor tem é o espírito corrompido — sorriu Alióscha.

— Pois seja, eu queria mandar prender aquele bandido do Mítia e agora não sei que partido tomar. Sem dúvida, em nosso tempo, passa por preconceito respeitar pai e mãe; entretanto, as leis não permitem ainda arrastar um pai pelos cabelos, bater–lhe no rosto com golpes de botas, em sua própria casa e ameaçá–lo, diante de testemunhas, de vir liquidá–lo. Se quisesse, eu o domaria e poderia mandá–lo prender por causa da cena de ontem.

— Então, não quer dar queixa?

— Ivan dissuadiu–me disso. Zombo de Ivan, mas há uma coisa...

Inclinou–se para Alióscha e continuou num tom confidencial:

— Se mandar prender o canalha, ela ficará sabendo e correrá para ele. Mas se souber que ele quase me mata, a mim, débil velho, talvez o abandone e virá ver–me... Tal é seu caráter, só age contraditoriamente. Conheço–a a fundo! Não queres conhaque? Toma café frio, vou te servir um quarto de cálice, isto dá bom gosto.

— Não, obrigado. Levarei este pão, se o permitir — disse Alióscha, pegando um pãozinho francês de três copeques, que meteu no bolso de sua batina. — O senhor não deveria beber mais conhaque — aconselhou, tímido, lançando uma olhadela furtiva para o velho.

— Tens razão, isto irrita. Mas só um copinho...

Abriu o armário, serviu–se um copinho, tornou a fechar o armário e a pôr a chave no bolso.

— Isto basta, não rebentarei por causa dum copinho...

— Já está melhor!

— Hum! Gosto de ti, mesmo sem conhaque, e sou um canalha para os canalhas! Ivan não parte para Tchermachniá porque tem intenção de espionar–me. Quer saber quanto darei a Grúchenhka, se ela vier. Todos uns miseráveis! Aliás, renego Ivan, não o compreendo. Donde vem ele? Sua alma não é como a nossa. Conta com minha herança. Mas não deixarei testamento, fica sabendo. Quanto a Mítia, eu o esmagarei como a uma barata; faço–as rebentar à noite sob meu chinelo; teu Mítia rebentará da mesma maneira. Digo "teu" Mítia porque o amas, mas isto não me faz medo. Se fosse Ivan que o amasse, temeria por mim mesmo. Mas Ivan não ama ninguém, não é dos nossos, as pessoas como ele, meu caro, não são semelhantes a nós, são poeira... Se o vento sopra, essa poeira se levanta... Foi uma fantasia que se apoderou de mim ontem, quando te disse que viesses hoje; queria informar–me por meio de ti a respeito de Mítia; será que em troca de mil ou dois mil rublos aquele tratante, aquele bandido, consentiria em ir–se daqui por cinco anos, ou melhor, por trinta e cinco anos, e em renunciar a Grúchenhka? Hem?

— Eu... eu lhe perguntarei — murmurou Aliócha. — Por três mil rublos, talvez ele...

— Não, senhor! Não é preciso perguntar nada agora! Mudei de ideia. Foi um capricho que me deu ontem. Não darei nada, nem um níquel, eu mesmo tenho necessidade de meu dinheiro. (O velho teve um gesto expressivo.) De qualquer maneira, vou esmagá-lo como a uma barata. Não lhe digas nada, senão vai imaginar coisas. Mas tu mesmo nada tens a fazer em minha casa, vai–te. E sua noiva, Katierina Ivânovna, que sempre ocultou de mim tão cuidadosamente, vai casar com ela ou não? Estavas ontem em casa dela, certo?

— Ela não quer abandoná–lo por preço nenhum.

— Eis os indivíduos a quem essas ternas senhoritas amam; farristas, malandros! Não valem nada essas pálidas criaturas. Que ideia! Pois bem, se tivesse a juventude dele e meu corpo de então (porque aos vinte e oito anos era melhor do que ele), lograria o mesmo êxito. Canalha, sim!... Mas não terá Grúchenhka, não a terá... Eu o esmagarei...

Tornou–se de novo colérico ao proferir estas últimas palavras.

— Vai–te também, nada tens a fazer em minha casa hoje — disse, secamente.

Aliócha aproximou–se dele para despedir–se e beijou–o no ombro.

— Por quê? — espantou–se o velho. — Nós nos tornaremos a ver, ou pensas que é a derradeira vez?

— Absolutamente, foi por acaso...

— Eu também... digo isto por dizer... — declarou o velho, fitando–o. — Escuta, escuta — gritou ele às costas de Aliócha —, volta em breve, haverá uma sopa de peixe famosa, não como hoje. Vem amanhã, ouviste?

Assim que Aliócha saiu, o velho voltou ao armário e tomou um meio copo.

— Basta — murmurou ele, resfolegando. Tornou a fechar o armário, repôs a chave no bolso, depois, já sem forças, foi estender–se sobre seu leito onde adormeceu imediatamente.

III / O ENCONTRO COM OS COLEGIAIS

"Felizmente meu pai não me fez perguntas a respeito de Grúchenhka", dizia a si mesmo Aliócha, dirigindo–se para a casa da Senhora Khokhlakova. "Teria sido preciso contar–lhe o encontro de ontem com ela." Pensava com pesar que, durante a noite, os adversários haviam retomado forças, que seus corações estavam de novo endurecidos. "Meu pai está irritado e cheio de maldade, continua ancorado em sua ideia. Dimítri também se refirmou e deve ter um plano... É absolutamente preciso que o encontre hoje..."

Mas as reflexões de Aliócha foram interrompidas por um incidente que o impressionou, apesar de sua pouca importância. Ao aproximar–se da Rua de São Miguel, paralela à Rua Grande, da qual só estava separada por um riacho (nossa cidade é cortada por ele), avistou lá embaixo, diante do passadiço, um pequeno grupo de colegiais, meninos de nove a doze anos no máximo. Voltavam para suas casas após as aulas, carregando suas sacolas a tiracolo ou amarradas nas costas por meio de correias; uns tinham apenas uma jaqueta, outros, sobretudos; alguns calçavam botas dessas pregueadas, com as quais gostam de exibir–se os meninos mimados por pais abastados. O grupo discutia com animação, parecia manter conselho, Aliócha interessava–se sempre pelas crianças que encontrava (era o caso em Moscou) e, muito embora preferisse os bebês de três anos, os escolares de dez e de onze lhe agradavam muito. Assim, apesar de sua preocupação, quis abordá–los, entrar em conversa com eles. Ao aproximar–se, observava–lhes os rostos vermelhos e notou que todos os meninos tinham uma pedra na mão e até mesmo duas. Do outro lado do riacho, a cerca de trinta passos, mantinha–se, encostado, a uma paliçada, um escolar, com sua sacola sobre o quadril, parecendo ter no máximo uns dez anos, pálido, de ar doentio, com olhos negros que cintilavam. Esquadrinhava com o olhar os seis colegiais, seus camaradas, com os quais parecia estar brigado. Aliócha avançou e dirigindo–se a um menino de cabelos cacheados, louro, corado, de jaqueta preta, observou, olhando–o:

— Quando eu tinha tua idade, carregava–se a sacola do lado esquerdo, a fim de alcançá–la com a mão direita; mas a tua está do lado direito, não deve ser cômodo.

Sem nenhuma premeditação, Aliócha começara com essa observação prática. Um adulto não pode proceder de outra forma, se quer ganhar a confiança de uma criança e sobretudo dum grupo de crianças. Era preciso começar séria, praticamente, para ficar em pé de igualdade. Aliócha percebia isso por instinto.

— Ele é canhoto — respondeu logo outro menino de onze anos, de ar resoluto.

Os cinco outros fitavam Aliócha.

— Ele atira pedras com a mão esquerda — notou um terceiro.

No mesmo instante, foi lançada uma pedra contra o grupo, roçando pelo canhoto, mas foi perder–se adiante, embora atirada com habilidade e vigor. Fora lançada pelo menino colocado do outro lado do riacho.

— Duro com ele, acerta bem, Smúrov! — gritaram todos. O canhoto não se fez de rogado e retribuiu imediatamente; não teve êxito e sua pedra bateu no chão. O adversário ripostou com um seixo que atingiu Aliócha bastante rudemente no ombro. Via–se a trinta passos que aquele garoto tinha os bolsos de seu sobretudo cheios de pedras.

— Foi no senhor, no senhor; fez pontaria de propósito no senhor. Porque o senhor é um Karamázov — exclamaram os meninos, desatando a rir. — Vamos, todos ao mesmo tempo contra ele, fogo!

Seis pedras voaram juntas. Atingido na cabeça, o garoto caiu mas para levantar logo e responder com encarniçamento. Dos dois lados houve um bombardeio ininterrupto; muitos, no grupo, tinham também seus bolsos cheios de projetis.

— Mas como é isso? Não têm vergonha, meus amigos? Seis contra um! Vão matá–lo! — exclamou Aliócha.

Correu para a frente, a fim de se expor aos projetis, protegendo assim o garoto do outro lado do riacho. Três ou quatro pararam por um minuto.

— Foi ele quem começou! — gritou com voz irritada um menino de blusa vermelha —; é um bandido; ainda há pouco feriu na aula Krasótkin[43] com seu

---

43 Nome forjado. De *krasota*, beleza.

canivete, correu sangue, Krasótkin não quis fazer queixa; é preciso dar uma surra nele...

— Mas por quê? Precisam mesmo persegui–lo?

— Ele atirou outra pedra nas costas do senhor. Ele o conhece — gritaram os meninos. — É contra o senhor que está fazendo pontaria agora. Vamos, todos de novo contra ele, não deixe de acertar, Smúrov!...

O bombardeio recomeçou, desta vez implacável. O garoto, sozinho, recebeu uma pedrada no peito; lançou um grito, pôs-se a chorar, fugiu pela subida para a Rua de São Miguel. No grupo vociferava-se: "Ah! ele teve medo, fugiu, aquele 'esfregão de tília'!".

— O senhor ainda não sabe, Karamázov, como ele é ruim; seria pouco matá–lo — repetiu o menino de jaqueta, de olhos ardentes, e que parecia ser o mais velho.

— É um linguarudo? — perguntou Aliócha.

Os meninos trocaram olhares com ar zombeteiro.

— O senhor vai pela Rua de São Miguel? — continuou o mesmo. — Então, alcance–o... Veja, parou de novo; espera e olha para o senhor.

— Olha para o senhor, olha para o senhor! — repetiram os meninos.

— Pergunte–lhe então se ele gosta de um esfregão de tília desmanchado. Entendeu? Pergunte assim.

Houve então uma explosão geral de gargalhadas. Aliócha e os meninos cruzavam olhares.

— Não vá lá, ele vai feri-lo. — gritou, solícito, Smúrov.

— Meus amigos, não lhe farei a pergunta a respeito do esfregão de tília, porque é com isso que vocês o maltratam, mas me informarei com ele do motivo pelo qual vocês o odeiam tanto...

— Informe–se, informe–se — gritaram os meninos, rindo–se.

Aliócha transpôs o passadiço e subiu a ladeira ao longo da paliçada, diretamente para o lado de seu agressor.

— Atenção — gritaram–lhe — ele não tem medo do senhor e vai atingi-lo à traição, como fez com Krasótkin.

O menino esperava–o imóvel. Chegando bem perto, Aliócha estava diante de um menino de nove anos, fraco, raquítico de rosto oval, pálido, magro, com grandes olhos escuros que o olhavam cheios de ódio. Vestia um velho sobretudo bastante gasto e muito curto. Seus braços nus saíam de suas mangas. Havia um grande remendo no joelho direito de sua calça e, dissimulado com tinta, um buraco no seu sapato do pé direito, no lugar do dedo grande. Os bolsos do sobretudo estavam cheios de pedras. Aliócha parou a dois passos, olhando–o com ar interrogador. O garoto, adivinhando pelos olhos de Aliócha que não tinha este intenção de bater–lhe, retomou coragem, e falou em primeiro lugar:

— Eu estava sozinho contra seis... Hei de matá–los todos — disse ele, com olhar faiscante.

— Uma pedrada deve ter–lhe feito bastante mal — observou Aliócha.

— Mas eu acertei bem na cabeça de Smúrov! —replicou ele.

— Disseram–me que você me conhecia e atirou–me a pedra de propósito — disse Aliócha.

O menino olhava–o com um olhar sombrio.

— Não o conheço. Você me conhece? — continuou Aliócha.

— Deixe–me tranquilo! — gritou, de súbito, o menino com voz irritada, mas sem sair de seu lugar, como na expectativa de alguma coisa, o olhar hostil.

— Está bem, vou–me embora — disse Aliócha —, mas não o conheço e não quero importuná–lo. No entanto, seus colegas me disseram como eu deveria fazer. Adeus.

— Seu fradeco! — gritou o garoto, acompanhando Aliócha com o mesmo olhar cheio de ódio e provocante; pôs–se na defensiva, acreditando que Aliócha iria lançar–se contra ele, mas aquele voltou–se, olhou–o e seguiu seu caminho. Não havia dado uns três passos quando recebeu nas costas o mais grosso dos seixos que enchiam o bolso do sobretudo.

— Como? Por trás? É então verdade o que eles dizem, que você ataca como traidor?

Aliócha voltou–se; visado no rosto, teve tempo de prevenir–se e novo projétil atingiu–o no cotovelo.

— Não tem vergonha? Que eu lhe fiz? — exclamou ele.

O garoto esperava, silencioso e agressivo, persuadido de que, daquela vez, Aliócha lhe cairia em cima; vendo que sua vítima não se movia, ficou furioso como uma pequena fera e avançou. Antes que Aliócha tivesse podido fazer um movimento, o diabrete agarrou–lhe a mão esquerda e mordeu–lhe cruelmente um dedo. Aliócha lançou um grito de dor, esforçando–se por livrar–se. O garoto largou–o por fim, recuando para a distância anterior. A mordidela, perto da unha, era profunda, o sangue corria. Aliócha tirou seu lenço, enrolando com ele apertadamente sua mão ferida. Isto levou cerca de um minuto. Entretanto o menino esperava. Aliócha baixou sobre ele um olhar calmo.

— Está bem — disse ele —, veja como me mordeu profundamente. Isto basta, creio. Agora, diga–me, que lhe fiz eu?

O menino fitou–o, surpreso.

— Não o conheço absolutamente e vejo–o pela primeira vez — prosseguiu Aliócha, com a mesma calma —, mas devo ter–lhe feito alguma coisa, do contrário você não teria me agredido por coisa nenhuma. Vamos, diga–me, que eu lhe fiz e que culpa cometi para com você?

Como resposta, o menino pôs–se a soluçar e fugiu. Aliócha seguiu–o lentamente pela Rua de São Miguel e avistou–o ainda por muito tempo, correndo e chorando, sem se voltar. Prometeu a si mesmo, desde que tivesse tempo, tornar a encontrá–lo, para esclarecer aquele enigma.

IV / EM CASA DAS SENHORAS KHOKHLAKOVI

Não demorou a chegar à residência da Senhora Khokhlakova, cuja casa de pedra, de um andar, era uma das mais belas de nossa cidade. Se bem que ela vivesse a maior parte do tempo numa propriedade situada em outra província, e em sua casa de Moscou, possuía uma em nossa cidade, que lhe vinha de sua família. De resto, a maior de suas três propriedades encontrava–se em nosso distrito, mas só raramente ela havia vindo à nossa província. Acorreu ao encontro de Aliócha no vestíbulo.

— Recebeu minha carta a propósito do novo milagre? — perguntou ela, nervosamente.

— Sim, recebi–a.

— Passou-a adiante, mostrou–a a todos? Ele restituiu um filho à sua mãe!

— Morrerá hoje — disse Aliócha.

— Sei. Oh! como gostaria de falar de tudo isso, com você ou com um outro! Não, com você, com você! E dizer que não posso vê–lo! É pena. Toda a cidade está emocionada, todos estão na expectativa. A propósito... sabe que Katierina Ivânovna acha–se neste momento em nossa casa?

— Ah! que feliz encontro! — exclamou Aliócha. — Ontem recomendou–me que viesse vê–la sem falta.

— Sei, sei. Contaram–me, pormenorizadamente, o que se passou ontem... aquela cena horrível com aquela... criatura. *C'est tragique!* No lugar dela, não sei o que teria feito. E seu irmão, Dimítri Fiódorovitch, que homem, meu Deus! Alieksiéi Fiódorovitch, estou me atrapalhando; imagine que seu irmão está aqui, isto é, não aquele terrível personagem, mas o outro, Ivan Fiódorovitch. Está tendo uma conversa solene com Katierina Ivânovna... Se você soubesse o que se passa entre eles, é terrível, é dilacerante, é um conto inverossímil; atormentam–se com prazer, eles mesmos sabem e disso extraem um gozo acre. Eu o esperava, tinha sede de você! Sobretudo, não posso suportar isso. Vou contar–lhe tudo, mas há outra coisa, essencial. Ah! tinha esquecido que era o essencial. Diga–me, por que Lisa está com uma crise nervosa? Ficou assim logo que foi informada de sua chegada.

— Mamãe, é a senhora quem está agora numa crise, e não eu, — gorjeou de repente a voz de Lisa, que vinha do quarto vizinho, através da porta entreaberta. A abertura era exígua e a voz aguda, talqualmente como quando se tem uma violenta vontade de rir e se faz esforço para reprimi–la. Aliócha notara aquela fenda, por onde Lisa devia examiná–lo de sua cadeira, sem que ele pudesse dar–se conta disso.

— Pode ser, Lisa, que eu esteja com uma crise, diante de teus caprichos, e, no entanto, Alieksiéi Fiódorovitch, ela esteve bastante doente a noite inteira: febre, gemidos! Com que impaciência esperei o raiar do dia e a chegada do Doutor Herzenstube! Ele diz que não compreende nada, que é preciso esperar. Quando vem, repete sempre a mesma coisa. Assim que o senhor entrou, ela deu um grito e quis ser transportada para seu antigo quarto...

— Mamãe, eu nem tinha ideia que ele vinha; não foi para evitá–lo que quis passar para meu quarto.

— Não é verdade, Lisa, Iúlia tocaiava a chegada de Alieksiéi Fiodorovitch e correu a anunciar–te a chegada dele.

— Querida mamãezinha, não está direito, isso, de sua parte; se quer dizer algo de mais espirituoso, diga ao nosso caro visitante, Alieksiéi Fiódorovitch, que ele demonstrou sua falta de espírito, somente com decidir vir à nossa casa, depois do dia de ontem, e apesar de toda gente zombar dele.

— Lisa, vais longe demais, e asseguro–te que recorrerei a medidas rigorosas. Ninguém zomba dele, estou tão contente por ter ele vindo! É para mim necessário, indispensável. Oh! Alieksiéi Fiódorovitch, quanto sou infeliz!

— Que tem então a senhora, mamãezinha?

— O que me mata, Lisa, são teus caprichos, tua inconstância, tua doença, essa terrível noite de febre, aquele horrendo aquele eterno Herzenstube, e enfim tudo, tudo... E depois esse milagre! Oh! como ele me impressionou, me transtornou, querido Alieksiéi Fiódorovitch! E aquela tragédia no salão, que não posso suportar, afirmo–lhe, é impossível. Uma comédia, talvez, e não uma tragédia. Diga, o *stáriets* Zósima viverá até amanhã? Oh! meu Deus! Que é que me acontece? Fecho os olhos a cada instante e digo a mim mesma que tudo é absurdo, absurdo.

— Eu lhe ficaria muito grato — interrompeu–a de repente Aliócha — se me desse um pedacinho de pano para fazer um curativo no meu dedo; feri-me e está doendo muito.

Aliócha descobriu seu dedo mordido, o lenço cheio de sangue. A Senhora Khokhlakova lançou um grito, fechou os olhos.

— Meu Deus! Que ferimento, é horrível!

Assim que Lisa viu o dedo de Aliócha através da fenda, escancarou a porta.

— Venha, venha ter comigo — disse ela, com uma voz imperiosa –, agora, chega de tolices! Oh! Deus! Por que ficou tanto tempo sem nada dizer? Ele poderia ter perdido todo o seu sangue, mamãe! Onde e como lhe aconteceu isso? Antes de tudo água, água! É preciso lavar a ferida, mergulhar o dedo na água fria para fazer cessar a dor e conservá–lo ali muito tempo... Depressa, água, mamãe, numa tigela! Mais depressa, vamos — disse ela, com um movimento nervoso. Estava bastante amedrontada; a ferida de Aliócha consternava–a.

— Não será preciso ir chamar Herzenstube? — exclamou a mãe.

— Mamãe, a senhora me mata. Seu doutor virá para dizer que não compreende nada! Água, água, mamãe, pelo amor de Deus! Vá a senhora mesma estimular Iúlia que se retardou não sei onde; nunca pode chegar a tempo! Mais depressa, mamãe, ou eu morro... morro...

— Mas é uma coisa de nada! — exclamou Aliócha, espantado com aquele terror.

Iúlia acorreu com a água. Aliócha mergulhou nela o dedo.

— Mamãe, suplico–lhe, traga um pouco de gaze e daquela água turva para cortes, como é que se chama? Temos dela, temos dela... mamãe, a senhora sabe onde está o frasco, no seu quarto de dormir, no armário à direita; há um grande frasco e fios.

— Imediatamente, Lisa, mas não grites, não te enerves; Tu vês com que coragem Alieksiéi Fiódorovitch suporta sua dor. Onde se feriu o senhor assim, Alieksiéi Fiódorovitch?

Ela saiu imediatamente. Lisa só esperava por isso.

— Antes de tudo, responda à minha pergunta — disse ela rapidamente. — Onde pôde ferir–se assim? Depois falaremos de outra coisa. Vamos!

Adivinhando que o tempo se tornava precioso, Aliócha fez–lhe uma narrativa exata, se bem que resumida, de seu estranho encontro com os colegiais. Depois de havê–lo escutado, Lisa juntou as mãos.

— Como você pode, e ainda mais com esse hábito, andar às voltas com garotos? — exclamou ela, encolerizada, como se tivesse direitos sobre ele. — Mas, afinal, você mesmo não passa de um garoto, o menor dentre eles. No entanto, não deixe de informar–se a respeito desse diabrete e conte–me tudo; deve haver nisso um segredo. Outra coisa agora. Você poderia, apesar da sua dor, falar discretamente a respeito de bagatelas, Alieksiéi Fiódorovitch?

— Claro que sim, aliás não está me doendo mais tanto.

— É porque seu dedo está dentro dágua. É preciso mudá–la imediatamente, ela esquentará. Iúlia, vai procurar um pedaço de gelo na adega e nova tigela com água. Ela já se foi, abordo o assunto. Meu querido Alieksiéi Fiódorovitch, queira entregar–me imediatamente minha carta, mamãe pode voltar dum minuto para outro, e eu não quero...

— Não a tenho comigo.

— Não é verdade, tem sim, estava certa de que você me daria essa resposta. Lamentei tanto a noite inteira aquela estúpida pilhéria! Entregue minha carta agora mesmo. Entregue!

— Deixei–a em casa!

— Você não pode tomar–me por uma meninota, depois da tola pilhéria de minha carta. Peço–lhe perdão! Mas a quero de volta; se verdadeiramente não está com você, traga–a hoje sem falta.

— Hoje, é impossível, porque volto para o mosteiro e não voltarei a vê–la por dois dias, três ou quatro talvez, porque o *stáriets* Zósima...

— Quatro dias, que absurdo! Escute, riu muito de mim?

— De jeito nenhum.

— Por que então?

— Porque acreditei em você, absolutamente.

— Você me ofende!

— De modo algum. Pensei, logo após ter lido, que isto se daria, porque desde que o *stáriets* tiver morrido, terei de deixar o mosteiro. Em seguida acabarei meus estudos, farei meus exames e depois do prazo legal nos casaremos. Vou amá–la bastante. Embora não tenha tido tempo de pensar nisso, refleti que não encontraria jamais uma mulher melhor que você e o *stáriets* ordena que eu me case...

— Sou um monstro, fazem–me rodar numa cadeira! — objetou, rindo, Lisa, com as faces incendidas.

— Eu mesmo a farei rodar, mas estou certo de que até lá estará você restabelecida.

— Mas você está louco! — proferiu Lisa, nervosamente. —Tirar tal conclusão duma simples brincadeira!... Aí vem mamãe, talvez muito a propósito. Mamãe, como pôde demorar tanto tempo?! E eis Iúlia que traz o gelo.

— Ah! minha Lisa, não grites, não grites principalmente. Tenho a cabeça rebentada... é culpa minha que hajas posto os fios noutro lugar?... Procurei, procurei... Suponho que o fizeste de propósito.

— Eu não podia adivinhar que ele chegaria com um dedo mordido, se soubesse teria feito de propósito. Minha querida mamãe, a senhora começa a dizer coisas muito espirituosas.

— Espirituosas? Pois seja. Mas quanta pena do dedo de Alieksiéi Fiódorovitch, Lisa, e de tudo isso! Oh! meu caro Alieksiéi Fiódorovitch, não são os detalhes que me matam, nem um Herzenstube qualquer, mas tudo junto, tudo reunido, eis o que não posso suportar.

— Basta de tanto Herzenstube, mamãe — continuou Lisa, com um riso jovial —, dê–me mais depressa a gaze e a água. É muito simples, "água branca", Alieksiéi, o nome me ocorre, um excelente remédio. Mamãe, imagine a senhora que ele brigou com garotos na rua e foi um que lhe deu uma dentada; ele não é mesmo um garotinho e será que ele pode casar, mamãe, depois dessa aventura? Porque, imagine a senhora, ele quer casar! Pode imaginá–lo casado? Não é de morrer, de rir?

E Lisa ria, aquela sua risadinha nervosa, olhando maliciosa para Aliócha.

— Mas como ele haveria de casar, Lisa, que coisa sem pé nem cabeça! É muito fora de propósito de tua parte... Aquele garoto poderia estar raivoso!

— Ah! mamãe, há crianças raivosas?

— Por que não, Lisa? Nem que eu estivesse dizendo uma bobagem! Aquele garoto foi mordido por um cão raivoso, ele mesmo ficou raivoso, passa a morder alguém por sua vez. Ela fez um belo curativo, Alieksiéi Fiódorovitch! Eu nunca teria podido fazê–lo assim. Sente dor?

— Muito pouca.

— Não tem medo da água? — perguntou Lisa.

— Basta, Lisa, falei talvez demasiado apressadamente de raiva, a propósito daquele garoto, e tu concluis Deus sabe o quê. Katierina Ivânovna acaba de saber de sua chegada, Alieksiéi Fiódorovitch. Deseja ardentemente vê–lo.

— Ah! mamãe, vá sozinha; ele não pode ainda, sofre demais.

— Não estou sofrendo absolutamente, posso ir, muito bem — protestou Aliócha.

— Como? Vai–se embora? Ah! é assim?

— Pois bem, quando terminar, voltarei e poderemos tagarelar tanto quanto você queira. Tenho pressa de ver Katierina Ivânovna, porque desejo voltar o mais cedo possível para o mosteiro.

— Mamãe, leve–o bem depressa. Alieksiéi Fiódorovitch, não se dê ao trabalho de vir ter comigo depois de ter visto Katierina Ivânovna. Volte direto para seu mosteiro, é sua vocação! Eu estou com vontade de dormir, passei a noite em claro.

— Ah! Lisa, estás brincando, decerto, mas se dormisses deveras?

— Ficarei ainda uns três minutos, até mesmo cinco se você quiser — balbuciou Aliócha.

— Leve–o, pois, depressa, mamãe, é um monstro.

— Lisa, perdeste a cabeça. Vamos, Alieksiéi Fiódorovitch, ela está demasiado, caprichosa hoje, tenho medo de enervá–la. Oh! que desgraça uma mulher nervosa, Alieksiéi Fiódorovitch! Mas ela talvez tenha realmente vontade de dormir. Como sua presença a inclinou depressa para o sono! Que coisa boa!

— Mamãe, como a senhora fala gentilmente! Dou–lhe um beijinho por isso.

— Eu também, Lisa. Escute, Alieksiéi Fiódorovitch — cochichou ela com um ar misterioso, importante, afastando–se com o rapaz —, não quero influenciá–lo, nem erguer o véu; vá ver você mesmo o que se passa: é terrível. A comédia mais fantástica; ela ama seu irmão Ivan Fiódorovitch e trata de persuadir–se de que está apaixonada por Dimítri Fiodórovitch. É horrível! Acompanho–o, e, se quiserem, esperarei.

V / O TUMULTO NO SALÃO

A conversa no salão tinha terminado; Katierina Ivânovna, superexcitada, mostrava, no entanto, um ar resoluto. Quando Aliócha e a Senhora Khokhlakova entraram, Ivan Fiódorovitch levantava para partir. Estava um pouco pálido e seu irmão examinou-o com inquietação. Aliócha encontrava agora a solução para uma dúvida, para um enigma que o atormentava desde algum tempo. Por diversas vezes, desde um mês, tinham-lhe sugerido que seu irmão Ivan amava Katierina Ivânovna, e sobretudo que ele estava a "tomá-la" de Mítia. Até então isto parecera monstruoso a Aliócha, inquietando-o fortemente. Amava seus dois irmãos e aterrorizava-se com a rivalidade deles. Entretanto, Dimítri havia-lhe declarado na véspera que se sentia feliz por ter como rival seu irmão, que isso lhe prestava grande serviço. Em quê? Para se casar com Grúchenhka? Mas era essa resolução desesperada. Além disso, Aliócha acreditara com firmeza, até a véspera à noite, no amor, apaixonado e obstinado de Katierina Ivânovna por Dimítri, até a véspera à noite somente. Parecia-lhe também que ela não podia amar um homem como Ivan, mas que amava Dimítri tal como ele era, apesar da estranheza de tal amor. Mas durante a cena com Grúchenhka, suas impressões tinham mudado. A palavra "dilacerante", empregada havia pouco pela Senhora Khokhlakova, perturbava-o, porque na noite passada, meio acordado ao raiar do dia, ele a pronunciara duas vezes, provavelmente sob a impressão de seu sonho, a noite inteira revira aquela cena. Agora, a afirmação categórica da Senhora Khokhlakova, de que a moça amava Ivan, que seu amor por Dimítri não passava de um logro, de um amor de empréstimo que ela se infligia por jogo, por "dilaceramento", sob o império da gratidão, essa afirmação impressionava Aliócha: "Talvez, seja verdade!". Mas nesse caso, qual era a situação de Ivan?! Aliócha adivinhava que um caráter como o de Katierina Ivânovna tinha necessidade de dominar; ora, aquele domínio não podia exercer-se senão sobre Dimítri e não sobre Ivan. Porque somente Dimítri (suponhamos que só por pouco tempo) poderia enfim submeter-se a ela "para sua felicidade" (Aliócha também teria desejado isso), mas Ivan não poderia; aliás essa submissão não o teria tornado feliz. Tal era a ideia que Aliócha fazia involuntariamente de Ivan. Era presa dessas hesitações e dessas reflexões ao entrar no salão. Outra ideia se impôs a ele de repente: "E se ela não amasse nem a um nem a outro?". Notemos que Aliócha tinha vergonha de tais pensamentos e censurava a si próprio, quando por vezes lhe sobrevinham, no derradeiro mês. "Que entendo eu do amor e das mulheres e como posso tirar tais conclusões?", dizia a si mesmo depois de cada conjetura. Entretanto a reflexão se impunha. Adivinhava que aquela rivalidade era capital no destino de seus dois irmãos. "Os reptis devorarão um ao outro", dissera ontem Ivan na sua irritação, a propósito de seu pai e de Dimítri. Assim, era Dimítri um réptil aos olhos dele, desde muito tempo talvez. Não seria depois que ele próprio viera a conhecer Katierina Ivânovna? Aquelas palavras haviam, sem dúvida, escapado a Ivan involuntariamente, mas eram por isso mesmo mais graves. Naquelas condições que paz, que paz poderia haver? Não eram pelo contrário novos motivos de ódio e de inimizade na família deles? Sobretudo, a quem ele, Aliócha, deveria lamentar? E que desejar a cada um deles? Amava-os igualmente, mas que desejar aos dois, entre tão temíveis contradições? Era caso de perder-se naquele labirinto e o coração de Aliócha não podia suportar a incerteza, porque seu amor tinha sempre um caráter ativo. Incapaz de amar passivamente, sua afeição traduzia–se em uma ajuda. Mas para isso, era preciso ter uma razão, saber claramente o que convinha a cada um e ajudá–los em consequência. Em lugar dessa razão, só havia confusão e embrulhada. Tinha–se falado em "dilaceramento". Mas que poderia ele compreender, até mesmo desse dilaceramento? Não compreendia a primeira palavra daquele enigma!

Vendo Aliócha, Katierina Ivânovna disse vivamente a Ivan Fiódorovitch, já em pé para partir:

— Um instante! Quero ter a opinião de seu irmão, em quem tenho plena confiança. Katierina Óssipovna, fique também — continuou ela, dirigindo–se à Senhora Khokhlakova. Esta se colocou ao lado de Ivan Fiódorovitch, e Aliócha, em frente, perto da moça.

— Eis, meus amigos, os únicos que tenho no mundo —começou ela com uma voz ardente em que tremiam lágrimas de sincera dor, e Aliócha sentiu–se de novo atraído para ela. — Você, Alieksiéi Fiódorovitch, assistiu ontem àquela cena horrível, viu–me. Ignoro o que pensava de mim, mas sei que nas mesmas circunstâncias minhas palavras e meus gestos seriam idênticos. Deve lembrar que eu me contive... (Ao dizer isto, corou e seus olhos cintilaram.) Declaro-lhe, Alieksiéi Fiódorovitch, que não sei que partido tomar. Ignoro se o amo agora, a ele. Causa–me compaixão, o que é uma ruim marca de amor. Se o amasse, se continuasse a amá–lo, não seria compaixão, mas ódio o que eu sentiria agora...

Sua voz tremia, lágrimas brilhavam em seus cílios. Aliócha estava comovido; aquela moça era leal, sincera, pensava ele, e... não ama mais Dimítri.

— É isto! É isto mesmo! — exclamou a Senhora Khokhlakova.

— Espere, cara Katierina Óssipovna. Não lhe disse o essencial, a decisão que tomei esta noite. Sinto que minha resolução é talvez terrível, para mim, mas pressinto que não a mudaria por preço nenhum. Meu caro conselheiro, bom e generoso, meu confidente, o único amigo que tenho no mundo, Ivan Fiódorovitch, aprova–me inteiramente e louva minha resolução...

— Sim, aprovo–a — disse Ivan, em voz baixa, mas firme.

— Mas desejo que Aliócha — desculpe–me chamá–lo assim —, desejo que Alieksiéi Fiódorovitch me diga agora, diante de meus dois amigos, se tenho razão ou não. Adivinho que você, Aliócha, meu caro irmão (porque o é) — repetia ela com arrebatamento, agarrando–lhe a mão gelada com a sua ardente —, adivinho que sua decisão, sua aprovação me tranquilizarão, apesar de meus sofrimentos, porque após suas palavras vou me acalmar e resignar, pressinto!

—Ignoro o que vai me pedir — disse Aliócha, corando.— Sei somente que a amo e que lhe desejo neste momento mais felicidade que a mim mesmo!... Mas nada entendo de tais negócios... — ele se apressou em acrescentar sem saber por quê...

— O essencial, em tudo isto, é a honra e o dever, e algo de mais alto, que ultrapassa talvez o próprio dever. Meu coração me dita esse sentimento irresistível e me arrasta. Em suma, minha decisão está tomada. Mesmo se ele desposar aquela... criatura, a quem não poderei jamais perdoar, não o abandonarei, no entanto! Doravante, não o abandonarei jamais! — disse ela, presa de uma exaltação mórbida. — Bem entendido, não tenho a intenção de correr atrás dele; de impor–lhe minha presença, de importuná–lo, oh! não! Irei para outra cidade, não importa onde, mas não deixarei de interessar–me por ele. Quando se sentir infeliz com a outra— e isto não vai demorar — que ele venha a mim, encontrará uma amiga, uma irmã... Uma irmã apenas, decerto, e isto para toda a vida, uma irmã amorosa, que lhe terá sacrificado sua existência. Conseguirei, à força de perseverança, fazer–me afinal apreciar por ele, ser sua confidente, sem que ele venha a corar por isso! — exclamou ela, como que enlouquecida.— Serei seu Deus, a quem ele dirigirá suas preces, é o menos que ele me deve por ter–me traído e por tudo quanto suportei ontem por causa dele. E ele verá que permanecerei eternamente fiel à palavra uma vez dada, malgrado suas infidelidades e sua traição. Serei apenas o meio, o instrumento de sua felicidade, por toda a sua vida, por toda a sua vida! Eis minha decisão. Ivan Fiódorovitch aprova–me altamente.

Sufocava. Talvez tivesse querido exprimir seu pensamento com mais dignidade, naturalidade, mas o fez com demasiada precipitação e sem rebuços. Havia em suas palavras muita exuberância juvenil; elas refletiam a irritação da véspera, a necessidade de orgulhar–se; ela mesma dava–se conta disso. De súbito, seu rosto ensombreceu, seu olhar tornou–se mau. Aliócha percebeu tudo isso e a compaixão despertou nele. Seu irmão acrescentou algumas palavras.

— É, com efeito, a expressão de meu pensamento. Em qualquer uma outra, isto teria parecido excessivo e atormentado. Outra não teria tido razão, mas você a tem. Não sei como motivar isto, mas vejo que você é completamente sincera e por isso é que tem razão...

— Mas só por um instante... Ora, que é esse instante? É apenas o ressentimento de ontem — não pôde impedir–se de dizer com justeza a Senhora Khokhlakova, vencendo seu desejo de não intervir.

— Oh! sim! — disse Ivan, com uma espécie de irritação e visivelmente vexado por ter sido interrompido. — É isto; numa outra esse instante não seria senão uma impressão passageira, mas com o caráter de Katierina Ivânovna isto durará toda a sua vida. O que para outras não seria senão uma promessa no ar, será para ela um dever eterno, penoso, sombrio talvez, mas incessante. E ela se repastará com o sentimento desse dever cumprido! Sua existência, Katierina Ivânovna, vai se consumir agora numa dolorosa contemplação de seus sentimentos heroicos e de seu pesar, Mas com o tempo esse sofrimento se acalmará, você vai viver na doce contemplação dum desígnio firme e altivo, realizado duma vez por todas, desesperado, na verdade, mas que você logrou vencer. Esse estado de espírito vai lhe proporcionar por fim a satisfação mais completa e a reconciliará com tudo mais...

Exprimira–se com uma espécie de rancor, visivelmente intencional e sem procurar dissimular sua intenção irônica.

— Oh! Deus, quanto tudo isso é falso! — exclamou de novo a Senhora Khokhlakova.

— Alieksiéi Fiódorovitch, fale! Quero logo conhecer sua opinião! — disse Katierina Ivânovna que se pôs a derramar lágrimas. Aliócha ficou em pé.

— Não é nada, não é nada! — prosseguiu ela, chorando. — É o nervoso, a insônia, mas com amigos como seu irmão e você, sinto-me fortificada... porque sei que vocês não me abandonarão nunca...

— Infelizmente, deverei talvez partir amanhã para Moscou, deixá–la por muito tempo... Essa viagem é indispensável — declarou Ivan Fiódorovitch.

— Amanhã, para Moscou? — exclamou Katierina Ivânovna, de rosto crispado.— Meu Deus! que felicidade! — continuou ela; com uma voz de súbito mudada, contendo suas lágrimas, de que não restou mais nenhum traço. Essa mudança súbita, que impressionou fortemente Aliócha, foi de fato repentina; a infeliz moça, ofendida, chorosa, de coração dilacerado, deu lugar de repente a uma mulher perfeitamente senhora de si mesma e além do mais satisfeita como após uma alegria inesperada.

— Não é sua partida que me alegra, decerto — retificou ela, com o encantador sorriso de uma dama da sociedade. — Um amigo como você não pode crer nisso; sinto–me, pelo contrário, muito infeliz com sua partida (avançou para Ivan Fiódorovitch e, agarrando–lhe as mãos, apertou–as com calor); mas o que me rejubila é que você possa agora expor em Moscou, à minha tia e a Agáfia, minha situação em todo o seu horror, francamente com Agáfia, mas, poupando minha tia querida, como você é capaz de fazer. Você não pode imaginar quanto me sentia infeliz ontem e esta manhã, perguntando a mim mesma como escrever a elas essa terrível carta... porque não se pode exprimir isso por escrito... Agora, vai ser mais fácil escrever–lhes, porque você estará em pessoa em casa delas para explicar tudo. Oh! como sou feliz! Mas por isto somente, repito–lhe. Você me é indispensável, certamente... Corro a escrever essa carta — concluiu ela, dando um passo para sair do salão.

— E Aliócha? E a opinião de Alieksiéi Fiódorovitch que você desejava tão vivamente conhecer? — exclamou a Senhora Khokhlakova, com uma entonação sarcástica e irritada.

— Não esqueci dele — disse Katierina Ivânovna, parando. — Mas por que a senhora se mostra de tão má–vontade para comigo neste momento, Katierina Óssipovna? — proferiu ela, num tom amargo de censura. — Confirmo o que disse. Tenho necessidade de saber sua opinião e, bem mais ainda, sua decisão! Será uma lei para mim, tanta sede tenho de suas palavras, Alieksiéi Fiódorovitch... Mas que tem?

— Jamais pensei, não posso imaginar isso! — disse Aliócha, com ar aflito.

— O quê?

— Ele parte para Moscou, testemunha–lhe a senhorita sua alegria, fez isso de propósito! Em seguida, explica que não é sua partida que a rejubila, que a lamenta, pelo contrário, que perde... um amigo. Mas aí também representava de propósito... como no teatro, numa comédia!...

— No teatro? Como?... Que diz você? — exclamou Kátierina Ivânovna estupefata; corou, franziu o cenho.

— Por mais que afirme lamentar o amigo que parte, declara–lhe redondamente que sua partida é uma felicidade... — proferiu Aliócha ofegante. Mantinha–se de pé, perto da mesa.

— Que quer dizer? Não compreendo...

— Eu mesmo não sei... É como uma iluminação repentina... Sei que faço mal em falar nisso, mas falarei ainda assim — prosseguiu ele, com uma voz trêmula, entrecortada. — A senhorita talvez nunca tenha amado Dimítri... Ele tampouco, sem dúvida, de jeito nenhum a ama... desde o começo... estima–a, eis tudo... Na verdade, não sei como tenho a audácia... mas é bem preciso que alguém diga a verdade, pois que ninguém aqui ousa fazê–lo.

OS IRMÃOS KARAMÁZOVI

— Que verdade? — perguntou Katierina Ivânovna com exaltação.

— Ei–la — balbuciou Aliócha, tomando sua decisão, como se se precipitasse no vácuo. — Mande chamar Dimítri — eu o encontrarei —, que ele venha aqui pegar sua mão e a de meu irmão Ivan para uni–los. Porque a senhorita faz Ivan sofrer somente porque o ama... e seu amor por Dimítri é uma dolorosa mentira... da qual a senhorita procura persuadir–se...

Aliócha calou–se bruscamente.

—Você... você é um pobre de espírito — replicou Katierina Ivânovna, pálida, de lábios crispados. Ivan Fiódorovitch levantou, de chapéu na mão.

— Tu te enganaste, meu bom Aliócha — disse ele; com uma expressão que seu irmão jamais lhe vira, uma expressão de sinceridade juvenil, de irresistível franqueza, — Katierina Ivânovna jamais amou a mim! Conhecia desde muito tempo meu amor por ela, se bem que eu nada lhe houvesse revelado, mas não correspondia a ele. Não fui tampouco seu amigo, em momento algum; seu orgulho não tinha necessidade de minha amizade. Mantinha–me perto dela para se vingar em mim das ofensas contínuas que lhe infligia Dimítri desde o primeiro encontro deles, porque este ficou em seu coração como uma ofensa. Meu papel consistiu em ouvir falar de seu amor por ele. Parto, afinal, mas fique sabendo, Katierina Ivânovna, que você não ama, na realidade, senão a ele. E isto na proporção de suas ofensas. Eis o que a dilacera. Ama–o tal como ele é, com suas faltas para com você. Se ele se emendasse, você o abandonaria logo e deixaria de amá–lo. Mas ele lhe é necessário para você contemplar nele sua fidelidade heroica e censurar–lhe sua traição. Tudo isso por orgulho! Você sente–se humilhada e rebaixada, mas seu orgulho é a causa disso... Sou demasiado jovem, amava–a demais. Sei que não deveria ter–lhe falado assim, que teria sido mais digno de minha parte deixá–la simplesmente; teria sido menos magoante para você. Mas parto para longe e não voltarei mais... É para sempre... Não quero respirar este ar de exaltação... Aliás, não tenho mais nada a dizer, é tudo... Adeus, Katierina Ivânovna, não fique zangada comigo, porque estou sendo cem vezes mais castigado que você, castigado pelo simples fato de que jamais tornarei a vê–la. Adeus. Não quero pegar sua mão. Você me fez sofrer demasiado conscientemente para que eu possa perdoar nesta hora. Mais tarde, talvez, mas agora não quero sua mão.

Den Dank, Dame, begehr'ich nicht...[44]

— ele acrescentou com um sorriso constrangido, provando assim que conhecia Schiller, a ponto de sabê–lo de cor, o que Aliócha teria se recusado a acreditar antes. Saiu sem mesmo cumprimentar a dona da casa. Aliócha juntou as mãos.

— Ivan! — gritou–lhe, transtornado. — Volta, Ivan! Não, agora ele não voltará por coisa alguma do mundo! — exclamou, com um pressentimento amargo. — Mas a culpa é minha, fui eu que comecei! Ivan falou com cólera, injustamente. É preciso que ele volte... — exclamava Aliócha, como fora de si.

Katierina Ivânovna passou para outra peça.

---

44 "Pouco me importa, senhora, o vosso agradecimento." Schiller, *A luva*, estrofe VIII.

— Você nada tem a censurar-se, sua conduta é a de um anjo — murmurou para o triste Aliócha a Senhora Khokhlakova, entusiasmada. — Farei todo o possível para impedir que Ivan Fiódorovitch parta...

A alegria iluminava seu rosto, para grande mortificação de Aliócha, mas Katierina Ivânovna reapareceu de súbito. Tinha na mão duas cédulas de cem rublos.

— Tenho um grande obséquio a pedir-lhe, Alieksiéi Fiódorovitch — começou ela com uma voz calma e igual, como se nada se tivesse passado. — Há cerca de uma semana, Dimítri Fiódorovitch deixou-se levar a praticar uma ação injusta e escandalosa. Há aqui um cabaré mal afamado, onde encontrou aquele oficial reformado, aquele capitão que seu pai empregava em certos negócios. Irritado contra aquele capitão por um motivo qualquer, Dimítri Fiódorovitch agarrou-o pela barba e arrastou-o naquela posição humilhante até a rua, onde ele continuou ainda por muito tempo. Dizem que o filho dele, jovem escolar, corria a seu lado, soluçando diante, daquele espetáculo, pedia por seu pai e rogava aos passantes que o defendessem, mas todo mundo ria. Desculpe-me, Alieksiéi Fiódorovitch, não posso lembrar-me sem indignação desse ato vergonhoso... de que somente Dimítri Fiódorovitch é capaz, presa da cólera... e de suas paixões! Nem posso falar, isto me faz mal... embaraço-me. Tomei informações a respeito daquele infeliz e soube que ele é muito pobre, chama-se Snieguiriov. Tornou-se culpado duma falta em seu serviço, deram-lhe baixa, não posso fornecer detalhes, e agora, com sua desgraçada família, as crianças doentes, a mulher louca, parece, caiu em profunda miséria. Mora na cidade desde muito tempo, era copista em alguma parte, mas neste momento não ganha nada. Lancei os olhos em você... isto é, pensei, ah! confundo-me, queria pedir-lhe, meu caro Alieksiéi Fiódorovitch, que fosse à casa dele, sob um pretexto qualquer, e, delicadamente, prudentemente, como só você é capaz (Aliócha corou), entregar-lhe este socorro, estes duzentos rublos... Ele os aceitará decerto... isto é, persuada-o a aceitá-los... veja você, não é uma indenização, para evitar que ele apresente queixa (queria fazer isso, ao que parece), mas simplesmente uma marca de simpatia, o desejo de ir em seu auxílio, em meu nome, como noiva de Dimítri Fiódorovitch, e não no dele... Eu mesma teria ido, mas você vai se sair melhor do que eu. Ele mora na Rua do Lago, na casa da Senhora Kalmíkova... Pelo amor de Deus, Alieksiéi Fiódorovitch, faça isto agora... estou um pouco fatigada. Adeus.

Desapareceu tão rapidamente por trás, da porta que Aliócha não teve tempo de dizer uma palavra. Queria ter pedido perdão, acusar-se, dizer qualquer coisa afinal, porque seu coração transbordava e ele não podia decidir a se afastar assim. Mas a Senhora Khokhlakova pegou-o pelo braço e levou-o. No vestíbulo, o fez parar como ainda há pouco.

— Ela é orgulhosa, luta consigo mesma, mas é uma natureza boa, encantadora, generosa! — murmurou ela à meia voz. — Oh! como gosto dela, por momentos, e quanto me sinto de novo contente! Meu caro Alieksiéi Fiódorovitch, sabe que nós todas, suas duas tias, eu e até mesmo Lisa, não temos senão um desejo, desde um mês: suplicamo-lhe que abandone o seu favorito Dimítri Fiódorovitch, que não a ama absolutamente, e case com Ivan, esse excelente rapaz tão instruído e de quem ela é o ídolo. Urdimos uma verdadeira conspiração e esta é talvez a única razão que ainda me retém aqui.

— Ela, porém, chorou, sente-se de novo ofendida! — exclamou Aliócha.

— Não creia nas lágrimas de uma mulher, Alieksiéi Fiódorovitch! Sou sempre contra as mulheres neste caso e do lado dos homens.

— Mamãe, a senhora o estraga e o perde — repercutiu a voz agudinha de Lisa, por trás da porta.

— Não, sou eu que sou causa de tudo, sou muito culpado! — repetiu Aliócha, inconsolável, experimentando uma vergonha dolorosa com aquela sua saída, o rosto oculto nas mãos.

— Pelo contrário, você agiu como um anjo, como um anjo, estou pronta a repeti–lo mil vezes.

— Mamãe, em que ele agiu como um anjo? — perguntou de novo Lisa.

— Imaginei, não sei por quê — prosseguiu Aliócha, como se não ouvisse Lisa —, que ela amava Ivan e larguei aquela tolice... Que irá acontecer?

— De que se trata? — indagou Lisa. — Mamãe, quer matar–me? Interrogo–a e a senhora não me responde.

Naquele momento, acorreu a arrumadeira.

— Katierina Ivânovna está passando mal... chora, está com um ataque de nervos.

— Que há? — gritou Lisa, com a voz alarmada — Mamãe, sou eu que vou ter um ataque!

— Lisa, pelo amor de Deus, não grites, tu me matas! Na tua idade não podes saber de tudo como as pessoas grandes; quando eu voltar te conto o que puderes saber. Oh! meu Deus! Corro até lá... um ataque é bom sinal, Alieksiéi Fiódorovitch, é excelente que ela tenha um ataque. Em semelhantes casos, estou sempre contra as mulheres, seus ataques e suas lágrimas. Iúlia, corre a dizer que já vou. Se Ivan Fiódorovitch partiu daquela maneira, a culpa é dela. Mas ele não partirá. Lisa, pelo amor de Deus, não grites. Ah! não és tu quem grita, sou eu, perdoa tua mãe. Mas estou entusiasmada, arrebatada! Notou, Alieksiéi Fiódorovitch, como seu irmão partiu com um ar viril, ainda há pouco? Disse–lhe o que tinha de dizer–lhe e partiu! Dizia a mim mesma: ele é tão culto, um universitário, e de repente, tal calor, uma franqueza juvenil, inexperiência, e tudo isso é tão gentil, tão gentil, absolutamente como você... E aquele verso alemão que ele citou, afinal como você, mas vou correndo, Alieksiéi Fiódorovitch, despache–se a cumprir a sua missão e volte bem depressa. Lisa, não tens necessidade de nada? Pelo amor de Deus, não retenhas Alieksiéi Fiódorovitch, ele vai voltar para ti.

A Senhora Khokhlakova foi embora, afinal. Aliócha, antes de sair, quis abrir a porta de Lisa.

— Por coisa alguma do mundo! — exclamou Lisa. — Não quero vê–lo, Alieksiéi Fiódorovitch. Fale–me através da porta. Como foi que virou um anjo? É tudo quanto desejo saber.

— Com minha tremenda estupidez, Lisa. Adeus!

— Não parta assim! — exclamou ela.

— Lisa, tenho um pesar muito sério! Volto imediatamente, mas tenho um grande, um enorme pesar.

Saiu correndo.

VI / O TUMULTO NA ISBÁ

Tinha Alióčha na verdade um pesar sério, como raramente experimentara até então. Interviera e cometera uma rata e num caso de sentimento, ainda por cima! "Mas que é que compreendo disso, que posso eu conhecer dessas coisas? Oh! a vergonha não é nada, a vergonha é um castigo merecido. A desgraça é que serei certamente a causa de novas calamidades... E dizer que o *stáriets* me enviou para reconciliar e unir! É assim que se une?" Lembrou–se então como tinha "unido as mãos" e a vergonha reapossou–se dele. "Muito embora:, tenha agido de boa–fé, será preciso ser mais inteligente no futuro", concluiu ele e nem mesmo sorriu de sua conclusão.

O encargo de Katierina Ivânovna conduzia–o à Rua do Lago e seu irmão morava precisamente daquele lado, numa ruela vizinha. Alióčha decidiu passar primeiro em casa dele, de qualquer forma, pressentindo que não o encontraria em casa. Suspeitava que Dimítri quisesse talvez esconder–se dele agora, mas era preciso descobri–lo a qualquer preço. O tempo passava; a ideia do *stáriets* moribundo não o deixava um minuto, desde sua partida do mosteiro.

Na narrativa de Katierina Ivânovna figurava uma circunstância que igualmente o interessava bastante; quando a moça falara do pequeno escolar, filho do capitão, que corria soluçando ao lado de seu pai, viera subitamente a Alióčha a ideia de que deveria ser ele o mesmo que lhe mordera o dedo, quando lhe perguntou em que o ofendera. Agora Alióčha estava quase certo, sem saber ainda por quê. Essas preocupações secundárias desviaram sua atenção. Resolveu não mais pensar no mal que acabava de fazer, não se atormentar pelo arrependimento, mas agir. Aconteceria lá o que acontecesse. Essa ideia restituiu–lhe toda a coragem. Ao entrar no beco onde morava Dimítri, teve fome e tirou de seu bolso o pãozinho que tomara em casa de seu pai. Comeu–o, enquanto caminhava; isto reconfortou–o.

Dimítri não estava em casa. Os donos da casinha — um velho carpinteiro, sua mulher e seu filho — olharam Alióčha com ar suspeitoso. "Há três dias que ele não passa a noite aqui, partiu talvez para algum lugar", respondeu o velho às suas perguntas. Alióčha compreendeu que ele se conformava com instruções recebidas. Quando perguntou se Dimítri não estava em casa de Grúchenhka, ou de novo oculto em casa de Fomá (Alióčha falava assim abertamente de propósito), todos o olharam com ar receoso. "Gostam dele pois, estão de seu lado", ele pensou. "Está bem."

Por fim descobriu na Rua do Lago a casa da mãe Kalmíkova, em mau estado e arriada, com três janelas para a rua, um pátio sujo, no meio do qual se achava uma vaca. Entrava–se pelo pátio para o vestíbulo, à esquerda vivia a velha proprietária com sua filha igualmente idosa, sendo surdas as duas, ao que parece. À pergunta várias vezes repetida para saber onde morava o capitão, uma delas; compreendendo por fim que perguntavam pelos inquilinos, apontou–lhe com o dedo, do outro lado do vestíbulo, a porta que dava para a mais bela peça da isbá. O apartamento do capitão consistia, com efeito, apenas dessa peça. Alióčha pusera a mão na maçaneta para abrir a porta, quando o impressionou o silêncio completo, que reinava no interior. Sabia, no entanto, de acordo com a narrativa de Katierina Ivânovna, que o capitão tinha família. "Dormem todos, ou então me ouviram chegar e esperam que eu abra; será melhor bater antes." Bateu. Ouviu–se uma resposta, mas não imediatamente, talvez ao fim de dez segundos.

— Quem é? — gritou uma voz grossa e irritada.

Aliócha abriu então e transpôs o limiar. Encontrava-se numa sala bastante espaçosa, mas extremamente atravancada de gente e de toda espécie de objetos caseiros. À esquerda, havia uma grande estufa russa. Da estufa à janela da esquerda, uma corda estendida através de todo o quarto suportava diversos trapos... De cada lado se encontrava um leito com cobertas tricotadas. Sobre um deles, o da esquerda, quatro travesseiros empilhados, uns menores que os outros. Sobre o leito da direita, só se via um, muito pequeno. Mais longe, no ângulo da frente, havia um espaço reservado, separado por uma cortina ou um lençol, fixado a uma corda estendida de través no ângulo. Por trás aparecia um leito improvisado sobre um banco e uma cadeira colocada junto. Uma simples mesa de mujique, quadrada, de madeira, estava instalada perto da janela do meio. As três janelas, de vidraças cobertas de mofo esverdeado que as empanava, estavam hermeticamente fechadas, de modo que se sufocava na peça semi-escura. Em cima da mesa, uma estufa com um resto de ovos sobre o prato, uma fatia de pão já mordida, um meio litro de aguardente, quase vazio de seu conteúdo. Perto do leito da esquerda estava sentada numa cadeira uma mulher, tendo um ar senhoril, com um vestido de chita da Índia. Demasiado magra e de rosto amarelo; suas faces cavadas atestavam ao primeiro lance de olhos seu estado doentio. Mas o que impressionou sobretudo Aliócha foi o olhar da pobre senhora, olhar ao mesmo tempo interrogador e arrogante. Enquanto Aliócha se explicava com o dono da casa, seus grandes olhos castanhos iam de um para outro, com tanta curiosidade quanta arrogância. Ao lado dela, perto da janela da esquerda, mantinha-se de pé uma moça de rosto pouco simpático, de cabelos ruivos e ralos, vestida pobremente, embora muito limpa. Olhou desdenhosamente para Aliócha, quando este entrou. À direita, igualmente perto do leito, estava sentada uma pessoa do sexo feminino, uma pobre criatura ainda jovem, duns vinte anos, mas corcunda e aleijada, de pés secos, como explicaram depois a Aliócha. Viam-se suas muletas a um canto, entre o leito e a parede. Os magníficos olhos da pobre moça fitavam Aliócha com doçura. Sentada a mesa e acabando a omelete, via-se um personagem, de quarenta e cinco anos, de pequena estatura, magro, de constituição débil, cuja barba arruivada e rala assemelhava-se bastante a um esfregão de tília desfiado (esta comparação e sobretudo a palavra "esfregão" surgiram ao primeiro lance de vista no espírito de Aliócha, ele lembrou mais tarde). Fora ele, evidentemente, quem respondera de dentro, porque não havia outro homem no quarto. Quando Aliócha entrou, levantou-se bruscamente, limpou a boca com um guardanapo esburacado e apressou-se em ir ao seu encontro.

— Um monge que pede esmolas para seu mosteiro, encontrou a quem se dirigir! — proferiu a moça que se mantinha no ângulo da esquerda. O indivíduo que correra ao encontro de Aliócha girou nos calcanhares e respondeu-lhe num tom entrecortado.

— Não, Varvara Nikoláievna, não é isto, você não adivinhou! Permita-me que lhe pergunte — disse, voltando-se para Aliócha, — o que o levou a visitar... este antro?

Aliócha observou-o atentamente. Via aquele homem pela primeira vez. Havia nele algo de áspero, de apressado, de irritado. Tinha certamente bebido; mas não estava bêbedo. Seu rosto refletia uma caracterizada impudência e, ao mesmo tempo — coisa estranha —, uma covardia visível. Assemelhava-se a um homem muito tempo submetido e sofredor, mas que de repente sentisse ímpetos de reerguer–se e de manifestar–se. Ou, melhor ainda, um homem que ardia do desejo de bater na gente, mas temendo nossos golpes. Nas suas palavras e na entonação de sua voz, bastante penetrante, distinguia–se uma espécie de humor esquisito, ora mau, ora tímido, intermitente e de tom desigual. Falara do antro, como a tremer, com os olhos arregalados e mantendo–se tão perto de Aliócha, que este deu maquinalmente um passo para trás. O personagem trazia um paletó de ganga, escuro, em muito mau estado, remendado, manchado. Suas calças muito claras, como não se usam mais desde muito tempo, eram de quadrados dum pano muito ralo, esfiapadas embaixo, e subiam–lhe nas pernas a ponto de dar–lhe o ar dum menino que cresceu demais.

— Eu sou... Alieksiéi Karamázov... — respondeu Aliócha.

— Sei bem — replicou o outro, dando a entender que lhe conhecia a identidade. — E eu sou o Capitão Snieguiriov. Mas importa saber o que o traz.

— Vim por vir. De fato, queria dizer–lhe uma palavra, em meu nome... se a permite...

— Neste caso, eis uma cadeira, queira sentar. É nas velhas comédias que diziam: "Queira sentar...".

Com um gesto pronto, o capitão agarrou uma cadeira livre (uma simples cadeira de mujique, de madeira), que colocou quase no meio do quarto; tomou outra igual para si e sentou–se diante de Aliócha; de novo tão perto que seus joelhos quase se tocavam.

— Nikolai Ilitch Snieguiriov, ex–capitão de infantaria russa, envilecido pelos seus vícios, mas apesar de tudo capitão. Deveria antes dizer: Capitão Slovoiérsov e não Snieguiriov, pois na segunda metade de minha vida comecei a empregar a letra "s". Esta letra "s" aprende–se na abjeção.[45]

— É assim mesmo — disse Aliócha, sorrindo. — Somente, aprende–se sem querer ou, de propósito?

— Deus o vê, involuntariamente. Nunca a tinha dito, passei toda a minha vida sem dizê–la e, de repente, comecei a empregar o "s". Faz–se assim por força maior. Vejo que o senhor se interessa pelos problemas contemporâneos. Mas que pôde despertar tanta curiosidade, pois vivo em um meio impossível para receber alguém.

— Vim justamente por causa disso...

— Disso quê? — interrompeu o capitão, impaciente.

— A propósito de seu encontro com meu irmão, Dimítri Fiódorovitch — replicou Aliócha, constrangido.

— Que encontro? Não será o mesmo, isto é, a respeito do "esfregão de tília"?

Avançou de tal maneira desta vez que seus joelhos bateram nos de Aliócha. Seus lábios cerrados formavam uma linha estreita.

— Que "esfregão de tília"? — murmurou Aliócha.

— É para se queixar de mim, papai, que ele veio! — ressoou uma voz por trás, da cortina, uma voz já conhecida de Aliócha, a do menino de ainda há pouco. — Eu mordi o dedo dele hoje!

---

45 Refere-se ao costume que havia, na época, de a gente acrescentar um "s" ao fim das palavras como deferência às pessoas importantes!

A cortina afastou–se e Aliócha avistou seu recente inimigo, no canto sob os ícones, sobre um leito formado por um banco e uma cadeira. O menino estava deitado, coberto por seu pequeno sobretudo e por um velho cobertor acolchoado. Era visível que estava doente e com febre, a julgar por seus olhos ardentes. Intrépido, olhava para Aliócha, com ar de dizer: "Aqui em casa, nada me podes fazer".

— Como? Que dedo ele mordeu? — sobressaltou–se o capitão. — Foi o seu?

— Sim, o meu. Ainda há pouso, batia–se a pedradas na rua com seus camaradas; eram seis contra ele. Aproximei–me, ele me atirou uma, depois outra à cabeça, Perguntei o que eu lhe tinha feito. De súbito, avançou e me mordeu cruelmente o dedo. Ignoro por quê.

— Vou açoitá–lo! — exclamou o capitão, que saltou da cadeira.

— Não estou me queixando, contava, somente... Não quero que o açoite! Aliás, creio que está doente...

— E o senhor pensava que eu ia fazer isso? Que eu ia agarrar Iliúchka e açoitá–lo diante do senhor para sua inteira satisfação? Quer isso imediatamente? — proferiu o capitão, voltando–se para Aliócha com um gesto ameaçador, como se quisesse lançar–se sobre ele. — Lamento o seu dedo, senhor, mas não quererá que antes de açoitar Iliúchka corte meus quatro dedos diante do senhor, com esta faca, para sua justa satisfação? Penso que quatro dedos lhe bastarão, o senhor não reclamará o quinto, para aplacar sua sede de vingança!... — Parou de súbito como sufocado. Cada traço de seu rosto se agitava e se contraía, seu olhar era dos mais provocantes. Estava como que enlouquecido.

— Agora, compreendi tudo — disse Aliócha, num tom doce e triste, sem se levantar. — De modo que o senhor tem um bom filho, que ama seu pai e lançou–se sobre mim por eu ser irmão do ofensor do senhor... Compreendo, agora — repetiu, pensativo. — Mas, meu irmão Dimítri lamenta seu ato, eu sei, e se puder vir à sua casa, ou, ainda melhor, encontrá–lo no mesmo lugar, vai lhe pedir perdão diante de todo mundo... se o senhor o desejar.

— Quer dizer que puxou minha barba e pede desculpas... arranjou assim tudo, deu satisfação, não é?

— Oh! não! Pelo contrário, fará tudo quanto lhe agradar e como lhe agradar!

— De modo que se eu rogasse a Sua Alteza Sereníssima que se ajoelhasse diante de mim, naquele mesmo cabaré, o cabaré *A Capital*, como o chamam, ou na praça, ele o faria?

— Sim, ele se poria de joelhos.

— O senhor transpassou–me, comoveu–me até as lágrimas. Estou demasiado inclinado a sentir a generosidade de seu irmão. Permita–me que lhe apresente minha família, minhas duas filhas e meu filho, minha ninhada. Se eu morrer, quem os amará? E, enquanto eu viver, quem me amará com todos os meus defeitos, senão eles? O Senhor Deus fez bem as coisas para cada homem de minha espécie; porque mesmo um homem de minha qualidade deve ser amado por um ser qualquer...

— Ah! é perfeitamente verdadeiro! — exclamou Aliócha.

— Basta de palhaçadas! O senhor nos mete a ridículo diante do primeiro imbecil que aparece — exclamou de repente a moça que se conservava perto da janela, dirigindo–se a seu pai, com a fisionomia cheia de desprezo.

— Espere um pouco, Varvara Nikoláievna, permita–me que continue minha ideia — gritou–lhe seu pai num tom imperioso, enquanto a olhava aprovativamente. — É esse o seu caráter — disse ele, voltando–se para Aliócha. —

> E na natureza inteira
> Nada queria abençoar.[46]

O sujeito aqui deveria ser feminino: ela nada queria abençoar. E agora, permita–me que lhe apresente minha esposa, Arina Pietrovna, dama imponente de quarenta e três anos; anda, mas muito pouco. É de baixa condição; Arina Pietrovna, componha seu semblante para que eu lhe apresente Alieksiéi Fiódorovitch Karamázov. Levante, Alieksiéi Fiódorovitch — pegou–o pelo braço e, com uma força de que não o teriam julgado capaz, ergueu–o. — Apresentam–no a uma dama, é preciso que fique em pé. Não foi este Karamázov, *mámienhka,* que... hum!, etc., mas seu irmão, reluzente de virtudes pacíficas. Permita, Arina Pietrovna, permita, *mámienhka,* que lhe beije em primeiro lugar a mão.

Beijou a mão de sua mulher com respeito, com ternura mesmo. A moça, perto da janela, voltava as costas àquela cena com indignação; o rosto arrogante e interrogativo da mãe exprimiu, de súbito, grande afabilidade.

— Bom dia, sente–se, Senhor Tchernomázov[47] — proferiu ela.

— Karamázov, *mámienhka,* Karamázov (somos de baixa condição) — soprou ele de novo.

— Está bem! Karamázov ou como seja, eu digo sempre Tchernomázov... Sente. Por que ele o levantou? Uma dama sem pés, diz ele, tenho pés, sim, mas estão inchados como cântaros, e eu estou ressequida. Outrora, era eu duma grossura... e agora pode-se dizer que engoli uma agulha...

— Somos de baixa condição, de bem baixa — repetiu o capitão.

— *Bátiuchka* — ah! *bátiuchka* — exclamou de repente a corcunda, que ficara até então silenciosa e que cobriu bruscamente os olhos com seu lenço.

— Palhaço! — gritou a moça que estava perto da janela.

— Veja o que se passa em nossa casa — e a mãe estendeu os braços, apontando as filhas. — É como se nuvens passassem, passam e nossa música recomeça. Outrora, quando éramos militares, vinham ver–nos muitos visitantes semelhantes. Não faço comparação, meu senhor. É preciso gostar de todos. A mulher do diácono vem por vezes e diz: "Alieksandr Alieksándrovitch é um homem de alma excelente, mas Nastássia Pietrovna, diz ela, é uma endemoniada". — "Pois bem, eu lhe respondo, isto depende de quem se ama, ao passo que tu não passas de uma trouxinha, mas fedorenta." — "Tu, ela me diz, só mereces que te tratem com rigor." — "Ah! negra, a quem vens tu dar lições?" — "Eu, ela diz, deixo entrar o ar puro, e tu, o ar pestilento." — "Pergunta, eu lhe respondo, aos senhores oficiais se o ar é pestilento em minha casa." Assim, isso me aflige tanto que, ainda há pouco, sentada como agora, acreditei ver entrar aquele general que chegou aqui pela Páscoa. "Pois bem, eu lhe digo, pode, Excelência, uma dama nobre deixar entrar o ar de fora?" — "Sim, ele res-

---

46 Versos de *O demônio,* de Liérmontov.

47 Nome forjado, composto de *tcherno,* preto, e *mázat,* pintar, sujar. Literalmente: aquele que pinta, ou suja de preto. Deturpação intencional de Karamázov.

ponde, a senhora deveria abrir a porta ou o postigo, porque o ar não está puro em sua casa." E todos são iguais! Por que implicam com o ar de minha casa? Os mortos fedem muito mais. Eu não corrompo o ar de sua casa, mandarei fazer sapatos e irei embora. Meus filhos, não queiram mal à sua mãe! Nikolai Ilitch, meu *bátiuchka*, será que deixei de agradar–te? Porque só tenho Iliúchka para me querer bem, quando volta da escola. Ontem, trouxe–me uma maçã. Perdoem à sua mãe, meus bons amigos, perdoem a uma pobre abandonada! Que têm contra o ar de minha casa?

A pobre demente desatou a soluçar, suas lágrimas corriam. O capitão precipitou–se.

— *Mámienhka*, querida *mámienhka*, basta! Não estás abandonada, todos te amam e te adoram! — Recomeçou a beijar–lhe as mãos e se pôs a acariciar–lhe o rosto; com um guardanapo enxugou–lhe mesmo as lágrimas. Pareceu a Aliócha que havia até lágrimas nos olhos dele. — Pois bem! O senhor viu, entendeu? — Voltou–se, de súbito, para ele, encolerizado, apontando com o dedo a pobre demente.

— Vejo e entendo — murmurou Aliócha.

— Papai, papai! Como podes com ele... deixa–o papai! — gritou o menino, que se erguera no seu leito, com o olhar ardente.

— Basta de palhaçadas, de recorrer a suas estúpidas manigâncias que nunca levam a nada! — gritou de seu canto Varvara Nikoláievna, exasperada; bateu mesmo com o pé no chão.

— Você tem totalmente razão, desta vez, de ficar encolerizada, Varvara Nikoláievna, e lhe darei imediatamente satisfação. Cubra–se, Alieksiéi Fiódorovitch, tomo meu boné, e vamos. Tenho de falar–lhe seriamente, mas não aqui. Aquela jovem sentada é minha filha, Nina Nikoláievna, esqueci–me de apresentá–la, um anjo encarnado... que desceu entre os mortais... se é que o senhor poderia compreender isso...

— Ele está todo agitado como se tivesse convulsões — continuou Varvara Nikoláievna, indignada.

— Essa que acaba de bater com o pé e de me chamar de palhaço é também um anjo encarnado, deu–me o nome que me convém. Vamos, Alieksiéi Fiódorovitch, é preciso acabar...

E, pegando Aliócha pelo braço, conduziu–o para fora.

VII / E AO AR LIVRE

— O ar é puro, mas em meus aposentos não é verdadeiramente fresco, de modo algum. Caminhemos um pouco, senhor. Gostaria bem que se interessasse por mim.

— Eu mesmo tenho uma importante comunicação, a fazer–lhe... — declarou Aliócha. — Somente não sei por onde começar?

— Como não adivinhar que o senhor precisa falar–me? Sem isto, jamais teria tido sua visita. Ou só teria vindo para queixar–se de meu rapaz? Ora, é inverossímil. A propósito de meu filho, não pude contar–lhe tudo lá dentro, mas agora vou lhe descrever a cena. Veja o senhor, o "esfregão de tília" estava mais espesso há uma semana — é de minha barba que falo; deram–lhe este apelido sobretudo os escolares. — E eis que seu irmão me arrastou pela barba, fez violências por causa de uma bagatela; caí, arrastou–me pela praça, onde no momento os colegiais saíam e entre eles Iliúchka. Assim que ele me viu naquela posição, correu para mim: *"Bátiuchka, gritava ele, bátiuchka!"*. Agarra–se a mim, abraça–me, quer libertar–me, grita para meu agressor: "Largue–o, largue–o, é meu pai, perdoe–lhe!". Com seus bracinhos agarrou meu agressor e beijou–lhe a mão, aquela mesma mão... Lembro–me de sua carinha naquele momento, não a esquecerei jamais!...;

— Juro–lhe — exclamou Alióchka — que meu irmão lhe exprimirá um arrependimento completo, da maneira *mais* sincera, até mesmo de joelhos naquela mesma praça... Vou obrigá–lo a isso, senão deixará de ser meu irmão!

— Ah! ah! Acha–se ainda em estado de projeto! Isto vem não dele, mas da nobreza de seu coração generoso. O senhor deveria ter dito isso. Não, neste caso, permita–me que me refira ao espírito cavalheiresco e à nobreza de seu irmão, como oficial, porque os revelou então. Parou de puxar–me pela barba e largou–me: "És um oficial, disse ele, e eu também; se puderes encontrar para testemunha um homem decente, manda–o até mim, que te darei satisfação, se bem que sejas um tratante!". Tais foram suas palavras. Um espírito verdadeiramente cavalheiresco! Afastamo–nos com Iliúchka, e aquela cena de família ficou gravada na sua memória para sempre. De que nos serve permanecer nobres? Aliás, julgue o senhor mesmo; estava ainda há pouco em meus aposentos e que viu? Três mulheres, das quais uma aleijada, fraca de espírito; a outra, aleijada e corcunda; a terceira, válida mas demasiado inteligente; é estudante, arde por voltar a Petersburgo, a fim de descobrir às margens do Nievá os direitos da mulher russa. Não falo de Iliúchka, só tem nove anos, está inteiramente só, porque se eu morrer, que acontecerá ao meu lar, pergunto–lhe eu? Nestas condições, se eu o provocar a duelo e ele me matar, que acontecerá então? Que se tornarão eles todos? Será ainda pior se ele não me matar, mas me estropiar apenas. Ficarei incapaz de trabalhar, mas será preciso comer. Quem me nutrirá, então, bem como a eles todos? Ou então mandarei Iliúchka todos os dias pedir esmola, em lugar de ir à escola. Eis o que significa para mim uma provocação a duelo; é um absurdo e nada mais.

— Ele lhe pedirá perdão, vai se atirar a seus pés bem no meio da praça — exclamou de novo Alióchka, de olhar aceso.

— Tinha pensado em citá–lo perante o juiz— continuou o capitão —, mas abra nosso Código. Posso esperar receber uma justa satisfação de meu ofensor? E eis que Agrafiena Alieksándrovna manda me chamar e me ameaça: "Nem penses nisso! Se o citares, vou dar um jeito para fazer constar publicamente que ele te bateu por causa de tua maroteira e então será a ti que processarão". Ora, só Deus sabe quem é o autor dessa maroteira e sob as ordens de quem eu agi como comparsa. Não foi mesmo de acordo com as instruções dela e de Fiódor Pávlovitch? "Além do mais, acrescentou ela, te despeço para sempre e não ganharás mais nada a meu serviço. Direi também ao meu comerciante (é assim que ela chama o seu velho) de modo que ele também te despedirá." E digo a mim mesmo: "Se esse comerciante me despede também, como poderei ganhar minha vida? Porque não me restam senão esses dois, visto como seu pai Fiodor Pávlovitch, não só retirou de mim sua confiança, por um outro motivo, mas ele próprio, munido de meus recibos, quer processar–me. Por estas razões, mantive–me quieto e o senhor viu o meu antro. E agora, diga–me, Iliúchka feriu–o muito, mordendo–o? Não podia entrar em detalhes na presença dele.

— Sim, me fez bastante mal, ele estava muito irritado. Vingou em mim a ofensa que fizeram ao senhor, pelo fato de eu ser um Karamázov, compreendo–o agora. Mas se o senhor o tivesse visto bater–se a pedradas com seus colegas! É muito perigoso, podem matá–lo; os meninos são estúpidos, uma pedra pode facilmente rachar a cabeça.

— Sim, ele recebeu uma, mas não na cabeça, no peito, acima do coração; tem uma equimose, voltou para casa chorando, gemendo e lá está doente.

— E sabe que é ele o primeiro a atacar os outros? Tornou–se mau, por causa do senhor. Seus colegas contam que ele há pouco deu uma canivetada nas costelas do menino Krasótkin.

— Sei também disso, é perigoso. O pai era funcionário aqui e isto pode atrair complicações...

— Eu aconselharia — continuou Aliócha, com calor — que não o enviasse à escola durante algum tempo, até que ele se acalme... e que sua cólera passe...

— A cólera! — concordou o capitão. — É bem isto. Uma grande cólera numa pequena criatura. O senhor não sabe de tudo. Permita–me que lhe explique com detalhes. Depois do acontecido, os colegiais começaram a inferná–lo, chamando-–o esfregão de tília. Essa idade é impiedosa; tomados separadamente são uns anjos, mas todos juntos são implacáveis, sobretudo na escola. Perseguiam–no e um nobre sentimento despertou–se em Iliúchka. Um menino comum, fraco como ele, teria se resignado; teria tido vergonha de seu pai; mas ele se ergueu contra todos, em favor de seu pai, da verdade e da justiça. Porque o que ele tem sofrido, desde que beijou a mão de seu irmão, gritando–lhe: "Perdoe a papai, perdoe a papai!", só Deus e eu sabemos. E assim nossos filhos, não os dos senhores, os nossos, os filhos dos mendigos desprezados, mas nobres, aprendem a conhecer a verdade, desde a idade de nove anos. Como os ricos a aprenderiam? Não penetram jamais nessas profundezas, ao passo que Iliúchka percorreu toda a verdade, naquele minuto na praça, beijando aquela mão. Aquela verdade penetrou nele; e magoou–o para sempre! — proferiu apaixonadamente o capitão, com o ar desvairado, batendo sua mão esquerda com o punho direito, como se quisesse mostrar materialmente a contusão feita em Iliúchka pela "verdade". — Naquele dia ele teve febre, delirou a noite inteira. Durante todo o dia, falou–me pouco, ficou mesmo silencioso; notei que ele me observava de seu canto, fingindo aprender suas lições, mas não eram as lições que o preocupavam. No dia seguinte, embriaguei–me de pesar; a gente é fraca e esqueci muitas coisas. A mamãe também se pôs a chorar — amo–a muito — então, de dor. Embriaguei–me com meus últimos níqueis. Não me despreze, senhor. Na Rússia, os piores ébrios são as pessoas melhores e reciprocamente. Estava deitado e não pensava em Iliúchka; mas naquele mesmo dia; os garotos divertiram–se à custa dele, desde a manhã: "Psiu! 'esfregão de tília'! — gritavam–lhe. — Arrastaram teu pai pela sua barba em forma de esfregão para fora do cabaré; tu corrias ao lado dele pedindo misericórdia". Era no dia seguinte; voltou da escola pálido e desfeito. "Que tens?", perguntei–lhe. Calou–se; era impossível conversar em casa, sua mãe e suas irmãs teriam se metido imediatamente, as moças tinham ficado cientes do caso desde o primeiro dia. Varvara Nikoláievna já começava a resmungar! "Palhaço, bobo, será possível que nada saiba fazer que seja sensato? — É verdade, digo eu, Varvara Nikoláievna, poderemos fazer algo que seja sensato?" Saí–me assim desta vez. À noite saí a passear com o garoto. É preciso dizer–lhe que todas as noites, já antes, vínhamos passear por este mesmo caminho, até aquela enorme pedra isolada, lá embaixo perto da sebe, onde começam os pastos comunais: um lugar deserto e encantador. Caminhávamos de mãos dadas, como de costume; uma mãozinha bem pequena, de dedos delgados, gelados, porque ele sofre do peito. *"Pápotchka,* diz ele, *pápotchka!"* — "Que há?" — pergunto–lhe (via seus olhos cintilarem). — "Como ele te tratou, papai!" — "Que fazer, Iliúchka?" — "Não faças as pazes com ele, *pápotchka,* de modo nenhum. Os alunos dizem que ele te deu dez rublos por isso." — "Não, meu pequeno, por coisa alguma do mundo aceitaria dinheiro dele, agora." (Ele se pôs a tremer, agarrou minha mão nas suas, beijou–a.) — *"Pápotchka,* provoca–o a um duelo, na escola eles me infernam dizendo que és um covarde, que não te baterás, mas que aceitarás dele dez rublos." — "Não posso provocá–lo a duelo, Iliúchka", respondo e lhe expus brevemente o que acabo de dizer ao senhor a este respeito. Ele me escutou. — *"Pápotchka* — diz ele, no entanto — não faças as pazes com aquele homem; quando eu crescer, eu mesmo o provocarei e o matarei!" Seus olhos brilhavam com um clarão intenso. Apesar de tudo, era pai dele e tornava–se necessário dizer–lhe uma palavra de verdade: "É um pecado — expliquei eu — matar seu próximo, mesmo em duelo". — *"Pápotchka,* eu o derrubarei, quando for grande, farei saltar seu sabre de suas mãos e me lançarei sobre ele, brandindo o meu e lhe direi; poderia matar–te, mas perdoo–te!" Está vendo, senhor, está vendo que trabalho se operou na cabecinha dele, durante esses dois dias? Só fazia pensar na vingança com um sabre e deve ter falado disso no seu delírio. Quando voltou da escola, cruelmente batido, soube de tudo e, o senhor tem razão, não voltará mais lá. Fico sabendo que ele se levanta contra a classe inteira; que provoca a todos; está exasperado, seu coração arde de ódio e então tenho medo por ele. Voltamos a passear. *"Pápotchka* — pergunta ele —, os ricos são os mais fortes neste mundo?" — "Sim, Iliúchka, não há ninguém mais poderoso que o rico." — *"Pápotchka* — diz ele —, ficarei rico, serei oficial e baterei todos os inimigos, o czar me recompensará, voltarei para junto de ti e então ninguém ousará..." Após um silêncio, continuou, com os lábios trêmulos como antes: *"Pápotchka,* que cidade de gente ruim, essa nossa!". — "Sim, Iliúchka, é uma cidade de gente ruim." — *"Pápotchka,* vamos morar em outra, onde não nos conheçam." — "Gostaria bem, Iliúchka, mudemo–nos; somente é preciso juntar dinheiro." Rejubilo–me por poder assim distraí–lo de seus sombrios pensamentos; pusemo–nos a fazer projetos sobre a instalação numa outra cidade, a compra de um cavalo e de uma *tieliega.* "A mamãe e as manas montariam nela, nós as cobriríamos bem, nós mesmos caminharíamos ao lado, tu montarias de vez em quando, enquanto eu iria a pé, porque é preciso poupar o cavalo; todos não poderão ir ao mesmo tempo, seria assim que viajaríamos." Ficou encantado, sobretudo por ter um cavalo que o conduziria. Sabe–se que um menino russo não vê nada de mais belo que um cavalo. Nós tagarelamos muito tempo: "Deus seja louvado — pensei eu —, distraí–o e consolei–o". Foi anteontem de noite; no dia seguinte, voltou da escola bastante sombrio. À noite, por ocasião do passeio, permaneceu silencioso. O vento elevou–se, o sol desapareceu, sentia–se o outono e já estava escuro; estávamos tristes. "Pois bem, meu rapaz, como vamos fazer nossos preparativos?" Pensava retomar a conversa da véspera. Nem uma palavra. Mas seus dedinhos tremiam na minha mão. Isto vai mal, disse a mim mesmo, há novidade. Chegamos, como agora, até aquela pedra; sentei-me nela, haviam empinado papagaios que estalavam ao vento; havia bem uns trinta. É a estação agora. "Nós também deveríamos, Iliúchka, empinar o papagaio do ano passado. Vou consertá-lo. Que fizeste dele?" Meu filho cala-se, olha para o lado, desviando a vista. De repente, o vento se põe a assobiar, levantando areia... Lança-se para mim, com seus dois braços enlaça-me o pescoço, abraça-me. Sabe que quando os meninos são taciturnos e altivos retêm muito tempo suas lágrimas, mas quando elas brotam, por motivo dum grande pesar, não correm, mas jorram? Suas lágrimas ardentes inundaram-me o rosto. Ele soluçava, convulsivamente, apertava-me contra ele. *Pápotchka* — gritou ele —, meu querido *pápotchka*, como ele te humilhou!" Então os soluços dominaram-me e nos abalavam, enlaçados sobre esta pedra. Ninguém nos via então, exceto Deus. Talvez me leve isso em conta. Agradeça a seu irmão, Alieksiéi Fiódorovitch. Não; não açoitarei meu filho para causar-lhe satisfação!

Terminou da mesma maneira esquisita e complicada de ainda há pouco. No entanto Alióchka sentia que aquele homem tinha confiança nele e não teria "conversado" assim com um outro, nem feito aquela confidência. Isto encorajou Alióchka, que estava comovido até as lágrimas.

— Ah! como gostaria de fazer as pazes com seu rapaz! — exclamou ele. — Se o senhor se encarregasse disso...

— Decerto — murmurou o capitão.

— Mas agora não é disto que se trata, escute! — prosseguiu Alióchka. — Tenho uma incumbência para o senhor. Meu irmão Dimítri insultou também sua noiva, uma nobre senhorita da qual o senhor já deve ter ouvido falar. Tenho o direito de revelar-lhe esse insulto, devo mesmo fazê-lo, porque, tendo sabido da ofensa que o senhor sofreu e de sua situação infeliz, ela me encarregou há pouco... de entregar-lhe este auxílio de sua parte... mas somente de sua parte; não em nome de Dimítri, que a abandonou, nem de mim, seu irmão, nem de ninguém, mas unicamente da parte dela! Suplica-lhe que aceite seu auxílio... Foram ambos ofendidos pelo mesmo homem... Ela só se lembrou do senhor quando sofreu de parte de Dimítri a mesma injúria que o senhor (igualmente gravíssima). É pois uma irmã que vem em auxílio de um irmão... Ela me encarregou precisamente de persuadi-lo a aceitar estes duzentos rublos de sua parte, como de parte de uma irmã que conhece as suas dificuldades. Ninguém ficará sabendo disto, não haverá a temer, nenhuma comadrice malévola... Eis os duzentos rublos e, juro-lhe, deve aceitá-los, senão... senão, só haveria inimigos no mundo! Mas há também irmãos... O senhor tem alma nobre... Deve compreendê-lo!...

E Alióchka estendeu-lhe duas cédulas de cem rublos novinhas. Ambos encontravam-se então justamente perto da grande pedra, na direção da paliçada; não havia ninguém nos arredores. Parece que as cédulas causaram profunda impressão no capitão; estremeceu, mas foi a princípio unicamente de surpresa; não pensava em nada de semelhante e não esperava de nenhum modo tal desenlace. Mesmo, em sonho, jamais sonhara uma ajuda qualquer, e sobretudo tão importante. Pegou as cédulas e, durante quase um minuto, esteve incapaz de responder; uma expressão nova apareceu em seu rosto.

— É para mim tanto dinheiro, duzentos rublos? Justo céu! Há quatro anos que não via tanto dinheiro, Senhor Deus! E ela diz que é uma irmã... É verdade, é verdade mesmo?

— Juro-lhe que tudo quanto disse é verdade! — exclamou Aliócha.

O capitão corou.

— Escute, meu caro, escute; se aceitar, não serei um covarde? A seus olhos, Alieksiéi Fiódorovitch, não serei? Não, Alieksiéi Fiódorovitch, escute, escute — repetia ele a cada instante, tocando em Aliócha —, o senhor me persuade a aceitar sob o pretexto de que é uma "irmã" que o envia, mas com o senhor mesmo, no íntimo, não sentiria desprezo por mim, se eu aceitar, hem?

— Não, mil vezes não! Juro pela minha salvação! E ninguém jamais o saberá, exceto nós: o senhor, eu, ela e ainda uma dama sua grande amiga...

— Que dama? Escute, Alieksiéi Fiódorovitch, escute, é agora indispensável porque o senhor não pode mesmo compreender o que representam para mim estes duzentos rublos — prosseguiu o infeliz, dominado pouco a pouco por uma exaltação desordenada; selvagem. Estava desorientado, falava com grande pressa, como se receasse que não o deixassem dizer tudo. — Além do fato de provir este dinheiro duma fonte honesta, duma "irmã" tão respeitável, sabe que posso tratar agora da mãe e de Nínotchka, minha filha, minha angélica corcundinha? O Doutor Herzenstube foi à minha casa, por bondade de alma; examinou-as uma hora inteira: "Não compreendo nada", disse ele. No entanto, a água mineral que lhe prescreveu fez-lhe certamente bem, ordenou também que ela banhasse os pés com remédios. A água mineral custa trinta copeques, talvez seja preciso beber umas quarenta garrafas. Peguei a receita e coloquei-a na prateleira, abaixo dos ícones, e lá está. Para Nínotchka, prescreveu banhos quentes numa solução especial, todos os dias, de manhã e de noite; como poderíamos nós seguir semelhante tratamento, alojados como estamos, sem criada, sem ajuda, nem água, nem utensílios? Ora, Nínotchka está entrevada de reumatismo, esqueci-me de dizer-lhe; de noite, todo o lado lhe dói, sofre um martírio, acreditaria o senhor? Aquele anjo se enrijece para não nos inquietar, contém-se para não gemer, a fim de não nos despertar. Comemos o que se apresenta, o que se encontra; ora, ela toma o último bocado, bom para atirar ao cão. "Não mereço esse bocado, vos privo dele, sou uma carga para vocês." Eis o que quer exprimir seu olhar celeste. Nós a servimos e isto lhe pesa. "Não o mereço; sou uma aleijada indigna de cuidados, boa para nada", como se não os merecesse, quando sua doçura angélica é uma bênção para todos. Sem sua palavra mansa, a casa seria um inferno. Ela enterneceu a própria Vária. Não condene tampouco Varvara Nikoláievna; é também um anjo, também ela é infeliz. Chegou à nossa casa no verão, com dezesseis rublos, ganhos em dar aulas particulares, e destinados a pagar seu regresso a Petersburgo, no mês de setembro, isto é, agora. Ora, nós comemos seu dinheiro e ela não tem mais nenhum com que possa voltar, eis a verdade. Aliás, não poderia partir, porque trabalha para nós como um galé, fizemos dela uma besta de carga, ocupa-se com tudo; é ela quem remenda, lava, varre, deita a mãe; ora, a mãe é caprichosa, chorona, uma louca!... Agora, com estes duzentos rublos, posso alugar uma criada, compreende o senhor, Alieksiéi Fiódorovitch, cuidar daquelas queridas criaturas; enviarei a estudante para Petersburgo, comprarei carne, estabelecerei novo regime. Senhor, mas é um sonho!

Aliócha estava encantado por ter trazido tanta felicidade e ver que o pobre diabo queria mesmo ser feliz.

— Espere, Alieksiéi Fiódorovitch, espere — e o capitão, agarrando-se a um novo sonho que se oferecia, recomeçou a taramelar com a mesma velocidade. — Sabe que com Iliúchka realizaremos, talvez, agora nosso sonho? Compraremos um cavalo e uma carriola, um cavalo preto, ele o pediu expressamente, e partiremos como o marcamos anteontem. Conheço um advogado na província de K***, um amigo de infância. Deu-me a saber, por intermédio de um homem seguro, que se eu aparecesse lá ele me daria, por exemplo, um lugar de secretário em seu escritório; quem sabe? Talvez dê mesmo... Então, a mãe e Nínotchka subiriam na carriola, Iliúchka conduziria, eu iria a pé, toda a família seria transportada... Senhor Deus, se eu pudesse somente recuperar uma quantia que me devem, aqui, seria o bastante mesmo para essa viagem!

— Seria o bastante, seria o bastante! — exclamou Alióocha. — Katierina Ivânovna lhe mandará mais, tanto quanto o senhor queira e, sabe?, tenho também dinheiro, aceite o que precisar, como de um irmão, como de um amigo, depois o senhor o restituirá... (O senhor ficará rico!) Saiba que não poderia imaginar nunca nada de melhor do que essa mudança! Seria a salvação, sobretudo para seu rapaz; deveria partir mais depressa, antes do inverno, antes dos frios; o senhor nos escreveria de lá, ficaríamos irmãos... Não, não é um sonho!

Alióocha gostaria de abraçá-lo, tão contente estava. Mas depois de fitá-lo, parou bruscamente: o capitão, de pescoço e lábios tensos, com um rosto lívido e exaltado, remexia os lábios como se quisesse dizer alguma coisa; nenhum som saía e seus lábios mexiam-se. Era estranho.

— Que tem? — indagou Alióocha, num estremecimento súbito.

— Alieksiéi Fiódorovitch... Eu... lhe... — murmurou o capitão, aos repelões, fixando-o com um ar estranho e selvagem, o ar de um homem que se vai lançar no vácuo, ao mesmo tempo, que seus lábios sorriam — Eu... lhe... Quer que lhe mostre um jogo de mãos? — cochichou ele, de súbito, rapidamente, num tom firme, sem parar.

— Que jogo?

— Um jogo, o senhor vai ver — repetiu o capitão, com a boca crispada; o olho esquerdo piscava, seu olhar não largava Alióocha, como pregado nele.

— Que tem o senhor então? De que jogo fala? — exclamou Alióocha, bastante espantado.

— Ei-lo! Olhe! — vociferou o capitão.

E, mostrando-lhe as duas cédulas que durante a conversa mantinha entre o polegar e o índice, agarrou-as com raiva, e amarrotou-as em seu punho fechado.

— O senhor viu, o senhor viu? — gritou ele, lívido, frenético; ergueu o punho e, com toda a sua força, atirou as duas cédulas amarrotadas sobre a areia. — Viu? — vociferou de novo, mostrando-as com o dedo. — Pois bem! veja!

Com um encarniçamento selvagem, pôs-se a pisá-las com o calcanhar. Ofegava e lançava exclamações a cada golpe.

— Eis o que faço de seu dinheiro, eis o que faço dele!

De súbito, saltou para trás, ergueu-se diante de Alióocha. Toda a sua pessoa *transpirava um orgulho indizível.*

— Vá dizer aos que o enviaram que o esfregão de tília não vende sua honra! — exclamou ele, com o braço estendido. Depois girou rapidamente nos calcanhares e se pôs a correr. Não havia dado cinco passos, quando se voltou para Aliócha, fazendo–lhe com a mão um gesto de adeus. Ao fim de outros cinco passos, voltou–se de novo; desta vez seu rosto não estava mais crispado pelo riso, mas estremecia todo sacudido pelo pranto. Gaguejou num tom lacrimoso, entrecortado:

— Que teria eu dito a meu rapaz, se tivesse aceitado o preço de nossa vergonha?

Depois disso, retomou sua carreira, desta vez sem se voltar. Aliócha acompanhou–o com os olhos, numa indizível tristeza. Compreendia que até o derradeiro momento o desgraçado não sabia que amarrotaria e atiraria fora as cédulas. Não se voltou mais uma vez sequer em sua carreira; Aliócha estava certo disso de antemão. Não quis persegui–lo e chamá–lo, sabia por quê. Quando o capitão sumiu de vista, Aliócha apanhou as duas cédulas. Estavam muito amarrotadas, enrugadas, afundadas na areia, mas intactas e estalaram mesmo como novas, quando Aliócha as desdobrou e desenrugou. Depois de havê–las dobrado, meteu–as no bolso e foi dar conta a Katierina Ivânovna do resultado de sua missão.

LIVRO V / PRÓ E CONTRA

I / NOIVADO

Foi a Senhora Khokhlakova quem recebeu de novo Aliócha, toda azafamada; a crise de Katierina Ivânovna terminara com um desmaio, seguido "dum profundo abatimento. Agora ela delirava, presa da febre. Tinham mandado chamar Herzenstube e as tias. Estas já estavam lá. Esperavam ansiosamente, enquanto ela jazia sem sentidos. Ah! se fosse uma febre nervosa"!

Assim dizendo, tinha a boa senhora o ar sério e inquieto. "É sério, desta vez, é sério", acrescentava ela a cada palavra, como se tudo quanto lhe acontecera até então não contasse. Aliócha escutava–a com pesar. Quis contar–lhe sua aventura, ela, porém, interrompeu–o às primeiras palavras; não tinha tempo, rogou–lhe que fizesse companhia a Lisa, enquanto a esperasse.

— Lisa, meu caro Alieksiéi Fiódorovitch — cochichou–lhe quase ao ouvido — Lisa espantou–me ainda há pouco, mas também enterneceu–me, por isso meu coração tudo lhe perdoa. Imagine que logo depois de sua saída revelou sincero pesar por ter zombado de você ontem e hoje. Mas não eram zombarias, ela brincava simplesmente. Quase chorava, o que me surpreendeu. Jamais antes se arrependia seriamente de suas zombarias a meu respeito, eram meras brincadeiras. Acontece–lhe a cada instante rir de mim. Mas agora, é sério, faz grande caso de sua opinião, Alieksiéi Fiódorovitch; se for possível, poupa–a, não lhe guarde rancor. Eu mesma só faço poupá–la, porque ela é tão inteligente, acredita? Dizia ela ainda há pouco que você era seu amigo de infância, "o mais sério", imagine essa amizade séria; e eu, então? A este respeito tem sentimentos bastante sérios e até mesmo recordações, sobretudo essas frases, essas pequenas palavras, que brotam quando menos se espera. Recentemente, a propósito de um pinheiro, por exemplo. Havia um pinheiro em nosso jardim, quando ela era bem pequena, talvez exista ainda e não tenho razão de falar no passado. Os pinheiros não são como as pessoas, ficam muito tempo sem mudar, Alieksiéi Fiódorovitch. "Mamãe, disse ela, lembro–me daquele pinheiro como em sonho."[48] Deve ter–se exprimido doutra forma; há aqui uma confusão; pinheiro é uma palavra tão boba... Em todo o caso, disse–me a esse respeito algo de original, que não atino repetir. Aliás, esqueci tudo. Pois bem, até logo, estou toda emocionada, é de perder a cabeça. Alieksiéi Fiódorovitch, estive louca duas vezes e curaram–me. Vá ver Lisa. Reconforte–a como você sabe tão bem fazer. Lisa — gritou ela, aproximando–se da porta —, trago–te tua vítima, Alieksiéi Fiódorovitch, que não está absolutamente zangado, asseguro–te; pelo contrário, admira–se de que hajas podido acreditar em tal.

— *Merci, maman.* Entre, Alieksiéi Fiódorovitch.

Aliócha entrou. Lisa olhou–o com um olhar confuso e corou até as orelhas. Parecia envergonhada e, como se faz em semelhantes casos, pôs–se a falar com rapidez a respeito de coisa bem diversa, fingindo interessar–se apenas por isso.

— Mamãe acaba de contar–me, Alieksiéi Fiódorovitch, a história daqueles duzentos rublos e de sua missão... junto àquele pobre oficial... descreveu–me aquela cena atroz, como o insultaram e sabe, muito embora mamãe conte muito mal... duma maneira desconchavada... derramei lágrimas ao ouvir aquilo. Pois bem! você lhe entregou o tal dinheiro e como aquele desgraçado...

— Justamente não entreguei. É uma história muito longa — respondeu Aliócha, parecendo, por seu lado, sobretudo preocupado com aquele caso; no entanto, Lisa notava que ele também desviava a vista e tinha visivelmente o espírito em outra parte. Aliócha sentou e deu início à sua narrativa; desde as primeiras palavras, seu constrangimento desapareceu por completo e cativou por sua vez Lisa. Falava sob a influência da emoção e da viva impressão que sentira ainda há pouco, duma maneira interessante e pormenorizada. Já em Moscou, quando Lisa era ainda menina, ele gostava de visitá–la, quer para contar uma aventura recente, uma leitura que o impressionara, quer para lembrar um episódio de sua infância. Por vezes devaneavam juntos e compunham os dois verdadeiras novelas, na maior parte das vezes alegres e cômicas. Agora reviviam essas recordações, velhas de dois anos: Lisa ficou vivamente emocionada pela narrativa dele. Aliócha pintou–lhe com calor Iliúchka. Depois que descreveu com detalhes a cena em que o infeliz havia pisoteado o dinheiro, Lisa juntou as mãos e não pode impedir–se de exclamar:

— Então você não lhe deu o dinheiro, deixou–o partir? Deveria ter corrido atrás dele, procurado alcançá–lo...

— Não, Lisa, é melhor assim — disse Aliócha, que levantou e se pôs a andar, com ar preocupado.

— Como melhor, melhor em quê? Agora, eles vão morrer de fome!

— Não morrerão, porque esses duzentos rublos lhes chegarão às mãos. De qualquer maneira, ele amanhã os aceitará. Estou certo disto — declarou Aliócha, andando, perplexo. — Veja você, Lisa — prosseguiu ele, parando bruscamente diante dela —, cometi um erro, mas ele teve um feliz resultado.

— Que erro e por que um feliz resultado?

---

48 Trocadilho com a palavra *sosna*, pinheiro, e a expressão *so sna*, em sonho, na frase *sosna kak so sna*.

— Eis por quê. Aquele homem é poltrão e de caráter fraco. Está muito ressentido, mas é um homem bom. Não cesso de perguntar a mim mesmo por que ele se ofendeu de súbito e pisou a pés o dinheiro, porque, asseguro–lhe, até o derradeiro momento ele não sabia que iria pisoteá–lo. E creio que se ofendeu por diversas razões... não podia ser de outro modo na sua situação... Em primeiro lugar, rejubilou–se por demais diante de mim à vista do dinheiro e não soube ocultar isso. Se tivesse mostrado uma alegria moderada e feito cerimônia, como outros em casos semelhantes fazem caretas, teria podido resignar–se a aceitar, mas sua alegria foi demasiado sincera e isto lhe causou vexame. Lisa, ele é um homem sincero e bom, eis o pior em tais situações! Falava todo o tempo com uma voz fraca, debilitada, e tão depressa, tão depressa, que seria possível dizer que ria ou mesmo chorava... chorou mesmo de alegria... falou de suas filhas, do lugar que lhe dariam em outra cidade, e depois de ter–se expandido teve vergonha de súbito de ter me mostrado sua alma. Imediatamente detestou–me. É desses pobres envergonhados, extremamente orgulhosos. Ofendeu–se sobretudo por ter me considerado demasiado depressa por seu amigo e cedido tão rapidamente; depois de ter–se lançado contra mim para intimidar–me; abraçou–me e me acariciou à vista das cédulas. Naquela posição deve ter ressentido toda a sua humilhação e foi então que eu cometi um erro grave. Declarei–lhe que se ele não tivesse bastante dinheiro para mudar–se para outra cidade, lhe dariam mais, eu mesmo daria, com meus próprios recursos. Eis o que o magoou: por que eu também vinha em seu socorro? Você sabe, Lisa, é extremamente penoso para um desgraçado ver que todos se consideram como benfeitores seus... já o ouvi dizer, o *stáriets* me falou disso! Não sei como exprimi–lo, mas eu mesmo o tenho notado. E experimento a mesma sensação. Mas sobretudo, se bem que ele ignorasse até o derradeiro momento que pistearia as cédulas, pressentia–o, é fatal. Eis por que experimentava tal alegria... E eis como, por mais desagradável que isto seja, tudo vai muito bem. Sou mesmo de opinião que nada poderia ocorrer de melhor,

— Como isso é possível? — exclamou Lisa, olhando Aliócha com estupefação.

— Lisa, se em lugar de pisotear esse dinheiro ele o tivesse aceitado, ao chegar em casa, uma hora depois, teria chorado de humilhação, é mais do que certo. No dia seguinte, viria atirá–lo à minha cara, teria pisado nele, talvez, como ainda há pouco, Agora partiu todo orgulhoso e em triunfo, muito embora saiba que "se perde". Portanto nada é mais fácil, agora, do que obrigá–lo a aceitar esses duzentos rublos, não mais tarde do que amanhã, porque mostrou que era honrado, atirou fora e pisou o dinheiro. No entanto, tem necessidade urgente dessa soma. Por mais orgulhoso que ainda esteja neste momento, vai pensar no socorro de que se privou. Pensará nele ainda mais nesta noite, pensará amanhã de manhã talvez, estará pronto a correr à minha casa e desculpar–se. Será então que me apresentarei: "O senhor é orgulhoso, demonstrou–o. Pois bem, aceite agora, perdoe–nos". Então ele aceitará.

Foi com uma espécie de embriaguez que Aliócha pronunciou estas palavras: "Então ele aceitará!". Lisa bateu palmas.

— Ah! é verdade, compreendi tudo de repente! Aliócha, como você sabe tudo isso? Tão jovem e já conhecedor do coração humano... Não o teria jamais acreditado...

— É preciso sobretudo persuadi–lo agora de que se acha em pé de igualdade com todos nós, embora aceite o dinheiro — prosseguiu Aliócha, exaltado —, e não somente de igualdade, mas mesmo de superioridade...

— "Em pé de superioridade!" É encantador, Aliócha, mas fale, fale!

— Quer dizer que não me exprimi como era devido... no caso de pé... mas isto não importa... porque...

— Mas isto não importa, decerto, absolutamente! Perdoe–me, querido Aliócha... Até agora, quase não tinha respeito por você... isto é, tinha, mas decerto num pé de igualdade, doravante será num pé de superioridade... Meu querido, não se zangue se procuro fazer espírito — encareceu com vivo sentimento. — Sou uma pequena zombeteira, mas você, você!... Diga–me, Alieksiéi Fiódorovitch, não há em toda a nossa discussão.... desdém por esse infeliz... pelo fato de dissecarmos sua alma com certa altivez, dando como certo desde agora que aceitará o dinheiro?

— Não, Lisa, não há desdém — respondeu com firmeza Aliócha, como se previsse essa pergunta —, já pensei nisso ao vir para cá. Julgue você mesma: que desdém pode haver, quando somos todos iguais a ele, quando todos o são? Porque não valemos mais. Fôssemos nós melhores, seríamos semelhantes no lugar dele. Ignoro o que seja você, Lisa, mas acho que tenho a alma mesquinha para muitas coisas. A alma dele não é mesquinha, mas bastante delicada... Não, Lisa, não há nenhum desdém para com ele! Sabe, Lisa, meu *stáriets* disse uma vez: "É muitas vezes necessário tratar as pessoas como a crianças e algumas como a doentes".

— Caro Alieksiéi Fiódorovitch, quer que tratemos as pessoas como a doentes?

— Decerto, Lisa, estou disposto a isso, mas não completamente, por vezes mostro–me por demais impaciente ou então não reparo nada. Você, você não é assim.

— Ah! não acredito! Aliek022siéi Fiódorovitch, quanto sou feliz!

— Como é bom que você diga isso, Lisa!

— Alieksiéi Fiódorovitch, você é de uma bondade surpreendente, mas por vezes tem o ar pedante... no entanto, vê–se que você não é. Vá sem fazer rumor abrir a porta e veja se mamãe não nos escuta — cochichou rapidamente Lisa.

Aliócha fez o que ela pedia e declarou que ninguém estava à escuta.

— Venha cá, Alieksiéi Fiódorovitch — prosseguiu Lisa, corando cada vez mais. — Dê–me sua mão; assim. Escute, tenho uma grande confissão a fazer–lhe: escrevi–lhe ontem, não por brincadeira, mas seriamente...

E cobriu os olhos com a mão. Via–se que esta confissão lhe custava muito. De repente, agarrou a mão de Aliócha, e, num ímpeto, beijou–a três vezes.

— Ah! Lisa, é admirável! — exclamou Aliócha, todo contente. — Eu sabia bem que era sério...

— Vejam só que segurança! — Repeliu–lhe a mão sem contudo a largar, corou, e riu, baixinho, cheia de felicidade. — Beijo–lhe a mão e ele acha isto admirável.

Censura injusta, aliás; Aliócha estava também bastante perturbado.

— Gostaria de agradar–lhe sempre, Lisa, mas não sei como fazer — murmurou ele, corando por sua vez.

— Aliócha, meu querido, você é frio e presunçoso. Vejam só isso! Não se dignou de escolher–me por esposa e ei–lo tranquilo! Estava certo de que lhe tinha escrito seriamente. Mas isto é pura presunção!

— Eu estava errado acreditando estar certo? — E Aliócha pôs–se a rir.

— Pelo contrário, Aliócha, estava muito bem.

Lisa olhou–o ternamente e cheia de felicidade. Aliócha havia mantido a mão dela na sua. De repente, inclinou–se e beijou–a na boca.

— Que é isso? Que tem você? — exclamou Lisa. Aliócha ficou todo desconcertado.

— Perdoe-me, se fiz mal... Talvez tenha cometido uma tolice... Você me achava fria e então eu a beijei... Mas vejo que foi uma tolice...

Lisa desatou a rir e ocultou o rosto nas mãos.

— E com esse traje! — deixou ela escapar, rindo; mas de súbito parou; ficou séria, quase severa.

— Não, Aliócha, para mais tarde os beijos, porque nós dois não entendemos disso ainda e é preciso esperar ainda muito tempo — concluiu ela. — Diga-me antes por que escolhe para esposa uma tola e uma doente como eu, você tão inteligente, tão refletido, tão penetrante? Aliócha, sinto-me muito feliz, porque sou indigna de você...

— De jeito nenhum, Lisa! Em breve deixarei o mosteiro completamente. Ao voltar para o mundo, terei de casar-me, eu sei. "Ele" assim me ordenou. Quem eu acharia melhor que você... e quem haveria de querer-me, senão você? Já refleti nisso. Em primeiro lugar, você me conhece desde a infância; em segundo lugar, você tem muitas qualidades que me faltam por completo. É mais alegre do que eu; sobretudo, mais ingênua, porque eu já aflorei muitas coisas... Ah! você não sabe que sou um Karamázov? Que importa que você ria e pilherie, e mesmo à minha custa? Fico tão contente com isso... Mas você ri como uma menina e se atormenta com seus pensamentos.

— Como, me atormento? Como assim?

— Sim, Lisa, sua pergunta, ainda há pouco: "não há desdém por esse infeliz, pelo fato de dissecarmos assim sua alma?", é uma pergunta dolorosa... está vendo? Não sei explicar-me, mas os que fazem tais perguntas são capazes de sofrer. Na sua cadeira, deve você meditar muito...

— Aliócha, dê-me sua mão. Por que a retira? — murmurou Lisa, numa voz enfraquecida pela felicidade. — Escute, como você vai se vestir, quando sair do mosteiro? Não ria e trate de não se zangar, é muito importante para mim.

— Quanto ao traje, Lisa, ainda não pensei nele, mas escolherei aquele que lhe agradar.

— Gostaria de vê-lo usar um casaco de veludo azul-escuro, um colete de piquê branco e um chapéu de feltro cinzento... Diga-me, você acreditou ainda há pouco que eu não o amava, quando me desdisse de minha carta de ontem?

— Não, não acreditei.

— Oh! o insuportável, o incorrigível!

— Está vendo? Sabia que você.... me amava, mas fingi acreditar que você não me amava mais, para ser-lhe... agradável...

— É pior ainda! Tanto pior e tanto melhor. Aliócha, eu o adoro. Antes de sua chegada, tinha dito a mim mesma: "Vou pedir-lhe a carta de ontem e se ele restitui-la sem dificuldade (como se pode esperar de sua parte), isto significa que ele não me ama absolutamente mais, que não sente nada, que não passa de um garoto tolo e que estou perdida". Mas você deixou a carta na cela e isto me restituiu coragem; não teria sido pelo fato de você pressentir que eu a pediria de volta e você não a quisesse restituir? Não é verdade?

— Não é bem assim, Lisa, porque tenho a carta comigo, como a tinha ainda há pouco; está neste bolso, ei-la.

Aliócha tirou a carta rindo e a mostrou de longe.

— Somente, não lhe devolverei. Contente-se com olhá-la.

— Como, você mentiu? Você, um monge, mentindo?

— É verdade que menti, mas foi para não lhe devolver a carta. É preciosa para mim — acrescentou, com fervor, corando de novo — e não a darei a ninguém.

Lisa examinava-o, encantada.

— Aliócha — cochichou ela —, vá ver se mamãe não está nos escutando.

— Bem, Lisa, olharei, mas não seria melhor não fazer isso? Por que suspeitar que sua mamãe pratique essa baixeza?

— Como? Que baixeza? Mas vigiar sua filha é seu direito, não há baixeza. Esteja certo, Alieksiéi Fiódorovitch, de que, quando eu for mãe e tiver uma filha igual a mim, vou vigiá-la da mesma maneira.

— Deveras, Lisa? Mas isso não está bem.

— Meu Deus! Que baixeza há nisso? Se ela escutasse uma conversa mundana, seria vil, mas trata-se de sua filha a sós com um rapaz... Saiba, Aliócha, que passarei a vigiá-lo assim que nos casarmos; abrirei todas as suas cartas para lê-las... Já está prevenido...

— Decerto, se faz questão disso... — murmurou Aliócha. — Mas não será louvável...

— Que desdém! Aliócha, meu bem, não briguemos desde o começo. Prefiro falar-lhe francamente: é censurável, decerto, escutar às portas, estou errada e você está certo, mas isto não me impedirá de escutar.

— Pois escute. Você nunca me haverá de apanhar em falta — disse, rindo, Aliócha.

— Outra coisa: você vai me obedecer em tudo? É preciso decidir isto também desde já.

— De muito boa vontade, Lisa, salvo nas coisas essenciais. Nestes casos, mesmo se você não estiver de acordo comigo, só me submeterei à minha consciência.

— Isto é o que deve ser. Saiba que não somente estou pronta a obedecer-lhe nos casos graves, mas cederei a você em tudo, juro desde agora, em tudo e por toda a minha vida — gritou Lisa apaixonadamente —, e isto com felicidade, com alegria! Além do mais, juro-lhe jamais escutar às portas e ler suas cartas, porque você tem razão. Por mais forte que seja minha curiosidade, resistirei a isso, pois que você acha isso vil. Você é agora a minha Providência... Diga-me, Alieksiéi Fiódorovitch, por que você está tão triste nestes últimos dias? Sei que tem aborrecimentos, pesares, mas noto ainda em você uma tristeza oculta, talvez.

— Sim, Lisa, tenho uma tristeza oculta. Vejo que você me ama, uma vez que adivinhou isso.

— Que tristeza? A propósito de quê? Pode-se saber? — perguntou timidamente Lisa.

— Mais tarde, Lisa, lhe direi... — Aliócha perturbou-se. — Agora você não compreenderia. E eu mesmo não saberia explicar.

— Sei também que você se atormenta por causa de seus irmãos e de seu pai.

— Sim, de meus irmãos — proferiu Aliócha, pensativo.

— Não gosto de seu irmão Ivan Fiódorovitch, Aliócha.

Esta observação surpreendeu Aliócha, mas ele não a rebateu.

— Meus irmãos se perdem — prosseguiu ele — e meu pai igualmente. Arrastam outros consigo. É a "força da terra" própria dos Karamázovi, segundo a expressão do Padre Paísi, uma força violenta e brutal... Ignoro mesmo se o espírito de Deus domina essa força. Sei somente que eu mesmo sou um Karamázov.....Sou um monge, um monge... Dizia você ainda há pouco que sou um monge?

— Sim, disse.

— Ora, talvez não creia em Deus.

— Não crê? Que está dizendo? — murmurou Lisa, com reserva. Mas Aliócha não respondeu. Havia naquelas palavras bruscas algo de misterioso, de demasiado subjetivo talvez, que ele próprio não explicava a si mesmo e que o atormentava.

— Além do mais, meu amigo se vai; o mais eminente dos homens vai deixar a terra. Se você soubesse, Lisa, os laços morais que me ligam àquele homem! Vou ficar só... Voltarei a vê–la, Lisa... Doravante, estaremos sempre juntos.

— Sim, juntos, juntos! Desde agora e por toda a vida. Beije–me, permito–lhe. Aliócha beijou–a.

— Agora, vá embora! Que o Cristo esteja com você! (Fez sobre ele o sinal da cruz.) Vá vê–lo enquanto ainda é tempo. Tenho sido cruel, retendo–o. Hoje rezarei por ele e por você. Aliócha, seremos felizes, não é verdade?

— Creio que sim, Lisa.

Aliócha não tinha intenção de procurar a Senhora Khokhlakova ao sair do quarto de Lisa, mas encontrou–a na escada. Desde as primeiras palavras adivinhou que ela o esperava.

— É horrível, Alieksiéi Fiódorovitch. É uma infantilidade e uma tolice. Espero que você não vá imaginar... Tolices, tolices! — exclamou ela, zangada.

— Mas não lhe diga; isto a agitaria e lhe faria mal.

— Eis a palavra sábia dum jovem prudente. Devo entender que você estava consentindo unicamente por piedade pelo seu estado doentio, com medo de irritá–la, contradizendo–a?

— De jeito nenhum; falei–lhe com toda a seriedade — declarou Aliócha com firmeza.

— Deveras? É impossível. Em primeiro lugar, nossa casa será fechada para você, em seguida partirei e vou levá-la comigo, fique sabendo!

— Mas por quê? — disse Aliócha. — Ainda está longe, dezoito meses talvez a esperar.

— É verdade, Alieksiéi Fiódorovitch, e em dezoito meses vocês poderão brigar e separar–se. Mas sou tão infeliz! São tolices, de acordo, mas isto me consternou. Sou como Famússov na derradeira cena,[49] o senhor é Tchátski, ela é Sófia. Corri aqui para encontrá–lo. Na comédia também as peripécias se passam na escada. Ouvi tudo, mal me podia conter. Eis pois a explicação para essa noite em claro e as recentes crises nervosas! O amor para a filha, a morte para a mãe! Agora, um segundo ponto, essencial: que carta é essa que Lisa lhe escreveu? Quero vê–la imediatamente!

---

49 Referência à comédia de Griboiédov *A desgraça de ter talento.*

— Não, para quê? Dê–me notícias de Katierina Ivânovna, isto me interessa bastante.

— Continua a delirar e não recuperou os sentidos; suas tias estão aqui a se lamentar, com seus ares imponentes. Herzenstube veio, ficou de tal modo espantado que eu não sabia o que fazer, queria mesmo mandar chamar outro médico. Levaram–no no meu carro. E, para dar cabo de mim, ei–lo com essa carta! É verdade que dezoito meses nos separam de tudo isso. Em nome do que há de mais sagrado, em nome de seu *stáriets* moribundo, mostre–me essa carta, a mim, mãe dela. Segure–a, se quiser, eu a lerei à distância.

— Não, não lhe mostrarei, Katierina Óssipovna, mesmo que ela o permitisse. Voltarei amanhã, conversaremos, se quiser; agora, adeus.

E Aliócha saiu precipitadamente.

II / SMIERDIÁKOV E SUA GUITARRA

Não tinha, aliás, tempo. Ao despedir–se de Lisa, viera–lhe uma ideia; como fazer para encontrar imediatamente seu irmão Dimítri, que parecia evitá–lo? Já eram três horas da tarde: Aliócha experimentava vivo desejo de voltar ao mosteiro, para ir ter com o "ilustre" moribundo, mas a necessidade de ver Dimítri venceu–o; o pressentimento de uma catástrofe iminente crescia em seu espírito. De que natureza ela era, o que ele queria dizer agora a seu irmão, ele mesmo não tinha ideia nítida. "Que meu benfeitor morra sem mim! Pelo menos, não me censurarei toda a minha vida por não ter salvo alguém, quando talvez pudesse fazê–lo, ter passado além na pressa de regressar à casa. Aliás, obedeço assim à vontade dele..."

Seu plano consistia em surpreender Dimítri de improviso. Eis como: escalando a cerca, como na véspera, penetraria no jardim e se instalaria no pavilhão. "Se ele não estiver lá, sem nada dizer a Fomá nem às proprietárias, ficarei oculto, a esperar até a noite. Se Dimítri ainda está tocaiando ali a vinda de Grúchenhka, virá provavelmente ao pavilhão... " Aliás, Aliócha não se deteve em detalhes do plano, mas resolveu executá–lo, embora devesse não voltar ao mosteiro naquele dia.

Tudo se passou sem obstáculo; transpôs a cerca quase no mesmo lugar que na véspera e dirigiu–se secretamente para o pavilhão. Não desejava ser notado; as proprietárias, bem como Fomá (se estivesse lá) poderiam ficar do lado de seu irmão e conformar–se com suas instruções, portanto não deixar Aliócha entrar no jardim ou advertir Dimítri, a tempo, de sua presença. Sentou no mesmo lugar e se pôs à espera; o dia era tão belo como o anterior, mas o pavilhão pareceu–lhe mais arruinado do que na véspera. O pequeno copo de conhaque deixara um círculo sobre a mesa verde. Ideias ociosas vinham–lhe ao espírito, como acontece sempre por ocasião de uma espera aborrecida: por que ele sentara precisamente no mesmo lugar e não em outro? A tristeza invadia–o, proveniente duma vaga inquietação. Esperava havia um quarto de hora apenas, quando ressoaram perto os acordes de uma guitarra. Provinha das moitas a uns vinte passos quando muito. Aliócha lembrou–se de ter entrevisto na véspera, perto do tapume, à esquerda, um velho banco rústico e verde, entre os arbustos. Era dali que partiam os sons. Uma voz masculina cantava em falsete, acompanhando–se da guitarra:

Uma força pertinaz
À amada preso me traz,
Senhor, tende piedade,
Dela e de mim!
Dela e de mim!

A voz parou: voz de tenorino com floreios de lacaio. Uma voz de mulher, cariciosa e tímida, proferiu, afetadamente:

— Por que você é visto tão raramente, Páviel Fiódorovitch, por que se esquece de nós?

— Nada disso — respondeu a voz de homem, com uma dignidade firme, se bem que cortês. Via–se que era o homem quem dominava, que a mulher o cortejava. "Deve ser Smierdiákov — pensou Alióchka —, a julgar pela voz pelo menos. A mulher é decerto a filha da dona da casa, a que voltou de Moscou e vai de vestido de cauda tomar sopa em casa de Marfa Ignátievna..."

— Adoro os versos, quando são harmoniosos — prosseguiu a voz feminina. — Continue.

A voz voltou a cantar:

Pouco me importa a coroa,
Se minha amada está boa,
Senhor, tende piedade,
Dela e de mim!
Dela e de mim!

— Da outra vez, era bem melhor — observou a mulher. — Você cantava, a propósito da coroa: "Se meu benzinho está bem." Era mais terno.

— Versos são frioleiras! — cortou Smierdiákov.

— Oh! não, adoro os versos.

— Os versos! Não há nada de mais tolo. Julgue você mesma; será que a gente fala rimando? Se falássemos todos rimando, mesmo por ordem das autoridades, isso duraria muito tempo? Os versos não são coisa séria, Maria Kondrátievna.

— Como você é inteligente! Onde aprendeu tudo isso? — continuou a voz, cada vez mais cariciosa.

— Saberia muito mais, se a sorte não me tivesse sido sempre contrária. Teria matado em duelo aquele que me chamasse de vilão, porque não tenho pai e nasci duma fedorenta.[50] Eis o que me lançaram em rosto, em Moscou, onde souberam disto por Grigóri Vassílievitch. Ele me censura por eu me revoltar contra meu nascimento: "Tu lhe rompeste as entranhas". Pois seja, mas teria preferido que me matassem no ventre de minha mãe, a ter nascido. Dizia–se no mercado — e sua mãe me contou isso com sua falta de delicadeza — que a cabeça de minha mãe era ninho de galinha e que tinha de altura apenas dois *archini* e pico. Por que dizer "e pico", quando podiam ter dito, como toda gente costuma dizer, simplesmente: "e um pouco mais"? Essa é uma maneira boba de falar, muito própria de gente rústica. O mujique pode falar direito diante de um homem culto? Por efeito de

---

50 Alusão ao significado do sobrenome Smierdiáchtchaia.

sua incultura, não possui senso nenhum do bem falar. Eu, desde menino, sempre que ouvia esse "e pico", tinha vontade de dar cabeçadas na parede. Detesto tudo quanto é russo, Maria Kondrátievna.

— Se você fosse um cadete ou um jovem hussardo, não falaria assim, mas tiraria seu sabre em defesa da Rússia.

— Não somente não desejaria ser hussardo, Maria Kondrátievna, mas desejo, pelo contrário, a supressão de todos os soldados.

— E se o inimigo vier, quem nos defenderá?

— De que servirá? Em 1812, a Rússia viu a grande invasão do imperador dos franceses, Napoleão I, pai do atual,[51] e bom teria sido se os franceses nos tivessem conquistado; uma nação inteligente teria subjugado um povo estúpido, anexando-o. Tudo teria marchado de outra maneira.

— Quer dizer com isso que eles valem mais do que nós? Pois eu não trocaria um de nossos elegantes por três ingleses jovens — declarou com voz terna Maria Kondrátievna, acompanhando (provavelmente) suas palavras com o olhar mais langoroso.

— Isto depende dos gostos.

— Você parece um estrangeiro entre nós, o mais nobre estrangeiro, digo-o sem nenhuma vergonha.

— Para falar a verdade, no que diz respeito à corrupção, as pessoas de lá e as de cá se assemelham. Todos uns velhacos, com esta diferença: o estrangeiro anda de botas envernizadas, ao passo que o nosso tratante nacional vive de cócoras na sua miséria e não se queixa. É preciso fustigar o povo russo, como o disse ontem com razão Fiódor Pávlovitch, muito embora ele e seus filhos não passem de uns loucos.

— Você respeita muito Ivan Fiódorovitch, você mesmo o disse.

— Mas tratou-me de lacaio fedorento. Toma-me por um revoltado, no que se engana. Se eu tivesse algum dinheiro, desde muito haveria fugido daqui. Dimítri Fiódorovitch é pior que um lacaio, pela sua conduta e pela sua inteligência; é um balaio furado, um bom para nada e, no entanto, o respeitam. Eu não passo de um queima panelas, admitamos, mas, com sorte, poderia abrir um café-restaurante em Moscou, na Rua de São Pedro. Porque, com efeito, preparo pratos especiais e nenhum de meus colegas, em Moscou, é capaz disso, exceto os estrangeiros. Dimítri Fiódorovitch é um vagabundo, mas se provocar a duelo um filho de conde, não se recusará ele a comparecer ao terreno. Ora, que tem ele mais do que eu? É infinitamente mais estúpido. Quanto dinheiro já não gastou, sem mais nem menos?

— Isto de duelo deve ser coisa muito interessante — insinuou Maria Kondrátievna.

— Como assim?

— É espantoso, tal bravura, sobretudo quando jovens oficiais trocam balas por causa de uma mulher. Que quadro! Ah! se as mulheres pudessem assistir a isso... Eu gostaria tanto...

— É bonito quando se presencia, mas quando o alvo é a garganta da gente, a impressão não é nada agradável. Você sairia a correr, Maria Kondrátievna.

— E você, fugiria também?

---

51 Dostoiévski faz Smierdiákov cometer um erro histórico, para ressaltar a sua ignorância e seu pedantismo.

Smierdiákov não se dignou responder. Depois, de uma pausa, novo acorde soou e a voz de falsete entoou a derradeira copla:

> Por mais esforços que façam,
> Ninguém aqui me retém,
> Vou gozar a minha vida,
> Vou viver na capital,
> E não hei de lamentar–me,
> Não, não me lamentarei...

Nesse momento sobreveio um incidente. Alióscha espirrou; o silêncio se fez no banco. Ficou em pé e marchou para o lado deles. Era com efeito Smierdiákov, trajado com todo o apuro, empomadado, creio que até mesmo de cabelos frisados e de botinas envernizadas. Trazia sua guitarra ao lado. A mulher era Maria Kondrátievna, a filha da proprietária, moça nada feia, mas de rosto demasiado redondo, semeado de sardas; trazia um vestido azul claro, com uma cauda de dois *archini*.

— Meu irmão Dimítri tardará a chegar? — perguntou Alióscha; com o tom mais calmo possível.

Smierdiákov levantou lentamente; sua companheira imitou–o.

— Como posso eu saber das idas e vindas de Dimítri Fiódorovitch? Seria diferente se fosse eu seu guardião — respondeu tranquilamente Smierdiákov, com um matiz de desdém.

— Perguntava simplesmente se você sabia.

— Ignoro onde ele se encontra e nem quero saber.

— Meu irmão me disse que você o informava de tudo quanto se passa na casa e lhe havia prometido anunciar–lhe a chegada de Agrafiena Alieksándrovna.

Smierdiákov, impassível, ergueu os olhos para Alióscha.

— Como fez para entrar? Há já uma hora que a porta foi aferrolhada.

— Ora, escalei a cerca. Espero que me desculpe (dirigia–se a Maria Kondrátievna), estava com pressa de ver meu irmão.

— Ah! nada há que desculpar! — murmurou a jovem, lisonjeada. — Dimítri introduz–se muitas vezes dessa maneira no pavilhão; já está instalado, antes que a gente o tenha visto.

— Estou à sua procura, gostaria muito vê–lo. Não poderia me dizer onde ele se encontra neste momento? É para um negócio sério que lhe diz respeito.

— Ele não nos diz para onde vai — balbuciou a moça.

— Mesmo aqui, em casa de meus conhecidos, seu irmão me perseguia com perguntas a respeito de meu amo — disse Smierdiákov. — Que se passa em casa dele, quem entra, quem sai, se não tenho nada a comunicar–lhe? Por duas vezes ameaçou matar–me.

— Será possível? — admirou–se Alióscha.

— Pensa que ele se constrangeria, com o caráter que tem? O senhor mesmo pode julgar por ontem. "Se não conseguir apanhar Agrafiena Alieksándrovna e ela passar a noite em casa do velho, não respondo pela tua vida", disse–me ele. Tenho muito medo e, se ousasse, deveria denunciá–lo às autoridades. Deus sabe do que é ele capaz.

— Um dia destes, disse–lhe: "Eu te pilaria num pilão" — acrescentou Maria Kondrátievna.

— Talvez isso não passe de palavras soltas... — observou Aliócha. — Se eu pudesse vê–lo, falaria com ele a este respeito.

— Eis tudo quanto posso comunicar–lhe — disse Smierdiákov, depois de ter refletido. — Venho frequentemente aqui como vizinho. Por que não? Por outra parte, Ivan Fiódorovitch mandou–me hoje bem cedo à casa de Dimítri Fiódorovitch, na Rua do Lago, para dizer–lhe que fosse sem falta jantar com ele no botequim da praça. Fui lá, mas não o encontrei; já eram oito horas. "Ele veio e depois partiu", disse–me textualmente o dono da casa. Pareciam ter combinado isso. Neste momento, talvez esteja à mesa com Ivan Fiódorovitch, porque este não voltou para jantar; quanto a Fiódor Pávlovitch, há já uma hora que jantou e agora faz a sesta. Mas rogo–lhe instantemente que não revele nada disso, ele seria capaz de matar–me por uma bagatela.

— Meu irmão Ivan marcou encontro com Dimítri no botequim, hoje? — insistiu Aliócha.

— Sim.

— No botequim *A Capital,* na praça?

— Precisamente.

— É bem possível! — exclamou Aliócha, agitado. — Agradeço–lhe, Smierdiákov, a notícia é importante, corro lá imediatamente.

— Não me atraiçoe.

— Não, vou aparecer como por acaso, fique tranquilo.

— Aonde vai então? Vou abrir–lhe a porta — gritou Maria Kondrátievna.

— Não, é mais perto por aqui. Vou transpor a cerca.

Aquela notícia impressionara Aliócha, que correu ao botequim. Não seria conveniente entrar ali com aquele seu traje, mas podia informar–se e chamar seus irmãos à escada. Assim que se aproximou do botequim, uma janela se abriu e Ivan gritou–lhe:

— Aliócha, podes entrar aqui um pouco? Eu ficaria infinitamente grato.

— Sim, mas com esta roupa...

— Estou num gabinete reservado, sobe o patamar, vou ao teu encontro.

Um instante depois, estava Aliócha sentado ao lado de seu irmão. Ivan jantava sozinho.

III / OS IRMÃOS FAZEM AMIZADE

Na verdade, a mesa de Ivan, perto da janela, estava protegida por um simples biombo contra os olhares indiscretos. Encontrava–se ao lado do balcão, na primeira sala, em que os garçons circulavam a todo instante. Somente um velhinho, militar reformado, bebia chá num canto. Nas outras salas, ouvia–se o barulho habitual dos botequins: chamados, garrafas que se desarrolhavam, os choques das bolas no bilhar. Um órgão fazia–se ouvir. Aliócha sabia que seu irmão não gostava dos botequins e a eles quase nunca ia. Sua presença só se explicava, pois, pela entrevista marcada com Dimítri.

— Vou mandar pedir para ti uma sopa de peixe ou outra coisa. Não vives de chá somente. — Ivan estava visivelmente encantado com a companhia de Aliócha. Acabara de jantar e tomava chá.

— De acordo, e em seguida chá, estou com fome — disse Aliócha num tom jovial.

— E doce de cerejas? Lembras–te de como gostavas dele, na tua infância, em casa de Políenov?

— Ah! lembras–te? Quero sim, ainda gosto dele.

Ivan tocou a campainha, ordenou uma sopa de peixe, chá e doces.

— Lembro–me de tudo, Aliócha. Tu tinhas onze anos e eu quinze. A camaradagem entre irmãos não é possível naquela idade, com quatro anos de diferença. Não sei mesmo se gostava de ti. Nos primeiros anos de minha estada em Moscou, nem mesmo pensava em ti. Depois, quando lá apareceste por tua vez, encontramo–nos uma única vez, creio. Há quatro anos que vivo aqui e não temos conversado. Parto amanhã e pensava ainda há pouco nos meios de ver–te para dizer–te adeus. Chegas a propósito.

— Desejavas muito ver–me?

— Muito. Quero que aprendamos a conhecer–nos mutuamente. Em seguida, nos separaremos. Na minha opinião, vale melhor conhecermo–nos antes de separar–nos. Tenho notado como me observavas, durante esses três meses. Lia–se em teus olhos uma expectativa contínua. Não saberia tolerar isso e era o que me mantinha à distância. Afinal, aprendi a estimar–te: eis, pensava eu, um homenzinho de caráter firme. Nota que falo seriamente, embora rindo. Porque tu és firme, não és? Gosto de firmeza, por não importa qual motivo e mesmo na tua idade. Enfim, teu olhar ansioso deixou de desagradar–me, agora até o acho simpático. Parece que tens afeição por mim, Aliócha.

— Decerto, Ivan. Dimítri diz que és um túmulo. Eu digo que és um enigma. E ainda és agora para mim, no entanto começo a compreender–te, desde esta manhã apenas.

— Que queres dizer? — disse Ivan, rindo.

— Não te zangarás, pelo menos? — perguntou Aliócha, rindo também.

— E então?

— Então, descobri que és um rapaz semelhante a todos os outros, aos vinte e três anos, um rapaz bem viçoso, bem gentilmente ingênuo, um verdadeiro fedelho, em uma palavra. Minhas palavras não te ofendem?

— Pelo contrário, estou admirado duma coincidência — exclamou Ivan, com ímpeto. — Acreditarias que desde nossa entrevista desta manhã, só penso na ingenuidade dos meus vinte e três anos, e é por isso que começas, como se o tivesses adivinhado? Sabes o que dizia a mim mesmo ainda há pouco? Se não tivesse mais fé na vida, se duvidasse duma mulher amada, da ordem universal, persuadido ao contrário de que tudo não é senão um caos infernal e maldito e eu estivesse preso aos horrores da desilusão — mesmo assim eu ainda ia querer viver. Depois de ter bebido na taça encantada, só a deixaria quando estivesse esgotada. Aliás, perto dos trinta anos, pode ser que sinta saudade dela, mesmo inacabada, e irei... não sei aonde. Mas até os trinta anos, tenho a certeza, minha mocidade triunfará de tudo, do desencanto, do desgosto de viver. Muitas vezes tenho perguntado a mim mesmo se haveria no mundo um desespero capaz de vencer em mim esse furioso apetite de viver, inconveniente talvez; e penso que ele não existe, pelo menos antes de trinta anos. Esta sede de viver é chamada de vil por certos moralistas catarrentos e tuberculosos, sobretudo por poetas. É verdade que é um traço característico dos Karamázovi, essa sede de viver a qualquer preço; encontra-se em ti, mas por que haveria de ser vergonhosa? Há ainda muita força centrípeta em nosso planeta, Aliócha. Quer-se viver, e eu vivo, mesmo a despeito da lógica. Não creio na ordem universal, pois seja; mas amo os brotos tenros na primavera, o céu azul, amo certas pessoas, sem saber por quê. Amo o heroísmo, no qual talvez tenha deixado de crer desde muito tempo, mas que venero por hábito. Eis que te trazem a sopa de peixe. Bom apetite. É excelente, prepararam-na bem aqui. Quero viajar pela Europa, Aliócha. Sei que não encontrarei lá senão um cemitério, mas quão querido! Queridos mortos nele repousam, cada pedra atesta a vida ardente deles, sua fé apaixonada nos seus ideais, sua luta pela verdade e pela ciência. Oh! cairei de joelhos diante daquelas pedras, hei de beijá-las, derramando lágrimas. Convencido, aliás, intimamente, de que tudo aquilo não é senão um cemitério e nada mais. E não serão lágrimas de desespero, mas de felicidade. Embriago-me com meu próprio enternecimento. Gosto dos brotos tenros da primavera e do céu azul. A inteligência e a lógica não entram nisso absolutamente, é o coração que ama, é o ventre, gosta-se de suas primeiras forças juvenis... Tu compreendes alguma coisa dessa minha arenga, Aliócha? — E Ivan pôs-se a rir.

— Compreendo por demais, Ivan; seria mesmo desejável amar pelo coração e pelo ventre, como bem o disseste. Estou encantado com esse teu ardor de viver. Penso que se deve amar a vida acima de tudo.

— Amar a vida, em vez do sentido da vida?

— Decerto. Amá-la antes de raciocinar, sem lógica como dizes; só então se compreenderá o sentido dela. Eis o que entrevejo desde muito tempo. A metade de tua tarefa está realizada e adquirida, Ivan: amas a vida. Ocupa-te com a segunda parte, é a salvação.

— Estás muito apressado em salvar-me, talvez eu ainda não esteja perdido. Em que consiste essa segunda parte?

— Em ressuscitar teus mortos, que estão talvez ainda vivos. Dá-me chá. Estou satisfeito com nossa conversa, Ivan.

— Vejo que estás de veia. Gosto dessas *professions de foi*,[52] da parte de um noviço. Sim, tens firmeza, Alieksiéi. É verdade que queres deixar o mosteiro?

— Sim, meu *stáriets* me envia para o mundo.

— Então, tornaremos a ver-nos antes dos meus trinta anos, quando começar a desdenhar a taça. Nosso pai não quer renunciar a ela antes dos setenta anos, ou mesmo dos oitenta. Disse-o muito seriamente embora seja um palhaço. Agarra-se à sua sensualidade como a um rochedo... Na verdade, após os trinta anos, não há outro recurso talvez. Mas é vil entregar-se a isso até os setenta. Melhor vale cessar aos trinta. Conserva-se uma aparência de nobreza, ao mesmo tempo que se engana a si mesmo. Não viste Dimítri hoje?

— Não, mas vi Smierdiákov. — E Aliócha fez a seu irmão um relato pormenorizado de seu encontro com Smierdiákov. Ivan escutava-o com ar preocupado e insistiu sobre certos pontos.

---

52 Profissões de fé.

— Rogou–me que não repetisse a Dimítri o que disse dele — acrescentou Aliócha.

Ivan franziu as sobrancelhas e pôs–se a refletir.

— Foi por causa de Smierdiákov que fechaste a cara?

— Sim. Que o diabo o carregue! Queria, com efeito, ver Dimítri; agora, é inútil... — declarou Ivan a contragosto.

— Partes deveras tão cedo, irmão?

— Sim.

— Como acabará tudo isso, entre Dimítri e nosso pai? — perguntou Aliócha, com inquietação.

— Voltas sempre a isso! Que eu posso fazer? Serei o guarda de meu irmão Dimítri? — replicou Ivan, com irritação. De repente teve um sorriso amargo. — É a resposta de Caim a Deus. Pensas nisso neste momento, talvez, hem? Mas, que diabo! Não posso, no entanto, ficar aqui para vigiá–los! Meus negócios terminaram, parto. Não vás crer que eu estava com ciúmes de Dimítri, que procurava tomar–lhe a noiva, durante estes três meses. Oh! não, tinha meus negócios. Acabaram, parto. Viste o que se passou?

— Em casa de Katierina Ivânovna?

—Decerto. Libertei–me dum só golpe. Que me importa Dimítri? Ele nada tem a ver com o caso. Eu tinha meus próprios negócios com Katierina Ivânovna. Tu mesmo sabes que Dimítri se portou como se estivesse conivente comigo. Não lhe pedi nada, foi ele mesmo quem a transmitiu a mim solenemente, com sua benção. É de causar riso. Aliócha, se soubesses como me sinto leve, atualmente! Aqui, jantando, queria pedir champanhe para celebrar minha primeira hora de liberdade. Puxa! Seis meses de servidão, quase, e, de repente, eis–me desembaraçado! Ontem ainda, não tinha a menor ideia de que era tão fácil dar tudo por acabado.

— Queres falar de teu amor, Ivan?

— Sim, do amor, se queres. Apaixonei–me por uma colegial e causávamos sofrimento um ao outro. Não pensava senão nela... e de repente tudo se desmorona. Ainda há pouco eu falava com ar inspirado, mas saí rindo às gargalhadas, acreditas nisso? É a pura verdade.

— Falas disso ainda agora com alegria — notou Aliócha, examinando o rosto radiante de seu irmão.

— Mas como eu podia saber com certeza que não a amava? Era, no entanto, a verdade. Mas quanto ela me agradava, e ainda ontem quando eu discorria! Mesmo agora, agrada–me muito, entretanto deixo–a de coração leve. Pensas talvez que banco o fanfarrão. .

— Não, talvez, não fosse amor.

— Aliócha — disse Ivan, rindo —, não raciocines a respeito do amor, isto não te convém. Como te salientaste ainda há pouco! Esqueci–me de abraçar–te por isto... Quanto ela me atormentava! Era um verdadeiro dilaceramento. Oh! ela sabia que eu a amava! Era a mim que ela amava e não a Dimítri — afirmou alegremente Ivan. — Dimítri só lhe serve para torturar–se. Tudo quanto lhe disse é a verdade pura. Somente, vai precisar de talvez quinze ou vinte anos para dar–se conta de que não ama realmente a Dimítri, mas apenas a mim, a quem ela faz sofrer. Talvez mesmo não o adivinhe nunca, apesar da lição de hoje. Será melhor assim. Deixei–a para sempre. A propósito, que há com ela? Que se passou depois de minha partida?

Aliócha contou–lhe que Katierina Ivânovna tivera uma crise de nervos e delirava agora sem conhecimento.

— Não estará mentindo aquela Khokhlakova?

— Creio que não.

— É preciso saber notícias dela. Não se morre duma crise de nervos. Aliás, foi bondade de Deus conceder isso às mulheres. Não irei à casa dela. Para quê?

— Tu lhe disseste, no entanto, que ela jamais te amara.

— Foi de propósito, Aliócha. Vou pedir champanhe, bebamos à minha liberdade! Se soubesses como estou contente!

— Não, meu irmão, não bebamos, aliás sinto–me triste.

— Sim, és triste, percebi já faz muito tempo.

— Então estás decidido a partir amanhã de manhã?

— Amanhã, mas não disse de manhã... Aliás, pode ser que sim. Acreditarias que hoje jantei aqui unicamente para evitar o velho, de tal modo ele me causa aversão? Se só houvesse ele, teria partido daqui desde muito tempo. Por que te inquietas tanto com a minha partida? Temos ainda tempo daqui até lá, toda uma eternidade!

— Como, se partes amanhã?

— Que é que isso pode mesmo fazer? Teremos sempre tempo para tratar do assunto que nos interessa. Por que me olhas com espanto? Responde, por que estamos reunidos aqui? Para falar do amor de Katierina Ivânovna, do velho ou de Dimítri? Do estrangeiro? Da situação fatal da Rússia? Do Imperador Napoleão? É para isso?

— Não.

— Portanto, compreendes tu mesmo por quê. Nós outros, fedelhos, temos como tarefa resolver as questões eternas, eis nosso fim. Agora, toda a jovem Rússia só faz dissertar sobre essas questões primordiais, ao passo que os velhos se limitam às questões práticas. Por que me olhaste durante três meses com um ar ansioso, senão para me perguntar: "Tens fé ou não tens?". Eis o que exprimiam os teus olhares, Alieksiéi Fiódorovitch; não é verdade?

— Pode muito bem ser — concedeu Aliócha, sorrindo. — Mas não estás zombando de mim neste momento, meu irmão?

— Zombando de ti? Não haveria de querer causar pesar a meu jovem irmão, que me olhou durante três meses com tanta ansiedade. Aliócha, olha para mim: sou um menino igual a ti, com a diferença que és noviço. Como procede a juventude russa, pelo menos uma parte? Vai para um botequim de ar viciado, tal como este, por exemplo, e instala–se num canto. Esses rapazes não se conhecem e ficarão quarenta anos sem tornar a encontrar–se. Que discutem eles naqueles breves minutos? Apenas questões essenciais: se Deus existe, se a alma é imortal. Os que não creem em Deus discorrem sobre o socialismo, a anarquia, sobre a renovação da humanidade; ora, essas questões são as mesmas, mas encaradas sob outra face. E boa parte da juventude russa, a mais original, hipnotiza–se com essas questões. Não é verdade?

— Sim, para os verdadeiros russos, as questões da existência de Deus, da imortalidade da alma, ou, como dizes, as mesmas encaradas sob outra face, são primordiais, e tanto melhor assim — disse Aliócha, olhando seu irmão, com um sorriso escrutador.

— Aliócha, ser russo não é sempre uma prova de inteligência. Não há nada de mais tolo que as ocupações atuais da juventude russa. No entanto, há um adolescente russo a quem amo bastante.

— Como expuseste bem tudo isso! — disse Aliócha, rindo.

— Pois bem, dize–me por onde começar. Pela existência de Deus?

— Como queiras, podes mesmo começar pela "outra face". Proclamaste ontem que Deus não existia. — Aliócha olhou seu irmão com um olhar penetrante.

— Disse isso ontem em casa do velho, expressamente para irritar–te. Vi teus olhos faiscarem. Mas agora estou disposto a entreter-me seriamente contigo. Desejo entender–me contigo, Aliócha, porque não tenho amigo e quero ter um. Imagina que admito talvez Deus — disse Ivan, rindo. — Não esperavas por isto, hem?

— Sem dúvida, se não brincas neste momento.

— Vamos lá! Foi ontem, em casa do *stáriets,* que se podia achar que eu estava brincando. Sabes, meu caro, que havia um velho pecador no século XVIII que disse: *"Si Dieu n'existait pas, il foudrait l'inventer"?*[53] E, com efeito, foi o homem quem inventou Deus. E o que é espantoso, não é que Deus exista realmente, mas que essa ideia da necessidade de Deus tenha vindo ao espírito de um animal feroz e mau como o homem, tão santa, comovente e sábia é ela, tanta honra faz ao homem. Quanto a mim, renunciei desde muito tempo a perguntar a mim mesmo se foi Deus quem criou o homem, ou o homem quem criou Deus. Bem entendido, não passarei em revista todos os axiomas que os adolescentes russos deduziram das hipóteses europeias, porque o que, na Europa, é uma hipótese, torna–se logo um axioma para os ditos adolescentes, e não somente para eles, mas para seus professores, que muitas vezes se lhes assemelham. De modo que afasto todas as hipóteses: qual é, com efeito, nosso desígnio? Meu desígnio é explicar–te o mais rapidamente possível a essência de meu ser, minha fé e minhas esperanças. Assim declaro admitir Deus, pura e simplesmente. É preciso notar, no entanto, que se Deus existe, se criou verdadeiramente a terra, a fez, como se sabe, segundo a geometria de Euclides,[54] e não deu ao espírito humano senão a noção das três dimensões do espaço. Entretanto, encontraram–se, encontram–se ainda geômetras e filósofos, mesmo eminentes, para duvidar de que todo o universo e até mesmo todos os mundos tenham sido criados somente de acordo com os princípios de Euclides. Ousam mesmo supor que duas paralelas que, de acordo com as leis de Euclides, jamais se poderão encontrar na terra, possam encontrar–se, em alguma parte, no infinito. Decidi, sendo incapaz de compreender mesmo isto, não procurar compreender Deus. Confesso humildemente minha incapacidade em resolver tais questões; tenho essencialmente o espírito de Euclides: terrestre. De que serve querer, resolver o que não é deste mundo? E aconselho–te a jamais quebrar a cabeça a respeito, meu amigo Aliócha, sobretudo a respeito de Deus: existe ele ou não? Essas questões estão fora do alcance dum espírito que só tem a noção das três dimensões. Assim, admito Deus, não só voluntariamente, mas ainda sua sabedoria, seu fim que nos escapa; creio na ordem, no sentido da vida, na harmonia eterna, na qual se pretende que nos fundiremos um dia: creio no Verbo para o qual propende o Universo que está em Deus e que é ele próprio

---

53   "Se Deus não existisse, precisaríamos inventá-lo." Citação da *Epístola ao autor dos "três impostores"*, de Voltaire.

54   Célebre matemático grego (330-270 a.C.), que ensinou em Alexandria, no reinado de Ptolomeu I. O axioma fundamental da sua geometria é: "Por um ponto exterior a uma reta, somente podemos fazer passar uma só paralela a essa reta."

Deus, até o infinito. Estou no bom caminho? Imagina que, em definitivo, esse mundo de Deus, eu não o aceito, e embora saiba que ele existe, não o admito. Não é Deus que repilo, nota bem, mas a criação; eis o que me recuso admitir. Explico–me: estou convencido, como uma criança, de que o sofrimento desaparecerá, que a comédia revoltante das contradições humanas se esvanecerá como uma lamentável miragem, como a manifestação vil da impotência mesquinha, como um átomo do espírito de Euclides; que no fim do drama, quando aparecer a harmonia eterna, uma revelação se produzirá, preciosa a ponto de enternecer todos os corações, de acalmar todas as indignações, de resgatar todos os crimes e o sangue vertido; de sorte que se poderá não só perdoar, mas justificar tudo quanto se passou sobre a terra. Que tudo isso se realize, seja, mas não o admito e não quero admiti–lo. Que as paralelas se encontrem sob meus olhos, verei e direi que se encontraram; e no entanto, não o admitirei. Eis o essencial, Aliócha, eis minha tese. Comecei expressamente nossa conversa duma maneira que não podia ser mais idiota, mas levei–a até minha confissão, porque é o que esperas. Não era a questão de Deus que te interessava, mas a vida espiritual de teu irmão querido. Tenho dito.

Ivan acabou sua longa tirada com uma emoção singular, inesperada.

— Mas por que começaste de "uma maneira que não podia ser mais idiota"? — perguntou Aliócha, olhando com ar pensativo.

— Em primeiro lugar, por cor local: as conversas dos russos sobre esse tema travam–se sempre idiotamente. Em seguida, a idiotice aproxima do fim e da clareza. É concisa e não faz astúcia, o espírito usa de atalhos e escapa–se. O espírito é desleal, mas há honestidade na idiotice. Quanto mais idiotamente confessar o desespero que me acabrunha, tanto melhor valerá isto para mim.

— Vais me explicar por que "não admites o mundo"?

— Decerto, não é um segredo e ia fazer isso mesmo. Meu irmãozinho, não tenho a intenção de perverter–te, nem de abalar tua fé. Sou eu antes que quereria curar–me ao teu contato — disse Ivan com o sorriso duma criança. Aliócha jamais o vira sorrir assim.

IV / A REVOLTA

— Devo confessar–te uma coisa — começou Ivan. — Jamais pude compreender como se pode amar seu próximo. É precisamente, na minha ideia, o próximo que não se pode amar; ou somente à distância. Li, em alguma parte; a propósito de um santo, João, o Misericordioso,[55] a quem um passante faminto e transido de frio foi um dia suplicar que o aquecesse; o santo deitou–se com ele, tomou–o nos seus braços e se pôs a insuflar seu hálito na boca purulenta do infeliz, infectada por uma horrível moléstia. Estou persuadido de que fez isso com esforço, mentindo a si mesmo, num sentimento de amor ditado pelo dever e por espírito de penitência. Para que se possa amá–lo, é preciso que um homem esteja oculto; dês que ele mostra seu rosto, o amor desaparece.

— O *stáriets* Zósima falou por várias vezes disso — observou Aliócha. — Dizia

---

55 Possível equívoco de Dostoiévski, confundindo este santo com São Julião, o Hospitaleiro.

também que muitas vezes, para almas inexperientes, o rosto de um homem é um obstáculo ao amor. Há, no entanto, muito amor na humanidade, um amor quase igual ao do Cristo, eu mesmo sei disso Ivan...

— Pois bem, eu, eu não sei ainda e não posso compreender; muitos estão no mesmo caso. Trata–se de saber se isso provém dos maus pendores, ou se é inerente à natureza humana. Na minha opinião, o amor do Cristo pelos homens é uma espécie de milagre impossível na terra. É verdade que ele era Deus; mas nós não somos deuses. Suponhamos, por exemplo, que eu sofro profundamente, outro não poderá jamais conhecer a que ponto sofro, porque é outro e não eu. Além do mais, é raro que um indivíduo consinta em reconhecer o sofrimento de seu próximo (como se fosse uma dignidade!). Por que isso, que pensas? Talvez porque cheiro mal, tenho o ar estúpido ou terei pisado o pé daquele senhor! Além disso, há diversos sofrimentos: o que humilha, a fome, por exemplo, meu benfeitor quererá bem admiti–lo; mas desde que meu sofrimento se eleva, que se trata de uma ideia, por exemplo, só nela crerá por exceção porque, talvez, examinando–me, verá que não tenho o rosto que sua imaginação empresta a um homem que sofre por uma ideia. Logo cessará seus benefícios e isto sem maldade. Os mendigos, sobretudo aqueles que têm alguma nobreza, não deveriam jamais mostrar–se, mas pedir esmola por intermédio dos jornais. Em teoria, ainda, pode–se amar seu próximo, e até mesmo de longe; de perto, é quase impossível. Se, pelo menos, tudo se passasse como no palco, nos balés em que os pobres em farrapos de seda e com rendas rasgadas mendigam, dançando graciosamente, ainda seria possível admirá–los. Admirá–los, não amá–los. Mas basta, a respeito. Queria somente colocar–te no meu ponto de vista. Queria falar dos sofrimentos da humanidade em geral, mas vale mais que me limite aos sofrimentos das crianças. Meu argumento ficará reduzido à décima parte, mas é melhor assim. Perco com isso, bem entendido. Em primeiro lugar, pode–se amar as crianças de perto, mesmo sujas, mesmo feias (parece–me, no entanto, que as crianças nunca são feias). Em seguida, se não falo dos adultos, é que não somente são repelentes e indignos de ser amados, mas tem uma compensação: comeram o fruto proibido, discerniram o bem e o mal, tornaram–se "semelhantes a deuses". Continuam a comê–lo. Mas as criancinhas nada comeram e são ainda inocentes. Gostas de crianças, Aliócha? Sei que as amas e compreenderás por que só quero falar delas. Sofrem muito, também elas, sem dúvida; é para expiar a falta de seus pais que comeram o fruto; mas é o raciocínio dum outro mundo, incompreensível para o coração humano aqui embaixo. Um inocente não saberia sofrer por um outro, sobretudo um pequeno ser! Isto te surpreenderá, Aliócha, mas eu também adoro as crianças. Nota que os homens cruéis, de paixões selvagens, os Karamázovi, amam por vezes muito as crianças. Até os sete anos, as crianças diferem enormemente do homem; são como um outro ser, com outra natureza. Conheci um bandido num cárcere; durante sua carreira, quando se introduzia de noite nas casas para roubar, assassinara famílias inteiras, inclusive as crianças. No entanto, na prisão, amava–as estranhamente. Só fazia olhar as que brincavam no pátio da prisão e tornou–se amigo de um menino habituado a brincar sob sua janela... Sabes por que digo tudo isto, Aliócha? Estou com dor de cabeça e sinto–me triste.

— Estás com um ar esquisito, como se não estivesses em teu normal — observou Aliócha, com inquietação.

— A propósito, um búlgaro contava–me outrora em Moscou — continuou Ivan, como se não tivesse ouvido seu irmão — as atrocidades dos turcos e dos cherqueses em seu país: temendo um levante geral dos eslavos, incendeiam, estrangulam e violam as mulheres e crianças; pregam os prisioneiros nas paliçadas pelas orelhas, abandonam–nos assim até de manhã, depois os enforcam, etc. Compara–se por vezes a crueldade do homem com as dos animais selvagens; é uma injustiça para com estes. As feras não atingem jamais os refinamentos do homem. O tigre dilacera sua presa e a devora; não conhece outra coisa. Não lhe viria à ideia pregar as pessoas pelas orelhas, ainda mesmo que o pudesse fazer. São os turcos os que torturam crianças com um prazer sádico, arrancam os bebês do ventre materno, lançam–nos no ar para recebê–los nas pontas das baionetas, sob os olhos das mães cuja presença constitui o principal prazer. Eis outra cena que me impressionou. Pensa nisto: um bebê ainda de peito, nos braços de sua mãe trêmula, e em torno deles os turcos. Ocorre–lhes uma ideia divertida: acariciando o bebê, conseguem fazê–lo rir; depois um deles aponta–lhe um revólver bem junto ao rosto. A criança ri alegremente, estende suas mãozinhas para agarrar o brinquedo; de repente, o artista puxa o gatilho e rebenta–lhe a cabeça. Os turcos gostam muito, segundo dizem, de coisas doces.

— Meu irmão, a que vem tudo isto?

— Penso que se o diabo não existe e foi por conseguinte criado pelo homem, este deve tê–lo feito à sua imagem.

— Como Deus, então?

— Sabes muito bem usar as palavras, como diz Polônio no *Hamlet* — continuou Ivan, rindo. — Pegaste nessa frase; pois seja, isto me agrada. Mas é belo o teu Deus, se o homem O fez à sua imagem. Perguntavas ainda há pouco a que vem tudo isto? Vê, sou um diletante, um amador de fatos e anedotas; recolho–os dos jornais, anoto o que me é contado; isto já forma uma bela coleção. Os turcos nela figuram, naturalmente, com outros estrangeiros, mas tenho também casos nacionais que os ultrapassam. Entre os russos, as varas e o chicote tem sobretudo lugar de honra; não se prega ninguém pelas orelhas, ora essa, somos europeus, mas nossa especialidade é açoitar e não se poderia privar–nos dela. Parece que essa prática desapareceu no estrangeiro, em consequência do abrandamento dos costumes, ou então porque as leis naturais proíbem que o homem açoite seu semelhante. Em compensação, existe lá como aqui um costume, a tal ponto nacional, que seria quase impossível na Rússia, muito embora se implante também entre nós, sobretudo em virtude do movimento religioso na alta sociedade. Possuo uma interessante brochura traduzida do francês, em que se conta a execução em Genebra, há cinco anos, de um assassino chamado Richard, que se converteu ao Cristianismo antes de morrer, na idade de vinte e quatro anos. Era filho natural, "dado" por seus pais, quando tinha seis anos, a pastores suíços, que o educaram para fazer dele um trabalhador. Cresceu como um pequeno selvagem, sem nada aprender; aos sete anos, mandaram–no a fazer pastar o rebanho, ao frio e à umidade, mal vestido e faminto. Aquela gente não sentia nenhum remorso ao tratá–lo assim; pelo contrário, achava que tinha direito de fazê–lo, porque lhe haviam dado Richard como uma coisa e não julgava mesmo necessário nutri–lo. O próprio Richard conta que então, como o filho pródigo do *Evangelho*, quis mesmo comer a varredura destinada aos porcos que eram engordados, mas era privado disso e batiam–lhe quando ele a roubava dos animais; foi assim que passou sua infância e sua mocidade, até que, tornando–se grande e forte, pôs–se a roubar. Aquele selvagem ganhava a vida em Genebra como jornaleiro, bebia seu salário, vivia como um monstro e acabou por assassinar um velho para roubá–lo. Foi preso, julgado e condenado à morte. Não se é sentimental naquela cidade! Na prisão, é logo cercado pelos pastores, pelos membros de associações religiosas, pelas senhoras patrocinadoras. Aprendeu a ler e a escrever, explicaram–lhe o *Evangelho* e, à força de doutriná–lo e de catequizá–lo, acabou por confessar solenemente seu crime. Dirigiu ao tribunal uma carta declarando que era um monstro, mas que o Senhor se havia dignado esclarecê–lo e enviar–lhe sua graça. Toda Genebra ficou emocionada, a Genebra filantrópica e beata. Tudo quanto havia de nobre e de bem pensante acorreu à prisão. Beijam–no, abraçam–no: "Tu és nosso irmão! Foste tocado pela graça!" Richard chora de enternecimento: "Sim, Deus iluminou–me! Na minha infância e na minha mocidade, invejava eu a varredura dos porcos; agora, a graça tocou–me, morro no Senhor!" — "Sim, Richard, tu derramaste sangue e deves morrer. Não é culpa tua se ignoravas Deus; quando roubavas a varredura dos porcos e batiam–te por causa disso (aliás, tinhas bastante culpa porque é proibido roubar), mas derramaste sangue e deves morrer." Enfim chega o derradeiro dia, Richard, enfraquecido, chora e só faz repetir a cada instante: "Eis o mais belo dia de minha vida, porque vou para Deus!" — "Sim –— exclamam pastores, juízes e senhoras patrocinadoras —, é o mais belo dia de tua vida, porque vais para Deus!" O grupo se dirige para o cadafalso, atrás da carreta ignominiosa que leva Richard. Chega–se ao local do suplício. "Morre, irmão — gritam para Richard –, morre no Senhor, Sua graça te acompanhe." E, coberto de beijos, o irmão Richard sobe ao cadafalso, colocam–no na guilhotina e sua cabeça cai, em nome da graça divina.— É característico. A referida brochura foi traduzida para o russo pelos luteranos da alta sociedade e distribuída como suplemento gratuito a diversos jornais e publicações, para instruir o povo. A aventura de Richard é interessante porque nacional. Na Rússia, se bem que seja absurdo decapitar um irmão pela única razão de ter–se tornado dos nossos e tê–lo tocado a graça, temos quase coisa igual. Entre nós, torturar batendo constitui uma tradição histórica, um gozo pronto e imediato. Niekrássov[56] conta num de seus poemas como um mujique bate com seu chicote nos olhos de seu cavalo. Quem já não viu isso? É bem russo. O poeta mostra que o cavalicoque sobrecarregado, atolado com sua carroça, não pode desvencilhar-se. Então o mujique bate–lhe encarniçadamente, bate sem compreender o que faz, os golpes chovem numa espécie de embriaguez. "Não podes puxar, pois puxarás assim mesmo; morre, mas puxa." A besta sem defesa debate–se desesperadamente, enquanto seu dono açoita seus doces olhos, donde rolam lágrimas. Enfim, consegue ele desatolar–se e lá se vai tremendo, sem fôlego, num andar cambaleante, constrangido, vergonhoso. Produziu isto em Niekrássov uma impressão espantosa. Mas também não se trata apenas de um cavalo que Deus criou para ser chicoteado? Foi o que nos explicaram os tártaros que nos legaram o chicote. No entanto, pode–se também açoitar as pessoas. Um senhor culto e sua mulher sentem prazer em açoitar com varas sua filhinha de sete anos. E o papai sente–se feliz porque as varas têm espinhos. "Isto causará mais dor assim", diz ele. Há seres tais que se excitam a cada golpe, até o sadismo, progressivamente.

---

56 Nikolai Alieksiéievitch Niekrássov (1821-1888), poeta, romancista e crítico, Foi ele quem publicou *Pobre gente* pela primeira vez.

Bate–se na criança um minuto, depois cinco, depois dez, sempre mais fortemente. Ela grita, afinal, já sem forças, sufoca: "Papai; meu papaizinho, tenha dó!". O caso torna–se escandaloso e recorre–se ao tribunal. Toma–se um advogado. Há muito tempo que o povo russo chama o advogado "uma consciência que se aluga". O defensor pleiteia em nome de seu cliente: "O caso é simples; é uma cena de família, como se veem muitas. Um pai açoitou sua filha, é uma vergonha processá–lo!". O júri fica convencido, recolhe–se e traz um veredicto negativo. O público exulta por ver absolvido aquele carrasco. Ai! pena que eu não assistia à audiência. Teria proposto fundar uma bolsa em honra daquele bom pai de família!... Eis um belo quadro! No entanto, tenho ainda melhor, Aliócha e sempre a propósito de crianças russas. Trata–se de uma menina de cinco anos, por quem criaram aversão seu pai e sua mãe, honrados funcionários instruídos e bem educados. Repito, é um pendor especial de muitas pessoas o prazer de torturar as crianças, mas somente as crianças, Para com os outros indivíduos, esses carrascos se mostram afáveis e ternos, como europeus instruídos e humanos, mas sentem prazer em fazer as crianças sofrerem, é sua maneira de amá–las. A confiança angélica dessas criaturas sem defesa seduz os seres cruéis. Não sabem aonde ir, nem a quem se dirigir, e isto excita os maus instintos. Cada homem oculta em si um demônio: acesso de cólera, sadismo, desencadeamento de paixões ignóbeis, doenças contraídas na devassidão, ou então a gota, a hepatite, isto varia. Portanto, aqueles pais instruídos praticavam muitas sevícias na pobre menininha. Açoitavam–na, espezinhavam–na sem razão, seu corpo vivia coberto de equimoses. Imaginaram por fim um refinamento de crueldade: pelas noites glaciais, no inverno, encerravam a menina na privada, sob pretexto de que ela não pedia a tempo, à noite, para ir ali (como se, naquela idade, uma criança que dorme profundamente pudesse sempre pedir a tempo). Esfregavam–lhe os próprios excrementos na cara, e sua mãe, sua própria mãe obrigava–a a comê–los! E essa mãe dormia tranquila, insensível aos gritos da pobre criança fechada naquele lugar repugnante! Vês tu daqui, aquele pequeno ser, não compreendendo o que lhe acontece, no frio e na escuridão, bater com seus pequeninos punhos no peito ofegante e derramar lágrimas inocentes, chamando o "bom Deus" em seu socorro? Compreendes esse absurdo, ele tem um propósito, meu amigo e meu irmão, tu, o noviço piedoso? Dizem que tudo isso é indispensável para estabelecer a distinção entre o bem e o mal no espírito do homem. Para que pagar tão caro essa distinção diabólica? Toda a ciência do mundo não vale as lágrimas das crianças. Não falo dos sofrimentos dos adultos. Eles comeram o fruto proibido, que o diabo os leve! Mas as crianças! Faço–te sofrer, Aliócha, tens ar de não estar passando bem. Queres que me detenha?

— Não, também quero sofrer. Continua.

— Ainda um pequeno quadro característico. Acabo de ler nos *Arquivos Russos* ou, em *A Antiguidade Russa,* não sei bem. Era na época mais sombria da servidão, no começo do século XIX. Viva o czar libertador! Um antigo general, com importantes relações, rico proprietário rural, vivia numa de suas propriedades da qual dependiam duas mil almas. Era um desses indivíduos (na verdade já pouco numerosos então) que, uma vez retirados do serviço militar, estavam quase convencidos de seu direito de vida e de morte sobre seus servos. Cheio de arrogância, tratava do alto seus modestos vizinhos, como se fossem parasitas e palhaços seus. Ele tinha uma centena de capatazes, todos a cavalo e uniformizados, e várias centenas de galgos. Ora, eis que um dia, um pequeno servo de oito anos, que se divertia atirando pedras, feriu na pata um daqueles cães favoritos. Vendo seu cão coxear, perguntou o general a causa. Explicaram-lhe o caso, designando o culpado. Mandou imediatamente agarrar o menino, a quem arrancaram dos braços de sua mãe e fizeram passar a noite na prisão. No dia seguinte, logo ao romper da aurora, o general, em uniforme de gala, monta a cavalo para ir à caça, cercado de seus parasitas, de seus monteiros, de seus cães, de seus capatazes. Reúne-se toda a famulagem para dar-se um exemplo e a mãe do culpado é trazida, bem como o menino. Era uma manhã de outono, brumosa e fria, excelente para a caça. O general manda que se tire toda a roupa do menino, o que foi feito. O menino tremia, louco de medo, não ousando dizer uma palavra. "Façam-no correr", ordena o general. — "Corre! corre!", gritam-lhe os capatazes. O menino põe-se a correr. "Cisca! Cisca!", berra o general e açula toda a sua matilha. Os cães estraçalharam a criança diante dos olhos de sua mãe. O general, parece, foi posto sob tutela. Pois bem, que merecia ele? Seria preciso fuzilá-lo? Fala, Aliócha.

— Sim, fuzilá-lo! — proferiu mansamente Aliócha, totalmente pálido, com um sorriso convulso.

— Bravo! — exclamou Ivan, encantado. — Se o dizes, tu, é que... Vejam só, o asceta! Tens, pois, também um diabinho no coração, Aliócha Karamázov?

— Disse uma tolice, mas...

— Sim, mas... Fica sabendo, noviço, que as tolices são necessárias ao mundo; sobre elas é que ele se funda: sem essas tolices, nada se passaria aqui na terra. Sabemos o que sabemos.

— Que sabes tu?

— Nada compreendo — prosseguiu Ivan, como em sonho —, nada quero compreender agora. Atenho-me aos fatos. Tentando compreender, altero os fatos...

— Por que me atormentas? — disse dolorosamente Aliócha. — Vais me dizer no fim?

— Decerto. Preparava-me para dizer-te. Gosto de ti e não quero abandonar-te ao teu Zósima.

Ivan calou-se um instante e seu rosto entristeceu-se de súbito.

— Escuta, limitei-me às crianças para ser mais claro. Nada disse das lágrimas humanas de que a terra está saturada, abreviando de propósito meu assunto. Confesso humildemente não compreender a razão desse estado de coisas. Os homens são os únicos culpados: tinham-lhes dado o paraíso, cobiçaram a liberdade e arrebataram o fogo do céu, sabendo que seriam infelizes; não merecem, pois, nenhuma compaixão. Segundo meu pobre espírito terrestre, sei apenas que o sofrimento existe, que não há culpados, que tudo se encadeia, tudo passa e se equilibra. São as pataratas de Euclides, eu sei, mas não posso consentir em viver baseando-me nisso. Que bem me pode fazer tudo isso? Preciso é de uma compensação, do contrário destruiria a mim mesmo. E não uma compensação em alguma parte, no infinito, mas aqui embaixo, que eu mesmo veja. Acreditei, quero ser testemunha, e se já estou morto, que me ressuscitem; se tudo se passasse sem mim seria bastante aflitivo. Não quero que meu corpo com seus sofrimentos e suas faltas sirva unicamente para arder a serviço de alguma harmonia futura. Quero ver com meus olhos a corça dormir junto do leão, a vítima beijar seu matador. É sobre este desejo que repousam todas as religiões e eu tenho fé. Quero estar presente quando todos souberem o porquê das coisas. Mas as crianças, que farei delas? Não posso resolver essa questão. Se todos devem sofrer, a fim de concorrer com seu sofrimento para a harmonia eterna, qual o papel das crianças? Não se compreende por que deveriam sofrer, também elas, em nome da harmonia. Por que serviriam de materiais destinados a prepará-la? Compreendo bem a solidariedade do pecado e do castigo, mas ela não pode aplicar-se aos inocentinhos, e se na verdade são solidários com os malfeitos de seus pais, é uma verdade que não é deste mundo e que eu não compreendo. Um galhofeiro malicioso objetará que as crianças crescerão e terão ocasião de pecar, mas aquele menino de oito anos ainda não havia crescido e foi estraçalhado pelos cães. Aliócha, não estou blasfemando. Compreendo como estremecerá o Universo, quando o céu e a terra se unirem no mesmo grito de alegria, quando tudo quanto vive ou viveu proclamar: "Tens razão, Senhor Deus, porque Tuas vias nos são reveladas!", quando o carrasco, a mãe, o menino, se beijarem e declararem com lágrimas: "Tens razão, Senhor Deus!". Sem dúvida então, a luz se fará e tudo será explicado. Mas eis a dificuldade: não posso admitir tal solução. E tomo minhas providências a tal respeito, enquanto me encontro ainda aqui na terra. Acredita-me, Aliócha, pode ser que eu viva até esse momento ou que ressuscite então, e exclamarei talvez com os outros, vendo a mãe beijar o carrasco de seu filho: "Tu tens razão, Senhor Deus!", mas será contra minha vontade. Enquanto ainda é tempo, recuso-me a aceitar essa harmonia superior. Acho que ela não vale uma lágrima de criança, daquela pequenina vítima que batia no peito e rezava ao "bom Deus", no seu canto infecto; não as vale, porque aquelas lágrimas não foram redimidas. Enquanto assim for, não se poderá falar de harmonia. Ora, não há possibilidade de redimi-las. Os carrascos sofrerão no inferno, tu me dirás. Mas de que serve esse castigo, uma vez que as crianças tiveram também o seu inferno? Aliás, que vale essa harmonia que comporta um inferno? Quero o perdão, o beijo universal, a supressão do sofrimento. E se o sofrimento das crianças serve para perfazer a soma das dores necessárias à aquisição da verdade, afirmo desde agora que essa verdade não vale tal preço. Não quero que a mãe perdoe ao carrasco, não tem esse direito. Que lhe perdoe seu sofrimento de mãe, mas não o que sofreu seu filho estraçalhado pelos cães. Ainda mesmo que seu filho perdoasse, ela não teria o direito. Se o direito de perdoar não existe, que vem a tornar-se a harmonia? Há no mundo um ser que tenha esse direito? Por amor pela humanidade que não quero essa harmonia. Prefiro conservar meus sofrimentos não redimidos e minha indignação persistente, mesmo se não tivesse razão! Aliás, deram realce excessivo a essa harmonia, a entrada custa demasiado caro para nós. Prefiro entregar meu bilhete de entrada. Como homem de bem, tenho mesmo obrigação de devolvê-lo o mais cedo possível. É o que faço. Não recuso admitir Deus, mas muito respeitosamente devolvo-lhe meu bilhete.

— Mas isto é revolta — disse mansamente Aliócha, de olhos baixos.

— Revolta? Não era meu desejo ver-te empregar essa palavra. Pode-se viver revoltado? Ora, eu quero viver. Responde-me francamente. Imagina que os destinos da humanidade estejam entre tuas mãos, e que para tornar as pessoas definitivamente felizes, proporcionar-lhes afinal a paz e o repouso, seja indispensável torturar um ser apenas, a criança que batia no peito com seu pequeno punho, e basear sobre suas lágrimas a felicidade futura. Consentirias tu, nestas condições, em edificar semelhante felicidade? Responde sem mentir.

— Não, não consentiria.

— Então, podes admitir que os homens consentiriam em aceitar essa felicidade ao preço do sangue dum pequeno mártir?

— Não, não posso admiti–lo, meu irmão — declarou Aliócha, com os olhos cintilantes. — Perguntaste se existe no mundo inteiro um Ser que teria o direito de perdoar. Sim, este Ser existe, Pode tudo perdoar, a todos e por tudo, porque foi Ele quem verteu Seu sangue inocente por todos— e por tudo. Tu O esqueceste, é Ele a pedra angular do edifício e é a Ele que se deve gritar: "Tu tens razão, Senhor Deus, porque Tuas vias nos são reveladas".

— Ah!, sim, "o único impecável" e "Seu sangue". Não, não O esqueci, admirava–me, pelo contrário, de que não O tivesses ainda mencionado, porque nas discussões os vossos começam habitualmente por colocá-lO à frente. Fica sabendo, mas não rias, que compus um poema, há um ano. Se puderes conceder–me ainda dez minutos, posso recitá-lo para ti.

— Escreveste um poema?

— Não — disse Ivan, rindo —, porque jamais compus dois versos sequer em minha vida. Mas sonhei esse poema e lembro–me dele. Serás meu primeiro leitor, isto é, meu ouvinte. Por que não aproveitar, tua presença? Queres?

— Sou todo ouvidos.

— Meu poema intitula–se *O grande inquisidor*, é absurdo, mas quero que o fiques conhecendo.

V / O GRANDE INQUISIDOR

— É necessário um preâmbulo do ponto de vista literário. A ação se passa no século XVI. Sabes que nessa época era de uso fazer intervirem nos poemas as potências celestiais. Não falo de Dante. Na França, os clérigos julgadores e os monges davam representações em que se punham em cena Nossa Senhora, os anjos, os santos, o Cristo e Deus Pai. Eram espetáculos ingênuos. Em *Notre-Dame de Paris*, de Vítor Hugo, em honra ao nascimento do Delfim,[57] no reinado de Luís XI, em Paris, o povo é convidado a uma representação edificante e gratuita, *Le bon jugement de la très sainte et gracieuse Vierge Marie.*[58] Nesse mistério, aparece a Virgem em pessoa para pronunciar o seu *bon jugement*. Entre nós, em Moscou, antes de Pedro, o Grande, davam–se de tempos em tempos representações desse gênero, tiradas sobretudo do Antigo Testamento. Além disso, circulava uma porção de recitativos e de poemas em que figuravam, de acordo com as necessidades, os santos, os anjos, o exército celeste. Nos nossos mosteiros, traduziam–se, copiavam–se esses poemas, compunham–se mesmo novos, e isto sob a dominação tártara. Por exemplo, existe um pequeno poema monástico, sem dúvida traduzido do grego: *La Vierge chez les damnés,*[59] com quadros duma audácia dantesca. A Virgem visita o inferno, guiada por São Miguel Arcanjo. Vê os condenados e seus tormentos. Entre outras, há uma

---

57   Título dado ao herdeiro da Coroa da França. Neste caso, o primogênito de Louis XI e Charlotte de Savoie, depois o Rei Charles VIII de Valois (1470-1498).

58   O bom julgamento da Santíssima e Graciosa Virgem Maria.

59   A Virgem entre os condenados.

categoria de pecadores num lago de fogo. Alguns afundam–se no lago e não aparecem mais; são esses "esquecidos pelo próprio Deus", expressão duma profundeza e duma energia notáveis. A Virgem, banhada em pranto, cai de joelhos diante do trono de Deus e pede perdão para todos os pecadores que viu no inferno, sem distinção. Seu diálogo com Deus é de um interesse extraordinário. Suplica, insiste, e quando Deus lhe mostra os pés e as mãos de Seu filho traspassados pelos cravos e lhe pergunta: "Como poderei eu perdoar a seus carrascos?", ordena Ela a todos os santos, a todos os mártires, a todos os anjos que caiam de joelhos com Ela e implorem o perdão para os pecadores, sem distinção. Afinal, obtém a cessação dos tormentos, cada ano, da Sexta–Feira Santa a Pentecostes, e os condenados, do fundo do inferno, agradecem a Deus e exclamam: "Senhor, Tua sentença é justa!" Pois bem! Meu pequeno poema teria sido nesse gosto, se tivesse aparecido naquela época. Deus aparece; não diz nada, só faz passar. Quinze séculos decorreram, desde que ele prometeu voltar no Seu reino, depois que Seu profeta escreveu: "Voltarei em breve. Quanto ao dia e à hora, o próprio Filho não os conhece, mas somente meu Pai que está no céu", segundo Suas próprias palavras na terra. E a humanidade o espera com a mesma fé de outrora, uma fé mais ardente ainda, porque quinze séculos se passaram desde que o céu deixou de dar testemunhos ao homem.

> Daquilo que o coração diz
> O céu não dá testemunho.

E só resta a fé no referido coração. É verdade que numerosos milagres se verificavam então; santos realizavam curas maravilhosas. A Rainha dos Céus visitava certos justos, de acordo com a biografia deles. Mas o diabo não dorme; a humanidade começou a duvidar da autenticidade daqueles milagres. Naquele momento nascia na Alemanha uma terrível heresia que negava os milagres. "Uma grande estrela ardente como um facho caiu sobre as fontes das águas que se tornaram amargas."[60] A fé dos fiéis só fez redobrar. As lágrimas da humanidade elevam–se para Ele como outrora, aguardam–nO, amam–nO espera–se nEle como antes... Depois de tantos séculos, a humanidade reza com fervor: "Senhor Deus, dignai–vos aparecer–nos", depois de tantos séculos grita ela para Ele, Ele que quis, na sua misericórdia infinita, descer entre Seus fiéis. Outrora, já havia visitado justos, mártires, santos anacoretas, como o narram suas biografias. Entre nós, Tiútchev[61] que acreditava profundamente na verdade de suas palavras, proclamou que

> Sob o peso da cruz, esmagador,
> O Rei dos Céus, de servo disfarçado,
> Toda te percorreu, terra natal,
> O solo teu inteiro abençoando.

Mas eis que quis Ele mostrar–se por um instante pelo menos ao povo sofredor e miserável, ao povo que se arrastava no pecado, mas que O ama ingenuamente.

---

60 Do *Apocalipse*, de São João.
61 Fiódor Ivânovitch Tiútchev (1803–1873), poeta contemporâneo de Púchkin, muito influenciado por Heine e Goethe.

A ação se passa na Espanha, em Sevilha, na época mais terrível da Inquisição, quando todos os dias no país ardiam as fogueiras à glória de Deus e

> Em esplêndidos atos de fé
> Queimavam-se horríveis heréticos.

Oh! não foi assim que Ele prometeu voltar no fim dos tempos, em toda a Sua glória celeste, subitamente, "como um relâmpago que brilha do Oriente ao Ocidente". Não, quis visitar Seus filhos, no lugar onde crepitavam precisamente as fogueiras dos heréticos. Na Sua misericórdia infinita, volta ao convívio dos homens sob a forma que tivera durante os três anos de sua vida pública. Ei-lo que desce para as ruas ardentes da cidade meridional, onde justamente na véspera, na presença do rei, dos cortesãos, dos cavaleiros, dos cardeais e das mais encantadoras damas da corte, o grande inquisidor mandara queimar uma centena de heréticos *ad majorem gloriam Dei*.[62] Apareceu docemente, sem se fazer notar e — coisa estranha — todos O reconheciam. Seria uma das mais belas passagens de meu poema, explicar a razão disso. Atraído por uma força irresistível, o povo comprime-se à Sua passagem e segue-Lhe os passos. Silencioso, Ele passa por entre a multidão com um sorriso de compaixão infinita. Seu coração está abrasado de amor, Seus olhos desprendem a Luz, a Ciência, a Força, que irradiam e despertam o amor nos corações. Estende-lhes os braços, abençoa-os, uma virtude salutar emana de Seu contato e até mesmo de Suas vestes. Um velho, cego de infância, exclama em meio da multidão: "Senhor, cura-me e eu Te verei". Uma casca cai de seus olhos e o cego vê. O povo derrama lágrimas de alegria e beija o chão sobre as marcas de Seus passos. As crianças lançam flores à Sua passagem, canta-se, grita-se: "Hosana!". É Ele, deve ser Ele! — exclama-se. — Só pode ser Ele! Ele para no adro da catedral de Sevilha no momento em que trazem um pequeno ataúde branco no qual repousa uma menina de sete anos, a filha única de uma pessoa notável. A morta está coberta de flores.

— Ele ressuscitará tua filha — gritam na multidão para a mãe lacrimosa. O padre, que sai a receber o ataúde, olha com ar perplexo e franze o cenho. De súbito, repercute um grito, a mãe se lança aos Seus pés: "Se és Tu, ressuscita minha filha!", e estende os braços para Ele. O cortejo para, deposita-se o caixão sobre as lajes. Ele a contempla, cheio de compaixão e sua boca profere docemente mais uma vez: *Talitha kumi*[63], e a menina se levantou. A morta levanta, senta e olha em redor de si, sorridente, com ar admirado. Tem na mão o buquê de rosas brancas que haviam depositado no caixão. No meio da turbamulta há agitação, gritam, choram. Naquele momento passa pela praça o cardeal, grande inquisidor. É um ancião quase nonagenário, de elevada estatura, de rosto dessecado, olhos cavados, mas onde luz ainda uma centelha. Não traz mais a pomposa veste com a qual se pavoneava ontem diante do povo, enquanto eram queimados os inimigos da Igreja romana. Retomara sua velha batina grosseira. Seus sombrios auxiliares e a guarda do Santo Ofício seguem-no a uma distância respeitosa. Detém-se diante da multidão e observa de longe. Viu tudo, o caixão depositado diante dEle, a ressurreição da menininha, e

---

62 "Para a maior glória de Deus." Mote dos Jesuítas.

63 "Jovem, levanta-te." São Lucas, c. VII, v. 14. Palavras da linguagem aramaica, pronunciadas por Jesus Cristo quando da ressurreição do filho da viúva de Naim.

seu rosto ensombreceu-se. Franze suas espessas sobrancelhas e seus olhos brilham com um clarão sinistro. Aponta-O com o dedo e ordena aos guardas que O prendam. Tão grande é o seu poder e o povo está de tal maneira habituado a submeter-se, a obedecer-lhe tremendo, que a multidão se afasta imediatamente diante dos esbirros; em meio dum silêncio de morte, estes O pegam e levam-nO. Como um só homem aquele povo se inclina até o chão diante do velho inquisidor, que o abençoa sem dizer palavra e prossegue seu caminho. O Prisioneiro é conduzido ao sombrio e velho edifício do Santo Ofício, onde O encerram numa estreita cela abobadada. O dia chega ao fim, vem a noite, uma noite de Sevilha, quente e sufocante. O ar está embalsamado do perfume de loureiros e limoeiros. Nas trevas, a porta de ferro da masmorra abre-se de repente e o grande inquisidor aparece, com um facho na mão. Está só, a porta torna a fechar-se atrás dele. Para no limiar e observa longamente a Santa Face. Por fim, aproxima-se pousa o facho sobre a mesa e diz-lhe:

— És Tu, és Tu? — Não recebendo resposta, acrescenta rapidamente: — Não digas nada, cala-Te. Aliás, que poderias dizer? Sei demais. Não tens o direito de acrescentar uma palavra mais ao que já disseste outrora. Por que vieste estorvar-nos? Porque Tu nos estorvas, bem sabes. Mas sabes o que acontecerá amanhã? Ignoro quem Tu és e não quero saber: Tu ou apenas Sua aparência; mas amanhã eu Te condenarei e serás queimado como o pior dos heréticos e esse mesmo povo que hoje Te beijava os pés se precipitará amanhã, a um sinal meu para alimentar Tua fogueira. Sabes disso? Talvez — acrescenta o Velho, pensativo, com os olhos sempre fixos em seu Prisioneiro.

— Não compreendo bem o que quer isto dizer, Ivan — observou Aliócha, que escutara em silêncio. — É uma fantasia, um erro do ancião, um quiproquó estranho?

— Admite esta última suposição — disse Ivan, rindo —, se o realismo moderno te tornou a este ponto refratário ao sobrenatural. Seja como quiseres. É verdade que o meu inquisidor tem noventa anos e sua ideia pode ter-lhe desde muito tempo transtornado o espírito. Afinal, é talvez um simples delírio, o devaneio de um velho antes de seu fim, com a imaginação esquentada pelo recente auto de fé. Mas quiproquó ou fantasia, que nos importa? O que é preciso somente notar é que o inquisidor revela afinal seu pensamento, desvenda o que calou durante toda a sua carreira.

— E o Prisioneiro não diz nada? Contenta-se com olhá-lo?

— Com efeito. Só pode calar-se. O próprio ancião faz-lhe observar que Ele não tem o direito de acrescentar uma palavra às suas antigas palavras. É talvez o traço fundamental do Catolicismo romano, na minha humilde opinião: "Tudo foi transmitido por Ti ao Papa, tudo depende pois agora do Papa, não venhas estorvar-nos antes do tempo, pelo menos". Tal é a doutrina deles, dos jesuítas, em todo o caso. Encontrei-a nos seus teólogos. "Tens Tu o direito de nos revelar um só dos segredos do mundo donde vens?", pergunta o velho, que responde em seu lugar: "Não, não tens o direito, porque essa revelação se ajuntaria à de outrora, e isso seria retirar aos homens a liberdade que defendias tanto na terra. Todas as Tuas revelações novas feririam a liberdade da fé, porque pareceriam miraculosas; ora, Tu punhas acima de tudo, há quinze séculos essa liberdade da fé. Não disseste bem muitas vezes: "Quero tornar-vos livres"? Pois bem, viste-os, os homens "livres" — acrescenta o velho, com ar sarcástico. — Sim, isto nos custou caro — prosseguiu ele, olhando-o com severidade — mas levamos a cabo afinal aquela obra em Teu nome. Foram–nos precisos quinze séculos de rude labor para instaurar a liberdade; mas está feito, é bem feito. Não crês? Olhas–me com doçura, sem mesmo fazer-me a honra de Te indignares. Mas fica sabendo que jamais os homens se creram tão livres como agora, e, no entanto, a liberdade deles despositaram–na humildemente a nossos pés. Isto é a nossa obra, para dizer a verdade: é a liberdade que sonhavas?"

— Não compreendo de novo —, interrompeu Aliócha. — Ele ironiza, zomba?

— Absolutamente! Vangloria–se de ter, ele e os seus, suprimido a liberdade, com o objetivo de tornar os homens felizes. "Porque é agora, pela primeira vez (ele fala, bem entendido, da Inquisição), que se pode pensar na felicidade dos homens. São naturalmente revoltados; revoltados podem ser felizes? Tu estavas advertido — ele lhe diz — conselhos não Te faltaram, mas não os levaste em conta, rejeitaste o único meio de proporcionar a felicidade aos homens; felizmente, ao partires, Tu nos transmitiste a obra, prometeste, concedeste–nos solenemente o direito de ligar e desligar; decerto, não podes pensar em retirar de nós agora esse direito, Por que então vieste estorvar–nos?"

— Que significa isso: "As advertências e os conselhos não Te faltaram?" — perguntou, Aliócha.

— Mas é o ponto capital no discurso do ancião.

"O Espírito terrível e profundo, o Espírito da destruição e do nada — continua ele —, falou–te no deserto e as Escrituras relatam que ele Te 'tentou'. É verdade? E nada se podia dizer de mais penetrante que o que Te foi dito nas três perguntas ou, para falar com as Escrituras, as 'tentações' que repeliste? Se jamais houve na terra um milagre autêntico e retumbante, foi o dia daquelas três tentações. O simples fato de terem sido formuladas aquelas três perguntas constitui um milagre. Suponhamos que tenham desaparecido das Escrituras, que seja preciso reconstituí–las, imaginá–las de novo para substituí–las ali, e que se reúnam para esse efeito todos os sábios da terra, homens de Estado, prelados, sábios, filósofos, poetas, dizendo–lhes: imaginai, redigi três perguntas que não somente correspondam à importância do acontecimento, mas ainda exprimam em três frases toda a história da humanidade futura acreditas, que esse areópago da sabedoria humana poderia imaginar nada de tão forte e de tão profundo como as três questões que Te propôs então o poderoso Espírito? Essas três questões provam por si sós que se tem de ver com o Espírito eterno e absoluto e não com um espírito humano transitório. Porque resumem e predizem ao mesmo tempo toda a história ulterior da humanidade, são as três formas em que se cristalizam todas as contradições insolúveis da natureza humana. Não era possível na ocasião perceber isso, porque o futuro estava velado, mas agora, após quinze séculos decorridos, vemos que tudo fora previsto naquelas três perguntas e realizou–se a ponto de ser impossível acrescentar–lhes ou retirar–lhes uma só palavra.

"Decide, pois, Tu mesmo quem tinha razão: Tu, ou aquele que Te interrogava? Lembra–Te da primeira pergunta, do sentido, senão do teor: queres ir para o mundo de mãos vazias, pregando aos homens uma liberdade que a estupidez e a ignomínia naturais deles os impedem de compreender, uma liberdade que lhes causa medo, porque não há e jamais houve nada de mais intolerável para o homem e para a sociedade! Vês aquelas pedras naquele deserto árido? Muda–as em pão e atrás de Ti correrá a humanidade, como um rebanho dócil e reconhecido, tremendo, no entanto, no receio de que Tua mão se retire e eles não tenham mais pão.

"Mas, Tu não quiseste privar o homem da liberdade e recusaste, estimando que ela era incompatível com a obediência comprada por meio de pães. Replicaste que o homem não vive somente de pão; mas sabes que, em nome desse pão terrestre, o Espírito da terra se insurgirá contra Ti, lutará e Te vencerá, que todos o seguirão, gritando: "Quem é semelhante a esse animal? Ele nos deu o fogo do céu!". Séculos passarão e a humanidade proclamará pela boca de seus sábios e de seus intelectuais que não há crimes e, por conseguinte, não há pecado; só há famintos. "Nutre–os e então exige deles que sejam virtuosos!" Eis o que se inscreverá sobre o estandarte da revolta que abaterá Teu templo. Em seu lugar subirá novo edifício, uma segunda torre de Babel, que ficará sem dúvida inacabada, como a primeira, mas Tu terias podido poupar aos homens essa nova tentativa e mil anos de sofrimento. Porque eles virão procurar-nos, depois de ter penado mil anos para construir sua torre! Vão nos procurar sob a terra como outrora, nas catacumbas onde estaremos escondidos (nos perseguirão de novo) e clamarão: "Dai–nos de comer, porque aqueles que nos tinham prometido o fogo do céu não o entregaram". Então, acabaremos a torre deles, porque para isso basta apenas o alimento, e nós os nutriremos, utilizando–nos falsamente de Teu nome, e os faremos crescer. Sem nós, estarão sempre famintos. Nenhuma ciência lhes dará pão, enquanto permanecerem livres, mas acabarão por depositá–la a nossos pés, essa liberdade, dizendo: "Reduzi–nos à servidão, contanto que nos alimenteis". Compreenderão por fim que a liberdade e o pão da terra à vontade para cada um são inconciliáveis, porque jamais saberão reparti–los entre si! Vão se convencer também de sua impotência para ser livres sendo fracos, depravados, nulos e revoltados. Tu lhes prometias o pão do céu; ainda uma vez, ele é comparável ao da terra aos olhos da fraca raça humana, eternamente ingrata e depravada? Milhares e dezenas de milhares de alma vão Te seguir por causa desse pão, mas que acontecerá aos milhões e bilhões que não terão a coragem de preferir o pão do céu ao da terra? Será que só preferes os grandes e os fortes, aos quais os outros, a multidão inumerável, que é fraca, mas Te ama, só serviria de matéria explorável? Eles também nos são queridos, os seres fracos. Embora depravados e revoltados, vão se tornar finalmente dóceis. Ficarão espantados e acreditarão que somos deuses por ter consentido, pondo–nos a comandá–los, em assumir a liberdade que os atemorizava e reinar sobre eles, de modo que ao final terão medo de ser livres. Mas lhes diremos que somos Teus discípulos e reinamos em Teu nome. Vamos enganá-los de novo, porque então não deixaremos que Te aproximes de nós. E será essa impostura que constituirá nosso sofrimento, porque será preciso que mintamos. Tal é o sentido da primeira pergunta que Te foi feita no deserto, e eis o que rejeitaste em nome da liberdade, que punhas acima de tudo. No entanto, ela ocultava o segredo do mundo. Consentindo no milagre dos pães, terias acalmado a eterna inquietação da humanidade — indivíduos e coletividade —, isto é: "Diante de quem se inclinar?". Porque não há para o homem, que fica livre, preocupação mais constante e mais ardente do que procurar um ser diante do qual se inclinar. Mas ele só quer se inclinar diante de uma força incontestada, que todos os humanos respeitem por consenso universal. Porque essas pobres criaturas vão se atormentar à procura de um culto que reúna não somente alguns fiéis, mas no qual todos juntos comunguem, unidos pela mesma fé. Porque essa necessidade da comunidade na adoração é o principal tormento de cada indivíduo e da humanidade inteira, desde o começo dos séculos. É para realizar esse sonho que os homens têm se exterminado pelo gládio. Os povos forjaram deuses e desconfiaram uns dos outros: "Abandonai vossos deuses, adorai os nossos, senão, ai de vós e de vossos deuses!". E assim será até o fim do mundo, mesmo quando os deuses tiverem desaparecido; vão se prosternar diante dos ídolos. Tu não ignoravas, Tu não podias ignorar esse segredo fundamental da natureza humana e, no entanto, repeliste a única bandeira infalível que Te ofereciam e que teria curvado sem contestação todos os homens diante de Ti, a bandeira do pão terrestre; rejeitaste–a em nome do pão do céu e da liberdade! Vê o que fizeste em seguida, sempre em nome da liberdade! Não há, repito–Te, preocupação mais aguda para o homem que encontrar o mais cedo possível um ser a quem delegar esse dom da liberdade que o infeliz traz consigo ao nascer. Mas para dispor da liberdade dos homens, é preciso dar–lhes a paz da consciência. O pão Te garantia o êxito; o homem se inclina diante de quem lhe dá, porque é uma coisa incontestável, mas se um outro se torna senhor da consciência humana, largará ali mesmo o Teu pão para seguir aquele que cativa sua consciência. Nisto Tu tinhas razão, porque o segredo da existência humana consiste não somente em viver, mas ainda em encontrar um motivo de viver. Sem uma ideia nítida da finalidade da existência, o homem prefere renunciar a ela e se destruirá em vez de ficar na terra, embora cercado de montes de pão. Mas que aconteceu? Em lugar de Te apoderares da liberdade humana, Tu ainda a estendeste! Esqueceste–Te então de que o homem prefere a paz e até mesmo a morte à liberdade de discernir o bem e o mal? Não há nada de mais sedutor para o homem do que o livre arbítrio, mas também nada de mais doloroso. E em lugar de princípios sólidos que teriam tranquilizado para sempre a consciência humana, Tu escolheste noções vagas, estranhas, enigmáticas, tudo quanto ultrapassa a força dos homens e com isso agiste como se não os amasses, Tu, que vieras dar Tua vida por eles! Aumentaste a liberdade humana em vez de confiscá–la e assim impuseste para sempre ao ser moral os pavores dessa liberdade. Querias ser livremente amado, voluntariamente seguido pelos homens fascinados. Em lugar da dura lei antiga, o homem devia doravante, com coração livre, discernir o bem e o mal, não tendo para se guiar senão Tua imagem, mas não previas que ele repeliria afinal e contestaria mesmo Tua imagem e Tua liberdade, esmagado sob essa carga terrível: a liberdade de escolher? Gritarão por fim que a verdade não estava em Ti, de outro modo não os terias deixado numa incerteza tão angustiosa, com tantas preocupações e problemas insolúveis. Preparaste assim a ruína de Teu reino. Não acuses ninguém. Entretanto, era isso que Te propunham? Há três forças, as únicas que podem subjugar para sempre a consciência desses fracos revoltados, a saber: o milagre, o mistério, a autoridade! Tu rejeitaste todas três, dando assim um exemplo. O espírito terrível e profundo Te havia transportado ao pináculo e Te havia dito: "Queres saber se és o filho de Deus? Lança–Te daqui abaixo, porque está escrito que os anjos O sustentarão e O carregarão, e Ele não sofrerá nenhum ferimento. Saberás então se és o Filho de Deus e provarás assim Tua fé em Teu Pai". Mas repeliste esta proposta, não Te precipitaste. Mostraste então uma altivez sublime, divina, mas os homens, raça fraca e revoltada, não são deuses! Sabias que, dando um passo, um gesto para Te precipitares; terias tentado o Senhor e perdido a fé nEle, terias Te rebentado sobre aquela terra que vinhas salvar, para grande alegria do tentador. Mas há muitos como Tu? Podes admitir um instante que os homens teriam a força de suportar semelhante tentação? É próprio da natureza humana repelir o milagre e nos momentos graves da vida, diante das questões capitais e dolorosas, agarrar–se à livre decisão do coração? Oh! Tu sabias que Tua firmeza seria relatada nas Escrituras, atravessaria as idades e iria até as regiões mais longínquas e esperavas que, seguindo Teu exemplo, o homem se contentaria com Deus, sem recorrer ao milagre. Mas ignoravas que o homem rejeita Deus ao mesmo tempo que o milagre, porque é sobretudo o milagre que ele procura. E como não saberia passar sem ele, forja novos, os seus próprios, se inclinará diante dos prodígios de um mágico, dos sortilégios de uma feiticeira, ainda que seja um revoltado, um herege, um ímpio confesso. Tu não desceste da cruz, quando zombavam de Ti e gritavam–Te, por derrisão: "Desce da cruz e creremos em Ti". Não o fizeste, porque de novo não quiseste sujeitar o homem por meio de um milagre. Desejavas uma fé livre e não inspirada pelo maravilhoso. Tinhas necessidade de um livre amor e não dos transportes servis dum escravo aterrorizado. Aí ainda, fazias ideia demasiado alta dos homens, porque são escravos, se bem que tenham sido criados rebeldes. Vê e julga, após quinze séculos decorridos: quem elevaste até a Ti? Juro, o homem é mais fraco e mais vil do que pensavas. Ele pode, ele pode realizar o mesmo que Tu? A grande estima que tinhas por ele fez mal à compaixão. Exigiste demasiado dele. Tu, no entanto, que O amavas mais do que a Ti mesmo! Estimando–o menos, lhe terias imposto um fardo mais leve; mas em relação com Teu amor. Ele é fraco e covarde. Que importa que no presente se insurja por toda parte contra nossa autoridade e se mostre orgulhoso de sua revolta? É o orgulho de jovens escolares que se amotinaram em aula e expulsaram seu mestre. Mas a alegria dos garotos terá fim e lhes custará caro. Derrubarão os templos e inundarão a terra de sangue. Mas perceberão por fim, essas crianças estúpidas, que são apenas fracos revoltosos, incapazes de revoltar–se por muito tempo. Derramarão lágrimas bobas e compreenderão que o Criador, fazendo–os rebeldes, quis zombar deles, certamente. Gritarão contra Ele com desespero e essa blasfêmia fará com que fiquem ainda mais infelizes, porque a natureza humana não tolera a blasfêmia e acaba sempre por tirar vingança dela. Assim, a inquietação, a perturbação, a desgraça, tal a partilha dos homens, após os sofrimentos que suportaste pela liberdade deles. Teu eminente profeta diz, na sua visão simbólica, que viu todos os participantes da primeira ressurreição e que havia doze mil para cada tribo. Para serem tão numerosos, deveriam ser mais que homens, quase deuses. Suportaram Tua cruz e a existência no deserto, nutrindo–se de gafanhotos e de raízes; decerto, podes orgulhar–Te desses filhos da liberdade, do livre amor de seu sublime sacrifício em Teu nome. Mas lembra–Te, não eram eles senão alguns milhares e quase deuses, e o resto? É falta deles, dos outros, dos fracos humanos, se não puderam suportar o que suportam os fortes? É culpada a alma fraca por não poder conter dons tão terríveis? Vieste na verdade apenas para os eleitos? Então, é um mistério, incompreensível para nós, e teremos o direito de pregá–lo aos homens, de ensinar que não é a livre decisão dos corações nem o amor que importam, mas o mistério, ao qual devem eles submeter–se cegamente, mesmo contra sua consciência. É o que temos feito. Corrigimos Tua obra baseando–a no milagre, no mistério, na autoridade. E os homens regozijaram–se por ser de novo levados como um rebanho e libertados daquele dom funesto que lhes causava tais tormentos. Tínhamos razão de agir assim, és capaz de me dizer? Não era amar a humanidade compreender sua fraqueza, aliviar seu fardo com amor, tolerar mesmo o pecado à sua fraca natureza, contanto que fosse com nossa permissão? Por que então vir entravar nossa obra? Por que guardas Tu o silêncio, fixando-me com Teu olhar penetrante e terno? É preferível que Te zangues, não quero o Teu amor, porque eu mesmo não Te amo. Por que eu haveria de dissimular isto? Sei a quem falo, Tu conheces o que tenho a dizer-Te, vejo-o nos Teus olhos. Cabe a mim esconder-Te nosso segredo? Talvez o queiras ouvir, de minha boca. Ei-lo: não estamos conTigo; mas com ele, desde muito tempo já. Há justamente oito séculos que recebemos dele esse derradeiro dom que Tu repeliste com indignação, quando ele Te mostrava todos os reinos da terra; aceitamos Roma e o gládio de César e declaramo-nos os únicos reis da terra, se bem que até agora não tenhamos tido ainda tempo de completar nossa obra. Mas de quem a culpa? Oh! o negócio está apenas começado, bem longe de ser completado e a terra terá de sofrer ainda muito, mas atingiremos nosso fim, seremos césares e então pensaremos na felicidade universal.

"Entretanto, terias podido então tomar o gládio de César. Por que repeliste esse derradeiro dom? Seguindo esse terceiro conselho do poderoso Espírito, realizavas tudo quanto os homens procuram na terra: um senhor diante de quem inclinar-se, um guarda de sua consciência e o meio de se unirem finalmente na concórdia em uma comunidade de formigueiro, porque a necessidade da união universal é o terceiro e derradeiro tormento da raça humana. A humanidade teve sempre tendência no seu conjunto para organizar-se sobre uma base universal. Houve grandes povos de história gloriosa, mas à medida que se elevaram, sofreram mais, experimentando mais fortemente que os outros a necessidade da união universal. Os grandes conquistadores, os Tamerlão e Gengis-Cã,[64] que percorreram a terra como um furacão, encarnavam, também eles, sem ter disso consciência, essa aspiração dos povos à unidade. Aceitando a púrpura de César, terias fundado o império universal e dado a paz ao mundo. Com efeito, quem está qualificado para dominar os homens senão aqueles que lhes dominam a consciência e dispõem de seu pão? Tomamos o gládio de César e, assim fazendo, nós Te abandonamos para segui-lo. Oh! Decorrerão ainda séculos de licença intelectual, de vã ciência e de antropofagia, porque será nisto que eles acabarão, depois de ter edificado sua torre de Babel sem nós. Mas então a besta virá para nós arrastando-se, lamberá nossos pés, vão regá-los com lágrimas de sangue. E nós montaremos nela, ergueremos no ar uma taça em que estará gravada a palavra: "Mistério". Então somente a paz e a felicidade reinarão sobre os homens. Tu Te orgulhas de Teus eleitos, mas não passam de uma elite, ao passo que nós daremos o repouso a todos. Aliás, entre esses fortes destinados a ser eleitos, quantos se cansaram por fim de esperar-Te, levaram e levarão ainda a outras partes as forças de seu espírito e o ardor de seu coração, quantos acabarão por insurgir-se contra Ti em nome da liberdade! Mas foste Tu quem a deste a eles. Nós tornamos todos os homens felizes e as revoltas e os massacres inseparáveis de Tua liber-

---

64 Famosos conquistadores tártaros. Gengis-Cã (1167–1227) subjugou e devastou a China, a Mongólia e a Pérsia. Fundou o I Império Mongol, a que deu uma administração notável. Tamerlão (1336–1405), parente longínquo de Gengis-Cã, foi o fundador do II Império Mongol, caracterizando-se o seu reinado pelas longas guerras de conquista. Morreu quando se dispunha à conquista da China.

dade cessarão. Oh! Nós os persuadiremos de que não serão verdadeiramente livres senão abdicando de sua liberdade em nosso favor. Pois bem, diremos a verdade ou mentiremos? Eles próprios vão se convencer de que dizemos a verdade, porque virá a lembrança daquela servidão e daquela perturbação em que os mergulhou a Tua liberdade. A independência, o livre–pensamento, a ciência terão feito com que se desviem para um tal labirinto, posto em presença de tais prodígios, de tais enigmas, que uns, rebeldes furiosos, destruirão a si mesmos, e os outros, rebeldes, porém fracos, multidão covarde e miserável, se arrastarão a nossos pés, gritando: "Sim, tínheis razão, somente vós possuíeis Seu segredo e nós voltamos a vós, salvai–nos de nós mesmos!". Sem dúvida, recebendo de nós os pães, verão bem que tomamos os deles, ganhos com seu próprio trabalho, para distribuí–los, sem nenhum milagre; verão bem que não mudamos as pedras em pão; mas o que lhes causará mais prazer que o próprio pão será recebê–lo de nossas mãos! Porque se lembrarão de que outrora o próprio pão, fruto de seu trabalho, mudava–se em pedra em suas mãos, ao passo que, quando voltaram a nós, as pedras tornaram–se pão. Compreenderão o valor da submissão definitiva. E, enquanto os homens não a tiverem compreendido, serão infelizes. Quem mais contribuiu para essa incompreensão, dize–me? Quem dividiu o rebanho e dispersou–o por estradas desconhecidas? Mas o rebanho se recomporá, voltará a obedecer e será isso para todo o sempre. Então, lhe daremos uma felicidade mansa e humilde, uma felicidade adaptada a criaturas fracas como eles. Nós os persuadiremos, por fim, a não se orgulharem, porque foste Tu, elevando–os, quem os ensinou a serem orgulhosos; vamos lhes provar que são débeis, que são crianças dignas de dó, mas que a felicidade infantil é a mais deleitável. Ficarão tímidos, não nos perderão de vista e se comprimirão contra nós com medo, como uma tenra ninhada sob a asa materna. Sentirão uma surpresa medrosa e terão orgulho de toda aquela energia e inteligência que nos permitiram domar a multidão inumerável dos rebeldes. Nossa cólera fará com que tremam, a timidez vai dominá-los, seus olhos se apresentarão lacrimosos como os das crianças e das mulheres; mas, a um sinal nosso, passarão bem facilmente ao riso e à alegria, à alegria radiosa das crianças. É certo que vamos sujeitá-los ao trabalho, mas nas horas de lazer organizaremos sua vida como um brinquedo de criança, com cantos, coros, danças inocentes. Oh! permitiremos mesmo que pequem — são fracos — e nos amarão por causa disso como crianças. Vamos lhes dizer que todo pecado será redimido, se for cometido com nossa permissão; por amor é que lhes permitiremos que pequem e assumiremos o castigo de tais pecados. Vão nos amar como a benfeitores que tomam a si a carga de seus pecados perante Deus. Não terão segredo algum para conosco. De acordo com seu grau de obediência, permitiremos ou proibiremos que vivam com suas mulheres e suas amantes, que tenham filhos ou não tenham, e eles nos escutarão com alegria. Vão nos confiar os segredos mais penosos de sua consciência, resolveremos todos os casos e eles aceitarão nossa decisão com alegria, porque ela lhes poupará a grave preocupação de resolverem eles mesmos livremente. E todos serão felizes, milhões de criaturas, exceto uns cem mil, seus diretores, exceto nós, os depositários do segredo. Os felizes chegarão a bilhões e haverá cem mil mártires encarregados do conhecimento maldito do bem e do mal. Morrerão tranquilamente, vão se extinguir mansamente em Teu nome e no outro mundo nada encontrarão senão a morte. Mas nós guardaremos o segredo; nós os ninaremos, para sua felicidade, com uma recompensa eterna no céu. Porque se houvesse outra vida, não seria decerto para criaturas como eles. Profetiza–se que voltarás para vencer de novo, cercado de Teus eleitos, poderosos e orgulhosos; diremos que eles só se salvaram a si mesmos, ao passo que nós salvamos o mundo inteiro. Dizem que a fornicadora, montada na besta e tendo nas mãos a taça do mistério, será desonrada, que os fracos se revoltarão de novo, rasgarão sua púrpura e desnudarão seu corpo 'impuro'. Eu me levantarei então e Te mostrarei os bilhões de felizes que não conheceram o pecado. E nós, que nos sobrecarregamos com seus pecados, para sua felicidade, nós nos ergueremos diante de Ti, dizendo: "Não Te tememos; também eu estive no deserto, vivi de gafanhotos e de raízes; também eu abençoei a liberdade com que gratificaste os homens e me preparava para figurar entre Teus eleitos, os poderosos e os fortes, ardendo por completar–lhes o número. Mas dominei-me e não quis servir uma causa insensata. Voltei a juntar–me àqueles que corrigiram Tua obra. Abandonei os orgulhosos, voltei aos humildes, para fazer a felicidade deles. O que Te digo vai se realizar e nosso império será erguido. Repito–Te, amanhã, a um sinal meu, verás aquele rebanho dócil trazer carvões acesos para a fogueira a que subirás, por teres vindo estorvar nossa obra. Porque se alguém mereceu mais que todos a fogueira, foste Tu. Amanhã, vou te queimar. *Dixi*."[65]

Ivan parou. Exaltara–se ao discorrer e falava com animação; ao terminar, sorriu.

Aliocha escutara em silêncio, com uma emoção extrema. Por várias vezes, tinha querido interromper seu irmão, mas contivera–se.

— Mas... é absurdo! — exclamou, corando. — Teu poema é um elogio de Jesus e não uma censura... como querias. Quem acreditará no que dizes da liberdade? É assim que se deve compreendê–la? É essa a concepção da Igreja Ortodoxa?... É Roma, e não toda, são os piores elementos do Catolicismo, os inquisidores, os jesuítas!... Não existe personagem fantástico como o teu inquisidor. Quais são esses pecados dos outros dos quais se assume a carga? Quem são esses detentores do mistério, que se encarregam do anátema pela felicidade dos homens? Quando se viu isso? Conhecemos os jesuítas, fala–se mal deles, mas são semelhantes aos teus? De modo algum!... É simplesmente o exército romano, o instrumento da futura dominação universal, com um imperador, o pontífice romano, à sua frente... eis o ideal deles, não há aí mistério nenhum, nem tristeza sublime... A sede de reinar, a vulgar cobiça dos vis bens terrestres... uma espécie de servidão futura em que eles se tornariam proprietários de terras... eis tudo. Talvez mesmo não creiam em Deus. Teu inquisidor não passa de uma ficção...

— Para, para! — disse, rindo, Ivan. — Como te acaloras! Uma ficção, dizes? Pois seja, evidentemente. No entanto, crês verdadeiramente que todo o movimento católico dos derradeiros séculos seja apenas inspirado pela sede do poder, em vista somente dos bens terrestres? Não será o Padre Paísi quem te ensina isto?

— Não, não, pelo contrário, o Padre Paísi falou uma vez no teu mesmo sentido... mas, decerto, não disse de todo a mesma coisa — emendou Aliócha.

— Eis uma informação preciosa, apesar do teu "não de todo a mesma coisa". Mas por que os jesuítas e os inquisidores se uniriam tendo em vista apenas a felicidade terrestre? Não se pode encontrar entre eles um só mártir, presa dum nobre so-

---

65 "Tenho dito." Expressão latina empregada antigamente no final dos discursos.

frimento e amando a humanidade? Suponhamos que entre essas criaturas sedentas somente de bens materiais seja encontrada uma só como o meu velho inquisidor, que viveu de raízes no deserto e encarniçou-se em domar seus sentidos para se tornar livre, para atingir a perfeição; no entanto, sempre amou a humanidade. De repente, vê claro, percebe que é uma felicidade medíocre atingir a liberdade perfeita, quando milhões de criaturas permanecem para sempre desgraçadas, demasiado fracas para usar de sua liberdade, de que esses revoltados débeis não poderão jamais terminar sua torre, e de que não é para tais gansos que o grande idealista sonhou sua harmonia. Depois de ter compreendido tudo isto, meu inquisidor volta atrás e... alia-se às pessoas de espírito. Será, pois, impossível?

— Alia-se a quem, a que pessoas de espírito? — exclamou AlióchA, quase zangado. — Não têm espírito, não detêm mistérios, nem segredos... O ateísmo, eis o segredo deles. Teu inquisidor não crê em Deus.

— Pois bem, e se assim fosse? Adivinhaste, afinal. É bem isto, eis todo o segredo, mas não é um sofrimento, pelo menos para um homem como ele, que sacrificou sua vida a seu ideal no deserto e não cessou de amar a humanidade? No declínio de seus dias convence-se claramente de que somente os conselhos do grande e terrível Espírito poderiam tornar suportável a existência dos revoltados débeis, "desses seres abortados, criados por derrisão". Compreende que é preciso escutar o Espírito profundo, esse Espírito de morte e de ruína, e para fazer isto, admitir a mentira e a fraude, conduzir cientemente os homens à morte e à ruína, enganando-os durante o caminho todo, para ocultar-lhes para onde os leva, e para que esses lastimáveis cegos tenham a ilusão da felicidade. Nota isto: a fraude em nome dAquele no qual o velho acreditou ardentemente durante toda a sua vida! Não é uma desgraça? E se de fato estiver, seja apenas uma criatura semelhante, à frente desse exército "ávido de poder em vista apenas de bens vis", não é bastante para suscitar uma tragédia? Bem mais ainda, basta um só chefe semelhante para encarnar a verdadeira ideia diretriz do Catolicismo romano, com seus exércitos e seus jesuítas, a ideia superior. Declaro-te que estou persuadido de que esse tipo único jamais faltou entre os que estão à testa do movimento. Quem sabe se não houve talvez alguns entre os pontífices romanos? Quem sabe? Talvez aquele maldito velho, que ama tão obstinadamente a humanidade, à sua maneira, exista ainda agora em vários exemplares, e isto não por efeito do acaso, mas sob a forma de uma aliança, de uma liga secreta, organizada desde muito tempo para manter o mistério, roubá-lo aos desgraçados e aos fracos, para torná-los felizes? Deve certamente ser assim, é fatal. Imagino mesmo que os franco-maçons tem um mistério análogo na base de sua doutrina e é por isso que os católicos odeiam os franco-maçons; veem neles uma concorrência, a difusão da ideia única, quando deve haver um só rebanho sob um só pastor. Aliás, defendendo meu pensamento, tenho o ar de um autor que não suporta tua crítica. Basta disso.

— Talvez sejas tu mesmo um franco-maçom — deixou escapar de súbito Alióicha.— Não crês em Deus — acrescentou com profunda tristeza. Parecera-lhe que seu irmão o olhava com ar zombeteiro. — Como acabou teu poema? — continuou, de olhos baixos. — Ou já se acabou?

— Queria acabá-lo assim: o inquisidor se cala, espera um momento a resposta do Prisioneiro. Seu silêncio lhe pesa. O Cativo escutou-o todo o tempo, fixando-o com Seu olhar penetrante e calmo, visivelmente decidido a não lhe dar resposta. O velho queria que Ele lhe dissesse alguma coisa, ainda mesmo palavras amargas e terríveis. De repente, o Prisioneiro aproxima–se em silêncio do nonagenário e beija–lhe os lábios exangues. É toda sua resposta. O velho estremece, seus lábios tremem, vai à porta, abre–a e diz: "Vai–te e não voltes mais... nunca mais!". E deixa que Ele se vá pelas trevas da cidade. O Prisioneiro sai.

— E o velho?

— O beijo queima–lhe o coração, mas ele persiste na sua ideia.

— E tu estás com ele, também tu! — exclamou amargamente Aliócha.

— Que absurdo, Aliócha! É apenas um poema destituído de sentido, a obra dum fedelho estudante que jamais fez versos. Pensas que vou agora meter–me com os jesuítas, juntar–me àqueles que corrigiram Sua obra? Oh! Senhor! que me importa? Já te disse: assim que atingir os meus trinta anos, quebrarei a taça.

— E os brotos tenros, os túmulos queridos, o céu azul, a mulher amada? Como viverás, qual será teu amor por eles?— exclamou Aliócha, cheio de dor. — Pode–se viver com tanto inferno no coração e na cabeça? Sim, vais juntar–te a eles... se não, tu te suicidarás, desesperado.

— Há em mim uma força que resiste a tudo! — declarou Ivan, com um frio sorriso.

— Qual?

— A dos Karamázovi... a força que eles haurem de sua baixeza.

— Quer dizer mergulhar na corrupção, perverter sua alma, não é?

— Poderia ser isso também... Talvez escape a isso até os trinta anos e depois...

— Como poderás escapar a isso? É impossível, com tuas ideias.

— Também karamazovianas!

— Quer dizer que "tudo é permitido", não é?

Ivan franziu o cenho e empalideceu estranhamente.

— Ah! apanhaste ao voo aquela frase de ontem que tanto ofendeu Miúsov... que Dimítri repetiu tão ingenuamente. Pois seja, "tudo é permitido", já que se disse isto. Não me retrato. Aliás, Mítia formulou–a bastante bem.

Aliócha examinava–o em silêncio.

— Na véspera de partir, meu irmão, pensava que tinha só a ti no mundo, mas vejo agora que, mesmo em teu coração, não há mais lugar para mim, meu caro eremita. Não renegarei esta fórmula de que "tudo é permitido" e serás tu então que me renegarás, não é?

Aliócha aproximou–se dele e beijou–lhe suavemente os lábios.

— É um plágio! — exclamou Ivan, de súbito exaltado.— Tiraste isto de meu poema. Agradeço–te, no entanto. É tempo de partir. Aliócha, para ti e para mim.

Saíram. No patamar, pararam.

— Escuta, Aliócha — disse Ivan num tom firme —, se posso ainda amar os brotos primaveris, será graças à tua lembrança. Será suficiente saber que estás aqui, em alguma parte, para retomar gosto pela vida. Estás contente? Se quiseres, toma isto como uma declaração de amizade. Agora, sigamos cada qual para seu lado. E chega, entendes–me? Quer dizer que, se não partir amanhã (o que não é provável) e nos encontrarmos de novo, nem uma palavra a respeito dessas questões. Peço formalmente. E quanto a Dimítri, rogo–te também que não me fales mais dele, nunca mais. O assunto está esgotado, não? Em troca, prometo–te, aos trinta anos, quando

eu quiser "atirar minha taça", voltar a conversar ainda contigo, onde quer que te aches, ainda que eu esteja na América. Estarei muito interessado então em ver o que te tornaste. Eis uma promessa solene, com efeito. Nós nos despedimos por dez anos, talvez. Vai ter com teu *Pater seraphicus,* que está morrendo; se morresse em tua ausência, haverias de ficar zangado comigo porque te retive. Adeus; beija–me ainda uma vez, e agora vai–te.

Ivan afastou–se e seguiu seu caminho sem olhar para trás. Assim também Dimítri partira na véspera, em condições muitíssimo diversas, é verdade. Essa observação estranha atravessou como uma flecha o espírito entristecido de Aliócha. Ficou alguns instantes a acompanhar seu irmão com o olhar. De repente, percebeu, pela primeira vez, que Ivan gingava ao andar e que tinha, visto de costas, o ombro direito mais baixo que o outro. Mas de súbito Aliócha deu meia volta e dirigiu–se, quase correndo, para o mosteiro. A noite caía; estava inquieto, invadido por um pressentimento indefinível. Como na véspera, o vento elevou–se e os pinheiros centenários rugitavam lugubremente, quando entrou no bosque do eremitério. Corria quase. "*Pater seraphicus,* donde tirara ele esse nome? Ivan, pobre Ivan, quando tornarei a ver–te?... Aqui está o eremitério, Senhor! Sim, é ele, o *Pater seraphicus,* que me salvará... dele para sempre!"

Várias vezes, mais tarde, admirou–se de ter podido, após a partida de Ivan, esquecer–se tão totalmente de Dimítri, a quem prometera a si mesmo, naquela manhã mesma, procurar e descobrir, embora tivesse de passar a noite fora do mosteiro.

VI / ONDE REINA AINDA A OBSCURIDADE

Por seu lado, depois de ter deixado Aliócha, dirigiu–se Ivan Fiódorovitch à casa de seu pai. Coisa estranha, sentiu de repente uma ansiedade intolerável, que aumentava à medida que se aproximava da casa. Não era a sensação que lhe causava espanto, mas a impossibilidade de defini–la. Conhecia a ansiedade por experiência e não o surpreendia senti–la naquele momento, quando, depois de ter rompido com tudo quanto o retinha naqueles lugares, ia engajar–se numa via nova e desconhecida, sempre também solitária, cheio de esperança sem finalidade, de confiança excessiva na vida, mas incapaz de precisar sua expectativa e suas esperanças. Naquele instante, se bem que apreendesse o desconhecido, não era isso que o atormentava. "Não será a aversão pela casa paterna?" — pensava ele. "Seria na verdade isso, tanto ela me repugna, muito embora lhe transponha os umbrais hoje pela derradeira vez... Mas não, não é isso. Foram talvez as despedidas com Aliócha, depois de nossa conversa. Conservei–me calado por tanto tempo, sem dignar–me falar, e eis que passo a acumular tantos absurdos." Na realidade, podia ser o despeito da inexperiência e da vaidade juvenis, a despeito de não ter revelado seu pensamento, *sobretudo* a uma criatura como Aliócha, de quem por certo ele esperava muito em seu foro íntimo. Sem dúvida, esse despeito existia, era fatal, mas havia outra coisa. "Estar ansioso até a náusea e não poder precisar o que quero. Não pensar, talvez..."

Ivan Fiódorovitch tentou "não pensar", mas nada conseguiu. O que o irritava sobretudo era que aquela ansiedade tinha uma causa fortuita, exterior, ele sentia. Um ser ou um objeto obsedava–o vagamente, da mesma maneira que se tem por vezes diante dos olhos, sem que se perceba, durante um trabalho ou uma conversação animada, alguma coisa irritante até o sofrimento, até que nos vem por fim a ideia de afastar aquele objeto incômodo, muitas vezes uma bagatela: uma coisa que não está no lugar, um lenço caído no chão, um livro fora da estante, etc. De muito mau-humor, chegou Ivan à casa paterna; a quinze passos da porta ergueu os olhos e adivinhou de repente o motivo de sua perturbação.

Sentado num banco, perto do portão, o criado Smierdiákov tomava fresco. Ao primeiro olhar compreendeu Ivan que aquele Smierdiákov o incomodava e que sua alma não podia suportá-lo. Foi como um raio de luz. Ainda há pouco, quando Aliócha contava seu encontro com Smierdiákov, sentira uma sombria repulsa, e, por contragolpe, animosidade. Em seguida, durante a conversa, não pensou mais naquilo, mas, desde que se encontrou só, a sensação esquecida emergiu do inconsciente. "Será possível que esse miserável me inquiete a tal ponto?", pensava ele, exasperado.

Com efeito, havia pouco, sobretudo nos últimos dias, tomara aversão àquele homem. Ele próprio acabara por notar aquela antipatia crescente. O que a agravava talvez, é que, no começo de sua estada entre nós, experimentava Ivan Fiódorovitch por Smierdiákov uma espécie de simpatia. Achara-o a princípio muito original e conversava habitualmente com ele, julgando-o um pouco limitado ou antes inquieto, e sem compreender o que podia mesmo atormentar constantemente aquele contemplador. Entretinham-se também com questões filosóficas, perguntando mesmo por que a luz brilhava, no primeiro dia — quando o sol, a lua e as estrelas só tinham sido criados no quarto dia — e a maneira de compreender isso. Mas em breve Ivan Fiódorovitch convenceu-se de que Smierdiákov interessava-se mediocremente pelos astros e que ele precisava de outra coisa. Manifestava um amor-próprio excessivo e ofendido. Isto desagradou bastante a Ivan e engendrou sua aversão. Mais tarde sobrevieram incidentes desagradáveis, o aparecimento de Grúchenhka, as brigas de Dimítri com seu pai; houve barulhos. Se bem que Smierdiákov sempre falasse com agitação, não se podia nunca saber o que ele desejava para si mesmo. Alguns de seus desejos, quando os formulava involuntariamente, impressionavam pela sua incoerência. Eram constantemente perguntas, alusões que ele não explicava, interrompendo-se ou falando de outra coisa no momento mais animado. Mas o que exasperava Ivan e acabara por tornar-lhe Smierdiákov antipático era a familiaridade chocante que este lhe testemunhava cada vez mais. Não que fosse descortês, pelo contrário; mas Smierdiákov chegara a um ponto, Deus sabe por quê, em que se acreditava solidário com Ivan Fiódorovitch; exprimia-se sempre como se existisse entre eles uma aliança secreta conhecida só dos dois e incompreensível para os que os cercavam. Ivan Fiódorovitch levou muito tempo para compreender a causa de sua repulsa crescente e só muito recentemente dera-se conta disso. Queria passar irritado e desdenhoso, sem nada dizer a Smierdiákov, mas este se levantou e esse gesto revelou a Ivan Fiódorovitch seu desejo de falar-lhe em particular. Olhou-o e parou, e o fato de agir assim, em lugar de passar adiante como era sua intenção, transtornou-o. Olhava com cólera e repulsa aquela figura de eunuco, de cabelos penteados sobre as têmporas, com uma mecha levantada. O olho esquerdo piscava maliciosamente, como para dizer-lhe: "Tu não passarás, vês bem que nós, gente de espírito, temos de conversar". Ivan Fiódorovitch estremeceu.

"Para trás, miserável! Que há de comum entre nós, imbecil?!", quis gritar; mas em lugar dessa descompostura, e para grande assombro seu, proferiu coisa bem diversa:

— Meu pai ainda está dormindo? — perguntou, num tom resignado e, sem pensar nisso, sentou–se no banco. Um instante, quase teve medo, lembrou–se depois. Smierdiákov mantinha–se diante dele, com as mãos atrás das costas, e olhava––o com segurança, quase com severidade.

— Repousa ainda — disse, sem se apressar. (Foi ele quem me dirigiu por primeiro a palavra!) — O senhor me causa espanto — acrescentou depois de algum silêncio, os olhos baixos com afetação, brincando com a ponta de sua botina engraxada, com o pé direito para a frente.

— Que é que te causa espanto? — perguntou secamente Ivan Fiódorovitch, esforçando–se por conter–se, mas nauseado por sentir viva curiosidade, que queria satisfazer a qualquer preço.

— Por que não vai a Tchermachniá? — perguntou Smierdiákov, com um sorriso familiar. "Deves compreender meu sorriso, se és um homem de espírito", parecia dizer seu olho esquerdo.

— Que irei fazer em Tchermachniá? —admirou–se Ivan Fiódorovitch.

Houve um silêncio.

— Fiódor Pávlovitch rogou–lhe insistentemente — disse por fim, sem se apressar, como se não ligasse nenhuma importância à resposta dele: "Indico–te, um motivo de terceira ordem, unicamente para dizer alguma coisa".

— Com os diabos! Fala mais claramente. Que queres? — exclamou Ivan Fiódorovitch, com cólera, tornando–se grosseiro.

Smierdiákov puxou o pé direito para junto do esquerdo, endireitou–se, sempre com o mesmo sorriso fleumático;

— Nada de sério... Era só por falar.

Novo silêncio. Ivan Fiódorovitch compreendia que devia ficar em pé, zangar–se; Smierdiákov mantinha–se diante dele e parecia esperar: "Vejamos, ficarás zangado ou não?". Tinha pelo menos a impressão disso. Por fim, fez um movimento para levantar. Smierdiákov aproveitou a ocasião.

—Terrível situação a minha, Ivan Fiódorovitch, não sei como sair do aperto — disse com voz firme, depois do que suspirou.

Ivan tornou a sentar.

— Ambos perderam a cabeça, pareciam crianças. Falo de seu pai e de seu irmão Dimítri Fiódorovitch. Daqui a pouco, Fiódor Pávlovitch vai levantar e perguntar–me a cada instante: "Por que ela não veio?", até meia–noite e mesmo depois. Se Agrafiena Alieksándrovna não vier (creio que ela não tem nenhuma intenção disso), amanhã de manhã ele virá me perguntar de novo: "Por que ela não veio? Quando ela virá?", como se fosse culpa minha! Do outro lado, é a mesma história; ao cair da noite, por vezes antes, chega seu irmão, armado: "Toma cuidado, tratante, queima–panelas, se a deixas passar sem me prevenir, serás o primeiro que vou matar!".De manhã, quem me atormenta é Fiódor Pávlovitch, tanto que pareço também responsável perante ele pelo fato de sua dama não ter vindo. A cólera deles cresce todos os dias, a ponto de eu sonhar por vezes em suicidar–me, tal é o medo que tenho. Não espero nada de bom.

— Por que te meteste nisto? Por que te tornaste o espião de Dimítri Fiódorovitch?

— Como agir de outro modo? Aliás, não me meti em nada, se quer saber. No começo calava–me, não ousando replicar. Ele fez de mim seu servidor. Depois, são ameaças contínuas: "Eu te matarei, patife, se a deixares entrar". Estou certo, senhor, de ter amanhã uma longa crise.

— Que crise?

— Uma crise longa, muito longa. Durará várias horas, um dia ou dois, talvez. Uma vez, durou três dias, nos quais fiquei sem conhecimento. Caíra do celeiro. Fiódor Pávlovitch mandou chamar Herzenstube, que prescreveu gelo sobre o crânio, depois outro remédio. Estive à morte.

— Mas dizem que é impossível prever as crises de epilepsia. Como podes saber que será amanhã? — perguntou Ivan Fiódorovitch com uma curiosidade a que se misturava cólera.

— É verdade.

— Além do mais, tinhas caído do celeiro daquela vez.

— Poderei cair amanhã, porque subo lá todos os dias. Se não for no celeiro, cairei na adega. Vou lá também todos os dias.

Ivan examinou–o longamente.

— Tu tramas alguma coisa que não compreendo bem — disse ele em voz baixa, mas com ar ameaçador. — Não terás a intenção de simular uma crise por três dias?

— Se eu pudesse simular — não passa de um brinquedo, quando se tem experiência — teria plenamente o direito de recorrer a esse meio para salvar minha vida, porque quando estou nesse estado, até mesmo se Agrafiena Alieksándrovna chegasse, seu irmão não poderia exigir contas a um doente. Teria vergonha.

— Com os diabos! — exclamou Ivan Fiódorovitch, com as feições contraídas pela cólera. — Por que tens de temer sempre pela tua vida? As ameaças de Dimítri são falas de um homem furibundo e nada mais. Matará alguém, mas não tu.

— Ele me mataria como a uma mosca, a mim em primeiro lugar. Receio ainda mais passar por seu cúmplice, se ele atacasse loucamente seu pai.

— Por que te acusariam de cumplicidade?

— Porque lhe revelei um segredo... os sinais.

— Que sinais? Que o diabo te leve! Fala claramente.

— Devo confessar — disse arrastadamente Smierdiákov, com ar doutoral —, temos um segredo, Fiódor Pávlovitch e eu. O senhor sabe sem dúvida que desde alguns dias ele se tranca com ferrolho assim que chega a noite. Nestes tempos, o senhor regressa cedo, sobe imediatamente para seus aposentos, ontem mesmo nem chegou a sair, de modo que ignora talvez com que cuidado ele se embarricava. Se Grigóri Vassílievitch chegasse, ele só lhe abriria a porta depois de reconhecer–lhe a voz. Mas Grigóri Vassílievitch não vem, porque sou eu somente que sirvo nos aposentos de seu pai — decidiu ele assim desde aquela intriga com Agrafiena Alieksándrovna; de acordo com suas instruções, passo a noite no pavilhão; até meia–noite devo montar guarda, vigiar o pátio para o caso de ela vir; desde alguns dias a espera o torna louco. Eis seu raciocínio. "Dizem que ela tem medo dele (de Dimítri Fiódorovitch, entende–se), portanto virá de noite pelo pátio; fica de vigia lá até depois de meia–noite. Assim que ela chegar lá, corre a bater na porta ou na janela no jardim, duas vezes de leve, assim, depois três vezes mais depressa, toc, toc, toc. Então compreenderei que é ela e te abrirei devagarinho a porta." Deu–me outro sinal para os casos extraordinários, primeiro, dois golpes depressa, toc, toc, depois, após um intervalo, uma vez forte. Compreenderá que há novidade e me abrirá e eu farei meu relatório. Isto no caso em que viessem de parte de Agrafiena Alieksándrovna, ou se Dimítri Fiódorovitch chegasse, a fim de assinalar sua aproximação. Ele tem muito medo e mesmo se estivesse trancado com sua beldade e o outro chegasse, sou obrigado a informá–lo disso imediatamente, dando três pancadas. O primeiro sinal, cinco pancadas, quer pois dizer: "Agrafiena Alieksándrovna chegou"; o segundo, três pancadas, significa: "Negócio urgente." Fez–me ensaiar várias vezes. E como ninguém no mundo conhece esses sinais, exceto ele e eu, abrirá para mim sem hesitar, nem chamar (receia muito fazer barulho). Ora, Dimítri Fiódorovitch está ao corrente desses sinais.

— Por quê? Foste tu que lhe transmitiste? Como ousaste?

— Tinha medo. Podia eu guardar o segredo? Dimítri Fiódorovitch insistia cada dia: "Tu me enganas, tu me ocultas alguma coisa! Vou te quebrar as pernas!". Falei para provar–lhe minha submissão e persuadi–lo de que não o engano, bem pelo contrário.

— Pois bem, se pensas que ele quer entrar por meio desse sinal, impede–o!

— E se eu tiver minha crise, como impedirei, admitindo que ouse? Ele é tão violento!

— Que o diabo te carregue! Por que estás tão certo de ter uma crise amanhã? Zombas de mim!

— Não me permitiria; aliás, não é momento para riso. Pressinto que terei uma crise, basta o medo para provocá–la.

— Se estiveres deitado, será Grigóri quem velará. Previne–o, ele o impedirá.

— Não ouso revelar os sinais a Grigóri Vassílievitch, sem a permissão do patrão. Aliás, Grigóri Vassílievitch está doente desde ontem e Marfa Ignátievna prepara–se para cuidar dele. É bastante curioso: ela conhece e tem de reserva uma infusão fortíssima, feita de certa erva, é um segredo. Três vezes por ano, dá esse remédio a Grigóri Vassílievitch, quando tem ele seu lumbago e fica como que paralítico. Pega ela um guardanapo embebido desse licor e esfrega–lhe com ele as costas uma meia hora, até que lhe fique a pele avermelhada e até mesmo inchada. Depois dá–lhe a beber o resto do frasco, recitando uma oração. Ela mesma toma um pouco. Não tendo ambos costume de beber, caem ali mesmo e adormecem num sono profundo que dura muito tempo. Ao despertar, Grigóri Vassílievitch está quase sempre curado, ao passo que sua mulher fica com enxaqueca. De sorte que, se amanhã Marfa Ignátievna puser seu projeto em execução, não ouvirão eles Dimítri Fiódorovitch e o deixarão entrar. Estarão dormindo.

— Que absurdo! Tudo se arranjará como de propósito: tu terás tua crise, os outros estarão adormecidos. É de acreditar–se que tens intenções... — exclamou Ivan Fiódorovitch, franzindo o cenho.

— Como poderia eu arranjar tudo isso... e para quê, quando tudo depende unicamente de Dimítri Fiódorovitch?... Se ele quiser agir, agirá, senão não irei procurá–lo para empurrá–lo para a casa de seu pai.

— Mas por que viria ele, e às ocultas ainda por cima, se Agrafiena Alieksándrovna não vem, como tu mesmo dizes? — prosseguiu Ivan Fiódorovitch, pálido de cólera. — Eu também sempre pensei que era uma fantasia do velho, que jamais aquela criatura viria aqui à casa dele. Por que, pois, Dimítri forçaria a porta? Fala, quero conhecer teu pensamento.

— O senhor mesmo sabe por que ele virá, de que adianta aqui meu pensamento? Virá ele por animosidade ou por desconfiança, se eu estiver doente, por exemplo; terá dúvidas e quererá explorar ele próprio os aposentos, como ontem de noite, ver se ela não teria entrado sem que ele o soubesse. Também sabe que Fiódor Pávlovitch preparou um grande envelope contendo três mil rublos, selado com três sinetes e amarrado por uma fita, Escreveu de seu próprio punho: "Para meu anjo, Grúchenhka, se ela quiser vir." Três dias depois, acrescentou: "Para minha franguinha." Aí tem o senhor o perigo!

— Que absurdo! — exclamou Ivan Fiódorovitch fora de si. — Dimítri não irá roubar dinheiro e matar seu pai ao mesmo tempo. Ontem, teria podido matá-lo como um louco furioso por causa de Grúchenhka, mas não irá roubar.

— Ele tem extrema necessidade de dinheiro, Ivan Fiódorovitch. O senhor nem mesmo pode fazer ideia — explicou Smierdiákov com grande calma e bem nitidamente. — Aliás, ele acha que esses três mil rublos lhe pertencem e declarou-me: "Meu pai me deve justamente três mil rublos". Além do mais, Ivan Fiódorovitch, considere isto: está ele quase certo de que Agrafiena Alieksándrovna, se o quiser, obrigará Fiódor Pávlovitch a casar-se com ela. Acho que ela não virá, mas talvez ela queira algo mais, queira tornar-se uma dama. Sei que seu amante, o comerciante Samsónov, dizia-lhe francamente que este não seria um mau negócio e ria. Ela mesma não é tola; não tem razão nenhuma para casar com um pobretão como Dimítri Fiódorovitch. Neste caso, Ivan Fiódorovitch, o senhor sabe muito bem que nem o senhor nem seus irmãos herdarão de seu pai um rublo sequer, porque se Agrafiena Alieksándrovna casar com ele, será para pôr tudo em seu nome e ficar com todos os seus capitais. Se o pai dos senhores morrer agora, receberá cada um quarenta mil rublos, até mesmo Dimítri Fiódorovitch, a quem ele detesta tanto, porque seu testamento ainda não está feito... Dimítri Fiódorovitch está ao corrente de tudo isto...

As feições de Ivan contraíram-se. Corou.

— Por que, pois — interrompeu bruscamente —, me aconselhas a partir para Tchermachniá? Que tencionavas com isso? Após minha partida, acontecerá aqui alguma coisa.

Ofegava.

— Justamente — disse num tom calmo Smierdiákov, fixando Ivan Fiódorovitch.

— Como justamente? — repetiu Ivan Fiódorovitch, procurando conter-se, com o olhar ameaçador.

— Digo isto por compaixão pelo senhor. No seu lugar, largaria tudo... para me afastar de tal negócio — replicou Smierdiákov, com ar franco. Ambos se calaram.

— Tens cara dum chapado imbecil... e dum perfeito canalha!

Ivan Fiódorovitch levantou-se dum salto. Queria transpor a pequena porta, mas parou e voltou para Smierdiákov. Passou-se então algo de estranho: Ivan Fiódorovitch mordeu os lábios, cerrou os punhos e esteve a ponto de lançar-se contra

Smierdiákov. Este percebeu isso a tempo, estremeceu e recuou. Mas nada de desagradável aconteceu, e Ivan Fiódorovitch, silencioso e perplexo, dirigiu–se para a porta.

— Parto amanhã para Moscou, se queres saber, amanhã de manhã, eis tudo! — gritou ele, com raiva, surpreendido ele mesmo por ter dito isto a Smierdiákov.

— Perfeito! — replicou este, como se já o esperasse. — Somente, talvez tenham de telegrafar–lhe para lá, caso aconteça alguma coisa.

Ivan Fiódorovitch voltou–se de novo, mas uma mudança súbita operara–se em Smierdiákov. Toda a sua familiaridade displicente desaparecera; todo o seu rosto exprimia uma atenção e uma expectativa extremas, mas tímidas e servis. "Não acrescentarás nada?", lia–se no seu olhar fixo sobre Ivan Fiódorovitch.

— E não me chamariam também de Tchermachniá, se acontecesse alguma coisa? — vociferou Ivan Fiódorovitch, elevando a voz sem saber por quê.

— Também o avisarão em Tchermachniá... murmurou Smierdiákov, em voz baixa, sem cessar de fitar Ivan bem nos olhos.

— Somente Moscou é longe e Tchermachniá é perto; será que lamentas as despesas da viagem, que insistes por Tchermachniá, ou me lamentas por ter eu de dar uma grande volta?

— Justamente — murmurou Smierdiákov, com voz mal segura e um sorriso vil, pronto de novo a saltar para trás. Mas, com grande surpresa sua, Ivan Fiódorovitch desatou a rir. Transposta a porta, ria ainda, Quem o tivesse observado naquele instante não teria atribuído aquele riso à jovialidade. Ele próprio não teria podido explicar o que sentia. Andava maquinalmente.

VII / DÁ GOSTO FALAR COM UM HOMEM DE ESPÍRITO

Falava sozinho também. Encontrando Fiódor Pávlovitch no salão, gritou–lhe, gesticulando: "Subo ao meu quarto, não irei aos seus, aposentos... adeus!", e passou, evitando olhar seu pai. Sem dúvida, sua aversão pelo velho dominou–o naquele momento, mas essa animosidade, manifestada com tal sem–cerimônia surpreendeu o próprio Fiódor Pávlovitch. Tinha evidentemente algo de urgente a dizer a seu filho e viera a seu encontro com este fim; diante daquela indelicada acolhida, calou–se e acompanhou–o com um olhar irônico até que ele desapareceu.

— Que tem ele? —perguntou a Smierdiákov, que chegava.

— Está zangado. Quem sabe por quê? — respondeu evasivamente Smierdiákov.

— Ao diabo sua zanga! Apressa–te em trazer–me o samovar e vai–te. Nada de novo?

Vieram então as perguntas de que Smierdiákov acabava de queixar–se a Ivan Fiódorovitch, referentes à visitante esperada, mas silenciamos a respeito. Meia hora mais tarde, a casa estava fechada e o velho apaixonado pôs–se a andar para lá e para cá, com o coração palpitante, aguardando o sinal convencionado. Por vezes, olhava as janelas sombrias, mas só via a noite.

Já era bastante tarde e Ivan Fiódorovitch não dormia. Meditava e só se deitou às duas horas. Não exporemos o curso de seus pensamentos; não chegou o momento de entrar naquela alma; chegará a vez dela. Seria, aliás, bastante árduo, porque não eram pensamentos, mas antes uma agitação vaga. Ele próprio sentia que perdia pé. Desejos estranhos o atormentavam; assim, depois da meia–noite, sentiu uma vontade irresistível de descer, de abrir a porta e ir ao pavilhão dar uma surra em Smierdiákov, mas se lhe tivessem perguntado por quê, não teria podido indicar um só motivo, salvo talvez que aquele lacaio se tornara para ele odioso, como o pior ofensor que existisse. Por outra parte, uma timidez inexplicável, humilhante, invadiu–o várias vezes, paralisando suas forças físicas. Sua cabeça girava, doía–lhe. Uma sensação de ódio aguilhoava–o, como se fosse ele vingar–se de alguém. Odiava até mesmo Aliócha, lembrando–se de sua recente conversa, e, por instantes, detestava a si mesmo. Esquecera Katerina Ivânovna e admirou–se mais tarde; lembrando que na véspera, quando se gabava diante dela de partir para Moscou no dia seguinte, dizia a si mesmo: "É absurdo, não partirás e não romperás tão facilmente, fanfarrão!". Muito tempo depois, Ivan Fiódorovitch lembrou com repulsa de que naquela noite, foi de mansinho, como se temesse ser percebido, abrir a porta, saiu para o patamar e pôs–se a escutar as idas e vindas de seu pai no andar térreo; escutou por muito tempo, com estranha curiosidade, retendo sua respiração e com o coração batendo. Ele próprio ignorava por que agia assim. Toda a sua vida tratou aquele processo como indigno, considerando–o, no fundo de sua alma, o mais vil que tinha a censurar–se. Não sentia então nenhum ódio contra Fiódor Pávlovitch, mas somente uma curiosidade intensa; que ele poderia estar fazendo lá embaixo? Via–o olhando as janelas sombrias, parando de repente no meio do quarto para escutar se não batiam. Por duas vezes, saiu Ivan Fiódorovitch assim para o patamar. Cerca das duas horas, quando tudo ficou calmo, ele próprio se deitou, ávido de sono, porque se sentia extenuado. Na verdade, adormeceu profundamente, sem sonhos, e quando despertou, já era dia. Ao abrir os olhos, surpreendeu–se ao sentir uma energia extraordinária, levantou, vestiu–se à pressa e começou a arrumar sua mala. A lavadeira acabava justamente de trazer–lhe a roupa branca e ele sorriu ao pensar que nada se opunha à sua repentina partida. Era repentina, com efeito. Se bem que Ivan Fiódorovitch tivesse declarado na véspera a Katerina Ivânovna, a Aliócha, a Smierdiákov, que partia no dia seguinte para Moscou, lembrava que, ao meter–se na cama, não pensava em partir, pelo menos, não imaginava que, ao despertar, começaria a arrumar sua mala. Por fim, ela ficou pronta, bem como seu saco de viagem; eram já nove horas, quando Marfa Ignátievna veio perguntar–lhe, como de costume: "Toma o chá em seu quarto ou vai descer?". Desceu quase alegre, muito embora suas palavras e seus gestos traíssem certa agitação. Saudou afavelmente seu pai, perguntou mesmo pela sua saúde, mas sem esperar sua resposta declarou–lhe que partia dentro de uma hora para Moscou e pediu que preparassem cavalos. O velho escutou–o sem o menor espanto, descuidou mesmo de mostrar, por convenção, um ar aflito; em compensação, agitou–se, lembrando muito a propósito de um negócio importante para ele.

— Ah! Parece incrível! Nada me disseste ontem. Não importa, não é tarde demais. Faze–me um grande prazer, meu caro, passa por Tchermachniá. Basta dobrares à esquerda na estação de Volóvia, uma dúzia de verstas no máximo, e lá estarás.

— Desculpe–me, mas não posso; há oitenta verstas até a estação, o trem de Moscou parte às sete horas da noite, tenho o tempo justo.

— Terás muito tempo, amanhã ou depois de amanhã, mas hoje vai a Tchermachniá. Que te custa tranquilizar teu pai? Se não estivesse ocupado, teria eu mesmo ido lá desde muito tempo, porque o negócio é urgente, mas... não posso ausentar-me no momento... Vês? Possuo matas, em dois lotes, em Bieguítchev e em Diátchkino, nas charnecas. Os Máslovi, pai e filho, negociantes, só oferecem oito mil rublos pela lenha; no ano passado apresentou-se um comprador que dava doze mil, mas não é daqui, nota bem. Porque não há comprador entre os daqui. Os Máslovi, que possuem centenas de milhares de rublos, é que fazem os preços: é preciso aceitar-lhes as condições, ninguém ousa disputar com eles. Ora, o Padre Ilinski escreveu-me na quinta-feira passada noticiando-me a chegada de Górstkin, também comerciante, que eu conheço e tem a vantagem de não ser daqui, mas de Pogrébov, não temendo, portanto, os Máslovi. Oferece onze mil rublos, entendes-me? Ficará lá uma semana no máximo, escreveu-me o padreco. Irás negociar a coisa com ele...

— Escreva então ao padreco, ele se encarregará disso.

— Não saberá fazê-lo, eis a dificuldade. Esse padreco não entende nada disso. Vale seu peso em ouro, eu lhe confiaria vinte mil rublos sem recibo, mas não tem faro, é uma criança. Contudo é um erudito, imagina só! Esse Górstkin tem o ar de um mujique, de blusa azul, mas é um perfeito tratante, eis a desgraça: mente. E por vezes a tal ponto que a gente pergunta por quê. Uma vez, contou que sua mulher tinha morrido e que ele tornara a casar; era tudo mentira; sua mulher continua viva e surra-o regularmente. Trata-se, pois, agora, de saber se ele quer comprar mesmo por onze mil rublos.

— Mas eu tampouco entendo coisa alguma dessas espécies de negócios.

— Espera, vais te sair bem, vou dar-te todos os pormenores a respeito desse Górstkin. Há muito tempo que mantenho relações de negócios com ele. Escuta lá: é preciso olhar para a barba, que ele tem, ruiva e maltratada. Quando ela se agita e ele mesmo se zanga enquanto fala, a coisa vai bem, ele fala a verdade e quer ultimar; mas se acaricia sua barba com a mão esquerda, sorrindo, é que quer enrolar-nos, trapaceia. Inútil olhar-lhe os olhos, é água turva; olha sua barba. Seu verdadeiro nome não é Górstkin, mas Liagávi;[66] mas cuida de não chamá-lo Liagávi, pois se ofenderia. Se vês que o negócio se arranja, escreve-me umas linhas. Mantém o preço de onze mil rublos. Podes baixar uns mil, mas não mais. Pensa pois, oito e onze, faz isto três mil de diferença. É para mim dinheiro achado e tenho extrema precisão dele. Se me anunciares que a coisa é séria, haverei de achar tempo para dar um pulo até lá e ultimar o negócio. Que adianta deslocar-me daqui agora, se o padre estiver enganado? Pois bem, irás ou não?

— Ah! não tenho tempo, dispense-me.

— Presta este serviço a teu pai, não me esquecerei disso. Vocês todos não têm coração. Que é para ti um dia ou dois? Aonde vais agora, a Veneza? Ela não vai desmoronar, tua Veneza. Teria bem mandado Aliócha, mas ele entende disso? Ao passo que tu, és astuto, vejo-o bem. Não és negociante de madeira, mas tens olho. Trata-se de ver se aquele homem fala seriamente ou não. Repito: olha sua barba; se ela mexer-se, é sério.

— Então, o senhor me manda mesmo a essa maldita Tchermachniá? — exclamou Ivan com um sorriso mau.

---

66 Literalmente: cão de caça. Apelido de Górstkin.

Fiódor Pávlovitch não notou ou não quis notar a maldade e reteve só o sorriso.

— Com que então, vais, não é? Vou dar-te um bilhete.

— Não sei, decidirei isso no caminho.

— Por que no caminho? Decide agora. Fechado o negócio, escreve-me duas linhas, entrega-as ao padre, que fará chegar às minhas mãos teu bilhete. Depois disso, estarás livre e poderás partir para Veneza. O pope te levará de carro à estação de Volóvia.

O velho exultava; escreveu umas linhas, mandou buscar um carro, serviu-se um pequeno almoço, conhaque. A alegria tornava-o habitualmente expansivo, mas desta vez parecia conter-se. Nem uma palavra a respeito de Dimítri Fiódorovitch. De modo algum afetado pela separação, nada achava para dizer. Ivan Fiódorovitch ficou impressionado: "Eu o aborrecia", pensava. Ao acompanhar seu filho, o velho agitou-se como se quisesse beijá-lo. Mas Ivan Fiódorovitch apressou-se em estender-lhe a mão, visivelmente desejoso de evitar o beijo. Ele compreendeu logo e parou.

— Deus te guarde! — repetiu ele do patamar. — Voltarás algum dia, não? Terei sempre prazer em ver-te! Que o Cristo esteja contigo!

Ivan Fiódorovitch subiu no *tarantás*.

— Adeus, Ivan, não me queiras mal! — gritou-lhe uma última vez seu pai.

Os criados, Smierdiákov, Marfa, Grigóri, tinham vindo dizer-lhe adeus. Ivan deu a cada um dez rublos. Smierdiákov correu a arranjar o tapete.

— Estás vendo? Vou a Tchermachniá... — deixou de súbito Ivan escapar, como contra sua vontade e com um riso nervoso. Muito tempo mais tarde lembrou disso.

— É então verdade o que se diz: dá gosto falar com um homem de espírito — replicou Smierdiákov, com um olhar penetrante.

O *tarantás* partiu a galope. O viajante estava preocupado, mas olhava avidamente os campos, os outeiros, um bando de gansos selvagens que voavam alto no céu claro. De repente, experimentou uma sensação de bem-estar. Tentou conversar com o cocheiro e interessou-se bastante por uma resposta do mujique; mas em breve percebeu que seu espírito estava em outra parte. Calou-se, respirando com delícia o ar puro e fresco. A lembrança de Aliócha e de Katierina Ivânovna atravessou-lhe o espírito; sorriu docemente, soprou os seus queridos fantasmas, que desapareceram. "Mais tarde!", pensou. Chegaram bem depressa à estação de posta; os cavalos foram substituídos para se dirigirem a Volóvia. "Por que dá gosto falar com um homem de espírito, que queria ele dizer com isso?", perguntou a si mesmo, de súbito. "Por que eu lhe disse que ia a Tchermachniá?"

Chegado à estação de Volóvia, Ivan desceu e foi cercado pelos cocheiros; tratou o preço para Tchermachniá, doze verstas por uma estrada vicinal. Mandou atrelar, entrou no posto, olhou a encarregada, tornou a sair para o patamar.

— Não vou mais a Tchermachniá. Terei tempo, irmãos, de chegar às sete horas à estação?

— Às suas ordens. É preciso atrelar?

— Agora mesmo. Será que um de vocês não vai amanhã à cidade?

— Mítri irá justamente.

— Poderias tu, Mítri, prestar-me um obséquio? Vai à casa de meu pai, Fiódor Pávlovitch Karamázov, e dize-lhe que não fui a Tchermachniá.

— Por que não? Conhecemos Fiódor Pávlovitch desde muito tempo.

— Toma, eis aqui uma gorjeta, porque não se pode contar muito com ele... — disse jovialmente Ivan Fiódorovitch.

— É verdade — disse Mítri rindo. — Obrigado, senhor, darei seu recado.

Às sete horas da noite, Ivan tomou o trem para Moscou: "Para trás todo o passado! Está acabado para sempre! Que não ouça mais falar dele! Para um novo mundo, para novas terras, sem olhar para trás!". Mas de repente sua alma ensombreceu–se e uma tristeza tal como nunca sentira apertou–lhe o coração. Meditou toda a noite. Somente pela manhã, ao chegar a Moscou, pareceu voltar a si.

— Sou um miserável! — disse.

Fiódor Pávlovitch, após a partida de seu filho, sentiu–se de coração leve. Durante duas horas, esteve quase feliz, com a ajuda do conhaque, quando sobreveio um incidente desagradável que o consternou; ao dirigir–se à adega, Smierdiákov caiu do primeiro degrau da escada. Marfa Ignátievna, que se achava no pátio, não viu a queda, mas ouviu o grito, o grito esquisito do epiléptico presa duma crise, que ela conhecia bem. Ele tivera, ao descer os degraus, um ataque que o fizera rolar até embaixo sem conhecimento, ou então foram a queda e o choque que o provocaram? Não se sabia de nada. O certo é que o encontraram no fundo da adega, torcendo–se em horríveis convulsões, os lábios espumantes. A princípio acreditou–se que ele se contundira, fraturara um membro, mas "o Senhor o preservara", segundo a expressão de Marfa Ignátievna. Estava indene, contudo custou um trabalhão fazê–lo subir. Conseguiu–se com a ajuda dos vizinhos. Fiódor Pávlovitch que assistia à remoção, também ajudou. Estava transtornado. O doente permanecia sem conhecimento: a crise, que cessara, recomeçou; concluiu–se disso que as coisas se passariam como no ano anterior, quando ele caíra do celeiro. Tinham–lhe então posto gelo na cabeça. Restava ainda algum na adega, que Marfa utilizou. Ao anoitecer, Fiódor Pávlovitch mandou chamar o Doutor Herzenstube, que chegou sem demora. Depois de ter examinado atentamente o doente (era o médico mais meticuloso da província, um velhinho respeitável), concluiu que era uma crise extraordinária, que podia ocasionar complicações; que, para o momento, não compreendia bem mas que, no dia seguinte de manhã, se os remédios prescritos não tivessem agido, tentaria outro tratamento. Deitaram o doente no pavilhão, num quartinho contíguo ao de Grigóri. Em seguida, Fiódor Pávlovitch só teve aborrecimentos: a sopa, preparada por Marfa Ignátievna, comparada com a que fazia Smierdiákov, não passava de uma água suja; e a galinha estava tão dura que não havia jeito de trincá–la. Diante das amargas censuras, aliás justificadas, de seu amo, a boa mulher replicou que a galinha era velha e que ela mesma não era cozinheira de profissão. À noitinha, outro aborrecimento. Fiódor Pávlovitch soube que Grigóri, que estava doente desde a antevéspera, fora para a cama, presa de lumbago. Apressou–se em tomar o chá e trancou–se, extremamente agitado. Era a noite em que esperava, quase com certeza, a visita de Grúchenhka; pelo menos Smierdiákov lhe assegurara naquela manhã mesmo que ela prometera vir. O coração do incorrigível velho batia violento; ia e vinha pelos quartos vazios, prestando ouvidos. Era preciso estar de vigia: talvez Dimítri Fiódorovitch o espionasse nos arredores e assim que ela batesse à janela (Smierdiákov afirmava que ela conhecia o sinal), seria preciso abrir–lhe imediatamente, não a retendo no vestíbulo, no receio de que ela se amedrontasse e fugisse. Fiódor Pávlovitch estava inquieto, mas nunca esperança mais doce lhe havia embalado o coração: estava quase certo de que desta vez ela viria.

Livro VI / Um monge russo

I / O stáriets Zósima e seus hóspedes

Quando Aliócha entrou, ansioso, na cela do *stáriets,* sua surpresa foi grande. Em lugar do moribundo, talvez sem conhecimento, que ele temia ver, encontrou-o sentado numa poltrona, enfraquecido, mas com ar alegre, disposto, cercado de visitantes com os quais se entretinha tranquilamente. Tinha levantado a um quarto de hora, quando muito, antes da chegada de Aliócha; os visitantes reunidos na cela aguardavam seu despertar, confiantes na firme garantia do Padre Paísi de que "o mestre com certeza levantaria para conversar ainda uma vez com aqueles a quem amava, como prometera pela manhã". O Padre Paísi acreditava firmemente naquela promessa, como em tudo quanto o monge dizia, a ponto de, se o tivesse visto sem conhecimento e até mesmo sem respiração, duvidar da própria morte e esperar que ele voltasse a si para cumprir sua palavra. De manhã mesmo, o *stáriets* Zósima dissera-lhe, ao ir repousar: "Não morrerei sem entreter-me ainda uma vez convosco, meus bem-amados, verei vossos queridos rostos, vou me expandir pela derradeira vez". Os que se tinham reunido para aquela última entrevista eram os melhores amigos do *stáriets,* desde muitos anos. Contavam-se quatro: os Padres Iósif, Paísi e Mikhail, este último superior do ascetério, homem de certa idade, bem menos culto que os outros, de condição modesta, mas de espírito firme, ao mesmo tempo sólido e cândido, ar rude, mas de coração terno, se bem que dissimulasse pudicamente essa ternura. O quarto era um velho monge simples, filho de pobres camponeses, o Irmão Anfim, muito pouco instruído, taciturno e manso, o mais humilde entre os humildes, parecendo sempre sob a impressão dum grande terror, que o teria dominado. Esse homem timorato era bastante querido pelo *stáriets* Zósima, que teve durante toda a sua vida muita estima por ele, se bem que só trocassem raríssimas palavras. No entanto, tinham percorrido juntos a santa Rússia durante anos. Remontava isto a quarenta anos, aos começos do apostolado do *stáriets;* pouco depois de sua entrada em um mosteiro pobre e obscuro da província de Kostroma, ele acompanhou o Padre Anfim nas suas coletas em favor do dito mosteiro. Os visitantes mantinham-se no quarto de dormir do *stáriets,* bastante exíguo, como já se disse, de modo que havia apenas lugar para eles quatro, sentados em torno de sua poltrona (ficando de pé o noviço Porfíri). Já estava escuro, o quarto era iluminado por lamparinas e círios acesos diante dos ícones. À vista de Aliócha, que parara, embaraçado, na soleira, o *stáriets* mostrou um sorriso alegre e estendeu-lhe a mão.

— Boa tarde, meu doce amigo, chegaste. Sabia que virias.

Aliócha aproximou-se, inclinou-se até o chão e pôs-se a chorar. Sentia um aperto de coração, a alma fremente, um desejo irreprimível de soluçar.

— Terás tempo de chorar — sorriu o *stáriets,* abençoando-o. — Vês? Converso, tranquilamente sentado, talvez viva ainda vinte anos, como desejou ontem aquela boa mulher de Vichegórie, com sua filhinha Lisavieta. Senhor, lembra-te delas! (e benzeu-se). Porfíri, levaste seu donativo aonde eu disse?

Referia-se aos sessenta copeques dados com alegria por aquela mulher, para remetê-los "a uma mais pobre do que ela". Tais donativos são uma penitência que a pessoa se impõe voluntariamente e devem provir do trabalho pessoal do doador. O *stáriets* tinha mandado Porfíri à casa de uma pobre viúva, reduzida à mendicidade com seus filhos, após um incêndio. O noviço respondeu imediatamente que fizera o necessário e entregara aquele donativo, de acordo com a ordem recebida, "da parte de uma benfeitora desconhecida".

— Levanta-te, meu caro — prosseguiu o *stáriets* —, para que eu te veja. Estiveste em casa dos teus e viste teu irmão?

Pareceu estranho a Alióchá que ele o interrogasse expressamente a respeito de um de seus irmãos, mas qual? Era, então, por causa desse irmão, talvez, que o enviara à cidade ontem e hoje.

— Vi um deles — respondeu.

— Quero falar do mais velho, diante do qual me prosternei.

— Vi-o ontem, mas foi-me impossível encontrá-lo hoje — disse Alióchá.

— Apressa-te em encontrá-lo, volta amanhã e deixa tudo mais, Pode ser que tenhas tempo de evitar uma tremenda desgraça. Ontem, inclinei-me diante do profundo sofrimento futuro dele.

Calou-se de repente, com ar pensativo. Aquelas palavras eram estranhas. O Padre Iósif, testemunha daquela cena na véspera, trocou um olhar com o Padre Paísi. Alióchá não se conteve mais.

— Meu pai e meu mestre — disse ele, presa de grande agitação —, vossas palavras não são claras. Que sofrimento o espera?

— Não sejas curioso. Ontem, tive uma impressão terrível; pareceu-me ler todo o seu destino. Tinha um olhar... que me fez fremir ao pensar na sorte que aquele homem preparava para si mesmo. Uma vez ou duas em minha vida, vi em alguns tal expressão... parecendo revelar seu destino e ele se cumpriu, ai! Enviei-te para seu lado, Alieksiéi, com a ideia de que tua presença fraternal o aliviaria. Mas tudo vem do Senhor, e nossos destinos dependem dele. "Em verdade, em verdade vos digo que se o grão de trigo que cai na terra não morrer, fica infecundo; mas se morrer, produz muito fruto."[67] Lembra-te disto. Quanto a ti, Alióchá, abençoei-te muitas vezes em pensamento por causa de teu rosto, fica sabendo — declarou o *stáriets* com um doce sorriso. — Eis minha ideia a teu respeito: deixarás estes muros, viverás no mundo como um religioso. Terás numerosos adversários, mas teus próprios inimigos te amarão. A vida vai te trazer muitas desgraças, mas encontrarás nisso a felicidade, tu a abençoarás e obrigarás os outros a abençoá-la, o que é o essencial. Meus padres — e mostrou, um sorriso amável ao dirigir-se a seus hóspedes —, jamais disse, até agora, mesmo a esse rapaz, por que seu rosto me era tão caro à alma. Foi para mim como uma recordação e um presságio. Na aurora da vida, ainda menino, tinha um irmão mais velho que morreu à minha vista, com a idade de dezessete anos apenas. Posteriormente, no curso dos anos, convenci-me pouco a pouco de que aquele irmão foi no meu destino como que uma indicação, um decreto, da Providência, porque sem ele, com certeza, não me tornaria religioso, nem teria seguido nesta estrada preciosa. Essa primeira manifestação produziu-se na minha infância, e, ao término de minha carreira, tenho à minha vista como que sua repetição. O milagre, meus padres, é que, sem se parecer muito com ele de rosto, Alióchá me

---

67 São João, c. XII, v. 24-25.

pareceu de tal modo semelhante a ele espiritualmente que muitas vezes o considerei como meu jovem irmão, vindo para encontrar-me no final de minha jornada, como lembrança do passado, tanto que eu mesmo me admirei dessa estranha ilusão. Ouves, Porfíri? — dirigia-se ao noviço ligado a seu serviço. — Vi-te muitas vezes pesaroso porque preferia Aliócha a ti. Ficas conhecendo agora o motivo, mas eu te amo, fica sabendo, e teu pesar muitas vezes me magoou. Quero falar-vos, meus caros hóspedes, de meu jovem irmão, porque nada se passou em minha vida de mais significativo, nem de mais comovedor. Tenho o coração enternecido e toda a minha existência me aparece neste instante como se a revivesse...

*

Devo fazer notar que esta derradeira conversa do *stáriets* com seus visitantes no dia de sua morte foi conservada em parte por escrito. Foi Aliekséi Fiódorovitch Karamázov quem a redigiu de memória algum tempo depois. É uma reprodução integral ou ele se valeu de trechos de outras conversas com seu mestre? Não saberia dizer. Aliás, o discurso do *stáriets* neste manuscrito é por assim dizer interrompido, como se ele fizesse um relato de sua vida a seus amigos, ao passo que, certamente, segundo o que se contou depois, foi uma conversa geral, na qual os hóspedes tomaram parte, a ela misturando suas próprias recordações. Assim, também, esse relato não podia ser ininterrupto, porque o *stáriets* sufocava-se por vezes, perdia a voz, estendia-se sobre seu leito para repousar, mantendo-se acordado e os visitantes ficando em seus lugares. Por duas vezes o Padre Paísi leu o *Evangelho* no intervalo. Coisa curiosa, ninguém esperava que ele morresse naquela noite. Com efeito, depois de ter dormido profundamente durante o dia, tinha como que haurido de si mesmo uma força nova, que o sustentou por toda aquela longa conversa com seus amigos. Mas aquela animação incrível, devida à emoção, foi breve, porque ele se extinguiu bruscamente... Preferi, sem entrar nos detalhes, limitar-me à narrativa do *stáriets* de acordo com o manuscrito de Alieksiéi Fiódorovitch Karamázov. Será mais curto e menos fatigante, se bem que, repito, Aliócha tenha aproveitado muito de conversas anteriores.

II / Biografia do *stáriets* Zósima, morto com Deus, redigida segundo suas palavras por alieksiéi Fiódorovitch Karamázov

a) O jovem irmão do stáriets Zósima.

Meus caros padres, nasci numa província longínqua do Norte, em V***, de um pai nobre, mas de condição modesta. Morreu quando eu tinha dois anos e não me lembro absolutamente dele. Deixou à minha mãe uma isbá, e um capital suficiente para viver com os filhos ao abrigo da necessidade, Éramos dois: meu irmão mais velho Márkel e eu, Zinóvi. Oito anos mais velho do que eu, era arrebatado, irascível, porém bom, sem malícia e estranhamente taciturno, sobretudo em casa, com nossa mãe, os criados e comigo, No ginásio, era um bom aluno, não se juntava com seus colegas nem brigava com eles, pelo menos era o que minha mãe contava. Seis meses antes de seu fim, quando já tinha dezessete anos, começou a procurar um deportado, exilado de Moscou em nossa cidade, por causa de suas ideias liberais. Era um sábio e um filósofo conhecido na Universidade. Tomou amizade a Márkel, a quem recebia em sua casa. Durante todo o inverno o jovem passou noites inteiras em casa dele, até o momento em que o deportado foi chamado a Petersburgo para ocupar um lugar oficial, que solicitara, pois tinha protetores. Chega a Quaresma e Márkel nega-se a jejuar, invectiva, zomba: "São absurdos, Deus não existe", o que fazia estremecer nossa mãe, os criados e eu mesmo, porque embora só tivesse nove anos ficava cheio de terror ao ouvir tais palavras. Tínhamos quatro criados, todos servos, comprados de um proprietário conhecido nosso. Lembro-me de que minha mãe vendeu por sessenta rublos um dos quatro, a cozinheira Afímia, coxa e idosa, e contratou em seu lugar uma serva de condição livre. Na sexta semana da Quaresma, meu irmão sentiu-se subitamente pior; sempre doente, de constituição débil, predisposto à tuberculose, era de estatura média, magro e fraco, o rosto distinto. Resfriou-se e em breve o doutor disse baixinho à minha mãe que era tísica e galopante e que ele não passaria da primavera. Nossa mãe pôs-se a chorar, a rogar a meu irmão, com precaução (a fim de não espantá-lo) que confessasse e comungasse, porque estava ainda de pé então. A estas palavras, zangou-se, deblaterou contra a Igreja, mas pôs-se, no entanto, a refletir; adivinhou que estava perigosamente doente e que por esta razão sua mãe mandava-o comungar enquanto ele tinha força para isto. Aliás, sabia desde muito tempo que estava condenado; um ano antes, dissera-nos uma vez à mesa: "Não fui feito para viver neste mundo convosco, não durarei talvez um ano". Foi como uma predição. Três dias se passaram, começou a Semana Santa. Meu irmão foi à igreja desde a terça-feira. "Faço isto pela senhora, mamãe, para lhe ser agradável e tranquilizá-la", disse-lhe. Nossa mãe chorou de alegria e de pesar: "Seu fim está então próximo, se tal mudança se opera nele". Mas dentro em pouco acalmou-se, de modo que se confessou e comungou em casa. O tempo tornara-se claro e sereno, o ar embalsamado; a Páscoa caía tarde naquele ano. Ele tossia a noite inteira, lembro-me, dormia mal, de manhã vestia-se, tentava sentar numa cadeira. Revejo-o sentado, doce e calmo, sorridente, doente, mas de rosto alegre e jovial. Mudara moralmente por completo. Era surpreendente. A velha criada entrava em seu quarto. "Deixa-me acender a lâmpada diante da imagem; meu bem." — Outrora, opunha-se a isto, apagava mesmo a lâmpada. — "Acende, minha amiga, era eu um monstro para proibir-te disso antes. O que fazes é uma prece, bem como a alegria que experimento por isto. Portanto, rezamos a um só Deus." Estas palavras pareceram-nos estranhas, minha mãe foi chorar em seu quarto, voltando depois para junto dele a enxugar os olhos. "Não chores, querida mamãe — dizia ele, por vezes — viverei ainda muito tempo, vou me divertir com a senhora, a vida é tão alegre, tão divertida!" — "Ai, meu querido, onde está a alegria, quando tens febre a noite inteira e tosses como se teu peito fosse rebentar?" — "Mamãe, não chores, a vida é um paraíso, onde todos estamos, mas não queremos saber disso, senão amanhã a terra inteira podia se tornar um paraíso." Suas palavras surpreendiam todo mundo pela sua estranheza e pela sua decisão, ficava-se comovido até as lágrimas. Conhecidos vinham à nossa casa: "Caros amigos — dizia ele —, que fiz eu para merecer o vosso amor, por que me amais tal como sou? Outrora ignorava isto e não o apreciava". Aos criados que entravam, dizia a cada instante: "Meus queridos, por que me servis, serei eu digno de ser servido? Se Deus me concedesse a graça de deixar-me vivo, eu mesmo vos serviria, porque todos devem servir uns aos outros". Nossa mãe, escutando-o, abanava a cabeça: "Meu querido, é a doença que te faz falar assim." — "Mãe adorada, deve haver amos e servidores, mas quero servir os meus como eles me servem. Vou te dizer ainda, mamãe, que cada um de nós é culpado diante de todos por tudo e eu mais do que os outros." Nossa mãe nesse instante sorria através de suas lágrimas: "Como podes ser mais que todos culpado diante de todos? Há assassinos, bandidos, que pecados cometeste para te acusar mais que todos?". "Querida mãe, felicidade minha (tinha dessas frases cariciosas, inesperadas), sabes que, na verdade, cada qual é culpado diante de todos por todos e por tudo. Não sei como te explicar isto, mas sinto que é assim e isto me atormenta. Como podíamos viver, irritar-nos, sem nada saber, então?" Cada dia despertava mais enternecido, mais jovial, fremente de amor. O Doutor Eisenschmidt, um velho alemão, visitava-o: "Como é, doutor, viverei ainda um dia?", brincava ele por vezes. — "Viverás mais que um dia, meses e anos!", replicava o doutor. — "Que são meses e anos?!" — exclamava ele. — "Para contar os dias, basta um dia ao homem para conhecer toda a felicidade. Meus bem-amados, de que serve discutirmos, vangloriar-nos, guardar rancor um contra o outro? Vamos antes passear, recrear-nos no jardim, vamos nos beijar, abençoaremos a vida." — "Seu filho não esta destinado a viver", dizia o doutor à nossa mãe, quando esta o acompanhava até o patamar. "A doença o faz perder a razão." Seu quarto dava para o jardim, sombreado por velhas árvores, os rebentos haviam brotado os pássaros primaveris tinham chegado, cantavam sob as janelas, ele sentia prazer em olhá-los e eis que se pôs a pedir-lhes também o perdão: "Pássaros do bom Deus, alegres pássaros, perdoai-me, porque pequei também contra vós". Nenhum de nós pôde então compreendê-lo e ele chorava de alegria: "Sim, a glória de Deus me cercava: os pássaros, as árvores, os prados, o céu; só eu vivia na vergonha, desonrando a criação, cuja beleza e cuja glória não notava". — "Tu te responsabilizas por muitos pecados", chorava por vezes nossa mãe. — "Mamãe querida, é de alegria e não de pesar que choro. Tenho vontade de ser culpado diante deles, não posso explicar-te isto, porque não sei como amá-los. Se tenho pecado para com todos, todos me perdoarão, eis o paraíso. Não estou nele agora?" Disse ainda muitas coisas que esqueci. Lembro-me que um dia entrei sozinho em seu quarto, não havia ninguém a seu lado. Era à noitinha, o sol poente iluminava o quarto com seus raios oblíquos. Fez-me sinal para que me aproximasse, pôs as mãos sobre meus ombros, fitou-me com ternura durante um minuto, sem dizer uma palavra. "Pois é, vai brincar agora, vive por mim!" Saí e fui brincar. Posteriormente, lembrei-me de muitas dessas palavras, chorando. Disse ainda muitas coisas espantosas, admiráveis, que não podíamos compreender então. Morreu três semanas após a Páscoa, em pleno conhecimento e, se bem que não falasse mais, ficou o mesmo até o fim; a alegria brilhava em seus olhos, procurava-nos com o olhar, sorria para nós, chamava-nos. Mesmo na cidade falou-se muito de sua morte. Era eu bem jovem então, mas tudo *isso deixou em meu espírito* uma marca inapagável. Mais tarde, devia manifestar-se. Foi o que aconteceu.

b) A Sagrada Escritura na vida do stáriets *Zósima.*

Ficamos sós, minha mãe e eu. Boas amizades aconselharam-na em breve a que — uma vez que possuía meios — faria bem enviando-me a Petersburgo e que mantendo-me a seu lado entravaria talvez minha carreira. Aconselharam-na a pôr-me no Corpo de Cadetes, para entrar em seguida na Guarda Imperial. Minha mãe hesitou muito tempo em separar-se de seu derradeiro filho, mas decidiu-se no entanto, não sem muitas lágrimas, pensando em contribuir para minha felicidade. Conduziu-me a Petersburgo e colocou-me como lhe haviam dito. Jamais tornei a vê-la. Morreu, com efeito, ao fim de três anos, passados na tristeza e na ansiedade, por causa de nós dois. Só tenho preciosas recordações do lar paterno, porque são para o homem as mais preciosas de todas as recordações da primeira infância em casa de seus pais; é quase sempre assim, contanto que o amor e a concórdia reinem, ainda que pouco, na família. E pode-se conservar uma recordação comovida da pior família, se se tem uma alma capaz de emoção. Entre essas recordações um lugar pertence à *Historia Sagrada,* que me interessava muito, apesar de minha pouca idade. Eu tinha então um livro com magníficas gravuras, intitulado: *Cento e quatro histórias santas tiradas do Antigo e do Novo Testamento,* onde aprendi a ler. Conservo-o ainda agora como uma relíquia. Mas antes de saber ler, aos oito anos, experimentava certa impressão das coisas espirituais, lembro-me disso. Minha mãe levou-me à missa na segunda-feira da Semana Santa. Era um dia claro, torno a ver o incenso subindo lentamente para a abóbada; por uma janela estreita da cúpula, os raios do sol desciam até nós, as nuvens de incenso pareciam neles fundir-se. Olhei com enternecimento e pela primeira vez minha alma recebeu conscientemente a semente da Palavra Divina. Um adolescente avançou para o meio do templo com um grande livro, tão grande que me parecia que ele o carregava com dificuldade, depositou-o no atril, abriu-o, pôs-se a ler. Compreendi então que liam num templo consagrado a Deus. "Havia no país de Hus um homem justo e piedoso, que possuía grandes riquezas, não só em camelos, como em ovelhas e jumentas; seus filhos viviam em prazeres, ele os amava e rogava a Deus por eles, no receio de que, divertindo-se, pecassem. E eis que o diabo sobe até junto de Deus ao mesmo tempo que os filhos de Deus e diz ao Senhor que percorreu todo o país, abaixo e acima. "Viste meu servo Jó?", pergunta-lhe Deus. E fez ao diabo o elogio de Seu nobre servidor. O diabo sorriu àquelas palavras. "Entrega-o a mim e verás que Teu servidor murmurará contra Ti e amaldiçoará Teu nome." Então Deus entregou ao diabo o justo a quem estimava. O diabo matou-lhe os filhos e os rebanhos, aniquilou suas riquezas com uma rapidez fulminante e Jó rasgou suas vestes, lançou-se de rosto ao chão, exclamou: "Saí nu do ventre de mãe, voltarei nu à terra. Deus me havia tudo dado; Deus tudo me retomou. Que Seu nome seja abençoado agora e para sempre!". Meus padres, desculpai minhas lágrimas, porque é toda a minha infância que surge diante de mim, parece-me que tenho oito anos e sinto-me como então admirado, perturbado, arrebatado. Os camelos falavam à minha imaginação e Satanás, que fala daquela maneira a Deus, e Deus que entrega Seu servidor à ruína, e este que exclama: "Que Teu nome seja abençoado, apesar de Teu rigor!". Depois o canto suave e doce no templo. "Que minha prece seja ouvida", e de novo o incenso e a oração de joelhos! Desde então — e aconteceu ontem ainda — não posso ler aquela tão santa história sem derramar lágrimas. Que grandeza, que mistério inconcebível! Ouvi mais tarde palavras de zombadores e detratores, de blasfemadores, palavras soberbas. Como podia o Senhor entregar ao diabo para que com isso se divertisse um santo a quem Ele estimava, arrebatar-lhe os filhos, cobri-lo de úlceras a ponto de limpar ele suas chagas purulentas com um caco de telha, e tudo isso para quê? Para se vangloriar diante de Satanás: "Eis o que pode suportar um santo por amor de Mim!". Mas o que faz a grandeza do drama é o mistério, é que aqui a aparência terrestre e a verdade eterna se confrontaram. A verdade terrestre vê cumprir-se a verdade eterna. Aqui o Criador, aprovando Sua obra como nos primeiros dias da criação, contempla Jó e se orgulha de novo de Sua criatura. E Jó, louvando o Senhor, serve não somente a Ele, mas a toda a criação, de geração em geração, e aos séculos dos séculos, porque estava a isso predestinado. Senhor, que livro e que lições! Que força miraculosa dá ao homem a Escritura Sagrada! É como a representação do mundo, do homem e de seu caráter. Quantos mistérios resolvidos e revelados: Deus reexalta Jó, restitui-lhe sua riqueza, anos decorrem e tem ele outros filhos e os ama. "Como ele podia amar esses novos filhos, depois de ter perdido os primeiros? A recordação destes permite que ele seja perfeitamente feliz, como outrora, por mais queridos que sejam os novos?" Mas decerto; a dor antiga se transforma misteriosamente pouco a pouco numa doce alegria; a impetuosidade juvenil sucede a serenidade da velhice; abençoo cada dia o nascer do sol, meu coração canta-lhe um hino como outrora, mas prefiro seu poente de raios oblíquos, evocando doces e ternas recordações, queridas imagens de vida, longa vida abençoada e, dominando tudo, a verdade divina que acalma, reconcilia, absolve! Eis-me ao termo de minha existência, eu sei, e sinto todos os dias minha vida terrestre ligar-se já à vida eterna, desconhecida, mas bem próxima e cujo pressentimento faz vibrar minha alma de entusiasmo, ilumina minha mente, enternece-me o coração. Amigos e mestres, tenho muitas vezes ouvido dizer, e agora mais que nunca dizem que os padres, sobretudo os do campo, queixam-se da insuficiência do que ganham e de sua mediocridade; afirmam mesmo — eu vi — que já não podem mais explicar a Escritura ao povo, em vista de seus fracos recursos, que se os luteranos chegarem e se puserem esses heréticos a desviar suas ovelhas, tanto pior, porque eles não ganham o bastante. Que Deus lhes assegure o pagamento tão precioso aos olhos deles (porque sua queixa é legítima), mas na verdade, se alguém é responsável por esse estado de coisas, nós mesmos o somos pela metade! Porque admitamos que o tempo falte, que o padre tenha razão, que ele seja sobrecarregado pelo trabalho e pelo seu ministério; ele sempre encontrará nem que seja uma hora por semana para se lembrar de Deus. Aliás, ele não está ocupado o ano inteiro. Reúna em sua casa, uma vez por semana, à noite, as crianças, para começar. Seus pais saberão e virão em seguida. Inútil construir um local para isso; basta recebê-los na isbá; não temais que a sujem, é apenas por uma hora. Abre-se a *Bíblia* para fazer-se uma leitura, sem palavras sábias, sem soberba ou ostentação, mas com uma doce simplicidade, na alegria de ler para eles, de ser escutado e de ser por eles compreendido, detendo-se por vezes para explicar um termo ignorado pelas pessoas simples; não tenhais receio, eles vos compreenderão, um coração *ortodoxo compreende tudo!* Lede para eles a história de Abraão e de Sara, de Isaac e de Rebeca, como Jacó foi à casa de Labão e lutou em sonho com o Senhor, dizendo: "Este lugar é terrível", e impressionareis o espírito piedoso do povo simples. Contai-

-lhes, sobretudo às crianças, como o jovem José, futuro intérprete de sonhos e grande profeta, foi vendido por seus irmãos, que disseram a seu pai que seu filho tinha sido devorado por uma besta feroz, mostrando-lhe suas vestes ensanguentadas. Como, posteriormente, chegaram seus irmãos ao Egito à procura de trigo, e José, alto dignitário, que eles não reconheceram, perseguiu-os, acusou-os de roubo e reteve seu irmão Benjamim, se bem que os amasse. Porque se lembrava sempre de como seus irmãos o tinham vendido aos comerciantes, à beira de um poço, em alguma parte do deserto ardente, como chorava e como lhes suplicava, de mãos juntas, que não o vendessem como escravo em terra estrangeira; revendo-os após tantos anos, amou-os de novo ardentemente, mas os fez sofrer e perseguiu-os, embora amando-os. Retira-se afinal, não podendo mais conter-se, lança-se sobre seu leito e desata a chorar; depois enxuga o rosto e volta radiante para declarar-lhes: "Eu sou José, vosso irmão!". E a alegria do velho Jacó, ao saber que seu filho bem-amado estava vivo! Fez a viagem ao Egito, abandonou sua pátria, morreu em terra estrangeira, legando aos séculos dos séculos uma grande palavra, guardada misteriosamente durante toda a sua vida no seu coração tímido, o saber que de sua raça, da tribo de Judá sairia a esperança do mundo, o Reconciliador e o Salvador! Padres e mestres, desculpai-me que eu, um menino, vos explique o que sabeis desde muito tempo e que poderíeis ensinar-me com bem mais arte. É o entusiasmo que me faz falar, perdoai minhas lágrimas, porque esse Livro me é querido; e se o Padre também chora, verá sua emoção partilhada pelos seus ouvintes. Basta uma minúscula semente; uma vez lançada na alma do povo simples, não perecerá e ali ficará até o fim, entre as trevas e a infecção do pecado, como um ponto luminoso e uma recordação sublime. Nada de longos comentários, de homilias, ele compreenderá tudo simplesmente. Duvidais disso? Lede-lhe a história tocante da bela Ester e da orgulhosa Vasti, ou a maravilhosa narrativa de Jonas no ventre da baleia. Não esqueçais tampouco as parábolas do Senhor, sobretudo no Evangelho segundo São Lucas (como sempre o fiz), em seguida, aos Atos dos Apóstolos, a conversão de Saulo (isto absolutamente!). Por fim, no *Martirológio,* bastaria a vida de Santo Aleixo, homem de Deus, e da mártir sublime entre todas, Maria, a Egipcíaca. Essas narrativas singelas comoverão o coração do povo e isto apenas uma hora por semana, malgrado vossos fracos recursos. O padre vai perceber que o nosso povo misericordioso, reconhecido, lhe retribuirá seus benefícios ao cêntuplo; lembrando-se do zelo de seu pastor e de suas palavras comovidas, vai ajudá-lo no seu campo, na casa, vai lhe testemunhar mais respeito que antes e então seu estipêndio aumentará. É uma coisa tão simples que por vezes tememos mesmo em falar dela, porque zombarão da gente e, no entanto, como é certa! Aquele que não crê em Deus, não crê em seu povo. Quem tiver crença no povo de Deus verá Seu santuário, mesmo que nele não tivesse acreditado até então. Somente o povo e sua força espiritual futura converterão nossos ateus desprendidos da terra natal. E que é a palavra de Cristo sem o exemplo? Sem a palavra de Deus, o povo perecerá, porque sua alma está ávida dessa Palavra e de toda ideia nobre. Na minha juventude, vai fazer em breve quarenta anos; percorríamos a Rússia, o Padre Anfim e eu, pedindo esmolas para nosso mosteiro; passamos uma vez a noite com pescadores, a margem dum grande rio navegável; um jovem camponês de belo rosto, parecendo ter uns dezoito anos, veio sentar-se perto de nós; apressava-se em chegar no dia seguinte ao seu posto para sirgar uma barca mercante. Seu olhar era doce e límpido. Fazia uma noite clara, calma e quente, uma noite de julho; uma bruma subia do rio e nos refrescava; de tempos em tempos um peixe emergia; os pássaros haviam-se calado, tudo respira paz, oração. Éramos os únicos que não dormiam, aquele jovem e eu. Falamos da beleza do mundo e de seu mistério. Cada erva, cada escaravelho, uma formiga, uma abelha dourada, todos conheciam seu caminho duma maneira admirável, por instinto, atestam o mistério divino, cumprem-no eles próprios continuamente. Vi que o coração daquele moço se aquecia. Confiou-me que amava a floresta e os pássaros que a habitam; era passarinheiro, compreendia-lhes os cantos, sabia atrair todos eles. "Para mim, não existe nada de melhor que a vida na floresta — dizia ele — embora tudo esteja bem." — "É verdade — respondi-lhe —, tudo é bom e magnífico, porque tudo é verdade. Olha o cavalo, nobre animal, familiar ao homem, ou o boi, que o nutre e trabalha para ele, curvado, pensativo; considera a fisionomia deles: que mansidão, que apego a seu dono, que muitas vezes lhes bate sem piedade, que mansidão, que confiança, que beleza! Chega a comover saber que nele não há pecado, porque tudo é perfeito, inocente, exceto o homem, e o Cristo está em primeiro lugar com os animais." — "Será possível — perguntou o adolescente — que o Cristo esteja também com eles?" — "Como poderia ser de outro modo — repliquei —, pois que o Verbo é destinado a todos? Todas as criaturas, cada folha, aspiram ao Verbo, cantam a glória de Deus, gemem inconscientemente o Cristo. É este o mistério de sua existência sem pecado. Lá, na floresta, vaga um urso temível, ameaçador e feroz, sem que nisso haja culpa sua." E contei-lhe como um grande santo que fazia penitência na floresta, onde tinha sua cela, recebeu um dia a visita de um urso. Apiedou-se do animal, abordou-o sem temor, deu-lhe um pedaço de pão. "Vai — disse-lhe —, que o Cristo esteja contigo!" E a fera retirou-se docilmente, sem lhe fazer mal. O rapaz ficou comovido ao saber que o eremita ficara indene e que o Cristo também estava com o urso. "Que bom! Como todas as obras de Deus são boas e maravilhosas!" E mergulhou num doce devaneio. Vi que ele havia compreendido. Adormeceu a meu lado, com um sono leve, inocente. Que o Senhor abençoe a juventude! Rezei por ele antes de adormecer. Senhor, envia a paz e a luz aos Teus!

c) Recordações da mocidade do stáriets Zósima ainda no mundo. O duelo.

Passei quase oito anos em Petersburgo, no Corpo dos Cadetes. Essa educação nova sufocou muitas das impressões de minha infância, mas sem fazer que as esquecesse. Em troca, adquiri uma porção de hábitos e até mesmo de opiniões novas que fizeram dc mim um indivíduo quase selvagem, cruel e tolo. Adquiri um verniz de polidez e prática do mundo ao mesmo tempo que do francês, mas todos considerávamos os soldados que nos serviam no Corpo como verdadeiros brutos. Eu talvez mais do que os outros, porque de todos os meus camaradas era o mais impressionável. Tornados oficiais, estávamos prontos a derramar nosso sangue para vingar a honra de nosso regimento; quanto à verdadeira honra, nenhum de nós tinha dela noção e se a tivesse aprendido, teria sido o primeiro a rir dela. A embriaguez, a devassidão, a impudência nos tornavam quase altivos. Não direi que fôssemos pervertidos; todos aqueles rapazes tinham boa natureza, mas portavam-se mal, eu sobretudo. Estava de posse de meu capital, de modo que vivia à minha fantasia, com todo o ardor da juventude, sem peias; navegava com todas as velas desdobradas. Mas eis uma coisa que causava admiração: lia por vezes, e até mesmo com grande prazer; não abri quase nunca a *Bíblia* naquela época, porém ela não me largava; andava por toda parte comigo, conservava esse livro, sem dar-me conta disso, "cada dia e cada hora, cada mês e cada ano". Depois de quatro anos de serviço, encontrei-me por fim na cidade de K***, onde nosso regimento tinha guarnição. A sociedade ali era variada, divertida, acolhedora e rica; fui bem recebido em toda parte, sendo como era alegre de natureza; além do mais, passava por ter fortuna, o que não prejudica nunca na sociedade mundana. Sobreveio uma circunstância que foi o ponto de partida de tudo mais. Liguei-me a uma moça encantadora, inteligente e distinta, de caráter nobre, de família respeitável. Seus pais, ricos e influentes, faziam-me boa acolhida. Pareceu-me que aquela moça tinha inclinação por mim; meu coração inflamou-se com essa ideia. Compreendi mais tarde que, provavelmente, não a amava com tanta paixão, mas que a elevação de seu caráter inspirava-me respeito, o que era inevitável. No entanto, o egoísmo impediu-me então de pedir-lhe a mão; parecia-me demasiado duro renunciar às seduções da devassidão, à minha independência de celibatário jovem e rico. Fiz, no entanto, alusões, mas adiei para mais tarde qualquer passo decisivo. Fui então enviado em comando de serviço para outro distrito; de volta, após dois meses de ausência, soube que a moça se casara com um rico proprietário dos arredores, mais velho do que eu, porém, jovem ainda, com relações na melhor sociedade, coisa de que eu não gozava, homem bastante amável e instruído, quando eu não era nada disso absolutamente. Esse desenlace inesperado consternou-me a ponto de perturbar-me o espírito, tanto mais que, como o soube então, aquele jovem proprietário era noivo dela desde muito tempo. Havia-o encontrado muitas vezes em casa dela, sem nada notar, cego que estava pela minha fatuidade. Era isso sobretudo que me vexava: como quase toda gente estava ao corrente, ao passo que eu de nada sabia? E experimentei de súbito um ressentimento intolerável. Rubro dc cólera, lembrei-me de quantas vezes lhe havia quase declarado meu amor e como ela não me havia nem detido, nem prevenido, concluí daí que ela havia zombado de mim. Mais tarde, evidentemente, dei-me conta de meu erro; lembro-me de que ela punha fim, gracejando, a tais conversas e falava de outra coisa, mas no momento, estava incapaz de raciocinar e ardia por vingar-me. Lembro-me com surpresa de que minha animosidade e minha cólera causavam repugnância a mim mesmo, porque, com meu caráter leviano, era incapaz de permanecer muito tempo zangado com alguém; de modo que me excitava artificialmente até a extravagância. Esperei a ocasião e, numa reunião mundana bastante numerosa, consegui ofender meu "rival", por um motivo totalmente estranho, zombando de sua opinião a propósito de um acontecimento então importante — estávamos em 1826 — e escarnecendo dele com espírito, pelo que disseram. Em seguida, provoquei uma explicação de sua parte e mostrei-me tão grosseiro nessa ocasião que ele aceitou a luva, malgrado a enorme diferença que nos separava, porque eu era mais jovem que ele, insignificante e de posição inferior. Mais tarde, soube de fonte certa que ele aceitara minha provocação também por ciúme de mim; já antes se mostrara um pouco ciumento de mim em relação à sua mulher, então sua noiva; disse a si mesmo que se ela soubesse agora que eu o insultara, sem que ele me houvesse provocado em duelo, ia desprezá-lo involuntariamente e seu amor ficaria abalado. Encontrei logo como testemunha um camarada, tenente de nosso regimento. Se bem que os duelos fossem então rigorosamente reprimidos, eram moda entre os militares, de tal modo se desenvolvem e enraízam preconceitos absurdos. Junho chegava ao fim; nosso encontro estava marcado para o dia seguinte de manhã, às sete horas, fora da cidade, e eis que me aconteceu algo de verdadeiramente fatal. À noite, voltando para casa de muito mau-humor, zangara-me com meu ordenança, Afanássi, e havia-lhe batido violentamente no rosto, a ponto de ensanguentá-lo. Estava desde pouco tempo a meu serviço e eu já lhe havia batido, mas jamais com tal selvageria. Podeis acreditar, meus queridos, quarenta anos se passaram desde então e lembro-me daquela cena com vergonha e dor. Deitei-me e quando despertei, ao fim de três horas, era já dia. Levantei-me, não tendo mais vontade de dormir, fui à janela, que dava para um jardim; o sol surgira, fazia um tempo magnífico, os pássaros gorjeavam. Que será isto? — pensei. Experimento uma espécie de sentimento de infâmia e de baixeza. Não será pelo fato de que vou derramar sangue? Não, pensei, não é isto. Ou porque tenho medo da morte, medo de ser morto? Não, absolutamente, longe disso... E adivinhei, de repente, que eram os golpes dados em Afanássi na noite anterior. Revi a cena, como se ela se repetisse: ele, de pé diante de mim que lhe bato no rosto a toda força, suas mãos na costura das calças, a cabeça ereta, os olhos escancarados, estremecendo a cada pancada, não ousando mesmo levantar os braços para se resguardar, e ali estava um homem reduzido àquele estado, batido por outro homem! Que crime! Foi como uma agulha que me traspassou a alma. Estava como que fora de mim, e o sol brilhava, as folhas agradavam à vista, os pássaros louvavam a Deus. Cobri o rosto com as mãos, estendi-me no leito e desatei a chorar. Lembrei-me então de meu irmão Márkel e de suas derradeiras palavras aos criados: "Meus bem-amados, por que me servis? Por que me amais, serei digno de ser servido?". "Sim, serei digno?", perguntei a mim mesmo, de repente. Com efeito, a que título eu merecia ser servido por outro homem, feito como eu à imagem de Deus? Esta questão atravessou-me assim o espírito pela primeira vez. "Mãe querida, na verdade, cada qual é culpado diante de todos e por todos, somente os homens ignoram isso; se o soubessem, seria logo o paraíso!" "Senhor, seria isto verdade — pensei, chorando —, sou talvez o mais culpado de todos e o pior que existe?" E de súbito o que eu ia fazer apareceu-me em plena luz, em todo o seu horror: ia matar um homem de bem, nobre, inteligente, sem nenhuma ofensa de sua parte, e tornar assim sua mulher para sempre infeliz, torturá-la, fazê-la morrer. Estava deitado de bruços, com a face contra o travesseiro, tendo perdido a noção do tempo. De repente, entrou meu camarada, o tenente, que vinha procurar-me com pistolas: "Eis o que está bem — disse ele — já levantaste, está na hora, vamos." Minhas ideias desconcertaram-se, perdi a cabeça; contudo saímos para subir ao carro. "Espera-me — disse-lhe —, volto imediatamente, esqueci meu porta moedas." Voltei correndo para casa e fui ao quartinho de Afanássi. "Afanássi, ontem bati-te duas vezes no rosto, perdoa-me!" Ele estremeceu como se tivesse medo; vi que não era bastante e prosternei-me a seus pés, pedindo-lhe perdão. Ficou estupidificado. "Vossa nobreza, *bárin*, Como... mereço eu?..." Pôs-se a chorar como eu havia pouco, com o rosto oculto nas mãos e voltou-se para a janela, abalado pelos soluços; corri a juntar-me a meu camarada e partimos: "Viste o vencedor — gritei-lhe —, ei-lo diante de ti!" Estava repleto de alegria, rindo todo o tempo, tagarelava sem cessar, a respeito de não sei mais o quê. O tenente olhava-me: "Pois bem, camarada, és um bravo; vejo que sustentarás a honra do uniforme". Chegamos ao terreno, onde éramos esperados. Colocaram-nos a doze passos um do outro, meu adversário devia atirar em primeiro lugar; mantinha-me diante dele, alegremente, sem pestanejar, examinando-o com afeto. Ele atirou, fui somente arranhado na face e na orelha. "Louvado seja Deus! — digo. — O senhor não matou um homem!" Quanto a mim, dei meia volta e atirei minha arma para o ar, na direção da floresta: "Eis teu lugar!", exclamei. Depois, encarando meu adversário: "Senhor, perdoe a um estúpido rapaz tê-lo ofendido e obrigado a atirar contra ele. O senhor vale dez vezes mais do que eu, é superior a mim. Transmita minhas palavras à pessoa a quem o senhor respeita mais no mundo". Apenas acabara de falar, todos três exclamaram: "Permita — disse meu adversário, encolerizado —, se o senhor não queria bater-se, por que nos incomodou?". "Ainda ontem era eu estúpido. Hoje, tornei-me mais avisado" — respondi-lhe, alegremente. — "Acredito a respeito de ontem; mas quanto a hoje, é difícil dar-lhe razão." "Bravo! — disse eu, batendo palmas. — Estou de acordo com o senhor a respeito, mereci isso!" — "Senhor, quer ou não quer atirar?" — "Não atirarei, atire mais uma vez se quiser, mas faria melhor abstendo-se." As testemunhas gritam, sobretudo a minha: "Pode-se desonrar o regimento pedindo perdão no terreno; se o tivesse pelo menos sabido!". Declarei então a todos, num tom sério: "Senhores, é tão espantoso assim em nossa época encontrar um homem que se arrepende de sua tolice e que reconhece publicamente suas faltas?" — "Sim, mas— não no terreno" — replica minha testemunha. — "Eis o que é espantoso: eu deveria pedir desculpas desde nossa chegada aqui, antes que o cavalheiro atirasse, e não induzi-lo em pecado mortal; mas nossos usos são tão absurdos que era quase impossível ter agido assim; porque minhas palavras não têm valor, a seus olhos, senão pronunciadas depois de ter sido alvo de seu tiro a doze passos; antes, ele teria me tomado por um covarde, indigno de ser escutado." "Senhores — exclamei, com todo o coração —, olhai as obras de Deus: o céu está claro, o ar puro a erva tenra, os pássaros cantam, a Natureza é magnífica e inocente; somente, nós, ímpios e estúpidos, não compreendemos que a vida é um paraíso, porque basta que queiramos compreender isso para vê-la aparecer em toda a sua beleza e então nos abraçaríamos, chorando..." Quis continuar, mas não pude, faltou-me a respiração, senti uma felicidade tal que depois jamais experimentei. "Eis sábias e piedosas palavras — disse meu adversário. — Em todo o caso, o senhor é original."— "O senhor ri — disse-lhe eu, sorrindo —, porém mais tarde me louvará." — "Agora também estou pronto a louvá-lo, estendo-lhe a mão, porque o senhor me parece verdadeiramente sincero." "Não, agora não, mais tarde, quando eu me tiver tornado melhor e merecido seu respeito, o senhor a estenderá para mim, fará bem então." Voltamos para casa; minha testemunha resmungava todo o tempo e eu o beijava. Meus camaradas, postos ao corrente, reuniram-se naquele mesmo dia para julgar-me. "Ele desonrou o uniforme, deve pedir baixa." Encontrei defensores: "No entanto, ele recebeu um tiro." — "Sim, mas teve medo dos outros e pediu perdão no terreno." — "Se tivesse tido medo — replicavam meus defensores — teria primeiro atirado antes de pedir perdão, ao passo que lançou a pistola ainda carregada na floresta; não, passou-se algo de diferente, de original." Eu escutava, divertindo-me em observá-los: "Caros amigos e camaradas, não se atormentem por causa de minha baixa. Já está dada. Enviei o pedido esta manhã e, assim que ela for aceita, entrarei para um mosteiro. Eis por que peço baixa." A estas palavras, todos explodiram em risadas: "Deverias ter começado por advertir-nos. Agora, tudo se explica, não se pode julgar um monge". Não paravam de rir, mas sem zombar, com uma doce alegria. Todos gostavam de mim, até mesmo meus mais fogosos acusadores. Em seguida, durante o último mês, até que eu fosse reformado, era como se me carregassem em triunfo: "Ah! o monge!" — diziam. Cada qual tinha por mim uma palavra gentil, puseram-se a dissuadir-me, a lamentar-me mesmo: "Que vais fazer?". — "Não, é um bravo, recebeu um tiro e podia ele próprio atirar, mas tivera um sonho na véspera que o impelia a fazer-se monge, eis a razão." Foi quase a mesma coisa na sociedade local. Até aquele momento, eu não atraía a atenção; recebiam-me cordialmente, e nada mais; agora, cada qual que disputasse conhecer-me e convidar-me para sua casa: riam de mim, ao mesmo tempo que me estimavam. Se bem que se falasse abertamente de nosso duelo, o caso não teve consequências, porque meu adversário era parente próximo de nosso general e como não houvera efusão de sangue e eu pedira baixa, a coisa virou brincadeira. Pus-me então a falar bem alto e sem temor, malgrado as zombarias, porque não eram elas propriamente malévolas. Essas conversas realizavam-se sobretudo à noite, em companhia de senhoras; as mulheres gostavam ainda mais de escutar-me e obrigavam os homens a fazer o mesmo. "Como pode dar-se que seja eu culpada por todos?" — e cada qual ria-me na cara. — "Vejamos, posso ser culpada por você, por exemplo?" — "Donde o saberia — respondia-lhes eu —, quando o mundo inteiro está desde muito tempo engajado numa outra via, quando tomamos a mentira pela verdade e exigimos de outrem a mesma mentira? Uma vez em minha vida, resolvi agir sinceramente e todos vós acreditastes que eu estava louco. Embora, gostando de mim, ríeis de mim." — "Como não gostar de alguém como o senhor?" — disse-me a dona da casa, rindo bem alto. Havia muita gente em casa dela. De repente, vejo levantar-se a jovem que fora causa de meu duelo e a quem quisera fazer minha noiva pouco tempo antes; não havia notado sua chegada. Dirigiu-se para mim e estendeu-me a mão: "Permita-me — disse — que lhe declare que, longe de rir do senhor, agradeço-lhe com emoção e respeito-o pela sua maneira de agir." Seu marido aproximou-se, tornei-me o centro da reunião, quase me beijavam. Sentia-me contente assim; minha atenção foi atraída por um senhor de certa idade, que tinha igualmente me abordado; até então conhecia-o somente de nome, sem ter jamais trocado uma palavra com ele.

d) O misterioso visitante.

Era um funcionário que ocupava desde muito tempo um lugar de destaque em nossa cidade. Homem respeitado por todos, rico, reputado pela sua beneficência, doara importante soma ao hospício e ao orfanato e praticara muito bem em segredo, sem revelar a ninguém, o que só se veio a saber após sua morte. De cerca de cinquenta anos, tinha o ar quase severo, falava pouco; estava casado havia dez anos com uma mulher ainda jovem, de quem tinha três filhos em tenra idade. No dia seguinte à noite, eu estava em casa quando a porta se abriu e entrou aquele senhor.

É preciso notar que eu não morava mais na mesma casa; assim que dei baixa, instalara-me em casa de uma senhora idosa, viúva dum funcionário, cuja criada me servia, porque no dia mesmo do meu duelo mandara embora Afanássi para sua companhia militar, corando ao olhá-lo de frente depois do que se passara, de tal modo um leigo não preparado é inclinado a ter vergonha da ação mais justa.

— Há vários dias que o escuto com grande curiosidade — disse-me o visitante, ao entrar. — Desejei por fim conhecê-lo para me entreter com o senhor ainda mais pormenorizadamente. O senhor poderia me prestar esse grande serviço?

— De muito boa-vontade e olharei isso como uma honra muito particular — respondi-lhe. Estava quase amedrontado, de tal maneira me impressionara ele desde a primeira vez. Porque, muito embora me escutassem com curiosidade, ninguém ainda havia me abordado com ar tão sério e severo. Além do mais, viera me procurar em minha casa. Sentou.

— Noto no senhor — ele prosseguiu — uma grande força de caráter, porque não temeu servir a verdade num caso em que arriscava, pela sua franqueza, atrair para si o desprezo geral.

— Os seus elogios talvez sejam bastante exagerados — disse-lhe eu.

— De modo algum. Esteja certo de que tal ato é bem mais difícil de praticar do que o senhor pensa. Eis somente o que me impressionou e por isso vim vê-lo. Se minha curiosidade talvez indiscreta não o chocar, descreva-me suas sensações no momento em que se decidiu a pedir perdão, por ocasião do duelo, admitindo-se que o senhor se lembre delas. Não atribua à frivolidade a minha pergunta; pelo contrário, ao fazê-la, tenho um fim secreto que lhe explicarei provavelmente mais tarde, se aprouver a Deus que ainda nos encontremos.

Enquanto ele falava, eu o fitava e experimentei de repente por ele uma confiança completa, ao mesmo tempo que viva curiosidade, porque sentia que sua alma guardava um segredo.

— Deseja conhecer minhas sensações no momento em que pedia perdão a meu adversário? — respondi-lhe. — Mas vale mais a pena contar-lhe em primeiro lugar os fatos ainda ignorados dos outros. — E narrei-lhe toda a cena com Afanássi e como me havia prosternado diante dele. — O senhor mesmo pode ver depois disso — concluí eu — que durante o duelo já me sentia mais à vontade, porque tinha começado ainda em casa e, uma vez entrado nessa via, continuei não somente sem esforço, mas com alegria.

Ele me escutava com atenção e simpatia.

— Tudo isso é bastante curioso. Voltarei a vê-lo.

A partir de então, visitou-me quase todas as noites. E teríamos ficado grandes amigos, se me tivesse falado de si próprio. Mas quase não falava, limitando-se a interrogar-me a respeito de mim mesmo. No entanto, tomei-lhe amizade e confiava-lhe todos os meus sentimentos, pensando: "Não tenho necessidade de seus segredos para saber que é um justo... Além do mais, um homem tão sério e bem mais idoso que eu que vem me procurar e dá atenção a um rapaz". Soube dele muitas coisas úteis, porque era homem de alta inteligência. "Penso também desde muito tempo que a vida é um paraíso", e acrescentou: "Só penso nisso". Olhava-me sorrindo. "Estou ainda mais convencido disso que o senhor mesmo, mais tarde saberá por que". Eu o escutava, dizendo a mim mesmo: "Tem decerto uma revelação a fazer-me." — "O paraíso — dizia ele — está oculto no íntimo de cada um de nós; neste momento eu o oculto em mim e, se quiser, se realizará amanhã verdadeiramente para toda a minha vida." Falava com enternecimento, olhando-me com ar misterioso, como se me interrogasse. "Quanto à culpabilidade de cada um por todos e por tudo, de parte de seus pecados, suas considerações a esse respeito são perfeitamente. justas e é espantoso que o senhor tenha abraçado essa ideia com tal amplitude. Quando os homens a compreenderem será certamente para eles o advento do reino dos céus, não em sonho, mas na realidade." — "Mas quando acontecerá isto?, — exclamei, doloridamente. — Talvez não seja senão um sonho." — "Como, o senhor mesmo não crê no que prega?! Saiba que esse sonho, como diz o senhor, vai com certeza se realizar, mas não agora, porque tudo é regido por leis. É um fenômeno moral, psicológico. Para renovar o mundo, é preciso que os próprios homens mudem de caminho. Enquanto cada qual não for de verdade o irmão de seu próximo, não haverá fraternidade. Jamais os homens saberão, em nome da ciência ou do interesse, repartir pacificamente entre si a propriedade e os direitos. Ninguém terá bastante, e todos murmurarão, terão inveja uns dos outros, vão exterminar uns aos outros. O senhor pergunta quando isso se realizará? Isso virá, mas somente quando tiver terminado a período de isolamento humano." — "Que isolamento?" — perguntei. — "Em toda parte ele reina, na hora atual, mas não está terminado e seu termo ainda não chegou. Porque no presente, cada qual aspira a separar sua personalidade dos outros, quer gozar ele próprio a plenitude da vida; entretanto, todos esses esforços, longe de atingir o alvo, só resultam num suicídio total, porque, em lugar de afirmar plenamente sua personalidade, caem numa solidão completa. Com efeito, neste século, todos se fracionaram em unidades, cada qual se isola no seu buraco, separa-se dos outros, oculta-se, ele e seus bens, afasta-se de seus semelhantes e os afasta de si. Amontoa riqueza sozinho, felicita-se pelo seu poder e pela sua opulência; ignora, o insensato, que quanto mais amontoa, mais se enterra numa impotência fatal. Porque está habituado a só contar consigo, mesmo e destacou-se da coletividade, acostumou-se a não crer na entre ajuda, no seu próximo na humanidade e treme somente à ideia de perder sua fortuna e os direitos que ela lhe confere. Por toda parte, em nossos dias, o espírito humano começa ridiculamente a perder de vista que a verdadeira garantia do indivíduo consiste não no seu esforço pessoal isolado, mas na solidariedade. Entretanto este isolamento terrível terá certamente fim e todos compreenderão ao mesmo tempo quanto sua separação mútua era contrária à Natureza. Tal será a tendência da época, e causará espanto o ter-se demorado tanto tempo nas trevas, sem ver a luz. Então aparecerá no céu o sinal do Filho do Homem... Mas, até então, é preciso guardar o estandarte e — ainda que sozinho a agir — o homem deve mostrar o exemplo e sair do isolamento para se reaproximar de seus irmãos, mesmo passando por maluco. Isto a fim de impedir que uma grande ideia pereça."

Esses temas apaixonantes enchiam nossos serões. Abandonei mesmo a sociedade e minhas visitas tornaram-se mais raras; além disso, comecei a passar de moda. Não digo isto para queixar-me, porque continuavam a estimar-me e fazer-me boa cara, mas é preciso convir que a moda tem grande império no mundo. Acabei ficando entusiasmado pelo meu misterioso visitante, porque sua inteligência me arrebatava; além disso, tinha a intuição de que ele nutria um projeto e se preparava para uma ação talvez heroica. Sem dúvida mostrava-se grato pelo fato de eu não procurar conhecer seu segredo e de não fazer a ele nenhuma alusão. Notei por fim que ele começava a ser atormentado pelo desejo de fazer-me uma confidência.

Pelo menos, tornou-se isto evidente ao fim de um mês mais ou menos. "Sabe — perguntou-me uma vez — que se interessam muito por nós na cidade e que minhas frequentes visitas causam espanto? Pois seja, em breve tudo se explicará." Por vezes era presa, de súbito, de uma agitação extraordinária; quase sempre então levanta-va e ia-se embora. Acontecia-lhe fitar-me muito tempo com um olhar penetrante. Pensava eu: "Ele vai falar", mas parava e discorria a respeito de um assunto vulgar. Começou a queixar-se de dores de cabeça. Um dia em que havia conversado mui-to tempo e apaixonadamente, vi-o de repente empalidecer, seu rosto contraiu-se, fitava-me com um ar esgazeado,

— Que tem — perguntei —, sente-se mal?

— Eu... saiba... eu... cometi um assassinato.

Sorria ao falar, branco como linho. "Por que sorri ele?" Este pensamento atravessou-me a mente antes que eu tivesse coordenado minhas ideias. Eu mesmo empalideci.

— Que está dizendo? — exclamei.

— Veja — respondeu-me com o mesmo sorriso triste —, a primeira palavra custou-me. Agora que comecei, continuarei.

Não lhe dei crédito imediatamente, mas somente ao fim de três dias, quan-do me contou todos os detalhes. Eu acreditava que ele estivesse louco, no entan-to acabei por convencer-me de que dizia a verdade, para doloroso espanto meu. Assassinara, catorze anos antes, uma jovem senhora rica e encantadora, viúva de um proprietário rural, que possuía em nossa cidade uma casa para suas estadas aqui. Sentiu por ela viva paixão, fez-lhe uma declaração e quis decidi-la a tornar--se sua esposa. Ela, porém, já havia dado seu coração a outro, oficial distinto, então em campanha, cujo próximo regresso ela aguardava. Recusou-lhe o pedido de casa-mento e rogou-lhe que cessasse suas visitas. Recusado e conhecendo a disposição da casa, nela se introduziu uma noite pelo jardim e pelo telhado, com uma audácia extraordinária, arriscando-se a ser descoberto. Mas, como acontece frequentemen-te, os crimes audaciosos são muitas vezes mais bem sucedidos que os outros. Tendo entrado no celeiro por uma trapeira, desceu para os quartos por uma pequena es-cada, sabendo que os criados não fechavam sempre à chave a porta de comunica-ção. Contava com a negligência deles ainda dessa vez e não se enganava. No escuro, dirigiu-se para o quarto de dormir, onde ardia uma lâmpada de cabeceira. Como de propósito, as duas criadas de quarto tinham saído às ocultas, convidadas a uma ceia festiva na vizinhança. Os outros criados dormiam no rés-do-chão. Vendo-a adorme-cida, sua paixão despertou, depois um furor vingativo e ciumento apoderou-se dele e, não mais podendo dominar-se, mergulhou-lhe uma faca no coração, sem que ela lançasse um grito. Com uma astúcia infernal tratou de voltar as suspeitas contra os criados; deixou de parte o porta moedas dela, mas abriu a cômoda com as cha-ves encontradas debaixo do travesseiro e subtraiu, como um criado ignorante, o di-nheiro e as joias de acordo com o tamanho, deixando de lado as mais preciosas bem como os objetos de valor. Apropriou-se também de algumas lembranças de que vol-tarei a falar. Realizado seu crime, voltou pelo mesmo caminho. Ninguém, nem no dia seguinte, quando foi dado o alarme, nem mais tarde, teve a ideia de suspeitar do verdadeiro culpado. Ignorava-se seu amor pela vítima, porque ele fora sempre taci-turno, fechado e não possuía amigos. Passava simplesmente por um conhecido da viúva, a quem não via, aliás, desde duas semanas. Suspeitou-se logo de Piotr, criado-servo da vítima e imediatamente todas as circunstâncias contribuíram para confirmar essa suspeita, porque ele sabia que sua senhora estava decidida a fazê-lo arrolar entre os recrutas que devia fornecer, visto como era só e de má conduta. Estando bêbedo, ameaçara-a de morte no botequim. Fugira dois dias antes do assassinato e no dia seguinte encontraram-no totalmente embriagado, caído na estrada, nos arredores da cidade, com uma faca no bolso e a mão direita ensanguentada. Ele afirmou que o sangue era de seu nariz, mas não lhe deram crédito. As criadas confessaram que haviam se ausentado e tinham deixado a porta de entrada aberta até sua volta. Houve outros indícios análogos, que provocaram a detenção desse criado inocente. Instauraram o processo, mas ao fim duma semana contraiu ele febre maligna e morreu no hospital, sem conhecimento. O caso foi arquivado, submeteram-se à vontade de Deus e todos, juízes, autoridades, público, ficaram convencidos de que aquele criado era o assassino. Começou então o castigo. Aquele visitante misterioso, que se tornara meu amigo, confiou-me que a princípio não tinha sentido nenhum remorso. Lamentava somente ter matado uma mulher amada e, suprimindo-a, suprimira seu amor, quando o fogo da paixão lhe queimava as veias. Mas então esquecia quase o sangue inocente derramado, o assassinato de um ser humano. A ideia de que sua vítima teria podido tornar-se a esposa dum outro parecia-lhe impossível, de modo que ficou muito tempo persuadido de que não podia ter agido de outro modo. A detenção do criado perturbou-o, mas sua doença e morte tranquilizaram-no, porque aquele indivíduo sucumbira certamente — ele pensava — não pelo medo causado por sua detenção, mas pelo resfriamento contraído por ter jazido uma noite inteira sobre a terra úmida. Os objetos e o dinheiro roubados não o inquietavam, porque roubara, não por cupidez, mas para desviar as suspeitas. A soma era insignificante e em breve doou-a, aumentando-a consideravelmente, a um hospício que se fundava na nossa cidade, Fez isso de propósito, para apaziguar sua consciência e, coisa curiosa, conseguiu isso por um tempo bastante longo, como me contou mais tarde. Redobrou de atividade no seu serviço, fez-se confiar uma missão árdua que lhe tomou dois anos, e esqueceu quase o que se passara, graças à firmeza de seu caráter; quando se lembrava de seu crime, esforçava-se por não pensar nele. Consagrou-se igualmente à beneficência, ocupou-se com boas obras em nossa cidade, assinalou-se nas capitais, foi eleito em Petersburgo e Moscou membro de sociedades filantrópicas. Por fim, foi invadido por um devaneio doloroso que ultrapassava suas forças. Apaixonou-se então por uma moça encantadora, com quem se casou em breve, na esperança de que o casamento dissiparia sua angústia solitária e, se cumprisse escrupulosamente seus deveres para com sua mulher e seus filhos, baniria as recordações de outrora. Mas aconteceu precisamente o contrário do que esperava. Desde o primeiro mês de seu casamento, uma ideia o atormentava sem cessar: "Minha mulher me ama, mas que aconteceria se ela soubesse?". Quando ela ficou grávida de seu primeiro filho e comunicou-lhe, ele perturbou-se: "Dou a vida e eu mesmo a tirei". Os filhos vieram ao mundo: "Como ousarei amá-los, instruí-los; educá-los, como lhes falarei da virtude? Derramei sangue". Teve belos filhos, vinha-lhe vontade de acariciá-los: "Não posso fitar-lhes os rostos inocentes; não sou digno". Por fim teve a visão ameaçadora e lúgubre do sangue de sua vítima, que gritava vingança da jovem vida que ele destruíra. Sonhos terríveis surgiram-lhe. Tendo o coração firme, suportou por muito tempo esse suplício: "Expio meu crime sofrendo secretamente". Mas era uma esperança vã; seu sofrimento só fazia agravar-se com o tempo. O mundo respeitava-o pela sua atividade beneficente, se bem que seu caráter sombrio e severo inspirasse temor; mas quanto mais crescia esse respeito, mais se lhe tornava intolerável. Confessou-me que pensara em suicídio. Mas outro sonho pôs-se a persegui-lo, um sonho julgado a princípio impossível e insensato, que acabou, no entanto, por incorporar-se a seu coração a ponto de não poder arrancá-lo dali. Pensava em fazer a confissão pública de seu crime e passou três anos presa dessa obsessão, que se apresentava sob diversas formas. Por fim, acreditou, de todo o coração, que depois de ter confessado o seu crime aliviaria sua consciência e recuperaria o repouso para sempre. Apesar desta certeza, encheu-se de terror; como, afinal, fazer isso? Sobreveio então aquele incidente em meu duelo. "Ao vê-lo, tomei minha decisão."

— Será possível — exclamei juntando as mãos — que um incidente tão insignificante tenha podido engendrar semelhante determinação?

— Minha determinação estava concebida desde três anos, aquele incidente serviu-lhe de impulso. Olhando o senhor, fiz censuras a mim mesmo e invejei-o — declarou ele com rudeza.

— Não lhe darão crédito — observei eu — ao fim de catorze anos.

— Tenho provas esmagadoras. Vou apresentá-las.

Pus-me então a chorar, beijei-o.

— Decida a respeito de um ponto, de um só! — disse-me ele (como se tudo dependesse de mim agora). — Minha mulher, meus filhos! Ela morrerá de pesar, talvez, meus filhos conservarão sua posição e a propriedade, mas serão para sempre os filhos de um forçado. E que recordação de mim guardarão eles em seu coração!

Mantinha-me calado.

— Como separar-me deles, deixá-los para sempre?

Eu estava sentado, murmurando mentalmente uma prece. Levantei-me, por fim, apavorado.

— E então? — e ele me fixava.

— Vá — eu disse — , faça sua confissão. Tudo passa, só a verdade fica. Seus filhos, quando crescerem, compreenderão a grandeza de sua determinação.

Ao deixar-me, sua resolução parecia tomada. Mas veio ver-me durante mais de duas semanas, todas as noites, sempre a se preparar, sem poder decidir-se. Angustiava-me. Por vezes, chegava resoluto, dizendo com ar enternecido:

— Sei que, desde que tiver confessado, será para mim o paraíso. Durante catorze anos estive no inferno. Quero sofrer. Aceitarei o sofrimento e começarei a viver. Agora, não ouso amar nem meu próximo, nem mesmo meus filhos. Senhor, eles compreenderão talvez o que me custou meu sofrimento e não me censurarão!

— Todos compreenderão o seu ato, se não agora, mais tarde, porque o senhor terá servido à verdade, à verdade superior, que não é deste mundo...

Deixava-me, aparentemente consolado, e voltava no dia seguinte zangado, pálido, o tom irônico.

— Cada vez que volto, o senhor me examina com curiosidade: "Ainda não confessaste?". Espere, não me despreze demais. Não é tão fácil de fazer como o senhor pensa. Talvez não faça. O senhor não irá denunciar-me, não é?

Por vezes, longe de experimentar uma curiosidade desarrazoada, tinha até medo de fitá-lo. Sofria, estava aflito, tinha a alma cheia de lágrimas. Cheguei a perder o sono.

— Estava com minha mulher há pouco — continuou ele. — Compreende o senhor o que é uma mulher? Ao sair, os meninos gritaram para mim: "Adeus, papai, volte depressa para ler para nós". Não, o senhor não pode compreender isso. A desgraça alheia não pode ser compreendida,

Tinha os olhos cintilantes, os lábios trêmulos. De súbito, deu um murro na mesa; os objetos que nela estavam tremeram. Um homem tão manso... acontecia-lhe isso pela primeira vez..

— Devo denunciar-me? É preciso fazê-lo? Ninguém foi condenado, ninguém foi para a prisão por minha causa, o criado morreu de doença. Expiei pelos meus sofrimentos o sangue derramado. Aliás, não me acreditarão, não darão fé às minhas provas. Será preciso confessar? Estou pronto a expiar meu crime até o fim, contanto que ele não reflita sobre minha mulher e meus filhos. É justo perdê-los ao mesmo tempo que me perco? Não será isto um pecado? Onde está a verdade? Saberão essas pessoas reconhecê-la, apreciá-la?

"Senhor — pensava eu —, ele pensa na estima pública em semelhante momento!" Inspirava-me tal piedade que teria partilhado de sua sorte, quando menos para aliviá-lo. Tinha o ar desvairado, Estremeci, não somente porque compreendia, mas sentia o que custa semelhante determinação.

— Decida minha sorte! — exclamou ele.

— Vá denunciar-se — murmurei. A voz me faltava, mas murmurei com tom firme. Peguei em cima da mesa o *Evangelho* e mostrei-lhe o versículo 24 do capítulo XII de São João: "Em verdade, em verdade vos digo que se o grão de trigo que cai na terra não morrer, fica infecundo; mas se morrer, produz muito fruto". Acabara de ler este versículo antes da chegada dele.

Ele o leu.

— É verdade. — Mas teve um sorriso amargo. — É terrível o que se encontra nesses livros — disse, após uma pausa. — É fácil aplicar o que dizem aos outros. E quem os escreveu? Foram homens?

— Foi o Espírito Santo.

— É fácil para o senhor tagarelar. — Sorriu de novo, mas quase com ódio.

Retomei o livro, abri-o noutro lugar e mostrei-lhe a Epístola aos Hebreus, capítulo X, versículo 31. Ele leu: "É coisa horrenda cair nas mãos do Deus vivo."

Rejeitou o livro, todo trêmulo

— Eis um versículo terrível. Palavra, o senhor soube escolhê-lo. — Levantou-se. — Pois bem! adeus, talvez não volte... haveremos de tornar a ver-nos no paraíso. Portanto, há catorze anos; que "caí nas mãos do Deus vivo". Amanhã, rogarei a essas mãos que me soltem...

Quis abraçá-lo, beijá-lo, mas não ousei; causava dó ver seu rosto contraído. Saiu. "Senhor — pensei —, aonde irá ele?" Caí de joelhos diante do ícone e roguei por ele à Santa Mãe de Deus, mediadora e auxiliadora. Meia hora se passou em lágrimas e preces; era já tarde, cerca de meia-noite. De súbito a porta se abre, era ele ainda. Espantei-me.

— Onde estava o senhor? — perguntei-lhe.

— Creio que esqueci alguma coisa... meu lenço... Está bem, mesmo que não haja esquecido nada, deixe que fique um pouco sentado...

Sentou. Fiquei de pé diante dele.

— Sente também.

Foi o que fiz. Ficamos assim dois minutos. Ele me fitava; de repente, sorriu, depois abraçou-me, beijou-me...

— Lembra de que voltei a procurar-te. Ouves? Lembra-te!

Era a primeira vez que me tuteava. Partiu. "Amanhã", pensei.

Adivinhara certo. Ignorava então, não tendo ido a parte alguma naqueles últimos dias, que seu aniversário caía precisamente no dia seguinte. Naquela ocasião, havia em casa dele uma recepção a que comparecia a cidade em peso. Realizou-se como de costume. Após o banquete, avançou para o meio de seus convidados, tendo na mão um papel dirigido a seus chefes. Como estivessem estes presentes, leu o que estava escrito para todos os que ali se encontravam: um relato detalhado de seu crime! "Sendo um monstro, separo-me da sociedade. Deus me visitou — concluía ele. — Quero sofrer." Ao mesmo tempo, depôs sobre a mesa as provas guardadas durante catorze anos: joias da vítima, roubadas para desviar as suspeitas, uma medalha e uma cruz tiradas do pescoço dela, seu caderninho de notas e duas cartas: uma, de seu noivo informando-a de sua próxima chegada e a que ela começara em resposta para enviar no dia seguinte. Por que ter ficado com essas duas cartas e tê-las conservado durante catorze anos, em lugar de destruí-las como provas? O que aconteceu é que todos foram tomados de surpresa e de terror, mas ninguém quis acreditar nele, se bem que o escutassem com uma curiosidade extraordinária, como se escuta um doente; alguns dias mais tarde, todos concordaram que o infeliz estava louco. Seus chefes e a Justiça foram obrigados a dar prosseguimento ao caso, mas em breve arquivaram-no; muito embora os objetos apresentados e as cartas dessem que pensar, achava-se que, mesmo se fossem autênticas aquelas peças, não podiam servir de base a uma acusação formal. A própria defunta poderia ter-lhas confiado. Soube depois que a autenticidade delas fora verificada por numerosos conhecidos e amigos da vítima e que não restava dúvida alguma. Mas, de novo, o caso iria dar em nada. Cinco dias após, soube-se que o infeliz caíra doente e temia-se pela sua vida. Não posso explicar a natureza de sua doença, atribuída a perturbações cardíacas; soube-se que a junta médica, a pedido de sua mulher, o examinara também do ponto de vista mental e concluíra pela existência da loucura. Não fui testemunha de nada, contudo crivaram-me de perguntas e quando quis visitá-lo, isso me foi proibido por muito tempo, principalmente por sua mulher. "Foi o senhor — disse-me ela —que o transtornou. Ele já era melancólico, mas no último ano sua agitação extraordinária, e suas esquisitices chamaram a atenção de toda gente, e o senhor o pôs a perder; foi o senhor quem o doutrinou, ele não o deixava durante este mês." Ora, não somente sua mulher, mas todos na cidade caíam-me em cima e acusavam-me: "É culpa sua", diziam. Calava-me, com o coração alegre por aquela manifestação da misericórdia divina para com um homem que se havia condenado a si mesmo. Quanto à sua loucura, não podia acreditar nela. Permitiram afinal que o visse. Ele mesmo pedira com insistência minha presença para despedir-se de mim. À primeira vista, verifiquei que seus dias estavam contados. Enfraquecido, a tez amarela, as mãos trêmulas, sufocava, mas havia alegria, emoção em seu olhar.

— Consumou-se! — declarou. — Há muito tempo que desejava ver-te. Por que não vieste?

Dissimulei-lhe que me fora proibido visitá-lo.

— Deus teve piedade de mim e me chama para seu lado. Sei que vou morrer, mas sinto-me calmo e alegre, pela primeira vez desde tantos anos. Depois de minha confissão, minha alma entrou no paraíso. Agora ouso amar meus filhos e beijá-los. Não me acreditam, ninguém acreditou em mim, nem minha mulher, nem meus juízes; meus filhos não acreditarão nunca. Vejo nisso a prova da misericórdia divina para com eles. Herdarão um nome sem mancha. Agora, pressinto Deus, meu coração exulta, como no paraíso... Cumpri meu dever...

Incapaz de falar, ofegava, apertava-me a mão, olhava-me com um ar exaltado. Mas não conversamos muito tempo, sua mulher vigiava-nos furtivamente. Ele pôde, no entanto, murmurar:

— Lembras-te de como voltei à tua casa à meia-noite? Recomendei-te mesmo que te lembrasses. Sabes por que eu voltava? Voltava para matar-te!

Estremeci.

— Depois de haver-te deixado, vaguei pelas trevas, em luta comigo mesmo. De repente, senti por ti um ódio quase intolerável. "Agora — pensei — estou em suas mãos, é meu juiz, sou forçado a denunciar-me, porque ele sabe tudo." Não que eu temesse tua denúncia (não pensava nisso), mas dizia a mim mesmo: "Como ousarei olhá-lo, se não me acusar?". E mesmo que estivesses nos antípodas, a simples ideia de que existias e me julgavas, sabendo de tudo, teria sido insuportável. Detestava-te como responsável por tudo. Voltei à tua casa, lembrando-me de que tinhas um punhal em cima da mesa. Sentei e roguei-te que fizesses o mesmo. Durante um minuto refleti. Matando-te, perdia-me, mesmo sem confessar o outro crime. Mas não pensava nisso, não queria pensar nisso naquele instante. Odiava-te e ardia de desejo de vingar-me de ti. Mas o Senhor venceu o diabo em meu coração. Fica sabendo, pois, que nunca estiveste tão perto da morte.

Morreu ao fim duma semana. Toda a cidade acompanhou-lhe o enterro. O padre pronunciou uma alocução comovida. Deplorou-se a terrível doença que pusera fim a seus dias. Mas toda gente ergueu-se contra mim por ocasião de seus funerais. Cessaram mesmo de receber-me. No entanto, algumas pessoas, depois um maior número, admiram a verdade de suas alegações, vêm muitas vezes interrogar-me com maligna curiosidade, porque a queda e a desonra do justo causam satisfação. Mas guardei silêncio e deixei em breve, definitivamente a cidade. Cinco meses depois, o Senhor julgou-me digno de entrar no bom caminho e eu O bendigo por me ter tão visivelmente guiado. Quanto ao infortunado Mikhail, menciono-o todos os dias em minhas orações.

III / Extratos das conversações e da doutrina do *stáriets* Zósima

e) Do religioso russo e de seu possível papel.

Padres e mestres, que é um religioso? Em nossos dias, nos meios esclarecidos, pronuncia-se este termo com ironia, por vezes mesmo como uma injúria. E isto vai aumentando. É verdade, ai! que se contam, mesmo entre os monges, muitos mandriões, sensuais, libidinosos e desavergonhados vagabundos. "Não passais de preguiçosos, de membros inúteis da sociedade, vivendo do trabalho alheio, mendigos sem vergonha." Entretanto, quantos monges são humildes e mansos, aspiram, à solidão para nela se entregar a fervorosas preces! Não se fala deles, cercam-nos de silêncio e causarei espanto a muita gente dizendo que são eles que salvarão talvez ainda uma vez a terra russa! Porque estão, verdadeiramente prontos para "o dia e a hora, o mês e o ano. Guardam na sua solidão a imagem do Cristo, esplêndida e intata, na pureza da verdade divina, legada pelos padres da Igreja, pelos apóstolos e pelos mártires, e quando a hora chegar, vão revelá-la ao mundo abalado. É uma grande ideia. Essa estreia brilhará no Oriente.

Eis o que penso dos religiosos. Estarei enganado talvez, será presunção minha? Olhai os leigos e esse mundo que se ergue acima do povo cristão: ele não alterou a imagem de Deus e sua verdade? Têm a ciência, mas somente a ciência sujeita aos sentidos. Quanto ao mundo espiritual, a metade superior do ser humano, rejeitam-no, banem-no alegremente; mesmo com ódio. O mundo proclamou a liberdade, sobretudo nestes derradeiros anos, e que representa ela? Nada mais senão a escravidão e o suicídio! Porque o mundo diz: "Tu tens necessidades, cuida de as satisfazer; porque possuis os mesmos direitos que os grandes e os ricos. Não temas satisfazê-las, aumenta-as mesmo." Eis o que se ensina atualmente. Tal é a concepção deles de liberdade. E que resulta desse direito de aumentar as necessidades? Entre os ricos, a solidão e o suicídio espiritual; entre os pobres, a inveja e o crime, porque conferiram-se direitos, mas ainda não se indicaram os meios de satisfazer as necessidades. Assegura-se que o mundo, abreviando as distâncias, transmitindo o pensamento pelos ares, vai se unir sempre cada vez mais, que a fraternidade reinará. Ai! não acrediteis nessa união dos homens. Concebendo a liberdade como o aumento das necessidades e sua pronta satisfação, alteram-lhes a natureza, porque fazem nascer neles uma multidão de desejos insensatos, de hábitos e imaginações absurdos. Não vivem senão para invejar-se mutuamente, para a sensualidade e a ostentação. Dar jantares, viajar, possuir carruagens, cargos, lacaios, passa tudo como uma necessidade à qual se sacrifica até sua vida, sua honra e o amor à humanidade, chegarão a se matar na impossibilidade de satisfazê-la. O mesmo ocorre entre aqueles que são ricos; quanto aos pobres, a insatisfação das necessidades e a inveja são no momento afogadas na embriaguez. Mas em breve, em lugar de vinho, vão se embriagar de sangue, é o fim para que os conduzem. Dizei-me se tal homem é livre. Um "campeão da ideia" contava-me que, estando na prisão, privaram-no de fumo e que essa privação lhe foi tão penosa que quase traiu sua ideia para obtê-lo. Ora, esse indivíduo pretendia lutar pela humanidade. De que ele pode ser capaz? Quando muito dum esforço momentâneo, que não sustentará por muito tempo. Nada de admirar que os homens tenham encontrado sua servitude em lugar da liberdade, e que em lugar de servir à fraternidade e à união, tenham caído na desunião e na solidão, como me dizia outrora meu visitante misterioso e mestre. De modo que a ideia do devotamento à humanidade, da fraternidade e da solidariedade desaparece gradualmente do mundo; na realidade, acolhem-na mesmo com derrisão, porque como desfazer-se de seus hábitos, aonde irá aquele prisioneiro das necessidades inumeráveis que ele próprio inventou? Na solidão, preocupa-se muito pouco com a coletividade. Afinal de contas, os bens materiais aumentaram e a alegria diminuiu.

Bem diferente é o caminho do religioso. Zombam da obediência, do jejum, da oração, entretanto é a única via que conduz à verdadeira liberdade; suprimo as necessidades supérfluas, domo e flagelo pela obediência minha vontade egoísta e orgulhosa; chego assim, com a ajuda de Deus, à liberdade do espírito e com ela à alegria espiritual! Qual dentre eles é mais capaz de exaltar uma grande ideia, de pôr-se a seu serviço, o rico isolado ou o religioso liberto da tirania dos hábitos? Censura-se ao religioso o seu isolamento: "Tu te retiraste para um mosteiro para cuidar de tua salvação, e desertaste a causa fraternal da humanidade". Mas vejamos quem serve mais à fraternidade. Porque o isolamento está do lado deles e não do nosso, mas eles não notam. Foi do nosso meio que saíram outrora os homens de ação do povo. Por que não será assim em nossos dias? Esses jejuadores e esses taciturnos mansos e humildes se erguerão para servir a uma nobre causa. É o povo quem salvará a Rússia. O mosteiro russo sempre esteve com o povo. Se o povo é isolado, nós também o somos. Ele partilha de nossa fé e um político incréu jamais fará nada na Rússia, seja embora sincero e genial. Lembrai-vos disso. O povo derrubará o ateu e a Rússia será unificada na ortodoxia. Preservai o povo e velai pelo seu coração. Instruí-o na paz. Eis vossa missão de religiosos, porque esse povo traz Deus em si.

f) Amos e servos podem tornar-se mutuamente irmãos em espírito?

É preciso confessar que o povo também está presa do pecado. A corrupção aumenta visivelmente todos os dias. O isolamento invade o povo; os açambarcadores e os sanguessugas aparecem: já o comerciante se mostra mais ávido de honras, aspira a mostrar sua instrução, sem que tenha nenhuma; com esse fito, desdenha os antigos usos, envergonha-se mesmo da fé de seus pais. Vai à casa dos príncipes, embora não passe de um mujique depravado. O povo está desmoralizado pela bebedice e não pode curar-se dela. Quantas crueldades na família, para com a mulher e mesmo para com os filhos, causadas por ela! Vi nas fábricas crianças de nove anos, débeis, atrofiadas, curvadas e já corruptas. Um local sufocante, o barulho das máquinas, o trabalho incessante, as obscenidades, a aguardente, é isso que convém à alma dum menino? Precisa é de sol, dos jogos de sua idade, de bons exemplos e de um mínimo de simpatia. É preciso que isso cesse, religiosos, meus irmãos, os sofrimentos das crianças devem ter um fim, levantai-vos e pregai. Mas Deus salvará a Rússia porque se o povo baixo está pervertido e atola-se no pecado, sabe que Deus tem horror ao pecado e se sente culpado perante Ele. De modo que nosso povo não cessou de crer na verdade, reconhece Deus, derrama lágrimas de enternecimento. Não acontece o mesmo entre os grandes. Adeptos da ciência, querem organizar-se equitativamente pela razão apenas, mas sem o Cristo, como outrora; já proclamaram que não há crime nem pecado. Tem razão de acordo com seu ponto de vista, porque sem Deus, onde está o crime? Na Europa, já o povo se subleva contra os ricos, por toda parte seus chefes o incitam ao assassinato e lhe ensinam que sua cólera é justa. Mas "maldita é sua cólera, porque é cruel". Quanto à Rússia, o Senhor a salvará como a salvou muitas vezes. É do povo que virá a salvação, de sua fé, de sua humildade. Meus padres, preservai a fé do povo, não estou sonhando: toda a minha vida fui impressionado pela nobre dignidade de nosso grande povo. Eu a vi, posso atestá-la. Não é servil, após uma escravidão de dois séculos. É livre no seu comportamento e nas suas maneiras, mas sem querer ofender ninguém. Não é vingativo, nem invejoso. "Tu és distinto, rico, inteligente, tens talento. Pois seja; que Deus te abençoe. Respeito-te, mas sabe que também eu sou um homem. O fato de respeitar-te sem inveja revela-te minha dignidade humana." Na verdade, se não dizem (porque ainda não sabem como dizer), agem assim, eu vi, experimentei eu mesmo e, acreditai se puderdes, quanto mais pobre e humilde o homem russo mais se nota nele essa nobre verdade, porque os ricos entre eles, os açambarcadores e os sanguessugas já estão na maior parte pervertidos e nossa negligência, nossa indiferença são muito culpadas por isso. Mas Deus salvará os seus, porque a Rússia é grande pela sua humildade. Penso no nosso futuro, parece-me vê-lo aparecer, porque acontecerá que o rico mais depravado acabará por envergonhar-se de sua riqueza diante do pobre, e o pobre, vendo sua humildade, compreenderá e lhe cederá, responderá jovialmente, amigavelmente, à sua nobre confusão. Ficai certos desse desenlace; tende-se para ele! Só há igualdade na dignidade espiritual e isto só é compreendido entre nós. Havendo irmãos, a fraternidade reinará, e sem a fraternidade não se partilharão jamais os bens. Guardamos a imagem do Cristo e ela resplandecerá aos olhos do mundo inteiro como um diamante precioso... Assim seja!

Padres e mestres, aconteceu-me uma vez algo de tocante. Por ocasião de minhas peregrinações, encontrei na cidade de K*** meu antigo ordenança Afanássi, oito anos depois de me haver separado dele. Tendo-me visto, por acaso, no mercado, reconheceu-me, acorreu todo alegre: *Bátiuchka, bárin,* é mesmo o senhor? Será possível que esteja vendo mesmo o senhor?" Conduziu-me à sua casa. Livre do serviço militar, casara, tinha já dois filhos. Ele e sua mulher viviam de um pequeno negócio de frutas e hortaliças. Seu quarto era pobre, mas limpo e alegre. Fez-me sentar, preparou o samovar, mandou chamar sua mulher, como se fosse uma festa minha visita à sua casa. Apresentou-me seus dois filhos: "Abençoe-os, meu padre". — "Cabe a mim abençoá-los? — respondi. — Não passo de um humilde religioso, mas rogarei a Deus por eles; quanto a ti, Afanássi Pávlovitch, não te esqueço nunca em minhas orações, desde aquele famoso dia, porque és a causa de tudo." Expliquei-lhe da melhor maneira. Ele me olhava sem poder afazer-se à ideia de que eu, seu antigo amo, um oficial, me encontrasse agora diante dele naquele hábito, e chegou mesmo a chorar. "Por que choras — perguntei-lhe —tu a quem não posso esquecer? Rejubila-te antes comigo, meu caro, porque meu caminho está iluminado de felicidade." Ele não falava, mas suspirava e abanava a cabeça com enternecimento. "Que fez de sua fortuna?" — "Dei-a ao mosteiro, vivemos, em comunidade." Depois do chá, despedi-me deles. Deu-me cinquenta copeques, oferenda para o mosteiro, e vejo que ele me enfia cinquenta outros na mão apressadamente. "É para o senhor — disse-me — que viaja. Isto posso servir-lhe, meu padre." Aceitei sua esmola, saudei-o, a ele e à sua esposa, e parti alegre, pensando no caminho: "Todos dois, sem dúvida, ele em sua casa e eu que caminho, suspiramos e nos sorrimos alegremente, de coração contente, lembrando-nos de como Deus fez que nos encontrássemos". Jamais o tornei a ver depois. Eu era seu amo, ele meu servidor, e agora, beijando-nos emocionados, confundimo-nos numa nobre união. Pensei muito nisso e agora digo a mim mesmo: é inconcebível que essa grande e franca união possa realizar-se por toda parte à sua hora, entre os russos? Creio que ela se realizará e que a hora está próxima.

A propósito dos servidores, acrescentarei o que segue: na minha juventude, irritava-me frequentemente contra eles; "a cozinheira serviu demasiado quente, o ordenança não escovou minhas roupas". Mas fui esclarecido pelo pensamento de meu querido irmão, que ouvira na minha infância: "Serei digno de ser servido por outrem? Tenho o direito de explorar sua miséria e sua ignorância?". Admirava-me então de que as ideias mais simples, as mais evidentes nos venham tão tarde ao espírito. Não se pode passar sem servidores neste mundo, mas fazei de maneira a que o vosso se sinta em vossa casa mais livre moralmente do que se não fosse um servidor. E por que não serei o servidor do meu, e que ele o veja, sem nenhum orgulho de minha parte, nem desconfiança da dele? Por que meu servidor não seria como meu parente, que aceitaria afinal com alegria em minha família? De agora em diante, é isto realizável e servirá de base à magnífica união do futuro, quando o homem não quererá mais transformar em servidores seus semelhantes como agora, mas desejará ardentemente, pelo contrário, tornar-se ele próprio o servidor de todos, segundo o *Evangelho*. Seria um sonho crer que o homem encontrará afinal sua alegria unicamente nas obras de civilização e de caridade e não, como em nossos dias, nas satisfações brutais, na glutonaria, na fornicação, no orgulho, na presunção, na supremacia invejosa de uns sobre os outros? Estou persuadido de que não é um sonho e que os tempos estão próximos. Riem, perguntam: quando chegarão esses tempos, é provável que cheguem? Penso que realizaremos essa grande obra com o Cristo. Quantas ideias neste mundo, na história da humanidade, eram irrealizáveis dez anos atrás e no entanto apareceram de repente, quando foi chegado seu termo misterioso e se espalharam por toda a terra! O mesmo acontecerá conosco, nosso povo brilhará diante do mundo e todos dirão: "A pedra que os arquitetos tinham rejeitado tornou-se a pedra angular". Seria possível perguntar aos zombadores se nós sonhamos, quando erguereis vós o vosso edifício, quando vos organizareis equitativamente de acordo apenas com a vossa razão, sem o Cristo? Se afirmarem tender também para a união, somente os mais ingênuos entre eles poderão acreditar nisso, muito embora possa causar espanto essa ingenuidade. Na realidade, há mais fantasia entre eles que entre nós, Podem organizar-se segundo a justiça, mas, tendo repudiado o Cristo, acabarão por inundar o mundo de sangue, porque o sangue chama o sangue e o que tirar a espada perecerá pela espada. Sem a promessa do Cristo, se exterminariam até só restarem dois. E no seu orgulho, não poderiam esses conter-se, o derradeiro suprimiria o penúltimo e a si mesmo em seguida. Eis o que aconteceria sem a promessa do Cristo de deter essa luta por amor dos dois e dos humildes. Depois de meu duelo, estando ainda de uniforme, aconteceu-me falar dos servidores em sociedade e lembro-me de que causei espanto a todo mundo. "Com que então seria preciso instalar o servidor no sofá e oferecer-lhe chá?" Respondi-lhes: "Por que não, ainda que fosse uma vez ou outra?". A gargalhada foi geral. A pergunta deles era frívola e minha resposta não era clara, mas acho que encerrava certa verdade!

g) Da oração, do amor, do contato com os outros mundos.

Jovem, não esqueças a oração. Cada uma delas, se sincera, exprime um novo sentimento, fonte duma ideia nova que ignoravas e que te reconfortará, e compreenderás que a prece é uma educação. Lembra-te ainda de repetir cada dia, e todas as vezes que puderes, mentalmente: "Senhor, tem piedade de todos aqueles que comparecem agora diante de Ti". Porque a cada hora, milhares de seres terminam sua existência terrestre e suas almas chegam à presença do Senhor; quantos entre eles deixaram a terra no isolamento, ignorados de todos, tristes e angustiados por causa da indiferença geral! E talvez na outra extremidade do mundo, tua prece por ele chegará a Deus, sem que vós vos tivésseis conhecido. A alma, tomada de temor na presença do Senhor, ficará comovida por ter também na terra alguém que a ama e intercede por ela. E Deus vos olhará à ambos com mais misericórdia, porque se tens tal compaixão daquela alma, Ele terá muito mais, Ele cuja misericórdia e cujo amor são infinitos. E a perdoará por tua causa.

Meus irmãos, não temais o pecado, amai o homem mesmo no pecado, é isso a imagem do amor divino, amor que não há maior na terra. Amai toda a criação no seu conjunto e nos seus elementos, cada folha, cada raio de luz os animais, as plantas. Amando cada coisa, compreendereis o mistério divino nas coisas. Tendo-o compreendido uma vez, vós o conhecereis sempre mais, cada dia. E acabareis por amar o mundo inteiro com um amor universal. Amai os animais, porque Deus lhes deu o princípio do pensamento e uma alegria tranquila. Não a perturbeis, não os atormenteis tirando-lhes essa alegria, não vos oponhais ao plano de Deus. Homem, não te ergas acima dos animais; eles não têm pecado, ao passo que com tua grande-za manchas a terra com tua aparição, deixando após ti um rasto de podridão — ai! quase todos nós! — Amai particularmente as crianças, porque elas, como os anjos, também não têm pecado; existem para comover-nos os corações, purificá-los, são para nós como uma indicação. Maldito o que ofende um desses pequeninos! Foi o Padre Anfim quem me ensinou a amá-los; sem nada dizer, com os copeques que nos davam em nossas peregrinações, comprava por vezes bolinhos e doces para distribuí-los com eles; não podia passar perto das crianças sem ficar comovido.

Pergunta-se por vezes, sobretudo em presença do pecado: "É preciso recorrer à força ou ao amor humilde?". Não empregueis jamais senão esse amor, podereis assim submeter o mundo inteiro. A humildade cheia de amor é uma força tremenda, sem ne-nhuma outra igual. Cada dia, a cada instante, vigiai-vos, mantende uma atitude digna. Passastes ao lado duma criança blasfemando, sob o império da cólera, sem notá-la; ela, porém, vos viu e guarda talvez em seu coração inocente vossa imagem envilecedora. Vós não a vistes e talvez semeastes em sua alma um mau germe que poderá desenvolver-se e isto porque não vos contivestes diante dessa criança, não cultivastes em vós o amor ativo, refletido. Meus irmãos, o amor é mestre, mas é preciso saber adquiri-lo, porque se adquire dificilmente ao preço dum esforço prolongado; é preciso amar, com efeito, não por um instante, mas até o fim. Qualquer um, até mesmo um celerado, é capaz de um amor fortuito. Meu irmão pedia perdão aos pássaros; isto parece absurdo, mas é justo, porque tudo se assemelha ao Oceano, onde tudo se derrama e comunica, toca--se num lugar e isto repercute na outra extremidade do mundo. Admitamos que seja uma loucura pedir perdão aos pássaros, mas os pássaros, e a criança, e cada animal que vos cerca iam se sentir mais à vontade, se vós mesmos fôsseis mais dignos do que o sois agora, um pouco que seja. Então rezaríeis aos pássaros, possuídos totalmente pelo amor numa espécie de êxtase, vós lhes rogaríeis que vos perdoassem vossos pecados. Estimai esse êxtase, por mais absurdo que pareça aos homens.

Meus amigos, pedi a Deus a alegria. Sede alegres como as crianças, como as aves dos céus. No vosso apostolado não vos deixeis perturbar pelo pecado, não temais que ele macule vossa obra e vos impeça de realizá-la, não digais: "o pecado, a impiedade, o pior exemplo são poderosos, ao passo que nós somos fracos, isolados; o mal triunfará, sufocará o bem". Não vos deixeis abater assim, meus filhos! Só há um meio de salvação, toma a teu cargo todos os pecados dos homens. Com efeito, meu amigo, desde que responderes sinceramente por todos, e por tudo, verás logo que é verdadeiramente assim, que és culpado por todos e por tudo. Mas atirando tua preguiça e tua fraqueza sobre os outros, vais te tornar finalmente cheio de um orgulho satânico e murmurarás contra Deus. Eis o que penso desse orgulho; é nos difícil compreendê-lo aqui embaixo, por isso é que se cai tão facilmente no erro, a ele nos abandonamos, imaginando realizar algo de grande, de nobre. Entre os sentimentos e os movimentos mais violentos de nossa natureza, há muitos que não podemos ainda compreender aqui embaixo; não te deixes seduzir, não penses que isso te possa servir, no que quer que seja de justificação, porque o Juiz soberano te pedirá conta do que podias compreender e não do resto; vais te convencer disto tu mesmo, porque discernirás tudo exatamente e não farás objeção. Sobre a terra, vagamos sem rumo, e se não tivéssemos a preciosa imagem do Cristo para guiar--nos, sucumbiríamos e nos perderíamos totalmente, como o gênero humano antes do dilúvio. Muitas coisas nos estão ocultas neste mundo; em compensação, temos a sensação misteriosa do liame vivo que nos prende ao mundo celeste e superior, as raízes de nossos sentimentos e de nossas ideias não estão aqui, mas em outra parte. Eis por que dizem os filósofos que é impossível sobre a terra compreender a essência das coisas. Deus tomou de empréstimo aos outros mundos as sementes para semeá-las aqui embaixo e cultivou seu jardim. Tudo quanto podia brotar, brotou, mas as plantas que somos vivem somente pelo sentimento de seu contato com esses mundos misteriosos; quando esse sentimento se enfraquece ou some, o que havia em nós brotado perece. Tornamo-nos indiferentes à vida, sentimos mesmo aversão por ela. É esta pelo menos minha ideia.

h) Pode-se ser o juiz de seus semelhantes? Fé até o fim.

Lembra-te de que não podes ser o juiz de ninguém. Porque antes de julgar um criminoso, deve o juiz saber que é ele próprio tão criminoso quanto o acusado, e talvez mais que todos culpado do crime dele. Quando tiver compreendido isto, poderá ser juiz. Por mais absurdo que isto pareça, é verdade. Porque se eu mesmo fosse um justo, talvez não houvesse diante de mim um criminoso. Se podes encarregar-te do crime do acusado que julgas em teu coração, faz isso imediatamente e sofre em seu lugar; quanto a ele, deixa-o ir sem censura. E mesmo se a lei te instituiu juiz dele, tanto quanto é possível, faze também a justiça naquele espírito, porque, uma vez partido, ele ainda vai se condenar mais severamente que o teu tribunal. Se ele se vai insensível a teu bom tratamento e zombando de ti, não fiques impressionado; é que a hora dele ainda não chegou, mas chegará; e no caso contrário, um outro em lugar dele compreenderá, sofrerá, condenará e acusará a si mesmo e a verdade será cumprida. Crê firmemente nisto, é aí que repousam a esperança e a fé dos santos. Não te canses de agir. Se te lembrares à noite, antes de dormir, que não cumpriste o que era preciso, levanta-te logo para cumpri-lo. Se os que te cercam, por malícia ou indiferença, recusam ouvir-te, põe-te de joelhos e pede-lhes perdão, porque, na verdade, é culpa tua se não querem te escutar. Se não podes falar àqueles que estão envinagrados, serve-os em silêncio e na humildade, sem jamais desesperar. Se todos te abandonam e se te expulsam com violência, ao ficares sozinho, prosterna-te, beija a terra, regada com tuas lágrimas, e essas lágrimas darão frutos, ainda mesmo que ninguém te visse, nem te ouvisse na tua solidão. Crê até o fim, mesmo que todos os homens se hajam desviado e tenhas ficado fiel sozinho; leva então tua oferenda e louva a Deus, por teres sido o único a manter a fé. E se dois, tais como vós, se reúnem, então eis a plenitude do amor vivo, beijai-vos com efusão e louvai o Senhor, porque Sua verdade cumpriu-se, ainda que apenas em vós dois.

Se tu mesmo pecaste e estás mortalmente aflito por isso, rejubila-te por um outro, por um justo, rejubila-te por ser ele, em compensação, um justo e não ter pecado.

Se estás indignado e aflito por causa da iniquidade dos homens, a ponto de quereres vingar-te, teme acima de tudo esse sentimento; impõe-te o mesmo castigo como se fosses tu mesmo culpado do crime deles. Aceita esse castigo e suporta-o, teu coração se acalmará, compreenderás que tu também és culpado, porque terias podido esclarecer os celerados mesmo na qualidade de único justo, e não o fizeste. Esclarecendo-os, mostrarias a eles um outro caminho, e o autor do crime não o teria talvez cometido, graças à luz. Se os homens ficarem mesmo insensíveis a essa luz, malgrado teus esforços, e negligenciem sua salvação, fica firme e não duvides do poder da luz celeste; persuade-te de que se não foram eles salvos agora, alcançarão isso mais tarde. E se não for assim, seus filhos serão salvos em lugar deles, porque tua luz não perecerá, mesmo se estiveres morto. O justo desaparece, mas a luz fica. Após a morte do salvador é que a gente se salva. O gênero humano repele seus profetas, massacra-os, mas os homens amam seus mártires e veneram aqueles que eles mesmos fizeram perecer. É pela coletividade que trabalhas, pelo futuro que ages. Não procures recompensa jamais, porque tens já uma grande nesta terra: tua alegria espiritual de que somente o justo partilha. Não temas nem os grandes nem os poderosos, mas sê sábio e sempre digno. Segue a medida, conhece os termos, instrui-te a este respeito. Retirado na solidão, reza. Prosterna-te com amor e beija a terra. Ama incansavelmente, insaciavelmente, todos e tudo, procura esse êxtase e essa exaltação. Rega a terra de lágrimas de alegria, ama essas lágrimas. Não te envergonhes desse êxtase, ama-o, porque é um grande dom de Deus, concedido somente aos eleitos.

i) Do inferno e do fogo eterno. Consideração mística.

Meus padres, pergunto a mim mesmo: "Que é o inferno?". Defino-o assim: "O sofrimento por não poder mais amar". Uma vez, no infinito do espaço e do tempo, um *ser espiritual*, pela sua aparição na terra, teve a possibilidade de dizer: "Eu sou e eu amo". Uma vez somente foi-lhe concedido um momento de amor ativo e vivo, para isso foi-lhe dada a vida terrestre, limitada no tempo; ora, esse ser feliz repeliu esse dom inestimável, nem o apreciou nem amou, considerou-o ironicamente, ficou a ele insensível. Tal ser, tendo deixado a terra, vê o seio de Abraão, entretém-se com ele como está dito na parábola de Lázaro e do mau rico, contempla o paraíso, pode elevar-se até o Senhor, mas o que o atormenta precisamente, é que se apresenta sem ter amado, entra em contato com aqueles que amaram e cujo amor desdenhou. Porque tem uma clara noção das coisas e diz a si mesmo: "Agora tenho o conhecimento e, apesar da minha sede de amor, esse amor será sem valor, não representará nenhum sacrifício, porque a vida terrestre terminou e Abraão não virá aplacar — ainda que com uma só gota de água viva — minha sede ardente de amor espiritual, que agora me abrasa, depois de tê-la desdenhado na terra. A vida e o tempo passaram agora. Daria com alegria minha vida pelos Outros, mas é impossível, porque a vida que se podia sacrificar ao amor já decorreu, um abismo a separa da existência atual". Fala-se do fogo do inferno no sentido literal; temo sondar esse mistério, mas penso que se houvesse mesmo verdadeiras chamas, os danados se regozijariam, porque esqueceriam nos tormentos físicos, ainda que por um instante, a mais horrível tortura moral. É impossível libertá-los dela, porque esse tormento está neles e não fora. E se fosse possível, penso que mais desgraçados seriam ainda. Porque mesmo se os justos do paraíso lhes perdoassem à vista de seus sofrimentos e os chamassem a si no seu amor infinito, não faria senão aumentar-lhes esses sofrimentos, excitando neles essa sede ardente dum amor correspondente; ativo e grato, doravante impossível. Na timidez de meu coração; penso, no entanto, que a consciência dessa impossibilidade acabaria por aliviá-los, porque tendo aceitado o amor dos justos sem poder a ele corresponder, sua humilde submissão criaria uma espécie de imagem e de imitação desse amor ativo e desdenhado por eles na terra... Lamento, irmãos e amigos, não poder formular, claramente isto. Mas infelizes daqueles que se destruíram a si mesmos, infelizes dos suicidas! Penso que não pode haver mais infelizes do que eles. É um pecado, dizem-nos, orar a Deus por eles, e a Igreja aparentemente os repudia, mas meu pensamento íntimo é que se poderia rezar por eles também. O amor não haveria de irritar o Cristo. Toda a minha vida tenho rezado em meu coração por esses infortunados, confesso-o a vós, meus padres, e ainda agora.

Oh! há no inferno seres que permanecem soberbos, e intratáveis, mesmo diante do conhecimento que não pode ser contestado e da contemplação da verdade inelutável; há-os terríveis, que se tornaram totalmente presa de Satanás e de seu orgulho. São mártires voluntários que não podem satisfazer-se com o inferno. Porque são eles próprios malditos, tendo amaldiçoado Deus e a vida. Nutrem-se de seu orgulho irritado como um esfomeado no deserto se poria a sugar seu próprio sangue. Mas são insaciáveis por todos os séculos dos séculos e repelem o perdão. Amaldiçoam Deus que os chama e quereriam que Deus se aniquilasse, Ele e toda a Sua criação. E arderão eternamente no fogo de sua cólera, terão sede da morte e do nada. Mas a morte fugirá deles...

*

Aqui termina o manuscrito dc Alieksiéi Fiódorovitch Karamázov. Repito: está *incompleto* e *fragmentário*. As informações biográficas, por exemplo, só abarcam a primeira juventude do *stáriets*. Aproveitaram de seu ensino e de suas opiniões, para

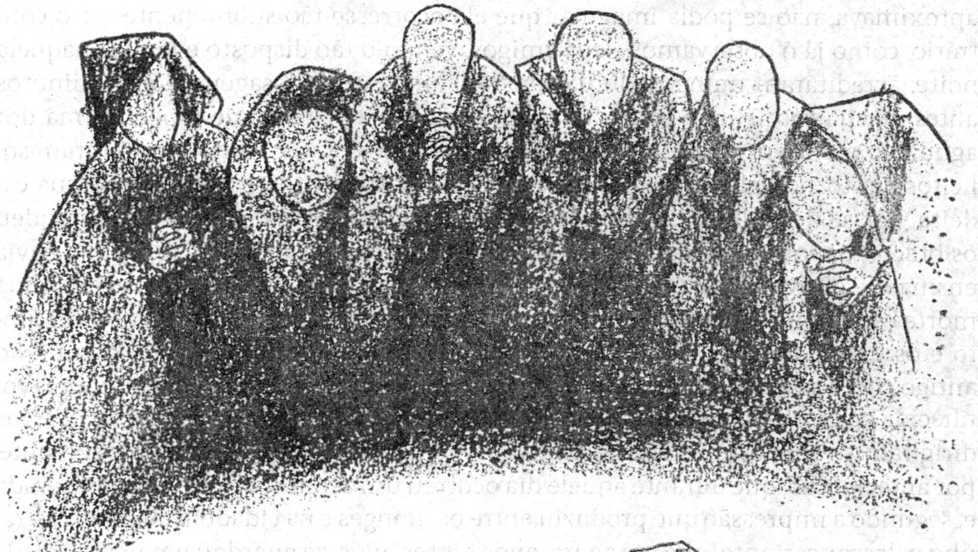

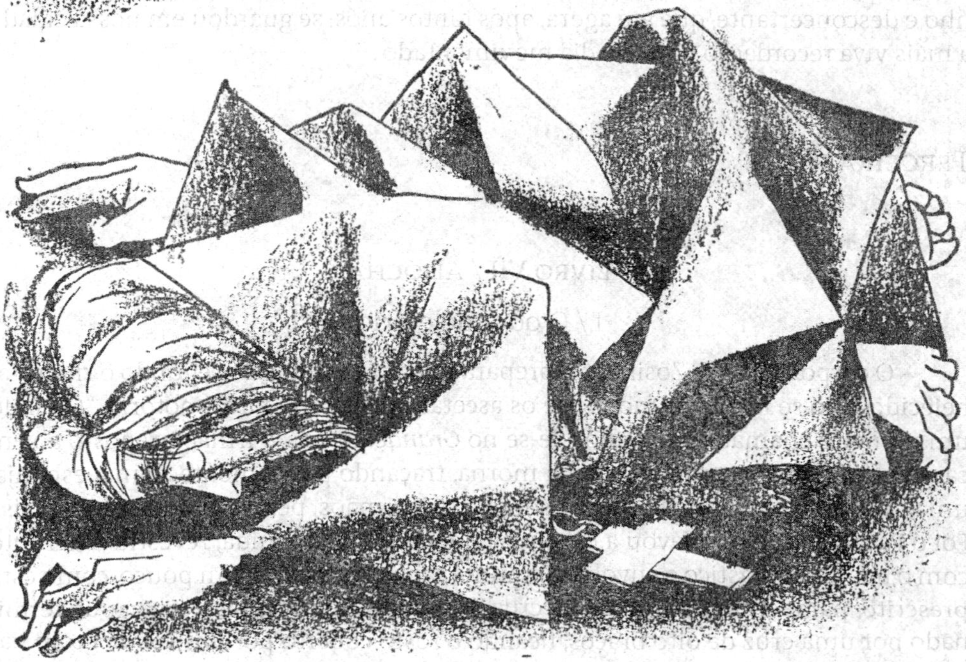

resumi-los num todo, coisas ditas evidentemente em várias ocasiões e em várias vezes. As afirmativas do *stáriets* nas suas derradeiras horas não são precisas, dá-se somente uma ideia do espírito e do caráter dessa conversação, comparados com extratos de outras lições, no manuscrito de Alieksiéi Fiódorovitch. O fim do *stáriets* sobreveio duma maneira verdadeiramente inesperada, porque, muito embora todos os assistentes daquela derradeira noite se dessem conta de que sua morte se aproximava, não se podia imaginar que ela ocorresse tão subitamente; pelo contrário, como já o observamos, seus amigos, vendo-o tão disposto e loquaz naquela noite, acreditaram numa melhora sensível, ainda que passageira. Cinco minutos antes de sua morte, não se podia ainda nada prever. Sentiu de repente uma dor aguda no peito, empalideceu, apoiou suas mãos no coração. Todos se reuniram solícitos em torno dele; sorrindo, apesar de seus sofrimentos, escorregou de sua cadeira, pôs-se de joelhos, prosternou-se com a face inclinada para o chão, estendeu os braços, depois, como em êxtase, beijando a terra e rezando (ele próprio o havia ensinado), entregou suavemente, alegremente, sua alma a Deus. A notícia de sua morte espalhou-se logo no eremitério e alcançou o mosteiro. Os íntimos do defunto e os designados pela sua posição procederam ao amortalhamento, segundo o antigo rito, e a comunidade reuniu-se na igreja. Antes do dia, tornou-se a notícia conhecida na cidade, constituindo-se o assunto de todas as conversas; muitas pessoas dirigiram-se ao mosteiro. Mas falaremos disto no livro seguinte; digamos somente, por antecipação, que durante aquele dia ocorreu um acontecimento tão inesperado e, segundo a impressão que produziu entre os monges e na cidade, a tal ponto estranho e desconcertante, que até agora, após tantos anos, se guardou em nossa cidade a mais viva recordação daquele dia movimentado...

Terceira parte

Livro VII / Alióchá

I / O odor deletério

O corpo do Padre Zósima foi preparado para a inumação segundo o rito estabelecido. Não se lavam os monges e os ascetas falecidos, o fato é notório. "Quando um monge é chamado ao Senhor (lê-se no *Grande Ritual*), o irmão preposto ao encargo esfrega-lhe o corpo com água morna, traçando previamente, com a esponja, uma cruz sobre a fronte do morto, sobre o peito, mãos, pés e joelhos e nada mais." Foi o Padre Paísi quem levou a cabo essa operação. Em seguida, revestiu o defunto com o hábito monástico e envolveu-o numa capa, fendendo-a um pouco, como está prescrito, para lembrar a forma da cruz. Puseram-lhe na cabeça um capuz terminado por uma cruz de oito braços, ficando o rosto coberto por um véu negro, e nas mãos um ícone do Salvador. O cadáver, assim vestido, foi posto pela manhã num ataúde preparado desde muito tempo. Decidiu-se deixá-lo por todo aquele dia no *quarto grande que servia de salão*. Como pertencesse o defunto à categoria de *ieromonakh*, convinha ler em sua intenção não o *Saltério*, mas o *Evangelho*. Depois do ofício dos mortos, o Padre Iósif começou a leitura; quanto ao Padre Paísi, que queria substituí-lo em seguida pelo resto do dia e da noite, estava no momento muito ocupado e inquieto, bem como o superior do eremitério. Verificava-se, com efeito, entre a comunidade e os leigos que acorreram em multidão algo de extraordinário, uma agitação inaudita, inconveniente mesmo, uma expectativa febril. Os dois religiosos faziam tudo quanto estava a seu alcance para acalmar os espíritos superexcitados. Quando clareou suficientemente, viram-se chegar fiéis trazendo consigo seus doentes, sobretudo as crianças, como se só estivessem à espera daquele momento, aguardando uma cura imediata, que não podia tardar em operar-se, segundo a crença deles. Foi somente então que se verificou a que ponto todos tinham o hábito de considerar o defunto *stáriets,* ainda quando vivo, como um verdadeiro santo. E os recém-chegados estavam longe de pertencer todos ao baixo povo. Aquela ansiosa expectativa dos crentes, que se manifestava abertamente, com uma impaciência quase imperiosa, parecia escandalosa ao Padre Paísi e ultrapassava suas previsões. Encontrando religiosos bastante emocionados, falou-lhes assim: "Essa expectativa frívola e imediata de grandes coisas não é possível senão entre os leigos e não convém a nós". Mas não lhe davam ouvidos, e o Padre Paísi percebia isto com inquietação, se bem que ele próprio (se não se quer nada ocultar), embora reprovando esperanças demasiado prontas que achava frívolas e vãs, partilhava delas secretamente, no fundo de seu coração, quase no mesmo grau, e percebia isso. No entanto, certos encontros lhe desagradavam bastante e excitavam dúvidas nele, por uma espécie de pressentimento. Foi assim que, na multidão que se aglomerava na cela, notou com repugnância (e censurou-se por isso imediatamente) a presença de Rakítin e do religioso de Obdorsk, que se retardava no mosteiro. Todos dois pareceram de súbito suspeitos ao Padre Paísi, embora não fossem os únicos a respeito. No meio da agitação geral, o monge de Obdorsk movimentava-se mais que todos, viam-no por toda parte fazendo perguntas, de ouvido à escuta, cochichando com ar misterioso. Parecia impaciente e como que irritado pelo fato de não se ter ainda produzido o milagre de há muito esperado. Quanto a Rakítin, encontrava-se desde bem cedo no eremitério, como se soube mais tarde, seguindo instruções da Senhora Khokhlakova. Assim que essa mulher, boa, porém desprovida de caráter e que não tinha acesso ao ascetério, soube, ao despertar, da notícia, foi tomada de tal curiosidade que enviou imediatamente Rakítin com a missão de tudo observar e mantê-la ao corrente por escrito, mais ou menos a cada meia hora, de tudo quanto acontecesse. Tinha ela Rakítin na conta de um rapaz duma piedade exemplar, tão insinuante era ele e tanto sabia fazer-se valer aos olhos de todos, contanto que encontrasse nisso o mínimo lucro. Como o dia se anunciasse belo, numerosos fiéis comprimiam-se em torno dos túmulos; a maior parte agrupava-se em torno da igreja, outros disseminavam-se aqui e ali. O Padre Paísi, que dava volta pelo ascetério, pensou de repente em Aliócha, a quem não via desde muito tempo. Avistou-o no mesmo instante, no canto mais afastado, perto da cerca, sentado sobre a tumba dum religioso, morto havia muitos anos e famoso pelo seu ascetismo. Estava de costas para o eremitério, de frente para a cerca e o monumento quase o dissimulava. Ao aproximar-se, viu o Padre Paísi que ele havia ocultado seu rosto nas mãos e chorava amargamente, com o corpo sacudido pelos soluços. Observou-o um instante.

— Basta de choro, caro filho, basta, meu amigo — disse ele por fim com simpatia. — Por que chorar? Rejubila-te, pelo contrário. Ignoras, pois, que este dia é um dia sublime para ele? Pensa somente no lugar onde ele se encontra agora, neste minuto!

Aliócha olhou o monge, descobrindo seu rosto molhado de lágrimas como o de um menininho, mas voltou-se imediatamente e tornou a cobrir o rosto com as mãos.

— Talvez tenhas razão em chorar — declarou o Padre Paísi, com ar pensativo. — Foi o Cristo quem te enviou essas lágrimas. "Tuas lágrimas de enternecimento são apenas um repouso da alma e servirão para distrair-te o coração" — acrescentou ele consigo mesmo, pensando com afeto em Aliócha. Apressou-se em afastar-se, sentindo que ele também iria chorar, se o olhasse. Entretanto o tempo decorria, sucediam-se as cerimônias fúnebres. O Padre Paísi substituiu o Padre Iósif junto do ataúde e prosseguiu a leitura do *Evangelho*. Mas antes das três horas da tarde ocorreu aquilo de que já falei no fim do livro precedente, um acontecimento tão inesperado, tão contrário à esperança geral que, repito, nossa cidade e seus arredores dele se lembram até agora com um interesse extraordinário. Acrescentarei que me repugna quase falar desse acontecimento escandaloso, no fundo dos mais vulgares e naturais, e teria decerto passado em silêncio por ele, se não tivesse influído de maneira decisiva sobre a alma e o coração do principal, embora futuro, herói de minha narrativa, Aliócha, nele provocando uma espécie de revolução que lhe agitou a razão, mas o fortaleceu definitivamente para um fim determinado.

Quando, ainda antes do amanhecer, o corpo do *stáriets* foi posto no caixão e transportado para o primeiro quarto, alguém perguntou se era preciso abrir as janelas. Mas esta pergunta, feita incidentemente, ficou sem resposta e quase não foi percebida, exceto por alguns. A ideia de que tal morto pudesse corromper-se e cheirar mal pareceu-lhes absurda e desagradável (senão cômica), por causa do pouco de fé e da frivolidade que revelava, porque se esperava justamente o contrário. Pouco depois do meio-dia começou uma coisa, a princípio notada em silêncio por aqueles que iam e vinham, cada qual temendo visivelmente dar parte aos outros do que pensava, cerca das três horas, foi aquilo verificado com tal evidência que a notícia se espalhou entre todos os visitantes do eremitério, alcançou o mosteiro, onde mergulhou toda gente em espanto e logo depois atingiu a cidade, agitando crentes e incréus. Estes se rejubilaram; quanto aos crentes, houve entre eles quem se rejubilasse inda mais, porque "a queda do justo e de sua honra causam prazer", como dizia o defunto numa de suas lições. O fato é que o ataúde pôs-se a exalar um odor deletério, que foi aumentando. Seria em vão procurar nos anais de nosso mosteiro um escândalo semelhante àquele que se desenrolou entre os próprios religiosos, logo após a comprovação do fato e que teria sido impossível em outras circunstâncias. Bem muitos anos depois, alguns dentre eles, lembrando-se dos incidentes daquele dia, perguntavam a si mesmos com horror como pudera o escândalo atingir tais proporções. Porque, já antes, religiosos irrepreensíveis, duma santidade reconhecida, *stártsi* piedosos tinham morrido e seus caixões haviam espalhado um odor deletério que se manifestava naturalmente, como no caso de todos os mortos, mas sem causar escândalo, nem mesmo emoção alguma. Sem dúvida, segundo a tradição, os restos de outros religiosos, mortos desde muito tempo, tinham escapado à corrupção, coisa de que a comunidade conservava uma recordação comovida e misteriosa, vendo naquilo um fato miraculoso e a promessa duma glória ainda maior provinha de seus túmulos, se tal fosse a vontade divina. Entre eles, guardava-se sobretudo a memória do *stáriets* Jó, morto cerca de 1810, na idade de 105 anos, famoso asceta, grande jejuador e taciturno, cujo túmulo era mostrado com veneração a todos os fiéis que chegavam pela primeira vez ao mosteiro, com alusões misteriosas às grandes esperanças que ele suscitava. (Era o túmulo onde o Padre Paísi encontrara Aliócha pela manhã.) Além desse, citava-se igualmente o Padre Varsonófi, o *stáriets* ao qual havia sucedido o Padre Zósima, o qual, quando vivo, todos os fiéis que frequentavam o mosteiro tinham por "inocente". A tradição pretendia que aqueles dois personagens jaziam nos seus ataúdes como se estivessem vivos, que os tinham enterrado intactos, que seus rostos mesmos estavam de certa forma luminosos. Outros relembravam com insistência que seus corpos exalavam um odor suave. No entanto, malgrado lembranças tão sugestivas, seria difícil explicar exatamente como uma cena tão absurda e chocante pôde passar-se junto ao caixão do Padre Zósima. Quanto a mim, atribuo-a a diferentes causas que agiram todas juntas. Assim, aquele ódio inveterado ao "starietismo", tido como uma inovação perniciosa, que existia ainda entre numerosos monges. Em seguida, havia sobretudo a inveja que se tinha à santidade do defunto, tão solidamente estabelecida quando ele era vivo que se tornara como que proibido discuti-la. Porque, muito embora o *stáriets* conquistasse uma multidão de corações mais pelo amor que pelos milagres e tivesse constituído como que uma falange com aqueles que o amavam, atraíra, no entanto, por isso mesmo, invejosos, depois inimigos encarniçados, declarados e ocultos, não somente no mosteiro, mas entre os leigos. Se bem que não houvesse causado dano a ninguém, dizia-se: "Por que passa ele por santo a tal ponto?". E somente esta pergunta, à força de repetida, acabara por engendrar um ódio inextinguível. De modo que, penso que muitos, ao saber que ele cheirava mal ao fim de tão pouco tempo — pois ainda não se passara um dia que ele morrera —, ficaram encantados; da mesma maneira, aquele acontecimento foi quase um ultraje e uma ofensa pessoal para alguns dos partidários do *stáriets* que até então o haviam reverenciado. Eis em que ordem se sucederam as coisas.

Desde que se declarou a corrupção, bastava ver o aspecto dos religiosos que entravam na cela, podia-se adivinhar o motivo que os levava. O que entrava, tornava a sair ao fim de um momento para confirmar a notícia à multidão dos outros que o esperavam. Uns abanavam a cabeça com tristeza, outros não dissimulavam sua alegria, que explodia em seus olhares maliciosos. E ninguém lhes fazia censuras, ninguém elevava a voz em favor do defunto, o que era mesmo estranho, porque seus partidários formavam a maioria no mosteiro; mas via-se que o Senhor mesmo permitia que a minoria triunfasse provisoriamente. Em breve, apareceram na cela, também como emissários, leigos, na maior parte pessoas instruídas. O baixo povo não entrava, muito embora se comprimisse em multidão às portas do eremitério. É incontestável que a afluência dos leigos aumentou notavelmente, após três horas, em consequência daquela notícia escandalosa. Os que não teriam talvez vindo naquele dia, chegavam agora de propósito e entre eles algumas pessoas duma posição notável. Aliás, o decoro não fora ainda abertamente perturbado e o Padre Paísi, com olhar severo, continuava a ler o *Evangelho* à parte, com firmeza, como se não notasse nada do que se passava, se bem que já tivesse observado algo de insólito. Mas vozes a princípio tímidas, que se firmaram pouco a pouco e tomaram certa audácia, chegaram até seus ouvidos. "De modo que o julgamento de Deus não é o dos homens!", ouviu de repente o Padre Paísi. Esta reflexão foi formulada a princípio por um leigo, funcionário da cidade, homem de certa idade, que passava por muito piedoso; não fez, aliás, senão repetir em voz alta o que os religiosos diziam entre si ao ouvido desde muito tempo. O pior é que proferiam essas palavras pessimistas com uma espécie de satisfação que ia aumentando. Em breve, começou o decoro a ser perturbado, parecia que todos se sentiam autorizados a agir assim. "Como pôde ocorrer isso?", diziam alguns, a princípio como se lamentando, "ele não era corpulento, só tinha a pele e os ossos, por que haveria de feder?" — "É uma advertência de Deus", apressavam-se em acrescentar outros, cuja opinião prevalecia, porque indicavam que se o odor tivesse sido natural, como para todo pecador, teria se manifestado mais tarde, após vinte e quatro horas pelo menos, mas "isso adiantou-se à natureza", portanto deve-se ver nisso o dedo de Deus. Este raciocínio era irrefutável. O manso Padre Iósif, o bibliotecário, favorito do defunto, pôs-se a objetar contra certos maldizentes que "não era em toda parte assim", que a incorruptibilidade do corpo dos justos não era um dogma da ortodoxia, mas apenas uma opinião, e que nas regiões mais ortodoxas, no Monte Atos, por exemplo, liga-se menos importância ao odor deletério; não é a incorruptibilidade física que passa lá como o principal sinal da glorificação dos redimidos, mas a cor de seus ossos, depois que seus corpos permaneceram longos anos sob a terra: "Se os ossos se tornarem amarelos como a cera, significa isto que o Senhor glorificou um justo; mas se ficarem negros, é que o Senhor não o julgou digno. Eis como se procede no Monte Atos, santuário onde se conservam em toda a sua pureza as tradições da ortodoxia", concluiu o Padre Iósif. Mas as palavras do humilde padre não causaram impressão e provocaram mesmo réplicas irônicas: "Tudo isso é erudição e novidades, não adianta ouvi-lo", decidiram entre si os religiosos. "Mantemos os antigos usos; seria preciso imitar todas as novidades que apareçam?", acrescentavam outros. "Temos tantos santos quanto eles. No Monte Atos, sob o jugo turco, esqueceram tudo. A ortodoxia alterou-se entre eles desde muito tempo, nem sinos têm", encareciam os mais irônicos. O Padre Iósif retirou-se cheio de pesar, tanto mais quanto exprimira sua opinião com pouca segurança e sem ajuntar-lhe muita fé. Previa, na sua perturbação, uma cena chocante e um começo de insubordinação. Pouco a pouco, em seguida ao Padre Iósif, todas as vozes prudentes se calaram. Como por uma espécie de acordo, todos aqueles que haviam amado o defunto e aceitado com terna submissão a instituição do "starietismo", foram de súbito tomados de pavor e limitavam-se a trocar olhares tímidos quando se encontravam. Os inimigos do "starietismo", a que consideravam novidade, erguiam altivamente a cabeça: "Não somente o Padre Varsonófi não fedia, mas espalhava um odor suave", recordavam eles com uma alegria maligna. "Seus méritos e não sua posição lhe tinham valido essa justificação." Em seguida, a censura e até mesmo as acusações não foram poupadas contra o defunto: "Ensinava erradamente que a vida é uma grande alegria e não uma humilhação dolorosa", diziam alguns entre os mais obtusos. "Sua crença seguia a nova moda, não admitia o fogo material no inferno", acrescentavam outros ainda mais obtusos. "Não jejuava rigorosamente, permitia-se o uso de doces, tomava mesmo docinhos de cereja com chá, de que gostava muito e que lhe eram enviados pelas senhoras. Convém a um asceta beber chá?", diziam outros invejosos. "Pontificava cheio de orgulho — lembravam com encarniçamento os mais malévolos —, acreditando-se um santo, aceitava que se ajoelhassem diante dele como coisa devida." "Abusava do sacramento da confissão", cochichavam malignamente os mais fogosos adversários do "starietismo" e entre eles religiosos idosos, de uma devoção rigorosa, verdadeiros jejuadores taciturnos, que haviam guardado silêncio durante a vida do defunto, mas abriam agora a boca, coisa deplorável, porque suas palavras fluíam fortemente sobre os jovens religiosos, ainda hesitantes. O monge de São Silvestre, vindo de Obdorsk, era todo ouvidos, suspirava profundamente, abanava a cabeça: "O Padre Fierapont tinha razão ontem", pensava ele consigo, e justamente naquele momento apareceu este, como para redobrar a confusão.

Já dissemos que ele raramente deixava sua cela de madeira no apiário, ficava mesmo muito tempo sem ir à igreja, e que não ligavam a essas fantasias atribuídas à sua maluquice, desobrigando-o do regulamento. Mas, para falar toda a verdade, seus superiores viam-se obrigados a mostrar-se tolerantes para com ele. Porque teriam escrúpulo em impor formalmente a regra comum a tão grande jejuador e taciturno, que rezava dia e noite, adormecendo mesmo de joelhos. "É mais santo que nós todos e suas austeridades ultrapassam a regra", teriam dito então os religiosos; "se não vai à igreja, sabe ele mesmo quando é preciso ir, segue sua própria regra." Era para evitar esses murmúrios prováveis e o escândalo que se deixava em paz o Padre Fierapont. Como todos sabiam, ele sentia verdadeira aversão pelo Padre Zósima e de repente soube na sua cela que "o julgamento de Deus não era o dos homens e havia-se adiantado à Natureza". Pode-se crer que o monge de Obdorsk, que voltara cheio de medo de sua visita da véspera, tivesse sido um dos primeiros a correr para dar-lhe a notícia. Mencionei também que o Padre Païsi, que lia impassível o *Evangelho* diante do ataúde, sem ver nem ouvir o que se passava lá fora, havia, no entanto, pressentido o essencial, porque conhecia a fundo o seu meio. Não estava perturbado e, pronto para qualquer eventualidade, observava com um olhar penetrante a agitação cujo resultado já previa. De repente, um rumor insólito e inconveniente, no vestíbulo, feriu-lhe os ouvidos. A porta escancarou-se e o Padre Fierapont apareceu no limiar.

Da cela, distinguiam-se nitidamente numerosos monges que o tinham acompanhado e se comprimiam no pé do patamar e entre eles leigos. No entanto, não entraram, mas esperaram o que diria e faria o Padre Fierapont, porque previam, não sem temor, apesar de sua ousadia, que por algum motivo ele comparecera ali. Parando no limiar, o Padre Fierapont ergueu as mãos, e por baixo de seu braço direito assomaram os olhos agudos e curiosos do visitante de Obdorsk, incapaz de conter-se, tendo subido sozinho atrás dele por causa de sua extrema curiosidade. Os outros, uma vez que a porta se abriu com estrondo, recuaram, pelo contrário, presas dum medo súbito. De braços erguidos, o Padre Fierapont vociferou:

— Eu afugento os demônios! — E pôs-se logo, voltando-se sucessivamente para os quatro cantos da cela, a fazer o sinal da cruz. Os que o acompanhavam compreenderam imediatamente o sentido de seu ato, sabendo que não importa aonde ele fosse, antes de sentar e de falar, exorcismava o maligno.

— Fora daqui, Satanás, fora daqui! — repetia ele a cada sinal da cruz. — Afugento os demônios! — vociferou de novo. Sua batina grosseira estava cingida por uma corda, sua camisa de cânhamo deixava ver seu peito cabeludo. Tinha os pés inteiramente nus. Assim que agitou os braços, ouviu-se o tinir das pesadas correntes que trazia sob o hábito. O Padre Paísi parou de ler, adiantou-se e ficou diante dele na expectativa.

— Por que vieste, reverendo padre? Por que perturbar a ordem? Por que escandalizar o rebanho humilde? — proferiu ele afinal, olhando-o com severidade.

— Por que vim? Que perguntas tu? Que crês tu? — gritou o Padre Fierapont com ar desvairado. — Vim afugentar vossos hóspedes, os demônios impuros. Verei se vós abrigastes muitos na minha ausência. Quero varrê-los daqui.

— Afugentas o maligno e talvez tu mesmo o sirvas — prosseguiu intrepidamente o Padre Paísi —, e quem pode dizer de si mesmo: "Sou santo"? És tu, meu padre?

— Sou manchado e não santo. Não sento numa cadeira e não quero ser adorado como um ídolo! — trovejou o Padre Fierapont. — Agora, os homens arruinam a santa fé. O defunto, vosso santo — e voltou-se para a multidão, apontando com o dedo o caixão —, rejeitava os demônios. Dava uma droga contra eles. E ei-los que pululam em vossa casa, como as aranhas nos cantos. Agora, ele próprio fede. Vemos nisso uma séria advertência do Senhor.

Era uma alusão a um fato real. O maligno aparecera a um dos religiosos, a princípio em sonho, depois em estado de vigília. Apavorado, relatou a coisa ao *stáriets* Zósima, que lhe prescreveu um jejum rigoroso e orações fervorosas. Como nada desse jeito, aconselhou-o a tomar um remédio, sem renunciar às suas práticas piedosas. Muitos então ficaram chocados e discorriam entre si, abanando a cabeça, sobretudo o Padre Fierapont, ao qual certos detratores se tinham apressado em ir contar aquela prescrição "insólita" do *stáriets*.

— Vai-te embora, padre! — disse imperiosamente o Padre Paísi. — Não cabe aos homens julgar, mas a Deus. Talvez vejamos aqui uma "advertência" que ninguém é capaz de compreender, nem tu nem eu. Vai-te embora. padre, e não escandalizes o rebanho! —repetiu ele num tom firme.

— Não observava ele o jejum prescrito aos professos, eis donde vem essa advertência. Isto é claro, é um pecado dissimulá-lo! —prosseguiu o fanático, deixando-se arrebatar pelo seu zelo extravagante. — Adorava os bombons que as senhoras lhe traziam em seus bolsos; sacrificava a seu ventre, enchia-se de doçuras, nutria seu espírito de pensamentos arrogantes... De modo que está sofrendo esta ignomínia...

— Tuas palavras são fúteis, padre. Admiro teu jejum e teu ascetismo, mas tuas palavras são fúteis, tais como as que pronunciaria no mundo um rapazola inconstante e estouvado. Vai-te, padre, ordeno-te! — concluiu o Padre Paísi, com voz trovejante.

— Eu irei! — proferiu o Padre Fierapont, como que desconcertado, mas sempre cheio de cólera. — Vós vos orgulhais de vossa ciência diante de minha nulidade. Cheguei aqui pouco instruído, aqui esqueci o que sabia, o Senhor mesmo me preservou, a mim, mesquinho que sou, de vossa grande sabedoria...

Imóvel diante dele, o Padre Paísi esperava com firmeza.

O Padre Fierapont calou-se alguns instantes e de súbito ensombreceu-se, levou a mão direita à face, e pronunciou com voz arrastada, olhando o caixão do *stá-riets*:

— Amanhã será cantado para ele: "Ajuda e Protetor", hino glorioso, e para mim, quando eu rebentar, apenas: "Que vida bem-aventurada"[68], medíocre versículo — disse ele, num tom de pesar. — Vós vos orgulhastes e inchastes, este lugar está deserto! — berrou ele, como um insensato, e, agitando os braços, voltou-se rapidamente e desceu à pressa os degraus do patamar. A multidão que o esperava hesitou; alguns o seguiram imediatamente, outros demoraram, porque a cela continuava aberta e o Padre Paísi, que saíra para o patamar, observava, imóvel. Mas o velho fanático não acabara: a vinte passos, voltou-se para o sol poente, ergueu os braços no ar e — como que ceifado — desabou no chão, gritando:

— Meu Senhor venceu! O Cristo venceu o sol poente! — urrava ele como um possesso, os braços estendidos para o sol e caído com o rosto contra o chão; chorava como uma criancinha, sacudido pelos soluços, afastando os braços por terra. Todos então lançaram-se para ele, repercutiram exclamações, soluços... Uma espécie de delírio apoderara-se de todos eles.

— Eis um santo! Eis um justo! — exclamava-se sem temor. — Merece ser *stá-riets* — acrescentavam outros com arrebatamento.

— Ele não quererá ser *stáriets*... ele próprio recusará... não servirá a essa novidade maldita... não irá imitar as loucuras deles — continuaram outras vozes.

É difícil imaginar o que teria acontecido, mas justamente naquele momento o sino tocou chamando ao serviço divino. Todos se benzeram. O Padre Fierapont levantou-se e fez o mesmo, depois dirigiu-se para sua cela sem se voltar, pronunciando palavras incoerentes. Pequeno número de pessoas o seguiu, mas a maior parte se dispersou, com pressa de ir à cerimônia. O Padre Paísi cedeu o lugar ao Padre Iósif e saiu. Os clamores dos fanáticos não podiam abalá-lo, mas sentiu de súbito uma tristeza e uma angústia singulares invadirem-lhe o coração. Perguntou a si mesmo donde lhe vinha essa tristeza que chegava até o abatimento e compreendeu que provinha, ao que parecia, duma causa insignificante. O fato é que, na multidão que se apertava à entrada da cela, avistara Aliócha entre os agitados e lembrava-se de ter experimentado então uma espécie de sofrimento. "Esse rapaz manteria agora tal lugar em meu coração?", perguntou a si mesmo, com surpresa. Naquele instante, passou Aliócha ao lado dele, apressando-se não se sabe para onde, mas não para a igreja. Seus olhares encontraram-se. Aliócha desviou os olhos e baixou-os; somente pelo seu aspecto adivinhou o Padre Paísi a profunda mudança que se operava nele naquele momento.

— Foste também seduzido? — exclamou o Padre Paísi. — Estarias também com as pessoas de pouca fé? — acrescentou, tristemente.

Aliócha parou, olhou-o vagamente, depois de novo desviou os olhos e baixou-*os*. Mantinha-se de lado, sem encarar seu interlocutor. O Padre Paísi observava-o atentamente.

— Aonde vais tão depressa? Tocam para o ofício — disse ele ainda, mas Aliócha não respondeu.

---

68 Ao conduzir-se o cadáver de um simples monge da cela para a igreja e, após a cerimônia fúnebre, da igreja para o cemitério, canta-se o versículo "Que vida bem-aventurada". Se o defunto é um religioso professo de segundo grau, canta-se o hino "Ajuda e Protetor". (N. do A.)

— Deixarias o eremitério sem autorização, sem receber a bênção?

De repente Aliócha sorriu constrangidamente, lançou um olhar dos mais estranhos ao Padre Paísi, que o interrogava, aquele padre ao qual o confiara, antes de morrer, seu antigo diretor, o mestre de seu coração e de seu espírito, seu *stáriets* bem-amado; depois, sempre sem responder, agitou a mão como se já nem cuidasse do respeito devido e dirigiu-se a passos rápidos para a saída do eremitério.

— Tu voltarás! — murmurou o Padre Paísi, acompanhando-o com os olhos e com dolorosa surpresa.

II / Momento crítico

O Padre Paísi não se enganava ao decidir que seu "caro rapaz" voltaria; talvez mesmo compreendera, senão totalmente, pelo menos com sagacidade, o verdadeiro estado da alma de Aliócha. Não obstante, confesso que me seria agora muito difícil definir exatamente aquele momento estranho da vida do jovem e simpático herói de minha narrativa. À pergunta entristecida que o Padre Paísi fazia a Aliócha: "Estarias também com as pessoas de pouca fé?", poderia eu decerto responder com firmeza em lugar dele: "Não, não está com elas". Mais ainda, era até muito pelo contrário: sua perturbação provinha precisamente de sua fé ardente. Existia, contudo, essa perturbação, e tão dolorosa que mesmo muito tempo depois considerava Aliócha aquele triste dia como um dos mais penosos e dos mais funestos de sua vida. Se se pergunta: "É possível que ele experimentasse tanta angústia e agitação unicamente porque o corpo de seu *stáriets*, em lugar de operar milagres, se havia pelo contrário rapidamente decomposto?", responderei sem rebuços: "Sim, é bem isto". Rogarei todavia ao leitor que não se apresse em rir da simplicidade de meu rapaz. Não somente não tenho a intenção de pedir perdão por ele, ou de desculpar e de justificar sua fé ingênua atribuindo-a à sua juventude, por exemplo, ou aos fracos progressos realizados em seus estudos etc., mas declaro, pelo contrário, sentir sincero respeito pela natureza de seu coração. Seguramente, outro rapaz, acolhendo com reserva as impressões do coração, morno e não ardente nas suas afeições, leal, mas de espírito por demais judicioso para sua idade, tal rapaz, digo eu, teria evitado o que aconteceu ao meu; mas em certos casos é mais honroso ceder por inteiro ao impulso, ainda que pouco sensato, provocado por um grande amor, que a ele resistir. Com mais forte razão na juventude, porque um rapaz constantemente judicioso é suspeito e não vale grande coisa, eis minha opinião! "Mas — dirão talvez as pessoas sensatas — todo rapaz não pode crer em tal preconceito e o vosso não é um modelo para os outros." Ao que responderei: "Sim, meu rapaz acreditava com fervor, totalmente, mas não pedirei perdão para ele".

Muito embora eu tenha declarado mais acima (talvez com demasiada pressa) não querer desculpar nem justificar meu herói, vejo que uma explicação é necessária para a compreensão ulterior da narrativa. Não se tratava aqui de esperar milagres com uma impaciência frívola. E não é para o triunfo de certas convicções que Aliócha tinha então necessidade de milagres, nem pelo de alguma ideia preconcebida sobre alguma outra, de maneira alguma: antes de tudo, no primeiro plano, surgia diante dele uma figura que absorvia tudo, a figura de seu *stáriets* bem-amado, do justo a quem tanto venerava. Era sobre ele, sobre ele só, que se concentrava por vezes, pelo menos nos seus mais vivos impulsos, todo o amor que ele trazia em seu jovem coração "por todos e por tudo", agora e no ano anterior. Na verdade, aquele ser encarnava desde tanto tempo a seus olhos o ideal absoluto, que a ele aspirava com todas as forças de sua juventude, exclusivamente, até a esquecer, por momentos "todos e tudo". (Lembrou-se mais tarde ter completamente esquecido, naquele penoso dia, seu irmão Dimítri, com quem tanto se preocupava na véspera; esquecera-se também de levar os duzentos rublos ao pai de Iliúcha, como prometera a si mesmo fazer.) Não era de milagres que necessitava, mas somente da justiça suprema, violada a seus olhos, o que o magoava profundamente. Que importava que aquela justiça esperada por Aliócha tomasse pela força das coisas a forma de milagres operados imediatamente pelos despojos de seu antigo diretor a quem adorava? Era o que pensava e esperava todo mundo, no mosteiro, mesmo aqueles diante dos quais ele se inclinava, o Padre Paísi, por exemplo; Aliócha, sem se deixar perturbar pela dúvida, pensava da mesma maneira que eles. Um ano inteiro de vida monástica o havia preparado para isso, seu coração estava acostumado àquela expectativa. Mas tinha sede de justiça e não somente de milagres! E aquele que deveria ter sido, segundo sua esperança, elevado acima de todos, achava-se rebaixado e coberto de vergonha! Por que isso? Quem era juiz? Essas questões atormentavam seu coração inocente. Fora ofendido e mesmo irritado por ver o justo entre os justos entregue às zombarias malévolas da multidão frívola, tão inferior a ele. Que nenhum milagre se houvesse realizado, que a expectativa geral tivesse sido iludida, ainda passava! Mas por que aquele opróbrio, aquela decomposição apressada que "se adiantava à Natureza", como diziam os monges malévolos? Por que aquela "advertência" com que triunfavam em companhia do Padre Fierapont, por que se achavam autorizados a isso? Onde estava, pois, a Providência? Com que fim Ela se havia retirado "no momento decisivo" (pensava Aliócha), parecendo submeter-se às leis cegas e impiedosas da Natureza?

De modo que o coração de Aliócha sangrava; como já o dissemos, tratava-se do ser a quem ele mais amava no mundo e que ficara "coberto de ignomínia e de infâmia!". Queixas fúteis e insensatas, mas, repito pela terceira vez (e talvez com frivolidade, concordo): causa-me satisfação meu rapaz não ter se mostrado discreto em semelhante momento, porque a discrição vem sempre a seu tempo, quando não se é tolo; ao passo que se num momento como aquele não tivesse havido amor no coração do rapaz, quando teria havido? É preciso mencionar, no entanto, um fenômeno estranho, mas passageiro, que se manifestou no espírito de Aliócha naquele instante crítico. Era, a intervalos, uma impressão dolorosa resultante da conversa da véspera com seu irmão Ivan, que o obsedava agora. Não que suas crenças fundamentais estivessem de algum modo abaladas: amava seu Deus e nele cria firmemente, se bem que houvesse murmurado subitamente contra ele. No entanto, uma impressão confusa, mas penosa e má, proveniente daquela conversa, surgiu em sua alma, tendendo a impor-se cada vez mais. Ao cair da noite, Rakítin, que atravessava o bosque de pinheiros para ir ao mosteiro, avistou Aliócha, estendido sob uma árvore, o rosto contra a terra, imóvel e parecendo dormir. Aproximou-se e interpelou-o.

— És tu, Alieksiéi? Será possível que tu... — proferiu ele, admirado mas não terminou. Queria dizer: "Será possível que hajas chegado a esse ponto?". Aliócha não voltou a cabeça, mas segundo um movimento que ele fez, adivinhou Rakítin que ele o ouvia e compreendia.

— Que tens afinal? — prosseguiu ele, surpreso, mas um sorriso irônico aparecia já em seus lábios. — Escuta, procuro-te há mais de duas horas. Desapareceste de repente. Que fazes, pois, aqui? Olha-me, pelo menos!

Aliócha ergueu a cabeça, sentou-se, encostando-se à árvore. Não chorava, mas seu rosto exprimia o sofrimento. Lia-se a irritação em seus olhos. Aliás, não olhava Rakítin, mas para o lado.

— Mas não tens mais o mesmo rosto! Tua famosa doçura desapareceu. Zangaste-te contra alguém? Ofenderam-te?

— Deixa-me! — disse de súbito Aliócha, sem olhá-lo, com um gesto de lassidão.

— Oh! oh!, eis como estamos! Um anjo, gritar como os simples mortais! Ora essa, Aliócha, francamente, tu me surpreendes, a mim que de nada me espanto. Acreditava que fosses um homem instruído.

Aliócha olhou para ele afinal, mas com um ar distraído, como se o compreendesse mal.

— E tudo isso porque o teu velho cheira mal! Acreditavas seriamente que ele ia fazer milagres? — exclamou Rakítin, com sincero espanto.

— Acreditei, acredito, quero acreditar sempre! Que precisas mais? — perguntou Aliócha, com irritação.

— Nada absolutamente, meu caro. Que diabo! os escolares de treze anos não creem mais nisso! Então, tu te zangaste, eis-te agora revoltado contra Deus: nada de pagamento, nada de condecoração! Que miséria!

Aliócha olhou-o longamente, com os olhos semicerrados, um clarão passou neles... mas não era de cólera contra Rakítin.

— Não me revolto contra meu Deus, apenas não aceito seu universo — disse ele, com um sorriso constrangido.

— Como, não aceitas o universo? — E Rakítin refletiu um instante. — Que trapalhada é essa?

Aliócha não respondeu.

— Deixemos essas bagatelas; ao fato! Comeste hoje?

— Não me lembro... Creio que sim.

— Deves restaurar-te, tens ar de esgotamento, faz pena ver. Não dormiste esta noite, ao que parece, tiveste uma sessão. Em seguida toda essa barafunda, essas palhaçadas. Com certeza não te empanturraste senão de pão bento. Tenho no bolso um salsichão que trouxe inda há pouco da cidade, por prevenção, mas não haverias de querer...

— Dá-me.

— Ah! ah! Então, é a revolta franca, as barricadas! Pois bem, irmão, não percamos tempo. Vem à minha casa... Beberei de boa-vontade vodca, estou fatigadíssimo. A vodca, decerto, não te tenta... Gostarias?

— Dá-me vodca também.

— Ah! bravo! É curioso! — exclamou Rakítin, lançando-lhe um olhar estupefato. — Seja como for, vodca ou salsichão não são de desdenhar, vamos!

Aliócha levantou-se sem dizer palavra e seguiu Rakítin.

— Se teu irmão Ivan Fiódorovitch te visse, ele é quem ficaria surpreendido! A propósito, sabes que ele partiu esta manhã para Moscou?

— Sei — disse Aliócha, com indiferença. De repente, a imagem de Dimítri apareceu-lhe, um instante apenas; lembrou-se vagamente de um negócio urgente, de um dever imperioso a cumprir, mas essa recordação não lhe causou nenhuma impressão, não chegou até seu coração, apagou-se logo de sua memória. Mais tarde, lembrou-se disso muito tempo.

— Teu irmão Vânia chamou-me uma vez de palerma liberal. Tu mesmo me deste um dia a entender que eu era desonesto... Pois seja. Vão ser vistas agora vossas capacidades e vossa honestidade (isto Rakítin cochichou para si mesmo). Escuta — continuou ele em voz alta —, evitemos o mosteiro, a vereda nos leva diretamente à cidade... Hum! Devo passar em casa da Khokhlakova. Escrevi-lhe a respeito dos acontecimentos e imagina que ela me respondeu por um bilhete a lápis (adora escrever, essa dona) que "não teria jamais esperado semelhante conduta da parte de um *stáriets* tão respeitável como o Padre Zósima!". Sic. Ela também zangou-se. Sois todos iguais! Espera!

Parou bruscamente e, com a mão sobre o ombro de Aliócha, reteve-o, dizendo:

— Sabes, Aliócha? — Olhava-o bem dentro dos olhos, sob a impressão de uma ideia súbita que temia visivelmente formular, apesar de seu ar zombeteiro, tanta dificuldade tinha em crer nas novas disposições de Aliócha. — Sabes aonde faríamos bem em ir? — disse, num tom insinuante.

— Aonde queiras... tanto faz.

— Vamos à casa de Grúchenhka, hein? Queres? — disse por fim Rakítin, todo tremente de expectativa.

— Vamos — respondeu tranquilamente Aliócha. Rakítin esperava tão pouco esse pronto consentimento que quase deu um salto para trás.

— Até que enfim! — ia ele exclamar, mas agarrou Aliócha pelo braço e arrastou-o rapidamente, temendo vê-lo mudar de opinião. Caminhavam em silêncio. Rakítin tinha medo de falar.

— Como ela ficará contente! ... — quis ele dizer, mas calou-se. Não era decerto para fazer prazer a Grúchenhka que lhe levava Aliócha; um homem sério como ele só agia por interesse. Tinha um duplo fim: vingar-se em primeiro lugar, contemplar "a ignomínia do justo" e a "queda" provável de Aliócha, "de santo tornado pecador", do que se rejubilava de antemão; além disso, tinha em vista uma vantagem material de que se tratará mais longe.

"Eis uma ocasião que é preciso agarrar pelos cabelos", pensava ele com uma alegria maligna.

III / A cebola

Grúchenhka morava no bairro mais animado, perto da praça da Igreja, em casa da viúva do comerciante Morózov, onde ocupava no pátio um pequeno pavilhão de madeira. A Casa Morózova[69], de pedra, de dois andares, era velha e feia. A proprietária,

---

69 Costumavam-se denominar os prédios pelos nomes dos seus proprietários.

mulher idosa, vivia ali sozinha com duas sobrinhas, solteironas. Não tinha necessidade de alugar seu pavilhão, mas sabia-se que admitira Grúchenhka como locatária (quatro anos antes) unicamenta para comprazer a seu parente, o comerciante Samsónov, protetor declarado de Grúchenhka. Dizia-se que o velho ciumento, instalando em casa dela sua "favorita", contava com a vigilância da velha para fiscalizar a conduta de sua locatária. Mas essa vigilância tornou-se em breve inútil, de sorte que a Senhora Morózova só via raramente Grúchenhka e cessara de importuná-la espionando-a. Na verdade, quatro anos já haviam decorrido desde que o velho trouxera da sede do distrito aquela jovem de dezoito anos, tímida, acanhada, franzina, magra, pensativa e triste, e muita água havia passado sob as pontes. Não se sabia nada de preciso sobre ela na nossa cidade e nada mais se soube depois, mesmo quando muitos começaram a interessar-se pela beleza perfeita que se tornara, em quatro anos, Agrafiena Aliek-sándrovna. Contava-se que, aos dezessete anos fora seduzida por um oficial que logo a abandonara. Partira para casar-se, deixando Grúchenhka na ignomínia e na miséria. Dizia-se, aliás, que, apesar de tudo, provinha Grúchenhka de uma família honrada e dum meio eclesiástico, sendo filha de um diácono em disponibilidade, ou algo de parecido. Em quatro anos, a órfã sensível, desgraçada, franzina tornara-se viçosa, rosada, uma beleza russa de caráter enérgico, orgulhosa, impudente, hábil em manejar o dinheiro e em adquirir, avara e avisada, que soubera, honestamente ou não, amontoar certo capital. Uma única coisa não deixava dúvida alguma: é que Grúchenhka era inacessível e que, exceto o velho, seu protetor, ninguém, durante quatro anos, pudera vangloriar-se de ter-lhe conquistado os favores. O fato era certo, porque muitos suspirantes se haviam apresentado, sobretudo nos dois últimos anos. Mas todas as tentativas fracassaram e alguns tiveram de bater em retirada, cobertos de ridículo, graças à resistência daquela jovem criatura de caráter enérgico. Sabia-se ainda que ela se ocupava com negócios, sobretudo desde um ano, e manifestava nisso capacidades notáveis, tanto que muitos tinham acabado por chamá-la de judia. Não que emprestasse com usura, mas sabia-se, por exemplo, que em companhia de Fiódor Pávlovitch Karamázov resgatara, durante algum tempo, promissórias a preço vil, pelo décimo de seu valor, conseguindo recuperar em seguida, em certos casos, a totalidade da dívida. O velho Samsónov, cujos pés inchados não o transportavam mais havia um ano, viúvo que tiranizava seus filhos maiores, capitalista duma avareza impiedosa, caíra, no entanto, sob a influência de sua protegida, a quem no começo tratara com mesquinharia, a pão e laranja, a "óleo de semente de cânhamo", como diziam os zombadores. Mas Grúchenhka soubera emancipar-se, ao mesmo tempo que lhe inspirava uma confiança sem limites quanto à sua fidelidade. Aquele velho, grande homem de negócios, tinha também um caráter notável: avaro e duro como pedra, se bem que Grúchenhka o tivesse subjugado a ponto de ele não poder passar sem ela, não chegou a conceder-lhe capitais importantes e, mesmo se ela o houvesse ameaçado de abandoná-lo, teria ficado inflexível. Em compensação, reservou-lhe certa soma, e, quando se soube disso, foi motivo de espanto para todo mundo. "Tu não és tola — disse ele, dando-lhe oito mil rublos —, opera tu mesma, mas fica sabendo que fora de tua pensão anual, como antes, não receberás nada mais até minha morte e que não te deixarei nada em testamento. "Manteve a palavra e seus filhos, que sempre mantivera em sua casa como criados com suas mulheres e seus filhos, herdaram tudo; Grúchenhka nem mesmo foi mencionada no testamento. Com seus conselhos sobre a maneira de fazer valer seu capital, ele a ajudou notavelmente e indicou-lhe "negócios". Quando Fiódor Pávlovitch Karamázov, que entrou em relações com Grúchenhka, a propósito duma operação "fortuita", acabou ficando apaixonado por ela a ponto de perder a razão, o velho Samsónov, que já estava com um pé na sepultura, divertiu-se muito. É de notar que Grúchenhka foi, durante todo o tempo de suas relações com seu velho, plena e até cordialmente sincera para com ele, e isto, ao que parece, não o fora com nenhum outro homem do mundo. Mas quando Dimítri Fiódorovitch entrou na fila, o velho cessou de rir: "Se for preciso escolher entre os dois — disse-lhe ele, uma vez, seriamente escolhe o pai, mas com a condição de que o velho patife case contigo e te consigne antecipadamente certo capital. Não te ligues com o capitão, não tirarás disso nenhum proveito," Assim falou o velho libertino, pressentindo seu fim próximo; morreu com efeito cinco meses mais tarde. Seja dito de passagem, se bem que na cidade a rivalidade absurda e chocante dos Karamázovi pai e filho fosse conhecida desde muito, que as verdadeiras relações de Grúchenhka com cada um deles permaneciam ignoradas da maior parte. Até mesmo suas criadas (após o drama de que falaremos) testemunharam em justiça que Agrafiena Aliekssándrovna recebia Dimítri Fiódorovitch unicamente por temor, porque ameaçara matá-la. Tinha duas criadas, uma cozinheira bastante idosa, desde muito tempo ao serviço de sua família, doente e quase surda, e sua neta, esperta, arrumadeira de vinte anos de idade. Grúchenhka vivia muito parcamente, num interior dos mais modestos, três peças mobiliadas de acaju pela proprietária, no estilo de 1820. À chegada de Rakítin e Aliócha, era já noite, mas ainda não haviam acendido as luzes. A jovem mulher estava estendida no salão, sobre seu divã de espaldar de acaju, duro e recoberto de couro, já usado e furado, com a cabeça apoiada em dois travesseiros. Repousava de costas, imóvel, com as mãos atrás da cabeça, trazendo um vestido de seda preta, com um toucado de renda que lhe sentava admiravelmente; nos ombros, um ficho preso por um broche de ouro maciço. Esperava alguém, inquieta e impaciente, a tez pálida, os lábios e os olhos ardentes, com o pezinho a bater compasso sobre o braço do divã. Ao rumor que fizeram os visitantes ao entrar, saltou em terra, gritando com voz de terror: "Quem vem lá?". A arrumadeira apressou-se em tranquilizar sua ama.

— Não é ele, não tenha medo.

"Que terá ela?", murmurou Rakítin, levando Aliócha pelo braço para o salão. Grúchenhka continuava de pé, ainda mal reposta de seu terror. Uma grossa mecha de seus cabelos castanhos, escapada de seu toucado, caía-lhe sobre o ombro esquerdo; ela, porém, não lhe deu atenção e só a arranjou quando reconheceu os visitantes.

— Ah! és tu, Rakitka? Fiquei com medo! Com quem estás? Meu Deus, eis quem me trazes! — exclamou ela, ao perceber Aliócha.

— Manda então acender a luz! — disse Rakítin, com o tom dum familiar que tem direito de mandar na casa.

— Decerto... Fiénia, traze-lhe uma vela. Achaste o momento propício para trazê-lo. — Fez um sinal com a cabeça a Aliócha e arranjou seus cabelos diante do espelho. Parecia descontente.

— Não te agrada isso? — perguntou Rakítin, com súbito ar de enfado.

— Fiquei com medo, Rakitka, eis tudo — e Grúchenhka voltou-se sorrindo para Aliócha. — Não tenhas medo de mim, meu caro Aliócha, estou encantada com tua visita inesperada. Pensava que era Mítia que queria entrar à força. Estás vendo?

Enganei-o ainda há pouco, jurou-me que acreditava em mim e menti-lhe. Disse-lhe que ia à casa do meu velho Kusmá Kuzmitch fazer contas a noite toda. Vou lá, com efeito, uma vez por semana. Fechamo-nos a chave: ele cavaca suas contas e eu escrevo nos livros. Ele só se fia em mim. Como foi que Fiénia deixou que vocês entrassem? Fiénia, corre ao portão, verifica se o capitão não anda rondando por perto. Talvez esteja escondido e nos espione, tenho um medo terrível!

— Não há ninguém, Agrafiena Alieksándrovna. Olhei para todos os lados, vou espiar a cada instante pelas frestas, porque eu também tenho medo.

— Os postigos estão fechados, Fiénia, baixa as cortinas, senão ele verá a luz. Temo hoje teu irmão Mítia, Aliócha. — Grúchenhka falava muito alto, com ar inquieto e superexcitado.

— Por que o temes tanto hoje? — perguntou Rakítin. — Comumente, ele não te causa terror. Tu o fazes andar como bem entendes.

— Digo-te que espero uma notícia, de modo que Mítia seria aqui demais agora. Não acreditou que eu ia à casa de Kusmá Kuzmitch, tenho esta impressão. Agora, deve estar montando guarda no jardim da casa de Fiódor Pávlovitch. Se está emboscado lá, não virá aqui, tanto melhor! Fui deveras à casa do velho e Mítia me acompanhava; arranquei-lhe a promessa de ir procurar-me à meia-noite. Dez minutos depois, saí e corri até aqui, tremendo de medo de que ele tornasse a me encontrar.

— Por que estás tão bem vestida? Tens um toucado bastante curioso.

— Tu mesmo é que és bastante curioso, Rakítin! Repito-te que estou esperando uma notícia. Assim que a receber, levantarei voo e vocês não me verão mais. Eis por que me preparei assim.

— E para onde levantarás voo?

— Se te perguntarem, dirás que não sabes de nada.

— Como ela está alegre!... Nunca te vi assim. Está enfeitada como quem vai para um baile? — admirou-se Rakítin, examinando-a.

— Estás ao corrente dos bailes?

— E tu?

— Eu vi um baile. Há três anos, quando Kuzmá Kuzmitch casou seu filho; eu olhava da tribuna. Mas por que conversarei contigo, quando tenho um príncipe como hóspede? Meu caro Aliócha, não quero crer nos meus olhos; como aconteceu que viesses à minha casa? Na verdade, não te esperava, jamais acreditei que pudesses vir. O momento é mal escolhido, no entanto estou bem contente. Senta-te no divã, aqui, meu belo astro! Na verdade, ainda não voltei a mim... Rakitka, se o tivesses trazido ontem ou anteontem?... Pois bem, assim mesmo estou contente. Talvez seja melhor agora, em tal minuto, que no outro dia...

Sentou-se vivamente ao lado de Aliócha, examinando-o, extasiada. Estava contente de verdade e não mentia. Seus olhos brilhavam, sorria, mas com bondade. Aliócha não esperava ver nela uma expressão tão benévola... Fizera dela uma ideia aterrorizadora. Seu rompante pérfido contra Katierina Ivânovna havia-o transtornado na antevéspera, agora se espantava por vê-la tão mudada. Por mais acabrunhado que se sentisse pelo seu próprio pesar, examinava-a, contra a própria vontade, com atenção. Suas maneiras tinham melhorado, as entonações melífluas, a languidez dos movimentos tinham quase desaparecido... agora, simplicidade, gestos prontos, sinceros, mas via-se que estava superexcitada.

— Meu Deus, que coisas estranhas se passam hoje! Por que me sinto tão feliz por ver-te, Aliócha? Não sei.

— É mesmo verdade? — perguntou Rakítin, sorrindo. — Antes, tinhas um motivo ao insistir para que eu o trouxesse aqui.

— Sim, um motivo que não existe mais agora, o momento passou. E agora vou tratar bem vocês. Tornei-me melhor agora, Rakitka. Senta também. Mas já o fizeste. Ele não se esquece. Estás vendo, Aliócha? Está ressentido porque não o convidei em primeiro lugar para sentar. É muito suscetível, esse meu caro amigo. Não te zangues, Rakitka, sinto-me boa neste momento. Por que estás tão triste, Aliócha? Terias medo de mim? — E Grúchenhka sorriu maliciosa, olhando-o bem nos olhos.

— Tem um pesar. Uma recusa de posto.

— Que posto?

— O *stáriets* dele cheira mal.

— Como assim? Tagarelas, alguma vilania ainda, sem dúvida. Aliócha, deixa-me sentar em teus joelhos, assim. — E logo se instalou sobre os joelhos dele, risonha, tal como uma gata cariciosa, com o braço direito ternamente passado em redor do pescoço dele.

— Saberei bem fazer-te rir, meu gentil devoto! Na verdade, deixas-me sobre teus joelhos, isto não te causa zanga? Basta que digas e levantarei.

Aliócha calava-se. Não ousava mover-se, não respondendo às palavras ouvidas, como que inerte. Mas não experimentava o que podia imaginar Rakítin, por exemplo, que o observava com ar galhofeiro. Seu grande pesar absorvia as sensações possíveis e se ele pudesse analisar-se naquele momento, teria compreendido que estava encouraçado contra as tentações. Não obstante, malgrado a inconsciência de seu estado e a tristeza que o acabrunhava, causava-lhe espanto uma sensação estranha: aquela mulher terrível não lhe inspirava mais aquele terror, inseparável no seu coração da ideia da mulher. Pelo contrário, instalada sobre seus joelhos e enlaçando-o despertava nele um sentimento inesperado, uma extraordinária e cândida curiosidade, sem o menor pavor; eis o que o surpreendia contra sua vontade.

— Basta de tanta conversa sem nada dizer! — exclamou Rakítin. — Manda antes servir o champanhe. Sabes que prometeste isto.

— É verdade, Aliócha, prometi-lhe antes de tudo champanhe, se ele te trouxesse. Fiénia, traze a garrafa que Mítia deixou, despacha-te. Se bem que avarenta, darei uma garrafa, não para ti, Rakítin, não passas de um pobre-diabo, mas para ele. Embora não esteja disposta a isso, quero beber com vocês.

— Qual é afinal essa "notícia"? Pode-se saber, é segredo? —insistiu Rakítin, fingindo não notar o motejo lançado contra ele.

— Um segredo de que estás a par — disse Grúchenhka, com ar preocupado. — O meu oficial vai chegar, Rakítin.

— Ouvi dizer isso; mas está tão perto assim?

— Ele está agora em Mókroie, donde me enviará um portador. Acabo de receber uma carta dele. Espero.

— Ora essa! Por que em Mókroie?

— Seria longo demais contá-lo. Chega.

— Mas então, e Mítia, está sabendo?

— Nem uma palavra. Senão, me mataria. Aliás, não tenho mais medo dele agora. Cala-te, Rakitka; não quero ouvir mais falar disso. Ele me causou muito mal. E não quero mais pensar nisso, prefiro pensar em Aliócha, olhá-lo... Sorri, pois, meu querido, desenruga o rosto, me darás prazer... Mas ele sorriu! Vê como ele me olha com olhar acariciante. Sabes, Aliócha, acreditava que me querias mal por causa da cena de ontem, em casa daquela senhorita. Fui grosseira... "No entanto, apesar de tudo, a coisa foi bem sucedida. Esteve bem e esteve mal" — disse Grúchenhka, pensativamente, com um sorriso mau. — Mítia me contou que ela gritava: "É preciso chicoteá-la!". Ofendi-a gravemente. Atraiu-me à sua casa, querendo subjugar-me, seduzir-me com seu chocolate... Não, o que se passou, correu muito bem. — Sorriu de novo. — Somente, receio que te hajas zangado...

— Na verdade, Aliócha, ela tem medo de ti, de ti, o pintainho — interveio Rakítin, com real surpresa.

— Para ti, Rakítin, é que é ele um pintainho, porque não tens consciência. Eu o amo. Acreditas, Aliócha, amo-te de toda a minha alma.

— Ah! a desavergonhada! Faz-te uma declaração, Aliócha.

— E com isso? Amo-o.

— E o oficial? E a feliz notícia de Mókroie?

— Não é a mesma coisa.

— Eis a lógica das mulheres!

— Não me aborreças, Rakítin. Digo-te que não é a mesma coisa. Amo Aliócha de outra maneira. Na verdade, Aliócha, tive maus desígnios a teu respeito. Sou vil, sou violenta, mas em certos momentos olhava-te como minha consciência. Dizia a mim mesma: "Como ele deve desprezar-me agora!". Pensava assim antes de ontem, ao sair da casa daquela senhorita. Desde muito tempo me chamaste a atenção, Aliócha; Mítia sabe, compreende-me. Acreditarias tu? Sou por vezes tomada de vergonha ao olhar-te. Como vim a pensar em ti e desde quando, não sei.

Fiénia entrou, pousou sobre a mesa uma bandeja com uma garrafa desarrolhada e três copos cheios.

— Eis o champanhe! — exclamou Rakítin. — Estás excitada, Agrafiena Alieksándrovna. Depois de beberes, começarás a dançar. Que falta de habilidade! — acrescentou ele. — Já está vertida e morna, sem a rolha.

Nem por isso deixou de esvaziar seu copo dum trago e enchê-lo de novo.

— Ocasiões como esta são raras — observou, enxugando os lábios. — Vamos, Aliócha, pega teu copo e mostra-te corajoso. Mas, a que beberemos? Toma o teu, Grucha, e bebamos às portas do paraíso.

— Que queres dizer com isso?

Ela pegou um copo. Aliócha bebeu um bom gole do seu e depô-lo sobre a mesa.

— Não, prefiro abster-me — disse ele, com um doce sorriso.

— Ah! tu te gabavas! — gritou Rakítin.

— Eu também, então — disse Grúchenhka. — Acaba a garrafa, Rakitka. Se Aliócha beber, beberei.

— Eis que começam as efusões! — zombeteou Rakítin. — E está sentada nos joelhos dele! Ele está pesaroso, convenho, mas tu, que tens tu? Ele está revoltado contra seu Deus, ia comer salsichão!

— Como assim?

— O *stáriets* dele morreu hoje, o velho Zósima, o santo.

— Ah! morreu? Não sabia de nada. — Benzeu-se. — Meu Deus, e eu que estou sentada nos joelhos dele!

Levantou vivamente e sentou no divã. Aliócha olhou-a com surpresa e seu rosto iluminou-se.

— Rakítin — proferiu ele, num tom firme —, não me irrites dizendo que me revoltei contra meu Deus. Não tenho animosidade contra ti, comporta-te, pois, melhor, tu também. Sofri uma perda inestimável e não podes julgar-me neste momento. Olha-a, viste sua mansuetude para comigo? Vim aqui para encontrar uma alma perversa, impelido pelos meus maus sentimentos; encontrei uma verdadeira irmã, uma alma amorosa, um tesouro... Agrafiena Alieksándrovna, é de ti que falo. Regeneraste minha alma.

Opresso, Aliócha calou-se, com os lábios trêmulos.

— Até parece que ela te salvou! — zombou Rakítin. — Mas sabes que ela queria comer-te?

— Basta, Rakitka! Calem-se ambos: tu, Aliócha, porque tuas palavras me causam vergonha. Acreditas que sou boa, mas sou má. Tu, Rakitka, porque mentes. Tinha-me proposto comer-te, mas é coisa do passado, isso. Que não te ouça mais falar assim, Rakitka! — Grúchenhka exprimira-se com viva emoção.

— Estão os dois com o diabo no couro! — murmurou Rakítin, observando-os com surpresa. — Acreditaria a gente estar numa casa de saúde. Agora mesmo vão chorar, decerto!

— Sim, chorarei, sim, chorarei! — afirmou Grúchenhka. — Ele me chamou sua irmã, não o esquecerei jamais! Por pior que eu seja, Rakitka, dei, no entanto, uma cebola.

— Que cebola? Com os diabos, estão mesmo malucos, não há que ver!

A exaltação deles espantava Rakítin, que deveria ter compreendido que tudo concorria para agitá-los duma maneira excepcional. Mas Rakítin, sutil quando se tratava de si mesmo, destrinçava mal os sentimentos e as sensações de seu próximo, tanto por inexperiência juvenil como por egoísmo.

— Estás vendo, Aliócha? — e Grúchenhka riu nervosomente. — Gabei-me a Rakítin de ter dado uma cebola. Vou explicar-te a coisa com toda humildade. É apenas uma lenda. Matriona, a cozinheira, contava-me quando eu era menina: "Havia uma megera que morreu sem deixar atrás de si uma única virtude. Os diabos apoderaram-se dela e lançaram-na no lago de fogo. Seu anjo da guarda quebrava a cabeça para descobrir nela uma virtude e falar a respeito a Deus. Lembrou-se e disse ao Senhor: — 'Ela arrancou uma cebola na horta para dá-la a um mendigo.' — Deus respondeu-lhe: — 'Pega essa cebola, entrega-a àquela mulher lá no lago para que nela se agarre. Se conseguires retirá-la dali, ela irá para o paraíso; se a cebola se partir, ela fica onde está' — o anjo correu à mulher e estendeu-lhe a cebola. — 'Toma — disse ele — segure-a bem.' — Pôs-se a puxá-la com precaução e ela já estava ficando de fora. Os outros pecadores, vendo que a retiravam do lago, agarraram-se a ela, querendo aproveitar a boa fortuna. Mas a mulher, que era muito má, dava-lhes pontapés: 'É a mim que estão tirando e não a vocês. A cebola é minha e não de vocês.' A estas palavras, a cebola se partiu. A mulher recaiu no lago onde está-se queimando até agora. O anjo partiu, chorando." Eis essa lenda, Aliócha. Não acredites que eu seja boa, é bem o contrário. Teus elogios podem me causar vergonha. Desejava de tal modo tua vinda, que prometi vinte e cinco rublos a Rakítin, se ele te trouxesse. Um instante.

Foi abrir uma gaveta, pegou seu porta-moedas e dele retirou uma cédula de vinte e cinco rublos.

— É absurdo! — exclamou Rakítin, embaraçado.

— Toma, Rakitka, estou quites contigo. Não haverás de recusar, tu mesmo pediste. — E atirou-lhe a cédula.

— Como é isso? — replicou ele, visivelmente confuso, mas esforçando-se por ocultá-lo. — Tudo é lucro, os tolos existem no interesse das pessoas de espírito.

— E agora, cala-te, Rakitka. O que vou dizer não se dirige a ti. Tu não gostas de nós.

— E por que eu haveria de gostar de vocês? — disse ele, brutalmente. Contara ser pago sem que Aliócha, cuja presença causava-lhe vergonha e o irritava, ficasse sabendo. Até então, por política, poupara Grúchenhka, apesar de suas palavras picantes, porque ela parecia dominá-lo. Mas a cólera tomava conta dele.

— Gosta-se em troca de alguma coisa. Que fizeram por mim todos dois?

— Ama em troca de nada, como Aliócha.

— Como ele te ama e que provas te deu disso? Por que todo esse alvoroço?

De pé no meio do salão, Grúchenhka falava com coragem, com voz exaltada:

— Cala-te, Rakitka, não compreendes nada de nossos sentimentos. E cessa de tutear-me, ficas proibido. Donde te vem essa audácia? Senta num canto e nem mais uma palavra! Agora, Aliócha, vou confessar-me a ti somente, para que saibas o que sou. Queria perder-te, estava decidida a isso, a ponto de comprar Rakítin para que ele te trouxesse. E por que isso? Tu de nada sabias, desviavas-te de mim, passavas de olhos baixos. Eu interrogava as pessoas a teu respeito. Teu rosto me perseguia. "Ele me despreza — pensava eu — e nem mesmo quer olhar-me." Por fim, perguntei a mim mesma com surpresa: "Por que temer esse rapazola? Eu o devorarei. Isto me divertirá." Estava exasperada. Acredita-me, ninguém aqui ousaria faltar ao respeito a Agrafiena Alieksándrovna; não tenho senão aquele velho ao qual me vendi. Foi Satanás que nos uniu e ninguém mais. Havia, pois, decidido que serias minha presa, era um jogo para mim. Eis a detestável criatura que chamaste de irmã. Agora meu sedutor chegou, espero notícias. Sabes o que era ele para mim? Há cinco anos, quando Kuzmá Kuzmitch me trouxe para aqui, eu me ocultava por vezes para não ser vista, nem ouvida; como uma tola, soluçava, nem dormia mais, dizendo a mim mesma: "Onde está ele, o monstro? Deve rir de mim com uma outra. Oh! como me vingarei, se algum dia a encontrar!". Na escuridão, soluçava sobre meu travesseiro, torturava meu coração de propósito: "Ele me pagará!", eu exclamava. Ao pensar que era impotente, que ele zombava de mim, talvez tivesse me esquecido completamente, deslizava de meu leito para o soalho, inundada de lágrimas, presa de uma crise de nervos. Passara a odiar todo mundo. Em seguida, formei um capital, endureci o coração, engordei. Pensas que me tornei mais sensata? Absolutamente. Ninguém o imagina, mas quando chega a noite, acontece-me, como há cinco anos, ranger os dentes e chorar: "Hei de vingar-me! hei de vingar-me!". Estás-me acompanhando? Então, que pensas disto? Há um mês recebo uma carta anunciando-me sua chegada. Ficou viúvo. Quer ver-me. Fiquei sufocada. Meu Deus, ele vai chegar e chamar-me, vou me arrastar para ele como um cão batido, como uma culpada! Não posso crer nisso eu mesma! "Terei ou não a baixeza de correr para ele?" E uma cólera contra mim mesma me dominou, nestas últimas semanas, mais violenta do que há cinco anos. Vês minha exasperação, Aliócha, confessei-me a ti. Mítia não passava de uma diversão. Cala-te, Rakitka, não te cabe julgar-me. Antes da chegada de vocês, eu esperava, pensava no meu futuro, e vocês jamais conhecerão meu estado de alma. Aliócha, dize àquela senhorita que não me queira mal por causa da cena de anteontem!... Ninguém no mundo pode compreender o que sinto agora... Talvez leve uma faca, ainda não decidi.

Incapaz de conter-se, Grúchenhka interrompeu-se, cobriu o rosto com as mãos, deixou-se cair sobre o divã, soluçou como uma criança. Aliócha levantou-se e aproximou-se de Rakítin.

— Micha — ele disse —, ela te ofendeu, mas não te zangues. Ouviste-a? Não se pode exigir demais de uma alma, é preciso ter misericórdia.

Aliócha pronunciou suas palavras num impulso irresistível. Tinha necessidade de expandir-se e as teria dito mesmo que estivesse só. Mas Rakítin olhou-o ironicamente e Aliócha deteve-se.

— Estás com a cabeça cheia do teu *stáriets* e me bombardeias à sua maneira, Aliócha, homem de Deus — disse ele, com um sorriso odiento.

— Não zombes, Rakítin, não fales do morto, ele era superior a todos na terra — exclamou Aliócha, com lágrimas na voz. — Não é como juiz que te falo, mas como o derradeiro dos acusados. Que sou eu diante dela? Viera aqui para perder-me, por covardia. Ela, porém, após cinco anos de sofrimentos, por causa de uma palavra sincera que ouve, perdoa, esquece tudo, e chora! Seu sedutor voltou, chama-a, ela lhe perdoa e corre alegremente para ele. Porque ela não levará faca, não. Não sou assim, Micha, ignoro se o és. É uma lição para mim... Ela é superior a nós... Tinhas ouvido antes o que ela acaba de contar? Não, sem dúvida, porque terias compreendido tudo desde muito tempo... Ela perdoará também, aquela que foi ofendida anteontem, quando souber de tudo... Essa alma ainda não se reconciliou, é preciso poupá-la... oculta talvez um tesouro...

Aliócha calou-se, porque lhe faltava a respiração. Malgrado sua irritação, Rakítin olhava-o, espantado. Não esperava semelhante tirada da parte do pacífico Aliócha.

— Aqui o temos, um advogado! Estarias apaixonado por ela? Agrafiena Alieksándrovna, viraste a cabeça do nosso asceta! — exclamou ele com uma risada impudente.

Grúchenhka ergueu a cabeça, sorriu docemente para Aliócha, com o rosto ainda cheio das lágrimas que acabava de derramar.

— Deixa-o, Aliócha, meu querubim, vês como ele é. Que adianta falar-lhe? Mikhail Óssipovitch, queria pedir-te perdão, mas agora desisto disso. Aliócha, vem sentar-te aqui (ela pegou-lhe a mão e olhava-o, radiante), dize-me, será que eu o amo, sim ou não, ao meu sedutor? Perguntava-o a mim mesma, aqui, no escuro. Esclarece-me, chegou a hora, farei o que disseres. Será preciso perdoar?

— Mas já perdoaste.

— É verdade — disse Grúchenhka, pensativa. — Oh! o coração covarde! Vou beber à minha covardia. — Pegou um copo que esvaziou dum trago, depois atirou-o no chão. Havia crueldade em seu sorriso.

— Talvez não tenha ainda perdoado — disse ela, com ar ameaçador, de olhos baixos, como que falando a si mesma. — Talvez meu coração pense somente em perdoar. Vês tu, Aliócha? São meus cinco anos de lágrimas o que eu amava, a ofensa que sofri, e não ele.

— Pois bem! Não gostaria de estar em sua pele — disse Rakítin.

— Mas isso não vai acontecer, Rakitka. Limparás meus sapatos. Será nisto que te empregarei. Uma mulher como eu não foi feita para ti... E talvez também não para ele...

— Então, por que tão bem vestida?

— Não me censures o meu traje, Rakitka, não conheces o meu coração! Se quiser, agora mesmo mudarei de vestido. Não sabes por que o vesti. Talvez vá dizer-lhe: "Jamais me viste tão bela?". Quando ele me deixou, eu era uma mocinha de dezessete anos, magrela e chorona. Eu o acariciarei, vou excitá-lo: "Vês o que me tornei? Então, meu caro, basta de conversa, isto põe-te água na boca, mas vai beber em outra parte!". Eis, Rakitka, para que servirá talvez este vestido. Estou arrebatada, Aliócha. Posso rasgar este vestido, desfigurar-me, sair a pedir esmola. Sou capaz de ficar em minha casa agora, de devolver a Kuzmá seu dinheiro, seus presentes e ir alugar-me a serviço diário. Pensas que me faltaria coragem, Rakitka? Basta que me levem aos extremos... Quanto ao outro, eu o enxotarei, zombarei dele...

Proferindo estas derradeiras palavras como numa crise, cobriu o rosto com as mãos, lançou-se sobre as almofadas, soluçando de novo. Rakítin levantou.

— Está ficando tarde — disse ele —, não nos deixarão entrar no mosteiro.

Grúchenhka sobressaltou-se.

— Como, Aliócha, queres deixar-me? — exclamou, com dolorosa surpresa. — Vais fazer isso? Transtornaste-me e agora eis de novo a noite, a solidão!

— Ele não pode, entretanto, passar a noite em tua casa. Mas se ele quiser, fique. Vou-me embora sozinho! — disse malignamente Rakítin.

— Cala-te, malvado! — gritou Grúchenhka, encolerizada. — Nunca me disseste semelhantes palavras!

— Que palavras?

— Não sei, nada de extraordinário, mas ele revirou-me o coração... O primeiro, o único que teve piedade de mim. Por que não vieste mais cedo, querubim? — E caiu de joelhos diante dele, como em êxtase. — Toda a minha vida esperei alguém como tu, que me traria o perdão. Acreditei que me amariam por outro motivo que não apenas o de ser uma perdida...

— Que fiz eu por ti? — perguntou Aliócha, com um terno sorriso, inclinado sobre ela e tomando-lhe as mãos. — Dei uma cebola, a menor de todas, eis tudo!...

As lágrimas inundaram-lhe os olhos. Naquele momento, ouviu-se rumor, alguém entrava no vestíbulo; Grúchenhka levantou-se aterrorizada. Fiénia irrompeu barulhentamente no quarto.

— Minha senhora, minha boa e querida senhora, o correio chegou — exclamou ela alegremente, toda ofegante. — O *tarantás* chega de Mókroie, com o postilhão Timofiéi. Vão trocar de cavalos... Uma carta, senhora, eis aqui uma carta!

Brandia a carta, gritando. Grúchenhka apoderou-se dela, aproximou-a da vela. Era um bilhete de algumas linhas que leu num instante.

— Ele me chama! — Estava pálida, o rosto contraído por um sorriso mórbido.

— Ele assobia para mim! Arrasta-te, cãozinho! — Mas ficou apenas um momento indecisa, de repente o sangue subiu-lhe ao rosto.

— Parto! Adeus, meus cinco anos! Adeus, Aliócha, a sorte está lançada... Afastem-se todos, vão-se embora, que eu não os veja mais! Grúchenhka voa para uma vida nova... Não me guardes rancor, Rakitka. É talvez para a morte que sigo! Oh! sinto-me como que embriagada!

Precipitou-se para seu quarto de dormir.

— Agora não precisa mais de nós — resmungou Rakítin. — Vamos embora. Essa música poderia muito bem recomeçar; estou com os ouvidos mais que cheios...

Aliócha deixou-se levar maquinalmente.

No pátio, viam-se idas e vindas à luz duma lanterna; trocava-se a atrelagem de três cavalos. Mal os dois jovens tinham descido o patamar, abriu-se a janela do quarto de dormir e a voz de Grúchenhka elevou-se, sonora.

— Aliócha, saúda teu irmão Mítia, dize-lhe que não guarde uma má lembrança de mim. Repete-lhe minhas palavras: "Foi a um miserável que Grúchenhka se deu e não a ti, que és nobre!". Acrescenta que Grúchenhka o amou durante uma hora, nada mais que uma hora; que ele se recorde sempre dessa hora, doravante, é Grúchenhka quem lhe ordena... por toda a sua vida...

Acabou com soluços na voz. A janela tornou a fechar-se.

— Hum! — murmurou Rakítin rindo. — Ela estrangula Mítia e quer que ele se lembre disso toda a sua vida. Que ferocidade!

Aliócha pareceu não ter ouvido. Caminhava rapidamente ao lado de Rakítin; tinha o ar apalermado. Rakítin teve de súbito a sensação de que lhe metiam um dedo numa chaga viva. Esperara bem outra coisa ao pôr Aliócha em presença de Grúchenhka e estava decepcionado.

— É o polonês, o tal oficial dela — prosseguiu ele, contendo-se. — Aliás, não é mais oficial agora, esteve servindo na Alfândega na Sibéria, na fronteira chinesa. Deve ser um pobre-diabo. Dizem que perdeu o lugar. Tendo sabido que Grúchenhka tem dinheiro, voltou, isto explica tudo.

De novo, Aliócha pareceu não ter ouvido. Rakítin não se conteve mais.

— Então, converteste uma pecadora? Puseste uma mulher de má vida no bom caminho? Expulsaste os demônios, hem? Ei-los, os milagres que esperávamos: realizaram-se!

— Para com isso, Rakítin! — disse Aliócha, de alma dolorida.

— Tu me desprezas agora por causa dos vinte e cinco rublos que recebi? Vendi um verdadeiro amigo. Mas tu não és o Cristo e eu não sou Judas.

— Rakítin, asseguro-te que não pensava mais nisso, és tu quem o recordas.

Mas Rakítin estava exasperado.

— Que o diabo leve vocês todos! — vociferou de repente. — Por que, diabo, liguei-me a ti? Doravante, não quero mais saber de ti. Vai sozinho, eis teu caminho.

Dobrou numa outra rua, deixando Aliócha sozinho ali, nas trevas. Aliócha saiu da cidade e voltou ao mosteiro pelos campos.

IV / As bodas de Caná

Era já muito tarde para entrada no mosteiro, quando Alióttcha chegou ao eremitério; o irmão porteiro introduziu-o por uma entrada particular. Tinham soado nove horas, a hora do repouso, após um dia tão agitado. Alióttcha abriu timidamente a porta e penetrou na cela do *stáriets*, onde se encontrava agora seu ataúde. Não havia ninguém, exceto o Padre Païsi, lendo o *Evangelho* diante do morto e o jovem noviço Porfíri, esgotado pela conversação da derradeira noite e pelas emoções do dia; dormia o profundo sono da mocidade, deitado no chão, na peça vizinha. O Padre Païsi, que ouvira Alióttcha entrar, nem mesmo voltou a cabeça. Alióttcha ajoelhou-se num canto e pôs-se a rezar. Sua alma transbordava, mas suas sensações permaneciam confusas, uma afugentando a outra, numa espécie de movimento giratório uniforme. Coisa estranha, ele experimentava uma sensação de bem-estar e não se admirava disso. Contemplava de novo aquele morto que lhe era tão querido, mas a compaixão lacrimosa e dolorosa da manhã desaparecera. Ao entrar, caíra de joelhos diante do caixão como diante de um santuário e, no entanto, a alegria esplendia em sua alma. Um ar fresco entrava pela janela aberta. "O cheiro deve ter então aumentado, do contrário não se teriam decidido a abrir uma janela", pensou Alióttcha. Mas não se sentia mais angustiado, nem indignado por causa daquela ideia da corrupção. Pôs-se a rezar mansamente, e em breve percebeu que o fazia quase maquinalmente. Fragmentos de ideias surgiam, tais como fogos-fátuos; em compensação, reinavam em sua alma uma certeza, um apaziguamento de que tinha consciência. Punha-se a rezar com fervor, cheio de reconhecimento e de amor... Em breve passava para outra coisa, esquecendo a oração e o que a interrompera. Prestou ouvidos à leitura do Padre Païsi, mas acabou por dormitar, esgotado...

"Três dias depois celebraram-se umas bodas em Caná da Galileia; encontrava-se lá a Mãe de Jesus".

"E foi também convidado Jesus com seus discípulos para as bodas."[70]

— As bodas?... — Esta ideia turbilhonava no espírito de Alióttcha, — Ela também é feliz... foi a um festim... Não, decerto, não levou faca... Era simplesmente uma palavra desagradável... Deve-se perdoar sempre as palavras desagradáveis. Consolam a alma... Sem elas a dor seria insuportável. Rakítin seguiu pelo beco. Enquanto ele pensar em seus agravos, seguirá sempre por um beco... Mas a estrada, a grande estrada reta, clara, cristalina, com o sol resplandecente, no final... Que é que se lê?

"...E faltando o vinho, a mãe de Jesus disse-lhe: 'Não têm vinho'", ouviu Alióttcha.

— Ah! sim, perdi o começo. É pena, gosto dessa passagem: as bodas de Caná, o primeiro milagre... Que belo milagre! Foi consagrado à alegria e não ao luto... "Quem ama os homens, ama também sua alegria..." O defunto repetia isto a cada instante, era uma de suas ideias principais... Não se pode viver sem alegria, disse Mítia... Tudo quanto é verdadeiro e belo respira sempre o perdão, dizia ele também.

"...E Jesus disse-lhe: 'Mulher, que nos importa a mim e a ti isso? Ainda não chegou a minha hora.'

"Disse sua mãe aos que serviam: 'Fazei tudo o que ele vos disser'."

Fazei... Dai alegria a gente muito pobre... Muito pobres, seguramente, pois que *até mesmo em suas bodas o vinho faltou*... Os historiadores contam que em torno

---

70 São João, C. II, vs. 1-10.

do Lago de Genesaré e naquele local estava então disseminada a população mais pobre que se possa imaginar... E sua mãe, de grande coração, sabia que ele não viera somente cumprir sua missão sublime, mas que partilhava da alegria ingênua das pessoas simples e ignorantes que o convidavam cordialmente para suas humildes bodas. "Minha hora ainda não chegou." Fala com um doce sorriso (deve ter-lhe sorrido ternamente). Na realidade, será possível que tenha baixado à terra para multiplicar o vinho em bodas de pobres? Mas fez o que ela lhe pedia...

"...Disse-lhes Jesus: 'Enchei as talhas de água'. E encheram-nas até em cima.

"Então disse-lhes Jesus: 'Tirai agora e levai ao mestre-sala'. E eles levaram.

"E o mestre-sala, logo que provou a água convertida em vinho, como não sabia donde lhe viera aquele vinho, ainda que o soubessem os serventes, porque tinham tirado a água, chamou o esposo e disse-lhe:

"— Todo homem põe primeiro o bom vinho e quando já o tem bebido bem, então apresenta o inferior; tu, ao contrário, tiveste o bom vinho guardado até agora."

— Mas que acontece? Por que o quarto está oscilando? Ah! sim... são as bodas, o casamento bem decerto. Eis os convidados, os jovens esposos, a multidão alegre e... onde está então o prudente mestre-sala? Que é isso? O quarto oscila de novo... Quem se levanta na grande mesa? Como... ele também está aqui? Mas estava no seu caixão... Levantou-se, viu-me, vem para cá... Meu Deus!...

Ele, de fato, se aproximou, o velhinho seco, de rosto sulcado de rugas, rindo docemente. O caixão desapareceu, ele está vestido como ontem, em companhia deles, quando seus visitantes se reuniram. Seu rosto está descoberto, seus olhos brilham. Como pode ser isto, ele também no festim, ele também convidado para as bodas de Caná?

— Tu estás também convidado, meu querido, com todas as regras — disse sua voz tranquila. — Por que te escondes aqui, não te veem... Vem para junto de nós.

É sua voz, a voz do *stáriets* Zósima... Como não haveria de ser ele, pois está chamando? O *stáriets* toma a mão de Aliócha, que se levantou.

— Regozijemo-nos — prosseguiu o ancião —, bebamos o vinho novo, o vinho da grande alegria. Vês aqueles convidados? Eis o noivo e a noiva, eis o prudente mestre-sala, prova o vinho novo. Por que estás surpreendido por ver-me? Dei uma cebola e eis-me aqui. Muitos dentre nós não deram senão uma cebola, uma bem pequena cebola... Que são nossas obras? E tu também, meu terno e manso rapaz, tu também soubeste hoje dar uma cebola a uma faminta. Começa tua obra, meu querido! Estás vendo o nosso Sol, tu O percebes?

— Tenho medo... não ouso olhar... — balbuciou Aliócha.

— Não tenhas medo dEle. Sua majestade é terrível. Sua grandeza nos esmaga, mas Sua misericórdia é sem limites; por amor fez-se semelhante a nós e se rejubila conosco, muda a água em vinho, para não interromper a alegria dos convidados, aguarda outros, chama-os continuamente, por todos os séculos dos séculos. E eis que trazem o vinho novo, vê os copos...

Algo ardia no coração de Aliócha, enchia-o até doer-lhe, lágrimas de alegria derramaram-se de sua alma... Estendeu os braços, lançou um grito, despertou...

De novo, o caixão, a janela aberta, e a leitura calma, grave, ritmada do *Evangelho*. Mas Aliócha não escutava mais. Coisa estranha, adormecera de joelhos e encontrava-se agora de pé. De súbito, como erguido de seu lugar, aproximou-se em três passos do ataúde, bateu mesmo com o ombro no Padre Païsi sem nem perceber. O padre ergueu os olhos, mas retomou logo sua leitura, percebendo que o rapaz não se achava em seu estado normal. Aliócha contemplou um instante o caixão, o morto que estava dentro dele estendido, de rosto coberto, com o ícone sobre o peito, o capuz encimado pela cruz de oito braços. Acabava de ouvir sua voz, ecoava ainda em seus ouvidos. Escutou ainda, esperou... de súbito voltou-se bruscamente e saiu da cela.

Desceu o patamar sem se deter. Sua alma exaltada tinha sede de liberdade, de espaço. Acima de sua cabeça, a abóbada celeste estendia-se até o infinito, as estrelas calmas cintilavam. Do zênite ao horizonte aparecia, indistinta ainda, a Via-Láctea. A noite serena envolvia a terra. As torres brancas e as cúpulas douradas destacavam--se sobre o céu de safira. As opulentas flores de outono, em redor da casa, haviam adormecido até a manhã. A calma da terra parecia confundir-se com a dos céus, o mistério terrestre confinava com o das estrelas. Aliócha, imóvel, olhava; de súbito, como que ceifado, prosternou-se.

Ignorava por que estreitava a terra, não compreendia por que teria querido, irresistivelmente, abraçá-la toda inteira, mas abraçava-a chorando, inundando-a com suas lágrimas, e prometia a si mesmo, com exaltação, amá-la sempre. "Rega a terra com lágrimas e alegria e ama-as..." Estas palavras repercutiam em sua alma. A respeito de que choraria? Oh! no seu êxtase, chorava mesmo a respeito daquelas estrelas que cintilavam no infinito, e não se envergonhava daquela exaltação. Parecia que os filhos daqueles mundos inumeráveis convergiam em sua alma e que toda ela fremia, em contato com os outros mundos. Queria ter perdoado, a todos e por tudo, e pedir perdão, não por ele, mas pelos outros e por tudo, "os outros o pedirão por mim". Estas palavras também lhe vinham à memória. De mais a mais, sentia claramente e como que tangivelmente algo de firme e de inabalável penetrar na sua alma. Uma ideia apoderava-se de seu espírito, por toda a sua vida e para sempre. Havia-se prosternado, fraco adolescente e reergueu-se lutador sólido para o resto de seus dias. Teve consciência disto, e sentiu-o naquele momento de sua crise. E nunca mais, dali por diante, pôde Aliócha esquecer aquele instante. "Minha alma foi visitada naquela hora", dizia ele, mais tarde, crendo firmemente na verdade de suas palavras.

Três dias depois, deixou o mosteiro, de conformidade com a vontade de seu *stáriets,* que lhe havia ordenado que "vivesse no mundo".

LIVRO VIII / MÍTIA

I / Kuzmá Samsónov

Dimítri Fiódorovitch, a quem Grúchenhka, ao voar para uma vida nova, fize-ra transmitir seu derradeiro adeus, querendo que ele se lembrasse por toda a sua vida duma hora de amor, estava naquele momento às voltas com as piores dificul-dades. Como ele mesmo disse mais tarde, poderia ter sofrido uma congestão ce-rebral, naqueles dois últimos dias, no estado em que se encontrava. Aliócha não pudera descobri-lo na véspera e ele não tinha ido ao encontro marcado por Ivan no botequim. Seus locadores mantiveram silêncio, de conformidade com suas instruções. Durante aqueles dois dias, esteve literalmente em apertos, "lutando com seu destino para salvar-se", segundo sua expressão. Ausentou-se mesmo algumas horas da cidade para um negócio urgente, apesar de seu temor de deixar Grúchenhka sem vigilância. O inquérito posterior precisou o emprego de seu tempo da maneira mais formal; vamos nos limitar a tomar nota dos fatos essenciais nos dois dias que precederam a catástrofe que se abateu sobre ele.

Se bem que Grúchenhka o tivesse amado durante uma hora, ela o atormentava por vezes sem nenhuma piedade. A princípio, ele nada podia conhecer de suas intenções; era impossível penetrá-las pela doçura ou pela violência. Ficaria zangada e teria se desviado dele completamente. Ele tinha a intuição de que ela se debatia na incerteza, sem poder decidir-se; de modo que ele pensava, não sem razão, que ela devia às vezes detestá-lo, a ele e à sua paixão. Tal era talvez o caso, mas não podia compreender exatamente o que causava a ansiedade de Grúchenhka. Na verdade, toda a questão que o atormentava se resumia numa alternativa: ele, Mítia, ou Fiódor Pávlovitch. Aqui é preciso notar um fato certo; estava persuadido de que Fiódor Pávlovitch não deixaria de oferecer a Grúchenhka sua mão (se já não o fizera), e não acreditava um instante sequer que o velho libertino esperasse arranjar tudo com três mil rublos. Assim raciocinava Mítia, conhecendo Grúchenhka e seu caráter. Eis por que podia parecer-lhe por vezes que o tormento de Grúchenhka e sua indecisão provinham apenas do fato de ela hesitar sobre qual escolher, ignorando qual dos dois lhe traria mais vantagem. Quanto ao próximo regresso do oficial, do homem que desempenhara um papel fatal em sua vida e cuja chegada ela esperava com tanta emoção e terror — coisa estranha, ele não pensava nunca nisso. É verdade que Grúchenhka mantivera silêncio a respeito naqueles últimos dias. No entanto, ele sabia da carta recebida um mês antes, e conhecia mesmo uma parte de seu conteúdo. Num momento de irritação Grúchenka a tinha mostrado, sem que ele ligasse importância àquilo, o que a surpreendeu. Teria sido difícil explicar por quê; talvez simplesmente porque, acabrunhado pela sua funesta rivalidade com seu pai, nada pudesse imaginar de mais perigoso naquele momento. Não acreditava num noivo surgido não se sabia de onde, após cinco anos de ausência, nem em sua próxima chegada, anunciada aliás em termos vagos. A carta era nebulosa, enfática, sentimental, e Grúchenhka lhe dissimulara as derradeiras linhas, que falavam mais claramente de retorno. Mais ainda, Mítia lembrou-se posteriormente do ar de desdém de Grúchenhka por aquela mensagem vinda da Sibéria. Limitou a isso suas confidências a respeito daquele novo rival, de sorte que pouco a pouco ele esqueceu o oficial. Pensava somente que em todo o caso um conflito com Fiódor Pávlovitch estava iminente e devia ter seu desenlace em primeiro lugar. Cheio de ansiedade, esperava a cada instante a decisão de Grúchenhka e acreditava que ela viria bruscamente, por inspiração. Se ela fosse dizer-lhe: "Toma-me, sou tua para sempre", estaria tudo terminado; ia levá-la com ele para o mais longe possível, senão mesmo para o fim do mundo, para o fim da Rússia; casariam e se instalariam, incógnitos, ignorados de todos. Então começaria uma vida nova, regenerada, virtuosa, com que ele sonhava apaixonadamente. O lamaçal em que se atolara por vontade própria causava-lhe horror e, como muitos em semelhante caso, contava sobretudo com a mudança de ambiente; escapar àquelas pessoas, às circunstâncias, fugir daquele lugar maldito, seria a renovação completa, a existência transformada. Eis no que acreditava e o que o fazia definhar.

Isto unicamente no caso em que a questão seria resolvida felizmente. Havia bem outra solução, outra saída, terrível, porém. Se de repente ela lhe dissesse: "Vai-te, escolhi Fiódor Pávlovitch, casarei com ele, não tenho necessidade de ti". Então... oh! então... Mítia ignorava, aliás, o que aconteceria então, ignorou-o até o derradeiro momento, é preciso lhe fazer esta justiça. Não tinha intenções determinadas, o crime não foi premeditado. Contentava-se com tocaiar, espionar, atormentava-se, mas não encarava senão um desenlace feliz. Repelia mesmo toda e qualquer outra ideia. Era aqui que começava novo tormento, que surgia nova circunstância, acessória, mas fatal e insolúvel.

No caso em que ela dissesse: "Sou tua, leva-me", como ele a levaria? Onde arranjaria o dinheiro? Precisamente então, as rendas que recebia desde anos dos pagamentos regulares de Fiódor Pávlovitch estavam esgotadas. Decerto, Grúchenhka tinha dinheiro, mas Mítia se mostrava a este respeito dum orgulho violento; queria levá-la e começar uma existência nova com seus recursos pessoais e não os dela. A ideia mesma de poder recorrer à sua bolsa inspirava-lhe profundo desgosto. Não me estenderei a este respeito, não o analisarei, limitando-me a anotá-lo; tal era seu estado de alma naquele momento. Isso podia provir inconscientemente dos remorsos secretos que experimentava por haver-se desonestamente apropriado do dinheiro de Katierina Ivânovna: "Sou um miserável aos olhos de uma, também o serei aos olhos da outra", dizia a si mesmo então, como ele próprio o confessou posteriormente. "Se Grúchenhka o souber, não quererá semelhante indivíduo. Portanto, onde encontrar fundos, ou arranjar esse fatal dinheiro? Senão tudo fracassará, por falta de recursos. Que vergonha!"

Sabia talvez onde encontrar esse dinheiro. Não direi mais no momento, porque tudo se esclarecerá, mas explicarei sumariamente em que consistia para ele a pior dificuldade: para arranjar aqueles recursos, para ter o direito de tomá-los, seria preciso em primeiro lugar restituir a Katierina Ivânovna seus três mil rublos, senão "sou um larápio, um canalha, e não quero começar assim uma vida nova", decidiu Mítia, e resolveu tudo subverter se fosse preciso, mas restituir em primeiro lugar e a qualquer preço aquela soma a Katierina Ivânovna. Deteve-se nesta decisão, por assim dizer, nas derradeiras horas de sua vida, após sua derradeira entrevista com Alióicha na antevéspera, na estrada. Instruído por seu irmão a respeito da maneira pela qual Grúchenhka insultara sua noiva, reconheceu que era um miserável e rogou-lhe que a informasse disto, "se isto pudesse aliviá-la". Na mesma noite, sentiu em seu delírio que valia mais "matar e roubar alguém, contanto que restituísse o dinheiro de Kátia". "Serei um assassino e um ladrão para todo mundo, seja; irei de preferência para a Sibéria a deixar Kátia dizer que roubei seu dinheiro para fugir com Grúchenhka e começar uma vida nova! Isto é impossível!" Assim falava Mítia, rilhando os dentes, e havia motivo para que receasse por momentos uma congestão cerebral. Mas continuava a lutar...

Coisa estranha: parecia que com semelhante resolução não lhe restava em partilha senão o desespero, porque onde arranjar tal soma e sobretudo um pobretão como ele? Entretanto, esperou até o fim arranjar aqueles três mil rublos, contando que eles lhe caíssem nas mãos duma maneira qualquer, ainda mesmo do céu. É o que acontece àqueles que, como Dimítri, só sabem desperdiçar seu patrimônio, sem ter nenhuma ideia da maneira pela qual se adquire o dinheiro. Era uma tempestade no seu crânio desde o encontro com Aliócha, estando todas as suas ideias enredadas. Assim ele começou pela tentativa mais estranha, porque pode dar-se o caso de que, em semelhantes transes, as empresas mais extravagantes pareçam as mais realizáveis a semelhantes pessoas. Resolveu ir encontrar o comerciante Samsónov, protetor de Grúchenhka, e submeter-lhe um plano, segundo o qual este lhe adiantaria logo a soma desejada. Estava seguro de seu plano do ponto de vista comercial, perguntando a si mesmo somente como acolheria Samsónov sua proposta, se quisesse encará-la doutra maneira. Não conhecia aquele comerciante senão de vista e jamais lhe havia falado. Mas desde muito tempo tinha a convicção de que aquele velho libertino, cuja vida estava por um fio, não se oporia a que Grúchenhka refizesse a sua, casando-se com um homem seguro, até mesmo desejaria isso e facilitaria as coisas, chegada a ocasião. Por ouvir dizer, ou de acordo com certas palavras de Grúchenhka, concluía igualmente que o velho talvez o preferisse a Fiódor Pávlovitch como marido da jovem. Numerosos leitores acharão talvez cínica a expectativa, de parte de Dimítri Fiódorovitch, de semelhante socorro e a intenção de tirar sua noiva das mãos de seu protetor. Posso simplesmente fazer notar que o passado de Grúchenhka parecia definitivamente enterrado aos olhos de Mítia. Pensava nele cheio de misericórdia e decidira com todo o ardor de sua paixão que, desde que Grúchenhka lhe tivesse dito que o amava e ia casar-se com ele, estariam ambos logo regenerados, desembaraçados de seus vícios, não tendo senão virtudes; perdoariam um ao outro suas faltas e começariam uma nova existência. Quanto a Kuzmá Samsónov, via nele um homem fatal no passado de Grúchenhka, que não o havia, no entanto, jamais amado, um homem agora "passado", também ele fora de conta. Não poderia fazer sombra a Mítia aquele velho débil cuja ligação tornara-se paternal por assim dizer, e isto desde cerca de um ano. Em todo caso, Mítia dava prova duma grande ingenuidade, porque com todos os seus vícios era um homem bastante ingênuo. Essa ingenuidade persuadia-o de que o velho Kuzmá, a ponto de deixar este mundo, experimentava sincero arrependimento pela sua conduta para com Grúchenhka, que não tinha protetor e amigo mais devotado do que aquele velho doravante inofensivo.

No dia seguinte à sua conversação com Aliócha nos campos, Mítia, que quase não havia dormido, apresentou-se cerca das dez horas da manhã em casa de Samsónov e fez-se anunciar. A casa era velha, sombria, espaçosa, de um andar, com dependências e um pavilhão. No rés-do-chão moravam os dois filhos dele, casados, sua irmã bastante idosa e sua filha. Dois caixeiros, um dos quais tinha numerosa família, ocupavam o pavilhão. Todo aquele mundo necessitava de espaço, enquanto que o velho vivia sozinho no primeiro andar, não querendo lá nem mesmo sua filha, que cuidava dele e devia subir cada vez que ele tinha necessidade dela, malgrado sua asma inveterada. O primeiro andar compunha-se de grandes peças aparatosas, mobiliadas no velho estilo comercial, com intermináveis fileiras de poltronas maciças e de cadeiras de acaju ao longo das paredes, lustres de cristal cobertos de capas e tremós. Essas peças estavam vazias e inabitadas, confinando-se o velho no seu quartinho de dormir lá no fundo, onde o serviam uma velha criada de touca e um rapaz que se mantinha em cima de uma arca no vestíbulo.

Quase não podendo mais andar, por causa de suas pernas inchadas, só raramente se levantava da poltrona, sustentado pela velha, para dar uma volta pelo quarto. Mesmo com ela se mostrava severo e pouco comunicativo. Quando o informaram da chegada do "capitão", recusou recebê-lo. Mítia insistiu e fez-se anunciar de novo. Kuzmá Samsónov informou-se então do ar do visitante, se tinha bebido ou fazia barulho. "Não — respondeu o rapaz —, mas não quer ir-se embora." A uma nova recusa, Mítia, que previra o caso e tornara suas precauções, escreveu a lápis: "Para um negócio urgente, a respeito de Agrafiena Alieksándrovna", e enviou o bilhete ao velho. Depois de ter refletido um instante, ordenou este que conduzissem o visitante à sala e mandou transmitir a seu filho mais moço ordem de subir imediatamente. Esse homem de elevada estatura e duma força herculea, que se barbeava e se vestia à europeia (o velho Samsónov usava cafetã e barba) chegou logo. Todos tremiam diante do pai. Este mandara-o chamar não por medo do capitão — não era homem medroso —, mas à toa, mais como uma testemunha. Acompanhado de seu filho, que o segurara por baixo do braço, e pelo rapaz, arrastou-se até a sala. Deve-se crer que experimentava uma curiosidade bastante viva. A sala em que Mítia estava à espera era imensa e lúgubre, de dois tons, com uma galeria, paredes imitando mármore e três enormes lustres cobertos de capas. Mítia, sentado perto da entrada, esperava impacientemente sua sorte. Quando o velho apareceu na outra extremidade, a dez *sajénhi,* Mítia levantou-se vivamente e marchou a grandes passos a seu encontro. Estava corretamente trajado, com a sobrecasaca abotoada, seu chapéu na mão com luvas pretas, como na antevéspera no mosteiro, em casa do *stáriets,* por ocasião da entrevista com Fiódor Pávlovitch e seus irmãos. O velho esperava-o de pé, com um ar grave e Mítia sentiu que ele o examinava. Seu rosto, bastante inchado naqueles últimos tempos, com seu lábio pendente, surpreendeu Mítia. Dirigiu a seu visitante um cumprimento grave e mudo, indicou-lhe um assento e, apoiado ao braço de seu filho, tomou ele próprio lugar, gemendo, no divã em frente de Mítia. Este, testemunha de seus esforços dolorosos, sentiu logo um remorso e acanhamento ao pensar no nada que era diante do importante personagem a quem tirara de seus cômodos.

— Que deseja, senhor? — perguntou o velho, depois que sentou, num tom frio, embora polido.

Mítia estremeceu, ergueu-se, mas retomou seu lugar. Pôs-se a falar alto, depressa, com exaltação, gesticulando. Sentia-se que aquele homem em apuros procurava uma derradeira saída, pronto a dar tudo por acabado em caso de fracasso. O velho Samsónov deveu ter compreendido tudo isso num instante, se bem que seu rosto houvesse permanecido impassível.

— O respeitável Kuzmá Kuzmitch ouviu provavelmente falar mais de uma vez de minhas desavenças com meu pai, Fiódor Pávlovitch Karamázov, que me despojou da herança de minha mãe... porque isso é assunto de todas as conversas, metendo-se as pessoas naquilo que não lhes compete... Pôde igualmente ter sido informado por Grúchenhka... perdoe, por Agrafiena Alieksándrovna... pela honradíssima e respeitabilíssima Agripina[71] Alieksándrovna...

---

71 Agripina, empregado por Mítia com intenção notadamente irônica; tem em russo um matiz mais distinto do que a forma habitual Agrafiena.

Assim começou Mítia, que se atrapalhou desde as primeiras palavras. Mas não citaremos integralmente suas palavras, limitando-nos a resumi-las. O fato é que ele, Mítia, conferenciara, havia três meses, na sede do distrito, com um advogado, "um célebre advogado, Kuzmá Kuzmitch, o Senhor Páviel Pávlovitch Kornieplódov, de quem o senhor já deve ter ouvido falar. Grande cabeça, espírito quase de estadista... ele também o conhece... falou do senhor nos melhores termos...". E Mítia, pela segunda vez, não soube como continuar. Mas não se detinha por tão pouco, passava adiante, discorria à vontade. Aquele advogado, segundo as explicações de Mítia e o exame dos documentos (Mítia atrapalhou-se e passou rapidamente por cima), foi de opinião, a respeito da aldeia de Tchermachniá, que deveria ter-lhe pertencido por herança materna, que se podia intentar um processo e derrotar assim o velho energúmeno, "porque todas as saídas não estão fechadas e a Justiça sabe abrir-se um caminho". Em suma, podia-se esperar exigir de Fiódor Pávlovitch um suplemento de seis e até mesmo sete mil rublos, porque Tchermachniá vale pelo menos vinte e cinco mil, que digo? vinte e oito mil, "trinta, Kuzmá Kuzmitch, e imagine que aquele carrasco não me pagou nem dezessete mil! Abandonei então esse negócio, não entendendo nada da chicana e à minha chegada aqui fui atordoado por uma ação de reconvenção (aqui Mítia atrapalhou-se de novo e deu um salto). Pois bem, respeitável Kuzmá Kuzmitch, o senhor não quer que eu lhe ceda todos os meus direitos sobre aquele monstro e isto por três mil rublos somente?... O senhor não arrisca nada, nada absolutamente, juro pela minha honra; pelo contrário, poderá ganhar seis ou sete mil rublos, em lugar de três... E, sobretudo, queria terminar este negócio hoje mesmo. Iríamos à casa do tabelião, ou então... Em suma, estou pronto a tudo, darei todos os documentos que o senhor quiser, assinarei... lavraríamos o ato hoje, esta manhã mesmo, se possível... O senhor me daria esses três mil rublos... porque o senhor é o primeiro capitalista daqui... e assim me salvaria... permitindo-me praticar um ato sublime... porque nutro os mais nobres sentimentos para com uma pessoa que o senhor bem conhece e a quem cerca de uma solicitude paternal. De outro modo, não teria vindo aqui. Pode-se dizer que três cabeças se entrechocaram, porque o destino é uma coisa terrível, Kuzmá Kuzmitch. Ora, como o senhor não entra mais em conta desde muito tempo, restam duas cabeças, segundo minha expressão talvez canhestra, mas não sou literato. Minha cabeça e a daquele monstro. De modo que, escolha: eu ou um monstro! Tudo se acha agora entre suas mãos, três destinos e dois dados... Desculpe-me, atrapalhei-me, mas o senhor compreende... vejo pelos seus olhos que o senhor compreendeu... Senão, só me resta desaparecer, eis tudo!" Mítia parou de repente sua fala extravagante com aquele "eis tudo" e, levantando-se, esperou uma resposta à sua absurda proposta. Na derradeira frase, sentira de súbito que o negócio estava fracassado e sobretudo que havia proferido uma terrível mixórdia. "É estranho, ao vir aqui estava seguro de mim mesmo e agora atrapalho tudo!" Enquanto ele falava, o velho permanecia impassível, observando-o com ar glacial. Ao fim de um minuto, Kuzmá Kuzmitch disse por fim num tom categórico e desencorajador:

— Desculpe-me, mas não nos ocupamos com tais negócios.

Mítia sentiu fugirem-lhe as pernas.

— Que irá ser de mim, Kuzmá Kuzmitch? — murmurou ele, com um sorriso pálido. — Estou perdido agora. Que pensa o senhor?

— Desculpe-me...

Mítia, de pé e imóvel, notou uma mudança na fisionomia do velho. Estremeceu.

— Veja, senhor, tais negócios são incômodos. Entrevejo um processo, advogados, o diabo e tudo mais! Se o senhor quiser, há aqui um homem, dirija-se a ele.

— Meu Deus, quem é?... O senhor me restitui a vida, Kuzmá Kuzmitch — balbuciou Mítia.

— Não está aqui neste momento. É um mujique, comerciante de madeira, apelidado Liagávi. Há um ano vive em conversações com Fiódor Pávlovitch a respeito da floresta da Tchermachniá de vocês. Não estão de acordo no preço. Talvez o senhor já tenha ouvido falar disso. Agora ele se encontra justamente lá, hospedado na casa do Padre Ilínski, em Ilhínskoie, a doze verstas da estação de Volóvia. Escreveu-me a respeito desse negócio, pedindo conselho. Fiódor Pávlovitch quer ir em pessoa encontrá-lo. Se o senhor se adiantasse a ele, fazendo a Liagávi a mesma proposta que a mim, talvez que ele...

— Eis uma ideia genial! — interrompeu Mítia, entusiasmado. — É justamente o que é preciso para aquele homem. É comprador, pedem-lhe caro, e eis um documento que o torna proprietário, ah! ah! ah! — Mítia explodiu uma risada seca, inesperada, que surpreendeu Samsónov.

— Como agradecer-lhe, Kuzmá Kuzmitch?

— Não há de quê — respondeu Samsónov, inclinando a cabeça.

— Mas o senhor não sabe, o senhor acaba de salvar-me. Oh! foi um pressentimento que me trouxe à sua casa... Então, vamos ver esse pope!

— É inútil agradecer-me.

— Corro lá. Abusei de sua saúde. Jamais esquecerei, é um russo quem lhe diz, Kuzmá Kuzmitch!

Mítia quis agarrar a mão do velho para apertá-la, mas ele tinha um olhar mau. Mítia retirou sua mão, enquanto censurava sua desconfiança. "Deve estar fatigado...", pensou.

— É por ela, Kuzmá Kuzmitch! O senhor compreende que é por ela! — disse ele com voz ressoante. Inclinou-se, deu meia volta, e apressou-se em direção à saída, com grandes passadas. Palpitava de entusiasmo. "Tudo parecia perdido, mas meu anjo da guarda me salvou", pensava ele. "E se um homem de negócios como esse velho (que nobre ancião, que porte imponente!) indicou esse caminho... sem dúvida o êxito está garantido. Não há um minuto a perder. Voltarei esta noite, mas terei ganho de causa. Será possível que o velho haja zombado de mim?" Assim monologava Mítia, ao voltar para sua casa, e não podia imaginar as coisas de outro modo: ou era um conselho prático — vindo dum homem experimentado, que conhecia aquele Liagávi (que nome engraçado!) — ou então o velho zombara dele! Ai! a derradeira hipótese era a única verdadeira. Mais tarde, muito tempo após o drama, o velho Samsónov confessou, rindo, que zombara do capitão. Tinha espírito maligno e irônico, com antipatias mórbidas. Teria sido o ar entusiasta do capitão, a tola convicção daquele "cesto furado" de que ele, Samsónov, podia levar a sério seu plano absurdo, um sentimento de ciúme de Grúchenhka, em nome da qual aquele desmiolado lhe pedia dinheiro — ignoro o que inspirou o velho, mas quando Mítia se mantinha diante dele, sentindo suas pernas dobrarem-se e exclamou estupidamente que estava perdido — olhou com maldade e imaginou pregar-lhe uma peça. Após a partida de Mítia, Kuzmá Kuzmitch, pálido de cólera, dirigiu-se a seu filho, ordenando-lhe que tomasse as providências para que aquele patife não voltasse a pôr os pés em sua casa, senão...

Não acabou sua ameaça, mas seu filho, que o tinha, no entanto, visto muitas vezes encolerizado, tremeu de medo. Uma hora depois, estava ainda o velho agitado pela cólera; ao anoitecer, sentiu-se indisposto e mandou chamar o curandeiro.

II / Liagávi

Por conseguinte, era preciso "galopar" e Mítia não tinha com que pagar a corrida: vinte copeques, eis o que lhe restava de sua antiga prosperidade! Possuía um velho relógio de prata, que havia muito tempo estava parado. Um relojoeiro judeu, instalado numa lojinha, no mercado, deu por ele seis rublos. "Não esperava tanto!", exclamou Mítia, encantado (o encantamento continuava). Pegou seus seis rublos e correu à sua casa. Ali completou a soma pedindo emprestados três rublos a seus locadores, que lhe deram de bom grado, se bem que fosse o derradeiro dinheiro que tinham, tanto gostavam de Mítia. Na sua exaltação, Mítia revelou-lhes que sua sorte se decidia e explicou — à pressa, bem entendido — quase todo o plano que acabava de expor a Samsónov, a decisão deste último, suas futuras esperanças etc. Aquelas pessoas já antes estavam a par de muitos de seus segredos e o olhavam como dos "seus", um *bárin* nada orgulhoso. Tendo dessa maneira juntado nove rublos, mandou Mítia buscar cavalos de posta para ir até a estação de Volóvia. Mas desta maneira comprovou-se e foi relembrado que "na véspera de certo acontecimento Mítia não tinha um copeque, que para arranjar dinheiro vendera um relógio e pedira emprestados três rublos a seus locadores, tudo isso diante de testemunhas".

Noto o fato, mais tarde se compreenderá por quê.

Rodando para Volóvia, Mítia, radiante à ideia de desembaraçar por fim e de terminar todos aqueles negócios, estremecia, no entanto, inquieto: que aconteceria a Grúchenhka, durante sua ausência? Será que ela se decidiria hoje a ir encontrar Fiódor Pávlovitch? Eis por que partira sem preveni-la, recomendando aos locadores que nada dissessem no caso de virem chamá-lo. "Preciso voltar de qualquer jeito esta noite", repetia ele, sacudido na *tieliega*, "e trazer esse Liagávi... para lavrar o ato..." Mas, ai! seus sonhos não estavam destinados a realizar-se de acordo com seu plano.

Em primeiro lugar perdeu tempo tomando o caminho vicinal para Volóvia. O percurso verificou-se ser de dezoito e não de doze verstas. Em seguida não encontrou o Padre Ilinski em casa, pois fora à aldeia vizinha. Enquanto Mítia partia à sua procura com os mesmos cavalos, já estafados, a noite estava quase chegada. O *bátiuchka,* homenzinho tímido de ar afável, explicou-lhe logo que o tal Liagávi, que se alojara a princípio em sua casa, estava agora em Sukhoi Posiélok, e passaria a noite na isbá do guarda-florestal, porque traficava também lá. A pedidos instantes de Mítia, de conduzi-lo imediatamente à presença de Liagávi e de "assim salvá-lo", o padre consentiu, após alguma hesitação, em acompanhá-lo a Sukhoi Posiélok, misturando-se nisso certa curiosidade; por desgraça, aconselhou ir a pé, porque a distância era de pouco mais de uma versta. Mítia aceitou, bem entendido, e caminhou a grandes passos, de sorte que o pobre *bátiuchka* mal podia segui-

-lo. Era um homem ainda moço e bastante reservado. Mítia se pôs logo a falar de seus planos, pediu nervosamente conselhos a respeito de Liagávi, conversou durante todo o caminho. O padre escutava-o atentamente, mas não aconselhava nada. Respondia evasivamente às perguntas de Mítia: "Não sei: como haveria de saber?" etc. etc. Quando Mítia falou de suas desavenças com seu pai a respeito da herança, o padre amedrontou-se, porque dependia ele, a certos respeitos, de Fiódor Pávlovitch. Informou-se com surpresa da razão pela qual Mítia chamava de Liagávi o mujique Górstkin e explicou-lhe que muito embora esse nome de Lia-gávi fosse o dele, ofendia-se tremendamente com ele e era preciso chamá-lo Górs-tkin, "senão o senhor nada poderá obter dele que nem mesmo o escutará", con-cluiu o padre. Mítia espantou-se um pouco e explicou que o próprio Samsónov o havia chamado assim. A estas palavras, o padre mudou de conversa; deveria ter dado parte de suas suspeitas a Dimítri Fiódorovitch: se Samsónov o havia dirigido àquele mujique sob o nome de Liagávi, não teria sido por derrisão, não haveria naquilo algo de duvidoso? Mas Mítia não tinha tempo de se deter com tais baga-telas. Caminhava sempre e somente ao chegar a Sukhoi Posiélok se apercebeu de que haviam feito três verstas e não uma e meia. Dissimulou seu descontentamen-to. Entraram na isbá da qual o guarda-florestal, que conhecia o padre, ocupava a metade; o forasteiro estava instalado na outra, separada pelo vestíbulo. Foi para lá que se dirigiram acendendo uma vela. A isbá estava superaquecida. Sobre uma mesa de pinho havia um samovar apagado, uma bandeja com xícaras, uma garra-fa de rum vazia, um garrafão de aguardente quase vazio e restos de pão de trigo. O forasteiro jazia sobre o banco, com as roupas enroladas sob a cabeça à guisa de travesseiro e roncava ruidosamente. Mítia estava perplexo. "Certamente, é preciso despertá-lo; meu negócio é por demais importante, vim com tanta pressa e te-nho também pressa de voltar hoje mesmo", murmurava, inquieto. Aproximou-se e pôs-se a sacudi-lo, mas o dorminhoco não despertou. "Está bêbedo — concluiu Mítia. — Que fazer, meu Deus, que fazer?" Na sua impaciência, começou a puxá-lo pelas mãos, pelos pés, a levantá-lo, a sentá-lo no banco, mas só obteve, após longos esforços, surdos resmungos e invectivas enérgicas, embora confusas.

— Seria melhor o senhor esperar — disse por fim o padre —, nada se pode obter agora.

— Bebeu o dia inteiro — observou o guarda.

— Meu Deus! — exclamou Mítia. — Se o senhor soubesse como tenho neces-sidade dele e em que situação me encontro!

— Será melhor esperar até amanhã de manhã — repetiu o padre.

— Até de manhã? Mas é impossível!

No seu desespero, ia ainda sacudir o bêbedo, mas parou logo, compreendendo a inutilidade de seus esforços. O padre calava-se, o guarda cheio de sono mostrava--se sombrio.

— Que tragédias se encontram na vida real! — proferiu Mítia, desesperado. O suor escorria-lhe no rosto. O padre aproveitou-se dum minuto de calma para explicar-lhe avisadamente que, mesmo se conseguisse despertar o dorminhoco, este não poderia discutir com ele, bêbedo como estava; "uma vez que se trata de um negócio importante, é mais seguro deixá-lo tranquilo até de manhã..." Mítia concordou.

— Ficarei aqui, *bátiuchka,* esperando a ocasião. Assim que ele acordar, começarei... Pagarei a vela e o pernoite — disse ele ao guarda. — Haverás de te lembrar de Dimítri Karamázov. Mas o senhor, *bátiuchka,* onde vai deitar?

— Não se inquiete, volto para casa na jumenta dele — disse, designando o guarda. — Portanto, adeus e boa sorte.

Assim foi feito. O padre cavalgou a jumenta, feliz por ver-se livre, mas vagamente inquieto e perguntando a si mesmo se não faria bem em informar no dia seguinte Fiódor Pávlovitch a respeito daquele curioso negócio, "senão ele se zangará quando ficar sabendo e me retirará sua proteção". O guarda, depois de coçar-se, voltou, sem dizer palavra, para seu quarto; Mítia tomou lugar no banco para esperar a ocasião, como dizia. Profunda angústia o dominava, como uma espessa bruma. Procurava, sem sucesso, reunir suas ideias. A vela ardia, um grilo cantava, sufocava-se no quarto superaquecido. Imaginou de repente o jardim, a entrada; a porta da casa de seu pai abria-se misteriosamente e Grúchenhka acorria. Levantou bruscamente.

— Tragédia! — murmurou, rilhando os dentes. Aproximou-se maquinalmente do homem que dormia e pôs-se a examiná-lo. Era um mujique esgalgado, ainda moço, de cabelos cacheados, barbicha ruiva. Trazia uma blusa de chita da Índia e um colete preto, com a corrente dum relógio de prata no bolsinho. Mítia observava aquela fisionomia com verdadeiro ódio. Os cachos, sobretudo, o exasperavam, não se sabia por quê. O mais humilhante é que ele, Mítia, ficava ali diante daquele homem com seu negócio urgente, ao qual tudo sacrificara, no extremo das forças, e aquele mandrião, "do qual depende agora minha sorte, ronca como se nada houvesse, como se viesse dum outro planeta!". Mítia, perdendo a cabeça, lançou-se de novo para despertar o mujique embriagado. Pôs naquilo uma espécie de encarniçamento, maltratou-o, chegou a bater-lhe, mas ao fim de cinco minutos, não obtendo nenhum resultado, tornou a sentar, num desespero impotente.

"Tolice, tolice! E... como tudo isso é lamentável." Começava a sentir dor de cabeça. — "Será preciso abandonar tudo? Voltar?", pensava ele. — "Não, ficarei até de manhã, decididamente! Por que ter vindo aqui? E não tenho com que voltar. Como fazer? Oh! que absurdo!"

Entretanto sua dor de cabeça aumentava. Ficou imóvel e adormeceu insensivelmente, sentado como estava. Ao fim de duas horas, foi despertado por uma dor intolerável na cabeça, suas têmporas latejavam. Levou muito tempo para voltar a si e dar-se conta do que acontecia. Compreendeu por fim que era um começo de asfixia, devida ao carvão e que teria podido morrer, O bêbedo continuava a roncar; a vela consumira-se e estava a ponto de apagar-se. Mítia lançou um grito e precipitou-se cambaleante para a casa do guarda, que logo despertou. Sabendo do que se tratava, foi fazer o necessário, mas acolheu a coisa com uma fleuma surpreendente, o que causou assombro a Mítia.

— Mas ele está morto, está morto, e então... que fazer? — exclamou ele, na sua exaltação.

Abriram-se as portas e a janela, destapou-se a estufa. Mítia trouxe da entrada um balde d'água com a qual molhou a cabeça, depois embebeu d'água um trapo de pano que aplicou sobre a de Liagávi. O guarda continuava a mostrar uma indiferença desdenhosa; depois de ter aberto a janela, disse com ar mal-humorado: "Está tudo bem assim" e voltou a deitar, deixando a Mítia uma lanterna acesa. Durante uma meia hora, Mítia cuidou do bêbedo, renovando a compressa, resolvido a velar a noite inteira; já sem forças, sentou-se para retomar fôlego, seus olhos fecharam-se logo, estirou-se inconscientemente sobre o banco e adormeceu com um sono de chumbo.

Despertou muito tarde, cerca das nove horas. O sol brilhava nas duas janelas da isbá. O mujique de cabelos cacheados estava instalado diante de um samovar fervente e novo garrafão, mais de cuja metade já havia bebido. Mítia levantou sobressaltado e percebeu logo que o maldito mujique estava de novo embriagado, irremediavelmente embriagado. Observou-o um minuto, escancarando os olhos. O mujique olhava-o em silêncio, com um ar astuto e fleumático e até mesmo com arrogância, pelo que acreditou Mítia. Lançou-se para ele:

— Permita, olhe... eu... o guarda deve ter-lhe dito quem sou: o Tenente Dimítri Karamázov, filho do velho com quem anda o senhor em tratativas para um corte de madeira.

— Mentes! — replicou o mujique, num tom decidido.

— Minto como? Não conhece Fiódor Pávlovitch?

— Não conheço nenhum Fiódor Pávlovitch — declarou o mujique, com a língua pastosa.

— Mas o senhor está negociando a madeira dele; esperte-se, domine-se. Foi o Padre Ilinski quem me trouxe aqui... O senhor escreveu a Samsónov e este me disse que me dirigisse ao senhor... — Mítia ofegava.

— Tu m...entes! — repetiu Liagávi. Mítia sentia-se desfalecer.

— Por favor, não é brincadeira nenhuma. O senhor está embriagado, sem dúvida. Poderia afinal falar, compreender... senão... sou eu que não compreendo nada disso!

— És tintureiro!

— Perdão, sou Karamázov, Dimítri Karamázov, tenho uma proposta a fazer-lhe... uma proposta muito vantajosa... precisamente a propósito da madeira.

O mujique acariciava a barba com ar importante.

— Não, trabalhaste de empreitada e és um tratante!

— Asseguro-lhe que se engana! — berrou Mítia, torcendo as mãos. O mujique continuava a acariciar a barba; de súbito piscou o olho com um ar astuto.

— Cita-me uma lei que permita cometer tratantadas, entendes? És um tratante, compreendes?

Mítia recuou com ar sombrio, teve "a sensação duma pancada na testa", como disse mais tarde. Foi de súbito como um raio de luz, compreendeu tudo. Ficou estupidificado, perguntando a si mesmo como ele, um homem no entanto sensato, pudera tomar a sério tal absurdo, meter-se em semelhante aventura, cuidar solícito daquele Liagávi, molhar-lhe a cabeça... "Ora bem, este sujeito está bêbedo e vai continuar bebendo uma semana ainda — que adianta esperar? E se Samsónov zombou de mim? E se ela... Meu Deus, que fiz eu?..."

O mujique olhava-o e ria. Em outras circunstâncias, Mítia, cheio de cólera, teria arremetido contra aquele imbecil, mas agora sentia-se fraco como uma criança. Sem dizer uma palavra, pegou de cima do banco o seu sobretudo, vestiu-o, passou para a outra peça. Não encontrou ninguém lá e deixou em cima da mesa cinquenta copeques pelo pernoite, pela vela e pelo incômodo. Ao sair da isbá, encontrou-se em plena floresta. Partiu ao acaso, não se lembrando mesmo qual a direção a tomar, se à direita ou à esquerda da isbá. Na véspera, na sua precipitação, não reparara no caminho. Não experimentava nenhum sentimento de vingança, nem mesmo para com Samsónov, e seguia maquinalmente o estreito caminho, a cabeça perdida e sem se inquietar a respeito da direção que tomava. A primeira criança que aparecesse o teria derrubado, tão esgotado ele estava. Conseguiu, contudo, sair da floresta: os campos ceifados e desnudos estendiam-se a perder de vista. "Por toda parte o desespero, a morte!", repetia, enquanto andava.

Por felicidade, encontrou um velho comerciante que um carroceiro conduzia à estação de Volóvia. Levaram consigo Mítia que lhes perguntara qual o caminho. Chegaram três horas depois. Em Volóvia, alugou cavalos, a fim de seguir para a cidade e sentiu então que estava morto de fome. Enquanto atrelavam, prepararam-lhe uma omeleta. Devorou-a, bem como um grande naco de pão, salsichão e bebeu três copinhos de vodca. Uma vez restaurado, retomou coragem e recuperou sua lucidez. Movimentava-se, apressava o carroceiro, ruminava novo plano "infalível" para arranjar naquele mesmo dia aquele maldito dinheiro. "E dizer-se que o destino pode depender de três mil desgraçados rublos!", exclamava, desdenhosamente. "Hoje tomarei uma decisão!" E não fosse o pensamento contínuo em Grúchenhka e a inquietação que experimentava por causa dela, poderia ter estado talvez completamente contente. Mas aquele pensamento traspassava-o a cada instante como um punhal. Por fim chegaram e Mítia correu à casa dela.

III / As minas de ouro

Era precisamente a visita de que Grúchenhka havia falado a Rakítin com tanto terror. Esperava então um correio e regozijava-se com a ausência de Mítia, ontem e hoje, esperando que ele não viesse talvez antes de sua partida, quando de súbito ele aparecera. Sabe-se o resto; para despistá-lo fizera-se ela acompanhar por ele à casa de Kuzmá Samsónov, onde, dizia, tinha de ir fazer contas; despedindo-se de Mítia fizera-o prometer ir buscá-la à meia-noite. Ficara ele satisfeito com esse arranjo: "Ela fica em casa de Kúzmá, portanto não irá à casa de Fiódor Pávlovitch... contanto que ela não esteja mentindo", acrescentou logo. Acreditava-a sincera. Seu ciúme consistia, longe da mulher amada, em imaginar toda espécie de traições, mas de volta para seu lado, transtornado, persuadido de sua desgraça, ao primeiro olhar lançado àquele doce rosto, uma revolução operava-se nele, esquecia suas suspeitas e tinha vergonha de seus ciúmes. Apressou-se em voltar para casa, tinha ainda tanto que fazer! Pelo menos estava com o coração mais leve. "É preciso agora informar-me com Smierdiákov, se nada aconteceu ontem à noite, se ela não foi à casa de Fiódor Pávlovitch. Ah!..." De sorte que, mesmo antes de estar em casa, o ciúme se insinuava de novo no seu coração inquieto.

O ciúme! "Otelo não é ciumento, é confiante", disse Púchkin. Esta observação atesta a profundeza de nosso grande poeta. Otelo sente-se transtornado porque perdeu seu ideal. Mas não irá ocultar-se, espionar, escutar às portas: é confiante. Pelo contrário, foi preciso conduzi-lo ao caminho, excitá-lo com grande esforço, para que ele duvidasse da traição. Tal não é o verdadeiro ciumento. Não se pode imaginar a infâmia e a degradação a que um ciumento é capaz de acomodar-se sem nenhum remorso. E não são sempre almas vis que assim agem. Pelo contrário, embora tendo sentimentos elevados, um amor puro e devotado, pode uma pessoa esconder-se debaixo de mesas, comprar tratantes, prestar-se à mais ignóbil espionagem. Otelo jamais teria podido resignar-se a uma traição — não perdoá-la, mas a ela resignar-se —, se bem que tenha a doçura e inocência duma criança. Bem diferente é o verdadeiro ciumento. Tem-se dificuldade em imaginar os compromissos e a indulgência de que alguns são capazes. Os ciumentos são os primeiros a perdoar, todas as mulheres sabem disso. Perdoariam (após uma cena terrível, bem entendido) uma traição quase flagrante, os abraços e beijos de que foram testemunhas, se fosse a derradeira vez, se seu rival desaparecesse, partisse para o fim do mundo e eles mesmos partissem com a bem-amada para um lugar onde ela não tornaria a encontrar mais o outro. A reconciliação, naturalmente, não é senão de curta duração, porque na ausência de um rival o ciumento inventaria um segundo. Ora, que vale tal amor, objeto de uma vigilância incessante? Mas um verdadeiro ciumento não o compreenderá nunca. Há, no entanto, entre eles, pessoas de sentimentos elevados e, coisa de espantar, quando eles estão à escuta num esconderijo, ao mesmo tempo que compreendem a vergonha de sua conduta, não experimentam no momento nenhum remorso. À vista de Grúchenhka, o ciúme de Mítia desaparecia, tornava-se confiante e nobre, desprezava-se mesmo pelos seus maus sentimentos. Isto significava somente que aquela mulher lhe inspirava um amor mais elevado do que ele acreditava, um amor em que havia outra coisa além da sensualidade, da atração carnal de que ele falava a Aliócha. Mas assim que Grúchenhka partia, recomeçava Mítia a suspeitar nela todas as baixezas e perfídias da traição, sem experimentar nenhum remorso.

Assim, pois, o ciúme atormentava-o mais uma vez. Em todo caso, o tempo urgia. Era preciso, em primeiro lugar, arranjar uma pequena soma, os nove rublos de ontem tinham-se ido quase todos na viagem, e todos sabem que sem dinheiro não se vai longe. Pensara nisso, na *tieliega* que o trazia, ao mesmo tempo que no novo plano. Possuía duas excelentes pistolas que ainda não empenhara, porque eram de estimação. No botequim "A Capital", travara conhecimento com um jovem funcionário e soubera que, celibatário e em muito boas condições financeiras, ele tinha paixão por armas. Comprava pistolas, revólveres, punhais, com os quais formava panóplias que exibia com vaidade, hábil no explicar o sistema dum revólver, como carregá-lo, atirar, etc. Sem hesitar, Mítia foi oferecer-lhe suas pistolas em penhor por dez rublos. Encantado, o funcionário queria absolutamente comprá-las, mas Mítia não consentiu nisso; o outro deu-lhe dez rublos, declarando que não cobraria juros. Despediram-se como bons amigos. Mítia apressava-se, dirigiu-se a seu pavilhão, por trás da casa de Fiódor Pávlovitch, para chamar Smierdiákov. Mas desta maneira constatou-se de novo que, três ou quatro horas antes de um certo acontecimento de que se tratará depois, Mítia estava sem dinheiro e empenhara um objeto de estimação, ao passo que três horas mais tarde se achava de posse de milhares de rublos... Mas não antecipemos. Em casa de Maria Kondrátievna, a vizinha de Fiódor Pávlovitch, ele soube, consternado, da doença de Smierdiákov. Ouviu o relato da queda na adega, da crise que se seguiu, da chegada do doutor, da solicitude de Fiódor Pávlovitch; informaram-no também da partida de seu irmão Ivan para Moscou naquela manhã mesma. "Deve ter passado antes de mim por Volóvia", pensou, mas Smierdiákov preocupava-o intensamente. "Que fazer agora, quem velará para me informar?" Interrogou avidamente aquelas mulheres, para saber se elas nada tinham notado na véspera. Elas compreenderam muito bem o que ele queria saber e tranquilizaram-no: "Tudo se passara normalmente". Mítia refletiu: "Decerto era preciso vigiar também hoje, mas onde: aqui ou à porta de Samsónov?". Decidiu que seria nos dois lugares, à sua vontade, e enquanto esperava... havia aquele novo plano seguro, concebido na estrada e cuja execução não era possível atrasar. Mítia resolveu consagrar uma hora a isso. "Dentro de uma hora saberei tudo, e então, em primeiro lugar, em casa de Samsónov informar-me se Grúchenhka está lá, depois de novo aqui até às onze horas, e voltarei lá para reconduzi-la de volta."

Correu à sua casa e depois de ter-se asseado, dirigiu-se à casa da Senhora Khokhlakova. Ai! tal era o seu famoso "plano". Resolvera pedir emprestados três mil rublos àquela senhora, persuadido de que ela não recusaria. Não será caso de admiração talvez que, neste caso, não haja ele ido em primeiro lugar à casa de alguém de seu mundo, em lugar de Samsónov, cuja mentalidade lhe era estranha, e com o qual não sabia exprimir-se? Mas é que desde um mês quase rompera com ela, conhecia-a pouco, aliás, e sabia que ela não podia tolerá-lo, porque ele era o noivo de Katierina Ivânovna. Ela queria que a moça o deixasse para casar com "o querido Ivan Fiódorovitch, tão instruído e que possuía tão belas maneiras". As de Mítia desagradavam-lhe fortemente. Zombava dela e dissera uma vez que "aquela senhora era tão viva e desenvolta quanto pouco instruída". E pela manhã, na *tieliega,* fora aquilo como um raio de luz: "Se ela se opõe ao meu casamento com Katierina Ivânovna (e que nisso ela era irreconciliável), por que me recusaria agora esses três mil rublos que me permitiriam abandonar Kátia e partir definitivamente? Quando essas grandes damas muito cheias de si têm um capricho na cabeça, nada se poupam para atingir os seus fins. Ela é, aliás, tão rica ...", dizia a si mesmo Mítia. Quanto ao plano, era igual ao precedente, isto é, o abandono de seus direitos sobre Tchermachniá, não com um fim comercial, como no caso de Samsónov, e sem tentar aquela senhora, como o comerciante, com a possibilidade dum bom negócio, dum ganho de alguns milhares de rublos, mas simplesmente em garantia de sua dívida. Desenvolvendo essa ideia nova, Mítia entusiasmava-se, como acontecia sempre por ocasião de seus empreendimentos e de suas novas decisões. Todo projeto novo apaixonava-o. Apesar disso, ao chegar ao patamar, sentiu um arrepio repentino; naquele instante compreendeu, com uma precisão matemática, que estava ali sua derradeira esperança, que em caso de fracasso não teria outro recurso senão estrangular alguém para roubá-lo... Eram sete horas e meia, quando tocou a campainha.

A princípio, tudo marchou a contento, foi recebido imediatamente. "Parece até que ela me espera", pensou Mítia. Assim que foi introduzido no salão, a dona da casa apareceu e declarou-lhe que o esperava.

— Não podia supor que o senhor viria, há de convir; no entanto, esperava-o. Admire meu instinto, Dimítri Fiódorovitch, contava com sua visita hoje.

— É verdadeiramente de admirar, minha senhora — disse Mítia, sentando canhestramente —, mas vim por causa dum negócio da mais alta importância, no que a mim se refere, e apresso-me...

— Eu sei, Dimítri Fiódorovitch, não se trata mais de pressentimento, de inclinação retrógrada pelos milagres (ouviu falar do *stáriets* Zósima?), era fatal, o senhor deveria vir depois de tudo o que se passou com Katierina Ivânovna.

— A realidade da vida, minha senhora, é isso. Mas permita-me que lhe explique...

— Precisamente, a realidade da vida, Dimítri Fiódorovitch. Não há senão isso que valha aos meus olhos, estou curada dos milagres. O senhor soube da morte do *stáriets* Zósima?

— Não, senhora, não sabia de nada — respondeu Mítia, um tanto surpreso. Voltou-lhe a lembrança de Alocha.

— Esta noite mesmo e imagine o senhor...

— Minha senhora — interrompeu Mítia —, imagino somente que me encontro numa situação desesperada, e que se a senhora não vier em meu auxílio tudo se desmoronará, eu, em primeiro lugar. Perdoe-me a vulgaridade da expressão, a febre queima-me.

— Sim, sei que o senhor tem febre, não pode ser de outra forma; diga o que disser, sei de antemão. Há muito tempo que me ocupo com seu destino, Dimítri Fiódorovitch, acompanho-o, estudo-o. Sou um médico experimentado, pode acreditar.

— Não duvido, minha senhora. Em compensação, sou eu um doente experimentado — replicou Mítia, esforçando-se por ser amável — e tenho o pressentimento de que, se a senhora segue com tal interesse meu destino, não me deixará sucumbir. Mas permita-me afinal que lhe exponha o plano que me traz... e o que espero da sua parte... Venha cá, minha senhora...

— De que servem essas explicações? Isto não tem importância. Não é o senhor o primeiro a quem eu iria em socorro, Dimítri Fiódorovitch. Deve ter ouvido falar de minha sobrinha Bielhmiésova. Seu marido estava perdido, afundava-se. Pois bem, aconselhei-o a criar cavalos e agora ele está próspero. O senhor entende de criação de cavalos, Dimítri Fiódorovitch?

— Absolutamente, minha senhora, absolutamente! — exclamou Mítia, que ficou em pé na sua impaciência. — Suplico-lhe, senhora, que me ouça, deixe-me falar dois minutos somente, para explicar-lhe meu projeto. Além do mais, tenho muita pressa!... — gritou Mítia, exaltado, compreendendo que ela ia falar mais ainda e na esperança de gritar mais forte do que ela. — Vim desesperado, para pedir-lhe emprestados três mil rublos contra um penhor seguro, que oferece plena garantia! Deixe-me somente dizer-lhe...

— Depois, depois! — exclamou a Senhora Khokhlakova, agitando a mão. — Sei já tudo quanto o senhor quer me dizer. Pede-me três mil rublos, vou lhe dar bem mais, vou salvá-lo, Dimítri Fiódorovitch, mas é preciso obedecer-me.

Mítia sobressaltou-se.

— Senhora, teria tamanha bondade?! — exclamou ele num tom emocionado. — Meu Deus! A senhora salva um homem da morte, do suicídio... Minha eterna gratidão...

— Vou lhe dar muito mais, muito mais de três mil rublos! — repetiu a Senhora Khokhlakova, que olhava, sorridente, o entusiasmo de Mítia.

— Mas não preciso de tanto! Tenho necessidade somente dessa fatal soma, três mil rublos. Ofereço-lhe uma garantia e lhe agradeço. Meu plano...

— *Basta, Dimítri Fiódorovitch*, está dito, está feito — interrompeu-o a Senhora Khokhlakova, com a modéstia triunfante de uma benfeitora. — Prometi salvá-lo e hei de salvá-lo, como a Bielhmiésov. Que pensa o senhor das minas de ouro?

— As minas de ouro, senhora? Jamais pensei nisso!

— Mas eu penso, pelo senhor. Há um mês que o observo com este objetivo. Olhei-o muitas vezes, quando o senhor passava, pensando: eis um homem enérgico, cujo lugar é nas minas. Eu mesma estudei seu andar e persuadi-me de que o senhor descobriria filões.

— Pelo meu modo de andar, senhora?

— Por que não? Como nega que se possa conhecer o caráter pelo modo de andar, Dimítri Fiódorovitch? As Ciências Naturais confirmam o fato. Oh! sou realista. Desde hoje, após essa história no mosteiro que tanto me afetou, tornei-me totalmente realista e quero entregar-me a uma atividade prática. Estou curada do misticismo. "Basta!", como diz Turguéniev.

— Mas senhora, esses três mil rublos que me prometeu tão generosamente...

— Eles não lhe escaparão, é como se os tivesse em seu bolso. E não três mil, mas três milhões, em breve prazo. Eis minha ideia: o senhor descobrirá minas, ganhará milhões, quando voltar, estará transformado num homem de ação capaz de nos guiar para o bem. Será preciso, pois, abandonar tudo aos judeus? O senhor construirá edifícios, fundará diversas empresas. Socorrerá os pobres e eles o abençoarão. Estamos no século das estradas de ferro. O senhor será conhecido e notado no Ministério das Finanças, que se encontra em extrema penúria. A queda de nossa moeda fiduciária impede-me de dormir, Dimítri Fiódorovitch, conhecem-me mal a este respeito.

— Minha senhora, minha senhora — interrompeu, de novo, Dimítri, inquieto —, seguirei muito provavelmente seu sábio conselho... irei talvez lá... às minas a que se refere... voltarei para conversar com a senhora... mas agora esses três mil rublos que a senhora tão generosamente... eles me libertariam, e se possível hoje... Não tenho uma hora a perder...

— Escute, Dimítri Fiódorovitch, chega! Uma pergunta: parte ou não para as minas de ouro? Responda-me categoricamente.

— Irei, minha senhora, depois... Irei aonde a senhora quiser... mas agora...

— Espere então! — Dirigiu-se vivamente para uma magnífica escrivaninha e remexeu dentro das gavetas com precipitação.

"Os três mil!", pensou Mítia, crispado pela expectativa — "e isto imediatamente, sem papel, sem formalidades... Que grandeza de alma! Que excelente mulher! Se somente falasse menos..."

— Aqui está — exclamou ela, radiante, voltando para Mítia eis o que eu procurava.

Era um pequeno ícone de prata, com uma corrente, como os que se usam por vezes sob a roupa.

— Vem de Kiev, Dimítri Fiódorovitch — disse a Senhora Khokhlakova, com respeito —, relíquias de Santa Bárbara, a grande mártir. Permita-me que eu mesma ponha este pequeno ícone em seu pescoço e o abençoe em véspera de uma vida nova.

E tendo-lhe passado a corrente no pescoço, tratou de ajustá-la. Mítia, muito constrangido, inclinou-se e procurou ajudá-la. Por fim, o ícone ficou colocado como era preciso.

— Agora, pode partir — disse ela, tornando a sentar, triunfante.

— Minha senhora, estou tão comovido... e não sei como agradecer-lhe... a sua solicitude, mas... se soubesse a senhora como tenho pressa! Essa soma que espero de sua generosidade... Oh! minha senhora, já que é tão boa, tão generosa — e Mítia teve uma inspiração — permita-me que lhe revele... o que, aliás, a senhora já sabe... amo uma pessoa. Traí Kátia, Katierina Ivânovna, quero dizer... Oh! tenho sido inumano, desonesto, mas amava outra... uma mulher a quem a senhora talvez despreze, porque está a par de tudo, mas que eu não posso abandonar, de modo que esses três mil...

— Abandone tudo, Dimitri Fiódorovitch — interrompeu, em tom cortante a Senhora Khokhlakova. — Sobretudo as mulheres. Seu objetivo são as minas. Inútil levar mulheres para lá. Mais tarde, quando o senhor voltar rico e célebre, encontrará uma amiga de coração na mais alta sociedade. Será uma moça moderna, prudente e sem preconceitos. Nessa época, justamente, o feminismo estará desenvolvido e a nova mulher aparecerá...

— Minha senhora, não é isto, não é isto... — disse Dimítri Fiódorovitch, juntando as mãos, com ar suplicante.

— É sim, Dimítri Fiódorovitch, é precisamente disto que o senhor necessita, é disto que o senhor está sedento sem saber. Interesso-me bastante pelo feminismo. O desenvolvimento da mulher e até mesmo seu papel político no futuro mais próximo, eis meu ideal. Tenho uma filha, Dimítri Fiódorovitch, esquecem-se disto muitas vezes. Escrevi a respeito a Chtchédrin.[72] Este escritor abriu-me tais horizontes sobre a missão da mulher que lhe dirigi, o ano passado, estas duas linhas: "Aperto-o de encontro ao meu coração e beijo-o em nome da mulher moderna, continue". E assinei: "Uma mãe". Teria querido assinar: "Uma mãe contemporânea", mas hesitei. Afinal de contas limitei-me a "uma mãe", é mais belo moralmente, Dimítri Fiódorovitch, e a palavra "contemporânea" poderia ter lembrado O Contemporâneo, lembrança amarga para ele, em vista da censura atual. Meu Deus, que tem o senhor?

— Minha senhora — disse Mítia, de pé, com as mãos juntas como um suplicante —, a senhora vai fazer-me chorar, se demora ainda o que tão generosamente...

— Chore, Dimítri Fiódorovitch, chore! É um belo sentimento... no caminho que o espera. As lágrimas aliviam. Mais tarde, uma vez de volta da Sibéria, o senhor se rejubilará comigo...

— Mas permita   — vociferou de súbito Mítia —, suplico-lhe pela derradeira vez, diga-me se posso receber da senhora hoje a soma prometida. Senão, quando será preciso vir buscá-la?

— Que soma, Dimítri Fiódorovitch?

— Os três mil rublos que a senhora me prometeu... que tão generosamente...

— Três mil o quê... três mil rublos? Mas não os tenho — disse ela, com alguma surpresa.

— Como?... ainda há pouco... a senhora disse que era como se eu os tivesse em meu bolso...

— Oh! não, o senhor compreendeu-me mal, Dimítri Fiódorovitch. Falava das minas. Prometi-lhe bem mais de três mil rublos, lembro-me agora, mas tinha em vista unicamente as minas.

— Mas o dinheiro? Os três mil rublos?

---

72 Mikhail Ievgráfovitch Saltikov-Chtchédrin (1826-1889), célebre escritor de romances sociais com tendências liberais. Foi deportado por Nikolai I e indultado por Alieksandr II.

— Oh! se o senhor contava com dinheiro, não o tenho no momento absoluta-mente, Dimítri Fiódorovitch. Estou mesmo em dificuldades com meu administra-dor e acabo de pedir emprestados a Miúsov quinhentos rublos. Se os tivesse, aliás, nada lhe daria. Em primeiro lugar, não empresto dinheiro a ninguém. Quem deve-dor tem, guerra lhe vem. Mas ao senhor, particularmente, teria recusado, mesmo gostando do senhor, mesmo para salvá-lo. Porque o senhor só precisa de uma coisa: das minas e das minas!

— Oh! que o diabo... — berrou Mítia, dando um violento murro sobre a mesa.

— Ai! ai! — exclamou a Senhora Khokhlakova, aterrorizada, refugiando-se na outra extremidade do salão. Mítia cuspiu com desprezo e saiu rapidamente. Ia como um doido nas trevas, batendo no peito no mesmo lugar em que dois dias antes dian-te de Alióchka, por ocasião do derradeiro encontro deles na estrada. Por que batia ele justamente no mesmo lugar; que significava esse gesto? Não tinha revelado ainda a ninguém aquele segredo, nem mesmo a Alióchka, um segredo que ocultava a desonra, e mesmo sua perda e o suicídio, porque tal era sua resolução no caso em que não arranjasse os três mil rublos para restituir a Katierina Ivânovna e tirar de seu peito, daquele lugar, a desonra que carregava e que torturava sua consciência. Tudo isto será esclarecido mais adiante. Após a ruína de sua derradeira esperança, aquele homem tão robusto desmanchou-se de súbito em lágrimas, como uma criança. Caminhava estupidificado, enxugando suas lágrimas com o punho, quando deu um encontrão em alguém. Uma mulher, que ele quase derrubara, lançou um grito agudo.

— Meu Deus, quase me matou! Preste atenção, vagabundo!

— Ah! é você? — gritou Mítia, examinando a velha no escuro. Era a criada de Kuzmá Samsónov que ele vira na véspera.

— E o senhor quem é, *bátiuchka?* — proferiu a velha em outro tom. — Não o estou reconhecendo.

— Não trabalha em casa de Kuzmá Samsónov?

— Perfeitamente... Mas não consigo reconhecê-lo.

— Diga-me, minha boa mulher, estará Agrafiena Alieksándrovna em casa dele neste momento? Eu mesmo a levei para lá.

— Sim, *bátiuchka,* ela ficou um instante e partiu.

— Como, partiu? Quando?

— Não ficou muito tempo. Divertiu Kuzmá Kuzmitch, contando-lhe uma his-tória, depois saiu.

— Mentes, maldita! — gritou Mítia.

— Ai! ai! — exclamou a velha. Mas Mítia havia desaparecido, corria a bom correr para a casa onde morava Grúchenhka. Havia ela partido, um quarto de hora antes, para Mókroie, Fiénia estava na cozinha com sua avó, a cozinheira Matriona, quando o "capitão" chegou. À sua vista, Fiénia gritou com todas as suas forças.

— Estás gritando? — perguntou Mítia. — Onde está ela? — E sem esperar a resposta de Fiénia paralisada de medo, caiu a seus pés.

— Fiénia, em nome do Cristo, nosso Salvador, dize-me onde ela está!

— Não sei de nada, caro Dimítri Fiódorovitch, de nada absolutamente. Ainda que o senhor me matasse agora mesmo, nada posso dizer. Mas o senhor a acompa-nhou...

— Ela voltou...

— Não, ela não voltou, juro por Deus.

— Mentes! — urrou Mítia. — Basta o teu terror para eu adivinhar onde ela está...

Saiu correndo. Apavorada, Fiénia felicitava a si mesmo por se ter livrado tão facilmente, compreendendo que aquilo poderia ter dado em complicação, se houvesse demorado mais. Ao sair, ele teve um gesto que causou espanto às duas mulheres. Sobre a mesa havia um almofariz com um pilão de cobre; Mítia, que já havia aberto a porta, agarrou de passagem aquele pilão e meteu-o no seu bolso.

— Meu Deus! ele quer matar alguém! — gemeu Fiénia.

IV / Nas trevas

Para onde corria ele? Pode-se imaginar: "Onde poderá ela estar, senão em casa de Fiódor Pávlovitch? Foi diretamente da casa de Samsónov para lá, está claro. Toda essa intriga salta aos olhos...". As ideias se entrechocavam em sua cabeça. Não entrou no pátio de Maria Kondrátievna: "É inútil dar alarma, ela deve participar da conjura, bem como Smierdiákov; estão todos comprados!". Sua resolução estava tomada; deu uma grande volta, transpôs o passadiço, foi sair em um beco lá atrás, deserto e desabitado, limitado de um lado pela sebe da horta vizinha, do outro, pela alta paliçada que cercava o jardim de Fiódor Pávlovitch. Escolheu para escalá-la precisamente o lugar por onde trepara, segundo a tradição, Lisavieta Smierdiáchtchaia. "Se ela pôde passar por ali — pensou ele —, por que eu não faria a mesma coisa?" De um salto suspendeu-se à paliçada, içou-se e encontrou-se escarranchado no alto. Bem perto erguia-se o banheiro, mas via de seu lugar as janelas iluminadas da casa. "É isto, há luz no quarto de dormir do velho, ela está lá!" E saltou para o jardim. Muito embora soubesse que Grigóri e talvez Smierdiákov estivessem doentes, que ninguém podia ouvi-lo, ficou imóvel instintivamente e prestou ouvidos. Por toda parte um silêncio de morte, uma calma absoluta, nem o menor sopro. "Só se ouve o silêncio...", voltou-lhe este verso à memória, "contanto que não me hajam ouvido! Acho que não." Então pôs-se a caminhar pela relva a passos de lobo, de ouvido atento, evitando as árvores e as moitas. Lembrava-se de que havia sob as janelas espessos maciços de sabugueiro e de briônia. A porta que dava acesso ao jardim, do lado esquerdo da fachada, estava fechada, verificou ao passar. Por fim atingiu os maciços e ali se ocultou. Retinha a respiração. "É preciso esperar. Se me ouviram, devem estar agora à escuta... Contanto que não vá tossir ou espirrar!..."

Esperou dois minutos. Seu coração batia, por momentos quase sufocava. "Essas palpitações não cessarão, não posso mais esperar." Mantinha-se na sombra, por trás duma moita meio iluminada. "Uma briônia, como suas bagas estão vermelhas!", murmurou ele, maquinalmente. A passos de lobo, aproximou-se da janela e ergueu-se nas pontas dos pés. O quarto de dormir de Fiódor Pávlovitch aparecia-lhe totalmente, pequena peça separada em duas por biombos vermelhos, "chineses", como os chamava seu proprietário. "Grúchenhka está ali atrás", pensou Mítia. Pôs-se a examinar Fiódor Pávlovitch, vestido com um roupão de seda raiada — que Mítia nunca vira usado por ele — com um cordão que terminava em borlas. A gola dobrada deixava ver uma camisa elegante de fino pano de Holanda, ornada de botões de ouro. Sua cabeça estava enrolada com o mesmo lenço vermelho com que o vira Alióchka. "Faz-se bonito."

OS IRMÃOS KARAMÁZOVI 705

Fiódor Pávlovitch conservava-se perto da janela, com ar pensativo. De súbito, voltou a cabeça, escutou e, não ouvindo nada, aproximou-se da mesa, serviu-se de um meio copo de conhaque que bebeu. Depois suspirou profundamente, fez uma pausa. Após isto, dirigiu-se com ar distraído para o espelho, ergueu um pouco o lenço para examinar as equimoses e escaras. "Está só muito provavelmente." O velho afastou-se do espelho e pôs-se diante da janela. Mítia recuou vivamente para a sombra.

"Ela está talvez por trás dos biombos, já dormindo." Fiódor Pávlovitch retirou-se da janela. "É ela que ele espera, não está, pois, aqui; senão, por que ele olharia para a escuridão? É a impaciência que o devora." Mítia voltou a observar. O velho estava sentado diante da mesa, visivelmente triste. Por fim, apoiou o cotovelo na mesa, com a face encostada à mão direita. Mítia olhava avidamente. "Sozinho, sozinho! Se ela estivesse aqui, ele estaria com outro ar." Coisa estranha; experimentou de repente um despeito estranho pelo fato de não se encontrar ela ali. "O que me aborrece não é sua ausência, mas não saber em que acreditar", explicava a si mesmo. Mais tarde, lembrou-se Mítia de que seu espírito estava então extraordinariamente lúcido e que ele se dava conta dos mínimos detalhes. Mas a angústia provinda da incerteza crescia em seu coração. "Ela está aqui, sim ou não?" De súbito decidiu-se, estendeu o braço, bateu na janela. Duas pancadas levemente, depois três outras mais depressa: toc, toc, toc, sinal convencionado entre o velho e Smierdiákov, para anunciar que Grúchenhka tinha chegado. O velho estremeceu, ergueu a cabeça e correu para a janela. Mítia voltou para a sombra. Fiódor Pávlovitch abriu, inclinou-se.

— Grúchenhka, és tu? — perguntou ele, com voz trêmula. — Onde estás, minha querida, meu anjo, onde estás? — Bastante emocionado, ofegava.

"Sozinho."

— Onde estás então? — repetiu o velho, com o busto debruçado para fora, a fim de olhar para todos os lados. — Vem cá, preparei um presente para ti, vem vê-lo!

"O envelope com os três mil rublos."

— Mas onde estás então? Estás na porta? Vou abrir...

E Fiódor Pávlovitch arriscava-se a cair, olhando para a porta que dava para o jardim e escrutando as trevas. Ia certamente apressar-se em abrir a porta, sem esperar a resposta de Grúchenhka. Mítia não se moveu. A luz iluminava nitidamente o perfil detestado do velho, com seu pomo-de-adão, seu nariz recurvado, seus lábios sorrindo em voluptuosa expectativa. Uma cólera furiosa ferveu de súbito no coração de Mítia: "Eis o meu rival, o carrasco de minha vida!". Era um acesso irresistível, o arrebatamento de que falara a Aliócha, por ocasião de sua conversa no pavilhão, em resposta à sua pergunta: "Como podes dizer que matarás teu pai?".

"Não sei — dissera Mítia —, talvez matarei, talvez não. Temo não poder suportar seu rosto naquele momento. Odeio seu pomo-de-adão, seu nariz, seus olhos, seu sorriso impaciente. Causa-me asco. Eis o que temo, não poderei conter-me..."

A aversão tornava-se intolerável. Mítia, fora de si, tirou de seu bolso o pilão de cobre.

"Deus me preservou naquele momento", dizia mais tarde Mítia; naquele momento, com efeito, Grigóri, sofrendo, despertou. Antes de deitar-se, tinha tomado o remédio de que Smierdiákov falara a Ivan Fiódorovitch. Depois de haver-se esfregado, ajudado por sua mulher, com vodca misturada a uma infusão secreta muito forte, bebeu o resto da droga, enquanto Marfa Ignátievna recitava uma prece. Ela também bebeu e, não tendo o hábito, adormeceu com um sono de chumbo, ao lado de seu marido. De repente, este despertou, refletiu um instante e, muito embora sentisse uma dor aguda nos rins, levantou-se e vestiu-se à pressa. Talvez se censurasse o dormir, estando a casa sem guarda num tempo tão perigoso. Smierdiákov, esgotado pela sua crise, jazia imóvel no quarto vizinho. Marfa Ignátievna não se movera; "está fatigada", pensou Grigóri, depois de havê-la olhado e saiu gemendo para o patamar. Quis somente lançar uma olhadela, não tendo forças para ir mais longe, tanto lhe doíam os rins e a perna direita. De súbito lembrou-se de que não havia fechado com chave a portinha do jardim. Era um homem meticuloso, escravo da ordem estabelecida e dos hábitos inveterados. Coxeando e com contorções de dor, desceu o patamar e dirigiu-se para o jardim. Com efeito, a porta estava escancarada. Entrou maquinalmente; acreditara avistar ou ouvir alguma coisa, mas olhando para a esquerda, notou a janela aberta onde ninguém se via. "Por que está aberta? Não se está mais no verão", pensou Grigóri. No mesmo instante, bem à sua frente, a quarenta passos, uma sombra se deslocava rapidamente, alguém corria no escuro. "Meu Deus!", murmurou ele, e, esquecendo seu lumbago, pôs-se em perseguição do fugitivo. Tomou pelo caminho mais curto, conhecendo melhor o jardim que o outro. Este se dirigiu para o banheiro, contornou-o, lançou-se para o muro. Grigóri não o perdia de vista enquanto corria e atingiu a paliçada no momento em que Dimítri a escalava. Fora de si, Grigóri lançou um grito, avançou e agarrou-o por uma perna. Seu pressentimento não o enganara, reconheceu-o, era mesmo ele, "o execrável parricida".

— Parricida! — vociferou o velho, mas não disse mais nada e caiu como fulminado. Mítia saltou de novo para dentro do jardim e curvou-se sobre Grigóri. Maquinalmente, desembaraçou-se do pilão que caiu a dois passos no caminho, bem em evidência. Grigóri tinha a testa a sangrar, Mítia tateou-a, ansioso por saber se rebentara o crânio do velho ou se o havia apenas entontecido com o pilão. O sangue morno jorrava, inundando seus dedos trêmulos. Tirou de seu bolso o lenço imaculado que tomara para ir à casa da Senhora Khokhlakova e aplicou-lhe na cabeça, esforçando-se estupidamente por estancar-lhe o sangue. O lenço ficou logo embebido. "Meu Deus, para que fiz isto? Como saber o que há e que importa agora? O velho está liquidado; se o matei, tanto pior para ele!", proferiu em voz alta. Então escalou a paliçada, saltou para o beco e se pôs a correr, metendo no bolso de sua sobrecasaca o lenço ensanguentado que apertava na sua mão direita. Alguns passantes lembraram-se mais tarde de ter encontrado naquela noite um homem que corria a bom correr. Dirigiu-se de novo para a Casa Morózova. Após a partida dele, Fiénia precipitara-se para a casa do porteiro, Nazur Ivânovitch, suplicando-lhe que "não mais deixasse o capitão entrar, nem hoje, nem amanhã". Posto ao corrente do que havia, o porteiro concordou, mas teve de subir à casa da proprietária que o mandara chamar. Encarregou de substitui-lo seu sobrinho, um rapaz de vinte anos, recentemente chegado do campo, mas esqueceu-se de mencionar o capitão. O rapaz, que se lembrava das gorjetas dele, reconheceu-o e abriu-lhe a porta logo. Sorrindo, apressou-se em informá-lo, solicitamente, de que "Agrafiena Alieksándrovna não estava em casa".

— Onde está ela então, Prókhor? — E Mítia parou.

— Há duas horas que ela partiu para Mókroie com Timofiéi.

— Por quê?

— Não sei, para ir ter com um oficial que mandou um carro buscá-la.

Mítia precipitou-se como um louco para dentro da casa.

V / Uma decisão súbita

Fiénia achava-se na cozinha com sua avó, preparando-se para deitar-se. Fiando-se no porteiro, não tinham fechado a porta. Assim que entrou, Mítia agarrou Fiénia pela garganta.

— Imediatamente... dize-me com quem está ela em Mókroie — vociferou ele.

As duas mulheres lançaram um grito.

— Ai! Vou dizer-lhe, ai! caro Dimítri Fiódorovitch, direi tudo, não ocultarei nada! — gaguejou Fiénia, apavorada, — Ela foi ver um oficial.

— Que oficial?

— O mesmo, o que a abandonou há cinco anos.

Dimítri largou Fiénia. Estava mortalmente pálido e sem voz, mas via-se pelo seu olhar que compreendera tudo a meias palavras, adivinhara até o mínimo detalhe. A pobre Fiénia, evidentemente, não podia saber disso. Permanecia assentada sobre a arca, toda trêmula, com os braços estendidos como para defender-se, sem um movimento. As pupilas dilatadas pelo pavor, fixava Mítia que estava com as mãos ensanguentadas. Em caminho, devia tê-las levado ao rosto para enxugar o suor, porque a testa estava manchada, bem como a face direita. Fiénia estava a ponto de ter uma crise de nervos; a velha cozinheira olhava como uma louca, prestes a desmaiar. Dimítri sentou-se maquinalmente junto de Fiénia.

Seu pensamento vagava numa espécie de estupor. Mas tudo se explicava; ele estava ao corrente, a própria Grúchenhka lhe falara daquele oficial, bem como da carta recebida um mês antes. De modo que, desde um mês, aquela intriga se desenrolava sem que o soubesse, até a chegada desse novo pretendente, e não pensara nele. Como podia ser isso? Esta pergunta erguia-se diante dele como um monstro e gelava-o de pavor.

De súbito falou docemente a Fiénia, num tom caricioso, esquecendo-se de que acabava de aterrorizá-la e tratá-la mal. Pôs-se a interrogá-la, com uma precisão surpreendente no estado em que se encontrava. Se bem que Fiénia olhasse com estupor suas mãos ensanguentadas, respondeu com solicitude a cada uma de suas perguntas. Pouco a pouco passou mesmo ela a sentir prazer em expor-lhe todos os detalhes, não para entristecê-lo, mas como se quisesse de todo coração prestar-lhe serviço. Contou-lhe a visita de Rakítin e Aliócha, enquanto ela estava de vigia, as palavras de despedida que sua patroa lhe mandara por Aliócha, a ele, Mítia, que devia "lembrar-se sempre de que ela o amara por uma pequena hora". Mítia sorriu e suas faces enrubesceram. Fiénia, em quem o medo dera lugar à curiosidade, arriscou-se a dizer-lhe:

— O senhor tem sangue nas mãos, Dimítri Fiódorovitch.

— Sim — disse ele, olhando-as distraidamente. Reinou prolongado silêncio. Seu terror de ainda há pouco passara, uma resolução inflexível possuía-o. Levantou com um ar pensativo.

— *Bárin,* que lhe aconteceu? — perguntou Fiénia, apontando-lhe para as mãos. Falava com comiseração, como a pessoa mais próxima dele no seu pesar.

— É sangue, Fiénia, sangue humano. Meu Deus, por que foi derramado?... Há uma barreira (olhava a moça como se lhe propusesse um enigma), uma barreira alta e de aspecto formidável, mas amanhã, ao nascer do sol, Mítia a transporá... Tu não compreendes, Fiénia, de que barreira se trata, não importa... amanhã saberás tudo... agora, adeus! Não serei um obstáculo, saberei retirar-me. Vive, minha adorada... tu me amaste uma hora, lembra-te sempre de Mítia Karamázov...

Saiu bruscamente, deixando Fiénia quase mais aterrorizada que havia pouco, quando ele se lançara contra ela.

Dez minutos depois, apresentou-se em casa de Piotr Ilitch Pierkhótin, o jovem funcionário a quem empenhara suas pistolas por dez rublos. Eram já oito e meia da noite e Piotr Ilitch, depois de ter tornado chá, acabava de vestir sua sobrecasaca para ir jogar bilhar. Vendo Mítia e seu rosto manchado de sangue, exclamou:

— Meu Deus! Que tem o senhor?

— Nada — disse vivamente Mítia. — Vim desempenhar minhas pistolas. Obrigado. Estou com pressa, Piotr Ilitch, por favor, despacha-me logo.

Piotr Ilitch mostrava-se cada vez mais espantado. Mítia tinha entrado, com um maço de notas de banco na mão, segurando-as de maneira insólita, com o braço estendido, como para mostrá-las a todo mundo. Devia tê-las trazido assim pela rua, segundo o que contou depois o jovem criado que lhe abriu a porta. Eram cédulas de cem rublos que ele segurava com seus dedos ensanguentados. Piotr Ilitch explicou mais tarde aos curiosos que era difícil avaliar a soma à primeira vista, podendo haver de dois a três mil rublos. Quanto a Dimítri "sem ter bebido, nem por isso se achava em seu estado normal, parecendo exaltado, bastante distraído e ao mesmo tempo absorto, como se meditasse, sem conseguir chegar a uma solução. Apressava-se, respondia com brusquidão, duma maneira estranha, tendo por momentos o ar alegre e de modo algum aflito".

— Mas que tem o senhor afinal? — gritou de novo, examinando-o com estupor, Piotr Ilitch. — Como pôde sujar-se dessa forma? Caiu? Olhe!

Levou-o para diante do espelho. À vista de seu rosto manchado, Mítia estremeceu, franziu as sobrancelhas.

— Diabos! Só faltava isto!

Passou as cédulas de sua mão direita para a esquerda e tirou vivamente seu lenço. Cheio de sangue coagulado, formava ele uma bola toda colada. Mítia atirou-o no chão.

— Com a breca! Não teria o senhor um pedaço de pano... para me limpar?

— Então não está ferido? Faria melhor lavando-se. Vou dar-lhe água.

— Perfeito... mas onde meterei isto? — e designava com embaraço o maço de cédulas, como se coubesse a Piotr Ilitch dizer-lhe onde pôr seu dinheiro.

— No seu bolso, ou então coloque em cima da mesa. Ninguém tocará nele.

— Em meu bolso? Ah! sim, está bem... Não, veja o senhor, tudo isso são besteiras! Em primeiro lugar, concluamos o caso das pistolas. Entrega-mas. Eis aqui o dinheiro... tenho extrema necessidade delas... e nem um minuto a perder.

E destacando do maço a primeira cédula, estendeu-a ao funcionário.

— Não tenho troco. O senhor não tem moeda?

— Não. (Como tomado duma dúvida, Mítia verificou algumas das cédulas.) São todas iguais... — E olhou de novo para Piotr Ilitch com olhar interrogador.

— Onde fez fortuna? — perguntou Piotr Ilitch. — Um instante, vou mandar meu criado à casa dos Plótnikovi. Fecham tarde, conseguiremos moedas. Ei! Micha! — gritou ele, no vestíbulo.

— Em casa dos Plótnikovi? Eis uma famosa ideia! — disse Mítia. — Micha — continuou ele, dirigindo-se ao criado que acabava de entrar —, corre à casa dos Plótnikovi e dize-lhes que Dimítri Fiódorovitch os saúda e vai para lá agora mesmo. Escuta ainda: que eles me preparem champanhe, três dúzias de garrafas, embaladas como quando fui a Mókroie... Comprei então quatro dúzias (dirigia-se a Piotr) eles estão ao corrente, não te atormentes, Micha. E depois acrescentem queijo, pastéis de Estrasburgo, salmões defumados, presunto, caviar, enfim tudo quanto tenham lá, por cerca de cem ou cento e vinte rublos. Que não se esqueçam de pôr bombons, peras, duas ou três melancias, ou quatro, não, uma bastará; chocolate, doce de cevada, caramelos, enfim, como da outra vez. Com o champanhe deve orçar pelos trezentos rublos. Não te esqueças de nada, Micha... é mesmo Micha que ele se chama? — perguntou a Piotr Ilitch.

— Espere — disse este, que o observava com inquietação. — Será melhor que o senhor mesmo vá lá, Micha se atrapalharia.

— Receio mesmo! Ora, Micha, e eu que queria dar-te um beijo pelo trabalho... se não te atrapalhares, haverá dez rublos para ti, vai depressa... Que não se esqueçam do champanhe, depois conhaque, vinho tinto e vinho branco e tudo como antes... Sabem o que havia.

— Escute, pois! — interrompeu Piotr Ilitch, impaciente desta vez. — Que o rapaz vá somente obter o troco e dizer que não fechem. O senhor mesmo irá fazer a encomenda. Dê sua cédula. Despacha-te, Mítia!

Piotr Ilitch tinha pressa em despachar Micha, porque o rapaz estava de boca aberta diante do visitante, com os olhos esbugalhados, à vista do sangue e do maço de cédulas que tremia entre os dedos de Mítia, cujas instruções parecia não ter compreendido lá muito.

— E agora, vá lavar-se — disse bruscamente Piotr Ilitch. — Ponha o dinheiro em cima da mesa ou em seu bolso... Isto. Tire sua sobrecasaca.

Ajudando-o a tirar a sobrecasaca, exclamou de novo:

— Olhe, há sangue na sua sobrecasaca.

— Mas não. Somente um pouco na manga e depois aqui, no lugar do lenço... deve ter escorrido através do bolso, quando me sentei em cima de meu lenço — em casa de Fiénia — explicou Mítia com ar confiante. Piotr Ilitch escutava-o com as sobrancelhas contraídas.

— Bem arranjado está o senhor, deve ter-se batido — murmurou ele.

Segurava o jarro e ia derramando a água à medida. Na sua precipitação, Mítia lavava-se mal, suas mãos tremiam. Piotr Ilitch ordenou-lhe que ensaboasse e esfregasse mais. Tomara sobre Mítia uma espécie de ascendência que se afirmava cada vez mais. É de notar que esse rapaz não era nada medroso.

— Não limpou as unhas; agora lave o rosto, aqui, perto da têmpora, na orelha... É com essa camisa que vai partir? Aonde vai? Toda a manga direita está manchada.

— Sim, manchada — disse Mítia, examinando-a.

— Vista outra.

— Não tenho tempo. Mas olhe... — continuou Mítia sempre confiante, enxugando-se e tornando a vestir sua sobrecasaca. — Vou enrolar a manga da camisa assim, não a verão.

— Diga-me agora o que se passou. Bateu-se de novo no botequim, como da outra vez? Surrou de novo o capitão? — Piotr Ilitch evocava a cena num tom de censura. — Em quem bateu de novo... ou matou, talvez?

— Tolices!

— Como, tolices?

— Deixe isso — disse Mítia, que se pôs a rir. — Na praça, ainda há pouco esmaguei uma velha.

— Esmagou? Uma velha?

— Um velho! — corrigiu Mítia, que fitou Piotr Ilitch rindo e gritando como se o outro fosse surdo.

— Que diabo! Um velho, uma velha... Matou alguém?

— Reconciliamo-nos, depois de havermos brigado. Deixamo-nos como bons amigos. Um imbecil... perdoou-me certamente, agora... Se se tivesse levantado, não me teria perdoado — e Mítia piscou o olho. — Mas que ele vá para o diabo! Entendeu, Piotr Ilitch? Deixemos isso! Não quero falar disso neste momento! — declarou redondamente Mítia.

— Falo isto porque o senhor gosta de brigar com não importa quem... como naquela ocasião, por bagatelas, com aquele capitão. O senhor acaba de bater-se e vai agora cair na orgia! Eis seu caráter completo. Três dúzias de garrafas de champanhe! Para que tamanha quantidade?

— Bravo! Dá-me agora as pistolas. O tempo urge. Gostaria bem de conversar contigo, meu caro, mas não tenho tempo. Aliás, é inútil, é tarde demais. Ah! onde está o dinheiro, que fiz dele? — Pôs-se a procurar nos bolsos.

— O senhor mesmo o colocou em cima da mesa... ei-lo. Tinha-se esquecido? O senhor parece não prestar atenção ao dinheiro. Eis suas pistolas. É estranho, às cinco horas o senhor as empenha por dez rublos e agora tem o senhor quantos, dois, três mil rublos, talvez?

— Três, talvez — e Mítia riu, metendo as cédulas em seus bolsos.

— O senhor vai perdê-las desse jeito. Será dono de minas de ouro?

— De minas? De minas de ouro! — exclamou Mítia com todas as suas forças, desatando a rir. — Quer ir às minas, Pierkhótin? Há aqui uma senhora que lhe dará três mil rublos somente para que o senhor vá para lá. Ela os deu, a mim, tanta questão faz das minas! Conhece a Senhora Khokhlakova?

— De vista somente, mas já ouvi falar dela. Na verdade, foi ela quem o presenteou com esses três mil rublos? Assim, sem mais nem menos? — indagou Piotr Ilitch, olhando-o com desconfiança.

— Amanhã, quando o sol se levantar, quando Febo resplandecer eternamente *jovem*, vá à casa dela glorificando o Senhor e pergunte-lhe se ela me deu ou não. Informe-se.

— Ignoro as relações entre os dois... já que o senhor se mostra tão afirmativo, devo necessariamente acreditar... Agora que o senhor está com o dinheiro, não é a Sibéria que o tenta... Seriamente, aonde vai o senhor?

— A Mókroie.

— A Mókroie? Mas já é noite.

— Tinha tudo, não tenho mais nada... — disse de repente Mítia.

— Como, mais nada? Tem milhares de rublos e não é mais nada?

— Não falo de dinheiro. Que o diabo o carregue! Falo do caráter das mulheres. "As mulheres têm o caráter crédulo, versátil, depravado." Foi Ulisses quem o disse e com bastante razão.

— Não o compreendo.

— Estou então bêbedo?

— Pior que isso.

— Moralmente bêbedo, Piotr Ilitch, moralmente... E basta!

— Como? Carrega sua pistola?

— Carrego minha pistola.

Com efeito, tendo Mítia aberto a caixa, pegou a pólvora que derramou num cartucho. Antes de pôr a bala no cano, examinou-o à luz da vela.

— Por que examina essa bala? — perguntou Piotr Ilitch, intrigado.

— À toa. Uma ideia que me veio. Tu, se pensasses em meter uma bala no crânio, olharias para ela antes de a pôr na pistola?

— Por que olhá-la?

— Ela me atravessará o crânio, então isto me interessa: ver como é ela feita... Aliás, tolices, tudo isso. Está pronto — acrescentou ele, uma vez introduzida a bala e socada com estopa. — Meu caro Piotr Ilitch, se soubesses como tudo isso é absurdo! Dá-me um pedaço de papel.

— Aqui está.

— Não, papel para escrever. Isto. — E Mítia, pegando uma pena, escreveu vivamente duas linhas, depois dobrou o papel em quatro e meteu-o no bolso do colete. Arrumou as pistolas na caixa que fechou à chave e conservou na mão. Depois olhou Piotr Ilitch, sorrindo, com ar pensativo.

— Vamos, agora! — disse ele.

— Ir aonde? Não, espere... Então o senhor quer meter uma bala no crânio... — proferiu Piotr Ilitch, inquieto.

— Aquela bala? Tolices! Quero viver, amo a vida. Saiba, amo o louro Febo e sua quente luz... Meu caro Piotr Ilitch, saberias afastar-te?

— Como assim?

— Deixar o caminho livre ao ser querido e àquele a quem odeias... querer bem mesmo àquele a quem odiasses, . . e dizer-lhes: Deus vos guarde! Ide, passai, e eu...

— E o senhor?

— Basta isto, vamos.

— Por Deus, vou contar tudo a alguém, para que o impeçam de partir — declarou Piotr Ilitch, fixando-o. — O que o senhor vai fazer em Mókroie?

— Há lá uma mulher, uma mulher, basta para ti, Piotr Ilitch, de explicações!

— Escute, ainda que o senhor seja violento, sempre me agradou... e estou inquieto.

— Obrigado, irmão. Sou violento, dizes. É verdade. Não faço senão repetir a mim mesmo: violento! Ah! eis Micha, tinha-me esquecido dele.

Micha vinha chegando com um maço de dinheiro miúdo; anunciou que tudo ia bem em casa dos Plótnikovi: embalavam as garrafas, o peixe, o chá, tudo estaria pronto. Mítia pegou uma cédula de dez rublos e entregou-a a Piotr Ilitch, atirando outra para Micha.

— Proíbo-lhe! Não quero isto em minha casa, estraga os criados. Poupe seu dinheiro, por que gastá-lo? Amanhã o senhor virá pedir-me dez rublos. Por que põe sempre o dinheiro nesse bolso? Vai perdê-lo.

— Escuta, meu caro, vem a Mókroie comigo.

— Que irei fazer lá?

— Queres, vamos esvaziar uma garrafa, bebamos à vida! Tenho sede quero beber contigo. Nunca bebemos juntos, não é mesmo?

— Pois bem, vamos ao botequim.

— Não tenho tempo para isso, mas vamos à casa dos Plótnikovi, num reservado de trás. Queres que te proponha um enigma?

— Proponha então.

Mítia tirou de seu colete o papelzinho e mostrou-o a Piotr Ilitch. Havia nele escrito visivelmente: "Castigo-me como expiação de minha vida inteira".

— Na verdade, vou contar tudo a alguém — disse Piotr Ilitch.

— Não terás tempo, meu caro, vamos beber.

A venda dos Plótnikovi — ricos comerciantes —, situada bem perto da casa de Piotr Ilitch (na esquina da rua), era a principal mercearia da nossa cidade. Encontrava-se lá de tudo, como não importa qual armazém da capital: vinho da adega dos irmãos Eliessiéievi, frutas, charutos, chá, café etc. Havia sempre três caixeiros e dois rapazinhos para recados. Nossa região empobreceu-se, os proprietários dispersaram-se, o comércio foi-se estancando, mas a mercearia prosperava cada vez mais, compradores não faltavam para suas mercadorias. Mítia estava sendo esperado com impaciência, pois era lembrado que, três ou quatro semanas antes, ele fizera encomendas para várias centenas de rublos pagos de contado (não lhes teriam entregue a crédito). Então, como hoje, tinha ele na mão um maço de dinheiro grosso que prodigava a torto e a direito, sem mercadejar, nem se inquietar com a quantidade de suas compras. Dizia-se na cidade que na sua excursão a Mókroie com Grúchenhka "dissipara em um dia e uma noite três mil rublos e que voltara da festa sem vintém, tal como sua mãe o pusera no mundo". Contratara um grupo de ciganos que acampavam então em nossas paragens e aproveitaram de sua embriaguez para lhe subtrair dinheiro e beber sem controle vinhos caros. Contava-se, rindo, que em Mókroie, oferecera champanhe aos rústicos, dera bombons e pastéis de Estrasburgo de presente a moças e mulheres do campo. Riam também entre nós, sobretudo no botequim (mas por prudência, na ausência do interessado), da confissão pública de Mítia, de que o único favor que lhe valera aquela "escapada" com Grúchenhka fora "a permissão de beijar-lhe o pé, e nada mais".

Quando Mítia e Piotr Ilitch chegaram à venda, uma *tieliega* atrelada a três cavalos, com um tapete e guizos, esperava ali já, com o cocheiro Andriéi. Estavam acabando de arranjar uma caixa de mercadorias e só se esperava a chegada de Mítia para fechá-la e a pôr no lugar. Piotr Ilitch ficou admirado.

— Donde vem essa *tieliega?* — perguntou ele.

— Indo à tua casa, encontrei Andriéi e ordenei-lhe que viesse diretamente para aqui. Não há tempo a perder! Na derradeira vez, viajei com Timofiéi, mas hoje ele seguiu na minha frente com uma mágica. Andriéi, estaremos muito atrasados?

— Eles nos precederão de uma hora, quando muito — apressou-se em responder Andriéi, um cocheiro na força da idade, ruivo e seco. — Sei como vai Timofiéi, sua corrida não pode comparar-se com a nossa, Dimítri Fiódorovitch. Não terão uma hora de avanço!

— Cinquenta rublos de gorjeta, se não passarmos de uma hora de atraso.

— Respondo por isso, Dimítri Fiódorovitch.

Todo agitado, Mítia dava ordens de uma maneira estranha, sem seguimento. Piotr Ilitch achou oportuno intervir.

— Por quatrocentos rublos, exatamente como da outra vez — ordenava Mítia. — Quatro dúzias de garrafas de champanhe, nem uma de menos.

— Por que tal quantidade, para quê? Pare! — vociferou Piotr Ilitch. — Que contém essa caixa? Haverá aí coisas no valor de quatrocentos rublos?

Os caixeiros, que se afanavam com entonações melífluas, explicaram-lhe imediatamente que não havia naquela primeira caixa senão meia dúzia de garrafas de champanhe e "tudo quanto era preciso para começar", frios, bombons etc. As principais "mercadorias" seriam expedidas à parte, como da outra vez, numa *tieliega* especial, puxada também por três cavalos, que chegaria "uma hora quando muito depois de Dimítri Fiódorovitch".

— Não mais de uma hora e ponham o mais possível de bombons e caramelos; as moças de lá gostam disso — insistiu Mítia.

— Caramelos? Pois seja. Mas, por que quatro dúzias de garrafas? Uma só basta — disse Piotr Ilitch, quase com cólera. Pôs-se a mercadejar, a exigir uma fatura e não conseguia acalmar-se. Só salvou, porém, uma centena de rublos. Ficou combinado que as mercadorias entregues só montariam a trezentos rublos.

— Que o diabo os carregue! — exclamou ele, como que reconsiderando. — Que tenho eu com isso? Joga o dinheiro fora, se nada te custou!

— Vem cá, homem econômico, adianta-te, não te zangues! — E Mítia arrastou-o para o reservado do fundo da venda. — Vão servir-nos bebida. Piotr Ilitch, vem comigo, porque gosto dos rapazes gentis como tu.

Mítia sentou-se diante de uma mesinha coberta por uma toalha suja. Piotr Ilitch tomou lugar diante dele e trouxeram-lhes champanhe. Perguntaram se os cavalheiros não queriam ostras, "as primeiras ostras recebidas bem recentemente".

— Ao diabo as ostras! Não gosto de ostras e aliás nada quero comer — respondeu grosseiramente Piotr Ilitch.

— Não há tempo para ostras — observou Mítia. — Aliás, estou sem apetite. Sabes, meu amigo, que jamais gostei da desordem?

— Mas quem gosta afinal? Misericórdia! Três dúzias de garrafas de champanhe para os mujiques. É de causar indignação a qualquer um.

— Não é disto que quero falar, mas da ordem superior. Não existe em mim essa ordem... De resto, tudo está acabado, inútil afligir-se. É demasiado tarde. Toda a minha vida foi desordenada. É tempo de ordená-la. Faço trocadilhos, hem?

— Deliras, isto sim.

— "Glória ao Altíssimo na Terra, / Glória ao Altíssimo em mim!" Estes versos escaparam-se um dia de minha alma, não são versos, são lágrimas... Eu mesmo os compus... Mas não quando arrastei o capitão pela barba.

— Por que falas do capitão?

— Por que falo? Tolice! Tudo acaba, tudo chega ao mesmo total.

— Tuas pistolas me perseguem.

— Tolices ainda! Bebe e deixa lá teus devaneios. Amo a vida, amei-a demais, até enjoar. Basta agora. Bebamos à vida, meu caro. Por que estou contente comigo mesmo? Sou vil, minha baixeza me atormenta, mas estou contente comigo mesmo. Abençoo a criação, estou pronto a abençoar Deus e suas obras, mas... é preciso destruir um inseto maligno, para impedi-lo de estragar a vida dos outros... Bebamos à vida, irmão! Que há de mais precioso? Bebamos também a uma bela rainha.

— Pois seja! Bebamos à vida e à tua rainha!

Esvaziaram um copo. Mítia, apesar de sua exaltação, estava triste.

Parecia presa duma pesada preocupação.

— Micha... é Micha? Ei! meu caro, vem cá, bebe este copo em honra de Febo dos cabelos de ouro que se levantará amanhã...

— Por que oferecer-lhe bebida? — exclamou Piotr Ilitch, irritado.

— Mas deixa, eu quero.

— Ora!

Micha bebeu, cumprimentou e saiu.

— Ele se recordará mais tempo de mim. Uma mulher, amo uma mulher! Que é a mulher? A rainha da terra! Estou triste, Piotr Ilitch. Lembras-te de Hamlet: "Sinto-me triste, bem triste, Horácio... Ai! pobre Yorick!". Sou eu, talvez, Yorick. Justamente, sou agora Yorick e depois um crânio.

Piotr Ilitch escutava-o em silêncio; Mítia calou-se igualmente.

— Que cão é esse que tem aí? — perguntou, com ar distraído ao caixeiro, ao notar, num canto, um lindo cachorrinho de olhos negros.

— É o cachorrinho de Varvara Alicksiéievna, nossa patroa —respondeu o caixeiro. — Ela esqueceu-o aqui, é preciso levá-lo à casa dela.

— Vi um semelhante... no regimento... — disse Mítia, com ar pensativo —, mas tinha uma pata traseira quebrada... Piotr Ilitch, queria perguntar-te: nunca roubaste?

— Por que essa pergunta?

— À toa... estás vendo? O bem alheio, o que se tira do bolso... Não falo do Tesouro público, todo mundo o pilha, e tu também, decerto.

— Vai-te para o diabo!

— Nunca roubaste do bolso o porta-moedas de alguém?

— Roubei uma vez vinte copeques de minha mãe, quando tinha nove anos. Peguei-os de cima da mesa e escondi-os em minha mão.

— E depois?

— Levei uma surra de chicote, naturalmente. Mas tu, roubaste?

— Sim — confessou Mítia, piscando o olho com ar malicioso.

— E que foi?

— Vinte copeques de minha mãe. Tinha nove anos. Restituí-lhes ao fim de três dias. — E levantou.

— Dimítri Fiódorovitch, é preciso apressar-se — gritou Andriéi na porta da venda.

— Está tudo pronto? Partamos! Ainda uma palavra e... a Andriéi um copo de vodca, depois conhaque, imediatamente! Esta caixa (com as pistolas) debaixo do assento. Adeus, Piotr Ilitch, não guardes má lembrança de mim.

— Mas voltas amanhã?

— Absolutamente.

— O senhor quer pagar? — interveio o caixeiro.

— Pagar? Mas decerto!

Tirou de novo de seu bolso um maço de notas, atirou três sobre o balcão e saiu. Todos o acompanharam cumprimentando-o e desejando-lhe boa viagem. Andriéi, enrouquecido por causa do conhaque que acabava de tomar, montou no assento. Mas no momento em que Mítia se instalava, Fiénia ergueu-se diante dele. Acorria resfolegante, juntou as mãos e lançou-se a seus pés:

— *Bátiuchka*, Dimítri Fiódorovitch, não ponha a perder minha ama! E eu que tudo lhe contei?... Não lhe faça mal, a ele, é o seu primeiro amor. Voltou da Sibéria para casar-se com Agrafiena Alieksándrovna... Não destrua uma vida!

— Ah! ah! ah! Eis o que é a coisa! — murmurou Piotr Ilitch.

— Vai haver banzé lá! Agora compreendo tudo. Dimítri Fiódorovitch, dá-me imediatamente tuas pistolas, se queres ser um homem, entendes?

— Minhas pistolas? Espera, meu caro, vou atirá-las num charco, na estrada. Fiénia, levanta, não fiques a meus pés. Doravante Mítia, esse tolo, não porá mais ninguém a perder. Escuta, Fiénia — gritou ele, uma vez sentado —, eu te ofendi ainda há pouco, perdoa-me... Se recusares, tanto pior, nada para mim tem importância agora! A caminho, Andriéi, e depressa!

Andriéi fez seu chicote estalar, a sineta tilintou.

— Até a vista, Piotr Ilitch! Para ti, minha derradeira lágrima!

"Ele não está embriagado, e no entanto quantas pataratas ele solta!", pensou Piotr Ilitch. Tinha intenção de ficar para fiscalizar a expedição do resto das provisões, suspeitando de que iriam enganar Mítia, mas, de súbito, zangado consigo mesmo, cuspiu e foi jogar bilhar.

— É um imbecil, mas um bom rapaz — dizia a si mesmo, a caminho. — Ouvi falar desse "antigo" oficial de Grúchenhka: Se ele chegou... Ah! aquelas pistolas! Mas que diabo? Serei mentor dele? À vontade! Aliás, não acontecerá nada, cão que ladra não morde. Uma vez embriagado, vão se bater e depois vão se reconciliar. São homens de ação. Que é isso de: "eu me afasto, eu me castigo"; não haverá nada! Estando bêbedo, no botequim, falou vinte vezes neste estilo. Agora, está "bêbedo moralmente". Serei seu mentor? Sem dúvida alguma deve ter-se batido, todo o seu rosto está ensanguentado. Com quem? Vou me informar no botequim. E seu lenço cheio de sangue... Ora essa, ficou em minha casa, no chão... ora bolas!

Chegou ao botequim de muito mau-humor e começou logo uma partida, o que teve por efeito desanuviá-lo. Jogou outra e contou que Dimítri Karamázov estava de novo com dinheiro, aí uns três mil rublos, que ele próprio vira. Partira de novo para Mókroie para farrear com Grúchenhka. Seus ouvintes escutaram-no com curiosidade e ar sério. Até pararam de jogar.

— Três mil rublos? Onde os teria arranjado?

Fizeram-lhe perguntas. A notícia de que aquele dinheiro provinha da Senhora Khokhlakova foi acolhida com cepticismo.

— Ele não teria roubado o velho?

— Três mil rublos! É duvidoso.

— Gabou-se em voz alta de que mataria seu pai, todos aqui o ouviram. Falava justamente de três mil rublos.

Piotr escutava e tornou-se de súbito lacônico em suas respostas. Não disse uma palavra a respeito do sangue que havia no rosto e nas mãos de Mítia, coisa a respeito da qual, ao chegar ali, tinha intenção de falar. Começou-se terceira partida, e pouco a pouco a conversação desviou-se de Mítia. Quando ela terminou, Piotr Ilitch não teve mais vontade de jogar, pousou o taco e partiu, sem cear, como havia projetado. Na praça, parou perplexo, pensando em ir diretamente à casa de Fiódor Pávlovitch para se informar se havia acontecido alguma coisa. "Por uma bagatela irei despertar a casa e fazer escândalo. Que diabo, serei mentor dele?"

Já voltava para sua casa em muito má disposição de ânimo, quando de repente se lembrou de Fiénia: "Diabos! Deveria tê-la interrogado ainda há pouco — pensou ele, cheio de despeito —, saberia tudo." Sentiu bruscamente uma impaciência e um desejo tão vivos de lhe falar e de informar-se que, a meio do caminho, desviou-se para a casa da Senhora Morózova onde morava Grúchenhka. Chegado ao portão, bateu e a pancada que ressoou na noite desembriagou-o, ao mesmo tempo que o irritava. Ninguém respondeu, todo mundo dormia na casa. "Vou fazer escândalo!", pensou com mal-estar; mas longe de ir-se embora, bateu com mais força. O barulho ressoou por toda a rua. "Não poderão deixar de abrir-me!", dizia a si mesmo, exasperado contra si próprio, enquanto redobrava seu golpes.

VI / Sou eu quem chega

E Dimítri Fiódorovitch voava para Mókroie. A distância era de vinte verstas aproximadamente; porém os cavalos galopavam de maneira a transpô-la em uma hora e um quarto. A rapidez da corrida refrescou Mítia. O ar era vivo; o céu, estrelado. Era a mesma noite, talvez a mesma hora, em que Aliócha, caído em terra, jurava com arrebatamento amá-lo sempre. A alma de Mítia sentia-se perturbada e apesar de sua ansiedade não tinha pensamento naquele instante senão para seu ídolo que queria rever pela derradeira vez. Nem um minuto seu coração hesitou. Será difícil acreditar que esse ciumento não sentisse ciúme algum daquele personagem novo, daquele rival que surgia bruscamente. O mesmo não se daria para com não importa qual outro, no sangue do qual talvez mergulhasse suas mãos, mas contra o primeiro amante dela ele não sentia no momento nem ódio ciumento nem mesmo animosidade; é verdade que ainda não o havia visto. "É o direito incontestável deles, é o seu primeiro amor que ela não esqueceu após cinco anos; ela não amou senão a ele, pois, durante todo o tempo. Por que me atravessei em seu caminho? Que venho fazer aqui? Afasta-te, Mítia, deixa a estrada livre! Aliás, tudo está acabado agora, mesmo sem esse oficial..."

Eis em que termos ele poderia ter exprimido suas sensações, se tivesse podido raciocinar. Mas era incapaz, sua resolução nascera espontaneamente, fora concebida, adotada com todas as suas consequências às primeiras palavras de Fiénia. No entanto, sentia uma perturbação dolorosa: a resolução não lhe dera calma. Demasiadas recordações o atormentavam. Por momentos, isso lhe parecia estranho; ele mesmo escrevera sua sentença: "Castigo-me e expio". O papel estava em seu bolso, a pistola, carregada; decidira acabar amanhã aos primeiros raios de "Febo dos cabelos de ouro".

Entretanto não podia romper com o passado que o acabrunhava, sentia isso dolorosamente e essa ideia desesperava-o. Teve um momento vontade de mandar Andriéi parar, de descer da *tieliega*, de pegar sua pistola e de acabar de uma vez, sem esperar o dia. Mas foi apenas um relâmpago. Os cavalos "devoravam o espaço", e à medida que se aproximava do objetivo, somente a ideia dela o possuía cada vez mais e bania de seu coração os pensamentos fúnebres. Desejava tanto vê-la, fosse apenas de passagem e de longe! "Verei como está ela agora com ele, seu primeiro amor; nada mais quero." Jamais sentira tanto amor por aquela mulher fatal, um sentimento tão novo e nunca experimentado, que ia até a imploração, até o desaparecimento dela! "E eu desaparecerei!", proferiu ele de súbito, numa espécie de êxtase.

Havia quase uma hora que rodavam. Mítia mantinha-se calado e Andriéi, mujique falador no entanto, não dissera uma palavra, como se temesse falar, limitando-se a estimular sua atrelagem baia, magra, mas fogosa. De súbito, Mítia exclamou com viva inquietação:

— Andriéi, e se estiverem dormindo?

Até então não pensara nisso.

— Pode muito bem acontecer, Dimítri Fiódorovitch.

Mítia franziu o cenho. Acorria ele com tais sentimentos... e dormiam... ela também, talvez com ele... A cólera ferveu no seu coração.

— Chicoteia, Andriéi, vivamente!

— Talvez não estejam ainda deitados — sugeriu Andriéi, após um silêncio. — Ainda há pouco Timofiéi dizia haver numerosa companhia.

— Na posta?

— Não, na hospedaria, em casa dos Plastunovi.

— Sei. Como é isso? Uma numerosa companhia? Quem são?

Esta notícia inesperada inquietava bastante Mítia.

— Segundo Timofiéi, são todos homens: dois da cidade, ignoro quais, depois dois forasteiros, parece, e talvez mais algum outro. Parece que estão jogando baralho.

— Baralho?

— Então talvez não durmam ainda. Devem ser onze horas, quando muito.

— Chicoteia, Andriéi, chicoteia — repetiu nervosamente Mítia.

— Tenho uma coisa a perguntar-lhe — continuou Andriéi ao fim dum momento — mas receio zangá-lo,

— Que queres?

— Ainda há pouco Fiedóssia Márkovna suplicou-lhe de joelhos que não fizesse mal à sua patroa e a um outro... então, como o estou levando para lá... Perdoe-me, senhor, digo isso em consciência, mas talvez seja uma tolice.

Mítia segurou-o bruscamente pelos ombros.

— És cocheiro, não?

— Sim.

— Então sabes que é preciso deixar o caminho livre. Julgas, por acaso, que um cocheiro não deve dar lugar a ninguém, esmagar os outros para passar? Não, cocheiro, não é preciso esmagar as pessoas, não é preciso estragar a vida alheia; se o fizeste, se destruíste a vida de alguém, castiga-te, desaparece!

Mítia falava no cúmulo da exaltação. Malgrado seu espanto, Andriéi prosseguiu a conversa.

— É verdade, Dímitri Fiódorovitch, o senhor tem razão, não é preciso atormentar ninguém, nem nenhum animal, porque são criaturas de Deus, como o cavalo, por exemplo. Há cocheiros que martirizam seu animal sem razão, nada os detém, correm infernalmente desabalados para...

— O inferno? — interrompeu Mítia com uma brusca explosão de riso. — Andriéi, alma simplória — e agarrou-o de novo pelos ombros —, dize-me: Dimítri Fiódorovitch Karamázov irá para o inferno, na tua opinião?

— Não sei, isso depende do senhor... Veja: quando o Filho de Deus morreu na cruz, foi direito ao inferno e livrou todos os danados. E o inferno gemeu ao pensar que não chegariam mais pecadores. E o Senhor disse então ao inferno: "Não gemas, inferno, hospedarás grandes senhores, intendentes, juízes, ricaços, e estarás de novo cheio como sempre o estiveste, até que eu volte". Tais foram suas palavras...

— Eis uma bela lenda popular! Chicoteia o cavalo da esquerda, Andriéi!

— Eis, senhor, aqueles a quem está destinado o inferno; quanto ao senhor, nós o vemos como uma criança... E, se bem que seja violento, o Salvador irá perdoá-lo por causa de sua simplicidade.

— E tu, Andriéi, me perdoas?

— Mas que hei de perdoar-lhe? O senhor não me fez nada.

— Não, por todos; tu só, pelos outros, agora, na estrada, perdoas-me? Fala, alma simples!

— Oh! senhor! Faz medo conduzi-lo, sua conversa é estranha...

Mas Mítia não ouviu. Rezava com exaltação.

— Senhor, recebe-me, na minha iniquidade, mas não me julgues. Deixa-me entrar sem julgamento, porque eu mesmo me condenei, não me julgues, porque eu Te amo, meu Deus! Sou vil, mas amo-Te: no inferno mesmo, se para lá me enviares, proclamarei meu amor por toda a eternidade. Mas deixa-me acabar de amar... aqui embaixo... ainda cinco horas, até o nascer de Teu sol... Porque eu amo a rainha de minha alma, não posso impedir-me de amá-la. Tu me vês todo inteiro. Cairei de joelhos diante dela... "Tu tens razão — vou lhe dizer — em prosseguir teu caminho... Adeus, esquece tua vítima, não tenhas nenhuma inquietação!"

— Mókroie! — gritou Andriéi, mostrando a aldeia com seu chicote. Através da escuridão lívida aparecia a massa negra das construções que se estendiam por uma distância considerável. A aldeia de Mókroie contava duas mil almas, mas àquela hora todos dormiam, somente raras luzes furavam a escuridão.

— Depressa, Andriéi, depressa, estou chegando! — exclamou Mítia, como em delírio.

— Não estão dormindo! — disse de novo Andriéi, apontando para a hospedaria dos Plastunovi, situada à entrada e cujas seis janelas para a rua estavam iluminadas.

— Não dormem! Faze barulho, Andriéi, vai a galope, faze tilintar os guizos. Que toda a gente saiba quem chega! Sou eu em pessoa! — exclamou Mítia, cada vez mais excitado.

Andriéi pôs os seus cavalos em galope e chegou barulhentamente ao pé do patamar, onde parou a atrelagem estafada. Mítia saltou em terra. Justamente naquele momento o dono da hospedaria, que ia deitar-se, teve a curiosidade de olhar quem chegava com tanto estardalhaço.

— És tu, Trifon Borísovitch?

O dono debruçou-se, olhou, desceu vivamente, obsequioso e encantado.

— *Bátiuchka,* Dimítri Fiódorovitch, o senhor aqui, de novo?

Esse Trifon Borísovitch era um latagão baixo e gordo, robusto, de rosto um pouco balofo, ar severo e implacável, sobretudo com os mujiques de Mókroie, mas sabendo tomar rapidamente a expressão mais obsequiosa, quando farejava uma pechincha. Usava a camisa russa, de gola dobrada; tinha recursos, mas só sonhava em elevar-se. Mantinha a metade dos mujiques em suas garras, todos ali pelos arredores lhe deviam. Alugava terras dos proprietários rurais, ele mesmo as comprava e mandava lavrá-las pelos mujiques em pagamento de suas dívidas, das quais eles jamais conseguiam libertar-se. Era viúvo e tinha quatro filhos; uma já viúva, vivia em casa de seu pai com seus dois filhos de pequena idade e trabalhava para ele como criada. A segunda estava casada com um funcionário cuja fotografia, minúscula, de uniforme e com dragonas, se via, entre outras, na hospedaria. As duas mais moças, por ocasião da festa comunal ou para fazer visitas, punham vestidos azul-celeste ou verde, em moda, com uma cauda de um *archin,* mas, no dia seguinte, já de pé desde o nascer do dia, como de costume, varriam os quartos, carregavam água, limpavam o lixo deixado pelos viajantes. Apesar de já ter feito um apreciável pé-de-meia, Trifon Borísovitch gostava bem de espoliar os farristas. Lembrava-se de que, um mês antes, o rega-bofe de Dimítri Fiódorovitch com Grúchenhka lhe proporcionara, em um dia, mais de duzentos rublos, se não trezentos, e acolhia-o agora com alegre solicitude, farejando nova pechincha, apenas pelo jeito com que Mítia chegara ao patamar.

— *Bátiuchka,* Dimítri Fiódorovitch, está de novo por aqui?

— Um instante, Trifon Borísovitch! Em primeiro lugar, onde ela está?

— Agrafiena Alieksándrovna? — adivinhou logo o hospedeiro, lançando-lhe um olhar penetrante. — Está aqui...

— Com quem? Com quem?

— Viajantes... Um funcionário, que deve ser polonês, segundo sua maneira de falar. Foi ele que a mandou buscar; o outro, seu camarada ou seu companheiro de viagem, quem sabe? Estão à paisana...

— Bem, estão farreando? São ricaços?

— Qual farra! Não grande coisa, Dimítri Fiódorovitch.

— Não grande coisa? E os outros?

— Dois senhores da cidade que pararam de volta de Tchermachniá. O mais moço é um parente do Senhor Miúsov, esqueci seu nome... O senhor deve conhecer o outro, o proprietário rural Maksímov, que foi em peregrinação ao mosteiro dos senhores.

— Ninguém mais?

— Ninguém mais.

— Basta, Trifon Borísovitch. Dize-me agora, que ela está fazendo?

— Acaba de chegar, está com eles.

— Está alegre? Ri?

— Não, não muito... Parece mesmo aborrecer-se. Passava a mão nos cabelos do mais jovem.

— O polonês, o oficial?

— Mas não é jovem, nem oficial. Não nos dele, nos cabelos do sobrinho de Miúsov... esqueci seu nome.

— Kolgánov?

— Justamente, Kolgánov.

— Está bem, verei. Estão jogando baralho?

— Jogaram, depois tomaram chá. O funcionário pediu licores.

— Basta, Trifon Borísovitch, basta, meu caro, decidirei eu mesmo. Há ciganos?

— Não se ouve mais falar em ciganos, Dimítri Fiódorovitch, as autoridades expulsaram-nos. Mas há judeus que tocam cítara e violino. Mesmo a esta hora pode-se mandá-los buscar.

— É preciso mandá-los buscar, absolutamente. E as moças, pode-se acordá-las, Mária sobretudo, Stiepanida, Arina. Duzentos rublos para o coro!

— Mas por esta soma farei acordar a vila inteira, se bem que durmam agora. Aliás, vale a pena tratar dessa forma os mujiques e as moças? Gastar o dinheiro com tais brutos! Sabe lá o nosso mujique apreciar esses charutos que tu lhes dás. Fede, o patife. Quanto às moças todas têm piolhos. Prefiro mandar, gratuitamente, que minhas filhas, que acabam de deitar-se, se levantem. Vou acordá-las a pontapés e cantarão para ti. E dizer-se que o senhor ofereceu champanhe aos mujiques!

Trifon Borísovitch não tinha razão de queixar-se de Mítia. Da outra vez, surripiara-lhe meia dúzia de garrafas de champanhe e guardara uma cédula de cem rublos apanhada debaixo da mesa.

— Trifon Borísovitch, gastei aqui mais de mil rublos, lembras-te?

— Decerto, como esquecer. O senhor deixou bem uns três mil rublos em nossa casa.

— Pois bem! Chego com outro tanto, desta vez, olha. — E pôs sob o nariz do hospedeiro seu maço de notas de banco.

— Escuta e presta bem atenção. Dentro de uma hora chegarão vinho, provisões, bombons; será preciso levar tudo isso lá para cima. Da mesma forma, a caixa que está no carro; abram-na imediatamente e sirvam a champanhe... Sobretudo, que haja moças e Mária, sobretudo.

Tirou de sob o assento a caixa das pistolas.

— Eis teu pagamento, Andriéi! Quinze rublos pela corrida e cinquenta para beber... pelo teu devotamento. Lembra-te do *bárin* Karamázov!

— Tenho medo, *bárin*... — E Andriéi hesitou. — Cinco rublos de gorjeta bastam, não aceitarei mais. Trifon Borísovitch será testemunha. Perdoe-me minhas tolas palavras...

— De que tens medo? — Mítia olhou-o de alto a baixo. — Vai-te para o diabo, então! — gritou ele, atirando-lhe cinco rublos. —Agora, Trifon Borísovitch, conduze-me de mansinho até onde possa ver sem ser visto. Onde estão eles, no quarto azul?

Trifon Borísovitch olhou Mítia, apreensivo, mas tratou de obedecer-lhe docilmente; levou-o ao vestíbulo, entrou para uma sala contígua àquela em que se encontravam as pessoas referidas e dela retirou a vela. Depois introduziu Mítia ali e colocou-o num canto donde podia observar à vontade o grupo que não o via. Mas Mítia não pôde olhar por muito tempo; avistou Grúchenhka, seu coração pôs-se a bater, sua vista perturbou-o. Estava ela numa poltrona, perto da mesa. Ao lado dela, no divã, o jovem e belo Kolgánov; segurava a mão dele e ria, enquanto que, sem olhá-la, ele falava com ar zangado a Maksímov, sentado em frente da jovem mulher. No divã, ele; numa cadeira, ao lado, outro desconhecido. O que se refestelava no divã fumava cachimbo; era um homem corpulento, de rosto largo, de baixa estatura, ar carrancudo. Seu companheiro pareceu a Mítia de estatura bastante elevada; mas não pôde ver mais, faltava-lhe o fôlego. Não ficou nem um minuto, depositou o estojo sobre a cômoda e, com o coração desfalecente, entrou no quarto azul.

— Ai! — gemeu com terror Grúchenhka que foi a primeira a avistá-lo.

VII / Primeiro e indiscutível

Mítia aproximou-se a grandes passos da mesa.

— Senhores — começou ele com voz alta, mas gaguejando a cada palavra —, eu... não é nada, não tenham medo! Não é nada — disse ele, voltando-se para Grúchenhka que, inclinada para o lado de Kolgánov, se agarrava a seu braço —, eu... também viajo. Vou embora de manhã. Senhores, será permitido a um viajante... ficar convosco neste quarto, até de manhã somente?

Estas últimas palavras dirigiam-se ao personagem obeso sentado no divã. Este retirou gravemente seu cachimbo dos lábios e disse num tom severo.

— *Pánie*[73], estamos aqui na intimidade. Há outros quartos.

— É o senhor, Dimítri Fiódorovitch? Que faz por aqui? — exclamou Kolgánov. — Tome lugar, seja bem-vindo!

— Boa-noite, caro amigo... e incomparável! Sempre o estimei... — replicou Mítia com alegre solicitude, estendendo-lhe a mão por cima da mesa.

— Ai! como o senhor aperta! Partiu-me os dedos — disse Kolgánov, rindo.

— Ele aperta sempre assim, é sua maneira — observou alegremente Grúchenhka, com um sorriso tímido. Compreendera pelo ar de Mítia que ele não faria barulho e observava-o com uma curiosidade misturada de inquietude. Alguma coisa nele feria-lhe a atenção; aliás, ela não esperava tal atitude da parte dele.

— Boa-noite — disse num tom melífluo o proprietário rural Maksímov.

Mítia voltou-se para ele.

— Boa-noite, ei-lo também aqui, isto me causa prazer. Senhores, senhores, eu... (Dirigiu-se de novo ao *pan* do cachimbo, tomando-o como o principal personagem.) Quis passar minhas derradeiras horas neste quarto... onde adorei minha rainha!... Perdoe-me, *pánie!* Acorri e prestei juramento... Oh! não tenhais medo, é minha derradeira noite! Bebamos amigavelmente, *pánie!* Vão servir-nos vinho... Trouxe isto. (Tirou do bolso seu maço de cédulas.) Quero música, barulho, como da outra vez... Mas o verme inútil que se arrasta pelo chão vai desaparecer! Hei de relembrar um dia de alegria em minha derradeira noite.

Sufocava; teria querido dizer muitas coisas, mas não proferia senão estranhas exclamações. O *pan* impassível olhava vez a vez Mítia, seu maço de notas e Grúchenhka; parecia perplexo.

— Se minha rainha consentir... — começou ele.

---

73 Vocativo de *pan*, senhor, em polonês. Os nomes poloneses, da mesma forma que os russos — e também alemães e latinos — sofrem alteração nas suas desinências por causa da flexão de gênero, número e caso. Assim ocorre nas páginas seguintes com *páni, pánienka, pánowie, pánienki.*

— Senta-te, Mítia — interrompeu Grúchenhka. — Que é que contas? Não me faças medo, rogo-te. Tu o prometes? Então tua presença me causa prazer...

— Eu, fazer medo? — exclamou Mítia, levantando os braços. — Oh — passai, passai! Não sou nenhum obstáculo!... — De súbito, sem que ninguém o esperasse, deixou-se cair sobre uma cadeira e desfez-se em lágrimas, com a cabeça voltada para a parede e agarrando-se ao espaldar.

— Ora essa, mas que tens? — disse Grúchenhka, num tom de censura. — Ia visitar-me dessa forma, eu não compreendia nenhuma de suas palavras. Uma vez, pôs-se a chorar, agora isso recomeça. Que vergonha! Por que choras? Se houvesse pelo menos motivo para isso! — acrescentou ela, com ar enigmático, apoiando as derradeiras palavras.

— Eu... eu não choro... Vamos, boa-noite! — Voltou-se e pôs-se a rir, mas não como de costume, e sim com um riso nervoso que o abalava.

— A coisa continua... Fica, pois, mais alegre! Estou muito contente por teres vindo, Mítia, estás ouvindo? Muito contente. Quero que ele fique conosco — disse ela, imperiosomente, dirigindo-se ao que se encontrava no divã. — Quero-o, e se ele se retirar, também irei embora! — acrescentou, com os olhos cintilantes.

— Os desejos de minha rainha são ordens! — declarou o *pan,* beijando a mão de Grúchenhka. — Rogo ao *pan* que se junte a nós! — disse ele, gentilmente, a Mítia. Este levantou-se, na intenção de proferir nova tirada, mas faltou-lhe a palavra e disse somente:

— Bebamos, *pánie!*

Todos puseram-se a rir.

— Meu Deus, pensava que ele ia fazer novo discurso — disse Grúchenhka. — Estás ouvindo, Mítia? Fica tranquilo. Fizeste hem em trazer champanhe, vou bebê-lo, não posso suportar licores. Mas foi ainda melhor teres vindo tu mesmo; o aborrecimento aqui é enorme... Vieste farrear? Esconde teu dinheiro no bolso! Onde encontraste tudo isso?

As cédulas que Mítia mantinha amarfanhadas na mão atraíam a atenção, sobretudo a do polonês. Mítia meteu-as rapidamente em seu bolso e corou. Nesse momento, trouxe o hospedeiro numa bandeja uma garrafa desarrolhada e copos, Mítia agarrou a garrafa, mas estava tão confuso que não soube o que fazer. Foi Kolgánov quem encheu os copos em lugar dele.

— Outra garrafa! — gritou Mítia para o hospedeiro e, esquecendo-se de bater os copos com o *pan* que havia tão solenemente convidado a beber, esvaziou seu copo sem esperar. Sua fisionomia mudou logo. Em lugar da expressão solene e trágica que tinha ao entrar, ela se tornou infantil. Pareceu humilhar-se e rebaixar-se. Olhava todo mundo com uma alegria tímida, com pequenos risos nervosos e o ar reconhecido dum cãozinho em falta, mas que reentra em graça. Parecia ter esquecido tudo e ria todo o tempo, olhando Grúchenhka, de quem se aproximara. Depois examinou também os dois poloneses. O do divã surpreendeu-o pelo seu ar digno, seu tom e sobretudo seu cachimbo. "Pois bem, então? Fuma cachimbo, perfeitamente?", pensou Mítia. O rosto um tanto enrugado do *pan* quase quadragenário, seu nariz minúsculo enquadrado por bigodes encerados que lhe davam um ar impertinente, pareceram perfeitamente naturais a Mítia. Até mesmo sua malfeita peruca, confeccionada na Sibéria e que lhe cobria estupidamente as têmporas, não lhe causou espanto: "Deve convir-lhe", disse a si mesmo. O outro *pan,* mais jovem, sentado perto da parede, olhava os presentes com ar provocante, escutava a conversa num silêncio desdenhoso; só surpreendeu Mítia pela sua estatura bastante elevada, contrastando com a do *pan* sentado no divã. Pensou também que aquele gigante deveria ser o amigo e o acólito do *pan* do cachimbo, como que seu guarda-costas e que o pequeno comandava sem dúvida o grande. Mas tudo isso parecia natural e indiscutível a Mítia. O cãozinho não tinha mais nem sombra de ciúme. Ainda não havia compreendido nada do tom enigmático de Grúchenhka, compreendia somente que ela se mostrava graciosa para com ele e lhe havia "perdoado". Via-a beber, pasmando-se de prazer. Contudo, o silêncio geral chamou-lhe a atenção e se pôs a examinar todos os presentes com ar interrogador: "Que fazemos? Por que não começais nada, senhores?", parecia dizer seu olhar.

— Eis um que sabe dizer piadas, todos nós rimos — disse Kolgánov apontando para Maksímov, como se tivesse adivinhado o pensamento de Mítia.

Mítia observou-os uns após outros,

— Piadas? — e rebentou em seu riso breve e seco. — Ahl Ah! Ah!

— Sim. Imagine que ele acha que todos os nossos cavaleiros se casaram, em 1820, com polonesas; é absurdo, não é?

— Polonesas? — replicou Mítia, encantado.

Kolgánov compreendia bastante bem as relações de Mítia com Grúchenhka, adivinhava as do *pan,* mas isto não lhe interessava, somente Maksímov o preocupava. Foi por acaso que viera com ele parar naquela hospedaria onde travara conhecimento com os poloneses. Fora uma vez à casa de Grúchenhka, a quem não agradara. Agora, ela se mostrara acariciadora para com ele, antes da chegada de Mítia, mas ele permanecia insensível. Com vinte anos, elegantemente trajado, tinha Kolgánov um rosto gentil, com belos cabelos louros, encantadores olhos azuis de expressão pensativa e por vezes superior à sua idade, se bem que tivesse por momentos modos infantis, o que de modo algum o constrangia. Em geral, era bastante original e até mesmo caprichoso, mas sempre meigo. Por vezes, tomava seu rosto uma expressão concentrada; olhava para a gente e nos escutava, parecendo ao mesmo tempo absorvido num sonho interior. Ora mostrava-se mole e indolente, ora agitava-se pela causa mais fútil.

— Imagine que há quatro dias que o arrasto atrás de mim — prosseguiu Kolgánov, pesando um pouco as palavras, mas sem nenhuma fatuidade. — Foi depois que seu irmão Ivan o repeliu do carro, o senhor deve lembrar-se. Interessei-me então por ele e levei-o ao campo, mas ele vive a dizer piadas, tanto que faz até vergonha. Levo-o de volta...

— O cavalheiro não viu as senhoras polonesas e diz coisas que não aconteceram — observou *o pan* do cachimbo.

— Mas fui casado com uma polonesa — replicou Maksímov, rindo.

— Sim, mas serviu na cavalaria? Era dela que o senhor falava. É cavalariano? — interveio Kolgánov.

— Ah! sim, ele é cavalariano? Ah! ah! — gritou Mítia, que era todo ouvidos e fixava cada interlocutor como se esperasse Deus sabe o quê.

— Não, vê o senhor? — Maksímov voltou-se para ele. — Quero falar daquelas *pánienki...* assim que uma delas dança uma mazurca com um ulano nosso, salta-lhe sobre os joelhos como uma gata branca... sob os olhos e com o consentimento do papai e da mamãe... No dia seguinte o ulano vai pedi-la em casamento... e pronto... ih! ih! ih!

— O *pan* é um canalha — resmungou o *pan* de elevada estatura, cruzando as pernas. Mítia não notou senão sua enorme bota engraxada de sola espessa e suja. Aliás, os dois poloneses estavam bastante mal trajados.

— Ora, já vem o nome de canalha! Por que injuriar? — disse Grúchenhka, irritada.

— *Páni* Agripina, o *pan* conheceu na Polônia moças de classe baixa e não moças nobres.

— Podes afirmá-lo! — disse desdenhosamente o *pan* de pernas compridas.

— Não faltava mais que isso! Deixem-no falar! Por que impedir que as pessoas falem? É divertido — replicou Grúchenhka.

— Não impeço ninguém, *páni* — observou o *pan* de peruca com um olhar expressivo; depois disso pôs-se de novo a fumar.

— Não, não, o *pan* disse a verdade. — Kolgánov esquentou-se de novo, como se se tratasse dum negócio importante. — Maksímov não foi à Polônia. Como pode, pois, falar dela? O senhor casou na Polônia?

— Não, foi na província de Smolensk. Minha futura tinha sido a princípio levada lá por um ulano, escoltada por sua mãe, por uma tia e por uma parenta com um filho grande, poloneses puro-sangue... e ele a cedeu a mim. Era um tenente, um rapaz bastante gentil. Queria a princípio casar com ela, mas desistiu, porque ela era coxa...

— Então o senhor casou-se com uma coxa? — exclamou Kolgánov.

— Sim. Ambos me dissimularam a coisa. Eu acreditava que ela saltitava... mas que era de alegria...

— A alegria de casar com o senhor? — gritou Kolgánov, com voz sonora.

— Perfeitamente. Mas era por um motivo completamente diferente. Uma vez casados, na mesma noite do casamento, ela me confessou tudo e pediu perdão. Saltando um charco, quando menina, quebrou uma perna, ih! ih! ih!

Kolgánov soltou uma risada infantil e deixou-se cair sobre o divã. Grúchenhka também ria. Mítia achava-se no cúmulo da felicidade.

— Sabe de uma coisa? Ele está dizendo a verdade agora, não mente mais — disse Kolgánov — foi casado duas vezes, é de sua primeira mulher que fala; a segunda fugiu de casa e vive ainda, sabia?

— É mesmo? — disse Mítia, voltando-se para Maksímov com um ar muito espantado.

— Sim, tive essa contrariedade, ela fugiu com um *mussiê*. Havia previamente feito transferir minhas propriedades para ele. "És um homem instruído — dizia-me ela —, sempre acharás com que comer." Depois largou-me. Respeitável eclesiástico dizia-me um dia a esse respeito: "Se tua primeira mulher era coxa, a segunda tinha pé muito ligeiro". Ih! ih! ih!

— Escutem aqui — disse vivamente Kolgánov —, se ele mente, e isto acontece-lhe por vezes, é apenas para causar prazer; não há baixezas nisso, não é mesmo? Gosto dele por vezes. É vil, mas franco. Que pensam disso? Qualquer outro se envilece por interesse, mas ele, é o seu natural... Imaginem, por exemplo, que ele pretende que Gógol o pôs em cena em *Almas mortas*. Devem lembrar-se de que se vê no livro o proprietário rural Maksímov chicoteado por Nózdriov, que é processado "por ofensa pessoal ao proprietário Maksímov, com chicote, achando-se em estado de embriaguez". Pretende tratar-se dele próprio e que foi chicoteado. Será possível? Tchitchikov[74] viajava cerca de 1830, quando muito, de modo que as datas não combinam. Ele não pôde ter sido chicoteado então.

A excitação de Kolgánov, difícil de explicar, nem por isso deixava de ser sincera. Mítia tomava seu partido.

— Afinal de contas, fizeram bem se o chicotearam! — disse ele, rindo.

— Não é que me chicotearam propriamente, mas algo parecido — interveio Maksímov.

— Como assim? Foste ou não chicoteado?

— Que horas são, *pánie?* — perguntou com ar de aborrecimento o *pan* do cachimbo ao *pan* das pernas compridas. Este ergueu os ombros; nenhum deles tinha relógio.

— Deixem então que os outros falem! Se os senhores se aborrecem, não é razão para impor silêncio a todo mundo — disse Grúchenhka, com ar agressivo. Mítia começava a compreender. O *pan* respondeu desta vez com visível irritação:

— *Páni*, não me oponho, não disse nada.

— Está bem, continua — gritou ela a Maksímov. — Por que se calam todos?

— Mas não há nada a contar, são tolices — continuou Maksímov com satisfação e com gestos um tanto afetados. — Em Gógol, tudo isso é alegórico, porque seus nomes são todos simbólicos: Nózdriov não era Nózdriov, mas Nósov; quanto a Kuvchínikov, este já nem tinha semelhança alguma, porque se chamava Chkvórniev. Fenardi chamava-se mesmo assim, somente não era um italiano, mas um russo, Pietrov; a Senhorita Fenardi era bonita na sua roupa de banho, com sua saia curta de lantejoulas, e desfilou bem, mas não quatro horas, apenas quatro minutos... e encontrou toda gente.

— Mas por que te chicotearam? — berrou Kolgánov.

— Por causa de Piron.

— Que Piron? — perguntou Mítia.

— Ora, o célebre escritor francês, Piron. Tínhamos bebido, em numerosa companhia, num botequim, naquela mesma feira. Tinham-me convidado e me pus a citar epigramas: "És tu, Boileau? Que roupa engraçada tens!". Boileau responde que vai ao baile de máscaras, isto é, ao banho, ih! ih! ih! E eles tornaram isso como se fosse para si próprios. Tratei logo de citar outro epigrama, mordaz e bem conhecido das pessoas instruídas:

> És Safo, sou Faón, concordo,
> Mas para meu grande pesar,
> Do mar não sabes o caminho.

"Sentiram-se ainda mais ofendidos e puseram-se a dizer-me desaforos; por desgraça, pensando arranjar as coisas, contei-lhes como Piron, que não foi recebido na Academia, mandou gravar no seu túmulo este epitáfio para se vingar:

---

74 Personagem principal *de Almas mortas*, de Gógol.

Aqui jaz Piron, sem valia,
Nem mesmo foi da Academia.

"Então agarraram-me e chicotearam-me."

— Mas por quê? Por quê?

— Por causa de meus conhecimentos. Há muitos motivos pelos quais se pode açoitar um homem — concluiu de forma sentenciosa Maksímov.

— Basta, é idiota, estou mais que farta. E pensei que seria engraçado! — interrompeu Grúchenhka. Mítia apressou-se em deixar de rir. O *pan* de pernas compridas levantou-se e se pôs a andar dum lado para outro, com o ar arrogante de um homem que se aborrece numa companhia que não é a sua.

— Como ele anda! — disse Grúchenhka, com ar de desprezo. Mítia inquietou-se; além do mais tinha notado que o *pan* do cachimbo olhava-o com irritação.

— *Pánie* — exclamou ele —, bebamos! — Convidou também o outro que passeava e encheu três copos com champanhe.

— À Polônia, *pánowie!* Bebo à vossa Polônia!

— Com muito gosto, *pánie*, bebamos — disse o *pan* de cachimbo com ar importante, mas afável.

— E o outro *pan* também. Como se chama ele?... Tome um copo, ilustríssimo.

— *Pan* Vrubliévski[75] — disse o outro.

Pan Vrubliévski aproximou-se da mesa, bamboleando-se.

— À Polônia, *pánowie*, viva! — gritou Mítia, erguendo seu copo. Brindaram. Mítia encheu de novo os três copos.

— Agora, à Rússia, *pánowie*, e sejamos irmãos.

— Serve-nos também — disse Grúchenhka. — Quero brindar à Rússia.

— Eu também — disse Kolgánov.

— E então, então — apoiou Maksímov —, beberei à velha vovozinha.

— Todos, todos! — gritou Mítia. — Patrão, uma garrafa! — Trouxeram as três garrafas que restavam.

— À Rússia, viva!

Todos beberam, exceto os *pánowie*. Grúchenhka esvaziou seu copo dum gole.

— E então, *pánowie*, é assim que sois?

Pan Vrubliévski pegou seu copo, ergueu-o e disse com voz aguda:

— À Rússia, nos seus limites de 1772![76]

— Muito bem! — aprovou o outro *pan*. Ambos esvaziaram seus copos.

— Sois uns imbecis, *pánowie!* — disse bruscamente Mítia.

— *Pánie!* — exclamaram os dois poloneses, eretos como galos. *Pan* Vrubliévski, sobretudo, estava indignado.

— Não posso amar o meu país? — gritou.

— Silêncio! Nada de brigas! — gritou imperiosamente Grúchenhka, batendo com o pé. Tinha o rosto vermelho, os olhos cintilantes. O efeito do vinho fazia-se sentir. Mítia ficou com medo.

— *Pánowie*, perdoem. É culpa minha. *Pan* Vrubliévski, não o farei mais!...

---

75 Literalmente: interesseiro. Nome forjado. De *rubl*, rublo.
76 Antes da partilha e anexação da Polônia, levada a efeito no reinado de Katierina II.

— Mas cala-te afinal, senta, imbecil! — apostrofou-o Grúchenhka.

Todos sentaram e ficaram calados.

— Senhores, sou a causa de tudo! — continuou Mítia, que nada compreendera do repente de Grúchenhka. — Pois bem! que vamos fazer... para divertir-nos?

— Com efeito, a gente se aborrece aqui — disse, displicentemente, Kolgánov.

— Se jogássemos baralho, como ainda há pouco... ih! ih! ih!

— Baralho? Boa ideia! — aprovou Mítia. — Se os *pánowie* consentirem.

— *Pozno, pánie* — respondeu de mau-humor o *pan* do cachimbo.

— É verdade — apoiou *pan* Vrubliévski.

— *Pozno?* Que quer dizer *pozno?* — perguntou Grúchenhka.

— Quer dizer que já é tarde, *páni* — explicou o *pan* do divã.

— Para ele sempre é tarde. Sempre acha tudo impossível — quase gritou, zangada, Grúchenhka. — Que tristes convivas! Destilam aborrecimento e querem impô-lo aos outros. Antes de tua chegada, Mítia, estavam todos calados, fazendo-se de orgulhosos.

— Minha deusa — replicou o *pan* do cachimbo —, dizes a verdade. É tua frieza que me torna triste. Estou pronto, *pánie* — disse, voltando-se para Mítia.

— Começa, *pánie* — disse Mítia, destacando de seu maço duas cédulas de cem rublos que colocou em cima da mesa. — Quero fazer-te ganhar muito dinheiro. Pega as cartas e mantém a banca!

— O baralho deve ser o do patrão — disse gravemente o *pan* baixinho.

— Será o melhor — aprovou *pan* Vrubliévski.

— O baralho do patrão, pois seja! Está muito bem, *pánowie!* Cartas!

O hospedeiro trouxe um baralho lacrado e anunciou a Mítia que as moças reuniam-se, que os judeus chegariam em breve, mas que a *tieliega* das provisões ainda não chegara. Mítia correu logo ao quarto vizinho para dar ordens. Havia somente três moças e Mária não estava lá ainda. Não sabia bem o que fazer e ordenou apenas que fossem distribuídos com as moças as guloseimas e bombons da caixa.

— E vodca para Andriéi — acrescentou. — Eu o ofendi.

Foi então que Maksímov, que o havia seguido, tocou-lhe no ombro, cochichando:

— Dê-me cinco rublos. Gostaria de jogar também, ih! ih! ih!

— Perfeitamente. Aqui estão dez. Se perderes, torna a procurar-me...

— Muito bem — murmurou Maksímov, que tornou a entrar na sala. Mítia voltou pouco depois e pediu desculpas por ter-se feito esperar. Os *pánowie* já haviam tomado lugar e deslacrado o baralho, com ar muito mais amável e quase gentil. O *pan* do divã, que estava fumando outra cachimbada, preparava-se para baralhar as cartas. Seu rosto tinha algo de solene.

— Aos seus lugares, *pánowie* — exclamou *pan* Vrubliévski.

— Não quero mais jogar — observou Kolgánov. — Já perdi cinquenta rublos ainda há pouco.

— O *pan* foi infeliz, mas a sorte pode mudar — insinuou o *pan* do cachimbo.

— Quanto possui a banca? — perguntou Mítia.

— Talvez cem rublos, *pánie,* talvez duzentos. Tanto quanto queiras apostar.

— Um milhão! — disse Mítia, rindo.

— O capitão talvez tenha ouvido falar de *pan* Podvisótski.

— Que Podvisótski?

— Em Varsóvia, a banca aguenta todas as apostas. Chega Podvisótski, vê milhares de moedas de ouro, joga contra a banca. O banqueiro diz: *"Pánie* Podvisótski, jogas com ouro, ou sob palavra?" — "Sob palavra, *pánie"* — diz Podvisótski. — "Tanto melhor." O banqueiro corta e Podvisótski junta as moedas de ouro. — "Espera, *pánie"* — diz o banqueiro. Abre uma gaveta e dá-lhe um milhão: "Toma, eis tua conta!" A banca era de um milhão. — "Ignorava-o" — disse Podvisótski. *"Pan* Podvisótski — disse o banqueiro —, ambos jogamos sob palavra." Podvisótski pegou o milhão.

— Não é verdade — disse Kolgánov.

— *Pan* Kolgánov, entre pessoas decentes não se fala assim.

— É assim que um jogador polonês dará um milhão! — exclamou Mítia, mas logo se conteve. — Perdão, *pánie,* não tenho razão de novo. Certamente dará ele um milhão sob palavra de honra, a honra polonesa. Eis dez rublos no valete.

— E eu um rublo na dama de copas, na bonitinha *pánienka* — declarou Maksímov, e, como para dissimulá-lo aos olhares, aproximou-se da mesa e fez por baixo um sinal da cruz. Mítia ganhou, o rublo também.

— Dobro! — gritou Mítia.

— E eu, ainda um rublinho, um simples rublinho — murmurou beatificamente Maksímov, encantado por haver ganho.

— Perdido! — gritou Mítia. — Dobro!

— Perdeu de novo.

— Pare — disse, de súbito, Kolgánov.

Mítia dobrava sempre sua parada, mas perdia a cada jogada. E os "rublinhos" ganhavam sempre.

— Perdeste duzentos rublos, *pánie.* Será que apostas ainda? —perguntou o *pan* do cachimbo.

— Como, já duzentos? Pois seja, ainda duzentos! — E Mítia ia colocar as notas sobre a dama, quando Kolgánov cobriu-a com a mão.

— Basta! — gritou ele, com sua voz sonora.

— Que tem o senhor? — perguntou Mítia.

— Basta, não quero! O senhor não jogará mais.

— Por quê?

— Porque não. Pare, vá-se embora! Não o deixarei jogar mais.

Mítia olhava-o com espanto.

— Deixa, Mítia, ele talvez tenha razão; já perdeste muito — proferiu Grúchenhka, num tom singular. Os dois *pánawie* levantaram-se, com ar muito ofendido.

— Está brincando, *pánie?* — perguntou o mais baixo, fixando severamente Kolgánov.

— Como ousa o senhor? — disse arrebatadamente, por sua vez, Vrubliévski.

— Nada de gritos, nada de gritos! Ah! os galos-da-índia! — exclamou Grúchenhka.

Mítia olhava a uns e a outros sucessivamente; algo o impressionou no rosto de Grúchenhka, ao mesmo tempo que uma ideia nova e estranha lhe vinha ao espírito.

— *Páni* Agripina! — começou o *pan* baixinho, rubro de cólera. De repente, Mítia aproximou-se dele e bateu-lhe no ombro.

— Excelência, duas palavras.

— Que deseja, *pánie?*

— Vamos ao quarto vizinho. Vou te dizer duas palavras que irão agradar-te.

O *pan* baixinho admirou-se e olhou Mítia, apreensivo; mas consentiu imediatamente, com a condição de que o *pan* Vrubliévski o acompanharia.

— É teu guarda-costas? Pois seja, que venha ele também, sua presença é, aliás, necessária... Vamos, *pánowie!*

— Aonde vão? — perguntou Grúchenhka, inquieta.

— Voltaremos agora mesmo — respondeu Mítia. Seu rosto exprimia a resolução e a coragem, tinha um ar bem diferente daquele de uma hora antes, à sua chegada. Conduziu os *pánowie* não à peça à direita, onde se reunia o coro, mas a um quarto de dormir, repleto de malas, de arcas, com dois grandes leitos e uma montanha de travesseiros. A um canto, uma vela ardia sobre uma mesinha. O *pan* e Mítia instalaram-se, frente a frente e *pan* Vrubliévski ao lado deles, com as mãos atrás das costas. Os poloneses tinham ar severo, mas intrigado.

— Em que posso servi-lo, senhor? — murmurou o mais baixo.

— Serei breve, *pánie.* Aqui tenho dinheiro — e exibiu seu maço de cédulas. — Se queres três mil rublos, toma-os e vai-te embora. O *pan* olhava-o atentamente.

— Três mil, *pánie?* — Trocou um olhar com Vrubliévski.

— Três mil, *pánowie,* três mil! Escuta, vejo que és um homem ajuizado. Toma três mil rublos e vai-te para o diabo com Vrubliévski, ouviste? Mas imediatamente, agora mesmo e para sempre! Sairás por esta porta. Levarei teu sobretudo ou tua peliça. Atrelarão para ti uma tróica, e boa-noite, hem?

Mítia esperava a resposta com segurança. O rosto do *pan* tornou uma expressão das mais decididas.

— E os rublos?

— Aqui estão, *pánie:* quinhentos rublos como sinal, imediatamente, e dois mil e quinhentos amanhã na cidade. Juro pela minha honra que os terás, ainda que fosse preciso arrancá-los de debaixo da terra!

Os poloneses trocaram novo olhar. O rosto do mais baixo tornou-se hostil.

— Setecentos, setecentos imediatamente! — acrescentou Mítia, sentindo que a coisa ia atrapalhar-se. — Pois bem, *pánie,* não me acreditas? Não posso dar-te os três mil rublos duma vez. Voltarias amanhã para junto dela. Aliás, não os tenho comigo, estão na cidade — balbuciou Mítia, perdendo coragem a cada palavra. — Palavra de honra, num esconderijo...

Vivo sentimento de amor-próprio brilhou no rosto do *pan* baixinho.

— É tudo quanto queres? — perguntou, ironicamente. — Fora! Que vergonha! — E cuspiu. *Pan* Vrubliévski imitou-o.

— Tu cospes, *pánie* — disse Mítia, desolado por causa de seu fracasso —, porque pensas tirar vantagem de Grúchenhka. Sois, todos dois, uns idiotas!

— Isto me ofende profundamente! — disse o *pan* baixinho, vermelho como uma lagosta e, no cúmulo da indignação, saiu do quarto com Vrubliévski que se bamboleava. Mítia seguiu-os, todo confuso. Temia Grúchenhka, pressentindo que o *pan* iria queixar-se. Foi o que aconteceu. com um ar teatral, plantou-se diante de Grúchenhka e repetiu:

— *Páni* Agripina, fui profundamente ofendido!

Mas Grúchenhka, como que queimada ao vivo, perdeu a paciência e gritou, vermelha de cólera:

— Fala russo, nem uma palavra de polonês! Falavas russo outrora. Será que o esqueceste em cinco anos?

— *Páni* Agripina...

— Chamo-me Agrafiena, sou Grúchenhka! Fala russo, se queres que te escute!

O *pan,* sufocado, gaguejou com ênfase, estropiando as palavras:

— *Páni* Agrafiena, vim para esquecer o passado e tudo perdoar até este dia...

— Perdoar como? Foi para perdoar que vieste? — interrompeu Grúchenhka, ficando em pé.

— Isto mesmo, *páni,* porque tenho coração generoso. Mas tive grande surpresa vendo teus amantes. *Pan* Mítia ofereceu-me três mil rublos para que eu me vá embora. Cuspi-lhe na cara.

— Como? Ele te oferecia dinheiro por mim? É verdade, Mítia? Ousaste? Estou, pois, à venda?

— *Pánie, pánie* — disse Mítia —, ela é pura e jamais fui seu amante! Mentiste...

— Como ousas defender-me diante dele? Não foi por virtude que me conservei pura, nem por temor de Kuzmá, era para ter o direito de tratar de miserável esse homem. Ele recusou mesmo o teu dinheiro?

— Pelo contrário, aceitava-o; somente queria os três mil rublos imediatamente e eu só lhe dava setecentos rublos de entrada.

— Está claro; soube que tenho dinheiro, eis por que quer casar comigo.

— *Páni* Agripina, sou um cavalheiro... sou... um *szlachcie*[77] polonês e não um *laidak.*[78] Vim para casar contigo, mas não encontro mais a mesma *páni,* a de hoje é uma *uparti*[79] e desavergonhada.

— Volta para donde vens! Vou mandar pôr-te para fora daqui! Tola que fui por atormentar-me durante cinco anos! Mas não era por causa dele que me atormentava, era o meu rancor que eu acarinhava. Aliás, meu amante não era isso. Parece mais o pai dele! Onde encomendaste uma peruca? O outro ria, cantava, era um falcão, mas tu não passas de uma galinha molhada! E eu que passei cinco anos em lágrimas, ó tola criatura!

Recaiu sobre a poltrona e ocultou seu rosto nas mãos. Naquele momento, no quarto vizinho, o coro das moças, afinal reunido, entoou uma ousada canção dançável.

— Isto é uma Sodoma! — gritou *pan* Vrubliévski. — Patrão, ponha para fora essas desavergonhadas!

O hospedeiro, que esperava desde muito tempo na porta, adivinhando pelos gritos que estavam a brigar, entrou sem demora.

— Que berros são esses? — ele apostrofou Vrubliévski.

— Animal!

— Animal? Com que cartas estavas jogando ainda há pouco? Dei-te um baralho novinho. Que fizeste dele? Empregaste cartas falsas! Isso podia levar-te à Sibéria,

---

77 Nobre, em polonês.

78 Vagabundo, miserável, em polonês.

79 Teimosa, em polonês.

sabes tu? Porque equivale a passar moeda falsa... — Indo ao divã, pôs a mão entre o espaldar e uma almofada, retirando dali o baralho lacrado.

— Ei-lo, o meu baralho, intato — Elevou-o no ar e mostrou-o aos assistentes. — Vi-o operar e substituir suas cartas pelas minhas. És um velhaco e não um *pan*.

— E eu vi o outro *pan* trapacear duas vezes! — disse Kolgánov.

— Ah! que vergonha, que vergonha! — Grúchenhka juntou as mãos, corando. — Meu Deus, que homem ele se tornou!

— Bem o imaginava! — disse Mítia.

Então, *pan* Vrubliévski, confuso e exasperado, gritou para Grúchenhka, ameaçando-a com o punho:

— Rameira!

Mítia já se havia lançado sobre ele; agarrou-o, ergueu-o e carregou-o num abrir e fechar de olhos até o quarto onde tinham estado antes.

— Larguei-o no soalho! — anunciou, ao voltar, resfolegante. —Debate-se o canalha, mas não voltará!... — Fechou um dos batentes da porta e, mantendo o outro aberto, gritou para o *pan* baixinho:

— Excelência, não gostaria de fazer-lhe companhia? Rogo-lhe...

— Mítri Fiódorovitch — disse Trifon Borísovitch —, retoma deles teu dinheiro então! É como se eles te houvessem roubado.

— Faço-lhes presente de meus cinquenta rublos — disse Kolgánov.

— E eu dos meus duzentos. Que isto lhes sirva de consolação!

— Bravo, Mítia! Que grande coração! — gritou Grúchenhka num tom em que vibrava viva irritação.

O *pan* baixinho, rubro de cólera, mas que nada perdera de sua dignidade, dirigiu-se para a porta; de repente parou e disse a Grúchenhka:

— *Páni*, se queres seguir-me, vem, se não, adeus!

Gravemente, sufocado de indignação e de amor-próprio ferido, saiu. Sua vaidade era extrema; mesmo depois do que se passara, esperava ainda que a *páni* o seguiria, Mítia fechou a porta.

— Fecha-os — disse Kolgánov. Mas a fechadura rangeu do lado deles. Tinham-se fechado eles próprios.

— Bravo! — gritou Grúchenhka com raiva implacável. — Assim é que deve ser!

VIII / Delírio

Começou então quase uma orgia, uma festa de arromba. Grúchenhka foi a primeira a pedir bebida:

— Quero embriagar-me como da outra vez, lembras-te, Mítia, quando nos conhecemos!

Mítia delirava quase, pressentia "sua felicidade". Aliás, Grúchenhka afastava-o de seu lado a cada instante:

— Vai divertir-te, dize-lhes que dancem e se divirtam como da outra vez!

Estava superexcitada. O coro se reunia no quarto vizinho. O cômodo em que se achavam era exíguo, separado em duas partes por uma cortina de chita da Índia, por trás um imenso leito com um edredão e uma montanha de travesseiros. Todos os quartos de aparato daquela casa possuíam um leito. Grúchenhka instalou-se à porta; era dali que olhava o coro e as danças, por ocasião do primeiro festim deles. As mesmas moças encontravam-se ali, os judeus com seus violinos e suas cítaras tinham chegado, bem como a famosa *tieliega* com as provisões. Mítia movimentava-se no meio de toda aquela gente. Homens e mulheres acorriam, despertados e farejando um rega-bofe enorme, como um mês antes. Mítia cumprimentava e beijava os conhecidos, servindo de beber a quem chegava. Somente as moças apreciavam o champanhe, os mujiques preferiam o rum e o conhaque, sobretudo o ponche. Mítia ordenou que preparassem chocolate para as moças e conservassem ferventes a noite inteira três samovares para oferecer chá e ponche a quantos os quisessem. Em suma, uma pândega extravagante começou. Mítia sentia-se ali no seu elemento e animava-se à medida que a desordem alimentava. Se um mujique lhe tivesse então pedido dinheiro, teria tirado seu maço de notas e distribuído à direita e à esquerda sem contar. Eis sem dúvida por que, a fim de preservar Mítia, o dono da casa, Trifon Borísovitch, que renunciara a deitar-se naquela noite, quase não o deixava. Não bebia (um copo de ponche ao todo), velando, cuidadosomente, à sua maneira, pelos interesses de Mítia. Quando se tornava preciso, detinha-o, afetuosa e servilmente, e pregava-lhe um sermão, impedindo-o de distribuir como "da outra vez" aos mujiques "charutos, vinho do Reno" e, Deus nos guarde, dinheiro. Indignava-se ao ver as moças comerem bombons e beberem licores.

— Estão cheias de piolhos, Mítri Fiódorovitch; lhes meteria de bom grado o pé em certo lugar, e isto seria mesmo fazer-lhes honra.

Mítia lembrou-se de Andriéi e mandou levar-lhe ponche: "Ofendi-o ainda há pouco", repetia com voz enternecida. Kolgánov recusou a princípio beber e o coro lhe desagradou muito, mas, depois de ter absorvido dois copos de champanhe, tornou-se bastante alegre e achou tudo perfeito, os cantos e a música. Maksímov, satisfeito e meio bêbedo, não o deixava. Grúchenhka, a quem o vinho subia à cabeça, apontava Kolgánov a Mítia: "Que rapaz gentil!". E Mítia corria a beijar todos dois. Pressentia muitas coisas; ela não lhe dissera nada ainda de semelhante e retardava o momento; por vezes somente lançava-lhe um olhar cheio de ardor. De repente, pegou-lhe na mão e o fez sentar-se ao lado dela.

— Que chegada a tua ainda há pouco! Tive tanto medo! Querias ceder-me a ele, não é? É verdade?

— Não queria perturbar a tua felicidade.

Ela, porém, não o escutava.

— Está bem, vai, diverte-te, não chores, eu te chamarei de novo.

Deixou-o, voltou a escutar as canções, a olhar as danças, enquanto o acompanhava com o olhar; ao fim de um quarto de hora, tornou a chamá-lo.

— Fica aqui, conta-me, como soubeste de minha partida, quem foi o primeiro a informar-te?

Mítia começou seu relato sem ordem nenhuma, duma maneira incoerente, por vezes franzia as sobrancelhas e parava.

— Que tens? — ela lhe perguntava.

— Nada. Deixei lá embaixo um doente. Para que ele fique curado, para saber que ficará curado, daria dez anos de minha vida!

— Deixa-o tranquilo, esse teu doente. Então querias matar-te amanhã, bobinho, por quê? Gosto dos desmiolados como tu — murmurou ela, com a voz um tanto pastosa. — Então estás disposto a tudo por minha causa, não é? E querias deveras matar-te amanhã? Espera, vou te dizer talvez uma palavrinha... não hoje, amanhã. Quererias hoje? Não, não quero... Vai divertir-te.

Uma vez, no entanto, ela o chamou com ar preocupado.

— Por que estás triste? Porque estás triste, vejo-o — acrescentou ela, com os olhos cravados nos dele. — Por mais que beijes os mujiques e te movimentes, bem o percebo. Uma vez que estou alegre, fica alegre também... Amo alguém aqui... adivinha quem! Olha, ele adormeceu, o coitado, está bêbedo.

Falava de Kolgánov, que estava mesmo embriagado e dormitava em cima do divã. Mas, de parte a embriaguez, ele sentia tristeza ou, como dizia, "tédio". As canções das moças, que se tornavam por demais lascivas e licenciosas, à medida que bebiam, tinham acabado por aborrecê-lo. O mesmo com as danças; duas moças, disfarçadas de urso, eram "exibidas" por Stiepanida, uma mocetona armada dum cacete. "Entusiasmo, Mária — gritava —, se não, toma cuidado!" Finalmente, os ursos rolaram no soalho duma maneira indecente, com explosões de gargalhadas dum público grosseiro.

— Que se divirtam, que se divirtam! — disse sentenciosamente Grúchenhka, num ar extasiado. — É o dia deles. Por que não haveriam de divertir-se?

Kolgánov olhava com ar de desgosto:

— Como são baixos esses costumes populares! — observou, afastando-se. Ficou sobretudo chocado por uma canção "nova", com um estribilho alegre, em que um *bárin* em viagem interrogava as moças:

> O *bárin* às moças perguntou:
> Gostam de mim, gostam de mim, meninas?

Mas estas acham que não podem amá-lo:

> O *bárin* me surraria
> E eu dele não gostaria.

Depois foi a vez de um cigano, que não é mais feliz:

> O cigano há de roubar
> E eu lágrimas derramar.

Outros personagens desfilam, fazendo a mesma pergunta, até um soldado, repelido com desprezo:

> O soldado levará
> Seu saco e eu atrás...

Seguia-se um verso dos mais cínicos, cantado abertamente e que fazia furor entre os ouvintes. Acabava-se pelo comerciante:

O mercador às moças perguntou:
Gostam de mim, gostam de mim, meninas?

Dele, elas gostam muito, porque

O mercador será rico
E eu, dona de tudo, fico.

Kolgánov zangou-se:

— Só falta nessa canção um ferroviário ou um judeu para fazer perguntas às moças. Garanto que ganhariam para todos.

Quase ofendido, declarou que se entediava, sentou-se no divã e adormeceu, Seu rosto gentil, um pouco empalidecido, repousava sobre a almofada.

— Olha como ele é belo — disse Grúchenhka a Mítia. — Passei-lhe a mão pelos cabelos, parecia linho.

E, inclinando-se sobre ele, beijou-lhe com ternura a testa. Kolgánov abriu logo os olhos, olhou-a, ergueu-se, perguntou com ar preocupado:

— Onde está Maksímov?

— Eis o que lhe faz falta! — Grúchenhka pôs-se a rir. — Fica comigo um minuto. Mítia, vai procurar o Maksímov dele.

Maksímov não largava as moças, exceto para ir beber licores. Já bebera duas xícaras de chocolate. Estava com o nariz escarlate, os olhos úmidos e ternos. Aproximou-se e declarou que ia dançar *A tamanqueira.*

— Na minha infância ensinaram-me essas danças mundanas...

— Vai com ele, Mítia, eu o verei dançar daqui.

— Eu também vou olhar — exclamou Kolgánov, declinando ingenuamente do convite de Grúchenhka para ficar com ela. E todos foram ver. Maksímov dançou, com efeito, mas não obteve êxito, salvo da parte de Mítia. Sua dança consistia em saltitar com contorções, com as solas do sapato no ar; a cada salto, Maksímov batia com a mão na sola. Isto desagradou a Kolgánov, mas Mítia beijou o dançarino.

— Obrigado, deves estar fatigado. Queres bombons, hem? Um charuto, talvez?

— Um cigarro.

— Queres beber?

— Tomei licores... Não tem bombons de chocolate?

— Há uma porção em cima da mesa, escolhe, meu anjo!

— Não, prefiro os de baunilha... para os velhos... ih! ih! ih!

— Não, irmão, não há desses.

— Escute! — disse o velho, inclinando-se para o ouvido de Mítia. — Aquela moça ali, a Mária, ih! ih! ih! Gostaria bem de conhecê-la, graças à sua bondade...

— Vejam só isso! Estás brincando, camarada.

— Não faço mal a ninguém — murmurou humildemente Maksímov.

— Bem, bem. Aqui, camarada, a gente tem de contentar-se com cantar e dançar, ainda que, afinal... Espera... Regala-te, bebe, diverte-te. Tens necessidade de dinheiro?

— Depois, talvez — sorriu Maksímov.

— Bem, bem.

Mítia tinha a cabeça em fogo. Saiu para o alpendre que cercava uma parte do prédio. O ar fresco lhe fez bem. Só na escuridão, segurou a cabeça com as duas mãos. Suas ideias esparsas agruparam-se de súbito e tudo se aclarou a uma luz terrível... "Se tenho de matar-me, é agora ou nunca", pensou ele. "Pegar uma pistola e acabar neste canto escuro!" Cerca de um minuto ficou indeciso. Ao vir a Mókroie, tinha na consciência a vergonha, o roubo cometido e o sangue derramado... Mas sentia-se mais à vontade. Tudo estava acabado. Grúchenhka, cedida a um outro, não existia mais para ele. Sua decisão fora fácil de tomar, parecia pelo menos inevitável e necessária, pois por que haveria de viver doravante? Mas a situação não era mais a mesma. Aquele fantasma terrível, aquele homem fatal, o amante de outrora, desaparecera sem deixar traços. A aparição temível tornava-se um boneco ridículo que se trancava a chave. Grúchenhka tem vergonha e adivinha em seus olhos quem é que ela ama. Bastaria agora viver, e é impossível, oh! maldição! "Meu Deus, ressuscita aquele que jaz perto da paliçada! Afasta de mim esse cálice amargo! Porque Tu praticaste milagres para pecadores como eu! E se o velho vive ainda? Oh! então, lavarei a vergonha que pesa sobre mim, restituirei o dinheiro roubado, vou arrancá-lo de sob a terra... A infâmia só terá deixado traços em meu coração para sempre. Mas esses são sonhos impossíveis! Oh! maldição!"

Um raio de esperança aparecia-lhe, no entanto, nas trevas. Correu para o quarto, para ela, para sua rainha por toda a eternidade. "Uma hora, um minuto de seu amor não valem o resto da vida, ainda mesmo nas torturas da vergonha? Vê-la, a sós, ouvi-la, não pensar em nada, esquecer tudo, pelo menos nesta noite por uma hora, um instante!" Ao tornar a entrar, encontrou o hospedeiro Trifon Borísovitch que lhe pareceu sombrio e preocupado.

— Então, Borísovitch, estavas à minha procura?

— Não — o hospedeiro pareceu constrangido —, por que haveria de procurá-lo? Onde estava o senhor?

— Por que estás tão carrancudo? Estarias zangado? Espera, vais poder deitar-te... Que horas são?

— Já deve passar de três horas,

— Vamos acabar, vamos acabar.

— Mas não adianta nada. Enquanto o senhor quiser...

— Que há? — pensou Mítia, correndo para a sala de dança.

Grúchenhka não estava mais ali. No quarto azul Kolgánov dormitava sobre o divã. Mítia olhou por trás das cortinas. Sentada sobre uma mala, com a cabeça inclinada sobre o leito, ela chorava copiosomente, esforçando-se por abafar seus soluços. Fez sinal a Mítia para se aproximar e tomou-lhe a mão.

— Mítia, Mítia, eu o amava! Não cessei de amá-lo durante cinco anos. Era a ele que eu amava ou ao meu rancor? Era a ele, oh! era a ele! Menti, dizendo o contrário?... Mítia, eu tinha dezessete anos então, ele era tão terno, tão alegre, cantava-me canções... ou então assim me parecia a mim, meninota tola. Agora, meu Deus, não é mais absolutamente o mesmo. Seu rosto mudou, não o reconhecia. Ao vir aqui, pensava todo o tempo: "Como irei abordá-lo, que lhe direi, que olhares trocaremos?"... Minha alma desfalecia... e foi como se recebesse um balde d'água suja. Parecia um professor sisudo. Cheguei a ficar boba. Pensei a princípio que a presença de seu comprido camarada o constrangia. Pensei ao olhá-los: por que não acho nada para dizer-lhe? Sabes, foi a mulher dele que o estragou, a tal pela qual me abandonou... Ela o metamorfoseou, Mítia, que vergonha! Oh! que vergonha sinto, Mítia, vergonha por toda a minha vida! Malditos sejam esses cinco anos!

Desfez-se de novo em lágrimas, sem largar a mão de Mítia.

— Mítia, meu querido, não te vás, quero dizer-te uma coisa — murmurou ela, erguendo a cabeça. — Escuta, dize-me a quem amo. Amo alguém aqui, quem é? — Um sorriso brilhou em seu rosto cheio de lágrimas. — À entrada dele, meu coração desfaleceu: "Tola, eis aquele a quem amas", disse meu coração. Tu apareceste e tudo se iluminou. De quem ele terá medo? — pensei. Porque tu tinhas medo, não podias falar. Não é deles que ele tem medo, disse a mim mesma. Haverá homem que lhe cause medo? Eu só é que causo, eu só. Porque Fiénia te contou, bobinho, o que gritei a Aliócha pela janela: amei Mítia durante uma hora e parto para amar... outro, Mítia, como pude pensar que amaria outro depois de ti? Perdoas-me, Mítia? Amas-me? Tu me amas?

Levantou, pôs as mãos nos ombros dele. Mudo de felicidade, ele lhe contempla os olhos, o sorriso; de repente, apertou-a em seus braços.

— Tu me perdoas o ter-te feito sofrer? Era por maldade que eu vos torturava a todos. Foi por maldade que enlouqueci o velho... Lembras-te do copo que partiste em minha casa? Lembrei-me disso e fiz o mesmo hoje bebendo ao "meu coração vil". Mítia, por que não me beijas? Depois de um beijo tu me olhas, tu me escutas... Para que escutar-me? Beija-me com mais força, assim. Não se deve amar pela metade! Serei agora tua escrava, tua escrava por toda a vida! É doce ser escrava! Beija-me! Faze-me sofrer, faze de mim o que quiseres... Oh! é preciso fazer-me sofrer... Para, espera, depois, não quero assim... — E ela o repeliu, de repente. — Vai-te, Mítia, vou beber, quero embriagar-me, dançarei bêbeda, quero, eu quero.

Libertou-se dele e saiu. Mítia seguiu-a, cambaleando. "Aconteça o que acontecer, não importa, daria o mundo inteiro por este instante", pensava ele. Grúchenhka bebeu dum trago um copo de champanhe que a aturdiu. Sentou numa cadeira, sorrindo de felicidade. Suas faces coloriram-se, sua vista turvou-se, seu olhar apaixonado fascinava. O próprio Kolgánov ficou encantado e aproximou-se dela.

— Sentiste quando te beijei ainda há pouco, enquanto dormias? — murmurou ela. — Estou bêbeda agora, e tu? Por que não bebes, Mítia? Eu bebi...

— Já estou embriagado... de ti e quero ficar bêbedo de vinho. — Bebeu ainda um copo e — isto pareceu-lhe estranho — esse derradeiro copo embriagou-o de repente, a ele que suportara a bebida até então. A partir daquele momento, tudo girou em torno dele, como no delírio. Andava, ria, falava a todo mundo, não se conhecia mais. Só um sentimento ardente se manifestava nele por momentos "como brasa na alma", lembrou-se ele mais tarde. Aproximava-se dela, contemplava-a, escutava-a... Ela se tornou bastante loquaz, chamando todos, atraindo alguma moça do coro, que mandava embora depois de tê-la beijado, ou por vezes com um sinal da cruz. Estava a ponto de chorar. O "velhinho", como chamava a Maksímov, divertia-a bastante. A cada instante ele vinha beijar-lhe a mão, e acabou por dançar de novo, acompanhando-se de uma velha canção de estribilho arrebatante:

O porco, gru, gru, gru,
A bezerra mé, mé, mé,

O pato coen, coen,
O ganso, quá, quá, quá,
No quarto a franga corria,
Có, có, có, cantando ia.

— Dá-lhe alguma coisa, Mítia, ele é pobre. Ah! os pobres, os ofendidos!... Sabes tu, Mítia, quero entrar para um convento. É sério, irei algum dia. Vou me lembrar toda a vida do que me disse Aliócha hoje. Dancemos agora. Amanhã, no convento, hoje, no baile. Quero fazer loucuras, boa gente, Deus o perdoará. Se eu fosse Deus, perdoaria a todo mundo: "Meus caros pecadores, perdoo a todos". Irei implorar meu perdão: "Perdoai a uma tola, boa gente". Sou uma besta feroz, eis o que sou. Mas quero rezar. Dei uma pequena cebola. Uma miserável como eu quer rezar! Mítia, não os impeça de dançarem. Todo mundo é bom, sabes? Todo mundo. A vida é bela, Por mau que se seja, é bom viver... Somos bons e maus ao mesmo tempo... Dizei-me, rogo-vos, por que sou tão boa? Porque sou tão boa...

Assim divagava Grúchenhka à medida que a embriaguez a dominava. Declarou que queria dançar, levantou-se, cambaleando.

— Mítia, não me dês mais vinho, mesmo se eu pedir. O vinho perturba-me e tudo gira, até mesmo a estufa. Mas quero dançar. Vão ver como danço bem...

Era uma intenção decidida; exibiu um lenço de batista que pegou por uma ponta para agitá-lo ao dançar. Mítia apressou-se, as moças se calaram, prontas a entoar, ao primeiro sinal, a toada da dança russa. Ao saber que Grúchenhka queria dançar, Maksímov lançou um grito de alegria, saltitou diante dela, cantando:

Pernas finas, ancas torneadas,
Cauda em forma de trombeta.

Ela, porém, o afastou com uma rabanada do lenço.

— Psiu! Que todos venham olhar-me. Mítia, chama também os que estão fechados... Por que fechá-los? Dize-lhes que vou dançar, que eles venham ver-me...

Mítia bateu vigorosomente à porta dos poloneses.

— Ei! vocês Povisótski! Saiam! Ela vai dançar e chama-os.

— *Laidak!* — resmungou um dos poloneses.

— E tu és mais que um *laidak,* és um canalha!

— Por que o senhor não para de mexer com a Polônia? — observou gravemente Kolgánov, igualmente bêbedo.

— É bom, meu rapaz! Mas o que eu disse dirige-se a ele e não à Polônia. O miserável não a representa. Cala-te, meu bonitote, come bombons.

— Que criaturas! Por que eles não querem fazer a paz? — murmurou Grúchenhka, que avançou para dançar. O coro repercutiu. Ela entreabriu os lábios, agitou seu lenço e, depois de ter balanceado, parou no meio da sala.

— Não tenho forças... — murmurou ela, com voz extinta. — Desculpem-me, não posso... perdão.

Saudou o coro, fez reverências à direita e à esquerda.

— Ela bebeu, a bonita senhora — disseram vozes.

— A madame tomou um pileque — explicou; com uma risadinha, Maksímov às moças.

— Mítia, leva-me... toma-me...

Mítia ergueu-a em seus braços e foi depositar seu precioso fardo sobre o leito. "Agora, vou-me embora", pensou Kolgánov, e, deixando a sala, fechou atrás de si a porta do quarto azul. Mas nem por isso deixou a festa de continuar cada vez mais barulhenta. Grúchenhka estava deitada, Mítia colou seus lábios aos dela.

— Deixa-me — implorou ela —, não me toques antes que eu seja tua... Disse que seria tua..., poupa-me... Perto dele, é impossível, causa-me horror isto.

— Obedeço! Nem mesmo em pensamento... Respeito-te! Sim, é repugnante aqui. — Sem afrouxar seu abraço, ajoelhou-se junto do leito.

— Muito embora sejas violento, sei que és nobre... É preciso que seja honestamente doravante... Sejamos honestos e bons, não nos assemelhemos aos animais... Leva-me para bem longe, entendes?... Não quero aqui, mas longe, longe...

— Sim, sim. — Mítia apertou-a. — Vou te levar, partiremos... Oh! daria toda a minha vida por um ano contigo, só para nada saber desse sangue.

— Que sangue?

— Nada — e Mítia rangiu os dentes. — Grucha, queres que seja honestamente, mas sou um ladrão, Roubei Katka. Oh! vergonha! oh! vergonha!

— Katka? Aquela senhorita? Não, nada lhe tomaste. Reembolsa-a, toma meu dinheiro... Por que gritas? Tudo quanto me pertence é teu. De que serve o dinheiro? Nós o gastamos sem poder impedir-nos disso. Iremos de preferência cavar a terra. É preciso trabalhar, entendes? Aliócha assim ordenou. Não serei tua amante, mas tua mulher, tua escrava, trabalharei para ti. Iremos cumprimentar a senhorita, pedir-lhe perdão, e partiremos. Se ela recusar, tanto pior. Entrega-lhe seu dinheiro e ama-me. Esquece-a. Se a amas ainda, a estrangulo... Vou lhe furar os olhos com uma agulha...

— É a ti que amo, a ti somente. Vou te amar na Sibéria.

— Por que na Sibéria? Pois seja, na Sibéria, se quiseres. Que me importa?... Trabalharemos... há neve... Gosto de viajar sobre a neve... e o tintineio da sineta... Estás ouvindo? Uma sineta tilinta... Onde é? Viajantes que passam... parou.

Fechou os olhos e pareceu adormecer. Uma sineta, com efeito, havia tilintado ao longe. Mítia reclinou a cabeça sobre o peito de Grúchenhka. Não reparava que a campainha tinha cessado de tilintar e que às canções e ao tumulto havia sucedido na casa um silêncio de morte. Grúchenhka abriu os olhos.

— Que há? Dormi? Ah! sim, a sineta... Sonhei que viajava sobre a neve... a sineta tilintava e adormeci. Íamos os dois juntos, longe, longe. Beijava-te, apertava-me contra ti, tinha frio e a neve cintilava... Não sabes como ela cintila ao clarão da lua? Acreditava viver noutro lugar que não na terra.... Desperto, meu bem-amado, junto de ti. Que bom!

— Perto de ti — murmurou Mítia, cobrindo de beijos o peito e as mãos de sua amada. De repente pareceu-lhe que ela olhava diretamente à sua frente, por cima de sua cabeça, com um olhar estranhamente fixo. A surpresa, quase o terror, pintou-se em seu rosto.

— Mítia, quem é esse que está nos olhando? — cochichou ela. Mítia voltou-se e viu alguém que havia afastado as cortinas e os examinava. Ficou em pé e avançou vivamente para o indiscreto.

— Venha cá, peço-lhe — disse uma voz decidida.

Mítia saiu de trás das cortinas e parou. O quarto estava cheio de novos personagens, Mítia sentiu um arrepio na espinha, estremeceu. Reconhecera todos imediatamente. Aquele velho de elevada estatura, de sobretudo, com uma insígnia no casquete de seu uniforme, é o *isprávnik* Mikhail Makáritch. Aquele janota tuberculoso, de botas irrepocháveis, é o suplente. Tem um cronômetro de quatrocentos rublos, ele o mostrou. Aquele rapaz de óculos, baixinho... Mítia esqueceu seu nome, mas conhece-o, viu-o: é o juiz de instrução, que acaba de sair da Escola de Direito. Este aqui, é o *stanovoi*, Mavriki Mavrikitch, um de seus conhecidos. E aqueles, com suas placas de metal, que fazem? E depois dois mujiques... Ao fundo, perto da porta, Kolgánov e Trifon Borísovitch...

— Senhores... Que há, senhores? — proferiu a princípio Mítia, que, de repente, prosseguiu com voz forte:

— Com-pre-endo!

O rapaz de óculos aproximou-se dele e disse com ar importante, mas com um pouco de pressa:

— Temos de dizer-lhe... numa palavra, peço-lhe que venha aqui, perto do divã... É necessário que tenhamos uma explicação.

— O velho! — exclamou Mítia, exaltado. — O velho ensanguentado!... Compreendo!

E deixou-se cair sobre uma cadeira.

— Compreendes? Compreendeste? Parricida, monstro, o sangue de teu velho pai grita contra ti! — berrou de repente o velho *isprávnik*, aproximando-se de Mítia. Estava fora de si, vermelho, trêmulo de cólera.

— Mas é impossível, Mikhail Makáritch! — exclamou o rapaz baixinho. — Não é assim, não é assim?... Não teria jamais esperado semelhante coisa do senhor!...

— Mas está delirando, senhores, delirando! — continuou o *isprávnik*. — Olhem-no: à noite, bêbedo em companhia de uma mulher perdida, manchado do sangue de seu pai... Está delirando!...

— Rogo-lhe instantemente, meu caro Mikhail Makáritch, que modere seus sentimentos — gaguejou o suplente, senão serei obrigado a tomar...

O pequeno juiz de instrução interrompeu-o e proferiu com voz firme e grave:

— Senhor tenente reformado Karamázov, devo declarar-lhe que o senhor é acusado de ter matado seu pai, Fiódor Pávlovitch, assassinado esta noite.

Acrescentou alguma coisa, o suplente fez o mesmo, mas Mítia escutava sem compreender. Olhava-os a todos com um olhar estupidificado.

LIVRO IX / O PROCESSO PREPARATÓRIO

I/Inicia sua carreira o funcionário Pierkhótin

Piotr Ilitch Pierkhótin, que deixamos batendo com todas as suas forças no portão da Casa Morózova, acabou naturalmente fazendo que lhe abrissem. Ouvindo tamanho barulho, Fiénia, ainda mal reposta de seu terror, quase teve uma crise de nervos: imaginou que era Dimítri Fiódorovitch que voltava (se bem que tivesse assistido à sua partida), porque só ele podia bater tão insolentemente. Correu para o porteiro, que despertara com o barulho, e suplicou-lhe que não abrisse. Mas ele, quando soube o nome do visitante e seu desejo de ver Fiedóssia Márkovna para tratar de um negócio importante, decidiu deixá-lo entrar. Piotr Ilitch pôs-se a interrogar a moça e descobriu logo o fato mais importante: ao lançar-se à procura de Grúchenhka, Dimítri Fiódorovitch levara um pilão e voltara de mãos vazias, mas ensanguentadas. "O sangue pingava", exclamou Fiénia, imaginando na sua perturbação aquela horrenda circunstância. Piotr Ilitch vira aquelas mãos e ajudara a lavá-las; não se tratava de saber se tinham secado rapidamente, mas se Dimítri Fiódorovitch tinha ido verdadeiramente à casa de seu pai com o pilão, e donde se podia concluir isso. Piotr Ilitch insistiu neste ponto e, muito embora nada haja em suma sabido de certo, ficou quase convencido de que Dimítri Fiódorovitch só pudera ter ido à casa de seu pai e que, por consequência, deveria ter-se passado lá alguma coisa. "Quando ele voltou — acrescentou Fiénia — e quando lhe confessei tudo, perguntei-lhe: Dimítri Fiódorovitch, por que tem o senhor as mãos em sangue? Respondeu-me que era sangue humano e que acabara de matar alguém. Assim confessou, arrependendo-se, depois saiu correndo como um louco. Pus-me a pensar: onde bem pode ir agora? Irá a Mókroie matar minha patroa. Corri então à casa dele para suplicar-lhe que a poupasse. Ao passar diante da venda dos Plastunovi, vi-o que ia partir, mas de mãos limpas." (Fiénia notara este detalhe.) A avó confirmou o relato de sua neta. Piotr Ilitch deixou a casa ainda mais perturbado do que quando nela entrara.

Parecia que o mais simples seria agora ir à casa de Fiódor Pávlovitch informar-se se nada acontecera; em caso afirmativo, e uma vez ciente, iria à casa do *isprávnik*. Piotr Ilitch estava bem decidido a isso. Mas a noite estava escura, o portão maciço, conhecia muito pouco Fiódor Pávlovitch; se, à força de bater, lhe abrissem e nada se tivesse passado, no dia seguinte o malicioso Fiódor Pávlovitch iria contar na cidade, como uma anedota, que, à meia-noite, o funcionário Pierkhótin, a quem não conhecia, forçara sua porta para saber se ele, Fiódor, não tinha sido assassinado. Seria um escândalo! Ora, Piotr Ilitch temia o escândalo mais que qualquer coisa. No entanto, o sentimento que o impelia era tão poderoso que depois de ter batido o pé com cólera e haver invectivado a si mesmo, lançou-se noutra direção, para a casa da Senhora Khokhlakova. Se ela respondesse negativamente à pergunta, a respeito dos três mil rublos dados àquela hora a Dimítri Fiódorovitch, iria procurar o *isprávnik*, sem passar em casa de Fiódor Pávlovitch; senão, deixaria tudo para o dia seguinte e voltaria para sua casa. Compreende-se bem que a decisão do jovem de se apresentar às onze horas da noite em casa de conhecida senhora da sociedade, obrigá-la a levantar talvez para fazer-lhe uma pergunta singular, arriscava a provocar um escândalo bem maior que ir pedir informação em casa de Fiódor Pávlovitch. Mas tal é muitas vezes a sorte, sobretudo em semelhantes casos, das decisões das pessoas mais fleumáticas. Piotr Ilitch não estava de todo fleumático naquele momento! Lembrou-se toda a sua vida de como a inquietação insopitável que se apoderara dele degenerou em suplício e arrastou-o contra sua vontade, Bem entendido, injuriou-se durante todo o caminho por causa daquele tolo passo que dava, mas "irei até o fim!", repetia pela décima vez, rangendo os dentes, e manteve sua palavra.

Soavam onze horas, quando chegou à casa da Senhora Khokhlakova. Penetrou com bastante facilidade no pátio, mas o porteiro não pôde dizer-lhe com certeza se a senhora já estava deitada, Como era costume seu àquela hora. "Faça-se anunciar e verá bem se o recebem ou não." Piotr Ilitch subiu, mas as dificuldades começaram. O lacaio não queria anunciá-lo; acabou por chamar a arrumadeira. Num tom polido, mas firme, Piotr Ilitch rogou-lhe que dissesse à sua ama que o funcionário Pierkhótin desejava falar-lhe a respeito dum assunto importante, sem o que não se teria permitido incomodá-la; "anuncie-me, nestes termos", insistiu ele. Esperou no vestíbulo. A Senhora Khokhlakova já se achava no seu quarto de dormir. A visita de Mítia perturbara-a, pressentia para a noite uma dor de cabeça certa em semelhante caso. Ficou surpresa, mas recusou com irritação receber o jovem funcionário, se bem que a visita de um desconhecido, a semelhante hora, superexcitasse sua curiosidade feminina. Mas Piotr Ilitch teimou desta vez como um mulo; vendo-se repelido, insistiu imperiosamente e fez dizer nos mesmos termos "que se tratava dum assunto muito importante, e que a senhora lamentaria talvez depois não o ter recebido". A criada de quarto olhou-o com espanto e voltou para levar o recado. A Senhora Khokhlakova ficou estupefata, refletiu, perguntou que aspecto tinha o visitante e soube que estava bem trajado, era jovem e bastante polido. Notemos, de passagem, que Piotr Ilitch era belo rapaz e sabia disso. A Senhora Khokhlakova decidiu aparecer. Estava em roupão de quarto e de chinelas e lançou um xale preto sobre os ombros. O funcionário foi convidado a entrar no salão. A dona da casa apareceu, com ar interrogador e, sem mandar o visitante sentar, convidou-o a explicar-se.

— Permito-me incomodá-la, minha senhora, a respeito de nosso conhecido comum, Dimítri Fiódorovitch Karamázov — começou Pierkhótin; mal, porém, havia pronunciado este nome, viva irritação pintou-se no rosto de sua interlocutora. Abafou ela um grito e interrompeu-o com cólera:

— Será que haverão de atormentar-me ainda por muito tempo com tão horrível personagem? Como ousou o senhor incomodar uma dama a quem não conhece, a semelhante hora... para lhe falar de um indivíduo que, aqui mesmo, há três horas, veio assassinar-me, bateu com o pé e saiu duma maneira escandalosa? Saiba, senhor, que darei queixa contra o senhor; queira retirar-se imediatamente... Sou mãe, vou... eu...

— Então queria ele matá-la também?

— Será que ele já matou alguém? — perguntou impetuosamente a Senhora Khokhlakova.

— Queira conceder-me um minuto de atenção, minha senhora, e lhe explicarei tudo — respondeu com firmeza Pierkhótin. — Hoje, às cinco horas da tarde, o Senhor Karamázov me pediu emprestados dez rublos, na qualidade de amigo, e sei positivamente que ele estava sem dinheiro; às nove horas, foi à minha casa tendo na mão um maço de cédulas de cem rublos, para cerca de dois ou três mil rublos. As mãos e o rosto ensanguentados, tinha o ar de um louco. À minha pergunta, donde provinha tanto dinheiro, respondeu textualmente que o recebera da senhora e que a senhora lhe adiantava uma soma de três mil rublos para que ele partisse em busca de minas de ouro...

O rosto da Senhora Khokhlakova exprimiu uma emoção súbita.

— Meu Deus! Foi o seu velho pai que ele matou! — exclamou ela, juntando as mãos. — Não lhe dei o dinheiro, absolutamente! Oh! corra, corra!... Não diga mais nada! Salve o velho, corra à casa do pai dele!

— Permita, minha senhora, com que então não lhe deu o dinheiro? Está bem certa de não lhe ter dado nenhuma soma?

— Nenhuma, nenhuma. Recusei, porque ele não sabia apreciar. Partiu furioso, batendo os pés. Lançou-se contra mim, recuei... Imagine — porque nada quero ocultar-lhe — que cuspiu em cima de mim! Mas por que ficar de pé? Sente... Desculpe-me, eu... Ou antes corra a salvar aquele desgraçado velho de uma morte horrível!

— Mas se já o matou?

— Com efeito, meu Deus! Que vamos fazer agora? Que pensa o senhor que é preciso fazer?

Entretanto fizera Piotr Ilitch sentar e tomara lugar em frente dele. Este expôs-lhe brevemente os fatos de que fora testemunha, contou sua recente visita à casa de Fiénia e falou do pilão. Todos esses detalhes transtornaram a dama que lançou um grito e pôs a mão diante dos olhos.

— Imagine o senhor que pressenti tudo isso! É um dom que tenho, todos os meus pressentimentos se realizam. Quantas vezes tenho olhado para aquele terrível homem pensando: acabará matando-me. E eis que aconteceu... Ou antes, se não me matou agora como a seu pai, foi graças a Deus que me protegeu; além do mais, teve vergonha, porque eu lhe havia amarrado ao pescoço, aqui mesmo, uma pequena imagem, proveniente das relíquias de Santa Bárbara, mártir... Estive bem perto da morte naquele minuto. Tinha-me aproximado completamente dele que me estendia o pescoço! Sabe o senhor, Piotr Ilitch (o senhor disse, creio, que é esse o seu nome), não creio nos milagres, mas aquela imagem, aquele milagre evidente em meu favor, isto me impressiona e recomeço a crer em não importa o quê. Ouviu falar do *stáriets* Zósima?... Aliás, não sei o que digo... Imagine que ele cuspiu em mim com aquela imagem no pescoço... Cuspiu somente, sem matar-me, e... e eis para o que ele correu! Que vamos fazer agora? Que pensa o senhor?

Piotr Ilitch levantou-se e declarou que ia à casa do *isprávnik* contar tudo e este agiria como lhe conviesse.

— Ah! É um homem excelente, conheço Mikhail Makárovitch. Vá ter com ele sem falta. Como o senhor é engenhoso, Piotr Ilitch! No seu lugar, jamais teria pensado nisso!

— Tanto mais que me acho eu mesmo em bons termos com o *isprávnik* — observou Piotr Ilitch, visivelmente desejoso de escapar àquela dama expansiva que não o deixava despedir-se.

— Sabe duma coisa? Venha contar-me o que tiver visto e sabido... as verificações... o que se fará dele... Diga-me, a pena de morte não existe entre nós? Venha sem falta, ainda mesmo às três horas da manhã, até mesmo às quatro... Mande acordar-me, sacudir-me, se não me levantar... Aliás, não dormirei, sem dúvida. E se eu o acompanhasse?

— N...ão, mas se certificar por escrito, para o que der e vier, que não deu o dinheiro a Dimítri Fiódorovitch, isto poderia servir... na ocasião...

— Decerto! — aprovou a Senhora Khokhlakova, lançando-se para sua escrivaninha. — Sabe? Estou impressionada e confundida com a sua engenhosidade, a sua perícia nessas questões... Serve aqui? Isto me causa grande prazer...

Enquanto falava, tinha, à pressa, traçado as seguintes poucas linhas, em letras graúdas:

Jamais emprestei três mil rublos ao desditoso Dimítri Fiódorovitch Karamázov, nem hoje, nem antes! Juro-o pelo que há de mais sagrado.

KHOKHLAKOVA.

— Pronto, aqui está! — disse ela, voltando-se para Piotr Ilitch. — Vá, salve sua alma. É um grande feito que o senhor pratica.

Fez sobre ele três vezes o sinal da cruz e reconduziu-o até o vestíbulo.

— Quanto lhe sou grata! O senhor não pode imaginar como lhe sou grata por ter vindo em primeiro lugar procurar-me. Como é possível que não nos tenhamos jamais encontrado? Terei muito prazer em recebê-lo doravante, Causa-me prazer saber que o senhor serve aqui... e com tal exatidão, tanta engenhosidade... Mas devem apreciá-lo, compreendê-lo, enfim, e tudo quanto eu puder fazer pelo senhor, esteja certo... Oh! gosto da mocidade, sou doida por ela! As pessoas jovens são a esperança de nossa infeliz Rússia de hoje... Vá, vá!

Mas Piotr ilitch já se havia escapulido, ou ela não o teria deixado partir tão depressa. Aliás, a Senhora Khokhlakova causara nele uma impressão bastante agradável, que amenizava mesmo sua apreensão de estar metido num negócio tão escabroso. Sabe-se que os gostos variam muito. "E ela não é lá tão idosa", pensava ele com satisfação, "pelo contrário, a teria tomado por sua filha."

Quanto à Senhora Khokhlakova, estava simplesmente encantada. "Uma tal habilidade, uma tal precisão em um homem tão jovem, com suas maneiras e seu exterior... Pretende-se que os jovens de hoje não prestam para nada, eis um exemplo, etc." Tanto que ela se esqueceu até "daquele horrendo acontecimento"; uma vez deitada, somente, é que se lembrou de "quão perto da morte estivera" e murmurou: "Ah! é horrível, horrível!". Mas adormeceu logo num sono profundo, Não me teria, aliás, estendido sobre detalhes tão insignificantes, se esse encontro singular do jovem funcionário com uma viúva ainda frescalhota não tivesse influído, posteriormente, sobre toda a carreira daquele rapaz metódico. Recorda-se isso mesmo com espanto em nossa cidade e diremos talvez uma palavra respeito, ao terminar a longa história dos irmãos Karamázovi.

II / O alarme

Nosso *isprávnik* Mikhail Makárovitch, tenente-coronel reformado, que se tornara conselheiro de corte, era um honrado homem. Estabelecido em nossa cidade havia três anos apenas, conseguira atrair para ele a simpatia geral porque "sabia reunir a sociedade". Havia sempre gente em casa dele, fosse apenas uma ou duas pessoas para jantar. Não teria podido viver sem isso. Os pretextos mais variados motivavam os convites. A comida não era fina, mas abundante, os pastéis de peixe excelentes, a quantidade dos vinhos compensava-lhes a mediocridade. Na primeira sala encontrava-se um bilhar, com cavalos de corrida inglêses enquadrados em molduras negras nas paredes, o que constitui, como se sabe, o ornamento necessário de todo bilhar em casa dum celibatário. Todas as noites jogava-se baralho. Mas muitas vezes a melhor sociedade de nossa cidade reunia-se para dançar, as mães com suas filhas. Mikhail Makárovitch, embora viúvo, vivia em família, com sua filha viúva e suas duas netas. Estas, que tinham terminado seus estudos, eram bastante gentis e alegres e, se bem que sem dote, atraíam para a casa de seu avô a juventude mundana. Em negócios, Mikhail Makárovitch era bastante limitado, mas exercia suas funções tão bem quanto muitos outros. Para falar a verdade, era um homem pouco instruído e até mesmo descuidado na sua maneira de compreender suas atribuições. Tinha vistas curtas a respeito de certas reformas do presente reinado, não por incapacidade, mas por indolência, não achando tempo para estudá-las. "Tenho mais alma de militar que de civil", dizia, falando de si mesmo. Não tinha ainda uma ideia nítida das bases da reforma do camponês que aprendia a conhecer pouco a pouco, pela prática e malgrado seu; no entanto, era ele próprio proprietário rural. Piotr Ilitch estava certo de encontrar naquela noite visitas em casa de Mikhail Makárovitch. Achavam-se em casa dele, jogando baralho, o procurador e o jovem médico do *ziémstvo*, Varvínski, recentemente chegado de Moscou, onde obtivera o lugar de um dos primeiros alunos da Escola de Medicina. O procurador — isto é, o suplente, mas todos o chamavam assim — Ipolit Kirílovitch era um homem especial, ainda jovem, com trinta e cinco anos, mas predisposto à tuberculose, casado com uma mulher obesa e estéril, cheio de amor-próprio, irascível, tendo ao mesmo tempo sólidas qualidades. Por desgraça, tinha uma ideia exagerada de seus méritos, o que o fazia parecer constantemente inquieto. Tinha mesmo pendores artísticos, certa penetração psicológica aplicada aos criminosos e ao crime. Neste sentido, considerava-se como lesado e vítima de preterições, estando sempre persuadido de que não o apreciavam segundo seu valor nas altas esferas e que tinha inimigos. Nas horas de desencorajamento, ameaçava mesmo tornar-se advogado criminal. O caso Karamázov galvanizou-o inteiramente: "Um caso que podia apaixonar a Rússia!". Mas estou antecipando.

Na sala contígua achava-se, com as senhoritas, o jovem juiz de instrução Nikolai Parfiénovitch Nieliúdov, chegado havia dois meses de Petersburgo. Causou espanto mais tarde que esses personagens se tivessem reunido como que de propósito na noite do "crime", na casa do poder executivo. Entretanto, não havia nada naquilo que não fosse bastante natural: a mulher de Ipolit Kirílovitch estava com dor de dentes desde a véspera e ele precisava subtrair-se de suas queixas; o médico só podia passar o serão jogando baralho. Quanto a Nikolai Parfiénovitch Nieliúdov, projetara fazer visita naquela noite a Mikhail Makárovitch, como que por acaso, a fim de surpreender sua filha mais velha, Olga Mikháilovna, que fazia anos: conhecia seu segredo, porque, segundo ele, ela queria esconder isso para não convidar a dançar. Isto se prestava a alusões zombeteiras à idade dela que temia revelar; amanhã ele falaria a todo mundo, etc. Aquele gentil rapaz era, a este respeito, um grande descarado, assim o tinham denominado nossas damas, e ele não se queixava disso. Pertencente à melhor sociedade, de família distinta, bem educado, era aquele gozador inofensivo e sempre correto. De baixa estatura e compleição delicada, trazia sempre em seus dedos delgados alguns grossos anéis. No exercício de seu cargo, tornava-se muito grave, tendo uma alta ideia de seu papel e de suas obrigações. Sabia sobretudo confundir, por ocasião dos interrogatórios, os assassinos e outros malfeitores da ralé, e suscitava neles certo espanto, senão respeito por sua pessoa.

Ao chegar em casa do *isprávnik*, ficou Piotr Ilitch estupefato por ver que todos estavam informados. Com efeito, tinham cessado de jogar, e discutiam a notícia, Nikolai Parfiénovitch tinha mesmo um ar belicoso. Piotr Ilitch soube com estupor que o velho Fiódor Pávlovitch fora efetivamente assassinado naquela noite em sua casa, assassinado e roubado. Tinham acabado de saber da seguinte maneira:

Marfa Ignátievna, a mulher de Grigóri, malgrado o sono profundo em que estava mergulhada, despertou de repente, sem dúvida aos gritos de Smierdiákov, que jazia no quartinho vizinho. Jamais pudera habituar-se àqueles gritos do epiléptico, precursores da crise e que a apavoravam. Ainda semiadormecida, levantou-se e entrou no quarto de Smierdiákov. No escuro, ouvia-se o doente estertorar, debater-se. Tomada de medo, chamou seu marido, mas refletiu que, ao levantar-se, não vira seu marido a seu lado na cama. Voltou a tatear o leito: estava vazio. Correu para o patamar e chamou-o timidamente. Como resposta, ouviu, no silêncio noturno, gemidos distantes. Prestou atenção: os gemidos repetiram-se; partiam mesmo do jardim. "Meu Deus, parecem os gemidos de Lisavieta Smierdiáchtchaia!" Desceu e percebeu que a portinha do jardim estava aberta: "Deve estar !á, o coitado!". Aproximou-se e ouviu Grigóri chamá-la distintamente: "Marfa! Marfa!", com uma voz fraca e dolorida. "Meu Deus, preservai-nos!", murmurou Marfa que se lançou na direção de Grigóri.

Encontrou-o a vinte passos da paliçada, onde ele caíra. Tendo voltado a si, tivera de arrastar-se muito tempo, perdendo várias vezes os sentidos. Ela notou logo que ele estava todo ensanguentado e pôs-se a gritar. Grigóri murmurava fracamente palavras entrecortadas: "Matou... matou o pai... Por que gritas, idiota?... Corre, chama...". Marfa Ignátievna não se acalmava; de repente, vendo a janela de seu patrão aberta e iluminada, correu para lá e pôs-se a chamar Fiódor Pávlovitch. Mas tendo olhado para dentro do quarto, um horrível espetáculo se ofereceu: jazia ele de costas, inerte. Seu roupão claro e sua camisa branca estavam inundados de sangue. A vela, que ficara em cima da mesa, iluminava vivamente o rosto do morto. Aterrorizada, Marfa Ignátievna saiu correndo do jardim, abriu o portão e precipitou-se em casa de Maria Kondrátievna. As duas vizinhas, a mãe e a filha, dormiam; as pancadas redobradas batidas nos postigos despertaram-nas. Com palavras incoerentes, Marfa Ignátievna contou-lhes a coisa e chamou-as em socorro. Como que de propósito, dormia em casa delas naquela noite o vagabundo Fomá. Fizeram-no levantar imediatamente e todos acorreram ao local do crime. Em caminho, Maria Kondrátievna lembrou-se de ter ouvido, cerca das nove horas, um grito agudo. Era precisamente o: "Parricida!", de Grigóri, quando havia agarrado pela perna Dimítri Fiódorovitch, que já subira na paliçada. Chegadas junto de Grigóri, as duas mulheres, com a ajuda de Fomá, transportaram-no para o pavilhão. À luz, verificou-se que Smierdiákov continuava presa de sua crise, os olhos revirados, a espuma nos lábios. Lavaram a cabeça do ferido com água e vinagre, o que o reanimou completamente. Sua primeira pergunta foi para saber se Fiódor Pávlovitch ainda estava vivo. As duas mulheres e Fomá voltaram ao jardim e viram que não somente a janela, mas a porta da casa estava escancarada, quando havia uma semana que o *bárin* se fechava a duas voltas todas as noites e nem mesmo a Grigóri permitia que batesse sob qualquer pretexto. Não ousaram entrar com medo de atraírem complicações. Por ordem de

Grigóri, Maria Kondrátievna correu à casa do *isprávnik* a dar o alarme. Precedeu de cinco minutos Piotr Ilitch, de sorte que este chegou como testemunha ocular, confirmando pela sua narrativa as suspeitas contra o presumido autor do crime (o que ele havia recusado acreditar até então, no fundo de seu coração).

Resolveu-se agir energicamente. As autoridades judiciárias dirigiram-se aos locais e procederam a uma investigação. O médico do *ziémstvo*, um novato, ofereceu-se a acompanhá-las. Resumo os fatos: Fiódor Pávlovitch tinha a cabeça partida, mas com que arma? Provavelmente a mesma que servira em seguida para golpear Grigóri. Este, depois de ter recebido os primeiros cuidados, fez, malgrado sua fraqueza, um relato bastante lógico do que lhe acontecera. Procurando-se com uma lanterna perto da paliçada, encontrou-se numa aleia, bem em vista, o pilão de cobre. Não havia desordem alguma no quarto de Fiódor Pávlovitch, exceto ter-se encontrado, por trás do biombo, perto do leito, um envelope de grande formato, em papel forte, com os dizeres: "Três mil rublos para meu anjo, Grúchenhka, se ela quiser vir". Mais embaixo, Fiódor Pávlovitch acrescentara: "e para minha franguinha". O envelope, que trazia três grandes sinetes em cera vermelha, estava rasgado e vazio. Encontrou-se no chão a fita cor-de-rosa que o amarrava. No depoimento de Piotr Ilitch, uma coisa atraiu a atenção dos magistrados: a suposição de que Dimítri Fiódorovitch se suicidaria na manhã seguinte, segundo suas próprias palavras, a pistola carregada, o bilhete que escrevera, etc. Como Piotr Ilitch, incrédulo, o ameaçasse duma denúncia para impedi-lo disso, replicara Mítia, sorrindo: "Não terás tempo". Era preciso, pois, apressarem-se a ir a Mókroie para apanhar o criminoso antes que ele pusesse fim a seus dias. "Está claro, está claro", repetia o procurador superexcitado, "semelhantes cabeças loucas agem sempre assim: fazem a farra antes de morrer." O relato das compras de Dimítri acalorou-o ainda mais. "Lembrem-se, senhores, de que o assassino do comerciante Olsúfiev, que se apoderou de mil e quinhentos rublos, teve como primeiro cuidado mandar frisar os cabelos, depois ir à casa das mulheres, sem se dar ao trabalho de ocultar o dinheiro." Mas o inquérito, as formalidades exigiam tempo, assim despachou-se para Mókroie o *stanovói* Mavríki Mavríkitch Chmiertsov, que viera à cidade receber seus vencimentos. Recebeu como instruções vigiar discretamente o "criminoso" até a chegada das autoridades competentes, formar uma escolta, etc. Guardando o incógnito, pôs ao corrente de apenas uma parte do caso Trifon Borísovitch, seu velho conhecido. Foi então que Mítia encontrara no alpendre o hospedeiro que o procurava e notara uma mudança na expressão e no tom de Trifon Borísovitch. Mítia e seus companheiros ignoravam pois a vigilância de que eram objeto; quanto ao estojo das pistolas, o hospedeiro havia-o desde muito guardado em lugar seguro. Às cinco horas somente, quase ao romper do dia, chegaram as autoridades, em dois carros. O médico ficara em casa de Fiódor Pávlovitch, para fazer a autópsia e sobretudo porque o estado de Smierdiákov o interessava bastante. "Crises de epilepsia tão violentas e tão prolongadas, durante dois dias, são bastante raras e pertencem à ciência", declarou a seus companheiros por ocasião da partida deles, e estes o felicitaram, rindo, por aquele achado. Afirmara mesmo que Smierdiákov não viveria até o amanhecer:

Depois desta digressão um tanto longa, mas necessária, retomamos nossa narrativa onde a deixamos.

III / Purgatórios de uma alma: primeiro purgatório

Mítia fitava os presentes com um ar estupidificado, sem compreender o que se dizia. De repente levantou-se, estendeu as mãos no ar e exclamou:

— Não sou culpado! Não derramei o sangue de meu pai... Queria matá-lo, mas sou inocente. Não fui eu!

Apenas ele acabava de falar surgiu Grúchenhka de trás das cortinas e caiu aos pés do *isprávnik*.

— Sou eu, maldita, que sou a culpada — gritou ela, chorando, de mãos estendidas. — Foi por minha causa que ele matou. Aquele pobre velho, que não mais existe, eu o torturei. Sou eu a principal culpada.

— Sim, és tu, criminosa! És uma desavergonhada, uma mulher depravada — vociferou o *isprávnik,* ameaçando-a com o punho. Fizeram-no calar-se imediatamente, o procurador chegou mesmo a agarrá-lo.

— Isto é desordem, Mikhail Makárovitch! O senhor perturba o inquérito... estraga o caso...

Estava quase sufocado.

— É preciso tomar providências... é preciso tomar providências — gritava de seu lado Nikolai Parfiénovitch —, não se pode tolerar isso.

— Julguem-nos juntos! — continuava Grúchenhka sempre de joelhos —, executem-nos juntos, estou pronta a morrer com ele.

— Grucha, minha vida, meu sangue, meu tesouro sagrado! — disse Mítia, ajoelhando-se ao lado dela e abraçando-a. — Não acreditem nela, está inocente, completamente inocente!

Separaram-nos à força, levaram para fora a jovem mulher. Ele desfaleceu e só voltou a si depois, sentado à mesa e cercado das pessoas com placas de metal. Em frente, sobre o divã, achava-se Nikolai Parfiénovitch, o juiz de instrução, que o exortava, da maneira mais cortês, a beber um pouco d'água: "Isto o refrescará, o acalmará, não tenha medo, não se inquiete." Mítia interessava-se bastante pelos grossos anéis dele, um com uma ametista, o outro com uma pedra amarelo-claro, dum brilho magnífico. Por muito tempo depois ele se lembraria com espanto de que aqueles anéis o fascinavam durante as penosas horas do interrogatório e de que não podia destacar deles os olhos. À esquerda de Mítia achava-se o procurador, à direita, um jovem de jaquetão de caça bastante usado, diante de um tinteiro e papel. Era o secretário do juiz de instrução. Na outra extremidade do quarto, perto da janela, mantinham-se o *isprávnik* e Kolgánov.

— Beba água — repetia docemente, pela décima vez, o juiz de instrução.

— Já bebi, senhores, já bebi... Pois bem! Esmagai-me, condenai-me, decidi minha sorte! — exclamou Mítia, fixando-o.

— Com que então, afirma o senhor estar inocente da morte de seu pai, Fiódor Pávlovitch?

— Inocente! Derramei o sangue do outro velho, mas não o de meu pai. E o deploro! Matei... mas é duro ver-se acusado dum crime horrível que não se cometeu. É uma acusação terrível, senhores, um verdadeiro golpe de maça! Mas quem então matou meu pai? Quem podia matá-lo, senão eu? É prodigioso, é um absurdo impossível!...

— Vou dizer-lhe... — começou o juiz, mas o procurador (chamaremos assim o suplente), depois de ter trocado uma olhadela com ele, disse a Mítia:

— O senhor se atormenta inutilmente a respeito do velho criado Grigóri Vassíliev. Saiba que está vivo. Recuperou os sentidos e, apesar do golpe terrível que o senhor lhe assestou, de acordo com os depoimentos de ambos, escapará com certeza. Tal é pelo menos a opinião do médico.

— Vivo? Está vivo? —   exclamou Mítia, de mãos juntas, o rosto radiante. — Meu Deus, rendo-Te graças por esse milagre insigne que concedes ao pecador, ao celerado que sou, à sua prece!... Porque rezei a noite inteira!... — E benzeu-se três vezes.

— Esse mesmo Grigóri prestou a respeito do senhor um depoimento de tal gravidade que... — prosseguiu o procurador, mas Mítia levantou bruscamente.

— Um instante, senhores, por favor, nada mais que um instante. Vou ter com ela...

— Com licença! É impossível agora! — exclamou Nikolai Parfiénovitch que também ficou em pé. Os policiais seguraram Mítia, que tornou a sentar, aliás de bom grado.

— É pena. Queria somente anunciar-lhe que esse sangue que me angustiou a noite inteira está lavado e não sou um assassino! Senhores, é minha noiva! — disse ele, respeitosamente, olhando para todos os circunstantes. — Oh! agradeço-vos! Vós me restituístes a vida... Aquele velho carregou-me nos braços, era ele quem me lavava numa tina, quando eu tinha três anos de idade, quando estava abandonado por todos. Serviu-me de pai!...

— Com que então, o senhor... — prosseguiu o juiz.

— Com licença, senhores, ainda um instante — interrompeu Mítia, pondo os cotovelos sobre a mesa, com o rosto oculto nas mãos — deixai-me concentrar-me, deixai-me respirar. Tudo isso me transtorna, não se bate em cima de um homem como em cima de um tambor, senhores.

— O senhor deveria beber um pouco d'água...

Mítia descobriu o rosto e sorriu. Tinha o olhar vivo e parecia transformado. Suas maneiras também tinham mudado, sentia-se de novo igual àquelas pessoas, seus antigos conhecidos, como se tivessem se encontrado na véspera numa reunião social, antes do acontecimento. Notemos que Mítia havia a princípio sido recebido cordialmente em casa do *isprávnik*, mas que, posteriormente, no derradeiro mês sobretudo, quase cessara de frequentar-lhe a casa. O *isprávnik*, quando o encontrava na rua, por exemplo, fechava a cara e só o cumprimentava por polidez, o que não escapava a Mítia. Conhecia ainda menos o procurador, mas visitava, sem bem saber por quê, sua mulher, senhora nervosa e caprichosa; ela o recebia sempre graciosomente e testemunhava interesse por ele. Quanto ao juiz, conversara duas vezes com ele, a propósito de mulheres.

— O senhor, Nikolai Parfiénovitch, é um juiz de instrução bastante hábil, pelo que vejo — disse alegremente Mítia. — Vou ajudá-lo, aliás. Oh! senhores, ressuscitei... não se formalizem com minha franqueza, tanto mais que estou um pouco bêbedo, confesso. Parece-me ter tido a honra... a honra e o prazer de tê-lo encontrado, Nikolai. Parfiénovitch, em casa de meu parente Miúsov... Senhores, não pretendo igualdade, compreendo minha situação perante os senhores. Pesa sobre mim... se Grigóri me acusa, pesa sobre mim, bem decerto, uma acusação terrível. Compreendo muito bem. Mas, de fato, senhores, estou pronto e em breve poderemos tudo terminar. Se estou seguro de minha inocência, não demorará muito, não é mesmo?

Mítia falava depressa, expansivamente, como se tomasse seus auditores por seus melhores amigos.

— De modo que, anotamos, enquanto esperamos, que o senhor nega formalmente a acusação feita contra o senhor — disse num tom grave Nikolai Parfiénovitch, e ditou a meia voz ao escrivão o necessário.

— Anotar? Quer anotar isso? Pois seja, consinto, dou meu pleno consentimento, senhores... somente, vejam... Espere, escreva isto: é culpado de violências, de ter assestado golpes terríveis em um pobre velho. E depois, no meu foro íntimo, no fundo do coração, sinto-me culpado, mas isto não é preciso escrever, é minha vida privada, senhores, isto não lhes diz respeito, são segredos do coração... Quanto ao assassinato de meu velho pai, sou inocente! É uma ideia monstruosa?... Vou lhes provar, os senhores ficarão convencidos imediatamente. Rirão mesmo de suas suspeitas!...

— Acalme-se, Dimítri Fiódorovitch — disse o juiz. — Antes de prosseguir o interrogatório, quereria, se o senhor consentir em responder, que me confirmasse um fato: o senhor não gostava do defunto, parece, tinha constantes brigas com ele... Aqui, pelo menos, há um quarto de hora, declarou ter tido a intenção de matá-lo: "Não o matei, disse o senhor, mas quis matá-lo!".

— Disse isso? Oh! bem possível! Sim, várias vezes, quis matá-lo... desgraçadamente!

— O senhor queria. Consente em explicar-nos os motivos desse ódio contra seu pai?

— Que adianta explicar, senhores? — disse Mítia, com ar sombrio, erguendo os ombros. — Não ocultava meus sentimentos, toda a cidade os conhece. Não há muito tempo manifestei-os no mosteiro, na cela do *stáriets* Zósima... Na noite do mesmo dia, bati em meu pai e quase o matei, jurando diante de testemunhas que voltaria para matá-lo. Oh! as testemunhas não faltam, gritei isto durante um mês... O fato é patente, mas os sentimentos são outro negócio. Vejam, senhores, acho que não têm o direito de interrogar-me a respeito. Apesar da autoridade de que estão revestidos, é um negócio íntimo, que só a mim interessa... mas uma vez que não ocultei meus sentimentos antes... falei deles a todo mundo no botequim, então... então não farei disso um mistério agora. Vejam os senhores, compreendo que há contra mim acusações esmagadoras: disse a todos que o mataria e eis que o matam: não serei eu o culpado, em semelhante caso? Ah! ah! ah! Eu os desculpo, senhores, eu os desculpo de toda maneira. Eu mesmo estou estupefato. Quem é, pois, o assassino, neste caso, senão eu? Não é verdade? Se não sou eu, quem é então? Senhores, quero saber, exijo que me digam onde ele foi morto, como, com que arma.

Olhou longamente o juiz e o procurador.

— Nós o encontramos caído no soalho, em seu gabinete, com a cabeça rebentada — disse o procurador.

— É terrível, senhores!

Mítia estremeceu, apoiou os cotovelos na mesa, ocultou o rosto com sua mão direita.

— Continuemos — disse Nikolai Parfiénovitch. — Então, que motivos inspiraram seu ódio? O senhor, creio, declarou em público que ele provinha do ciúme?

— Oh! sim, o ciúme, e outra coisa mais.

— Questões de dinheiro?

— Oh! sim, o dinheiro desempenhava nisso também um papel.

— Tratava-se, creio, de três mil rublos que o senhor não havia recebido de sua herança?

— Como, três mil? Mais, mais de seis mil, mais de dez mil, talvez. Disse-o a todo mundo, gritei-o por toda parte! Mas estava decidido, para pôr termo a tudo, a transigir em três mil rublos. Precisava deles a qualquer preço... de sorte que aquele pacote oculto debaixo de uma almofada e destinado a Grúchenhka, eu o considerava como propriedade minha que me tinha sido roubada, sim, senhores, como me pertencendo.

O procurador trocou uma olhadela significativa com o juiz.

— Voltaremos a isso — disse logo o juiz. — No momento, permita-nos consignar esse ponto, que o senhor considerava o dinheiro encerrado naquele envelope como propriedade sua.

— Escrevam, senhores. Compreendo que é uma nova acusação contra mim, mas isto não me causa medo, acuso-me a mim mesmo. Estão ouvindo? A mim mesmo. Vejam, senhores, creio que os senhores se enganam totalmente a meu respeito — acrescentou, com tristeza. — O homem que lhes fala é leal; cometeu muitas baixezas, mas sempre permaneceu nobre no íntimo de si mesmo... Em uma palavra, não sei exprimir-me... Esta sede de nobreza sempre me atormentou, como a um mártir; eu a buscava com a lanterna de Diógenes, e no entanto só pratiquei vilanias, como nós todos, senhores... isto é, como somente eu, engano-me, eu só é que sou assim!... Senhores, tenho dor de cabeça. Fiquem sabendo que tudo nele me desgostava: seu exterior, não sei que de desonesto, de gabolice e desprezo por tudo quanto é sagrado, palhaçada e irreligião. Mas agora que ele está morto, penso diferente.

— Como assim diferente?

— Não diferente, mas lamento tê-lo detestado tanto.

— Sente remorsos?

— Não, remorsos não, não anotem isto. Eu mesmo, senhores, não brilho nem pela bondade, nem pela beleza; de modo que não tinha o direito de achá-lo repugnante. Podem anotar isto.

Tendo assim falado, Mítia pareceu bastante triste. Tornava-se cada vez mais sombrio à medida que respondia as perguntas do juiz. Foi nesse momento que se desenrolou uma cena inesperada. Se bem que tivessem afastado Grúchenhka, ela se encontrava num quarto próximo daquele onde se realizava o interrogatório, em companhia de Maksímov, abatido e aterrorizado, que se ligava a ela como a uma âncora de salvação. Um mujique com placa de metal guardava a porta. Grúchenhka chorava; de repente, incapaz de resistir a seu pesar, depois de ter gritado: "Desgraça, desgraça!", correu para fora do quarto para o seu bem-amado, tão bruscamente que ninguém teve tempo de detê-la. Mítia, que a havia ouvido, estremeceu, precipitou-se a seu encontro. Mas impediram de novo que se juntassem. Agarraram-no pelos braços; ele se debateu encarniçadamente, sendo precisos três ou quatro homens para contê-lo. Apoderaram-se também de Grúchenhka e ele a viu a estender-lhe os braços, enquanto a levavam. Passada a cena, reencontrou-se ele no mesmo lugar, à mesa, diante do juiz.

— Por que fazê-la sofrer? — exclamou ele. — Ela é inocente!... — O procurador e o juiz esforçaram-se por acalmá-lo. Dez minutos decorreram assim.

Mikhail Makárovitch, que havia saído, tornou a entrar e disse todo comovido:

— Ela está lá embaixo. Permitem, meus senhores, que eu diga uma palavra a esse infeliz? Na presença dos senhores, bem entendido.

— Pois não, Mikhail Makárovitch, não vemos inconvenientes nisso — disse o juiz.

— Dimítri Fiódorovitch, escuta, meu pobre amigo — seu rosto exprimia uma compaixão quase paternal —, Agrafiena Alieksándrovna encontra-se lá embaixo, com as filhas do hospedeiro, o velho Maksímov não a deixa. Tranquilizei-a, fiz-lhe compreender que tu devias justificar-te, que não se devia perturbar-te, senão agravarias as acusações contra ti, compreendes? Em suma, ela compreendeu, é inteligente e boa, queria beijar-me as mãos, pedindo graça para ti. Foi ela quem me enviou para tranquilizar-te. Preciso dizer-lhe que estás tranquilo a teu respeito. Acalma-te, pois. Sou culpado diante dela, é uma alma cristã, senhores, uma alma terna e inocente. Posso dizer-lhe, Dimítri Fiódorovitch, que estarás calmo?

O bom homem estava comovido pela dor de Grúchenhka, tinha mesmo lágrimas nos olhos. Mítia adiantou-se para ele.

— Perdão, senhores, com licença, peço-lhes. O senhor é um anjo, Mikhail Makárovitch, obrigado por ela. Ficarei calmo, ficarei alegre, diga-lhe isso na sua bondade; vou mesmo pôr-me a rir, sabendo que o senhor vela por ela. Acabarei em breve isto, assim que ficar livre correrei para ela. Que ela tenha paciência! Senhores, vou abrir-lhes meu coração, vamos terminar tudo isto alegremente, acabaremos rindo juntos, não é? Senhores, aquela mulher é a rainha da minha alma! Oh! deixem-me dizer-lhes... Vejo que são corações nobres. Ela aclara e enobrece minha vida. Oh! se os senhores soubessem! Ouviram seus gritos: "irei contigo à morte!". Que lhe dei eu, eu que nada tenho? Por que tal amor? Eu sou digno, eu, vil criatura, de ser amado a ponto de ela me seguir à prisão? Ainda há pouco, arrastava-se aos pés dos senhores por minha causa, ela tão altiva e inocente! Como não adorá-la, não correr para ela? Senhores, perdoem-me! Agora, eis-me consolado!

Caiu sobre uma cadeira e, cobrindo o rosto com as mãos, começou a soluçar. Mas eram lágrimas de alegria. O velho *isprávnik* parecia encantado, os juízes igualmente; sentiam que o interrogatório entrava numa fase nova. Quando o *isprávnik* saiu, Mítia tornou-se alegre.

— Pois bem, senhores, agora estou a seu dispor. E... não fossem todos esses detalhes e já nos teríamos entendido. Senhores, a seu dispor, mas é preciso que uma confiança mútua reine entre nós, senão não acabaremos nunca. É pelos senhores que falo. Ao fato, senhores, ao fato! Sobretudo não cascavilhem minha alma, não a torturem com bagatelas, mantenham-se no essencial e lhes darei satisfação. Ao diabo os detalhes!

Assim falou Mítia. O interrogatório recomeçou.

IV / Segundo purgatório

— O senhor não poderia acreditar quanto sua boa-vontade nos reconforta, Dimítri Fiódorovitch — disse Nikolai Parfiénovitch. Seus olhos, de um cinzento-claro e salientes, brilhavam de satisfação. — O senhor falou com razão dessa confiança mútua, indispensável nos negócios de uma tal importância, se o acusado deseja verdadeiramente, espera e pode justificar-se. De nosso lado, faremos tudo quanto de nós depender. O senhor já pôde ver como conduzimos este caso... Está de acordo, Ipolit Kirílovitch?

— Decerto — aprovou o procurador, todavia um pouco secamente em comparação com o outro.

Notemos uma vez por todas que Nikolai Parfiénovitch, desde sua recente entrada em funções, testemunhava profundo respeito pelo procurador, pelo qual sentia simpatia. Era quase o único a acreditar com convicção no notável talento psicológico e oratório de Ipolit Kirílovitch, vítima de injustiças, no que acreditava piamente. Já ouvira falar dele em Petersburgo. Em compensação, o jovem Nikolai Parfiénovitch era o único homem no mundo de quem o nosso mal-aventurado procurador gostava com sinceridade. Em caminho, tinham podido combinar-se a respeito do caso que se anunciava e agora o espírito agudo de Nikolai Parfiénovitch captava no ar e interpretava cada sinal, cada jogo fisionômico de seu colega.

— Senhores, deixem-me contar-lhes as coisas sem me interromperem a propósito de bagatelas. Não será longo — continuou Mítia.

— Muito bem, mas antes de ouvi-lo, permita-nos que constatemos este pequeno fato muito curioso para nós. O senhor pediu emprestados dez rublos ontem à tardinha, às cinco horas, deixando suas pistolas como penhor a seu amigo Piotr Ilitch Pierkhótin.

— Sim, senhores, empenhei-as por dez rublos, quando voltei de viagem. E com isso?

— O senhor voltava de viagem? Tinha deixado a cidade?

— Fora a quarenta verstas da cidade, senhores. Não sabiam disso?

O procurador e o juiz trocaram um olhar.

— O senhor faria bem começando sua narrativa pela descrição metódica de seu dia desde a manhã. Queira dizer-nos, por exemplo, por que se ausentou, o momento de sua partida e de seu regresso...

— Deviam ter-me pedido imediatamente — disse Mítia rindo. — Se quiserem, remontarei a anteontem, então compreenderão o sentido de meus passos. Há dois dias, fui, logo de manhã, à casa do comerciante Samsónov para lhe pedir emprestados três mil rublos com seguras garantias. Precisava dessa soma de repente e o mais depressa possível.

— Com licença — interrompeu num tom polido o procurador —, por que tinha o senhor necessidade de repente de tal soma, precisamente três mil rublos?

— Ah! senhores, quantos detalhes! Como, quando, por que, por qual razão tal soma e não outra? Palavrório, tudo isso. Desse jeito, nem três volumes seriam suficientes, precisaria ainda um epílogo!

Mítia falava com a bonomia familiar de um homem desejoso de dizer toda a verdade e animado das melhores intenções.

— Senhores — prosseguiu ele —, queiram desculpar minha brusquidão, estejam certos de meus sentimentos respeitosos a seu respeito. Não estou mais embriagado. Compreendo a diferença que nos separa: sou aos olhos dos senhores um criminoso que devem vigiar; não me passarão a mão pelos cabelos por causa de Grigóri, não se pode rebentar impunemente a cabeça de um velho. Isto me valerá seis meses ou um ano de prisão, mas sem privar-me de meus direitos civis, não é, senhor procurador? Compreendo tudo isso... Mas confessem que os senhores desconcertariam o próprio Deus com perguntas assim: Aonde foste, como e quando? Por quê? Eu me atrapalharia dessa forma, os senhores anotariam imediatamente, e que resultaria disso? Nada! Afinal, se comecei a mentir, irei até o fim, e os senhores vão me perdoar, dadas sua instrução e nobreza de seus sentimentos. Para terminar, peço-lhes que renunciem a esses processos oficiais que consistem em fazer perguntas insignificantes: Como levantaste? Que comeste? Onde cuspiste? e estando adormecida a atenção do réu, perturbá-lo, perguntando-lhe: A quem mataste? A quem roubaste? — Ah! ah! Eis o processo clássico dos senhores, eis em que se funda toda a sua astúcia! Empreguem esse ardil com os mujiques, mas não comigo, que compreendo as coisas e já servi! Ah! ah! ah! Não se zanguem, senhores, perdoem meu atrevimento. — Olhava-os com estranha bonomia, — Pode-se ter mais indulgência por Mítia Karamázov do que por um homem de espírito, ah! ah! ah!

O juiz ria. O procurador permanecia grave, não desfitava os olhos de Mítia, observava atentamente seus menores gestos e movimentos de sua fisionomia.

— Contudo — disse Nikolai Parfiénovitch, continuando a rir —, nós não o confundimos a princípio com questões tais como: "De que modo levantou esta manhã? Que comeu?". Fomos mesmo demasiado depressa no alvo.

— Compreendo, aprecio a bondade dos senhores. Estamos todos três de boa-fé, deve reinar entre nós a confiança recíproca de pessoas do mundo ligadas pela nobreza e pela honra. Em todo o caso, deixem-me olhá-los como meus melhores amigos nestas penosas circunstâncias! Isto não os ofende, não é, senhores?

— Pelo contrário, o senhor diz muito bem, Dimítri Fiódorovitch — aprovou o juiz.

— E os detalhes, senhores, todo esse processo chicanista, vamos desconsiderar! — exclamou Mítia muito exaltado. — Com eles não chegaremos a parte alguma.

— O senhor tem toda a razão — interveio o procurador —, mas mantenho minha pergunta. — É-nos indispensável saber por que o senhor tinha necessidade desses três mil rublos.

— Para uma coisa ou outra ... que importa? Para pagar uma dívida.

— A quem?

— Isto recuso absolutamente dizer, senhores! Não é por temor ou timidez, pois se trata duma bagatela, mas por princípio. Isto diz respeito à minha vida privada e não permito que nela se toque. Sua pergunta nada tem que ver com o caso, portanto diz respeito à minha vida privada. Queria pagar uma dívida de honra, mas não direi a quem.

— Permita-nos anotar isso — disse o procurador.

— Peço-lhe. Escreva que recuso dizer, achando que não seria honroso fazer isso. Vê-se bem que não lhes falta tempo para escrever!

— Permita-me, senhor, preveni-lo, lembrar-lhe ainda, se o ignora — disse num tom severo o procurador — que o senhor tem o direito absoluto de não responder às nossas perguntas, e que, de outra parte, não temos absolutamente o direito de exigir respostas que o senhor julgue que não deve dar. Mas devemos chamar sua atenção para o prejuízo que causa a si mesmo recusando falar. Agora, queira continuar.

— Senhores, não estou me zangando... eu... — gaguejou Mítia um pouco confuso diante daquela observação — saibam que aquele Samsónov a cuja casa fui...

Bem entendido, não reproduziremos sua narrativa dos fatos que o leitor já conhece. Na sua impaciência, o narrador queria contar tudo detalhadamente e ao mesmo tempo com rapidez. Mas tinha-se de tomar por escrito suas declarações à medida que eram feitas, donde a necessidade de fazê-lo por vezes parar. Dimítri Fiódorovitch a isso se resignava, de má vontade; exclamava por vezes: "Senhores, é de exasperar o próprio Deus", ou "Senhores, sabem que me irritam sem motivo?", mas apesar dessas exclamações, continuava expansivo. Foi assim que contou como Samsónov o mistificara (dava-se perfeitamente conta disso agora). A venda do relógio por seis rublos, a fim de arranjar o dinheiro da viagem, interessou bastante os magistrados que ainda ignoravam isso; com extrema indignação de Mítia, julgou-se necessário consignar com detalhes esse fato, que estabelecia de novo que na véspera ele também estava quase sem dinheiro algum. Pouco a pouco, Mítia tornava-se sombrio. Em seguida, depois de ter descrito sua visita a Liagávi, a noite passada na isbá e o começo de asfixia, abordou seu regresso à cidade e se pôs por si mesmo a descrever suas torturas de ciúme por causa de Grúchenhka. Escutavam-no em silêncio e com atenção, anotando-se sobretudo o fato de que desde muito tempo ele tinha um posto de observação no jardim de Maria Kondrátievna, para o caso de Grúchenhka ir à casa de Fiódor Pávlovitch, e que Smierdiákov lhe transmitia informações; isto foi mencionado bem devidamente. Falou longamente de seu ciúme, apesar de sua vergonha em exibir seus sentimentos mais íntimos, por assim dizer, à desonra pública, mas dominava-a a fim de ser verídico. A severidade impassível dos olhares fixos nele, durante seu relato, acabou por perturbá-lo bastante fortemente: "Esse rapazola, Nikolai Parfiénovitch, com quem tagarelava eu a respeito de mulheres, há alguns dias, e esse procurador doentio não merecem que lhes conte isto", ele pensava tristemente. "Que vergonha!" "Suporta, resigna-te, cala-te", concluía, enquanto se fortalecia para continuar. Chegado ao ponto da visita à casa da Senhora Khokhlakova, voltou a ficar alegre e quis mesmo contar a seu respeito uma anedota recente, fora de propósito; mas o juiz interrompeu-o e convidou-o a passar ao essencial. Em seguida, tendo descrito seu desespero e falado do momento em que, ao sair da casa daquela senhora, tinha mesmo pensado em estrangular alguém para arranjar os três mil rublos, fizeram-no parar para que fosse isso consignado. Por fim, contou como soubera da mentira de Grúchenhka, que logo partira da casa de Samsónov, quando devia, afirmava ela, ficar em casa do velho até a meia-noite. "Se não matei então aquela Fiénia, senhores, foi unicamente porque me faltava tempo", deixou ele escapar. Isto também ficou consignado. Mítia esperou com ar sombrio e ia explicar como entrara no jardim de seu pai, quando o juiz o interrompeu e, abrindo um grande guardanapo que se achava junto dele, em cima do divã, dali tirou um pilão de cobre.

— Conhece este objeto?

— Ah! sim. Como não? Deixe-me vê-lo... Ao diabo, é inútil!

— O senhor esqueceu-se de falar dele.

— Que diabo! Pensam que haveria de ocultar isso? Tinha-me esquecido, eis tudo.

— Quer contar-nos como arranjou esta arma?

— De boa-vontade, senhores.

E Mítia contou como pegara o pilão e saíra.

— Mas qual era sua intenção apoderando-se deste objeto?

— Que intenção? Nenhuma. Peguei-o e saí correndo.

— Por que então, se não tinha intenção?

A irritação apoderava-se de Mítia. Fixava o rapazola com um mau sorriso, lamentava a franqueza que estava tendo com tal gente, a propósito de seu ciúme.

— Que me importa o pilão?

— No entanto...

— Pois bem, era contra os cachorros. Estava escuro... prevenia-me.

— Antes, quando o senhor saía à noite, levava também uma arma, uma vez que receava tanto a escuridão?

— Com a breca! É impossível conversar com os senhores! — exclamou Mítia exasperado, e, dirigindo-se, rubro de cólera, ao escrivão:

— Escreva imediatamente... agora mesmo: "Pegou ele o pilão para ir matar seu pai... Fiódor Pávlovitch... para lhe rebentar a cabeça!". Estão contentes, senhores? — perguntou ele, num tom provocativo.

— Não podemos levar em conta tal depoimento, inspirado pela cólera. Nossas perguntas lhe parecem fúteis e irritam-no, quando na verdade são muito importantes — disse secamente o procurador.

— Por favor, senhores! Peguei esse pilão... Por que se pega alguma coisa em semelhante caso? Ignoro. Peguei-o e saí correndo. Eis tudo. É vergonhoso, senhores, mas deixemos isso, senão juro-lhes que não direi mais uma palavra.

Pôs os cotovelos sobre a mesa, com a cabeça na mão. Estava sentado de lado, em relação a eles e olhava a parede, esforçando-se por dominar um mau sentimento. Tinha, com efeito, grande vontade de levantar, de declarar que não diria mais uma palavra, ainda que tivessem de levá-lo a suplício.

— Vejam, senhores, ao ouvi-los, parece-me ter um sonho como por vezes me acontece... sonho muitas vezes que alguém me persegue, alguém de quem tenho muito medo, e me procura, nas trevas. Oculto-me com vergonha atrás de uma porta, atrás de um armário. O desconhecido sabe, sobretudo perfeitamente, onde me encontro, mas finge não saber, a fim de atormentar por mais tempo, de brincar com meu terror... É o que os senhores estão fazendo agora! É a mesma coisa!

— O senhor tem tais sonhos? — perguntou o procurador.

— Sim, tenho tais sonhos... Não vão anotar?

— Não, mas o senhor tem sonhos estranhos.

— Agora, não é mais um sonho! É a realidade, senhores, o realismo da vida! Sou o lobo, os senhores são os caçadores!

— Sua comparação é injusta... — disse mansamente Nikolai Parfiénovitch.

— Absolutamente, senhores! — disse Mítia com irritação, se bem que aliviado por sua brusca explosão de cólera. — Os senhores podem recusar-se a crer num criminoso ou num acusado que torturam com suas perguntas, mas não num homem animado de nobres sentimentos (digo-o ousadamente). Os senhores não têm o direito. Mas

> Silêncio meu coração,
> Suporta, resigna-te, cala-te!

— Devo continuar? — perguntou ele, áspero.

— Como não? Peço-lhe — disse Nikolai Parfiénovitch.

V / Terceiro purgatório

Embora falando com brusquidão, Mítia pareceu ainda mais desejoso de não omitir nenhum detalhe. Contou como escalara a paliçada, caminhado até a janela e tudo quanto se passara então nele. Com precisão e clareza, expôs os sentimentos que o agitavam, quando ardia por saber se Grúchenhka estava ou não na casa. Coisa estranha, o procurador e o juiz escutavam com extrema reserva, de ar rebarbativo, não fazendo senão raras perguntas. Mítia nada podia presumir da expressão de seus rostos. "Estão irritados e ofendidos — pensou —, tanto pior!" Quando contou que havia feito a seu pai o sinal, anunciando a chegada de Grúchenhka, os magistrados não prestaram nenhuma atenção à palavra "sinal", como se não compreendessem o alcance na circunstância. Mítia notou esse detalhe. Chegado ao momento em que, à vista de seu pai debruçado para fora da janela, fremira de ódio e tirara o pilão de seu bolso, parou de súbito, como de propósito. Olhava a parede e sentia os olhares dos juízes fixos nele.

— Pois bem! — disse Nikolai Parfiénovitch. — O senhor agarrou sua arma e... que se passou em seguida?

— Em seguida? Matei... descarreguei em meu pai um golpe de pilão que lhe fendeu o crânio... Segundo os senhores, foi assim, não é mesmo?

Seus olhos cintilavam. Sua cólera acalmada reacendia-se em toda a sua violência.

— Segundo nós, mas segundo o senhor?

Mítia baixou os olhos, fez uma pausa.

— No que me diz respeito, senhores, no que me diz respeito, eis o que se passou — recomeçou ele, mansamente: — Teria sido minha mãe que implorava a Deus por mim, um espírito celeste que me beijou a fronte naquela momento? Não sei, mas o diabo foi vencido. Afastei-me da janela e corri para a paliçada. Meu pai, que me avistou então, ficou com medo, lançou um grito e recuou vivamente, lembro-me bastante bem... Eu já havia trepado na barreira, quando Grigóri me agarrou...

Mítia ergueu enfim os olhos para seus ouvintes que o olhavam com ar impassível. Um frêmito de indignação percorreu-o.

— Senhores, zombam de mim!

— Donde concluiu isso? — perguntou Nikolai Parfiénovitch.

— Os senhores não acreditam uma palavra do que digo! Compreendo muito bem que cheguei ao ponto capital; o velho jaz agora, com a cabeça fendida, e eu, depois de ter tragicamente descrito minha vontade de matá-lo, com o pilão já na mão, fujo da janela... Tema de poema a ser posto em versos! Pode-se acreditar sob palavra em tal pândego? Os senhores são uns farsantes!

Voltou-se bruscamente na cadeira que estalou.

— O senhor não notou — disse o procurador, parecendo ignorar a agitação de Mítia quando deixou a janela, se a porta que dá acesso ao jardim, no outro extremo da fachada, estava aberta?

— Não, não estava aberta.

— Tem certeza?

— Estava, pelo contrário, fechada. Quem poderia tê-la aberto? Ah! a porta? Esperem! — pareceu reconsiderar e estremeceu: — Os senhores encontraram-na aberta?

— Sim.

— Mas quem pôde abri-la, senão os senhores?

— A porta estava aberta, o assassino de seu pai seguiu esse caminho para entrar e para sair — disse o procurador, escandindo as palavras. — É bastante claro para nós. O assassinato foi cometido evidentemente no quarto, e não através da janela. Isto resulta do exame dos locais e da posição do corpo. Não há nenhuma dúvida a este respeito.

Mítia estava confuso.

— Mas é impossível, senhores! — exclamou ele, totalmente transtornado. — Eu... eu não entrei... Afirmo-lhes que a porta ficou fechada durante todo o tempo em que eu estive no jardim e quando fugi... Conservava-me sob a janela e só vi meu pai do exterior... Lembro-me até o derradeiro minuto. Mesmo se não me lembrasse, estou certo disso, porque os sinais só eram conhecidos de mim, de Smierdiákov e do defunto, e sem sinais ele não teria aberto a ninguém no mundo!

— Que sinais? — perguntou com ardente curiosidade o procurador, cuja reserva desapareceu logo. Interrogava com uma espécie de hesitação, pressentindo um fato importante e receava que Mítia se recusasse a explicá-lo.

— Ah! O senhor não sabia? — disse Mítia, piscando o olho, com um sorriso irônico. — E se eu recusasse responder? Quem os informaria? O defunto, eu e Smierdiákov éramos os únicos a conhecer o segredo, Deus também o sabe, mas ele não o dirá aos senhores. Ora, o fato é curioso e sobre ele pode-se construir à vontade. Ah! Ah! Consolem-se, senhores, eu lhes revelarei o segredo, seus temores são vãos. Os senhores não sabem com quem têm de avir-se! O acusado depõe contra si mesmo, sim, porque sou um cavalheiro de honra, mas os senhores, não!

O procurador engolia essas pílulas na sua impaciência de conhecer o fato novo. Mítia explicou pormenorizadamente os sinais imaginados por Fiódor Pávlovitch para Smierdiákov, o sentido de cada pancada na janela; reproduziu-os mesmo em cima da mesa. Nikolai Parfiénovitch perguntou se ele havia feito então ao velho o sinal convencionado para a chegada de Grúchenhka, Mítia respondeu que sim.

— Agora, construam sobre isso uma hipótese! — cortou ele, voltando-se com desdém.

— De modo que seu defunto pai, o senhor e o criado Smierdiákov eram os únicos a conhecer esses sinais? — insistiu o juiz.

— Sim, o criado Smierdiákov e depois Deus. Notem isto. Devem os senhores mesmo recorrer a Deus.

Consignou-se, bem entendido, mas naquele momento disse o procurador, como se lhe tivesse sobrevindo uma ideia:

— Neste caso, e já que o senhor afirma sua inocência, não teria sido Smierdiákov que fez seu pai abrir a porta, dando o sinal, e em seguida... o assassinou?

Mítia lançou-lhe um olhar carregado de ironia e de ódio, fixou-o tanto tempo que o procurador bateu as pálpebras.

— Os senhores queriam ainda pegar a raposa, beliscaram-lhe a cauda, ah, ah, ah, pensavam que eu ia agarrar-me ao que os senhores insinuam e exclamar a plenos pulmões: "Ah! Sim, foi Smierdiákov, eis o assassino!". Confessem que pensaram isto, confessem, e então continuarei.

O procurador não confessou nada. Esperou em silêncio.

— Os senhores enganaram-se. Não acusarei Smierdiákov — declarou Mítia.

— E o senhor nem mesmo suspeita dele?

— Será que os senhores suspeitam?

— Nós também suspeitamos dele.

Mítia baixou os olhos.

— Basta de brincadeiras, escutem: desde o começo, quase no momento em que saí de trás daquela cortina, esta ideia já me viera: "Foi Smierdiákov!". Sentado a esta mesa, quando gritava a minha inocência, o pensamento de Smierdiákov me perseguia. Agora, por fim, pensei nele, mas por espaço de um segundo, e logo disse a mim mesmo: "Não, não foi Smierdiákov!". Esse crime não é obra dele, senhores!

— Será então que suspeita de algum outro personagem? — perguntou cauteloso Nikolai Parfiénovitch.

— Não sei quem, Deus ou Satã, mas não Smierdiákov! — disse resolutamente Mítia.

— Mas por que o senhor afirma com tal insistência que não foi ele?

— Por convicção. Porque Smierdiákov é uma natureza vil e covarde, ou antes, o composto de todas as covardias caminhando em cima de dois pés. Nasceu de uma galinha. Quando me falava, tremia de medo, pensando que eu ia matá-lo, quando nem mesmo levantava a mão. Lançava-se a meus pés chorando, beijava minhas botas suplicando-me que não lhe fizesse medo. Entendem? Que não lhe fizesse medo. E eu mesmo dei-lhe presentes. É uma galinha epiléptica, um espírito fraco; um menino de oito anos seria capaz de o surrar. Não, não foi Smierdiákov. Não gosta de dinheiro, recusava meus presentes... Aliás, por que ele teria matado o velho? É talvez seu filho natural, sabem disso?

— Conhecemos esta lenda. Mas o senhor também é filho de Fiódor Pávlovitch e no entanto andou dizendo a todo mundo que queria matá-lo.

— Mais outra pedra no meu jardim! É abominável. Mas eu não tenho medo. Os senhores deviam ter vergonha de dizer-me isto em rosto! Porque fui eu que lhes falei. Não somente quis matá-lo, mas podia tê-lo feito, eu mesmo me acusei de ter estado a ponto de matá-lo. Mas meu anjo da guarda salvou-me do crime, eis o que os senhores não podem compreender... É ignóbil da parte dos senhores, ignóbil! Porque eu não matei, não matei! Entende, procurador? Não matei!

Sufocava. Durante o interrogatório jamais estivera em semelhante agitação.

— E que lhes disse Smierdiákov? — concluiu após uma pausa. — Posso sabê-lo?

— O senhor pode interrogar-nos sobre tudo quanto diga respeito aos fatos — respondeu friamente o procurador —, e repito-lhe que concordamos em responder às suas perguntas. Encontramos o criado Smierdiákov em seu leito, sem conhecimento, presa de violenta crise de epilepsia, a décima talvez desde a véspera. O médico que nos acompanhava declarou, depois de ter examinado o doente, que talvez ele não passasse da noite.

— Então, foi o diabo que matou meu pai! — deixou Mítia escapar, como se sua derradeira dúvida desaparecesse.

— Voltaremos a este ponto — concluiu Nikolai Parfiénovitch.

— Queira continuar seu depoimento.

Mítia pediu para repousar, o que lhe foi concedido com cortesia. Em seguida retomou seu relato, mas com esforço visível. Estava fatigado, indisposto, abalado moralmente. Além do mais, o procurador, como de propósito, irritava-o a cada instante, detendo-se em minúcias. Mítia acabava de descrever como, cavalgando a paliçada, assestara um golpe de pilão na cabeça de Grigóri, que se agarrara à sua perna esquerda, depois saltara para junto do ferido, quando o procurador lhe pediu que explicasse com mais detalhes como se mantinha ele sobre a paliçada. Mítia admirou-se.

— Ora! Estava sentado assim, a cavalo, com uma perna de cada lado...

— E o pilão?

— Tinha-o na mão.

— Não estava no seu bolso? Lembra-se desse detalhe? O senhor deve ter golpeado do alto.

— É provável. Por que essa observação?

— Quereria o senhor colocar-se sobre sua cadeira como estava então na paliçada, para nos mostrar perfeitamente como e de que lado o senhor golpeou?

— Será que não está zombando de mim? — perguntou Mítia, olhando o procurador de alto a baixo; mas este não fez nenhum movimento. Mítia ficou a cavalo sobre a cadeira e levantou o braço:

— Eis como golpeei! Como matei! Estão satisfeitos?

— Agradeço-lhe. Não quererá explicar-nos agora por que de novo saltou para o jardim e com que fim?

— Com os diabos! Para ver o ferido... Não sei por quê!

— Na perturbação em que se encontrava e no momento em que fugia?

— Sim, numa perturbação daquela e no momento de fugir.

— Queria ir-lhe em socorro?

— Como? Sim, talvez, em socorro, não me lembro.

— Não se dava conta o senhor de seus atos?

— Oh! dava-me bem conta deles. Lembro-me dos menores detalhes. Saltei para ver e enxuguei-lhe o sangue com meu lenço.

— Vimos seu lenço. Esperava fazer o ferido voltar a vida?

— Não sei... Queria simplesmente certificar-me de que vivia ainda.

— Ah! queria certificar-se? E então?

— Não sou médico, não posso julgar isso. Fugi pensando tê-lo matado.

— Muito bem, agradeço-lhe. É tudo quanto precisava saber. Queira continuar.

Ai! Mítia não teve a ideia de contar — e no entanto se lembrava — que saltara por compaixão e pronunciara palavras de piedade diante de sua vítima: "O velho está liquidado; tanto pior, que aí fique!" O procurador concluiu que o acusado saltara em tal momento e em tal perturbação somente para verificar com certeza se a única testemunha de seu crime vivia ainda. Quais deviam ser então a energia, a resolução, o sangue-frio daquele homem, etc., etc. O procurador estava satisfeito: "Exasperei esse homem irritável com minúcias e ele se traiu".

Mítia prosseguiu penosamente. Desta vez foi Nikolai Parfiénovitch que o interrompeu:

— Como pôde o senhor ir à casa da criada Fiedóssia Márkovna com as mãos e o rosto ensanguentados?

— Mas eu não sabia disso.

— É verossímil, isto acontece — disse o procurador, trocando uma olhadela com Nikolai Parfiénovitch.

— O senhor tem razão, procurador — aprovou Mítia. Em seguida contou sua decisão de se afastar, de deixar o caminho livre aos amantes.

Mas não pôde resolver-se, como ainda há pouco, a exibir seus sentimentos, a falar da rainha de seu coração. Isso causava-lhe repugnância diante daquelas criaturas frias. De modo que, às perguntas reiteradas, respondeu laconicamente:

— Pois bem! Tinha resolvido matar-me. Para que viver? O antigo amante de Grúchenhka, seu sedutor, vinha, após cinco anos, reparar sua falta, desposando-a. Compreendi que tudo estava acabado para mim... Atrás de mim a vergonha, e depois aquele sangue, o sangue de Grigóri. Por que viver? Fui desempenhar as minhas pistolas, a fim de alojar-me uma bala na cabeça, ao amanhecer...

— E, esta noite, uma festa de arromba.

— Isto mesmo. Que diabo, senhores, acabemos o mais depressa. Estava decidido a matar-me, lá, no fim da aldeia, às cinco horas da manhã. Tenho mesmo no bolso um bilhete escrito em casa de Pierkhótin, quando carregava minha pistola. Ei-lo, leiam-no. Não é para os senhores que conto! — acrescentou desdenhoso. Lançou sobre a mesa o bilhete que os juízes leram com curiosidade, e, como de justiça, juntaram ao processo.

— E o senhor não pensou em lavar as mãos, mesmo antes de ir à casa do Senhor Pierkhótin? Não temia então as suspeitas?

— Que suspeitas? Que suspeitem de mim ou não, pouco me importa. Eu ia me suicidar às cinco horas, antes que tivessem tempo de agir. Sem a morte de meu pai, os senhores de nada saberiam e não teriam vindo aqui. Oh! é a obra do diabo, foi ele que matou meu pai, que tão prontamente informou os senhores. Como puderam chegar tão depressa? É fantástico!

— O Senhor Pierkhótin nos informou que, ao entrar em casa dele, tinha o senhor em suas mãos... em suas mãos ensanguentadas... grossa soma... um maço de cédulas de cem rublos. Seu jovem criado também o viu.

— É verdade, senhores, lembro-me.

— Uma pequena pergunta — disse com grande mansidão Nikolai Parfiénovitch. — O senhor poderia indicar-nos onde arranjou tanto dinheiro, quando está demonstrado que o senhor não teve tempo de ir à sua casa?

O procurador franziu o cenho a esta pergunta assim feita de frente, mas não interrompeu Nikolai Parfiénovitch.

— Não, não voltei à minha casa — disse Mítia tranquilamente, mas de olhos baixos.

— Permita-me neste caso que repita minha pergunta — insinuou o juiz. — Onde encontrou de repente semelhante soma, quando, segundo suas próprias confissões, às cinco horas, do mesmo dia...

— Tinha necessidade de dez rublos, empenhei minhas pistolas em casa de Pierkhótin, depois fui à casa da Senhora Khokhlakova para lhe pedir emprestados três mil rublos que ela não me deu, etc. Ah! sim, senhores, estava sem recursos e, de repente, eis-me com milhares! Sabem de uma coisa? Os senhores têm medo, todos dois agora: que acontecerá se ele não nos indica a procedência desse dinheiro? Pois bem, não lhes direi, senhores, adivinharam certo, não o saberão — disse Mítia martelando a derradeira frase.

— Compreenda, Senhor Karamázov, que é essencial para nós sabê-lo — disse mansamente Nikolai Parfiénovitch.

— Compreendo, mas não o direi.

O procurador, por sua vez, lembrou que o acusado podia não responder às perguntas, se julgasse preferível, mas que, em vista do prejuízo que causava a si próprio com seu silêncio, em vista sobretudo da importância das perguntas...

— E assim por diante, senhores, e assim por diante! Estou farto, já ouvi essa ladainha. Compreendo a gravidade do caso: é esse o ponto capital, contudo não falarei.

— Que é que temos com isso? É ao senhor mesmo que prejudica — observou nervosamente Nikolai Parfiénovitch.

— Basta de brincadeiras, senhores. Pressenti desde o começo que haveríamos de contender sobre este ponto. Mas então, quando comecei a depor, tudo estava para mim confuso e flutuante, tive mesmo a simplicidade de propor-lhes uma confiança mútua. Agora vejo que essa confiança era impossível, uma vez que devíamos chegar a essa barreira maldita e nela estamos. Aliás, não lhes censuro nada, compreendo bem que os senhores não poderiam acreditar em mim sob palavra.

Mítia calou-se, com ar sombrio.

— O senhor não poderia, sem renunciar à sua resolução de calar o essencial, informar-nos a respeito de um ponto: quais são os motivos bastante poderosos que o obrigam ao silêncio num momento tão crítico?

Mítia sorriu tristemente.

— Sou melhor do que os senhores pensam. Vou lhes dizer esses motivos, se bem que não mereçam isso. Calo-me porque há para mim nisso uma questão de vergonha. A resposta à pergunta sobre a proveniência do dinheiro implica uma vergonha pior do que se tivesse eu assassinado meu pai para roubá-lo. Eis por que me calo. Então, senhores querem consignar isso?

— Sim, vamos consigná-lo — gaguejou Nikolai Parfiénovitch.

— Não deveriam mencionar o que se refere à "vergonha". Se lhes falei assim, quando podia calar-me, foi unicamente por complacência. Pois bem, escrevam, escrevam o que quiserem — concluiu com ar de desgosto —, não os temo e... mantenho meu orgulho perante os senhores.

— Não nos explicará de que natureza é essa vergonha? — perguntou timidamente Nikolai Parfiénovitch.

O procurador franziu o cenho.

— Bem, bem, *c'est fini,* não insistam. Não adianta envilecer-me. Já me envileci ao contato com os senhores. Não merecem que eu fale, nem os senhores, nem ninguém. Basta, senhores, calo-me.

Era categórico. Nikolai Parfiénovitch não insistiu mais; compreendeu, porém, pelos olhares de Ipolit Kirílovitch que este não desesperava ainda.

— Não pode dizer, pelo menos, a soma que tinha ao chegar à casa do Senhor Pierkhótin?

— Não, não posso.

— O senhor falou ao Senhor Pierkhótin de três mil rublos supostamente emprestados pela Senhora Khokhlakova.

— É possível. Mas chega, senhores, não direi qual a soma.

— Então, queira dizer-nos como veio o senhor a Mókroie e tudo quanto aqui fez.

— Oh! basta que interroguem as pessoas que estão aqui. Aliás, vou contar-lhes.

Não reproduziremos seu relato, feito rapidamente e com sequidão. Passou em silêncio a sua embriaguez amorosa, explicando como desistira de suicidar-se, "em resultado de fatos novos". Narrava sem dar os motivos, sem entrar nos detalhes. Os magistrados fizeram-lhe, aliás, poucas perguntas; aquilo só lhes interessava mediocremente.

— Voltaremos a isso por ocasião dos depoimentos das testemunhas, que se realizarão, bem entendido, em sua presença — declarou Nikolai Parfiénovitch, terminando o interrogatório. — Por agora, queira depositar sobre a mesa tudo quanto tiver em seu poder, sobretudo seu dinheiro.

— O dinheiro, senhores? Às suas ordens, compreendo que é necessário. Admiro-me de não terem os senhores pensado nisso mais cedo. Ei-lo, meu dinheiro, contem, tomem-no, está tudo aí, creio. — Esvaziou os bolsos, inclusive o dinheiro miúdo, tirou duas moedas de dez copeques do bolso do colete. Fizeram a conta: havia oitocentos e trinta e seis rublos e quarenta copeques.

— É tudo? — perguntou o juiz.

— Tudo.

— De acordo com o seu depoimento, o senhor gastou trezentos rublos na casa dos Plótnikovi; deu dez rublos a Pierkhótin, vinte ao cocheiro. Perdeu duzentos no jogo, em seguida...

Nikolai Parfiénovitch refez a conta, ajudado por Mítia. Até os copeques foram incluídos.

— Com estes oitocentos, deveria o senhor ter, por consequência, cerca de mil e quinhentos rublos.

— Isto mesmo.

— Todo mundo afirma que o senhor tinha muito mais.

— Pois que afirmem.

— O senhor também, aliás.

— Eu também.

— Verificaremos tudo isso pelos depoimentos de outras testemunhas. Não se inquiete a respeito de seu dinheiro. Será depositado em lugar seguro e posto à sua disposição... ao terminar o processo... se ficar demonstrado que tem direito a ele. Agora...

Nikolai Parfiénovitch levantou-se e declarou a Mítia que ele tinha o encargo e o dever de examinar-lhe minuciosamente as roupas e tudo mais.

— Pois seja, senhores, revirarei os bolsos, se quiserem.

E fez menção de fazê-lo.

— É preciso mesmo que tire suas roupas.

— Como? Tirar as roupas? Que diabo! Não me poderia o senhor revistar como estou?

— Impossível, Dimitri Fiódorovitch, é preciso que tire as roupas.

— Como quiser — consentiu Mítia com ar sombrio. — Somente não aqui, peço-lhe: por trás da cortina. Quem procederá à revista?

— Decerto, por trás da cortina — aprovou com um sinal de cabeça Nikolai Parfiénovitch, cuja carinha expressava gravidade.

VI / O procurador confunde Mítia

Passou-se então uma cena pela qual Mítia não esperava. Não teria jamais suposto, dez minutos antes, que ousassem tratá-lo daquela maneira, a ele, Mítia Karamázov. Sobretudo, sentia-se humilhado, exposto à arrogância e ao desdém. Não lhe importava retirar sua sobrecasaca, mas pediram-lhe que se desvestisse completamente. Ou antes, ordenaram-lhe, dera-se bem conta disso. Submeteu-se sem murmurar, por altivez desdenhosa. Além dos juízes, alguns mujiques acompanharam-no para trás da cortina, "sem dúvida para prestar mão forte", pensou Mítia, "talvez mesmo com algum outro fim". "Será preciso tirar também minha camisa?", perguntou ele bruscamente; mas Nikolai Parfiénovitch não lhe respondeu: ele e o procurador estavam absorvidos pelo exame da sobrecasaca, das calças, do colete e do casquete, que pareciam interessá-los bastante. "Que sem-cerimônia! Nem mesmo observam a polidez necessária."

— Pergunto-lhes pela segunda vez se devo tirar minha camisa, sim ou não? — disse Mítia, com irritação.

— Não se inquiete, nós o preveniremos — respondeu Nikolai Parfiénovitch, num tom que pareceu autoritário a Mítia.

O procurador e o juiz entretinham-se a meia voz. A sobrecasaca trazia, sobretudo na aba esquerda, enormes manchas de sangue coagulado, bem como as calças. Além do mais, Nikolai Parfiénovitch tateou, em presença das testemunhas instrumentais, a gola, punhos, costuras, procurando ver se não havia dinheiro escondido. Deu-se a entender a Mítia que ele era bem capaz de ter costurado dinheiro em suas roupas. "Tratam-me como ladrão e não como oficial", resmungou ele consigo. Trocavam suas impressões na sua presença com uma franqueza singular. E deu-se que o escrivão, que se encontrava também atrás da cortina e se atarefava na busca, chamou a atenção de Nikolai Parfiénovitch para o casquete, que igualmente foi revistado: "Lembrem-se do amanuense Grudienko; foi no verão receber os vencimentos para todos da secretaria e pretendeu nos enganar, ao voltar, alegando ter perdido o dinheiro quando se encontrava embriagado; onde o encontraram? Na bainha de seu casquete, onde as notas de cem rublos estavam enroladas e cosidas." O juiz e o procurador lembravam-se perfeitamente desse fato, de modo que puseram de lado o casquete de Mítia para ser submetido, bem como as roupas, a um exame minucioso.

— Com licença — exclamou de súbito Nikolai Parfiénovitch, percebendo o punho da manga direita da camisa de Mítia, arregaçado e manchado de sangue —, com licença! É sangue?

— Sangue.

— Que sangue? E por que sua manga está arregaçada?

Mítia explicou que se manchara de sangue, quando se ocupara com Grígóri e havia arregaçado a manga em casa de Pierkhótin, ao lavar as mãos.

— Será preciso também tirar sua camisa. É muito importante para as peças de convicção.

Mítia corou e zangou-se.

— Então, vou ficar completamente nu?

— Não se inquiete, arranjaremos isso. Faça o favor de tirar também suas meias.

— Não será brincadeira? Tudo isto é mesmo indispensável?

— Não estamos brincando — replicou severamente Nikolai Parfiénovitch.

— Está bem, se é preciso... eu... — murmurou Mítia que, sentando-se no leito, se pôs a tirar suas meias. Estava muito constrangido e, coisa estranha, sentia-se como culpado, assim nu, diante daquelas pessoas vestidas, achando quase que elas agora tinham o direito de desprezá-lo, como inferior. "A nudez em si nada tem de chocante, a vergonha nasce do contraste", pensou ele. "Parece um sonho, tenho por vezes experimentado tais sensações em sonho." Era-lhe penoso tirar suas meias, bastante sujas, bem como sua roupa de baixo, e agora todo mundo o vira. Seus pés sobretudo lhe desagradavam, sempre achara disformes seus dedos grandes dos pés, particularmente o do pé direito, chato, com a unha recurvada, e todos o viam. O sentimento de sua vergonha tornou-o mais grosseiro. Tirou sua camisa com raiva.

— Não querem procurar em mais alguma parte, se não tiverem vergonha?

— Não, para o momento é inútil.

— Então, devo ficar assim nu?

— Sim, é necessário... Queira sentar-se, enquanto espera. Pode enrolar-se num cobertor do leito, e eu... vou me ocupar com isso.

Tendo sido mostradas as roupas às testemunhas instrumentais e redigido o auto de seu exame, o juiz e o procurador saíram, levando as roupas. Mítia ficou em companhia dos mujiques que não desfitavam dele os olhos. Sentia frio e enrolou-se no cobertor, demasiado curto para cobrir seus pés nus. Nikolai Parfiénovitch fez-se esperar muito tempo. "Toma-me por um rapazola", murmurou Mítia, rangendo os dentes. "Esse palerma desse procurador saiu também, por desprezo talvez, repugnava-lhe ver-me nu." Mítia imaginava que lhe restituiriam suas roupas após o exame. Qual não foi sua indignação, quando Nikolai Parfiénovitch reapareceu com outra roupa, que um mujique trazia atrás dele.

— Aqui estão roupas — disse ele num tom desprendido, visivelmente satisfeito com seu achado. — Foi o Senhor Kolgánov quem as emprestou, bem como uma camisa limpa. Por felicidade, tinha-as ele na mala. O senhor pode ficar com suas meias.

— Não quero roupas dos outros! — exclamou Mítia exasperado. — Entreguem as minhas!

— Impossível.

— Deem-me as minhas! Que Kolgánov e suas roupas vão para o inferno!

Tiveram dificuldade em convencê-lo. Mas afinal, de qualquer forma, explicaram-lhe que suas roupas, sujas de sangue, deviam "figurar entre as peças de convicção. Não temos mesmo direito de deixá-las com o senhor... diante do aspecto que o caso pode tomar". Mítia acabou por compreender, calou-se, vestiu-se à pressa. Fez somente notar que o casaco que lhe emprestavam era mais rico que o seu e que não queria aproveitar disso. Além do mais, ridiculamente estreito. — Devo estar vestido como um palhaço... para diverti-los?

Fizeram-lhe observar que exagerava, que somente as calças eram um pouco compridas. Mas a sobrecasaca apertava-lhe os ombros.

— Diabos! É difícil de abotoar — resmungou de novo Mítia. — Façam o favor de dizer ao Senhor Kolgánov que não fui eu quem pediu essa roupa e que me disfarçaram de palhaço.

— Ele o compreende muito bem e lamenta... isto é, não sua roupa, mas este incidente — resmoneou Nikolai Parfiénovitch.

— Pouco me importa que ele lamente! Está bem! Para onde ir agora? Preciso ficar aqui?

Pediram-lhe que passasse para o outro lado. Mítia saiu, com ar sombrio, esforçando-se por não olhar para ninguém. Naquele traje estranho, sentia-se humilhado, até mesmo aos olhos dos mujiques e de Trifon Borísovitch, cuja cara apareceu à porta: "Vem ver-me nestes trajes", pensou Mítia. Tornou a sentar onde estava antes, como sob a impressão de um pesadelo. Parecia-lhe não se achar em seu estado normal.

— Agora, vão mandar-me açoitar? Só lhes falta isso! — disse ele, dirigindo-se ao procurador. Evitava voltar-se para Nikolai Parfiénovitch, como desdenhando dirigir-lhe a palavra. "Examinou demasiado minuciosamente minhas meias, revirou-as mesmo, o monstro, para que todo mundo veja como estão elas sujas!"

— É preciso agora ouvir as testemunhas — proferiu Nikolai, como em resposta à pergunta de Mítia.

— Sim — disse o procurador com ar absorto.

— Dimítri Fiódorovitch, fizemos o possível a seu favor — prosseguiu o juiz —, mas como o senhor se recusou categoricamente a nos explicar a proveniência da soma encontrada em seu poder, somos agora...

— De que é esse seu anel? — interrompeu Mítia, como que saindo de um devaneio e designando um dos anéis que ornavam a mão de Nikolai Parfiénovitch.

— Meu anel?

— Sim, esse aí... no dedo grande, cuja pedra é veiada — insistiu Mítia, como uma criança teimosa.

— É um topázio enfumado — disse Parfiénovitch, sorrindo. — Quer examiná-lo? Posso tirar...

— Não, não, não o tire! — exclamou Mítia com raiva, reconsiderando e furioso contra si mesmo. — Não o tire, é inútil... Ao diabo... Os senhores me envileceram! Acreditam que eu dissimularia, se tivesse matado meu pai, que eu recorreria à astúcia e à mentira? Não, isto não está no caráter de Dimítri Fiódorovitch, ele não o suportaria, e se eu fosse culpado, juro-lhes que não teria esperado a chegada dos senhores e o nascer do sol, como tinha a princípio intenção; teria me suicidado antes da aurora! Agora posso sentir isso muito bem. Em vinte anos, teria aprendido menos do que durante essa noite maldita?... E estaria deste jeito sentado ao lado dos senhores, falaria desta maneira, com os mesmos gestos, os mesmos olhares, se fosse realmente um parricida, quando o assassínio acidental de Grigóri me atormentou a noite inteira?... Não por temor, não pelo simples medo do castigo. Oh! vergonha! E querem que a farsantes como os senhores, que nada veem e em nada creem, cegos como toupeiras, revele eu nova baixeza, nova vergonha, ainda que fosse para me desculpar? Prefiro ir para o presídio! Aquele que abriu a porta para entrar em casa de meu pai é o assassino e o ladrão. Quem é? Perco-me em conjeturas, mas não foi Dimítri Karamázov, fiquem sabendo, eis tudo quanto posso dizer-lhes. Basta, não insistam... Mandem-me para a prisão ou para o cadafalso, mas não me atormentem mais... Calo-me. Chamem suas testemunhas!

O procurador, que havia observado Mítia, enquanto este proferia seu monólogo, disse-lhe, de repente, no tom mais calmo e como se se tratasse de coisas perfeitamente naturais:

— A propósito dessa porta aberta de que o senhor acaba de falar, recebemos um depoimento muito importante do velho Grigóri Vassílievitch. Afirma positivamente que, quando se decidiu, ao ouvir barulho, entrar no jardim pela portinha que ficara aberta, notou à esquerda a porta da casa escancarada, bem como a janela, ao passo que o senhor garante que a dita porta ficou fechada todo o tempo em que o senhor esteve no jardim. Naquele momento ele ainda não o tinha visto no escuro quando o senhor fugia, de acordo com seu relato, da janela onde estivera a ver seu pai. Não lhe oculto que Vassíliev conclui formalmente e declara que o senhor deve ter escapado por aquela porta, se bem que não o haja visto sair por ela. Avistou-o a certa distância, no jardim, quando o senhor corria do lado da paliçada...

Mítia levantara-se.

— É uma mentira impudente. Não pode ter visto a porta aberta, porque ela estava fechada... Ele mente.

— Creio-me obrigado a repetir-lhe que seu depoimento é categórico e que persiste nele. Interrogamo-lo por várias vezes.

— Fui eu precisamente quem o interrogou — confirmou Nikolai Parfiénovitch.

— É falso, é falso! É uma calúnia ou a alucinação dum louco. Muito simplesmente pareceu-lhe ver isso no delírio causado pelo seu ferimento.

— Mas ele havia notado a porta aberta antes de ter sido ferido, quando acabava de entrar no jardim.

— Não é verdade, não pode ser! Ele me calunia por maldade... não pode ter visto... Não passei por aquela porta — disse Mítia, ofegante.

O procurador voltou-se para Nikolai Parfiénovitch e disse-lhe:

— Mostre então.

— Conhece este objeto? — E o juiz pousou sobre a mesa um grande envelope que trazia ainda três sinêtes. Estava vazio e rasgado dum lado. Mítia escancarou os olhos.

— É... é o envelope de meu pai — murmurou ele — o que encerrava os três mil... se o subscrito corresponde... Com licença: "À minha franguinha", é isto, "três mil", estão vendo, três mil?

— Estamos vendo, decerto, mas não encontramos o dinheiro. O envelope estava no chão, perto do leito, por trás do biombo. Mítia ficou alguns segundos como que aturdido.

— Senhores, foi Smierdiákov! — exclamou ele, de súbito, com todas as suas forças. — Foi ele quem o matou, foi ele quem o roubou! Só ele sabia onde o velho escondia esse envelope... Foi ele, sem dúvida alguma!

— Mas o senhor também sabia que este envelope estava escondido debaixo do travesseiro.

— Nunca! Vejo-o agora pela primeira vez, ouvira apenas falar dele por Smierdiákov... Somente ele conhecia o esconderijo do velho. Eu o ignorava...

— No entanto, o senhor inda há pouco afirmou, depondo, que o envelope se encontrava sob o travesseiro do defunto. Sob o travesseiro, portanto o senhor sabia onde ele estava.

— Nós consignamos isso! — confirmou Nikolai Parfiénovitch.

— É um absurdo! Ignorava-o totalmente. Aliás, talvez não fosse sob o travesseiro... Disse isto sem refletir... Que diz Smierdiákov? Interrogaram-no a respeito? Que diz ele? Isto é o principal... Eu lhes menti de propósito, por caçoada... Disse, sem pensar, que era sob o travesseiro, e agora os senhores... Bem sabemos, senhores, que a gente deixa escapar inexatidões. Mas somente Smierdiákov sabia e ninguém mais!... Não me revelou o esconderijo! Mas foi ele, incontestavelmente, foi ele o assassino, agora está para mim claro como o dia — clamou Mítia, com uma exaltação crescente. — Apressem-se em detê-lo... Matou enquanto eu fugia e Grigóri jazia sem sentidos, é evidente... Fez o sinal e meu pai abriu-lhe a porta... Porque somente ele conhecia os sinais, e sem sinal meu pai não teria aberto...

— O senhor se esquece de novo — observou o procurador com a mesma calma e ar já triunfante — que não havia necessidade de fazer o sinal, se a porta já estava aberta, quando o senhor se encontrava ainda no jardim...

— A porta, a porta — murmurou Mítia, fixando o procurador. Deixou-se cair de novo sobre sua cadeira. Houve um silêncio...

— Sim, a porta... É um fantasma! Deus está contra mim! — exclamou ele, com os olhos alucinados.

— Veja — disse gravemente o procurador —, julgue o senhor mesmo, Dimítri Fiódorovitch. Dum lado, esse depoimento esmagador para o senhor, a porta aberta por onde o senhor saiu, do outro, seu silêncio incompreensível, obstinado, relativamente à proveniência de seu dinheiro, quando três horas antes o senhor empenhara suas pistolas por dez rublos. Nestas condições, julgue o senhor mesmo em qual convicção devemos deter-nos. Não diga que somos zombadores frios e cínicos, incapazes de compreender os nobres ímpetos de sua alma... Ponha-se em nosso lugar...

Mítia experimentava uma emoção indescritível. Empalideceu.

— Está bem — exclamou, de repente —, vou revelar-lhes meu segredo, dizer-lhes onde arranjei o dinheiro... Revelarei minha ignomínia, para não acusar em seguida nem aos senhores nem a mim.

— E acredite, Dimítri Fiódorovitch — disse com alegre solicitude Nikolai Parfiénovitch —, que uma confissão sincera e completa de sua parte, neste instante, pode melhorar muito sua situação posterior, e até mesmo...

Mas o procurador tocou-lhe levemente com o pé por baixo da mesa e ele parou. Aliás, Mítia não o escutava.

VII / O grande segredo de Mítia. Zombam dele

— Senhores — começou ele, emocionado —, esse dinheiro... quero contar tudo... esse dinheiro era meu.

Os rostos do procurador e do juiz alongaram-se, não esperavam por isso.

— Como, seu? — disse Nikolai Parfiénovitch. — Pois se ainda cinco horas antes, segundo sua própria confissão...

— Ao diabo essas cinco horas da tarde e minha própria confissão! Não se trata mais disso! Esse dinheiro era meu, isto é... eu o tinha roubado... não meu, mas roubado para mim. Havia mil e quinhentos rublos que andavam sempre comigo...

— Mas onde o senhor os arranjou?

— No meu peito, senhores... encontravam-se aqui, costurados num pano, pendurados no meu pescoço. Desde muito tempo, desde um mês, trazia-os como testemunho de minha infâmia!

— Mas a quem pertencia esse dinheiro de que o senhor... o senhor se apropriou?

— O senhor quer dizer: "roubou", não é mesmo? Fale, pois, francamente. Sim, acho que é como se o tivesse roubado, ou, se quiser, dele me "apropriei". Ontem, à noite, roubei-o definitivamente.

— Ontem à noite? Mas o senhor acaba de dizer que há já um mês que... que o senhor o arranjou.

— Sim, mas não foi a meu pai que o roubei, tranquilize-se, foi a ela. Deixe que eu conte, sem me interromper. É penoso. Veja o senhor, há um mês, Katierina Ivânovna Vierkhóvtseva[80], minha ex-noiva, me chamou... O senhor a conhece?

— Como não?

— Sei que o senhor a conhece. Uma alma nobre entre todas, mas odeia-me desde muito tempo e com razão.

— Katierina Ivânovna? — perguntou o juiz com admiração.

O procurador também estava bastante surpreso.

— Oh! não pronunciem o seu nome em vão! Sou um miserável pelo fato de pô-la nisso. Sim, vi que ela me odiava... desde muito tempo... desde o primeiro dia, quando veio à minha casa, lá... Mas basta, os senhores não são dignos de saber disso, é inútil... Direi somente que há um mês ela me entregou três mil rublos para enviá-los à sua irmã e a uma sua outra parenta, em Moscou (como se não pudesse fazê-lo ela mesma!). E eu... estava precisamente na hora fatal de minha vida em que... Em suma, acabava de apaixonar-me por outra, por ela, por Grúchenhka, aqui presente. Trouxe-a aqui, a Mókroie e gastei em dois dias a metade desse maldito dinheiro, guardando o resto. Pois bem, são esses mil e quinhentos rublos que eu carregava sobre meu peito como um amuleto. Ontem, abri o pacote e comecei a gastar a soma. Os oitocentos rublos que restam estão nas mãos dos senhores.

— Com licença, o senhor gastou aqui, há três meses, três mil rublos e não mil e quinhentos, todo mundo o sabe.

— Quem o sabe? Quem contou meu dinheiro?

— Mas o senhor mesmo disse que havia gasto justamente três mil rublos.

---

80 Literalmente: aquela que tem a última palavra para tudo.

— É verdade, disse a qualquer um, repetiram, toda a cidade acreditou. No entanto, só gastei mil e quinhentos rublos e costurei a outra metade num amuleto. Eis donde provém o dinheiro de ontem...

— Isto é prodigioso! — murmurou Nikolai Parfiénovitch.

— Não falou disso, antes a alguém... quero dizer, desses mil e quinhentos rublos postos de parte? — perguntou o procurador.

— Não, a ninguém.

— É estranho. Na verdade, a ninguém no mundo?

— A ninguém no mundo.

— Por que esse silêncio? Que é que o obrigava a fazer disso um mistério? Muito embora esse segredo lhe pareça tão vergonhoso, essa apropriação, aliás temporária, de três mil rublos, não é relativamente, na minha opinião, senão um pecadilho, sendo dado, além disso, o caráter do senhor. Admitamos que seja uma ação das mais repreensíveis, concordo, mas não vergonhosa... Aliás, muitas pessoas tinham adivinhado a proveniência desses três mil rublos, sem que o senhor o confessasse, eu mesmo ouvi falar, Mikhail Makárovitch igualmente... Numa palavra: é o segredo de Polichinelo. Além do mais, há indícios, salvo erro, de que o senhor confiara a alguém que esse dinheiro vinha da Senhorita Vierkhóvtseva. De modo que, por que cercar de tal mistério o fato de ter guardado uma parte da soma, ligando a isso uma espécie de horror?... É difícil acreditar que lhe custe tanto confessar esse segredo... o senhor acaba de exclamar, com efeito: antes a prisão!

O procurador calou-se. Acalorara-se e não ocultava seu aborrecimento, sem mesmo procurar "castigar seu estilo".

— Não eram os mil e quinhentos rublos que constituíam a vergonha, mas o fato de ter dividido a soma — disse com altivez Mítia.

— Mas enfim — disse o procurador com irritação —, que há de vergonhoso no fato de haver o senhor dividido esses três mil rublos adquiridos desonestamente? O que importa é a apropriação dessa soma e não o uso que o senhor fez dela. A propósito, por que operou essa divisão? Com que fim? Poderia explicar-nos?

— Oh! senhores, é o fim que faz tudo! Pratiquei essa divisão por baixeza, isto é, por cálculo, porque aqui o cálculo é uma baixeza... E essa baixeza durou todo um mês!

— É incompreensível.

— O senhor me causa espanto. Aliás, vou ser preciso: é talvez, com efeito, incompreensível. Acompanhem-me bem: aproprio-me de três mil rublos confiados à minha honra, faço farra com eles, gasto a soma inteira; pela manhã vou à casa dela dizer-lhe: "Perdão, Kátia, gastei os teus três mil rublos". Fica bem isso? Não, é desonesto e covarde, é ação monstruosa, dum homem incapaz de dominar-se, não é? Mas não é um roubo, convenham, não é um roubo direto. Gastei o dinheiro, não o roubei. Eis um caso ainda mais favorável; acompanhem-me, porque arrisco a me atrapalhar, minha cabeça roda. Gasto mil e quinhentos rublos apenas dos três mil. No dia seguinte, vou à casa dela levar-lhe o resto: "Kátia, sou um miserável, toma estes mil e quinhentos rublos, porque gastei os outros, estes serão também gastos, preserva-me da tentação". Que sou eu em semelhante caso? Tudo quanto os senhores quiserem, um monstro, um celerado, mas não um ladrão confesso, porque um ladrão não teria decerto levado a soma, teria-se apropriado dela. Ela assim vê que uma vez que eu restituí a metade do dinheiro, trabalharei se preciso toda a minha vida para devolver o resto, mas haverei de procurá-lo. Dessa forma, sou desonesto, mas não um ladrão.

— Admitamos que haja um matiz — o procurador sorriu friamente —, no entanto é estranho que o senhor veja nisso uma diferença fatal.

— Sim, vejo nisso uma diferença fatal. Cada qual pode ser desonesto, creio mesmo que seja, mas para roubar é preciso um franco canalha. E depois perco-me nessas sutilezas... Em todo caso, o roubo é o cúmulo da desonestidade. Pensem: há um mês que guardo esse dinheiro, amanhã posso decidir devolvê-lo e cesso de ser desonesto. Mas não posso decidir-me a isso, muito embora exorte-me cada dia a tomar uma decisão. E há um mês que isto dura! Está bem, segundo a opinião das senhores?

— Admito que não esteja bem, não contesto... Mas deixemos de discutir a respeito dessas diferenças sutis, chegue ao fato, peço-lhe. O senhor não nos explicou ainda os motivos que o incitaram a dividir assim no começo esses três mil rublos. Com que fim escondeu a metade, que uso contava fazer dela? Insisto nisso, Dimítri Fiódorovitch.

— Ah! sim! — exclamou Mítia, batendo na testa. — Perdão por conservá-lo em suspenso em lugar de explicar-lhe o principal. O senhor teria logo compreendido, porque é o motivo de minha ação que a torna ignóbil. Veja, o defunto não cessava de obsedar Agrafiena Alieksándrovna; eu sentia ciúme, acreditava que ela hesitava entre ele e mim. Pensava todos os dias: e se ela tomasse uma decisão, se ela me dissesse de repente: "É a ti que amo, leva-me para o fim do mundo". Ora, eu possuía ao todo vinte copeques; como levá-la? Que fazer então? Estava perdido. Porque eu não a conhecia ainda, acreditava que ela precisava do dinheiro, que não me perdoaria minha pobreza. Então conto a metade da soma, de sangue-frio a costuro num trapo, de propósito deliberado, e vou para a pândega com o resto. É ignóbil! Compreendeu agora?

Os juízes puseram-se a rir.

— Na minha opinião, deu o senhor prova de sabedoria e de moralidade moderando-se, não gastando tudo — disse Nikolai Parfiénovitch. — Que há de grave nisso?

— Há que eu roubei! Causa-me espanto que o senhor não compreenda. Desde que carrego esses mil e quinhentos rublos sobre meu peito, dizia a mim mesmo cada dia: "És um ladrão, és um ladrão!". Este sentimento inspirou minhas violências durante esse mês, eis por que surrei o capitão no botequim e bati em meu pai. Nem mesmo ousei revelar este segredo a meu irmão Alióucha, tão celerado e gatuno me sentia! E, no entanto, pensava: "Dimítri Fiódorovitch, talvez não sejas ainda um ladrão... Poderias amanhã ir entregar esses mil e quinhentos rublos a Kátia." E foi ontem à noite somente que me decidi a rasgar meu amuleto, foi naquele momento que me tornei um ladrão incontestável. Por quê? Porque com meu amuleto destruí ao mesmo tempo meu sonho de ir dizer a Kátia: "Sou desonesto, mas não ladrão." Compreende agora?

— E por que foi justamente ontem à noite que o senhor tomou essa decisão? — interrompeu Nikolai Parfiénovitch.

— Que pergunta ridícula! Porque me havia condenado à morte às cinco horas da manhã, aqui, ao romper da aurora: "Não importa — pensava — em morrer honesto ou desonesto!". Mas aconteceu que não era a mesma coisa. Acreditarão os senhores? O que me torturava, sobretudo, nessa noite, não era o assassinato de Grigóri, nem o temor da Sibéria, e isto no momento em que meu amor triunfava, em que o céu se abria de novo diante de mim! Sem dúvida, isto me atormentava, mas menos do que a consciência de ter tirado de meu peito aquele maldito dinheiro para gastá-lo, e ter-me tornado assim um ladrão incontestável! Senhores, repito-lhes, aprendi muito durante esta noite! Aprendi que não somente é impossível viver sentindo-se desonesto, mas também morrer com tal sentimento... É preciso ser honesto para enfrentar a mortal...

Mítia estava lívido.

— Começo a compreendê-lo, Dimítri Fiódorovitch — disse o procurador com simpatia —, mas, como quiser, tudo isso vem dos nervos... o senhor tem os nervos doentes. Por que, por exemplo, para pôr fim a seus sofrimentos, não foi devolver esses mil e quinhentos rublos à pessoa que lhos havia confiado e ter uma explicação com ela? Em seguida, dada sua terrível situação então, por que não ter tentado uma combinação que parece bastante natural? Depois de ter confessado nobremente suas faltas, o senhor teria lhe pedido a soma de que necessitava; tendo em vista a generosidade dessa pessoa e o embaraço em que o senhor se encontrava, ela não lhe teria decerto recusado, sobretudo propondo-lhe as garantias oferecidas ao comerciante Samsónov e à Senhora Khokhlakova. O senhor não considera essa garantia como válida ainda agora?

Mítia corou.

— O senhor pensa que eu seja vil a este ponto? É impossível que o senhor fale seriamente — disse ele com indignação.

— Mas estou falando seriamente... Por que duvida? — admirou-se por sua vez o procurador.

— Mas seria ignóbil. Senhores, fiquem sabendo que me estão atormentando! Pois seja, vou lhes dizer tudo, confessarei meu pensamento infernal, e os senhores verão, para sua vergonha, até onde os sentimentos humanos podem descer. Saibam que, também eu, encarei essa combinação de que o senhor fala, procurador. Sim, senhores, estava quase resolvido a ir à casa de Kátia, tão desonesto eu era! Mas anunciar-lhe minha traição e, para as despesas que ela acarreta, pedir-lhe dinheiro, a ela, Kátia (pedir, entendem os senhores?) e fugir logo com sua rival, com aquela que a odeia e a ofendeu, vejamos, procurador, o senhor está louco!

— Não estou louco, mas não pensei no princípio nesse ciúme de mulher... se existia, como o senhor afirma... sim, pode bem haver aí algo desse gênero — aquiesceu o procurador, sorrindo.

— Mas isto teria sido uma baixeza sem nome — berrou Mítia, batendo com o punho sobre a mesa —, algo de infecto! Ela me teria dado aquele dinheiro por vingança, por desprezo, porque ela também possui uma alma infernal e de grandes cóleras. Eu teria aceitado o dinheiro, por certo, teria aceitado, e então toda a minha vida... oh! Deus! Perdoem-me, senhores, o gritar tão forte. Não há muito tempo eu ainda pensava nessa combinação, na outra noite, quando estava cuidando de Liagávi, e durante todo o dia de ontem, lembro-me, até aquele acontecimento.

— Até qual acontecimento? — perguntou Nikolai Parfiénovitch, mas Mítia não ouviu.

— Fiz-lhes uma terrível confissão. Saibam apreciar isso, senhores, compreendam-lhe todo o valor. Mas se são capazes disso, é que me desprezam e morrerei de vergonha por haver-me confessado a gente como os senhores! Oh! vou me matar! E já vejo, vejo que não me acreditam! Como? Querem consignar isto? — exclamou ele, com terror.

— Claro que sim — replicou Nikolai Parfiénovitch, espantado —, nós notamos que até a última hora o senhor pensava em ir à casa da Senhorita Vierkhóvtseva para lhe pedir aquela soma... Asseguro-lhe que essa declaração é muito importante para nós, Dimítri Fiódorovitch... e sobretudo para o senhor.

— Vejamos, senhores, tenham pelo menos o pudor de não mandar consignar isto! Pus minha alma a nu diante dos senhores e os senhores se aproveitam para remexer nela!... Oh! meu Deus!

Cobriu o rosto com as mãos.

— Não se inquiete tanto, Dimítri Fiódorovitch — concluiu o procurador —, será feita leitura de tudo quanto está escrito, modificando-se o texto lá onde o senhor não estiver de acordo. Agora, pergunto-lhe pela terceira vez, é bem verdade que ninguém, nem uma alma, ouviu falar desse dinheiro costurado no amuleto?

— Ninguém, ninguém, já disse, o senhor então não compreendeu. Deixe-me tranquilo.

— Pois seja, este ponto terá de ser esclarecido; enquanto se espera, reflita; temos talvez uma dezena de testemunhas que afirmam que o senhor mesmo sempre falou duma despesa de três mil rublos e não de mil e quinhentos. E agora, à sua chegada aqui, o senhor declarou a muitos que trazia ainda três mil rublos...

— Os senhores têm entre as mãos centenas de testemunhos análogos, um milhar de pessoas ouviu isso!

— Pois bem, como o senhor vê, todos são unânimes. A palavra "todos" significa pois alguma coisa.

— Isso não significa nada absolutamente. Menti e todos mentiram como eu.

— Por que mentiu?

— O diabo sabe por quê. Por gabolice, talvez... a gloríola de ter gasto tal soma... talvez para esquecer o dinheiro que eu havia escondido... sim, justamente, eis por quê... diabos... quantas vezes já me fizeram esta pergunta? Menti, eis tudo, e não quis desdizer-me. Por que se mente, por vezes?

— É bem difícil de explicar, Dimítri Fiódorovitch — disse gravemente o procurador. — Mas diga-nos: esse amuleto, como o senhor chama, era grande?

— Não.

— De que tamanho, por exemplo?

— Do tamanho de uma nota de cem rublos dobrada em duas.

— Faria melhor mostrando-nos os pedaços; deve tê-los certamente com o senhor.

— Que tolice! Não sei onde eles estão.

— Com licença: onde e quando o retirou de seu pescoço? O senhor não voltou para casa, segundo sua declaração.

— Foi ao ir à casa de Pierkhótin, depois de ter deixado Fiénia. Rasguei-o para tirar o dinheiro.

— No escuro?

— Para que uma vela? O pano foi depressa rasgado.

— Sem tesouras, na rua?

— Na praça, creio.

— Que fez dele?

— Atirei-o lá.

— Onde?

— Em alguma parte, na praça, o diabo sabe onde. Que é que interessa isso aos senhores?

— É muito importante, Dimitri Fiédorovitch; há nisso uma peça de convicção em seu favor, não compreende? Quem o ajudou a costurá-lo, há um mês?

— Ninguém. Eu mesmo costurei.

— Sabe costurar?

— Um soldado deve saber costurar; aliás não há necessidade de ser hábil para isso.

— E onde arranjou o pano, isto é, esse trapo?

— Os senhores querem rir.

— Absolutamente. Não estamos com vontade de rir, Dimítri Fiódorovitch.

— Não me lembro onde.

— Como pode ter-se esquecido?

— Palavra, não me lembro, rasguei talvez um pedaço de roupa branca.

— É muito importante: seria possível encontrar, amanhã em sua casa, a peça, a camisa, talvez, de que o senhor arrancou um pedaço, De que era esse trapo: de algodão ou de linho?

— O diabo o sabe. Esperem... Parece-me que não rasguei nada. Era, creio, de algodão. Costurei da touca de minha locadora.

— Da touca de sua locadora?

— Sim, tirei-a dela.

— Como, tirou-a?

— Estão vendo? Lembro-me, com efeito, de ter subtraído uma touca para aproveitar o pano em trapos, talvez como limpador de penas. Tirei-a furtivamente, porque era um trapo sem valor e me servi para costurar dentro dele aqueles mil e quinhentos rublos... Creio bem que foi isso, um velho pedaço de tecido de algodão, mil vezes lavado.

— E está certo disso?

— Não sei. Parece-me. Aliás, pouco me importa.

— Neste caso, sua locadora poderia ter verificado o desaparecimento desse objeto.

— Não, não notou. Um velho trapo, digo-lhes eu, um trapo que não valia um copeque.

— E a agulha, a linha, onde as arranjou?

— Paro, chega! — cortou bruscamente Mítia, zangado.

— E estranho que o senhor não se lembre onde atirou aquele... amuleto, na praça.

— Mandem varrer a praça amanhã, talvez o encontrem. Basta, senhores, basta! — proferiu Mítia num tom de acabrunhamento. — Estou vendo bem que os senhores não acreditam numa palavra do que lhes digo! É culpa minha e não dos senhores. Não deveria ter-me deixado levar a isso. Porque degradei-me revelando meu segredo! Isto lhes parece engraçado, vejo-o pelos seus olhos! Foi o senhor que me atraiu a este ponto, procurador! Triunfe agora!... Malditos sejam, carrascos!

Curvou a cabeça, cobriu o rosto com as mãos. O procurador e o juiz calavam-se. Ao fim dum minuto, Mítia levantou a cabeça e fitou-os inconscientemente. Sua fisionomia exprimia o desespero no seu último grau, tinha o ar desvairado. Entretanto era preciso acabar, proceder ao interrogatório das testemunhas. Eram oito horas da manhã, tinham apagado as velas desde muito tempo. Mikhail Makárovitch e Kolgánov, que andavam abaixo e acima durante o interrogatório, tinham agora saído ambos. O procurador e o juiz pareciam fatigados. Fazia mau tempo, o céu estava nublado, a chuva caía torrencialmente. Mítia olhava vagamente através das vidraças.

— Posso olhar pela janela? — perguntou ele a Nikolai Parfiénovitch.

— À sua vontade — respondeu este.

Mítia levantou-se e aproximou-se da janela. A chuva fustigava as pequenas vidraças esverdeadas. Via-se a estrada enlameada e, mais longe, as filas de isbás, sombrias e pobres, que a chuva tornava mais miseráveis ainda. Mítia se lembrou de "Febo dos cabelos de ouro" e de sua intenção de matar-se "logo aos seus primeiros raios". Semelhante manhã teria convindo ainda melhor. Sorriu amargamente e voltou-se para seus "carrascos".

— Senhores, vejo que estou perdido. Ela, porém? Digam-me, suplico-lhes, deve ela sofrer a mesma sorte? Está inocente, perdera a cabeça, ontem, para gritar que "era culpada de tudo". Está completamente inocente! Após esta noite de angústia, os senhores não podem me dizer o que farão com ela?

— Tranquilize-se a este respeito, Dimítri Fiódorovitch — apressou-se em responder o procurador —, não temos no momento nenhum motivo para inquietar a pessoa pela qual se interessa. Espero que o mesmo aconteça posteriormente. Pelo contrário, faremos tudo quanto estiver ao nosso alcance em seu favor.

— Senhores, agradeço-lhes, sabia que os senhores são justos e honestos, apesar de tudo. Tiram-me um peso da alma... Que querem fazer agora? Estou pronto.

— É preciso proceder imediatamente ao interrogatório das testemunhas, o que deve realizar-se em sua presença, de modo que...

— Se tomássemos chá? — interrompeu Nikolai Parfiénovitch. — Creio que bem o merecemos.

Decidiu-se tomar um copo de chá e continuar o inquérito sem intervalo, esperando-se, para uma refeição mais substanciosa, uma hora mais favorável. Mítia, que a princípio recusara o copo que lhe oferecia Nikolai Parfiénovitch, tomou-o em seguida ele próprio e bebeu com avidez. Parecia extenuado. Com sua constituição robusta, parecia, que mal poderia causar-lhe uma noite de farra, mesmo acompanhada das mais fortes sensações? Mal se mantinha, porém, sobre sua cadeira e por vezes acreditava ver os objetos girarem em torno de si. "Ainda um pouco e vou delirar", pensava.

VIII / Depoimentos das testemunhas. O neném

Começou o interrogatório das testemunhas. Mas não prosseguiremos nosso relato de uma maneira tão detalhada como até agora, deixando de lado a maneira pela qual Nikolai Parfiénovitch lembrava a cada testemunha que devia depor de acordo com a verdade e sua consciência, e repetir mais tarde seu depoimento sob juramento, etc. Notaremos somente que o ponto essencial, aos olhos do juiz, era a questão de saber se Dimítri Fiódorovitch tinha gasto três mil rublos ou mil e quinhentos por ocasião de sua primeira estada em Mókroie, um mês antes, bem como na véspera. Ai! todas as testemunhas, sem exceção, foram desfavoráveis a Mítia, algumas contavam fatos novos, quase esmagadores, que enfraqueciam as declarações dele. O primeiro interrogado foi Trifon Borísovitch. Apresentou-se sem o menor temor, pelo contrário, cheio de indignação contra o acusado, o que lhe conferiu grande ar de veracidade e de dignidade. Falou pouco, com reserva, esperando as perguntas, às quais respondia com firmeza, refletindo, Declarou, sem rebuços, que um mês antes o acusado deveria ter gasto pelo menos três mil rublos, que os mujiques testemunhariam isso, tinham ouvido o próprio Mítri Fiódorovitch dizer.

— Quanto dinheiro ele atirou aos ciganos! Só com eles, creio que deve ter gasto mais de mil rublos.

— Não cheguei talvez a dar-lhes nem quinhentos — observou Mítia. — Somente não o contei então, estava bêbedo. É pena.

Mítia escalava com ar sombrio, parecia triste e fatigado e parecia dizer: "Ora! Contem o que quiserem, agora para mim dá no mesmo".

— Os ciganos custaram-lhe mais de mil rublos, Mitri Fiódorovitch. O senhor atirava-lhes o dinheiro sem contar e eles o apanhavam. É uma corja de gatunos, roubam os cavalos, foram expulsos daqui, senão teriam talvez declarado a quanto montou o ganho deles. Eu mesmo vi então a soma nas mãos do senhor — o senhor não me deixou contar, é verdade —, mas assim à vista, lembro-me, havia bem mais de mil e quinhentos rublos... Nós também sabemos o que seja o dinheiro...

Quanto à soma do dia anterior, Dimítri Fiódorovitch lhe havia declarado, desde sua chegada, que trazia três mil rublos.

— Vejamos, Trifon Borísovitch, eu declarei que trazia três mil rublos?

— Mas sim, Mítri Fiódorovitch. Disse em presença de Andriéi. Ele ainda está aqui, chamem-no. E na sala, quando o senhor servia o coro, exclamou mesmo que deixava aqui sua sexta nota de mil rublos, contando com a outra vez, bem entendido. Stiepan e Siemion ouviram isso, Piotr Fomitch Kolgánov mantinha-se então ao lado do senhor, talvez ele também se lembre...

A declaração relativa ao sexto milhar de rublos impressionou os juízes e lhes agradou pela sua clareza: três mil então, três mil agora, completavam bem os seis mil.

Foram interrogados os mujiques Stiepan e Siemion, o cocheiro Andriéi, que confirmaram o depoimento de Trifon Borísovitch. Além disso, consignou-se a conversa que Andriéi tivera em caminho com Mítia, perguntando se iria para o céu ou para o inferno e se lhe perdoariam no outro mundo. O "psicólogo" Ipolit Kirílovitch que escutara, sorrindo, recomendou que se acrescentasse essa declaração aos autos.

Quando chegou sua vez, Kolgánov apresentou-se a contragosto, com ar sombrio, caprichoso, e conversou com o procurador e Nikolai Parfiénovitch, como se os visse pela primeira vez, quando os conhecia desde muito tempo. Começou por dizer que "não sabia de nada e de nada queria saber". Mas ouvira Mítia falar da sexta nota de mil e confessou que se encontrava então ao lado dele. Ignorava a soma que Mítia podia ter e afirmou que os poloneses tinham trapaceado no jogo de baralho. Após perguntas reiteradas, explicou que, expulsos os poloneses, Mítia voltara às boas graças junto a Agrafiena Alieksándrovna e que esta declarara amá-lo. A respeito desta última exprimiu-se com delicadeza, como se ela pertencesse à melhor sociedade e não se permitiu nem uma só vez chamá-la Grúchenhka. Malgrado a repugnância visível do rapaz em depor, Ipolit Kirílovitch reteve-o muito tempo e somente por ele soube do que constituía, por assim dizer, o "romance" de Mítia naquela noite. Nem uma vez Mítia interrompeu Kolgánov, que se retirou sem esconder sua indignação.

Passaram aos poloneses. Tinham-se deitado em seu quartinho, mas não haviam pregado olho a noite toda; à chegada das autoridades, vestiram-se rapidamente, compreendendo que iriam chamá-los. Apresentaram-se com dignidade, mas não sem apreensão. O *pan* baixinho, mais importante, era funcionário aposentado, de décima-segunda classe, servira como veterinário na Sibéria e se chamava Mussialóvitch. *Pan* Vrublievski era dentista. Às perguntas de Nikolai Parfiénovitch, responderam a princípio dirigindo-se a Mikhail Makárovitch, que se conservava de lado; tomavam-no como o personagem mais importante e chamavam-no, a cada frase, *pan polkhóvnik*[81]. Conseguiram fazer que eles compreendessem seu erro, aliás falavam corretamente o russo, salvo a pronúncia de certas palavras. Ao falar de suas relações com Grúchenka, *pan* Mussialóvitch pôs nisso um ardor e uma altivez que exasperaram Mítia; exclamou que não permitia que um "tratante" se exprimisse assim em sua presença. *Pan* Mussialóvitch rebateu o termo e rogou que o mencionássemos nos autos. Mítia fervia de cólera.

— Sim, um tratante! Façam constar, isto não me impedirá de repetir que ele é um tratante.

Nikolai Parfiénovitch deu prova de muito tato por ocasião deste desagradável incidente; depois de uma severa repreensão a Mítia, renunciou a inquirir a respeito do lado romanesco do caso e passou ao fundo. Os juízes interessaram-se bastante pelo depoimento dos poloneses, segundo o qual Mítia oferecera três mil rublos a *pan* Mussialóvitch para renunciar a Grúchenhka; setecentos de contado e o resto "amanhã de manhã na cidade". Afirmava sob palavra de honra não ter consigo, em Mókroie, a soma completa. Mítia declarou a princípio que não prometera fazer o pagamento no dia seguinte na cidade, mas *pan* Vrubliévski confirmou o depoimento, e Mítia, depois de pensar, conveio que poderia ter falado assim na sua exaltação. O procurador fez grande caso desse depoimento; tornava-se claro para a acusação que uma parte dos três mil rublos caídos nas mãos de Mítia tinha podido ficar escondida na cidade, talvez mesmo em Mókroie. Assim se explicava uma circunstância embaraçosa para a acusação, o fato de terem sido encontrados apenas oitocentos rublos com Mítia; era, até então, a única que falava em seu favor, por mais insignificante que fosse. Agora, aquele único testemunho vinha abaixo. À pergunta do procurador: onde teria ele arranjado os dois mil e trezentos rublos prometidos ao *pan* para o dia seguinte, quando ele próprio afirmava não ter em seu poder senão mil e quinhentos, havendo dado sua palavra de honra, respondeu Mítia que tinha a intenção de propor ao *pan,* em lugar de dinheiro, a transferência por ato em cartório de seus direitos sobre a propriedade de Tchermachniá, já oferecidos a Samsónov e à Senhora Khokhlakova. O procurador sorriu da "ingenuidade do subterfúgio".

---

81 Senhor coronel, em polonês.

— E o senhor pensa que ele teria consentido em aceitar esses "direitos", em lugar de dois mil e trezentos rublos em dinheiro?

— Decerto, porque isso lhe iria dar não dois mil, mas quatro e até mesmo seis mil rublos. Teria mobilizado seus advogados judeus e poloneses, que haveriam de trazer o velho num cortado.

Naturalmente, o depoimento de *pan* Mussialóvitch foi transcrito *in extenso* nos autos, depois do que ele e seu companheiro puderam retirar-se. O fato de haverem trapaceado no jogo foi silenciado; Nikolai Parfiénovitch era-lhes grato e não queria inquietá-los por bagatelas, tanto mais quanto se tratava de uma querela entre jogadores embriagados e nada mais. Aliás, o escândalo não faltara naquela noite... Os duzentos rublos ficaram assim no bolso dos poloneses.

Chamaram em seguida o velho Maksímov. Entrou timidamente, a passos miúdos, o ar triste e a roupa em desordem. Refugiara-se todo o tempo junto a Grúchenhka, sentado ao lado dela em silêncio, "pronto a choramingar, enxugando os olhos com seu lenço de quadrados", como contou mais tarde Mikhail Makárovitch. Tanto que era ela quem o acalmava e consolava. De lágrimas nos olhos, o velho pediu desculpas por ter pedido emprestados dez rublos a Dimítri Fiódorovitch, visto sua pobreza, e declarou-se pronto a restitui-los... Tendo-lhe Nikolai Parfiénovitch perguntado quanto ele pensava que Dimítri Fiódorovitch tinha em dinheiro, visto que podia observá-lo de perto ao pedir-lhe emprestado, respondeu Maksímov categericamente: vinte mil rublos.

— O senhor já viu antes alguma vez vinte mil rublos? — perguntou Nikolai Parfiénovitch, sorrindo.

— Como não? Decerto. Não vinte mil, mas sete mil, quando minha esposa hipotecou minha propriedade. Para falar a verdade, ela só me deixou ver de longe e aquilo formava uma maçaroca bem grossa de notas de cem rublos. Dimítri Fiódorovitch também estava com notas de cem rublos...

Não o retiveram muito tempo. Por fim chegou a vez de Grúchenhka. Os juízes temiam a impressão que sua chegada poderia produzir em Dimitri Fiódorovitch, e Nikolai Parfiénovitch dirigiu-lhe mesmo algumas palavras de exortação, às quais Mítia respondeu com um aceno de cabeça, indicando assim que não haveria desordem. Foi Mikhail Makárovitch quem trouxe Grúchenhka. Ela entrou, o rosto rígido e sombrio, o ar quase calmo, e tomou lugar em frente de Nikolai Parfiénovitch. Estava muito pálida e enrolava-se friorenta no seu belo xale negro. Sentia, com efeito, o arrepio da febre, começo da longa doença que contraiu naquela noite. Seu ar rígido, seu olhar franco e sério, a calma de suas maneiras produziram a impressão mais favorável. Nikolai Parfiénovitch ficou mesmo seduzido; contou mais tarde que somente então compreendera quanto era encantadora aquela mulher; antes via nela "uma cortesã de subprefeitura". "Tem as maneiras da melhor sociedade", ele deixou escapar uma vez com entusiasmo num círculo de senhoras. Ouviram-no com indignação e logo o trataram de "descarado", o que o encantou. Ao entrar, lançou Grúchenhka a Mítia um olhar furtivo; ele, por sua vez, a examinou com inquietação, mas seu ar tranquilizou-o. Após as perguntas habituais, Nikolai Parfiénovitch, com alguma hesitação, mas com o ar mais polido, perguntou-lhe "quais eram suas relações com o tenente reformado Dimitri Fiódorovitch Karamázov"?

— Era um conhecido e como tal o recebi em minha casa neste último mês.

Em resposta a outras perguntas, declarou francamente que não amava Mítia então, se bem que ele lhe agradasse "por momentos"; seduzira-o por maldade bem como ao velho; o ciúme que Mítia sentia de Fiódor Pavlovitch e de todos divertia-a. Jamais pensara em ir à casa de Fiódor Pávlovitch, de quem ela zombava. "Durante todo este mês, não me interessava por eles; esperava um outro, que tinha culpa para comigo... Somente acho que não precisam os senhores de interrogar-me a esse respeito e não tenho obrigação de responder-lhes. Trata-se de minha vida privada."

Nikolai Parfiénovitch deixou imediatamente de lado os pontos "romanescos" e abordou a questão capital dos três mil rublos. Grúchenhka respondeu que fora mesmo a soma gasta em Mókroie um mês antes, segundo as palavras de Dímitri, porque ela mesma não havia contado as cédulas.

— Disse-lhe ele isso com particular ou diante de terceiros, ou então só o soube a senhora por intermédio de outras pessoas? — perguntou logo o procurador.

Grúchenhka respondeu afirmativamente a essas três perguntas.

— A senhora o ouviu dizer isso em particular uma ou várias vezes?

Respondeu que várias vezes.

Ipolit Kirílovitch ficou bastante satisfeito com esse depoimento. Ficou depois estabelecido que Grúchenhka sabia que o dinheiro provinha de Katierina Ivânovna.

— Não ouviu a senhora dizer que Dimítri Fiódorovitch gastara então menos de três mil rublos e guardara para si a metade?

— Não, nunca.

Pelo contrário, havia um mês Mítia lhe declarara por várias vezes estar sem dinheiro. "Esperava sempre recebê-lo de seu pai", concluiu Grúchenhka.

— Ele não disse, diante da senhora... incidentemente ou num momento de irritação — perguntou de repente Nikolai Parfiénovitch —, que tinha intenção de tentar contra a vida de seu pai?

— Sim, ouvi-o dizer — respondeu Grúchenhka.

— Uma vez ou várias?

— Várias vezes, sempre em acessos de cólera.

— E a senhora acreditava que ele poria esse projeto em execução?

— Não, nunca! — respondeu ela com firmeza. — Contava com a nobreza de seus sentimentos.

— Senhores, um instante — exclamou Mítia —, permitam-me que diga, na presença dos senhores, uma palavra apenas a Agrafiena Alieksándrovna.

— Pode falar — consentiu Nikolai Parfiénovitch.

— Agrafiena Alieksándrovna — disse Mítia, levantando, —, juro perante Deus; sou inocente da morte de meu pai!

Mítia tornou a sentar-se. Grúchenhka ficou em pé, benzeu-se piedosamente diante do ícone.

— Deus seja louvado! — disse ela com efusão e acrescentou, dirigindo-se a Nikolai Parfiénovitch: — Acredite no que ele disse! Eu o conheço, é capaz de dizer não sei o quê por brincadeira ou por teimosia, mas nunca fala contra a sua consciência. Diz a verdade completa, esteja certo!

— Obrigado, Agrafiena Alieksándrovna, reconfortaste minha alma — disse Mítia, com voz trêmula.

A respeito do dinheiro do dia anterior, ela declarou não conhecer a soma, mas ter ouvido Dimítri repetir frequentemente que levara três mil rublos. Quanto à sua proveniência, dissera-lhe somente a ela que os "roubara" de Katierina Ivânovna, ao que ela respondeu que não era um roubo e que era preciso restituir o dinheiro logo no dia seguinte. Insistindo o procurador em saber o que entendia Dimítri por dinheiro roubado, o do dia anterior ou o de havia um mês, declarou Grúchenhka que ele falara do dinheiro de então e ela assim o compreendia.

Terminado o interrogatório, disse Nikolai Parfiénovitch, com solicitude, a Grúchenhka que ela estava livre de voltar para a cidade e que, se ele pudesse lhe ser útil em alguma coisa, arranjando-lhe por exemplo cavalos ou fazendo-a acompanhar, faria...

— Obrigada — disse Grúchenhka, cumprimentando-o. — Partirei com aquele velho, o proprietário rural. Mas, se o senhor permitir, esperarei aqui sua decisão a respeito de Dimitri Fiódorovitch.

Saiu. Mítia estava calmo e tinha o ar reconfortado, mas por um instante apenas. Uma estranha lassitude invadia-o cada vez mais. Seus olhos se fechavam contra sua vontade. O interrogatório das testemunhas estava afinal acabado. Procedeu-se à redação definitiva do processo verbal. Mítia levantou-se e foi estender-se a um canto, sobre uma grande mala coberta por um tapete. Adormeceu logo. Teve um sonho estranho, sem relação com as circunstâncias. Viajava pela estepe, numa região por onde passara outrora, estando de serviço. Um mujique o conduz em *tieliega* através da planície enlameada. Faz frio, são os primeiros dias de novembro, a neve cai em grossos flocos que se derretem imediatamente. O mujique chicoteia vigorosamente seus cavalos, tem uma comprida barba ruiva, é um homem duns cinquenta anos, vestido com um ordinário cafetã cinzento. Aproximam-se de uma aldeia da qual se avistam as isbás negras, muito negras, a metade incendiadas, erguendo-se ainda apenas traves carbonizadas. Na estrada, à entrada da aldeia, uma multidão de mulheres alinha-se, todas magras e descarnadas, o rosto crestado. Ali está uma, à beira da estrada, ossuda, alta, parecendo ter uns quarenta anos, mas talvez não tendo senão vinte, o rosto longo e desfeito; tem nos braços uma criancinha que chora, seus peitos devem estar esgotados, parecem ressequidos, e a criança chora, chora sem parar, estende seus bracinhos nus, seus pequenos punhos roxos de frio.

— Por que eles choram? — pergunta Mítia, passando a galope.

— É o neném — responde o cocheiro —, é o neném que chora.

E Mítia fica impressionado por ter ele dito à sua maneira, como os mujiques, o "neném" e não o bebê. Isso lhe agrada, isso lhe parece mais compassivo.

— Mas por que chora ele? — obstina-se em perguntar Mítia. — Por que seus bracinhos estão nus? por que não lhes cobrem?

— O neném está transido de frio, suas roupas estão geladas, de modo que não o aquecem.

— Como assim? — insiste Mítia, estupidificado.

— É que eles são pobres, suas isbás foram queimadas, não têm pão.

— Não, não — prosseguiu Mítia, que parecia continuar a não compreender —, dize-me por que aquelas desgraçadas se conservam aqui, por que tanta miséria, aquele pobre neném, por que a estepe é nua, por que aquelas pessoas não se beijam cantando canções alegres, por que são tão negras, por que não dão de comer ao neném?

Sente bem que suas perguntas são absurdas, mas não pode impedir-se de fazê-las e tem razão; sente também que o invade um enternecimento, que vai chorar, gostaria de consolar o neném e sua mãe de peitos estorricados, de secar as lágrimas de todo mundo e isto tudo imediatamente, sem levar nada em conta, com todo o ardor de um Karamázov.

— Estou contigo, não te deixarei mais — diz-lhe ternamente Grúchenhka.

Seu coração se abrasa e vibra a uma luz longínqua, quer viver, seguir o caminho que leva àquela luz nova, àquela luz que o chama.

— Que é? Onde estou? — exclama ele, abrindo os olhos. Ergue-se sobre a mala como quem desperta de um desmaio, com um sorriso radiante. Diante dele se encontra Nikolai Parfiénovitch, que o convida a ouvir o processo verbal e a assiná-lo.

Mítia deu-se conta de que dormira uma hora ou mais, mas não escutava o juiz. Estava estupefato por ter encontrado sob sua cabeça uma almofada que lá não estava quando se estirou esgotado sobre a mala.

— Quem pôs aqui esta almofada? Quem teve tanta bondade? — exclamou ele, com exaltação, com uma voz emocionada, como se se tratasse dum benefício inestimável. O corajoso coração que tivera essa atenção permaneceu desconhecido, mas Mítia estava comovido até as lágrimas. Aproximou-se da mesa e declarou que assinaria tudo quanto quisessem.

— Tive um belo sonho, senhores — disse ele com uma voz estranha e o rosto como que iluminado de alegria.

IX / Levam Mítia preso

Uma vez assinado o processo verbal, dirigiu-se Nikolai Parfiénovitch solenemente ao acusado e leu para ele um "auto de processo e de prisão", segundo cujos termos ele, juiz de instrução... tendo interrogado o detido... (seguiam-se os termos de acusação), atendendo a que este, embora declarando-se inocente dos crimes que lhe eram imputados, nada produzira para justificar-se, a que entretanto as testemunhas... e as circunstâncias... o acusavam inteiramente, tendo em vista os artigos... do Código Penal, ordenava, a fim de impedir que o supracitado se subtraia ao inquérito e julgamento, que fosse encarcerado e se desse cópia do presente ao procurador, etc. Em suma, declarou-se a Mítia que se achava ele doravante detido, que iam levá-lo à cidade e encerrá-lo numa residência muito pouco agradável. Mítia ergueu os ombros.

— Está bem, senhores, não lhes quero mal, estou pronto... compreendo que não lhes resta outra coisa a fazer.

Nikolai Parfiénovitch explicou-lhe que ele ia ser levado por Mavríki Mavríkitch, ali presente.

— Esperem — interrompeu Mítia, e sob um impulso irresistível dirigiu-se a todos os presentes: — Senhores, somos todos cruéis, todos monstros, é por nossa causa que choram as mães e as criancinhas, mas entre todos, eu proclamo, sou o pior! Cada dia, batendo nos peitos, jurava emendar-me, e cada dia cometia as mesmas vilanias. Compreendo agora que a criaturas tais como eu é preciso um golpe do destino e seu laço, uma força exterior que as dome. Jamais teria eu mesmo podido erguer-me! Mas o raio descarregou-se. Aceito as torturas da acusação, da ignomínia pública. Quero sofrer e redimir-me pelo sofrimento! Talvez o consiga, não é, senhores? Escutem, no entanto, pela derradeira vez: não derramei o sangue de meu pai! Aceito o castigo, não por tê-lo matado, mas por ter querido matá-lo, e talvez mesmo o tivesse feito! Estou resolvido não obstante a lutar contra os senhores, declaro-lhes. Lutarei até o fim e em seguida, que Deus decida! Adeus, senhores, perdoem-me meus rompantes durante o interrogatório, estava então ainda desvairado... Dentro de um instante serei um preso e pela derradeira vez Dimítri Karamázov, como um homem livre ainda, estende-lhes a mão. Apresentando-lhes minhas despedidas, é ao mundo que as apresento!...

Sua voz tremia, estendeu com efeito a mão, mas Nikolai Parfiénovitch, que era quem se achava mais perto dele, ocultou a sua com um gesto convulsivo. Mítia percebeu-o e estremeceu. Deixou seu braço recair.

— O inquérito ainda não está terminado — disse o juiz um pouco confuso —, vai prosseguir na cidade, e, de minha parte, desejo que o senhor... consiga... justificar-se... Pessoalmente, Dimítri Fiódorovitch, sempre o considerei como mais infeliz que culpado... Todos aqui, se ouso fazer-me intérprete deles, estamos dispostos a ver no senhor um jovem, no íntimo nobre, mas, ai! arrebatado por suas paixões duma maneira excessiva

Foram estas derradeiras palavras pronunciadas pelo juizinho com grande dignidade. Pareceu de repente a Mítia que aquele rapazola ia pegá-lo pelo braço, levá-lo para um canto e continuar sua recente conversa a respeito das "garotas". Mas quem sabe as ideias intempestivas que ocorrem por vezes mesmo a um criminoso a quem levam ao suplício?

— Os senhores são bons, humanos. Poderei tornar a vê-la para dizer-lhe um último adeus?

— Sem dúvida, mas... em nossa presença...

— De acordo.

Trouxeram Grúchenhka, mas o adeus foi lacônico e decepcionou Nikolai Parfiénovitch. Grúchenhka fez uma profunda saudação a Mítia.

— Já te disse que sou tua, que te pertenço para sempre, irei atrás de ti por toda parte aonde te enviarem. Adeus, tu que te perdeste sem seres culpado.

Seus lábios tremiam, ela chorava.

— Perdoa-me, Grucha, o amar-te, o ter causado também tua perda pelo meu amor.

Mítia queria falar ainda, mas deteve-se e partiu. Foi logo cercado por pessoas que não o perdiam de vista. Duas *tieliegui* esperavam ao pé do patamar, onde ele chegara na véspera com muito barulho na tróica de Andriéi. Mavríki Mavríkitch, baixo e robusto, o rosto enrugado, estava irritado por causa de alguma desordem inesperada e gritava. Num tom cortante, convidou Mítia a subir na *tieliega*. "Outrora, quando eu lhe pagava de beber no botequim, o personagem tinha outra cara", pensou Mítia. Trifon Borísovitch desceu o patamar. Perto do portão comprimiam-se mujiques, mulheres, os cocheiros, todos mirando Mítia.

— Adeus, boa gente! — gritou-lhes Mítia já na *tieliega*.

— Adeus! — disseram duas ou três vozes.

— Adeus, Trifon Borísovitch!

Mas Trifon Borísovitch nem mesmo se voltou estando sem dúvida bastante preocupado. Gritava também e agitava-se. Tudo não estava em regra na segunda *tieliega* em que devia subir a escolta. O mujique designado para conduzi-la, enquanto vestia seu cafetã, sustentava energicamente que não era ele quem devia ir, mas Akim. Mas Akim não estava ali; corria-se à sua procura; o mujique insistia, suplicava que se esperasse.

— É uma trama descarada que temos aqui, Mavríki Mavríkitch! — exclamou Trifon Borísovitch. — Há três dias, Akim te deu vinte e cinco copeques, tu os bebeste e agora gritas. Espanto-me somente da bondade do senhor para com esses sujeitos.

— Que necessidade temos duma segunda tróica? — interveio Mítia. — Viajemos com uma só, Mavríki Mavríkitch, não me revoltarei nem fugirei. Por que queres uma escolta?

— Aprenda a falar comigo, senhor, se não o sabe ainda. Trate de não me tratar por tu e guarde seus conselhos para outra ocasião... — replicou impertinentemente Mavríki Mavríkitch, como que feliz por extravasar seu mau humor.

Mítia calou-se, corando. Um instante depois, sentiu vivamente o frio. A chuva cessara, mas o céu estava coberto de nuvens, um vento áspero soprava no rosto. "Tenho arrepios", pensou Mítia, enrodilhando-se. Por fim Mavríki Mavríkitch subiu por sua vez e sentou-se pesadamente, bem à vontade, empurrando Mítia para um lado, sem parecer prestar-lhe atenção. Na verdade, estava mal-humorado e bastante descontente com a missão que lhe haviam confiado.

— Adeus, Trifon Borísovitch! — gritou de novo Mítia, sentindo que, desta vez, não era de bom coração, mas de cólera, malgrado seu, que gritava. Trifon Borísovitch, com ar arrogante, as mãos atrás das costas, fixou Mítia com um olhar severo e não lhe respondeu.

— Adeus, Dimítri Fiódorovitch, adeus! — repercutiu de súbito a voz de Kolgánov. Correndo para a *tieliega,* estendeu a mão a Mítia. Estava sem casquete. Mítia teve ainda tempo de apertar-lhe a mão.

— Adeus, meu bravo amigo, não esquecerei sua generosidade! — disse ele com ardor. Mas a *tieliega* pôs-se em movimento, suas mãos desenlaçaram-se, os guizos retiniram, levavam Mítia.

Kolgánov correu para o vestíbulo, sentou-se num canto, curvou a cabeça, ocultou o rosto nas mãos e chorou por muito tempo, chorava como um menino. Estava quase convencido da culpabilidade de Mítia. "Que podem as pessoas valer depois disso?", murmurava ele, num total desamparo. Não queria mesmo mais viver naquele instante. "Será que isso vale a pena?", exclamava o rapaz no seu pesar.

QUARTA PARTE

LIVRO X / Morte de Iliúcha

I / Kólia Krasótkin

Primeiros dias de novembro. Onze graus de frio e regelo. Durante a noite, caiu um pouco de neve seca, que o vento áspero e picante levanta e varre através das ruas sombrias de nossa cidadezinha, sobretudo na praça do mercado. Está escura a manhã, mas a neve cessou. Não longe da praça, perto da loja dos Plótnikovi, encontra-se a casinha, muito limpinha no exterior e no interior, da Senhora Krasótkina, viúva de um funcionário. Vão se completar em breve catorze anos da morte do secretário de governo Krasótkin, mas sua viúva, ainda graciosa e com pouco mais de trinta anos, vive de suas rendas em sua casinha. Doce e alegre, leva uma existência modesta e digna. Tendo ficado viúva aos dezoito anos, com um filho que acabava de nascer, consagrou-se inteiramente à educação de Kólia. Amava-o cegamente, mas o menino lhe causou certamente mais pesares que alegrias, no temor perpétuo de vê-lo adoecer, resfriar-se, vadiar, ferir-se ao brincar, etc. Quando Kólia entrou para o colégio, sua mãe pôs-se a estudar todas as matérias, a fim de ajudá-lo a fazer seus exercícios, travou conhecimento com os professores e suas esposas, adulou mesmo os camaradas de seu filho, para evitar que zombassem dele ou que lhe batessem. Chegou a ponto de começarem os colegiais a zombar verdadeiramente de Kólia, a importunar "o queridinho da mamãe". Mas o menino soube fazer-se respeitar. Era ousado e logo passaram a achá-lo na classe "rudemente forte", e além disso esperto, de caráter teimoso, espírito audacioso e empreendedor. Era um bom aluno, corria mesmo o rumor de que em Matemática e História Universal passava a perna no Professor Dardaniélov.[82] Mas Kólia, embora afetando certo ar de superioridade, era bom camarada e nada orgulhoso. Aceitava como devido o respeito dos colegiais e mostrava uma atitude amigável. Conhecia sobretudo a medida, sabia reter-se a tempo devido e para com os professores não ultrapassava jamais o derradeiro limite além do qual a vivacidade não pode ser tolerada, tornando-se desordem e insubordinação. No entanto estava sempre pronto à travessura, quando se ensejava ocasião, como o derradeiro dos garotos, ou antes a bancar de malicioso, a chamar a atenção. Cheio de amor-próprio, soubera ganhar ascendência sobre sua mãe, que sofria desde muito tempo o seu despotismo. Somente era-lhe insuportável a ideia de que seu filho a amava pouco. Kólia parecia-lhe sempre insensível a seu respeito e acontecia que, numa crise de lágrimas, ela o censurava pela sua frieza. O rapazinho não gostava disso e quanto mais efusões exigiam dele mais a elas se furtava. Mas era contra a sua vontade, provinha isto de seu caráter e não de sua vontade. Sua mãe se enganava; ele a amava, somente, não gostava das "ternuras de novilha", como dizia em sua linguagem de escolar. Seu pai deixara uma biblioteca, e Kólia, que gostava de ler, ficava por vezes horas mergulhado nos livros, em lugar de ir brincar, para grande espanto de sua mãe. Leu assim coisas acima de sua idade. Nos últimos tempos, suas travessuras — sem ser perversas — espantavam sua mãe por causa de sua extravagância. Durante as férias, em julho, a mãe e o filho iam passar uma semana em casa de uma parenta, cujo marido era empregado ferroviário na estação mais próxima da nossa cidade. (Fora lá, a setenta verstas, que Ivan Fiódorovitch tomara o trem para Moscou, um mês antes.) Kólia começou por examinar minuciosamente o caminho de ferro e seu funcionamento, compreendendo que poderia deslumbrar seus colegas com seus novos conhecimentos. Ao mesmo tempo, ligou-se a seis ou sete garotos da vizinhança, de doze a quinze anos de idade, entre os quais dois provinham de nossa cidade. Faziam travessuras em comum e em breve o alegre bando teve a ideia de fazer uma aposta verdadeiramente estúpida, cuja parada era de dois rublos. Kólia, um dos mais jovens e portanto um pouco desdenhado pelos mais

---

82   Nome derivado do topônimo Dardanelos, estreito entre a Europa e a Ásia, ligando o Mar de Mármara ao Mar Egeu.

idosos, levado pelo amor-próprio ou pela temeridade, propôs ficar deitado entre os trilhos, sem mexer-se, enquanto o trem das onze horas da noite passaria sobre ele a todo vapor. Na verdade, um exame prévio permitiria verificar que a coisa era factível, que a pessoa podia realmente achatar-se entre os trilhos sem ser mesmo roçada pelo trem. Mas que minuto penoso teria de passar! Kólia jurou por toda parte que o faria. Começaram por zombar dele, trataram-no de fanfarrão, o que o excitou ainda mais. Também aqueles rapazes de quinze anos mostravam-se por demais arrogantes, tendo mesmo recusado a princípio levar em consideração aquele fedelho, tratando-o como camarada. Ofensa intolerável. Numa noite sem lua, decidiram ir a uma versta da estação, onde o trem já passaria rapidamente. Na hora marcada, Kólia deitou-se entre os trilhos. Os cinco outros apostadores, de coração a desfalecer, em breve tomados de pavor e de remorso, aguardavam nas moitas embaixo do talude. Dentro em pouco ouviu-se o barulho do trem que se punha em movimento. Duas lanternas vermelhas brilharam nas trevas, o monstro aproximava-se estrondosamente. "Foge! Foge!", gritaram, apavorados. Era demasiado tarde, o trem passou e desapareceu. Precipitaram-se para Kólia, que jazia, inerte, puseram-se a sacudi-lo, a erguê-lo. De repente, ele se levantou e declarou que fingira um desmaio para fazer-lhes medo. Na realidade, tinha desmaiado mesmo, como ele próprio, espontaneamente, confessou muito tempo depois à sua mãe.

Dessa maneira, seu renome de "estabanado" ficou definitivamente estabelecido. Voltou para casa branco como linho. No dia seguinte, teve uma febre nervosa, mas mostrou-se muito alegre e contente. O acontecimento foi divulgado em nossa cidade, chegou ao conhecimento das autoridades escolares. A mamãe de Kólia suplicou-lhes que perdoassem a seu filho e por fim um professor estimado e influente, Dardaniélov, falou em seu favor e obteve ganho de causa. O caso não teve consequências. Esse Dardaniélov, solteiro e ainda moço, estava desde muito tempo apaixonado pela Senhora Krasótkina; um ano antes, com o coração cheio de apreensão, arriscara-se a pedir-lhe a mão; ela o recusara, considerando que o casar-se de novo seria uma traição a seu filho. No entanto, Dardaniélov, de acordo com certos indícios, teria tido o direito de pensar que não era fundamentalmente antipático àquela viúva encantadora, mas casta e delicada em excesso. A louca travessura de Kólia deve ter rompido o gelo, e após a intervenção de Dardaniélov deu-se a entender a este que podia ter esperança, aliás longínqua, mas ele próprio era um fenômeno de pureza e de delicadeza e aquilo lhe bastava à sua felicidade no momento. Gostava do menino, mas teria achado humilhante procurar amansá-lo; na classe mostrava-se severo para com ele, exigente. O próprio Kólia mantinha-o à distância, preparava muito bem seus exercícios, ocupava o segundo lugar, e toda a classe estava persuadida de que, em História Universal, ele "passava a perna" ao próprio Dardaniélov em pessoa. Com efeito, Kólia perguntou-lhe uma vez quem havia fundado Troia. Ao que respondeu o mestre por meio de considerações a respeito dos povos e de suas migrações, da noite, dos tempos, da fábula, mas não pôde responder à pergunta precisa sobre a fundação de Troia, achando-a mesmo ociosa. Os alunos ficaram convencidos de que Dardaniélov de nada sabia. Kólia informara-se a respeito em Smaragdov, que figurava entre os livros de seu pai. Finalmente, todos se interessaram pela fundação de Troia, mas Krasótkin guardou seu segredo e seu prestígio permaneceu intacto.

Após o incidente da estrada de ferro, ocorreu uma mudança na atitude de Kólia para com sua mãe. Quando Anna Fiódorovna soube da proeza de seu filho, quase enlouqueceu. Teve violentas crises de nervos durante vários dias, a ponto de Kólia, seriamente aterrorizado, dar-lhe sua palavra de honra de jamais recomeçar semelhantes travessuras. Jurou de joelhos diante do ícone e pela memória de seu pai, como o exigia a Senhora Krasótkina; a emoção dessa cena fez chorar o "intrépido" Kólia como uma criança de seis anos: a mãe e o filho passaram o dia a lançar-se nos braços um do outro, derramando lágrimas. No dia seguinte, Kólia despertou de novo "insensível", mas tornou-se mais silencioso, modesto, pensativo. Seis semanas depois, reincidia, e seu nome chegou até o juiz de paz, mas desta vez tratava-se de uma travessura bem diferente, ridícula mesmo e estúpida, cometida por outros e na qual não estava implicado. Tornaremos a falar dela. Sua mãe continuou a tremer e a atormentar-se e a esperança de Dardaniélov crescia na medida dos alarmes dela. É preciso notar que Kólia compreendia e adivinhava a este respeito Dardaniélov, e, bem entendido, desprezava-o profundamente por causa de seus "sentimentos"; antes tivera mesmo a indelicadeza de exprimir seu desprezo diante de sua mãe, fazendo alusões vagas às intenções de Dardaniélov. Mas após o incidente da estrada de ferro mudou também de conduta a este respeito; não se permitiu mais nenhuma alusão e falou com mais respeito de Dardaniélov diante de sua mãe, o que a sensível Anna Fiódorovna compreendeu imediatamente com uma gratidão infinita; em compensação, à menor palavra referente a Dardaniélov proferida em presença de Kólia, fosse mesmo um estranho, tornava-se ela vermelha como uma cereja. Naqueles momentos Kólia olhava pela janela com ar carrancudo ou examinava o estado de seus sapatos, ou ainda chamava raivosamente Carrilhão, um cachorro de longos pelos, muito grande e feio, que havia recolhido um mês antes e guardava em segredo, sem mostrá-lo a seus camaradas. Tratava-o com rigor, ensinava-lhe diversas habilidades, tanto que o pobre animal gania, quando ele partia para o colégio e latia alegremente quando ele voltava, saltava como um louco, andava de duas patas, fazia-se de morto, etc., em suma, mostrava todas as habilidades que lhe haviam sido ensinadas, isto não porque lhe ordenavam, mas no ardor de seu entusiasmo e de sua dedicação.

A propósito: esqueci-me de dizer que Kólia Krasótkin era o menino a quem Iliúcha, já conhecido do leitor, filho do capitão reformado Snieguiriov, ferira com o canivete, ao defender seu pai, a quem os colegiais ridicularizavam, chamando de "esfregão de tília".

II / Gente miúda

Portanto, naquela manhã glacial e brumosa de novembro, o jovem Kólia Krasótkin permanecia em casa. Era domingo e não havia aula. Mas acabavam de soar onze horas, era-lhe absolutamente preciso sair "para um negócio muito importante", contudo ficava sozinho a guardar a casa, porque os adultos haviam saído em consequência de uma circunstância extraordinária. A viúva Krasótkina alugava um apartamento de duas peças, o único da casa, à mulher dum médico, que tinha dois filhos pequenos. Era da mesma idade de Anna Fiódorovna e sua grande amiga; quanto ao doutor, que partira para Oremburgo, depois para Tachkent, não dava notícias de si havia seis meses, de sorte que a abandonada teria passado seu tempo a chorar sem a amizade da Senhora Krasótkina, que amenizava seu pesar. Para cúmulo de infortúnio, Katierina, a única criada da mulher do doutor, declarara bruscamente à sua patroa, durante a noite, que se preparava para dar à luz de manhã. Era quase miraculoso que ninguém tivesse notado a coisa até então. A mulher do doutor, estupefata, decidiu, enquanto era ainda tempo, transportar Katierina para a casa de uma parteira que aceitava pensionistas. Como estimava muito essa sua criada, pôs logo seu projeto em execução e ficou mesmo ao lado dela. Em seguida, pela manhã, foi preciso recorrer ao concurso e ajuda da Senhora Krasótkina, que podia naquela ocasião tomar providências e exercer certa proteção. De modo que as duas senhoras estavam ausentes, a criada da Senhora Krasótkina, Agáfia, saíra para o mercado e Kólia achava-se provisoriamente como guarda dos fedelhos, o menino e a menina da mulher do doutor, que haviam ficado sozinhos. A guarda da casa não fazia medo a Kólia, sobretudo com Carrilhão; este recebera ordem de deitar-se debaixo de um banco, no vestíbulo, sem se mexer, e cada vez que seu dono passava, erguia ele a cabeça, batia no soalho com a cauda com um ar suplicante, mas, ai!, nenhum chamado se ouvia. Kólia olhava com severidade o infeliz cão-d'água, que recaía na imobilidade completa, Mas a única preocupação de Kólia eram os fedelhos. Ao passo que a aventura de Katierina lhe inspirava profundo desprezo, gostava muito dos pequenos e trouxera já para eles um livro infantil. Nástia, a mais velha, de oito anos, sabia ler, e o mais moço, Kóstia, de sete anos, gostava de escutá-lo. Bem entendido, Krasótkin teria podido interessá-los brincando com eles de soldado ou de esconder, por toda a casa. Não desdenhava fazê-lo quando preciso, tanto que se espalhou na classe o boato de que Krasótkin brincava de tróica em sua casa com seus pequenos locatários, fazendo papel do cavalo de sota, galopando, de cabeça baixa. Krasótkin repelia altivamente essa acusação, fazendo notar que com camaradas de sua idade teria sido vergonhoso, com efeito, "em nossa época", brincar de cavalo, mas que assim o fazia para os fedelhos, porque gostava deles e ninguém tinha o direito de pedir-lhe conta de seus sentimentos. Em compensação, os dois fedelhos o adoravam. Mas desta vez não se tratava de brinquedos; tinha de ocupar-se de um assunto de muita importância e parecendo mesmo quase misterioso. Entretanto, o tempo passava e Agáfia, a quem os meninos teriam podido ser confiados, não se dignava voltar do mercado. Já por várias vezes ele atravessara o vestíbulo, abrira a porta da locatária, observara com solicitude os fedelhos lendo, por injunção sua; cada vez que se mostrava, os meninos sorriam-lhe largamente, esperando vê-lo entrar e fazer alguma coisa engraçada. Mas Kólia estava preocupado e não entrava. Por fim, soaram as onze horas e ele decidiu com firmeza que, se dentro de dez minutos a "maldita" Agáfia não estivesse de volta, sairia sem esperá-la, depois de, é claro, ter feito os fedelhos prometerem não ter medo durante sua ausência, nem fazer bobagens, nem chorar. Com estas disposições, vestiu seu pequeno sobretudo algodoado, lançou sua sacola ao ombro e, apesar dos rogos reiterados de sua mãe, de nunca sair "com semelhante frio", sem calçar suas galochas, contentou-se em lançar-lhes um olhar desdenhoso ao passar no vestíbulo. Vendo-o vestido para sair, Carrilhão bateu no soalho com a cauda, agitando-se e ia mesmo lançar um gemido lamentoso, mas Kólia julgou tal ardor contrário à disciplina, manteve o cão-d'água ainda um minuto debaixo do banco e só assobiou para ele ao abrir a porta do vestíbulo, O animal lançou-se como um louco e se pôs a saltar de alegria. Kólia ia ver o que estavam fazendo os fedelhos. Tinham acabado de ler e discutiam com animação, como lhes acontecia frequentemente; Nástia, na qualidade de mais velha, levava sempre a melhor, e se Kóstia não se punha de seu lado, apelava ela quase sempre para Kólia Krasótkin, cuja sentença era definitiva para as duas partes. Desta vez, a discussão dos fedelhos tinha algum interesse para Kólia, que ficou na soleira a escutar, vendo o quê, as crianças redobraram de ardor na sua controvérsia.

— Nunca, nunca, acreditarei — sustentava. Nástia — que as parteiras encontrem os bebês nos pés de couve. Agora é inverno, não há couves e a parteira não pode trazer uma filhinha para Katierina.

— O quê! — murmurou Kólia.

— Ou então elas as trazem de alguma parte, mas somente para aquelas que se casam.

Kóstia fixava sua irmã, escutava gravemente, refletia.

— Nástia, como és tôla! — disse ele por fim, num tom calmo. — Como pode Katierina ter um filho, já que ela não é casada?

Nástia irritou-se.

— Tu não compreendes nada, talvez ela tivesse um marido, mas está na prisão.

— Será que ela tem de verdade um marido na prisão? — perguntou o positivo Kóstia.

— Ou então — continuou impetuosamente Nástia, abandonando sua primeira hipótese — pode acontecer também que ela não tenha marido; tens razão; mas quer se casar e pôs-se a pensar como fazer, pensou e tornou a pensar, tanto que acabou por ter não um marido, mas um bebê.

— Está bem! É possível — aquiesceu Kóstia, subjugado —, mas não disseste antes. Como eu podia saber?

— Muito bem, meninada! — exclamou Kólia, avançando. —Vocês são uma gente perigosa, pelo que vejo!

— Carrilhão está com você? — perguntou, sorrindo, Kóstia, que se pôs a estalar os dedos, chamando o cachorro.

— Meninada, estou atrapalhado — começou solenemente Kólia. — Vocês devem ajudar-me. Agáfia deve ter quebrado a perna, já que não volta, é seguro e certo. Tenho de sair. Vocês me deixarão ir?

Os meninos olharam-se receosos, seus rostos sorridentes exprimiram inquietação. Ainda não compreendiam bem o que queriam deles.

— Não farão bobagens em minha ausência? Não subirão no armário com risco de quebrar uma perna? Não chorarão de medo, quando ficarem sozinhos?

A angústia apareceu nos rostinhos.

— Em compensação, eu poderia mostrar-lhes alguma coisa, um canhãozinho de cobre que se carrega com pólvora verdadeira.

Os rostinhos iluminaram-se.

— Mostre o canhão — disse Kóstia, radiante.

Krasótkin tirou de uma sacola um canhãozinho de bronze, que pousou em cima da mesa.

— *Olhe*, tem rodas — disse, fazendo o brinquedo rodar. — Pode-se carregá-lo com chumbinho e atirar.

— E ele mata?

— Mata todo mundo, basta apontá-lo — e Krasótkin explicou onde era preciso colocar a pólvora, o chumbo, indicou uma pequena abertura que representava o ouvido, explicou que o canhão recuava. As crianças escutavam com ardente curiosidade. O recuo sobretudo feria-lhes a imaginação.

— E você tem pólvora? — informou-se Nástia.

— Tenho, sim.

— Mostre também a pólvora — disse ela com um sorriso implorativo.

Krasótkin tirou de sua sacola um frasquinho, onde havia de fato um pouco de pólvora verdadeira e alguns grãos de chumbo enrolados em papel. Abriu mesmo o frasco, derramou um pouco de pólvora em sua mão.

— Aqui está. Somente tomem cuidado com o fogo, senão ela explodirá e nós todos morreremos — disse ele, para impressioná-las.

As crianças examinavam a pólvora com um temor respeitoso que aumentava o prazer. Os grãos de chumbo, sobretudo, agradavam a Kóstia.

— O chumbo não queima? — perguntou ele.

— Não.

— Dê-me um pouco de chumbo — disse, num tom suplicante.

— Aqui está um pouco, tome, somente não o mostre à sua mãe antes de minha chegada. Ela iria pensar que é pólvora, morreria de medo ou surraria vocês.

— Mamãe nunca surra a gente — observou Nástia.

— Sei disso, falei somente por causa da beleza do estilo. E vocês, nunca enganem sua mamãe, só desta vez, até que eu volte. Portanto, meninada, posso ir ou não? Não chorarão de medo na minha ausência?

— Nós cho-ra-remos — disse lentamente Kóstia, preparando-se já para fazer isso.

— Nós choraremos, decerto — apoiou Nástia, receosa.

— Oh! meninos, que idade perigosa é a de vocês! Não há nada a fazer. Será preciso ficar com vocês não sei quanto tempo. E o tempo é precioso.

— Mande Carrilhão fingir de morto — pediu Kóstia.

— Não há outro recurso senão valer-me de Carrilhão. Aqui, Carrilhão! — E Kólia ordenou ao cão de pelos compridos, dum cinzento violáceo, do tamanho de um mastim comum, cego do olho direito e com a orelha esquerda cortada. Bancava o elegante, caminhava sobre as patas traseiras, deitava-se de costas com as patas no ar e ficava inerte, como morto. Durante este último exercício a porta abriu-se e a gorda criada Agáfia, uma mulher de quarenta anos, com marcas de varíola, apareceu na soleira, com a rede de provisões na mão, e pôs-se a olhar. Kólia, por mais apressado que estivesse, não interrompeu a representação e, quando por fim assobiou para Carrilhão, o animal pôs-se a saltitar na alegria do dever cumprido.

— Isso é que é um cachorro! — disse Agáfia, com admiração.

— E por que demoraste tanto tempo, sexo feminino? — perguntou severamente Krasótkin.

— Sexo feminino! Ora que fedelho!

— Fedelho?

— Sim, fedelho. Que é que tens com isso? Se estou atrasada, é que foi preciso — resmungou Agáfia, começando a remexer em redor da estufa, num tom nada irritado e como que alegre por poder discutir com aquele jovem senhor tão jovial.

— Escuta, velha frívola, podes jurar-me por tudo quanto há de mais sagrado neste mundo que tomarás conta dessas crianças na minha ausência? Vou sair.

— E por que jurar? — disse Agáfia, rindo. — Tomarei conta deles, sim.

— Não, é preciso que jures pela tua salvação eterna. Senão não me vou.

— À tua vontade. Que me importa isso? Está gelando. Fica em casa.

— Meninos, essa mulher ficará com vocês até minha volta ou a da mamãe de vocês, que já deveria estar de volta. Além disso, ela dará o almoço de vocês. Não é, Agáfia?

— Pode ser, sim.

— Adeus, meninos, vou-me de coração tranquilo. Quanto a ti, vovó — disse ele, gravemente, a meia voz, ao passar diante de Agáfia —, espero que não lhes contes bobagens a respeito de Katierina. Poupa a inocência deles. Aqui, Carrilhão.

— Que Deus te perdoe! — disse Agáfia, irritada. — Como é engraçado! Mereceria uma surra, por falar assim.

III / O colegial

Mas Kólia não ouviu. Afinal, estava livre. Ao transpor o portão, ergueu os ombros e, depois de ter dito: "Que frio!", dirigiu-se para a praça do mercado. De caminho, parou diante de uma casa, tirou um apito do bolso, apitou com todas as suas forças, como dando um sinal convencionado. Ao fim dum minuto, viu-se sair um menino de onze anos, de tez vermelha, vestido igualmente com um sobretudo quente e até mesmo elegante. Era o jovem Smúrov, aluno da classe preparatória (ao passo que Kólia Krasótkin se achava duas classes acima), filho de um funcionário em boa situação. Seus pais proibiam-no de andar com Krasótkin, por causa de sua reputação de travesso, de modo que Smúrov acabava de ausentar-se furtivamente. Esse Smúrov, se o leitor está lembrado, fazia parte do grupo que atirava pedras em Iliúcha, dois meses antes e foi ele quem falou de Iliúcha a Aliócha Karamázov.

— Há uma hora que o espero, Krasótkin — proferiu Smúrov, com ar decidido. Os rapazes marcharam para a praça.

— Estou atrasado — replicou Krasótkin. — Culpa das circunstâncias. Não te surrarão por vires comigo?

— Que ideia! Será que me surram? Carrilhão está com você?

— Claro.

— Vai levá-lo lá?

— Levo, sim.

— Ah! Se fosse Besouro!

— É impossível. Besouro não existe mais. Desapareceu não se sabe onde.

— Não se poderia então dar um jeito? — Smúrov parou de repente. — Iliúcha disse que Besouro também tinha pêlos compridos, cinzentos, cor de fumaça, como Carrilhão. Não se poderia dizer que este é Besouro? Talvez ele o acreditasse.

— Colegial, evita a mentira, em primeiro lugar; e em segundo lugar, ainda que seja com bom fim. Espero, principalmente, que não tenhas falado de minha vinda.

— Deus me livre. Compreendo. Mas não o consolarão com Carrilhão — suspirou Smúrov. — Sabes? O pai dele, o capitão, "esfregão de tília", disse-nos que lhe levariam hoje um cãozinho, um mastim verdadeiro, de focinho preto; pensa consolar assim Iliúcha, mas é pouco provável.

— Como vai ele, Iliúcha?

— Mal, mal! Creio que ele está tísico. Tem pleno conhecimento, mas sua respiração é bem má. Um dia destes pediu que o levassem a passear um pouco. Calçaram-lhe os sapatos. Mas ele caiu ao fim de alguns passos. "Ah! papai, bem que te disse que estes sapatos não prestam. Antes mesmo tinha dificuldade em andar com eles." Pensava que caía por causa de seus sapatos e era simplesmente de fraqueza. Não dura uma semana. Herzenstube visita-o. Têm de novo muito dinheiro.

— Canalhas!

— Canalhas, quem?

— Os doutores e toda essa ralé médica, em geral e em particular. Renego a medicina. Não serve para nada. Aliás, estudarei tudo isso. Dize-me, vocês todos lá ficaram muito sentimentais. A classe inteira vai lá incorporada, digo a verdade?

— Toda não, mas uma dezena dos nossos vai lá todos os dias. Não é nada.

— O que me surpreende em tudo isso é o papel de Alieksiéi Karamázov; vão julgar amanhã ou depois seu irmão por um crime como aquele e ele acha tempo de fazer sentimentalismo com colegiais!

— Mas não há no caso nenhum sentimentalismo. Tu mesmo vais agora lá reconciliar-te com Iliúcha.

— Reconciliar-me? Expressão engraçada! Aliás, não permito que ninguém analise meus atos.

— Como Iliúcha ficará contente ao ver-te! Não duvida de que vais. Por que, por que recusaste por tanto tempo ir vê-lo? — exclamou de repente Smúrov, com ardor.

— Meu caro, o problema é meu e não teu. Vou lá por minha vontade, porque quero ir, ao passo que foi Alieksiéi Karamázov quem levou vocês todos lá; há pois uma diferença. E que sabes tu? Talvez não vá eu lá absolutamente para reconciliar-me. Estúpida expressão.

— Karamázov não tem nada a ver com isso. Os colegas tomaram simplesmente o hábito de ir lá, é bem certo que no começo com Karamázov. Primeiro um, depois outro. Mas nada se passou de estúpido. O pai ficou encantado ao ver-nos. Sabes? Perderá a razão, se Iliúcha morrer. Vê que seu filho está perdido. Causa-lhe tanto prazer o nos termos reconciliado com Iliúcha... Iliúcha pediu informações a teu respeito, mas sem nada acrescentar. Seu pai ficará louco ou se enforcará. Já antes tinha jeito de maluco. Sabes? É um homem honesto, vítima dum erro. A culpa é daquele parricida que lhe bateu então.

— No entanto, Karamázov é um enigma para mim. Teria podido travar conhecimento com ele, desde muito tempo, mas, em certos casos, gosto de mostrar-me orgulhoso. Além do mais, já formei sobre ele uma opinião que será preciso verificar, esclarecer.

Kólia calou-se gravemente, bem como Smúrov. Bem entendido, Smúrov respeitava Kólia Krasótkin e nem mesmo pensava em se comparar com ele. Agora estava muito intrigado, porque Kólia explicara que vinha "por si mesmo"; devia haver aí um mistério nessa decisão súbita de ir hoje à casa de Iliúcha. Seguiam pela praça do mercado, atravancada de carroças e de aves domésticas. Sob os alpendres das vendas, mulheres do povo vendiam sequilhos, linha, etc. Em nossa cidade, esses ajuntamentos do domingo são chamados ingenuamente de feiras e há muitos deles durante o ano. Carrilhão corria com o humor mais alegre, afastava-se constantemente à direita ou à esquerda para farejar alguma coisa. Quanto aos seus irmãos de espécie encontrados no caminho, farejava-os de boa vontade, segundo as regras em uso entre a gente canina.

— Gosto de observar a realidade, Smúrov — disse de súbito Kólia. — Notaste como os cães se farejam, quando se encontram? É, entre eles, uma lei geral da natureza.

— Sim, uma lei ridícula.

— Não é ridícula, não tens razão. Na natureza, nada há de ridículo, apesar do que dela pense o homem com seus preconceitos. Se os cães pudessem raciocinar e criticar, encontrariam certamente outro tanto de ridículo, se não mais, nas relações sociais das pessoas, seus donos, se não mais, repito-o, porque estou persuadido de que há bem mais tolices entre nós. É a ideia de Rakítin, uma ideia notável. Sou socialista, Smúrov.

— Que é um socialista? — perguntou Smúrov.

— É quando todos são iguais, têm uma opinião comum, não há casamentos, sendo a religião e as leis como convém a cada um. És ainda demasiado jovem para compreender essas questões. Está frio, não é mesmo?

— Sim, doze graus. Meu pai olhou o termômetro ainda há pouco.

— Notaste, Smúrov, que no meio do inverno, com quinze ou mesmo dezoito graus, o frio parece menos vivo que agora, no começo, quando gela de repente a doze graus e há ainda pouca neve? Isto significa que as pessoas ainda não se acostumaram a ele. Entre elas, tudo é hábito, em tudo, mesmo em política e nos negócios do Estado. Como é engraçado aquele mujique!

Kólia mostrou um mujique, de alta estatura, metido num *tulup*, com ar bonacheirão, que, ao lado de sua carroça, se aquecia batendo as mãos uma contra a outra com suas luvas. Sua barba estava coberta de geada.

— A barba do mujique está gelada! — disse Kólia em voz alta e com um ar implicante, passando ao lado dele.

— Há bem outras geladas — replicou sentenciosamente o mujique.

— Não mexas com ele — observou Smúrov.

— Não tem importância, ele não se zangará, é um homem bom. Adeus, Matviéi.

— Adeus.

— Chamas-te Matviéi?

— Matviéi. Não o sabias?

— Não; disse-o por acaso.

— Ora vejam só! És talvez um colegial?

— Com efeito.

— Surram-te?

— Decerto.

— Com força?

— Acontece.

— A vida não é alegre — suspirou o mujique de todo o coração.

— Adeus, Matviéi.

— Adeus. És um garoto delicado.

Os rapazes continuaram seu caminho.

— É um bom mujique — disse Kólia a Smúrov. — Gosto de falar com gente do povo e sinto-me sempre contente em fazer-lhe justiça.

— Por que o fizeste crer que nos surravam? — perguntou Smúrov.

— Para causar-lhe prazer.

— Como assim?

— Sabes duma coisa, Smúrov? Não gosto que insistam, se não se compreende desde a primeira palavra. É por vezes difícil explicar. Na ideia do mujique, surra-se o colegial e deve-se fazê-lo; que é um colegial a quem não se surra? E se lhe digo que não; isto lhe causará pesar. Aliás, tu não compreendes isto. É preciso saber falar ao povo.

— Somente, nada de zombarias, rogo-te. Para que não haja outra complicação como aquela do pato.

—Tens medo?

— Evita bem isso, Kólia, deveras, tenho medo. Meu pai ficaria furioso. Proibiram-me expressamente de andar contigo.

— Não tenhas medo, desta vez não acontecerá nada. Bom-dia, Natacha — gritou ele para uma vendedora.

— Natacha coisa nenhuma! Chamo-me Mária — gritou-lhe a vendedora, uma mulher ainda jovem.

— Está bem, Mária, adeus.

— Ah! engraçadinho, não mais alto que uma bota, que intrometimento é esse?

— Não tenho tempo, conversaremos no domingo próximo — disse Kólia gesticulando, como se fosse ela que o importunasse, em vez do contrário.

— E que é que haveremos de conversar no domingo? Foste tu que mexeste comigo e não eu que mexi contigo, insolente! Mereces umas chicotadas. Bem te conhecemos, boa bisca!

Risadas espocaram entre as vendedoras vizinhas de Mária, quando, de repente, surgiu duma arcada um indivíduo excitado, com ar de caixeiro de venda, aliás estranho à nossa cidade, de cafetã de longas abas, trazendo um casquete de pala, ainda jovem, de cabelos castanhos cacheados, o rosto pálido e bexigoso. Parecia agitado sem saber por que e se pôs logo a ameaçar Kólia com o punho.

— Eu te conheço — vociferou ele —, eu te conheço!

Kólia encarou-o. Não se lembrava de haver brigado com aquele homem, aliás tivera por demasiadas vezes altercações na rua para lembrar-se de todas.

— Tu me conheces? — perguntou, ironicamente.

— Conheço-te! Conheço-te! — repisou o indivíduo.

— Tens muita sorte. Mas estou com pressa, adeus.

— Por que te mostras insolente? Recomeças? Eu te conheço!

— Se me mostro insolente, meu amigo, não tens nada com isso! — proferiu Kólia, parando, com os olhos sempre fixos nele.

— Como assim?

— Assim mesmo.

— Quem é então que tem? Quem é?

— Agora, camarada, o negócio é com Trifon Nikítitch e não contigo.

— Que Trifon Nikítitch? — E o rapaz, sempre acalorado, fixou Kólia com ar estúpido. Kólia olhou-o de alto a baixo, seriamente.

— Foste à igreja da Ascensão? — perguntou, num tom imperioso.

— Que igreja? Por quê? Não, não fui lá — respondeu o rapaz desconcertado.

— Conheces Sabaniéiev? — perguntou Kólia, no mesmo tom.

— Sabaniéiev? Não, não o conheço.

— Então, vai para o diabo! — cortou Kólia, que, dobrando à direita, afastou-se a passos rápidos, como que desdenhando falar a um simplório que nem mesmo conhecia Sabaniéiev.

— Espera, hei! Que Sabaniéiev? — reconsiderou o rapaz, de novo agitado. — De quem fala ele? — perguntou às vendedoras, olhando-as com ar aparvalhado.

As boas mulheres puseram-se a rir.

— Não é bobo aquele garoto — disse uma delas.

— De que Sabaniéiev falava ele? — teimava em repetir o rapaz, gesticulando.

— Deve ser o Sabaniéiev que trabalha em casa dos Kuzmítchev, eis de quem se trata — conjeturou uma das mulheres.

O rapaz examinou-a com espanto.

— Kuzmítchev? — repetiu outra. — Então não é Trifon. Aquele se chama Kuzmá e não Trifon, Ora, o garoto chamou-o de Trifon Nikítitch, logo não é ele.

— Estás vendo, não é nem Trifon, nem Sabaniéiev, é Tchitchov — interveio uma terceira vendedora, que havia ouvido com seriedade. Alieksiéi Ivânovitch Tchitchov.

— É mesmo Tchitchov, com efeito — confirmou uma quarta. Todo confuso, o rapaz olhava ora uma ora outra.

— Mas por que ele me perguntou isso, por que, boa gente? — exclamou ele, quase desesperado. — "Conheces Sabaniéiev?" Quem diabo haverá de ser esse Sabaniéiev?

— Tens a cabeça dura, estão-te dizendo que não é Sabaniéiev, mas Tchitchov, Alieksiéi Ivânovitch, compreendes? — disse gravemente uma vendedora.

— Que Tchitchov? Diz então, já que sabes.

— Um grandalhão, de cabelos compridos. Era visto no mercado, no verão.

— Que queres que eu faça com o teu Tchitchov, hem, alma de Deus?

— E eu é que hei de saber?

— Quem sabe lá o que queres? — insistiu outra. — Tu mesmo deves saber, já que berras! Porque era a ti que falavam e não a nós, pateta! Não o conheces deveras?

— A quem?

— Tchitchov.

— Que o diabo carregue o teu Tchitchov e a ti com ele! Vou dar-lhe uma surra, palavra! Ele zombou de mim!

— Vais surrar Tchitchov? Ou será bem o contrário? Não passas dum imbecil!

— Tchitchov não, Tchitchov não, mulher dos diabos! É o garoto que surrarei. Tragam-no, tragam-no! Ele zombou de mim!

As mulheres desataram a rir. Kólia já estava longe e caminhava com ar vencedor; Smúrov, a seu lado, voltava-se por vezes para o grupo que gritava. Ele também se divertia muito, ao mesmo tempo que receava ter-se misturado a uma história com Kólia.

— De qual Sabaniéiev lhe falavas tu? — ele perguntou a Kólia, duvidando da resposta.

— Sei lá! Agora, vão-se descompor até de noite. Gosto de mistificar os imbecis em todas as classes sociais. Olha aquele mujique. Ali está outro simplório. Nota isto; dizem: "Não há pior tolo que um tolo francês", mas uma fisionomia russa trai-se da mesma maneira. Não está escrito na testa dele que é um imbecil, aquele mujique?

— Deixa-o tranquilo, Kólia, sigamos nosso caminho.

— Nunca, já comecei, agora. Hei! Bom-dia, mujique!

Um robusto mujique, que caminhava devagar, sem dúvida, meio tocado, de rosto redondo e ingênuo, a barba grisalhante, ergueu a cabeça e olhou o rapazola.

— Ora bem! Bom-dia, se não estás brincando — respondeu ele, sem se apressar.

— E se eu estiver brincando? — disse Kólia, rindo.

— Então brinca, se quiseres, Deus te perdoe. Pode-se sempre brincar, não tem importância,

— Perdão, amigo, estava brincando.

— Pois bem, que Deus te perdoe!

— E tu, me perdoas?

— De todo o coração. Segue teu caminho.

— Tens ar de um mujique inteligente.

— Mais inteligente do que tu — respondeu ele com a mesma seriedade.

— Duvido — disse Kólia, um tanto desconcertado.

— Digo a verdade.

— Afinal, pode ser que seja assim.

— Sei o que digo.

— Adeus, mujique.

— Adeus.

— Há mujiques de diferentes espécies — observou Kólia, depois de uma pausa. — Como eu ia saber que iria dar com um sujeito inteligente?

Soou meio-dia no relógio da igreja. Os rapazes apressaram o passo e não falaram quase mais durante o trajeto, ainda bastante longo, até a casa do Capitão Snieguiriov. A vinte passos da casa, Kólia parou, disse a Smúrov que fosse na frente e chamasse Karamázov.

— É preciso tomar informações previamente — disse-lhe.

— De que serve fazê-lo vir? — objetou Smúrov. — Vai duma vez, ficarão encantados ao ver-te. Por que fazer conhecimento na rua, com um frio desses?

— Sei porque o faço vir aqui no frio — replicou despoticamente Kólia (o que ele gostava muito de fazer com aqueles "pequenos"), e Smúrov correu a executar suas ordens.

IV / Besouro

Kólia, com ar importante, encostou-se à barreira, aguardando a chegada de Aliócha. Desde muito tempo queria vê-lo. Tinha ouvido falar muito a seu respeito de parte de seus camaradas, mas, até o presente, testemunhava uma indiferença desdenhosa e criticava mesmo Aliócha, de acordo com o que lhe relatavam a seu respeito. No seu foro íntimo desejava muito conhecê-lo; havia, em tudo quanto se contava de Aliócha, algo de simpático que atraía. De modo que o momento era grave; tratava-se de manter sua dignidade, de mostrar sua independência: "Senão ele me tomará por um garoto como esses outros. Que são para ele? Vou lhe perguntar, quando nos tivermos conhecido. É pena que seja eu de baixa estatura. Tuzinkov é mais moço do que eu e é uma meia cabeça mais alto. Não sou bonito, sei que meu rosto é feio, mas inteligente. Não é preciso tampouco que me expanda muito, lançando-me imediatamente nos seus braços, Acreditaria ele... Ufa! que vergonha, se acreditasse...".

Assim se agitava Kólia, que se esforçava por assumir um ar de desprendimento. Sobretudo sua baixa estatura o atormentava mais ainda que sua feiúra. Em casa, desde o ano passado, notara seu tamanho a lápis na parede, e de dois em dois meses, de coração a bater, media-se para ver se crescera. Ai! crescia muito lentamente, o que lhe provocava por vezes desespero. Quanto a seu rosto, não era absolutamente feio, mas, pelo contrário, bastante gentil, pálido, com sardas. Os olhos cinzentos e vivos olhavam ousadamente e brilhavam muitas vezes de emoção. Tinha as maçãs do rosto um pouco largas, lábios pequenos e mais para delgados, porém muito vermelhos; o nariz nitidamente arrebitado: "Completamente chato, completamente chato!", murmurava, olhando-se no espelho Kólia, que se retirava sempre com indignação. "E o rosto não deve ser inteligente", imaginava por vezes, duvidando mesmo disso. Aliás, não é preciso crer que a preocupação com seu rosto e sua estatura o absorvesse por completo. Pelo contrário, por mais vexatórias que fossem as estadas diante do espelho, esquecia-as em breve e por muito tempo, "consagrando-se todo inteiro às ideias e à vida real", como ele próprio definia sua atividade.

Aliócha apareceu dentro em pouco e avançou rapidamente ao encontro de Kólia; ainda à distância este notou que ele mostrava um ar radioso. "Estará realmente tão contente assim por ver-me?", pensava Kólia com satisfação. Notemos, de passagem, que Aliócha mudara muito, desde que o deixamos; abandonara a batina e trazia agora uma sobrecasaca de bom corte, um chapéu de feltro cinzento, os cabelos curtos. Ganhara com a mudança. Parecia um belo rapaz. Seu rosto gentil irradiava sempre a alegria, mas uma alegria doce e tranquila. Kólia ficou surpreso por vê-lo sem sobretudo; saíra decerto à pressa. Estendeu a mão a Kólia.

— Ei-lo afinal, nós o esperávamos com impaciência.

— Minha demora tinha causas que o senhor saberá. Em todo o caso, tenho prazer em conhecê-lo. Esperava essa ocasião pois me falaram muito do senhor — murmurou Kólia, constrangido.

— De qualquer maneira teríamos nos conhecido. Também eu ouvi falar muito a seu respeito, mas chega aqui demasiado tarde.

— Diga-me, como vão as coisas aqui?

— Iliúcha vai muito mal, morrerá certamente.

— Será possível? Convenha que a medicina é uma coisa infame, Karamázov — disse Kólia com ardor.

— Iliúcha lembrou-se de você muitas vezes, no delírio. Vê-se que ele gostava muito de você antes... até aquele incidente... com o canivete. Há outra causa... Esse cachorro lhe pertence?

— Sim, é Carrilhão.

— Não é Besouro? — Aliócha fitou tristemente os olhos de Kólia. — O outro desapareceu de verdade?

— Sei que todos estão querendo ver Besouro, contaram-me tudo — replicou Kólia, com um sorriso enigmático. — Escute, Karamázov, vou dizer-lhe tudo, foi aliás para explicar-lhe a situação que mandei chamá-lo antes de entrar — começou ele com animação. — Na primavera, Iliúcha entrou para a classe preparatória. Sabe-se o que são os alunos dessa classe: uns fedelhos, uma criançada. Puseram-se logo a implicar com ele. Estou duas classes adiante e, bem entendido, observo de longe. Vejo um rapazinho raquítico, que não se submete, bate-se mesmo contra eles; é orgulhoso, seus olhos brilham. Gosto de tais caracteres. Os outros redobram. O pior é que tinha ele então uma roupa ordinária, umas calças que subiam nas pernas, sapatos furados. Razão demais para humilhá-lo. Isso me desagradou, tomei logo a defesa dele e dei-lhes uma lição, porque bato neles e eles me adoram, sabe disso, Karamázov? — disse Kólia, com um orgulho expansivo. — Em geral, gosto dos meninos. Tenho agora, em casa, dois garotinhos a meu cargo, foram eles que me retiveram hoje. De modo que cessaram de bater em Iliúcha e tomei-o sob minha proteção. É um menino altivo, asseguro-lhe, mas acabou por me ser servilmente devotado, executou minhas menores ordens, obedeceu-me como a Deus, esforçando-se por imitar-me. Nos recreios, vinha procurar-me e íamos juntos, nos domingos também. No ginásio, zombam ao ver um grande ligar-se assim com um pequeno, mas é um preconceito. Tal é minha fantasia, e basta, não é? Instruo-o, desenvolvo-o, por que não posso desenvolvê-lo, diga, se gosto disso? Porque o senhor Karamázov, se se ligou a todos esses meninos é sem dúvida porque quer influir sobre a jovem geração, desenvolvê-la, tornar-se útil, não é assim? E, confesso, essa feição de seu caráter, que conhecia por ouvir dizer, interessou-me ainda mais. Aliás, de fato, noto que se desenvolve naquele menino não sei que sensibilidade, sentimentalidade; ora, saiba que desde minha infância sou inimigo decidido dos exageros sentimentais. Além do mais, ele se contradiz; altivo e servilmente devotado — servilmente devotado e, de repente, seus olhos cintilam, não quer ficar de acordo comigo, discute, zanga-se. Eu expunha por vezes certas ideias; não que ele se opusesse a essas ideias; mas via que ele se revoltava contra mim pessoalmente, porque eu respondia a suas ternuras com frieza. A fim de educá-lo, mostrara-me tanto mais frio quanto se tornava ele mais terno; fazia-o de propósito, tal era a minha convicção. Propunha-me formar seu caráter, nivelá-lo, fazer dele um homem... afinal, o senhor me entende decerto. De repente, vejo-o vários dias seguidos perturbado, aflito, não por causa de ternuras, mas por alguma outra coisa, mais forte, superior. "Que tragédia será essa?", pensava eu. Apertando-o com perguntas, soube da coisa: ele estabelecera conhecimento com o lacaio do falecido pai do senhor (quando ainda vivo), Smierdiákov; este ensinou-lhe uma brincadeira estúpida, isto é, cruel e covarde, pegar miolo de pão, nele enfiar um alfinete e atirá-lo a um mastim, um desses cães esfomeados que engolem dum trago, depois ficar vendo o que resultaria disso. Prepararam, pois, uma bolinha e atiraram-na a esse Besouro de pêlos compridos de que se trata agora, um cão que ninguém alimentava e que ladrava ao vento o dia inteiro. (Gosta desse estúpido ladrido, Karamázov? Eu não o posso suportar.) O animal atirou-se à bolinha, engoliu-a, gemeu, depois pôs-se a girar e a correr, uivando, e desapareceu, como me contou Iliúcha. Confessava-o, chorando, agarrando-me, sacudido pelos soluços: "O cão corria e gemia", era só o que repetia. Aquela cena havia-o abalado. Tinha remorsos. Levei a coisa a sério. Queria sobretudo ensiná-lo a viver, de acordo com sua conduta anterior, de modo que me utilizei de astúcia, confesso, e fingi uma indignação que não sentia talvez absolutamente. "Cometeste uma ação vil — disse-lhe —, és um miserável, não divulgarei a coisa, está entendido, mas no momento rompo minhas relações contigo. Vou refletir e te avisarei por Smúrov (acompanhou-me hoje e é-me devotado) minha decisão definitiva." Ele ficou consternado. Senti que havia ido um pouco longe, mas que fazer? Era minha ideia então. No dia seguinte, mandei dizer-lhe por Smúrov que não lhe falaria mais, é a expressão em uso, quando dois camaradas rompem as relações. Minha intenção secreta era tratá-lo com rigor alguns dias, depois, à vista de seu arrependimento, estender-lhe a mão. Estava firmemente decidido a isso. Mas, acredita? depois de ter ouvido Smúrov, eis que seus olhos faíscam e ele exclama: "Dize a Krasótkin de minha parte que agora vou atirar a todos os cachorros bolinhas com alfinetes, a todos, a todos!" "Ah! — pensei —, ele está ficando voluntarioso, é preciso corrigi-lo", e me pus a testemunhar por ele perfeito desprezo, a desviar-me ou a sorrir ironicamente a cada encontro. E eis que sobreveio aquele incidente com o pai dele, o senhor se lembra? o "esfregão de tília". O senhor compreende que ele estava assim pronto a exasperar-se. Vendo que eu o abandonava, os meninos puseram-se a mexer com ele cada vez mais: "Esfregão de tília, esfregão de tília!". Foi então que começaram entre eles batalhas que eu lamento enormemente, porque creio que uma vez foi ele brutalmente surrado. Aconteceu-lhe atirar-se contra os outros ao sair da aula, eu me mantinha a dez passos e observava-o. Não me lembro de ter rido então; pelo contrário, ele me causava grande compaixão e eu estava a ponto de lançar-me em seu socorro. Ele percebeu meu olhar, ignoro o que imaginou, mas agarrou um canivete, atirou-se sobre mim e espetou-me na coxa direita. Não fiz um movimento, sou corajoso quando preciso, Karamázov, limitei-me a olhar para ele com desprezo, como para dizer-lhe: "Não queres recomeçar, como lembrança de nossa amizade? Estou à tua disposição". Mas não me golpeou de novo, não pôde fazê-lo, ficou com medo, atirou fora o canivete, fugiu chorando. Bem entendido, não o denunciei, ordenei a todos que se calassem, a fim de que a coisa não chegasse aos ouvidos dos professores, só falei com minha mãe depois que a ferida cicatrizou, um simples arranhão. Soube depois que no mesmo dia batera-se ele a pedradas e mordera o dedo do senhor. Compreende em que estado se encontrava ele? Quando caiu doente, cometi a falta de não ir perdoá-lo, isto é, de me reconciliar com ele. Lamento-o agora. Mas foi então que me veio uma ideia. Aí está toda a história... somente, creio que errei...

— Ah! que pena — disse Alióscha, comovido — que eu não tenha conhecido as relações anteriores de você com Iliúcha; há muito tempo que teria ido rogar-lhe que me acompanhasse à casa dele. Sabe que no seu delírio febril fala de você? Ignorava quanto você lhe era querido! Será possível que você não tenha tentado reencontrar esse Besouro? Seu pai e seus camaradas procuraram-no por toda a cidade. Saiba que, doente e a chorar, repetiu três vezes diante de mim: "Foi porque matei Besouro que estou doente, papai. Foi Deus quem me puniu!". Não se pode tirar-lhe essa ideia da cabeça. E se você tivesse trazido agora Besouro e provasse que ele está vivo, creio que a alegria o haveria de ressuscitar. Contamos todos com você.

— Diga-me, por que esperavam que fosse eu que deveria procurar Besouro? — perguntou Kólia com viva curiosidade. — Por que contavam comigo e não com outrem?

— Correu o boato de que você o procurava e o levaria. Smúrov falou a respeito. Esforçamo-nos todos em fazer crer a Iliúcha que Besouro está vivo, que o viram. Os meninos levaram-lhe um lebracho. Olhou-o com um fraco sorriso e pediu que lhe restituíssem a liberdade. Foi o que fizemos. Seu pai acaba de voltar com um molosso bem novinho. Pensava consolá-lo assim, mas creio que é pior...

— Diga-me ainda, Karamázov, que espécie de homem é o pai dele? Conheço-o, mas que pensa dele o senhor: é um palhaço, um farsante?

— Oh! não. Há pessoas de alma sensível, mas que vivem como que esmagadas. Sua palhaçada é uma espécie de ironia malévola para com aqueles a quem não ousam a dizer a verdade na cara, em consequência da humilhação e da timidez que sentem desde muito tempo. Creia, Krasótkin, que semelhante palhaçada é por vezes das mais trágicas. Agora, Iliúcha é tudo para ele e, se morrer, seu pai perderá a razão ou se matará. Estou quase certo disso, quando o olho!

— Compreendo, Karamázov, vejo que o senhor conhece o homem.

— Vendo-o com um cão, pensei que era Besouro.

— Espere, Karamázov, talvez tornemos a encontrar Besouro, mas este aqui é Carrilhão. Vou deixá-lo entrar e talvez cause mais prazer a Iliúcha que o molosso novinho. Espere, Karamázov, o senhor vai saber duma coisa. Ah! meu Deus, em que pensava eu? — exclamou de repente Kólia. — O senhor está sem sobretudo num frio desses e eu a retê-lo! Veja como sou egoísta! Somos todos egoístas, Karamázov!

— Não se inquiete, faz frio, mas não sou friorento. Vamos, pois. A propósito, qual seu nome? Sei apenas que se chama Kólia.

— Nikolai, Nikolai Ivânovitch Krasótkin, ou, como se diz administrativamente, Krasótkin filho. — Kólia sorriu, mas acrescentou:

— Naturalmente, detesto meu nome de Nikolai.

— Por quê?

— É tão vulgar.

— Tem treze anos? — perguntou Aliócha.

— Catorze dentro de quinze dias. Devo confessar-lhe uma fraqueza, Karamázov, como entrada em matéria, para que o senhor veja de relance toda a minha natureza. Detesto que me perguntem minha idade... enfim... caluniam-me dizendo que estive brincando de bandidos com os alunos da preparatória, na semana passada. É verdade que brinquei, mas pretender que brinquei para me divertir eu mesmo, para meu próprio prazer, é uma verdadeira calúnia. Tenho razões de crer que o senhor está informado disso; ora, não brinquei por mim, mas por causa dos garotos. Porque nada sabiam imaginar sem mim. E, entre nós, contam-se sempre bobagens. É a cidade dos mexericos, posso afirmar-lhe.

— E se você tivesse brincado por prazer próprio, que teria isso demais?

— Ah! para me divertir... Mas o senhor brincaria de cavalinhos?

— Você deve dizer a si mesmo isto — disse, sorrindo, Aliócha: — os adultos, por exemplo, vão ao teatro, onde representam também as aventuras de diversos heróis, por vezes também cenas de banditismo e de guerra; ora, isso não é a mesma coisa, no seu gênero, bem entendido? E quando os jovens brincam de guerra, durante o recreio, ou de bandidos, é também a arte nascente, uma necessidade artística que se desenvolve nas almas jovens e por vezes esses brinquedos são mais perfeitos que as representações teatrais; a única diferença é que se vai ao teatro ver os atores, ao passo que a mocidade desempenha ela própria o papel de atores. Mas é tudo natural.

— Acredita mesmo? Está certo disto? — perguntou Kólia, olhando para ele.

— O senhor exprimiu uma ideia bastante curiosa; vou meditá-la, uma vez de volta para casa. Sabia bem que se pode aprender alguma coisa com o senhor. Vim instruir-me em sua companhia, Karamázov — disse Kólia, expansivamente.

— E eu na sua.

Aliócha sorriu, apertou-lhe a mão. Kólia estava encantado com Aliócha. O que o impressionava era encontrar-se num pé de igualdade perfeita com ele, que lhe falava como a um adulto.

— Vim mostrar-lhe um número, Karamázov, uma representação teatral também — disse ele com um riso nervoso, — Foi por isso que vim.

— Então, primeiro à esquerda, à casa do proprietário. Seus camaradas deixaram lá seus sobretudos, porque no quarto está-se muito apertado e faz calor.

— Oh! não ficarei muito tempo, conservarei meu sobretudo. Carrilhão me esperará no vestíbulo. "Aqui, Carrilhão, deita-te e morre!" Está vendo! Ele está morto. Entrarei primeiro para ver o que se está passando, depois, quando chegar o momento, assobiarei para ele: "Aqui, Carrilhão!". O senhor vai ser como ele correrá. Somente, é preciso que Smúrov não se esqueça de abrir a porta nesse momento. Darei minhas instruções e o senhor verá um número...

V / À cabeceira de Iliúcha

No quarto ocupado pela família do capitão reformado Snieguiriov, que já conhecemos, estava-se apertado e abafava-se, em vista do número de visitantes. Se bem que os meninos que ali se encontravam estivessem prontos, como Smúrov, a negar que Aliócha os tivesse reconciliado com Iliúcha e levado à casa deste, era mesmo assim. Toda a sua habilidade consistira em levá-los um após outro, sem pieguices e como que por acaso. Isto levara grande alívio aos sofrimentos de Iliúcha. A amizade quase terna e o interesse que lhe testemunhavam seus antigos inimigos muito o comoveram. Só faltava Krasótkin e sua ausência era a mais penosa de todas. Nas tristes recordações de Iliúcha, o episódio mais amargo era o incidente com Krasótkin, seu único amigo e seu defensor, contra o qual se lançara naquela ocasião com um canivete. Era o que pensava o jovem Smúrov, rapaz inteligente (que fora o primeiro a reconciliar-se com Iliúcha). Mas Krasótkin, sondado vagamente por Smúrov a respeito da visita de Aliócha para um negócio, cortara logo, mandando responder a Karamázov que sabia o que tinha de fazer, que não pedia conselho a ninguém e, que, se fosse visitar o doente, seria ideia sua, tendo já um plano. Isto se passara duas semanas antes daquele domingo. Eis por que Aliócha não fora ele próprio ao seu encontro, como era intenção sua. Aliás, enquanto esperava, mandara Smúrov por duas vezes à casa de Krasótkin. Mas de cada vez este recusara secamente, mandando dizer a Aliócha que se ele fosse procurá-lo, ele próprio não iria jamais à casa de Iliúcha, e rogava que o deixasse tranquilo. Até o derradeiro dia, o próprio Smúrov ignorava que Kólia tivesse decidido ir à casa de Iliúcha, e, na véspera à noite, somente, ao despedir-se dele, Kólia lhe dissera bruscamente que o esperasse em casa no dia seguinte de manhã, porque o acompanharia à casa dos Snieguiriovi, mas que evitasse de falar a quem quer que fosse dessa visita, porque queria chegar de improviso. Smúrov obedeceu. Gabava-se de que Krasótkin levaria Besouro desaparecido, de acordo com certas expressões feitas por ele incidentemente de que "eram todos uns asnos pelo fato de não poderem encontrar aquele cachorro, se ainda estivesse vivo". Quando Smúrov lhe dera parte timidamente de suas conjeturas a respeito do cachorro, Krasótkin ficara rubro de raiva: "Serei bastante estúpido para procurar cachorros forasteiros pela cidade, quando tenho Carrilhão? Pode-se esperar que tal animal tenha ficado vivo depois de ter engolido um alfinete? São pieguices, eis tudo!".

Entretanto, Iliúcha, desde duas semanas, quase não deixara seu pequeno leito, a um canto, perto das santas imagens. Não ia mais à escola desde o dia em que mordera o dedo de Alióucha. Sua doença datava de então, portanto, durante ainda um mês, ele pôde levantar algumas vezes, para andar pelo quarto e pelo vestíbulo. Por fim, suas forças abandonaram-no completamente e não podia mover-se sem a ajuda de seu pai. Este tremia por Iliúcha, deixou mesmo de beber; o temor de perder seu filho tornava-o quase louco e muitas vezes, sobretudo depois de tê-lo sustentado através do quarto e tornado a deitar, fugia para o vestíbulo. Ali, num canto escuro, com a testa contra a parede, abafava convulsivamente seus soluços, para que o doentinho não os ouvisse. De volta ao quarto, punha-se comumente a divertir e consolar seu querido filho, contava-lhe histórias, anedotas cômicas, ou imitava pessoas engraçadas que tinha encontrado, imitava mesmo os gritos dos animais. Mas as caretas e as palhaçadas de seu pai desagradavam bastante a Iliúcha. Muito embora se esforçasse por dissimular seu mal-estar, sentia, de coração cerrado, que seu pai era humilhado em público e a lembrança do "esfregão de tília" e daquele horrível dia perseguia-o sem cessar. A irmã doente de Iliúcha, a doce Ninotchka, não gostava tampouco das caretas de seu pai (Varvara Nikolaievna partira desde muito tempo para fazer cursos em Petersburgo); em compensação, a mamãe, fraca de espírito, divertia-se bastante, ria de todo o coração, quando seu esposo representava alguma coisa ou fazia gestos cômicos. Era sua única consolação, pois no resto do tempo queixava-se, chorando, de que todos a esqueciam, de que não a tratavam com atenção etc. Mas, nos derradeiros dias, também ela pareceu mudar. Olhava muitas vezes Iliúcha no seu canto e punha-se a pensar. Tornou-se mais silenciosa, acalmou-se, chorava por vezes, mas mansamente, para que não a ouvissem. O capitão notava aquela mudança com dolorosa perplexidade. As visitas dos meninos desagradavam-lhe a princípio, só faziam irritá-la, mas pouco a pouco os gritos alegres dos garotos e as histórias que contavam divertiram-na também e acabaram por agradar-lhe a ponto de ficar terrivelmente aborrecida quando eles não estavam presentes. Batia palmas, ria, vendo-os brincar, chamava alguns dentre eles para beijá-los. Gostava particularmente do jovem Smúrov. Quanto ao capitão, as visitas dos meninos que vinham distrair Iliúcha enchiam-no de alegria e mesmo de esperança de que o pequeno cessaria agora de atormentar-se, talvez se restabelecesse mais depressa. Apesar de sua inquietude, ficou persuadido até os derradeiros dias de que seu filho ia recuperar a saúde. Acolhia os jovens visitantes com respeito, pondo-se a serviço deles, pronto a carregá-los às costas, e começou mesmo a fazê-lo, mas essas brincadeiras desagradaram a Iliúcha e foram abandonadas. Comprava para eles gulodices, bolinhos, nozes, oferecia-lhes chá com torradas. É preciso notar que não lhe faltava dinheiro. Aceitara os duzentos rublos de Katierina Ivânovna, exatamente como Alioácha o previa. Em seguida, a moça, informada mais exatamente da situação deles e da doença de Iliúcha, fora visitá-los, travara conhecimento com toda a família e encontrara mesmo a pobre demente. Desde então sua generosidade não se retardara e o capitão, tremendo à ideia de perder seu filho, esquecera sua antiga altivez e recebia humildemente a caridade. Durante todo esse tempo, o Doutor Herzenstube, mandado por Katierina Ivânovna, visitara regularmente o doente de dois em dois dias, mas isto não servia de grande coisa, muito embora o enchesse de remédios. Naquele mesmo domingo, esperava o capitão novo médico chegado de Moscou, onde passava por ser uma celebridade. Katierina lvânovna mandara chamá-lo, com grandes despesas, com um fim do qual se tratará mais tarde, e na mesma ocasião pediu-lhe para visitar Iliúcha, do que fora prevenido o capitão. Nem lhe passava pela cabeça que Kólia Krasótkin iria chegar, se bem que desejasse desde muito tempo a visita desse rapaz, a respeito do qual Iliúcha tanto se atormentava. Quando ele entrou, todos se aglomeravam em tôrno do leito do doente e examinavam um molosso pequenino, nascido na véspera, que o capitão encomendara havia uma semana para distrair e consolar Iliúcha, sempre pesaroso com a desaparição de Besouro, que devia ter morrido. Iliúcha sabia, havia três dias, que lhe fariam presente dum cãozinho, um verdadeiro molosso (o que era bastante importante) e, embora por delicadeza se mostrasse encantado, seu pai e seus camaradas viam bem, aquele novo cão só fazia despertar no seu coração as lembranças do desgraçado Besouro, que ele fizera sofrer. O animalzinho mexia-se ao lado dele; com um fraco sorriso, acariciava-o com sua mão diáfana; via-se que o cão lhe agradava, mas... não era Besouro! Se tivesse os dois juntos, nada teria faltado à sua felicidade!

— Krasótkin! — gritou um dos meninos, que fora o primeiro a ver Kólia entrar. Houve certa emoção, os meninos se afastaram dos dois lados do leito, descobrindo assim Iliúcha. O capitão precipitou-se ao encontro de Kólia.

— Seja bem-vindo, caro visitante! Iliúcha, o Senhor Krasótkin veio ver-te...

Tendo-lhe estendido a mão, Krasótkin mostrou logo sua boa educação. Voltou-se, primeiro, para a esposa do capitão, sentada na sua poltrona (ela estava no momento bastante descontente e resmungava porque os meninos lhe ocultavam o leito de Iliúcha e impediam-na de olhar o cão) e fez-lhe uma referência cortês, depois, dirigindo-se a Nínotchka, cumprimentou-a da mesma maneira. Essa conduta impressionou favoravelmente a doente.

— Reconhece-se logo um jovem bem educado — disse ela, abrindo os braços, — Não é como aqueles ali; entram um por cima do outro.

— Como assim, mamãe, um por cima do outro? Que quer a senhora dizer? — balbuciou o capitão um tanto inquieto.

— Entram assim mesmo. No vestíbulo um monta a cavalo nos ombros do outro e assim se apresentam em casa de uma família decente. Com que é que isso se parece?

— Mas quem então, mamãe, quem entrou assim?

— Ali está um que carregava o outro e ainda aqueles dois ali...

Mas Kólia já estava à cabeceira de Iliúcha. O doente empalidecera. Ergueu-se, encarando fixamente Kólia. Este, que havia dois meses não via seu amiguinho, parou consternado; não esperava encontrar um rosto tão amarelo e emagrecido, olhos ardentes de febre e como que desmesuradamente aumentados, mãos tão descarnadas. Com dolorosa surpresa via que Iliúcha respirava penosa e precipitadamente, os lábios ressequidos. Aproximou-se, estendeu-lhe a mão e disse, embaraçado:

— Como é, meu velho... como vai isso?

Mas sua voz estrangulou-se, seu rosto contraiu-se, teve um ligeiro tremor perto dos lábios. Iliúcha sorria-lhe tristemente, ainda incapaz de pronunciar uma palavra. Kólia passou-lhe de repente a mão pelos cabelos.

— Não vai mal! — respondeu ele, maquinalmente. Calaram-se um instante.

— Então, tens um novo cão? — perguntou Kólia, num tom indiferente.

— Si...im — disse Iliúcha, que ofegava.

— Ele tem o focinho preto, vai ser mau — disse Kólia, num tom grave, como se não houvesse nada de mais importante. Sobretudo esforçava-se por dominar sua emoção, para não chorar como um garoto, mas não conseguia. — Quando ele crescer, será preciso pô-lo na corrente, tenho certeza.

— Ficará enorme! — exclamou um dos meninos.

— É coisa sabida, um molosso é enorme, do tamanho dum bezerro.

— Do tamanho dum bezerro, dum verdadeiro bezerro — interveio o capitão. — Procurei de propósito um assim, o mais feroz, seus pais também são enormes e ferozes... Sente-se, no leito de Iliúcha, ou então em cima do banco. Seja bem-vindo, caro visitante, esperado desde tanto tempo. Veio com Alieksiéi Fiódorovitch?

Krasótkin sentou-se no leito, aos pés de Iliúcha. Tinha talvez preparado em caminho uma entrada em assunto, mas agora perdia o fio do mesmo.

— Não... Estou com Carrilhão... Tenho um cão assim, agora, Carrilhão. Está esperando lá embaixo... eu assobio e ele vem correndo. Tenho também um cão. — Voltou-se para Iliúcha. — Lembras-te, meu velho, de Besouro? — perguntou à queima-roupa.

O rostinho de Iliúcha contraiu-se. Olhou Kólia cheio de dor. Aliócha, que se conservava perto da porta, franziu o cenho, fez sinal às ocultas a Kólia para não falar de Besouro, mas Kólia não o notou ou não quis notá-lo.

— Onde está então... Besouro? — perguntou Iliúcha com uma voz partida.

— Ah! irmão, teu Besouro desapareceu!

Iliúcha calou-se, mas olhou de novo Kólia fixamente. Aliócha, que havia encontrado o olhar de Kólia, fez-lhe novo sinal, mas de novo desviou ele a vista, fingindo não ter compreendido.

— Fugiu sem deixar rasto. Podia-se esperar isso mesmo, depois daquela bolinha — disse o impiedoso Kólia, que, entretanto, parecia ele próprio ofegante. — Em troca, tenho Carrilhão... Trouxe-o para ti...

— É inútil! — exclamou Iliúcha.

— Não, não, pelo contrário, é preciso que o vejas... Isto te distrairá. Trouxe-o de propósito... um animal de pelos compridos, como o outro ... A senhora permite que chame meu cachorro? — perguntou ele à Senhora Snieguiriova, com uma agitação incompreensível.

— Não é preciso, não é preciso! — gritou Iliúcha, com uma voz dilacerante. A censura brilhava em seus olhos.

— O senhor deveria ter... — o capitão levantou-se precipitadamente de cima da arca onde estava sentado, perto da parede. — O senhor deveria ter... esperado... — Mas Kólia, inflexível, gritou para Smúrov: "Smúrov, abre a porta!". Assim que ela foi aberta, ele soltou um assobio. Carrilhão precipitou-se para dentro do quarto.

— Salta, Carrilhão, banca o elegante, banca o elegante! — vociferou Kólia. — O cão, erguendo-se nas patas traseiras, manteve-se diante do leito de Iliúcha. Algo de inesperada se passou. Iliúcha estremeceu, inclinou-se com esforço para Carrilhão e examinou-o, desfalecente.

— É... Besouro! — exclamou ele, com uma voz partida pelo sofrimento e pela felicidade.

— Quem pensavas que era? — gritou com todas as suas forças Krasótkin, radiante. Passou os braços em redor do cão e levantou-o.

— Olha, meu velho, vê, um olho cego, a orelha esquerda cortada, os próprios sinais que me tinhas indicado. Procurei-o de acordo com eles. Não demorou muito. Não pertencia, com efeito, a ninguém! a ninguém! Refugiara-se em casa dos Fiedótovi, no quintal, mas não lhe davam comida, é um cão vadio, que fugiu duma aldeia... Vês, meu velho, não deve ter engolido a tua bolinha! Senão, estaria morto, decerto! Portanto, pôde cuspi-la de novo, uma vez que está vivo. Tu não o havias notado. No entanto, picou a língua, por isso gemia. Corria gemendo, acreditaste que ele havia engolido a bolinha. Deve ter-lhe doído muito, porque os cães têm a pele bastante sensível na boca... bem mais sensível que o homem!

Kólia falava muito alto, com ar acalorado e radiante. Iliúcha nada podia dizer. Olhava para Kólia com seus grandes olhos escancarados e tornara-se branco como linho. Se Kólia, que de nada desconfiava, tivesse sabido o mal que podia causar ao doentinho uma tal surpresa, jamais se teria decidido a preparar tal golpe teatral, Mas no quarto, era talvez Alíócha o único a compreender. Quanto ao capitão, parecia um menino.

— Besouro! Então é Besouro? — gritava ele cheio de felicidade. Iliúcha, é Besouro, o teu Besouro! Mamãe, é Besouro! — Chorava quase.

— E eu que não adivinhei! — disse tristemente Smúrov. — Bem dizia que Krasótkin encontraria Besouro. Manteve sua palavra.

— Manteve a palavra! — disse uma voz alegre.

— Bravo, Krasótkin! — disse um terceiro.

— Bravo, Krasótkin! — exclamaram todos os meninos que se puseram a aplaudir.

— Esperem, esperem! — Krasótkin esforçava-se por dominar o tumulto. — Vou contar-lhes como foi. Procurei-o e levei-o para casa e mantive-o oculto a todos os olhares até o derradeiro dia. Somente Smúrov o soube, há duas semanas, mas assegurei-lhe que era Carrilhão e ele não desconfiou de nada. No intervalo, treinei Besouro. Vocês vão ver as habilidades que ele sabe! Treinei-o, meu velho, para trazer-te já treinado. Não têm aí um pedaço de cozido? Ele fará um número de matar de rir. Têm mesmo?

O capitão correu à casa dos proprietários, onde se preparava a refeição da família. Kólia, para não perder um tempo precioso, gritou logo a Carrilhão: "Finge de morto!" Carrilhão pôs-se a girar, deitou-se de costas, imobilizou-se, com as quatro patas no ar. Os rapazes riam, Iliúcha olhava com o mesmo sorriso doloroso, mas a mais contente era a "mamãe". Desatou a rir à vista do cão e se pôs a estalar os dedos, chamando:

— Carrilhão! Carrilhão!

— Por coisa alguma do mundo ele se levantará — disse Kólia, com ar triunfante e com justo orgulho —, ainda mesmo que todos o chamassem, mas à minha voz ficará de pé. Aqui, Carrilhão!

O cão se levantou, pôs-se a saltitar com gritos de alegria. O capitão chegou com um pedaço de cozido.

— Não está quente? — informou-se logo Kólia, com ar entendido. — Não, está bem, porque os cães não gostam das coisas quentes. Olhem todos, Iliúcha, olha então, meu velho, em que pensas? Trouxe-o para ele e ele não olha!

A nova habilidade consistia em pôr um belo pedaço de carne sobre o focinho estendido do cão imóvel. O infeliz animal devia mantê-lo tanto tempo quanto aprouvesse a seu dono, fosse mesmo uma meia hora. A prova de Carrilhão só durou um curto minuto.

— Engole! — gritou Kólia. E num piscar de olhos o pedaço passou do focinho de Carrilhão para sua goela. O público, é claro, exprimiu viva admiração.

— Será possível que você tenha demorado tanto apenas para amestrar o cachorro? — exclamou Aliócha, num tom involuntário de censura.

— Isto mesmo — exclamou Kólia, com ingenuidade. — Queria mostrá-lo em todo o seu brilho.

— Carrilhão! Carrilhão! — E Iliúcha estalou os dedos magros, para atrair o cão.

— Para que isso? Manda-o logo subir à tua cama. Aqui, Carrilhão!

Kólia bateu sobre a cama e Carrilhão atirou-se como uma flecha para Iliúcha, que lhe pegou a cabeça com as duas mãos, em troca do que Carrilhão lambeu-lhe logo a face. Iliúcha estreitou-o contra si, estendeu-se sobre o leito e ocultou o rosto no pêlo espesso do animal.

— Meu Deus, meu Deus! — exclamou o capitão. Kólia sentou-se de novo no leito de Iliúcha.

— Iliúcha, posso mostrar-te ainda alguma coisa. Trouxe-te um canhãozinho. Lembras-te? Falei-te então e tu disseste: "Ah! como gostaria de vê-lo!". Pois bem, trouxe-o.

E Kólia tirou à pressa de sua sacola o canhãozinho de bronze. Apressava-se porque se sentia ele próprio muito feliz. Em outra ocasião, teria esperado que o efeito produzido por Carrilhão tivesse passado, mas agora apressava-se, desprezando qualquer comedimento: "Você já está feliz, pois bem, tome mais felicidade!". Ele próprio estava encantado.

— Há muito tempo que eu namorava isto em casa do funcionário Morózov, para ti, meu velho, para ti. Ele não se servia disso, vinha-lhe de seu irmão. Troquei-o por um livro da biblioteca de papai: *O parente de Maomé ou a tolice salutar*. É uma obra libertina de há cem anos, quando não existia ainda censura em Moscou. Morózov é amador dessas coisas. Chegou mesmo a agradecer-me...

Kólia segurava o canhão, de modo que todos pudessem vê-lo e admirá-lo. Iliúcha soergueu-se e, continuando a apertar Carrilhão com a mão direita, contemplava deliciado o brinquedo. O efeito atingiu o cúmulo, quando Kólia declarou que tinha também pólvora e que se podia atirar, "se isto todavia não incomodar as senhoras!". Mamãe pediu para ver o brinquedo de mais perto, o que foi logo feito. O canhãozinho de bronze, munido de rodas, agradou-lhe de tal modo que ela se pôs a fazê-lo rodar sobre seus joelhos. Ao lhe pedirem permissão para atirar, consentiu imediatamente, sem compreender, aliás, do que se tratava. Kólia mostrou a pólvora e o chumbo. O capitão, na qualidade de antigo militar, preparou a carga, derramou um pouco de pólvora, rogando que se reservasse o chumbo para outra vez. Puseram o canhão no soalho, com a boca voltada para um espaço livre, introduziram-se no ouvido alguns grãos de pólvora e acenderam-na com um fósforo. O tiro partiu muito bem. A mamãe estremeceu, mas se pôs logo a rir. Os meninos olhavam, num silêncio solene, o capitão sobretudo exultava, contemplando Iliúcha. Kólia pegou o canhão e fez dele presente imediatamente a Iliúcha, com a pólvora e o chumbo.

— É para ti, para ti! Preparei-o desde muito tempo — repetiu ele, no cúmulo da felicidade.

— Ah! dê-me, dê o canhãozinho antes a mim — pediu de repente a mamãe, como uma criança. Estava com ar inquieto, receando uma recusa. Kólia ficou perturbado. O capitão agitou-se.

— *Mátuchka, mátuchka!*... o canhão é teu, mas Iliúcha vai guardá-lo porque foi dado a ele; é a mesma coisa. Iliúcha deixará sempre que brinques com ele, será dos dois...

— Não, não quero que ele seja de nós dois, mas só meu e não de Iliúcha — continuou a mamãe, prestes a chorar.

— Mamãe, tome, ei-lo aqui, tome! — gritou Iliúcha. — Krasótkin, posso dá-lo a mamãe? — Voltou-se com ar suplicante para Krasótkin, como se temesse ofendê--lo, dando seu presente a outrem.

— Mas decerto! — consentiu logo Krasótkin, que tomou o canhão das mãos de Iliúcha e entregou-o ele próprio à mamãe, inclinando-se com uma reverência cortês. Ela chorou de enternecimento.

— Esse querido Iliúcha! Gosta bem de sua mamãe! — exclamou ela, comovida e se pôs de novo a fazer o canhão rodar sobre seus joelhos.

— *Mámienhka,* vou beijar-te a mão — disse seu marido, passando logo das palavras aos atos.

— O jovem mais gentil é esse bom rapaz — disse a dama, reconhecida, designando Krasótkin.

— Quanto à pólvora, Iliúcha, vou te trazer tanta quanta queiras. Nós mesmos a fabricamos agora. Boróvikov aprendeu a composição: vinte e quatro partes de salitre, dez de enxofre, seis de carvão de bétula; pila-se tudo junto, junta-se água para fazer uma pasta, coa-se através duma pele de asno e obtém-se pólvora.

— Smúrov já me falou da pólvora de vocês, mas papai diz que não é a verdadeira pólvora — observou Iliúcha.

— Como não a verdadeira? — Kólia corou. — Ela incendeia. Aliás, não sei...

— Não é nada — disse o capitão contrafeito. — Disse mesmo que a pólvora verdadeira tem outra composição, mas pode-se também fabricá-la dessa forma.

— O senhor sabe melhor do que eu. Pusemos fogo à nossa pólvora num pote de pomada, de pedra. Queimou bem, só ficou um pouco de fuligem. E era apenas a pasta, ao passo que se é coada através de uma pele... Aliás, o senhor conhece isso melhor do que eu... O pai de Búlkin deu-lhe uma surra por causa de nossa pólvora, sabes disso? — perguntou Kólia a Iliúcha.

— Ouvi dizer — respondeu Iliúcha. Não se cansava de escutar Kólia.

— Tínhamos preparado uma garrafa de pólvora. Ele a guardava debaixo da cama. Seu pai viu-a. Ela pode explodir, disse ele, e deu-lhe ali mesmo uma surra. Queria queixar-se de mim no ginásio. Agora, proibição de andarem comigo foi feita a ele, a Smúrov, a todos. Minha reputação está feita: dizem que sou um maluco. — Kólia mostrou um sorriso de desprezo. — Isso começou desde o caso da estrada de ferro.

— Sua proeza chegou ao nosso conhecimento — exclamou o capitão. — Será verdade que o senhor não sentiu medo nenhum, quando o trem lhe passava por cima? Era aterrorizador?

O capitão esforçava-se por lisonjear Kólia.

— Não, particularmente! — disse este, num tom displicente. — Foi sobretudo aquele pato que forjou minha reputação — e voltou-se de novo para Iliúcha. Mas se bem que afetasse, ao falar, um jeito desprendido, não estava senhor de si e não acertava o tom.

— Ah! também ouvi falar do pato! — disse Iliúcha, rindo. — Contaram-me, mas não compreendi. É mesmo verdade que compareceste ao tribunal?

— Uma travessura, uma bagatela, da qual fizeram uma montanha, como é de costume entre nós — começou Kólia, com desenvoltura. — Caminhava eu pela praça, quando trouxeram patos para ali. Parei para olhá-los. Um tal Vichniakov, que é agora moço de recados na casa dos Plótnikovi, olha para mim e diz: "Por que olhas tanto para os patos?". Examino-o: o rosto redondo e estúpido, uns vinte anos; eu, fiquem sabendo, nunca desdenho o povo. Gosto de frequentá-lo. Ficamos para trás em relação ao povo — é um axioma. O senhor ri, creio, Karamázov?

— Não, Deus me livre, sou todo ouvidos — respondeu Aliócha, com ar mais ingênuo.

O desconfiado Kólia retomou logo coragem.

— Minha teoria, Karamázov, é clara e simples: creio no povo e sinto-me sempre feliz em fazer-lhe justiça, mas sem mimá-lo, é o *sine qua*... Mas falava de um pato... Respondo àquele bobo: — "É que estava perguntando a mim mesmo em que pensa o pato." Ele olha para mim, com um ar totalmente estúpido: — "Em que ele pensa?". — "Estás vendo aquela *tieliega* carregada de aveia? A aveia escapa-se do saco e o pato estende o pescoço até debaixo da roda para bicá-la, estás vendo?" — "Estou vendo, sim." — "Pois bem, digo eu, se aquela *tieliega* avançar um pouquinho, a roda cortará o pescoço do pato, sim ou não?" — "Decerto que cortará", e ele abre-se num largo sorriso. — "Pois bem, meu rapaz, digo eu, vamos a isso." — "Vamos a isso", repete ele. Logo foi feito; colocou-se junto da brida disfarçadamente e eu ao lado para dirigir o pato. O mujique naquele momento olhava para outra parte, conversando com alguém e não tive de intervir; o próprio pato estendeu o pescoço para bicar, por baixo da *tieliega*, no caminho da roda. Fiz sinal ao rapaz, ele puxou a brida e, zás!, lá se foi o pescoço do pato! Por desgraça, os mujiques nos viram naquele momento e berraram: — "Tu fizeste de propósito!" — "Não foi, não!" — "Foi, sim!" — e gritaram: — "Ao juiz de paz!" e levaram-me também: — "Tu também estavas lá. Estavas combinado com ele, todo o mercado te conhece!". Com efeito, sou conhecido de todo o mercado, acrescentou Kólia com orgulho. — Fomos todos à casa do juiz de paz, não tendo sido esquecido o pato. E eis o meu rapaz, apavorado, que se põe a chorar, chorava como uma mulher. O condutor gritava: — "Dessa maneira, pode-se matar quantos patos se quiser!". As testemunhas seguiam, naturalmente. O juiz de paz logo sentenciou: um rublo de indenização ao cocheiro, mas podia ficar com o pato. Não deveria permitir-se fazer semelhantes brincadeiras no futuro. O rapaz não cessava de gemer: — "Não fui eu, foi ele que me ensinou!". Respondi com grande sangue-frio que não lhe ensinara, mas somente exprimira a ideia principal, não se tratava senão de um projeto. O juiz Niefiedov sorriu, mas arrependeu-se logo de haver sorrido: — "Vou enviar uma comunicação a seu diretor — disse-me ele — para que doravante você não amadureça mais tais projetos, em lugar de estudar e de aprender suas lições". Não fez nada disso, mas o caso espalhou-se e chegou, com efeito, às orelhas da diretoria; sabe-se como elas são compridas! O Professor Kolbásnikov ficou mais que qualquer outro exaltado, mas Dardaniélov tomou de novo minha defesa. E Kolbásnikov está agora zangado com nós todos, como um burro vermelho. Ouviste dizer, Iliúcha, que ele se casou, recebendo mil rublos de dote dos Mikháilovi? A noiva é um verdadeiro espantalho. Os alunos da terceira classe logo compuseram um epigrama. É engraçado, vou trazê-lo para ti depois. Nada tenho a dizer de Dardaniélov: é um homem de sólidos conhecimentos. Respeito as pessoas como ele e não é porque ele me defendeu...

— No entanto, tu lhe passaste a perna a respeito da fundação de Troia! — observou Smúrov, todo orgulhoso de Krasótkin. A história do pato agradara-lhe bastante.

— Mas deu-se mesmo isso? — interveio servilmente o capitão. —Trata-se da fundação de Troia? — Ouvimos falar disso. Iliúcha tinha-me contado...

— Ele sabe tudo, papai, é o mais instruído de nós todos! — disse Iliúcha. — Finge que não, mas é o primeiro em todas as matérias...

Iliúcha contemplava Kólia com uma felicidade infinita.

— É uma bagatela, eu mesmo considero essa questão como fútil — replicou Kólia com um orgulho modesto. Conseguira desinibir-se, se bem que estivesse um tanto perturbado; sentia que havia contado a história do pato com demasiado ardor, ao passo que Aliócha calara-se durante todo o relato e ficara sério; seu amor-próprio inquieto perguntava a si mesmo, pouco a pouco: — "Será que se cala porque me despreza, crendo que procuro seus elogios? Se ele se permite acreditar isto, eu..." — Esta questão é para mim das mais fúteis — cortou ele, orgulhosamente.

— Eu sei quem fundou Troia — disse de repente um menino que não havia dito grande coisa até então, de ar tímido e silencioso, rosto delicado, de onze anos, chamado Kartachov. Mantinha-se perto da porta. Kólia olhou-o com surpresa. Com efeito, a fundação de Troia tornara-se em todas as classes um segredo que só se podia desvendar lendo Smarágdov e somente Kólia o possuía. Um dia, o jovem Kartachov aproveitou dum momento de distração de Kólia e abriu furtivamente um volume de Smarágdov, que se encontrava entre os livros dele e deu diretamente na passagem em que se tratava dos fundadores de Troia. Havia já muito tempo que isso se dera, mas ele se acanhava de revelar publicamente que também conhecia o segredo, temendo ser perturbado por outra pergunta de Kólia. Agora, não pudera impedir-se de falar, como o desejava desde muito tempo.

— Pois bem, quem foi? — E Kólia voltou-se arrogantemente para o lado dele, vendo pelo seu ar que Kartachov sabia mesmo e estava pronto para todas as consequências. Sentiu um frio.

— Troia foi fundada por Teucro, Dárdano, Ilo e Trós — recitou o menino, corando como uma peônia, a ponto de causar dó ver. Seus colegas fixaram-no por um minuto, depois seus olhares voltaram-se para Kólia. Este continuava a mirar de alto a baixo o audacioso, com um sangue-frio desdenhoso.

— Pois bem! Como se arranjaram eles? — dignou-se por fim proferir. — E que significa em geral fundar uma cidade ou um Estado? Será que eles foram colocar os tijolos, hem?

Riram. O temerário, de rosado tornou-se purpúreo. Calou-se, prestes a chorar. Kólia manteve-o assim um minuto.

— Para interpretar acontecimentos históricos, tais como a fundação duma nacionalidade, é preciso em primeiro lugar compreender o que isso significa — disse num tom doutoral, — Aliás, não atribuo importância a todos esses contos de comadres; em geral, não tenho grande apreço pela história universal — acrescentou, displicentemente.

— Pela história universal? — perguntou o capitão, assustado.

— Sim. É o estudo das tolices da humanidade e nada mais. Só gosto das matemáticas e das ciências naturais — disse Kólia, num tom pretensioso, olhando a furto para Alióscha; só receava a opinião dele. Mas Alióscha permanecia grave e silencioso. Se tivesse falado então, as coisas ficariam como estavam; mas calava-se e seu silêncio podia ser desdenhoso, o que irritou completamente Kólia.

— Outra vez, vêm-nos com as línguas clássicas. Loucura e nada mais... O senhor parece não concordar comigo, Karamázov?

— Não — disse Alióscha, retendo um sorriso.

— As línguas clássicas, se quer minha opinião, são uma medida policial, eis sua única razão de ser — e pouco a pouco Kólia recomeçou a ofegar. — Instituíram-nas porque são enfadonhas, embrutecem. Como fazer para agravar o aborrecimento e a tolice que reinavam? Imaginou-se o estudo das línguas clássicas. Eis minha opinião e espero jamais mudá-la. — Corou, ligeiramente.

— É verdade — aprovou em tom convencido Smúrov, que escutara com atenção.

— Ele é o primeiro em latim — notou um dos meninos.

— Sim, papai, ele fala assim, mas é o primeiro da classe em latim — confirmou Iliúcha.

— Pois bem! E daí? — Kólia achou necessário defender-se, se bem que o elogio lhe fosse bastante agradável. — Cavaco o latim porque é preciso, porque prometi à mamãe acabar meus estudos e, na minha opinião, quando se empreende uma coisa, deve-se fazê-la como é preciso, mas no meu foro íntimo desprezo profundamente o classicismo e toda essa baixeza... Não está de acordo, Karamázov?

— Por que uma baixeza? — sorriu de novo Alióscha.

— Com licença, todos os clássicos foram traduzidos, portanto não é para estudá-los que se tem necessidade do latim, mas unicamente por medidas policiais e a fim de embotar as faculdades. Não será isso uma baixeza?

— Mas quem lhe ensinou tudo isso? — exclamou Alióscha, afinal surpreso.

OS IRMÃOS KARAMÁZOVI

809

— Em primeiro lugar, eu mesmo posso compreender, sem que me ensinem, em seguida, saiba que o que acabo de explicar-lhe, a respeito das traduções clássicas, o próprio Professor Kolbásnikov disse em presença de toda a terceira classe...

— Eis o doutor! — disse Nínotchka, que se havia mantido calada todo o tempo.

Com efeito, diante do portão parara um carro, pertencente à Senhora Khokhlakova. O capitão, que esperara o médico a manhã inteira, precipitou-se a seu encontro. A mamãe preparou-se, tomando um ar digno. Aliócha aproximou-se do leito, arranjou o travesseiro do doentinho. De sua cadeira Nínotchka o observava com inquietação. Os meninos despediram-se rapidamente, alguns prometendo voltar à tardinha. Kólia chamou Carrilhão, que saltou para baixo do leito.

— Eu fico, eu fico! — disse ele precipitadamente a Aliócha. — Esperarei no vestíbulo e voltarei com Carrilhão, assim que o doutor se retirar.

Mas o médico já vinha entrando, um personagem importante, de peliça, com grandes suíças e queixo rapado. Transposta a soleira, parou de repente, como que desconcertado. Acreditava ter-se enganado: — "Onde estou?", murmurou, sem tirar a peliça e conservando seu boné de pele. Toda aquela gente, a pobreza do quarto, a roupa branca pendurada numa corda perturbavam-no. O capitão inclinou-se profundamente.

— É mesmo aqui — murmurou, obsequioso —, é a mim que o senhor procura...

— Snie-gui-riov? — pronunciou gravemente o doutor. — O Senhor Snieguiriov é o senhor?

— Sou eu!

— Ah!

O doutor lançou novo olhar de asco pelo quarto e tirou sua peliça. Uma condecoração importante brilhava no seu peito. O capitão tomou conta da peliça, o doutor retirou seu gorro.

— Onde está o paciente? — perguntou ele num tom imperioso.

VI / Desenvolvimento precoce

— Que pensa que dirá o doutor? — disse rapidamente Kólia. — Que fisionomia repelente, não é? Não posso tolerar a medicina!

— Iliúcha morrerá. Creio que é infalível — respondeu Aliócha, muito triste.

— Os médicos são charlatães! Sinto-me contente por tê-lo conhecido, Karamázov. Há muito tempo que tinha vontade de conhecê-lo. Apenas lamento que nos encontremos em tão tristes circunstâncias...

Kólia teria bem querido dizer algo de mais caloroso, de mais expansivo, mas sentia-se constrangido. Aliócha notou isso, sorriu, estendeu-lhe a mão.

— Aprendi, desde muito tempo, a respeitar no senhor uma criatura rara — murmurou de novo Kólia, atrapalhando-se. — Disseram-me que o senhor era místico, que viveu num mosteiro... Mas isto não me deteve. O contato da realidade há de curá-lo... É o que acontece às naturezas como a sua.

— Quem chama você místico? De que me curarei? — perguntou Aliócha, um tanto surpreso.

— Ora essa! Deus e o resto.

— Como, será que você não acredita em Deus?

— Pelo contrário, nada tenho contra Deus. Decerto, Deus não é senão uma hipótese... mas... reconheço que Ele é necessário à ordem... à ordem do mundo e assim por diante... e se Ele não existisse, seria preciso inventá-Lo — acrescentou Kólia, ficando corado. Imaginou de súbito que Aliócha pensasse que ele queria exibir seu saber e portar-se como adulto. "Ora, não quero absolutamente exibir meu saber diante dele", pensou Kólia com indignação. E ficou de repente muito contrariado.

— Confesso que todas essas discussões me repugnam — interrompeu-se. — Pode-se amar a humanidade sem crer em Deus, que pensa o senhor? Voltaire não acreditava em Deus, mas amava a humanidade. ("Ainda, ainda!" — pensou ele consigo.)

— Voltaire acreditava em Deus, mas fracamente, parece, e amava a humanidade da mesma maneira — respondeu Aliócha, num tom bem natural, como se conversasse com alguém da mesma idade ou mais velho do que ele. Kólia ficou impressionado com essa falta de segurança de Aliócha na sua opinião sobre Voltaire e com o fato de parecer deixar que ele, um rapazinho, resolvesse a questão.

— Será que você leu Voltaire? — concluiu Aliócha.

— Não, precisamente... Aliás, li *Candide* numa tradução russa... uma velha tradução, malfeita, ridícula... ("Ainda, ainda!")

— E compreendeu?

— Oh! sim, tudo... isto é... por que pensa o senhor que não compreendi? É certo que tem umas passagens salgadas... Sou capaz, certamente, de compreender que é um romance filosófico e escrito para demonstrar uma ideia... — Kólia, decididamente, se atrapalhava. — Sou socialista, Karamázov, socialista incorrigível — declarou ele, de súbito, inconsideradamente.

— Socialista? — Aliócha pôs-se a rir. — Mas quando teve tempo? Não tem senão treze anos, creio?

Kólia sentiu vexame.

— Em primeiro lugar, não tenho treze anos, mas quatorze dentro de quinze dias — disse ele, impetuosamente. — Em seguida, não compreendo absolutamente o que tem que ver aqui a minha idade. Trata-se de minhas convicções e não de minha idade, não é verdade?

— Quando for mais idoso, verá que influência tem a idade sobre as ideias. Pareceu-me também que isso não partia de você — respondeu Aliócha, sem se comover; mas Kólia, nervoso, interrompeu.

— Com licença, o senhor quer a obediência e o misticismo. Convenha que o Cristianismo, por exemplo, só serviu aos ricos e aos grandes para manter a classe inferior na escravidão, não é verdade?

— Ah! sei onde você leu isso. Trataram de doutriná-lo! — exclamou Aliócha.

— Permita, por que teria eu lido necessariamente isso? E ninguém me doutrinou. Posso eu mesmo... E se o senhor quer, não sou contra Cristo. Era uma personalidade completamente humana, e se tivesse vivido na nossa época teria se juntado aos revolucionários, talvez tivesse desempenhado um papel de destaque... É mesmo fora de dúvida.

— Mas onde você pescou tudo isso? Com que imbecil andou às voltas? — exclamou Aliócha.

— Não se pode dissimular a verdade. Tenho muitas vezes ocasião de conversar com o Senhor Rakítin, mas... pretende-se que o velho Bielínski[83] também disse isso.

— Bielínski? Não me lembro. Não o escreveu em parte alguma.

— Se não escreveu, disse, assegura-se. Ouvi alguém dizer... aliás, diabos...

— Você leu Bielínski?

— Veja o senhor... não, não o li, na verdade, mas... li o trecho a respeito de Tatiana, porque ela não vai embora com Oniéguin.[84]

— Por que ela não vai embora com Oniéguin? Será que você... compreende já isso?

— Com licença, creio que o senhor me toma pelo jovem Smúrov! — Kólia sorriu, irritado. — Aliás, não vá crer que sou um grande revolucionário. Estou muitas vezes em desacordo com o Senhor Rakítin. Não sou partidário da emancipação das mulheres. Reconheço que a mulher é uma criatura inferior e deve obedecer. *Les femmes tricotent,* disse Napoleão — Kólia sorriu —, e, pelo menos nisto, estou de pleno acordo com a opinião desse pseudogrande homem. Acho igualmente que é uma covardia expatriar-se para a América, pior que isso, uma tolice. Por que ir para a América, quando se pode trabalhar entre nós para bem da humanidade? Sobretudo agora, há todo um campo de atividade fecunda. Foi o que respondi.

— Como, respondeu? A quem? Será que já lhe propuseram ir para a América?

— Impeliram-me a isso, confesso, mas recusei. Isto, bem entendido, aqui entre nós, Karamázov, nem uma palavra a ninguém, entendeu? Só ao senhor é que conto. Não tenho vontade nenhuma de cair entre as patas da Terceira Seção e aprender lições na Ponte das Correntes.[85]

> Perto da Ponte das Correntes.
> Do edifício te recordarás

Lembra-se? É magnífico! Por que ri? Acha que lhe contei pilhérias? ("E se ele souber que só possuo aquele único número de *O Sino*[86] e que nada li além disso?" — pensou Kólia, estremecendo.)

— Oh! não, não estou rindo e não penso absolutamente que você me mentiu. Eis por que não penso: porque é, ai! a pura verdade! Diga-me, leu o *Oniéguin,* de Puchkin? Você falava de Tatiana...

— Não, ainda não, mas quero lê-lo. Não tenho preconceitos, Karamázov. Quero ouvir ambas as partes. Por que essa pergunta?

— Por coisa nenhuma.

— Diga, Karamázov, o senhor me despreza? — cortou Kólia, que se ergueu diante de Alióchia, como para se pôr em posição. — Por favor, fale francamente.

— Eu o desprezo? — Alióchia olhou-o com espanto. — Por que, afinal? Deploro somente que uma natureza encantadora como a sua, na aurora da vida, já esteja pervertida por tais absurdos.

---

83 Vissarion Grigórievitch Bielínski (1812-1848), escritor, crítico e polemista russo de fama mundial.

84 Tatiana Narina é a heroína do poema *Ievguéni Oniéguin,* de Púchkin, sobre o qual escreveu Bielínski sérios estudos críticos.

85 A Terceira Seção era a polícia secreta, cuja sede ficava perto da Ponte das Correntes.

86 *Kolokol,* em russo. Famosa revista fundada por Herzen, literato russo, contemporâneo de Dostoiévski, e partícipe do movimento revolucionário da época. Era publicada em Londres e introduzida clandestinamente na Rússia.

— Não se inquiete pela minha natureza — interrompeu Kólia, não sem fatuidade —, mas quanto a suspeitoso, eu sou. Tola e grosseiramente suspeitoso. O senhor sorriu ainda há pouco, e pareceu-me...

— Ah! sorri por uma razão bem diversa. Fique sabendo: li recentemente a opinião de um estrangeiro, um alemão que vivia na Rússia, a respeito da juventude estudantil de hoje: "Se mostrardes a um estudante russo — escreveu ele — uma carta do firmamento, a respeito da qual não tinha ele até então nenhuma ideia, ele a devolverá no dia seguinte com correções." Conhecimentos nulos e uma presunção sem limites, eis o que queria dizer o alemão a respeito do estudante russo.

— Ah! é totalmente verdadeiro! — disse Kólia, numa explosão de riso. — É a própria verdade! Bravo, alemão! No entanto, aquele cabeça quadrada não encarou também o lado bom, que pensa o senhor? A presunção, seja, isto vem da juventude, isto se corrige, se verdadeiramente deve ser corrigido; em compensação, há o espírito de independência desde os mais jovens anos, a audácia das ideias e das convicções, em lugar de seu servilismo rastejante diante da autoridade. No entanto, o alemão disse a verdade! Viva o alemão! Entretanto, é preciso sufocar os alemães. Muito embora sejam fortes nas ciências, é preciso sufocá-los...

— Por que isso? — sorriu Aliócha.

— Ora essa! É pilhéria minha, possivelmente, convenho. Sou por vezes um capeta e quando alguma coisa me agrada, não me contenho e sou capaz de proferir absurdos. A propósito, estamos aqui prosando e aquele doutor não acaba. Aliás, pode dar-se que esteja examinando a mamãe e a Nínotchka, a doente. Sabe duma coisa? Essa Nínotchka me agradou. Quando eu ia saindo, ela me sussurrou: "Por que não veio antes?", num tom de censura. Creio que ela é muito boa e digna de lástima.

— Sim, sim, você voltará e verá que criatura é ela. Precisa conhecer tais criaturas para saber apreciar muitas outras coisas que aprenderá precisamente em companhia delas — observou Aliócha com ardor. — É o melhor meio para você se transformar.

— Oh! quanto lamento e me censuro por não ter vindo antes! — disse Kólia com amargura.

— Sim, é muito de lamentar. Viu a alegria do pobrezinho? E como se consumia ele à sua espera!

— Não me fale disso! Aviva meu pesar. Aliás, bem o mereci. Se não vim, foi por amor-próprio egoísta e por vil despotismo, do qual jamais pude desembaraçar-me, malgrado todos os meus esforços. Agora vejo, por muitas coisas sou um miserável, Karamázov!

— Não, você tem uma natureza encantadora, se bem que falsificada, e compreendo por que podia exercer tamanha influência sobre aquele menino nobre duma sensibilidade doentia! — respondeu calorosamente Aliócha.

— E é o senhor quem me diz isso? — exclamou Kólia. — Imagine que pensei várias vezes, estando aqui, que o senhor me desprezava. Se soubesse como faço questão de sua opinião!

— Mas pode ser mesmo verdade que seja você tão desconfiado? Nessa idade! Pois bem, imagine que ainda há pouco, ao olhá-lo, quando você contava, pensava justamente que você deveria ser muito desconfiado.

— Tinha pensado nisso? Que golpe de vista tem o senhor, vejam só! Aposto que foi quando eu falava do pato. Imaginei então que o senhor me desprezava profundamente, porque eu me esforçava por bancar o malicioso. Detestei-o de repente por essa razão e comecei a perorar. Em seguida, pareceu-me (já aqui), quando eu disse: "Se Deus não existisse, era preciso inventá-lo", que me apressara por demais em exibir minha instrução, tanto mais quanto lera essa frase em alguma parte. Mas juro-lhe que não era por vaidade, mas à toa, ignoro por que, na minha alegria, verdadeiramente creio que foi na minha alegria... muito embora seja vergonhoso aborrecer as pessoas pelo fato de se estar alegre. Sei disso. Em compensação, estou persuadido agora de que o senhor não me despreza e que sonhei tudo isso. Oh! Karamázov, sou profundamente infeliz. Imagino por vezes, Deus sabe por quê, que toda gente zomba de mim e estou pronto então a subverter a ordem estabelecida.

— E atormenta o seu meio — sorriu Alióscha.

— É verdade, sobretudo minha mãe. Karamázov, diga, mostro-me agora muito ridículo?

— Não pense nisso, não pense absolutamente! — exclamou Alióscha. — E que é o ridículo? Sabe-se quantas vezes um homem é ou parece ridículo? Além do mais, atualmente, quase todas as pessoas que têm capacidade temem extremamente o ridículo, o que as torna infelizes. Admiro-me somente de que você experimente isso a tal ponto, se bem que o observe desde muito tempo e não unicamente em sua casa. Atualmente, adolescentes estão atingidos por esse mal. É quase uma loucura. O diabo encarnou-se no amor-próprio, para apoderar-se da geração atual, sim, o diabo — insistiu Alióscha sem sorrir, como pensava Kólia, que o fixava. — Você é como todos — concluiu ele —, isto é, como muitos, somente não se deve ser como todos.

— Ainda mesmo que todos sejam assim?

— Sim, ainda mesmo que todos sejam assim. Apenas você não será como eles. Na realidade, você não é como todos; não corou em confessar um defeito e até mesmo um ridículo. Ora, atualmente, quem é capaz disso? Ninguém, não se sente mesmo mais a necessidade de condenar-se a si mesmo. Não seja como todos, ainda que ficasse sozinho.

— Muito bem! Não me enganei a seu respeito. O senhor é capaz de consolar. Oh! quanto me sentia atraído para o senhor, Karamázov! Desde muito tempo aspirava por este encontro. Seria o caso que também pensasse assim a meu respeito? Ainda há pouco o disse.

— Sim, ouvi falar de você e pensava também em você... e se em parte é o amor-próprio que o fez agora perguntar isso, isso nada quer dizer.

— Sabe, Karamázov, que nossa explicação se assemelha a uma declaração de amor? — declarou Kólia com uma voz fraca e como que envergonhada. — Não é ridículo?

— Absolutamente, e mesmo se fosse ridículo não quereria dizer nada, porque está bem — afirmou Alióscha, com um claro sorriso.

— Convenha, Karamázov, que o senhor mesmo, agora, tem um pouco de vergonha também... Vejo-o nos seus olhos — e Kólia sorriu com um ar astuto, mas quase feliz.

— Que há de vergonhoso?

— Por que corou?

— Mas foi você que me fez corar! — disse, rindo, Aliócha, que ficara, com efeito, todo vermelho. — Pois bem, sim, tenho um pouco de vergonha, Deus sabe por quê, eu ignoro... — murmurou ele, quase constrangido.

— Oh! como gosto do senhor e como o aprecio neste momento, justamente, porque o senhor também tem vergonha comigo! Porque é como eu! — exclamou Kólia, entusiasmado. Tinha as faces vermelhas, seus olhos brilhavam.

— Escute, Kólia, você será muito infeliz na vida — disse de repente Aliócha.

— Sei, sei. Como o senhor adivinha tudo! — confirmou logo Kólia.

— Mas, no conjunto, abençoará, no entanto, a vida.

— É isto! Viva! O senhor é um profeta! Nós nos entenderemos, Karamázov. Sabe? O que mais me encanta é que o senhor me tratava completamente como a um igual. Ora, nós não somos iguais, o senhor é superior! Mas nos entenderemos. Dizia a mim mesmo há um mês: "Ou seremos imediatamente amigos para sempre, ou nos separaremos como inimigos até a morte!".

— E ao falar assim, você já gostava de mim, decerto! — E Aliócha soltou uma risada alegre.

— Eu gostava enormemente do senhor, gostava do senhor e pensava no senhor! E como o senhor pode tudo adivinhar? Ora, eis o doutor. Meu Deus, diz alguma coisa, olhe que cara ele tem!

VII / Iliúcha

O doutor saía da isbá metido na sua peliça e com seu gorro na cabeça. Tinha o ar quase irritado e cheio de asco, como se receasse sujar-se. Percorreu com os olhos o vestíbulo, lançando um olhar severo a Aliócha e a Kólia. Aliócha fez sinal ao cocheiro e o carro que havia trazido o doutor avançou para a porta. O capitão saiu precipitadamente atrás dele e, inclinado, desculpando-se quase, deteve-o para uma derradeira palavra. O rosto do pobre homem estava abatido, seu olhar apavorado.

— Excelência, excelência... será possível? — começou ele, sem terminar, limitando-se a juntar as mãos em seu desespero, se bem que seu olhar implorasse ainda o médico, como se verdadeiramente uma palavra deste pudesse mudar a sorte do pobre menino.

— Que fazer? Não sou Deus — respondeu o doutor num tom displicente, se bem que grave por hábito.

— Doutor... Vossa Excelência... e será em breve, em breve?

— Pre-pa-rem-se para tudo — respondeu o doutor, martelando as palavras e, baixando os olhos, dispunha-se a transpor a soleira para subir no carro.

— Excelência, em nome de Cristo! — O capitão apavorado deteve-o uma segunda vez. — Excelência... será que na verdade não há nada, nada que possa salvá-lo, agora?

— Isto não de-pen-de de mim, agora — declarou o médico, impaciente —, e, no entanto, hum! — parou de repente — sim, por exemplo, o senhor poderia... en-viar... seu paciente... imediatamente e sem tardar (o doutor pronunciou estas derradeiras palavras quase com cólera, a ponto de fazer o capitão estremecer) a Si-ra-cu-sa, então... em consequência das novas condições cli-ma-té-ri-cas fa-vo-ráveis... poderia, talvez, pro-duzir-se...

— A Siracusa? — exclamou o capitão, como se não compreendesse ainda.

— Siracusa é na Sicília — explicou Kólia, em voz alta. O doutor olhou para ele.

— Na Sicília?! Excelência — disse o capitão transtornado —, o senhor viu! — Juntou as mãos, mostrando o interior de sua casa.

— E a mamãe, a família?

— N-ão, sua família não iria à Sicília, mas ao Cáucaso, desde a primavera... e depois que sua esposa tivesse tomado as águas no Cáucaso, em vista de seus reumatismos... seria preciso enviá-la imediatamente a Paris, à clínica do a-li-e-nista Le--pel-le-tier. Poderia dar-lhe uma apresentação; e então... poderia talvez produzir-se...

— Doutor, doutor! O senhor está vendo! — E o capitão estendeu de novo os braços, mostrando, no seu desespero, as traves nuas que formavam a parede do vestíbulo.

— Mas isto não é de minha alçada — sorriu o médico. — Disse-lhe simplesmente o que poderia responder a ciência à sua pergunta a respeito dos derradeiros meios, o resto... a meu pesar...

— Não tenha medo, curandeiro, meu cachorro não o morderá — disse bem alto Kólia, notando que o doutor olhava com alguma inquietação para Carrilhão, que se mantinha na soleira. Um tom colérico ressoava em sua voz. Como declarou mais tarde, foi de propósito e para insultar o doutor que o chamara de curandeiro.

— Que é? — disse o doutor, fitando Kólia com surpresa. — Quem é? — e dirigiu-se a Alíócha, como para lhe pedir contas.

— É o dono de Carrilhão, curandeiro, não se inquiete a respeito de minha pessoa.

— Carrilhão? — repetiu o doutor, que não tinha compreendido.

— Adeus, curandeiro, tornaremos a ver-nos em Siracusa.

— Quem é, quem é ele? — perguntou o doutor, exasperado.

— É um colegial, doutor, um brincalhão, não lhe dê atenção — declarou, rapidamente, Alíócha, franzindo o cenho. — Kólia, cale-se! Não dê atenção — repetiu ele, com alguma impaciência.

— É preciso dar-lhe uma surra, dar-lhe uma surra — disse o doutor furioso, batendo com os pés.

— Sabe, curandeiro, que Carrilhão poderia muito bem morder? — proferiu Kólia, com voz trêmula e muito pálido, de olhos chamejantes. — Aqui, Carrilhão!

— Kólia, se você disser ainda uma palavra, romperei com você para sempre! — gritou impetuosamente Alíócha.

— Curandeiro, só há uma criatura no mundo que possa dar ordens a Nikolai Krasótkin, ei-la (designou Alíócha). Submeto-me, adeus.

Abriu a porta e entrou no quarto. Carrilhão lançou-se atrás dele. O doutor ficou cinco segundos como que petrificado, olhou Alíócha e cuspiu, gritando: "É, é, não sei o quê!". O capitão precipitou-se para ajudá-lo. Alíócha entrou por sua vez. Kólia já estava à cabeceira de Iliúcha. O doente segurava-lhe a mão e chamava seu pai. O capitão voltou logo.

— Papai, papai, venha cá... nós... — murmurou Iliúcha superexcitado, mas, não tendo força para continuar, estendeu para a frente seus braços emagrecidos, passou-os em torno de Kólia e de seu pai, que reuniu no mesmo abraço, apertando-se contra eles. O capitão foi sacudido por soluços silenciosos e Kólia estava a ponto de chorar.

— Papai, papai! Quanto dó o senhor me causa, papai! — gemeu Iliúcha.

— Iliúcha meu querido... o doutor disse... que tu ficarás curado... seremos felizes...

— Ah! papai! Sei bem o que o novo doutor lhe disse a meu respeito... Vi! — exclamou Iliúcha.

Apertou-os de novo com todas as suas forças contra si, ocultando seu rosto no ombro de seu pai.

— Papai! não chore... quando eu morrer, tome um bom menino, outro... escolha o melhor dentre eles, chame-o de Iliúcha e ame-o em lugar de mim...

— Cala-te, meu velho, ficarás bom! — gritou Krasótkin, como que zangado.

— Quanto a mim, papai, não se esqueça nunca de mim — continuou Iliúcha. — Venha a meu túmulo... o senhor sabe, papai, enterre-me junto de nossa grande pedra, lá aonde nós íamos passear, e vá lá com Krasótkin, de tardinha. E Carrilhão... E eu os esperarei... Papai, papai!

Sua voz estrangulou-se, os três mantiveram-se enlaçados, sem falar. Ninotchka chorava mansamente em sua cadeira, e de repente, vendo todos a chorar, a mamãe desatou em lágrimas.

— Iliúcha! Iliúcha! — exclamava ela. Krasótkin desvencilhou-se dos braços de Iliúcha.

— Adeus, meu velho, minha mãe me espera para almoçar — disse ele rapidamente. — Que pena eu não a ter prevenido! Ficará muito inquieta. Mas depois do almoço, voltarei para teu lado, até a noite, e terei muita coisa para contar-te. E trarei Carrilhão, agora vou levá-lo, porque ele se poria a uivar na minha ausência e te incomodaria. Até logo!

Correu para o vestíbulo. Não queria chorar, mas não pôde impedir-se disso. Foi nesse estado que o encontrou Aliócha.

— Kólia, deve manter sem falta sua palavra e voltar, senão ele experimentará violento desgosto — disse, com insistência.

— Não se preocupe! Oh! quanto me censuro por não ter vindo mais cedo! — murmurou Kólia, chorando francamente.

Naquele momento o capitão surgiu e tornou a fechar logo a porta atrás de si. Tinha o ar desvairado, seus lábios tremiam. Parou diante dos dois jovens e ergueu os braços para o ar.

— Não quero um bom menino! Não quero outro! — murmurou ele, selvagem, rangindo os dentes, "se me esquecer de ti, Jerusalém, fique pegada minha língua...".

Não terminou, como se lhe faltasse a voz, e deixou-se cair diante de um banco de madeira. Com a cabeça apertada entre os punhos, pôs-se a soluçar, gemendo, mas baixinho, para que seus gemidos não fossem ouvidos na isbá. Kólia precipitou-se para a rua.

— Adeus, Karamázov! Virá também? — perguntou com um ar brusco, zangado, a Aliócha.

— Esta tarde, sem falta.

— Que disse ele a respeito de Jerusalém?... Que era aquilo?

— Tirado da Bíblia: "Se me esquecer de ti, Jerusalém",[87] isto é, se eu esquecer o que tenho de mais precioso, se o trocar por outro amor, então que seja fulminado...

---

87 Salmos, c. CXXXVI, v. 5 e 6.

— Compreendo, basta! Venha também! Aqui, Carrilhão! — gritou ele, com raiva, ao cachorro, e afastou-se a grandes passadas.

Livro XI / Ivan Fiódorovitch

I / Em casa de Grúchenhka

Aliócha dirigia-se à Praça da Igreja, à Casa Morózova, onde residia Grúchenhka. Naquela mesma manhã, ela lhe havia enviado Fiénia, rogando-lhe insistentemente que fosse à sua casa. Indagando dela, soube Aliócha que sua patroa se achava desde a véspera numa grande agitação. Durante os dois meses que se haviam seguido à prisão de seu irmão, ele fora muitas vezes à Casa Morózova, espontaneamente ou da parte de Mítia. Três dias após, caíra Grúchenhka gravemente doente; mantivera-se de cama quase cinco semanas, ficando oito dias sem conhecimento. Mudara muito e emagrecera, com a tez amarelecida, embora pudesse sair havia já umas duas semanas. Mas aos olhos de Aliócha o rosto dela tornara-se mais sedutor e ele gostava, ao se aproximar dela, de encontrar-lhe o olhar. Seus olhos tinham tomado algo de resoluto e de reflexivo; uma decisão calma, mas inflexível, manifestava-se nela. Entre os supercílios cavara-se uma pequena ruga vertical que dava a seu gracioso rosto uma expressão concentrada, quase severa ao primeiro contato. Nenhum traço da frivolidade de outrora. Admirava-se Aliócha de que Grúchenhka tivesse conservado sua alegria de outrora, malgrado a desgraça que a ferira — noiva de um homem detido quase logo depois por um crime horrível — apesar da doença e da ameaça de uma condenação quase certa. Nos seus olhos outrora altivos uma espécie de doçura brilhava agora, mas mostravam por vezes um clarão de maldade, quando a retomava uma antiga inquietação que, longe de se acalmar, aumentava em seu coração. Era a respeito de Katierina Ivânovna, de quem falava mesmo em seu delírio, durante sua doença. Aliócha compreendia que ela estava com ciúme por causa de Mítia, muito embora Katierina não o tivesse visitado uma vez sequer na prisão, como poderia ter feito. Tudo isso embaraçava Aliócha, porque era somente nele que Grúchenhka confiava, pedindo sem cessar seus conselhos; por vezes não sabia o que dizer-lhe.

Chegou à casa dela, preocupado. Ela voltara da prisão havia meia hora e apenas pela vivacidade com que se levantou à entrada dele, concluiu que o esperava com impaciência. Em cima da mesa, havia um baralho, sobre o divã de couro arranjado como cama estava semiestendido Maksímov, doente e enfraquecido, mas sorridente. Aquele velho, sem pouso, que voltara dois meses antes de Mókroie com Grúchenhka, não a deixara mais desde então. Após o trajeto sob a chuva e na lama, todo encharcado e apavorado, sentara-se no divã, olhando-a em silêncio com um sorriso que implorava. Grúchenhka, esmagada de pesar e já prêsa da febre, a princípio quase o esqueceu, absorvida por outros cuidados; de repente, olhou-o fixamente; ele mostrou um sorriso lastimoso, embaraçado. Ela chamou Fiénia e ordenou que lhe desse de comer. Durante o dia inteiro ele ficou quase imóvel no seu lugar. Quando escureceu e fecharam os postigos, Fiénia perguntou à sua patroa:

— Então, senhora, esse senhor vai ficar para dormir?

— Sim, prepara-lhe um leito no divã — respondeu Grúchenhka. Interrogando-o, soube que ele não sabia para onde ir e que "o Senhor Kolgánov, meu benfeitor, declarou-me francamente que não me receberia mais e me deu cinco rublos". — "Pois bem, tanto pior, fica", decidiu Grúchenhka no seu pesar, sorrindo-lhe com compaixão. O velho ficou comovido com aquele sorriso, seus lábios tremeram de emoção. Foi assim que ficou em casa dela na qualidade de parasita errante. Mesmo durante a doença de Grúchenhka, não deixou a casa. Fiénia e a velha cozinheira, sua avó, não o expulsaram, mas continuaram a dar-lhe de comer e a fazer-lhe a cama em cima do divã. Posteriormente, Grúchenhka se habituou mesmo com ele e voltando duma visita a Mítia (a quem visitava ainda convalescente) punha-se a conversar futilidades com Maksímuchka, para esquecer seu pesar. Verificou-se que o velho possuía certo talento de contador, de sorte que acabou por lhe ser útil. Fora Aliócha, que não demorava, aliás, muito tempo, Grúchenhka não recebia quase ninguém. Quanto ao velho comerciante Samsónov, estava então gravemente doente, "ia-se", como diziam na cidade; morreu, com efeito, uma semana depois do julgamento de Mítia. Três semanas antes de sua morte, sentindo chegar o fim, chamou à sua presença seus filhos com suas famílias e ordenou-lhes que não mais o deixassem. A partir daquele momento, deu ordens expressas aos criados para não deixarem entrar Grúchenhka e, se ela se apresentasse, dizer-lhe que "ele lhe desejava que vivesse muito tempo feliz e que o esquecesse completamente". Grúchenhka mandava, no entanto, quase todos os dias saber notícias dele.

— Eis-te afinal! — exclamou ela, largando as cartas e acolhendo alegremente Aliócha. — Maksímuchka me amedrontava dizendo que não virias mais. Ah! quanta necessidade tenho de ti! Senta. Queres café?

— Com prazer — disse Aliócha, sentando. — Estou com muita fome.

— Fiénia, Fiénia, café! Está pronto desde muito tempo... Traze também uns bolinhos quentes! Sabes, Aliócha, tive uma complicação hoje a respeito desses bolinhos. Levei-os à prisão e, acredita, ele os recusou. Chegou mesmo a pisar um. "Vou deixá-los com o guarda — disse-lhe eu. — Se não os queres é que tua maldade te alimenta!" E fui saindo. Brigamos ainda uma vez. É todas as vezes a mesma coisa.

Grúchenhka falava com agitação. Maksímov sorriu timidamente e baixou os olhos.

— A propósito de quê, hoje? — perguntou Aliócha.

— Não esperava isso absolutamente. Imagina que está com ciúme de meu "antigo". — "Por que lhe dás dinheiro? — diz-me ele. — Puseste-te, então, a sustentá-lo?" Está com ciúme, da manhã à noite. Uma vez estava com ciúme até mesmo de Kuzmá, na última semana.

— Mas ele conhecia "o antigo"?

— Como não? Sabia de tudo desde o começo, hoje me injuriou. Tenho vergonha de repetir suas palavras. O imbecil! Rakitka chegou, quando eu saía. Talvez seja ele quem o excita, hem? Que pensas? — acrescentou ela, com ar distraído.

— Ele te ama muito e agora está nervoso.

— Como não estar nervoso? Julgam-no amanhã. Tinha ido justamente para reconfortá-lo, porque tenho medo, Aliócha, de imaginar o que acontecerá amanhã! Tu dizes que ele está nervoso? E eu então? E ele fala do polonês! Que imbecil! Mas creio que ele não está com ciúme de Maksímuchka.

— Minha mulher também era bastante ciumenta — observou Maksímov.

— De ti! — disse Grúchenhka, rindo, contra sua vontade. — Quem poderia mesmo fazê-la ficar ciumenta?

— As criadas de quarto.

— Cala-te, Maksímuchka, não estou de humor para risadas, a cólera mesmo me domina. Não olhes os bolinhos, não terás deles, podem te fazer mal. É preciso cuidar também desse; parece que minha casa é um asilo. — Sorriu.

— Não mereço seus benefícios, sou insignificante — disse Maksímov, num tom queixoso. — Prodigalize antes sua bondade com os que são mais úteis do que eu.

— Ora, Maksímuchka, cada qual é útil, como saber qual o mais, qual o menos? Se somente aquele polonês não existisse! Aliócha, ele também imaginou cair doente, hoje. Fui vê-lo igualmente. Vou enviar-lhe de propósito os bolinhos. Não o fiz, mas já que Mítia me acusa disso, vou mandá-los agora de propósito! Ah! eis Fiénia com uma carta. É isto, são os poloneses pedindo ainda dinheiro!

Pan Mussialóvitch enviava-lhe, com efeito, uma carta bastante longa e empolada, como era seu hábito, em que lhe rogava que lhe emprestasse três rublos. Era acompanhada por um recibo com a promessa de pagar dentro de três meses; a assinatura de *pan* Vrubliévski figurava também. Grúchenhka já havia recebido de seu "antigo" muitas cartas semelhantes com reconhecimentos de dívidas. Isto datava de sua convalescença, duas semanas antes. Sabia que os dois *panówie* tinham, contudo, vindo saber notícias dela durante sua doença. A primeira carta, escrita numa folha de grande formato, lacrada com um sinete de família, era longa, bastante obscura e empolada, de modo que Grúchenhka só leu a metade e a pôs de parte sem ter nada compreendido dela. Zombava bem de cartas naquela ocasião. Essa primeira carta foi seguida, no outro dia, de uma segunda, em que *pan* Mussialóvitch pedia-lhe que lhe emprestasse dois mil rublos a curto prazo. Grúchenhka deixou-a igualmente sem resposta. Veio em seguida uma série de missivas, igualmente pretensiosas, em que a soma pedida diminuía gradualmente, caindo para cem rublos, para vinte e cinco, para dez e por fim Grúchenhka recebeu uma carta em que os *panówie* mendigavam um rublo somente, com um recibo assinado pelos dois. Tomada de súbita piedade, foi ela mesma, ao crepúsculo, à casa do *pan*. Encontrou os dois poloneses numa miséria negra, famintos, sem fumo, sem cigarros, devendo à sua locadora. Os duzentos rublos ganhos de Mítia tinham desaparecido depressa. Grúchenhka ficou surpresa, contudo, por ser acolhida pretensiosamente pelos *panówie*, com uma etiqueta majestosa e falas enfáticas. Só fez rir daquilo, deu dez rublos ao seu "antigo", contou rindo a coisa a Mítia, que não demonstrou nenhum ciúme. Mas depois os *panówie* agarravam-se a Grúchenhka, bombardeavam-na todos os dias com pedidos de dinheiro, e todas as vezes ela enviava alguma coisa. Eis que hoje Mítia se mostrara ferozmente ciumento.

— Como uma tola, passei em casa dele, quando fui ver Mítia, porque ele também estava doente, o meu antigo *pan* — continuou Grúchenhka com volubilidade. — Conto isso a Mítia, rindo: "Imagina — digo-lhe — que meu polonês pôs-se a cantar-me as canções de outrora, acompanhando-se numa guitarra. Pensa enternecer-me"... Então Mítia começou a injuriar-me... De modo que vou enviar bolinhos aos *panówie*. Fiénia, dá três rublos à menina que eles mandaram e uma dúzia de bolinhos enrolados num papel. Tu, Aliócha, contarás isto a Mítia.

— Nunca! — disse Aliócha, sorrindo.

— Ora! Pensas que ele se atormenta? É de propósito que se faz de ciumento. No fundo, isto pouco lhe importa — declarou Grúchenhka, com amargura.

— Como, de propósito?

— Como és ingênuo, Aliócha! Não compreendes nada, apesar de toda a tua inteligência. O que me ofende não é o ciúme dele, o contrário é que me teria ofendido. Sou assim. Admito o ciúme, eu mesma sou ciumenta. Mas o que me ofende é que ele não me ama absolutamente e tem ciúme agora de mim de propósito. Serei uma cega? Põe-se a falar-me de Kátia, de como ela mandou vir de Moscou um médico afamado e o primeiro advogado de Petersburgo para defendê-lo. Ama-a, pois que lhe faz o elogio em minha presença. É culpado para comigo, mas arma brigas contra mim e é o primeiro a acusar-me e a lançar as culpas sobre mim: "Conheceste o polonês antes de mim; portanto posso agora ter relações com Kátia". Eis como estão as coisas. Quer lançar sobre mim toda a culpa. É de propósito que provoca essas brigas comigo, digo-te, somente eu...

Grúchenhka não terminou, cobriu os olhos com seu lenço e desatou em lágrimas.

— Ele não ama Katierina Ivânovna — disse, com firmeza, Aliócha.

— Saberei dentro em pouco se ele a ama ou não — disse ela, com uma voz ameaçadora. Seu rosto alterou-se. Aliócha teve pena ao vê-la tomar de súbito um ar sombrio e irritado.

— Basta de tolices! Não foi para isso que te mandei chamar. Meu caro Aliócha, que se passará amanhã? Eis o que me tortura. Sou a única. Vejo que os outros não pensam nisso, ninguém se interessa. Tu, pelo menos, pensas nisso? É amanhã o julgamento! Dize-me, como vão julgá-lo? Mas foi o lacaio quem matou, o lacaio! Meu Deus! Será possível que o condenem em lugar dele e que ninguém tome sua defesa? Não incomodaram o lacaio, não é mesmo?

— Interrogaram-no rigorosamente e todos concluíram que não foi ele. Agora está gravemente doente, desde aquela crise. É uma doença séria.

— Senhor! Devias ir à casa daquele advogado e contar-lhe o caso em particular. Parece que mandaram buscá-lo em Petersburgo por três mil rublos.

— Sim, fomos nós que fornecemos a quantia, Ivan, Katierina Ivânovna e eu. Ela, sozinha, é que mandou buscar o médico, por dois mil rublos. O advogado Fietiukóvitch teria exigido mais; este caso, porém, teve repercussão na Rússia inteira, todos os jornais falam dele, de modo que Fietiukóvitch quis mesmo encarregar-se dele sobretudo por causa da glória, tendo em vista a celebridade do processo. Estive com ele ontem.

— Então, falaste com ele?

— Escutou sem dizer nada. Sua opinião já está formada, afirmou-me. No entanto, prometeu levar em consideração minhas palavras.

— Como, em consideração? Ah! os velhacos! Eles o perderão, E o doutor, por que o fizeram vir?

— Como perito. Quer-se estabelecer que Mítia é louco e que matou num acesso de demência — Aliócha sorriu mansamente —, mas meu irmão não consentirá nisso.

— Mas seria a verdade, se ele tivesse matado! Estava louco, então, completamente louco, e a culpa foi minha, minha, miserável! Mas não foi ele. E todo mundo pretende que foi ele o assassino. Até mesmo Fiénia depôs de maneira que ele parece culpado. E na venda, e aquele funcionário, e no botequim, onde o tinham ouvido antes, todos o acusam.

— Sim, os depoimentos multiplicaram-se — notou Aliócha, com ar sombrio.

— E Grigóri Vassílievitch persiste em dizer que a porta estava aberta, preten-de tê-la visto, e nada o fará mudar de opinião; fui vê-lo, falei-lhe. Pois ainda por cima injuriou-me.

— Sim, é talvez o depoimento mais grave contra meu irmão — disse Aliócha.

— Quanto à loucura de Mítia, ela existe agora mesmo — começou Grúchenhka, com ar preocupado, misterioso. — Sabes, Aliócha, há muito tempo que queria dizer-te: vou vê-lo todos os dias e encho-me de espanto. Dize-me: que pensas? De que ele sempre fala, atualmente? Não compreendo nada do que ele diz, pensava que era algo de profundo, acima do meu alcance, tola que sou, mas eis que ele me fala dum neném: — "Por que ele é pobre, o neném? Por causa dele é que vou agora para a Sibéria, não matei, mas é preciso que eu vá para a Sibéria!". De que se trata? Quem é esse neném? Não compreendi nada disso. Pus-me simplesmente a chorar. Ele falava tão bem, ambos chorávamos, beijou-me e fez sobre mim o sinal da cruz. Que é que isso significa, Aliócha, quem é esse neném?

— Rakítin tomou o hábito de visitá-lo — sorriu Aliócha. — Aliás... isto não parte de Rakítin. Não o vi ontem, irei vê-lo hoje.

— Não, não é Rakítka, é seu irmão Ivan Fiódorovitch quem o atormenta, quem vai vê-lo... — Grúchenhka interrompeu-se bruscamente. Aliócha olhou-a, es-tupefato.

— Como? Ivan vai vê-lo? Mítia mesmo me disse que ele nunca fora lá.

— Pois bem! Pois bem! Eis como sou! Tagarelei! — exclamou Grúchenhka, rubra de confusão. — Enfim, Aliócha, não fales, já que comecei, direi toda a verdade. Ivan foi lá duas vezes vê-lo: a primeira, logo que chegou de Moscou; a segunda, há uma semana. Proibiu Mítia de falar disso. Visitava-o às ocultas.

Aliócha permanecia mergulhado em suas reflexões. Aquela notícia impressionara-o fortemente.

— Ivan não me falou do caso de Mítia. Em geral, conversou pouco comigo; quando eu ia vê-lo, parecia sempre descontente, de modo que há já três semanas que não vou à casa dele. Hum... Se ele esteve lá há oito dias... produziu-se, com efeito, uma mudança em Mítia há uma semana...

— Sim, uma mudança — disse vivamente Grúchenhka. — Eles têm um segre-do, o próprio Mítia me falou disso, e um segredo que o atormenta. Antes mostrava--se alegre, e agora ainda é assim, apenas vês tu, quando começa a mover a cabeça, a andar de lá para cá, a puxar os cabelos das têmporas, sei que está agitado... tenho certeza!... Aliás, ainda hoje estava alegre.

— Tu disseste: nervoso.

— Uma e outra coisa. Fica nervoso por um momento, depois alegre, depois, de repente, nervoso de novo. Na verdade, Aliócha, ele me surpreende; uma tal sorte em perspectiva e acontece-lhe desatar em gargalhadas por bagatelas; parece uma criança.

— É verdade que ele te proibiu de me falares a respeito de Ivan?

— Sim, és tu sobretudo que Mítia teme. Porque há um segredo, ele mesmo me disse... Aliócha, meu querido, vai pois, trata de saber qual é esse segredo e vem me dizer, que eu, desgraçada, conheça enfim minha sorte maldita! Foi por isso que mandei te chamar hoje.

— Pensas que isso diz respeito a ti? Mas então ele nem teria tocado no assunto!

— Não sei. Talvez não ouse me contar. Está prevenido. O fato é que tem um segredo.

— Mas tu mesma, que pensas disso?

— Penso que tudo está acabado para mim. São três ligados contra mim, Katka faz parte disso. É dela que provém tudo. Mítia previne por alusão. Pensa em abandonar-me, eis todo o segredo. Imaginaram isto todos três, Mítia, Katka e Ivan Fiódorovitch. Ele me disse, há uma semana, que Ivan está apaixonado por Katka, por isso vai tanto à casa dela. Aliócha, queria perguntar-te: é verdade ou não? Fala-me em consciência.

— Não mentirei. Ivan não ama Katierina Ivânovna.

— Pois bem! eu também pensei isso então! Ele mente sem nenhum pudor. E faz-se agora ciumento para poder acusar-me em seguida. Mas é um imbecil, não sabe dissimular, é demasiado franco... Vai me pagar! "Tu acreditas que eu matei!" Eis o que ele ousa censurar-me! Que Deus lhe perdoe! Espera, essa Katka terá o que ver comigo no tribunal! Falarei... Direi tudo!

Pôs-se a chorar.

— Eis o que posso afirmar-te, Grúchenhka — disse Aliócha, levantando: — Em primeiro lugar, é que ele te ama, ama-te mais do que a tudo no mundo, e a ti somente, acredita-me. Tenho certeza disto. Em seguida, confesso-te que não irei arrancar seu segredo, mas se ele me disser, vou avisá-lo que prometi contar-te. Neste caso, voltarei para fazer isso hoje. Somente... parece-me que Katierina Ivânovna nada tem a ver com isso, esse segredo deve referir-se a outra coisa. É com certeza isso. Por agora, adeus!

Aliócha apertou-lhe a mão. Grúchenhka continuava chorando. Ele bem percebia que ela não acreditava em suas consolações, mas aquela efusão havia-a aliviado. Causava-lhe pena deixá-la naquele estado, mas estava com pressa. Tinha ainda muito que fazer.

II / O pé doente

Queria em primeiro lugar ir à casa da Senhora Khokhlakova. Apressava-se para acabar o mais depressa possível, para não chegar demasiado tarde ao encontro com Mítia. Havia três semanas que a Senhora Khokhlakova estava doente; tinha o pé inflamado, e, muito embora não estivesse de cama, passava os dias semiestendida sobre um divã, na sua alcova, em galante traje íntimo, mas decente. Aliócha observara uma vez, sorrindo inocentemente, que a Senhora Khokhlakova tornava-se faceira, malgrado sua doença; enfeitava-se de borlas, fitas, camisetas. Durante os dois últimos meses, o jovem Pierkhótin pusera-se a frequentar-lhe a casa. Havia quatro dias que Aliócha não ia até lá e, assim que entrou, dirigiu-se aos aposentos de Lisa, que lhe mandara dizer na véspera que fosse lá imediatamente vê-la para um

Os Irmãos Karamázovi

negócio muito importante, o que por certas razões o interessava. Mas enquanto a criada de quarto ia anunciá-lo, a Senhora Khokhlakova, informada de sua chegada, chamou-o só por um minuto. Aliócha achou que era melhor satisfazer em primeiro lugar a mamãe, senão ela o mandaria chamar a todo instante. Estava estendida sobre o divã, vestida como para uma festa, e parecia bastante agitada. Acolheu Aliócha com gritos de entusiasmo.

— Há um século que não o vejo! Uma semana inteira, misericórdia! Ah! você esteve aqui há quatro dias, na quarta-feira passada. Ia aos aposentos de Lisa, estou certa de que queria andar na ponta dos pés, para que eu não o ouvisse. Meu caro Alieksiéi Fiódorovitch, se você soubesse quanto ela me inquieta! Isto é o principal, mas falaremos a respeito depois. Caro Alieksiéi Fiódorovitch, confio-lhe inteiramente a minha Lisa. Após a morte do *stáriets* Zósima — paz à sua alma! (ela se benzeu) —, depois dele, considero você um asceta, se bem que lhe assente com muita elegância seu novo traje. Onde você encontrou aqui um tal alfaiate? Mas não, afinal, isto não tem importância. Perdoe-me chamá-lo por vezes Aliócha, sou uma velha, tudo me é permitido — sorriu faceiramente —, mas isto também virá depois. Sobretudo, não devo esquecer o principal. Rogo-lhe, se divagar, chame-me a atenção. Depois que Lisa retirou sua promessa — sua promessa infantil, Alieksiéi Fiódorovitch — de casar com você, deve ter bem compreendido que não era senão o capricho de uma menina doente, que ficou muito tempo na sua poltrona. Deus seja louvado, agora ela já anda. Esse novo médico que Kátia mandou buscar em Moscou para seu infeliz irmão, que amanhã... Que acontecerá amanhã? Morro só de pensar nisso! Sobretudo de curiosidade... Em suma, o tal médico veio ontem e examinou Lisa... Paguei-lhe cinquenta rublos pela visita. Mas não se trata disto. Está vendo, atrapalho-me. Apresso-me sem saber por quê. Não sei mais onde estou, tudo é para mim como um novelo embaraçado. Tenho medo de fazer você fugir, aborrecendo-o. Só tenho visto você. Ah! meu Deus! Nem pensei nisso, em primeiro lugar, café, Iúlia, Glafira, café!

Aliócha apressou-se em agradecer, dizendo que acabara de tomar café.

— Em casa de quem?

— Em casa de Agrafiena Alieksándrovna.

— Em casa daquela mulher?! Ah! é ela a causa de tudo, aliás, não sei, dizem que ela procede agora irreprochavelmente, é um pouco tarde. Teria valido mais antes, quando era preciso, de que serve isso agora? Cale-se, Alieksiéi Fiódorovitch, porque tenho tanto que dizer que não direi nada absolutamente, creio. Esse horrível processo... irei de qualquer forma, preparo-me para isso, vão me levar numa cadeira, posso ficar sentada, e você sabe que figuro no rol das testemunhas. Como haverei de falar, como haverei de falar? Não sei o que direi. É preciso prestar juramento, não é?

— Sim, mas penso que a senhora não poderá comparecer.

— Posso ficar sentada. Ah! você me atrapalha! Esse processo, esse ato selvagem, em seguida todos vão para a Sibéria, outros se casam, e tudo isso depressa, depressa, e tudo muda, enfim todos envelhecem e olham para o túmulo. Pois bem! seja, estou fatigada. Aquela Kátia.... *cette charmante personne,* iludiu minha esperança; agora vai acompanhar um de seus irmãos à Sibéria, o outro a seguirá e vai morar na cidade vizinha e todos farão uns e outros sofrer. Isto me faz perder o juízo, sobretudo essa publicidade; falaram disso milhares de vezes nos jornais de Petersburgo e de Moscou. Ah! sim, imagine **você que escreveram** também a meu respeito, que eu era uma "boa amiga" de seu **irmão. Não posso pronun**ciar a tal palavra vergonhosa, imagine!

— É impossível! Onde escreveram isso, como?

— Vou mostrar-lhe. Recebi o jornal ontem. Aqui está, é no jornal de Petersburgo, *Boatos*. Esse *Boatos* apareceu **este ano. Gosto muito** dos boatos, tomei uma assinatura, e eis-me bem servida em **questão de boatos**. Está aqui, neste lugar, leia.

E estendeu a Aliócha um jornal **que se achava sob o** travesseiro.

Não estava agitada, mas abatida e, **com efeito, tudo se** misturava talvez na sua cabeça. O suelto era característico e **devia certamente impressioná**-la, mas por felicidade ela se achava então incapaz de **concentrar-se em um** ponto e podia num instante esquecer mesmo o jornal e passar **a outra coisa. Quanto** à repercussão daquele triste caso na Rússia inteira, conhecia-**a Aliócha desde** muito tempo, e Deus sabe as notícias estranhas que tivera ocasião **de ler havia dois** meses, entre outras verídicas, a respeito de seu irmão, dos **Karamázovi e dele mesmo**. Dizia-se mesmo num jornal que, apavorado pelo crime de **seu irmão, ele havia se** tornado monge e enclausurara-se; aliás, desmentia-se esse **boato afirmando, pelo** contrário, que em companhia do *stáriets* Zósima ele arromb**ara a caixa do mosteiro e fugira**. A notícia aparecida no jornal *Boatos* intitulava-se: "Escrevem-nos de Skotoprigonievsk[88] — (ai! assim se chama nossa cidadezinha, nome que ocultei por muito tempo) a propósito do processo Karamázov". Era curta **e o nome da Senhora** Khokhlakova nela não figurava. Contava-se somente que o **criminoso que se preparavam** para julgar com tal solenidade, capitão reformado, **de atitudes insolentes**, vadio e partidário da servidão, mantinha intrigas amorosas, **influenciava sobretudo** "algumas damas a quem sua solidão pesava". Uma delas, **"uma viúva que se entediava"**, afetando mocidade, se bem que mãe de uma filha **já grande, enamorara**-se dele a ponto de oferecer-lhe, duas horas antes do crime, **três mil rublos para partir** em sua companhia para as minas de ouro. Mas o celerado **preferira matar seu pai para** roubar-lhes esses três mil rublos, contando com a impunidade, **em vez de passear pela** Sibéria os encantos quadragenários de sua dama. **Essa correspondência** faceta terminava, como convém, por uma nobre indignação **contra a imoralidade** do parricídio e da servidão. Depois de ter lido com curiosidade, **Aliócha dobrou o jo**rnal, que entregou à Senhora Khokhlakova.

— Então? Não sou eu? Fui eu, com **efeito, que, uma hora antes**, lhe propus as minas de ouro, e logo "encantos de **quarenta anos"! Mas era esse** o meu objetivo? O jornalista fez de propósito. Que o Sob**erano Juiz lhe perdoe** essa calúnia como eu mesmo lhe perdoo, mas foi... sabe quem**? Seu amigo Rakítin.**

— Talvez — disse Aliócha, se b**em que nada tenha ouvido** a respeito.

— Foi ele, foi ele, decerto! Porque **o pus para fora! Conhece** então essa história?

— Sei que a senhora lhe pediu que **cessasse suas visitas** no futuro, mas por qual razão, justamente, não o soube... **da parte da senhora pelo** menos.

— Soube-o então por ele? Então, **ele brada contra mim,** com veemência?

---

88 Significa, por extensão: Mercado de Animais.

— Sim, solta brados contra todo mundo, aliás. Mas ele tampouco me disse por qual motivo a senhora o despediu! De resto, encontro-o muito raramente. Não somos amigos.

— Pois bem! Vou contar-lhe tudo e, apesar de tudo, arrependo-me, porque há um ponto a respeito do qual sou eu mesma talvez culpada. Algo de totalmente insignificante, aliás. Veja, meu caro (a Senhora Khokhlakova assumiu um ar jovial, e sorriu enigmaticamente), veja, suspeito... perdoe-me, falo-lhe como uma mãe... Oh! não, não, pelo contrário, dirijo-me a você como a meu pai... porque a mãe nada tem que ver aqui... Enfim, tanto faz, como ao *stáriets* Zósima a confissão, e é tudo perfeitamente justo: chamei-o ainda há pouco de asceta... Pois bem! eis, aquele pobre rapaz, seu amigo Rakítin (meu Deus! não posso zangar-me contra ele), em suma, aquele desmiolado, imagine que lhe deu na cabeça, creio, enamorar-se de mim. Só o percebi depois, mas no começo, isto é, há um mês, veio ver-me frequentemente, quase todos os dias, e contudo já nos conhecíamos antes. Não suspeitava de nada... e de repente, foi como um raio de luz. Você sabe que há dois meses comecei a receber esse gentil e modesto rapaz, Piotr Ilitch Pierkhótin, funcionário aqui? Você o encontrou mais de uma vez. Ele não tem mérito, não é sério? Vem duas vezes por semana, aparece sempre bem vestido, e, em geral, gosto da mocidade, Aliócha, quando ela tem modéstia, talento, como você; é quase um estadista, fala tão bem, haverei de recomendá-lo sem dúvida alguma. É um futuro diplomata. Naquele horrendo dia, quase me salvou da morte vindo procurar-me à noite. Quanto a seu amigo Rakítin, vem sempre com seus sapatos ordinários que arrasta pelo tapete... em suma, põe-se a fazer alusões; uma vez, ao retirar-se, apertou-me a mão com bastante força. Foi a partir daquele momento que fiquei doente do pé. Ele já havia encontrado Piotr Ilitch em minha casa e — você acreditaria? — falava mal dele sem cessar, encarniçava-se contra ele não se sabia por quê. Contentava-me com observar os dois, para ver como se arranjariam, rindo comigo mesma. Um dia em que me encontrava sozinha, sentada, ou antes, já estendida, Mikhail Ivânovitch veio ver-me e, imagine você, trouxe-me versinhos de sua autoria, nos quais descrevia meu pé doente. Espera, como é?

> Esse encantador pezinho,
> Sofre um tanto, coitadinho...

ou algo assim, não consigo lembrar-me desses versos; tenho-os aí, hei de mostrar-lhe depois, são encantadores, e não tratam somente de meu pé, são morais, com uma ideia deliciosa, mas esqueci-a, em suma, dignos de figurar num álbum. Naturalmente, agradeci-lhe, ele pareceu lisonjeado. Mal acabara de fazê-lo e entrou Piotr Ilitch. Mikhail Ivânovitch ficou sombrio como a noite. Via bem que Piotr Ilitch o incomodava, porque ele queria com certeza dizer alguma coisa após os versos, pressentia-o, e o outro entrou naquele momento. Mostrei os versos a Piotr Ilitch, sem dizer o nome do autor. Mas estou persuadida de que ele o adivinhou imediatamente, muito embora o negue até hoje. Piotr Ilitch desatou na gargalhada, pôs-se a criticar: "Maus versos, disse ele, escritos por algum seminarista...". Sim, se o senhor visse com que calor, com que temeridade! Foi então que seu amigo, em lugar de rir, tornou-se furioso... Meu Deus! pensei que eles iam bater-se. "Sou eu — disse ele — o autor. Escrevi-os por brincadeira, porque acho uma baixeza fazer versos... Somente, meus versos são bons. Querem elevar um monumento a Púchkin por ter cantado os pés das mulheres; meus versos têm uma tendência moral, o senhor mesmo não passa de um reacionário refratário à humanidade, ao progresso, estranho ao movimento das ideias, um burocrata, um papa-ordenados!" Pus-me então a gritar, a suplicar-lhes. Ora, Piotr Ilitch, você sabe, não tem medo, assumiu uma atitude muito digna, olhou-o ironicamente e pediu desculpas depois de tê-lo escutado: "Não sabia — disse — se não não me teria exprimido dessa maneira, teria louvado seus versos... Os poetas são uma gente irritável". Em suma, zombarias proferidas no tom mais sério. Ele mesmo me confessou depois que estava zombando, mas eu deixara-me enganar. Pensava então, estendida como agora: ficará bem ou não, se eu expulsar Mikhail Ivânovitch por causa da intemperança de sua linguagem para com meu hóspede? Você acreditaria? Estou estendida, de olhos fechados, sem conseguir decidir-me, atormento-me, meu coração bate; gritarei ou não gritarei? Uma voz me diz: "Grita" e outra "Não, não grites!". Mal ouvi esta outra voz, pus-me a gritar, depois desmaiei. Naturalmente foi uma cena tumultuosa. De repente, levanto-me e digo a Mikhail Ivânovitch: lamento muito, mas não quero mais vê-lo em minha casa. Foi assim que o pus para fora. Ah! Alieksiéi Fiódorovitch! Sei bem que agi mal, mentia, não estava absolutamente zangada com ele, mas de súbito pareceu-me que seria muito bem aquela cena... Somente — você acredita? —, era aquela cena, no entanto, natural, porque eu chorava de verdade e depois ainda alguns dias em seguida, afinal acabei por esquecer tudo, uma vez, depois do almoço. Ele havia interrompido suas visitas desde duas semanas e eu perguntava a mim mesma: será possível que não volte mais? Foi então e eis que à noite trazem-me o jornal *Boatos*. Leio e fico boquiaberta com muita raiva. De quem seria? Dele! Logo que saiu daqui, rabiscara isto para enviá-lo ao jornal que o publicou. Isto aconteceu à duas semanas. Aliócha, tagarelo a torto e a direito, mas é mais forte do que eu!

— É preciso por força que chegue a tempo hoje de estar com meu irmão — balbuciou Aliócha.

— Justamente, justamente! Isto me lembra tudo! Diga-me, que é a obsessão?

— Que obsessão? — perguntou Aliócha, surpreso.

— A obsessão judiciária. Uma obsessão que faz perdoar tudo. Tenha você cometido o que tiver cometido, perdoam-lhe.

— A propósito de que diz isso?

— Eis por quê: essa Kátia... Ah! é uma encantadora criatura, mas ignoro de quem ela está enamorada. Veio aqui outro dia e nada pude saber. Tanto mais quanto ela se limita agora a generalidades, só me fala de minha saúde, afeta mesmo certo tom, e disse a mim mesma: "Pois seja, Deus a guarde!...". Ah! a propósito dessa obsessão, chegou esse tal doutor. Você sabe disso decerto, foi você que o mandou chamar, isto é, você não, mas Kátia. Sempre Kátia! Está bem! Eis aqui: um indivíduo é normal, mas de repente tem uma obsessão. Está lúcido, dá-se conta de seus atos, entretanto, está prêsa duma obsessão. Pois bem! é o que aconteceu certamente a Dimítri Fiódorovitch. É uma descoberta e um benefício da justiça nova. O tal doutor chegou, fez-me perguntas a respeito daquela noite, enfim, a respeito das minas de ouro: como ele estava então, o acusado? Em estado de obsessão, bem decerto; exclama: dinheiro, dinheiro, dê-me três mil rublos, depois foi assassinar. Não quero, dizia ele, não quero matar, no entanto o fez. De modo que vão perdoá-lo por causa dessa resistência, muito embora tenha matado.

— Mas ele não matou — interrompeu um pouco bruscamente Aliócha, cuja agitação e impaciência cresciam.

— Eu sei, foi o velho Grigóri quem matou.

— Como, Grigóri?

— Mas sim, foi Grigóri. Ficou desmaiado depois de ter sido golpeado por Dimítri Fiódorovitch, depois levantou-se e, vendo a porta aberta, foi matar Fiódor Pávlovitch.

— Mas por quê, por quê?

— Sob o império duma obsessão. Voltando a si, depois de ter sido golpeado na cabeça, a obsessão fê-lo cometer aquele crime. Ora, diz ele que não matou, talvez não se lembre. Somente, veja você, será bem melhor que Dimítri Fiódorovitch haja matado. É bem isto, embora fale de Grigóri, foi certamente Dimítri, e isto é melhor, muito melhor. Não que eu aprove o assassínio dum pai por um filho; os filhos, pelo contrário, devem respeitar os pais, no entanto, vale mais que seja ele, porque então não terão vocês de ficar desolados, uma vez que ele matou inconscientemente, ou antes conscientemente, mas sem saber como a coisa ocorreu. Deve-se absolvê-lo; será humano, serão vistos os benefícios da justiça nova, eu não sabia de nada, dizem que isso é já coisa antiga; desde que o soube, ontem, fiquei tão impressionada que queria mandar chamar você; e se o absolverem, vou convidá-lo para jantar imediatamente reunirei conhecidos e beberemos à saúde dos novos juízes. Não acho que seja perigoso, aliás haverá gente, sempre será possível retirá-lo, se ele se mostrar furioso; mais tarde, ele poderá ser juiz de paz em outro lugar ou alguma outra coisa, porque os melhores juízes são aqueles que também sofreram desgraças. Sobretudo, quem não tem sua obsessão agora? Você, eu, todo mundo, e quantos exemplos! Um indivíduo está cantando uma romança, de repente algo lhe desagrada, pega uma pistola, mata o primeiro que encontra e absolvem-no. Li recentemente, todos os doutores confirmaram. Confirmam tudo, agora. Pense pois, Lisa tem uma obsessão, fez-me chorar ontem e anteontem; hoje adivinhei que era simplesmente uma obsessão. Oh! Lisa causa-me tanta pena! Creio que perdeu o juízo. Por que mandou chamá-lo? Ou então você veio espontaneamente?

— Ela mandou me chamar, vou encontrar com ela — declarou Aliócha, levantando com ar resoluto.

— Ah! caro Alieksiéi Fiódorovitch, eis talvez o essencial — exclamou a Senhora Khokhlakova, chorando. — Deus é testemunha de que lhe confio sinceramente Lisa, e não tem importância o haver mandado chamá-lo, sem que eu o soubesse. Quanto a seu irmão Ivan, desculpe-me, mas não lhe posso confiar tão facilmente minha filha, muito embora o considere sempre como o rapaz mais cavalheiresco. Imagine que veio visitar Lisa e eu não sabia de nada.

— Como? O quê? Quando? — perguntou Aliócha, estupefato. Não tinha tornado a sentar.

— Vou contar-lhe, talvez o tenha mandado chamar para isso, não me lembro mais. Ivan Fiódorovitch veio ver-me duas vezes, depois de seu regresso de Moscou; a primeira, para fazer-me uma visita na qualidade de conhecido; a segunda, recentemente. Kátia encontrava-se aqui em minha casa e ele entrou sabendo disso. Bem entendido, eu não esperava visitas frequentes da parte dele, conhecendo suas complicações, *vous comprenez, cette affaire et la mort terrible de votre papa*,[89] mas venho a saber de repente que ele veio de novo, não aos meus aposentos, mas aos de Lisa, há seis dias, ficou uns cinco minutos. Soube-o três dias depois por Glafira, isto chocou-me. Chamo logo Lisa, que se põe a rir: pensava, disse ela, que a senhora estava dormindo e veio pedir-me notícias suas. Foi isto, decerto. Somente, Lisa, Lisa, meu Deus, que pena me causa! Imagine que, uma noite, há quatro dias, depois de sua visita, teve ela uma crise de nervos, gritos, gemidos. Por que eu nunca tenho crises de nervos? No dia seguinte, e no outro dia, novo ataque, e, ontem, essa obsessão. Ela grita para mim de repente: "Detesto Ivan Fiódorovitch, exijo que a senhora não o receba mais, que lhe proíba a entrada nesta casa!". Fiquei estupefata e repliquei-lhe: "Por que razão despedir um jovem tão cheio de méritos, tão instruido e além do mais tão infeliz, porque todas essas histórias são antes uma desgraça que uma felicidade, não é mesmo? Ela desatou a rir às minhas palavras; duma maneira ferina. Fiquei contente, pensando tê-la divertido e que as crises cessariam. Aliás, queria eu mesma despedir Ivan Fiódorovitch por causa de suas estranhas visitas sem meu consentimento e pedir-lhe explicações. Esta manhã, eis que, ao despertar, Lisa zangou-se com Iúlia e, imagine, bateu-lhe na cara. Ora, é monstruoso, trato de "você" minhas criadas de quarto. Uma hora depois, ela abraçava Iúlia e beijava-lhe os pés. Mandou dizer-me que não viria aqui, que não queria vir mais aqui aos meus aposentos, doravante, e, quando me arrastei até o seu quarto, cobriu-me de beijos, chorando, depois empurrou-me para fora sem dizer uma palavra, de modo que nada pude saber. Agora, caro Alieksiéi Fiódorovitch, ponho toda a minha esperança em você, meu destino está sem dúvida em suas mãos. Rogo-lhe que vá ver Lisa, que esclareça tudo isso, como só você sabe fazer, e vir contar-me, a mim, a mãe, porque você compreende, morrerei deveras, se isto tudo continua, ou fugirei desta casa. Não posso mais, tenho paciência, mas posso perdê-la e então... então será terrível. Ah! meu Deus, enfim, Piotr Ilitch! — exclamou a Senhora Khokhlakova, radiante, vendo entrar Piotr Ilitch Pierkhótin. — Você chegou atrasado, atrasado! Pois bem, sente-se, fale, decida a sorte, que diz esse advogado? Aonde vai você, Alieksiéi Fiódorovitch?

— Ao quarto de Lisa.

— Ah! sim. Não se esquecerá, não se esquecerá do que lhe pedi? Trata-se de meu destino!

— Decerto que não, se todavia for possível... mas estou tão atrasado... — murmurou Alióchka, retirando-se.

— Não, venha sem falta e não, como diz, se for possível, senão morrerei! — gritou às costas dele a Senhora Khokhlakova, mas Alióchka já havia desaparecido.

III / Um diabinho

Encontrou Lisa, semiestendida na poltrona onde a carregavam, quando ela ainda não podia andar. Não se levantou à entrada dele, mas seu olhar penetrante atravessou-o. Aquele olhar estava um tanto aceso, a tez amarelada; Alióchka ficou impressionado com a mudança que se operara nela naqueles três dias, havendo

---

89 Você compreende, esse caso e a morte terrível de seu papai.

mesmo emagrecido. Ela não lhe estendeu a mão. Ele lhe aflorou os dedos finos, imóveis sobre seu vestido e sentou-se diante dela, sem dizer nada.

— Sei que tem você pressa de ir à prisão — declarou bruscamente Lisa. — Mamãe reteve-o duas horas, acaba de falar-lhe de Iúlia e de mim.

— Como sabe?

— Escutei. Que tem de me olhar? Se me agrada, escuto, não há mal nisso. Não peço perdão.

— Há alguma coisa que a perturbe?

— Pelo contrário, sinto-me muito bem. Ainda há pouco, pensava pela décima vez em como fiz bem em retomar a palavra dada e não me tornar sua mulher. Você não convém como marido; se casar com você e encarregá-lo de levar um bilhete a um apaixonado por mim, você o faria e traria mesmo a resposta. E aos quarenta anos ainda levaria tais bilhetes.

Pôs-se a rir.

— Há em você algo de mau e, ao mesmo tempo, de ingênuo — disse Aliócha, sorrindo.

— É por ingenuidade que não tenho vergonha diante de você. Não somente não tenho vergonha, mas não quero tê-la, justamente diante de você. Aliócha, por que é que não o respeito? Amo-o muito, mas não o respeito. Senão, não lhe falaria sem nenhuma vergonha, não é?

— Com efeito.

— Acredita que não tenho vergonha diante de você?

— Não, não acredito.

Lisa riu de novo nervosamente; falava depressa.

— Mandei bombons para seu irmão, Dimitri Fiódorovitch, na prisão. Aliócha, sabe que você é muito gentil? Eu o amarei muito por ter me permitido tão depressa não amá-lo.

— Por que mandou me chamar hoje, Lisa?

— Queria dar-lhe parte dum desejo. Quero que alguém me faça sofrer, que case comigo, depois me torture, me engane e me abandone. Não quero ser feliz.

— Enamorou-se da desordem?

— Ah! quero a desordem. Quero pôr fogo na casa. Imagino a coisa: irei às ocultas, absolutamente às ocultas, tratar de pôr fogo. Procuram apagá-lo, a casa arde. Sei e me calo. Ah! que coisa estúpida! que horror!

Fez um gesto de desgosto.

— Você vive na riqueza — disse Aliócha, em voz baixa.

— Será que vale mais viver pobremente?

— Sim.

— Era seu defunto monge quem lhe contava isso. Não é verdade. Que eu seja rica e todos os outros pobres, comerei bombons, beberei creme e não darei a ninguém! Ah! não fale, não diga nada (fez um gesto, se bem que Aliócha não tivesse aberto a boca), você já me disse tudo isso antes, sei de cor. É aborrecido. Se sou pobre, matarei alguém, talvez mesmo mate sendo rica. Por que me constranger?... Sabe duma coisa? Quero segar, segar os trigos. Serei sua mulher, você vai virar mujique, um verdadeiro mujique; teremos um potrinho, quer? Conhece Kolgánov?

— Sim.

— Ele sonha, andando. Diz: "De que serve viver? Na verdade, é melhor sonhar". Podem-se sonhar as coisas mais alegres, mas a vida é o tédio. Ele se casará em breve, fez, também a mim, uma declaração. Sabe rodar pião?

— Sim.

— Pois bem! ele parece um pião: é preciso pô-lo em movimento, atirá-lo, usar a fieira. Se casar com ele, farei que rode a vida inteira. Você não tem vergonha de ficar comigo?

— Não.

— Você está muito zangado porque não falo das coisas santas. Não quero ser santa. Que se faz no outro mundo para o maior pecado? Você deve saber ao certo.

— Deus condena — disse Aliócha, olhando-a fixamente.

— É o que quero. Chegaria, seria condenada, riria bem na cara de todos. Quero de todo jeito pôr fogo na casa, Aliócha, em nossa casa, não me acredita?

— Por quê, afinal? Há crianças, aos doze anos, que têm muita vontade de pôr fogo em alguma coisa e o fazem. É uma espécie de doença.

— Não é verdade, não é verdade. Há mesmo crianças, mas não falo disso.

— Você toma o mal pelo bem, é uma crise passageira que provém talvez de sua antiga doença.

— Mas você me despreza! Não quero fazer o bem, muito simplesmente, quero fazer o mal, não há nenhuma doença.

— Por que fazer o mal?

— Porque não resta nada em parte alguma. Ah! como seria bom! Sabe, Aliócha, penso por vezes em fazer muito mal, coisas vis, durante muito tempo, às ocultas e de repente todos ficarão sabendo. Todos me cercarão e me mostrarão com o dedo e eu os encararei. É muito agradável. Por que é tão agradável, Aliócha?

— À toa. A necessidade de esmagar algo de bom, ou, como você dizia, de pôr fogo. Isto acontece também.

— Não me contentarei em falar, vou fazer.

— Acredito.

— Ah!, como o amo por causa dessa palavra: acredito. Com efeito, você não mente. Mas pensa talvez que lhe digo tudo isso de propósito, para irritá-lo?

— Não, não penso... se bem que talvez haja também um pouco dessa necessidade.

— Um pouco, sim. Não minto nunca diante de você — declarou ela com um clarão nos olhos.

O que impressionava sobretudo Aliócha era a seriedade dela; não havia sombra de malícia nem de brincadeira em seu rosto, muito embora outrora a alegria e a jovialidade não a deixassem nos seus momentos mais sérios.

— Há momentos em que o homem ama o crime — declarou Aliócha, com ar pensativo.

— Sim, sim, você exprimiu minha ideia, amam-no, todos o amam, sempre, e não por momentos. Sabe? Há como que uma convenção geral de mentira a este respeito, todos mentem desde então. Pretendem odiar o mal e todos o amam dentro de si mesmos.

— E você continua a ler maus livros?

— Sim. Mamãe oculta-os debaixo de seu travesseiro, mas os surripio.

— Será que não tem você consciência de que está se destruindo?

— Quero destruir-me. Há aqui um rapaz que ficou deitado entre os trilhos durante a passagem de um trem. Felizardo! Escute, julgam agora seu irmão por ter assassinado seu pai, e todo mundo está contente porque ele o matou. — Estão contentes porque ele matou seu pai?

— Sim, todos estão contentes. Dizem que é horrível, mas, dentro de si mesmos, estão muito contentes. Eu sou a primeira.

— Nas suas palavras, há um pouco de verdade — disse docemente Aliócha.

— Ah! que ideias você tem! — exclamou Lisa, entusiasmada. — E é um monge! Você não pode acreditar quanto o respeito, Aliócha, porque você nunca mente. Ah! é preciso que lhe conte um sonho ridículo: vejo por vezes, em sonho, diabos; é à noite, estou no meu quarto com uma vela; de repente, diabos surgem em todos os cantos, debaixo da mesa, abrem a porta, há uma multidão deles que quer entrar para agarrar-me. E já avançam, agarram-me. Mas benzo-me, e todos eles recuam, tomados de pavor; mas não desaparecem completamente; ficam a esperar na porta e nos cantos. De repente, sinto uma vontade louca de me pôr a blasfemar em voz alta; começo, ei-los que avançam em multidão, muito contentes; agarram-me de novo, de novo me persigno... e então vão-se todos eles. É algo muito divertido; tanto que até se perde a respiração.

— Eu também já tive sonho igual — disse Aliócha.

— Será possível? — gritou Lisa, espantada. — Escute, Aliócha, não ria, é muito importante; pode acontecer que duas pessoas tenham o mesmo sonho?

— Decerto.

— Aliócha, digo-lhe que é muito importante — prosseguiu Lisa, no auge da surpresa. — Não é o sonho que importa, mas o fato de haver você podido ter o mesmo sonho que eu. Você nunca mente, não minta agora: é verdade? Não está troçando?

— É verdade.

Lisa, atordoada, calou-se um instante.

— Aliócha, venha ver-me, venha mais vezes — proferiu ela num tom suplicante.

— Virei sempre à sua casa, toda a minha vida — respondeu ele, com firmeza.

— Falo a você só — continuou Lisa. — Falo a mim só e ainda a você. Senão a você, no mundo inteiro. E falo-lhe mais voluntariamente do que a mim. E não sinto nenhuma vergonha diante de você, Aliócha, nenhuma. Por que isso? Aliócha, é verdade que na Páscoa os judeus roubam as crianças e as degolam?

— Não sei.

— Tenho um livro em que se fala dum processo; conta-se que um judeu primeiro cortou os dedos de uma criança de quatro anos, depois crucificou-a numa parede com pregos; declarou ao tribunal que a criança morrera rapidamente, ao fim de quatro horas. É rápido, com efeito! Não cessava de gemer e ele ali permanecia a contemplá-la. Muito bem!

— Bem?

— Sim. Penso por vezes que fui eu quem a crucificou. Está pendurada e geme, sento-me diante dela e como compota de abacaxi. Gosto muito disso. E você?

Aliócha contemplava em silêncio Lisa, cujo rosto dum amarelo pálido alterou-se de repente, seus olhos flamejaram.

— Sabe? Depois de ter lido essa história, solucei a noite inteira. Creio ouvir a criança gritar e gemer (aos quatro anos, compreende-se) e essa ideia da compota não me deixa. De manhã, enviei uma carta pedindo a alguém que viesse sem falta ver-me. Veio, contei-lhe tudo a respeito da criança e da compota, tudo, e disse: "Muito bem!". Pôs-se a rir e achou que, com efeito, estava bem. Depois partiu ao fim de cinco minutos. Será que me desprezava? Fale, Aliócha, fale, desprezava-me, sim ou não?

Ergueu-se em seu divãzinho, com os olhos cintilantes.

— Diga-me — proferiu Aliócha, agitado —, você mesma mandou chamar esse "alguém"?

— Eu mesma.

— Enviou-lhe uma carta?

— Sim.

— Precisamente para pedir-lhe isso, a propósito da criança?

— Não, absolutamente. Mas quando entrou, perguntei-lhe. Respondeu, pôs-se a rir, depois retirou-se.

— Agiu como homem honesto para com você — disse mansamente Aliócha.

— Mas desprezou-me? Riu.

— Não, porque ele mesmo crê talvez na compota de abacaxi. Está também muito doente agora, Lisa.

— Sim, assim o crê! — disse Lisa, com os olhos cintilantes.

— Ele não despreza ninguém — prosseguiu Aliócha. — Somente, não crê em ninguém. Se não crê, é bem certo que despreza.

— Isso quer dizer a mim também? A mim?

— A você também.

— Está bem — disse Lisa, com raiva. — Quando ele saiu rindo, senti que o desprezo tinha algo de bom. Ter os dedos cortados como aquela criança é boa coisa; ser desprezada é boa coisa igualmente...

E soltou uma risada má, olhando para Aliócha.

— Sabe, Aliócha, quereria... Salve-me! — ergueu-se, inclinou-se para ele, abraçou-o. — Salve-me! — gemeu ela quase. — Disse a alguém no mundo o que acabo de dizer-lhe? Sim, disse a verdade, a verdade! Vou me matar, porque tudo me desgosta! Não quero mais viver! Tudo me inspira desgosto, tudo! Aliócha, por que você não me ama, de modo algum?

— Não diga isso, eu a amo! — respondeu Aliócha, com ardor.

— Será que você chorará por mim?

— Sim.

— Não porque recusei ser sua esposa, mas em geral?

— Sim.

— Obrigada! Só tenho necessidade de suas lágrimas. E que os outros me torturem, me pisem aos pés, todos, todos, sem exceção de ninguém! Porque não amo ninguém. Está ouvindo? Nin-guém! Pelo contrário, odeio-os! Vá ver seu irmão, Aliócha, já é tempo! — e largou-o.

— Como deixá-la assim? — disse ele, quase aterrorizado.

— Vá ver seu irmão, a prisão será fechada. Vá, eis aqui seu chapéu! Abrace Mítia, vá, vá!

Empurrou Aliócha quase à força para a porta. Ele a olhava numa dolorosa perplexidade, quando sentiu na sua mão direita um bilhete dobrado, lacrado. Leu o endereço: "Ivan Fiódorovitch Karamázov". Lançou um olhar rápido a Lisa. O rosto dela era quase ameaçador.

— Não deixe de lhe entregar! — ordenou, com exaltação, toda tremente. — Hoje, imediatamente! Senão, tomarei veneno! Foi por isso que o chamei!

E bateu a porta. Aliócha pôs a carta em seu bolso e dirigiu-se para a escada, sem entrar nos aposentos da Senhora Khokhlakova, a quem havia mesmo esquecido. Assim que ele se afastou, Lisa entreabriu a porta, meteu seu dedo na fenda e apertou-o com todas as suas forças, fechando-a. Ao fim de alguns segundos, tendo retirado sua mão, foi lentamente sentar-se no poltrona, examinou com atenção seu dedo enegrecido e o sangue que havia brotado por baixo da unha. Seus lábios tremiam e ela murmurou rapidamente:

— Miserável! Miserável! Miserável! Miserável!

IV / O hino e o segredo

Já era tarde (e os dias são curtos em novembro), quando Aliócha tocou à porta da prisão. Caía a noite. Mas sabia que o deixariam entrar sem dificuldade. Na nossa cidadezinha, é o mesmo que em toda parte. No começo, sem dúvida, uma vez terminada a instrução preparatória, as entrevistas de Mítia com seus parentes ou algumas outras pessoas eram cercadas de certas formalidades necessárias, mas, posteriormente, fizeram exceção para certos visitantes. Chegou a ponto de, por vezes, realizarem-se quase a sós as entrevistas com o prisioneiro. Aliás, esses privilegiados eram pouco numerosos: somente Grúchenhka, Aliócha e Rakítin. O *isprávnik* Mikhail Makárovitch estava muito favorável à jovem. O velho lamentava ter gritado contra ela em Mókroie. Em seguida, uma vez ao corrente, mudara completamente de opinião a seu respeito. E, coisa estranha, se bem que estivesse persuadido da culpabilidade de Mítia, desde sua prisão tornava-se mais indulgente para com ele: "Era talvez uma boa natureza, mas a embriaguez e a desordem perderam-no!". Uma espécie de compaixão havia sucedido nele ao horror do começo. Quanto a Aliócha, o *isprávnik* gostava muito dele e conhecia-o desde muito tempo, e Rakítin, que tomara o costume de visitar frequentemente o prisioneiro, estava muito ligado com "as meninas do *isprávnik*", como as chamava, e não se passava dia que não estivesse em casa delas. Dava lições na casa do inspetor da prisão, velhote bonachão, mas militar severo. Aliócha conhecia bem e desde muito tempo esse inspetor, que gostava de conversar com ele a respeito da "suprema sabedoria". O velhote respeitava e até mesmo temia Ivan Fiódorovitch, sobretudo seus raciocínios, muito embora fosse ele próprio grande filósofo, à sua maneira, bem entendido. Mas sentia por Aliócha uma simpatia invencível. Havia um ano vinha estudando os Evangelhos apócrifos e dava parte a cada instante de suas impressões a seu jovem amigo. Outrora, ia mesmo vê-lo no mosteiro e discutia horas inteiras com ele e com os religiosos. Em suma, se Aliócha chegava atrasado à prisão, bastava passar em casa dele e a coisa se arranjava. Além do mais, o pessoal, até o derradeiro guarda, estava acostumado com ele. O sentinela não fazia naturalmente dificuldades, contanto que se tivesse uma autorização. Quando chamavam Mítia, este descia de sua cela e ia ao parlató-

OS IRMÃOS KARAMÁZOVI

rio. Ao entrar, Alíócha encontrou Rakítin, que se despedia de Mítia. Ambos falavam em voz alta. Mítia, despedindo-se dele, ria muito e Rakítin parecia resmungar. Sobretudo nos últimos tempos, Rakítin não gostava de encontrar Alíócha, não lhe falava, cumprimentava-o mesmo com secura. Vendo Alíócha entrar, franziu o cenho, desviou a vista, mostrou-se muito preocupado em abotoar seu sobretudo quente de gola de pele. Depois pôs-se a procurar seu guarda-chuva.

— Contanto que não esqueça nada! — falou, para dizer alguma coisa.

— Especialmente, não esqueças o que não te pertence! — disse Mítia, rindo. Rakítin esquentou-se imediatamente.

— Recomenda isto a teus Karamázovi, raça de exploradores, e não a Rakítin! — exclamou ele, tremendo de cólera.

— Que é que te deu? Estava brincando... São todos assim — disse Mítia a Alíócha, apontando Rakítin que saía rapidamente. —Ria, estava alegre, e ei-lo que se arrebata! Nem mesmo te cumprimentou. Estão brigados? Por que vens tão tarde? Esperei-te com impaciência a manhã inteira. Não importa. Vamos tirar o atraso.

— Por que vem ele ver-te tantas vezes? Estás ligado a ele?

— Ligado a Mikhail? Não, precisamente. Aliás, é um porco! Toma-me por um miserável. Sobretudo, não entende uma brincadeira. É uma alma seca, lembra-me os muros da prisão, tais como os vi ao chegar, Mas é inteligente, Pois bem! Alieksiéi, estou perdido agora!

Sentou-se num banco, indicou um lugar junto dele a Alíócha.

— Sim, é amanhã o julgamento. Não tens na verdade nenhuma esperança, irmão?

— De que falas? — perguntou Mítia, com o olhar vago. — Ah! sim, do julgamento. Ao diabo! Bagatelas tudo isso. Falemos do essencial. Sim, julgam-me amanhã, mas não é isto que me faz dizer que estou perdido. Não temo pela minha cabeça, somente o que há dentro dela é que está perdido. Por que me olhas com ar desaprovador?

— De que falas, Mítia?

— Ideias! ideias! A ética! Que é a ética?

— A ética? — disse Alíócha, surpreso.

— Sim, uma ciência, qual?

— Há, com efeito, uma ciência com esse...   somente... não posso explicar-te, confesso-o.

— Rakítin sabe. É muito culto. Que o diabo o carregue! Não se fará monge. Quer ir para Petersburgo fazer crítica, mas de tendência moral. Pois bem! pode ser útil, tornar-se alguém. É um ambicioso! Ao diabo a ética! Estou perdido, Alíócha, homem de Deus! Amo-te mais do que a todos. Meu coração bate, quando penso em ti. Quem é Carl Bernard?

— Carl Bernard?

— Não, Carl não, Claude Bernard.[90] Um químico, não?

— Ouvi dizer que é um sábio, não sei de mais nada a seu respeito.

— Ao diabo! Também eu nada sei. É provavelmente algum canalha, são todos

---

90 Fisiologista francês (1813-1878). *Introdução ao estudo da medicina experimental*, de sua autoria, é uma obra-prima de método.

canalhas. Mas Rakítin irá longe. Mete-se em toda parte, é também um Bernard. Oh!
esses Bernard! Pululam.

— Mas que tens afinal?

— Ele quer escrever um artigo a meu respeito e estrear assim na literatura,
eis por que vem ver-me, ele mesmo declarou. Um artigo de tese: "Tinha de matar,
é uma vítima do meio", etc. Haverá, diz ele, um matiz de socialismo. O diabo o carregue! Quanto a mim, pouco me importa! Não gosta de Ivan, detesta-o, tu também
não lhe és simpático. Não o ponho para fora, ele tem espírito, mas que orgulho!
Dizia-lhe eu ainda há pouco: "Os Karamázovi não são canalhas, são filósofos, como
todos os verdadeiros russos; mas tu, malgrado teu saber, não és um filósofo, não
passas de um labrego." Riu-se maldosamente. E eu acrescentei: *de opinionibus non
est disputandum*.[91] Também sou clássico — concluiu Mítia, disparando a rir.

— Mas por que estás perdido? Disseste ainda há pouco.

— Por que estou perdido? Hum, no fundo... se se toma a coisa em conjunto,
lamento Deus, eis tudo.

— Que queres dizer?

— Imagina, na cabeça, isto é, no cérebro, há nervos... esses nervos têm fibras e
desde que elas vibram... vês, olho alguma coisa, assim, e elas vibram, essas fibras... e
assim que elas vibram forma-se uma imagem, não imediatamente, mas ao fim dum
instante, dum segundo, e forma-se um momento, isto é, não um momento —que o
diabo o leve! — mas um objeto ou uma ação; eis como se efetua a percepção, o pensamento vem em seguida... porque tenho fibras, e não porque tenho uma alma e fui
criado à imagem de Deus; que bobagem! Mikhail explicava-me isto, ainda ontem,
e enchia-me de ardor. Que bela coisa a ciência, Aliócha! O homem se transforma,
compreendo-o... No entanto, lamento Deus!

— Já é uma boa coisa — disse Aliócha.

— Eu lamentar Deus? A química, irmão, a química! Não há nada a fazer, Vossa
Reverendíssima, afaste-se um pouco, é a química que passa! Rakítin não ama Deus.
Oh! não, não o ama! É o ponto fraco deles todos! Mas ocultam-no, mentem. "Pois
hem! exporás essas ideias na rubrica da crítica?" — perguntei-lhe. "Não, não me
deixarão fazê-lo", continuou ele, rindo. "Mas então, que se tornará o homem, sem
Deus e sem imortalidade? Tudo é permitido, por consequência, tudo é lícito?" —
"Não o sabias? Para um homem de talento, tudo é permitido, sabe sempre tirar-se
de apertos. Mas tu, tu mataste, tu te deixaste apanhar e agora apodreces em cima
da palha." Eis o que ele me disse, o porco. Outrora, punha para fora indivíduos como
esse, agora os escuto. Aliás, ele diz coisas sensatas e escreve bem. Começou, há oito
dias, a ler-me um artigo; tomei nota de três linhas, espera, ei-las.

Mítia tirou vivamente de seu bolso um papel e leu: "Para resolver essa questão, é preciso pôr sua pessoa em oposição à sua atividade."

— Compreendes ou não?

— Não, não compreendo — disse Aliócha.

Olhava Mítia e escutava-o com curiosidade.

— Eu tampouco. Não é claro, mas tem espírito. "Todos, diz ele, escrevem assim hoje em dia, vem do meio ambiente..." Faz também versos o tratante. Cantou os
pés da Khokhlakova, ah! ah! ah!

---

91 Opiniões não se discutem.

— Ouvi falar disso — disse Aliócha.

— Sim? Mas conheces os versos?

— Não.

— Tenho-os, vou ler-te. Não sabes, mas é uma verdadeira história! Canalha! Há três semanas, ele imaginou mexer comigo: "Deixaste-te apanhar como um imbecil, por três mil rublos, mas eu vou recolher cento e cinquenta mil, caso com uma viúva e comprarei uma casa de pedra em Petersburgo, começarei a publicar um jornal". E a boca se lhe enche d'água, não por causa da Khokhlakova, mas dos cento e cinquenta mil rublos. Estava seguro de si, vinha ver-me todos os dias: "Ela está cedendo", dizia ele, radiante. E eis que é posto para fora; Pierkhótin, Piotr Ilitch passou-lhe a perna, viva! Beijarei de boa-vontade aquela perua por havê-lo despachado. Foi na ocasião em que ele havia escrito esses versos. "Pela primeira vez, diz ele, rebaixo-me a escrever versos, para seduzir, portanto com um fim útil. De posse do capital duma idiota, posso tornar-me útil à sociedade." A utilidade pública serve de desculpa a essa gente para todas as baixezas! "E, no entanto, diz ele, escrevi coisa melhor que Púchkin, porque soube exprimir, em versos brincalhões, minha tristeza cívica." Compreendo o que ele diz de Púchkin. Por que limitar-se a descrever pés, se tinha verdadeiramente talento? Como estava orgulhoso de seus versos! Ah! o amor-próprio dos poetas! "Pelo restabelecimento do pé do objeto amado", eis o título que aquele pândego imaginou!

> Seu encantador pezinho
> Inchou, lhe dói um pouquinho.
> Vêm doutores torturá-lo,
> Todos no afã de curá-lo.
>
> Não vou seu pé lamentar,
> Púchkin o há de cantar,
> Lamento-lhe a cabecinha,
> A toda ideia durinha.
>
> Já começava a entender
> Quando o pé veio a doer,
> Que o pé se restabeleça
> E entre a ideia na cabeça.

Um verdadeiro porco, mas seus versos são divertidos, patife! E misturou-lhes deveras uma tristeza cívica. Estava furioso por ter sido despedido. Rangia os dentes.

— Já se vingou — disse Aliócha. — Escreveu um artigo a respeito da Senhora Khokhlakova,

E Aliócha contou-lhe o que aparecera no jornal *Boatos*.

— Foi ele, é bem dele! — confirmou Mítia, franzindo o cenho. — Esses artigos... eu sei... quantas infâmias já foram escritas a respeito de Grúchenhka, por exemplo!... E a respeito de Kátia, também... Hum!

Pôs-se a andar pelo quarto com ar preocupado.

— Irmão, não posso ficar muito tempo — disse Aliócha, após um silêncio. — Amanhã é um dia terrível para ti. Vai-se cumprir o julgamento de Deus... e admira-me que em lugar de coisas sérias fales de bagatelas...

— Não, não te espantes, Devo falar daquele cão fedorento? Do assassino? Conversamos de sobra a respeito dele! Que não se fale mais de Smierdiákov, aquele fedorento filho de uma fedorenta! Deus o castigará, hás de ver!

Aproximou-se de Aliócha, beijou-o com emoção. Seus olhos cintilavam.

— Rakítin não compreenderia isto, mas tu, tu compreendes tudo: por isso esperava-te com impaciência. Vês, queria desde muito tempo dizer-te muitas coisas, entre estas paredes degradadas, mas calava o essencial, o momento não parecia ter ainda chegado. Esperei a derradeira hora para expandir-me. Meu irmão, senti nascer em mim, desde minha prisão, um novo ser; um homem novo ressuscitou! Existia em mim, mas nunca se teria revelado se o raio não o tivesse atingido. Que me importa a mim cavacar durante vinte anos nas minas? Isto não me amedronta, mas temo outra coisa agora: que esse homem ressuscitado se retire de mim! Pode-se encontrar também nas minas, em um forçado e em um assassino, um coração de homem e entrar em entendimento com ele, porque ali também se pode amar, viver e sofrer! Pode-se reanimar o coração entorpecido de um forçado, cuidar dele, trazer afinal da cova para a luz uma alma grande, regenerada pelo sofrimento, ressuscitar um herói! Ora, há centenas deles e somos todos culpados para com eles. Por que pensei então no neném, em tal momento? Era uma profecia. Irei por causa do neném. Porque todos são culpados para com todos. Todos são nenéns, há crianças grandes e pequenas, Irei por causa delas, é preciso que alguém se devote por todos. Não matei meu pai, mas aceito a expiação. Foi aqui, entre estas paredes degradadas, que tive consciência de tudo isso. Há muitos, centenas sob a terra, de martelo na mão. Sim, estaremos acorrentados, privados de liberdade, mas em nossa dor ressuscitaremos para a alegria, sem a qual o homem não pode viver nem Deus existir, porque é ele que a dá. Este é o seu grande privilégio. Senhor, que o homem se consuma na oração! Como viverei sob a terra sem Deus? Rakítin mente; se expulsam Deus da terra, nós o reencontraremos sob a terra! Um forçado não pode passar sem Deus, ainda menos que um homem livre! E então nós, os homens subterrâneos, cantaremos das entranhas da terra um hino trágico ao Deus da alegria! Viva Deus e Sua alegria divina! Eu O amo!

Ao declamar essa tirada estranha, Mítia estava quase sufocado. Empalidecera, seus lábios tremiam, lágrimas lhe corriam dos olhos.

— Não, a vida está cheia, a vida extravasa mesmo sob a terra! Não podes crer, Aliócha, como quero viver agora, a que ponto a sede da existência apoderou-se de mim, precisamente entre estas paredes degradadas! Rakítin não compreende isto, só pensa em construir uma casa, em pôr nela locatários, mas eu te esperava. Que é o sofrimento? Não o temo, fosse ele infinito. Outrora o temia. Pode acontecer que não responda a nada no tribunal... Com a força que sinto em mim, creio-me em condições de dominar todos os sofrimentos, contanto que possa dizer a mim mesmo a cada instante: existo! Em meio dos tormentos, crispado pela tortura, existo! Amarrado ao pelourinho, existo ainda, vejo o sol, e, se não o vejo, sei que ele luz. E saber isto é já toda a vida. Aliócha, meu querubim, a filosofia me mata, que o diabo a leve! Nosso irmão Ivan...

— Que há com Ivan? — interrompeu Aliócha, mas Mítia não ouviu.

— Vês, outrora, não tinha todas essas dúvidas, ocultava-as dentro de mim. Foi justamente talvez porque ideias desconhecidas referviam em mim que eu me embriagava, batia-me, arrebatava-me; era para dominá-las, esmagá-las. Nosso irmão Ivan não é como Rakítin, oculta seus pensamentos; é uma esfinge, cala-se sempre. Mas Deus me atormenta, não penso senão nisso. Que fazer, se Deus não existe? Rakítin tem razão de pretender que é uma ideia forjada pela humanidade? Neste caso, o homem seria o rei da terra, do universo. Muito bem! Somente, como ele será virtuoso sem Deus? Pergunto a mim mesmo. Com efeito, a quem amará o homem então? A quem cantará hinos de reconhecimento? Rakítin ri, diz que se pode amar a humanidade sem Deus. Aquele fedelho pode afirmar isso, eu não posso compreendê-lo. A vida é fácil para Rakítin: "Ocupa-te antes — dizia-me hoje — com estender os direitos cívicos ou impedir a alta da carne; dessa maneira, servirás melhor a humanidade e a amarás mais que com toda a tua filosofia". Ao que lhe respondi: "Tu mesmo, não acreditando em Deus, elevarás o preço da carne, se houver oportunidade e ganharás um rublo em vez dum copeque". Zangou-se. Com efeito, que é a virtude? Responde-me, Alieksiéi. Não me represento a virtude como um chinês, é pois uma coisa relativa? Ou então, não é relativa? Questão insidiosa! Não rirás se te disser que isto me impediu de dormir durante duas noites, Admira-me que se possa viver sem pensar nisto. Vaidade! Para Ivan, não há Deus. Ele tem uma ideia. Uma ideia acima de meu alcance. Mas não a diz. Penso que ele é franco-maçom. Interroguei-o, não me deu resposta. Teria querido beber da água de sua fonte, ele se cala. Uma vez somente falou.

— Que disse?

— Perguntava-lhe: "Então, tudo é permitido?". Ele franziu a testa: "Fiódor Pávlovitch, nosso pai — disse ele —, era um porco, mas raciocinava certo". Eis suas palavras. É mais claro que Rakítin

— Sim — disse Aliócha, com amargura.

— Voltaremos a isto. Quase não tenho te falado de Ivan até o presente. Esperei até o fim. Uma vez terminada a peça e pronunciada a sentença, vou te contar tudo. Há uma coisa terrível, para a qual serás meu juiz. Mas agora, nem mais uma palavra a respeito. Falas do julgamento de amanhã, acreditarias?, não sei de nada.

— Falaste àquele advogado?

— De que serve? Contei-lhe tudo. Um manso velhaco da capital, um Bernard! Não crê uma palavra do que lhe digo. Pensa que sou culpado, imagina, vejo bem! "Então, por que veio defender-me?", perguntei-lhe. Pouco me importa essa gente! E os médicos quereriam fazer-me passar por louco. Não o permitirei! Katierina Ivânovna quer cumprir "seu dever" até o fim. Com rigor! (Mítia sorriu amargamente.) É cruel como uma gata. Sabe que eu disse em Mókroie que tinha ela grandes cóleras! Contaram-lhe. Sim, os depoimentos multiplicaram-se ao infinito. Grigóri mantém o que disse; é honesto, mas imbecil. Há muitas pessoas honestas por imbecilidade. É uma ideia de Rakítin. Grigóri me é hostil. Valeria melhor ter tal pessoa por inimiga que por amiga. Digo isto a propósito de Katierina Ivânovna. Tenho muito medo de que ela fale no tribunal da saudação até o chão que ela me fez, quando lhe emprestei os quatro mil e quinhentos rublos! Há de querer pagar até o derradeiro vintém. Não quero seus sacrifícios! Terei vergonha disso no tribunal! Vai vê-la, Alió-cha, pede-lhe que não fale disso. Ou então será impossível? Que diabo, não importa, aguentarei! Não a lastimo. É ela que o quer. O ladrão só terá aquilo que merece. Farei um discurso, Alieksiéi. (Sorriu de novo, amargamente.) Somente, somente, há Grúchenhka, Senhor! Por que agora ela sofre tanto? — exclamou ele, com lágrimas.

— Pensar nela é o que me mata. Estava aqui, ainda há pouco...

— Contou-me. Causaste-lhe muito pesar hoje.

— Sei. Que o diabo me leve por causa de meu gênio! Fiz-lhe uma cena de ciúmes. Estava arrependido, quando ela partiu, beijei-a. Mas não lhe pedi perdão.

— Por quê?

Mítia pôs-se a rir alegremente.

— Que Deus te preserve, meu caro, de pedir alguma vez perdão a uma mulher amada! Sobretudo a uma mulher amada, e quaisquer que sejam teus agravos a ela! Porque a mulher, meu irmão, quem diabo sabe o que é? Eu, em todo caso, conheço as mulheres! Tenta pois reconhecer teus erros: "É culpa minha, perdão, desculpa-me", sofrerás uma saraivada de censuras! Jamais um perdão franco, simples; começará por humilhar-te, envilecer-te, vai te censurar ofensas imaginárias. e então somente te perdoará. E ainda é a melhor dentre elas! Não perdoará as menores coisas. Tal é a ferocidade de todas, sem exceção, desses anjos sem os quais não poderíamos viver! Vês tu, meu caríssimo, digo-o francamente: todo homem decente deve estar sob a chinela duma mulher. É minha convicção, ou antes, meu modo de sentir. O homem deve ser generoso; isto não rebaixa. Mesmo um herói, mesmo César. Mas nunca peças perdão, a nenhum preço. Lembras-te desta máxima, vem de teu irmão Mítia a quem as mulheres botaram a perder. Não, repararei minhas ofensas a Grúchenhka, mas sem pedir-lhe perdão. Venero-a, Alieksiéi, mas ela não percebe; pensa que nunca a amo bastante. Faz-me sofrer com esse amor. Antes, sofria eu com suas sinuosidades pérfidas, agora formamos uma só alma e por ela tornei-me um homem. Ficaremos juntos? Se não, morrerei de ciúme... Já penso nisso cada dia... Que te disse ela de mim?

Aliócha repetiu-lhe o que Gruchenhka dissera. Mítia escutou atentamente e ficou satisfeito.

— Então, não está zangada pelo fato de eu ser ciumento! Eis bem a mulher! "Também eu tenho um coração duro." Gosto dessas naturezas, se bem que não suporte o ciúme! Brigaremos, mas a amarei sempre. Será que os forçados podem casar? Não posso viver sem ela...

Mítia andou pelo quarto, com os supercílios franzidos. Já quase não se enxergava. De repente, pareceu preocupado.

— Então, ela diz que há um segredo? Uma conspiração a três contra ela, com Katka? Pois bem! não, não é isto. Grúchenhka enganou-se como uma tola. Aliócha querido, tanto pior... Vou revelar-te nosso segredo.

Mítia olhou para todos os lados, aproximou-se de Aliócha, pôs-se a falar-lhe em voz baixa, se bem que na realidade ninguém pudesse ouvi-los; o velho guarda dormitava sobre um banco, os soldados de serviço estavam bastante afastados.

— Vou-te revelar nosso segredo — disse ele à pressa. — Iria fazê-lo depois, porque posso eu tomar uma decisão sem ti? És tudo para mim. Ivan nos é superior, mas tu vales mais que ele. Somente tu decidirás. Talvez sejas mesmo superior a Ivan. Vês, é um caso de consciência, um negócio tão importante que não posso resolvê-lo eu mesmo, sem teu conselho. No entanto, é ainda demasiado cedo, para um pronunciamento, é preciso esperar o julgamento. Tu decidirás em seguida de minha sorte. Agora, contenta-te em escutar-me, mas não digas nada. Vou te expor somente a ideia, deixando de parte os detalhes. Mas nada de perguntas, não te mexas, está entendido? E teus olhos que eu esquecia! Lerei neles tua decisão, mesmo que não fales. Oh! tenho medo! Escuta, Alióchá: Ivan propõe que eu fuja. Passo por cima dos detalhes; tudo está previsto, tudo pode arranjar-se. Cala-te. Na América, com Grucha, porque não posso viver sem ela ... E se não a deixam seguir-me? Será que os forçados podem casar? Ivan diz que não. Que farei sem Grucha, debaixo da terra, com um martelo? Só serviria para partir com ele minha cabeça! Mas, por outro lado, a consciência. Furto-me ao sofrimento, desvio-me da via de purificação que se oferecia a mim. Ivan diz que na América, com boa-vontade, pode a gente ser mais útil que nas minas. Mas que virá a ser então de nosso hino subterrâneo? A América é ainda vaidade! E há também, eu penso, muita desonestidade em partir para a América. Escapo à expiação! Eis por que te digo, Alióchá, só tu podes compreender isso; para os outros, tudo quanto te disse do hino são tolices, delírio. Vão me chamar de louco ou de imbecil. Ora, não sou uma coisa nem outra. Ivan também compreende o hino, decerto, mas cala-se. Não crê nele. Não fala, não fala; vejo pelo teu olhar, que já decidiste. Poupa-me, não posso viver sem Grucha, espera até o julgamento.

Mítia acabou com um ar desvairado. Segurava Alióchá pelos ombros, fixava-o com seu olhar ávido, ardente.

— Podem os forçados casar-se? — repetiu ele pela terceira vez, com voz suplicante.

Alióchá, muito comovido, escutava com profunda surpresa.

— Dize-me — perguntou ele —, é verdade que Ivan insiste muito? Quem teve primeiro essa ideia?

— Foi ele. Ele insiste! Não o via, veio de repente, há uma semana, e começou por aí. Não propõe, ordena. Não duvida de minha obediência, se bem que lhe tenha eu aberto meu coração como a ti e falado do hino. Expôs-me seu plano, reuniu as informações, mas voltarei a isso. Ele o quer ardentemente. E, sobretudo, oferece dinheiro: dez mil rublos para fugir, vinte mil na América; pretende que se pode muito bem organizar a fuga com dez mil rublos.

— E recomendou-te que não me falasses?

— A ninguém e sobretudo a ti. Tem medo que sejas como a minha consciência viva. Não lhe digas que te pus a par, rogo-te!

— Tens razão, é impossível decidir antes da sentença. Depois do julgamento, verás tu mesmo; haverá em ti um homem novo que decidirá.

— Um homem novo, ou um Bernard, que decidirá como Bernard! Assim, parece-me ser eu mesmo um vil Bernard — disse Mítia, com um sorriso amargo.

— Será possível, meu irmão, que não esperes justificar-te amanhã?

Mítia ergueu os ombros, abanou a cabeça negativamente.

— Alióchá — disse de repente — está na hora de ires. Acabo de ouvir o inspetor no pátio; vai chegar aqui, estamos atrasados, é desordem. Beija-me depressa, faze sobre mim o sinal da cruz para o calvário de amanhã...

Abraçaram-se e beijaram-se.

— E Ivan, que me propõe a fuga, ele próprio acredita que eu matei.

Triste sorriso desenhou-se em seus lábios.

— Perguntaste-lhe?

— Não. Queria perguntar-lhe, mas não tive coragem. Aliás, compreendi-o pelo seu olhar. Então, adeus!

Beijaram-se de novo. Aliócha ia sair, quando Mítia o chamou.

— Fica assim diante de mim, assim.

Pegou de novo Aliócha pelos ombros. Seu rosto tornou-se muito pálido, seus lábios se contraíram, seu olhar sondava seu irmão.

— Aliócha, dize-me toda a verdade, como diante de Deus. Crês que eu matei? A verdade inteira, não mintas!

Aliócha cambaleou, teve um aperto de coração.

— Basta! Que dizes?... — murmurou como desvairado.

— Toda a verdade, não mintas!

— Jamais acreditei um só instante que sejas um assassino — exclamou com voz trêmula Aliócha, que levantou a mão como para tomar a Deus por testemunha. Uma expressão de felicidade pintou-se no rosto de Mítia.

— Obrigado — disse, suspirando, como depois de um desmaio. — Restituíste-me a vida... Acreditas? Até agora temia perguntar-te, a ti, a ti! Vai-te, agora, vai-te! Tu me fortificaste para amanhã. que Deus te abençoe! Retira-te, ama Ivan!

Aliócha saiu todo choroso. Semelhante desconfiança da parte de Mítia, mesmo para com ele, revelava um desespero que ele jamais suspeitara que fosse tão profundo em seu desgraçado irmão. Infinita compaixão apoderou-se dele. Estava profundamente magoado. "Ama Ivan!" Lembrou-se de súbito destas derradeiras palavras de Mítia. Ia precisamente à casa de Ivan a quem queria ver desde a manhã. Ivan inquietava-o tanto quanto Mítia, e agora mais do que nunca, após aquela entrevista.

V / Não foste tu!

Para ir à casa de seu irmão, tinha de passar por diante da casa onde morava Katierina Ivânovna. As janelas estavam iluminadas. Parou e resolveu entrar. Não havia visto Katierina desde mais de uma semana e pensou que Ivan estivesse talvez em casa dela, sobretudo na véspera dum tal dia. Na escada, fracamente iluminada por uma lanterna chinesa, cruzou com um homem em quem reconheceu seu irmão.

— Ah! és tu? — disse secamente Ivan Fiódorovitch. — Adeus. Vais à casa dela?

— Sim.

— Não te aconselho. Está agitada, tu a perturbarás ainda mais.

— Não, não — gritou uma voz no alto da escada. — Alieksiéi Fiódorovitch, acaba de vê-lo?

— Sim, vi-o.

— Manda ele dizer-me alguma coisa? Entre, Aliócha, e você também, Ivan Fiódorovitch, volte sem demora. Estão ouvindo?

A voz de Kátia era tão imperiosa que Ivan, após um instante de hesitação, decidiu-se a subir de novo com Aliócha.

— Ela estava escutando! — murmurou ele, agitado, consigo mesmo, mas Aliócha o ouviu.

— Permita que conserve meu sobretudo — disse Ivan, ao entrar no salão. — Ficarei apenas um minuto.

— Sente-se, Alieksiéi Fiódorovitch — disse Katierina Ivânovna, que ficou de pé. Não havia mudado, mas seus olhos sombrios brilhavam com um clarão mau.

Aliócha lembrou-se mais tarde de que ela lhe parecera particularmente bela naquele instante.

— Que ele manda me dizer?

— Somente isto — disse Aliócha, olhando-a de frente: — Que a senhora se poupe e não fale no tribunal do que (hesitou um pouco)... se passou entre vocês... por ocasião do primeiro encontro.

— Ah! de minha saudação até o chão por causa do dinheiro? — disse ela, com um riso amargo. — Teme por si ou por mim? Quer que eu poupe a quem, afinal? A ele ou a mim? Fale, Alieksiéi Fiódorovitch.

Aliócha olhava-a atentamente, esforçando-se por compreendê-la.

— À senhora e a ele.

— É isto — disse ela com maldade e corou. — Você não me conhece ainda, Alieksiéi Fiódorovitch. Eu tampouco me conheço. Talvez venha a detestar-me, depois do interrogatório de amanhã.

— A senhora deporá com lealdade — disse Aliócha. — É o que é preciso.

— A mulher nem sempre é leal. Há uma hora, temia o contato daquele monstro como o de um réptil... entretanto, ele é sempre um ser humano para mim. Mas é um assassino? Foi ele quem matou? — exclamou ela, voltando-se para Ivan. Aliócha compreendeu logo que ela já lhe havia feito aquela pergunta antes de sua chegada, pela centésima vez talvez, e que haviam brigado. — Fui à casa de Smierdiákov... Foste tu que me persuadiste de que ele é um parricida. Acreditei em ti!

Ivan sorriu constrangido. Aliócha estremeceu, ouvindo aquele "em ti". Não suspeitava de tal intimidade.

— Pois bem! Basta — cortou Ivan. — Vou-me embora. Até amanhã.

Saiu, dirigindo-se para a escada. Katierina Ivânovna agarrou imperiosamente as mãos de Aliócha.

— Siga-o! Alcance-o! Não o deixe só um instante. Está louco. Não sabe que ele ficou louco? Está com febre nervosa. O médico me disse, vá, corra...

Aliócha precipitou-se atrás de Ivan Fiódorovitch, que não havia dado ainda cinquenta passos.

— Que queres? — disse ele, voltando-se para Aliócha. — Ela te mandou seguir-me, porque eu estou louco. Sei isso de cor — acrescentou ele, irritado.

— Ela se engana, decerto, mas diz com razão que estás doente. Examinava-te ainda há pouco, tens o rosto desfeito, Ivan.

Ivan continuava andando, Aliócha seguia-o.

— Sabes, Alieksiéi Fiódorovitch, como é que se fica louco? — perguntou Ivan, num tom calmo, em que transparecia curiosidade.

— Não, ignoro, penso que há muitos gêneros de loucura.

— Pode uma pessoa perceber por si mesma que está ficando louca?

— Penso que a pessoa não pode observar-se em semelhante caso — respondeu Aliócha, surpreso. Ivan calou-se um instante.

— Se queres conversar comigo, mudemos de conversa — disse ele, de repente.

— Com medo de esquecê-la, eis aqui uma carta para ti — disse timidamente Aliócha, estendendo-lhe a carta de Lisa. Aproximavam-se dum lampião. Ivan reconheceu a letra.

844   FIÓDOR DOSTOIÉVSKI *Obra completa* Volume 4

— Ah! é daquela diabinha! — Deu uma risada má e, sem abri-la, rasgou a carta em pedaços, que se dispersaram ao vento.

— Ainda não tem dezesseis anos e já se oferece — disse, num tom cheio de desprezo.

— Como se oferece ela? — exclamou Aliócha.

— Ora essa, como as mulheres corrompidas.

— Que estás dizendo, Ivan? — protestou Aliócha, cheio de dor. — É uma criança, tu insultas uma criança! Ela também está muito doente, talvez também se torne louca. Tinha de entregar-te sua carta... Queria eu, pelo contrário, que me explicasses... para salvá-la.

— Nada tenho a explicar-te. Se é uma criança, eu não sou sua babá. Cala-te, Alieksiéi, não insistas. Nem mesmo penso nisso.

Houve novo silêncio.

— Ela vai rezar à Virgem todas as noites para saber o que deve fazer amanhã — continuou ele, num tom maldoso.

— Tu... falas de Katierina Ivânovna?

— Sim. Ela aparecerá para salvar Mítia ou para perdê-lo? Rezará para ser esclarecida. Não sabe ainda, vê, não tendo tido ainda tempo de se preparar. Outra ainda que me toma por ama-de-leite, quer que eu a acalente.

— Katierina Ivânovna te ama, meu irmão — disse Aliócha com tristeza.

— É possível. Mas a mim ela não agrada.

— Ela sofre. Por que então dizer-lhe... por vezes, palavras que lhe dão esperança? — prosseguiu timidamente Aliócha. — Sei que o fizeste, perdoa-me se falo assim.

— Não posso fazer o que seria preciso, romper e falar-lhe de coração aberto! — disse Ivan, com arrebatamento — preciso esperar que o assassino seja julgado. Se romper com ela agora, botará a perder amanhã, por vingança, aquele desgraçado, porque ela o odeia e tem consciência disso. Aqui, é mentira sobre mentira! Enquanto ela conservar esperança, não botará a perder aquele monstro, sabendo que eu quero salvá-lo. Ah! quando será pronunciada essa maldita sentença!

As palavras "assassino" e "monstro" tinham impressionado dolorosamente Aliócha.

— Mas como ela poderia perder o nosso Mítia? Em que é de temer o seu depoimento?

— Não sabes ainda. Tem em suas mãos um documento escrito por Mítia e demonstrando que foi ele quem matou Fiódor Pávlovitch.

— É impossível! — exclamou Aliócha.

— Impossível, como? Eu mesmo o li.

— Não pode existir semelhante documento! — repetiu Aliócha com ardor. — Não pode existir, porque não foi Mítia o assassino. Não foi ele quem matou nosso pai.

Ivan parou.

— Quem então o matou, na tua opinião? — perguntou ele friamente. Havia arrogância na sua voz.

— Tu mesmo sabes quem — disse mansamente e num tom penetrante Aliócha.

— Quem? Essa fábula a respeito daquele idiota epiléptico, Smierdiákov?

— Tu mesmo sabes quem... — deixou Aliócha escapar, já sem forças. Ofegava, tremia.

— Mas quem então, quem? — gritou Ivan, cheio de raiva. Não era mais senhor de si.

— Só sei uma coisa — disse Alíócha, em voz baixa: — "Não foste tu" que mataste o pai. Estou certo disso.

— Que queres dizer com estas palavras: "Não foste tu"? — perguntou Ivan, estupefato.

— Não foste tu que mataste, não foste tu! — repetiu com firmeza Alíócha. Houve um silêncio.

— Mas sei bem que não fui eu, estás delirando? — disse Ivan, pálido, com um sorriso que era mais uma careta. Encarava Alíócha. Encontravam-se de novo perto de um lampião.

— Não, Ivan, disseste a ti mesmo várias vezes que eras tu o assassino.

— Quando o disse?... Estava em Moscou... Quando o disse? — repetiu Ivan, perturbado.

— Tu o disseste a ti mesmo muitas vezes, quando ficavas sozinho, durante aqueles dois terríveis meses — disse Alíócha brandamente. Parecia falar contra sua vontade, obedecendo a uma ordem imperiosa. — Tu te acusaste, reconheceste que o assassino não era outro senão tu. Mas enganas-te, não és tu, tu me entendes? não és tu! É Deus quem me envia para dizer-te.

Ambos se calaram durante um minuto. Pálidos, fitavam-se bem nos olhos. De súbito, Ivan estremeceu, agarrou Alíócha pelo ombro.

— Estavas em minha casa! — cochichou ele, com os dentes cerrados. — Estavas em minha casa, à noite, quando ele veio... Confessa-o... Viste-o?

— De quem falas... de Mítia? — perguntou Alíócha, que não compreendia.

— Dele não... ao diabo o monstro! — vociferou Ivan. — Será que sabes que ele veio ver-me? Como o soubeste? Fala!

— "Ele", quem? Ignoro a quem te referes — disse Alíócha, aterrorizado.

— Não, tu sabes... senão como é que tu... não podes deixar de saber...

Mas conteve-se. Parecia meditar. Um sorriso estranho pregueava-lhe os lábios.

— Meu irmão — prosseguiu Alíócha, com voz trêmula —, disse-te isto porque crês na minha palavra, eu sei. Disse-te duma vez para sempre: "Não foste tu!". Ouves? Duma vez para sempre. E foi Deus quem me inspirou, ainda que tenhas de odiar-me doravante.

Mas Ivan voltara a dominar-se.

— Alieksiéi Fiódorovitch — disse ele, com um sorriso frio —, não gosto nem dos profetas nem dos epilépticos; sobretudo dos enviados de Deus, você bem o sabe. Desde agora, rompo com você e sem dúvida para sempre. Rogo-lhe que me deixe nesta encruzilhada. De resto, aqui está a rua que leva à sua casa. Sobretudo, evite vir à minha casa hoje, ouviu?

Voltou-se e afastou-se a passos firmes, sem se voltar.

— Meu irmão — gritou-lhe Alíócha —, se te acontecer alguma coisa hoje, pensa em mim!...

Ivan não respondeu. Alíócha ficou na encruzilhada, perto do lampião, até que Ivan desapareceu na escuridão. Retornou então lentamente o caminho de sua residência. Nem ele nem Ivan tinham querido morar na casa solitária de Fiódor Pávlovitch. Aliócha alugava um quarto mobiliado em casa de particulares. Ivan Fiódorovitch ocupava um apartamento espaçoso e bastante confortável na ala duma casa que pertencia a uma senhora abastada, viúva de um funcionário. Tinha para servi-lo apenas uma velha surda, entrevada de reumatismo, que se deitava e se levantava às seis horas. Ivan Fiódorovitch tornara-se muito pouco exigente durante aqueles dois meses e gostava muita de ficar sozinho. Ele mesmo arrumava seu quarto e ia raramente às outras peças. Tendo chegado ao portão e já segurando o cordão da sineta, parou. Sentia-se sacudido por um arrepio de cólera. Largou o cordão, cuspiu, e dirigiu-se bruscamente para o outro extremo da cidade, para uma casinha de madeira empenada, a duas verstas de sua residência. Era ali que morava Maria Kondrátievna a antiga vizinha de Fiódor Pávlovitch, que ia à casa dele buscar sopa e à qual Smierdiákov cantava canções, acompanhando-se na guitarra. Vendera sua casa e vivia com sua mãe numa espécie de isbá; Smierdiákov, doente e quase moribundo, instalara-se em casa delas. Era para lá que se dirigia agora Ivan Fiódorovitch, cedendo a um impulso súbito, irresistível.

VI / Primeira entrevista com Smierdiákov

Era a terceira vez que Ivan Fiódorovitch ia conversar com Smierdiákov, desde seu regresso de Moscou. Vira-o após o drama, no primeiro dia de sua chegada, depois visitou-o duas semanas após. Mas havia mais de um mês não voltara à casa de Smierdiákov e não sabia quase nada dele. Ivan Fiódorovitch voltara de Moscou cinco dias somente após a morte de seu pai, enterrado na véspera. Com efeito, ignorando Aliócha o endereço de seu irmão em Moscou, recorrera a Katierina Ivânovna, que telegrafou a suas parentas, na ideia de que Ivan Fiódorovitch fora visitá-las assim que chegara. Mas só as visitou quatro dias mais tarde e, depois de ter lido o telegrama, regressou a toda a pressa para a nossa cidade. Conversou em primeiro lugar com Aliócha, ficando surpreso por vê-lo afirmar a inocência de Mítia e designar Smierdiákov como o assassino, contrariamente à opinião geral. Depois de ter visto o *isprávnik* e o procurador, tomou conhecimento, com detalhes, da acusação e do interrogatório, ficou mais espantado ainda e atribuiu a opinião de Aliócha cinicamente ao seu extremo afeto fraternal, à compaixão que Mítia lhe inspirava. A este propósito, expliquemos de uma vez por todas os sentimentos de Ivan por seu irmão Dimítri Fiódorovitch; decididamente não gostava dele, a compaixão que ele lhe inspirava misturava-se a muito desprezo, indo até a aversão. Mítia era-lhe totalmente antipático, até mesmo fisicamente. Quanto ao amor de Katierina Ivânovna por ele, causava indignação a Ivan. Vira Mítia no primeiro dia de sua chegada, e essa entrevista, longe de enfraquecer sua convicção de culpabilidade, havia-a fortificado. Seu irmão estava então inquieto, numa agitação doentia, falava muito, mas distraído e desorientado, exprimia-se com brusquidão, acusava Smierdiákov, atrapalhava-se terrivelmente. Falava sobretudo dos três mil rublos "roubados" pelo defunto. "Aquele dinheiro me pertencia — afirmava Mítia. — Mesmo se eu o tivesse roubado, teria sido justo." Não respondia quase às acusações que se elevavam contra ele e se discutia os fatos em seu favor era duma maneira confusa, canhestra, como se não quisesse mesmo justificar-se aos olhos de Ivan; pelo contrário, zangava-se, desdenhava as acusações, invectivava, acalorava-se. Zombava do testemunho de

Grigóri relativo à porta aberta, assegurava que era "o diabo quem a tinha aberto". Mas não podia explicar esse fato de uma maneira plausível. Havia mesmo ofendido Ivan, por ocasião dessa primeira entrevista, declarando-lhe bruscamente que não cabia aos que sustentavam que "tudo é permitido" suspeitar dele e interrogá-lo. Em suma, mostrara-se bastante pouco amável com Ivan Fiódorovitch. Este, após sua entrevista com Mítia, foi logo ter com Smierdiákov.

Ainda no vagão, pensava constantemente em Smierdiákov e na sua derradeira conversa na véspera de sua partida. Muitas coisas o perturbavam, pareciam-lhe suspeitas. Mas no seu depoimento ao juiz de instrução, havia Ivan provisoriamente guardado segredo a respeito. Esperava avistar-se com Smierdiákov que se encontrava então no hospital. O Doutor Herzenstube e o médico do hospital Varvínski responderam categoricamente às perguntas de Ivan Fiódorovitch que a epilepsia de Smierdiákov estava certificada e pareceram mesmo surpresos de que ele lhes perguntasse se não houvera simulação no dia do drama. Deram-lhe a entender que era uma crise extraordinária, que se repetira durante vários dias, pondo em perigo a vida do doente. Agora, graças às medidas tomadas, podia-se afirmar que ele escaparia, mas talvez, acrescentou o Doutor Herzenstube, sua razão ficasse perturbada, se não para sempre, pelo menos por muito tempo. Insistindo Ivan Fiódorovitch em saber se ele estava louco no momento, responderam-lhe que sem estar ainda completamente louco, apresentava certas anomalias. Ivan Fiódorovitch resolveu dar-se conta disso pessoalmente. Foi imediatamente admitido à presença de Smierdiákov, que se encontrava num quarto separado e deitado. Um segundo leito era ocupado por um hidrópico que só poderia durar um ou dois dias e não iria atrapalhar a conversa. Smierdiákov mostrou um sorriso desconfiado à vista de Ivan Fiódorovitch, pareceu mesmo intimidado no primeiro momento, pelo menos Ivan teve essa impressão. Mas isso só durou um instante e Smierdiákov espantou-o quase pela sua calma no resto do tempo. À primeira vista, pôde Ivan Fiódorovitch convencer-se da gravidade de seu estado; estava muito fraco, falava lentamente, penosamente, emagrecera muito e amarelecera. Durante os vinte minutos que durou a entrevista, queixava-se sem cessar de dores de cabeça e de lassidão em todos os membros. Seu rosto chupado de eunuco havia-se encolhido, com os cabelos revoltos nas têmporas. Somente uma mecha delgada erguia-se à guisa de topete. Mas o olho esquerdo, piscante e parecendo fazer alusão, lembrava o antigo Smierdiákov: "Dá gosto falar com um homem de espírito", lembrou-se logo Ivan Fiódorovitch. Sentou-se a seus pés, num tamborete. Smierdiákov mexeu-se, gemendo, mas guardou silêncio, não tinha ar de muita curiosidade.

— Podes falar-me? Não te fatigarei demais.

— Decerto — murmurou Smierdiákov, com voz fraca. — Há muito tempo que o senhor chegou? — acrescentou com condescendência, como para encorajar o visitante constrangido.

— Hoje somente... para esclarecer a trapalhada de vocês.

Smierdiákov suspirou.

— Que tens de suspirar? Sabias então? — perguntou Ivan.

— Como não saberia? — disse Smierdiákov, após um silêncio. — Era claro, de antemão. Mas como prever que aquilo acabaria assim?

— Acabaria o quê? Nada de rodeios! Por que predisseste que terias uma crise logo que descesses à adega? Designaste abertamente a adega.

— Disse isso no seu depoimento? — perguntou Smierdiákov, com fleuma.

— Ainda não, mas o direi decerto. Deves-me explicações, meu amigo, e fica sabendo, meu caro, que não permitirei que brinques comigo!

— Por que brincar com o senhor, quando minha esperança está toda no senhor, como que em Deus? — proferiu Smierdiákov, sem se comover.

— Em primeiro lugar, sei que não se pode prever uma crise de epilepsia. Tomei informações, portanto é inútil fingir. Como, pois, fizeste, para me predizer o dia, a hora e até mesmo o lugar? Como podias saber de antemão que terias uma crise justamente naquela adega, se não simulaste?

— De toda maneira teria eu de ir à adega várias vezes por dia — respondeu lentamente Smierdiákov. — Foi assim que caí do celeiro, há um ano. Bem decerto não se pode prever o dia e a hora duma crise, mas pode-se ter sempre um pressentimento.

— Ora, tu predisseste o dia e a hora!

— No que concerne à minha doença, senhor, informe-se antes junto aos médicos para saber se ela era natural ou fingida; nada mais tenho a dizer-lhe a este respeito.

— Mas a adega? Como previste a adega?

— Essa adega o atormenta! Quando ali desci, tinha medo, desconfiava, tinha medo porque, uma vez ausente o senhor, não havia mais ninguém para me defender. Pensava: "Vou ter um ataque, cairei ou não?". E essa apreensão provocou o espasmo na garganta... vim abaixo. Tudo isso, bem como nossa conversa, na véspera, no portão, quando lhe dava parte de meus temores, inclusive a adega, eu o expus com detalhes ao Senhor Doutor Herzenstube e ao juiz de instrução, Nikolai Parfiénovitch; ficou tudo constando dos autos. O médico do hospital, Varvínski, explicou particularmente que a apreensão mesma havia provocado a crise e o fato foi notado.

Como que esgotado pela lassidão, Smierdiákov respirou com dificuldade.

— Então, já fizeste essas declarações? — perguntou Ivan Fiódorovitch um tanto desconcertado. Queria amedrontá-lo, ameaçando-o com a divulgação de sua conversa, mas o outro tomara a dianteira.

— Que tenho a temer? Eles devem conhecer toda a verdade — disse Smierdiákov, com segurança.

— E contaste também exatamente nossa conversa perto do portão?

— Não, não exatamente.

— Disseste também que sabes simular uma crise, como disso te gabavas diante de mim?

— Não.

— Dize-me agora por que me mandavas para Tchermachniá?

— Temia que o senhor fosse para Moscou. Tchermachniá é mais perto.

— Mentes, foste tu que instaste comigo para partir; "afaste-se do pecado", dizias.

— Foi unicamente por amizade, por devotamento, pressentindo uma desgraça, e para poupá-lo. Mas minha segurança passava além da do senhor. De modo que lhe disse: afaste-se do pecado, para fazê-lo compreender que aconteceria alguma coisa e que o senhor deveria ficar para defender seu pai.

— Deverias ter-me falado francamente então, imbecil!

— Como poderia fazê-lo? O medo dominava-me e o senhor poderia ter-se zangado. Podia temer, com efeito, que Dimítri Fiódorovitch fizesse escândalo e arrebatasse aquele dinheiro que considerava como propriedade sua, mas quem teria acreditado que aquilo acabaria por um assassinato? Pensava que ele se contentaria com furtar aqueles três mil rublos ocultos sob o colchão, num envelope, mas ele assassinou. Como adivinhar, senhor?

— Então, se dizes tu mesmo que era impossível, como eu podia adivinhar e ficar? Não está claro.

— O senhor podia adivinhar pelo fato de eu enviá-lo a Tchermachniá em lugar de Moscou.

— Que é que isso prova?

Smierdiákov, que parecia muito cansado, calou-se de novo.

— O senhor podia compreender que se eu o aconselhava a ir a Tchermachniá é que desejava tê-lo por perto, porque Moscou é longe. Sabendo que o senhor estava nas proximidades, Dimítri Fiódorovitch teria hesitado! O senhor poderia, se preciso, acorrer e defender-me, porque eu lhe havia informado que Grigóri Vassílievitch estava doente e eu receava uma crise. Ora, explicando-lhe que se poderia, por meio de sinais, penetrar em casa do defunto, e que Dimítri Fiódorovitch os conhecia graças a mim, pensei que o senhor adivinharia por si mesmo que ele se entregaria decerto a violências e que, longe de partir para Tchermachniá, o senhor ficaria.

"Ele fala sensatamente — pensava Ivan —, se bem que titubeie; por que dizia Herzenstube que ele tem o espírito transtornado?"

— Estás com astúcias comigo. O diabo te carregue! — exclamou ele, zangado.

— Francamente, então o senhor acreditava que eu havia adivinhado — replicou Smierdiákov, com o ar mais ingênuo.

— Neste caso, eu teria ficado!

— Isto mesmo! Eu pensava que o senhor partia apesar de tudo para salvar-se, porque o senhor tinha medo.

— Acreditavas que todos são tão covardes como tu?

— Desculpe, pensava que o senhor era como eu.

— Decerto, era preciso prever; aliás, eu previa uma vilania de tua parte. Mas tu mentes, mentes de novo — exclamou ele, impressionado por uma lembrança. — Hás de lembrar-te de que, no momento de minha partida, disseste-me: "Dá gosto conversar com um homem de espírito." Estavas, pois, contente com a minha partida, uma vez que me cumprimentavas.

Smierdiákov suspirou várias vezes e pareceu corar.

— Estava contente — disse ele com esforço —, mas apenas porque o senhor se decidia por Tchermachniá em lugar de Moscou. É sempre mais perto; e minhas palavras não eram um cumprimento, mas uma censura. O senhor não compreendeu.

— Que censura?

— Muito embora pressentindo uma desgraça, o senhor abandonava seu pai e recusava-se a defender-nos, porque poderiam suspeitar que eu tivesse furtado aqueles três mil rublos.

— Que o diabo te leve! Um instante; falaste aos juízes a respeito dos sinais, daquelas pancadas?

— Expliquei-lhes tudo, sem faltar nada.

Ivan Fiódorovitch admirou-se de novo.

— Se pensei então em alguma coisa foi numa infâmia de tua parte; aliás, esperava isso. Dimítri podia matar, mas acreditava-o incapaz de roubar. Tu me disseste que sabias simular as crises. Por que disseste isso?

— Por ingenuidade. Jamais simulei a epilepsia, foi simplesmente para me gabar, por estupidez. Gostava muito do senhor então e conversava com toda a simplicidade.

— Meu irmão te acusa, diz que foste tu que mataste e roubaste.

— Decerto, que outra coisa poderá dizer? — Smierdiákov sorriu amargamente. — Mas quem acreditará em tais acusações dele? Grigóri Vassílievitch viu a porta aberta. É concludente. Enfim, que Deus o perdoe! Ele tenta salvar-se e tem medo.

Smierdiákov pareceu refletir, depois acrescentou:

— É sempre a mesma coisa; quer atirar esse crime sobre mim, já o ouvi dizer, mas eu teria prevenido o senhor de que sei simular a epilepsia, se me preparasse para matar seu pai? Meditando esse crime, poderia eu ser tão tolo a ponto de revelar de antemão tal prova e, ainda por cima, ao filho da vítima! Pense nisso! É verossímil? Neste momento, ninguém ouve nossa conversa, exceto a Providência, mas se o senhor a comunicasse ao procurador e a Nikolai Parfiénovitch, isto serviria para minha defesa, porque um celerado não pode ser tão ingênuo. Todos raciocinarão assim.

— Escuta — disse Ivan Fiódorovitch levantando, impressionado por esse último argumento. — Não suspeito de ti de nenhum modo. Seria ridículo acusar-te... agradeço-te mesmo teres me tranquilizado. Vou-me embora, mas voltarei. Adeus. Restabelece-te. Tens necessidade de alguma coisa?

— Agradeço-lhe. Marfa Ignatiévna não me esquece e, sempre boa, me vem em auxílio quando preciso. Pessoas de bem vêm ver-me todos os dias.

— Adeus. Aliás, não direi que sabes simular uma crise... aconselho-te também a não falar disso — disse Ivan sem saber por quê.

— Compreendo bem. Se o senhor não disser, não repetirei tampouco toda a nossa conversa junto ao portão...

Ivan Fiódorovitch saiu. Apenas dera uns dez passos no corredor, deu-se conta de que a derradeira frase de Smierdiákov tinha algo de ferino. Queria já arrepiar caminho, mas ergueu os ombros e saiu do hospital. Sentia-se tranquilizado pelo fato de que o culpado não era Smierdiákov, mas seu irmão Mítia, embora o esperado fosse precisamente o contrário, parece. Não queria procurar a razão disso, sentindo repugnância em analisar suas sensações. Tinha pressa de esquecer. Nos dias que se seguiram, convenceu-se definitivamente da culpabilidade de Mítia, estudando mais a fundo as acusações que pesavam sobre ele. Pessoas inferiores, tais como Fiénia e sua mãe, tinham prestado depoimentos perturbadores. Inútil falar de Pierkhótin, do botequim, da loja dos Plótnikovi, das testemunhas de Mókroie. Os detalhes sobretudo eram esmagadores. A história das pancadas misteriosas havia impressionado o juiz e o procurador quase tanto quanto o depoimento de Grigóri a respeito da porta aberta. Marfa Ignátievna, interrogada por Ivan Fiódorovitch, declarou-lhe que Smierdiákov passara a noite atrás do biombo, "a três passos de nosso leito", e que, muito embora ela dormisse profundamente, despertara muitas vezes ouvindo-o gemer: "Gemia o tempo todo." Conversando com Herzenstube, Ivan Fiódorovitch deu parte de suas dúvidas a respeito da loucura de Smierdiákov, a quem achava simplesmente fraco, mas o velho sorriu com finura: "Sabe em que ele se ocupa agora? Aprende de cor palavras francesas escritas em letras russas num caderno, eh! eh! eh!". As dúvidas de Ivan Fiódorovitch desapareceram afinal. Já não podia pensar mais em Dimítri senão com desgosto. No entanto, havia uma coisa estranha: a persistência de Aliócha em afirmar que o assassino não era Dimítri, mas "muito provavelmente" Smierdiákov. Ivan sempre fizera grande caso da opinião de seu irmão e aquilo o tornava perplexo. Outra coisa estranha, notada por Ivan: Aliócha nunca era o primeiro a falar de Mítia, limitando-se a responder às perguntas dele, Ivan. Aliás, Ivan tinha bem outra coisa na cabeça no momento; desde seu regresso de Moscou, estava loucamente apaixonado por Katierina Ivânovna. Não é aqui o lugar para descrever essa nova paixão de Ivan Fiódorovitch, que influiu em toda a sua vida; formaria isto matéria dum outro romance que escreverei talvez um dia. Devo assinalar, em todo caso, que quando ele declarou a Aliócha, ao sair da casa de Katierina Ivânovna: "a mim ela não agrada", como o contei acima, mentia a si mesmo; amava-a loucamente, ao mesmo tempo que a odiava por vezes, a ponto de ser capaz de matá-la. Isto ligava-se a muitas causas; transtornada pelo drama, voltara-se para Ivan Fiódorovitch, que de novo estava a seu lado, como para um salvador. Estava ofendida, humilhada nos seus sentimentos. E eis que reaparecia o homem que a amava tanto antes — ela bem o sabia — e cuja inteligência e coração sempre apreciara. Mas a severa moça não se dera totalmente, malgrado a impetuosidade de seu amoroso, digna dos Karamázovi, e a fascinação que ele exercia sobre ela. Ao mesmo tempo, atormentava-se sem cessar por ter traído Mítia e, por ocasião de suas frequentes discussões com Ivan, declarava-lhe isso francamente. Era o que, falando a Aliócha, ela chamara de "mentira sobre mentira". Havia, com efeito, muita mentira nas relações deles, o que exasperava Ivan Fiódorovitch... mas não antecipemos. Em suma, por algum tempo, ele quase se esqueceu de Smierdiákov. No entanto, duas semanas após sua primeira visita, as mesmas ideias estranhas recomeçaram a atormentá-lo. Perguntava a si mesmo muitas vezes por que, na derradeira noite, na casa de Fiódor Pávlovitch, antes de sua partida, saíra de mansinho para a escada, como um ladrão, para escutar o que fazia seu pai no rés-do-chão. Posteriormente, lembrou-se disso com desgosto. Sentiu-se de súbito angustiado no dia seguinte pela manhã em viagem e, ao aproximar-se de Moscou, dizia a si mesmo: "Sou um miserável!". Por que isso? Pensava mesmo uma vez que essas ideias penosas podiam fazer que esquecesse Katierina Ivânovna, quando encontrou Aliócha na rua. Deteve-o logo e perguntou-lhe:

— Lembras-te daquela tarde em que Dimítri irrompeu em casa de nosso pai e bateu nele? Disse-te mais tarde no pátio que me reservava "o direito de desejar". Dize-me, pensaste então que eu desejava a morte de nosso pai?

— Sim — disse mansamente Aliócha.

— Aliás, não era difícil adivinhar. Mas não pensaste também que eu desejava que os répteis se devorassem mutuamente, isto é, que Dimítri matasse nosso pai o mais depressa possível... e que eu mesmo o ajudaria nisso?

Aliócha empalideceu, olhou em silêncio para seu irmão, fitando-o bem nos olhos.

— Fala! — exclamou Ivan. — Quero saber o que pensaste. Preciso de toda a verdade!

Sufocava e olhava de antemão Aliócha com um ar cheio de maldade.

— Perdoa-me, pensei isso também — murmurou Aliócha, sem acrescentar "circunstância atenuante".

— Obrigado — disse secamente Ivan, que prosseguiu seu caminho.

Desde então, notou Aliócha que seu irmão o evitava e lhe testemunhava aversão, tanto que cessou suas visitas. Logo depois desse encontro, voltara Ivan Fiódorovitch a ver Smierdiákov.

VII / Segunda entrevista com Smierdiákov

Smierdiákov havia saído do hospital. Residia naquela casinha empenada que se compunha de duas peças reunidas por um vestíbulo. Maria Kondrátievna e sua mãe habitavam uma, a outra era ocupada por Smierdiákov. Não se sabia exatamente a que título se instalara ele em casa delas; mais tarde, supôs-se que vivia como noivo de Maria Kondrátievna e não pagava nada no momento. A mãe e a filha estimavam-no muito e consideravam-no superior a elas. Depois de ter batido, Ivan, segundo as indicações de Maria Kondrátievna, entrou diretamente à esquerda na peça ocupada por Smierdiákov. Uma estufa de faiança desprendia um calor intenso. As paredes estavam ornadas de papel azul, mas rasgado, sob o qual, nas fendas, formigavam as baratas das quais se ouvia o barulho contínuo. O mobiliário era insignificante: dois bancos contra as paredes e duas cadeiras perto da mesa muito simples, coberta por uma toalha de ramagens cor-de-rosa. Sobre as janelas, gerânios; a um canto, imagens santas. Sobre a mesa, um pequeno samovar de cobre, fortemente amassado, uma bandeja e duas xícaras. Mas estava apagado, Smierdiákov já havia tomado o chá... Estava sentado sobre um banco e escrevia num caderno. Ao lado dele, achavam-se um pequeno tinteiro e uma vela num candelabro de ferro fundido. Olhando Smierdiákov, Ivan teve a impressão de que ele estava completamente restabelecido. Tinha o rosto mais fresco, menos magro, os cabelos empomadados, um roupão de quarto pintalgado, forrado de algodão e bastante usado. Trazia óculos, o que era novidade para Ivan Fiódorovitch. Esse detalhe irritou-o: "Semelhante criatura usar óculos!". Smierdiákov ergueu lentamente a cabeça, fixou o visitante através de seus óculos; tirou-os, depois se levantou displicentemente, menos em atitude de respeito do que para cumprir estrita polidez. Ivan notou tudo isso num piscar de olhos e sobretudo o olhar malévolo e mesmo orgulhoso de Smierdiákov. "Que vens fazer aqui? Já nos entendemos", parecia ele dizer. Ivan Fiódorovitch mal se continha.

— Faz calor aqui — disse, ainda de pé, desabotoando seu sobretudo.

— Tire-o — sugeriu Smierdiákov.

Ivan Fiódorovitch tirou seu sobretudo, pegou uma cadeira com suas mãos trêmulas, aproximou-a da mesa e sentou. Smierdiákov já havia retomado seu lugar.

— Em primeiro lugar, estamos sós? — perguntou severamente Ivan Fiódorovitch. — Não poderão ouvir-nos?

— Ninguém. O senhor viu que há um vestíbulo.

— Escuta, então. Que é que insinuavas quando te deixei, no hospital, dizendo que se eu não falasse de tua habilidade em simular epilepsia, tu não relatarias ao juiz toda a nossa conversa junto do portão? Que significa esse "toda"? Que entendias com isso? Era uma ameaça? Existe um acordo entre nós? Tenho medo de ti?

Ivan Fiódorovitch falava com cólera, dava claramente a entender que desprezava os rodeios, jogava cartas na mesa. Smierdiákov lançou um olhar mau, seu olho esquerdo pôs-se a piscar, como para dizer, com sua reserva habitual: "Queres ir diretamente ao caso, pois seja!".

— Queria dizer então que, prevendo o assassinato do seu próprio pai, o senhor deixou-o sem defesa. Era uma promessa de calar-me para impedir julgamentos desfavoráveis de seus sentimentos ou mesmo de outra coisa.

Pronunciou Smierdiákov estas palavras sem se apressar, parecendo senhor de si, mas num tom áspero, provocante. Fixou Ivan Fiódorovitch com ar insolente.

— Como? O quê? Estás em teu bom-senso?

— Estou em todo o meu bom-senso.

— Então eu estava a par do assassinato? — exclamou Ivan, dando um formidável murro sobre a mesa. — E que significa "de outra coisa"? Fala, miserável!

Smierdiákov calava-se, com a mesma insolência no olhar.

— Fala, pois, canalha infecto, dessa outra coisa!

— Pois bem! Eu queria dizer com aquilo que o senhor mesmo, talvez, desejasse vivamente a morte de seu pai.

Ivan Fiódorovitch levantou e bateu com todas as suas forças no ombro de Smierdiákov; este cambaleou até perto da parede, lágrimas inundaram-lhe o rosto. "É vergonhoso, senhor, bater em um homem sem defesa!"

Cobriu o rosto com seu sujo lenço de quadrados azuis e pôs-se a soluçar.

— Basta! Para com isso! — disse imperiosamente Ivan, que tornou a sentar. — Não me leves aos extremos!

Smierdiákov descobriu seus olhos. Seu rosto enrugado exprimia vivo rancor.

— De modo que, miserável, acreditavas que, de conluio com Dimítri, eu queria matar meu pai?

— Não conhecia os seus pensamentos e foi para sondá-lo que o detive no corredor.

— Quê? Sondar o quê?

— Suas intenções. Se o senhor desejava que seu pai fosse prontamente assassinado!

O que exasperava Ivan Fiódorovitch era o tom altivo e impertinente de que não queria desistir Smierdiákov.

— Foste tu que o mataste! — exclamou ele, de repente.

Smierdiákov sorriu, desdenhoso.

— O senhor sabe perfeitamente que não fui eu, e teria acreditado que um homem inteligente não insistiria nisso.

— Mas por que tiveste tal suspeita a meu respeito?

— Como o senhor sabe, é por medo. Porque estava em tal situação que desconfiava de todo mundo... Quis também sondá-lo porque, pensei, se o senhor estivesse de acordo com seu irmão, eu estaria perdido.

— Não falavas assim, há duas semanas.

— Subentendia a mesma coisa no hospital, supondo que o senhor compreenderia por meias palavras e que evitava uma explicação direta.

— Vejam só! Mas responde então, insisto: como pude inspirar em tua alma vil essa ignóbil suspeita?

— O senhor não era capaz de matar pessoalmente, mas desejava que outrem o fizesse.

— Com que fleuma ele fala! Mas por que eu teria querido?

— Como? Por quê? E a herança? — disse perfidamente Smierdiákov. Após a morte de seu pai, devia receber quarenta mil rublos cada um, se não mais. Se Fiódor Pávlovitch, porém, tivesse desposado aquela senhora, Agrafiena Alieksándrovna, ela logo teria transferido o capital para seu nome, porque não é tola, de sorte que nada teria restado para os senhores três. Isso esteve por um fio; bastava que ela dissesse uma palavra e ele a teria acompanhado à igreja, todo enamorado.

Ivan Fiódorovitch mal se podia conter.

— Está bem — disse por fim —, vês? nem te bati, nem te matei. Continua. Então, na tua opinião, eu encarregara meu irmão Dimítri dessa tarefa, contava com ele?

— Certamente. Assassinando, ele perdia todos os seus direitos, era degradado e deportado. Seu irmão Alieksiéi Fiódorovitch e o senhor herdariam a parte dele, e não seriam quarenta mil rublos para cada um, mas sessenta mil que lhes caberia. O senhor contava certamente com Dimítri Fiódorovitch.

— Pões minha paciência à prova! Escuta, patife, se tivesse contado naquele momento com alguém, seria contigo, e não com Dimítri, e, juro, pressentia alguma infâmia de tua parte... então... lembro-me de minha impressão!

— Eu também acreditei um instante que o senhor contava comigo — disse ironicamente Smierdiákov —, de sorte que o senhor se desmascarava ainda mais, porque se viajava apesar daquele pressentimento, isto revertia em dizer: podes matar meu pai, não me oponho a isso.

— Miserável! Havias compreendido isso.

— Pense um pouco: o senhor ia partir para Moscou, recusava, apesar dos rogos de seu pai, dirigir-se a Tchermachniá. E consente, de repente, a uma palavra minha! Que é que o levava àquela Tchermachniá? Para partir assim sem razão, a meu conselho, era preciso que o senhor esperasse alguma coisa de mim.

— Não, juro que não — gritou Ivan, rangendo os dentes.

— Como não? O senhor deveria ter-me, pelo contrário, o senhor, o filho da casa, por causa daquelas palavras, conduzido à polícia e mandado chicotear-me... pelo menos surrar-me ali mesmo. Em lugar de zangar-se, segue conscienciosamente meu conselho, parte, coisa absurda, porque deveria ter ficado para defender seu pai... Que eu devia concluir?

Ivan tinha o ar sombrio, com os punhos crispados sobre os joelhos.

— Sim, lamento não ter te surrado então — disse, com um sorriso amargo. — Não podia levar-te à polícia, não me teriam acreditado sem provas. Mas surrar-te... ah! lamento não ter pensado nisso; muito embora as agressões físicas sejam proibidas, devia ter amassado devidamente o teu focinho.

Smierdiákov observava-o quase com volúpia.

— Nos casos ordinários da vida — declarou ele, num tom satisfeito e douto-ral, como quando discutia sobre a fé com Grigóri Vassilievitch em casa de seu amo — as agressões físicas estão realmente proibidas pela lei, renunciaram a tais bruta-lidades, mas nos casos excepcionais, entre nós como no mundo inteiro, até mesmo na República Francesa, continuam a atacar-se violentamente como no tempo de Adão e Eva, e será sempre assim. No entanto, o senhor, mesmo num caso excepcio-nal, não ousou.

— São palavras francesas que estás aprendendo ali? — perguntou Ivan, desig-nando um caderno sobre a mesa.

— Por que não? Completo minha instrução com a ideia de que um dia talvez visitarei também eu aquelas felizes regiões da Europa.

— Escuta, monstro — disse Ivan, que tremia de cólera —, não temo tuas acu-sações, depõe contra mim tudo quanto queiras. Se não te matei, ainda há pouco, foi unicamente porque suspeito de ti como autor desse crime e quero entregar-te à justiça. Eu te desmascararei.

— Na minha opinião, o senhor faria melhor calando-se. Porque, que pode o senhor dizer contra um inocente e quem o acreditará? Mas se o senhor me acusar, contarei tudo. Preciso bem defender-me!

— Pensas que tenho medo de ti agora?

— Admitamos que a justiça não acredite em minhas palavras; em compensa-ção o público acreditará e será uma vergonha para o senhor.

— Isto quer dizer que "dá gosto falar com um homem de espírito", não é? — perguntou Ivan, rangendo os dentes.

— O senhor o disse. Dê prova de espírito.

Ivan Fiódorovitch levantou, tremendo de indignação, vestiu seu sobretudo e, sem mais responder a Smierdiákov, sem mesmo olhá-lo, precipitou-se para fora da isbá. O vento fresco da noite refrescou-o. Fazia luar. As ideias e sensações tur-bilhonavam nele. "Ir denunciar agora Smierdiákov? Mas que dizer? Ele é, contudo, inocente. Será ele quem me acusará, pelo contrário. Com efeito, por que parti então para Tchermachniá? Com que fim? Certamente, eu esperava alguma coisa, ele tem razão..." Pela centésima vez, lembrava-se de como, na derradeira noite passada em casa de seu pai, ele ficou na escada, à escuta, e isto lhe causava tal sofrimento que chegou mesmo a parar, como que traspassado: "Sim, esperava aquilo, então, é ver-dade! Quis o assassinato! Eu o quis mesmo? Preciso matar Smierdiákov!... Se não tiver a coragem disso, não vale a pena viver!...". Ivan seguiu diretamente para a casa de Katierina Ivânovna, que ficou espantada com o ar desvairado dele. Repetiu-lhe toda a sua conversa com Smierdiákov, até a mínima palavra. Se bem que ela se es-forçasse por acalmá-lo, ele andava para lá e para cá, proferindo frases incoerentes. Sentou afinal, pôs os cotovelos sobre a mesa, com a cabeça entre as mãos e fez uma reflexão estranha:

— Se não foi Dimítri, mas Smierdiákov, sou seu cúmplice, porque fui eu que o impeli ao crime. Eu mesmo impeli? Não sei ainda. Mas se foi ele que matou e não Dimítri, sou também um assassino.

A estas palavras, Katierina Ivânovna levantou em silêncio, foi à sua escriva-ninha e tirou de uma caixinha um papel que colocou diante de Ivan. Era o docu-mento a respeito do qual falara mais tarde a Aliócha como duma prova formal da culpabilidade de Dimítri. Era uma carta escrita a Katierina Ivânovna por Mítia, em estado de embriaguez, na noite de seu encontro com Alióchca, quando este voltava ao mosteiro depois da cena em que Grúchenhka insultara sua rival. Depois de tê-lo deixado, Mítia correu à casa de Grúchenhka, não se sabe se ele a viu, mas acabou a noite no botequim "A Capital", onde se embriagou completamente. Nesse estado pediu uma pena, papel e rabiscou um documento importante. Era uma carta prolixa, incoerente, digna de um bêbedo. Parecia um ébrio, que, de volta à sua casa, conta com animação à sua mulher ou aos que o cercam que um canalha acaba de insultá-lo, a ele, homem decente, mas que haverá de arrancar-lhe o couro; o homem fala até não poder mais, pontuando de murros sobre a mesa sua narrativa incoerente, comovido até as lágrimas. O papel de carta que lhe tinham dado no botequim era uma folha grosseira, suja, trazendo nas costas uma conta. Faltando espaço para aquele falatório de bêbedo, Mítia enchera as margens e escrevera as derradeiras linhas atravessando o texto. Eis o que dizia a carta:

Kátia fatal, amanhã arranjarei dinheiro e te restituirei os teus três mil rublos. Adeus, mulher rancorosa, adeus também meu amor! Acabemos com isso! Amanhã, irei pedir dinheiro a todo mundo, se me recusarem, dou-te minha palavra de honra que irei à casa de meu pai, quebrarei sua cabeça e me apoderarei do dinheiro debaixo de seu travesseiro, contanto que Ivan tenha partido. Irei parar no presídio, mas restituo os teus três mil rublos! Adeus. Saúdo-te até o chão, em comparação contigo sou um miserável. Perdoa-me. Ou antes não, não me perdoes; estaremos mais à vontade, tu e eu! Prefiro o presídio ao teu amor, porque amo outra, tu a conheces demasiado desde hoje. Como poderias perdoar? Matarei aquele que me despojou! Abandonarei vocês todos para partir para o Oriente, não mais ver ninguém, "ela" tampouco, porque não és a única a me fazer sofrer. Adeus!

P.S. Eu te amaldiçoo, e contudo adoro-te! Sinto meu coração bater, resta nele uma corda que vibra por ti. Ah! É preferível que ele rebente! Eu me matarei, mas matarei em primeiro lugar o monstro, vou lhe arrancar os três mil rublos e os atirarei a teus pés. Serei um miserável a teus olhos, mas não um ladrão! Aguarda os três mil. Estão na casa do cão maldito, debaixo de seu colchão, amarrados por uma fita cor-de-rosa. Não sou eu o ladrão, matarei o homem que me roubou. Kátia, não me desprezes. Dimítri é... um assassino, mas não é um ladrão! Matou seu pai e se perdeu, para não ter de suportar o teu orgulho. E para não te amar.

PP.S. Beijo-te os pés, adeus!

PP.SS. Kátia, roga a Deus para que me deem dinheiro. Então não derramarei sangue, mas se me recusarem, eu o derramarei. Mata-me!

Teu escravo e teu inimigo.

D. Karamázov

Depois de ter lido esse "documento", Ivan ficou convencido. Fora seu irmão quem matara e não Smierdiákov. Se não fora Smierdiákov, não fora pois ele, Ivan. Aquela carta constituía a seus olhos uma prova categórica. Para ele, não podia mais haver dúvida alguma sobre a culpabilidade de Mítia. A propósito, Ivan jamais suspeitara de uma cumplicidade entre Mítia e Smierdiákov, isto não concordava com os fatos. Estava completamente tranquilizado. No dia seguinte, só se lembrou com desprezo de Smierdiákov e de suas zombarias. Ao fim de alguns dias, admirou-se mesmo de ter podido ofender-se tão cruelmente com as suspeitas dele. Resolveu esquecê-lo totalmente. Passou-se assim um mês. Soube por acaso que Smierdiákov estava doente de corpo e espírito. "Esse indivíduo ficará louco", dissera a respeito dele o jovem médico Varvínski. Cerca do fim do mês, o próprio Ivan começou a sentir-se bastante mal. Consultara mesmo o médico mandado vir de Moscou por Katierina Ivânovna. Pela mesma época as relações entre eles azedaram-se ao extremo. Eram como dois inimigos amorosos um do outro. Os regressos de Katierina Ivânovna para Mítia, passageiros mas violentos, exasperavam Ivan. Coisa estranha, até a derradeira cena em presença de Aliócha, quando este voltou da prisão, ele, Ivan, jamais ouvira, durante todo o mês, Katierina Ivânovna duvidar da culpabilidade de Mítia, malgrado seus regressos a ele, que lhe eram tão odiosos. Era também de notar que, sentindo seu ódio por Mítia crescer cada dia, compreendesse Ivan ao mesmo tempo que o odiava não por causa dos regressos a ele de Katierina Ivânovna, mas por ter matado o pai deles! Dava-se perfeitamente conta disso. Não obstante, dez dias antes do julgamento, fora ver Mítia e lhe propusera um plano de evasão, evidentemente concebido desde muito tempo. Fora esse passo inspirado em parte pelo despeito que lhe causava a insinuação de Smierdiákov, de que ele, Ivan, tinha interesse em que seu irmão fosse condenado, porque sua parte da herança e a de Aliócha subiria de quarenta para sessenta mil rublos. Decidira sacrificar trinta mil para fazer Mítia evadir-se: Ao voltar da prisão, estava triste e perturbado, teve de súbito a impressão de que desejava aquela evasão não somente para fazer desaparecer assim o seu despeito, mas por uma outra razão. "Seria porque, no fundo de minha alma, seja também um assassino?", perguntara a si mesmo. Estava vagamente inquieto e ulcerado. Sobretudo, durante aquele mês, seu orgulho muito sofrera, mas tornaremos a falar disso...

Quando Ivan Fiódorovitch, após sua conversa com Aliócha e já à porta de sua casa, resolvera ir à casa de Smierdiákov, obedecia a uma indignação súbita que dele se havia apoderado. Lembrou-se de repente de que Katierina Ivânovna acabava de exclamar em presença de Aliócha: "Foste tu, tu somente, que me persuadiste de que ele (isto é, Mítia) era o assassino!". Ao lembrar-se disso, Ivan ficou estupefato; jamais lhe assegurara a culpabilidade de Mítia, pelo contrário, chegara a suspeitar de si mesmo em presença dela, ao voltar da casa de Smierdiákov. Em compensação, fora "ela" que lhe exibira então aquele documento e demonstrara a culpabilidade de seu irmão! E agora ela exclamava: "Eu mesma fui à casa de Smierdiákov!". Quando isso? Ivan nada sabia. Então ela não estava bem convencida. E que tinha podido dizer-lhe Smierdiákov? Teve um acesso de furor. Não compreendia como, uma meia hora antes, pudera deixar passar aquelas palavras sem se espantar. Largou o cordão da campainha e dirigiu-se à casa de Smierdiákov. "Eu o matarei talvez, agora!", pensava pelo caminho.

VIII / Terceira e última entrevista com Smierdiákov

Durante o trajeto um vento áspero e fresco começou a soprar, o mesmo que de manhã, trazendo uma neve fina, espessa e seca. Ela caia sem aderir ao solo, o vento fazia-a turbilhonar e dentro em breve desencadeou-se uma verdadeira tormenta. Na parte da cidade em que morava Smierdiákov, quase não há lampiões. Ivan marchava no escuro orientando-se instintivamente. A cabeça doía-lhe. As têmporas latejavam-lhe, seu pulso estava precipitado. Um pouco antes de chegar à casinha de Maria Kondrátievna, encontrou um mujique embriagado, de cafetã remendado, que caminhava em ziguezague, invectivando, interrompendo-se por vezes para entoar uma canção com sua voz rouca:

> Para Piter[92] partiu Vanka,
> Por ele não esperarei.

Mas parava sempre no segundo verso e recomeçava suas imprecações. Desde bom tempo, sentia Ivan Fiódorovitch inconscientemente verdadeiro ódio contra aquele indivíduo; de repente deu-se conta disso. Teve, de imediato, uma vontade irresistível de matá-lo. Justamente naquele momento encontraram-se lado a lado, e o mujique, cambaleando, deu violento encontrão em Ivan. Este repeliu com raiva o bêbedo, que caiu sobre a terra gelada, exalou um gemido e calou-se. Jazia de costas, desmaiado. "Ele vai gelar!", pensou Ivan, que prosseguiu seu caminho.

No vestíbulo, Maria Kondrátievna, que viera abrir, com uma vela na mão, disse-lhe em voz baixa que Páviel Fiódorovitch (isto é, Smierdiákov) estava muito mal e parecia fora de juízo, tendo mesmo recusado tomar o chá.

— Está fazendo barulho então? — indagou Ivan.

— Pelo contrário, está completamente calmo, mas não o retenha demasiado tempo... — pediu Maria Kondrátievna.

Ivan entrou na isbá.

Ela estava sempre bastante aquecida, mas notavam-se algumas mudanças no quarto; um dos bancos dera lugar a um grande divã de falso acaju, recoberto de couro, arranjado como cama com travesseiros bastante limpos. Smierdiákov estava sentado, sempre metido no seu velho roupão de quarto. Tinham posto a mesa diante do divã, de sorte que restava pouco espaço. Em cima, um grosso volume de capa amarela. Ele acolheu Ivan com um longo olhar silencioso, não parecendo absolutamente surpreendido pela sua visita. Tinha mudado muito fisicamente, com o rosto bastante emagrecido e amarelo, os olhos cavados, as pálpebras inferiores arroxeadas.

— Estás verdadeiramente doente? — disse Ivan Fiódorovitch. — Não te reterei muito tempo, conservarei mesmo meu sobretudo. Posso sentar?

Aproximou uma cadeira da mesa e sentou.

— Por que não falas? Só tenho uma pergunta a fazer-te, mas juro-te que não partirei sem resposta. Katierina Ivânovna veio ver-te?

Smierdiákov não respondeu, fez um gesto apático e virou-se.

— Que tens?

— Nada.

— Nada, como?

— Está bem! Sim, ela veio, que é que tem o senhor com isso? Deixe-me tranquilo.

— Não, não te deixarei. Fala, quando veio ela?

— Ora, já perdi a lembrança.

Smierdiákov sorriu com desdém. De repente, voltou-se para Ivan, com o olhar carregado de ódio, como um mês antes.

---

92 Petersburgo, na linguagem do povo.

— Creio que o senhor também está doente. Como tem as faces cavadas, o ar desfeito!

— Deixa minha saúde e responde à minha pergunta.

— Por que seus olhos estão tão amarelos? O senhor deve estar-se atormentando.

Pôs a rir, escarninho.

— Escuta, já te disse que não partirei sem resposta — exclamou Ivan exasperado.

— Por que essa insistência? Por que me tortura? — disse Smierdiákov, num tom doloroso.

— Que diabo! Não és tu quem me interessa. Responde e irei imediatamente.

— Nada tenho a responder-lhe.

— Asseguro-te que te obrigarei a falar.

— Por que se inquieta o senhor? — Smierdiákov fitou-o com desgosto, mais do que com desprezo. — Porque é amanhã o julgamento? Mas o senhor não arrisca nada, tranquilize-se, pois, afinal! Vá tranquilamente para sua casa, durma em paz, nada tem a temer.

— Não te compreendo... por que haveria eu de temer amanhã? — disse Ivan, espantado e, de repente, sentiu-se gelado de medo. Smierdiákov mirava-o de alto a baixo.

— O senhor não com-pre-ende? — disse ele, num tom de censura. — Que necessidade experimenta um homem inteligente de representar semelhante comédia?

Ivan olhava-o sem falar. O tom inesperado, tão arrogante, com que lhe falava seu antigo lacaio, exorbitava do comum.

— Digo-lhe que o senhor nada tem a temer. Não deporei contra o senhor, não há provas. Veja como suas mãos tremem. Por que isso? Volte à sua casa, não é o senhor o assassino!

Ivan estremeceu, lembrou-se de Aliócha.

— Sei que não sou eu... — murmurou ele.

— O senhor sa-be?

Ivan levantou-se e agarrou-o pelo ombro.

— Fala, réptil! Dize tudo!

Smierdiákov não se mostrou nada amedrontado. Olhou somente Ivan com um ódio louco.

— Então, foi o senhor que matou, se é assim — murmurou ele com raiva.

Ivan deixou-se recair sobre sua cadeira, parecendo meditar.

Sorriu maldosamente.

— Sempre a mesma história, como da outra vez?

— Sim, o senhor compreendia tudo da vez passada, compreende agora ainda.

— Compreendo somente que estás louco.

— E isto não lhe aborrece? Estamos aqui, creio, na intimidade, de que serve enganar-nos, representar uma comédia mutuamente? Ou então quer ainda lançar tudo sobre mim só, à minha cara? O senhor matou, é o senhor o principal assassino, não fui senão seu auxiliar, seu fiel instrumento, o senhor sugeriu, eu realizei.

— Realizou? Foste tu que mataste?

Sentiu como uma comoção no cérebro, um arrepio glacial percorreu-o todo.

Por sua vez, Smierdiákov observava-o com espanto. O terror de Ivan impressionava-o afinal pela sua sinceridade.

— Não sabia, pois, de nada? — disse ele com desconfiança. Ivan continuava a olhá-lo, sua língua estava como que paralisada.

> Para Piter partiu Vanka,
> Por ele não esperarei,

ele acreditou, de súbito, ouvir.

— Sabes, tenho medo de que sejas um fantasma — ele murmurou.

— Não há fantasma aqui, exceto nós dois, e ainda um terceiro. Sem dúvida, está aí, agora.

— Quem? Que terceiro? — proferiu Ivan cheio de medo, olhando em redor de si, como se procurasse alguém.

— É Deus, a Providência, que está aqui, perto de nós, mas é inútil procurá-lo, o senhor não o encontrará.

— Mentiste, não foste tu que mataste! — vociferou Ivan. — Estás louco, ou me exasperas a vontade, como da outra vez!

Smierdiákov, nada amedrontado, observava-o atentamente. Não podia dominar sua desconfiança, parecia-lhe que Ivan sabia de tudo e simulava ignorância para rejeitar todas as culpas sobre ele só.

— Espere — disse ele afinal, com uma voz fraca e, retirando sua perna esquerda de sob a mesa, pôs-se a arregaçar sua calça. Smierdiákov usava meias brancas e chinelos. Sem pressa, tirou sua liga e meteu a mão em sua meia. Ivan Fiódorovitch, que o olhava, estremeceu, de súbito, de terror.

— Demente! — berrou ele. Levantou-se dum salto, recuou vivamente batendo com as costas na parede, onde ficou como que pregado, com os olhos fixos em Smierdiákov, cheio dum terror louco. Imperturbável, continuava Smierdiákov a procurar na meia, esforçando-se por pegar alguma coisa. Conseguiu por fim e Ivan viu-o retirar papéis ou um maço de papéis, que depositou em cima da mesa.

— Eis! — disse ele em voz baixa.

— O quê?

— Queira olhar.

Ivan aproximou-se da mesa, pegou o maço e começou a desfazê-lo, mas de repente retirou seus dedos como ao contato de um réptil repugnante, temível.

— Seus dedos tremem convulsivamente — notou Smierdiákov e ele mesmo, sem se apressar, desdobrou o papel. Sob o envelope, havia três pacotes de cédulas de cem rublos.

— Está tudo aí, os três mil, não precisa contar. Tome — disse designando as cédulas. Ivan tombou sobre sua cadeira. Estava branco como linho.

— Fizeste-me medo.. com essa meia... — proferiu ele, com estranho sorriso.

— Então, deveras, não sabia ainda?

— Não, não sabia, acreditava que tivesse sido Dimítri. Ah! meu irmão! meu irmão! — Pegou a cabeça entre as mãos. — Escuta: tu mataste só, sem meu irmão?

— Somente com o senhor, com o senhor só. Dimítri Fiódorovitch está inocente.

— Está bem... está bem... Falaremos de mim em seguida. Mas por que tremo dessa maneira?... Não posso articular as palavras.

— O senhor era atrevido então, "tudo é permitido", dizia o senhor, agora está com medo! — murmurou Smierdiákov estupefato. — Quer limonada? Vou pedir. Refresca. Mas seria preciso cobrir primeiro isto.

Designava o maço de cédulas. Fez um movimento para a porta, a fim de chamar Maria Kondrátievna e dizer-lhe para trazer limonada; procurando com que ocultar o dinheiro, tirou a princípio seu lenço, mas como este estivesse sujo demais, pegou de cima da mesa o grosso volume amarelo que Ivan havia notado ao entrar, e cobriu com ele as cédulas. Aquele livro tinha como título: *Sermões de nosso santo padre Isaac, o sírio*.

— Não quero limonada — disse Ivan. — Senta-te e fala: como o fizeste? Dize tudo...

— O senhor deveria tirar seu sobretudo, senão ficará alagado de suor.

Ivan tirou seu sobretudo que atirou sobre o banco, sem se levantar.

— Fala, rogo-te, fala!

Parecia calmo. Estava certo de que Smierdiákov diria tudo agora.

— Como se passaram as coisas? — Smierdiákov suspirou. — Da maneira mais natural, segundo suas próprias palavras...

— Voltaremos a falar de minhas palavras — interrompeu Ivan, mas sem se zangar desta vez, como se estivesse totalmente senhor de si. — Conta somente, em detalhe e com ordem, como deste o golpe. Sobretudo não esqueças os detalhes, rogo-te.

— O senhor tinha partido, caí na adega...

— Era uma crise, ou então simulavas?

— Simulava, é claro. Desci tranquilamente até embaixo, estendi-me, depois do que comecei a gritar. E debati-me, enquanto me transportavam.

— Um instante. Simulaste também mais tarde, no hospital?

— Não, não. No dia seguinte de manhã, ainda em casa, fui dominado por uma crise verdadeira, a mais forte desde anos. Fiquei dois dias inconsciente.

— Bem, bem. Continua.

— Puseram-me sobre um divã, por trás do biombo; esperava por isso mesmo, porque, quando eu estava doente, Marfa Ignátievna me instalava sempre para passar a noite no quarto deles. Sempre foi boa para mim, desde que nasci. Durante a noite, eu gemia, mas mansamente. Esperava sempre Dimítri Fiódorovitch.

— Onde o esperavas, em tua casa?

— Por que em minha casa? Esperava sua vinda à casa do pai. Estava certo de que ele viria naquela mesma noite, porque, privado de minhas informações, devia fatalmente introduzir-se por meio de escalada e empreender alguma coisa.

— E se ele não tivesse vindo?

— Então, nada teria acontecido. Sem ele, eu não teria agido.

— Bem, bem... fala sem te apressares, sobretudo não omitas nada.

— Contava que ele mataria Fiódor Pávlovitch... decerto, porque eu o tinha preparado bem para isso... nos últimos dias... e sobretudo, conhecia os sinais. Desconfiado e arrebatado como era, não podia deixar de penetrar na casa. Esperava por isso.

— Um instante. Se ele tivesse matado, teria também tirado o dinheiro; devias raciocinar assim. Que teria restado para ti? Nada vejo.

— Nunca jamais teria encontrado o dinheiro. Disse-lhe que o dinheiro estava debaixo do colchão. Mentia. Antes estava numa caixinha. Em seguida, como Fiódor Pávlovitch só confia em mim no mundo, sugeri-lhe esconder o dinheiro por trás dos ícones, porque ninguém teria a ideia de procurá-lo ali, sobretudo num momento de pressa. Meu conselho havia agradado a Fiódor Pávlovitch. Teria sido ridículo guardar o dinheiro debaixo do colchão, numa caixinha fechada à chave. Mas todos acreditaram nessa caixinha. Raciocínio estúpido. Portanto, se Dimítri Fiódorovitch tivesse assassinado, teria fugido ao menor alerta, como todos os assassinos, ou então seria surpreendido e detido. Eu podia assim, no dia seguinte, ou na mesma noite, ir furtar o dinheiro, sendo tudo imputado a Dimítri Fiódorovitch.

— Mas se ele tivesse apenas golpeado, sem matar?

— Neste caso, eu por certo não teria ousado tirar o dinheiro, mas contava que ele golpearia Fiódor Pávlovitch até fazê-lo perder os sentidos; então eu me apossaria da bolada e lhe teria explicado em seguida que fora Dimítri Fiódorovitch quem roubara.

— Espere... não estou entendendo mais. Foi então Dimítri quem matou? Tu somente roubaste?

— Não, não foi ele. Decerto, eu poderia dizer-lhe, ainda agora, que foi ele... mas não quero mentir, porque... porque mesmo se, como o vejo, o senhor nada compreendeu até o presente e não simula para lançar todas as culpas sobre mim, é, no entanto, culpado de tudo; com efeito, o senhor estava prevenido do assassinato, o senhor me encarregou da execução e partiu. De modo que, quero demonstrar-lhe esta noite que o principal, o único assassino foi o senhor, e não eu, se bem que tenha matado. Legalmente, é o senhor o assassino.

— Como assim? Por que sou eu o assassino? — Ivan Fiódorovitch não pôde se impedir de perguntar, esquecendo sua decisão de deixar para o fim da conversa o que lhe dizia respeito pessoalmente. — É sempre a propósito de Tchermachniá. Para! Dize-me por que era preciso o meu consentimento, uma vez que havias tomado minha partida como um consentimento? Como me explicarás isso?

— Seguro de seu consentimento, sabia que quando o senhor voltasse, não faria histórias com a perda desses três mil rublos, se por acaso a justiça suspeitasse de mim em lugar de Dimítri Fiódorovitch ou de cumplicidade com ele; pelo contrário, o senhor teria tomado minha defesa... Tendo herdado, graças a mim, poderia o senhor em seguida recompensar-me para o resto da vida, porque se seu pai tivesse casado com Agrafiena Alieksándrovna, o senhor nada viria a receber.

— Ah! tinhas então a intenção de atormentar-me toda a vida! — disse Ivan, de dentes cerrados. — E se eu não tivesse partido e te tivesse denunciado?

— Que poderia o senhor dizer? Que eu o aconselhara a partir para Tchermachniá? Bobagens, tudo isso. Aliás, se o senhor tivesse ficado, nada teria acontecido, eu teria compreendido que o senhor não queria e ficava quieto. Mas sua partida assegurava-me que o senhor não me denunciaria e fecharia os olhos a respeito desses três mil rublos, Não teria podido perseguir-me em seguida, porque eu teria contado tudo à justiça, não o roubo ou o assassinato, isto eu não teria dito, mas que o senhor me havia impelido e que eu não consentira. Desta maneira, o senhor não poderia me confundir, por falta de provas, e eu teria revelado com que ardor o senhor desejava a morte de seu pai, e todo mundo teria acreditado, dou-lhe minha palavra.

— Eu desejava tão intensamente a morte de meu pai?

— Decerto, e seu silêncio me autorizava a agir.

Smierdiákov estava muito enfraquecido e falava com lassidão, mas uma força interior galvanizava-o, tinha algum desígnio oculto, Ivan o pressentia.

— Continua tua narrativa.

— Continuemos! Estou deitado e ouço um grito do *bárin*. Grigóri saíra um pouco antes. De repente, ele começa a gritar, depois tudo volta ao silêncio. Espero, imóvel, meu coração bate, não podia aguentar mais. Levanto-me, saio; à esquerda, a janela de Fiódor Pávlovitch estava aberta, avancei para escutar se ele dava sinal de vida, ouço o *bárin* agitar-se e suspirar. "Está vivo" — penso. Aproximo-me da janela e grito ao *bárin*: "Sou eu." E ele me diz: "Veio, veio e fugiu". (Referia-se a Dimítri Fiódorovitch.) "Matou Grigóri!" "Donde?", pergunto-lhe em voz baixa. "Lá embaixo, no canto", e mostra-me. "Espere!", digo. Pus-me à sua procura e tropecei, perto do muro, em Grigóri, que jazia desmaiado e todo ensanguentado. "É então verdade que Dimítri Fiódorovitch veio", pensei, e resolvi levar a coisa a cabo. Mesmo que Grigóri estivesse vivo ainda, nada veria, uma vez que estava sem sentidos. O único risco era Marfa Ignátievna levantar-se. Senti-o naquele momento, mas um frenesi apoderara-se de mim, a ponto de fazer-me perder a respiração. Voltei à janela do *bárin*: "Ela está aqui, Agrafiena Alieksándrovna veio, quer entrar." Ele estremeceu. — "Onde, aqui, onde?" Suspira, ainda sem acreditar. — "Ora, aqui, abra pois!" "Olha-me pela janela, indeciso, temendo abrir; tem medo de mim", pensei. É engraçado; de repente, imaginei fazer sobre a vidraça o sinal da chegada de Grúchenhka, diante dele, sob seus olhos; ele não acreditava nas palavras, mas logo que eu bati, correu a abrir a porta. Eu queria entrar, ele barra-me a passagem. — "Onde está ela, onde está ela?" Olha-me e palpita. "Ah! pensei, se tem tal medo de mim, isto vai mal!" E minhas pernas bambeavam, tremia ao pensar que ele não me deixasse entrar, ou que chamasse, ou que Marfa Ignátievna chegasse. Não me lembro, mas devia estar muito pálido. Cochichei: "Ela está lá embaixo, sob a janela, como foi que não a viu?". — "Traze-a, traze-a!" — "Ela está com medo, os gritos amedrontaram-na, escondeu-se numa moita; chame-a o senhor mesmo do gabinete." Correu para ali, pousou a vela sobre a janela: "Grúchenhka, Grúchenhka! estás aí?", gritava ele. Não queria debruçar-se, nem afastar-se de mim, não ousava, por causa do medo que eu lhe inspirava. "Lá está ela — digo-lhe —, lá está ela na moita, sorri para o senhor, está vendo?" Acreditou em mim de repente e se pôs a tremer, tão louco estava por aquela mulher; debruçou-se inteiramente. Agarrei então o pesa-papéis de ferro fundido, que estava em cima da mesa, o senhor se lembra?, pesa bem umas três libras, e assestei-lhe com todas as minhas forças uma pancada na cabeça, com o canto. Não lançou um grito, tombou. Dei-lhe mais dois golpes e senti que estava ele com o crânio partido. Tombou de costas, todo coberto de sangue. Examinei-me: nem um respingo; enxuguei o pesa-papéis, repu-lo em seu lugar, depois tirei o envelope de trás dos ícones, retirando dele o dinheiro e atirando-o ao chão com a fita cor-de-rosa. Fui ao jardim todo a tremer, diretamente àquela macieira oca, que o senhor conhece. Tinha-a notado e pus de reserva papel e um trapo; enrolei a soma neles e meti-a no fundo do oco. Ficou lá quinze dias, até minha saída do hospital. Voltei a deitar-me, pensando com terror: "Se Grigóri estiver morto, isto poderá ir muito mal; mas se voltar a si, estará tudo muito bem, porque Dimítri Fiódorovitch veio e que, por consequência, matou e roubou". Na minha impaciência, pus-me a gemer para despertar Marfa Ignátievna. Esta se levantou por fim, chegou até junto de mim, depois, notando a ausência de Grigóri, correu para o jardim, onde eu a ouvi gritar. Eu já estava tranquilo.

Smierdiákov parou. Ivan havia-o escutado num silêncio de morte, sem se mover, sem afastar dele os olhos. Smierdiákov lançava-lhe por vezes uma olhadela, mas olhava sobretudo de lado. Terminada sua narrativa, pareceu emocionado, respirando com dificuldade, o rosto coberto de suor. Não se podia adivinhar se ele sentia remorsos.

— Um instante — retomou Ivan, refletindo. — E a porta? Se ele só abriu a ti, como pôde Grigóri tê-la visto aberta antes? Por que ele a viu bem em primeiro lugar? — Ivan interrogava, com o tom mais calmo, nada irritado, de sorte que se alguém os tivesse observado naquele momento, do limiar, teria concluído que eles se entretinham pacificamente a respeito dum assunto qualquer.

— Quanto àquela porta que Grigóri pretende ter visto aberta, não passa de um efeito de sua imaginação — disse Smierdiákov, com um sorriso. Porque é um homem muito teimoso, terá acreditado ver e o senhor não conseguirá demovê-lo disso. É uma felicidade para nós que ele tenha formado uma ideia errônea; o depoimento dele acaba de confundir Dimítri Fiódorovitch.

— Escuta — disse Ivan, parecendo de novo atrapalhar-se —, escuta... Tinha ainda muitas coisas a perguntar-te, mas não me lembro... Ah! sim, dize-me apenas, por que abriste e lançaste ao chão o envelope? Por que não ter saído com tudo?... De acordo com tua narrativa, pareceu-me que o tinhas feito de propósito, mas não lhe posso compreender a razão...

— Não agi sem motivos. Um homem inteirado de tudo, como eu por exemplo, que talvez pôs o dinheiro no envelope, viu quando lacravam e escreviam o endereço, por que tal homem, se cometeu o crime, haveria de deslacrar logo o envelope, com tal precipitação e estando seguro do conteúdo? Pelo contrário, metê-lo-ia simplesmente em seu bolso e se esquivaria. Dimítri Fiódorovitch teria agido de outro modo; não conhece o envelope senão por ouvir dizer e apressar-se-á em deslacrá-lo, assim que o encontrar, para verificar o conteúdo, depois o jogará no chão, sem refletir que ele constituirá uma peça acusadora, porque é um ladrão novato, jamais operou abertamente e é nobre de nascimento. Não teria vindo precisamente roubar, mas retomar seus bens, como o havia previamente declarado diante de todo mundo, vangloriando-se de ir à casa de Fiódor Pávlovitch para fazer justiça com suas próprias mãos. Por ocasião de meu depoimento, sugeri esta ideia ao procurador, mas sob forma de alusão, e de tal sorte que ele acreditou ter sido ele próprio quem a encontrou; estava encantado...

— Refletiste verdadeiramente em tudo isso no local e naquele momento? — exclamou Ivan Fiódorovitch estupefato. Observava de novo Smiérdiákov, cheio de espanto.

— Por favor, pode-se pensar em tudo numa tal pressa? Tudo isso estava combinado de antemão.

— Pois bem!... Pois bem! Foi o próprio diabo que te emprestou seu concurso! Não és bobo, és muito mais inteligente do que eu pensava...

Levantou-se para dar alguns passos pelo quarto, mas como mal se podia passar entre a mesa e a parede, deu meia volta e tornou a sentar. Foi o que talvez o exasperou; pôs-se de novo a vociferar.

— Escuta, miserável, vil criatura! Não compreendes então que se ainda não te matei, é porque te guardo para responder amanhã perante a justiça? Deus o vê (levantou a mão), talvez tenha eu sido culpado, talvez tenha desejado secretamente... a morte de meu pai, mas, juro-te, não te impeli absolutamente, não, não! Não importa, vou me denunciar eu mesmo amanhã, está decidido! Direi tudo, mas compareceremos juntos! E digas ou testemunhes o que quiseres a meu respeito, eu o aceito e não tenho medo de ti; confirmarei tudo eu mesmo! Mas tu também, será preciso que confesses! É preciso, é preciso, iremos juntos! Será assim!

Ivan exprimia-se com energia e solenidade: somente pelo seu olhar se via que manteria sua palavra.

— O senhor está doente, vejo, bem doente. Tem os olhos completamente amarelos — disse Smierdiákov, mas sem ironia e até mesmo com compaixão.

— Iremos juntos! — repetiu Ivan. — E se não vieres, confessarei tudo sozinho.

Smierdiákov pareceu refletir.

— Isto não se dará, o senhor não irá — disse ele, num tom categórico.

— Tu não me compreendes!

— O senhor terá demasiada vergonha de confessar tudo, aliás isso não serviria de nada, porque negarei ter falado tais coisas com o senhor, direi que o senhor está doente (vê-se bem) ou que se sacrifica por compaixão por seu irmão e me acusa porque jamais vali nada a seus olhos. E quem lhe dará crédito? que prova tem o senhor?

— Escuta, tu me mostraste esse dinheiro para convencer-me. Smierdiákov retirou o volume, descobrindo o maço.

— Tome este dinheiro — disse ele suspirando.

— Decerto que o tomo! Mas por que me dás, uma vez que mataste para obtê-lo? — E Ivan observou-o com estupefação.

— Não tenho mais necessidade dele — disse Smierdiákov, com voz trêmula. — Pensava a princípio, com este dinheiro, estabelecer-me em Moscou, ou mesmo no estrangeiro, era meu sonho, pois que tudo é permitido. Foi o senhor quem, com efeito, me ensinou isso e muitas vezes explicou-o: se Deus não existe, não há virtude e ela é inútil. Raciocinei assim.

— Chegaste a isso sozinho? — perguntou Ivan, com um sorriso constrangido.

— Sob a influência do senhor.

— Então tu crês em Deus, agora, pois que entregas o dinheiro?

— Não, não creio nele — murmurou Smierdiákov.

— Por que então o entregas?

— Deixe isso! — cortou Smierdiákov num gesto de lassidão. — O senhor mesmo repetia então que tudo é permitido. Por que está tão inquieto agora? Quer mesmo denunciar-se? Mas não há perigo! O senhor não irá! — afirmou ele, categórico.

— Haverás de ver!

— É impossível. O senhor é demasiado inteligente. Ama o dinheiro, eu sei, as honras também, porque o senhor é muito orgulhoso, é doido pelo belo sexo, ama acima de tudo viver à sua vontade e independente. Não haverá de querer estragar toda a sua vida, atraindo sobre si tal ignomínia. De todos os filhos de Fiódor Pávlovitch é o senhor aquele que mais se assemelha a ele; é a mesma alma.

— Não és na verdade bobo — disse Ivan, com estupor; o sangue subiu-lhe ao rosto. — Pensava que eras um tolo.

— Era por orgulho que o senhor pensava assim. Tome, pois, o dinheiro.

Ivan pegou o maço de cédulas e meteu-o no seu bolso, sem embrulhá-lo.

— Vou mostrá-las amanhã no tribunal — disse ele.

— Ninguém lhe dará crédito. Não é dinheiro que lhe falta no momento, o senhor põe no seu cofrezinho esses três mil rublos.

Ivan levantou.

— Repito que não te matei cinicamente porque tenho necessidade de ti amanhã, não esqueças!

— Pois bem! Mate-me, mate-me agora — disse Smierdiákov, com um ar estranho. — O senhor nem mesmo o ousa — acrescentou com um sorriso amargo —, o senhor não ousa mais nada, o senhor tão ousado outrora!

— Até amanhã!... — E Ivan marchou para a porta.

— Espere... mostre-as ainda uma vez.

Ivan tirou as cédulas, mostrou-as; Smierdiákov olhou para elas uma dezena de vezes.

— Pois bem! vá... Ivan Fiódorovitch! — gritou ele, de repente.

— Que queres? — Ivan, que ia saindo, voltou-se.

— Adeus.

— Até amanhã.

Ivan saiu. A tormenta continuava. Marchou a princípio com passos seguros, mas se pôs dentro em pouco a cambalear. "É algo físico", pensava, sorrindo. Uma espécie de alegria invadia-o. Sentia em si uma firmeza inabalável; as hesitações dolorosas daqueles últimos tempos tinham desaparecido. Sua decisão estava tomada e "já não voltaria atrás", dizia a si mesmo, cheio de felicidade. Naquele momento tropeçou, esteve a ponto de cair. Parando, distinguiu a seus pés o mujique que ele havia derrubado, jacente no mesmo lugar, inerte. A neve quase lhe recobria o rosto. Ivan ergueu-o e carregou-o em seus ombros. Tendo avistado luz em uma casinhola, foi bater nos postigos e pediu ao proprietário que o ajudasse a transportar o mujique para uma casa particular, prometendo-lhe três rublos. Não contarei pormenorizadamente como Ivan Fiódorovitch conseguiu ser bem sucedido em sua empresa e mandou examinar o mujique por um médico, pagando generosamente as despesas. Digamos somente que isso exigiu quase uma hora. Mas Ivan ficou satisfeito. Suas ideias dispersavam-se: "Se eu não tivesse tomado uma resolução tão firme para amanhã", pensou ele de súbito, deliciado, "não teria ficado uma hora a ocupar-me com aquele mujique, teria passado de lado sem me inquietar... Mas como tenho a força de observar-me? E eles que decidiram que me estou tornando louco!". Ao chegar diante da porta de sua casa, parou para perguntar a si mesmo: "Eu não faria melhor indo desde agora à casa do procurador e contar tudo?... Não, amanhã, tudo duma vez!". Coisa estranha, quase toda a sua alegria desapareceu no mesmo instante. Quando entrou no seu quarto, uma sensação glacial o apertou, como a lembrança ou antes a evocação de não sei que de penoso ou repugnante, que se encontrava naquele momento naquele quarto e que lá já estivera. Deixou-se cair sobre o divã. A velha criada trouxe-lhe o samovar, ele fez chá, mas não bebeu; mandou a criada embora até o dia seguinte. Sentia-se tonto, cansado, indisposto. Foi adormecendo, mas pôs-se a andar para afugentar o sono. Parecia-lhe que delirava. Depois de se ter tornado a sentar, pôs-se a olhar, de tempos em tempos, em redor de si, como para examinar alguma coisa. Por fim seu olhar se fixou em um ponto. Sorriu, mas o rubor da cólera subiu-lhe ao rosto. Por muito tempo ficou imóvel, com a cabeça entre as mãos, fixando sempre o mesmo ponto, sobre o divã colocado contra a parede em frente. Visivelmente, alguma coisa naquele lugar o irritava, o inquietava.

IX / O diabo. A alucinação de Ivan Fiódorovitch

Não sou médico e, no entanto, sinto que chegou o momento de fornecer algumas explicações sobre a doença de Ivan Fiódorovitch. Digamos imediatamente que estava na iminência de uma febre nervosa, tendo a doença acabado por triunfar de seu organismo enfraquecido. Sem conhecer a medicina, arrisco esta hipótese de que tinha ele talvez conseguido, por um esforço de vontade, conjurar a crise, esperando, bem entendido, a ela escapar. Sabia-se doente, mas não queria abandonar-se à doença naqueles dias decisivos em que devia mostrar-se, falar ousadamente, justificar-se a seus próprios olhos. Tinha ido ver o médico vindo de Moscou a chamado de Katierina Ivânovna. Depois de havê-lo auscultado e examinado, concluiu o facultativo pela existência de um desarranjo cerebral e não ficou nada surpreendido com uma confissão que Ivan lhe fez, no entanto, com repugnância. "As alucinações são muito possíveis no seu estado, mas seria preciso controlá-las... aliás o senhor deve tratar-se seriamente, senão isso se agravará." Mas Ivan Fiódorovitch não deu importância a esse sábio conselho: "Tenho ainda força para andar. Quando eu cair, será diferente. Tratará de mim quem quiser!".

Tinha quase consciência de seu delírio e fixava obstinadamente certo objeto, em cima do divã, em frente dele. Ali apareceu de repente um indivíduo, que entrou Deus sabe como, porque não estava ele ali quando chegou Ivan Fiódorovitch, após sua visita a Smierdiákov. Era um senhor, ou uma espécie de cavalheiro russo, *qui frisait la cinquantaine*,[93] como dizem os franceses, um pouco grisalho, os cabelos longos e espessos, a barba em ponta. Trazia um paletó marrom, evidentemente de casa de um bom alfaiate, mas já usado, datando de cerca de três anos e completamente fora de moda. A roupa branca, o comprido lenço de pescoço, tudo lembrava o cavalheiro elegante; mas a roupa, observada de perto, não estava lá muito limpa e o lenço de pescoço bastante gasto. Suas calças de quadrados assentavam-lhe bem, mas eram demasiado claras e demasiado justas, como não se usam mais atualmente, da mesma maneira seu chapéu de feltro branco, apesar da estação. Em suma, um aspecto ao mesmo tempo decente e de quem estava em dificuldades financeiras. O cavalheiro parecia ser um desses antigos proprietários rurais que floresciam no

---

93 Orçando pelos cinquenta.

tempo da servidão; vivera na sociedade, tivera outrora relações conservadas talvez até agora, mas pouco a pouco, empobrecido após as dissipações da juventude e a recente abolição da servidão, tornara-se uma espécie de parasita de boa companhia, recebido em casa de seus antigos conhecidos por causa de seu gênio acomodatício e a título de homem decente, que se pode admitir à sua mesa em qualquer ocasião, embora num lugar modesto. Esses parasitas, de gênio afável, que sabem contar uma história, organizar uma partida, detestar as incumbências de que os encarregam, são em geral viúvos ou solteirões; por vezes têm filhos, sempre educados longe, em casa de alguma tia, a respeito da qual o cavalheiro quase nunca fala quando em boa companhia, como se tivesse vergonha de tal parentesco. Acaba por se desacostumar de seus filhos, que lhe escrevem de longe em longe, por ocasião de seu aniversário ou do Natal, cartas de felicitações às quais ele por vezes responde. A fisionomia daquele visitante inesperado era mais afável que bonachona, pronta a amabilidade de acordo com as circunstâncias. Não tinha relógio, mas usava um lornhão de tartaruga, preso por uma fita preta. O dedo médio de sua mão direita estava ornado com um anel de ouro maciço com uma opala barata. Ivan Fiódorovitch mantinha-se em silêncio, resolvido a não tomar conhecimento. O visitante aguardava, como um parasita que acaba de deixar o quarto que lhe é reservado, à hora do chá, para fazer companhia ao dono da casa, mas que se cala, estando este absorvido em suas reflexões, pronto todavia a uma amável prosa, contanto que o dono da casa a comece. De repente seu rosto revelou preocupação.

— Escuta — disse ele a Ivan Fiódorovitch —, desculpe-me, quero somente lembrar-te: foste à casa de Smierdiákov, a fim de te informares a respeito de Katierina Ivânovna, mas vieste embora sem nada saber. Decerto te esqueceste...

— Ah! sim! — disse Ivan preocupado. — Esqueci-me... Não importa, aliás, deixemos isso para amanhã. A propósito — disse ele, irritado ao visitante —, era eu quem devia ter-me lembrado disso ainda há pouco, porque me sentia angustiado a respeito. Bastou que tivesses surgido para que acredite que essa sugestão partiu de ti.

— Pois bem! não acredito — e o cavalheiro sorriu, com ar amável. — A fé não se impõe. Aliás, neste domínio, as provas, mesmo materiais, são ineficazes. Tomé acreditou, porque queria acreditar, não por ter visto o Cristo ressuscitado. Assim, os espíritas... gosto muito deles... imagina que acreditam servir à fé, porque o diabo lhes mostra seus chifres de vez em quando. "É uma prova material da existência do outro mundo." O outro mundo demonstrado materialmente! Que ideia! Enfim, isto provaria a existência do diabo, mas não a de Deus. Quero passar para uma sociedade idealista, a fim de fazer-lhes oposição.

— Escuta — disse Ivan Fiódorovitch, pondo-se em pé —, creio que estou delirando, conta o que quiseres, pouco me importa! Não me exasperarás como antes. Somente, tenho vergonha... Quero andar pelo quarto... Por vezes deixo de ver-te, de ouvir-te, mas adivinho sempre o que queres dizer, porque "sou eu quem fala e não tu!". Mas não sei se dormia, na derradeira vez, ou se te vi realmente. Vou aplicar na minha cabeça um guardanapo molhado, talvez assim te dissipes.

Ivan foi buscar um guardanapo e fez como dizia, depois do que pôs-se a andar para lá e para cá.

— Causa-me prazer nos tratarmos por "tu" — disse o visitante.

— Imbecil, acreditas que vou tratar-te por "vós"? Sinto-me disposto... se pelo menos não tivesse dor de cabeça... mas não me venhas com tanta filosofia como na última vez. Se não podes ir-te embora, inventa pelo menos algo de engraçado. Conta-me mexericos, porque não passas de um parasita. Que pesadelo tenaz! Mas não te temo. Acabarei vencendo-te. Não me internarão!

— *C'est charmant!,* parasita. É meu papel, com efeito. Que sou eu na terra, senão um parasita? A propósito, surpreende-me ouvir-te; palavra, começas a tomar-me por um ser real e não pelo produto apenas de tua imaginação, como o sustentavas da outra vez.

— Nem um instante tomo-te por uma realidade — exclamou Ivan, com raiva. — És uma mentira, um fantasma de meu espírito doente. Mas não sei como desembaraçar-me de ti, vejo que será preciso sofrer algum tempo. És uma alucinação, a encarnação de mim mesmo, de uma parte apenas de mim ... do meus pensamentos e de meus sentimentos, mas dos mais vis e dos mais tolos. A este respeito, poderias mesmo interessar-me, se tivesse tempo para perder contigo.

— Com licença, vou confundir-te; ainda há pouco, perto do lampião, quando deste com Aliócha, gritando-lhe: "Soubeste-o por ele? Como sabes que ele vem ver-me?", era a meu respeito que falavas. Portanto, acreditaste um instante que eu existo realmente — disse o cavalheiro com um sorriso delicado.

— Sim, era uma fraqueza... mas não podia acreditar em ti. Talvez te tenha visto somente em sonho, e não na realidade, na derradeira vez.

— E por que foste tão duro com Aliócha? Ele é encantador, sinto-me culpado para com ele, por causa do *stáriets* Zósima.

— Como ousas falar de Aliócha, lacaio! — disse Ivan, rindo.

— Injurias-me rindo, bom sinal. Aliás, estás bem mais amável comigo do que da última vez e compreendo por quê: essa nobre resolução...

— Não me fales disto — gritou Ivan, furioso.

— Compreendo, compreendo, *c'est noble, c'est charmant,* vais amanhã defender teu irmão, tu te sacrificas... *c'est chevaleresque...*

— Cala-te, se não toma cuidado com os pontapés!

— Em certo sentido, isso me causará prazer, porque meu objetivo será atingido; se ages assim, é que crês na minha realidade, não se trata um fantasma a pontapés. Basta de brincadeiras! Podes injuriar-me, mas vale mais a pena ser um pouco mais delicado, mesmo comigo. Imbecil, lacaio! Que expressões!

— Injuriando-te, injurio-me! Tu és eu mesmo, mas com outro focinho. Exprimes meus próprios pensamentos... e nada podes dizer de novo!

— Se nossos pensamentos se encontram, isto me causa honra — disse graciosamente o cavalheiro.

— Somente, tu escolhes meus pensamentos mais estúpidos... És besta e vulgar. Ês estúpido. Não posso suportar-te! Que fazer, que fazer?! — murmurou Ivan entre dentes.

— Meu amigo, quero, no entanto, permanecer um cavalheiro e ser tratado como tal — disse o visitante com certo amor-próprio, aliás conciliante, bonachão. — Sou pobre, mas... não direi muito honesto, mas... admite-se geralmente como um axioma que sou um anjo decaído. Palavra, não posso imaginar como pude, outrora, ser um anjo. Se o foi algum dia, foi há tanto tempo que não é um pecado esquecê-lo.

Agora, atenho-me apenas à minha reputação de homem decente e vivo como posso, esforçando-me por ser agradável. Gosto sinceramente dos homens; caluniaram-me muito. Quando me transporto aqui para a terra, entre vocês, minha vida toma uma aparência de realidade, e é o que mais me agrada. Porque o fantástico me atormenta como a ti mesmo, de modo que gosto do realismo terrestre. Entre vocês, tudo é definido, há fórmulas, geometria; entre nós, só equações indeterminadas! Aqui, passeio, sonho (gosto de sonhar). Torno-me supersticioso, não rias, peço-te; a superstição me agrada. Adoto todos os hábitos de vocês; gosto de ir aos banhos públicos, imagina, estar na estufa com os comerciantes e os popes. Meu sonho é encarnar-me, mas definitivamente, em algum comerciante obeso e partilhar de todas as suas crenças. Meu ideal é ir à igreja e lá acender uma vela, de todo o coração, palavra! Então meus sofrimentos terão fim. Gosto também dos remédios de vocês; na primavera, havia uma epidemia de varíola, fui vacinar-me. Se soubesses como eu estava contente! Dei dez rublos para "nossos irmãos eslavos"!... Não me ouves. Não estás no teu estado normal, hoje... — O cavalheiro fez uma pausa.

— Sei que foste ontem consultar aquele médico... pois bem! como vais? Que te disse ele?

— Imbecil!

— Em compensação, tens tanto espírito! Invectivas de novo. Não é por interesse que te perguntava isso. Podes não responder. Eis meus reumatismos que se apoderam de mim de novo.

— Imbecil!

— Continuas? Lembro-me ainda de meus reumatismos do ano passado.

— O diabo com reumatismo?

— Por que não? Se me encarno, tenho de suportar todas as consequências. *Satanas sum et nihil humani a me alienam puto.*[94]

— Como, como? *Satanas sum et nihil humani...* Não está mal para o diabo!

— Sinto-me feliz por ver que afinal te causo satisfação.

— Isto não aprendeste de mim — disse Ivan, surprêso —, isto jamais me ocorreu. É estranho...

— *C'est du nouveau, n'est-ce pas?*[95] Desta vez agirei lealmente e te explicarei a coisa. Escuta. Nos sonhos, sobretudo durante os pesadelos que provêm dum desarranjo de estômago ou de outra coisa, o homem tem por vezes visões tão belas, cenas da vida real tão complicadas, atravessa tal sucessão de acontecimentos de peripécias inesperadas, desde as manifestações mais altas até as menores bagatelas, que, juro-te, o próprio Liev Tolstoi não as imaginaria. Entretanto, esses sonhos ocorrem não aos escritores mas a pessoas comuns: funcionários, jornalistas, popes... Um ministro chegou a confessar-me que suas melhores ideias lhe vinham quando dormia. É o mesmo agora; digo coisas originais, que nunca te vieram ao espírito, como nos pesadelos, entretanto, não sou senão tua alucinação.

— Mentes. Teu fim é persuadir-me que existes e eis que tu mesmo pretendes ser um sonho.

---

94 Sou Satanás e nada do que é humano me é estranho.
95 É novidade, não é?

— Meu amigo, escolhi hoje um método particular que te explicarei em seguida. Espera um pouco, onde eu estava? Ah! sim! Resfriei-me, mas não entre vocês, lá mesmo...

— Lá mesmo, onde? Dize, pois, demorarás ainda muito tempo? — exclamou Ivan, quase desesperado. Parou, sentou-se sobre o divã, pegou de novo a cabeça entre as mãos. Arrancou o guardanapo molhado e atirou-o fora com despeito.

— Estás com os nervos doentes — observou o cavalheiro com ar displicente, mas amigável. — Estás com raiva de mim porque me resfriei, entretanto aconteceu da maneira mais natural. Eu corria para uma festa diplomática, em casa duma grande dama de Petersburgo, que manejava a seu gosto os ministros. De casaca, gravata branca, enluvado, no entanto estava ainda Deus sabe onde, e para chegar à terra era preciso transpor o espaço. Decerto, não é senão um instante, mas a luz do sol leva oito minutos e, imagina, de casaca e de colete aberto. Os espíritos não gelam, mas quando me encarnei... em suma, agi descuidadamente e aventurei-me; no espaço, no éter, na água... faz um frio, nem se pode mesmo chamar isso de frio, imagina: cento e cinquenta graus abaixo de zero. Conhece-se a brincadeira de jovens aldeãs: quando gela a trinta graus, propõem a algum simplório lamber um machado; a língua gela instantaneamente, o simplório arranca a pele e são apenas trinta graus. A cento e cinquenta graus, bastaria, penso, tocar um machado com um dedo para que este desapareça... se pelo menos houvesse um machado no espaço...

— Mas será possível? — interrompeu, distraidamente, Ivan Fiódorovitch. — Lutava com todas as suas forças para resistir ao delírio e não afundar na loucura.

— Um machado? — repetiu o visitante com surpresa.

— E então, que será feito dele lá? — exclamou Ivan, com uma obstinação colérica.

— Um machado no espaço? *Quelle idée!* Se se encontrar bem longe da terra, penso que se porá a girar em torno sem saber por: que, à maneira de um satélite. Os astrônomos calcularão quando se levantará e quando se porá. Gatsuk[96] o incluirá no seu almanaque, eis tudo.

— És estúpido, horrivelmente estúpido! Prega mentiras mais espirituosas, ou não te darei ouvidos. Queres convencer-me pelo realismo de teus processos, persuadir-me de tua existência. Não creio nela!

— Mas não estou mentindo, tudo isso é verdade. Infelizmente, a verdade quase nunca é espirituosa. Vejo que esperas de mim algo de grande, talvez de belo. É lamentável, porque só dou o que posso...

— Não me venhas com filosofia, pedaço de asno!

— Como posso eu filosofar, quando estou com todo o lado direito paralisado, obrigando-me a gemer? Consultei a Faculdade; sabem diagnosticar maravilhosamente, explicam-nos a doença, mas são incapazes de curar. Havia lá um estudante entusiasta: "Se o senhor morrer — dizia ele —, conhecerá exatamente a natureza de seu mal!". Têm a mania de dirigir-nos a especialistas: nós nos limitamos a diagnosticar, vá ver fulano, ele o curará. Não se encontra mais absolutamente o médico à moda antiga, que tratava todas as doenças. Agora só há especialistas, que fazem publicidade. Para uma doença no nariz enviam a gente a Paris, ao consultório de um

---

96 Alieksandr Gatsuk (1832-1891), editor de jornais, revistas e almanaques.

especialista europeu. Ele examina o nariz da gente. Não posso, diz ele, curar senão a narina direita, porque não trato as narinas esquerdas, não é minha especialidade. Vá a Viena; há lá um especialista para as narinas esquerdas. Que fazer? Recorri aos remédios de curandeiras, um médico alemão aconselhou-me que esfregasse no corpo, após o banho, mel e sal. Fui aos banhos só por prazer e me besuntei em pura perda. Em desespero de causa, escrevi ao Conde Mattei, de Milão; enviou-me um livro e umas bolinhas. Que Deus lhe perdoe! Imagina que o extrato de malte de Hoff curou-me. Tinha-o comprado por acaso, tomei um frasco e meio e tudo desapareceu radicalmente. Estava resolvido a publicar uma declaração nos jornais, porque a gratidão falava dentro de mim, mas foi outra história, nenhuma redação a aceitou! "É demasiado reacionária — dizem —, ninguém acreditará nisso, *le diable n'existe point*. Publique isso anonimamente." Mas de que vale uma declaração anônima? Brinquei com os redatores: "Ser reacionário — dizia-lhes — é crer em Deus em nossa época, mas eu, eu sou o diabo". — "Decerto, toda gente crê no diabo, contudo é impossível, poderia isso prejudicar o nosso programa. Talvez... sob uma forma humorística..." Mas então, pensei, não seria espirituoso. E minha declaração não apareceu. Isto ficou-me pesando no coração. Os melhores sentimentos, tais como a gratidão, estão formalmente proibidos para mim, por causa de minha posição social.

— Voltas a cair na filosofia? — disse Ivan, de dentes cerrados.

— Deus me livre! Mas a gente não pode impedir-se de queixar-se por vezes. Sou caluniado. Tu me tratas a todo momento de imbecil. Vê-se bem que és um homem jovem. Meu amigo, só há o espírito. Recebi da natureza um coração bom e alegre, "também compus *vaudevilles*".[97] Tomas-me, creio, por um velho Khlestakov, mas meu destino é bem mais sério. Por uma espécie de decreto inexplicável, tenho por missão "negar", e no entanto sou visceralmente bom e inapto para a negação. "Não! tens de negar! Sem negação, não há crítica, e que seria das revistas sem a crítica? Só restaria um hosana. Mas isto não basta para a vida, é preciso que esse hosana passe pelo cadinho da dúvida, etc." Aliás, não me meto em tudo isto, não fui eu quem inventou a crítica, não sou o responsável por ela. Pois bem!, tenho servido de bode expiatório, obrigaram-me a fazer crítica e a vida começou. Compreendemos essa comédia; quanto a mim, aspiro ao nada. Não, é preciso que vivas, dizem-me, porque sem ti nada existiria. Se tudo fosse razoável na terra, nada se passaria nela. Sem ti, nada de acontecimentos; ora, são precisos os acontecimentos. Cumpro, pois, minha missão, bem a contragosto, para suscitar acontecimentos, e realizo o irracional, cumprindo ordem. As pessoas levam essa comédia a sério, apesar de todo o seu espírito. Para elas é uma tragédia. Sofrem, evidentemente... em compensação, vivem, uma vida real e não imaginária, porque o sofrimento é a vida. Sem o sofrimento, que prazer ofereceria ela? Tudo se assemelharia a um *Te-Deum* interminável; é santo, mas bastante tedioso. E eu? Eu sofro e, no entanto, não vivo. Sou a incógnita de uma equação. Sou o espectro da vida, que perdeu a noção das coisas e esqueço até o meu nome. Ris?... Não, não ris, zangas-te de novo, como sempre. Sempre seria preciso inteligência; ora, repito, daria toda essa vida sideral, todos os graus, todas as honras, para encarnar-me na pele duma vendedora obesa e ir queimar velas na igreja.

---

97 Palavras de Khlestakov, em *O inspetor*, de Gógol, 3.º ato, cena 6.

— Tu também não crês em Deus — disse Ivan, com um sorriso cheio de ódio.

— Como dizer, se falas seriamente...

— Deus existe ou não existe? — insistiu Ivan, encolerizado.

— Ah! é sério então? Meu caro, Deus é-me testemunha de que não sei de nada, não posso dizer melhor.

— Não, tu não existes, tu és eu mesmo e nada mais! Não passas de uma quimera!

— Se queres, tenho a mesma filosofia que tens, é verdade. *Je pense, donc je suis*,[98] eis o que é certo; quanto ao resto, quanto a todos esses mundos, Deus e o próprio Satã, tudo isso não me é provado. Eles têm uma existência própria, ou serão apenas uma emanação de mim, o desenvolvimento sucessivo de meu "eu", que existe temporal e pessoalmente... mas detenho-me, porque tenho a impressão de que vais bater-me.

— Farias melhor se me contasses uma anedota!

— Eis uma, precisamente no quadro de nosso tema, isto é, mais uma lenda que anedota. Tu me censuras minha incredulidade. Mas, meu caro, não sou eu só assim; entre nós, todos estão agora perturbados por causa das ciências de vocês. Enquanto havia os átomos, os cinco sentidos, os quatro elementos, a coisa ia bem ainda. Os átomos já eram conhecidos na antiguidade. Mas vocês descobriram "a molécula química", "o protoplasma", e o diabo sabe ainda o quê! Aprendendo isso, os nossos baixaram a cauda. Foi a barafunda; sobretudo a superstição, os mexericos proliferaram; fica sabendo que temos disso, tanto quanto vocês, talvez mesmo um pouco mais, e afinal também as delações; há igualmente entre nós uma seção em que recebemos certas "informações". Pois bem, essa lenda de nossa idade média, da nossa, não da de vocês, não merece nenhum crédito, exceto entre gordas vendedoras, as nossas, não as de vocês. Tudo quanto existe entre vocês, existe também entre nós; revelo-te este mistério por amizade, se bem que seja proibido. Essa lenda fala, pois, do paraíso. Havia na terra certo filósofo que negava tudo, as leis, a consciência, a fé, sobretudo a vida futura. Morreu pensando entrar nas trevas do nada, e ei-lo em presença da vida futura. Espanta-se, indigna-se: "Isto — diz ele — é contrário às minhas convicções". E foi condenado por isso... Desculpe-me, transmito-te esta lenda, como me contaram... Portanto, ele foi condenado a percorrer nas trevas um quatrilhão de quilômetros (porque contamos também em quilômetros, agora), e quando ele tiver acabado o seu quatrilhão, as portas do paraíso se abrirão diante dele e tudo lhe será perdoado...

— Que tormentos há no outro mundo, além do quatrilhão? — perguntou Ivan, com estranha animação.

— Que tormentos? Ah! não me fales! Outrora, havia-os para todos os gostos; agora, é sempre mais o sistema das torturas morais "os remorsos da consciência" e outras pataratas. Devemos isso à "doçura dos costumes" de vocês. E quem tira proveito disso? Somente os que não têm consciência, porque zombam dos remorsos! Em compensação, as pessoas decentes, que conservaram o sentimento da honra, so-

---

98 "Penso, logo existo" *(Cogito ergo sum)*. Princípio fundamental sobre o qual Descartes (1596-1650), famoso filósofo e matemático francês, assenta a sua doutrina filosófica, denominada mais tarde "cartesianismo". Descartes é considerado o pai do método e o verdadeiro fundador da filosofia moderna. Entre as suas obras principais, sobressaem: *Discours de la méthode, Traité de l'homme* e *Méditations métaphysiques*.

frem... Eis o que acontece com as reformas operadas em terreno mal preparado e copiadas de instituições estrangeiras. São deploráveis! O fogo de outrora valia melhor. O condenado ao quatrilhão olha, pois, em redor de si, depois se deita atravessado na estrada: "Não ando, por princípio recuso!" Pega a alma de um ateu russo esclarecido e mistura-a com a do profeta Jonas, que se aborreceu três dias e três noites na barriga de uma baleia, e obterás o nosso pensador recalcitrante.

— Sobre que se estendeu ele?

— Havia certamente alguma coisa sobre a qual se estenderia. Não estás brincando?

— Viva! — exclamou Ivan, com a mesma animação. Escutava com uma curiosidade inesperada. — Pois bem! Ele continua deitado?

— Oh não, ao fim de mil anos, pôs-se em pé e começou a andar.

— Que asno! — Ivan deu uma risada nervosa e parou a refletir. — Não será a mesma coisa ficar deitado eternamente ou marchar um quatrilhão de verstas? Mas perfaz isso um bilhão de anos?

— E até mesmo mais. Se houvesse um lápis e papel, seria possível calcular. Faz muito tempo que ele chegou e é aqui que começa a anedota.

— Como? Mas onde ele arranjou um bilhão de anos?

— Pensas sempre na nossa terra atual! A terra reproduziu-se talvez um milhão de vezes; gelou, fendeu-se, desagregou-se, depois decompôs-se em seus elementos, e de novo as águas recobriram a terra. Em seguida, foi novamente um cometa, depois um sol donde saiu o globo. Esse ciclo se repete talvez uma infinidade de vezes, sob a mesma forma, até o mínimo detalhe. É mortalmente aborrecedor...

— Pois bem! Que aconteceu quando ele acabou?

— Assim que ele entrou no paraíso, dois segundos, de relógio na mão, não se tinham passado (se bem que seu relógio, na minha opinião, deveu ter-se decomposto em seus elementos durante a viagem) e já exclamava que, por aqueles dois segundos, bem valia fazer não só um quatrilhão de quilômetros, mas um quatrilhão de quatrilhões, à quatrilhonésima potência! Em suma, cantou hosanas, exagerou mesmo, a ponto de pensadores mais dignos recusarem estender-lhe a mão nos primeiros tempos; tornara-se demasiado bruscamente conservador. É o temperamento russo. Repito, é uma lenda. Eis as ideias que têm curso entre nós a respeito dessas matérias.

— Apanhei-te! — exclamou Ivan, com uma alegria quase infantil, como se lhe voltasse a memória. — Fui eu mesmo que inventei essa anedota do quatrilhão de anos! Tinha então dezessete anos, estava no ginásio... Contei-a a um de meus camaradas, Koróvkin, em Moscou... Essa anedota é muito característica, tinha-a esquecido, mas lembrei-me dela inconscientemente; não foste tu que a contaste! É assim que uma multidão de coisas nos volta à memória, quando marchamos para o suplício... ou quando sonhamos. Pois bem, não passas de um sonho!

— A violência com que me negas assegura-me que, apesar de tudo, crês em mim — disse o cavalheiro jovialmente.

— Absolutamente! Não creio em ti nem uma centésima parte!

— Mas uma milésima crês. As doses homeopáticas são talvez as mais fortes. Confessa que crês em mim, pelo menos uma décima milésima parte...

— Não! — gritou Ivan irritado. — Aliás, gostaria bem de crer em ti!

— Eh! eh! eh! Por fim confessou! Mas sou bom, vou ajudar-te. Fui eu que te apanhei! Contei-te, de propósito, essa anedota para desenganar-te definitivamente a meu respeito.

— Mentes. O fim de tua aparição é convencer-me de tua existência.

— Precisamente. Mas as hesitações, a inquietação, o conflito entre a fé e a dúvida constituem por vezes tal sofrimento para um homem escrupuloso como tu, que melhor vale enforcar-se. Sabendo que crês um pouco em mim, contei-te essa anedota para entregar-te definitivamente à dúvida. Conduzo-te entre a fé e a incredulidade alternativamente, não sem um objetivo. É um novo método; quando cessares completamente de crer em mim, começarás a assegurar-me que não sou um sonho, que existo verdadeiramente, conheço-te; então meu objetivo será atingido. Ora, meu objetivo é nobre. Depositarei em ti um minúsculo germe de fé que dará nascimento a um carvalho, um carvalho tão grande que será teu refúgio e quererás fazer-te anacoreta, porque é teu vivo desejo em segredo, vais te nutrir de gafanhotos, prepararás a tua salvação no deserto.

— Então, miserável, é para minha salvação que trabalhas?

— É bem preciso praticar alguma vez uma boa obra. Tu te zangas, pelo que vejo!

— Palhaço! Jamais tentaste aqueles que se nutrem de gafanhotos, rezam dezessete anos no deserto até ficarem cobertos de musgo?

— Meu caro, não faço outra coisa senão isso. A gente esquece o mundo inteiro por uma alma assim, porque é uma joia de preço, uma estrela que vale por vezes toda uma constelação. Temos nossa aritmética. A vitória é preciosa! Ora, certos solitários, palavra de honra, valem tanto quanto tu, do ponto de vista intelectual, se bem que não o creias; podem contemplar simultaneamente tais abismos de fé e de dúvida que parece por vezes, na verdade, que basta apenas um cabelo para que eles sucumbam.

— Pois bem! Tu te retirarias de nariz bem comprido!

— Meu amigo — observou o visitante, sentencioso —, mais vale ter o nariz comprido do que não ter nariz nenhum, como dizia ainda recentemente um marquês doente (devia ter sido tratado por um especialista), confessando-se a um padre jesuíta. Assisti a isso; era encantador. "Entregai-me meu nariz!" e batia no peito. "Meu filho — insinuava o padre —, tudo é regulado pelos decretos insondáveis da Providência; um mal aparente traz por vezes um bem oculto. Se uma sorte cruel o privou de seu nariz, o senhor ganha com isso pelo fato de ninguém mais doravante ousar dizer-lhe que o senhor tem o nariz comprido." — "Meu padre, isto não é um consolo! — exclamou ele desesperado. — Ficarei, pelo contrário, encantado por ter cada dia o nariz comprido, contanto que ele esteja no seu lugar!" — "Meu filho — disse o padre, suspirando —, não se podem pedir todos os bens ao mesmo tempo e já é murmurar contra a Providência, que, mesmo assim, não o esqueceu; porque se o senhor grita, como ainda há pouco, que seria feliz toda a sua vida por ter o nariz comprido, seu desejo será satisfeito indiretamente, porque tendo perdido seu nariz, pelo fato mesmo, tem o senhor o nariz comprido..."

— Ora! Que coisa estúpida! — exclamou Ivan.

— Meu amigo, eu queria fazer-te rir, juro-te que tal é a casuística dos jesuítas e que tudo isso é rigorosamente exato. Esse caso é recente e causou-me bastantes preocupações. De volta para casa, o desgraçado rapaz estourou os miolos naquela noite; não o deixei até o derradeiro instante... Quanto aos confessionários jesuíticos, são na verdade meu divertimento agradável nas horas de tristeza. Eis uma historinha destes últimos dias. Uma jovem normanda, loura, de vinte anos, chega à casa de um velho padre. Uma beleza! Que corpo! Era de fazer vir água à boca. Ajoelha-se, murmura seu pecado através da grade. "Como, minha filha, você recaiu no pecado?... Ó *Sancta Maria*, que ouço eu? Já é outro? Até quando durará isso? Você não tem vergonha?" — *"Ah! mon Père* — responde a pecadora arrependida —, *ça lui a fait tant de plaisir et à moi si peu de peine!"*[99] Considera essa resposta! É o grito da própria natureza, vale isto mais que a inocência! Dei-lhe a absolvição e voltei-me para retirar-me, quando ouvi o padre marcar-lhe um encontro para aquela noite. Por mais resistente que tenha sido o velho, sucumbiu logo à tentação. A natureza, a verdade desforraram-se! Por que fazes careta? Eis-te de novo zangado? Não sei mais que fazer para te ser agradável...

— Deixa-me, tu me obsedas como um pesadelo — gemeu Ivan, vencido pela sua visão. — Tu me aborreces e me atormentas. Daria muito para escorraçar-te.

— Repito, modera tuas exigências, não exijas de mim o grande e o belo, e verás como seremos bons amigos — disse o cavalheiro com um tom sugestivo. Na verdade, tens razão de querer-me mal porque não apareci em meio duma nuvem vermelha, entre o trovão e os raios, com as asas avermelhadas, mas me apresentei com traje tão modesto. Em primeiro lugar teus sentimentos estéticos estão melindrados, depois teu orgulho: tão grande homem receber a visita de um diabo tão comum! Há em ti aquela fibra romântica de que zombou Bielínski! Que fazer, rapaz? Ainda há pouco, no momento de vir à tua casa, pensei, para brincar, em tomar a aparência de um conselheiro de Estado aposentado, condecorado com as ordens do Leão e do Sol, mas não ousei, porque terias me batido: como, pôr no peito as placas do Leão e do Sol, em lugar da Estrela Polar ou de Sírio?! E insistes em chamar-me estúpido. Meu Deus, não pretendo ter a tua inteligência. Mefistófeles, aparecendo a Fausto, afirma que quer o mal e não faz senão o bem. Bem, isso é lá com ele, comigo é o contrário. Sou talvez o único ser no mundo que ama a verdade e quer sinceramente o bem. Estava presente quando o Verbo crucificado subiu ao céu, levando a alma do bom ladrão; ouvi as exclamações jubilosas dos querubins cantando hosana! e os hinos dos serafins, que faziam tremer o universo. Pois bem, juro-o pelo que há de mais sagrado, quis juntar-me aos coros e gritar também hosana! As palavras iam sair de meu peito... sabes que sou bastante sensível e impressionável do ponto de vista estético. Mas o bom senso — a mais desgraçada de minhas faculdades — reteve-me nos justos limites e deixei passar a hora propícia! Porque, pensava eu então, que aconteceria se eu cantasse hosana? Tudo se extinguiria no mundo, não se passaria mais nada. Eis como os deveres de meu cargo e minha posição social obrigaram-me a repelir um impulso generoso e a permanecer na infâmia. Outros arrogam-se toda a honra do bem: não me deixam senão a infâmia. Mas não invejo a honra de viver às custas de outrem, não sou ambicioso. Por que, entre todas as criaturas, sou eu só votado às maldições das pessoas honestas e mesmo aos pontapés de botas, pois, encarnando-me, devo suportar tais consequências? Há aí um mistério, mas a preço algum querem revelar-me, com medo que eu entoe hosana e tão logo desapareçam as imperfeições necessárias, reine a razão no mundo inteiro: seria naturalmente o fim de tudo, até mesmo de jornais e revistas, porque quem os assinaria então? Sei que por fim eu me reconciliaria, farei também eu o meu quatri-

---

99 Ah! meu padre, isso lhe causou tanto prazer e a mim tão pouco trabalho!

lhão e conhecerei o segredo. Mas, à espera, amuo-me e cumpro a contragosto minha missão: perder milhões para salvar um só. Quantas almas, por exemplo, foi preciso perder e quantas reputações macular para obter um só justo, Jó, do qual se serviram outrora para me pregarem bem má peça. Não, enquanto o segredo não for revelado, existem para mim duas verdades: a lá de baixo, a deles, que ignoro totalmente, e a outra, a minha. Resta ver qual é a mais pura... Dormes?

— Penso bem — gemeu Ivan — em tudo o que há de animal em mim, tudo o que desde muito tempo digeri e eliminei como uma sujeira, tu trazes isso tudo como uma novidade!

— Então, não fui bem-sucedido! Eu que pensava encantar-te com minha eloquência! Esse hosana no céu, na verdade, não estava mal, não é? Depois aquele tom sarcástico à Heine,[100] não é?

— Não, jamais tive esse espírito de lacaio! Como pôde minha alma produzir um lacaio de tua espécie?

— Meu amigo, conheço um encantador jovem russo, amador de literatura e de arte. É o autor dum poema que promete, intitulado: "O Grande Inquisidor..." Era unicamente ele que eu tinha em vista.

— Proíbo-te de falar do "Grande Inquisidor" — exclamou Ivan, rubro de vergonha.

— E o cataclismo geológico, lembras-te? Que poema!

— Cala-te ou eu te mato!

— Matar-me? Não, é preciso que eu me explique em primeiro lugar. Vim cá para oferecer a mim mesmo esse prazer. Oh! quanto amo os sonhos de meus jovens amigos, fogosos, sedentos de vida! "Ali vive gente nova!" — dizias tu na última primavera, quando te preparavas para vir aqui, "eles querem tudo destruir e regressar à antropofagia. Não me consultaram, os estúpidos. Na minha opinião, não é preciso destruir nada, a não ser a ideia de Deus no espírito do homem: eis por onde é preciso começar. Oh! os cegos, não compreendem nada! Uma vez que a humanidade inteira professe o ateísmo (e creio que essa época, à maneira das épocas geológicas, chegará a seu tempo), então, por si mesma, sem antropofagia, a antiga concepção do mundo desaparecerá, e sobretudo a antiga moral. Os homens se unirão para retirar da vida todos os gozos possíveis, mas neste mundo somente. O espírito humano se elevará até um orgulho titânico e isto será a humanidade deificada. Triunfando sem cessar e sem limites da natureza pela ciência e pela energia, o homem por isso mesmo experimentará constantemente uma alegria tão intensa que ela substituirá para ele as esperanças das alegrias celestes. Cada qual saberá que é mortal, sem esperança de ressurreição, e vai se resignar à morte com uma altivez tranquila, como um deus. Por altivez, se absterá de murmurar contra a brevidade da vida e amará seus irmãos duma maneira desinteressada. O amor só procurará gozos breves, mas o próprio sentimento de sua brevidade há de lhe reforçar a intensidade tanto quanto outrora ela se disseminava nas esperanças de um amor eterno, além-tumular"... e assim por diante. É encantador!

Ivan tapava os ouvidos com as mãos, olhava para o chão, tremia da cabeça aos pés. A voz prosseguiu:

---

100   Heinrich Heine (1797-1856), poeta e prosador alemão, de ascendência hebraica. Autor de poesias de uma melancolia irônica e dolorosa.

— A questão consiste nisto, sonhava meu jovem pensador: será possível que essa época chegue algum dia? Na afirmativa, tudo está decidido, a humanidade se organizará definitivamente. Mas como, diante da estupidez inveterada da espécie humana, não se venha isso a realizar talvez nem dentro de mil anos, é permitido a todo indivíduo que tenha consciência da verdade regularizar sua vida como bem entender, de acordo com os novos princípios. Neste sentido, tudo lhe é permitido. Mais ainda: mesmo se essa época nunca deva chegar, como Deus e a imortalidade não existem, é permitido ao homem novo tornar-se um homem-deus, seja ele o único no mundo a viver assim. Poderia doravante, de coração leve, libertar-se das regras da moral tradicional, às quais estava o homem sujeito como um escravo. Para Deus, não existe lei. Em toda parte onde Deus se encontra, está em seu lugar! Em toda parte em que me encontrar, será o primeiro lugar... tudo é permitido, um ponto, é tudo! Tudo isso é muito gentil, mas se apenas se quer trapacear, de que serve a sanção da verdade? Mas nosso russo contemporâneo é assim feito: não se decidirá a trapacear sem essa sanção, tanto ele ama a verdade...

O visitante deixara-se arrebatar pela sua eloquência, elevava cada vez mais a voz e olhava com ironia o dono da casa; mas não pôde acabar. Ivan agarrou de repente um copo em cima da mesa e atirou-o no orador.

— *Ah! mais, c'est bête enfin!*[101] — exclamou o outro, erguendo-se vivamente e enxugando as gotas de chá que lhe caíram na roupa; lembrou-se do tinteiro de Lutero![102] Quer ver em mim um sonho e lança copos contra um fantasma? Isso é digno duma mulher! — Bem suspeitava que fingias tapar os ouvidos e que estavas escutando...

Nesse momento, bateram na janela com insistência. Ivan Fiódorovitch levantou-se.

— Estás ouvindo? Abre então — exclamou o visitante. — É teu irmão Aliócha que vem anunciar-te uma notícia das mais inesperadas, garanto-te!

— Cala-te, impostor, sabia antes de ti que era Aliócha, pressentia-o, e decerto não vem à toa, traz evidentemente uma "notícia"! — exclamou Ivan, exultado.

— Abre então, abre-lhe, está lá fora uma tempestade de neve e é teu irmão quem bate. *Monsieur sait-il le temps qu'il fait? C'est à ne pas mettre un chien dehors...*[103]

Continuavam a bater. Ivan quis correr à janela, mas sentiu-se como que paralisado. Esforçava-se por partir os laços que o prendiam, mas em vão. Batiam cada vez com mais força. Por fim os laços se romperam e Ivan Fiódorovitch levantou. As duas velas acabavam de consumir-se, o copo que havia atirado contra seu visitante estava sobre a mesa. Sobre o divã, ninguém. As pancadas na janela persistiam, mas bem menos fortes do que lhe tinham parecido, bem discretas até.

— Não é um sonho! Não, juro que não era um sonho, tudo isso acaba de ocorrer. Ivan correu à janela e abriu o postigo.

— Aliócha, eu te havia proibido de vir — gritou ele, com raiva, a seu irmão. —

---

101   Ah! mas é estúpido, afinal!

102   Martinho Lutero (1483-1546). Foi, à parte o seu papel religioso, um místico e iluminado (acreditava ter visto muitas vezes o diabo, atirando-lhe certo dia com um tinteiro à cabeça).

103   O senhor sabe que tempo está fazendo? Nem um cachorro se deve pôr lá fora...

Em duas palavras: que queres? Em duas palavras, ouves-me?

— Há uma hora Smierdiákov enforcou-se — disse Aliócha.

— Sobe o patamar, vou abrir a porta — disse Ivan.

X / "Foi ele quem o disse!"

Aliócha contou a Ivan que uma hora antes Maria Kondrátievna fora à casa dele para informá-lo de que Smierdiákov acabava de suicidar-se. "Entro no quarto dele para retirar o samovar e vejo-o pendurado de um prego grande na parede." Perguntando-lhe Aliócha se ela fizera sua declaração a quem de direito, respondeu que viera diretamente à casa dele, correndo. Tremia como uma folha. Tendo-a acompanhado à isbá, havia Aliócha encontrado Smierdiákov ainda pendurado. Em cima da mesa, um papel com estas palavras: "Ponho fim a meus dias voluntariamente. Não acusem ninguém de minha morte." Deixando esse bilhete em cima da mesa, dirigiu-se Aliócha à casa do *isprávnik*, "e dali à tua casa", concluiu, olhando fixamente para Ivan, cuja expressão o intrigava.

— Meu irmão — disse de repente —, deves estar muito doente! Olhas-me sem ter o ar de compreender o que te digo.

— Foi bom teres vindo — disse Ivan com ar preocupado e sem prestar atenção à exclamação de Aliócha. — Sabia que ele tinha se enforcado.

— Sabias por intermédio de quem?

— Não lembro por intermédio de quem, mas sabia. Sabia? Sim, ele me disse. Dizia-me ainda há pouco.

Ivan mantinha-se no meio do quarto, com o ar sempre absorto, olhando para o chão.

— Ele, quem? — perguntou Aliócha com uma olhadela involuntária em redor.

— Esquivou-se.

Ivan ergueu a cabeça e sorriu mansamente.

— Teve medo de ti, da pomba. És um puro "querubim". Dimítri assim te chama: querubim... O grito formidável dos serafins! Que é um serafim? Talvez toda uma constelação, e essa constelação não é talvez senão uma molécula química... Existe a constelação do Leão e do Sol, sabes?

— Meu irmão, senta — disse Aliócha espantado —, senta no divã, suplico-te. Deliras, apoia-te na almofada, assim. Queres um guardanapo molhado sobre a cabeça? Isso te aliviaria.

— Dá-me o guardanapo que está em cima da cadeira, atirei-o ali ainda há pouco.

— Não, não está ali. Não te inquietes, ei-lo aqui — disse Aliócha encontrando num canto, perto do lavatório, um guardanapo limpo, ainda dobrado. Ivan examinou-o com olhar estranho. Pareceu voltar-lhe a memória.

— Espera — disse ele, levantando-se. — Há uma hora apliquei à minha cabeça esse mesmo guardanapo molhado, depois joguei-o ali... como ele pode estar seco? Não havia outro.

— Aplicaste esse guardanapo na cabeça?

— Sim e andei pelo quarto há uma hora... Por que as velas estão consumidas? Que horas são?

— Em breve será meia-noite.

— Não, não, não! — exclamou Ivan. — Não era um sonho! Ele estava aqui, neste divã. Quando tu bateste na janela, atirei-lhe um copo... aquele... Espera um pouco, não é a primeira vez... mas não são sonhos, é realidade: ando, falo, vejo... dormindo. Mas ele estava aqui, neste divã... Ele é muito estúpido, Aliócha, muito estúpido. — Ivan pôs-se a rir e a caminhar pelo quarto.

— Quem é estúpido? De quem falas, meu irmão? — perguntou ansiosamente Aliócha.

— Do diabo! Ele vem ver-me. Veio duas ou três vezes. Irrita-me, pretendendo que lhe quero mal por ele não ser senão o diabo, em lugar de Satã, com asas avermelhadas, cercado de trovões e raios. Não passa de um impostor, um mau diabo de baixa classe. Vai aos banhos. Se lhe tirassem a roupa, haveriam de encontrar nele certamente uma cauda fulva, do comprimento de um *árchin,* lisa como a de um cão dinamarquês... Aliócha, estás enregelado, coberto de neve, queres chá? Está frio, vou pôr a funcionar o samovar... *C'est à ne pas mettre un chien dehors...*

Aliócha correu ao lavatório, molhou o guardanapo, persuadiu Ivan a sentar de novo e aplicou-lhe à cabeça. Sentou ao lado dele.

— Que é que me dizias há pouco a respeito de Lisa? — prosseguiu Ivan. (Tornava-se bastante loquaz.) Lisa me agrada. Falei-te mal dela. É falso, ela me agrada. Tenho medo amanhã, por causa de Kátia sobretudo, pelo futuro. Ela me abandonará amanhã e me espezinhará. Acha que perco Mítia por ciúme, por causa dela, sim, ela crê isto! Mas não! Amanhã, será a cruz e não a forca. Não, não me enforcarei. Sabes que não poderei jamais me matar, Aliócha? Será por baixeza? Não sou um covarde. É por amor à vida! Como eu sabia que Smierdiákov se enforcara? Sim, foi "ele" quem me disse.

— E estás persuadido de que alguém veio aqui?

— Neste divã, no canto. Foste tu que o afugentaste. Sim, foste tu que o puseste em fuga, desapareceu à tua chegada. Gosto de teu rosto, Aliócha. Sabias disto? Mas "ele", sou eu, Aliócha, eu mesmo. Tudo quanto há em mim de baixo, de vil, de desprezível! Sim, sou um "romântico", ele o notou... no entanto, é uma calúnia. Ele é horrendamente estúpido, mas por isso que logra êxito. É astuto, bestialmente astuto, sabe muito bem levar-me ao extremo. Zombava de mim, dizendo que eu creio nele, foi assim que me obrigou a escutá-lo. Mistificou-me como a uma criança. Aliás, disse a meu respeito muitas verdades, coisas que eu jamais teria dito a mim mesmo. Sabes, Aliócha, sabes — acrescentou Ivan, num tom confidencial — que eu gostaria bem que fosse realmente "ele", e não eu?

— Ele fatigou-te — disse Aliócha, olhando para seu irmão com compaixão.

— Irritou-me, sabes, e bem habilmente: "A consciência, que é isso? Fui eu que a inventei. Por que se têm remorsos? Por hábito. Hábito que tem a humanidade há sete mil anos. Desfaçamo-nos do hábito e seremos deuses". Foi ele quem disse!

— Mas não tu, não tu? — Aliócha exclamou contra sua vontade, com um olhar luminoso. — Pois bem! Deixa-o, esquece-o então! Que ele leve consigo tudo quanto tu maldizes agora e que não volte mais!

— Ele é mau, zombou de mim. É um insolente, Aliócha — disse Ivan, fremindo à lembrança da ofensa. — Caluniou-me a muitos respeitos, caluniou-me em minha própria cara. "Oh! vais praticar uma nobre ação, declararás que foste tu o assassino responsável, que o lacaio matou teu pai por instigação..."

— Meu irmão, contém-te; não foste tu que mataste. Não é verdade!

— Foi o que ele disse e ele sabe: "Vais praticar uma ação virtuosa e, contudo, não crês na virtude, eis o que te irrita e te atormenta". Eis o que ele me disse, e ele é perito nisso...

— És tu que dizes, e não ele! E falas em delírio!

— Não, ele sabe o que diz: "É por orgulho que vais dizer: Fui eu que matei, por que estais tomados de espanto? Mentis! Desprezo vossa opinião, zombo do vosso espanto". Dizia ainda: "Sabes? queres que te admirem; é um criminoso, um assassino, dirão, mas que sentimentos nobres! Para salvar seu irmão, acusou-se!". Mas é falso, Alióchca — exclamou Ivan, com os olhos cintilantes. — Não quero a admiração dos imbecis. Juro-te que ele mentiu. Foi por isso que lhe atirei um copo, que se quebrou no focinho dele!

— Meu irmão, acalma-te, deixa de...

— Não, é um sábio torcionário, e cruel — prosseguiu Ivan, que não havia ouvido. — Sabia bem por que ele vinha. "Pois seja — dizia ele —, tu querias ir por orgulho, mas guardando a esperança de que Smierdiákov seria desmascarado e enviado ao presídio, que absolveriam Mítia e que te condenariam moralmente apenas (ouves, ele riu neste ponto!), enquanto que outros te admirariam. Mas Smierdiákov está morto, quem te acreditará agora no tribunal? Tu somente? No entanto, vais, decidiste ir. Com que objetivo, afinal?" É estranho, Alióchca, não posso suportar semelhantes perguntas. Quem tem a audácia de as fazer?

— Meu irmão — interrompeu Alióchca, gelado de medo, mas esperando sempre fazer Ivan voltar à razão —, como ele pôde falar-te da morte de Smierdiákov antes de minha chegada, quando ninguém a conhecia e não tivera tempo de sabê-la?

— Ele me falou dela — disse Ivan, num tom decisivo. — Não me falou senão disso, se quiseres. "Se ainda acreditasses na virtude: não me acreditarão, não importa, vou por uma questão de princípio. Mas tu não passas de um porco, como Fiódor Pávlovitch, nada tens que ver com a virtude. Por que ires até lá, se teu sacrifício é inútil? Não sabes de nada e darias muito para sabê-lo! Suponhamos: tu te decidiste! Passarás a noite a pesar o pró e o contra! No entanto, irás, bem o sabes, sabes que, qualquer que seja tua resolução, a decisão não depende de ti. Irás, porque não ousarás fazer de outro modo. E por que não ousarás? Adivinha tu mesmo, é um enigma!" Nisso partiu, quando tu chegavas. Tratou-me de covarde, Alióchca. *Le mot de l'enigme*[104] é que sou um covarde! Smierdiákov disse o mesmo. É preciso matá-lo. Kátia me despreza, percebi faz um mês. Lisa começa a desprezar-me. "Irás para que te admirem", é uma mentira abominável! E tu também, tu me desprezas, Alióchca. Detesto-te de novo! E odeio também o monstro, que ele apodreça no presídio! Cantou um hino! Irei amanhã cuspir na cara de todos.

Ivan levantou cheio de furor, arrancou o guardanapo, voltou a andar pelo quarto. Alióchca lembrou-se de suas recentes palavras: "Parece-me dormir acordado... Ando, falo, vejo, e contudo, durmo". Era bem isso. Não ousava deixá-lo para ir procurar um médico, não tendo ninguém a quem confiá-lo. Pouco a pouco Ivan pôs-se a desarrazoar completamente. Continuava a falar, mas suas palavras eram

---

104 A chave do enigma.

incoerentes. Articulava mal as palavras; de repente cambaleou, mas Aliócha pôde sustentá-lo; tirou-lhe a roupa, com dificuldade, e meteu-o na cama. O doente caiu num profundo sono, com a respiração regular. Aliócha velou-o ainda umas duas horas, depois pegou um travesseiro e estendeu-se sobre o divã, sem tirar a roupa. Antes de adormecer, rezou por seus irmãos. Começava a compreender a doença de Ivan. "Os tormentos duma resolução orgulhosa, uma consciência exaltada!" Deus, em quem Ivan não acreditava, e sua verdade tinham subjugado aquele coração ainda rebelde. "Sim, pensava Aliócha, já que Smierdiákov está morto, ninguém acreditará em Ivan; no entanto, ele irá depor. Deus vencerá, disse a si mesmo Aliócha, com um doce sorriso. Ou Ivan despertará à luz da verdade, ou então... sucumbirá no ódio, vingando-se de si mesmo e dos outros por ter servido uma causa na qual não acreditava", acrescentou ele com amargura, e rezou de novo por Ivan.

LIVRO XII / UM ERRO JUDICIÁRIO

I / O DIA FATÍDICO

No dia seguinte aos acontecimentos que narramos, às dez horas da manhã, foi aberta a sessão do tribunal e começou o julgamento de Dimítri Karamázov.

Devo declarar previamente que me é impossível relatar todos os fatos na sua ordem detalhada. Tal exposição demandaria, creio, um grosso volume. De modo que, não me queiram mal por limitar-me ao que me pareceu mais impressionante. Pude tomar o acessório pelo essencial e omitir traços característicos... Aliás, é inútil desculpar-me... Faço o melhor que posso e os leitores saberão vê-lo.

Antes de penetrar na sala, mencionemos o que causava a surpresa geral. Todo mundo conhecia o interesse despertado por aquele processo impacientemente esperado, as discussões e suposições que provocava havia dois meses. Sabia-se também que aquele caso tivera repercussão em toda a Rússia, mas sem se imaginar que ele pudesse suscitar semelhante emoção em outra parte que não entre nós. Veio gente, não somente da sede da província, mas de outras cidades e até mesmo de Moscou e de Petersburgo, juristas, notabilidades, bem, como senhoras. Todos os cartões foram arrebatados num abrir e fechar de olhos. Para os visitantes de destaque, haviam reservado lugares por trás da mesa que presidia o tribunal; instalaram-se ali cadeiras, o que jamais se vira. As senhoras, bastante numerosas, formavam pelo menos a metade do público. Havia tantos juristas que não se sabia onde metê-los, estando todos os convites distribuídos desde muito tempo. Construiu-se à pressa no fundo da sala, por trás do estrado, uma separação no interior da qual eles tomaram lugar, dando-se por felizes em poderem ficar mesmo de pé, porque haviam retirado todas as cadeiras, a fim de obter-se espaço e a multidão reunida assistiu ao julgamento de pé, em massa compacta. Certas senhoras, sobretudo as recém-chegadas, mostraram-se nas galerias excessivamente enfeitadas, mas a maior parte não pensava na toalete. Lia-se em seus rostos uma curiosidade ávida. Uma das particularidades daquele público, digna de ser assinalada e que se manifestou no correr dos debates, era a simpatia da enorme maioria das senhoras por Mítia, que desejavam ver absolvido. Talvez porque ele tivesse a reputação de cativar os corações femininos. Contava-se com a presença das duas rivais. Katierina Ivânovna sobretudo excitava o interesse geral; contavam-se coisas espantosas a seu respeito e de sua paixão por Mítia, apesar do crime deste. Lembravam seu orgulho (não fizera visitas quase a ninguém), suas "relações aristocráticas". Dizia-se que tinha ela a intenção de pedir ao governo autorização para acompanhar o condenado ao presídio e casar-se com ele nas minas, embaixo do solo. A aparição de Grúchenhka não despertava menos interesse, esperava-se com curiosidade o encontro em plenário das duas rivais, a jovem aristocrata e a cortesã. Aliás, nossas damas conheciam melhor Grúchenhka, que "tinha posto a perder Fiódor Pávlovitch e seu desgraçado filho", e a maior parte se admirava de que uma mulher tão ordinária, nem mesmo bonita, tivesse podido tornar a tal ponto apaixonados o pai e o filho. Sei pertinentemente que em nossa cidade sérias querelas de família rebentaram por causa de Mítia. Muitas senhoras disputavam com seus maridos, em consequência do desacordo a respeito daquele triste caso, e compreende-se que estes chegassem ao recinto, não apenas mal dispostos para com o acusado, mas enraivecidos contra ele. Em geral, ao contrário das mulheres, o elemento masculino era hostil ao detento. Viam-se rostos severos, carrancudos, outros encolerizados e isto na maioria. É verdade que Mítia insultara muitas pessoas, durante sua permanência entre nós. Decerto, alguns espectadores estavam quase alegres e bastante indiferentes à sorte de Mítia, embora interessados pelo resultado do caso; a maior parte desejava o castigo do culpado, salvo talvez os juristas, que só encaravam o processo do ponto de vista jurídico contemporâneo, negligenciando o lado moral. A chegada de Fietiukóvitch, de grande reputação por causa de seu talento, agitava todo mundo; não era a primeira vez que ele vinha à província advogar em processos criminais de repercussão, dos quais se guardava depois por muito tempo a lembrança. Circulavam anedotas sobre nosso procurador e sobre o presidente do tribunal. Contava-se que o procurador tremia ao ter de tornar a encontrar-se com Fietiukóvitch, que eram antigos inimigos, já em Petersburgo, no começo de suas carreiras; que o nosso suscetível Ipolit Kirílovitch, que se julgava lesado desde muito, porque não era convenientemente apreciado o seu mérito, havia retomado coragem com o caso Karamázov e sonhava mesmo reerguer sua reputação embaciada, mas que Fietiukóvitch lhe causava medo. Quanto ao temor de Fietiukóvitch, essas asserções não eram totalmente justas. Nosso procurador não era desses caracteres que se deixam levar diante do perigo, mas, pelo contrário, daqueles cujo amor-próprio aumenta, exalta-se, precisamente na proporção do perigo. Em geral, nosso procurador era demasiado ardente e impressionável. Punha por vezes toda a sua alma num negócio, como se de sua decisão dependessem sua sorte e sua fortuna. No mundo judiciário, sorriam dessa singularidade, que valera a nosso procurador certa notoriedade, maior do que não se teria podido crer de acordo com sua situação modesta na magistratura. Riam sobretudo de sua paixão pela psicologia. Na minha opinião, todos se enganavam; nosso procurador era, eu creio, dum caráter bem mais sério que muitos pensavam. Mas aquele homem doentio não soubera colocar-se no início de sua carreira, nem depois.

Quanto ao presidente do tribunal, era um homem instruído, humano, conhecendo praticamente a causa e com as ideias mais modernas. Tinha certo amor-próprio, mas pouca ambição. O principal objetivo de sua existência consistia em ser um progressista. Aliás, tinha relações, fortuna. Verificou-se mais tarde que se interessava bastante vivamente pelo caso Karamázov, mas apenas num sentido geral; como fenômeno classificado, encarado como a resultante de nosso regime social, como a característica da mentalidade russa, etc. Quanto ao caráter particular do caso, à personalidade dos seus atores, a começar pelo acusado, isso não lhe apresentava senão um interesse vago, abstrato, como convinha aliás, talvez.

Muito tempo antes da hora, a sala estava repleta. É a mais bela da cidade, vasta, alta, sonora. À direita do tribunal, que tinha assento sobre um estrado, tinham instalado uma mesa e duas filas de cadeiras para o júri. À esquerda se encontrava o lugar do acusado e de seu defensor. No meio da sala, perto dos juízes, as peças de convicção figuravam sobre uma mesa: o roupão de seda branca de Fiódor Pávlovitch, ensanguentado; o pilão de cobre, instrumento presumido do crime; a camisa e a sobrecasaca de Mítia, toda manchada perto do bolso onde ele enfiara o lenço; o dito lenço, onde o sangue formava uma crosta; a pistola carregada em casa de Pierkhótin para o suicídio de Mítia e tirada furtivamente por Trifon Borísovitch, em Mókroie; o envelope dos três mil rublos destinados a Grúchenhka, a fita cor-de-rosa que o amarrava e outros objetos que esqueci. Mais longe, no fundo da sala, mantinha-se o público, mas diante da balaustrada tinham disposto cadeiras para as testemunhas que ficariam na sala depois de seu depoimento. Às dez horas apareceu o tribunal, composto do presidente, dum assessor e dum juiz de paz honorário. O procurador chegou no mesmo instante. O presidente era robusto, baixo e gordo, com o rosto congestionado, homem duns cinquenta anos, de cabelos grisalhos cortados curtos e condecorado. O procurador pareceu a toda gente estranhamente pálido, de tez quase verdoenga, emagrecido por assim dizer subitamente, porque eu o havia visto na antevéspera no seu estado normal. O presidente começou por perguntar ao oficial de justiça se todos os jurados estavam presentes. Mas é-me impossível continuar assim, tendo-me escapado certas coisas e sobretudo porque, como já o disse, o tempo e o lugar me faltariam para um relato integral. Sei somente que a defesa e a acusação só recusaram pequeno número de jurados. O júri compunha-se de quatro funcionários, dois comerciantes, seis camponeses e pequenos burgueses de nossa cidade. Muito tempo antes do julgamento, lembro-me de que na sociedade perguntavam, sobretudo as senhoras: "Será possível que um caso de psicologia tão complicada seja submetido a decisão de funcionários e de mujiques? Que é que eles compreenderão disso?". Efetivamente, os quatro funcionários que faziam parte do júri eram gente modesta, já grisalha, exceto um, pouco conhecidos em nossa sociedade, tendo vegetado com mesquinhos ordenados; deviam ser casados com velhas, impossíveis de exibir, e ter uma ninhada de meninos, talvez descalços; as cartas encantavam-lhe os lazeres e não tinham, bem entendido, jamais lido coisa alguma. Os dois comerciantes tinham o ar calmo, mas estranhamente taciturno e imóvel, estando um deles barbeado e trajado à europeia, e o outro, de barba grisalha, trazia no pescoço uma medalha. Nada a dizer dos pequenos burgueses e camponeses de Skotoprigonievsk. Os primeiros assemelham-se bastante aos segundos e trabalham como eles. Dois dentre eles usavam também traje europeu, o que os fazia parecerem mais sujos e mais feios talvez que os outros, tanto que todos perguntavam a si mesmos involuntariamente, como o fiz, olhando-os: "Que pode essa gente compreender mesmo dum tal caso?". Não obstante, seus rostos, rígidos e carrancudos, mostravam uma expressão imponente.

Enfim, o presidente abriu a sessão declarando ao auditório que ia dar-se início ao julgamento do crime de que foi vítima o conselheiro titular aposentado, Fiódor Pávlovitch Karamázov... Não me recordo bem como o disse. Os oficiais de justiça tiveram ordem de introduzir o acusado e apareceu Mítia. Reinou profundo silêncio na sala. Seria possível ouvir uma mosca voar. Mítia causou-me uma impressão das mais desfavoráveis. Apresentou-se como um janota, de roupa nova, luvas lustrosas, roupa branca fina. Soube depois que ele encomendara para aquele dia uma sobrecasaca em Moscou, em casa de seu antigo alfaiate, que havia conservado suas medidas. Avançou a grandes passos, rígido, olhando fixamente à sua frente e sentou com ar impassível. Apareceu ao mesmo tempo seu defensor, o famoso Fietiukóvitch; um murmúrio discreto percorreu a sala. Era um homem grande e seco, de pernas finas, dedos exangues e afilados, cabelos curtos, o rosto imberbe, e seus lábios finos pregueavam-se por vezes num sorriso sarcástico. Parecia ter quarenta anos. o rosto teria sido simpático não fossem os olhos, desprovidos de expressão e muito aproximados do nariz, comprido e delgado. Em suma, aquela fisionomia lembrava um pássaro. Estava de casaca e de gravata branca. Lembro-me do interrogatório de identificação. Mítia respondeu com uma voz tão forte que surpreendeu o presidente. Depois fizeram leitura da lista das testemunhas e peritos, Quatro dentre eles faltavam: Miúsov, que voltara a Paris, mas cujo depoimento figurava no processo; a Senhora Khokhlakova e o proprietário rural Maksímov, por motivo de doença, e Smierdiákov, falecido subitamente, como o atestava um relatório da polícia. A notícia de sua morte causou sensação. Muitos, no público, ignoravam ainda o seu suicídio. O que impressionou sobretudo foi uma frase de Mítia a esse respeito:

— Para cão, morte de cão! — exclamou ele.

Seu defensor adiantou-se para ele, o presidente ameaçou-o de tomar medidas severas no caso de novo insulto. Mítia repetiu várias vezes ao advogado, à meia voz e sem arrependimento aparente:

— Não o farei mais! Escapou-me. Não recomeçarei.

Esse episódio não testemunhava em seu favor aos olhos dos jurados e do público. Dava uma amostra de seu caráter. Foi sob essa impressão que o escrivão leu o libelo acusatório. Era conciso, limitando-se à exposição dos principais motivos de acusação; não obstante, fiquei vivamente impressionado. O escrivão lia com uma voz nítida e sonora. Aquela tragédia aparecia em relevo, alumiada por uma luz implacável. Depois do que, o presidente perguntou a Mítia:

— Acusado, reconhece-se culpado?

Mítia levantou-se.

— Reconheço-me culpado de embriaguez, de devassidão e de preguiça — disse ele com exaltação. — Queria corrigir-me definitivamente, na hora mesma em que a sorte me feriu. Mas estou inocente da morte do velho, meu pai e meu inimigo. Não o roubei tampouco, não, não sou capaz disso. Dimitri Karamázov é um canalha, mas não um ladrão!

Sentou de novo, tremendo. O presidente exortou-o a responder unicamente às perguntas. Em seguida, foram chamadas as testemunhas para prestar juramento. Os irmãos do acusado foram dispensados dessa formalidade. Depois das exortações do padre e do presidente, mandaram para fora as testemunhas para serem de novo chamadas uma a uma.

II / TESTEMUNHOS PERIGOSOS

Ignoro se as testemunhas de acusação e de defesa foram agrupadas pelo presidente e em que ordem se propunha chamá-las. É provável. Em todo caso, começou-se pelas testemunhas de acusação. Repito que não tenho a intenção de reproduzir integralmente os interrogatórios. Aliás, seria em parte supérfluo, porque a acusação e a defesa resumiram claramente a marcha e o sentido do caso, bem como os depoimentos das testemunhas. Anotei integralmente por vezes aqueles dois notáveis discursos que citarei a seu tempo, da mesma maneira que um episódio inesperado do julgamento, que influiu sem dúvida no seu desenlace fatal. Desde o começo, uma particularidade daquele caso afirmou-se aos olhos de todos: a força extraordinária da acusação, em relação aos meios da defesa. Todo mundo compreendeu logo isso, quando se viu os fatos agruparem-se, acumularem-se e o horror do crime exibir-se pouco a pouco à plena luz. Dava-se conta o público de que a causa estava bem clara, que a dúvida era impossível, que os debates seriam apenas mera formalidade, estando mais que demonstrada a culpabilidade do acusado. Penso mesmo que nem dúvida havia para todas as senhoras que aguardavam com tanta impaciência a absolvição do interessante acusado. Mais ainda, parece-me que elas se sentiram aflitas diante de uma culpabilidade menos evidente, porque isso teria diminuído o efeito do desenlace, quando se absolvesse o criminoso. Coisa estranha é que todas as senhoras acreditaram na absolvição quase até o derradeiro minuto. "Ele é culpado, mas vão absolvê-lo por humanidade, em nome das ideias novas", etc. Eis por que haviam acorrido com tanto açodamento. Os homens interessavam-se sobretudo pela luta entre o procurador e o famoso Fietiukóvitch. Todos perguntavam a si mesmos com espanto: que poderá fazer de uma causa perdida de antemão Fietiukóvitch, com todo o seu talento? De modo que o observavam com uma atenção intensa. Mas Fietiukóvitch ficou até o fim como um enigma para todos. As pessoas experimentadas pressentiam que ele tinha um sistema, que perseguia um objetivo, mas era quase impossível adivinhar qual. Sua segurança saltava no entanto aos olhos. Além disso, notou-se com satisfação que, durante sua curta estada entre nós, se pusera notavelmente a par do caso e havia-o estudado em todos os seus detalhes. Admirou-se em seguida sua habilidade em desacreditar todas as testemunhas da acusação, em confundi-las tanto quanto possível e sobretudo em manchar-lhes a reputação moral, e, por consequência, seus depoimentos. Aliás, supunha-se que ele assim agia muito por jogo, por assim dizer, por coquetismo jurídico, a fim de pôr em ação todos os processos advocatórios, porque pensava-se com razão que aqueles "denegrimentos" não lhe proporcionariam nenhuma vantagem definitiva, e ele próprio, provavelmente, o compreendia melhor que ninguém; devia ter em reserva uma ideia, uma arma oculta, que revelaria no momento que quisesse. No instante, consciente de sua força, parecia divertir-se. Assim, quando interrogou Grigóri Vassílievitch, o antigo criado de quarto de Fiódor Pávlovitch, que afirmou ter visto a porta da casa aberta, o defensor aferrou-se a ele, quando chegou sua vez de fazer-lhe perguntas. Grigóri Vassílievitch apareceu à barra das testemunhas sem se mostrar absolutamente perturbado pela majestade do tribunal ou pela presença do numeroso público. Depôs com a mesma segurança com que o teria feito se estivesse a sós com sua mulher, mas com mais deferência. Era impossível confundi-lo. O procurador interrogou-o muito tempo a respeito de particularidades da família Karamázov. Grigóri traçou dela um quadro sugestivo. Via-se que a testemunha era ingênua e imparcial. Apesar de todo o seu respeito pelo antigo patrão, declarou que este fora injusto para com Mítia e "não educava seus filhos como era preciso. Sem mim, ele teria sido roído pelos piolhos", disse ele, ao falar da tenra infância de Mítia. "Tampouco, não deveria ter o pai prejudicado seu filho no referente aos bens que herdara da mãe." Tendo-lhe o procurador perguntado sobre que se baseava para afirmar que Fiódor Pávlovitch prejudicara a seu filho por ocasião do acerto de contas, Grigóri, para espanto geral, não apresentou nenhum argumento decisivo, mas persistiu dizendo que aquele acerto não fora justo, e que Mítia deveria ter recebido ainda alguns milhares de rublos. A este propósito, interrogou o procurador, com uma insistência particular, todas as testemunhas que se presumia estivessem ao corrente, inclusive os irmãos do acusado, mas nenhuma delas o esclareceu duma maneira precisa, cada qual afirmando a coisa sem poder fornecer dela uma prova mais ou menos exata. O relato da cena na mesa, em que Dimítri Fiódorovitch irrompeu na sala e bateu em seu pai, ameaçando de voltar para matá-lo, produziu uma impressão sinistra, tanto mais quanto o velho criado narrava com calma e concisão, numa linguagem original, o que causava muito efeito. Declarou que a ofensa de Mítia, que então lhe batera no rosto e derrubara, estava desde muito tempo perdoada. Quanto a Smierdiákov — benzeu-se — era um rapaz bem dotado, mas deprimido pela doença e sobretudo ímpio, tendo sofrido a influência de Fiódor Pávlovitch e de seu filho mais velho. Atestou com calor sua honestidade, contando o episódio do dinheiro achado e entregue por Smierdiákov a seu patrão, o que lhe valeu, com uma moeda de ouro, a confiança dele. Sustentou teimosamente a versão da porta aberta para o jardim. Aliás, fizeram-lhe tantas perguntas que não posso lembrar-me de todas. Por fim, foi a vez do defensor, que se informou em primeiro lugar do envelope onde, segundo parecia, Fiódor Pávlovitch ocultara três mil rublos para certa pessoa. "O senhor, que vivia desde tanto tempo junto de seu patrão, chegou a vê-lo?" Grigóri respondeu que não e que não sabia da existência desse dinheiro e dele só conhecendo "depois que toda gente falava". Fietiukóvitch fez esta pergunta relativa ao envelope todas as vezes que pôde, às testemunhas, com a mesma insistência que o procurador pusera em informar-se sobre a partilha dos bens; todas responderam que não tinham podido ver o envelope, embora muitas dele tivessem ouvido falar. A persistência do defensor foi notada desde o começo.

— Agora, eu poderia lhe perguntar — continuou Fietiukóvitch — de que se compunha esse bálsamo ou antes essa infusão com a qual o senhor esfregou seus rins, antes de deitar-se, na noite do crime, como ressalta do inquérito?

Grigóri olhou-o com ar aparvalhado e, após um silêncio, murmurou: "Havia salva nela".

— Somente salva, nada mais?

— E tanchagem.

— E pimenta, talvez?

— Havia também pimenta.

— E tudo isso com vodca!

— Com álcool.

Ligeiro sorriso percorreu o auditório.

— Veja-se, até mesmo álcool. Depois de ter-se esfregado a região renal, o senhor bebeu o resto da garrafa, com uma piedosa prece conhecida somente por sua esposa, não é?

— Sim.

— Bebeu muito? Um ou dois copinhos?

— O conteúdo de um copo.

— Tanto assim? Um copo e meio, talvez?

Grigóri guardou silêncio. Parecia compreender.

— Um copo e meio de álcool puro, não teria sido muito? Que pensa o senhor? Com isso pode-se ver abertas as portas do paraíso!

Grigóri continuava calado. Nova risada esfuziou. O presidente agitou-se.

— O senhor poderia dizer — insistiu Fietiukóvitch — se estava desperto quando viu a porta do jardim aberta?

— Estava em cima de minhas duas pernas.

— Isto não quer dizer que o senhor estivesse desperto. (Novas risadas.) Teria podido, por exemplo, responder naquele momento, se alguém lhe perguntasse, em que ano nós estamos?

— Não sei.

— Está bem! Em que ano estamos, desde o nascimento de Jesus Cristo? Sabe?

Grigóri, com ar confuso, olhava fixamente seu carrasco. Sua ignorância do ano atual parecia estranha.

— Talvez saiba o senhor quantas dedos tem nas mãos.

— Tenho o hábito de obedecer — proferiu, de súbito, Grigóri. — Se agrada às autoridades zombar de mim, devo suportá-lo.

Fietiukóvitch ficou um pouco desconcertado. O presidente interveio e lembrou-lhe que devia fazer perguntas mais em relação com o caso. O advogado respondeu com deferência que nada mais tinha a perguntar. Certamente, o depoimento de um homem "tendo visto as portas do paraíso" e ignorando em que ano vivia, poderia inspirar dúvidas, de sorte que o fito do defensor foi atingido. Um incidente marcou o fim do interrogatório. Tendo-lhe o presidente perguntado se tinha observações a apresentar, Mítia exclamou:

— Exceto o que se refere à porta, a testemunha disse a verdade. Eu lhe agradeço ter-me livrado dos parasitas e perdoado minhas pancadas; esse velho foi durante toda a sua vida honesto e fiel a meu pai como trinta e seis cães d'água.

— Acusado, policie suas expressões — disse severamente o presidente.

— Não sou um cão d'água — resmungou Grigóri.

— Pois bem! Sou eu que sou um cão d'água! — gritou Mítia. — Se é uma ofensa, assumo-a para mim e peço-lhe perdão. Fui brutal e violento com ele. Com Esopo também.

— Que Esopo? — acentuou severamente o presidente.

— Refiro-me a Pierrot... a meu pai, Fiódor Pávlovitch.

O presidente exortou de novo Mítia a escolher seus termos com mais prudência.

— Assim o senhor se prejudica no espírito de seus julgadores.

O defensor procedeu com a mesma habilidade com Rakítin, uma das testemunhas mais importantes, da qual muito esperava o procurador. Sabia uma multidão de coisas, vira tudo, conversara com uma multidão de pessoas e conhecia a fundo a biografia de Fiódor Pávlovitch e dos Karamázovi. Na verdade, não ouvira falar do envelope de três mil rublos senão por Mítia. Em compensação, descreveu com detalhes as proezas de Mítia no botequim "A Capital", suas palavras e atos comprometedores, contou a história do Esfregão de Tília, do Capitão Snieguiriov. Quanto ao que o pai podia ter de restituir ao filho por ocasião do acerto de contas, o próprio Rakítin nada sabia e safou-se graças a generalidades desdenhosas: "Impossível compreender qual não tinha razão e não se emaranhar naquela barafunda dos Karamázovi". Apresentou aquele crime trágico como o produto dos costumes atrasados da servidão e da desordem em que estava mergulhada a Rússia, privada das instituições necessárias. Em suma, deixaram-no discorrer. Foi depois desse julgamento que o Senhor Rakítin se revelou e atraiu a atenção. O procurador sabia que a testemunha preparava para uma revista um artigo relativo ao crime e citou algumas partes dele no seu discurso acusatório (como se verá mais adiante). O quadro pintado pela testemunha pareceu sinistro e reforçou a acusação. Em geral, a exposição de Rakítin agradou ao público pela independência e pela nobreza de pensamento; ouviram-se mesmo alguns aplausos, quando ele falou da servidão e da Rússia presa da desorganização. Mas Rakítin, que era jovem, cometeu um descuido de que soube logo aproveitar-se o defensor. Interrogado a respeito de Grúchenhka e arrastado pelo seu êxito e pela altura moral em que havia plainado, exprimiu-se com algum desdém a respeito de Agrafiena Alieksándrovna, "mantida pelo comerciante Samsónov". Teria dado muito depois para retirar esta expressão, porque foi aí que Fietiukóvitch o apanhou. E isto porque Rakítin não esperava que o advogado tivesse podido iniciar-se em tão pouco tempo em detalhes tão íntimos.

— Permita-me uma pergunta — começou o defensor com um sorriso amável e quase atencioso. — É mesmo o Senhor Rakítin, autor de uma brochura editada pela autoridade diocesana, *Vida do bem-aventurado padre Zósima*, cheia de pensamentos religiosos, profundos, com uma dedicatória bastante piedosa à Sua Grandeza, e que eu li recentemente com muito prazer?

— Não estava destinada a aparecer... publicaram-na depois — murmurou Rakítin, que parecia desconcertado.

— Está muito bem. Um pensador como o senhor pode e mesmo deve interessar-se pelos fenômenos sociais. Sua brochura, graças à proteção de Sua Grandeza, o Senhor Bispo, divulgou-se e prestou serviço... Mas eis o que eu estaria curioso de saber: o senhor acaba de declarar que conhecia intimamente a Senhora Svietlova?[105] (*Nota bene*. Tal era o nome de família de Grúchenhka. Ignorava-o até aquele dia.)

— Não posso responder por todas as minhas amizades... Sou jovem... Aliás, quem o poderia? — disse Rakítin, corando.

— Compreendo, compreendo perfeitamente! — disse Fietiukóvitch, fingindo-se confuso e como que pressuroso em desculpar-se. — O senhor poderia, como

---

105 Nome forjado. Derivado de *sviet*, luz, claridade.

não importa quem, interessar-se por uma mulher jovem e bonita, que recebia em sua casa a flor da juventude local, mas... eu queria somente informar-me; sabemos que há dois meses, desejava vivamente a Senhora Svietlova conhecer o mais moço dos Karamázovi, Alieksiéi Fiódorovitch. Ela lhe prometera vinte e cinco rublos, se o senhor lá o levasse com sua batina religiosa. A visita ocorreu na noite mesma do drama que provocou o processo atual. O senhor recebeu então da Senhora Svietlova vinte e cinco rublos de recompensa? Eis o que queria que o senhor me dissesse.

— Era uma brincadeira... Não vejo em que isto possa interessá-lo. Recebi esse dinheiro por brincadeira... para restituí-lo em seguida.

— Por consequência, o senhor aceitou-o. Mas ainda não o restituiu... ou talvez já?

— Uma bagatela... — murmurou Rakítin. — Não posso responder a tais perguntas... Decerto, haverei de restituí-lo.

O presidente interveio, mas o defensor declarou que não tinha mais nada a perguntar ao Senhor Rakítin. Este retirou-se um tanto envergonhado. O prestígio do personagem ficou assim abalado, e Fietiukóvitch, acompanhando-o com o olhar, parecia dizer ao público: "Eis o que valem vossos acusadores!". Mítia, furioso por causa do tom com que Rakítin se referira a Grúchenhka, gritou de seu lugar: "Bernard!". Quando o presidente lhe perguntou se tinha alguma coisa a dizer, exclamou:

— Ele ia me ver na prisão para me arrancar dinheiro, esse miserável, esse ateu. Mistificou Sua Grandeza, o Senhor Bispo!

Mítia foi naturalmente chamado à ordem, mas o Senhor Rakítin ficou liquidado. O testemunho do Capitão Snieguiriov não logrou êxito, por uma razão bem diversa. Apareceu esfarrapado, de roupa suja e, apesar das medidas de precaução e o exame prévio, encontrou-se em estado de embriaguez. Recusou responder a respeito do caso do insulto que lhe fizera Mítia.

— Deus lhe perdoe! Iliúcha proibiu-o. Deus me recompensará lá em cima.

— Quem o proibiu de falar?

— Iliúcha, meu menino: *"Bátiuchka, bátiuchka,* como ele te humilhou!". Dizia isto perto da pedra. Agora, está morrendo.

O capitão se pôs subitamente a soluçar e deixou-se cair nos pés do presidente. Levaram-no logo, entre as risadas da assistência. O efeito com que contava o procurador malogrou.

O defensor continuou a usar de todos os meios, causando admiração cada vez maior pelo seu conhecimento do caso, até nos seus menores detalhes. Assim, o depoimento de Trifon Borísovitch tinha causado viva impressão, naturalmente das mais desfavoráveis ao acusado. Segundo ele, Mítia, por ocasião de sua primeira estada em Mókroie, deveria ter gasto pelo menos três mil rublos, "mais ou menos. Quanto dinheiro foi gasto, só com os cigarros! Quanto aos nossos mujiques piolhentos, não eram cinquenta copeques, mas vinte e cinco rublos no mínimo que distribuía a cada um. E quanto lhe roubaram! Os ladrões não se gabaram disso. Como reconhecê-los, entre tamanhas liberalidades? Nossa gente são uns bandidos, desprovidos de consciência. E as moças, que não tinham um vintém, estão ricas agora". Em suma, lembrava cada despesa e fazia conta de tudo. Isto arruinava a hipótese dos mil e quinhentos rublos gastos e do restante guardado no amuleto. "Eu mesmo vi os três mil rublos em suas mãos, vi com os meus próprios olhos e sabemos o que é dinheiro, ora se não sabemos!" Sem tentar prejudicar-lhe o depoimento, o defensor lembrou que o cocheiro Timofiéi e outro mujique, Akim, tinham encontrado no vestíbulo, por ocasião da primeira viagem a Mókroie, um mês antes da detenção, cem rublos perdidos por Mítia, que estava embriagado e os haviam entregue a Trifon Borísovitch que deu um rublo a cada um. "Pois bem! devolveu o senhor esse dinheiro ao Senhor Karamázov, sim ou não?" Trifon Borísovitch, apesar de seus rodeios, confessou a coisa, depois que foram interrogados os mujiques, afirmando ter restituído o dinheiro a Dimitri Fiódorovitch, "com toda a honestidade, mas estando este embriagado na ocasião, não podia lembrar-se disso". Ora, como tivesse negado o achado antes, sua restituição a Mítia embriagado inspirava naturalmente dúvidas. Desta maneira, uma das testemunhas de acusação mais perigosas tornava-se suspeita e atingida na sua reputação. Foi a mesma coisa com os poloneses; entraram com ar desenvolto, atestando que haviam "servido à coroa" e que *pan* Mítia lhes oferecera três mil rublos para comprar-lhes a honra". *Pan* Mussialóvitch esmaltava suas frases com palavras polonesas e vendo que isto lhe dava importância aos olhos do presidente e do procurador, tornou-se ousado e se pôs a falar em polonês. Mas Fietiukóvitch apanhou-os também em suas redes; apesar de suas hesitações, Trifon Borísovitch, chamado de novo à barra, teve de reconhecer que *pan* Vrubliévski substituíra um baralho de cartas ao dele, e que *pan* Mussialóvitch, presidindo a banca, trapaceava. Isto foi confirmado por Kolgánov por ocasião de seu depoimento, e os *panówie* retiraram-se um tanto envergonhados, entre os risos da assistência. As coisas se passaram da mesma maneira com quase todas as testemunhas mais importantes. Fietiukóvitch conseguiu desconsiderar cada uma delas e apanhá-las em falta. Os amadores e os juristas admiravam-no, enquanto perguntavam a si mesmos para que podia servir aquilo, porque, repito, a acusação parecia cada vez mais irrefutável e trágica. Mas via-se, pela segurança do "grande mago", que ele estava tranquilo e esperava-se: não era homem para vir de Petersburgo para nada e para lá voltar sem resultado.

III / A PERÍCIA MÉDICA E UMA LIBRA DE AVELÃS

A perícia médica tampouco foi favorável ao acusado. Aliás, Fietiukóvitch mesmo não contava muito com ela, como bem se viu. No fundo, realizou-se apenas por insistência de Katierina lvânovna, que mandara chamar um famoso médico de Moscou. A defesa, certamente, nada podia perder com isso, podia mesmo ganhar no caso mais favorável. Misturou-se nisso certo elemento cômico em consequência de um desacordo entre os médicos. Os peritos eram o famoso médico em questão, o Doutor Herzenstube, de nossa cidade, e o jovem médico Varvínski. Os dois últimos figuravam também na qualidade de testemunhas citadas pelo procurador. O primeiro chamado foi o Doutor Herzenstube, setuagenário grisalho, atingido de calvície, de estatura mediana e constituição robusta. Bastante estimado e respeitado em nossa cidade, era um médico consciencioso, excelente homem pio, uma espécie de irmão morávio. Desde muito tempo estabelecido entre nós, tinha grande dignidade em suas maneiras. Filantropo, tratava gratuitamente os pobres e os camponeses, visitava os casebres e as isbás, deixando dinheiro para os remédios, mas era teimoso como uma mula. Impossível fazê-lo desistir duma ideia. A propósito, quase todo mundo na cidade sabia que o famoso médico, chegado de pouco, já se permitira fazer observações bastante descorteses a respeito da capacidade do Doutor Herzenstube. Se bem que o médico de Moscou não cobrasse menos de vinte e cinco rublos por visita, houve pessoas que aproveitaram de sua estada para consultá-lo. Eram naturalmente clientes de Herzenstube e o famoso médico criticou por toda parte o tratamento dele da maneira mais acerba. Acabou por perguntar ao doente, ao entrar: "Então, quem o atochou de drogas, Herzenstube? Eh! eh! eh!". Este, bem entendido, veio a saber. Portanto, os três médicos apareceram como peritos. O Doutor Herzenstube declarou que "o acusado era visivelmente anormal do ponto de vista mental". Depois de ter exposto suas considerações, que omito aqui, acrescentou que essa anomalia resultava não só da conduta anterior do acusado, mas se observava presentemente, e quando lhe pediram que se explicasse, declarou o velho doutor com ingenuidade que o acusado, ao entrar, "tinha um ar espantoso, em vista das circunstâncias, caminhava como um soldado, olhando diretamente à sua frente, quando deveria voltar os olhos para a esquerda, onde se conservavam as senhoras, porque era grande amador do belo sexo e devia preocupar-se com o que elas diriam dele", concluiu o velho na sua linguagem original. Exprimia-se voluntaria e longamente em russo, mas cada uma de suas frases tinha um torneio alemão, o que não o perturbava de modo algum, porque imaginara toda a sua vida, que falava excelentemente o russo, melhor mesmo que o dos russos, e gostava muito de citar os provérbios, afirmando cada vez que os provérbios russos são os melhores e os mais expressivos de todos. Na conversação, por distração talvez, esquecia por vezes as palavras mais comuns, que conhecia perfeitamente, mas que lhe fugiam de repente. O mesmo acontecia, quando falava alemão; viam-no então agitar a mão diante de seu rosto como para agarrar a expressão perdida, e ninguém poderia obrigá-lo a prosseguir antes que a tivesse tornado a encontrar. Sua observação de que o acusado deveria ter, ao entrar, olhado para as senhoras, divertiu a assistência. O velho era muito querido de nossas damas. Sabiam que, tendo ficado celibatário, piedoso e de costumes puros, considerava as mulheres criaturas ideais e superiores. Assim sua observação inesperada pareceu das mais estranhas.

O médico de Moscou declarou categoricamente por sua vez que tinha o estado mental do acusado como normal, mesmo em supremo grau. Discorreu sapientemente sobre a obsessão e a mania e concluiu que, de acordo com todos os dados recolhidos, o acusado, já vários dias antes de sua detenção se achava presa duma obsessão mórbida incontestável, e se cometera um crime, se bem que tivesse dele consciência, era quase involuntariamente, sem ter a força de resistir ao impulso que o impelia. Mas, além da obsessão, notara o doutor a mania, o que constituía, na sua opinião, um primeiro passo para a demência completa, (*N. B.* Uso dos meus próprios termos, pois o doutor exprimia-se numa linguagem científica e especial.) "Todos os seus atos estão em contradição com o bom-senso e a lógica", prosseguiu ele. "Sem falar do que não vi, isto é, do crime e de todo este drama, anteontem, conversando comigo, tinha um olhar fixo e inexplicável. Ria bruscamente e sem motivo, presa duma verdadeira irritação permanente e incompreensível. Proferia palavras estranhas: Bernard, a ética e outras coisas que não vêm ao caso." Mas o doutor notava sobretudo essa mania no fato de que o acusado não podia falar sem exasperação dos três mil rublos de que se julgava frustrado, ao passo que ficava relativamente calmo ao lembrar-se das outras ofensas e fracassos sofridos. Enfim, parecia que, já antes, ficava furioso a respeito desses três mil rublos e, no entanto, assegura-se que ele não é interesseiro, nem cúpido. "Quanto à opinião de meu sábio colega — concluiu com ironia o doutor de Moscou — que o acusado, ao entrar, deveria ter olhado para as senhoras em vez de diretamente à sua frente, é uma asserção engraçada, mas radicalmente errônea, porque, muito embora eu admita que o acusado, ao entrar na sala em que se decide sua sorte, não deveria ter tido um olhar tão fixo e que isso poderia com efeito revelar uma perturbação mental, afirmo ao mesmo tempo que ele deveria ter olhado não para a esquerda, para as senhoras, mas para a direita, procurando com os olhos seu defensor, aquele em quem espera e do qual depende sua sorte." O doutor formulara sua opinião num tom imperioso. Mas o desacordo entre os dois peritos pareceu particularmente cômico após a conclusão inesperada do Doutor Varvínski, que lhes sucedeu. Segundo ele, o acusado, agora como então, era absolutamente normal, e muito embora antes de sua detenção devia encontrar-se numa superexcitação extraordinária, isto provinha, era provável, das causas mais evidentes: ciúme, cólera, embriaguez contínua, etc. Mas aquele nervosismo nada tinha que ver com "a obsessão", de que acabavam de falar. Quanto a saber para onde devia olhar o acusado ao entrar na sala, "na minha humilde opinião, deveria olhar diretamente à sua frente, como o havia feito na realidade, com os olhos fixos sobre os juízes dos quais dependia doravante sua sorte, de modo que por isso mesmo demonstrara seu estado perfeitamente normal naquele instante", concluiu o jovem médico com alguma animação.

— Bravo, curandeiro! — gritou Mítia. — É isto mesmo!

Fizeram Mítia calar-se, mas aquela opinião teve influência decisiva sobre tribunal e público, porque toda a gente dela partilhou, como se viu posteriormente. O Doutor Herzenstube, ouvido como testemunha, serviu inopinadamente aos interesses de Mítia. Na qualidade de velho habitante, conhecia desde muito tempo a família Karamázov, forneceu algumas informações bastante interessantes para a acusação e continuou:

— No entanto, o pobre rapaz merecia melhor sorte, porque tivera bom coração na sua infância e mesmo depois, eu sei. Um provérbio russo diz: "Bom é que o homem tenha juízo, porém melhor é ainda que o acompanhe outro homem de juízo, pois assim serão dois juízos e não um só...".

— Dois juízos valem mais que um — declarou com impaciência o procurador, que conhecia o hábito do velho de falar com lentidão e prolixidade, sem se perturbar com a impressão produzida e com a perda de tempo que causava, afeiçoado ao contrário à sua pesada oratória germânica. O velho gostava de mostrar-se espirituoso.

— Isto mesmo! É o que digo — continuou ele, com tenacidade: — Dois juízos valem mais do que um. Mas ele ficou só e o dele se foi... Onde o largou ele? Esqueci-me da palavra — prosseguiu, agitando a mão diante dos olhos. — Ah! sim! *spazieren*.[106]

— A passear?

— Isto mesmo! É o que digo. Seu juízo saiu, pois, a vagabundear e perdeu-se. E no entanto, era um jovem grato e sensível; lembro-me dele quando era pequeno, abandonado em casa de seu pai no quintal, quando corria de pés descalços, com um

---

106 Passear, em alemão.

botão só nas calças. — A voz do honesto velho matizou-se de emoção. Fietiukóvitch estremeceu como se pressentisse alguma coisa.

— Sim, era eu mesmo ainda jovem então... Tinha quarenta e cinco anos e acabava de chegar aqui. Tive piedade da criança e disse a mim mesmo: "Por que não comprar uma libra para ele?..." Pois sim! Uma libra de quê? Esqueci como isso se chama... uma libra do que as crianças gostam muito, como é mesmo?... — E o doutor agitou de novo as mãos. — Cresce numa árvore, colhem-no.

— Maçãs?

— Oh! n-não! Vendem-se às libras, ao passo que as maçãs se vendem às dúzias, nem a peso... há muitas, são pequeninas, a gente mete-as na boca e craque!...

— Avelãs?

— Isto mesmo! Avelãs, é o que digo — confirmou o doutor imperturbável, como se não tivesse procurado a palavra. — E levei ao menino uma libra de avelãs; nunca as recebera. Levantei o dedo e disse: "Meu rapaz! *Gott der Vater.*" Ele pôs-se a rir e repetiu: *"Gott der Vater."* — *"Gott der Sohn."* — Ele riu de novo e gorjeou: *"Gott der Sohn.", "Gott der heilige Geist."* Ele riu ainda e esforçou-se para dizer: *"Gott der heilige Geist."*[107] Dois dias depois, quando eu passei, ele mesmo gritou para mim: "Meu senhor, *Gott der Vater, Gott der Sohn".* Esquecera-se de *Gott her heilige Geist,* mas eu lhe recordei e ele de novo me causou compaixão. Levaram-no e não mais o vi. Vinte e três anos depois, encontrava-me uma manhã em meu consultório, com a cabeça já branca, quando entra um jovem em pleno viço e que não fui capaz de reconhecer; levantou o dedo e disse rindo: *"Gott der Vater, Gott der Sohn und Gott der heilige Geist!* Cheguei ainda há pouco e venho agradecer-lhe a libra de avelãs, porque ninguém nunca as comprara para mim, foi o senhor o único". Lembrei-me então de minha feliz juventude e do pobre menino descalço. Fiquei comovido e disse-lhe: "És um jovem agradecido, já que não te esqueceste daquela libra de avelãs que te levei na tua infância". Apertei-o em meus braços e abençoei-o. E chorei. Ele ria... porque o russo ri muitas vezes em ocasiões em que devia chorar. Mas ele chorava também, eu vi. E agora, ai!...

— E agora choro eu, alemão, e agora choro eu, homem de Deus! — gritou de repente Mítia.

Seja como for, aquela anedota produziu uma impressão favorável. Mas o principal efeito em favor de Mítia foi causado pelo depoimento de Katierina Ivânovna, do qual vou falar. Em geral, quando chegou a vez das testemunhas de defesa, a sorte pareceu sorrir a Mítia e, o que é mais de notar, inopinadamente para a própria defesa. Mas antes de Katierina Ivânovna, interrogaram Alióchá, que se lembrou de súbito de um fato que parecia refutar positivamente um dos pontos mais importantes da acusação.

IV / A SORTE SORRI A MÍTIA

Isso ocorreu improvisadamente mesmo para Alióchá. Não prestara juramento e desde o começo fora objeto duma viva simpatia, tanto de um lado quanto do outro. Via-se que seu bom renome o precedia. Alióchá mostrou-se modesto e reser-

---

107 Deus Pai, Deus Filho, Deus Espírito Santo.

vado, mas seu afeto por seu desgraçado irmão transparecia em seu depoimento. Caracterizou-o como um ser sem dúvida violento e arrebatado pelas suas paixões, mas nobre, altivo, generoso, capaz de se sacrificar se lhe pedissem. Reconheceu aliás que para o fim a paixão de Mítia por Grúchenhka, sua rivalidade com seu pai, haviam-no posto numa posição intolerável. Mas repeliu com indignação, a hipótese de que seu irmão tivesse podido matar para roubar, embora convindo que aqueles três mil rublos tinham-se tornado uma obsessão no espírito de Mítia, que os considerava como uma parte de sua herança, fraudulentamente desviada por seu pai e não podia ouvir falar deles sem ficar furioso. Quanto à rivalidade das duas "pessoas", como dizia o procurador, exprimiu-se evasivamente e recusou mesmo responder a uma ou duas perguntas.

— Seu irmão lhe disse que tinha a intenção de matar seu pai? — perguntou o procurador. — O senhor pode não responder se isto lhe convier.

— Diretamente não me disse.

— Indiretamente, então?

— Falou-me uma vez de seu ódio por seu pai, temia... num momento de exasperação, ser capaz de matá-lo.

— E o senhor acreditou nele?

— Não ouso afirmá-lo. Sempre pensei que um sentimento elevado o salvaria no momento fatal, como aconteceu, com efeito, porque não foi "ele" quem matou meu pai — disse Aliócha, com uma voz forte que ressoou. O procurador estremeceu como um cavalo de batalha ao som do clarim.

— Esteja certo de que não duvido da sinceridade de sua convicção, independentemente de seu amor fraternal por esse infeliz. O inquérito já nos revelou sua opinião original sobre o trágico episódio que se desenrolou em sua família. Mas não lhe oculto que ela é isolada e contraditada pelos outros depoimentos. De modo que estimo necessário insistir para conhecer os dados que o convenceram definitivamente da inocência de seu irmão e da culpabilidade de uma outra pessoa que o senhor designou no inquérito.

— No inquérito, respondi somente às perguntas — disse Aliócha com calma. — Não formulei acusação contra Smierdiákov.

— Contudo, o senhor designou-o.

— De acordo com as palavras de meu irmão Dimítri. Sabia que, por ocasião de sua detenção, acusara Smierdiákov. Estou persuadido da inocência de meu irmão. E se não foi ele quem matou, então...

— Foi Smierdiákov? — Por que ele precisamente? E por que está o senhor tão convencido da inocência de seu irmão?

— Não podia duvidar dele. Sei que ele não mente. Vi, pelo seu rosto, que ele me dizia a verdade.

— Somente pelo seu rosto? São essas todas as suas provas?

— Não tenho outras.

—E não tem outras provas da culpabilidade de Smierdiákov senão as palavras de seu irmão e a expressão de seu rosto?

— Não.

O procurador não insistiu. As respostas de Aliócha decepcionaram profundamente o público. Tinha-se falado de Smierdiákov, corria o boato de que Aliócha reunia provas decisivas em favor de seu irmão e contra o lacaio. Ora, ele nada trazia, senão uma convicção moral, bem natural no irmão do acusado. Chegou a vez de Fietiukóvitch, que perguntou a Aliócha em que momento o acusado lhe falara de seu ódio por seu pai e de suas veleidades de assassínio, e se fora, por exemplo, por ocasião de sua derradeira entrevista antes do drama. Aliócha estremeceu como se uma lembrança lhe voltasse.

— Lembro-me agora de uma circunstância que tinha completamente esquecido. Não era claro então, mas agora...

E Aliócha contou com animação que, quando viu seu irmão pela última vez, à noite, debaixo de uma árvore, ao voltar para o mosteiro, Mítia, batendo no peito, lhe repetira várias vezes que possuía o meio de reerguer sua honra, que esse meio estava ali; sobre seu peito... "Acreditei então que, ao bater no peito, falava de seu coração", prosseguiu Aliócha, "das forças que podia ali colher para escapar a uma vergonha horrenda que o ameaçava e que ele não ousava mesmo confessar-se. Na verdade, pensei então que falasse de seu pai e tremesse interiormente de vergonha à ideia de tratá-lo com violência; no entanto, parecia designar alguma coisa sobre seu peito, de modo que, lembro-me, veio-me a ideia de que o coração se encontra mais embaixo, ao passo que ele batia bem mais alto, aqui, abaixo do pescoço, e designava sempre esse lugar. Minha ideia pareceu-me absurda, mas designava talvez precisamente o amuleto onde estavam costurados os mil e quinhentos rublos!..."

— Precisamente — gritou de súbito Mítia. — É isso, Aliócha, era sobre ele que eu batia.

Fietiukóvitch rogou-lhe que se acalmasse, depois voltou a Aliócha. Este, arrebatado pela sua recordação, emitiu calorosamente a hipótese de que aquela vergonha provinha sem dúvida de que, tendo consigo aqueles mil e quinhentos rublos que teria podido restituir a Katierina Ivánovna como a metade de sua dívida, tinha Mítia, no entanto, decidido fazer deles outro uso e partir com Grúchenhka, se ela consentisse nisso.

— É isso mesmo, é bem isso mesmo — exclamou Aliócha, muito animado —, meu irmão me disse naquele momento que poderia apagar imediatamente a metade de sua vergonha (disse várias vezes: a metade!), mas que, por desgraça, a fraqueza de seu caráter o impedia disso... sabia de antemão que era incapaz de fazê-lo!

— E o senhor se recorda nitidamente de que ele batia naquele lugar do peito? — perguntou Fietiukóvitch.

— Muito nitidamente, porque perguntava a mim mesmo então: por que bate ele tão alto, se o coração está mais embaixo? Minha ideia pareceu-me absurda... lembro-me. Eis por que essa recordação me voltou. Como pude esquecê-la até agora? Seu gesto designava decerto esse amuleto, esses mil e quinhentos rublos que ele não queria restituir! E por ocasião de sua detenção, em Mókroie, contaram-me, gritou que a ação mais vergonhosa de sua vida era que, tendo a possibilidade de devolver a Katierina Ivânovna a metade de sua dívida (justamente a metade!) e de passar por um homem honesto, preferira guardar o dinheiro e continuar como ladrão a seus olhos. E quanto essa dívida o atormentava! — concluiu Aliócha.

Bem entendido, o procurador interveio. Pediu a Aliócha que descrevesse de novo a cena e insistiu em saber se o acusado, batendo no peito, parecia designar alguma coisa. Talvez batesse por acaso com o punho.

— Não, não com o punho! — exclamou Aliócha. — Designava com os dedos, aqui, bem no alto... Como pude esquecer disso até agora?

O presidente perguntou a Mítia o que podia dizer a respeito desse depoimento. Mítia confirmou que designara os mil e quinhentos rublos que trazia sobre o peito, abaixo do pescoço, e que era uma vergonha, "uma vergonha que não contesto, o ato mais vil de minha vida! Teria podido restituí-los e não o fiz. Preferi ficar como ladrão aos olhos dela e o pior é que eu sabia de antemão que agiria assim! Tu tens razão, Aliócha, obrigado".

Dessa forma terminou a declaração de Aliócha, caracterizada por um fato novo, por mínimo que fosse, um começo de prova demonstrando a existência daquele amuleto com os mil e quinhentos rublos e a veracidade do acusado, quando declarava, em Mókroie, que aquele dinheiro lhe pertencia. Aliócha estava radiante, sentou-se todo vermelho no lugar que lhe indicaram, repetindo entre si: "Como pude esquecer aquilo? Como foi que só me lembrei agora?".

Foi ouvida em seguida Katierina Ivânovna. Sua entrada causou sensação. As senhoras assestaram suas lunetas, os homens agitaram-se, alguns se levantaram para ver melhor. Afirmou-se, mais tarde, que Mítia ficara branco como um pano, quando ela apareceu. Toda de preto, avança para a barra modestamente, quase timidamente. Seu rosto não traía nenhuma emoção, mas a resolução brilhava nos seus olhos sombrios. Estava muito bonita naquele momento. Falou com uma voz doce, mas nítida, com grande calma, oh! pelo menos esforçando-se para isso. O presidente interrogou-a com muitas atenções, como se temesse tocar "certas cordas", e cheio de respeito pelo seu infortúnio. Desde as primeiras palavras, Katierina Ivânovna declarava que fora noiva do acusado "até momento em que ele próprio me abandonou...". Quando a interrogaram, a respeito dos três mil rublos confiados a Mítia para serem enviados pelo correio às suas parentas, respondeu com firmeza: "Não lhe havia dado aquela quantia para que a remetesse logo; sabia que estava ele muito precisado de dinheiro... naquele momento... Entreguei-lhe aqueles três mil rublos com a condição de enviá-los a Moscou, se quisesse, no prazo de um mês. Não teve razão em atormentar-se a propósito dessa dívida...".

Não relato as perguntas e as respostas integralmente, limitando-me ao essencial de seu depoimento.

— Estava certa de que enviaria aquela soma assim que a tivesse recebido de seu pai — prosseguiu ela. — Sempre tive confiança na sua lealdade... na sua perfeita lealdade... nos negócios de dinheiro. Ele contava receber três mil rublos de seu pai e falou-me disso por diversas vezes. Sabia que eles estavam em conflito e sempre acreditei que seu pai o havia lesado. Não me recordo de que ele tenha proferido ameaças contra seu pai, pelo menos na minha presença. Se tivesse vindo ver-me, logo o teria tranquilizado a respeito daqueles desgraçados três mil rublos, mas não voltou... e eu mesma encontrava-me numa situação... que não me permitia que o mandasse chamar... Aliás, não tinha absolutamente o direito de mostrar-me exigente por conta dessa dívida — acrescentou num tom resoluto. — Recebi eu mesma dele, um dia, uma soma superior, e aceitei-a sem saber quando estaria em condições de pagar-lhe.

Sua voz, tinha algo de provocante. Naquele momento, foi a vez de Fietiukóvi-tch interrogá-la.

— Não foi aqui, mas no começo de suas relações com ele, não? — perguntou com tato o defensor, que pressentia algo em favor de seu cliente. (Entre parênte-sis, se bem que chamado de Petersburgo, em parte pela própria Katierina Ivânovna, tudo ignorava do episódio dos cinco mil rublos dados por Mítia e da saudação até o chão. Ela lhe havia dissimulado! Silêncio estranho. Pode-se supor que, até o derra-deiro momento, hesitou em falar, aguardando alguma inspiração.)

Não, jamais esquecerei aquele momento! Ela contou tudo, todo aquele epi-sódio, comunicado por Mítia a Aliócha, e a saudação até o chão, as causas, o papel de seu pai, sua visita à casa de Mítia, e não fez nenhuma alusão à proposta de Mítia de enviar-lhe Katierina Ivânovna para buscar o dinheiro. Guardou a respeito um silêncio magnânimo e não corou de revelar que fora ela que correra, por sua pró-pria vontade, à casa do jovem oficial, esperando não sabia o que... para obter dele dinheiro. Era comovedor. Eu estremecia ouvindo-a, a assistência era toda ouvidos. Havia naquilo algo de inaudito, jamais se teria esperado, mesmo de uma moça tão imperiosa e altiva, tal franqueza e semelhante imolação. E por quem, para quê? Para salvar aquele que a havia traído e ofendido, para contribuir, por pouco que fosse, a tirá-lo de apuros, causando uma boa impressão! Com efeito, a imagem do oficial, dando seus cinco mil rublos, tudo quanto lhe restava, e inclinando-se respeitosa-mente diante de uma moça inocente, aparecia como das mais simpáticas, mas... meu coração fechou! Senti a possibilidade de uma calúnia, posteriormente (e foi o que aconteceu!). Com uma ironia malévola, repetiu-se na cidade que a narrativa não era talvez totalmente exata, precisamente naquele ponto em que o oficial deixava partir a moça com apenas uma respeitosa saudação. Fez-se alusão a uma "lacuna". "Se as coisas não se passaram mesmo assim — diziam as mais respeitáveis de nos-sas damas —, pode-se ainda fazer reservas a respeito da conduta da moça, mesmo para salvar seu pai." Será que Katierina Ivânovna, com sua penetração mórbida, não pressentira tais falatórios? Decerto que sim, mas decidira tudo dizer! Naturalmente, essas dúvidas insultuosas a respeito da veracidade do relato só se manifestaram mais tarde. No primeiro momento todos ficaram emocionados. Quanto aos mem-bros do tribunal, escutavam num silêncio respeitoso. O procurador não se permitiu nenhuma pergunta sobre o assunto. Fietiukóvitch fez a Katierina uma profunda vênia. Oh! o triunfo era seu, quase. Que o mesmo homem tenha podido, num ím-peto de generosidade, dar seus derradeiros cinco mil rublos, e em seguida matar seu pai para roubar-lhe três mil, era coisa que não se aguentava de pé. Fietiukóvitch podia pelo menos afastar a acusação de roubo. O caso esclarecia-se a uma nova luz. A simpatia voltava-se a favor de Mítia. Uma ou duas vezes, durante o depoimento de Katierina Ivânovna, ele quis levantar, mas tornou a cair sobre o banco, cobrindo o rosto com as mãos. Quando ela acabou, ele exclamou, estendendo-lhe os braços.

— Kátia, por que causaste minha perda?

Desatou em soluços, mas se repôs depressa e gritou ainda:

— Agora, estou condenado!

Depois enrijeceu-se em seu lugar, com dentes cerrados, os braços cruzados sobre o peito. Katierina Ivânovna ficou na sala; estava pálida, de olhos baixos. Seus vizinhos contaram que ela tremia, como presa de febre. Foi a vez de Grúchenhka.

Vou abordar a catástrofe que causou talvez, com efeito, a perda de Mítia. Porque estou persuadido, e todos os juristas disseram-no depois, que, sem esse episódio, o criminoso teria obtido pelo menos as circunstâncias atenuantes. Mas trataremos disso dentro em pouco. Falemos primeiro de Grúchenhka.

Apareceu também toda de preto, com os ombros cobertos pelo seu magnífico xale. Avançou para a barra com seu andar silencioso, requebrando-se levemente, como fazem por vezes as mulheres corpulentas, com os olhos fixos no presidente. Na minha opinião, estava muito bem e nada pálida, como o pretenderam as damas mais tarde. Assegurou-se também que tinha o ar absorto e maldoso. Creio somente que estivesse irritada e sentisse pesar com intensidade sobre ela os olhares desprezadores e curiosos de nosso público, ávido de escândalo. Era uma dessas naturezas altivas, incapazes de suportar o desprezo que, desde que o suspeitam nos outros, as inflama de cólera e as impele à resistência. Havia também, seguramente, timidez e pudor dessa timidez, o que explica a desigualdade de sua linguagem, ora encolerizada, ora desdenhosa e grosseira, na qual se sentia de súbito uma nota sincera, quando ela se acusava a si mesma. Por vezes, falava sem se importar com as consequências: "Tanto pior para o que acontecerá, vou falar mesmo assim...". A propósito de suas relações com Fiódor Pávlovitch, observou num tom cortante: "Bagatelas, tudo isso; é culpa minha se ele se ligou a mim?". Um instante depois, acrescentou: "Tudo isso é culpa minha, zombava do velho e de seu filho e levei-os aos extremos a ambos. Sou a causa desse drama". Veio-se a falar de Samsónov: "Isto não diz respeito a ninguém — replicou ela com violência —, era meu benfeitor, foi ele quem me recolheu descalça, quando os meus me expulsaram da isbá". O presidente lembrou-lhe que ela devia responder diretamente às perguntas, sem entrar em detalhes supérfluos. Grúchenhka corou, seus olhos cintilaram. Não vira o envelope dos três mil rublos e só sabia da existência pelo "celerado". "Mas tudo isso são bobagens, por preço algum teria ido à casa de Fiódor Pávlovitch..."

— A quem trata a senhora de celerado? — perguntou o procurador.

— Ao lacaio Smierdiákov, que matou seu amo e enforcou-se ontem.

Apressaram-se em perguntar sobre que baseava uma acusação tão categórica, mas tampouco ela sabia de nada.

— Foi Dimitri Fiódorovitch quem me disse. Podem crer nele. Aquela pessoa perdeu-o, ela é a única causa de tudo — acrescentou Grúchenhka, toda trêmula, num tom em que transparecia o ódio.

Quiseram saber a quem fazia ela alusão.

— Ora, a essa senhorita, a essa Katierina Ivânovna. Chamara-me à sua casa, oferecera-me chocolate, na intenção de seduzir-me. Não tem um pingo de vergonha, palavra...

O presidente interrompeu-a, rogando-lhe que moderasse suas expressões. Mas, inflamada pelo ciúme, estava pronta a tudo afrontar...

— Por ocasião da detenção, em Mókroie — lembrou o procurador —, a senhora acorreu da peça vizinha, gritando: "Sou culpada de tudo, iremos juntos para o presídio!". A senhora também então, naquele momento, acreditava que fosse ele parricida?

— Não me recordo de meus sentimentos de então — respondeu Grúchenhka. — Todo mundo o acusava, senti que era eu a culpada e que ele havia matado por minha causa. Mas desde que ele proclamou sua inocência, acreditei nele e acreditarei sempre, não é homem de mentiras.

Fietiukóvitch, que a interrogou em seguida, informou-se de Rakítin e dos vinte e cinco rublos "como recompensa por ter-lhe levado Alieksiéi Fiódorovitch Karamázov".

— Não há nada de espantar no fato de ter ele aceitado esse dinheiro — sorriu desdenhosamente Grúchenhka. — Vinha sempre pedinchar, recebendo até trinta rublos por mês e na maior parte das vezes para se divertir; tinha com que comer e beber, sem precisar de pedir dinheiro.

— Por qual razão era a senhora tão generosa para com o Senhor Rakítin? — continuou Fietiukóvitch, muito embora o presidente se agitasse.

— É meu primo. Minha mãe e a dele eram irmãs. Mas suplicava-me que eu não dissesse a ninguém, tanta era a vergonha que eu lhe causava.

Este fato novo foi uma revelação para todo mundo, ninguém suspeitava disso na cidade, nem mesmo no mosteiro. Rakítin, dizem, estava rubro de vergonha. Grúchenhka estava furiosa contra ele, pois soubera que havia deposto contra Mítia. A eloquência do Senhor Rakítin, suas nobres tiradas contra a servidão e a desordem cívica da Rússia ficaram assim arruinadas na opinião pública. Fietiukóvitch estava satisfeito, o céu vinha-lhe em auxílio. Aliás, não retiveram Grúchenhka muito tempo, pois nada podia comunicar de particular. Causou no público uma impressão das mais desfavoráveis. Centenas de olhares desdenhosos fixaram-na, quando após seu depoimento foi sentar-se bastante longe de Katierina Ivânovna. Enquanto a interrogavam, Mítia mantivera-se em silêncio, como petrificado, de olhos baixos.

Ivan Fiódorovitch apresentou-se como testemunha.

V / Súbita catástrofe

Fora chamado antes de Aliócha, mas o oficial de justiça informou ao presidente que uma indisposição súbita impedia a testemunha de comparecer e que logo que se refizesse viria depor. Não se deu aliás atenção a isso e sua chegada quase passou sem ser notada; as principais testemunhas, sobretudo as duas rivais, já tinham sido ouvidas, a curiosidade começava a cansar-se. Nada de novo a esperar dos derradeiros depoimentos, depois de tudo quanto lá tinha sido dito. O tempo passava. Ivan avançou com uma lentidão estranha, sem olhar para ninguém, a cabeça baixa, o ar absorto. Trajava corretamente, mas seu rosto, marcado pela doença, tinha qualquer coisa de terroso que lembrava o de moribundo. Ergueu os olhos, percorreu a sala com um olhar turvo. Aliócha levantou, lançou uma exclamação, mas não lhe prestaram atenção.

O presidente lembrou à testemunha que ele não havia prestado juramento, podendo, portanto, manter silêncio, mas devia depor de acordo com sua consciência, etc. Ivan escutava, com os olhos vagos. De repente, um sorriso desenhou-se no seu rosto e quando o presidente, que o olhava com espanto, acabou, ele desatou a rir.

— E depois, que mais? — perguntou em voz alta.

Silêncio absoluto na sala. O presidente ficou inquieto.

— O senhor... talvez esteja ainda indisposto? — perguntou, procurando com o olhar o oficial de justiça.

— Não se inquiete Excelência, sinto-me suficientemente bem e posso contar-vos algo de curioso — respondeu Ivan num tom calmo e deferente.

— Tem uma comunicação particular a fazer? — continuou o presidente com certa desconfiança.

Ivan Fiódorovitch baixou a cabeça e esperou durante alguns segundos antes de responder.

— Não... nada a dizer de particular.

Interrogado, deu a contragosto respostas lacônicas e, no entanto, bastante razoáveis, com uma repulsa crescente. Alegou sua ignorância a respeito de muitas coisas e nada sabia das contas de seu pai com Dimitri Fiódorovitch, "Não me ocupava com isso", declarou. Ouvira as ameaças do acusado contra seu pai e sabia da existência do envelope por intermédio de Smierdiákov.

— Sempre a mesma coisa! — interrompeu-se de súbito, com um ar de cansaço. — Nada posso dizer ao tribunal.

— Vejo que o senhor ainda está doente e compreendo seus sentimentos... — começou o presidente.

Ia perguntar ao procurador e ao advogado se tinham perguntas a fazer, quando Ivan disse com voz extenuada:

— Permita que me retire, Excelência, não me sinto bem. —Depois do que, sem esperar a autorização, voltou-se e encaminhou-se para a saída. Mas depois de alguns passos parou, pareceu refletir, sorriu e voltou a seu lugar:

— Pareço-me, Excelência, com aquela jovem camponesa, o senhor sabe: "Se quiser, irei, se não quiser, não irei!". Seguem-na para vesti-la e levá-la ao altar e ela repete aquelas palavras... Isto se encontra numa cena popular...

— Que entende o senhor com isso? — perguntou severamente o presidente.

— Aqui está — disse Ivan, exibindo um maço de cédulas —, aqui está o dinheiro... o mesmo que se achava naquele envelope (e designava as peças de convicção) e por causa do qual mataram meu pai. Onde devo depositá-lo? Senhor oficial de justiça, entregue-lhe.

O oficial de justiça pegou o maço de notas e entregou-o ao presidente.

— Como pode estar este dinheiro em seu poder... se é bem o mesmo? — perguntou o presidente surprêso.

— Recebi-o de Smierdiákov, do assassino, ontem... Fui à casa dele antes que se enforcasse. Foi ele quem matou meu pai, e não meu irmão. Matou e eu o incitei a isso... Quem não deseja a morte de seu pai?

— Está no seu juízo? — o presidente não pôde impedir-se de dizer.

— Mas sim, estou no meu juízo... um juízo vil como o vosso, como o de todos esses... focinhos! — Voltou-se para o público.

— Mataram seus pais e simulam o terror — disse ele com desprezo e rangendo os dentes. — Fazem caretas uns para os outros. Os mentirosos! Todos desejam a morte de seus pais. Um réptil devora o outro... Se não houvesse parricídio, ficariam zangados e iriam embora furiosos. É um espetáculo! *Panem et circenses!*[108] Aliás, também eu sou bonito! Têm água, deem-me de beber, em nome de Cristo! — Agar-

---

108   Pão e circo (*Sátiras*, X, 81). Expressão de desprezo com que Juvenal, célebre poeta satírico latino, fustiga os Romanos da decadência, que só pediam trigo no Fórum e espetáculos gratuitos no circo.

rou a cabeça. O oficial de justiça aproximou-se dele logo. Aliócha levantou-se, gritando: "Ele está doente, não acreditem nele, está com febre nervosa!". Katierina Ivânovna tinha-se levantado precipitadamente e, imóvel de terror, contemplava Ivan Fiódorovitch. Mítia, com um sorriso careteante, escutava avidamente seu irmão.

— Tranquilizai-vos, não estou louco, sou apenas um assassino — continuou Ivan. — Não se pode exigir eloquência de um assassino — acrescentou, sorrindo.

O procurador, visivelmente agitado, inclinou-se para o presidente. Os jurados cochichavam. Fietiukóvitch aguçou os ouvidos. A sala aguardava, ansiosa. O presidente pareceu dominar-se.

— Testemunha, o senhor usa duma linguagem incompreensível e que não se pode tolerar aqui. Acalme-se e fale... se tem verdadeiramente alguma coisa a dizer. Por qual meio poderá confirmar tal confissão... se é que ela não resulta do delírio?

— O fato é que não tenho testemunhas. Aquele cão do Smierdiákov não vos enviará lá do outro mundo o seu depoimento, .. num envelope. Vós desejaríeis sempre envelopes. Basta um. Não tenho testemunhas... Exceto uma, talvez.

Sorriu com ar pensativo.

— Quem é sua testemunha?

— Tem uma cauda, Excelência, não está de conformidade com as regras! *Le diable n'existe point!* Não presteis atenção, é um diabinho sem importância — acrescentou ele confidencialmente, deixando de rir, — Deve estar em alguma parte aqui, debaixo da mesa das peças de convicção. Onde estaria ele, senão ali? Escutai-me: eu lhe disse: "não quero calar-me" e ele me fala de cataclisma geológico... besteiras! Ponde o monstro em liberdade... ele cantou seu hino porque tem o coração leve! A mesma coisa que se um canalha bêbedo berrasse: "Para Piter partiu Vanka". Eu, por dois segundos de alegria, daria um quatrilhão de quatrilhões. Vós não me conheceis! Oh! como tudo é estúpido entre vós! Pois bem! Prendei-me em lugar dele! Não vim aqui por coisa nenhuma... Por que tudo o que existe é tão estúpido?

E voltou a inspecionar lentamente a sala com ar meditativo, A emoção era geral. Aliócha ia correr para ele, mas o oficial de justiça já havia agarrado Ivan Fiódoroviteh pelo braço.

— Que é que há? — exclamou ele, fixando o oficial de justiça, mas de repente agarrou-o pelos ombros e derrubou-o. Os guardas acorreram, prenderam-no e ele se pôs a urrar como um louco furioso. Enquanto o levavam, gritava palavras incoerentes.

Foi um tumulto geral. Não me lembro de tudo em sua ordem, a emoção impedia-me de observar direito. Sei somente que uma vez estabelecida a calma, o oficial de justiça foi repreendido, se bem que explicasse às autoridades que a testemunha estava durante todo o tempo em estado normal, que o doutor o examinara por ocasião de sua ligeira indisposição, uma hora antes; até o momento de comparecer exprimia-se sensatamente, de modo que nada se podia prever, ele mesmo fazia questão de ser ouvido. Mas antes que a emoção se acalmasse, ocorreu nova cena. Katierina Ivânovna teve uma crise de nervos. Gemia e soluçava ruidosamente, sem querer retirar-se. Debatia-se, suplicando que a deixassem na sala. De repente, gritou para o presidente:

— Tenho ainda alguma coisa a dizer, imediatamente... imediatamente!... Eis aqui um papel, uma carta... tomai-a, lede depressa! É a carta do monstro que ali está!

— disse ela, apontando Mítia. — Foi ele quem matou seu pai, ides ver, escreveu-me dizendo como o mataria! O outro está doente, há três dias que está com febre nervosa!

O oficial de justiça pegou o papel e entregou-o ao presidente. Katierina Ivânovna tornou a cair sobre sua cadeira, ocultou seu rosto, pôs-se a soluçar silenciosamente, abafando seus menores gemidos, de medo que a fizessem sair. O papel em questão era a carta escrita por Mítia no botequim "A Capital", que Ivan considerava como uma prova categórica. Ai! foi justamente o efeito que ela produziu! Sem essa carta, não teria Mítia talvez sido condenado, pelo menos tão rigorosamente! Repito que foi difícil seguir todos os detalhes. Mesmo agora, tudo aquilo me aparece de um modo confuso. O presidente apresentou sem dúvida aquele novo documento às partes e ao júri. Ao perguntar a Katierina Ivânovna se já se restabelecera, respondeu ela vivamente:

— Estou pronta! Estou completamente em condições de responder-vos.

Temia ainda que não a ouvissem. Pediram-lhe que explicasse pormenorizadamente em que circunstâncias recebera aquela carta.

— Recebi-a na véspera do crime, vinha do botequim, escrita numa fatura, vede — gritou ela, ofegante. — Ele me odiava então, tendo tido a baixeza de seguir aquela criatura... e também porque me devia aqueles três mil rublos. Sua vilania e sua dívida causavam-lhe vergonha. Eis o que se passou. Suplico-vos que me ouçais. Três semanas antes de matar seu pai, chegou à minha casa uma manhã. Sabia que ele necessitava de dinheiro e sabia também para quê..., precisamente para seduzir aquela criatura e levá-la consigo. Conhecia sua traição, sua intenção de abandonar-me e entreguei-lhe eu mesma aquele dinheiro, sob pretexto de enviá-lo à minha irmã em Moscou. Ao mesmo tempo, fitava-o bem no rosto e lhe disse que poderia enviá-lo quando quisesse, mesmo dentro de um mês. Como não compreendeu ele que isso significava: "Precisas de dinheiro para trair-me; aqui está: sou eu que o dou; toma-o, se tens coragem!". Queria confundi-lo. Pois bem! Ele aceitou esse dinheiro, levou-o e gastou-o em uma noite com aquela criatura. No entanto, compreendera que eu sabia de tudo, garanto-vos, e que eu lhe dera unicamente para experimentá-lo, para ver se ele cometeria a infâmia de aceitá-lo. Nossos olhares se cruzavam, ele compreendeu tudo e partiu com meu dinheiro!

— É verdade, Kátia — exclamou Mítia. — Tinha compreendido tua intenção e, no entanto, aceitei teu dinheiro. Desprezai todos um miserável, eu o mereci!

— Acusado — disse o presidente —, ainda uma palavra e eu o farei sair da sala.

— Esse dinheiro atormentou-o — prosseguiu Kátia, precipitadamente —, queria devolver-me, mas precisava dele para aquela criatura. Eis por que matou seu pai, mas não me restituiu nada, partiu com ela para aquela aldeia onde o prenderam. Foi lá que de novo fez a farra, com o dinheiro roubado. Um dia, antes do crime, escreveu-me essa carta estando bêbedo — adivinhei logo —, sob o império da cólera e persuadido de que eu não a mostraria a ninguém, mesmo se ele cometesse assassínio. Senão, não a teria escrito. Sabia que eu não queria perdê-lo por vingança! Mas lede, lede com atenção, rogo-vos, vereis que ele descreve tudo de antemão: como matará seu pai, onde está escondido o dinheiro. Notai sobretudo esta frase: "Matarei contanto que Ivan tiver partido". Por conseguinte, premeditou seu crime — insinuou perfidamente Katierina Ivânovna. Via-se que ela estudara cada detalhe daquela carta fatal. — Sóbrio, não me teria ele escrito, mas vede, essa carta constitui um programa!

Na sua exaltação, desdenhava as consequências possíveis, se bem que as tivesse encarado talvez um mês antes, quando perguntava a si mesma, trêmula de cólera: "Será preciso ler isto no tribunal?". Agora, havia queimado seus navios. Foi então que o escrivão leu a carta que produziu uma impressão esmagadora. Perguntaram a Mítia se a reconhecia.

— Sim, sim! e não a teria escrito, se não tivesse bebido?... Nós nos odiávamos por muitas causas, Kátia, mas juro-te que, apesar do meu ódio, eu te amava e tu não me amavas!

Recaiu sobre seu banco, torcendo as mãos.

O procurador e o defensor perguntaram, cada qual por sua vez, a Katierina Ivânovna por quais motivos havia ela a princípio dissimulado aquele documento e deposto num tom completamente diverso.

— Sim, menti ainda há pouco, contra minha honra e minha consciência, mas queria salvá-lo, precisamente porque ele me odiava e me desprezava. Oh! desprezava-me, sempre me desprezou, desde o instante em que lhe fiz aquela saudação até o chão por causa daquele dinheiro, Senti logo, mas fiquei muito tempo sem acreditar. Quantas vezes li em seus olhos: "Tu vieste, no entanto, tu mesma, à minha casa". Oh! ele nada tinha compreendido, não adivinhou por que eu fora, só pode pensar na baixeza! Julga todos os outros por si — disse com furor Kátia, no auge da exaltação. — Queria casar comigo somente por causa de minha herança, somente por isso, sempre suspeitei disso. É uma fera! Estava certo de que durante toda a minha vida eu tremeria de vergonha diante dele e que ele poderia desprezar-me e dominar-me, eis por que queria desposar-me! É a verdade! Tentei vencê-lo por um amor infinito, queria mesmo esquecer sua traição, mas ele nada compreendeu, nada, nada! Ele pode compreender alguma coisa? É um monstro! Não recebi essa carta senão no dia seguinte, à noite, trouxeram-ma do botequim, e de manhã estava ainda decidida a perdoar-lhe tudo, até mesmo sua traição!

O procurador e o presidente acalmaram-na do melhor modo possível. Estou certo de que eles próprios tinham talvez vergonha de aproveitar-se de sua exaltação para colher tais confissões. Ouviram-nos dizer: "Compreendemos seu sofrimento, acredite, somos capazes de compartilhar de seus sentimentos", etc., etc., e, no entanto, arrancavam aquele depoimento de uma mulher enlouquecida, presa duma crise de nervos. Enfim, com uma lucidez extraordinária, como acontece frequentemente em semelhante caso, ela descreveu como se desarranjara, naqueles dois meses, a razão de Ivan Fiódorovitch, obsedado pela ideia de salvar "o monstro e o assassino", seu irmão.

— Ele se atormentava — exclamou ela —, queria atenuar a falta, confessando-me que ele próprio não gostava de seu pai e tinha talvez desejado sua morte. Oh! É uma consciência de elite, eis as causas de seus sofrimentos! Não tinha segredos para mim; ia ver-me todos os dias como meu único amigo. "Tenho a honra de ser sua única amiga!" — disse ela, num tom da desafio, com os olhos brilhantes. — Ele foi duas vezes à casa de Smierdiákov. Um dia, veio dizer-me: "Se não foi meu irmão quem matou, se foi Smierdiákov (porque divulgou-se essa lenda) talvez seja eu também culpado, porque Smierdiákov sabia que eu não gostava de meu pai e pensava talvez que eu desejasse sua morte. Foi então que lhe mostrei essa carta. Ficou definitivamente convencido da culpabilidade de seu irmão. Estava aterrorizado. Não podia suportar a ideia de que seu próprio irmão fosse um parricida! Há uma semana que isso o torna doente. Nestes últimos dias, delirava, verifiquei que sua razão se perturbava. Ouviram-no andar falando sozinho pelas ruas. O médico que mandei buscar em Moscou examinou-o anteontem e disse-me que a febre nervosa ia-se declarar, e tudo isso por causa do monstro! Ontem, soube da morte de Smierdiákov e isto foi para ele o derradeiro golpe. Tudo isso por causa desse monstro e a fim de salvá-lo!

Certamente, não se pode falar assim e fazer tais confissões senão uma vez na vida, nos seus derradeiros momentos, por exemplo, ao subir-se no cadafalso. Mas isto convinha precisamente ao caráter de Kátia. Era bem a mesma moça impetuosa que havia corrido à casa de um jovem libertino para salvar seu pai; a mesma que, havia pouco, altiva e casta, sacrificara publicamente seu pudor virginal contando "a nobre ação de Mítia", com o único objetivo de amenizar a sorte que o esperava, E agora se sacrificava igualmente, mas por um outro, tendo talvez, naquele instante, somente, sentido pela primeira vez quanto aquele outro lhe era querido. Sacrificava-se por ele no seu terror, imaginando de súbito que ele se perdia com o seu depoimento, que havia matado em lugar do irmão, sacrificava-se a fim de salvá-lo, a ele e à sua reputação. Uma questão angustiante surgia: tinha ela caluniado Mítia a respeito de suas antigas relações? Não, não mentia cientemente, gritando que Mítia a desprezava por causa daquela saudação até o chão! Acreditava nisso, estava profundamente convencida, desde aquela saudação talvez, de que o ingênuo Mítia, que a adorava ainda naquele momento, zombava dela e a desprezava. E apenas por orgulho, deixara-se dominar por um amor extremado por ele, por orgulho ferido, e esse amor assemelhava-se a uma vingança. Talvez aquele amor extremado se tivesse tornado um amor verdadeiro, talvez Kátia não quisesse outra coisa melhor, mas Mítia havia-a ofendido até o fundo de sua alma com a sua traição e aquela alma não perdoava. A hora da vingança soara bruscamente, e todo o rancor doloroso, acumulado no coração da mulher ofendida, exalara-se dum só jacto. Entregando Mítia, entregava-se ela própria. Assim que ela terminou, seus nervos a traíram, a vergonha invadiu-a. Sofreu nova crise de nervos, foi preciso carregá-la para fora. Naquele momento, Grúchenhka correu gritando para Mítia, tão rapidamente que não houve tempo para detê-la.

— Mítia, aquela víbora te perdeu! Vós a vistes em ação! — acrescentou, fremente, dirigindo-se aos jurados. A um sinal do presidente, agarraram-na e levaram-na para fora. Ela se debatia, estendendo os braços para Mítia. este lançou um grito e quis correr-lhe ao encontro. Subjugaram-no não sem dificuldade.

Penso que as espectadoras ficaram satisfeitas, o espetáculo valia a pena. O médico de Moscou, que o presidente mandara chamar para cuidar de Ivan, veio fazer seu relatório. Declarou que o doente atravessava uma crise das mais perigosas, que deveriam levá-lo dali imediatamente. Na antevéspera, o paciente fora consultá-lo, mas recusara tratar-se, malgrado a gravidade de seu estado. "Confessou-me que tinha alucinações, encontrava mortos na rua, e que Satã lhe fazia visitas todas as noites", concluiu o famoso doutor. A carta de Katierina Ivânovna foi ajuntada às provas documentárias. Tendo o tribunal deliberado, decidiu prosseguir os debates e mencionar nos autos os depoimentos inesperados de Katierina Ivânovna e de Ivan Fiódorovitch.

Os depoimentos das últimas testemunhas só fizeram confirmar os precedentes, mas com certos detalhes característicos. Aliás, a acusação, à qual chegamos, resume-os todos. Os derradeiros incidentes haviam superexcitado os espíritos, esperavam-se com uma impaciência febril os discursos e o veredicto. Fietiukóvitch estava aterrorizado com as revelações de Katierina Ivânovna. Em compensação, o procurador triunfava. Houve suspensão da audiência por uma hora. Às oito horas da noite em ponto, creio, o procurador começou sua acusação.

VI / A ACUSAÇÃO — CARACTERIZAÇÃO

Ipolit Kirílovitch tomou a palavra com um tremor nervoso, a fronte e as têmporas banhadas dum suor frio, o corpo percorrido por arrepios, como o contou depois. Olhava aquele discurso como seu *chef-d'oeuvre*,[109] seu canto de cisne, e morreu tuberculoso nove meses mais tarde, justificando assim essa comparação. Pôs nele todo o seu coração e toda a inteligência de que era capaz, revelando um senso cívico inesperado e interesse pelas questões ardentes. Seduziu sobretudo pela sinceridade; acreditava sinceramente na culpabilidade do acusado e acusava não só por dever, em virtude de suas funções, mas animado do desejo de salvar a sociedade. Até mesmo as damas, hostis no entanto a Ipolit Kirílovitch, convieram na viva impressão que ele produzira. Começou com uma voz irregular, que em breve se firmou e ressoou na sala inteira, até o fim. Mas apenas acabara sua acusação esteve a ponto de desmaiar.

"Senhores jurados, este caso teve repercussão na Rússia inteira. No fundo, por que admirar-se disso? Estamos habituados a todas essas coisas! Por desgraças esses casos sinistros quase não nos emocionam mais. É nossa apatia que deve causar horror e não o crime de tal ou qual indivíduo. Por que essa indiferença, donde vem que reajamos tão fracamente diante dos fenômenos que nos pressagiam um futuro sombrio? Será preciso atribuir isso ao cinismo, ao esgotamento precoce da razão e da imaginação de nossa sociedade, tão jovem ainda, mas já débil? À subversão de nossos princípios morais ou à ausência total desses princípios? Deixo em suspenso estas perguntas, que nem por isso são menos angustiantes e solicitam a atenção de cada cidadão. Nossa imprensa, no começo tão tímida ainda, prestou no entanto alguns serviços à sociedade, porque, sem ela, não conheceríamos a licença desenfreada e a desmoralização que revela sem cessar a todos, e não apenas aos frequentadores das audiências que se tornaram públicas sob o novo reinado. E que lemos nos jornais? Oh! atrocidades, diante das quais o processo atual empalidece e parece quase sem importância. A maior parte de nossas causas criminais atesta uma espécie de perversidade geral, que entrou em nossos costumes e é difícil de combater como flagelo social. Aqui, é um jovem e brilhante oficial da alta classe que assassina sem remorso um modesto funcionário, a quem devia dinheiro e sua criada, a fim de reapossar-se de uma promissória e rouba o dinheiro: 'Isto servirá para meus prazeres'. Realizado o seu crime, retira-se, depois de ter posto um travesseiro sob a cabeça das vítimas. Em outra parte, um jovem herói, condecorado pela sua bravura, estrangula como um salteador, na grande estrada, a mãe de seu chefe, e, para persuadir seus cúmplices, assegura-lhes que 'aquela mulher ama-o como a um filho, confia nele e, por conseguinte, não tomará precauções'. São monstros, mas em

---

109 Obra-prima.

nossa época não ouso dizer que estejamos diante apenas de casos isolados. Outro, sem chegar até o crime, pensa da mesma maneira e é tão infame quanto o outro, mas em seu foro íntimo. A sós com sua consciência, pergunta a si mesmo talvez: 'Não será a honra um preconceito?'. Vão dizer que calunio nossa sociedade, que estou fora de meu juízo, que exagero. Pois seja, nada de melhor exigiria senão que me enganasse a este respeito.

Não me acrediteis, considerai-me como um doente, mas lembrai-vos de minhas palavras; mesmo que eu não diga senão a vigésima parte da verdade, é de fazer fremir! Olhai quantos suicídios ocorrem entre os jovens! E eles se matam sem perguntar a si mesmos, como Hamlet, o que haveria 'em seguida', a questão da imortalidade da alma, da vida futura não existe para eles. Vede nossa corrupção, nossos devassos: ao lado deles Fiódor Pávlovitch, a desgraçada vítima deste processo, parece uma criança inocente. Ora, nós todos o conhecemos, vivia entre nós... Sim, a psicologia do crime, na Rússia, será talvez estudada um dia por espíritos eminentes, entre nós e na Europa, porque o assunto vale a pena. Mas esse estudo virá depois, com vagar, quando a incoerência trágica da hora atual, não sendo mais que uma recordação, poderá ser analisada mais imparcialmente do que eu sou capaz de fazer. No momento, nós nos atemorizamos ou fingimos atemorizar-nos, embora saboreando esse espetáculo, como amadores de sensações fortes, que sacodem nossa cínica ociosidade, ou, como as crianças, escondemos a cabeça sob o travesseiro à vista desses fantasmas que passam, para esquecê-los em seguida na alegria e nos prazeres. Mas um dia ou outro será preciso refletir, fazer nosso exame de consciência, dar-nos conta de nosso estado social. Um grande escritor do período precedente, no final de uma de suas obras-primas, comparando a Rússia a uma fogosa tróica, que galopa para um fim desconhecido, exclama: 'Ah! tróica, ligeira como um pássaro, quem pois te inventou?', e, num ímpeto de entusiasmo, acrescenta que, diante dessa tróica em disparada, todos os povos se afastam respeitosamente.[110] Seja assim, senhores, bem o quero, mas, na minha humilde opinião, o genial artista concluiu assim num acesso de entusiasmo ingênuo, ou talvez temesse a censura da época. Porque, atrelando apenas seus heróis à sua tróica, os Sobakiévitch,[111] os Nosdriov, os Tchítchikov, qualquer que seja o cocheiro, iria-se Deus sabe aonde com tais corcéis! Ora, são os corcéis de outrora, bem inferiores aos nossos, temos melhores..."

Aqui, o discurso de Ipolit Kirílovitch foi interrompido por aplausos. O liberalismo do símbolo da tróica russa agradou. Na verdade, os aplausos foram raros, de sorte que o presidente não achou mesmo necessário ameaçar o público de "mandar evacuar" a sala. No entanto, Ipolit Kirílovitch sentiu-se reconfortado: nunca o haviam aplaudido! Tinham recusado escutá-lo durante tantos anos e de repente podia fazer-se ouvir por toda a Rússia!

"Quem é, pois, essa família Karamázov, que adquiriu de súbito tão triste celebridade? Talvez exagere, mas parece-me que ela resume certos traços fundamentais de nossa sociedade contemporânea, em estado microscópico, 'como uma gota d'água resume o sol'. Vede aquele velho debochado, aquele pai de família que acabou tão tristemente. De raça nobre, tendo estreado na vida como mesquinho parasita,

---

110 Gógol, em *Almas mortas*.

111 Nome forjado pelo autor. De *sobaka*, cão.

um casamento imprevisto proporciona-lhe um pequeno capital; a princípio vulgar velhaco e palhaço obsequioso, é antes de tudo um usurário. Com o tempo, à medida que enriquece, vai tomando asas. A humildade, a bajulação desaparecem, resta apenas um cínico mau e zombador, um debochado. Nenhum senso moral, uma sede de viver inextinguível. De parte os prazeres sensuais, nada existe, eis o que ele ensina a seus filhos. Na qualidade de pai, não reconhece nenhuma obrigação moral, zomba dela, deixa seus filhos ainda meninos nas mãos dos criados e regozija-se quando os levam. Esquece-se mesmo deles totalmente. Toda a sua moral se resume nesta frase: *'Après moi le déluge!'*[112] É o contrário de um cidadão, destaca-se completamente da sociedade: 'Pereça o mundo, contanto que eu me ache bem, eu só'. E acha-se bem, sente-se completamente contente, quer levar aquela vida ainda vinte ou trinta anos. Engana seu filho e com o dinheiro dele, herança de sua mãe que se recusa a entregar-lhe, procura tomar-lhe a amante. Não, não quero abandonar a defesa do acusado ao eminente advogado vindo de Petersburgo. Eu também direi a verdade, eu também compreendo a indignação acumulada no coração desse filho. Mas basta a respeito desse desgraçado velho: recebeu sua recompensa. Lembremos, no entanto, que era um pai e um pai moderno. Será caluniar a sociedade dizer que há nela muitos como ele? Ai! a maior parte dentre eles não se exprime com tanto cinismo porque são mais bem-educados, mais instruídos, porém no fundo têm a mesma filosofia. Admitamos que eu seja pessimista. Está entendido que me perdoareis. Não me acrediteis, mas deixai que me explique, havereis de lembrar-vos, contudo, de algumas de minhas palavras. Vejamos os filhos desse homem. Um está diante de vós, no banco dos réus; serei breve a respeito dos outros. O mais velho destes é um desses rapazes modernos, brilhante pela sua instrução e pela sua inteligência, que não crê em nada no entanto e já renegou muitas coisas, como seu pai. Todos nós o ouvimos, era recebido cordialmente em nossa sociedade. Não ocultava suas opiniões, muito pelo contrário, o que me encoraja a falar agora dele com alguma franqueza, não a título pessoal, mas apenas como membro da família Karamázov. Ontem, suicidou-se aqui, na extremidade da cidade, um desgraçado, idiota, implicado estreitamente neste processo, antigo criado e talvez filho natural de Fiódor Pávlovitch, Smierdiákov. Contou-me, lamuriando, no inquérito, como esse jovem Karamázov, Ivan Fiódorovitch, o amedrontara com seu niilismo moral: 'Tudo, segundo ele, é permitido, e nada doravante deve ser proibido. Eis o que ele me ensinava'. Essa doutrina deve ter acabado de desarranjar o espírito do idiota, se bem que certamente sua doença e o terrível drama ocorrido na casa lhe tenham também perturbado o cérebro. Mas esse idiota é o autor duma observação que teria feito honra a um observador mais inteligente, eis por que falei dele. 'Se há — disse-me ele — um dos filhos de Fiódor Pávlovilch que mais se parece com ele pelo caráter, é Ivan Fiódorovitch!' A respeito dessa observação, que considero característica, não quero insistir mais, pois acho indelicado seguir por esse caminho. Oh! não quero tirar conclusões e prognosticar unicamente a ruína para esse jovem destino. Vimos hoje que a verdade é ainda poderosa no seu jovem coração, que os sentimentos familiares não estão ainda sufocados nele pela irreligião e pelo cinismo das ideias, inspirados ainda mais pela hereditariedade do que pelo verdadeiro sofrimento moral. O mais

---

112 Depois de mim o dilúvio. Frase atribuída a Luís XV por uns, e à Mme. Pompadour, por outros.

moço, ainda adolescente, é piedoso e modesto; ao inverso da doutrina sombria e dissolvente de seu irmão, aproxima-se dos 'princípios populistas', ou do que assim se chama em certos meios intelectuais. Ligou-se ao mosteiro, esteve mesmo quase a ponto de tomar o hábito. Encarna, parece-me, inconscientemente, o fatal desespero que leva uma multidão de pessoas em nossa desgraçada sociedade — por temor do cinismo corruptor e porque atribuem falsamente todos os nossos males à cultura ocidental — a voltar, como dizem, ao solo natal, a lançar-se, por assim dizer, nos braços da terra natal, como crianças aterrorizadas pelos fantasmas se refugiam sobre o seio esgotado de sua mãe, para dormir tranquilamente e escapar às visões que os amedrontavam. Quanto a mim, formulo os melhores votos para esse adolescente tão bem dotado, desejo que seus nobres sentimentos e suas aspirações pelos princípios populistas não degenerem posteriormente, como ocorre com frequência, num sombrio misticismo do ponto de vista moral, e num estúpido chauvinismo do ponto de vista cívico, dois ideais que ameaçam a nação de males ainda mais graves, talvez, do que a perversão precoce proveniente da cultura ocidental mal compreendida e adquirida em vão, tal como a de que sofre seu irmão."

As alusões ao chauvinismo e ao misticismo receberam alguns aplausos. Sem dúvida, deixara-se Ipolit Kirílovitch arrebatar e tudo isso não quadraria com o processo, sem contar que era pouco claro, mas aquele tuberculoso avinagrado tinha muita vontade de fazer-se ouvir, pelo menos uma vez na vida. Contou-se mais tarde que, na caracterização de Ivan Fiódorovitch, obedecera a um sentimento pouco delicado: batido uma ou duas vezes por ele em discussões em público, queria agora vingar-se. Ignoro se se podia concluir assim. Aliás, tudo isso não era senão uma introdução antes de abordar diretamente o caso.

"O terceiro filho dessa família moderna está no banco dos réus. Sua vida e suas façanhas se desenrolam diante de nós, chegou a hora em que tudo se exibe à luz meridiana. Ao contrário de seus irmãos, dos quais um é um 'ocidental', o outro um 'populista', representa a Rússia natural, não toda, Deus nos livre! E no entanto ei-la, a nossa querida Rússia, sente-se, ouve-se nele, a *mátuchka*. Há em nós uma estranha liga de bem e de mal, amamos Schiller e a civilização, ao mesmo tempo fazemos barulho nos botequins e arrastamos pela barba nossos companheiros de embriaguez. Acontece-nos ser excelentes, mas só quando tudo nos vai bem. Nós nos entusiasmamos pelos mais nobres ideais, com a condição de alcançá-los sem esforço e sem que isso nos custe alguma coisa. Não gostamos de pagar, mas gostamos muito de receber. Fazei-nos a vida feliz, dai-nos todos os bens possíveis e vereis como somos gentis. Não somos ávidos, decerto, mas dai-nos o máximo de dinheiro possível e vereis com que desprezo pelo vil metal nós o dissiparemos em uma noite de orgia. E se nos recusam o dinheiro, mostraremos como sabemos arranjá-lo, se preciso. Mas procedamos com ordem. Vemos em primeiro lugar o pobre menino abandonado 'descalço no quintal', segundo a expressão de nosso respeitável concidadão, de origem alemã. Ai! Repito, não abandono a ninguém a defesa do acusado. Sou acusador e defensor. Somos também seres humanos, capazes de apreciar a influência das primeiras impressões de infância sobre o caráter. Mas o menino torna-se um rapaz, ei-lo oficial; suas violências e uma provocação a duelo obrigam-no a exilar-se para uma cidade fronteiriça. Naturalmente, farreia, leva vida a rédeas soltas. Temos sobretudo necessidade de dinheiro e, após longas discussões, transige com seu pai em troca de seis mil rublos que lhe são enviados. Notai: assinou um papel; existe uma carta dele em que renuncia quase ao resto e termina, por esta soma, a questão por causa da herança. Foi então que travou conhecimento com uma moça culta, de nobre caráter. Não entrarei em detalhes, vós acabais de ouvi-los: trata-se de honra e de abnegação, e eu me calo. A imagem do rapaz frívolo e corrupto, mas inclinando-se diante da verdadeira nobreza, diante de uma ideia superior, nos pareceu das mais simpáticas. Mas em seguida, nesta mesma sala, mostraram-nos o reverso da medalha, Não ouso tampouco lançar-me em conjeturas e abstenho-me de analisar as causas. Nem por isto deixam essas causas de existir. Essa mesma pessoa, com as lágrimas de uma indignação muito tempo contida, declara-nos que foi ele o primeiro a desprezá-la pelo seu ímpeto imprudente, impetuoso, talvez, porém nobre e generoso. O noivo dessa jovem teve um sorriso zombador que dele somente ela não podia suportar. Sabendo que a havia traído (porque ele pensava poder permitir-se tudo no futuro, até mesmo a traição), sabendo disto, ela lhe entrega três mil rublos, dando-lhe a entender claramente que adivinha suas intenções: 'Pois bem! vais recebê-los, sim ou não, terás a coragem?', diz-lhe seu olhar penetrante. Ele a olha, compreende-lhe perfeitamente o pensamento (ele mesmo o confessou perante vós), depois apropria-se desses três mil rublos e gasta-os em dois dias com seu novo amor. Em que acreditar? Na primeira lenda, no nobre sacrifício de seus derradeiros recursos e na homenagem à virtude, ou no reverso da medalha, na baixeza dessa conduta? Nos casos comuns, convém procurar a verdade entre os extremos; não é o caso aqui. Muito provavelmente, ele se mostrou tão nobre da primeira vez como vil da segunda. Por quê? Porque somos uma 'natureza ampla', um Karamázov — eis aonde quero chegar — capaz de reunir todos os contrastes e de contemplar ao mesmo tempo dois abismos, o do alto, o abismo dos sublimes ideais, e o de baixo, o abismo da mais ignóbil degradação. Lembrai-vos da brilhante ideia formulada ainda há pouco pelo Senhor Rakítin, o jovem observador, que estudou de perto toda a família Karamázov: 'A consciência da degradação é tão indispensável a essas naturezas desenfreadas quanto a consciência da nobreza moral', e é verdade; essa mistura antinatural lhes é constantemente necessária. Dois abismos, senhores, dois abismos simultaneamente, senão não estamos satisfeitos, falta alguma coisa à nossa existência. Somos amplos, amplos, como nossa mãe a Rússia, tudo admitimos e a tudo nos acomodamos. A propósito, senhores jurados, acabamos de falar desses três mil rublos e me permito antecipar um pouco. Imaginai que com esse caráter, tendo recebido esse dinheiro ao preço duma tal vergonha, da derradeira humilhação, imaginai que no mesmo dia tenha podido separar a metade, costurá-la num amuleto e ter em seguida a constância de andar com ela um mês inteiro sobre seu peito, malgrado a falta de recursos e as tentações? Nem por ocasião de suas orgias nos botequins, nem quando lhe foi preciso deixar a cidade para arranjar em casa de sabe Deus quem o dinheiro necessário, a fim de subtrair sua bem-amada às seduções de seu pai, de seu rival, ousa tocar naquele amuleto. Não fosse senão para não deixar sua amiga exposta às intrigas do velho de que se mostrava tão ciumento, deveria ter desfeito seu amuleto e montado guarda em torno dela, aguardando o momento em que ela lhe diria: 'Sou tua', para levá-la para longe daquele meio fatal. Mas não, não recorreu ao seu talismã, e sob qual pretexto? O primeiro pretexto, dissemo-lo, era que necessitava de dinheiro, no caso de querer sua amiga partir com ele. Mas esse primeiro pretexto, segundo as próprias palavras do acusado, deu lugar a um outro. Enquanto, diz ele, carregar comigo este dinheiro, 'sou um miserável, mas não um ladrão', porque sempre posso ir encontrar minha noiva e, apresentando-lhe a metade da soma de que fraudulentamente me apropriei, dizer-lhe: 'Vês, gastei a metade de teu dinheiro e provei que sou um homem fraco e sem consciência e, se queres, um miserável (emprego os termos do acusado), mas não um ladrão, porque então não te teria trazido esta metade, teria me apropriado dela como da primeira'. Singular explicação! Esse arrebatado sem caráter, que não pôde resistir à tentação de aceitar três mil rublos em condições tão vergonhosas, dá prova de súbito de uma firmeza estóica e anda com mil rublos no pescoço sem ousar neles tocar! Quadra-se isto com o caráter que analisamos? Não e permito-me contar-vos como o verdadeiro Dimítri Fiódorovitch teria procedido, se estivesse verdadeiramente decidido a costurar seu dinheiro num amuleto. À primeira tentação, fosse apenas para causar prazer à sua bem-amada, com a qual já havia despendido a metade do dinheiro, teria descosido o amuleto e retirado, digamos, cem rublos para a primeira vez, porque de que serve restituir absolutamente a metade, quando mil e quatrocentos rublos são suficientes? Dá na mesma: "Sou um miserável e não um ladrão, porque restituirei mil e quatrocentos rublos; um ladrão teria guardado tudo". Algum tempo depois, teria de novo retirado uma cédula, depois uma terceira, e assim por diante, até a penúltima, no fim do mês: 'Um miserável, não um ladrão. Gastei vinte e nove cédulas, restituirei a trigésima, um ladrão não agiria assim'. Mas essa penúltima cédula desapareceu por sua vez e teria ele olhado a derradeira dizendo a si mesmo: 'Não vale mais a pena, gastemos esta como as outras!'. Eis como teria procedido o verdadeiro Dimítri Karamázov, tal como o conhecemos! Quanto à lenda do amuleto, está em contradição absoluta com a realidade. Pode-se supor tudo, menos isso. Mas voltaremos a isso."

Depois de ter exposto ordenadamente tudo quanto o inquérito conhecia das discuções de interesses e relações entre pai e filho, concluindo de novo que era totalmente impossível estabelecer, a respeito da divisão da herança, a qual havia prejudicado o outro, Ipolit Kirílovitch, a propósito daqueles três mil rublos que se tornaram uma ideia fixa no espírito de Mítia, trouxe à baila a perícia médica.

VII / Bosquejo histórico

"A perícia médica quis provar-nos que o acusado não está em seu juízo cabal e é maníaco. Sustento que está no uso de sua razão; mas isto é o pior de tudo: se não estivesse com todo o seu juízo, talvez se tivesse mostrado mais inteligente. Eu reconheceria de boa-vontade sua mania, mas num ponto somente, assinalado pela perícia, a maneira de ver o acusado a respeito desses três mil rublos de que seu pai o havia fraudado. Não obstante, pode-se encontrar um ponto de vista bem mais direto que a propensão do acusado à loucura para explicar sua exasperação constante a propósito desse dinheiro. Quanto a mim, partilho inteiramente da opinião do jovem médico que acha que o acusado goza e gozava de todas as suas faculdades e estava apenas exasperado e irritado. Eis o que importa: não eram aqueles três mil rublos que constituíam o objeto da exaltação constante do acusado mas bem outra causa que excitava sua cólera. Essa causa era o ciúme!"

Aqui, Ipolit Kirílovitch estendeu-se a respeito da fatal paixão do acusado por Grúchenhka. Começou pelo momento em que o acusado se dirigira à casa da "jovem pessoa" para "bater nela", de acordo com a expressão dele; mas em lugar disso, ficou a seus pés e foi o começo desse amor. "Ao mesmo tempo, essa pessoa é notada pelo pai do réu — coincidência fatal e surpreendente — porque aqueles dois corações inflamaram-se ao mesmo tempo com uma paixão desenfreada, como verdadeiros Karamázovi, se bem que conhecessem desde antes a jovem mulher. Possuímos a própria confissão dela: 'Zombava — diz ela — de um e do outro'. Sim, essa intenção veio-lhe de repente ao espírito, e finalmente os dois ficaram enfeitiçados por ela. O velho, que adorava o dinheiro, preparou três mil rublos, somente para que ela fosse à casa dele, e em breve chegou a estimar-se feliz se ela consentisse em casar-se com ele. Temos testemunhos formais a este respeito. Quanto ao réu, conhecemos a tragédia que viveu. Mas tal era o 'jogo' da jovem pessoa. Essa sereia não deu nenhuma esperança ao desgraçado, senão no derradeiro momento, quando, de joelhos diante dela, estendia-lhe os braços. 'Enviai-me para o presídio com ele, fui eu que o impeli, sou a culpada!', gritava ela com um sincero arrependimento por ocasião da detenção. O Senhor Rakítin, o talentoso jovem que já citei e que empreendeu descrever este caso, definiu em algumas frases concisas o caráter da heroína: 'Um desencanto precoce, a traição e o abandono do noivo que a seduzira, depois a pobreza, a maldição duma honesta família, por fim a proteção dum velho rico que, aliás, ela encara ainda agora como seu benfeitor. Naquele jovem coração, talvez inclinado ao bem, a cólera amontoou-se. Tornou-se calculista, amante da acumulação de dinheiro; zomba da sociedade e tem-lhe rancor'. Isto explica o ter podido ela zombar de um e de outro, por pura maldade. Durante esse mês em que o réu ama sem esperança, degradado pela sua traição e pela sua desonestidade, está além disso enlouquecido, exasperado por um ciúme incessante de seu pai. E, para cúmulo, o velho insensato esforça-se por seduzir o objeto de sua paixão por meio daqueles três mil rublos que seu filho lhe reclama como a herança de sua mãe. Sim, convenho que era duro de suportar! Havia motivo para ficar maníaco. E não era o dinheiro que importava, mas o cinismo repugnante que conspirava contra a sua felicidade, com aquele mesmo dinheiro!"

Em seguida, Ipolit Kirílovitch abordou a gênese do crime no espírito do réu, baseando-se nos fatos.

"Em primeiro lugar, limitamo-nos a vociferar nos botequins durante todo aquele mês. Dizemos voluntariamente tudo quanto nos passa pela cabeça, até mesmo as ideias mais perigosas. Somos expansivos, mas, não se sabe por que, exigimos que nossos ouvintes nos testemunhem inteira simpatia, tomem parte em nossos desgostos, façam coro, não nos estorvem em nada. Senão, ai deles! (Seguia-se o caso do Capitão Snieguiriov.) Os que viram e ouviram o acusado durante esse mês tiveram finalmente a impressão de que ele não se ateria a simples ameaças contra seu pai e que, na sua exasperação, era capaz de levá-las a efeito. (Aqui o procurador descreveu a reunião de família no mosteiro, as conversações com Aliócha e a cena escandalosa em casa de Fiódor Pávlovitch, em que o réu havia irrompido na sala depois do jantar.) — Não estou certo — prosseguiu Ipolit Kirílovitch — de que, antes dessa cena, tivesse já o réu resolvido suprimir seu pai. Mas esta ideia lhe viera já, encarava-a, os fatos, as testemunhas e sua própria confissão o provam. Confesso, senhores jurados, que até hoje hesitava em crer na premeditação completa. Estava persuadido de que ele havia encarado por várias vezes aquele momento fatal, mas sem precisar a data e as circunstâncias da execução. Minha hesitação cessou em presença desse documento esmagador, apresentado hoje ao tribunal pela Senhorita Vierkhóvtseva. Vós ouvistes, senhores, sua exclamação: 'É o plano, o programa do assassinato!'. Eis como ela definiu aquela desgraçada carta de bêbedo. Com efeito, essa carta estabelece a premeditação. Foi escrita dois dias antes do crime, e sabemos que naquele momento, antes da realização de seu horrendo projeto, jurava o réu que se não encontrasse quem lhe emprestasse o dinheiro no dia seguinte, mataria seu pai para tomar o dinheiro que estava embaixo do travesseiro, 'num envelope amarrado com uma fita cor-de-rosa, assim que Ivan partir'. Estais ouvindo? 'Assim que Ivan partir...' Por conseguinte, tudo está combinado, as circunstâncias são previstas, e tudo se passou como ele o escrevera. A premeditação não tem dúvida alguma, o crime tinha o roubo como móvel, está escrito e assinado. O acusado não renega sua assinatura. Poderão dizer: é a carta de um bêbedo. Mas isto não atenua nada, pelo contrário; escreveu, estando bêbedo, o que havia combinado em estado lúcido. Senão, evitaria escrever. Mas, talvez objetem, por que gritou seu projeto nos botequins? Quem premedita tal ato cala-se e mantém seu segredo. É verdade, mas então ele tinha apenas veleidades, sua intenção amadurecia. Posteriormente, mostrou-se mais reservado a esse respeito. Na noite em que escreveu aquela carta, depois de ter-se embriagado no botequim "A Capital", ficou excepcionalmente silencioso, manteve-se à parte sem jogar bilhar, limitando-se a maltratar um caixeiro de armazém, mas inconscientemente, incapaz de renunciar a discutir, de acordo com seu hábito. Decerto, uma vez resolvido a agir, devia o réu recear ter-se gabado por demais em público de suas intenções, e que isso pudesse servir de prova contra ele, quando executasse seu plano. Mas que fazer? Não podia recolher suas palavras e esperava safar-se ainda dessa vez. Fiamo-nos em nossa estrela! Senhores! Deve-se reconhecer que ele fez grandes esforços antes de chegar a esse ponto e para evitar um desenlace sangrento: 'Pedirei amanhã dinheiro a todo mundo — escreve ele na sua linguagem original — e se recusarem, o sangue correrá'. De novo, vemo-lo agir em estado lúcido, como tinha escrito quando estava ébrio!"

Aqui, Ipolit Kirílovitch descreveu pormenorizadamente as tentativas de Mítia para arranjar dinheiro, para evitar o crime. Relatou suas gestões junto a Samsónov, sua visita a Liágavi. "Fatigado, mistificado, faminto, tendo vendido seu relógio para pagar a viagem (embora levando consigo mil e quinhentos rublos, com efeito!), atormentado pelo ciúme por causa de sua bem-amada que deixou na cidade, suspeitando de que na sua ausência ela pudesse ir encontrar-se com Fiódor Pávlovitch, regressa afinal, Deus seja louvado! Ela não esteve lá. Ele próprio a acompanha à casa de seu protetor Samsónov. (Coisa estranha, não temos ciúme de Samsónov, e este é um detalhe característico!) Corre a seu posto de observação 'no quintal' e ali sabe que Smierdiákov teve uma crise, que o outro criado está doente; o campo está livre, os 'sinais' estão em suas mãos, que tentação! Não obstante, resiste; vai à casa de uma pessoa por todos respeitada, a Senhora Khokhlakova. Esta senhora, que se compadeceu desde muito tempo da sorte dele, dá-lhe o mais sábio dos conselhos: renunciar à farra, àquele amor escandaloso, àquelas excursões pelos botequins, em que se gastava sua jovem energia, e partir para as minas de ouro, na Sibéria: 'Lá está o derivativo para as forças que refervem no senhor, para seu caráter romanesco, ávido de aventuras'. Depois de ter descrito o desenlace do encontro e o momento em que o réu soube de repente que Grúchenhka não ficou em casa de Samsónov, bem como o furor do infeliz ciumento, à ideia de que ela o enganava e se encontrava agora em casa de Fiódor Pávlovitch, Ipolit Kirílovitch concluiu, fazendo notar a fatalidade desse incidente: se a criada tivesse tido tempo de dizer-lhe que a bem--amada dele estava em Mókroie com seu primeiro amante, nada teria acontecido. Mas estava transtornada, jurou a seus deuses, e se o réu não a matou ali mesmo foi porque correu em perseguição da infiel. Mas notai isto: embora fora de si, apodera--se de um pilão de cobre. Por que precisamente um pilão? Por que não outra arma? Mas se nos preparávamos para essa cena, encarada havia um mês, se qualquer coisa parecida com uma arma se nos apresenta, dela nos apoderamos como tal. Desde um mês, dizíamos a nós mesmos que um objeto daquele gênero poderia servir de arma. De modo que não hesitamos. Por conseguinte, o réu sabia o que fazia ao agarrar aquele fatídico pilão. Ei-lo no jardim de seu pai, o campo está livre, nenhuma testemunha, uma escuridão profunda e o ciúme. A suspeita de que ela está ali, nos braços de seu rival e zomba dele talvez naquele instante, apodera-se de seu espírito. E não somente a suspeita, trata-se bem disto, a velhacaria salta aos olhos: ela está ali, naquele quarto onde há luz, está em casa dele, por trás do biombo, e o infeliz desliza para a janela, olha com delicadeza, resigna-se e vai embora prudentemente para não praticar uma desgraça, para evitar o irreparável; e querem fazer-nos acreditar nisso, a nós que conhecemos o caráter do acusado, que compreendemos seu estado de espírito revelado pelos fatos, sobretudo então quando estava a par dos sinais que permitiam penetrar logo na casa!"

A este propósito, Ipolit Kirílovitch abandonou provisoriamente a acusação e achou necessário estender-se a respeito de Smierdiákov, a fim de liquidar o episódio das suspeitas dirigidas contra ele e de liquidar duma vez por todas essa ideia. Não negligenciou nenhum detalhe e todo mundo compreendeu que, apesar do desdém que testemunhava por essa hipótese, considerava-a, no entanto, muito importante.

VIII / Dissertação a respeito de Smierdiákov

"Em primeiro lugar, donde vem a possibilidade de semelhante suspeita? Quem primeiro denunciou Smierdiákov como o assassino foi o próprio réu, por ocasião de sua prisão; contudo, até hoje, não apresentou ele o menor fato em apoio dessa inculpação nem mesmo uma alusão mais ou menos verossímil a um fato qualquer. Em seguida, três pessoas somente confirmam seus dizeres: seus dois irmãos e a Senhora Svietlova. Mas o mais velho formulou essa suspeita somente hoje, no curso dum acesso de demência e de febre nervosa; antes, durante estes dois meses, estava persuadido da culpabilidade de seu irmão e nem mesmo procurou combater essa ideia. Aliás, voltaremos a isso. O mais moço declara não ter nenhuma prova que confirme sua ideia da culpabilidade de Smierdiákov e se baseia unicamente nas palavras do acusado e na 'expressão de seu rosto'; proferiu duas vezes ainda há pouco esse argumento extraordinário. A Senhora Svietlova exprimiu-se duma maneira talvez ainda mais estranha: 'Podeis crer no acusado, não é homem de mentiras'. Eis todas as acusações alegadas contra Smierdiákov, 'que pôs fim a seus dias numa crise de loucura', feitas por interessados na sorte do réu. E no entanto a acusação contra Smierdiákov circulou e persiste; pode-se acreditar nisso, pode-se imaginá-la?"

Aqui, Ipolit Kirílovitch julgou necessário esboçar o caráter de Smierdiákov, "que pôs fim a seus dias numa crise de loucura". Apresentou-o como um ser fraco, de instrução rudimentar, conturbado por ideias filosóficas acima de seu alcance, aterrorizado diante de certas doutrinas modernas sobre o dever e a obrigação moral, que lhe inculcavam — na prática — pela sua vida descuidada, seu amo Fiódor Pávlovitch, talvez seu pai, e — na teoria — por meio de conversações filosóficas estranhas, o filho mais velho do defunto, Ivan Fiódorovitch, que apreciava essa diversão, sem dúvida por tédio ou por uma necessidade de zombaria, não tendo encontrado outro emprego. Descreveu-me ele próprio seu estado de espírito, os derradeiros dias que passou na casa de seu amo — explicou Ipolit Kirílovitch —, mas outras pessoas atestam a coisa: o acusado, seu irmão e até mesmo o criado Grigóri, isto é, todos aqueles que deviam conhecê-lo de perto. Além disso, atingido de epilepsia, Smierdiákov era medroso como uma galinha. "Caía a meus pés e beijava-os", declarou-nos o réu, quando não compreendia ainda o prejuízo que poderia causar-lhe essa declaração, "é uma galinha epiléptica", dizia ele do outro na sua linguagem pitoresca. E eis que o acusado (ele mesmo o atesta) faz dele seu homem de confiança e o intimida a ponto de ele consentir afinal em servir-lhe de espião e de informante. Nesse papel de espião, trai seu amo, revela ao acusado a existência do envelope das cédulas e os sinais por meio dos quais pode-se chegar até ele; aliás, poderia ele agir de outro modo? "ele me matará, dava-me bem conta disso", dizia ele, tremendo, no inquérito, se bem que seu carrasco já estivesse detido e fora de condições de molestá-lo. "Suspeitava de mim a cada instante e eu, gelado de terror, apressava-me, para acalmar-lhe a cólera, em comunicar-lhe todos os segredos, a fim de provar minha boa-fé e ter a vida salva." Tais são as palavras, anotei-as. "Quando gritava por mim, acontecia-me atirar-me a seus pés." De natural bastante honesto, gozando da confiança de seu amo, que comprovara essa honestidade quando seu criado lhe entregou o dinheiro que ele havia perdido, o infeliz Smierdiákov deve ter sentido profundo arrependimento de sua traição àquele a quem amava como seu benfeitor. Os epilépticos, gravemente atacados, de acordo com o relato de psiquiatras eminentes, têm a mania de acusar-se a si mesmos. A consciência de sua culpabilidade atormenta-os, têm remorsos, muitas vezes sem motivos, exageram suas faltas, forjam mesmo crimes imaginários. Acontece que semelhante indivíduo torna-se verdadeiramente culpado e criminoso, sob a influência do medo, da intimidação. Além disso, ele pressentia a possibilidade duma desgraça, em vista das circunstâncias. Quando o filho mais velho de Fiódor Pávlovitch, Ivan Fiódorovitch, partiu para Moscou, no mesmo dia do drama, Smierdiákov suplicou-lhe que ficasse, mas sem ousar, com sua covardia habitual, dar-lhe parte de seus temores de uma maneira categórica. Limitou-se a alusões que não foram compreendidas. É preciso notar que, para Smierdiákov, Ivan Fiódorovitch representava como que uma defesa, uma garantia de que nada de desagradável aconteceria enquanto ele estivesse presente. Lembrai-vos da frase de Dimítri Fiódorovitch na sua carta de ébrio: "Matarei o velho, contanto que Ivan parta". Por conseguinte, a presença de Ivan Fiódorovitch parecia a todos garantir a ordem e a calma na casa. Ele viaja e Smierdiákov, cerca de uma hora depois, tem uma crise, aliás bastante compreensível. É preciso mencionar aqui, que, presa do terror e duma espécie de desespero, Smierdiákov, nos derradeiros dias, sentia particularmente a possibilidade de uma crise próxima, que se produzia sempre nas horas de ansiedade e de viva emoção.

Não se pode evidentemente adivinhar o dia e a hora desses ataques, mas cada epiléptico pode sentir-lhes os sintomas. Assim fala a medicina. Um pouco depois da partida de Ivan Fiódorovitch, Smierdiákov, que se sente abandonado e sem defesa, vai à adega para atender às necessidades da casa e pensa ao descer a escada: "Terei ou não um ataque, e se ele me tomasse agora?". Precisamente, aquele estado de espírito, aquela apreensão, aquelas perguntas provocam o espasmo na garganta, precursor da crise; precipita-se sem conhecimento no fundo da adega. Esforçam-se em suspeitar desse acidente bem natural, em ver nele uma indicação, uma alusão revelando a simulação voluntária da doença! Mas, neste caso, pergunta-se logo: "Por quê? Com que fim? Deixo de lado a medicina; a ciência mente, dizem, a ciência se engana, os doutores não souberam distinguir a verdade da simulação; pois seja, admitamos, mas respondei a esta pergunta: que razão tinha ele para simular? Seria para se fazer notar de antemão na casa onde premeditava um assassínio? Vede, senhores jurados, houve cinco pessoas em casa de Fiódor Pávlovitch, na noite do crime: em primeiro lugar, o dono da casa, mas não se matou a si mesmo, é claro; em segundo lugar, seu criado Grigóri, mas quase foi morto; em terceiro lugar, a mulher de Grigóri, Marfa Ignátievna, mas seria uma vergonha supô-la assassina de seu amo. Restam, por consequência, duas pessoas em causa: o réu e Smierdiákov. Mas como o acusado afirma que não é ele o assassino, deve ser Smierdiákov, não há outra alternativa, porque não se pode suspeitar de ninguém mais. Eis a explicação dessa acusação "sutil" e extraordinária contra o infeliz idiota que se suicidou ontem! Justamente porque não havia ninguém em quem deitar a mão! Se tivesse existido a mínima suspeita contra algum outro, uma sexta pessoa, estou certo de que o próprio réu teria tido vergonha de acusar então Smierdiákov e acusaria esse outro, porque é perfeitamente absurdo acusar Smierdiákov desse assassinato.

"Senhores, deixemos a psicologia, deixemos a medicina, deixemos mesmo a lógica, consultemos os fatos, nada mais que os fatos, e vejamos o que eles nos dizem. Smierdiákov matou, mas como? Só ou de cumplicidade com o réu? Examinemos primeiro o primeiro caso, isto é, o assassinato cometido sozinho. Evidentemente, se Smierdiákov matou foi por alguma coisa, num interesse qualquer. Mas não tendo nenhum dos motivos que impeliam o acusado, isto é, o ódio, o ciúme, etc., Smierdiákov só matou para roubar, para se apropriar daqueles três mil rublos que seu patrão metera, diante dele, em um envelope. E eis que, tendo resolvido matar, comunica previamente a outra pessoa, que acontece ser a mais interessada, precisamente o réu, tudo quanto se refere ao dinheiro e aos sinais, o lugar onde se encontra o envelope, seu sobrescrito, com que está ele amarrado, e sobretudo lhe comunica aqueles sinais, por meio dos quais pode-se entrar em casa de seu amo. Pois bem! é para se trair que ele age assim? Ou a fim de arranjar um rival que talvez tenha também vontade de vir a apoderar-se do envelope? Sim, dirá alguém, mas falou dominado pelo medo. Como assim? O homem que não hesitou em conceber um ato tão ousado e feroz, e em executá-lo em seguida, comunica semelhantes informações, que é o único a conhecer no mundo e que ninguém teria jamais adivinhado, se ele tivesse guardado silêncio. Não, por mais medroso que fosse, depois de ter concebido tal ato, esse homem não teria falado a ninguém a respeito do envelope e dos sinais, porque teria sido trair-se de antemão. Teria inventado alguma coisa de propósito e mentido, se tivessem exigido dele informações, mas guardado silêncio a respeito. Pelo contrário, repito-o, se não tivesse dito palavra a respeito do dinheiro e dele se tivesse apossado após o delito, ninguém no mundo teria jamais podido acusá-lo de assassinato tendo o roubo como móvel, porque ninguém, exceto ele, tinha visto aquele dinheiro, ninguém sabia da existência dele na casa. Mesmo acusando-o, teriam atribuído outro motivo ao crime. Mas na ausência de outros motivos prévios, e como todo mundo, ao contrário, tinha-o visto estimado por seu amo, honrado com sua confiança, ter-se-ia suspeitado logo de início de um homem tendo esses motivos, de um homem que, longe de dissimulá-los, teria se gabado publicamente; em uma uma palavra, teriam suspeitado do filho da vítima, Dimítri Fiódorovitch. Teria sido vantajoso para Smierdiákov, assassino e ladrão, que se acusasse esse filho, não é? Pois bem! é a ele, é a Dimítri Fiódorovitch que Smierdiákov, tendo premeditado seu crime, fala de antemão do dinheiro, do envelope, dos sinais; que lógica, que clareza!!!

"Chega o dia do crime premeditado por Smierdiákov, e ele cai da escada, tendo simulado um ataque de epilepsia. Por quê? Sem dúvida para que o criado Grigóri, que tinha intenção de tratar-se, renuncie a isso talvez vendo a casa sem vigilância, e monte guarda. Provavelmente também a fim de que o próprio patrão, vendo-se abandonado e temendo a vinda de seu filho, o que ele não ocultava, redobrasse de desconfiança e de precauções. Sobretudo, enfim, para que o transportem imediatamente, a ele, Smierdiákov, esgotado pela sua crise, da cozinha onde dormia só e tinha sua entrada particular, para a outra extremidade do pavilhão, no quarto de Grigóri e de sua mulher, por trás duma separação, como faziam sempre que tinha ele um ataque, de acordo com as instruções do amo e da compassiva Marfa Ignátievna. Ali, oculto atrás do biombo e para melhor parecer doente, começa sem dúvida a gemer, isto é, a despertá-los a noite inteira (o depoimento deles faz fé), e tudo isso a fim de se levantar mais facilmente e matar em seguida seu patrão!

"Mas, dirão, talvez simulasse uma crise precisamente para desviar as suspeitas, e falou ao réu a respeito do dinheiro e dos sinais para tentá-lo e impeli-lo ao crime. E quando o réu, depois de ter matado, retirou-se levando o dinheiro e talvez fez barulho e despertou testemunhas, então, vede, Smierdiákov se levanta e vai também... pois bem, que vai ele fazer? Vai assassinar uma segunda vez o patrão e roubar o dinheiro já roubado. Senhores, não é isto caso para rir? Eu mesmo tenho vergonha de fazer tais suposições; no entanto, imaginai que é precisamente o que afirma o acusado: 'Quando eu já havia partido, diz ele, depois de ter abatido Grigóri e provocado o alarme, Smierdiákov se levantou para assassinar e roubar'. Deixo de lado a impossibilidade para Smierdiákov de calcular e de prever os acontecimentos, a vinda do filho exasperado que se contenta com olhar respeitosamente pela janela e, conhecendo os sinais, retira-se e lhe abandona sua presa! Senhores, proponho a pergunta seriamente: em que momento Smierdiákov cometeu seu crime? Indicai esse momento, senão a acusação tomba.

"Mas talvez a crise fosse real. Tendo recuperado seus sentidos, o doente ouviu um grito, saiu, e então? Olhou e disse a si mesmo: 'Está decidido: matarei o patrão!'. Mas como soube ele o que se tinha passado, jazendo até então sem conhecimento? Aliás, senhores, a própria fantasia tem seus limites.

"Pois seja, dirão as pessoas sutis, mas se os dois estivessem de conivência, se houvessem assassinado juntos e partilhado o dinheiro?

"Sim, há, com efeito, uma suspeita grave, e antes de tudo, com fortes presunções em apoio; um deles assassina e se encarrega de tudo, enquanto o outro cúmplice fica deitado simulando uma crise, precisamente para despertar de antemão a suspeita em todos, para alarmar o patrão e Grigóri. Pergunta-se por quais motivos teriam podido os dois cúmplices imaginar plano tão absurdo? Mas talvez não houvesse senão uma cumplicidade passiva da parte de Smierdiákov; talvez, apavorado, consentiu apenas em não se opor ao assassínio e, pressentindo que o acusariam por ter deixado matar seu amo sem defendê-lo, terá obtido de Dimítri Karamázov a permissão de ficar deitado durante aquele tempo, como se tivesse uma crise: 'Estás livre para assassinar, nada tenho com isso'. Neste caso, como essa crise teria posto a casa em alvoroço, Dimítri Karamázov não podia consentir em tal convenção. Mas admito que tenha consentido; nem por isso deixaria de resultar que Dimítri Karamázov é o assassino direto, o instigador, e Smierdiákov, um cúmplice passivo, e nem mesmo isso; deixou simplesmente fazer, por temor e contra a sua vontade; esta distinção não teria escapado à justiça; ora, que vemos? Por ocasião de sua detenção, o acusado lança toda a culpa sobre Smierdiákov e acusa-o, só a ele. Não o acusa de cumplicidade; só ele é que assassinou e roubou, é obra de suas mãos. Mas que cúmplices são esses que começam logo a acusar-se? Isto não existe. E notai que risco para Karamázov: é o principal assassino, o outro limitou-se a deixar fazer, deitado atrás do tabique, e ele o ataca. Mas esse comparsa poderia zangar-se e, por instinto de conservação, apressar-se em dizer toda a verdade; participamos todos dois, contudo, eu não matei, simplesmente tolerei e deixei fazer, por temor. Porque Smierdiákov podia compreender que a justiça discerniria logo seu grau de culpabilidade, e contar com um castigo bem menos rigoroso que o principal assassino, que queria atirar toda a culpa sobre ele. Mas então, teria forçosamente confessado. Contudo, nada disso se dá. Smierdiákov não soprou palavra a respeito da cumplicidade, se bem que o assassino o haja acusado formalmente e apontado todo o tempo como o único autor do crime. Não é tudo; Smierdiákov revelou no inquérito que havia ele próprio falado ao acusado do envelope com o dinheiro e dos sinais, e que sem ele, este nada teria sabido. Se tivesse sido verdadeiramente cúmplice e culpado, teria comunicado a coisa tão voluntariamente no inquérito? Pelo contrário, teria se desmentido, teria certamente desnaturado e atenuado os fatos. Mas não agiu assim. Somente um inocente, que não teme ser acusado de cumplicidade, pode agir dessa maneira. Pois bem! num acesso de melancolia mórbida consecutiva à epilepsia e a todo esse drama, enforcou-se ontem, depois de ter escrito este bilhete: 'Ponho fim a meus dias voluntariamente. Não acusem ninguém de minha morte'. Que lhe custaria acrescentar: sou eu o assassino e não Karamázov? Mas não fez nada disso; sua consciência não chegou a esse ponto.

"Ainda há pouco, trouxeram dinheiro ao tribunal, três mil rublos, 'as cédulas que se encontravam no envelope que figurava entre as peças de convicção, recebi-as ontem de Smierdiákov'. Mas vós não vos esquecestes, senhores jurados, dessa triste cena. Não lhe tornarei a traçar os detalhes, contudo vou me permitir duas ou três observações escolhidas de propósito entre as mais insignificantes, porque não surgirão no espírito de cada um e serão esquecidas. Em primeiro lugar, foi por remorso que ontem Smierdiákov restituiu o dinheiro e enforcou-se. (De outro modo não o teria restituído.) E não foi senão ontem à noite evidentemente que confessou pela primeira vez seu crime a Ivan Karamázov, como este último o declarou, senão por que teria este guardado silêncio até agora? Confessou, admitamos. Mas, por que, repito-o, não disse toda a verdade no seu bilhete fúnebre, sabendo que no dia seguinte iam julgar um inocente? O dinheiro apenas não constitui uma prova. Soube completamente por acaso, há uma semana, bem como duas pessoas aqui presentes, que Ivan Fiódorovitch Karamázov mandara trocar na sede da província dois títulos de dívida a cinco por cento, de cinco mil rublos cada um, ou seja, dez mil ao todo. Isto para mostrar que sempre se pode arranjar dinheiro para uma data fixa e que os três mil rublos apresentados não são necessariamente os mesmos que se encontravam na gaveta ou no envelope. Enfim, tendo Ivan Karamázov colhido ontem as confissões do verdadeiro assassino, ficou em seu quarto. Por que não fez imediatamente sua declaração? Por que ter esperado até o dia seguinte? Estimo que se possa adivinhar a razão disso; doente desde uma semana, tendo confessado ao médico e aos que o cercavam que tinha alucinações e encontrava pessoas mortas, ameaçado pela febre nervosa que se declarou hoje, ao saber de súbito da morte de Smierdiákov, fez este raciocínio: 'Esse homem está morto, pode-se acusá-lo, salvarei meu irmão. Tenho dinheiro, apresentarei um maço de cédulas, dizendo que Smierdiákov as entregou a mim antes de morrer'. É desonesto, direis, se bem que acuse um morto, mas não é desonesto mentir, mesmo para salvar seu irmão? Pois seja, mas se mentiu inconscientemente, se imaginou que tenha acontecido, com o espírito definitivamente transtornado pela notícia da morte súbita do lacaio? Assististes àquela cena ainda há pouco, vistes em que estado se encontrava aquele homem. Mantinha-se de pé e falava, mas onde estava sua razão? O depoimento do doente foi seguido de um documento, de uma carta do réu à Senhorita Vierkhóvtseva, escrita dois dias antes do crime de que contém o programa detalhado. De que serve procurar esse programa e seus autores? Tudo se passou exatamente de acordo com ele e ninguém ajudou o autor! Sim, senhores jurados, 'isso se passou como estava escrito!'. E não fugimos com um temor respeitoso da janela paterna, sobretudo estando persuadido de que nossa bem-amada se encontrava nos aposentos dele. Não, é absurdo e inverossímil. Ele entrou e foi até o fim. Deve ter matado num acesso de furor, vendo seu rival detestado, talvez com um só golpe de pilão, mas em seguida, depois de ter-se convencido por um exame detalhado de que ela não estava ali, não se esqueceu de meter a mão sob o travesseiro e de apoderar-se do envelope com o dinheiro, que figura agora, rasgado, entre as peças de convicção. Falo disso para assinalar-vos uma circunstância característica. Um assassino experimentado, vindo exclusivamente para roubar, teria deixado no soalho o envelope, tal como foi encontrado junto do cadáver? Smierdiákov, por exemplo, teria levado tudo, sem se dar o trabalho de abri-lo perto de sua vítima, sabendo bem que ele continha dinheiro, pois que o vira ser nele metido e lacrado; ora, desaparecido o envelope, não se podia saber se houvera roubo. Pergunto-vos, senhores jurados, teria Smierdiákov agido assim e deixado o envelope no chão? Não, assim devia proceder um assassino furioso, incapaz de refletir, nunca tendo roubado nada e que, mesmo agora, se apropria do dinheiro, não como um vulgar malfeitor, mas como alguém que retoma seus bens daquele que os roubou, porque tais eram precisamente, a respeito daqueles três mil rublos, as ideias de Dimítri Karamázov, que nele chegavam já à mania. De posse do envelope, que jamais vira antes, rasga-o para certificar-se de que contém dinheiro, depois atira-o fora e foge com as cédulas no seu bolso, sem suspeitar de que deixa assim atrás de si, sobre o soalho, uma prova esmagadora. Tudo porque foi Karamázov e não Smierdiákov, e não refletiu, aliás não tinha tempo. Foge, ouve o grito do criado que o alcança, que o agarra, que o detém, vacila e cai derrubado por uma pancada de pilão. O réu salta do alto da paliçada por compaixão. Imaginai que ele nos garante que desceu por piedade, por compaixão, para ver se podia socorrê--lo. Mas seria aquele o momento para enternecimentos? Não, tornou a descer precisamente para certificar-se de que estivesse ainda viva a única testemunha de seu crime. Qualquer outro sentimento, qualquer outro motivo teriam sido insólitos! Notai que ele se mostra solícito para com Grigóri, enxuga-lhe a cabeça com seu lenço, depois, crendo-o morto, como que desvairado, coberto de sangue, corre de novo à casa de sua bem-amada; como ele não pensou que naquele estado imediatamente o acusariam? Mas o próprio réu nos assegura que não prestou atenção a isso; pode-se admiti-lo, é muito possível, isto acontece sempre aos criminosos em semelhantes momentos. Dum lado, um cálculo infernal, do outro, o raciocínio falha. Mas naquele minuto ele perguntava a si mesmo apenas onde ela estava. Na sua pressa de descobrir isso, corre à sua casa e sabe duma notícia imprevista, esmagadora para ele: ela partiu para Mókroie a fim de juntar-se ao seu antigo amante, 'o indiscutível'."

IX / Psicologia a vapor. A troica em disparada. Peroração

Chegado a este momento de seu discurso, Ipolit Kirílovitch, que havia evidentemente escolhido o método de exposição rigorosamente histórico, muito do agrado de todos os oradores nervosos que procuram de propósito quadros estritamente delimitados, a fim de moderar seu ardor, estendeu-se a respeito do primeiro amante, "o indiscutível", e formulou a esse respeito algumas ideias interessantes. Karamázov, ferozmente ciumento de todos, apaga-se de súbito e desaparece diante do 'antigo' e do 'indiscutível'. E é tanto mais estranho que antes quase não prestara atenção ao novo perigo que o ameaçava na pessoa desse rival inesperado. Mas representava-se isso como distante, e Karamázov só vive no momento presente. Provavelmente, considerava-o mesmo como uma ficção. Mas tendo logo compreendido, com seu coração dolorido, que a dissimulação daquela mulher, sua mentira de ainda há pouco, provinham talvez do fato de que esse novo rival, longe de ser um capricho e uma ficção, representava tudo para ela, toda sua esperança na vida. Tendo compreendido isso, resignou-se. Pois bem, senhores jurados, não posso passar em silêncio esse traço inesperado no réu: de súbito apareceram a sede da verdade, a necessidade imperiosa de respeitar aquela mulher, de reconhecer os direitos de seu coração, e isto no momento em que, por ela, acabava de tingir suas mãos no sangue de seu pai! É verdade que o sangue vertido gritava já vingança, porque tendo perdido sua alma, destruído sua vida terrestre, devia, contra si mesmo, perguntar a si mesmo naquele momento: 'Que sou eu, que posso eu ser agora para ela, para essa criatura querida mais que tudo no mundo, em comparação com esse primeiro amante, 'o indiscutível', com aquele que, arrependido, volta para essa mulher seduzida outrora por ele, com um novo amor, com propostas leais e a promessa de uma vida regenerada e doravante feliz?'. Mas ele, o desgraçado, que pode ele lhe oferecer agora? Karamázov compreendeu tudo isso e que seu crime lhe barrava a estrada, que não passava de um criminoso votado ao castigo, indigno de viver! Esta ideia o esmagou, aniquilou-o. Imediatamente, decide-se por um plano insensato que, dado o seu caráter, devia parecer-lhe a única saída para sua terrível situação: o suicídio. Corre a desempenhar suas pistolas em casa do funcionário Pierkhótin, e, de caminho, tira de seu bolso o dinheiro por causa do qual acaba de manchar suas mãos no sangue de seu pai. Oh! agora mais do que nunca ele tem necessidade de dinheiro; Karamázov vai morrer, Karamázov se mata; hão de lembrar-se disso! Não é por coisa nenhuma que somos poeta, não é por coisa nenhuma que queimamos nossa vida como uma vela, pelos dois lados. Alcançá-la e, lá, uma festa de arromba, uma festa como jamais se viu, para que fique na lembrança e dela se fale por muito tempo. No meio dos gritos selvagens, das loucas canções e das danças dos ciganos, ergueremos nosso copo para felicitar a bem-amada pela sua nova felicidade, depois ali, diante dela, a seus pés, estouraremos os miolos, para redimir nossas faltas. Ela se recordará de Mítia Karamázov, verá quanto a amava, lamentará Mítia! Aí temos o pitoresco, a exaltação romanesca em quantidade, reencontramos o arrebatamento selvagem e a sensualidade por Karamázov, mas há algo mais, senhores jurados, que grita na alma, impressiona o espírito sem cessar, envenena o coração até a morte; esse algo é a consciência, senhores jurados, é seu julgamento, é o remorso. Mas a pistola concilia tudo, é a única solução; quanto ao outro mundo, ignoro se Karamázov pensou então no que haveria do outro lado e se é capaz disso, como Hamlet. Não, senhores jurados, em outra parte, tem-se Hamlet, nós não temos senão Karamázov!"

Aqui, Ipolit Kirílovitch traçou um quadro detalhado dos fatos e gestos de Mítia, da cena em casa de Pierkhótin, no botequim, com os cocheiros. Citou uma multidão de frases confirmadas por testemunhas, e o quadro se impunha à convicção dos ouvintes. Sobretudo impressionava o conjunto dos fatos. A culpabilidade daquele ser desorientado, descuidoso de sua segurança, saltava aos olhos. "De que servia a prudência? — prosseguiu Ipolit Kirílovitch —; duas ou três vezes esteve ele a ponto de confessar e fez alusões (seguiam-se os depoimentos das testemunhas). Gritou mesmo ao cocheiro na estrada: 'Sabes que conduzes um assassino?'. Mas não podia dizer tudo; era-lhe preciso em primeiro lugar chegar à aldeia de Mókroie e ali terminar o poema. Ora, que é que esperava o infeliz? O fato é que em Mókroie percebeu logo que seu rival 'indiscutível' não é irresistível e que suas felicitações a propósito da nova felicidade não são recebidas com agrado. Mas conheceis já os fatos, senhores jurados, segundo o inquérito. O triunfo de Karamázov sobre seu rival foi completo; então começa para ele uma crise terrível, a mais terrível de todas que atravessou. Pode-se reconhecer, senhores jurados, que a natureza ultrajada e o coração criminoso exercem um castigo mais rigoroso que o da justiça humana! Além disso, os castigos que ela inflige trazem um abrandamento à expiação da natureza, são mesmo necessários à alma do criminoso naqueles momentos, para salvá-la do desespero, porque posso imaginar o horror e o sofrimento de Karamázov ao saber que ela o amava, que ela repelia por causa dele o antigo amante, que o convidava a ele, Mítia, a uma vida regenerada, prometia-lhe a felicidade, e isto quando tudo está acabado para ele, quando nada mais é possível! A propósito, eis aqui, de passagem, uma observação muito importante para explicar a verdadeira situação do acusado naquele momento: aquela mulher, objeto de seu amor, permaneceu para ele até o fim, até a detenção, uma criatura inacessível, se bem que apaixonadamente desejada. Mas por que então ele não se suicidou? Por que ter abandonado esse projeto e esquecido até mesmo sua pistola? Essa sede apaixonada de amor e a esperança de estancá-la imediatamente retiveram-no. Na embriaguez da festa, está como que acorrentado à sua bem-amada, que compartilha da orgia com ele, mais sedutora do que nunca. Ele não se afasta de seu lado e, cheio de admiração, apaga-se diante dela. Esse ardor apaixonado pôde abafar até mesmo por um instante o temor da prisão e o remorso. Oh! por um instante apenas! Imagino o estado de alma do criminoso como escravizado a três elementos que o dominavam totalmente: em primeiro lugar, a embriaguez, os vapores do álcool, o barulho da dança e dos cantos, e ela, a tez avermelhada pelas libações, cantando e dançando, sorrindo-lhe ébria também. Em seguida, o pensamento reconfortante de que o desenlace fatal está ainda afastado, de que virão prendê-lo somente no dia seguinte de manhã. Algumas horas de prazo é muito, pode-se imaginar muita coisa durante esse tempo. Suponho que terá experimentado sensação análoga à do criminoso a quem levam à forca; é preciso percorrer ainda uma longa rua, a passo, diante de milhares de espectadores, depois dobra-se para outra rua, ao fim da qual somente se encontra o lugar fatal. No começo do trajeto, o condenado, em cima da carreta ignominiosa, deve imaginar que tem ainda muito tempo para viver. Mas as casas se sucedem, a carreta avança, não tem importância, está ainda longe a esquina da segunda rua. Ele olha corajosamente à direita e à esquerda aqueles milhares de curiosos indiferentes que o encaram e sempre lhe parece que é um homem igual a eles. E eis que dobram para a segunda rua, mas não importa, resta um bom pedaço de caminho. Enquanto vai vendo desfilarem as casas, o condenado pensará: 'Ainda há muitas'. E assim até o local da execução. Eis, imagino, o que experimentou Karamázov. 'Ainda não descobriram o crime, pensa ele, pode-se procurar alguma coisa, terei tempo de combinar um plano de defesa, de me preparar para resistir, mas no momento, viva a alegria! Ela é tão sedutora!' Está perturbado e inquieto, contudo consegue retirar a metade de seu dinheiro e escondê-lo. Não posso explicar a mim mesmo de outro modo o desaparecimento da metade dos três mil rublos retirados de sob o travesseiro de seu pai. Tendo já ido a Mókroie para fazer farra, conhece aquela velha casa de madeira, com seus alpendres e varandas. Suponho que uma parte do dinheiro foi escondida naquele momento, pouco tempo antes da detenção, numa fenda ou rachadura, sob uma tábua do soalho, num canto, debaixo do telhado. Por quê? — perguntarão. Uma catástrofe está iminente, sem dúvida não pensamos ainda em enfrentá-la, falta tempo, as têmporas nos batem, "ela" nos atrai como um ímã, mas tem-se sempre necessidade de dinheiro. Em toda parte é-se alguém com dinheiro. Tal previdência, num momento semelhante, talvez vos pareça estranha. Mas ele mesmo afirma ter, um mês antes, num momento também crítico, pôsto de lado e cosido num amuleto a metade de três mil rublos; e, se bem que isso seja certamente uma invenção, como vamos prová-lo, essa ideia é familiar a Karamázov, meditou-a. Além do mais, quando afirmava mais tarde ao juiz de instrução ter reservado mil e quinhentos rublos num amuleto (o qual nunca existiu), imaginou isso ali na hora talvez, precisamente porque, duas horas antes, retirara e havia escondido a metade da soma, em alguma parte, em Mókroie, por prevenção, até pela manhã, para não guardá-la consigo, de acordo com uma inspiração súbita. Lembrai-vos, senhores jurados, de que Karamázov pode contemplar ao mesmo tempo dois abismos. Nossas pesquisas naquela casa foram vãs, talvez o dinheiro lá ainda esteja, talvez tenha desaparecido no dia seguinte e se encontre agora de posse do acusado. Em todo caso, detiveram-no ao lado de sua amante, de joelhos diante dela que estava deitada; estendia-lhe ele os braços, esquecendo tudo mais, a ponto de não ouvir a aproximação daqueles que iam detê--lo. Não teve tempo de preparar uma resposta e foi apanhado desprevenido.

"E agora ei-lo diante de seus juízes, diante daqueles que vão decidir de sua sorte. Senhores jurados, há, no exercício de nossas funções, momentos em que nós mesmos temos quase medo da humanidade! É quando se contempla o terror bestial do criminoso que se vê perdido, mas quer lutar ainda. É quando o instinto de conservação desperta nele de repente, quando ele fixa em nós um olhar penetrante, cheio de ansiedade e de sofrimento, quando ele escruta vosso rosto, vossos pensamentos, pergunta a si mesmo de que lado virá o ataque, imagina, num instante, no seu espírito perturbado, mil planos, mas teme falar, teme trair-se! Esses momentos humilhantes para a alma humana, esse calvário, essa avidez bestial de salvação são horríveis, fazem tremer por vezes o próprio juiz e excitam sua compaixão. E nós assistimos a esse espetáculo. A princípio aturdido, deixou ele escapar no seu terror algumas palavras das mais comprometedoras: 'O sangue! Mereci!'. Mas logo se reteve. Não sabe ainda que dizer, que responder e só pode opor uma vã negativa: 'Sou inocente da morte de meu pai!'. Eis a primeira trincheira, por trás da qual tentará construir outros trabalhos de defesa. Sem aguardar nossas perguntas, trata de explicar suas primeiras exclamações comprometedoras dizendo que se acha culpado somente da morte do velho criado Grigóri: 'Sou culpado desse sangue, mas quem matou meu pai, senhores, quem pôde matá-lo, senão eu?'. Ouvis, ele pergunta a nós que fomos fazer-lhe essa pergunta! Compreendeis esta frase antecipada: 'Senão eu?', essa trapaça, essa ingenuidade, essa impaciência de Karamázov? Não fui eu quem matou, não acrediteis em nada. 'Quis matar, senhores', apressa-se ele em confessar (tem pressa), 'mas estou inocente, não fui eu!'. Convém que quis matar: vede como sou sincero, apressai-vos também em crer na minha inocência. Oh! nesses casos, o criminoso se mostra por vezes duma irreflexão, duma credulidade incríveis. Como por acaso, o juiz de instrução lhe faz a pergunta mais ingênua: 'Não seria Smierdiákov o assassino?'. Aconteceu o que esperávamos; zangou-se por ter sido precedido, tomado de improviso, sem que lhe deixem tempo de escolher o momento mais favorável para empurrar para a frente Smierdiákov. Seu gênio arrebata-o logo ao extremo, afirma-nos energicamente que Smierdiákov é incapaz de assassinar. Mas não lhe deis crédito, não passa de uma astúcia, não renuncia absolutamente a acusar Smierdiákov, pelo contrário, vai voltar a isso, já que não tem outra pessoa, porém mais tarde, porque para o momento o negócio está estragado. Não será talvez senão no dia seguinte, ou mesmo dentro de vários dias: 'Vós vedes, era o primeiro a negar que foi Smierdiákov, vós vos lembrais, mas agora, estou convencido, não foi talvez senão ele!'. No momento, opõe-nos negações veementes, a impaciência e a cólera lhe sugerem a explicação mais inverossímil; olhou seu pai pela janela e afastou-se respeitosamente. Ignorava ainda o alcance do depoimento de Grigóri. Procedemos ao exame detalhado de suas roupas. Essa operação exaspera-o, mas retoma coragem; só foram encontrados mil e quinhentos rublos dos três mil. É então, nesses minutos de irritação contida, que a ideia do amuleto lhe vem pela primeira vez ao espírito. Certamente, ele próprio sente toda a inverossimilhança desse conto e tem trabalho para torná-lo mais plausível, para inventar um romance conforme a verdade. Em semelhante caso, o inquérito não deve dar ao criminoso tempo de se reconhecer, proceder por ataque brusco, a fim de que ele revele seus pensamentos íntimos na sua ingenuidade e na sua contradição. Não se pode obrigar um criminoso a falar senão comunicando-lhe de improviso, como por acaso, um fato novo, uma circunstância duma extrema importância, que permaneceu até então para ele não prevista e despercebida. Tínhamos bem pronto um fato semelhante, é o testemunho do criado Grigóri, a respeito da porta aberta por onde saiu o acusado. Tinha-a ele totalmente esquecido e não supunha que Grigóri tivesse podido notá-la. O efeito foi colossal. Karamázov ergue-se, gritando: 'Foi Smierdiákov quem matou, foi ele!', revelando assim seu pensamento íntimo, sob a forma mais inverossímil, porque Smierdiákov não podia assassinar senão depois que Karamázov tivesse dominado Grigóri e fugido. Ao saber que Grigóri vira a porta aberta antes de cair, e ouvido, quando levantou, Smierdiákov gemer por trás do tabique, ficou aterrorizado. Meu colaborador, o ilustre e sagaz Nikolai Parfiénovitch, contou-me mais tarde que naquele momento sentira-se emocionado até as lágrimas. Então, para livrar-se de apuros, apressa-se o réu em contar-nos a história daquele famoso amuleto. Senhores jurados, já vos expliquei por que considero essa história do dinheiro costurado um mês antes num amuleto, não apenas como um absurdo, mas como a invenção mais extravagante que se possa imaginar no caso particular. Mesmo apostando para saber quem faria o conto mais inverossímil, nada de pior se teria encontrado. Aqui, pode-se confundir o narrador triunfante com os detalhes, esses detalhes cuja realidade é sempre tão rica e que esses infelizes narradores involuntários desdenham sempre como supostamente inúteis e insignificantes. Trata-se bem disto, o espírito deles medita um plano grandioso e ousam objetar-lhes ninharias! Ora, está nisso o defeito da couraça. Pergunta-se ao acusado: 'Onde o senhor arranjou o pano para seu amuleto, quem o costurou?'. — 'Eu mesmo o costurei.' — 'Mas donde vem o pano?' O acusado ofende-se logo, considera isso como um detalhe quase ofensivo para ele e, podeis acreditar? está de boa-fé! São todos semelhantes. 'Cortei de minha camisa'. — 'Perfeito. De modo que, amanhã encontraremos na sua roupa íntima essa camisa com um pedaço tirado.' Pensai bem, senhores jurados, que se tivéssemos encontrado essa camisa (e como não encontrá-la na sua mala ou na sua cômoda, se ele disse a verdade?) constituiria isto já um fato tangível em favor da exatidão de suas declarações! Mas ele não percebe isso. — 'Não me lembro, pode dar-se que o tenha costurado aproveitando uma touca de minha locadora.' — 'Que touca?' — 'Tirei-a de seu quarto, andava por ali, uma velharia de algodão.' — 'Está bem certo disso?' — 'Não, bem certo não...' E ele se zanga, no entanto. Como não se lembrar? Nos momentos mais terríveis, quando levam a gente ao suplício, são precisamente de semelhantes detalhes que nos lembramos. O condenado esquecerá tudo, mas um teto verde avistado no caminho ou uma gralha sobre uma cruz vai lhe voltar à memória. Ao costurar seu amuleto, ocultava-se das pessoas da casa, deveria lembrar-se desse medo humilhante de ser surpreendido, de agulha na mão, e como, ao primeiro alerta, correu para trás do tabique (há um no seu quarto) ... Mas, senhores jurados, por que comunicar-vos todos estes detalhes? — exclamou Ipolit Kirílovitch. — É porque o réu mantém obstinadamente até hoje essa versão absurda! Durante esses dois meses, desde aquela noite fatídica, nada explicou nem acrescentou um fato probante às suas precedentes declarações fantásticas. São ninharias, diz ele, e vós deveis acreditar na minha palavra de honra! Oh! seríamos felizes em acreditar, isso desejaríamos ardentemente, ainda que seja só pela honra! Somos chacais, sedentos de sangue humano? Indicai-nos um só fato em favor do réu, e nós nos regozijaremos, mas um fato tangível, real, e não as deduções de seu irmão, baseadas na expressão de seu rosto, ou a hipótese de que, batendo no peito, no escuro, devia necessariamente designar o amuleto. Nós nos regozijaremos com esse acontecimento novo, seremos os primeiros a abandonar a acusação. Agora, a justiça reclama, e nós acusamos, sem nada suprimir às nossas conclusões."

Depois, Ipolit Kirílovitch chegou à peroração. Tinha febre; com uma voz vibrante evocou o sangue vertido, o pai morto por seu filho "pela vil intenção de roubá-lo". Insistiu na concordância trágica e flagrante dos fatos. "E seja o que for que possa dizer-vos o defensor célebre do réu, malgrado a eloquência patética que fará apelo à vossa sensibilidade, não esqueçais que estais no santuário da justiça. Lembrai-vos de que sois os defensores do direito, o baluarte de nossa santa Rússia, dos princípios, da família, de tudo quanto lhe é sagrado. Sim, vós representais a Rússia neste momento e não somente neste recinto repercutirá vosso veredicto; toda a Rússia vos escuta, a vós, seus sustentáculos e seus juízes, e ficará reconfortada ou consternada pela sentença que ides proferir. Não enganeis sua expectativa, nossa fatal tróica corre a toda a brida, talvez para o abismo. Desde muito tempo, muitos russos elevam os braços, quereriam deter essa corrida insensata. E se os outros povos se afastam ainda da tróica em disparada, não é talvez por respeito, como imaginava o poeta; é talvez por horror, por desgosto, notai bem. E ainda é bom que se afastem, porque poderiam muito bem erguer um muro sólido diante desse fantasma e porem eles próprios um freio ao desencadeamento de nossa licenciosidade, para se preservar a si mesmos e à civilização. Essas vozes de alarme começam a repercutir na Europa, já as ouvimos. Guardai-vos de tentá-las, de alimentar seu ódio crescente com um veredicto que absolveria o parricida!"

Em suma, Ipolit Kirílovitch, que se deixara arrebatar, acabou duma maneira patética e produziu grande efeito. Apressou-se em sair e quase desmaiou na peça contígua. O público não aplaudiu, mas as pessoas sérias estavam satisfeitas. As damas estavam menos, contudo a eloquência dele também lhes agradou, tanto mais que não lhes temiam as consequências e contavam bastante com Fietiukóvitch: "Ele vai afinal tomar a palavra, e, decerto, triunfar!". Mítia atraía os olhares; durante a acusação, permanecera silencioso; de dentes cerrados, olhos baixos. Uma vez ou outra, erguia a cabeça e prestava atenção, sobretudo quando se tratou de Grúchenhka. Quando o procurador citou a opinião de Rakítin sobre ela, Mítia teve um sorriso desdenhoso e proferiu bastante distintamente: "Bernard!". Quando Ipolit Kirílovitch contou como o havia atormentado por ocasião do interrogatório em Mókroie, Mítia levantou a cabeça, escutou com intensa curiosidade. Num dado momento, pareceu querer levantar-se, gritar qualquer coisa, mas conteve-se e contentou-se com erguer desdenhosamente os ombros. As proezas do procurador em Mókroie desenfrearam mais tarde os falatórios e zombaram de Ipolit Kirílovitch: "Ele não pôde deixar de gabar suas capacidades." A audiência foi suspensa por um quarto de hora, vinte minutos. Tomei nota de certas opiniões expostas em público:

— Um discurso sério! — observou, franzindo os supercílios, um senhor num grupo.

— Meteu-se na psicologia — disse outra voz.

— Tudo isso é rigorosamente verdadeiro.

— Sim, revelou-se um mestre.

— Fez o balanço completo.

— Nós também tivemos a nossa conta — acrescentou uma terceira voz. — No começo, lembram-se? quando ele disse que todos eram como Fiódor Pávlovitch.

— E no fim também. Mas isso não é verdade.

— Deixou-se arrebatar um pouco!

— É injusto, injusto.

— Mas não, foi hábil. Esperou muito tempo sua hora: falou afinal! eh! eh!

— Que irá dizer o defensor?

Num outro grupo:

— Não teve razão em atacar o petersburguês, "fazendo apelo à sensibilidade", lembram-se?

— Sim, cometeu uma rata.

— Foi demasiado longe.

— Um homem nervoso.

— Estamos aqui, a rir, mas como se sentirá o réu?

— Sim, como se sente Mítia?

— Que irá dizer o defensor?

Num terceiro grupo:

— Quem é aquela senhora obesa, com uma luneta, sentada na extremidade?

— É a esposa divorciada dum general. Conheço-a.

— Por isso usa uma luneta.

— Um velho quadro.

— Não é não, é picante.

— Dois lugares mais adiante está uma lourinha, aquela é melhor.

— Procederam com muita habilidade em Mókroie, não foi?

— Decerto. Voltou a falar disso. Como se não o tivesse feito bastante na sociedade!

— Não pôde conter-se. O amor-próprio.

— Um preterido, eh! eh! eh!

— E suscetível. Muita retórica, frases grandiloquentes.

— Sim, e notem que ele quer causar medo. Lembram-se da tróica? "Em outra parte tem-se Hamlet, e nós não temos senão Karamázov!" Isto não está mal.

— Isto é endereçado aos liberais. Tem medo.

— Tem medo também do advogado.

— Sim, que irá dizer o Senhor Fietiukóvitch?

— Pois bem! Diga o que disser, não convencerá os nossos mujiques.

— Acredita que não?

Num quarto grupo:

— O que disse da tróica está bem, principalmente quando fala dos povos.

— E é verdade, lembras-te?, quando disse que os povos não esperariam.

— Como assim?

— Na semana passada, um membro do parlamento inglês interpelou o ministério a respeito dos niilistas e perguntou: "Não seria tempo de ocuparem essa nação bárbara para educá-la?". Foi a ele que Ipolit Kirílovitch fez alusão, eu sei. Falou disso a semana passada.

— Não têm o braço tão longo assim.

— Por que não bastante longo?

— Basta que fechemos Cronstadt[113] e não lhes forneçamos trigo. Onde o arranjarão?

— Mas há agora na América.

— Não é verdade.

Mas a sineta fez-se ouvir. Cada qual se precipitou para seu lugar. Fietiukóvitch tomou a palavra.

X / A DEFESA. UMA ARMA DE DOIS GUMES

Ficou tudo em silêncio às primeiras palavras do célebre advogado. A sala inteira tinha os olhos fixos nele. Começou com uma simplicidade persuasiva, mas sem a menor jactância. Nenhuma pretensão à eloquência e ao patético. Era um homem que conversava na intimidade de um círculo de amigos. Tinha uma bela voz, forte, agradável, em que ressonava algo de sincero, de simples. Mas cada qual sentiu logo que o orador podia elevar-se ao verdadeiro patético, "e tocar os corações com uma força desconhecida". Exprimia-se talvez menos corretamente que Ipolit Kirílovitch, mas sem longas frases e com mais precisão. Uma coisa desagradou às senhoras: curvava-se, sobretudo no começo, não para saudar, mas como para lançar-se na direção de seu auditório; parecia que seu longo dorso estava provido no meio de uma dobradiça capaz de formar quase um ângulo reto. No início, falou como que desalinhavadamente, sem método, escolhendo os fatos ao acaso, para deles formar afinal um todo completo. Seria possível dividir seu discurso em duas partes, a primeira constituindo uma crítica, uma refutação da acusação, por vezes mordaz e sarcástica. Mas na segunda, mudou de tom e de processos, elevou-se de súbito até o patético; a sala parecia esperar por isso e fremiu de entusiasmo. Abordou diretamente o caso, declarando que, muito embora sua atividade se desenrolasse em Petersburgo, ia muitas vezes à província defender acusados cuja inocência lhe parecia certa ou provável. "Aconteceu-me a mesma coisa desta vez — explicou. — Bastou-me a leitura dos jornais no começo, para que eu notasse algo de impressionante em favor do acusado. Meu interesse foi despertado por um fato bastante frequente na prática judiciária, mas que não se observa nunca, creio, em tal grau e com particularidades tão características como no presente processo. Deveria mencionar esse fato somente na minha peroração, mas formularei meu pensamento desde o começo, tendo a fraqueza de abordar o assunto diretamente, sem mascarar os efeitos nem poupar as impressões. Será talvez imprudente de minha parte, mas é sincero. Esse pensamento se formula da seguinte maneira: uma concordância esmagadora de fatos contra o réu e, ao mesmo tempo, nem um fato que suporte a crítica, se examinado isoladamente. Os boatos e os jornais tinham-me confirmado sempre mais nessa ideia, quando recebi de repente dos parentes do acusado a proposta para defendê-lo. Aceitei com entusiasmo e acabei de convencer-me aqui. Foi afinal para

---

113   Porto e forte militar numa ilha, no fundo do golfo da Finlândia, junto à foz do rio Nievá.

destruir essa funesta concordância dos fatos, de demonstrar a inanidade de cada uma das acusações considerada isoladamente, que aceitei defender esta causa."

Depois deste exórdio o defensor prosseguiu:

— "Senhores jurados, sou aqui um forasteiro, acessível a todas as impressões, sem partido preconcebido. O acusado, de caráter violento, de paixões desenfreadas, não me ofendeu anteriormente, como aconteceu a numerosas pessoas desta cidade, o que explica muitas das prevenções contra ele. Decerto, convenho que a opinião pública está indignada contra ele com razão: o réu é violento, incorrigível. Era, no entanto, recebido em toda parte; acolhiam-no mesmo festivamente na família de meu eminente contraditor. *(Nota bene.* Houve aqui entre o público algumas risadas, aliás logo reprimidas. Cada um sabia que o procurador recebia Mítia em sua casa contra sua vontade, unicamente porque se interessava por ele sua mulher, senhora das mais respeitáveis, porém extravagante e que gostava de teimar contra seu marido, sobretudo em detalhes. De resto, Mítia ia bastante raramente à casa deles.) Não obstante, ouso admitir — prosseguiu o defensor — que, mesmo um espírito bastante independente e um caráter tão justo como meu contraditor tenha podido conceber contra meu constituinte certa prevenção errônea. Oh! é tão natural, o infeliz bem que o mereceu. O senso moral e sobretudo o senso estético são por vezes inexoráveis. Decerto, a eloquente acusação nos apresentou uma análise rigorosa do caráter e dos atos do acusado, um ponto de vista estritamente crítico; testemunha profundeza psicológica, quanto à essência do caso, que não poderia ter sido atingida se o animasse apenas um preconceito contra a personalidade do réu. Mas há coisas piores e mais funestas, em semelhante caso, que um preconceito hostil. Acontece, por exemplo, quando somos obsessionados por uma necessidade de criação artística, de invenção romanesca, sobretudo com os ricos dons psicológicos que são nosso apanágio. Ainda em Petersburgo, tinham-me prevenido, aliás eu mesmo sabia, que teria aqui como adversário um psicólogo profundo e sutil, que se assinalou desde muito tempo por essa qualidade no mundo judiciário. Mas a psicologia, senhores, embora sendo uma ciência notável, assemelha-se a uma arma de dois gumes. Eis aqui um exemplo tomado ao acaso na acusação. O réu, de noite, no jardim, ao fugir, escala a paliçada, derruba com uma pancada de pilão o criado Grigóri, que o agarrou pela perna. Logo depois, salta em terra, e durante cinco minutos fica ao lado de sua vítima para saber se a matou ou não. O acusador não quer por coisa alguma no mundo acreditar na sinceridade do acusado que afirma ter agido por um sentimento de compaixão. 'Tal sensibilidade será possível em tal momento? Não é natural; o que ele quis precisamente foi assegurar-se de que a única testemunha de seu crime vivia ainda, provando assim que ele o havia cometido, porque não podia saltar dentro do jardim por outro motivo.' Eis a psicologia, apliquemo-la por nossa vez ao caso, mas pela outra extremidade e será também perfeitamente verossímil. O assassino salta da terra por prudência, para assegurar-se de que a testemunha vive ainda e, no entanto, acaba de deixar no escritório de seu pai, segundo o testemunho do próprio acusador, uma prova esmagadora, o envelope rasgado cujo sobrescrito indicava que continha ele três mil rublos. 'Se ele tivesse levado o envelope, ninguém no mundo teria sabido da existência desse dinheiro e, por conseguinte, do roubo cometido pelo réu.' São os próprios termos da acusação. Mas admitamos a coisa; eis bem aqui a sutileza da psicologia, que me atribui em tais circunstâncias a ferocidade e a vigilância da águia, e um instante depois a timidez e a cegueira da toupeira! Mas se levo a crueldade e o cálculo ao ponto de tornar a descer, unicamente para ver se a testemunha de meu crime vive ainda, por que ficar, solícito, cinco minutos junto daquela nova vítima, correndo o risco de atrair novas testemunhas? Por que estancar com meu lenço o sangue que corre do ferimento, para que esse lenço sirva em seguida de peça de convicção? Neste caso, não teria valido mais acabar a golpes de pilão aquela testemunha incômoda? Ao mesmo tempo, deixa no local outra testemunha, o pilão, de que se apoderou na casa das duas mulheres que poderão sempre reconhecê-lo, atestar que o retirou de casa delas. E não o deixou cair na alameda, esquecido por distração, no seu afobamento; não, atiramos fora nossa arma, encontrada a quinze passos do local onde Grigóri tombou golpeado. Por que agir assim? — perguntarão. Foi o remorso de ter assassinado o velho criado, foi ele que nos fez atirar fora com uma maldição o instrumento fatal, não há outra explicação. Se podia sentir remorso desse assassinato, foi certamente porque estava inocente do de seu pai. Um parricida, longe de se aproximar da vítima por compaixão, só teria pensado em salvar a pele. Pelo contrário, repito-o, em lugar de ir atendê-la, teria acabado de rebentar-lhe o crânio. A piedade e os bons sentimentos supõem, previamente, uma consciência pura. Eis outra espécie de psicologia. É de propósito, senhores jurados, que recorro também eu à psicologia para demonstrar claramente que dela se pode tirar não importa o quê. Tudo depende daquele que opera. Quero falar dos excessos da psicologia, senhores jurados, do abuso que dela se faz."

Aqui se ouviram de novo, entre o público, risos aprovadores. Não reproduzirei por inteiro a defesa, limitando-me a citar-lhe as passagens essenciais.

XI / Nem dinheiro, nem roubo

Houve uma passagem da defesa que surpreendeu todo mundo: foi a negativa formal da existência daqueles três mil rublos fatais e, por consequência, da possibilidade de um roubo.

— "Senhores jurados, o que impressiona neste processo, a qualquer espírito não prevenido, é uma particularidade das mais características: a acusação de roubo e, ao mesmo tempo, a impossibilidade completa de indicar materialmente o que foi roubado. Pretende-se que três mil rublos desapareceram, mas ninguém sabe se existiram realmente. Julgai: em primeiro lugar, como viemos a saber da existência desses três mil rublos e quem os viu? Somente o criado Smierdiákov, que declarou que se encontravam eles num envelope subscritado. Falou disso antes do drama ao acusado e a seu irmão, Ivan Fiódorovitch. A Senhora Svietlova foi também informada. Mas essas três pessoas não viram o dinheiro e uma questão surge: se verdadeiramente ele existiu e Smierdiákov o viu, quando foi que o viu a derradeira vez? E se seu amo tivesse retirado esse dinheiro da cama para tornar a guardá-lo no cofre, sem lhe dizer? Notai que, segundo Smierdiákov, estava ele oculto debaixo do colchão; o acusado deve tê-lo arrancado dali; ora, o leito estava intato, como está provado nos autos. Como pode ser isso, e sobretudo, por que os lençóis finos colocados expressamente naquela noite não ficaram manchados pelas mãos ensanguentadas do réu? Mas, dirão, e o envelope rasgado sobre o soalho? Vale a pena falar disso. Ainda há pouco, fiquei um tanto surpreso por ouvir o próprio eminente acusador dizer a esse respeito, quando assinalava o absurdo da hipótese de ser Smierdiákov o assassino: 'Sem esse envelope, se ele não tivesse ficado no chão como uma prova e o ladrão o tivesse levado, ninguém no mundo teria sabido de sua existência e de seu conteúdo e, por conseguinte, do roubo cometido pelo acusado.' Assim, pela própria confissão da acusação, é únicamente esse pedaço de papel rasgado, munido dum sobrescrito, que serve para culpar de roubo o réu, 'senão, ninguém teria sabido que houvera roubo e, talvez, que o dinheiro existisse'. Ora, o simples fato de achar-se no chão esse pedaço de papel basta para provar que continha dinheiro e que o roubaram? Mas, objeta-se, Smierdiákov viu-o no envelope. Quando o viu pela última vez? Eis o que eu pergunto. Conversei com Smierdiákov, disse-me tê-lo visto dois dias antes do drama! Mas por que não supor, por exemplo, que o velho Fiódor Pavlóvitch, trancado em seu quarto, na febril expectativa de sua bem-amada, teria, à toa, tirado e rasgado o envelope? 'Ela talvez não me acredite, mas quando eu lhe mostrar um maço de trinta cédulas, isto causará mais efeito, a água lhe virá à boca' — e rasga o envelope, retira dele o dinheiro e atira-o no chão, sem temer naturalmente comprometer-se. Senhores jurados, não vale esta hipótese o mesmo que a outra? Que há nela de impossível? Mas neste caso a acusação de roubo cai por si mesma; não havendo dinheiro, não há roubo. Pretende-se que o envelope encontrado no chão prova a existência do dinheiro; eu não posso sustentar o contrário e dizer que ele estava caído vazio no soalho precisamente porque aquele dinheiro tinha sido dele retirado previamente pelo seu próprio dono? 'Mas neste caso, onde foi parar o dinheiro, não o encontraram por ocasião da busca?' Em primeiro lugar, encontraram uma parte no seu cofrezinho; depois ele pôde retirá-lo de manhã ou mesmo na véspera, dispor dele, enviá-lo, mudar afinal completamente de ideia, sem julgar necessário dar disso parte a Smierdiákov. Ora, se esta hipótese é um tanto pouco verossímil, como se pode inculpar tão categoricamente o réu de assassinato seguido de roubo e afirmar que houve roubo? Entramos assim no domínio da novela. Para sustentar que uma coisa foi roubada, é preciso designar essa coisa ou pelo menos provar irrefutavelmente que ela existiu. Ora, ninguém nem mesmo a viu. Recentemente, em Petersburgo, um rapaz de dezoito anos, comerciante ambulante, entrou em pleno dia na casa de um cambista que ele matou a golpes de machado com uma audácia extraordinária, levando mil e quinhentos rublos. Foi preso cinco horas depois; encontrou-se em seu poder a soma inteira, menos quinze rublos já gastos. Além disso, o caixeiro da vítima, que se havia ausentado, indicou à polícia não só o montante do roubo, mas o valor e o número das cédulas e das moedas de ouro de que se compunha a soma. Foi tudo encontrado de posse do assassino, que fez aliás confissões completas. Eis, senhores jurados, o que eu chamo uma prova! O dinheiro está ali, pode-se tocá-lo, impossível negar-lhe a existência. Dá-se o mesmo no caso que nos ocupa? No entanto, a sorte de um homem está em jogo. 'Pois seja — dirão —, mas ele foi farrear naquela mesma noite e esbanjou dinheiro e donde provêm os *mil e quinhentos rublos* que foram encontrados em seu poder?' Mas precisamente o fato de só terem encontrado mil e quinhentos rublos, a metade da soma, prova que esse dinheiro não provinha talvez de modo algum do envelope. Calculando rigorosamente o tempo, estabeleceu o inquérito que o acusado, depois de ter visto as criadas, se dirigiu diretamente à casa do funcionário Pierkhótin, pois não ficou só um instante, não tendo podido, pois, ocultar na cidade a metade dos três mil rublos. A acusação se baseia nisso para supor que o dinheiro está oculto em alguma parte na aldeia de Mókroie. Por que não nos subterrâneos do castelo de *Udolfo*,[114] senhores? Isto não é uma suposição fantástica e romanesca? E notai, basta afastar essa hipótese para que a acusação de roubo venha abaixo, porque que fim tiveram esses mil e quinhentos rublos? Por meio de qual prodígio puderam desaparecer, se está demonstrado que o réu não foi a parte alguma? E é com semelhantes novelas que estamos prestes a destruir uma vida humana? No entanto, poderão dizer, ele não soube explicar a proveniência do dinheiro encontrado em seu poder, aliás, cada qual sabe que ele não o tinha antes. Mas quem sabia? O acusado explicou claramente donde provinha o dinheiro e se quiserdes, senhores jurados, essa explicação é das mais verossímeis e concorda completamente com o caráter do réu. A acusação atém-se à sua própria novela: um homem de vontade fraca, tendo aceito três mil rublos de sua noiva em condições humilhantes, não pôde, dizem, retirar a metade e guardá-la num amuleto; pelo contrário, supondo-se que o houvesse feito, iria descosturá-lo a cada dois dias para dele retirar cem rublos e nada teria restado ao fim de um mês. Deveis lembrar-vos de que tudo isso foi declarado num tom que não sofria objeção. Mas se as coisas se tivessem passado de outro modo e tivésseis criado outro personagem? Foi bem o que aconteceu. Poderão talvez objetar: 'Testemunhas atestam que ele gastou de uma vez, na aldeia de Mókroie, os três mil rublos emprestados pela Senhorita Vierkhóvtseva, por conseguinte, não pôde retirar-lhes a metade.' Mas quais são essas testemunhas? Já se viu o crédito que merecem. Além do mais, um bolo na mão de outrem parece sempre maior. Nenhuma dessas testemunhas contou as cédulas, todas as avaliaram de relance de olho. A testemunha Maksímov chegou a declarar que o réu tinha vinte mil rublos. Vede, senhores jurados, como a psicologia serve a duplo fim. Permiti-me aplicar aqui a contrapartida. Veremos o que resultará disso.

"Um mês antes do drama, três mil rublos foram confiados ao acusado pela Senhorita Vierkhóvtseva, para enviá-los, pelo correio, mas pode-se perguntar se foi em condições tão humilhantes como se proclamou ainda há pouco. O primeiro depoimento da Senhorita Vierkhóvtseva a este respeito era bem diferente, o segundo transpirava cólera, vingança, um ódio muito tempo dissimulado. Mas o simples fato de a testemunha não ter dito a verdade, por ocasião de sua primeira versão, dá-nos o direito de concluir que o mesmo aconteceu na segunda. A acusação respeitou essa novela, imitarei sua reserva. Todavia, vou me permitir observar que se uma pessoa tão pura e tão respeitável como a Senhorita Vierkhóvtseva se permite na audiência mudar de repente seu depoimento, no fim evidente de prejudicar o acusado, é também evidente que suas declarações estão maculadas de parcialidade. Poderiam nos negar o direito de concluir que uma mulher ávida de vingança pode exagerar muitas coisas? Notadamente as condições humilhantes em que o dinheiro foi oferecido. Pelo contrário, esse oferecimento deve ter sido feito duma maneira aceitável, sobretudo para um homem tão leviano quanto nosso constituinte, que contava aliás receber em breve de seu pai os três mil rublos devidos pelo acerto de contas. Era aleatório, mas sua leviandade mesma o persuadia de que iria obter satisfação e poderia por conseguinte desonerar-se de sua dívida para com a Senhorita

---

114   *Os mistérios de Udolfo*, romance muito popular em toda a Europa, da romancista inglesa Anne Radcliffe (1764-1823).

Vierkhóvtseva. Mas a acusação repele absolutamente a versão do amuleto: 'Esses sentimentos são incompatíveis com seu caráter'. No entanto, falastes vós mesmo dos dois abismos que Karamázov pode contemplar ao mesmo tempo. Com efeito, sua natureza bifronte é capaz de deter-se no meio da devassidão mais desenfreada, se sofre uma outra influência. Essa outra influência é o amor, esse novo amor que se inflamou nele como a pólvora, e para a qual é preciso dinheiro, mais ainda que para fazer a farra com aquela mesma bem-amada. Se ela lhe disser: 'Sou tua, não quero Fiódor Pávlovitch', ele a agarrará, irá levá-la para longe, com a condição de ter os meios para isso. Isto se passa antes do bródio. Karamázov não é capaz de perceber isso? Eis o que o atormentava; que há de inverossímil no ter ele reservado esse dinheiro para o que desse e viesse? Mas o tempo passa, Fiódor Pávlovitch não dá ao acusado os três mil rublos, pelo contrário, corre o boato de que os destina precisamente para seduzir sua bem-amada. 'Se Fiódor Pávlovitch não me der nada — pensa ele —, passarei por um ladrão aos olhos de Katierina Ivânovna.' Assim nasce a ideia de ir depositar diante de Katierina Ivânovna aqueles mil e quinhentos rublos que continua a trazer consigo, no amuleto, dizendo: 'Sou um miserável, mas não um ladrão'. Eis, pois, uma dupla razão para conservar aquele dinheiro como a menina de seus olhos, em lugar de abrir o amuleto e dele retirar uma cédula após outra. Por que recusar ao acusado o sentimento da honra? Existe nele esse sentimento, mal compreendido talvez, muitas vezes errôneo, seja, mas real, levado até à paixão, ele o provou. Mas a situação se complica, as torturas do ciúme atingem seu paroxismo, e essas duas questões, sempre as mesmas, obsedam cada vez mais o cérebro enfebrecido do acusado: 'Se eu reembolsar Katierina Ivânovna com que dinheiro levarei Grúchenhka?'. Se se embriagou, praticou loucuras e barulho nos botequins durante todo aquele mês, foi talvez precisamente porque estava cheio de amargura e sem força para suportar aquele estado de coisas. Essas duas questões tornaram-se finalmente tão irritantes que o reduziram ao desespero. Mandara seu irmão mais moço pedir uma derradeira vez aqueles três mil rublos a seu pai, mas, sem esperar a resposta, irrompeu em casa do velho e bateu-lhe diante de testemunhas. Depois disto, nada mais tinha a esperar. Naquela mesma noite, bate no alto do peito, precisamente no lugar daquele amuleto, e jura a seu irmão que tem um meio de apagar sua vergonha, mas que o manterá, porque se sente incapaz de recorrer a esse meio, sendo de caráter demasiado fraco. Por que recusa a acusação acreditar no depoimento de Alieksiéi Karamázov, tão sincero, tão espontâneo e plausível? Por que, ao contrário, impor a versão do dinheiro escondido numa fenda, nos subterrâneos do castelo de Udolfo? Na mesma noite da conversa com seu irmão, o acusado escreveu aquela carta fatal, base principal da acusação de roubo. 'Pedirei dinheiro a todo mundo, e se me recusarem, matarei meu pai e tirarei o dinheiro de sob o colchão, no envelope amarrado com uma fita cor-de-rosa, contanto que Ivan parta.' Eis o programa completo do assassinato. Como não seria ele? 'Tudo se passou como ele havia escrito?', exclama a acusação. Mas, em primeiro lugar, é uma carta de bêbedo, escrita sob o império duma extrema irritação; em seguida, não fala do envelope senão por informação de Smierdiákov, sem tê-lo ele próprio visto; em terceiro, se bem que a carta exista, como provar que os fatos a ela correspondem? O réu encontrou o envelope sob o travesseiro? Ele continha dinheiro mesmo? Aliás, era atrás do dinheiro que corria o acusado, lembrai-vos? Não correu como um louco para roubar, mas apenas para saber onde estava aquela mulher que o fizera perder a cabeça, por conseguinte não de acordo com um plano, para um roubo premeditado, mas de improviso, num acesso de ciúme furioso? 'Sim, mas depois do crime, apoderou-se do dinheiro.' Finalmente, matou, sim ou não? Repilo com indignação a acusação de roubo; só será possível, se se indicar exatamente o objeto do roubo, é um axioma! Mas está demonstrado que ele matou, mesmo sem roubar. Não seria isso também uma novela?

XII / Não houve assassinato

— "Não vos esqueçais, senhores jurados, de que se trata da vida de um homem. A prudência se impõe. Até o presente, a acusação hesitava em admitir a premeditação. Foi preciso para convencê-la aquela fatal carta de bêbedo, apresentada hoje ao tribunal. 'Isto se passou, como ele o havia escrito.' Mas, repito, o acusado não correu à casa de seu pai senão para procurar sua amiga, saber onde ela estava. É um fato irrecusável. Se a tivesse encontrado em sua casa, longe de executar suas ameaças, não teria ido a parte alguma. Foi por acaso, de improviso, talvez sem se recordar de sua carta. 'Mas apoderou-se de um pilão', o qual, haveis de lembrar-vos, deu margem a considerações psicológicas. No entanto, vem-me ao espírito uma ideia bem simples: se esse pilão em lugar de encontrar-se a seu alcance, estivesse no armário, o acusado, não o vendo, teria partido sem arma, de mãos vazias, e não teria talvez matado ninguém. Como se pode concluir desse incidente a premeditação? Sim, mas proferiu nos botequins ameaças de morte contra seu pai, e dois dias antes, na noite em que foi escrita essa carta de bêbedo, estava calmo e brigou somente com um caixeiro, 'porque Karamázov não podia fazer de outro modo'. A isto, responderei que se ele tivesse meditado em tal crime, segundo um plano traçado, teria certamente evitado essa briga e não teria talvez ido ao botequim, porque, em semelhante caso, a alma busca a calma e o isolamento, esforça-se por subtrair-se à atenção: 'esquecei-me, se puderdes', e isto, não por cálculo apenas, mas por instinto. Senhores jurados, a psicologia tem duplo fim e nós sabemos também compreendê-la. Quanto a essas ameaças vociferadas durante um mês nos botequins, ouvem-se muitos meninos disputar-se ou bêbedos brigar, ao sair do botequim: 'eu te matarei', mas isso não vai mais longe. E essa carta fatal, não foi também o produto da embriaguez e da cólera, o grito do bêbedo que ameaça praticar uma desgraça? Por que não? Por que essa carta é fatal, em lugar de ser ridícula? Porque foi encontrado assassinado o pai do réu, porque uma testemunha viu no jardim o acusado armado que fugia e foi ela mesma por ele abatido, por conseguinte tudo se passou como ele havia escrito, eis por que essa carta não é ridícula, mas fatal. Deus seja louvado, eis-nos chegados ao ponto crítico. 'Uma vez que estava no jardim, matou, pois.' Toda a acusação se atém a estas palavras 'uma vez que' e 'pois'. E se este 'pois' não tivesse fundamento, apesar das aparências? Oh! convenho que a concordância dos fatos, as coincidências, são bastante eloquentes. No entanto, considerai todos esses fatos isoladamente, sem vos deixar impressionar por seu conjunto; por que, por exemplo, recusa a acusação absolutamente acreditar na veracidade do réu, quando ele declara ter-se afastado da janela de seu pai? Lembrai-vos dos sarcasmos a respeito da deferência e dos sentimentos piedosos que o assassino teria de súbito experimentado. E se tivesse havido verdadeiramente aqui algo de semelhante, um sentimento de piedade, senão de deferência? 'Sem dúvida, minha mãe rezava por mim então', declara o réu no inquérito, e fugiu assim que verificou que a Senhora Svietlova não estava em casa de seu pai. 'Mas não podia verificá-lo pela janela', objeta-nos a acusação. Por que não? A janela abriu-se aos sinais feitos pelo acusado. Fiódor Pávlovitch pôde pronunciar uma palavra, deixar escapar um grito, revelando a ausência da Senhora Svietlova. Por que ater-se absolutamente a uma hipótese surgida da nossa imaginação? Na realidade, há mil possibilidades escapando à observação do romancista mais sutil. 'Sim, mas Grigóri viu a porta aberta, por conseguinte, o acusado entrou certamente na casa, matou, pois.' Quanto a essa porta, senhores jurados... Vede, não temos aqui senão o único testemunho de um indivíduo que se achava, aliás, num tal estado que... Mas seja, a porta estava aberta, admitamos que as negativas do acusado sejam uma mentira, ditada por um sentimento de defesa bem natural, admitamos que ele haja penetrado na casa. Então, por que se quer que ele haja matado, se entrou? Pôde ter entrado, percorrido os quartos, pôde empurrar seu pai para um lado, bater-lhe mesmo, mas depois de ter verificado a ausência da Senhora Svietlova, fugiu, feliz por não tê-la encontrado e ter-se poupado um crime. Eis justamente por que, um momento depois, tornou a descer para ir em socorro de Grigóri, vítima de seu furor; foi porque era suscetível de experimentar um sentimento de piedade e de compaixão, porque escapara à tentação, porque sentia a alegria de um coração puro. Com uma eloquência impressionante, a acusação nos descreve o estado de espírito do acusado na aldeia de Mókroie, quando o amor lhe apareceu de novo, chamando-o a uma vida nova, quando não lhe era mais possível amar, tendo atrás de si o cadáver ensanguentado de seu pai e, em perspectiva, o castigo. No entanto, o ministério público admitiu o amor, explicando-o à sua maneira: 'A ebriedade, a trégua de que se beneficiava o criminoso, etc.'. Mas não criastes um novo personagem, senhor procurador, pergunto-vos novamente? O acusado é grosseiro e sem coração ao ponto de ter podido, num momento semelhante, pensar no amor e nos subterfúgios de sua defesa, tendo na verdade sobre a consciência o sangue de seu pai? Não, mil vezes não! Logo depois de ter descoberto que ela o ama, chama-o, promete-lhe a felicidade, estou persuadido de que ele teria experimentado uma necessidade imperiosa de suicidar-se e teria tirado a própria vida, se tivesse tido atrás de si o cadáver de seu pai. Oh! não, decerto, não teria esquecido onde se encontravam suas pistolas! Conheço o acusado; a brutal insensibilidade que lhe atribuem é incompatível com seu caráter. Teria se matado, é certo, e não o fez precisamente porque 'sua mãe rezava por ele', e porque não havia vertido o sangue de seu pai. Durante aquela noite passada em Mókroie, atormentou-se somente por causa do velho que abatera, suplicando a Deus que o reanimasse para que pudesse escapar à morte e ele próprio ao castigo. Por que não admitir esta versão? Que prova decisiva temos nós de que o acusado mente? Mas irão de novo opor-nos o cadáver de seu pai! ele fugiu sem matar, então quem é o assassino?

"Repito que é essa toda a lógica da acusação: quem matou, senão ele? Não há ninguém para pôr em seu lugar. Senhores jurados, será bem isso? É bem verdade que não se encontra ninguém mais? A acusação enumerou todos aqueles que estavam na casa ou a ela foram naquela noite. Encontraram-se cinco pessoas. Três dentre elas, convenho, estão inteiramente fora de causa: a vítima, o velho Grigóri e sua mulher. Restam, pois, Karamázov e Smierdiákov. O senhor procurador exclama pateticamente que o acusado só designa Smierdiákov em desespero de causa, que se houvesse uma sexta pessoa, ou mesmo sua sombra, o acusado, tomado de vergonha, trataria de denunciá-la depressa. Mas, senhores jurados, Por que não fazer o raciocínio inverso? Há dois indivíduos em presença: o acusado e Smierdiákov, não posso eu dizer que só se acusa o meu constituinte em desespero de causa? E isto unicamente porque, por prevenção, excluiu-se de antemão de toda suspeita Smierdiákov. Na verdade, Smierdiákov só é designado pelo réu, por seus dois irmãos e pela Senhora Svietlova. Mas há outros testemunhos: é a emoção confusa suscitada na sociedade por certa suspeita, percebe-se um vago rumor, sente-se uma espécie de expectativa. Enfim, prova disso é a conexão dos fatos, característica mesmo na sua impressão; em primeiro lugar, aquela crise de epilepsia sobrevinda precisamente no dia do drama, crise que a acusação teve de defender e de justificar o melhor que pôde. Depois esse repentino suicídio de Smierdiákov na véspera do julgamento. Em seguida, o depoimento não menos inopinado, em plenário, do irmão do acusado, que havia acreditado até então na sua culpabilidade e traz de repente o dinheiro declarando que Smierdiákov é o assassino. Oh! estou persuadido, tanto como o ministério público, de que Ivan Fiódorovitch está com febre nervosa, de que seu depoimento tenha podido ser uma tentativa desesperada, concebida no delírio, para salvar seu irmão, acusando o defunto. Não obstante, o nome de Smierdiákov foi pronunciado, tem-se de novo a impressão de um enigma. Dá a impressão, senhores jurados, que há aqui algo de inexprimido, de inacabado. Talvez a luz se faça. Mas não antecipemos. O tribunal decidiu ainda há pouco prosseguir nos debates. Eu poderia, enquanto espero, apresentar algumas observações a respeito do caráter de Smierdiákov, traçado com um talento tão sutil pela acusação. Embora admirando-o, não posso subscrever seus traços essenciais. Estive com Smierdiákov, falei-lhe, causou-me uma impressão bem diversa. Era fraco de saúde, decerto, mas não de caráter, não era absolutamente a criatura fraca que a acusação imagina. Sobretudo não encontrei nele timidez, essa timidez que nos descreveram de maneira tão característica. Nenhuma ingenuidade, uma extrema desconfiança, dissimulada sob as aparências da simplicidade, um espírito capaz de muito meditar. Oh! foi por candura que a acusação o julgou fraco de espírito. Produziu em mim uma impressão precisa; parti persuadido de estar tratando com uma criatura visceralmente má, desmedidamente ambiciosa, vingativa e invejosa. Recolhi certas informações; detestava sua origem, tinha vergonha dela e relembrava, rangendo os dentes, que provinha de uma fedorenta. Mostrava-se desrespeitoso para com o criado Grigóri e sua mulher, que haviam tomado conta dele na sua infância. Maldizendo a Rússia, dela zombava, sonhava partir para a França, tornar-se francês. Muitas vezes declarou, ainda antes, não poder fazê-lo por falta de recursos. Creio que não amava ninguém senão a si próprio e achava-se singularmente elevado... A cultura consistia para ele numa roupa decente, numa camisa limpa e em botas bem engraxadas. Crendo-se (há fatos em apoio) filho natural de Fiódor Pávlovitch, pôde criar ódio à sua situação em relação aos filhos legítimos de seu amo; eles têm tudo e ele nada, para eles todos os direitos, herança, enquanto que ele não passa de um cozinheiro. Contou-me que pusera o dinheiro no envelope com Fiódor Pávlovitch. O destino daquela soma — graças à qual teria podido abrir seu caminho — era-lhe evidentemente odioso. Além disso, viu três mil rublos em cédulas novas (perguntei-lhe de propósito). Oh! nunca mostreis a uma criatura invejosa e cheia de amor-próprio uma grossa soma de uma vez; ora, ele via pela primeira vez tal soma na mesma mão. Aquele maço de dinheiro pôde ter deixado na sua imaginação uma impressão mórbida, sem outras consequências no começo. Meu eminente contraditor expôs, com uma sutileza notável, todas as hipóteses pró e contra a possibilidade de acusar Smierdiákov de assassinato, insistindo nesta pergunta: que interesse tinha ele em simular uma crise? Sim, mas não simulou necessariamente, a crise pôde sobrevir muito naturalmente e passar da mesma forma, voltando o doente a si. Sem se restabelecer, terá retomado conhecimento, como acontece entre os epilépticos. Em que momento Smierdiákov cometeu seu crime?, pergunta a acusação. É muito fácil indicá-lo. Pôde voltar a si e levantar-se, depois de ter dormido profundamente (porque as crises são sempre seguidas dum profundo sono), justamente no momento em que o velho Grigóri, tendo agarrado pela perna, sobre a paliçada, o acusado, que fugiu, vociferou: 'Parricida!'. Esse grito incomum, no silêncio e nas trevas, pôde despertar Smierdiákov, cujo sono era já talvez mais leve. Levanta e vai quase inconscientemente ver de que se trata. Ainda estremunhado, sua imaginação dormita, mas ei-lo no jardim, aproxima-se das janelas iluminadas, toma conhecimento da terrível notícia de boca de seu amo, evidentemente satisfeito com a presença dele. O velho, aterrorizado, conta-lhe tudo pormenorizadamente. Sua imaginação inflama-se. E no seu cérebro perturbado, uma ideia toma corpo, ideia terrível, mas sedutora e duma lógica irrefutável: assassinar, apoderar-se dos três mil rublos e tudo atribuir depois ao filho do patrão. De quem se suspeitará agora, quem pode ser acusado senão ele? As provas existem, estava no local. A cupidez pode ter-se apoderado dele, ao mesmo tempo que a consciência da impunidade. Oh! a tentação sobrevém por vezes em rajadas, sobretudo em criminosos que não suspeitavam, um minuto antes, de que queriam matar! Assim, Smierdiákov pôde entrar nos aposentos de seu amo e executar seu plano. Com que arma? Mas com a primeira pedra que terá apanhado no jardim. Por que, com qual fim? Mas três mil rublos são uma fortuna. Oh! não me contradigo; o dinheiro pode ter existido. Talvez mesmo somente Smierdiákov sabia onde encontrá-lo em casa de seu amo. 'Pois bem! E o envelope caído no chão, rasgado?' Ainda há pouco, ao ouvir a acusação insinuar sutilmente a este respeito que somente um ladrão novato, tal como precisamente Karamázov, podia agir assim, e em nenhum caso Smierdiákov, que não teria jamais deixado tal prova contra si, ainda há pouco, senhores jurados, reconheci de súbito um argumento dos mais familiares. Imaginei que essa hipótese relativa à maneira pela qual Karamázov devia ter procedido com o envelope, já a ouvira eu dois dias antes do próprio Smierdiákov e isto para grande surpresa minha; ele me parecia, de fato, fingir ingenuidade e impor-me de antemão essa ideia para que eu tirasse dela a mesma conclusão, como se ele a soprasse. Ele não agiu da mesma maneira no inquérito e impôs essa hipótese ao eminente representante da acusação? E a mulher de Grigóri, dirão? Ouviu o doente gemer toda a noite. Seja, mas é este um argumento muito frágil. Conheci uma senhora que se queixava amargamente de ter estado acordada toda a noite por um cachorrinho que a impedia de dormir. No entanto, o pobre animal, como se soube, não latira senão duas ou três vezes. E é natural; uma pessoa que dorme ouve gemer, desperta resmungando, para tornar a adormecer logo. Duas horas depois, novo gemido, novo despertar seguido de sono, e ainda duas horas depois, três vezes ao todo. De. manhã, a pessoa que dormia levanta-se queixando-se de ter estado acordada a noite inteira por causa de gemidos contínuos. Deve necessariamente ter essa impressão; os intervalos de duas horas, durante os quais dormiu, escapam-lhe, somente os minutos de vigília lhe voltam ao espírito, parece-lhe que a despertaram a noite inteira. Mas por que, exclama a acusação, não confessou Smierdiákov no bilhete escrito antes de morrer? 'Sua consciência não chegou até aí.' Permiti; a consciência é já o arrependimento, talvez que o suicida não experimentasse arrependimento, mas apenas desespero. São duas coisas totalmente diversas. O desespero pode ser mau e irreconciliável, e o suicida, no momento de liquidar-se, podia detestar mais do que nunca aqueles de quem tivera inveja toda a sua vida. Senhores jurados, tomai cuidado em não cometer um erro judiciário! Que há de inverossímil em tudo quanto vos expus? Encontrai um erro em minha tese, encontrai nela uma impossibilidade, um absurdo! Mas se minhas conjeturas são pelo menos um pouco verossímeis, sede prudentes. Juro pelo que há de mais sagrado, creio absolutamente na versão do crime que acabo de apresentar-vos. O que me perturba sobretudo e me põe fora de mim é o pensamento de que, entre a massa de fatos acumulados pela acusação contra o réu, não há nem um só que seja seu tanto quanto exato e irrecusável. Sim, decerto, o conjunto é terrível; aquele sangue que goteja das mãos, de que está impregnada sua roupa íntima, aquela noite escura em que repercutiu o grito de 'Parricida!', aquele que o lançou ao cair, com a cabeça partida, depois aquela massa de palavras, de depoimentos, de gestos, de gritos, oh! tudo isso pode falsear uma convicção, mas não a vossa, senhores jurados! Lembrai-vos de que vos foi dado um poder ilimitado de ligar e desligar. Mas quanto maior é esse poder, mais temível é o seu uso! Mantenho absolutamente tudo quanto acabo de dizer, mas seja, convenho por um instante com a acusação que meu infeliz constituinte sujou suas mãos com o sangue de seu pai. Não é senão uma suposição, repito-o, não duvido nem um minuto de sua inocência, no entanto, escutai-me, mesmo nesta hipótese. Tenho ainda alguma coisa a dizer-vos, porque pressinto em vossos corações um violento combate... Perdoai-me esta alusão, senhores jurados, quero verdadeiramente ser verídico e sincero até o fim. Sejamos todos sinceros!"

Nesse momento o defensor foi interrompido por aplausos bastante vivos. Com efeito, pronunciou as derradeiras palavras com uma voz tão emocionada que todo mundo sentiu que talvez houvesse verdadeiramente alguma coisa a dizer, e alguma coisa de capital importância. o presidente ameaçou "mandar evacuar" a sala, se "semelhante manifestação" se reproduzisse. Todos se calaram e Fietiukóvitch começou, com uma voz compenetrada, totalmente mudada.

XIII / Um sofista

— "Não é somente o conjunto dos fatos que acabrunha meu constituinte, senhores jurados, não, o que o acabrunha, na realidade, é o fato apenas de terem encontrado seu pai assassinado. Se se tratasse de um simples crime, dada a dúvida que plaina sobre o caso, sobre cada um dos fatos considerados isoladamente, teríeis afastado a acusação ou pelo menos hesitado em condenar um homem unicamente por causa de uma prevenção contra ele, ai! demasiado justificado! Mas estamos em presença de um parricídio. Isto se impõe a ponto de fortificar a fragilidade mesma dos pontos principais de acusação, no espírito menos prevenido. Como absolver tal acusado? Se fosse culpado e escapasse ao castigo? Eis o sentimento instintivo de cada um. Sim, é uma terrível coisa derramar o sangue de seu pai, o sangue daquele que vos gerou, amou, o sangue daquele que prodigou sua vida por vós, que se afligiu com vossas doenças infantis, que sofreu para que fosseis felizes e não viveu senão pelas vossas alegrias e pelos vossos êxitos! Oh! o assassinato de tal pai, não se pode mesmo imaginá-lo! Senhores jurados, que é um pai verdadeiro, que majestade, que ideia grandiosa oculta esse nome? Acabamos de indicar em parte o que deve ser. Neste caso tão doloroso, o defunto, Fiódor Pávlovitch Karamázov, nada tinha de um pai, tal como nosso coração acaba de defini-lo. É desagradável. Sim, com efeito, há pais que se assemelham a uma calamidade. Examinemos as coisas de mais perto, não devemos recuar diante da nada, senhores jurados, diante da gravidade da decisão a tomar. Devemos sobretudo não ter medo agora nem afastar certas ideias, tais como crianças ou mulheres medrosas, de acordo com a feliz expressão do eminente representante da acusação. No decorrer de seu ardente libelo acusatório, o meu honrado adversário exclamou por várias vezes: 'Não, não abandonarei a ninguém a defesa do acusado, nem mesmo ao defensor chegado de Petersburgo, sou ao mesmo tempo acusador e defensor.' No entanto, esqueceu-se de mencionar que se esse temível acusado guardou por vinte e três anos tal gratidão por uma libra de avelãs, com que o presenteou o único homem que, sendo ele menino, teve para com ele tal gesto em casa de seu pai, inversamente tal homem deveria lembrar-se, durante esses vinte e três anos, de como andava descalço em casa de seu pai, no quintal, 'as calças presas por um só botão', segundo a expressão de um homem de coração, o Doutor Herzenstube. Oh! senhores jurados, de que serve olhar de perto essa calamidade, repetir o que toda gente conhece! Que é que meu constituinte encontrou ao chegar à casa de seu pai? E por que o representar como um ser sem coração, um egoísta, um monstro? É impetuoso, é selvagem, violento, eis por que o julgam agora. Mas quem é o responsável pelo seu destino, de quem a culpa se, com tendências virtuosas, um coração sensível e grato, recebeu uma educação tão absurda? Desenvolveram-lhe a razão, instruíram-no, alguém lhe testemunhou um pouco da afeto na sua infância? Meu constituinte cresceu ao deus-dará, isto é, como um animal selvagem. Talvez tivesse ardente desejo de rever seu pai após aquela longa separação, talvez lembrando-se de sua infância, como através de um sonho, tenha afastado muitas vezes o fantasma odioso do passado, desejando de toda a sua alma absolver e abraçar seu pai! E então? Acolhem-no com zombarias cínicas, desconfiança, chicanas a respeito de sua herança; só ouve frases e máximas que enojam o coração, finalmente vê seu pai tentar arrebatar-lhe, com seu próprio dinheiro, a sua amiga. Oh! senhores jurados, é repugnante, é atroz! E aquele velho queixa-se a todo mundo da irreverência e da violência de seu filho, difama-o na sociedade, causa-lhe danos, calunia-o, compra suas promissórias para metê-lo na cadeia! Senhores jurados, as pessoas aparentemente duras, violentas, impetuosas, tais como meu constituinte, são bem muitas vezes corações ternos, somente não o mostram. Não dai risada de minha ideia! O senhor procurador zombou impiedosamente de meu constituinte, apontando seu amor por Schiller e pelo sublime. Em seu lugar, não teria zombado. Sim, esses corações — oh! deixai-me defendê-los, tão raramente e tão mal compreendidos —, esses corações vivem muitas vezes sedentos de ternura, de beleza, de justiça, precisamente como por contraste consigo mesmos, com sua violência e sua dureza, e não suspeitam disso. Parecendo apaixonados e violentos, são capazes de amar até ao sofrimento, uma mulher, por exemplo, e certamente com um amor ideal e elevado. Repito, não é para rir, isso é o que acontece a maior parte das vezes com tais naturezas. Somente, não podem dissimular sua impetuosidade por vezes grosseira, eis o que fere a atenção, eis o que se nota, enquanto que o íntimo permanece ignorado. Pelo contrário, suas paixões acalmam-se rapidamente, mas junto duma pessoa de sentimentos elevados, esse ser que parece grosseiro, violento, busca a regeneração, a possibilidade de emendar-se, de tornar-se nobre, honesto, 'sublime', por mais desacreditada que esteja esta palavra. Disse ainda há pouco que respeitaria o romance de meu constituinte com a Senhorita Vierkhóvtseva. Contudo, pode-se falar por palavras veladas; ouvimos, não um depoimento, mas apenas o grito de uma mulher exaltada que se vinga e não cabe a ela censurar a ele sua traição, porque foi ela quem traiu! Se tivesse tido o tempo de entrar em si mesma, não teria dado semelhante testemunho. Oh! não a acrediteis, não, meu constituinte não é um monstro, como o chamou ela. O Crucificado, que amava os homens, disse antes das angústias da Paixão: 'Eu sou o Bom Pastor, que dá sua vida pelas suas ovelhas, e nenhuma delas perecerá'. Não percamos, não, uma alma humana! Eu perguntava: que é um pai? É um nome nobre e precioso, exclamei. Mas é preciso usar lealmente o termo, senhores jurados, e me permito chamar as coisas pelo seu nome. Um pai tal como a vítima, o velho Karamázov, é indigno dc se chamar assim, O amor filial não justificado é absurdo. Não se pode suscitar o amor com coisa nenhuma, somente Deus é quem tira alguma coisa do nada. 'Pais, não provoqueis a ira de vossos filhos', escreveu o apóstolo com um coração ardendo de amor. Não é para meu constituinte que cito estas santas palavras, recordo-as para todos os pais. Quem me confiou o poder de instruí-los? Ninguém, mas como homem, como cidadão, dirijo-me a eles: *vivos voco!*[115] Não permanecemos muito tempo sobre a terra, nossas ações e nossas palavras são muitas vezes más. Por isso tratemos de aproveitar todos os momentos que passamos juntos para nos dirigir mutuamente uma boa palavra. É o que faço: aproveito da ocasião que me é oferecida. Não é por coisa nenhuma que esta tribuna nos foi concedida por uma vontade soberana, toda a Rússia nos ouve. Não falo somente para os pais que estão aqui, grito para todos: 'Pais, não provoqueis a ira de vossos filhos!'. Pratiquemos em primeiro lugar nós mesmos o preceito do Cristo, e apenas então poderemos exigir alguma coisa de nossos filhos. Senão, não somos pais, mas inimigos para eles, não são nossos filhos, mas nossos inimigos, e isto por culpa nossa! 'E com a medida com que tiverdes medido, vos medirão também a vós',[116] não sou eu que o digo, é o *Evangelho* que o prescreve; medi com a mesma medida que vos é aplicada. Como acusar nossos filhos se eles nos retribuem o que fazemos com eles? Recentemente, na Finlândia, suspeitou-se que uma criada havia dado à luz clandestinamente. Espionaram-na e encontrou-se no celeiro, dissimulado por trás de tijolos, sua mala que continha o cadáver de um recém-nascido, morto por ela. Descobriram-se igualmente os esqueletos de dois outros bebês, que

---

115 Convoco os vivos.
116 Mateus, c. VII, v. 2.

ela confessou ter matado ao nascerem. Senhores jurados, é uma mãe uma mulher dessas? É certo que pôs filhos no mundo, mas qual de nós ousaria dar-lhe o santo nome de mãe? Sejamos ousados, senhores jurados, sejamos mesmo temerários, devemos sê-lo neste momento e não temer certas palavras, certas ideias, como as vendedoras de Moscou, que temem o 'metal' e o enxofre. Provemos, pelo contrário, que o progresso dos derradeiros anos influiu também no nosso desenvolvimento e digamos francamente.: não basta procriar para ser pai, é preciso ainda merecer esse título. Sem dúvida, a palavra pai tem outra significação, segundo a qual um pai, fosse ele um monstro, um inimigo jurado de seus filhos, ficará sempre pai, pelo simples fato de tê-los gerado. Mas é uma significação mística, por assim dizer, que escapa à inteligência, que se pode admitir somente como artigo de fé, bem como muitas coisas incompreensíveis nas quais a religião nos obriga a crer. Mas neste caso, deve permanecer isto fora do domínio da vida real. Neste domínio, que tem não somente seus direitos, mas impõe grandes deveres, se queremos ser humanos, cristãos enfim, somos obrigados a aplicar somente ideias justificadas pela razão e pela experiência passados no crisol da análise, em uma palavra, agir sensatamente e não com extravagância, como em sonho ou no delírio, para não prejudicar nosso semelhante, fazê-lo sofrer, causar sua perda. Faremos então obra de cristãos e não somente de místicos, uma obra sensata, verdadeiramente filantrópica..."

Nesse momento, vivos aplausos partiram de diferentes pontos da sala, mas Fietiukóvitch fez um gesto, como para suplicar que não o interrompessem. Todos se acalmaram imediatamente. O orador prosseguiu:

— "Pensais, senhores jurados, que tais questões possam escapar a nossos filhos, quando eles começam a refletir? Não, decerto, e não exigiremos deles uma abstenção impossível! A vista dum pai indigno, sobretudo comparado aos de outros meninos, seus condiscípulos, inspira, malgrado seu, a um jovem questões dolorosas. Respondem-lhe banalmente: 'Foi ele quem te gerou, és seu sangue, de modo que deves amá-lo'. O rapaz pensa contra sua vontade: 'Será que ele me amava quando me gerou — pergunta ele, cada vez mais surpreso —, foi por minha causa que ele me deu a vida? ele não me conhecia, ignorava mesmo meu sexo, naquele minuto de paixão, talvez aquecido pelo vinho, e só me transmitiu uma inclinação pela bebida, eis todos os seus benefícios... Por que devo amá-lo, pelo simples fato de me ter gerado, a ele que nunca me amou?'. Oh! estas perguntas parecem-vos talvez grosseiras, cruéis, mas não exijais dum espírito jovem uma abstenção impossível: 'Expulsai o natural pela porta e ele entrará pela janela', mas, sobretudo, não temamos o 'metal' e o 'enxofre' e resolvamos a questão como o prescrevem a razão e a humanidade, e não as ideias místicas. Como resolvê-la? Pois bem! que o filho venha perguntar seriamente a seu pai: 'Pai, dize-me por que devo amar-te, prova-me que é um dever', e se esse pai for capaz de responder-lhe e de provar-lhe, eis uma verdadeira família, normal, que não repousa unicamente sobre um preconceito místico, mas sobre bases racionais, rigorosamente humanas. Pelo contrário, se o pai não apresenta nenhuma prova está liquidada essa família; o pai não é mais um pai para seu filho, este recebe a liberdade e o direito de considerá-lo como um estranho e até mesmo um inimigo. Nossa tribuna, senhores jurados, deve ser a escola da verdade e das ideias sãs!"

Vivos aplausos interromperam o orador. Certamente não eram unânimes, mas a metade da sala aplaudia, inclusive pais e mães. Gritos agudos partiam das tribunas ocupadas pelas senhoras. Gesticulava-se com os lenços. O presidente pôs-se a agitar a campainha com todas as suas forças. Estava visivelmente agastado com aquele tumulto, mas não ousou mandar evacuar a sala, como já havia ameaçado; até mesmo dignitários, velhos condecorados instalados por trás do tribunal, aplaudiam o orador, de sorte que, restabelecida a calma, ele se contentou em reiterar sua ameaça, e Fietiukóvitch, triunfante e emocionado, prosseguiu seu discurso.

— "Senhores jurados, vós vos lembrais daquela noite terrível, de que tanto se falou aqui, em que o filho introduziu-se por escalada em casa de seu pai e se encontrou face a face com o inimigo que lhe havia dado o dia. Insisto vivamente nisto: não era o dinheiro que o atraía; a acusação de roubo é um absurdo, como já o expus! E não foi para matar que ele forçou a porta; se tivesse premeditado um crime, arranjaria previamente uma arma, mas pegou o pilão instintivamente, sem saber por quê. Admitamos que tenha enganado seu pai com os sinais e penetrado na casa, já disse que não creio um instante sequer nessa lenda, mas seja, suponhamo-la um minuto! Senhores jurados, juro pelo que há de mais sagrado, se Karamázov tivesse tido como rival um estranho, em lugar de seu pai, depois de ter verificado a ausência daquela mulher, teria se retirado precipitadamente, sem fazer-lhe mal, quando muito lhe teria batido, empurrado, sendo a única coisa que lhe importava encontrar sua amiga. Mas viu seu pai, seu perseguidor desde a infância, seu inimigo que se tornara um monstruoso rival; bastou isto para que um ódio irresistível se apoderasse dele, abolindo sua razão. Todos os seus agravos ressurgiram-lhe duma vez. Foi um acesso de demência, mas também um movimento da natureza, que vingava inconscientemente a transgressão de suas leis eternas. No entanto, mesmo então, o assassino não matou, afirmo, proclamo não, brandiu somente o pilão num gesto de indignação e de desgosto, sem intenção de matar, sem saber que matava. Se não tivesse tido esse fatal pilão nas mãos, teria somente batido em seu pai, talvez, mas não o teria assassinado. E ao fugir, ignorava se o velho por ele abatido estava morto. Tal crime não é crime, não é um parricídio. Não, a morte de tal pai não pode ser assemelhada a um parricídio senão por preconceito! Mas foi esse crime realmente cometido?, pergunto-vos ainda uma vez. Senhores jurados, vamos condená-lo e ele dirá a si mesmo: 'Essas pessoas nada fizeram por mim, para me elevar, me instruir, tornar-me melhor, fazer de mim um homem. Recusaram-me toda assistência e agora me mandam para o presídio. Eis-me quite, não lhes devo nada, nem a ninguém. São más, cruéis. Também serei assim'. Eis o que ele dirá, senhores jurados! Juro: declarando-o culpado, vós não fareis senão pô-lo à vontade, aliviar sua consciência, maldirá o sangue por ele vertido, em lugar de sentir remorsos. Ao mesmo tempo, tornareis sua recuperação impossível, porque permanecerá mau e cego até o fim de seus dias. Quereis infligir-lhe o castigo mais terrível que se possa imaginar, ao mesmo tempo que regenerais sua alma para sempre? Se afirmativamente, esmagai-o com a vossa clemência! Vós o vereis estremecer. Sou digno dum tal favor, dum tal amor?, dirá a si mesmo. Há nobreza, senhores jurados, nessa natureza selvagem. Vai se inclinar diante de vossa mansuetude, tem sede de um grande ato de amor, vai *se inflamar* e *ressuscitará* definitivamente. Certas almas são bastante mesquinhas para acusar o mundo inteiro. Mas cumulai essa alma de misericórdia, testemunhai-lhe amor e ela maldirá suas obras, porque os germes do bem nela proliferam. Sua alma se expandirá vendo a mansuetude divina, a bondade e a justiça humanas. Será tomada de arrependimento, a imensidão da dívida contraída a esmagará. Não dirá então: 'estou quite', mas 'sou culpado diante de todos e o mais indigno de todos'. Com lágrimas de enternecimento exclamará: 'Os homens valem mais do que eu, porque quiseram salvar-me, em lugar de perder-me'. Oh! é-vos tão fácil usar de clemência, porque na ausência de provas decisivas, seria demasiado penoso para vós dar um veredicto de culpabilidade. Vale mais absolver dez culpados que condenar um inocente. Ouvis a grande voz do século passado de nossa história nacional? Cabe a mim, mesquinho, lembrar-vos que a justiça russa não tem unicamente por fim castigar, mas também regenerar um ser perdido? Que os outros povos observem a letra da lei, e nós, o espírito e a essência, para a regeneração dos decaídos. E se é assim, então, avante, Rússia! Não vos atemorizeis com as vossas tróicas em disparada, das quais os outros povos se afastam com repulsa! Não é uma tróica em disparada, é um carro majestoso, que roda solenemente, tranquilamente para o seu alvo. A sorte de meu constituinte está em vossas mãos, bem como os destinos do direito russo. Vós o salvareis, vós o defendereis, mostrando-vos à altura de vossa missão."

XIV / Os mujiques mantiveram-se firmes

Assim concluiu Fietiukóvitch e o entusiasmo de seus ouvintes não conheceu mais limites. Não se devia pensar em reprimi-lo; as mulheres choravam, bem como muitos homens, houve mesmo dois dignitários que derramaram lágrimas. O presidente resignou-se e esperou antes de agitar a campainha. "Atentar contra semelhante entusiasmo teria sido uma profanação!", exclamaram mais tarde nossas damas. O próprio orador parecia sinceramente emocionado. Foi nesse momento que nosso Ipolit Kirílovitch se levantou para replicar. Lançaram-lhe olhares carregados de ódio: "Como ousa ele replicar?", murmuravam as senhoras. Mas os murmúrios de todas as senhoras do mundo, tendo à frente sua esposa, não teriam detido o procurador. Estava pálido e tremia de emoção; suas primeiras frases foram mesmo incompreensíveis, ofegava, articulava mal, embaraçava-se. Aliás, conseguiu dominar-se logo. Não citarei senão algumas frases desse segundo discurso.

"...Censuram-nos ter inventado novelas. Mas fez o defensor coisa diversa? Só faltaram versos. Fiódor Pávlovitch, à espera de sua bem-amada, rasga o envelope e atira-o no chão. Citam-se mesmo suas palavras na ocasião. Não é um poema? E onde está a prova de que ele tirou o dinheiro e quem ouviu o que ele dizia? O imbecil Smierdiákov, transformado numa espécie de herói romântico que se vinga da sociedade por causa de seu nascimento ilegítimo, não é um poema ao gosto byroniano? E o filho que, tendo entrado intempestivamente em casa de seu pai, o mata sem matá-lo, não é mesmo nem mais uma novela, nem um poema, é uma esfinge propondo enigmas que ele próprio, decerto, não pode resolver. Se matou, é porque matou, como admitir que tenha matado sem ser um assassino, quem compreenderá isso? Em seguida, declara-se que nossa tribuna é a da verdade e a das ideias sãs e profere-se nela este axioma: que não passa de um preconceito qualificar de parricídio o assassinato de um pai. Mas se o parricídio é um preconceito se cada menino pode perguntar a seu pai: 'pai, por que devo amar-te?', que se tornarão as bases da sociedade, que se tornará a família? O parricídio, vede, é o 'enxofre' da vendedora moscovita. As mais nobres tradições da justiça russa são desnaturadas unicamente para obter ganho de causa, para obter a absolvição de quem não pode ser absolvido. Cumulai-o de clemência, exclama o defensor, o criminoso mais não pede, amanhã vai se ver o resultado! Aliás, não será por uma modéstia exagerada que ele pede apenas a absolvição do acusado? Por que não pedir a fundação duma bolsa que imortalizaria a façanha do parricídio aos olhos da posteridade e da jovem geração? Corrigem-se o *Evangelho* e a religião: tudo isso é misticismo, apenas nós possuímos o verdadeiro cristianismo, já verificado pela análise da razão e das ideias sãs. Evoca-se diante de nós uma falsa imagem do Cristo! 'E com a medida com que tiverdes medido, vos medirão também a vós', exclama o defensor, concluindo logo que o Cristo ordenou medir com a mesma medida que nos é aplicada — eis o que se proclama da tribuna da verdade! Lemos o *Evangelho* somente na véspera de nossos discursos, para brilhar pelo conhecimento de uma obra bastante original, por meio da qual pode-se produzir certo efeito na medida em que for necessário. Ora, o Cristo proibiu precisamente agir assim, porque é o que torna o mundo mau, e nós, longe de pagar o mal pelo mal, devemos oferecer a face e perdoar aqueles que nos ofenderam. Eis o que nos ensinou o nosso Deus e não que seja um preconceito proibir que os filhos matem seus pais. E não seremos nós que corrigiremos nesta tribuna o *Evangelho* de nosso Deus, que o defensor digna-se apenas em chamar 'o Crucificado que amava os homens', em oposição a toda a Rússia ortodoxa que o invoca: 'Porque Tu és nosso Deus!...'"

Aqui, o presidente interveio e rogou ao orador que não exagerasse, que ficasse nos limites justos, etc., como fazem de hábito os presidentes em semelhante caso. A sala estava inquieta. O público agitava-se, proferia exclamações indignadas. Fietiukóvitch nem mesmo replicou, veio somente, de mãos sobre. o coração, pronunciar num tom ofendido algumas palavras cheias de dignidade. Aflorou de novo, com ironia, as "novelas" e a "psicologia" e achou meio de desfechar o seguinte dardo: "Júpiter, não tens razão, pois que te zangas", o que causou risos no auditório, porque Ipolit Kirílovitch não se assemelhava de nenhum modo a Júpiter. Quanto à pretensa acusação de permitir à mocidade o parricídio, declarou Fietiukóvitch, com grande dignidade, que a ela não responderia. A respeito da "falsa imagem do Cristo" e do fato de ele não ter se dignado chamá-lo Deus, mas apenas "o Crucificado que amava os homens", o que é "contrário à ortodoxia e não podia ser dito na tribuna da verdade", falou Fietiukóvitch de "insinuação" e deu a entender que, vindo aqui, acreditava pelo menos aquela tribuna ao abrigo de acusações "perigosas para sua pessoa como cidadão e fiel súdito...". Mas a estas palavras o presidente também o deteve e Fietiukóvitch, inclinando-se, terminou sua tréplica, acompanhado pelo murmúrio aprovativo de toda a sala. Ipolit Kirílovitch, segundo a opinião de nossas damas, estava "confundido para sempre".

Foi em seguida dada a palavra ao acusado. Mítia levantou-se, mas não disse grande coisa. Estava física e moralmente sem forças. O ar de independência e energia com que entrara pela manhã havia quase desaparecido. Parecia ter atravessado naquela manhã uma crise decisiva que lhe ensinara e fizera compreender algo de muito importante, que antes ele não apreendia. Sua voz se enfraquecera, não gritava mais. Sentia-se em suas palavras a resignação e o acabrunhamento da derrota.

— "Que posso dizer, senhores jurados? Vão julgar-me, sinto a mão de Deus sobre mim. É o fim de um homem transviado! Mas como se me confessasse a Deus, a vós também digo: 'Não derramei o sangue de meu pai!'. Repito uma derradeira vez. Não fui eu quem matou! Era desregrado, mas amava o bem. Constantemente, aspirava a emendar-me, e vivi como um animal selvagem. Obrigado ao procurador, disse a meu respeito muitas coisas que eu ignorava, mas é falso que tenha eu matado meu pai, o procurador se enganou! Obrigado igualmente a meu defensor: chorei ao ouvi-lo, mas é falso que eu tenha matado meu pai, não se devia nem supô-lo! Não acrediteis nos médicos, estou em plena razão, somente sinto-me acabrunhado. Se me poupardes e me absolverdes, rezarei por vós. Vou me tornar melhor, dou minha palavra, dou-a diante de Deus. Se me condenardes, quebrarei eu próprio minha espada e beijarei dela os pedaços! Mas poupai-me, não me priveis de meu Deus, conheço-me: eu me revoltarei! Estou acabrunhado, senhores... poupai-me!"

Caiu quase no seu lugar, sua voz se partiu, a derradeira frase mal foi articulada. O tribunal redigiu em seguida os quesitos a propor e pediu suas conclusões às partes. Mas omito os detalhes. Enfim, os jurados retiraram-se para deliberar. O presidente estava extenuado, de modo que lhes dirigiu uma breve alocução: "Sede imparciais, não vos deixeis influenciar pela eloquência da defesa, contudo pesai vossa decisão; lembrai-vos da alta missão de que estais revestidos", etc. Os jurados retiraram-se, foi suspensa a audiência. Pôde-se dar um giro, trocar impressões, fazer lanche no bufete. Era bastante tarde, cerca de uma hora da madrugada, mas ninguém foi embora. Os nervos tensos impediam de pensar no repouso. Todo mundo aguardava com ansiedade o veredicto, exceto as damas, que, na sua impaciência febril, estavam tranquilizadas: "A absolvição é inevitável". Todas se preparavam para o minuto emocionante do entusiasmo geral. Confesso que, entre os homens, muitos estavam certos da absolvição. Uns se regozijavam, outros franziam a testa, alguns baixavam simplesmente o nariz; não queriam absolvição! Fietiukóvitch mesmo estava certo do triunfo. Cercavam-no, felicitavam-no complacentemente.

— Há — dizia ele num grupo, como se contou depois —, há fios invisíveis que ligam o defensor aos jurados. Formam-se e se pressentem já no curso da defesa. Senti-os, eles existem. Teremos ganho de causa, ficai tranquilos.

— Que vão dizer agora os nossos mujiques? — proferiu um gordo senhor bexigoso, de ar carrancudo, proprietário nos arredores, aproximando-se de um grupo.

— Não há somente mujiques. Há quatro funcionários.

— Ah! sim! os funcionários — disse um membro do *ziémstvo*.

— Conhece Nazáriev, Prokhor Ivânovitch, aquele comerciante que tem uma medalha? Faz parte do júri.

— E com isso?

— É um dos luminares da corporação.

— Mantém-se sempre em silêncio.

— Mantém o silêncio, pois tanto melhor. Não cabe ao petersburguês dar-lhe lições. Ele mesmo seria capaz de dá-las a toda Petersburgo, doze filhos, imaginem só!

— Será possível que não o absolvam? — gritava num outro grupo um de nossos jovens funcionários.

— Será certamente absolvido — disse uma voz decidida.

— Seria uma vergonha não absolvê-lo — exclamou o funcionário. — Admitamos que tenha matado, mas um pai como o dele! E, afinal, estava em tal exaltação... Pôde deveras ter assestado apenas uma pancada de pilão e o velho caiu. Mas erraram metendo o lacaio nisso. Não passa de um episódio burlesco. No lugar do defensor, teria eu dito redondamente: ele matou, mas não é culpado, que o diabo vos leve!

— Foi o que ele fez, apenas não disse: que o diabo vos leve!

— Não, Mikhail Siemiônitch, ele quase o disse — declarou uma terceira voz.

— Permiti, senhores, absolveram durante a quaresma uma atriz que cortara a garganta da mulher de seu amante.

— Sim, ela, porém, não foi até o fim.

— Dá na mesma, tinha começado.

— E o que disse ele dos meninos! Foi admirável!

— Admirável.

— E sobre o misticismo, hem?

— Deixem o misticismo — exclamou outro —, considerem antes a sorte de Ipolit doravante! Amanhã, sua esposa o arranhará por causa de Mítia.

— Ela está aqui?

— Por que aqui? Se estivesse aqui, já o teria arranhado. Fica em casa, tem dor de dentes, eh! eh! eh!

— Eh! eh! eh!

Num terceiro grupo:

— Mítia poderia muito bem ser absolvido.

— Seria magnífico! Amanhã saqueará "A Capital" e passará dez dias na carraspana.

— Ah! sim, o diabo!

— Não se pôde passar sem o diabo, seu lugar estava bem indicado aqui.

— Senhores, a eloquência é uma bela coisa. Mas não se pode rebentar a cabeça de um pai impunemente. Senão, aonde iríamos parar?

— E aquilo do carro, do carro, lembram-se?

— Sim, fez ele duma carroça um carro.

— Amanhã o carro virará carroça de novo, "de acordo com as conveniências".

— As pessoas tornaram-se espertas. A verdade existe ainda na Rússia, senhores, sim ou não?

Mas a campainha retiniu. Os jurados tinham deliberado uma hora exata. Profundo silêncio reinou, quando o público retornou seus lugares. Lembro-me da entrada do júri na sala. Afinal! Não citarei os quesitos por ordem, esqueci-os. Lembro-me somente da resposta ao primeiro quesito, o principal: "O acusado matou para roubar com premeditação?" (esqueci o texto). O presidente do júri, aquele funcionário que era o mais jovem de todos, respondeu com uma voz nítida, em meio dum silêncio de morte:

— Sim, culpado.

Depois foi a mesma resposta a respeito de todas os pontos: culpado, sem a menor circunstância atenuante!

Ninguém esperava por isso, todos contavam pelo menos com a indulgência do júri. O silêncio continuava, como se o auditório estivesse petrificado, tanto os partidários da condenação como os da absolvição. Mas foram apenas os primeiros minutos, aos quais sucedeu um terrível tumulto. Entre o público masculino, muitos estavam encantados. Outros chegavam mesmo a esfregar as mãos, sem dissimular sua alegria. Os descontentes tinham o ar acabrunhado, erguiam os ombros, cochichavam como se ainda não se dessem conta. Mas as nossas damas, meu Deus!, pensei que elas iam fazer um motim. A princípio, não quiseram acreditar em seus ouvidos. De repente, ruidosas exclamações ecoaram: "Que é isso? Por que isso?" Deixavam seus lugares, Certamente, imaginavam que se podia, no mesmo instante, mudar tudo aquilo e recomeçar. Naquele momento, Mítia se levantou de repente e gritou com voz dilacerante, os braços estendidos para diante:

— Juro-o perante Deus e à espera do juízo final, não derramei o sangue de meu pai! Kátia, eu te perdoo! irmãos, amigos, velai pela outra!

Não terminou e pôs-se a soluçar ruidosamente, com uma voz que não parecia a sua, como que mudada, inesperada, vinda só Deus sabia donde. Nas tribunas, num canto recuado, repercutiu um grito agudo: era Grúchenhka. Suplicara que a deixassem entrar e voltara para a sala antes dos discursos. Levaram Mítia. A sentença do julgamento ficou adiada para o dia seguinte, Todos se levantaram em grande tumulto, mas eu já não escutava mais. Lembro-me somente de algumas exclamações no patamar da saída:

— Vai pegar não menos de vinte anos de trabalho nas minas.

— Nada menos!

— Sim, os nossos mujiques mantiveram-se firmes.

— E ajustaram suas contas com o nosso Mítia!

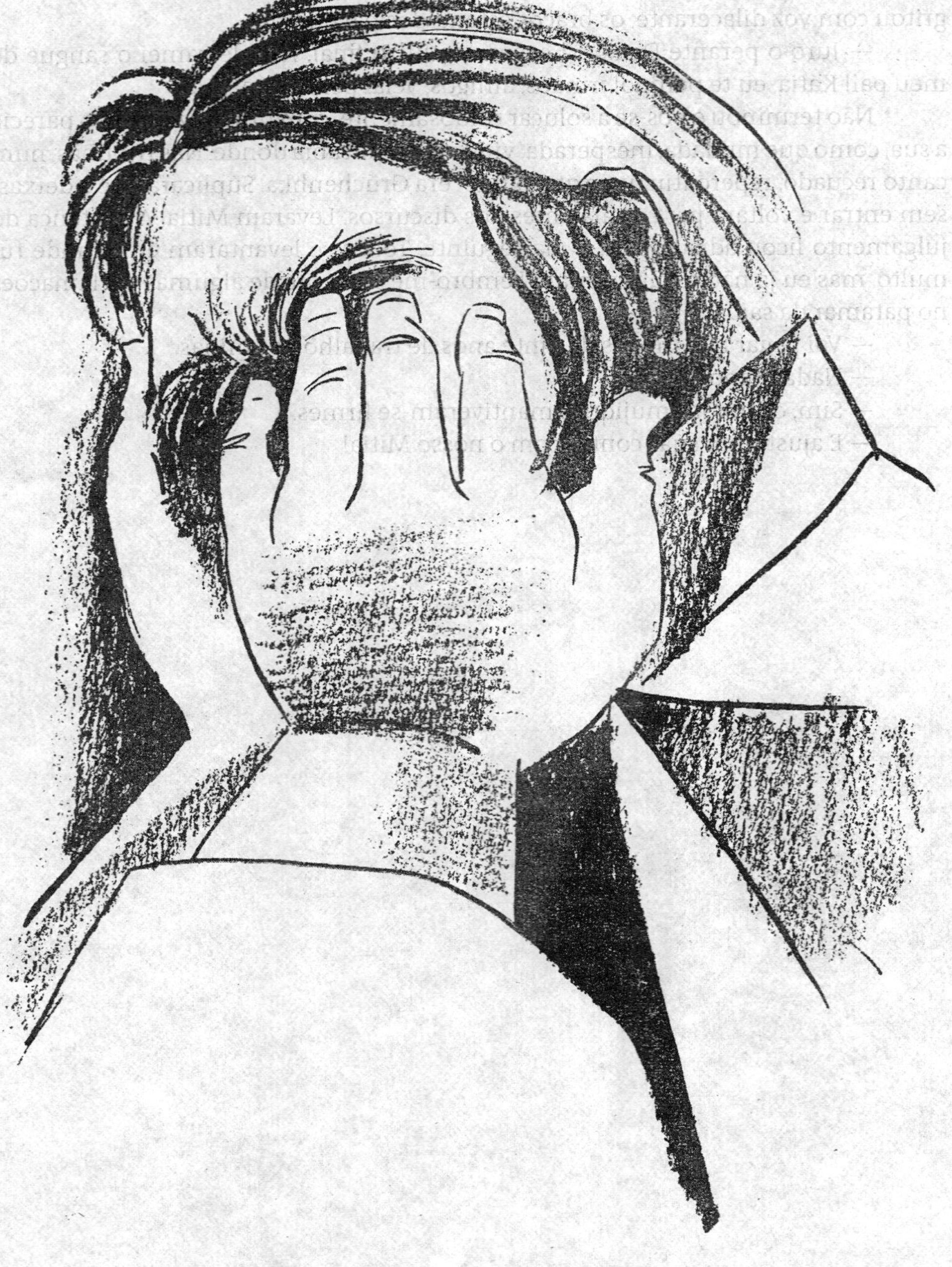

EPÍLOGO
I / PROJETOS DE EVASÃO

No quinto dia após o julgamento de Mítia, cerca das oito horas da manhã, Alíócha dirigiu-se à casa de Katierina Ivânovna para se entender definitivamente com ela a respeito dum assunto importante; estava além disso encarregado dum recado. Ela se mantinha no mesmo salão onde recebera Grúchenhka; na peça vizinha, Ivan Fiódorovitch, presa da febre, jazia inconsciente. Logo depois da cena no tribunal, Katierina Ivânovna mandara transportar para sua casa Ivan Fiódorovitch, desmaiado, sem se incomodar com os comentários inevitáveis e a censura da sociedade. Uma das duas parentas que viviam com ela partira imediatamente para Moscou, a outra ficara. Mas se as duas tivessem partido, isso não teria mudado a decisão de Katierina Ivânovna, resolvida a tratar ela mesma o doente e a velar por ele noite e dia. Era tratado pelos Doutores Varvínski e Herzenstube; o médico de Moscou regressara, recusando-se a pronunciar-se sobre o desenlace da doença. Os doutores, apesar de suas afirmativas tranquilizadoras, não podiam dar ainda uma esperança firme. Alíócha visitava seu irmão duas vezes por dia, mas desta vez tratava-se de um assunto particularmente embaraçoso, pressentia a dificuldade que teria em falar dele, e apressava-se, devendo ir a outra parte para um outro assunto importante, naquela mesma manhã. Havia um quarto de hora que conversavam. Katierina Ivânovna estava pálida, extenuada, presa duma agitação doentia: pressentia o objetivo da visita de Alíócha.

— Não se inquiete com a sua decisão — dizia ela com firmeza a Alíócha. — Duma maneira ou doutra, ele chegará a esta solução: é preciso evadir-se. Esse infeliz, esse herói da consciência e da honra — não ele, não Dimítri Fiódorovitch, mas o que está doente aqui e se sacrificou pelo seu irmão (acrescentou Kátia, de olhos cintilantes) —, já desde muito tempo me comunicou todo o plano de evasão. Tinha mesmo dado passos... já lhe falei disso... Veja você, será, provavelmente, na terceira etapa, quando se levar o comboio dos deportados para a Sibéria. Oh! é ainda longe. Ivan Fiódorovitch foi ver o chefe da terceira etapa. Mas não se sabe ainda quem comandará o comboio, aliás isto jamais é sabido com antecedência. Amanhã, talvez, lhe mostrarei o plano detalhado que Ivan Fiódorovitch me deixou na véspera do julgamento, para o que desse e viesse... Você deve lembrar-se, discutíamos, quando você chegou; descia ele a escada, vendo você, obriguei-o a tornar a subir, recorda-se? Sabe a que respeito discutíamos?

— Não, não sei.

— Evidentemente, ele lhe ocultou: era precisamente a propósito desse plano de evasão. Já me havia explicado o essencial três dias antes; foi a origem de nossas discussões durante aqueles três dias. Eis por quê: quando me declarou que se ele fosse condenado, Dimítri Fiódorovitch fugiria para o estrangeiro com aquela criatura, zanguei-me de repente; não lhe direi por qual razão, ignoro-a eu mesma. Oh! sem dúvida foi por causa dela e porque acompanharia Dimítri na sua fuga! — exclamou Katierina Ivânovna, com os lábios trêmulos de cólera. — Minha irritação contra aquela criatura fez que Ivan Fiódorovitch acreditasse que eu estava com ciúme dela e, por conseguinte, ainda enamorada de Dimítri. Eis a causa de nossa primeira discussão. Não quis dar explicação e não podia pedir perdão, era-me penoso que tal homem pudesse suspeitar que eu amasse como outrora aquele... E isso quando desde muito tempo lhe havia eu declarado com toda a franqueza que não amava Dimítri e que só a ele amava! Foi por simples animosidade contra aquela criatura que me zanguei com ele! Três dias mais tarde, justamente na noite em que você veio, trouxe-me ele um envelope lacrado que eu deveria abrir no caso de acontecer-lhe alguma coisa. Oh! pressentia ele sua doença! Explicou-me que aquele envelope continha o plano detalhado da evasão, e que se ele morresse ou caísse perigosamente doente deveria eu sozinha salvar Mítia. Deixou-me também dinheiro, quase dez mil rublos, a soma à qual o procurador, tendo sabido que ele a mandara trocar, fez alusão no seu discurso. Fiquei estupefata ao ver que, apesar de seu ciúme, e persuadido de que eu amava Dimítri, Ivan Fiódorovitch não renunciara a salvar seu irmão e confiava em mim para isso! Oh! era um sacrifício sublime! Você não pode compreender a grandeza duma tal abnegação, Alieksiéi Fiódorovitch! Ia prostrar-me a seus pés, mas quando pensei de repente que ele atribuiria esse gesto unicamente à minha alegria de saber Mítia salvo (e ele o teria decerto acreditado!), a possibilidade duma tal injustiça de sua parte irritou-me tão fortemente que, em lugar de beijar-lhe os pés, fiz-lhe nova cena! Quanto sou infeliz! Que horrível gênio o meu! Você verá: agirei de tal maneira que ele me deixará por uma outra de mais fácil viver, como Dimítri, mas então... não, não suportarei, vou me matar! No momento em que você chegou, naquela noite e quando ordenei a Ivan que tornasse a subir, o olhar cheio de ódio e de desprezo que ele me lançou ao entrar pôs-me em tal cólera que — lembra-se? — gritei de repente que fora ele, somente ele, quem me assegurara que Dimítri era o assassino! Caluniava-o para feri-lo uma vez mais; ele nunca me assegurara tal coisa, pelo contrário, era eu quem lhe afirmava isso! A causa de tudo é a minha violência. Aquela abominável cena perante o tribunal, fui eu que a provoquei! Queria ele provar-me a nobreza de seus sentimentos e que, apesar de meu amor por seu irmão, não o haveria de perder por vingança, por ciúme. Então prestou o depoimento que você conhece... Sou a causa de tudo, sou eu a única culpada!

Kátia jamais fizera tais confissões a Aliócha. Ele compreendeu que ela chegara àquele grau de sofrimento intolerável em que o coração mais orgulhoso abdica de toda altivez e se confessa vencido pela dor. Aliócha conhecia outra causa para o pesar da moça, se bem que ela a escondesse dele desde a condenação de Mítia, mas isto lhe teria causado demasiada pena, se ela se humilhasse a ponto de falar-lhe disso ela mesma, agora. Sofria por causa de sua "traição" na audiência e pressentiu que sua consciência a impelia a acusar-se precisamente diante dele, Aliócha, numa crise de lágrimas, batendo com a testa no chão. Ele temia aquele instante e queria poupar-lhe o sofrimento. Mas por isso seu recado se tornava mais difícil de dar. Voltou a falar de Mítia.

— Não receie nada por ele — continuou obstinadamente Kátia —, sua decisão é passageira, fique certo de que ele consentirá em evadir-se. Aliás, não será imediatamente, terá ainda tempo para se decidir a isso, Ivan Fiódoroviteh já estará curado na ocasião e se ocupará de tudo, de sorte que não terei de meter-me nisso. *Não se inquiete, Dimítri consentirá em evadir-se.* Aliás, ele poderá renunciar àquela criatura? Ora, não a admitiriam no presídio, de modo que, como não fugir? Sobretudo, ele o teme, receia sua censura do ponto de vista moral, mas você deve permitir-

-lhe magnanimamente que fuja, já que sua sanção é tão necessária — acrescentou Kátia com ironia.

Calou-se um instante, sorriu e continuou:

— Ele fala de hinos, de cruz a carregar, dum certo dever, lembro-me. Ivan Fiódorovitch relatou-me tudo isso... Se você soubesse como ele falava a respeito! — exclamou de súbito Kátia, com um ímpeto irresistível. — Se você soubesse quanto ele amava aquele desgraçado, no momento em que me contava isso, e quanto, talvez, o odiava ao mesmo tempo! E eu o escutava, eu o via chorar com um sorriso altivo! Oh! criatura! vil criatura que eu sou! Fui eu que o fiz enlouquecer! Mas o outro, o condenado, está pronto a sofrer — concluiu Kátia com irritação. — Será capaz? Os seres como ele ignoram o sofrimento!

Uma espécie de ódio e de desgosto transparecia através de suas palavras. Entretanto, havia-o traído. "Pois bem! é talvez porque se sinta culpada para com ele que o odeia por momentos", pensou Aliócha. Teria querido que só fosse por momentos. Sentira um desafio nas derradeiras palavras de Kátia, mas não lhe deu importância.

— Pedi-lhe que viesse hoje para que você me prometa convencê-lo. Mas talvez, segundo você também, seria desleal e vil evadir-se, ou, como dizer... não cristão? — acrescentou Kátia com uma provocação ainda mais acentuada.

— Não, não é nada. Vou lhe dizer tudo... — murmurou Aliócha — Ele lhe pede que vá hoje — continuou ele, bruscamente, olhando-a bem no rosto.

Ela estremeceu e fez um leve movimento de recuo.

— Eu... é possível? — disse ela, empalidecendo.

— É possível e é um dever! — declarou Aliócha num tom firme e com animação. — Você lhe é mais necessária do que nunca. Não a teria atormentado prematuramente a esse respeito sem necessidade. Ele está doente, está como louco, pede que vá vê-lo, constantemente. Não é para uma reconciliação que quer vê-la, mostre-se somente no limiar de seu quarto. Está bem mudado desde aquele dia e compreende toda a extensão de seus agravos a você. Não é o seu perdão que ele quer: "Não posso ser perdoado", diz ele. Quer somente vê-la no limiar...

— Você de repente me... — murmurou Kátia. — Pressentia nestes dias que você viria aqui com esse objetivo... Sabia bem que ele me mandaria chamar!... É impossível!

— Impossível, seja, mas faça. Lembre-se de que, pela primeira vez, ele está consternado por havê-la assim ofendido, pela primeira vez, jamais antes compreendeu suas faltas tão profundamente! Diz ele: "Se ela recusar vir, serei sempre infeliz". Entende? Um condenado a vinte anos de trabalhos forçados sonha ainda com a felicidade. Isto não causa compaixão? Pense que você vai ver uma vítima inocente — disse Aliócha, com um ar de desafio. — Suas mãos estão limpas de sangue. Em nome de todos os sofrimentos que o esperam, vá vê-lo agora! Vá, conduza-o nas trevas, mostre-se somente no limiar... Deve, deve fazê-lo — concluiu Aliócha, insistindo com energia na palavra "deve".

— Devo... mas não posso... — gemeu Kátia. — Ele me olhará... não posso...

— Vossos olhares devem reencontrar-se. Como poderá você viver doravante, se recusa agora?

— Antes sofrer toda a minha vida.

— Deve ir, é preciso — insistiu de novo Aliócha inflexível.

— Mas por que hoje, por que imediatamente?... Não posso abandonar o doente...

OS IRMÃOS KARAMÁZOVI

— Por um momento poderá, não demorará muito. Se você não for, Dimítri terá delírio esta noite. Não lhe estou mentindo, tenha piedade!

— Tenha piedade de mim! — disse com amargor Kátia e desatou a chorar.

— Então você irá! — proferiu firmemente Aliócha, vendo-a chorar. — Vou dizer-lhe que você irá agora mesmo.

— Não, por coisa alguma do mundo, não lhe fale disso! —exclamou Kátia com terror. — Irei, mas não lhe diga de antemão, porque talvez eu não entre... Não sei ainda...

Sua voz quebrou. Respirava com dificuldade. Aliócha levantou para sair.

— E se eu encontrasse alguém? — disse ela, de repente, empalidecendo de novo.

— Por isso é que é preciso ir imediatamente, não haverá ninguém, fique tranquila. Nós a esperaremos — concluiu ele com firmeza, e saiu.

II / POR UM INSTANTE A MENTIRA TORNA-SE VERDADE

Apressou-se em seguir para o hospital onde se achava Mítia no momento. Dois dias depois do julgamento, tendo contraído febre nervosa, haviam-no transportado para o hospital, na divisão dos detidos. Mas o Doutor Varvínski, a pedido de Aliócha, da Senhora Khokhlakova, de Lisa e de outras pessoas, mandou colocar Mítia num quarto à parte, o ocupado outrora por Smierdiákov. Na verdade, no fundo do corredor estacionava um sentinela e a janela era gradeada; Varvínski podia pois estar tranquilo a respeito dos resultados dessa complacência um tanto ilegal. Bom e compassivo, compreendia quanto era duro para Mítia entrar sem transição na sociedade dos malfeitores e que lhe era preciso a princípio habituar-se a isso. As visitas eram autorizadas secretamente pelo doutor, pelo diretor e mesmo pelo *isprávnik,* mas apenas Aliócha e Grúchenhka iam ver Mítia. Por duas vezes, Rakítin tentara introduzir-se, mas Mítia pediu insistentemente a Varvínski que não o deixasse entrar.

Aliócha encontrou seu irmão sentado num divã, com roupão de quarto; tinha um pouco de febre, a cabeça enrolada num guardanapo molhado com água e vinagre. Lançou a Aliócha um olhar vago em que transparecia uma espécie de terror.

Em geral, desde sua condenação, tornara-se pensativo. Por vezes, ficava uma meia hora sem dizer nada, parecendo entregar-se a uma meditação dolorosa, esquecendo seu interlocutor. Se saía de seu devaneio, era sempre de improviso e para falar de outra coisa diferente do assunto em conversa. Por vezes, olhava seu irmão com compaixão, parecia menos à vontade com ele do que com Grúchenhka. Na verdade, nunca falava com esta, mas assim que ela entrava seu rosto se iluminava. Aliócha sentou-se em silêncio ao lado dele. Dimítri esperava-o com ansiedade, contudo não ousava interrogá-lo. Achava impossível que Kátia consentisse em vir, enquanto sentia que se ela não viesse, seria intolerável. Aliócha compreendia seus sentimentos.

— Parece que Trifon Borísovitch quase demoliu sua hospedaria — disse febrilmente Mítia. — Levanta as pranchas do parquete, arranca tábuas; desmontou toda a sua galeria, pedaço por pedaço, na esperança de encontrar um tesouro, os mil e quinhentos rublos que o procurador pretende que eu tenha escondido lá. Logo de volta, dizem que ele se pôs à obra. Bem-feito para o velhaco. Soube-o ontem por um guarda que é de lá.

— Escuta — disse Aliócha —, ela virá, não sei quando, talvez hoje, ou dentro de algumas horas, ignoro-o. Mas virá, é certo. — Mítia estremeceu, teria querido falar, mas manteve silêncio. Aquela notícia perturbava-o. Via-se que estava ansioso por conhecer os detalhes da conversa, enquanto temia perguntá-los. Uma palavra cruel ou desdenhosa de Kátia teria sido para ele, naquele momento, igual a uma martelada na cabeça.

— Ela disse, entre outras coisas, que te tranquilizasse a consciência a respeito da evasão. Se Ivan não estiver curado naquela ocasião, ela é quem se ocupará disso.

— Já me falaste disto — observou Mítia.

— E tu, tu o repetiste a Grucha.

— Sim — confessou Mítia. — Ela não virá esta manhã —olhou timidamente para seu irmão —, só virá à noite. Quando eu lhe disse que Kátia trataria do assunto, calou-se a princípio, com os lábios contraídos, depois murmurou: "Pois seja!". Compreendeu que era grave. Não ousei fazer-lhe perguntas. Agora ela parece compreender que não é a mim que Kátia ama, mas a Ivan.

— Deveras?

— Talvez não. Em todo caso, Grucha não virá esta manhã. Encarreguei-a dum recado... Escuta, nosso irmão Ivan é um espírito superior, ele é que deve viver e não nós. Há de recuperar a saúde.

— Imagina que Kátia, apesar de seus alarmes, quase não duvida de sua cura.

— Então é que ela está persuadida de que ele morrerá. É o pavor que lhe inspira essa convicção.

— Ivan é de constituição robusta. Eu também espero sua cura — disse Aliócha, apreensivo.

— Sim, ele se curará. Mas ela tem a convicção de que ele morrerá. Deve sofrer muito...

Reinou silêncio. Mítia estava atormentado por uma grave preocupação.

— Aliócha, eu amo apaixonadamente Grucha — disse ele de repente, com voz trêmula, em que havia lágrimas.

— Não a deixarão contigo, lá.

— Queria dizer-te ainda — prosseguiu Mítia com uma voz vibrante —, se me baterem em caminho ou lá, não o suportarei, matarei e vão me fuzilar. E serão vinte anos! Aqui, os guardas já me tuteiam. Esta noite toda refleti. Pois bem, não estou pronto! É acima de minhas forças! Eu que queria cantar um hino, não posso suportar o tuteio dos guardas. Tudo haveria de suportar por amor de Grucha, tudo... exceto as pancadas... Mas não a deixarão entrar lá.

Aliócha sorriu mansamente.

— Escuta, meu irmão, uma vez por todas. Eis minha opinião a este respeito. Sabes que não minto. Não estás preparado para semelhante cruz, não é feita para ti. Mais ainda, não tens necessidade duma provação tão dolorosa. Se houvesses matado teu pai, lamentaria que repelisses a expiação. Mas és inocente e essa cruz é demasiado pesada para ti. Uma vez que querias regenerar-te pelo sofrimento, guarda sempre presente, em qualquer parte em que viveres, esse ideal da regeneração. Isso bastará. O fato de te teres furtado a essa terrível prova servirá apenas para fazer-te sentir um dever maior ainda, e esse sentimento contínuo contribuirá talvez mais para tua regeneração do que se fosses para lá. Porque não suportarias os sofrimentos do presídio, irias revoltar-te, talvez acabasses dizendo: "Estou quite". O advogado disse a verdade nesse sentido. Todos não suportam fardos pesados; há criaturas que sucumbem... Eis minha opinião, se desejas tanto conhecê-la. Se tua evasão devesse custar caro a outros, oficiais e soldados, não te permitiria que te evadisses. — Alióocha sorriu. — Mas assegura-se (o próprio chefe de condução disse-o a Ivan) que não haverá sanções severas, sabendo-se arranjar as coisas e que eles se safarão de complicações sem mais nada. Decerto é desonesto corromper consciências, mesmo neste caso, mas aqui vou me abster de julgar, porque se, por exemplo, Ivan e Kátia me tivessem confiado um papel nesse negócio não teria hesitado em empregar a corrupção: devo dizer-te toda a verdade. Assim, não cabe a mim julgar tua maneira de agir. Mas sabe que não te condenarei jamais. Aliás, é estranho, como poderei eu ser teu juiz neste caso? Está bem! creio ter examinado tudo.

— Em compensação, serei eu que me condenarei! — exclamou Mítia. — Vou fugir. Já estava decidido: será que Mítia Karamázov pode não fugir? Mas me condenarei e passarei minha vida a expiar essa falta. É bem assim que falam os jesuítas? Como estamos fazendo agora, hem?

— É o que parece — disse alegremente Alióocha.

— Eu te amo porque dizes sempre a verdade completa, sem nada ocultar! — disse Mítia, radiante. — Portanto, apanhei Alióocha em flagrante delito de jesuitismo! Merecerias que te beijassem por isso, deveras! Pois bem! escuta o resto, vou acabar de expandir-me. Eis o que imaginei e resolvi. Se conseguir evadir-me com dinheiro e um passaporte e se chegar à América serei reconfortado por essa ideia de que não é para viver feliz que o faço, mas para sofrer um presídio que talvez seja igual a este! Asseguro-te, Alieksiéi, que um vale o outro! Que o diabo leve essa América! Já a odeio. Grucha me acompanhará, seja, mas olha-a: tem ela o ar duma americana? Ela é russa, russa até a medula dos ossos, sofrerá a saudade de sua terra, e sem cessar estarei vendo-a sofrer por causa de mim, carregando uma cruz que não mereceu. E eu, suportarei os pulhas de lá, mesmo que todos valessem melhor do que eu? Já a detesto, a essa América! Pois bem! muito embora sejam eles lá técnicos fora do comum ou outra coisa, leve-os o diabo, não são a minha gente! Amo a Rússia, Alieksiéi, amo o Deus russo, por mais vil que eu seja! Sim, rebentarei lá! — exclamou ele, com os olhos de repente cintilantes. Sua voz tremia.

— Pois bem! eis o que decidi, Alieksiéi, escuta! — prosseguiu, logo que se acalmou. — Assim que lá chegar, com Grucha, começaremos a trabalhar na lavoura, a trabalhar na solidão, entre os ursos, bem longe. Lá também há recantos perdidos. Dizem que ainda existem peles-vermelhas. Pois bem! será para essa região que iremos, entre os derradeiros moicanos. Estudaremos imediatamente a gramática, eu e Grucha. Ao fim de três anos, saberemos o inglês a fundo. Então, adeus América! Voltaremos à Rússia, como cidadãos americanos. Não tenhas receio, não voltaremos para esta cidadezinha, vamos nos ocultar em alguma parte, ao norte ou ao sul. Estarei mudado, ela também; mandarei fazer para mim na América uma barba postiça, furarei um olho, senão usarei uma barba grisalha de um *archin* (a nostalgia pela pátria me envelhecerá depressa), talvez não me reconheçam. Se for reconhecido, que *me deportem, tanto pior*, era meu destino! Na Rússia também, trabalharemos num canto perdido, e sempre me farei passar por americano. Em compensação, morreremos na terra natal. Eis meu plano. É irrevogável. Tu o aprovas?

— Sim — disse Aliócha para não contradizê-lo.

Mítia calou-se um instante e declarou de repente:

— Viste como me trataram na audiência? Quanta má vontade!

— Mesmo sem isso, terias sido condenado — disse Aliócha, suspirando.

— Sim, estão fartos de mim, aqui! Que Deus lhes perdoe, mas é duro! — gemeu Mítia. Novo silêncio.

— Aliócha, executa-me agora mesmo: ela virá ou não agora? Fala! Que disse ela?

— Prometeu vir, mas não sei se será hoje. É-lhe penoso!

Aliócha fitou timidamente seu irmão.

— Concordo! Concordo! Aliócha, eu ficarei louco! Grúchenhka não cessa de fitar-me. Ela compreende. Meu Deus! acalma-me, que peço eu? Kátia! Será que compreendo o que estou pedindo? Eis aqui a tal impetuosidade dos Karamázovi! Não, não sou capaz de sofrer! Não passo de um miserável!

— Ei-la! — exclamou Aliócha.

Nesse momento, Kátia apareceu no limiar. Parou um instante e olhou para Mítia com um ar desvairado. Mítia levantou-se vivamente, pálido de terror, mas logo um sorriso tímido, súplice, desenhou-se em seus lábios e, de repente, num movimento irresistível, estendeu seus braços para Kátia, que correu para ele. Ela agarrou-lhe as mãos, fê-lo sentar no leito, sentou também, sem largar-lhe as mãos que apertava convulsivamente. Por várias vezes, ambos quiseram falar, mas se contiveram, olhando-se em silêncio, com um sorriso estranho, como que presos um ao outro; dois minutos assim se passaram.

— Perdoaste? — perguntou por fim Mítia e logo, voltando-se radiante para Aliócha, gritou-lhe:

— Ouves o que peço, ouves?

— Eu te amo, porque teu coração é generoso! — disse Kátia. — Não tens necessidade de meu perdão, nem eu tampouco do teu. Que me perdoes ou não, a lembrança de cada um de nós ficará como uma ferida na alma do outro, isto deve ser... — Deteve-se para tomar alento. — Por que vim? — prosseguiu ela, febrilmente: — para beijar teus pés, apertar tuas mãos até doerem, lembras-te? como em Moscou, para dizer-te ainda que és meu deus, minha alegria, para dizer-te que te amo loucamente — gemeu ela, num soluço. Pousou os lábios ávidos na mão de Mítia. Corriam-lhes lágrimas pelas faces. Aliócha mantinha-se silencioso e desconcertado. Não esperava aquela cena.

— O amor desapareceu, Mítia — continuou ela —, mas o passado é-me dolorosamente querido. Fica sabendo para sempre. Agora, por um instante, suponhamos verdadeiro o que teria podido ser — murmurou ela, com um sorriso crispado, fixando-o de novo com alegria. — Agora, amamos cada um para nosso lado, no entanto, sempre vou te amar, e tu também, sabias? Ouve, ama-me, ama-me toda a tua vida! — suspirou ela, com uma voz trêmula em que havia leve tom de ameaça.

— Sim, eu te amarei e... sabes, Kátia — disse Mítia, parando a cada palavra —, sabes que há cinco dias, naquela noite, eu te amava... Quando caíste desmaiada e te levaram... Toda a minha vida! Será assim, para todo o sempre.

Assim trocavam eles essas frases quase absurdas e exaltadas, mentirosas talvez, mas eram sinceros e tinham em si uma confiança absoluta.

— Kátia — exclamou, de repente, Mítia —, acreditas que eu matei? Sei que agora não o crês, mas naquela ocasião... quando depunhas... tu o acreditavas verdadeiramente?

— Jamais o acreditei, mesmo então! Eu te detestava e persuadi-me, por um instante... Ao depor, estava convencida... mas, logo imediatamente depois, deixei de acreditar. Fica sabendo. Esquecia de que vim aqui para penitenciar-me! — disse ela, com uma expressão toda nova, que não lembrava em nada as ternas frases de ainda há pouco.

— Como isto é horrível para ti, mulher! — disse, de repente, Mítia.

— Deixa-me — murmurou ela —, eu voltarei, agora não posso mais.

Levantara, mas de súbito lançou um grito e recuou.

No quarto havia entrado bruscamente, embora sem ruído, Grúchenhka. Ninguém a esperava. Kátia lançou-se para a porta, mas parou diante de Grúchenhka, tornou-se duma palidez de cera e murmurou, num suspiro:

— Perdoe-me!

A outra fitou-a e, ao fim dum instante, disse-lhe, em voz amarga, carregada de ódio:

— Somos más todas duas! Como haveremos de perdoar uma à outra? Mas salva-o e, em compensação, eu rezarei por ti toda a minha vida.

— E tu recusas perdoar-lhe? — gritou Mítia, num tom de viva censura.

— Fica tranquila, eu o salvarei — apressou-se em dizer Kátia, que saiu apressada.

— Pudeste recusar-lhe teu perdão, quando ela mesma o pedia? — exclamou de novo Mítia com amargura.

— Não a censures, Mítia, não tens o direito! — interveio com vivacidade Alióscha.

— Era o seu orgulho e não o seu coração que falava — disse com desgosto Grúchenhka. — Se ela te libertar, lhe perdoarei tudo...

Calou-se, como se reprimisse alguma coisa e não pudesse ainda serenar. Chegara ali totalmente por acaso, não suspeitando de nada e sem esperar aquele encontro.

— Alióscha, corre atrás dela! — disse Mítia, ansioso, a seu irmão. — Dize-lhe... não sei o quê... não a deixes partir assim!

— Virei ver-te antes do anoitecer! — gritou Alióscha, que correu para alcançar Kátia. Alcançou-a, de fato, já fora do hospital. Ia depressa e lhe disse rapidamente:

— Não, é-me impossível humilhar-me diante daquela mulher. Quis beber o cálice até o fim, por isso lhe pedi perdão. Ela recusou... Amo-a por isso! — disse Kátia com voz alterada e seus olhos brilhavam cheios de ódio feroz.

— Meu irmão não esperava por isso — balbuciou Alióscha. — Estava persuadido de que ela não viria...

— Sem dúvida. Deixemos isso — interrompeu ela. — Escute: não posso acompanhá-lo ao enterro. Enviei-lhes flores para o caixão. Devem ter ainda dinheiro. Se for preciso, diga-lhes que para o futuro não os abandonarei jamais. E agora, deixe-me, deixe-me, rogo-lhe. Você já está atrasado, está tocando para a derradeira missa... Deixe-me, por favor!

III / Enterro de Iliúcha. Alocução perto da pedra

Estava atrasado, com efeito. Esperavam-no e tinham mesmo já decidido levar sem ele para a igreja o pequeno ataúde ornado de flores. Era o de Iliúcha, o pobre menino. Morrera dois dias depois da sentença do julgamento. Ainda no portão, foi Aliócha acolhido pelos gritos dos rapazes, camaradas de Iliúcha. Tinha vindo uma dúzia, com suas sacolas escolares nas costas. "Papai chorará, fiquem com ele", dissera-lhes Iliúcha, ao morrer, e os meninos lembravam-se disso. À frente deles achava-se Kólia Krasótkin.

— Como estou contente pela sua vinda, Karamázov! — exclamou ele, estendendo a mão a Aliócha. — Aqui, está horrível! Na verdade, causa dó ver. Snieguiriov não está bêbedo, temos certeza de que não bebeu hoje, mas tem ar de embriagado... Mantenho-me firme, mas é horrível. Karamázov, se não o demoro, vou lhe fazer apenas uma pergunta antes de entrar.

— Que há, Kólia? — Aliócha parou.

— Seu irmão é inocente ou culpado? Foi ele quem matou seu pai ou foi o lacaio? Acreditarei no que o senhor disser. Há quatro noites que não durmo pensando nessa ideia.

— Foi o lacaio o assassino, meu irmão está inocente — respondeu Aliócha.

— É também minha opinião!... — exclamou de repente o jovem Smúrov.

— De modo que sucumbe ele como uma vítima inocente pela verdade? — exclamou Kólia. — Sucumbindo, é feliz! Estou pronto a invejá-lo!

— Como você pode dizer isso e por quê? — disse Aliócha, surpreso.

— Oh! se eu pudesse um dia sacrificar-me pela verdade! — declarou Kólia com entusiasmo.

— Mas não num caso como esse, não com tal opróbrio, em circunstâncias tão horríveis! — disse Aliócha.

— Certamente... quereria morrer pela humanidade inteira e quanto à vergonha, pouco importa: pereçam nossos nomes. Respeito seu irmão!

— Eu também! — exclamou de modo completamente inesperado o mesmo menino que pretendera outrora saber quem fundara Troia. Como então, ficou vermelho como uma peônia.

Aliócha entrou. No ataúde azul, enfeitado com tiras brancas, estava Iliúcha deitado, as mãos juntas, os olhos fechados. Os traços de seu rosto emagrecido mal haviam mudado e, coisa estranha, o cadáver quase não exalava fétido. A expressão era séria e como que pensativa. As mãos sobretudo eram belas, como talhadas em mármore. Tinham posto flores nelas. O ataúde inteiro, por dentro e por fora, estava ornado de flores enviadas de manhã cedo por Lisa Khokhlakova. Mas tinham vindo outras da parte de Katierina Ivânovna, e quando Aliócha abriu a porta, o capitão, com um buquê nas mãos trêmulas, desmanchava-o sobre seu querido filho. Mal olhou para o recém-chegado; aliás, não prestava atenção a ninguém, nem mesmo à sua mulher, a *mamacha* demente e chorosa, que se esforçava por se erguer sobre suas pernas doentes, para ver de mais perto seu filho morto. Quanto a Nínotchka, os meninos tinham-na levado, com sua cadeira, para bem perto do caixão. Apoiara a cabeça nele e devia estar chorando mansamente. Snieguiriov tinha o ar animado, mas como que perplexo e ao mesmo tempo selvagem. Havia loucura em seus gestos, nas palavras que lhe fugiam. "Meu pequeno, meu querido pequeno!", exclamava ele a cada instante, olhando Iliúcha.

— *Pápotchka,* dá-me também flores, toma da mão dele aquela flor branca, quero-a para mim! — pediu, soluçando, a *mamacha* louca. Fosse que a rosinha branca que estava nas mãos de Iliúcha lhe agradasse muito, ou quisesse ela guardá-la como lembrança dele, agitava-se, com os braços estendidos para a flor.

— Não darei nada a ninguém! — respondeu duramente Snieguiriov. — São dele as flores e não tuas. Tudo é dele, nada de ti!

— Papai, dê uma flor a mamãe! — disse Nínotchka, mostrando seu rosto úmido de lágrimas.

— Não darei nada, sobretudo a ela! Ela não o amava. Tirou-lhe seu canhãozinho — disse o capitão com um soluço, lembrando-se de como Iliúcha tinha então cedido o canhão à sua mãe. A pobre louca pôs-se a chorar, ocultando o rosto nas mãos. Os meninos, vendo afinal que o pai não saía de junto do caixão, e que era tempo de levá-lo à igreja, cercaram-no compactamente e puseram-se a levantá-lo.

— Não quero enterrá-lo no cemitério! — clamou de súbito Snieguiriov. — Vou enterrá-lo perto da pedra, de nossa pedra! Era a vontade de Iliúcha. Não deixarei que o levem!

Havia três dias que ele falava em enterrá-lo perto da pedra; mas Aliócha e Krasótkin intervieram, bem como a locadora, sua irmã e todos os meninos.

— Que ideia essa de enterrá-lo perto de uma pedra impura, como um renegado? — disse severamente a velha. — No cemitério, a terra é abençoada. Será mencionado nas orações. Ouvem-se os cantos da igreja, o diácono tem uma voz tão sonora e tudo chegará até ele, como se fosse ali mesmo, junto de sua sepultura.

O capitão teve um gesto de lassidão, como para dizer: "Façam o que quiserem!". Os meninos ergueram o caixão, mas ao passar perto da mãe, detiveram-se um instante para que ela pudesse dizer adeus a Iliúcha. Vendo, de repente, de perto aquele rosto querido, que ela havia três dias não tinha contemplado senão a certa distância, pôs-se ela a balançar sua cabeça grisalha.

— Mamãe, abençoe-o, beije-o — gritou-lhe Nínotchka. Mas a velha, como um autômato, continuou a menear a cabeça e, sem nada dizer, com o rosto crispado pela dor, bateu no peito com o punho. Levaram o caixão para mais longe. Nínotchka pousou um derradeiro beijo nos lábios de seu irmão. Aliócha, ao sair, rogou à locadora que velasse pelas duas mulheres; ela não o deixou acabar.

— Conhecemos nosso dever, ficarei junto delas, nós também somos cristãs.

A velha chorava ao dizer isso. A igreja estava a pouca distância, uns trezentos passos quando muito. Fazia um tempo claro e ameno, com um pouco de geada. Os sinos ainda dobravam. Snieguiriov, apressado e desorientado, acompanhava o ataúde, metido no seu velho sobretudo, demasiado leve para a estação, segurando na mão seu chapéu de feltro de largas abas. Presa de inexplicável inquietação, ora queria sustentar a cabeceira do caixão, o que só fazia atrapalhar os que o carregavam, ora esforçava-se por andar ao lado. Tendo uma flor caído na neve, precipitou-se para apanhá-la, como se aquilo tivesse uma grande importância.

— O pão, esqueceram o pão! — exclamou ele, de repente, com terror. Mas os *meninos lhe lembraram* logo que ele acabava de pegar um pedaço de pão e trazia-o no bolso. Tirou-o e acalmou-se ao vê-lo.

— É Iliúcha que o quer — explicou ele a Alióicha. — Uma noite, em que eu estava à sua cabeceira, disse-me de repente: "*Pápotchka*, quando me enterrarem, esmigalhe pão em cima de minha cova, para atrair os pardais. Eu os ouvirei e me causará prazer o não me sentir só".

— Está muito bem — disse Aliócha. — Será preciso trazer pão muitas vezes.

— Todos os dias, todos os dias! — murmurou o capitão como que reanimado.

Chegaram por fim à igreja e o ataúde foi colocado no meio dela. Os meninos cercaram-no e portaram-se exemplarmente durante a cerimônia. A igreja era antiga e bastante pobre, muitos ícones não tinham molduras, mas em igrejas assim se sente a gente mais à vontade para rezar. Durante a missa, Snieguiriov pareceu acalmar-se um pouco, se bem que a mesma preocupação inconsciente reaparecesse por momentos nele; ora se aproximava do caixão para arranjar o pano fúnebre, ou o *vientchik*,[117] ora, quando uma vela caía do candelabro, corria a recolocá-la, demorando-se nisso infindavelmente. Depois tranquilizou-se e ficou à frente, com ar preocupado e como que perplexo. Depois da epístola, cochichou a Aliócha que não a haviam lido como era devido, sem explicar seu pensamento. Pôs-se a cantar o hino querúbico, depois prosternou-se, com a cabeça contra as lajes, antes que ele terminasse, e assim ficou durante muito tempo. Por fim, foi dada a absolvição e distribuíram-se as velas. O pai, precipitado, ia de novo agitar-se, mas a unção e a majestade do canto fúnebre o transtornaram. Pareceu encolher-se e se pôs a soluçar a curtos intervalos, a princípio abafando sua voz, depois, para o fim, ruidosamente. No momento dos adeuses, quando se ia fechar o caixão, abraçou-se com ele como se quisesse a isso opor-se e começou a cobrir de beijos os lábios de seu filho. Exortaram-no a afastar-se e já havia ele descido o degrau, quando de repente estendeu vivamente os braços e tirou algumas flôres do caixão. Contemplou-as e nova ideia pareceu absorvê-lo, de modo que esqueceu, por um instante, o essencial. Pouco a pouco, tombou no devaneio e não fez nenhuma resistência quando levaram o caixão.

O túmulo, situado bem perto da igreja, no cemitério, custara caro. Pagara-o Katierina Ivânovna. Após o rito usual, os coveiros desceram o caixão. Snieguiriov, com suas flores na mão, inclinava-se de tal maneira por cima da cova aberta que os meninos amedrontados agarraram-lhe o sobretudo e puxaram-no para trás. Mas ele parecia não compreender bem o que se passava. Quando encheram a cova, pôs-se a desenhar, com ar preocupado, na terra que se amontoava, e começou mesmo a falar, mas ninguém compreendeu nada; aliás, não tardou a calar-se. Lembraram-lhe então que era preciso reduzir o pão a migalhas; moveu-se, tirou o pão do bolso e espalhou-o em migalhas sobre o túmulo: "Venham, passarinhos, venham gentis pardais!", murmurava ele, solícito. Um dos meninos fez-lhe ver que suas flores o atrapalhavam e que deveria confiá-las a alguém. Mas ele recusou, pareceu mesmo aterrorizado, como se quisessem tomá-las dele, e depois de haver-se assegurado *com um olhar de que tudo estava realizado* e o pão reduzido a migalhas, voltou-se e seguiu tranquilamente para sua casa. Mas pouco a pouco apressou o passo, corria quase. Os meninos e Aliócha seguiam-no de perto.

— Flores para *mamacha*, flores para *mamacha*! Ofenderam a *mamacha*! — exclamou ele, de repente. Alguém lhe gritou que pusesse o chapéu, que estava fazendo

---

117   Tira de cetim ou de papel, na qual se colocavam imagens de Cristo, da Virgem e de São João Crisóstomo.

frio. Como que irritado com tais palavras, atirou-o na neve, dizendo: "Não quero chapéu, não quero!". O jovem Smúrov apanhou o chapéu e segurou-o. Todos os meninos choravam, sobretudo Kólia e o rapaz que havia descoberto Troia. Apesar de suas lágrimas, Smúrov achou meio de apanhar um pedaço de tijolo que aparecia vermelho entre a neve, para visar no voo um bando de pardais. Não acertou neles, naturalmente, e continuou a correr, chorando. A meio caminho, Snieguiriov parou, de súbito, estacionou um instante como impressionado por alguma coisa, depois, voltando-se para o lado da igreja, encaminhou-se para o túmulo deixado só. Mas os meninos o agarraram em um piscar de olhos, aferrando-se a ele por todos os lados. Sem forças, dominado, rolou sobre a neve, debateu-se soluçando, e se pôs a gritar: "Iliúcha, meu querido filhinho!". Aliócha e Kólia levantaram-no, suplicaram-lhe que se mostrasse razoável.

— Capitão, basta, um homem corajoso deve suportar tudo — balbuciou Kólia.

— O senhor está estragando as flores — disse Aliócha. — A *mamacha* as espera, está chorando porque o senhor lhe recusou as flores de Iliúcha. O leito de Iliúcha ainda está lá.

— Sim, sim, vamos ver a *mamacha* — lembrou-se, de súbito, Snieguiriov. — Vão levar o leito! — acrescentou, como se temesse verdadeiramente que o levassem. Levantou-se e correu à casa, mas não se estava longe e todo mundo chegou ao mesmo tempo. Snieguiriov abriu vivamente a porta, gritou para sua mulher, para com a qual se mostrara tão duro:

— Querida *mamacha*, eis flores que Iliúcha te envia. Tens dores nos pés?

Estendeu-lhe as flores, geladas e amassadas, quando havia rolado na neve. Naquele momento, percebeu a um canto, diante do leito, os sapatos de Iliúcha que a locadora acabara de arrumar, velhos sapatos que se haviam tornado vermelhos, encoscorados, remendados. Vendo-os, ergueu os braços, avançou, caiu de joelhos, agarrou um dos sapatos, que cobriu de beijos, gritando:

— Iliúcha, meu querido filhinho, onde estão teus pés?

— Para onde o levaste? Para onde o levaste? — exclamou a louca, com uma voz dilacerante. Nínotchka também se pôs a soluçar. Kólia saiu correndo, seguido pelos meninos. Aliócha fez o mesmo.

— Deixemo-los chorar — disse ele a Kólia. — impossível consolá-los. Voltaremos daqui a pouco.

— Sim, não há nada a fazer, é horrível — aprovou Kólia. — Sabe, Karamázov? — disse ele, baixando a voz para não ser ouvido: — Tenho muito pesar e para ressuscitá-lo daria tudo no mundo!

— Eu também — disse Aliócha.

— Que pensa o senhor, Karamázov, será preciso vir esta noite? Ele vai embriagar-se.

— É bem possível. Viremos somente nós dois, e basta, passar uma hora com ele, com a mamãe e Nínotchka. Se viéssemos todos, serviria para lembrar-lhes tudo — aconselhou Aliócha.

— A locadora vai preparar a mesa para a comemoração,[118] virá o pope. Será preciso voltar para lá agora, Karamázov?

---

118 O costume de "comemorar" os mortos com um jantar era, tanto na Rússia como noutros países nórdicos, sobrevivência dos ágapes funerários dos primeiros tempos do Cristianismo.

— Absolutamente.

— É estranho tudo isso, Karamázov. Tal dor e pastéis; como tudo é estranho na nossa religião!

— Haverá salmão — disse o rapaz que havia descoberto Troia.

— Peço-lhe seriamente, Kartachov, que não intervenha com suas bobagens, sobretudo quando não se está falando com você e que se quer mesmo ignorar sua existência — disse Kólia, com irritação. O rapaz corou, mas não ousou responder. Entretanto, todos seguiam lentamente a vereda e Smúrov exclamou de repente:

— Eis a pedra de Iliúcha, sob a qual queriam enterrá-lo.

Todos pararam, silenciosos, ao lado da pedra. Alióca olhava, e a cena que lhe havia contado outrora Snieguiriov, de como Iliúcha, chorando e abraçando seu pai, exclamava: *"Pápotchka, pápotchka,* como ele te humilhou!"*, aquela cena lhe voltou repentinamente à memória. A emoção dominou-o. Olhou com ar sério todos aqueles rostos gentis de escolares, camaradas de Iliúcha e lhes disse:

— Meus amigos, quereria dizer algumas palavras, aqui mesmo.

Os meninos cercaram-no e fitaram nele olhares de expectativa.

— Meus amigos, vamos separar-nos. Ficarei ainda algum tempo com meus irmãos, dos quais um vai ser deportado e o outro está moribundo. Mas deixarei em breve esta cidade, talvez por muito tempo. Vamos, pois, separar-nos. Convenhamos aqui, diante da pedra de Iliúcha, que jamais o esqueceremos e nos lembraremos uns dos outros. E, aconteça o que acontecer mais tarde na vida, ainda mesmo que fiquemos vinte anos sem nos vermos, vamos nos lembrar de como enterramos o pobre menino, contra o qual eram atiradas pedras perto do passadiço, deveis lembrar-vos, e que foi depois amado por todos. Era um menino amável, bom e corajoso, tendo o sentimento da honra e da amarga ofensa sofrida por seu pai, contra a qual se revoltou. Assim nos lembraremos dele toda a nossa vida. E mesmo se estivermos ocupados com negócios da mais alta importância e tenhamos alcançado honras ou caído no infortúnio, mesmo então não esqueçamos jamais como nos foi doce, aqui, comungar uma vez em um bom sentimento que nos tornou, enquanto amávamos o pobre menino, talvez melhores do que somos na realidade. Meus pombinhos, deixai que vos chame assim, porque vos assemelhais todos àqueles encantadores pássaros, enquanto fito os vossos rostos amáveis, meus queridos meninos, talvez não compreendais o que vou dizer-vos, porque nem sempre sou claro, mas havereis de lembrar-vos e mais tarde me dareis razão. Sabei que não há nada de mais nobre, de mais forte, de mais são e de mais útil na vida que uma boa recordação, sobretudo provindo da juventude, da casa paterna. Falam-vos muito de vossa educação; ora, uma recordação santa, conservada desde a infância, é talvez a melhor educação. Se fazemos provisão de tais recordações para a vida, salvamo-nos definitivamente. E mesmo se só guardarmos no coração uma boa recordação, isto poderá servir um dia para nos salvar. Talvez nos tornemos mesmo maus, mais tarde, incapazes de nos abstermos duma má ação, riamos das lágrimas de nossos semelhantes, dos que dizem, como Kólia exclamou ainda há pouco: "quero sofrer por todos", talvez zombemos deles maldosamente. Mas por piores que nos tornemos, do que Deus nos preserve, quando nos lembrarmos de como enterramos Iliúcha, de como o amamos nos seus derradeiros dias, e das conversas que mantivemos cordialmente em redor dessa pedra, o mais duro e o mais zombeteiro dentre nós, se assim nos tornarmos, não ousará zombar, no seu foro íntimo, dos bons sentimentos que experimenta neste momento! Mais ainda, talvez que precisamente essa recordação apenas o impeça de agir mal; fará um exame de consciência e dirá: "Sim, eu era bom então, ousado, honesto." Que ria mesmo consigo mesmo, pouco importa, a gente zomba muitas vezes do que é bom e belo; é somente por leviandade, mas asseguro-vos que, logo depois de ter rido, dirá a si mesmo em seu coração: "Fiz mal em rir, porque não devemos rir dessas coisas!"

— Será absolutamente assim, Karamázov, eu o compreendo! — exclamou Kólia, de olhos brilhantes. Os meninos agitaram-se e queriam também gritar alguma coisa, mas contiveram-se e fixaram no orador olhares emocionados.

— Disse isto para o caso em que nos tornarmos maus — prosseguiu Aliócha. — Mas por que nos tornarmos maus, não é, meus amigos? Seremos antes de tudo bons, depois honestos, enfim não nos esqueceremos jamais uns dos outros. Insisto nisto. Dou-vos minha palavra, meus amigos, de que não esquecerei nenhum de vós; cada rosto que me olha agora, dele me lembrarei, mesmo daqui a trinta anos. Ainda há pouco, Kólia disse a Kartachov que queríamos ignorar sua existência. Posso eu esquecer que Kartachov existe, que não cora mais como quando descobriu Troia, mas me olha alegremente com seus belos olhos? Meus caros amigos, sejamos todos generosos e corajosos como Iliúcha, inteligentes, corajosos e generosos como Kólia (que se tornará bem mais inteligente ao crescer), sejamos modestos, porém amáveis como Kartachov. Mas por que só falar desses dois? Todos vós me sois caros doravante, todos tendes um lugar em meu coração e reclamo um no vosso! Pois bem! quem nos reuniu neste bom sentimento, do qual queremos guardar para sempre a lembrança, senão Iliúcha, aquele bom, aquele gentil menino, que nos será sempre querido? Nós não o esqueceremos, boa e eterna recordação dele em nossos corações, agora e para todo o sempre!

— É isto, é isto, lembrança eterna! — gritaram todos os meninos com suas vozes sonoras e com ar comovido.

— Nós nos lembraremos de seu rosto, de sua roupa, de seus pobres sapatinhos, de seu ataúde, de seu desgraçado pai, e de como tomou a defesa dele, sozinho contra toda a classe.

— Nós nos lembraremos dele! Era bravo, era bom!

— Ah! como eu o amava! — exclamou Kólia.

— Meus meninos, meus queridos amigos, não temais a vida! Ela é tão bela quando se pratica o bem e a verdade!

— Sim, sim! — repetiram os meninos entusiasmados.

— Karamázov, nós o amamos! — ecoou uma voz, provavelmente a de Kartachov.

— Nós o amamos, nós o amamos! — repetiram em coro. Muitos tinham lágrimas nos olhos.

— Viva Karamázov! — proclamou Kólia.

— E lembrança eterna para o pobre menino! — acrescentou de nóvo Aliócha, com emoção.

— Lembrança eterna!

— Karamázov! — exclamou Kólia. — É verdade o que diz a religião, que ressuscitaremos dentre os mortos, que nos tornaremos a ver uns e outros, e todos e Iliúcha?

— Decerto ressuscitaremos, tornaremos a ver-nos, contaremos uns aos outros alegremente tudo quanto se passou — respondeu Aliócha, meio risonho, meio entusiasta.

— Oh! como será bom! — disse Kólia.

— E agora, já falamos muito. Vamos ao jantar fúnebre. Não vos perturbeis pelo fato de comermos pastéis. É uma velha tradição que tem seu lado bom — disse Aliócha, sorrindo. — Pois bem! vamos agora, de mãos-dadas.

— E sempre assim, a vida inteira, de mãos-dadas! Viva Karamázov! — repetiu Kólia com entusiasmo e sua aclamação foi repetida por todos os meninos.

OUTROS

ESCRITOS

Prólogo geral

Esquema para o grande pecador

O crocodilo

O Mujique Márei

Uma doce criatura

O sonho de um homem ridículo

Excertos do diário de um escritor

Prólogo geral

Termina, com *Os irmãos Karamázovi*, não só a série dos grandes romances de Dostoiévski, mas também a sua atividade de escritor. Tinha assim conquistado definitivamente uma glória igual à que gozavam Turguéniev e Tolstói. Entretanto, o romancista envelhecera e, quebrantada a saúde por uma vida cheia de vicissitudes que o leitor já conhece, pouco tempo terá de vida. *Os irmãos Karamázovi* é publicado em 1879 e Dostoiévski morre em 1881. Não teve, portanto, tempo de realizar aquela obra grandiosa com que sonhava e que seria a cúpula de toda a sua carreira, o expoente máximo da sua criação, e ao falar da qual dizia em carta à Senhora Ivânovna, em 20 de março de 1869: "Concebi uma ideia, sob a forma de romance, que se chamará *O ateísmo*, na qual me parece que hei de expressar-me totalmente"; e a Máikov, em 27 de maio: "Tenho uma ideia literária, um romance, uma parábola do ateísmo, da qual toda a minha antiga carreira literária não passa de insignificante introdução, e irei, de futuro, consagrar-lhe toda a minha vida". E ainda: "Depois, pouco me importa morrer; terei dito tudo".

Essa obra deveria, pois, em princípio, ter o título de *O ateísmo*. Mas em 1870 já esse título aparece alterado para o de *A vida de um grande pecador*, da qual nos resta apenas um esquema, aliás imponente, e que o leitor vai encontrar nesta série de escritos.

Na verdade, quem puder tomar conhecimento de tudo aquilo que Dostoiévski escreveu, além da obra da juventude e dos grandes romances da maturidade, terá de contar com a leitura de muitas e muitas mais centenas de páginas. A sua atividade literária estende-se por todo um período de quase quarenta anos e se é grande pela qualidade não é menor pela quantidade. Dostoiévski escrevia febrilmente não só para dar realização às suas concepções estéticas e metafísicas mas também para ganhar a vida. Da leitura das suas cartas, e também do livro *Dostoiévski* que sobre ele escreveu a sua segunda esposa, Anna Grigórievna, ficamos sabendo que a sua imaginação portentosa regurgitava de projetos, os mais vastos, e também como ele próprio se lamentava amargamente por não poder realizar com maior perfeição os seus romances, visto ter de escrever à pressa para satisfazer compromissos tomados com os editores que lhe haviam já adiantado os pagamentos. Sabemos também que, na sua ânsia de perfeição, fazia e refazia um mesmo livro até encontrar a forma que mais se aproximasse daquela que ele sonhava.

Hoje, que estão publicados os seus inéditos e a sua vastíssima correspondência, bem como o *Diário de um escritor*, na sua integridade, podemos avaliar melhor não só a extensão do seu trabalho como também surpreender os degraus da escada que subia o seu espírito na ascensão para as suas criações. Nesses cadernos de apontamentos ficaram anotados esboços de personagens, ideias, pinceladas de retratos, fragmentos de diálogos, planos de cenas, entrechos resumidos.

Dentre os escritos que só foram revelados com a publicação dos seus inéditos, vai o leitor entrar em contato com *Esquema para o grande pecador*. Depois de *Os irmãos Karamázovi*, Dostoiévski sonha escrever ainda uma segunda parte desse romance, que será a "história de Aliócha", isto é, um dos quatro irmãos Karamázovi — o santo —, e cujo enredo seria, em resumo, este: Aliócha seria primeiramente apresentado como um grande pecador e um descrente, mas depois a fé acabaria por triunfar nele e se transformaria num salvador do mundo, personificando a Rússia Nova.

Este projeto surgira já, como vimos, na mente do escritor, em 1868 e desenvolveu-se durante o inverno de 1869-1870; para ele o romancista tinha escrito o título de *O ateísmo*, o qual passou, como vimos já também, a ser o de *A vida de um grande pecador*. Até que, por fim, essa segunda parte de *Os irmãos Karamázovi*, a "história de Aliócha", seria precisamente a vida desse grande pecador, que acabaria por salvar-se a si e a todo mundo.

Mas, como se disse, a morte não deu tempo a que Dostoiévski realizasse tão ambicioso plano. Entretanto, não poderá considerar-se a sua obra total como a longuíssima — e profundíssima —história de tantos pecadores, ou talvez até a de um só, que era ele mesmo, Dostoiévski?

É nos romances *O adolescente*, *Os demônios*, *Os irmãos Karamázovi*, e também em *Crime e castigo*, que mais encontramos da vida desse grande pecador, conduzido até à santidade, e ainda do grande tema do "ateísmo".

O *Esquema para o grande pecador* começa pela descrição da infância e da adolescência do herói, a qual nos faz lembrar o Dolgorúki de *O adolescente*; a segunda parte desenrola-se num mosteiro, no qual aparece um monge, Tikhon Sadónski — que surgirá também em *Os demônios*, na entrevista havida com Nikolai Stavróguin — e que acabará por converter um rapaz pecador, acabando este, por sua vez, por ter amor a toda a humanidade e por crer em Deus.

Seguindo atentamente os traços da vida deste grande pecador, poderemos encontrar não só muitos elementos autobiográficos da vida do escritor, por vezes quase flagrantes, como também o seu magno problema metafísico: o problema de Deus.

Ainda a propósito do projeto de *O ateísmo*, escrevia também Dostoiévski numa carta: "O problema principal a ser ventilado em todas as partes componentes da obra será o que, durante toda a minha vida, me torturou, consciente e inconscientemente: a existência de Deus. O herói há de ser, ao longo de toda a sua existência, ora ateu, ora crente, agora fanático, logo heresiarca, para voltar de novo a ser ateu..."

Um outro escrito célebre que a publicação dos inéditos do escritor nos deu a conhecer foi essa extraordinária "Confissão de Stavróguin", cujo tema é, em resumo, este: um homem, essa sinistra personagem de *Os demônios*, que é Nikolai Stavróguin, o cético absoluto, o indiferente perfeito perante os grandes problemas do mal, do bem, e de Deus e do amor, cometeu um grande crime, que vai confessar a um monge. É a descrição desse crime que constitui um dos trechos mais assombrosos da literatura universal. Além disso, a "Confissão de Stavróguin" — incluída no capítulo "Em casa de Tíkhon" — tornou-se ainda célebre pelo fato de estar ligada a certo escândalo surgido em torno do nome do escritor, já depois de sua morte, e que sua mulher relata no livro já citado.

Estalou este escândalo devido à publicação na imprensa de uma carta de Strákhov, biógrafo e amigo de Dostoiévski, dirigida a Tolstói, na qual esse crítico retificava muitos dos seus anteriores juízos favoráveis ao escritor, dizendo, entre outras coisas, que Dostoiévski levara uma vida de dissipação, que era atraído pelos atos nefandos e deles se vangloriava, aduzindo como prova, precisamente, esse capítulo de

Os demônios, "A Confissão de Stavróguin" — que o editor do livro mandara suprimir, mas que o escritor lera para várias pessoas. A viúva do romancista defendeu a memória de seu marido com estas palavras: "Fiódor Mikháilovitch tinha que atribuir, por causas artísticas, ao herói desse romance algum crime vergonhoso. É verdade que Katkov não quis publicar esse capítulo e pediu ao autor que o modificasse. O meu marido ficou ressentido e, para tirar a prova do juízo de Katkov, leu esse episódio aos seus amigos K. B. Pobiednóstsev, A. N. Máikov, N. N. Strákhav e outros mais, não para escutar os seus elogios, como Strákhov afirma, mas apenas com a ideia de conhecer a sua opinião... Posso afirmar e testemunhar que meu marido repudiou sempre em absoluto as vilezas e licenciosidades dos seus heróis. Nenhum grande talento precisa cometer por si próprio as canalhices das suas figuras artísticas. Sendo assim teríamos de supor que Dostoiévski teria morto alguém, quando soube descrever com tanto realismo o assassinato de duas mulheres por Raskólhnikov..."

Hoje, que esse famoso capítulo está já divulgado, o exegeta da vida, da personalidade e da obra do escritor terá de abandonar apreciações de ordem moralística e de interpretar antes esse trecho à luz de duas modalidades de explicação: a "psicanalítica", perseguindo principalmente o "complexo de culpa" do escritor, desfibrando-o em todos os seus múltiplos componentes, e a "metafísica", pensando no mais profundo problema que desde sempre inquietou e torturou como ele próprio disse — o espírito deste grande homem: o problema de Deus. E que um dos aspectos por que ele se abeirou da meditação desse problema foi o da consideração da "arbitrariedade humana", tão bem posta em relevo por Bierdiáiev no seu estudo *O espírito de Dostoiévski,* e reafirmado por Henri de Leubac em *O drama do humanismo ateu.* Assim, Stavróguin será o esboço duma apologia de Satã, através do qual se investigará se as noções de bem e de mal serão ou não serão simples preconceitos. Stavróguin é um daqueles "super-homens", da linhagem de Raskólhnikov, que pensam que, aos fortes, tudo é permitido. Mas quando Stavróguin se vê na presença do monge Tíkhon, lá irá o diálogo, fatalmente, parar à magna questão do ateísmo e da crença.

Outros dos escritos de Dostoiévski que o leitor vai conhecer seguidamente são uns excertos de *O diário de um escritor,* que, publicado em toda a sua integridade, formaria, só por si, um vastíssimo volume no qual se encontrará a narrativa de episódios cotidianos da época, de menos interesse para o leitor hodierno.

A ideia de manter um diário tinha-a já desde há muito o escritor. Mas é só depois de ter terminado *O adolescente* que pensa realmente pô-la em ato. O primeiro número sai em janeiro de 1876. Nesse diário o escritor queria relatar, conforme as suas próprias palavras, "todas as suas impressões de escritor russo em face do que via, do que ouvia e do que lia". E assim fez; de maneira que é por este *Diário* que podemos conhecer o seu pensamento direto e definido, sem os meandros da dialética e do romanesco, através dos quais preferiu suprimir antes as suas dúvidas do que as suas certezas.

Aliás, nem só opiniões políticas, sociais, estéticas, literárias e religiosas existem no *Diário.* Aí publicou também Dostoiévski algumas recordações da infância, como o episódio do camponês Márei, alguns contos e novelas como *O sonho de um homem ridículo* e *Uma doce criatura,* que constituem autênticas obras-primas, sobretudo a última novela.

Esquema para O Grande Pecador

[Esquema para]
O grande pecador
(1870)

Nas primeiras páginas do caderno encontramos já um esquema da caracterização do herói. Ei-lo:

Nada de autoridade. Sobrevêm as mais violentas paixões sensuais. — Tendência para um domínio ilimitado e fé na autoridade infalível do herói. É preciso remover montanhas. E ele alegra-se por sentir o seu poder. — A luta, a segunda natureza. — Mas é uma luta tranquila e não ardente. — Despreza a mentira com todas as forças.

Noutra página do manuscrito encontram-se os títulos:
"A Vida do Maior..." (Romance). "A Vida do Esfolador de Homens."
"A Vida. 1 de Janeiro de 1870."

Mais adiante, este outro título:
"A Vida. O Matador de Homens."

O esboço completo que chegou até nós reza assim: 8 (20) XII. Folha 8.
Acumulação de riquezas.
Fortes paixões em germe.
Robustecimento da vontade e da energia interior.
Orgulho desmedido e luta contra a vaidade.
O prosaísmo da vida e a convicção ardente de que há de vencer tudo.
Todos terão que inclinar-se diante de mim, mas eu os perdoarei. Não temer nada. Sacrifício da vida.
O efeito do vício: o seu horror e a sua frialdade.
A ânsia de aviltar tudo.
Poesia da infância.
Estudos e primeiro ideal.
Aprende tudo em segredo.
Quer preparar-se ele, sozinho, para tudo.
(Prepara-se constantemente para alguma coisa, ainda que não saiba para quê; mais ainda: até, por estranha casualidade, não se preocupa absolutamente com aquilo para que se prepara, como se estivesse convencido de que há de encontrá-lo, por si, sozinho.)
Nem escravidão nem senhorio. Crê. Senão, nada. O incrédulo aparecerá pela primeira vez num episódio horrível e já no mosteiro. A manca. Kátia. O irmão Micha. Roubo de dinheiro. Sofre um castigo. Intrepidez, *Niva*.[1]

---

1 *Málaia Niva*, título dum popular semanário russo.

"Não me mates, tio." Amor a Kulikov... Ivan Brutílov. O francês Pougeot. Insulta Brutílov. Estuda. O ladrão. Albert. Amigos, e molesta o amigo e repudia-o. O amigo é dócil, bom e puro e envergonha-se por causa dele. Auto-educação pela dor e acumulação de dinheiro. Humboldt.

Explicam-lhe depois que não é seu verdadeiro irmão.

Pega-se a Kulikov. A sábia. Aparece-lhe com um nimbo de glória. Apaixonado anseio de aviltar-se a seus olhos e de não lhe agradar. Dá-se um roubo. Acusam-no e defende-se, mas a coisa está clara. O ladrão foi o seu meio-irmão.

Folha 7.

Maneira de agir forte e constante.

Desprezo pelo ambiente, mas não um desprezo razoável, e unicamente por asco. Muito asco. Como sente asco, batem-lhe e castigam-no com vergastadas. Fecha-se mais em si mesmo e odeia mais. Altivo desdém pelos opressores e rapidez nos seus juízos. A desusada rapidez de juízo testemunha uma decisão viva e apaixonada. Começa a sentir que não deveria ser tão rápido nos seus juízos e que, para isso, é necessário fortalecer a vontade.

Começos de nobre grandeza.

Os filhinhos em Suchard e em Chermak (o seu orgulho deve-se à sua estupidez).

Mentira. *Mon mouchoir.*[2]

Arkachka e o francês.

Arkachka, Brutílov e ele só para si.

Em casa de Suchard, só Brutílov e a sua história. Dois capítulos, ao todo. Expedito. Bateu em Suchard. Os começos de Albert.

A pensão. Um castigo imerecido, em casa. Exame. No campo. O sacrifício de Kátia. Na cidade e na pensão. É o espanto de todos, por causa da sua desumanidade. Lambert. Heroísmos; fugir com Kátia. Kulikov com ele. Homicídio. Não perdoa nenhuma falsidade nem fingimento, e, em seguida, bate-se à pancada, como um louco. Não acredita em Kátia por muito tempo, depois põe-na à prova e assusta-a, finalmente, com o escândalo.

A força de vontade é para ele o principal.

Vai perguntar pela manquinha, imediatamente depois por Kulikov. A sábia enamora-se dele, no campo.

Surpreende-a com um galã.

As personalidades da sábia e de Alhfónski.

Página 9.

Com os pais. Com os pais, leituras de Karamzin e de *As mil e uma noites.* Acerca de Suvórov, etc. Sobre as rendas. Ofendeu a mais nova. Pede-lhe perdão. "Não quero." Fecha-se consigo próprio. A morte. Anna e Vassilisa fogem. Venderam Vassilisa. A comunhão. A primeira confissão. Horror. Se Deus existe. A Bíblia e leituras.

2 de Janeiro.

---

2 O meu lenço.

Quebra um espelho de propósito.

Opta pelo silêncio, por não dizer uma palavra.

Salvação. "Mãe, por que se sacrifica?" (Uma criatura ideal e estranha.)

O pai Ul...ii (os seus diálogos com o filho e as suas perguntas). Sentimento de destruição.

O grande número de ciências que é necessário estudar. (Fala disto com Vanhka.)

Voluptuosidade. (Esperará até ter dinheiro.)

E dominar em primeiro plano (sentimentos imediatos) é um desejo tão arraigado em si, que não consegue adaptar-se àqueles homens.

Admira-se de si mesmo, põe-se à prova e gosta de cair no abismo.

Fuga com as moças. O bandido Kulikov, imediatamente depois da sua mudança de Suchard para Chermak. (Um fato que lhe causa uma grande impressão e o transtorna, de maneira que sente a ânsia natural de concentrar-se em si mesmo e de refletir, para chegar a uma resolução. Atém-se ao dinheiro.)

A princípio não pensa em Deus.

Tal como Kulikov, mostra-se tranquilo em família e na pensão (para meditar e encontrar-se a si próprio, para recuperar o equilíbrio).

Ao fim de ano e meio põe fim ao silêncio com a sua confissão sobre Kulikov. Mas é arredio e taciturno, e não tem outro remédio senão ser assim, pois tem um passado horrível e olha para todas as outras crianças como para algo de estranho, cujos lados bons e maus descobriu já há muito tempo. Muitas vezes, a sensualidade aflige-o. Mas o principal é...

Não é apenas isso o que o separa dos outros, mas precisamente também os seus sonhos de domínio e de desmedida elevação sobre todos.

(Entusiasma-se terrivelmente por qualquer coisa; por exemplo, pelo *Hamlet*.) O habitante da Lua.

A partir dessa altura absorvem-no as ciências, a poesia, etc., no sentido de que isso é mais elevado e melhor e que, por conseguinte, com isso será o melhor e o mais alto.

Continua a preparar-se, mas está profundamente convencido de que tudo há de vir por si só e que o dinheiro resolverá todos os problemas.

Sentido principal da primeira parte: hesitação; insaciabilidade do plano; consciência instintiva da superioridade, do poder e da força. Procura um ponto de apoio sólido. Seja como for, é um homem fora do vulgar.

Ou melhor: nem uma só ideia sobre o que há de vir a ser, e o seu destino o impede de amontoar riquezas.

Mas a dúvida ficará dissipada quando optar pelo dinheiro e pela acumulação de riquezas. (Vende os criados.)

Acerca do cavalo fugido ou a fogueira.

O pai castiga-o a paulada. Ruptura. "Já nada tenho a ver com meu pai."

Vende os criados; todos o desprezam por isso, mas...

Encontra uma carteira. Entusiasmo originado definitivamente pelo exame, e ao qual se entrega.

Mas depois vem a história do escândalo de Kátia; e a seguir os seus infernais arrazoados com Albert; crime e blasfêmia e o prognóstico delatando-se a si próprio pelo assassinato de Kulikov... Nada, o abismo. O mosteiro.

Apesar de o dinheiro lhe prestar um ponto de apoio extraordinariamente sólido e de resolver-lhe todos os problemas, por mais de uma vez fraqueja esse ponto de apoio (poesia e muitas coisas mais) e não encontra saída. É precisamente esse estado de vacilação que constitui todo o romance.

Robustecimento da vontade; feridas e irritações alimentam o seu orgulho. Deseja não ser apanhado desprevenido por coisa alguma.

Propõe-se adquirir o dinheiro honestamente. Dúvidas acerca da carteira.

Como muitas coisas o ferem profundamente, apodera-se dele um espantoso ímpeto de maldade e orgulho. (Isto é o principal.)

O fato de todos o olharem como um animal raro, com troça e horror, favorece o seu afastamento.

A cabeça embrulhada *(pantalons en haut)*. Doente.

Chermak abandona-o.

Na sua evolução mental chegou, por exemplo, à ideia de que não precisa de conduzir-se contra os ditames da honra e de que poderia ganhar honestamente muito mais dinheiro do que aquele que ganha, pois o rico tem, por si próprio, já imunidade contra todo o mal.

Albert e ele quebram uma pedra da coroa dum santo e saem-se bem do episódio (a ideia foi dele); mas como Albert começa a proferir blasfêmias, luta aos socos com ele. Mas depois declara-se ateu perante os tribunais.

Uma ideia; poderia conseguir-se maior poder adulando, como von Brin.

"Mas não — reconsidera —, hei de conseguir tudo sem necessidade de adular."

Página 12.

"Eu sou Deus", e obriga Kátia a adorá-lo. (Só Deus sabe as coisas que faz com ela. "Se fizeres tudo o que eu te disser, gostarei de ti.")

Sonhos infinitos nas aberrações da fantasia, até ao ponto de tirar Deus do seu lugar e de colocar-se nele. (Forte influência de Kulikov.)

Atropelo. Memento.

Encontrar a medida comum:

Primeiro ato. Primeira ação. O pai e a mãe.

Segundo. A família. Suchard. Fuga e Kulikov.

Terceiro. Chermak. Exame.

Quarto. Vida no campo e Kátia. Discussões com Albert.

20. Infância.

20. O mosteiro.

40. Até o exílio.

20. As mulheres e Satã.

40. Heroísmos.

Repugnância pelos homens, desde as primeiras intuições infantis (pelo seu orgulhoso temperamento apaixonado e dominador). Também por desprezo.

"Hei de conquistar (o poder) lutando e não socorrendo-me da adulação ou de manhas vis, como von Brin."

Isto deriva também do nojo pelos homens e do desprezo que sempre, desde a mais tenra infância, lhe inspiraram.

"Se eu fosse adulador como von Brin conseguiria tudo."

As vezes pensa: "Deverei adular?" (Fala sobre isso com a manca.) Também isto é energia de espírito: propor-se desempenhar o papel dum adulador. "Mas não, não quero, é odioso; além disso, contarei com a arma poderosa do dinheiro, o que fará com que todos, quer queiram quer não, me façam salamaleques."

13 Com Kulikov dá mostras de es-

2 pírito enérgico. Aquele não o

27 mata, mas deixa-o esca-

12 par. O soldado desertor, o

3 bandido, foi morto por eles

5 todos.

Fez trinta e cinco anos.

Nasceu em 1835.

Se alguém tivesse penetrado os seus pensamentos, certamente teria morrido; mas, à manca, confessa tudo.

Comunica à manca tudo quanto lê.

"A bofetada é a mais grave das ofensas." Com sangue.

Primeira ideia orgânica da importância do dinheiro.

A manquinha guarda segredo de tudo quanto ele lhe diz, e, caso invulgar, faz isso espontaneamente sem que ele lhe ordene, com uma compreensão muito lúcida, de maneira que, geralmente, nunca tem de recordar-lhe a necessidade de sigilo.

A manquinha não quer ser ateia.

Ele não lhe bate por esse motivo.

Página 13.

Uma só análise psicológica, mas minuciosa, da influência que as obras dos poetas produzem numa criança; por exemplo, *O herói do nosso tempo*.

Indignação do garoto contra as visitas, contra a franqueza e desenvoltura que se permitem. "Como podem ter esse descaramento?", pensa o garoto.

Decadência dos pais.

Teatro. "Reclina-te no meu regaço."

Castigam-no com as varas porque sente repugnância.

Quando vai com a manca aos Al ... is, repara que não deve dizer nada de Gógol, do nosso país, nem das viagens,

Lê um horror (Walter Scott, etc.).

Em casa de Alhfónski (não é seu irmão). Dão-lhe a saber.

Torna-se arredio, mal-educado, estúpido.

Com os criados.

A...ia tem já a ideia de que não deve ficar com as outras crianças.

Em casa de Suchard. Alhfónski castiga-o com o pau. Imerecidamente.

A... ia acertou. Fuga. Com Kulikov. São apanhados.

O hóspede; chamam-no. Examina-o. Ideias sinceras.

O hóspede fica espantado. A casa arde, ou, então, qualquer outra coisa; doença.

A...ia fala.

Em casa de Chermak. Desenvolvimento, leituras, exame.

Depois do exame. Alhfónski apaixona-se. Alhfónski faz perguntas.

Para a manca. Com Kátia. *Niva*. Cenas de família.

Alhfónski, seu amigo, a bofetada.

Em Moscou, Lambert.

Do ensino clássico em casa de Chermak (Senhor Teider).

27 de Janeiro.

Admira-se de que todos esses homens (os adultos) tenham uma fé tão cega nos seus desatinos e sejam muito mais estúpidos e insignificantes do que parecem por fora.

(Um dos hóspedes cultos cai, embebeda-se com as ciganas em Marínienskaia Rochtcha.)

Período de descrença em Deus, Absolutamente necessário falar sobre a influência do *Evangelho* sobre ele. Dizer que está de acordo com o *Evangelho*.

A príncipio, o mais importante São o seu eu e os seus interesses. As questões filosóficas só o interessam na medida em que o afetam a si mesmo.

Página 14.

Lambert.

Página 15.

A manquinha. "E eu direi que tu disseste que serias rei" (ou qualquer coisa cômica).

Ele difama-a por causa disso.

Lambert e ele... o quadro completo da dissipação. Mas Lambert fica por aí e não conhece nada mais elevado. A leviandade nacional.

Cai na extravagância, embora com um prazer irresistível, e também com um certo medo. O vazio, a sujidade e o aturdimento do vício surpreendem-no. Abandona tudo e entrega-se, depois de espantosos desacatos, cheio de amargura.

De que ele fala com a manquinha? De todos os seus sonhos e ideais. "Se alguma vez for alguém importante, vou casar contigo." Não é necessário dizer que sonhou isto e mais aquilo, mas que vai ver a manquinha e que lhe diz isto e aquilo. O que ele havia de vir a ser, e sobre o dinheiro. Bate-lhe porque o dinheiro não aumenta.

Falou-lhe das leituras de Karamzin, de *As mil e uma noites,* etc. A moça ensinou-lhe francês e alemão; a velha, etc. Vão estudar com as outras crianças (riem-se deles).

Como a manquinha não se entusiasma com Karamzin, bate-lhe. Diz-lhe que sabe a *Bíblia* toda de cor.

História Universal. Em Geografia, é fraco.

(Ideias de viagens, Kulikov com a manquinha.) Liam romances.

Encontra Úmnov, e este demonstra-lhe que sabe mais do que ele. Quando volta para casa diz à manquinha que Úmnov é uma cabeça de alho chocho, que não sabe nada. Bate na manquinha, mas sente vergonha perante Úmnov.

Está mentalmente muito desenvolvido e sabe muito. Conhece Gógol e Púchkin. Nunca foi carinhoso com a manquinha, a não ser no tempo em que a trazia ao colo.

"Faz isto, deixa isso, não quero que brinques com os meus filhos." Quando os velhos se embebedavam e tombavam pelo chão, a manquinha chorava.

A princípio ele lhe batia, mas depois deixou de fazê-lo.

Mataram um ganso.

Bíblia. Iákov inclinou-se três vezes. Relacionação com a *Bíblia*. A manquinha ri.

O costume de bater-lhe; não queria beijá-la.

(A manquinha não ficou enregelada. Encontraram-na. Mas desapareceu de casa dos Alhfónski.)

A sua ideia constante: "Enquanto puder, pensarei naquilo que hei de vir a ser e na maneira como hei de conseguir o meu fim".

Depois, a dúvida: "Tudo se resumirá tudo no poder, ou o escravo não será mais forte que todos?".

Começa a exercitar a sua força de vontade.

As paixões envenenaram-no.

Página 16.

Deve ficar patente em todas as páginas:

"Sei o que escrevo e não escrevo em vão."

As primeiras páginas: 1º, o tom. 2º, condensar as ideias com arte e concisão.

Nota primeira: o tom (a narrativa é uma biografia; isto é, embora não seja em nome do autor, mas moderada, sem escamotear explicações, embora pondo tudo em cena. Aqui é preciso harmonia). A secura da descrição, em alguns passos deve ser a mesma do *Gil Blas*.[3] Nos passos de efeito e dramáticos, não pôr, aparentemente, nenhum peso.

Mas deve tornar-se também visível a ideia dominante da biografia, isto é, não deve explicar-se com palavras, devendo permanecer sempre como um enigma; mas o leitor deve ver sempre que essa ideia é boa, e a biografia é tão importante que vale a pena começar inclusive desde a mais tenra infância. Também, na salvação das coisas de que se fale e de todos os fatos, se deverá sublinhar sempre qualquer coisa e se trará sempre a primeiro plano o homem futuro, erguendo-se sobre um pedestal.

A nota mais importante: começa a amontoar dinheiro, impelido por uma ideia vaga; mas esta ideia vai-se consolidando e fundamentando cada vez mais, à medida que a ação se desenrola.

Mas a mudança para casa de Alhfónski foi o motivo principal.

Quando eu for grande:

I. Apanharam um rato. A manquinha.

Os pais.

---

3 *Gil Blas de Santillana* (1715-1735), romance do escritor francês Alain René Lesage (1668-1747), obra das mais notáveis no gênero picaresco, tão em voga na época.

A ama dos meninos, o lavatório, a condecoração suspensa do pescoço e a despedida.

Anna e Vassilisa fogem.

A última cena (o italiano rouba dinheiro do bolso. A primeira ideia).

O professor (bêbedo).

A primeira confissão. Que tem aí, na caixinha e no copo? Há Deus? Converter o diabo.

Batem na manquinha:

O morto junto da vala. Kilian.

Vassilisa é vendida.

Diálogos com o hóspede.

Leituras sobre Suvórov. *As mil e uma noites.*

Fantasias. Úmnov e Gógol. (A manquinha ri.)

Os pais, já alquebrados.

Fecha-se sobre si mesmo. Sente-se ofendido. Rouba de cumplicidade com o rapaz. Bate-lhe. Luta com o rapaz mais velho. Orgia completa.

Bate na manquinha, para que brigue com o rapaz.

Ela estava disposta, mas bateram-lhe e começou a chorar. Pensamentos sobre a força e a vontade. Úmnov (mete-se com a manquinha).

Quando os pais morreram ele tinha onze anos, e a manquinha, dez. Alhfónski. O pai e a mãe. A morte. Tem uma conversa com a manquinha acerca da maneira como esta deve conduzir-se.

Primeiro agarram na rapariga, metem-na em casa e batem-lhe com um pau.

Era demasiado covarde para protestar.

Na primeira impressão atira-se sobre o senhor com a condecoração e quer matá-lo.

"Nunca serei covarde."

"Hei de aprender a não ser covarde."

Faz um corte na própria carne, para o provar a si mesmo.

(Assusta-se, mas bate no rapaz.)

Fica a saber pelo rapaz... (E por isso *Thérese philosophe*[4] bate-lhe.)

Mas fica com o livro.

Começa a juntar dinheiro.

Acumula (reparte o seu dinheiro com a manquinha).

Os Alhfónski já antes tinham tido a manquinha em sua casa.

Procede ao interrogatório, assim que chega. (Dá-lhe instruções (a ela): que não fale de Gógol nem do que nos respeita.)

Primeira parte: O rapaz é bravo mas tem muita vaidade.

Página 17.

A princípio tomaram o criado Óssip para que o distraísse com as suas histórias e a sua boa disposição. Alhfónski matou-lhe um irmão a pancada; depois pegou

---

4   Título duma obra, famosa nos anais da literatura pornográfica francesa do século XVIII.

ESQUEMA PARA O GRANDE PECADOR

em Óssip e levou-o ao Serviço de Recrutamento. Óssip ficou furioso (é parecido com Kulitchov). Assassinaram Orlov. Separam-se. Kulitchov (Óssip) liberta-o. A madrasta chora ainda, ano e meio depois, a infidelidade de Alhfónski. Este tem uma amante e não usa da mínima discrição. A irmã de Óssip. (Foi nessa ocasião que matou com uma sova o irmão de Óssip.) Alhfónski é assassinado pelos camponeses (?).

A intriga do romance: a distinta Senhora Alhfónskaia (a madrasta do protagonista) teve um noivo quando era solteira (oficial ou professor).

Mas casou com Alhfónski. Descontente e ofendida com o marido (tinha dado uma bofetada à amante), põe-se em relações com o antigo noivo, ao qual encontra casualmente. O rapaz viu-os beijarem-se. "Podes contar ao teu pai." Depois pediu-lhe que não contasse. O rapaz nada disse; mas Alhfónski sabe que o filho está informado de que o enganam e de que a madrasta tem um amante.

No campo, provoca alvoroço por causa da manquinha. Provoca Kátia. A mãe fica desorientada por causa de Kátia. Na cidade, com Lambert, etc.

Nesta altura os camponeses podem matar Alhfónski, que praticou muitas velhacarias por aquelas terras; o rapaz pode ser testemunha... e...

(Pode inventar-se qualquer coisa sobre a madrasta e o amante, e de que maneira e até que ponto o rapaz anda metido nesse romance.)

Alhfónski tem um protetor... que é o seu maior inimigo, precisamente por ser o seu protetor. Todos os benefícios de que é objeto ferem o seu orgulho Mas aquele não pode viver senão sentindo-se o protetor de alguém, e por uma polegada de bem exige duas braças de gratidão. Rebaixam-se os dois a si próprios, rebaixam-se mutuamente e odeiam-se com um ódio doentio.

Página 18.

O extraordinário orgulho do rapaz faz com que não se apiade nem menospreze esses homens.

Mas também não pode sentir confiança neles. Não simpatiza nem com o pai nem com a mãe. Distingue-se nos exames de uma maneira inesperada, depois finge-se idiota. Despreza-se profundamente a si mesmo por não ter podido dominar-se e ter-se distinguido.

A ideia, perigosa e estranha no mais alto grau, de que está destinado a ser um homem fora do vulgar, domina-o já desde a infância. Pensa continuamente nisso. Astúcia, cultura, sagacidade... deseja adquirir tudo isso como meio para chegar a ser um homem extraordinário.

O dinheiro também não lhe parece supérfluo, considera-o um meio sempre útil, e atém-se a essa opinião.

As ciências lhe parecem terrivelmente difíceis.

Em breve torna a pensar que, supondo ainda que não chegue a ser nenhum homem singular, mas apenas um homem vulgaríssimo, graças ao dinheiro terá o poder e o direito de desprezar os outros.

Finalmente arrepende-se e sente remorsos de consciência por ter querido chegar por esse meio a ser um homem extraordinário.

Se bem que, no fim de contas, não saiba o que virá a ser.

Por mais de uma vez acaricia o ideal do homem livre; tudo isto na pensão.

Tornou-se amigo de Óssip; sobre a seita dos flageladores; dormem ambos quase juntos.

Úmnov; sabe Gógol de cor.

Página 70.

O mosteiro. "Deus vos dê uma boa-noite, a vós e a toda a gente." (Rever bem as descrições de animais em Humboldt, Buffon e nos russos.)

Ciência, culto.

Acerca do urso.

Do primeiro amor e de como se fez monge. (Castidade.) Sobre o que é Satã.

Aniuchka vai ter com Tchaadáiev para falar-lhe à consciência. Chama Tíkhon; este chega, discute e acaba por pedir perdão.

Acerca dos escaravelhos e da universal alegria da vida viva; entusiásticas descrições de Tíkhon.

Amizade com o rapaz, que se permite incomodar Tíkhon com ideias inesperadas. (O demônio no corpo.)

Informa-se de *Thérese philosophe*. Tíkhon. Abençoa a sua queda e a sua reabilitação. Claras descrições de Tíkhon, da vida e da alegria terrenas. Da família, dos pais e dos irmãos. Narrativas muito ingênuas, e por isso comovedoras, que Tíkhon faz da sua maneira de proceder com os seus amigos, acerca do orgulho, da vaidade, da troça. ("Com que gosto eu mudaria agora tudo isto!", diz Tíkhon.)

O fato de se ter afeiçoado ao rapaz é, só por si, comovedor.

Narrativa de Tíkhon acerca do seu primeiro amor e das crianças: "É uma vileza viver como um monge; devemos ter filhos; é mais nobre ter uma profissão".

Thérese philosophe faz com que Tíkhon se desconcerte. "E eu pensando que já estava calejado." Submete-se à vontade do jovem. Obedece-lhe.

(Nobre, forte e comovedor.)

Tíkhon diz a uma senhora que ela é traidora à Rússia e assassina dos seus filhos. De como se rouba às crianças, desde a infância, a expressão infantil. Os seus estudos; mas, ainda que sejam bons (Liev Tolstói, Turguéniev), respiram contudo uma vida exótica. Só Púchkin é um russo autêntico.

O rapaz tem às vezes maus pensamentos acerca de Tíkhon; é tão ridículo, quase que não sabe nada, é tão fraco e desamparado e como que pede conselhos; mas depois apercebe-se de que Tíkhon tem raízes sólidas, de que é puro como uma criança, que não pode ter nem um só mau pensamento nem encolerizar-se nunca, e que, por essa razão, todos os seus atos hão de ser puros e belos.

Página 71.

Tíkhon. Da humildade. (Do poder da humildade.)

Tudo acerca da humildade e do livre arbítrio.

Como se perdoa a um homem que cometeu um crime imperdoável (e este tormento é mais torturante que todos os outros).

A ideia principal. 3 (15) de maio. Página 19.

Depois do mosteiro e do convívio com Tíkhon, o grande pecador regressa ao mundo para ser aí o maior de todos os homens. Está convencido de que há de chegar a ser o maior de todos os homens. E conduz-se como se já o fosse; é mais orgulhoso do que todos os orgulhosos e trata os homens com suprema altivez. Ao mesmo tempo não vê claramente a forma da sua futura grandeza, coisa muito própria dum jovem. Mas (e isto é o principal) Tíkhon enfiou-lhe a ideia (a convicção) de que para vencer o mundo deverá começar por vencer-se a si próprio. Ainda não escolheu o caminho, mas também não tem tempo para isso. Começa a amar-se profundamente a si mesmo. Mas surgem também contradições: ouro (acumulação), família (pela qual tem de olhar); essa ideia de amontoar dinheiro copiou-a de um usurário, um homem terrível, a antítese de Tíkhon. 2. Cultura (ateísmo, colégios). A cultura aflige-o, assim como também as ideias e a filosofia; mas assimila o principal.

Súbita juventude e dissipação. Heroísmo e crimes espantosos. Abnegação. Orgulho louco. Por orgulho vai se fazer asceta e peregrino. Viagens pela Rússia (romance de amor, ânsia de humildade, etc).

(Um grande desajeitado.)

Um homem extraordinário; mas que fez, afinal; que conseguiu realizar?

Feitos. Por orgulho e desmedida soberbia contra os homens torna-se manso e compassivo com todos, precisamente por estar acima deles.

Queria meter um tiro na cabeça (um enjeitado).

Acaba transformando a sua casa num asilo e convertendo-se ele num segundo Haas. Tudo se explica.

Morre, tendo confessado o seu crime.

O CROCODILO

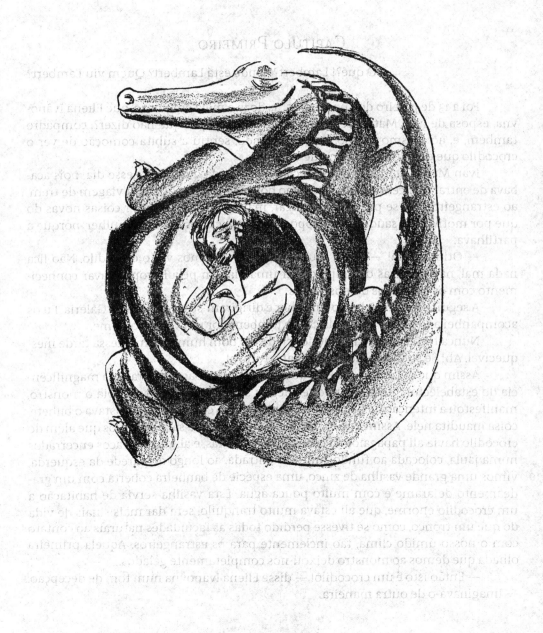

O CROCODILO
(1885)

EXTRAORDINÁRIO ACONTECIMENTO OU O EPISÓDIO DA GALERIA. HISTÓRIA VERDADEIRA DE COMO A UM CAVALHEIRO, DE CERTA IDADE E DE CERTO ASPECTO, SUCEDEU SER ENGOLIDO VIVO, DE UMA SÓ VEZ, PELO CROCODILO DA GALERIA, E DO QUE DAÍ RESULTOU

CAPÍTULO PRIMEIRO

O quê?! Lambert?! Onde está Lambert? Quem viu Lambert?

Foi a 13 de janeiro do ano de 1865, às doze e meia em ponto, que Eliena Ivânovna, esposa de Ivan Matviéitch, meu sábio amigo e, por que não dizer?, compadre também, e, ao mesmo tempo, primo segundo, sentiu a súbita comoção de ver o crocodilo que exibiam na Galeria de lojas.

Ivan Matviéitch não tinha precisamente nada que fazer nesse dia, pois acabava de entrar de licença. Tinha até já no bolso o bilhete, para uma viagem de trem, ao estrangeiro, que se propunha realizar, mais pelo desejo de ver coisas novas do que por motivos de saúde. Não se opôs à ardente curiosidade da mulher, porque a partilhava.

— Ótima ideia! — disse, muito vaidoso. — Vamos ver o crocodilo. Não fica nada mal, nas vésperas de empreender uma viagem pela Europa, travar conhecimento com os indígenas do nosso país.

A seguir ofereceu o braço à mulher e dirigiram-se ambos para a Galeria. Eu os acompanhei a título de amigo da casa e também por um velho costume.

Nunca tinha visto Ivan Matviéitch de tão bom humor como nessa tarde inesquecível. Ah! Se soubéssemos adivinhar o futuro!

Assim que entrou na Galeria, quedou-se embasbacado perante a magnificência do estabelecimento e, assim que chegou ao lugar em que se exibia o monstro, manifestou a intenção de pagar-me os vinte e cinco copeques que custava o bilhete, coisa inaudita nele. Assim que entramos numa pequena sala, notamos que além do crocodilo havia ali papagaios da espécie das cacatuas, e alguns macacos encerrados numa jaula, colocada ao fundo. Junto da entrada, ao longo da parede da esquerda, vimos uma grande vasilha de zinco, uma espécie de banheira coberta com um gradeamento de arame e com muito pouca água. Esta vasilha servia de habitação a um crocodilo enorme, que ali estava muito tranquilo, sem dar mais sinais de vida do que um tronco, como se tivesse perdido todas as faculdades naturais ao contato com o nosso úmido clima, tão inclemente para os estrangeiros. Aquela primeira olhada que demos ao monstro deixou-nos completamente gelados.

— Então isto é um crocodilo! — disse Eliena Ivânovna num tom de decepção. — Imaginava-o de outra maneira.

Com certeza o imaginou cravejado de brilhantes. O dono do crocodilo, um alemão, aproximou-se de nós e ficou a olhar-nos com altivez.

— Ele tem razão — Ivan Matviéitch me disse ao ouvido. — Ele tem razão para estar tão orgulhoso, pois sabe que o seu crocodilo é o único que há na Rússia.

Atribuí esta observação banal ao extraordinário bom-humor de meu amigo e parente, pois, de maneira geral, era um pouco invejoso.

— O seu crocodilo parece que não está vivo — observou Eliena Ivânovna, que, assustada pelo descaramento do dono do monstro, lhe dirigiu seu mais precioso sorriso na esperança de fazê-lo perder a arrogância de acordo com o processo que costumam seguir as senhoras.

— Perdão, minha senhora — respondeu o alemão, estropiando cruelmente o russo.

E, ato contínuo, levantou a grade de arame e pôs-se a fustigar o crocodilo com uma vara. O pérfido monstro moveu levemente as patas e a cauda para dar sinais de vida, distendeu os beiços e lançou uma espécie de prolongado arfar.

— Pronto, pronto, não te aborreças, Karlchen[1] — disse suavemente o alemão, dando mostras de amor-próprio lisonjeado.

— Esse crocodilo é muito feio! Me dá medo! — murmurou, toda coquete, Eliena Ivânovna. Tenho a certeza de que vou sonhar com ele.

— Em sonhos não a morderia, minha senhora — observou o alemão com galanteria.

Depois pôs-se a rir da gracinha, mas o seu riso não encontrou eco.

— Vamos ver os macacos, Siemion Siemiônovitch — disse Eliena Ivânovna dirigindo-se exclusivamente a mim. — Sou doida por macacos; há alguns tão bonitos... ao passo que esse crocodilo é horrível!

— Não tenhas mais medo, minha querida — exclamou Ivan Matviéitch pavoneando-se, todo fanfarrão —, este desertor do reino dos Faraós não nos fará mal nenhum.

E parou junto da vasilha. Daí a pouco pôs-se a fazer cócegas no nariz do crocodilo, com a ponta da luva, com o fim, segundo confessou depois, de incitá-lo a lançar outro assopro. O dono do bicho acompanhou Eliena Ivânovna — uma senhora! — até à jaula dos macacos. Tudo caminhava otimamente e não era de recear nenhum contratempo.

Eliena Ivânovna ficou encantada com os macacos e dedicou-lhes toda a sua atenção. Guinchava de alvoroço e, fingindo não ver o dono, distraía-se descobrindo entre alguns daqueles animaizinhos semelhanças com os seus amigos. Eu me divertia bastante com isto, pois aquelas parecenças eram sempre exatas. O alemão, como não soubesse se havia de rir ou não, acabou por ficar murcho...

Exatamente nesse momento, ressoou na sala uma terrível algazarra, que poderia até qualificar-se de sobrenatural. Sem saber o que pensar, fiquei bestificado, sem me mover do meu lugar; depois, quando ouvi Eliena Ivânovna gritar também, voltei-me rapidamente. Querem saber o que vi?

Pois vi, oh meu Deus!, vi o infortunado Ivan Matviéitch abocanhado pelo crocodilo, com os seus terríveis maxilares e, levantando-o no ar, sacudia-o horizon-

---

1 Diminutivo de Carlos, em alemão.

O CROCODILO

talmente no espaço, ficando unicamente com as pernas à vista, as quais o animal sacudia desesperadamente. Num instante, o meu pobre amigo e parente desapareceu por completo. Mas, como eu permanecia imóvel, pude observar todos os pormenores do acidente com apaixonada atenção, com uma curiosidade tão viva como jamais senti, de maneira que vos posso contar o caso ponto por ponto.

"Que raiva — pensei — se eu me visse na pele de Ivan Matviéitch!"

Mas voltemos ao que aconteceu. Pondo em movimento os seus terríveis maxilares, o crocodilo começou por puxar pelos pés do pobre Ivan Matviéitch; e, depois, soltando-o um pouco, porque o meu inteligente amigo esforçava-se por escapar e agarrava-se à vasilha, engoliu-o até à cintura. A seguir, soltando-o outra vez por uns momentos, continuou a engoli-lo pouco a pouco, de maneira que Ivan Matviéitch foi desaparecendo lentamente da nossa vista. Até que finalmente tragou de um golpe, completamente, o meu inteligente amigo, e de tal modo que se podia ver como ele o ia metendo no corpanzil.

Estava prestes a lançar um grito, quando, por um pérfido jogo da sorte, o crocodilo, sem dúvida incomodado pela desacostumada enormidade daquele bolo alimentício, fez outro esforço, e quando ele abriu pela derradeira vez as formidáveis goelas, pudemos ambos ver de novo o aflito rosto do meu parente, cujos óculos saltaram para o fundo da vasilha. Diria-se que aquela cabeça humana apenas apareceu de novo para lançar um olhar supremo sobre as coisas deste mundo e dar os últimos adeuses a todas as alegrias da vida. Mas nem sequer teve tempo de realizar esse desígnio. O crocodilo, que recobrara ânimos, renovou o esforço e engoliu-lhe definitivamente a cabeça.

Aquele aparecimento e desaparecimento de uma cabeça humana, dotada ainda de vida, foi um espetáculo espantoso; mas ao mesmo tempo — talvez pela rapidez daquele movimento e pela queda dos óculos — não deixava de ter os seus laivos de ridículo, pelo que não me foi possível conter o riso. Mas, compenetrando-me da inoportunidade da minha conduta em tal momento — eu não era amigo da casa? —, interpelei vivamente Eliena Ivânovna, num tom de condoída simpatia.

— Adeus para sempre ao nosso Ivan Matviéitch — disse-lhe eu.

Não tento sequer exprimir a intensa emoção de que deu mostras a jovem, enquanto se desenrolava a cena descrita. A princípio, depois de lançar aquele grito, quedou-se como petrificada e olhava para toda aquela desordem com indiferença, de olhos exorbitados. Depois pôs-se a chorar e eu tomei-lhe as mãos. Nesse momento, louco de espanto, o dono do crocodilo pôs-se a dar palmadas e, levantando os olhos ao céu, exclamou:

— Oh, meu crocodilo, rico Karlchen da minha vida! *Mutter, Mutter, Mutter*.[2]

Ao ouvir tamanha gritaria, a mãe apareceu pela porta do fundo, com a sua touca na cabeça. Era uma mulher já de idade, morena e magra de peito, que se atirou ao filho, lançando guinchos estridentes.

Produziu-se então um rebuliço espantoso. Eliena, como uma possessa, não se cansava de repetir: "Batam-lhe! Batam-lhe!". Tão depressa olhava para o alemão como para a mãe deste, suplicando-lhes inconscientemente, sem dúvida, que batessem não sei em quem nem por que motivo. Quanto ao domador e à mãe, não se

---

2   Mãe, em alemão.

preocupavam de maneira nenhuma conosco e choravam convulsamente junto da vasilha.

— Está perdido! Vai rebentar de um momento para outro! Acaba de engolir um funcionário todo inteirinho! — gemia o domador.

— Pobre Karlchen! O nosso querido Karlchen! Vai morrer! — ululava a mãe.

— Vamos ficar órfãos e sem pão! — acrescentava o homem.

— Batam-lhe! Batam-lhe! — vociferava incansavelmente Eliena Ivânovna dependurada de uma aba do sobretudo do alemão.

— Pôs-se a provocar o meu crocodilo. Que tinha o seu marido que provocá-lo? — recalcitrava o domador, excedendo-se. — Se o meu Karlchen rebentar, a senhora terá de indenizar-me. Era o meu filho, o meu único filho.

Confesso que o egoísmo daquele alemão e a secura de coração da mãe me indignavam muitíssimo. Mas os gritos ininterruptos de Eliena Ivânovna ainda me preocupavam mais e acabaram por prender toda a minha atenção. Eu estava com um certo receio.

Mas interpretara mal o sentido daquelas estranhas exclamações. Imaginava que Eliena Ivânovna, tendo perdido momentaneamente a razão, mas no entanto desejosa de vingar o seu querido Ivan Matviéitch, proclamava o seu direito a uma satisfação e pedia que castigassem o crocodilo a paulada. Mas ela queria na realidade dar a entender outra coisa muito diferente.

Procurando tranquilizá-la, pedi a Eliena Ivânovna que não empregasse aquela perigosa palavra de bater, porque, verdadeiramente, naquele lugar, em plena Galeria, perante uma assembleia de pessoas ilustres, a dois passos da sala onde naquele mesmo instante o Senhor Lávrov[3] dava o seu curso público, a expressão de um desejo tão reacionário tornava-se não só inverossímil como até inadmissível, e de um momento para outro podia dar lugar a que caíssem sobre as nossas costas as cordas sibilantes das disciplinas críticas do Senhor Stiepânov. Para cúmulo do terror, os meus receios de imediato justificaram-se. A cortina que fechava o compartimento onde se encontrava exposto o crocodilo abriu-se e surgiu um indivíduo de barba e bigode, que, de chapéu na mão, inclinava para nós a parte superior do corpo, conservando prudentemente a sua base de sustentação no vestíbulo, para não se ver, assim, na necessidade de desembolsar o preço do bilhete.

— Minha senhora — disse o desconhecido, realizando prodígios de equilíbrio para manter a cabeça na sala onde nós estávamos e, ao mesmo tempo, não tirar os pés do vestíbulo —, minha senhora, uma ideia tão retrógrada não depõe a favor da sua inteligência e só pode derivar de uma certa falta de fósforo no seu cérebro. *A Crônica do Progresso,* assim como os nossos periódicos, também não deixarão de amaldiçoá-la...

Mas não pôde acabar o seu discurso. O dono da loja recuperou imediatamente a presença de espírito e, notando com horror a presença gratuita daquele indivíduo na sala do crocodilo, arremeteu furiosamente contra o incógnito progressista e expulsou-o a soco do local. Desapareceram ambos atrás da cortina e eu compreendi então que todo aquele rebuliço era injustificado, porque Eliena Ivánovna estava ab-

---

3 Político russo que, a partir de 1879, pertenceu ao partido terrorista e desempenhou papel preponderante no seio da sua Comissão executiva.

O CROCODILO

solutamente inocente da intenção que lhe atribuíam, a de querer infligir ao crocodilo o humilhante castigo das vergastadas. Pedia, nem mais nem menos, que lhe abrissem a barriga para tirar dali o seu querido Ivan Matviéitch.

— Com que então queria que matassem o meu crocodilo! — vociferou o domador. — Preferia mil vezes que matassem o seu marido... O meu pai exibia esse crocodilo perante o público; o meu avô já o exibira antes; agora o exibo eu, e meu filho vai exibi-lo quando eu morrer. O mundo inteiro há de ver esse crocodilo! A mim, conhecem-me na Europa, ao passo que, à senhora, ninguém a conhece, e terá que pagar-me uma indenização.

— Isso, isso! — gritou a alemã, furiosa. — Não os deixaremos sair daqui sem nos indenizarem, porque o nosso pobre Karlchen vai rebentar.

— Não há dúvida que seria inútil matá-lo — acrescentei eu fleumaticamente, procurando levar Eliena Ivânovna para casa, pois de certeza que, àquela hora, já o nosso querido Ivan Matviéitch se encontrava no Céu.

— Querido amigo — exclamou de repente, com o nosso maior espanto, a voz de Ivan Matviéitch —, querido amigo, parece-me que seria mais conveniente avisar o comissário da Polícia, porque só a intervenção da força pública será capaz de convencer esse alemãozeco!

Aquelas palavras, pronunciadas com voz firme, que testemunhava uma extraordinária presença de espírito, deixaram-nos a tal ponto estupefatos que no primeiro momento nem queríamos acreditar nos nossos ouvidos. No entanto aproximamo-nos a toda pressa do lugar, onde o crocodilo se agitava, e pusemo-nos a escutar o desgraçado cativo com uma atenção concentrada, ainda que algo cética.

A sua voz, fraca e afogada, ressoava como se viesse de muito longe. Seria possível pensar que algum engraçado, instalado no compartimento contíguo e com a boca colada sobre um almofadão, se esganiçava a gritar para fingir um diálogo entre dois campônios, numa estepe ou no fundo dum barranco, para distrair o público que se encontrava no outro compartimento, espetáculo que por mais de uma vez pude admirar em casa de amigos por ocasião da noite de Natal.

— Ivan Matviéitch, meu querido marido, ainda estás vivo? — balbucia Eliena Ivânovna.

— Sim, vivo e são — respondeu Ivan Matviéitch —, graças à proteção do Altíssimo o crocodilo engoliu-me sem me fazer nenhum mal. Há só uma coisa que me aflige: como é que os meus chefes considerarão este contratempo? Porque já sabes que eu providenciei os meus passaportes para o estrangeiro, e, agora, encontro-me na pança de um crocodilo, que nem é lugar tão ruim assim...

— Mas, meu querido, isso agora não interessa, o que é preciso é que te tirem daí! — interrompeu-o Eliena Ivânovna.

— Tirá-lo dali! — exclamou o dono do bicho. — Não consentirei que ponham a mão no meu crocodilo. De agora em diante o público acudirá em tropel para vê-lo. Cobrarei vinte copeques por entrada e Karlchen não terá necessidade que lhe deem comida.

— Graças a Deus! — acrescentou a mãe.

— Tem razão — observou Ivan Matviéitch em tom calmo. — É preciso, antes de mais, considerar as coisas no ponto de vista econômico.

— Meu amigo — exclamei eu —, vou imediatamente ter com o nosso chefe para apresentar o pedido conveniente, pois vejo muito bem que nós, sozinhos, não conseguiremos sair deste apuro.

— Também penso o mesmo — respondeu Ivan Matviéitch — mas, na nossa época de crise comercial, é bastante difícil abrir a barriga de um crocodilo sem ter de pagar uma indenização. Por isso é preciso fazer uma pergunta prévia: quanto pedirá o domador pelo crocodilo? E a esta pergunta há de seguir-se outra como corolário: quem deverá pagar? Pois já sabes que eu não sou rico...

— Desde que não peças um adiantamento sobre o teu ordenado — insinuei eu timidamente.

Mas o domador cortou-me a palavra.

— Não estou disposto a vender o meu crocodilo; nem por três mil rublos o daria. Teriam, pelo menos, de dar-me quatro mil. Com o que se passou, o público vai formar fila à porta deste local. Terão que dar-me cinco mil rublos por ele.

Em resumo: queria tirar proveito da situação. A mais sórdida avareza transparecia no seu rosto.

— Basta. Vou-me embora! — exclamei, indignado.

— E eu também, e eu também! — choramingava Eliena Ivánovna. — Irei procurar Andriéi Ossipitch e vou enternecê-lo com as minhas lágrimas.

— Não; isso não, minha querida! — interrompeu-a Ivan Matviéitch, que havia muito tempo tinha ciúmes daquele tipo. Achava que a mulher tinha muita propensão para soltar um caudal de lágrimas perante um homem culto, porque o choro ficava-lhe muito bem.

Depois, dirigindo-se ao meu amigo, continuou:

— Também, não te aconselho. Não sabemos o que poderia resultar dessa diligência. Mas peço-te que vás hoje mesmo ver Timofiéi Siemiônitch; é um homem de costumes antigos, bastante pateta, e, o que é mais importante, muito leal. Saúda-o em meu nome e conta-lhe este aborrecimento com todos os pormenores. Ao mesmo tempo hás de entregar-lhe sete rublos, que ele me ganhou da última vez que jogamos uma partidinha; esse gesto atrairá para nós a sua simpatia. É um homem cujos conselhos podem valer-nos de muito. Entretanto, vai-te embora, Eliena Ivânovna... Sossega, minha querida — acrescentou, dirigindo-se à esposa —, todos esses espaventos me fatigam e eu queria descansar um pouco. Ademais, aqui não se está mal; se bem que ainda não tive tempo de reconhecer bem este inesperado asilo.

— Reconhecer? Mas vês alguma coisa aí dentro? — exclamou Eliena Ivânovna muito contente.

— Rodeiam-me umas trevas impenetráveis — respondeu o infeliz prisioneiro — mas posso apalpar e, por assim dizer, ver com as mãos. Por isso, até à vista. Está descansada e não te prives de distrações. Até amanhã. Quanto a ti, Siemion Siemiônitch, vem ver-me esta noite, e, como és distraído e poderias esquecer-te, dá um nó no lenço.

Confesso que não me desagradava a ideia de sair dali, pois estava cansado e começava a aborrecer-me. Apressei-me, pois, a puxar pelo braço de Eliena Ivânovna e levá-la dali.

— Esta noite a entrada custará a toda a gente vinte e cinco copeques — preveniu-nos o domador.

— Oh, meu Deus, que interesseiras são estas pessoas! — disse Eliena Ivânovna, olhando-se em todos os espelhos da Galeria e verificando com visível satisfação que as recentes comoções a tinham embevecido.

O CROCODILO

— É, o ponto de vista econômico — respondi-lhe, um tanto comovido e orgulhoso por acompanhar uma mulher tão bonita.

— O ponto de vista econômico? — respondeu ela com a sua simpática vozinha. — Pois eu não percebi nada do que disse Ivan Matviéitch acerca desse malvado ponto de vista econômico.

— Vou explicar-lhe.

E pus-me a dissertar sobre os resultados benéficos da acumulação de capitais estrangeiros na nossa pátria, com tanta maior facilidade quanto nessa mesma manhã tinha lido nas *Notícias de Petersburgo* e no *Cabelo* artigos sobre o assunto.

Ela me escutou durante um momento e interrompeu-me, dizendo: — Como é estranho tudo isto! Quando deixará o senhor de falar sobre todas essas idiotices? Diga: estou muito corada?

Aproveitei a ocasião para dirigir-lhe um galanteio:

— Não está corada — disse-lhe eu —, está deliciosa.

— Olhem que ousado! — murmurou, encantada.

Depois acrescentou, inclinando graciosamente a cabeça:

— Tenho tanta pena do meu pobre marido! — e, de repente — mas, diga-me como é que se vai arranjar para lanchar ali dentro... E... e... se ele se lembra de alguma tolice?

— A sua pergunta apanhou-me desprevenido — respondi-lhe, um tanto desconcertado. — Para dizer a verdade, não tinha pensado nisso. De fato, as mulheres são mais práticas do que nós, quando se trata dos problemas da existência!

— Coitadinho! Como é que ele foi meter-se ali! Naquelas trevas não pode arranjar nenhum divertimento! E pensar que nem sequer tenho um retrato dele! Ah! Aqui me tem, quase viúva! — e esboçou um sorriso encantador, que demonstrava até que ponto lhe parecia interessante o seu novo estado. — Seja como for, tenho tanta pena dele!

Assim ela exprimia a natural aflição de uma mulher que acaba de perder o seu marido. Acompanhei-a a casa e obrigou-me a ficar para cear. A seguir, depois de ter tomado uma xicarazinha de café, consegui apaziguá-la e deixei-a para ir encontrar Timofiéi Siemiônitch, convencido de que todo o homem que tivesse um lar e uma posição respeitável se encontraria em sua casa àquela hora.

Escrevi este primeiro capítulo no estilo que convém ao argumento da minha narrativa. Mas daqui para diante estou resolvido a empregar um tom menos elevado, mais natural, e disso previno lealmente o leitor.

Capítulo II

O venerável Timofiéi Siemiônitch recebeu-me com certa afabilidade; mas não sem certa inquietação. Fez-me entrar para o seu escritório e fechou cuidadosamente a porta, a fim de que, segundo disse, "as crianças não nos incomodassem". E quando disse isto dava mostras de grande ansiedade.

Ofereceu-me lugar numa cadeira, próximo da sua secretária; dobrou as abas do roupão e tomou um ar severo e até oficial, apesar de não ser meu chefe nem de Ivan Matviéitch, mas simplesmente nosso colega.

Antes de mais — disse-me —, lembre-se de que eu não sou seu chefe, mas um subordinado, como o senhor ou como Ivan Matviéitch... Nada disso me diz respeito e não quero meter-me em nada.

Fiquei estupefato. Não havia dúvida de que já estava a par de tudo. No entanto fiz-lhe uma descrição pormenorizada de tudo quanto acontecera.

Exprimi-me num tom comovido, pois agia naquele momento em função da verdadeira amizade. Ele me escutou sem admiração, mas dando inequívocos sinais de desconfiança.

— Quer acreditar — disse, quando terminei a minha descrição —, quer acreditar que sempre tive o pressentimento de que havia de acontecer um percalço desse gênero a Ivan Matviéitch?

— Mas por quê, Timofiéi Siemiônitch? Pois parece-me que o acontecimento é bastante extraordinário.

— De acordo; mas não será verdade que toda a carreira de Ivan Matviéitch propendia para esse desenlace? Era de uma ousadia que tocava as raias da insolência. Tinha sempre a palavra "progresso" na boca, e, além disso, tinha uma sucessão de ideias... Veja onde nos leva o progresso!

— Mas parece-me que este contratempo, puramente casual, não pode ser erigido como regra geral para todos os progressistas...

— Queira ou não queira, é assim. Acredite-me. Tudo isso não é mais do que a consequência de uma cultura excessiva. As pessoas sabichonas metem-se em todos os lugares, até onde não são chamadas. Aliás — acrescentou como que ressentido —, pode ser que o senhor esteja melhor instruído acerca deste ponto do que eu. Eu não tenho grande cultura e caminho já para velho. Faz cinquenta anos que entrei para a burocracia, como filho de militar.

— Mas, com certeza que eu não soube explicar-me bem, Timofiéi Siemiônitch. Ivan Matviéitch implora os seus conselhos e a sua proteção com as lágrimas nos olhos, esta é a expressão.

— Ora! Com as lágrimas nos olhos? Devem ser lágrimas de crocodilo, de que não devemos fazer caso. Ora vejamos: que necessidade tinha ele de viajar pelo estrangeiro? Com que dinheiro contava? Nem sequer tinha os meios necessários...

— Contava com as suas economias, Timofiéi Siemiônitch — respondi-lhe, num tom lamurioso — conservava a sua última gratificação, por inteiro. A sua viagem devia durar apenas três meses; pensava visitar unicamente a Suíça, a pátria de Guilherme Tell...

— De Guilherme Tell? Ora! Ora!

— Queria gozar a primavera em Nápoles, visitar os museus, observar os costumes, estudar a fauna...

— Ora! Ora! Com que então estudar a fauna? A meu ver, ele queria apenas fazer essa viagem por puro orgulho. A fauna? Mas que fauna? Não a temos aqui? Aqui não há museus, casas com feras, camelos, até? Temos ursos a dois passos de Petersburgo e ele mesmo se encontra atualmente domiciliado num crocodilo...

— Por piedade, Timofiéi Siemiônitch! Esse homem está desgraçado. Recorre ao senhor como a um amigo, como a um parente mais velho; pede-lhe os seus conselhos e o senhor responde com censuras... Ao menos tenha compaixão de Eliena Ivânovna.

— Refere-se à mulher? É, de fato, uma mulher encantadora — disse Timofiéi Siemiônitch, que se adoçou visivelmente e tomou uma pitada de rapé. — É uma criatura elegantíssima com a cabeça um pouco enterrada nos ombros... e um pouco barriguda... mas é muito simpática. Andriéi Ossípitch falou-me dela anteontem.

— Falou-lhe dela?

— Sim, e em termos muito elogiosos. "Que peito! — dizia — E que olhos! Que cabelo! Um autêntico acepipe!" E até se pôs a rir... Ainda são novos. Aí tem a maneira como esse senhor vai abrindo caminho...

— Mas não se trata agora disso, Timofiéi Siemiônitch.

— Claro que não, claro que não.

— Que se há de fazer então, Timofiéi Siemiônitch?

— Que quer o senhor que eu faça?

— Dê-nos os seus conselhos, guie-nos como homem experimentado. Que devemos fazer? Avisar os chefes do que aconteceu, ou...?

— Avisar os chefes?! De maneira nenhuma! — exclamou vivamente Timofiéi Siemiônitch. — Já que me pede conselho, ponha esse assunto de lado e limite-se a atuar em terreno estritamente particular. O caso é muito especial e de natureza muito duvidosa. É a primeira vez que se apresenta um caso semelhante e que não pode deixar de redundar em desprestígio do funcionário a quem acontece. Por isso, antes de mais é necessário atuar com prudência... Diga-lhe que não dê um passo... Que é preciso esperar com fleuma...

— Esperar! Mas, como, Timofiéi Siemiônitch? E se ele se asfixia ali dentro?

— E por que há de asfixiar-se? O senhor não acabou de dizer-me que ele se encontra até confortavelmente instalado?

Tornei a começar a minha narrativa. Timofiéi Siemiônitch refletiu longamente. Depois, girando a tabaqueira entre os dedos, disse-me:

— Eia! Eia! Parece-me que não seria mau para ele ficar onde se encontra, em vez de ir para o estrangeiro. No lugar em que se acha tem tempo de sobra para reconsiderar. Claro que devemos impedir que se asfixie e tomar medidas para proteger a sua saúde; e, para já, que procure não apanhar nenhuma constipação... Quanto ao alemão, parece que está no seu direito e que tem até mais razão do que a parte contrária; foi Ivan Matviéitch quem se meteu, sem sua autorização, dentro do crocodilo, e não ele quem se meteu no crocodilo de Ivan Matviéitch, que, se não me engano, não possui nenhum. Pois bem: esse crocodilo constitui uma propriedade privada e não se lhe pode abrir a barriga sem indenizar o dono.

— Mas trata-se de salvar um ser humano, Timofiéi Siemiônitch!

— Isso é caso para a Polícia. É a ela que deve dirigir-se.

— Mas podia suceder que não precisassem dele na repartição e que não o mandassem chamar.

— Precisar de Ivan Matviéitch! Eia! Eia! Em primeiro lugar, está considerado na situação de licença. Calcula-se que esteja em vésperas de partir para a Europa, e podemos fazer vista grossa sobre o que ele faça na realidade. Já será diferente, se, acabado o tempo da licença, não voltar à repartição. Nesse caso comunicaremos oficialmente a sua ausência e vamos instaurar um processo...

— Passados três meses! Tenha piedade!

— Se se encontra num aperto desses, o culpado é ele. Quem o mandou meter-se lá dentro? Talvez seja necessário destinar-lhe um guarda, à custa do Estado, o que é contra o regulamento. Mas o que é preciso não esquecer, antes do mais, é que o crocodilo é uma propriedade privada, e que, portanto, a questão econômica está envolvida nisto. O princípio econômico é o principal. Já ontem o dizia Ignat Prokhófitch, em casa de Luká Andriéitch. Conhece Ignat Prokhófitch? É um opulento capitalista que maneja grandes negócios e se exprime muito bem. "Precisamos de indústria — dizia ele. — A nossa indústria não existe, por assim dizer. É preciso criá-la e, para isto, é preciso criar uma burguesia. E, como não temos capitais, é necessário trazê-los do estrangeiro. Devemos, pois, antes de mais, conceder facilidades às companhias estrangeiras para adquirirem as nossas terras em parcelas, conforme se pratica por toda parte no estrangeiro. Esta propriedade em comum é o veneno que corrói — arruina a Rússia!" Falava com grande entusiasmo; essa gente rica e que não faz nada tem a língua muito desembaraçada... Disse que nem a indústria nem a agricultura podem prosperar com este nosso sistema. Pretendia que as companhias deveriam comprar todo o nosso território, distribuído em parcelas, para dividi-lo depois em lotes menores, que se poriam à venda, de maneira a que constituíssem propriedades individuais. E não pode imaginar o tom tão resoluto em que dizia: "Distribuir! No caso de não se venderem esses lotes, podiam simplesmente arrendar-se". E acrescentava: "Quando todo o nosso país se achar em poder de sociedades estrangeiras, será coisa fácil apontar o preço do arrendamento que se desejar. Deste modo, o lavrador terá que trabalhar para ganhar a vida e poderá ser expulso desta ou daquela terra em caso de necessidade. Pressentindo este perigo, vai se mostrar respeitoso e obediente, e dará três vezes mais rendimento do que agora, que forma parte da comunidade e pode rir-se de toda a gente. Sabe que não morrerá de fome e por isso se galardeia e bebe. Com o novo método o dinheiro virá parar às nossas mãos; a burguesia travará os seus capitais. Além disso, o *Times*, o grande diário literário e político de Londres, declarava, num estudo que publicou acerca da nossa imprensa, que o fato de os nossos capitais não aumentarem se deve à circunstância de não existir entre nós o terceiro Estado e de necessitarmos de grandes fortunas e de um proletariado produtor...". Ignat Prokhófitch fala muito bem, é um orador consumado. Tem a intenção de apresentar nas altas esferas uma Memória, que publicará depois no *Mensageiro*. Como vê, estamos muito longe dos desvarios de Ivan Matviéitch...

— Bem; mas que vamos fazer por Ivan Matviéitch? — perguntei, interrompendo-o.

Até ali deixara-o discorrer à sua vontade, porque sabia que esse era um dos seus fracos e que lhe agradava mostrar que não andava atrasado em notícias e que, pelo contrário, se encontrava ao corrente de tudo.

— Que havemos de fazer por Ivan Matviéitch? Pois se tudo o que acabamos de dizer se refere a ele! Estamos fazendo o possível por atrair os capitais estrangeiros, e ainda mal a fortuna do dono do crocodilo aumentou para o dobro, na razão do percalço que sucedeu a Ivan Matviéitch, já o senhor quer que abramos a barriga a seu bicho? É isso o que lhe dita o senso comum? Em minha opinião, Ivan Matviéitch, como bom patriota, deve alegrar-se e orgulhar-se por ter podido duplicar, só com a sua intervenção, o valor de um crocodilo estrangeiro. Duplicar?! Que digo eu?! Triplicar! Visto o êxito alcançado pelo dono desse crocodilo, não tardará a aparecer outro com outro crocodilo, e depois outro com outro. À sua volta vão se agrupar os capitais, e aí tem o senhor o começo de uma burguesia. Tudo quanto fizermos para fomentar este movimento será pouco.

— Mas — exclamei — Timofiéi Siemiônitch, o que o senhor exige desse pobre Ivan Matviéitch é uma abnegação quase sobre-humana!

— Não se exige nada, e faço-lhe ver que, como já lhe disse, eu não sou o seu chefe e, portanto, não tenho o direito de exigir nada. Falo apenas como patriota; não como "patriota", mas simplesmente como patriota. E pergunto-lhe uma vez mais: "Quem o mandou meter-se na boca do crocodilo?". Um homem sério, funcionário de certa categoria, casado, para que foi meter-se em semelhante aventura? Não acha?

— Mas esse percalço foi completamente alheio à sua vontade!

— Sabe-se lá! E, além disso, onde está o dinheiro para indenizar o dono do crocodilo?

— Contamos com o ordenado de Ivan Matviéitch...

— Chegará?

— Claro que não, Timofiéi Siemiônitchl — exclamei com tristeza. — Na ocasião em que o percalço aconteceu, o dono do animal receava que o bicho rebentasse; mas quando se certificou de que não havia nada a recear, tornou-se soberbo e, com uma espécie de volúpia, duplicou o preço que pedira a princípio.

— E poderá ainda triplicá-lo e até quadruplicá-lo! O público afluirá em magotes à sua exposição, e esses domadores são muito espertos. Além disso, lembre-se de que estamos no carnaval e de que todos querem divertir-se, o que é uma razão para que Ivan Matviéitch se conserve incógnito e não se apresse a sair do seu estranho domicílio. Que toda a gente saiba que está hospedado num crocodilo, mas não oficialmente. Encontra-se para isso nas mais favoráveis condições, já que toda a gente o supõe viajando pelo estrangeiro. Poderão dizer que se encontra hospedado no interior dum crocodilo; nós afirmamos não saber de nada. Tudo se pode arranjar. O principal é que tenha paciência. E, afinal de contas, para que serve essa pressa toda?

— Mas, e se...

— Não se preocupe; é de compleição bastante forte...

— Bem, que lhe acontecerá se ficar à espera?

— Ah, não quero esconder-lhe que o caso é bastante bicudo! É para enlouquecer, e o pior é que não tem precedentes. Se ao menos houvesse um precedente, ainda seria fácil sair do aperto. Mas não havendo, em que apoiar-se para qualquer resolução? Entretanto, vamos procurá-la; o assunto se arrastará...

Tive uma inspiração salvadora:

— Não poderíamos fazer de maneira que, uma vez que tem de permanecer na barriga do crocodilo e esperando que Deus lhe conserve a vida, pudesse dirigir-se a quem de direito, uma instância para que o considerem como prestando serviço?

— Isso! Isso! Como se estivesse de licença sem vencimento...

— E não haveria um meio de que lhe pagassem também o ordenado?

— A título de quê?

— A título de empregado em comissão de serviço.

— Em comissão? Onde?

— Nas entranhas do crocodilo, nas suas entranhas... para recolher aí dados, para estudar os fatos *in loco*. Claro que isto seria uma inovação, mas também um progresso, uma prova de que o Estado se interessa pelo adiantamento da ciência.

Timofiéi Siemiônitch afundou-se numa meditação profunda. Depois respondeu:

— Parece-me que o fato de enviar um funcionário em comissão de serviço para a barriga dum crocodilo constituiria um absurdo. Não haveria maneira de harmonizar isso com os quadros de serviço? Que missão poderia ele desempenhar ali dentro?

— Uma missão de estudos naturais, se me é lícito exprimir-me assim. Seria um modo de surpreender a Natureza na sua atuação concreta. Hoje estão em moda as ciências naturais, a botânica... Ivan Matviéitch residiria dentro do crocodilo e daí nos enviaria as suas comunicações... sobre a digestão nos sáurios, sobre os costumes internos destes animais. E, assim, poderia reunir montes de dados.

— Sim, estudos estatísticos, sem dúvida! Não sou muito forte nesses assuntos... E, além disso, não sou filósofo. O senhor fala de dados. Mas já estamos fartos deles até à raiz dos cabelos; não sabemos o que haveria de fazer de tantos dados. Além disso essa estatística parece-me perigosa...

— Por quê?

— É perigosa. E, além disso, repare bem, teria que redigir essas comunicações estendido de barriga para o ar. E acha que se pode prestar serviço nessa posição? Seria uma inovação, e perigosa, até! E que não tem precedentes! Se ao menos tivéssemos um precedente, já seria outra coisa.

— Mas como quer o senhor que haja precedentes, se este é o primeiro crocodilo vivo que trazem a Petersburgo, Timofiéi Siemiônitch?

— Ah, ah! Isso é verdade — refletiu de novo durante bastante tempo. — A sua observação é justa, em certo sentido, e poderia; servir de base para os trâmites do caso. Mas considere, por outro lado, que se o aparecimento destes crocodilos vivos há de despertar nos funcionários a propensão para se recolherem neles e, sob pretexto de que aí se está bem, pedir comissões para passar o tempo deitado de barriga para o ar, isso constituiria um detestável exemplo, há de reconhecê-lo. Todos correriam a meter-se dentro dos crocodilos para ganharem o ordenado sem fazer nada.

— Faça tudo o que estiver ao seu alcance, Timofiéi Siemiônitch! E, a propósito: Ivan Matviéitch encarregou-me de abonar-lhe os sete rublos que lhe deve pela última partida que perdeu.

— Ah, sim! Perdeu-os outro dia em casa de Nikita Nikíforovitch! Lembro-me disso. Como ele estava bem disposto nessa noite e como nos fez rir! E agora...

O velhote dava mostras de sincera comoção.

— Prometa-me interessar-se por ele, Timofiéi Siemiônitch.

— Está bem. Falarei em meu nome, hei de arranjar tudo à minha maneira; fingirei que peço informações... E a propósito disto; informe-se do preço que o dono do crocodilo pede pelo bicho.

Era evidente que Timofiéi Siemiônitch se abrandava.

— Vou fazer isso — respondi — e virei imediatamente comunicar-lhe.

— E a mulher, que fará agora, que está sozinha? Aborrecida, não?

— Não seria mal pensado o senhor fazer-lhe uma visita, Timofiéi Siemiônitch.

— E por que não? Já tinha pensado nisso e a ocasião parece-me ótima... Mas que ideia! Ir ver um crocodilo! Se bem que, no fim de contas, eu também tenho intenção de ir vê-lo!

O CROCODILO

— Sim. Mas não queria que Ivan Matviéitch tivesse muitas esperanças nestas diligências. Farei a comunicação apenas a título particular. Portanto, até à vista; vou a casa de Nikita Nikíforovitch. Também vai para lá?

— Não, tenho de visitar o nosso prisioneiro.

— Isso mesmo, prisioneiro. É para que vejam onde conduz o estouvamento!

Despedi-me do velho. Mil pensamentos fervilhavam na minha cabeça. Timofiéi Siemiônitch é uma excelente pessoa, mas isto não obsta a que, ao separar-me dele, me sentisse contente porque tivesse já celebrado o seu quinquagésimo aniversário e porque não houvesse entre nós muitos Timofiéi Siemiônitch.

Escusado será dizer que me dirigi rapidamente para a Galeria, a fim de dar aquelas notícias ao pobre Ivan Matviéitch. Sentia também muita curiosidade por saber como é que ele passava dentro do crocodilo e se a vida ali lhe era suportável. Viver dentro dum crocodilo! Às vezes parecia-me que era vítima de um pesadelo monstruoso! E de fato tratava-se de um monstro!

Capítulo III

Não, não era um pesadelo, mas uma indiscutível realidade. Se não fosse assim, eu teria começado esta narrativa?

Era já um pouco tarde, perto das oito horas, quando cheguei à Galeria, e para entrar na sala onde se encontrava exposto o crocodilo tive de passar pela escada de serviço, porque o alemão tinha fechado mais cedo do que de costume.

Passeava pela sala, envolto num sobretudo ensebado, e parecia muito mais satisfeito do que pela manhã. Percebia-se que o negócio lhe corria às mil maravilhas; não havia dúvida de que tinha vindo muita gente. Depois apareceu a mãe, com o fim evidente de vigiar-me. De quando em quando cochichava com o filho, o qual, apesar de ter já o estabelecimento fechado, me fez pagar os vinte e cinco copeques. Aquele homem levava até ao excesso o seu espírito de ordem.

— O senhor tem de pagar todas as vezes que vier — disse-me. — Mas enquanto o público comum paga um rublo, o senhor apenas terá de pagar vinte e cinco copeques, atendendo a que é amigo dele, o que muito aprecio.

— Ainda estás vivo? Ainda estás neste mundo, meu querido e sensato amigo? — exclamei, aproximando-me da vasilha do crocodilo, esperando que as minhas palavras longínquas chegassem aos ouvidos de Ivan Matviéitch e que lisonjeassem o seu amor-próprio.

— Estou vivo e são — respondeu com uma voz apagada, que parecia sair de debaixo de uma cama, embora eu estivesse muito mais alto do que ele. — Estou vivo e são; mas falemos disso depois. Antes de mais, como vão os nossos assuntos?

Fingi não ter ouvido e continuei a dirigir-lhe perguntas, pacientemente. Que se passaria lá por dentro? Ao procurar informar-me não fazia mais do que cumprir um dever de amizade e até de simples cortesia. Mas ele interrompeu-me, com o acento autoritário que o caracterizava:

— Vamos ao que interessa!

A sua voz flébil pareceu-me particularmente desagradável.

Contei-lhe, até aos máximos pormenores, a minha conversa com Timofiéi Siemiônitch, esforçando-me por dar-lhe a entender, pelo tom da minha voz, que tinha ficado ressentido.

— O velho diz muito bem — concluiu Ivan Matviéitch, com aquela brusquidão de que fazia sempre gala comigo. — Agradam-me as pessoas práticas e não posso suportar os pusilânimes. No entanto reconheço que a tua ideia de uma comissão não é tão absurda como parece. De fato, posso fazer aqui observações muito interessantes, tanto no ponto de vista científico como no ponto de vista moral... Mas este assunto está a tomar um aspecto muito inesperado e é preciso preocupar-se com alguma coisa mais do que o ordenado. Escuta-me com atenção. Estás sentado?

— Não; continuo de pé.

— Então senta-te em qualquer parte, ainda que seja no chão, e escuta-me atentamente.

Cheio de raiva, peguei numa cadeira e pousei-a no chão ruidosamente.

— Escuta — continuou ele, em tom de comando. — Hoje veio aqui muita gente. Às oito, isto é, muito antes do costume, o patrão julgou oportuno fechar a porta antes de contar o dinheiro que entrou na caixa e tomar as suas medidas para amanhã, porque é de calcular que, amanhã, isto se tornará numa verdadeira romaria. Com certeza que virão homens sapientíssimos, senhoras elegantes, embaixadores, advogados, etc..., e a coisa não ficará por aqui, pois os habitantes das diversas províncias do nosso vasto e interessantíssimo império iniciaram já o êxodo para a capital. Ainda que esteja escondido, hei de fazer o possível por tornar-me visível: hei de desempenhar um papel de primeira ordem. Hei de contribuir para a instrução dessa multidão de indecisos. Educado pela experiência, vou lhes oferecer um exemplo de grandeza de alma e de resignação perante o destino. Será uma espécie de cátedra da qual caíram sobre a multidão as mais sublimes palavras. Os dados científicos reunidos já por mim, acerca do monstro em que habito, são infinitamente valiosos. Por isso, não só não lamento o percalço de que fui vítima, como vaticino que, a partir de agora, há de exercer em meu proveito uma influência muito favorável.

— E não te aborrecerás — observei malicioso, pois tinha-me aborrecido verificar que só falava de si mesmo e com tanta soberbia.

"Por que será — dizia para comigo, desorientado — que esta cabeça de alho chocho emprega palavras tão grandiloquentes? Mais valia que chorasse do que se pusesse tão ufano!"

— Não me aborrecerei — respondeu severamente. — Agora que, finalmente, já tenho tempo, posso consagrar-me completamente às grandes ideias e preocupar-me com a sorte da Humanidade. Deste crocodilo hão de sair a verdade e a luz. Não há dúvida que hei de descobrir uma teoria nova e pessoal, relações econômicas novas, das quais poderei orgulhar-me com muita razão. Até agora não pude dedicar-me absolutamente a estes assuntos, por causa do pouco tempo livre que me deixavam a repartição e as triviais distrações mundanas. Mas agora hei de revolucionar tudo; serei outro Fourier... E, a propósito: entregaste os sete rublos a Timofiéi Siemiônitch?

— Sim, entreguei-lhes do meu bolso — respondi-lhe, esforçando-me por dar-lhe a entender, no tom da minha voz, toda a transcendência de tal sacrifício.

— Depois faremos as contas — respondeu com altivez. — Por certo me aumentarão o ordenado. Porque, se não me subirem de posto, a quem é que subirão?

O CROCODILO

Parece-me que hão de tirar bastante proveito de mim, de agora em diante. Mas vamos ao que interessa; e a mulher?

— Estás te referindo a Eliena lvânovna, não é verdade?

— A minha mulher! — gritou.

Não tinha outro remédio senão ceder perante aquele homem terrível. Embora rangendo os dentes de raiva, humildemente, contei-lhe como me separei da esposa. Ele não me deixou falar e interrompeu-me com impaciência:

— Tenho os meus projetos particulares a respeito dela. Se me tornar célebre aqui onde me encontro, penso que ela também o seja aí, onde está. Os sábios, poetas, filósofos e mineralogistas de passagem pela povoação; os homens de Estado que vierem falar comigo na parte da manhã frequentarão à noite o seu salão. Será preciso que comece a receber visitas a partir da semana que vem. Como me duplicarão o ordenado, terei o suficiente para receber condignamente. Se bem que um pouco de chá e algum criado será suficiente. Com isso não é preciso preocupar-nos... Havia já muito tempo que eu esperava por uma ocasião como esta, em que desse que falar; com o meu pequeno ordenado e a minha baixa categoria, isso não era possível. Mas, agora, este crocodilo remediou tudo. Toda a gente há de reparar nas minhas palavras; qualquer pequena frase minha dará que pensar e correrá de boca em boca, e passará a letra de forma. Serei conhecido! Hão de acabar todos por compreender o luminar que consentiram fosse tragado por este monstro! Alguns hão de dizer: "Se esse homem tivesse nascido num país estrangeiro teria chegado a ministro. É muito capaz de governar um país". Outros vão se lamentar, dizendo: "E pensar que um homem destes não está na chefia de uma nação!". Porque, francamente, em que sou eu inferior a um Garnier-Pagés,[4] ou a qualquer outro do gênero? A minha mulher participará do jogo. Eu possuo a inteligência; ela, a beleza e os atrativos. "Foi por ela ser graciosa que ele casou com ela", dirão uns; e outros emendarão: "Não, ela é graciosa porque é a sua mulher...". Em suma: é preciso que amanhã mesmo Eliena Ivânovna arranje o *Dicionário Enciclopédico,* editado sob a direção de Andriéi Kraiévski, para que possa falar de tudo, e que tenha também o cuidado de ler todos os dias o artigo de fundo do *Mensageiro de Petersburgo,* e de confrontá-lo com o de *O Cabelo.* Suponho que o dono deste crocodilo não se negará a levar-me de vez em quando, com o bicho, ao brilhante salão da minha mulher, onde eu direi coisas muito interessantes, previamente preparadas. Comunicarei as minhas opiniões governamentais aos homens de Estado, aos poetas recitarei versos; com as senhoras vou me mostrar afável e galante, sem inspirar a menor inquietação aos maridos. Mas oferecerei a todos um grande exemplo de submissão ao Destino e aos decretos da Providência. Farei da minha mulher uma literata notável; hei de instigá-la e farei com que o público a compreenda. Pois considero que a minha mulher está esplendidamente dotada, e se Andriéi Alieksándrovitch é justamente comparado com Alfredo de Musset,[5] não sei por que não hão de compará-la, a ela, com Eugênia Tour.

Confesso que, por mais que aquela loucura fosse habitual em Ivan Matviéitch, não pude deixar de pensar que ele estava com febre, que delirava. Poderá dizer-

---

4 *Louis-Antoine Garnier-Pagés (1803-1878),* político democrata, do membro do Governo Provisório em 1848 e do Governo da Defesa Nacional, em 1871. Escreveu um livro intitulado *Histoire de la Révolution de 1848.*

5 Louis-Charles-Alfred de Musset (1810-1857), célebre poeta e acadêmico francês cujas obras exprimem admiravelmente a situação moral da época.

-se que a vulgaridade de Ivan Matviéitch ficava ressaltada por uma lente que aumentasse pelo menos vinte vezes o volume das coisas.

— Querido amigo — perguntei-lhe —, esperas viver muito tempo desse modo? Ora, dize-me: sentes-te bem? Como te alimentas? Que tal dormes? Respiras bem? Repara que sou teu amigo e reconhece que o caso é bastante extraordinário para que justifique a minha curiosidade.

— Curiosidade bastante vã — respondeu ele sentenciosamente. — Apesar de que consinto em satisfazê-la. Queres saber como é que eu me governo nas profundidades deste monstro? Começarei por dizer-te que, com grande espanto da minha parte, verifiquei que este crocodilo é oco. Parece-me que estou metido num grande saco de borracha, parecido com os que vendem os lojistas da Gorókhovaia e da Morskaia Úlitsa e, se bem me lembro, também os da Vosniessiénski Próspekt. Aliás, pensa, se não fosse assim, como poderia eu ter entrado para cá?

— Será possível? — exclamei com um espanto muito natural. — Com que então este crocodilo está completamente oco?

— É como te digo — confirmou Ivan Matviéitch com maior gravidade — e é muito provável que as próprias leis da Natureza tenham disposto assim as coisas. O crocodilo consta, ao todo, de uma bocarra provida de dentes muito aguçados e de um rabo bastante comprido. No seu interior, no espaço que separa as duas extremidades, apenas se encontra um grande vazio alcatifado por uma matéria parecida com a borracha, com certeza que deve ser isso.

— E os pulmões, o ventre, os intestinos, o fígado e o coração? — interrompi-o, desesperado.

— Não tem. Nada disso existe aqui e é provável que nunca tenha existido. Esses preconceitos são simplesmente consequência das fantásticas narrativas de viajantes de espírito superficial. Da mesma maneira que enchemos uma bola de ar, encho eu com o meu corpo o vazio deste réptil, que é inacreditavelmente elástico. De maneira que tu, que és meu amigo, poderias muito bem vir ocupar um lugar a meu lado, se quisesses ser generoso. Há espaço de sobra para ti aqui dentro. Em caso de necessidade penso trazer para aqui Eliena Ivânovna. No fim de contas, esta descoberta calha às mil maravilhas com os ensinamentos das ciências naturais, porque, supondo que tu poderias criar um novo crocodilo, terias que começar por perguntar: "Qual é a função principal que desempenha o crocodilo?". A resposta não poderia ser outra senão a seguinte: "Engolir homens". E qual deverá ser a conformação do crocodilo para que desempenhe o melhor possível essa sua missão de engolir homens? Resposta inevitável: "É preciso que tenha espaço; portanto é necessário que seja oco". Ora muito bem: há muito tempo já que a física nos mostrou o horror ao vácuo. Por conseguinte o interior do crocodilo deve começar por ser oco, mas com a condição de não permanecer indefinidamente nesse estado. É preciso que engula tudo quanto encontre ao seu alcance, a fim de se encher. Aí tens a única explicação plausível que pode dar-se dessa propensão que os crocodilos mostram para engolir-nos. Entre os seres animados há diferenças de constituição. Por exemplo, quanto mais oca é a cabeça dum homem, menos sente a necessidade de se encher; mas essa é a única exceção à lei geral, que acabo de expor. Tudo isto me parece agora tão claro como o dia. Cheguei a essa conclusão pelo poder da minha inteligência e da minha cabeça, ao afundar-me, por assim dizer, nos abismos da Natureza, na retorta onde ela elabora os seus mistérios, escutando o latejar das suas veias. Repara como a própria etimologia me dá razão, pois o nome de crocodilo exprime a sua voracidade. É uma palavra italiana, sem dúvida contemporânea dos antigos faraós do Egito e com certeza derivada da palavra francesa *croquer;* isto é: trincar, devorar. Proponho-me explicar tudo isto ao público na minha próxima conferência, no salão de Eliena Ivânovna, aonde ordenarei que me levem, na minha vasilha.

— Querido amigo e parente, devias tomar um purgante! — exclamei, sem poder conter-me, convencido, com espanto, de que o meu amigo tinha febre.

— Tolices! — respondeu ele em tom depreciativo — Como hei de purgar-me nesta situação? Já estava a pensar que virias com essa da purga.

— Mas, meu querido amigo, como podes tu aguentar-te? Já comeste hoje?

— Não, mas não tenho apetite e é muito provável que nunca mais precise de comer, o que é compreensível; uma vez que encho com a minha pessoa todo o interior vazio deste crocodilo, coloco-o num estado de definitiva fartura. Poderá agora viver anos inteiros sem ser preciso lhe alimentarem. Mas, da mesma maneira que eu lhe dou essa fartura, ele, por seu lado, comunica-me todos os movimentos vitais de seu corpo. Não tens ouvido dizer que as mulheres vaidosas põem durante a noite pedaços de carne crua na cara, à maneira de compressa, para que ela apareça louçã, firme e sedutora, depois do banho matinal? Pois aqui se passa uma coisa parecida. Eu alimento o crocodilo com a minha pessoa, mas recebo dele o meu próprio alimento. Alimentamo-nos mutuamente. Mas como será difícil, até para um crocodilo, digerir um homem como eu, há de com certeza sentir algum peso no estômago — o que, diga-se de passagem, não lhe acontece. E, por isso, faço todo o possível para não me mexer, a fim de não o incomodar. Poderia fazê-lo, mas abstenho-me por humanidade. É esse o único inconveniente da minha situação, e Timofiéi Siemiônitch tem razão ao chamar-me folgazão, em sentido figurado. Mas hei de provar que se pode transformar o destino da humanidade, ainda que se esteja deitado de costas; mais ainda, que só nesta posição pode conseguir-se tal finalidade. São os embusteiros que elaboram todas as grandes ideias, todas as evoluções intelectuais tidas em favor pelos nossos jornais e revistas. E é essa a razão por que se diz muito justamente dessas publicações que são como laboratórios; mas isso não tem importância. Eu vou traçar o esquema de um novo sistema social completo e será difícil imaginar como é simples. Para isso basta isolar-se em algum canto afastado, no interior de um crocodilo, por exemplo, e fechar os olhos. Uma pessoa descobre imediatamente o paraíso da humanidade. Há pouco, durante a tua ausência, pus-me a idealizar sistemas e descobri imediatamente três. Agora estou a preparar o quarto. É certo que, para isto, é preciso começar por deitar tudo abaixo; e não será uma coisa bem simples, quando uma pessoa se encontra dentro de um crocodilo? Mas isto ainda não é tudo. Parece que, no fundo de um crocodilo, uma pessoa vê o mundo com uma grande clareza... Se bem que a minha situação apresente alguns inconvenientes de pouquíssima importância. O interior deste crocodilo é frio e viscoso; além disso fede a resina. Parece-me que tenho umas botas velhas debaixo do nariz. Mas os inconvenientes não passam daqui; não tenho outras razões de queixa.

— Ivan Matviéitch — disse-lhe —, isso são milagres em que me custa a acreditar. Tens, de fato, a intenção de nunca mais comeres nada em toda a tua vida?

— Mas tu podes preocupar-te com essas bagatelas, cabeça de alho chocho? Eu me preocupo apenas com desenvolver grandes ideias, ao passo que tu... Pois fica sabendo que essas grandes ideias, que vieram iluminar as trevas em que me achava mergulhado, me saciam mais que toda e qualquer comida. Além disso o nossa excelente domador já tratou deste ponto com a sua mãezinha, e concordaram ambos em introduzir todas as manhãs pelas goelas do crocodilo um tubo encurvado, por meio do qual poderei tomar o meu café e um pouco de sopa. Já encomendaram o tubo; mas acho desnecessário. Espero viver pelo menos mil anos, se é verdade que os crocodilos atingem essa longevidade. Informa-te ainda esta manhã, pois poderia suceder que eu estivesse enganado e confundisse o crocodilo com qualquer outro animal. Há apenas uma coisa que me preocupa, pois, vestido como estou, e calçado, é mais que certo que o crocodilo não poderá digerir-me. Além disso estou vivo e oponho-me a tal absorção com toda a força da minha vontade, pois não queria, por nada deste mundo, sofrer a vulgar transformação dos alimentos; era uma coisa demasiado humilhante. Mas, infelizmente, o tecido do meu vestuário é de fabrico russo e receio que não possa resistir a uma permanência de mil anos, no interior deste monstro. Acabaria por dissolver-se e, privado desta defesa, eu correria o risco de ser digerido, apesar de toda a minha resistência. Durante o dia poderia defender-me; mas à noite, assim que o sono se apoderasse de mim, o sono que acaba com a vontade do homem, não estaria a sofrer o destino deprimente de ser digerido, como se fosse uma batata, um pastel ou um guisado. Este pensamento põe-me fora de mim. Ainda que fosse apenas para evitar semelhantes vicissitudes, conviria alterar a tarifa das alfândegas e proteger a importação de panos ingleses, que são mais fortes que os nossos e poderiam resistir por mais tempo às forças absorventes da natureza, quando quem com eles se vestisse tivesse de penetrar no interior de um crocodilo. Hei de comunicar esta opinião minha a algum político, na primeira oportunidade, e também aos leitores dos nossos grandes diários, a fim de provocar um movimento de opinião. Eu espero servir também para muitas outras coisas. Tenho a certeza de que todas as manhãs se aproximarão de mim multidões de curiosos, que de boa-vontade largarão os seus vinte e cinco copeques, só para saber o que eu penso dos últimos telegramas do dia anterior. Em resumo: o futuro me aparece sob as mais radiosas cores.

"Está delirando! Está delirando!", dizia eu para mim. Mas, para experimentá-lo ainda melhor, continuei a dizer em voz alta:

— Mas, e a liberdade, meu amigo, isso não te preocupa? Tu estás como numa prisão. E não é a liberdade o bem mais apreciado do homem?

— Sempre és muito simplório! — respondeu-me ele. — É certo que os selvagens são loucos pela independência; mas os verdadeiros sábios gostam da ordem acima de tudo, pois, sem ordem...

— Por favor, Ivan Matviéitch...

— Cala-te e escuta! — gritou furioso, por causa da minha interrupção. — Nunca me senti tão forte como agora. No meu estreito cubículo apenas receio a pesada crítica dos grandes diários e os assobios das folhas humorísticas. Temo que as pessoas pouco sérias, os imbecis, os invejosos e, em geral, os niilistas, se riam à minha custa. Mas tomarei as minhas precauções. Espero impacientemente o juízo que a opinião pública e, sobretudo, a imprensa formularão sobre mim a partir de amanhã. Não deixes de me manter a par de tudo.

O CROCODILO

— Bem! Amanhã trarei uma pilha de jornais.

— Seria prematuro esperar que os jornais trouxessem amanhã alguma coisa acerca deste episódio, porque as notícias demoram sempre uns quatro dias a publicar-se. No entanto, a partir de hoje, virás todas as tardes pela porta de serviço. Lerás os jornais e as revistas, e depois eu ditarei os meus pensamentos e vou te incumbir de várias diligências. Não te esqueças de trazer-me diariamente todos os telegramas da Europa. Mas, por hoje, já chega. Deves ter sono. Volta para tua casa e não penses no que te disse a propósito da crítica. Não a receio, porque ela também se encontra numa situação bastante crítica. Basta que me conserve sensato e virtuoso, para que me sinta como que elevado sobre um pedestal. Se não chegar a ser um Sócrates, serei um Diógenes, ou os dois ao mesmo tempo, tão grande é a missão que tenho a cumprir, no futuro, para com o gênero humano.

Assim se exprimia Ivan Matviéitch, dando mostras de um espírito tão superficial como obstinado — se bem que, entretanto, se encontrasse dominado pela febre — semelhante a essas mulheres fracas de caráter, que não conseguem guardar um segredo. Todas as suas observações a propósito do crocodilo me pareciam muito extravagantes. Ora vejamos: seria possível que o crocodilo fosse oco? Aposto qualquer coisa em que tudo isto eram fanfarronadas dum homem vaidoso e que procurava acima de tudo humilhar-me.

Bem sei que ele estava doente e que temos de ser tolerantes para com os doentes; mas confesso francamente que não podia suportar Ivan Matviéitch. Desde criança, toda a vida tive de suportar a sua tutela. Mil vezes senti vontade de acabar com isso, mas havia sempre qualquer coisa que me fazia continuar a seu lado, como se esperasse convencê-lo não sei de quê, e vingar-me finalmente. Singular amizade, da qual posso afirmar que dez partes sobre nove eram ódio puro! No entanto, dessa vez despedimo-nos na melhor harmonia.

— O seu amigo é um homem inteligentíssimo — disse-me o alemão, que tinha escutado de fio a pavio a nossa conversa, enquanto me acompanhava até à porta.

— E a propósito — disse-lhe, antes que me esquecesse —, quanto pediria o senhor pelo crocodilo se lhe propusessem a sua compra?

Ivan Matviéitch, que ouvira a pergunta, esperou pela resposta com o maior interesse. Pareceu-me evidente que não lhe agradara ouvir o alemão pedir uma quantia tão insignificante. Pelo menos tossiu de um modo muito significativo.

De momento, o alemão nem sequer quis falar do caso e até chegou a aborrecer-se.

— Que ninguém se lembre nunca de vir pedir-me que venda o meu crocodilo! — exclamou, furioso e ficando vermelho. — Não quero desfazer-me do meu crocodilo! Não o daria nem por um milhão de táleres.[6] Somente hoje já me rendeu cento e trinta táleres na bilheteira. E há de render-me dez mil e até cem mil!

Ivan Matviéitch ria com gosto. Eu fiz das tripas coração. Com a fleuma de um homem que cumpre os deveres da amizade, fiz ver ao alemão toda a falsidade das suas contas. Admitindo que tivesse já arrecadado cem mil táleres por dia, demonstrei-lhe que em menos de quatro já todo o Petersburgo teria desfilado por

---

6 Moeda alemã, de prata, da época.

ali, e que depois disso já tudo se teria acabado, além de que a nossa vida está sempre por um fio; o crocodilo podia rebentar, Ivan Matviéitch adoecer ou morrer, etc., etc. O alemão reconsiderou um momento e depois acrescentou:

— Pedirei umas gotas ao boticário e o seu amigo não morrerá.

— Isso das gotas — disse-lhe — está muito bem. Mas lembre-se de que poderiam levantar um processo. E se a mulher de Ivan Matviéitch resolve reclamar a devolução do seu legítimo esposo? O senhor quer passar por rico, mas está disposto a estabelecer uma pensão a Eliena Ivânovna?

— Nem por sombras! — acrescentou, furiosa, a mãe do alemão.

— Sendo assim, não lhes conviria mais aceitar, a partir deste momento, uma soma razoável e segura, em vez de confiarem em benefícios incertos? Que, no fim de contas, me interessa informar que apenas lhes faço esta pergunta a título de curiosidade.

O alemão julgou oportuno confabular com a mãe e levou-a para um canto do local onde havia um armário que continha o macaco maior e mais feio da coleção.

— Vais ver! — disse-me Ivan Matviéitch.

De boa-vontade me teria atirado ao alemão e à mãe e, sobretudo, àquele Ivan Matviéitch, cuja ambição desmedida me indignava sumamente, Mas que dizer da resposta daquele espertalhão?

Aconselhado pela mãe, exigiu, como preço de venda do seu crocodilo, a quantia de cinquenta mil rublos em obrigações da última emissão interna, uma casa de pedra e cal na Gorókhovaia Olitsa, incluindo uma farmácia, e, ainda por cima, vencimentos de coronel.

— Está vendo! — exclamou triunfantemente Ivan Matviéitch. — Eu não te disse! Além da sua última exigência, essa nomeação de coronel, que representa uma pretensão louca, tem razão de sobra, demonstra que sabe apreciar o valor do seu crocodilo. Acima de tudo o ponto de vista econômico!

— Vamos! — gritei, furioso, para o alemão. — Como se atreve o senhor a pedir os galões de coronel? Que proezas praticou? Onde está a sua folha de serviço? O senhor não estará louco?

— Eu, louco?! — respondeu o alemão, ressentido. — Eu sou um homem sensato, tolo é o senhor. Acha que há pouco mérito para nomearem coronel um homem que pode mostrar um crocodilo que alberga no seu interior um conselheiro de Estado, vivo e coleante! Vamos a ver qual é o russo que pode mostrar outro crocodilo semelhante. Eu sou um homem com prerrogativas e não sei por que não haveriam de poder nomear-me coronel.

— Bem, adeus, Ivan Matviéitch — exclamei, trêmulo de raiva e saí correndo!

Se continuo ali mais um minuto, não teria podido conter-me. A extravagante ambição daqueles dois imbecis era intolerável. O ar fresco da rua acalmou um pouco a minha indignação. Finalmente, depois de ter cuspido uma quantidade de vezes à direita e esquerda, tomei urna carruagem e, assim que cheguei a casa, despi-me e meti-me na cama.

O que mais me irritava era ter de me converter em secretário de Ivan Matviéitch. Pois, daí em diante, para cumprir os deveres de amigo verdadeiro, teria que aborrecer-me todas as tardes!

O CROCODILO

Sentia vontade de implicar com alguém e, para dizer a verdade, assim que apaguei a vela, dei alguns murros na cabeça e em várias partes do corpo. Isto me aliviou um pouco e acabei por adormecer profundamente, pois estava esgotado. Passei a noite a sonhar com macacos; mas, sobre a madrugada, sonhei com Eliena Ivânovna.

Capítulo IV

Não me foi difícil descobrir que o ter sonhado com macacos era devido a tê-los visto na jaula do alemão; mas, quanto a Eliena Ivânovna, o caso era diferente. Em suma: amava-a, mas com o amor dum pai, nem mais nem menos. O que me leva a formular esta conclusão é que muitas vezes me ocorreu sentir desejos de beijá-la na testa e nas faces rosadas. E, embora nunca o tivesse feito, não teria recusado beijá-la nos lábios. E não só na boca, mas também nos dentinhos, que pareciam uma fiada de aljôfar, quando se ria... o que era muito frequente.

Nos seus momentos de efusão, Ivan Matviéitch chamava-lhe o seu lindo disparate, galanteio muito justo e adequado. Era, em última análise, uma doçura de mulher. Por isso não compreendo em que se fundamentava Ivan Matviéitch para querer fazer dela uma Eugênia Tour russa.

Fosse como fosse, os meus sonhos, macacos à parte, tinham-me proporcionado as mais gratas impressões, e nessa manhã, com a chávena de chá na frente, rememorando as minhas recordações do dia anterior, decidi subir até casa de Eliena Ivânovna, ao dirigir-me para a repartição. No fim de contas isso era um dever meu, na minha qualidade de amigo da casa.

Eliena Ivânovna estava sentada num lindo canapé, diante duma mesinha baixa, num quartinho minúsculo, contíguo à alcova, e ao qual ela chamava a sua salinha, embora a sala grande fosse também muito pequena. Vestia um roupão vaporoso e saboreava uma xicarazinha de café. Estava lindíssima; mas parecia preocupada.

— Ah, é o senhor, seu malandro? — exclamou com um sorriso distraído. — Sente-se, seu estouvado, e tome um pouco de café. Que fez ontem, pode saber-se? Esteve no baile de máscaras?

— E a senhora, esteve lá? Eu não estava para festas... Fui ver o nosso prisioneiro...

Lancei um suspiro, fiz uma cara triste e ao mesmo tempo tomei um golinho de café.

— Quem? Qual prisioneiro? Ah, sim; já me lembro, pobre rapaz! Estará muito aborrecido? Olhe... queria perguntar-lhe... Parece-me que, agora, não me seria muito difícil conseguir o divórcio, não acha?

— O divórcio! — exclamei com tal indignação que ia quase entornando o café, pois dizia indignado, para comigo: "Ela diz isto por causa do moreno".

De fato, havia de permeio um tipo moreno, com um bigodinho, que frequentava a casa e fazia rir muito Eliena Ivânovna. Eu embirrava com ele e pus-me a pensar que se a tivesse visto no baile de máscaras da noite anterior lhe teria dito urna porção de parvoíces.

— Vamos ver — disse a formosa criatura, de afogadilho, como se repetisse uma lição. — O mais certo é ele ficar para sempre dentro do crocodilo; e, sendo assim, por que eu tenho de ficar à sua espera? Creio que todos os maridos devem viver em sua casa e não dentro dum crocodilo.

— Mas isso foi um contratempo completamente alheio à sua vontade — insinuei com uma emoção muito compreensível...

— Ah! Não, não venha com histórias, não invente! — exclamou ela aborrecida — há de sempre achar que ele tem razão! Nunca poderemos estar de acordo. Não quero ouvir os seus conselhos. Outras pessoas dizem-me que posso conseguir o divórcio alegando apenas que Ivan Matviéitch vai ter os vencimentos suspensos.

— Eliena Ivânovna! É a senhora quem fala assim? — exclamei em tom patético. — Quem foi o malvado que lhe meteu na cabeça semelhantes ideias? Fique sabendo que é impossível obter o divórcio por uma causa tão insignificante como a suspensão do vencimento. E esse pobre Ivan Matviéitch, que ainda se consome de amor por si, no fundo do seu crocodilo! Derrete-se como um torrão de açúcar! Ontem, enquanto a senhora se divertia no seu baile de máscaras, o pobrezinho dizia-me que, num caso extremo, se decidiria a levá-la, como sua esposa legítima, para o seu lado, para o interior do réptil, tanto mais que há ali lugar de sobra para duas pessoas, e até para três...

E contei-lhe imediatamente toda aquela interessante parte do colóquio que no dia anterior tivera com o marido.

— O quê?! — interveio estupefata. — O quê?! Isso quer dizer que, ainda por cima, hei de ir fazer-lhe companhia dentro do crocodilo? Que ideia! Como quer o senhor que eu me enfie lá dentro com o meu chapéu e a minha saia-balão? Meu Deus, isso é um absurdo! Que pensaria de mim quem me visse entrar? Seria ridículo! E como me arranjaria para comer lá dentro?... e para...? Que ideia! Que distrações encontraria eu ali? E o senhor diz que cheira a borracha. E teria que ficar encostadinha a ele quando nos envolvêssemos em alguma briga! Livra! Que horror!

— Compreendo, compreendo, querida Eliena Ivânovna — interrompi-a com a violência naturalíssima de quem, como eu, sabe sair em defesa da verdade. — Mas a senhora não repara numa coisa, é que ele não pode viver sem você, visto que reclama a sua companhia. Isso prova a paixão e a fidelidade do seu carinho... A senhora não soube apreciar como ele merece o seu amor, querida Eliena Ivânovna.

— Deixe-se de histórias! Nem quero ouvir! Não escutarei! — exclamava, gesticulando com a sua mãozinha tão bonita, de unhas cor-de-rosa e brilhantes. — Ainda vai me fazer chorar, seu malvado! Olhe, enfie-se o senhor dentro do crocodilo, se acha bem, visto que é seu amigo. Vá e deite-se ao seu lado, atendendo à amizade, e passe a vida a discutir com ele temas fastidiosos...

— A senhora faz muito mal em falar desse contratempo em tom de troça — disse-lhe, interrompendo com gravidade aquela mulherzinha tão pouco sensata. — Ivan Matviéitch convidou-me a fazer-lhe companhia. Não há dúvida de que apenas da sua parte isso seria cumprir um dever, ao passo que da minha indicaria generosidade. Falando-me ontem acerca da extraordinária elasticidade das paredes desse crocodilo, Ivan Matviéitch deu-me a entender muito claramente que haveria lá lugar não só para os dois como também para mim, na qualidade de amigo da casa, e que no caso de eu consentir poderíamos muito bem acomodarmo-nos os três à vontade, e, com que fim...

O CROCODILO   1003

— Os três? — exclamou Eliena Ivânovna olhando-me espantada. — Mas iríamos ficar os três juntos ali? Hah, hah, hah! Que tolos! Hah, hah, hah! Passaria o tempo a arranhá-los, como se fossem maus. Hah, hah, hah! Hah, hah, hah!

E, recostando-se no canapé, pôs-se a rir até lhe saltarem as lágrimas. O seu riso e o seu choro, tudo isso era tão delicioso e sedutor, que já não pude conter-me e comecei a beijar-lhe as mãos, ao que ela não se opôs, puxando-me pelas orelhas em sinal de reconciliação.

E, assim, ficamos tão alegres, que lhe contei pormenorizadamente todos os projetos de Ivan Matviéitch. A ideia das recepções no seu salão agradou-lhe extraordinariamente.

— Simplesmente — observou — precisaria de muitos vestidos novos, e é urgente que Ivan Matviéitch me envie o mais depressa possível uma quantia decente.

Depois acrescentou, pensativa:

— Mas, como nos vamos arranjar para trazê-lo na sua vasilha? Isso seria muito ridículo. Não quero que vejam o meu marido dentro da banheira. Teria vergonha dos meus convidados... Não quero, não quero!

— A propósito, lembrei-me agora: Timofiéi Siemiônitch não veio vê-la ontem?

— Veio, sim, esforçou-se por consolar-me, calcule que passamos o serão jogando cartas. Quando era ele que perdia, dava-me bombons, e quando era eu, beijava-me as mãos. Que malandro! E calcule que pouco faltou para que me acompanhasse ao baile de máscaras! É como lhe digo.

— Foi do entusiasmo — respondi. — E quem é que não se entusiasmaria consigo, sua feiticeira?

— Lá vem você outra vez com os seus galanteios. Deixe estar que hei de beliscá-lo antes de se ir embora. Eu sei dar uns bons beliscões. Mas diga-me: Ivan Matviéitch falou-lhe muito de mim?

— Não; muito, não... Confessou-me que o que o preocupa mais agora é a sorte da humanidade e que quer...

— Bem, bem, não continue, Tudo isso deve ser muito aborrecido. Um dia destes irei visitá-lo... Amanhã, sem falta... hoje, não. Minha cabeça dói, e deve ter muita gente lá... E haviam de dizer em voz baixa: "Aquela é a mulher dele!" E havia de sentir-me envergonhada... Adeus! Irá até lá esta tarde?

— Sim. Pediu-me que fosse e que levasse os jornais.

— Muito bem. Pois vá e leia para ele. É desnecessário voltar a passar por aqui hoje, pois não me sinto bem... Talvez saia para fazer umas visitas... Adeus, seu velhaco!

"Bem — disse para comigo —, não precisa perguntar se o moreno vem esta tarde."

Como é natural, na repartição não deixei transparecer as minhas inquietações. Mas não tardou que eu reparasse que vários dos nossos jornais mais progressistas circulavam de mão em mão e que os meus companheiros os liam com profunda atenção. O primeiro que me veio às mãos foi *A Folha*, diário sem orientação política bem definida, mas de tendências humanitárias, pelo qual os meus companheiros, por mais que o lessem, mostravam um certo desprezo. Eis aqui o que nele li, com o maior espanto:

"Estranhos boatos corriam ontem pela nossa capital. N***, gastrônomo muito conhecido da alta-roda, enfastiado, sem dúvida, tanto pela cozinha de Borel como pela da associação ...Ski, entrou na Galeria e dirigiu-se ao lugar em que se exibe um enorme crocodilo, pedindo que lhe indicassem o monstro, pois queria comê-lo ao jantar. Feita a combinação com o dono, não tardou a sentar-se à mesa e começou a devorá-lo (não ao dono, modesto alemão, amigo da ordem, mas ao crocodilo, que foi servido mesmo vivo, cortando do seu corpo, por meio do canivete, enormes e saborosíssimas fatias, que engolia com deleite). O crocodilo foi desaparecendo pouco a pouco, inteirinho, naquele abismo sem fundo, após o que nosso gastrônomo demonstrou a intenção de regalar-se com o mangusto, companheiro habitual do crocodilo e, em sua opinião, não menos suculento.

"Não mantemos a mínima espécie de preconceitos contra esse novo manjar, já há muito tempo conhecido dos gastrônomos estrangeiros. Muito longe disso, tínhamos até chegado a crer que havia de chegar um dia a tornar-se moda. Os lordes e viajantes ingleses caçam no Egito grandes quantidades de crocodilos, cujo lombo saboreiam sob a forma de bifes, temperados com mostarda e cebola e guarnecidos de batatas.

"Os franceses que aí chegaram com De Lesseps[7] dão preferência às patas, que mandam cozer em água fervente, para enfurecer os ingleses, que não lhes regateiam as piadas. É muito provável que no nosso país saibam apreciar tanto o lombo como as patas, e ficaremos muito satisfeitos se este novo ramo da indústria alimentícia vier a enriquecer a nossa poderosa e tão variada pátria.

"Depois desta indigestão petersburguesa dum primeiro crocodilo, pode profetizar-se que não passará um ano sem que os importemos às centenas. E por que não haveríamos de aclimatar o crocodilo na Rússia? Se a água do Nievá é demasiado fria para estes tão interessantes produtos do estrangeiro, há balneários na capital e, fora dela, não faltam rios e lagos.

"Não poderia, por exemplo, praticar-se a criação do crocodilo em Pargalovo ou em Pávlovsk, em Moscou, nos reservatórios de água de Piésnienskie Prudi e no de Samotiek? Ao mesmo tempo que se proporcionaria um grato e são alimento ao paladar requintado dos nossos gastrônomos, os viveiros de crocodilos constituiriam uma grande distração para as senhoras que passeiem por essas paragens e, além disso, serviriam para que as crianças aprendessem facilmente história natural.

"Com a sua pele poderiam fazer-se estojos, maletas, poltronas e cadeiras, e mais de um milhão dessas poderosas notas de banco, tão amadas dos comerciantes, poderiam assim caber na pele dum crocodilo. Propomo-nos insistir, dentro de pouco tempo, sobre este assunto, e faremos o mesmo tantas vezes quantas forem necessárias."

Embora eu estivesse à espera de qualquer coisa do gênero, a inexatidão de tal notícia impressionou-me pessimamente. Sem saber a quem devia confiar as minhas impressões, pus os olhos em Prokhor Sávitch, que estava sentado precisamente diante de mim. Foi então que reparei que havia já um certo tempo que ele me observava com um número de *O Cabelo* na mão, como se pensasse dar-me a ler. Sem dizer uma palavra, pegou na *Folha*, que eu lhe oferecia, e ofereceu-me, por sua vez, *O Cabelo*, apontando com a unha o artigo para o qual desejava chamar-me a aten-

---

7 Ferdinand-Marie, visconde de Lesseps (1805-1894), diplomata e acadêmico francês, promotor da construção do canal de Suez. Tentou posteriormente também a abertura do Canal de Panamá, tentativa que sofreu completo revés, causando perdas colossais. O seu monumento, em Suez, foi destruído em 1956 pelos egípcios.

ção. Este Prokhor Sávitch era uma criatura bastante estranha. Velho, solteiro, quase não se dava nem falava com ninguém da repartição. Entretanto tinha sempre qualquer coisa a dizer, a propósito de tudo, embora não se atrevesse a dizê-la a ninguém. Vivia só e raro era aquele de nós que tinha alguma vez posto os pés em sua casa.

Eis aqui o que dizia o artigo de *O Cabelo,* que ele apontara com a unha:

"Toda a gente sabe que somos progressistas e humanitários e que, neste campo, nos podemos considerar à altura da Europa. Mas, quaisquer que sejam os cuidados do nosso povo e do nosso diário, forçoso é confessar que ainda estamos muito verdes, a avaliar por um repugnante acontecimento que sucedeu ontem na Galeria e que nós estávamos fartos de prever.

"Um estrangeiro, dono dum crocodilo, chega ao nosso país, exibe o animalejo na Galeria. Apressamo-nos nessa altura a saudar esse novo ramo duma útil indústria, ramo de que ainda carecia o tronco da nossa poderosa e tão diversa pátria.

"Pois bem: eis que, de repente, ontem, às quatro e meia, entra no local do estrangeiro um homem muito gordo e em completo estado de embriaguez, o qual, depois de pagar a entrada e sem avisar ninguém, se foi meter direitinho nas goelas do crocodilo, o qual não teve outro remédio senão engoli-lo, mais não fosse senão por instinto de conservação e para evitar a asfixia. Assim que caiu no interior do crocodilo, o visitante desconhecido adormeceu profundamente.

"Os gritos do domador foram tão inúteis como os choros da assustada família do homem; foi debalde que o ameaçaram de que chamariam a polícia; nada conseguiu impressionar o bêbedo, que se ria de uma maneira insolente no fundo do crocodilo, jurando e trejurando que o crocodilo havia de ser castigado a paulada (sic), ao passo que o pobre mamífero, obrigado a engolir um naco daqueles, se desfazia em lágrimas inúteis. O intruso não queria sair dali.

"É natural perguntarem-nos qual teria sido a intenção desse despropositado. Seria o caso de que procurasse um lugar seguro e cômodo? Mas não abundam na capital as casas bonitas, com andares espaçosos e econômicos, com água, gás e até porteiro? E, além disso, chamamos a atenção dos nossos leitores para a crueldade de semelhante tratamento infligido a um animal doméstico.

"Os nossos leitores hão de compreender como será difícil ao crocodilo digerir aquele trambolho. O infeliz ali está, sem forças, inchado, à espera da morte no meio de intoleráveis sofrimentos. Há muito tempo já que, na Europa, são levados perante os tribunais aqueles que maltratam os animais domésticos. No nosso país, apesar da iluminação à europeia; dos passeios das ruas, construídos à europeia, ainda terá de correr muito tempo até que façamos justiça aos culpados desses maus-tratos.

As casas são novas, mas os preconceitos são velhos...

"Mas e serão de fato novas as casas? Pelo menos nem sempre se poderia dizer isso das suas escadas. Quantas vezes não temos denunciado nestas colunas o lamentável estado de sujidade em que desde há meses se encontram as grades da escada de madeira da casa do comerciante Lukiánov, na Pietersbúrgskaia, que, devido ao seu estado de ruína, representavam um sério perigo para a criada, Afímia Skapidárova, obrigada, pelas necessidades da sua profissão, a subir ou a descer constantemente para carregar água ou lenha? O que profetizávamos aconteceu ontem, às oito e meia da noite: Afímia Skapidárova, que ia carregada com uma terrina, escorregou e quebrou uma perna.

"No entanto, ainda perguntamos se esse acidente chegará ou não para convencer Lukiánov da necessidade de mandar arrumar a escada, pois os russos têm a cabeça dura. Entretanto a pobre vítima foi conduzida ao hospital.

"Também não nos cansaremos de repetir que os porteiros, ao varrerem a neve dos passeios da Vibórgskaia Storoná, deveriam tomar algumas precauções a fim de não sujarem o calçado dos transeuntes. Por que não a vão juntando em pequenos montes, como se faz na Europa?, etc., etc."

— Mas que significa isto? — perguntei, olhando para Prokhor Sávitch com certo espanto.

— O quê?

— Ora, o que há de ser! É que em vez de se compadecerem do pobre Ivan Matviéitch, compadecem-se do crocodilo!

— Que importa o fato de a piedade recair sobre este ou sobre aquele "mamífero"? Não é isso europeu? Na Europa também têm pena dos crocodilos! Hi, hi, hi!

E, ao dizer isto, aquele tipo estranho voltou a afundar-se no jornaleco e já não tornou a abrir a boca.

Eu meti *O Cabelo* no bolso e juntei uma porção de jornais para o meu pobre Ivan Matviéitch. A seguir, ainda que faltasse muito tempo para a hora da saída, deixei a repartição e encaminhei-me para a Galeria com o fim de examinar, ainda que fosse só de longe, o que se passava ali e recolher as várias opiniões do povo.

Calculando que haveria grande enchente, levantei a gola do capote, pois sentia uma certa vergonha, não sei por quê, talvez por estar pouco acostumado à publicidade.

Mas compreendo que não tenho o direito de contar as minhas pessoais e prosaicas impressões perante um acontecimento tão nobre e singular.

O MUJIQUE MÁREI

O MUJIQUE MÁREI
(1876)

Para mudar de assunto, vou contar uma pequena história, que, para dizer a verdade, nem pode ser chamada história; é apenas uma antiga recordação. Eu tinha então nove anos... Prefiro, todavia, começar pelos meus vinte e nove.

Era pela Pascoela. Soprava um arzinho morno: o céu estava profundo e azul, e o sol resplandecia belo, radioso. Mas na minha alma eram tudo trevas e mal-estar. Vagueava por detrás dos pavilhões, olhava a paliçada que rodeava a nossa prisão e contava as estacas. Mas até essa eterna contagem se me tornava aborrecida, se bem que o fizesse já mecanicamente, por força do hábito. Na prisão era já o segundo dia de "festa"; os presos não trabalhavam; por isso quase todos eles estavam embriagados. A cada momento surgia uma nova rixa, que começava com insultos e terminava em pancadaria. Canções ordinárias, jogos de azar por entre as esteiras, indivíduos aos quais os outros presos, por eles arrumarem demasiadas brigas, tinham sovado até deixá-los meio mortos, cobrindo-os depois com peles e deixando-os em paz até que voltassem a despertar; tinha visto brandir no ar mais de uma faca e tudo isso, nesses dias de festa, me atormentara até à loucura.

Nunca pude ver um ébrio sem sentir repugnância; mas ali, naquele lugar, ainda me inspirava mais asco. Nesses dias festivos não apareciam os empregados da prisão, nem sequer para inspecionar e apreender a aguardente, que ali era proibida. Viam com bons olhos que, ao menos uma vez no ano, se deixassem em paz aqueles prisioneiros, para evitar algo de pior.

De repente, esse sofrimento ficou insuportável para mim. Enchi-me de indignação. Nesse momento encontrei-me com o polaco M... tski, outro preso "político", que ficou a fitar-me com olhos iracundos e lábios trementes. *Je hais ces brigands!*[1] — resmungou, por entredentes, e passou de largo. Eu voltei para o pavilhão, apesar de haver um escasso quarto de hora que tinha saído dali como louco, pois seis rapazolas, uns autênticos atletas, tinham-se lançado todos ao mesmo tempo sobre o mísero Gázin, que estava bêbedo demais, para "acalmá-lo". Puseram-se a bater-lhe com vontade (um camelo não teria sobrevivido àquelas pancadas); mas sabiam que aquele hércules tártaro podia aguentar muito mais. Quando regressei, encontrei o flagelado Gázin, que jazia num canto, caladinho, estendido na sua esteira. Tinham-no coberto com uma pele. Os outros rodeavam-no em silêncio. Apesar de estarem convencidos de que só recuperaria os sentidos no dia seguinte, um deles coçou-lhe a cabeça e disse, um pouco inquieto: "Mas... sabe como é, se tiver chegado a sua hora, um homem pode morrer dessas pancadas". Dirigi-me para a minha esteira, junto da janela gradeada; estendi-me, de rosto para cima, cruzei as mãos por debaixo da cabeça e fechei os olhos. Escolhia sempre esta posição; deixavam em paz aqueles que dormem e, assim, podia uma pessoa pensar e dormir. Mas, dessa vez, eu não conseguia adormecer; o coração pulsava-me de inquietação e nos meus ouvidos continuavam a zumbir aquelas

---

1 Odeio estes bandidos!

palavras: *Je hais ces brigands!* Ainda agora há muitas noites em que penso nesses tempos; não conheço lembrança mais lancinante.

Pouco a pouco fui perdendo a noção da realidade e, sem dar por isso, afundando-me em recordações. Durante os longos anos que ali passei recordava toda a minha vida anterior; creio que voltei, assim, a vivê-la desde o princípio. Essas recordações vinham sem eu saber como; raramente era eu quem as evocava. De maneira geral surgiam de um ponto de partida qualquer, de um pormenor insignificante, ao qual, depois, se iam agregando outros, até que o passado se transformava num grande quadro. Analisava então as velhas impressões, juntava novos aspectos àquilo que já tinha sido vivido há muito tempo, e, sobretudo, emendava, emendava sem cessar: nisso consistia a minha distração, todo o meu pensamento.

Nesse segundo dia pascal, representou-se para mim, de súbito, não sei por quê, uma hora da minha infância, um episódio dos meus nove anos, já esquecido por completo, apesar de, por essa altura, viver completamente embriagado pelas recordações desse tempo.

*

Veio-me à memória o mês de agosto, no campo, onde tínhamos as nossas terras. Um dia seco, claro, um tanto frio e ventoso; o verão aproximava-se do fim e teríamos de regressar em breve a Moscou, para aborrecer-nos durante todo o inverno estudando francês: e com que pena abandonei o campo! Vagueava por detrás do terreiro, e ainda mais longe, pelo caminho dos rebanhos, do qual partia, do outro lado, uma compacta espessura vegetal que se estendia até ao bosque. Cada vez ia penetrando mais na mata, quando ouvi, de repente, a uns trinta passos de distância, um mujique que lavrava, sozinho. Compreendo imediatamente que ele tem a tarefa de lavrar a encosta escarpada do barranco; o cavalo sobe com dificuldade e por mais de uma vez chegava aos meus ouvidos o seu grito estimulante: "Eia, eia!". Conheço todos os nossos mujiques; mas não sei qual é aquele que, num dado momento, anda lavrando, se bem que, no fim de contas, isso seja indiferente. Estou completamente afundado no meu próprio trabalho, pois também me acho atarefado: ocupo-me em arrancar um ramo de nogueira para ir, com ele, fustigar as rãs. São tão bonitas as ramadas de nogueira! São melhores do que as de álamo branco. Também me atraem os escaravelhos e outros bichinhos; até tenho uma coleção deles. Há alguns tão bonitos! Também me agradam as lagartixas vermelho-amarelas, com pintinhas negras; mas as cobras fazem-me medo. Simplesmente, há menos cobras que lagartixas. Cogumelos há poucos, por aqui. E preciso ir buscá-los ao bosque de álamos brancos. Então, me levanto para dirigir-me ao bosque por entre os estevais. Nunca, em toda a minha vida, nada me agradou tanto como o bosque, com os seus cogumelos e as suas framboesas, os seus escaravelhos e os seus passarinhos, os ouriços e as bolotas, e esse cheiro úmido a folhas podres, que sempre me encantou. Até neste momento, em que escrevo, sinto esse cheiro com toda a realidade, aspiro o ar do nosso bosque de álamos, pois essas impressões ficam para toda a vida.

De repente, no meio daquele profundo silêncio, ouço, de maneira distinta e clara, este grito: "Vem aí um lobo!", lanço outro grito de espanto e corro em seguida para a pradaria, para junto do ganhão que lavrava, e que era o nosso mujique Márei. Não sei se seria esse o seu nome; mas, entre nós, todos o chamavam assim. Era um homem de uns cinquenta anos, forte, muito corpulento, com uma longa barba, de um louro claro, já muito encanecida. Eu o conhecia, mas nunca falara com ele. Quando ouviu o grito fez parar o cavalo e ficou quieto. Eu me apressei a descer a encosta, para ir ao seu encontro, e, para não cair, naquela correria louca, segurei-me ràpidamente com uma mão ao timão do arado, e com a outra à sua manga; ele se agachou junto de mim e apercebeu-se então do meu susto.

— Vem aí um lobo! — gemi, desolado.

Ele ergueu a cabeça e olhou involuntariamente à sua volta; por um instante acreditou em mim.

— Foi o que gritaram... Alguém por aí gritou: "Vem aí um lobo!" — acrescentei, trêmulo.

— Vem mesmo?! Mas onde ele está? Que lobo é esse? Isso foi ideia tua. Aqui não há lobo nenhum! — disse à meia voz, por entre as barbas, para tranquilizar-me.

Mas o meu corpo cada vez tremia mais, e continuava agarrado, com força, à sua blusa de mujique; penso que devia estar muito pálido. Ele me olhou com um sorriso inquieto; não havia dúvida que a minha comoção passara para ele.

— Olhem para isto! Não é que se assustou mesmo! Que coisa! Que coisa! — disse, movendo a cabeça. — Pronto, meu menino! É preciso ter juízo! — estendeu as mãos e, de repente, pôs-se a acariciar-me as faces. — Pronto, já passou, meu menino! Cristo está contigo; faz o sinal-da-cruz!

Mas eu não fiz. Os lábios tremiam-me. Ele pareceu ficar muito admirado com isto; lentamente, ergueu o seu grosso dedo médio, sujo de terra, e tocou-me delicadamente os lábios trêmulos.

— Que coisa! Ora, ora! — disse rindo (o seu riso era qualquer. coisa de especial, de ternura maternal). — Meu Deus! Mas.... isso é...

Por fim acabei por compreender que aquele grito de "Vem aí um lobo!" tinha sido coisa da minha imaginação. O grito soara tão claro e distinto que nenhuma dúvida havia; mas eu sabia que já outras vezes me ocorrera ouvir gritos, quando, na realidade, estava tudo em silêncio. Mais tarde deixei de ter essas alucinações de infância.

— Bem, vou-me embora — disse, finalmente, depois de recuperar um pouco de coragem; mas tornei a olhar para Márei, com olhos interrogativos e tímidos.

— Está bem, vai-te, que eu tomo conta. Não deixarei que o lobo te apanhe — acrescentou com o mesmo sorriso maternal. — Anda, Cristo está contigo; agora, vai-te embora — e persignou-me com o seu dedo sujo de terra, e depois persignou-se também a si próprio.

Comecei a caminhar. Mas voltava-me para olhar para ele de dez em dez passos. Márei estava parado, com o seu cavalinho, enquanto eu descia e tornava a subir a ladeira; estava parado, junto ao timão do arado, e seguia-me com os olhos; e sempre que eu me voltava fazia-me um sinal com a cabeça. Eu tinha, confesso, uma certa vergonha dele, por ter tido aquele medo. Apesar de tudo, continuava a temer o lobo, até que finalmente me vi, sem mais contratempos, do outro lado do barranco, no malhadouro de trigo; aí já não tinha medo; de repente veio a meu encontro, não sei de onde, Voltchok, o nosso mastim. Na sua companhia senti-me já completamente a salvo; por isso voltei então a olhar Márei pela última vez. Já não podia distinguir-lhe o rosto; mas adivinhava que continuava a sorrir-me afetuosamente e acenando-me com a cabeça. Fiz-lhe um sinal com a mão a que ele correspondeu com a outra. Depois pegou outra vez no arado e fustigou o cavalinho. "Eia, eia!" Conseguia ainda ouvir a sua voz, ao longe, e o cavalo tornou a puxar o arado.

Não sei por que me teria vindo tudo isto, de repente, à memória, e com tanta clareza de pormenores. De súbito despertei e ergui-me da minha esteira; e calculo que mostraria ainda no rosto o sorriso da recordação. Continuei a pensar durante um momento, procurando recordar o seguinte:

Quando me separei de Márei para voltar a casa, não falei a ninguém no episódio que sucedera comigo. Aliás, que eu havia de contar? Não tardou que me esquecesse de Márei. Quando, mais tarde, me encontrei com ele, não tornei a falar-lhe nem de lobo nem de nada. E agora, de repente, passados vinte anos, na Sibéria, recordava esse encontro com toda a clareza, até mesmo nos mínimos pormenores. Isso demonstra que, inconscientemente, o tinha trazido sempre na minha alma, talvez contra minha vontade, e que ele surgira agora, quando chegara o momento oportuno. Tornei a ver de novo aquele sorriso terno, maternal, do pobre servo; o seu persignar-se e abanar da cabeça: "Então, que medo é esse, meu menino!". E, sobretudo, aquele seu dedo grosso, sujo de terra e com a unha, negra, com o qual, num gesto de tímida ternura, viera tocar os meus lábios trêmulos. É claro que qualquer pessoa se teria esforçado também por tranquilizar uma criança assustada; mas aqui, neste simples encontro, sucedeu algo de diferente. E ainda que eu fosse seu filho, não teria Márei podido olhar-me com mais fundo e claro amor. Pois quem o obrigava a isso? Ele era nosso servo e eu o seu pequeno senhor. Ninguém viria a saber que ele me tinha acariciado; nenhuma recompensa haviam de dar-lhe por aquilo. Ele gostaria assim tanto das crianças? Há pessoas assim. O encontro tinha-se dado no campo solitário, e só Deus podia saber de que profundo e santo sentimento, de que suave ternura, quase feminina, pode estar repleto o coração dum rude mujique russo, de ignorância bestial. Seria a isso que queria referir-se Konstántin Aksákov ao falar da funda, íntima cultura do povo russo?

Ainda me lembro: ao levantar-me da esteira e relancear o olhar à minha volta, senti-me de repente capaz de olhar aqueles desgraçados com outros olhos, e senti também que, de súbito, como por milagre, todo o ódio e toda a raiva me tinham saído do coração. Tornei a sair, reparando com atenção na cara dos presos que ia encontrando. Podia ser que aquele mujique, de cabeça rapada e desonrado, com os estigmas do crime estampados no rosto, e que entoava com voz rouca a sua rude cançãozinha, fosse outro Márei, aquele que me acariciara quando eu era pequeno; e eu não podia entrar no seu coração.

Nessa mesma tarde tornei a encontrar-me com o polaco M... tski. Desgraçado! Ele não podia ter recordação alguma de Márei nenhum, e por isso aqueles homens não lhe inspiravam senão aquela exclamação: *Je hais ces brigands!* De fato, aqueles polacos sofriam ali mais do que nós.

UMA DOCE CRIATURA

UMA DOCE CRIATURA
NARRATIVA FANTÁSTICA
(1876)

ACERCA DO AUTOR

Peço ao leitor que me desculpe se, por ora, em vez do *Diário* na forma de costume, lhe apresento uma novela. Porque o certo é que, afinal, trabalhei nela durante todo o mês.

Ainda acerca desta mesma novela devo dizer o seguinte: subtitulo-a de "Narrativa fantástica", apesar de considerá-la realista no mais alto grau. Sucede, no entanto, que nela existe também o fantástico, precisamente na forma da narração, o que considero necessário explicar mais pormenorizadamente.

Não se trata aqui nem de uma narrativa nem de umas notas. Imaginem antes um homem, cuja mulher, uma suicida que há umas horas se atirou da janela, jaz agora amortalhada em cima da mesa. O homem está comovido e não teve tempo de concentrar os seus pensamentos. Anda no quarto de um lado para o outro e esforça-se por compreender o que aconteceu, por concentrar os seus pensamentos num ponto. Além disso, o nosso homem é um hipocondríaco consumado, um desses indivíduos que falam sozinhos. É, assim, ele quem a si mesmo conta e explica o sucedido. Entretanto, cai muitas vezes em contradição, não só quanto à lógica como aos sentimentos. Tão depressa se justifica coma se acusa e se extenua em manifestações secundárias, e em tudo isso deixa transparecer rudeza mental e afetiva, mas, ao mesmo tempo, uma profunda sensibilidade. Consegue ir pouco a pouco explicando o lance e concentrar os seus pensamentos num só ponto. Uma série de recordações, que agora são para ele como que atuais, o conduzem finalmente e irrevogavelmente à verdade, e a verdade purifica a sua mente e o seu coração. No final chega mesmo a mudar o tom da narrativa, comparando-o com o seu frouxo começo. A verdade surge diante do infeliz completamente diáfana e sem apelo... Pelo menos, é assim que ele julga vê-la.

Este é o tema. É claro que o processo da narrativa, com todas as suas interrupções, dura várias horas. A forma é frequentemente desconcertante; tão depressa o narrador fala consigo mesmo, como com uma personagem invisível, com o seu juiz. Mas é o que costuma suceder sempre na realidade. Se um estenógrafo o estivesse escutando e tivesse transcrito literalmente as suas palavras, a narrativa resultaria um pouco menos incoerente e desalinhada do que na forma por que a exponho; mas suponho que a ordem psicológica seria a mesma. Essa hipótese, de que um estenógrafo pudesse ter ouvido e transcrito (e cuja transcrição estivesse em meu poder), viria a ser o que eu chamo de "fantástico" nesta narrativa. Mas, em arte, já várias vezes se tem usado procedimento semelhante. Assim, por exemplo, Vitor Hugo, na sua obra-prima, *O último dia de um condenado à morte,* permitiu-se quase o mesmo, e, ainda que não fale em nenhum estenógrafo, incorre, no entanto, numa inverossimilhança ainda maior ao supor que um condenado à morte, já no seu último dia de vida, se não na sua última hora, ou até no seu último minuto, poderia escrever as suas impressões e pensamentos (e ter tempo para isso). Mas, se não se tivesse valido dessa suposição fantástica não poderia escrever essa obra, e esta é, apesar de tudo, a mais real e verdadeira, a mais autêntica de todas as suas obras.

Capítulo primeiro

I / Quem era eu e quem era ela

Enquanto ela está aqui, vai tudo bem; aproximo-me dela a cada momento e contemplo-a... Mas amanhã, quando a levarem... como... como poderei eu viver sozinho? Ela está agora na sala de jantar, em cima da mesa, onde juntamos duas outras pequenas mesinhas de jogo; só amanhã é que hão de trazer o caixão, um caixão branco forrado de cinzento-branco de Nápoles. Mas não era isso que eu queria agora... Eu não faço mais nada senão andar de cá para lá, esforçando-me por explicar tudo. Há já sete horas que medito sobre isto, mas não consigo coordenar as minhas ideias. Tudo se resume a que não paro de pensar e repensar... Isto era assim. A conclusão. Eu não sou nenhum literato, hão de verificá-lo. Tanta faz, contarei as coisas como as entendo. Sim, é nisto, precisamente nisto, que se funda todo o meu horror, no fato de eu compreender tudo!

Aconteceu pois, se realmente desejam saber... ou, para melhor dizer, começando a contar tudo desde o princípio... que ela, uma vez, veio simplesmente à minha casa para empenhar umas coisas, para poder anunciar depois em *A Voz* que uma, bom, foi assim mesmo, que uma governanta procura colocação, ainda que seja na província, mas que também se oferece para cuidar das casas etc. etc. Tudo isso foi ao princípio e, é claro, não me impressionou muito; ela vinha como tantas outras... e nada mais. Mas depois, sim, impressionou-me; era uma figurinha tão leve, tão franzina, de estatura mediana, com o cabelo louro e, no trato comigo, tão desajeitada, tão reservada, como se a minha presença a perturbasse. (Creio que ela foi sempre assim no convívio com os estranhos, e que eu lhe era tão indiferente como qualquer outro, isto sob o ponto de vista masculino e não como prestamista.) Assim que se viu com o dinheiro na mão, deu meia volta e foi embora. E tudo isso sem dizer uma palavra. Outras pessoas costumam insistir, tentar que lhe deem mais; mas ela, não: limitou-se a aceitar o que lhe ofereciam... Creio que os meus pensamentos se confundem a cada passo... Sim, é isso; a princípio chamaram-me a atenção os objetos que ela trouxe; umas argolas de prata dourada, um pobre medalhão antigo... coisas que não valiam mais do que vinte copeques. Ela sabia também perfeitamente que, para mim, não tinham nenhum valor e, no entanto, via-se nos seus olhos quanto ela as apreciava... De fato, vim a saber depois: aquilo era tudo o que herdara dos pais. Somente uma vez me permiti rir dessas coisas. Quer dizer, é preciso que compreendam: eu nunca me permito rir assim; eu, em princípio, ajo sempre muito sensatamente; poucas palavras, mas com cortesia e seriedade. Seriedade, seriedade!, é a minha norma. Mas, de uma vez em que ela se propôs trazer-me os restos — sim, os

UMA DOCE CRIATURA

restos — de uma jaqueta velha, de pele de lebre, não pude dominar-me e disse-lhe qualquer coisa, sem mais aquelas, não me lembro o que; sim, devo ter-lhe feito uma observação qualquer. Meu Deus, o sobressalto que ela teve e como se ruborizou! Tinha os olhos azuis grandes, pensativos... Como brilhavam! Mas não disse uma palavra: pegou nos seus "restos" e afastou-se. Foi então que eu reparei nela pela primeira vez, de uma maneira especial, e pensei sobre ela qualquer coisa do gênero de, isto é, algo de estranho... Sim, lembro-me de uma impressão, da impressão principal; se o desejam... aqui vai a síntese disso tudo: que ela era extraordinariamente jovem, tão jovem que se lhe podia dar quatorze anos, embora por esse tempo já tivesse quinze e mais nove meses... Mas, afinal, não era isso o que eu queria dizer, pois não é aí que está a síntese. Voltou no dia seguinte. Mais tarde vim a saber que fora procurar Dobronrávov e Moser, com os restos da jaqueta; mas que estes, como não aceitam senão objetos de ouro, nem sequer lhe ofereceram nada. Mas eu, de uma vez, aceitei-lhe um objeto — uma bagatela — e ao pensar nisso, depois desse incidente, ainda hoje fico admirado; eu também não costumo aceitar senão joias de ouro e prata, e, no entanto, a ela aceitei-lhe aquele penhor. Disto... lembro-me muito bem... foi o segundo pensamento que ela me inspirou.

A seguir, também depois de ter estado na loja do Moser, trouxe-me um cachimbo de âmbar... uma coisinha que não deixava de ter sua graça, mas que para mim não tinha valor, pois nós, os prestamistas, só aceitamos ouro, como já disse. Isso se deu passados dois dias do episódio que contei. Recebi-a com uma cara séria. A minha seriedade é... secura; e ao dar-lhe os dois rublos pelo cachimbo de âmbar, não pude deixar de dizer-lhe, fingindo aborrecimento: "Faço isto unicamente por si: Moser nunca o teria aceito". Essas palavras "por si" soaram de um modo especial e com uma certa ironia. Estava furioso. Quando ouviu aquele "por si", os olhos dela voltaram a brilhar; mas não disse nada e não recusou, e até aceitou o dinheiro e... sim, sim... a pobreza! E como se fez corada! Compreendo que a ofendi. Assim que ela saiu, perguntei a mim mesmo: "Mas, de fato, valerá dois rublos essa atitude que lançaste sobre a pobre moça? He... he!". Ah, já me lembro; pela segunda vez fiz a mim próprio a mesma pergunta: "Mas valerá, de fato? De fato, valerá?". E, sorrindo, respondi afirmativamente. Então, fiquei até demasiado alegre. Mas não se tratava de nenhum mau sentimento: eu fizera aquilo com toda a minha lucidez, com toda a minha lucidez. Queria pô-la à prova, pois de repente me ocorreram, acerca dela, alguns pensamentos. Era a terceira vez que ela me fazia pensar.

Bem, e depois, com o tempo, tudo começou. Repare-se bem: a seguir eu me esforcei ao máximo por informar-me melhor acerca dela, de um modo indireto, e aguardei a sua chegada com uma impaciência muito especial. Imaginava que não tardaria a voltar. Finalmente, quando me apareceu procurei entabular com ela um diálogo amável, e, é claro, de uma cortesia extraordinária. Eu sou um homem bem-educado, tenho boas maneiras. Hum! Então me apercebi de que ela era boa e mansinha. As pessoas boas e pacatas não oferecem muita resistência, e ainda que de princípio não sejam muito comunicativas, não conseguem romper, sem mais, uma conversa; respondem laconicamente, mas respondem, e quanto mais se insiste, tanto melhor; uma pessoa não precisa cansar, se tem algum interesse na conversa. Claro que, então, ela não me disse nada. Só mais tarde, quando eu soube do anúncio n'*A Voz* e outros pormenores. Ela gastava, por essa altura, os seus últimos copeques nesses anúncios; a princípio, claro está, com muito orgulho: "Governanta procura colocação, ainda que seja na província. Enviar condições a...", etc., etc.; mas depois acrescentava: "Disposta a tudo: a dar lições, como dama de companhia, para olhar pela casa ou tratar de doentes, e também para coser...". E já se sabe a frequência com que esses anúncios se repetem. Naturalmente que, de um anúncio para outro, as condições se iam tornando menos exigentes; até que por fim, levada pelo desespero, apareceu aquilo de "sem ordenado, só pela alimentação". Mas tudo inútil, não lhe aparecia nenhum emprego. Foi então que eu resolvi pô-la à prova; pego, de repente, no último número de *A Voz* e mostro-lhe um anúncio: "Jovem órfã de pai e mãe, procura colocação como babá de crianças pequenas; de preferência em casa de viúvo de certa idade. Pode ajudar no serviço de casa".

— Repare — disse-lhe eu --, esta criatura pôs o anúncio esta manhã e por certo que esta noite já lhe deve ter aparecido uma colocação. Veja: assim é que é preciso pôr o anúncio.

Voltou a corar e de novo os seus olhos brilharam; a seguir deu meia volta e saiu. Aquilo me agradou muito. Além disso, eu, então, já estava seguro e não receava nada; cachimbos para charuto ninguém aceita. E ela já não tinha mais nenhum. Apesar disso, no terceiro dia, depois do que aconteceu, voltou muito pálida e agitada... Compreendi imediatamente que devia ter sucedido algum contratempo em sua casa e, de fato, assim era. Mais adiante contarei o motivo da sua visita; mas agora quero recordar primeiramente como eu, dessa vez, me impus perante ela, de repente, como me agigantei aos seus olhos; e foi com certeza, de súbito, que tomou esta resolução... De fato, assim foi; trazia-me aquele ícone...

Tinha decidido trazê-lo a mim. Sim, foi isso, exatamente! Agora já me lembro de tudo; esperem, esperem, senão tornarei outra vez a desorientar-me... Agora já me lembro de tudo, até do mais insignificante pormenor. Vou concentrar toda a minha atenção num só ponto. Mas nem sempre consigo; conseguirei agora? Mas esse insignificante pormenor, esse pormenor...

A imagem da Mãe de Deus. A Virgem com o Menino; uma imagem da Sagrada Família, velha, com adornos de prata dourada; valor... bem, ponhamos seis rublos. Eu percebo que ela tem apego a esse ícone; devolvo-o completo, sem lhe tirar os adornos de prata. E digo-lhe:

— O melhor é tirarmos-lhe a prata, pois, assim, pode levar o tecido; talvez seja difícil conseguir outro quadro...

— Não quer ficar com ele? É proibido?

— Não; isso não nos é proibido; imaginava unicamente que talvez a menina...

— Bem, está bem; tire-lhe a prata.

— Olhe, sabe uma coisa? A minha vontade era não tirar-lhe a prata, ficar com o quadro e pô-lo aí, no meu iconóstase — depois de refletir um pouco — juntamente com os outros ícones, à luz da lâmpada (desde que tinha aberto a minha casa de penhores que essa luzinha ardia sempre, dia e noite), e dava-lhe dez rublos por isso tudo.

— Não preciso de dez. Dê-me só cinco, que eu vou lhe pagar, dou-lhe minha palavra.

— Não quer dez? Mas esse é o valor do quadro — acrescentei, quando reparei que os seus olhos voltavam a sombrear-se. Ela não disse nada. Eu lhe dei os cinco rublos.

Uma doce criatura

— Não despreze ninguém... Eu também sei o que são dificuldades, e até coisas piores, e se agora me vê aqui, neste negócio... não sabe o que eu sofri antes...

— Quererá o senhor vingar-se da sociedade? Será isso? — interrompeu-me ela, de repente, com um risinho amargo, mas no qual havia muito de não premeditado, isto é, de impessoal, pois por essa altura ela não me distinguia dos outros; por isso as suas palavras foram quase ofensivas para mim.

"Ah, sim? — pensei — Quer dizer que temos isso? Demonstra o teu caráter; hum!, segue o teu destino."

— Olhe — disse eu a seguir, num tom meio brincalhão e meio misterioso — Eu... eu sou uma parte dessa força que sempre quer o mal e sempre produz o bem...

Ela me lançou um olhar rápido e cheio de interesse..., no qual havia muito de infantil.

— Espere... Mas que pensamento! Onde foi buscar essa máxima? Já a ouvi em qualquer ocasião, que não agora...

— Oh!, não se preocupe com isso; essas são as palavras com que Mefistófeles se apresenta a Fausto. Leu o *Fausto?*

— Não... com muita atenção, não.

— Isso significa claramente que não o leu. Pois deve lê-lo. Vejo que está a rir-se outra vez. Peço-lhe que não me julgue de tão mau gosto que queira embelezar o meu papel de prestamista com a recomendação de Mefistófeles. Um prestamista é sempre um prestamista... Sei muito bem.

— Mas que estranho é o senhor! Eu não quis dar-lhe a entender nada desse gênero...

Quando disse aquilo, o que ela queria dizer era isto: "Não sabia que o senhor era um homem culto", mas não disse; entretanto eu sabia que ela havia pensado isso; fosse como fosse, aquela minha observação tinha-lhe agradado muito.

— Repare — disse-lhe eu —, em todas as situações se pode praticar o bem. É claro que não estou a falar de mim; eu, tirando o mal, não faço nada, mas...

— É claro, será desnecessário dizer que em todas as circunstâncias se pode praticar o bem — apressou-se ela a me interromper, e me olhou com olhos sinceros. — Evidentemente, em todas as circunstâncias — acrescentou de repente.

Oh, ainda me recordo, ainda recordo com toda a clareza daquele instante! Quando uma moça, uma adorável moça, quer dizer algo intencional e grave, pode literalmente ler-se no seu rosto, ingênuo e sincero, o que ela está pensando: "Olha, agora vou dizer-te algo de grave, sobre que tenho refletido!". E não o faz por vaidade, como nós, por exemplo. Vê-se claramente que essa criatura considera muito importante aquilo que diz, que acredita nisso e o aprecia, e imagina que aos outros acontece o mesmo. Oh, a sinceridade! É essa a arma com que a jovem triunfa! E como isso é nela encantador! Ainda me recordo; não esqueci um pormenor. Quando ela foi embora, tomei imediatamente a minha resolução. Nesse dia saí para colher as últimas informações sobre a sua pessoa, para inteirar-me do ambiente em que vivia e das suas relações; eu já sabia quase tudo por Lukiéria, a criada, à qual tinha feito falar dois dias atrás. O que me disseram sobre dela era tão espantoso que não compreendo como é que, pouco antes, pudera ainda sorrir e interessar-se pelas palavras de Mefistófeles... Se um de nós vivesse naquelas condições horríveis! Mas... a juventude é precisamente assim! Tudo isto era o que eu, ufano e alegre, pensava então dela, pois havia também nisto altivez; a pobre moça estava à beira da desgraça e nem por isso tinha deixado de honrar as palavras de Goethe.

A juventude é sempre corajosa... por pouco que seja e ainda que ocupe um lugar falso. Mas eu, aqui, me refiro só a ela, Unicamente a ela. E, depois, eu, então, olhava-a já como minha e não duvidava do meu poder sobre ela... Reparem como é maravilhoso esse pensamento, quando já não se duvida... Mas que estou eu fazendo? Se continuar assim, quando é que conseguirei reconcentrar tudo num só ponto? Mais depressa, mais depressa; ponhamos de lado essas coisas secundárias... Oh! meu Deus!

II / O PEDIDO DE CASAMENTO

Tudo quanto soube dela se resume no seguinte: havia já três anos que perdera os pais e vivia em companhia de umas tias extravagantes. E isto ainda é um qualificativo benigno. Uma era viúva, com seis filhos; a outra, uma solteirona feíssima. Eram filhas de um modesto empregado. Em resumo: tudo me era favorável. Perante isto, eu tinha uma origem muito superior; fosse como fosse, era capitão dum brilhante regimento, embora na condição de reformado; era nobre, independente, etc., e, pelo que respeita à minha casa de penhores, só devia inspirar respeito às famosas tias. Em casa destas tinha a órfã passado três anos de escravidão; no entanto conseguira fazer os seus exames, estudando no tempo roubado ao seu implacável trabalho cotidiano... Mas, todo aquele seu interesse pelo que era grande e nobre significava alguma coisa. Portanto, por que queria eu casar com ela? Ah!, o diabo que me carregue; disto falaremos depois... Como se se tratasse disso... Ela tinha que dar lições aos priminhos, consertar a roupa e, como se isso ainda fosse pouco (era tão estreita de ombros!), também tinha que esfregar os soalhos. E, em troca de tudo isso, ainda lhe davam o pão com parcimônia e, para cúmulo, até lhe batiam. De tudo isso resultou que a pobre rapariga resolveu simplesmente vender-se. Um horror! Prefiro passar em silêncio esses sujos pormenores... Mais tarde ela me contou tudo.

Tudo isso foi observado, durante um ano, por um vizinho seu, um comerciante gordo, de certa importância, que possuía duas lojas de comestíveis em conserva. Tinha já "feito a felicidade" de duas mulheres e procurava uma terceira, sucedendo que a sua escolha recaiu nela. Hum! "É sossegada e mansinha. Foi criada na miséria; caso-me com ela unicamente para que os meus filhos tenham uma mãe", e além disso juntava frases ocas... já batidas... De fato tinha filhos das duas primeiras mulheres, as quais maltratara até elas morrerem.

Por isso começou a cortejá-la e até já tinha falado com as tias. E, por cima disso tudo, o homem tinha já os seus cinquenta anos. Ela estava assustada, horrorizada. E foi por essa altura, precisamente, que começou a aparecer pela minha loja, para poder publicar anúncios n'*A Voz*. Finalmente pediu às tias que lhe dessem algum tempo, um tempinho para pensar. Até que finalmente, elas o concederam, mas muito pouco, e não a deixavam em paz. "Pois se ainda com a tua boca a menos, nem assim sabemos como nos havemos de arranjar." Eu já sabia de tudo isso e, assim, resolvi-me a pôr mãos à obra. Foi naquele mesmo dia da nossa conversa, à tarde. Nesse dia, precisamente, o tal comerciante tirara da sua loja o peso de uma libra de doces — no valor de cinquenta copeques — para lhe oferecer. A moça estava sentada ao seu lado, na sala de jantar; eu chamei Lukiéria, que andava ocupada na cozinha, e pedi-lhe que fosse ter com ela e lhe dissesse em voz baixa que eu estava à porta e precisava de dizer-lhe uma coisa importante. Estava muito satisfeito comigo mesmo. De maneira geral, estava muito contente nesse dia.

E ali mesmo, à porta, declarei-lhe — como a pobrezinha estava admirada perante o fato de que eu, um homem que lhe era completamente estranho, a tivesse mandado chamar tão de repente! — diante de Lukiéria, que me sentiria muito feliz e honrado se ela consentisse em ser minha esposa... E depois acrescentei que ela não devia ficar admirada com a minha presença, nem de que a tivesse mandado chamar à porta, etc., etc. "Eu sou um homem sincero; compreendo as circunstâncias ..." e não mentia ao dizer que era sincero. Bem... que diabo! Eu me exprimia não só como deve ser, como homem educado, mas também de uma maneira original; e isto é, antes de tudo, o mais importante. O quê? Há alguma coisa de mau em confessar isso? Eu quero ser o meu próprio juiz; portanto, tenho que falar tanto pró como contra, e assim o faço. Também, depois, sempre me lembrei disso com satisfação, ainda que isso fosse estúpido. Comuniquei-lhe, nesse mesmo dia, de maneira terminante, sem dar lugar a que restasse a menor dúvida, que eu, em primeiro lugar não era um homem de uma inteligência extraordinária nem dotado de nenhuma esperteza especial, e que talvez nem sequer fosse um bom homem, mas sim um egoísta vulgar (recordei-me dessa expressão, sobre a qual meditara no caminho, e que me pareceu muito apropriada), e que podia muito bem suceder, mesmo muito bem, que eu deixasse também muito a desejar sob outros aspectos. Eu lhe disse tudo isto com uma espécie de orgulho... Já sabemos como se dizem essas coisas. É desnecessário dizer que não incorri no mau gosto, depois de lhe ter exposto nobremente os meus defeitos, de fazer ressaltar também as minhas boas qualidades, dizendo-lhe, por exemplo: "Mas em compensação sou isto e mais aquilo". Eu reparava muito bem que ela, entretanto, estava terrivelmente triste, mas não me deixei comover por isso, e até, pelo contrário, agravei ainda mais o caso, intencionalmente; disse-lhe que nunca lhe faltaria alimento em abundância; mas que, em compensação, de teatros, toaletes, bailes, disso seria inútil falar... Talvez mais tarde, depois de ter conseguido os meus objetivos. Aquele tom severo encapetava-me. Acrescentei, no entanto, num tom de coisa secundária, da melhor maneira que me foi possível, que, ainda que eu tivesse escolhido esta ocupação, o tinha feito com um fim especial: era isso... com a maior lucidez. .. Acreditem-me: eu sempre odiara aquela loja de penhores; mas, na verdade, ainda que se torne ridículo falar de si mesmo com palavras misteriosas, o certo é que eu queria "vingar-me da sociedade". Sim, sim... era verdade, era verdade, era verdade! De maneira que a sua aguda observação daquela tarde, sobre se eu me vingava, não tinha sido nada descabida. Isto é, reparem que se eu lhe tivesse dito simplesmente: "Sim, eu me vingo da sociedade", então, ela poderia começar a rir na minha cara, como de manhã, e, de fato, esse riso teria vindo a propósito. Ao passo que agora, com uma alusão indireta, com uma frasezinha misteriosa como aquela, podia, como de fato sucedeu, excitar-lhe um pouco a imaginação. Depois disto eu já não temia nada; sabia que o comerciante gorducho lhe era mais antipático do que eu, e que, ao bater à sua porta, eu me destinava a fazer o papel de um salvador. Nada disto eu ignorava. Oh, compreendemos as coisas vulgares todas muito bem! Mas...

aquilo era realmente vulgar? Como havemos de avaliar os homens? Eu não gostava dela nessa altura?

Esperem; como é natural, eu não lhe falei em boa ação; pelo contrário, oh!, muito pelo contrário: "Eu é que sou o beneficiado, neste caso, e não a menina!", foi isso o que eu lhe dei a entender, até por palavras; não podia conter-me e talvez tivesse cometido uma tolice ao lhe dizer isso, pois notei que nos seus lábios havia um leve sorriso. Mas, finalmente, quem acabou por ganhar fui eu. Esperem... Já que recordo todas essas vergonhas, quero recordá-las até à última... Eu estava, como direi, de pé, diante dela... quando deixei escapar de repente, em voz baixa, este pensamento: "Tens boa figura, esbelta, és bem-educada e, finalmente, diga-se a verdade de feia não tens nada...". Isso era o que me passava pela imaginação nesse momento. Escusado será dizer que ali embaixo, mesmo à porta da rua, ela me deu o "sim". Mas... mas devo acrescentar: ali, à porta, ela pensou durante muito tempo, antes de pronunciar esta palavra. Tanto e tanto pensou que estive a ponto de perguntar-lhe: "Então? Que responde, finalmente?". (Sim, disse-lhe isto; não me pude conter.) "Então? Em que ficamos, finalmente?" Eu lhe perguntei até com esse "finalmente"; lembro-me perfeitamente. "Espere, tenho de pensar..."

E que carinha tão séria ela fazia, que carinha tão séria! Tanto, que eu devia ter logo compreendido. Mas eu me dei por ofendido: "Terá, de fato, que escolher entre mim — pensei — e o merceeiro?". Oh, então eu não compreendia, não compreendia nada, então! Até hoje mesmo ainda não compreendi nada! Ainda me lembro de que, eu estava pensando isto, chegou Lukiéria a correr atrás de mim, alcançou-me a meio da rua e disse-me numa ansiedade: "Deus há de pagar-lhe, senhor, o que faz ao levar daqui essa menina! Mas não lhe diga nada, porque é muito orgulhosa".

Bem, com que então é orgulhosa! "A mim agradam-me precisamente essas criaturinhas orgulhosas." As orgulhosas convêm especialmente quando... bom, quando não podemos duvidar do nosso ascendente sobre elas. O quê?! Oh, homem vil e estúpido! E como eu estava contente! Reparem: quando ela estava à porta, havia um momento, refletindo sobre se devia dizer-me sim ou não, e eu me admirava por vê-la tão pensativa... Reparem, pode ser que lhe tenha ocorrido também a ela um.pensamento deste gênero: "Se eu tenho de ser fatalmente infeliz, tanto com um como com o outro, não será preferível escolher a desgraça maior, ou seja, o comerciante gordo? Assim morrerei mais depressa!" Como? Que dizem os senhores? Não poderia ter-lhe ocorrido essa ideia?

Mas eu, agora, também não compreendo nada, nada. Acabo de dizer que lhe podia ter ocorrido esse pensamento: escolher a maior das duas desgraças, ou seja... o comerciante gordo. Mas quem é que lhe era, então, mais antipático? O merceeiro ou o prestamista que citava Goethe? Eis aí o problema! E que problema! Não o compreendem? A resposta, no entanto, é clara como água; embora digam que é um problema. Raios me partam! Não se trata de mim agora. .. Mas neste caso... o que é mais importante para mim? Trata-se ou não se trata de mim? Ah, essa é precisamente uma pergunta a que eu não posso responder... Tanto melhor. Vou-me deitar. Dói-me a cabeça.

III / O MAIS DIGNO DOS HOMENS, MAS NEM EU MESMO ACREDITO NISSO

Não posso dormir: como poderia dormir, quando as fontes me latejam? Quero confessar tudo, contar todas essas vergonhas. Oh, de que lodaçal eu a tirei então! Ela devia compreender isso e apreciar o meu procedimento... Ocorreram-me também vários pensamentos, como, por exemplo, o de que eu tinha já quarenta e um anos e ela mal completara os dezesseis. Mas era precisamente esse sentimento da diferença de idades que me encantava... É tão agradável, tão agradável!

Eu queria, por exemplo, que o casamento se celebrasse à *l'anglaise*, com duas testemunhas no máximo: Lukiéria e outra pessoa qualquer, e dali iríamos diretos ao trem, a Moscou, a um hotel (eu tinha precisamente necessidade de resolver aí uns assuntos). Mas ela se opôs a isso e tivemos de ir visitar as tias para apresentar-lhes os meus respeitos, na qualidade de parente, de cujas mãos a recebera. Bem, resignei-me e fui apresentar os meus respeitos às tias, como era devido. Além disso ainda dei a essas criaturas duzentos rublos, cem a cada uma, prometendo dar-lhes mais, e isto, claro, sem dizer nada à minha mulherzinha, para não ofendê-la, aludindo à pobreza da sua família. As tias, é claro, mostraram-se muitíssimo amáveis. Mas o enxoval deu lugar a discussões; ela não tinha nada, literalmente nada, que vestir, e também não queria nada. No entanto eu consegui convencê-la de que não poderia passar sem essas coisas; por isso comprei-lhe o enxoval; pois que havia eu de fazer? Mas, raios me partam! Também aproveitei a oportunidade para expor-lhe alguma coisa acerca da minha maneira de pensar, para que ela ficasse sabendo com o que contava. Até isso fiz depressa. Mas o mais importante era que ela, desde o primeiro momento, correspondeu ao meu amor com todas as veras da sua alma. Quando eu chegava a sua casa, à noite, recebia-me sempre com muita alegria e contava-me no seu balbuciar pueril — como era encantadora! — toda a história da sua primeira juventude; descrevia-me a casa paterna e falava-me dos pais. Mas eu lançava imediatamente um jarro de água fria sobre o seu entusiasmo. Era precisamente nisso que assentava o meu plano. Aos seus primeiros arrebatamentos eu correspondia com o meu silêncio, um silêncio benévolo, é claro... Mas, entretanto, ela não tardou a compreender que nós dois éramos seres diferentes, e que eu... era um enigma. Mas era isso precisamente o que eu queria, era isso o que eu procurava; parecer-lhe um enigma. Para obrigá-la a adivinhar este enigma, talvez eu não pudesse ter procedido mais estupidamente do que procedi. Em primeiro lugar, seriedade; a mesma com que a tratava na loja. Enfim, tracei todo um plano. Oh! tudo isso me saiu espontaneamente, sem que eu tivesse de fazer nenhum esforço. E não era possível proceder de outro modo: era preciso que eu traçasse esse plano... sob a impressão de um fato irresponsável... Não sei por que hei de acusar-me sempre! Tratava-se de um sistema verdadeiramente eficaz. Não, ouçam: para julgar um homem é preciso estar a par de todas as circunstâncias... Ouçam!

Por onde começarei? A coisa não é muito fácil de contar. Quando uma pessoa começa a justificar-se... já botou tudo a perder. Ora vejam: a juventude despreza, por exemplo... o dinheiro. Mas eu dou muita importância ao dinheiro, e faço com que ela o note continuamente, de maneira que ela vai emudecendo cada vez mais. Ela abria uns grandes olhos de admiração; ouvia-me, olhava para mim e calava-se... Já estão a ver. A juventude é generosa, isto é, os jovens bons são generosos, mas impetuosos: têm pouca paciência. Quando uma coisa não é como eles querem, logo a desprezam. Mas eu queria enfiar-lhe, diretamente, no coração, a "compreensão total". Não será isto? Ponhamos um exemplo vulgar: como eu devia explicar àquele caráter, isso de ter escolhido livre e espontaneamente a minha profissão? Não me pus a falar disso abruptamente; nesse caso teria parecido, de certo modo, que lhe pedia perdão por tê-lo feito, e até que procedia orgulhosamente, valendo-me do silêncio. Oh, nisso era eu um mestre! Tenho passado a vida inteira falando em silêncio; tenho tido comigo mesmo terríveis tragédias, em silêncio. Oh, mas também eu era infeliz! Toda a gente me repelia, me repelia e me esquecia, e ninguém, ninguém o sabia. E, de repente, uns tipos vulgares vão para essa moça de dezesseis anos com boatos sobre a minha vida, e ela julga ficar ao corrente de tudo, quando, afinal, aquilo que é verdadeiramente valioso continua enterrado no peito deste homem.

Eu estava sempre calado, e, sobretudo, sobretudo, quando estava ao seu lado, calava-me, até ao dia de ontem. Por que eu ficava quieto? Porque sou orgulhoso. Eu queria que fosse ela mesma a compreender, sem eu ter que ajudá-la, mas que não fizesse caso dos falatórios das pessoas intrigantes e adivinhasse este homem e o compreendesse. Quando a trouxe para minha casa exigi-lhe uma absoluta estima pela minha pessoa. Queria que ela me idolatrasse pela minha paixão... e era digno disso. Oh, eu sempre fui orgulhoso, sempre desejei tudo... ou nada! E precisamente por eu não querer uma miserável amostra de felicidade, mas sim uma felicidade completa, precisamente por isso é que me sentia obrigado a tratá-la dessa maneira. "Adivinha por ti mesma e depois aprecia!" Porque, é ou não verdade?, hão de concordar comigo: se eu me tivesse posto a explicar-lhe e a repetir-lhe a lição, a fazer fintas e a pedir-lhe que me tivesse amizade... seria o mesmo que implorar-lhe uma esmola... Mas... no fim de contas, para que falar disso!

Tolo, tolo, mil vezes tolo! Comuniquei-lhe então, em duas palavras, sem rodeios, de maneira *desapiedada* (sublinho a palavra desapiedada), que a generosidade da juventude é, em si, uma coisa admirável, mas que... não vale um copeque. E por que não vale? Porque possui essa generosidade gratuitamente, é uma coisa que lhe pertence já, ainda antes de ter vivido; tudo isso vem a ser, conforme costuma dizer-se, as primeiras impressões da criatura.

Mas esperem pelo momento em que se vejam numa aflição! A generosidade gratuita é sempre fácil; a magnanimidade gratuita é sempre simples; até o sacrifício da vida... então, custa muito pouco, pois o sangue ferve na juventude e as energias de sobra espadanejam. Corre-se apaixonadamente atrás da beleza! Mas não; reparem nos outros atos de generosidade; na que é difícil, tranquila, inadvertida, opaca, que aspira a muito, muito sacrifício; sem colher nem uma ponta de glória... e, pelo contrário, colhendo a amarga calúnia; aquela pela qual o homem mais digno do mundo é alcunhado de velhaco, sendo honesto, mais do que os homens honestos todos juntos. Pois bem; experimentem realizar uma façanha dessas... Não, muito obrigado! Pois eu... pois eu, em toda a minha vida, não tenho feito mais que... realizar heroicidades destas.

A princípio ela me contrariava. Ah, meu Deus, como discutia comigo! Mas depois foi-se calando paulatinamente, até acabar por não dizer nada. Simplesmente, dilatava os olhos de uma maneira terrível ao escutar-me; que olhos tão grandes, tão atentos! E... e... de súbito, reparei num sorrisinho, um sorrisinho malicioso, calado, que não tinha nada de bom... E foi com esse, com esse mesmo sorriso, que eu a trouxe para minha casa. No fim de contas, ela não tinha mais nenhuma para onde ir...

IV / PLANOS E MAIS PLANOS

Qual dos dois é que começou primeiro?

Nenhum. A coisa começou sozinha, desde o primeiro momento. Já disse que a tinha trazido para minha casa com toda a seriedade; mas, desde o primeiro dia, no entanto, que eu adocei as coisas. Já antes de nos termos casado eu lhe dissera que ela ficava com o encargo de receber os objetos empenhados e de dar o dinheiro que custassem... ao que ela não levantou a mínima objeção (peço-lhes que não esqueçam). Bom; pois ela desempenhava com o maior zelo o seu encargo. Compreenda-se desde já que a casa, a instalação... tudo isso continuou como estava. Dois quartos: um, grande, uma metade do qual se tinha destinado para loja, e o outro, grande também, era o nosso quarto de dormir. Os meus móveis são muito modestos, pois até as tias da minha mulher os possuem melhores. No primeiro quarto tenho, suspenso da parede, o meu iconóstase com a lamparina, junto da caixa; mas em minha casa, no meu quarto, tenho um pequeno armário com alguns livros e uma arca, cuja chave trago sempre comigo. Bom; é claro que também tenho a cama, uma mesa e cadeiras. Antes de nos casarmos eu lhe dissera que, para a nossa manutenção, isto é, para a alimentação dos dois e de Lukiéria, que tínhamos trazido conosco, deveríamos gastar, a cada dia, apenas um rublo e nada mais. "Em três anos terás trinta mil, de outra maneira o dinheiro não nos chegará." Ela não fez objeção, mas eu, por meu lado, contei com mais trinta copeques sobre essa quantia. E, além disso, teatro. Eu a prevenira do que não iríamos ao teatro, mas depois mudei de opinião e decidi levá-la, uma vez por mês, e para um lugar mais decente, para as poltronas. Fomos juntos duas vezes e creio que vimos *A caça à felicidade* e *A ave canora* — oh, para o diabo, para o diabo isso tudo! — Fomos em silêncio e em silêncio voltamos para casa. Por que, por que nos deu para nos calarmos, desde o princípio? Desde o princípio não tínhamos discussões... apenas o silêncio. Lembro-me, no entanto, de que por esse tempo ela me olhava sempre de esguelha; e eu era o primeiro a calar-me, assim que o notava. Seja como for, esta é a verdade: fui eu e não ela o primeiro que se entregou ao silêncio. Ela, pelo seu lado, teve até um ou dois ímpetos apaixonados; atirou-se contra mim, cingiu-me com os seus braços. Mas esses arrebatamentos eram doentios, histéricos, e como eu precisava de uma felicidade sólida e ansiava, antes de mais nada, pela sua afeição total, naturalmente permaneci frio. Estava no meu direito; depois desses arrebatamentos tivemos sempre brigas no dia seguinte. Isto é, brigas, verdadeiramente, não, mas amuos... e cada vez uma cara mais descarada e insolente pelo seu lado. "Rebeldia e independência"... eis o que ela queria; simplesmente, não o compreendia. Sim, aquela carinha mansa ia tomando cada vez uma expressão de maior desafio. Acreditem-me: eu lhe era antipático, e sabia disso.

De toda a maneira, não há dúvida de que ela às vezes ficava como que fora de si. Bem, por exemplo, depois de ter saído de tamanho lodaçal, de tamanha miséria, como podia agora, assim, sem mais nem menos, repugnar-lhe a nossa pobreza? Porque, reparem: não vivíamos na pobreza, mas sim com economia, e naquilo que era necessário, até tínhamos luxo... como, por exemplo, na roupa branca, no asseio. Sempre pensei que às mulheres agrada que um homem seja asseado. Se bem que, no fim de contas, ela não se zangava contra a nossa pobreza, mas sim contra aquilo que chamava a minha reles tacanhez. "Diz que persegue o seu objetivo e quer demonstrar personalidade!" Agradeceu-me imediatamente o termos ido ao teatro. E cada vez se tornava mais trocista, cada vez mais irônico o franzir dos seus lábios... e eu sempre a agarrar-me ao silêncio, ao silêncio.

Mas, não poderia começar a justificar-me? É claro que o papel principal era desempenhado, aqui, pela loja de penhores. Reparem: eu sabia que uma mulher, e sobretudo uma mocinha de dezesseis anos, não tem outro remédio senão submeter-se em tudo e por tudo ao marido. Não se trata de uma coisa invulgar nas mulheres, pois isto é um axioma; ainda hoje, ainda hoje é um axioma para mim! Que é, pois, aquilo que está ali, na sala, em cima da mesa? A verdade é sempre a verdade, à qual nem o próprio Mill[1] pode mudar nada! Mas a mulher que ama... oh, a mulher que ama! essa adora até o vício, até o crime do homem que ama. Este não poderia nunca encontrar as razões para justificar-se, que ela encontra para isso. O que é generoso, mas não original. É apenas a falta de originalidade aquilo que perde a mulher. Mas por que, repito, me apontam para cima da mesa? Sim, tem alguma coisa de estranho o que está ali, em cima da mesa? Oh... oh!

Escutem os senhores: eu, então, estava convencido do seu amor. Ela se atirava impetuosamente ao meu pescoço. Portanto, amava, ou, para melhor dizer... desejava amar. Sim, era isto também; queria amar, procurava amar. Mas o mal estava em que eu nem sequer tinha cometido crimes que necessitassem de desculpas imaginadas por ela. Os senhores dirão: um agiota! Sim, é o que toda gente diz. Mas que significa isso de agiota? Existirão, pois, poderosas razões para que o homem mais generoso... se tenha metido a agiota? Vejam os senhores: há ideias... isto é, reparem: há umas certas ideias que, quando queremos exprimi-las por palavras, parecem-nos terrivelmente estúpidas. Tão estúpidas, verdadeiramente, que... uma pessoa até se envergonha. E a que se deve isso? Pois simplesmente a isto: a que somos todos uns patifes e não podemos suportar a verdade, ou a... não sei, realmente... Disse há pouco: "O mais digno dos homens". Isto soa ridículo. Mas, na verdade, assim era. É a verdade que eu digo, a pura verdade. Sim, eu, então, tinha o direito de procurar uma posição economicamente segura e de abrir uma casa de penhores. Os senhores repudiaram-me, os senhores (é claro que me refiro aos homens) me lançaram ao desprezo com o vosso desdenhoso silêncio. Ao impulso apaixonado que me levava para vós responderam com uma afronta para toda a minha vida. Por isso eu estava no meu direito de separar-me de vós e de erguer uma parede entre nós; estava no meu direito de querer acumular aqueles trinta mil rublos e de querer refugiar-me para sempre em qualquer parte: na Crimeia, no Mar Negro, entre montanhas e vinhedos, no sítio ali comprado com esses trinta mil rublos. E antes de mais quero viver sem questiúnculas convosco, mas longe de vós e com o ideal na alma, com a mulher amada no coração e com os meus filhos, se Deus for servido dar-nos. E, aos amigos e vizinhos que se achassem em dificul-

---

1   John Stuart Mill (1806-1873). Filósofo, polígrafo e economista inglês, livre-cambista e malthusiano. O seu livro, *Principles of political economy*, é um dos clássicos da Economia.

dades estenderia a minha mão acolhedora. Bem; quando eu digo isto agora, para mim, que coisa mais estúpida teria podido fazer do que ter-lhe contado e descrito, a ela, tudo isto? Eis aí o motivo por que eu guardava um tão orgulhoso silêncio, por que nós os dois permanecíamos tão calados um em frente do outro. Como ela poderia compreender-me? Dezesseis anos... ainda se está na infância! E ela poderia compreender também as minhas justificações e os meus sofrimentos? Ali havia um franco desconhecimento da vida, convicções fáceis, juvenis, um verdadeiro cordeirinho de olhos vendados. Mas, acima de tudo, lá estava a loja de penhores, e isso era o suficiente! Eu era, porventura, algum bandido? Não tinha visto, ela mesma, como eu era, e que não fazia nada que não estivesse bem? Oh, como é terrível a verdade neste mundo! Aquela moça encantadora, aquela doce criaturinha, aquele anjo ... era um tirano, era o implacável verdugo da minha alma. Era-me impossível conter-me e nada dizer a ela! Julgam talvez que eu não a amava? Quem pode afirmar que eu não lhe queria? Reparem; temos aqui uma maldosa ironia da sorte e da natureza. Somos malditos, maldita é a vida do homem! Sobretudo a minha! Agora compreendo que em tudo isto passei qualquer coisa por alto. Algo falhou em tudo isto. Era tudo tão claro! Tão claro como água era o meu plano: "duro, orgulhoso, não preciso da consolação moral de ninguém e sofro em silêncio". Assim era, de fato, não mentia, verdadeiramente não mentia! Ela mesma há de descobrir por si só a minha generosidade, ainda que, por agora, não consiga percebê-la; e quando, finalmente, chegar a compreendê-la, há de apreciá-la dez vezes mais e vai se prostrar diante de mim de joelhos e de mãos juntas, suplicantes. Este era o meu plano! Mas aqui, devo ter me esquecido ou relegado algo. Que houve qualquer coisa, que eu não soube fazer como convinha, disso não tenho dúvida. Mas já chega, já chega! E a quem devo agora pedir perdão? Já tudo acabou, já tudo acabou. Sê corajoso, homem, e sê orgulhoso. Tu não tens culpa!

Não, eu digo a verdade, eu não tenho medo de encarar a verdade: ela é quem tem culpa, ela é quem tem culpa!

V / A CORDEIRINHA REBELA-SE

O nosso desentendimento começou porque ela se lembrou, de repente, de gastar o dinheiro à sua vontade, marcar os objetos com um preço superior ao seu valor, e até por duas vezes chegou ao extremo de discutir comigo acerca destas coisas. Eu lhe fiz ver a minha discordância. E foi então que veio colocar-se no nosso caminho aquela viúva do militar.

Sucedeu que apareceu um dia na loja uma senhora de idade, viúva dum capitão, trazendo uma medalha... presente do falecido marido, já se sabe, uma recordação. Dei-lhe por ela trinta rublos. Ela começou a chorar, dizendo ao mesmo tempo que tivesse cuidado com o objeto... É claro que tínhamos cuidado com os objetos. Bem; pois, de repente, passados cinco dias, torna a velha a aparecer, com a pretensão de trocar a medalha por uma pulseira que não valeria oito rublos. Como é natural, neguei-me a satisfazê-la. É provável que ela já se tivesse entendido por olhares com a minha mulher, pois foi outra vez à loja quando eu estava ausente, e então, com efeito, a minha mulher fez a troca.

Quando soube disso, nesse mesmo dia, falei a minha esposa com muita suavidade, mas também de uma maneira categórica e sensata. Ela estava sentada à beira da cama: tinha os olhos fixos no chão e bamboleava o pé direito — seu costume característico —, batendo com a ponta no pequeno tapete diante da cama; os seus lábios mostravam um sorriso odioso. Eu lhe fiz notar, ainda que sem erguer a voz, com muita fleuma, que o dinheiro era meu, que eu tinha o direito de ver a vida com os meus próprios olhos e... que, ao pedi-la em casamento, não lhe escondera absolutamente nada.

Ela se levantou de um salto, com o corpo todo a tremer e, que julgam os senhores?, pois, de súbito, pôs-se a bater com o pezinho no chão, como se estivesse louca! Parecia simplesmente uma fera; aquilo era um ataque, o ímpeto de um animal furioso! Eu fiquei estupefato: nunca esperara uma coisa daquelas! Mas não perdi a cabeça, nem sequer estremeci, e tornei a dizer-lhe, com a mesma voz tranquila, que dali em diante não tornaria a metê-la nos meus assuntos. Ela desatou a rir na minha cara e saiu... saiu do quarto.

Mas fato é que ela não tinha o direito de abandonar o quarto, de sair de casa sem o meu consentimento... o que tínhamos combinado durante o noivado. Voltou à noite; eu não lhe dirigi a palavra.

No dia seguinte tornou a sair de manhã, e no outro também. Fechei a loja e fui procurar as tias. Eu tinha quebrado toda espécie de relações com elas por ocasião do casamento; nem elas nos vinham ver, nem nós aparecíamos em sua casa. Parecia, pois, lógico, que a minha mulher não tivesse ido ter com elas, e assim era. Aquelas senhoras me escutaram com curiosidade e riram-se: "É bem feito". Mas eu também não esperava outra coisa. Por isso ganhei as boas graças da mais nova das duas, a solteirona, a qual prometi cem rublos, vinte e cinco dos quais lhe entreguei imediatamente. Passados dois dias veio ver-me.

— Está metido no caso um oficial — disse-me — um tenente chamado Iefímovitch, que foi seu companheiro no regimento.

Fiquei petrificado. Tudo quanto me lembrava do tal tenente eram malfeitorias. Mas havia dois meses que, com o pretexto de empenhar qualquer coisa, tinha estado por duas vezes na minha loja. Lembro-me muito bem de que tentara dizer graças à minha mulher. Mas eu me aproximara dele no mesmo instante e disseralhe que fizesse o favor de não tornar mais à nossa casa... e assim tinham ficado as nossas relações. Mas nem sequer me passara pela imaginação nada parecido àquilo que agora me diziam; pensava apenas que era um atrevido e um insolente. E, agora, de repente, vinha-me aquela tia velha com a história de que a minha mulher se encontrava com ele, servindo de alcoviteira uma antiga amiga da outra tia, uma tal Iúlia Samsonovna, que era também viúva de um coronel. Em resumo: o caso veio a custar-me ao todo uns trezentos rublos; mas, em compensação, passadas quarenta e oito horas, ficou combinado que eu me postaria no quarto contíguo, por detrás da porta, e desta maneira poderia presenciar o primeiro *tête à tête* da minha mulher com Iefímovitch. Mas nessa mesma noite, um pouco antes, tivemos, minha mulher e eu, uma disputa breve mas muito significativa.

Ela chegou um pouco antes de ter anoitecido, sentou-se na cama e pôs-se a olhar-me com olhos de troça e a bambolear o pezinho sobre o tapete. De súbito, quando a olhava, percebi que durante todo aquele mês, ou pelo menos durante aquelas últimas semanas... não parecia já a mesma mulher. Tornara-se de repente uma criatura violenta, caprichosa, disposta a lançar-se na perdição, e que procurava discussão propositadamente. Uma criatura assim, quando ultrapassa os limites, já não atende nem à razão nem ao pudor. Desencaminha-se de uma maneira que nunca pareceria possível. Em compensação, uma criatura pervertida, sempre saberá moderar-se, e ainda que caia nas maiores baixezas, saberá sempre guardar as aparências de decoro e há de ter sempre a pretensão de ser superior aos outros, até onde for possível.

— É verdade que te expulsaram do regimento porque tiveste medo de aceitar um duelo? — perguntou-me à queima-roupa, de olhos brilhantes.

— Sim, é verdade. Obrigaram-me, em virtude de uma sentença dos oficiais, a abandonar o regimento, embora, na realidade, eu já me tivesse antecipado em pedir a reforma.

— Foste então expulso por covardia?

— Sim, de fato, consideraram-me covarde. Mas eu não me neguei a bater-me por covardia, mas sim por não querer submeter-me à sua tirânica imposição de que havia de provocar o duelo, embora não me considerasse ofendido... Olha — disse-lhe, de repente, pois não podia conter-me —, não sabes que para uma pessoa se revoltar contra essa tirania e arrostar todas as consequências é preciso mais coragem do que para provocar um duelo?

Não pudera conter-me e as minhas últimas palavras foram como que o princípio de uma justificação; mas ela só procurava essa minha nova humilhação! Sorria maldosamente.

— E é verdade, também, que por causa disso andaste durante três anos às voltas pelas ruas de Petersburgo, como um vadio, mendigando dez copeques às pessoas e dormindo pelos bilhares?

— Sim, e até dormi na Sienaia Úlitsa, na Viáziemski Dom.[2] Sim, tudo isso é verdade; depois da minha saída do regimento tive de suportar muita miséria e privação, mas sem nunca sofrer nenhum detrimento moral, pois fui sempre o primeiro a odiar-me a mim próprio e à minha maneira de proceder. Isso foi simplesmente um desfalecimento da minha vontade, devido à minha situação desesperada... Mas tudo isso ficou para trás, pertence ao passado...

— Claro! Agora já és uma grande personagem, um financeiro!

É claro que isto era uma alusão à casa de penhores. Mas tornei a dominar-me. Disse para comigo que ela só procurava da minha parte explicações que deviam humilhar-me e... calei-me. Entretanto, alguém bateu à porta, eu saí do quarto e fui para a loja. Aproximadamente uma hora depois, ela já estava vestida para sair; pôs-se de repente na minha frente e disse-me:

— Não me disseste nada disso antes de nos termos casado.

Não lhe respondi e ela saiu.

No dia seguinte fui para o tal quarto contíguo, postando-me atrás da porta, e ouvi então como ela decidia o meu destino... mas tinha um revólver no bolso. Ela se vestira com muito esmero; estava sentada atrás da mesa, no sofá, e Iefímovitch parecia morto de amor. Bem; pois aconteceu (digo-o em minha honra), aconteceu

---

2 Albergue noturno, de categoria inferior.

exatamente o que eu imaginara, o que eu tinha suposto que aconteceria... embora não desse conta do que fazia... Não sei se me explico de maneira compreensível.

Sucedeu exatamente o seguinte: eu estive ali à escuta durante uma hora, assistindo à luta interior de uma mulher, a mais nobre e casta deste mundo, com o ser mais corrompido e depravado. "Mas como — perguntava eu assombrado —, como é que essa mulherzinha tão pacata, ingênua e inexperiente, pode saber tanto?" Nem o autor mais engenhoso duma comédia mundana teria podido imaginar uma cena como aquela, uma tal zombaria, um sorriso tão trocista, acompanhado daquele real desprezo que à criatura dotada de pureza inspira o vício. E que habilidade não havia nas suas palavras e nos seus ditos, quanta agudeza nas suas respostas rápidas e. quanta segurança e verdade nas suas opiniões! E ao mesmo tempo quanta — posso dizê-lo —, quanta bondade feminina! Das suas declarações de amor ria-se, simplesmente. Aquele que tinha ido ali com propósitos grosseiros se sentiu de repente perplexo e já não percebia nada do que se estava passando. A princípio seria possível acreditar que tudo aquilo não era mais do que coqueteria da parte dela... "Coqueteria de uma mulher, que, ainda que corrompida, é inteligente e procura fazer-se valer." Mas não, a verdade era tão evidente que não deixava dúvidas. Só por ódio contra mim, por ódio contra aquele que ela julgava tê-la enganado, ela pôde lançar-se naquela coisa estranha, naquele *rendez-vous;* mas quando viu que aquilo era a sério... caiu em si. Afligia-se por ter de encarar-me depois; mas é muito compreensível que ela, que parecia estar decidida a uma coisa tão feia, se detivesse imediatamente no caminho e retrocedesse ao vê-lo na frente: não era capaz de suportar. Teria, por acaso, podido seduzi-la, àquela alma casta, imaculada, que tinha o seu ideal, um tipo como Iefímovitch, ou qualquer do seu gênero? Só podia fazê-la rir. A verdade ergueu-se na sua alma e o nojo só provocou desdém no seu coração. Repito: aquele louco deixou-se cair, desorientado, na sua cadeira, ficou a olhá-la com olhos murchos e mal respondia, de tal maneira que eu até já tinha medo que ele procurasse insultá-la, por puro desejo de vingança. Eu torno a repetir, e em minha honra seja dito... escutei todo aquele diálogo sem a menor surpresa. Parecia-me que nada daquilo era novo para mim. Quase que tinha ido ali só para ver repetir-se aquilo que já sabia. Tinha ido ali sem acreditar, nem sequer de longe, que ela fosse culpada, apesar de ter metido o revólver no bolso... esta é a verdade. E como teria podido pensar outra coisa? Pois, se não a amava, por que tinha eu tanto apreço por ela? Oh, é claro que pude certificar-me da aversão que ela me tinha; mas também pude comprovar até que ponto era inocente e pura. Pus um remate inesperado àquela cena, abrindo a porta de repente. Iefimovitch deu um pulo; ofereci-lhe o braço, a ela, e convidei-a a vir comigo para casa. Iefimovitch não tardou a recompor-se e irrompeu numa gargalhada.

— Oh, é claro que não tenho nada a objetar contra os direitos sagrados do marido! Vá, sim, leve-a imediatamente! E fique sabendo — exclamou, encarando comigo — que, ainda que, naturalmente, nenhum homem honrado possa bater-se com o senhor, eu, apesar disso, por atenção com a sua mulher, ponho-me à sua disposição... Isto supondo que o senhor tenha a coragem...

— Ouves? — disse a ela e a fiz parar um momento à saída. Depois, durante todo o caminho para casa, nem uma palavra. Eu a levava pela mão e ela deixava-se conduzir sem resistência. Estava, pelo contrário, muito surpreendida, e isto não só durante o caminho como em casa. Assim que chegamos, sentou-se numa cadeira e ficou a olhar-me de alto a baixo. Estava extraordinariamente pálida; apesar de ter voltado outra vez a franzir os lábios, num sorriso trocista, olhava-me com uns olhos de orgulhosa interrogação e, pelo que julgo, estava convencida com firmeza, pelo menos no primeiro momento, de que eu ia matá-la com um tiro. Mas eu tirei lentamente o revólver do bolso e o depus em cima da mesa: tudo isto em silêncio. Ela olhava para mim e depois para o revólver, e assim alternadamente. (Reparem bem: ela já conhecia aquele revólver. Eu o comprara por não querer ter um cão de guarda ou um criado hercúleo, como o que tinha Moser, por exemplo, para que me guardasse o lar. Em minha casa é a criada quem abre a porta. Mas, por outro lado, também não podemos renunciar completamente ao direito de legítima defesa... já que toda a gente sabe que temos ouro em casa. De maneira que comprara aquele revólver. Ora bem: quando nos casamos e ela veio viver comigo, nos primeiros dias interessou-se muito pela arma, e eu tive de explicar-lhe todo o seu mecanismo, e até a convenci uma vez a disparar sobre um alvo. Reparem bem nisto.)

Sem fazer caso do seu olhar assustado, desfiz-me de algumas peças de roupa e meti-me na cama. Estava muito cansado. Eram já onze horas. Ela continuou sentada no seu lugar, sem se mexer, aproximadamente durante uma hora. Depois apagou a luz e deitou-se, vestida, no divã junto da parede. Era a primeira vez que não se deitava comigo... (Peço-lhes também que reparem nisto.)

VI / UMA RECORDAÇÃO ESPANTOSA

Agora surge uma recordação espantosa...

Acordei no outro dia, às oito da manhã. O quarto já estava claro. Despertei de repente, com plena lucidez, e abri os olhos; ela estava de pé, junto da mesa, e tinha o revólver na mão. Não reparou que eu havia já acordado e que a observava. E, de repente, vejo que ela se volta para mim, de revólver na mão... Fechei imediatamente os olhos e fingi que dormia.

Ela se aproximou da cama e inclinou-se sobre mim... Eu ouvia tudo... e embora houvesse um silêncio de morte, ouvia também esse silêncio... De súbito... foi um movimento convulsivo... abri os olhos contra minha vontade; ela estava de pé, inclinada sobre mim, e viu-me; fitava-me precisamente nos olhos... e tinha já o revólver colado a uma das minhas fontes. Os nossos olhos encontraram-se. Olhamo-nos por um segundo apenas. Tornei a fechar os olhos, e no mesmo instante, com todas as forças da minha alma, tomei a resolução de não me mexer nem tornar a abrir os olhos, acontecesse o que acontecesse.

Sucede, com efeito, às vezes, que um homem profundamente adormecido abre de repente os olhos e até levanta a cabeça e passeia o olhar pelo quarto, durante um segundo, para voltar em seguida a reclinar a cabeça na almofada, sem se aperceber então desse movimento, nem dele se recordar depois. Quando fechei os olhos, depois de os nossos olhares se terem cruzado e sentido na minha fonte o cano do revólver e ficar imóvel, como quem está mergulhado no sono... ela podia acreditar, de fato, que assim era e que eu nada tinha visto, tanto mais que parecia completamente inverossímil que quem viu aquilo que eu vi pudesse voltar a fechar os olhos em tal momento. Fosse como fosse, era inverossímil. Mas, entretanto, ela podia ter suspeitado a verdade... e foi isso o que, de repente, naquele mesmo instante, me passou pela cabeça. Que torvelinho de ideias e sentimentos aquele que em menos de um segundo agitou a minha alma! Oh, eletricidade do pensamento humano! Nesse caso, isto é, supondo que ela tivesse adivinhado a verdade e soubesse que eu não dormia, eu tinha que humilhá-la, que aniquilá-la com a minha prontidão em me deixar matar... e devia retirar a mão, a tremer. A resolução inicial teria cedido perante uma impressão nova e inesperada. Dizem que quem chega a um cume se sente involuntariamente atraído pelo abismo; eu creio que muitos suicídios e crimes se cometeram por já se ter nas mãos o revólver. Um revólver também é um abismo, uma vertente de quarenta e cinco graus, e vemo-nos impelidos a descer a esse abismo, é algo que nos obriga com uma força irresistível a apertar o gatilho. Mas se ela pensava que eu tinha visto tudo, que sabia tudo e esperava a morte em silêncio... talvez esse pensamento pudesse tê-la detido a meio da vertente.

O silêncio prolongava-se, e... de repente, senti na fonte, junto dos cabelos, o contato frio do aço... Hão de perguntar-me se eu, apesar de tudo, esperava a salvação ... Vou responder-lhes como responderia a Deus: eu não tinha a mais remota esperança, a não ser, talvez, de um contra cem, de não morrer com um tiro. "Por que — tornarão os senhores a perguntar-me — aceitava eu a morte das suas mãos?" Mas pergunto: "Que me importava, a mim, a vida, depois de ter visto que a criatura que eu adorava me havia posto um revólver sobre a fonte?". Além disso eu sentia, com todo o meu ser, que naquele instante se travava entre nós dois uma luta terrível, um duelo de morte, a luta com aquele mesmo "covardão" de outros tempos, ao qual os companheiros tinham expulso do Exército devido à sua "covardia". Eu sabia muito bem, e ela também sabia, se tinha adivinhado a verdade..., que eu não dormia!

Talvez não tivesse sido também assim, e pode ser que naquele instante eu não pensasse nada disso; mas, no entanto, tudo isto devia ser assim, ainda que sem uma consciência muito clara do caso. Eu, depois, não fiz outra coisa na minha vida senão pensar nisso.

Mas, entretanto, talvez os senhores me perguntem: "Por que não a detive eu, quando ela ia praticar um crime?". Oh! Eu também fiz depois essa pergunta mil vezes a mim mesmo... sempre que, com o arrepio, tentava evocar esse momento. Mas a minha alma encontrava-se então num estado de sombria desespero; eu despenhava-me, eu mesmo me precipitava para o fundo. Quem poderia me salvar? E de onde concluem os senhores que eu podia salvar alguém? Como pode alguém saber o que eu sentia naquele transe?

Enquanto tudo aquilo se passou, a minha consciência esteve alerta, e a minha alma, um turbilhão... Os segundos deslizavam num silêncio de morte... Ela continuava de pé, inclinada sobre mim ... e de repente tive uma esperança! Abri rapidamente os olhos; ela já não estava no quarto. Levantei... Venci, venci... e dominei-a para sempre!

Dirigi-me para o quarto, em frente, para tomar o pequeno almoço. Punham sempre o samovar no primeiro quarto, e era sempre ela quem deitava o chá. Sentei-me à mesa em silêncio e aceitei a minha chávena das suas mãos. Durante cinco minutos não me decidi a olhá-la no rosto pela primeira vez; estava horrivelmente pálida, mais pálida ainda do que no dia anterior, e tinha os olhos fixos em mim. E de súbito... e de súbito, quando percebeu que eu a observava, franziu os seus lábios pálidos num sorriso descolorido, com uma tímida interrogação nos olhos... "Continuará duvidando? — perguntaria talvez a si mesma — Sabe ou não sabe; teria visto ou não?" Eu desviei os olhos, com indiferença.

Depois de ter tomado o chá fechei a loja, fui ao mercado e comprei uma cama de ferro e um grande biombo. Quando regressei a casa, armei a cama no primeiro quarto, e dividi-o em dois com o biombo. A cama destinava-se a ela; mas não lhe disse nada. Sem que eu tivesse dito uma palavra, aquela cama veio dizer-lhe que eu tinha visto e sabia tudo. À noite coloquei o revólver, como sempre, em cima da mesa. Ela se deitou, já tarde, na cama nova; o nosso casamento estava desfeito; estava vencida, mas, no entanto, não podia ser perdoada. Durante a noite delirou e na manhã seguinte estava muito febril. Permaneceu seis semanas de cama.

Capítulo II

I / Um sonho esplêndido

Lukiéria acaba de comunicar-me que não quer continuar em minha casa e que irá deixar-me logo que a sua jovem senhora esteja debaixo da terra. Fiquei cinco minutos de joelhos, rezando, e tinha a intenção de rezar uma hora inteira; mas não faço outra coisa senão pensar e meditar todo o tempo... Pensamentos doentios, e dói-me a cabeça! Quem é que pode rezar assim! Até seria pecado... É estranho eu não ter sonhado. Nas maiores crises, nas maiores crises, passados os primeiros e mais fortes arrebatamentos, uma pessoa sonha sempre. Dizem as pessoas que os condenados à morte dormem profundamente na véspera da sua execução. Sim, deve ser assim... é a natureza que o pede, senão as nossas forças acabariam por se esgotar... Estendo-me no divã, mas não posso dormir...

*

Prestamos-lhe assistência dia e noite: eu, Lukiéria e a enfermeira do hospital. Não olhei para as despesas, pois sentia precisamente a necessidade de gastar muito com ela. Quanto a médicos, cheguei até a chamar Schröder, e paguei-lhe dez rublos por visita. Quando ela começou, pouco a pouco, a recuperar o conhecimento, eu já não ia vê-la tanto. Quando ela abandonou o leito e levantou, finalmente, foi sentar, lentamente e em silêncio, à mesinha do meu quarto, que eu, entretanto, comprara também para ela... Sim, é verdade; a princípio guardávamos um silêncio absoluto; depois começamos a trocar de vez em quando algumas palavras a propósito de qualquer coisa, mas... sempre de qualquer coisa indiferente. Eu, é claro, intencionalmente me mostrava pouco falador, mas notava claramente que ela também se alegrava por não ter de dizer palavras supérfluas. O que me parecia muito natural nela: "Está demasiado impressionada, demasiado deprimida — eu pensava — e é preciso dar-lhe tempo para pensar e renascer." Assim, pois, íamos os dois continuando em silêncio: mas eu, no meu coração, ia-me preparando já para o futuro a todos os momentos. Julgo que ela também faria o mesmo e ansiava continuamente por adivinhar o que ela pensava.

*

Com certeza que nenhum homem pode imaginar o que eu sofri, velando-a durante a sua doença. Não podia imaginar, não me passava sequer pelo pensamento a ideia de que ela pudesse morrer antes de ter sabido tudo. Mas assim que passou a fase de perigo e foi recuperando de novo a saúde, então, sim, lembro-me muito bem, senti uma grande tranquilidade. Sim, e até decidi adiar tanto quanto possível o nosso futuro, e, por então, deixar as coisas como estavam. Aconteceu-me nessa altura, de fato, uma coisa muitíssimo estranha... não posso classificá-la de outra maneira: eu tinha vencido e só recordar isso me satisfazia plenamente. E assim decorreu todo aquele inverno. Oh! pelo que me respeita, nunca tinha andado tão contente... e assim andei todo aquele inverno.

Vejam: há na minha vida uma terrível fatalidade posterior que até hoje, isto é, até ao dia da catástrofe com a minha mulher, me corrói todos os dias e a todas as horas: era a perda da minha reputação e a minha expulsão do regimento. Numa palavra: é que tinham cometido uma injustiça para comigo. É certo que eu não era simpático aos meus companheiros, pelo meu caráter sério e talvez também pelo meu estranho temperamento, embora costume suceder muito frequentemente que o que este aprecia, estima e valoriza parece àquele, ao mesmo tempo, por qualquer motivo, algo de ridículo. No colégio também eu não tivera simpatias. Fui sempre antipático, e em todos os lugares. Até à própria Lukiéria o sou. O incidente do regimento, se bem que no fundo tivesse sido consequência da minha antipatia, no entanto foi ocasional. Digo isto porque não há nada mais ofensivo e insuportável que perder-se por uma casualidade, por uma casualidade que podia muito bem não se dar, por uma infeliz coincidência de circunstâncias que, se as coisas não tivessem sido assim, talvez tivessem passado despercebidas.

Para um homem inteligente, isso é precisamente humilhante. O caso passou-se deste modo:

Num intervalo dum espetáculo de teatro, eu saí para ir ao bufete. Aproximava-se também daí, nessa ocasião, o tenente de hussardos A***, e pôs-se a contar em voz alta a dois hussardos do seu regimento... pelo menos numa voz que todos os oficiais presentes podiam ouvir e o público também... que um capitão do nosso regimento, um tal Biesúmtsev, provocara um escândalo no corredor e que "provavelmente estaria bêbado". Foi isso o que ele disse, mas era tudo falso, porque nem o Capitão Biesúmtsev[3] estava embriagado nem provocara tal escândalo no corredor. Os hussardos começaram logo a falar de outra coisa e deram por terminado o capítulo do

---

3 Literalmente: sem juízo, desatinado.

Uma doce criatura

capitão. Mas no dia seguinte a história divulgou-se no nosso regimento, e soube-se também imediatamente que eu era o único dos oficiais do mesmo que estava presente e que não se dirigira ao Tenente A*** quando se exprimia daquela maneira inconveniente acerca do Capitão Biesúmtsev, pelo menos para fazê-lo retificar a afirmação. Mas... por que razão eu devia ter feito isso? Se havia alguma coisa contra o Capitão Biesúmtsev, tratava-se de um assunto pessoal. Por que razão havia eu de imiscuir-me nele? Mas os meus companheiros acharam que não se tratava de um assunto pessoal, mas que afetava todo o regimento; eu devia ter demonstrado com a minha conduta a todos os oficiais que se achavam no bufete, e ao público, que no nosso regimento também há oficiais muito sensíveis, capazes de defenderem a própria honra e a do seu regimento. Eu não podia estar de acordo com semelhante opinião. Deram-me a entender que ainda se poderia arranjar tudo se eu me batesse com o tenente A***. Mas eu não queria, e, como estava acalorado, neguei-me redondamente. Pedi imediatamente a reforma. Eis a história completa. Orgulhoso por fora, mas intimamente aniquilado, saí do regimento: doente da vontade, fraco de espírito. Acrescente-se a isto que o meu cunhado, que vivia em Moscou, perdeu o nosso pequeno capital, ficando eu, por consequência, sem a minha parte. De maneira que me vi na rua e sem um cobre. Podia ter ingressado no funcionalismo público; mas não quis; depois de ter envergado o brilhante uniforme militar, não me conformava com o simples uniforme de funcionário nem em entrar para o Corpo de Ferroviários. Já que tinha de haver escândalo na minha vida... bom... o escândalo, quanto mais forte, melhor... e foi isso o que eu preferi. Há depois três anos de sombrias recordações, entre eles a da Casa Viáziemski. Passado ano e meio sobre tudo isso, morreu em Moscou a minha madrinha, uma senhora velha e abastada, deixando-me, tal como a todos os outros seus afilhados, uns três mil rublos, e foi como se caíssem do céu. Isso me serviu de estímulo para refletir e decidir o meu destino. Optei pela casa de penhores, sem preocupar-me já, de maneira nenhuma, com os meus semelhantes; primeiro, fazer dinheiro; depois comprar um pequeno sitio e... começar uma nova vida, longe de todas as velhas recordações... Era esse o meu plano... Mas nem por isso o meu passado sombrio deixava de torturar-me, e a honra para sempre perdida, todas as horas e todos os minutos da minha vida. Depois casei. Se foi por acaso ou não, não sei. Fosse como fosse, acreditei que, ao levá-la para minha casa, levava nela uma pessoa amiga, pois eu tinha necessidade de amizade. Mas compreendia muito bem que, a essa pessoa amiga, era necessário prepará-la primeiramente, educá-la, vencê-la, inclusive. E como poderia eu ter explicado tudo de uma vez, àquela criatura de dezesseis anos? Como é que, por exemplo, sem a casual ajuda daquele episódio terrível, do revólver, eu teria podido convencê-la de que não sou nenhum covarde e que no meu regimento cometeram uma injustiça contra mim ao declararem-me como tal? Mas essa catástrofe do revólver chegou na altura conveniente. Ao suportar o cano do revólver sobre a minha fonte, vinguei-me de todo o meu sombrio passado. E ainda que ninguém o soubesse, ela o soube, e isso era tudo para mim, pois nela resumia eu tudo, e ela era no meu pensamento a ilusão de todo o meu porvir. Ela era a única criatura que eu destinava para mim e não precisava de mais nenhuma. e ela já sabia tudo. Sabia, pelo menos, que não tinha feito bem em pôr-se do lado dos meus inimigos. O pensamento do meu triunfo tranquilizava-me. Eu não podia ser já um homem vulgar aos seus olhos; em última análise, talvez continuasse a ser um homem estranho; mas, depois de tudo o que acontecera, não me desagradava parecê-lo; a invulgaridade não é nenhum vício, e, até pelo contrário, costuma agradar às mulheres. Em resumo: adiei propositadamente a solução do enigma; o que tinha acontecido era, de momento, mais que suficiente para minha satisfação, e encerrava uma tão grande quantidade de visões e de alimento para os meus sonhos... Aqui é que está a vulgaridade, o ser eu, precisamente, um sonhador; a mim, os sonhos bastavam-me; e supunha também que ela podia esperar.

*

Decorreu assim todo o inverno, de certo modo como na expectativa de algum acontecimento. Agradava-me olhar para ela às furtadelas, quando estava sentada à sua mesinha. Ela se ocupava com um trabalho feminino, consertava a roupa branca durante o dia; e à noite lia algum livro que tirava da minha pequena estante. A escolha dos livros que eu possuía depunha, de certo modo, a meu favor. Ela quase nunca saía de casa. A tarde, antes da ceia, saía todos os dias com ela a passear, para estirarmos um pouco as pernas; mas sempre no mais completo silêncio, como antes. Eu arranjava sempre as coisas de maneira que não parecesse que íamos calados e que estávamos de acordo em tudo, tacitamente; mas, como disse, evitávamos sempre todas as palavras supérfluas. Eu procedia assim deliberadamente, pensando que devia dar-lhe tempo. Mas, de uma forma ou de outra, aconteceu uma coisa interessante; nunca me ocorreu pensar que, a mim, me agradava olhar para ela às furtadelas, ao passo que ela, em todo o inverno, nunca vi que pousasse em mim os seus olhos. Creio que isso seria por timidez. E, além disso, mostrava-se tão alquebrada e pacífica e parecia tão fraca depois da sua doença... "Não, espera um pouco, homem... e vais ver como, quando menos o esperares, ela vai lançar-se nos teus braços."

Esse pensamento exercia em mim uma atração irresistível. Acrescentarei ainda uma coisa: ocorria-me às vezes excitar-me mesmo de certa maneira e pôr em tal disposição a minha razão e o meu espírito, que chegava a aborrecê-la. E nesta disposição me mantinha ainda depois por muito tempo. Simplesmente esse ódio nunca podia fixar-se na minha alma. E eu sentia, no entanto, ainda que em segredo, que aquilo era apenas uma brincadeira. E nunca, apesar de ter sido eu quem desfizera o nosso matrimônio, ao comprar aquela cama e o biombo... nunca pude pensar, nem por um momento, que ela fosse culpada. E não porque eu me tivesse proposto perdoar-lhe já desde o primeiro dia, até antes de comprar a cama. Em suma: essa era uma das minhas coisas estranhas, visto que sou moralmente severo... Pelo contrário, a meus olhos ela estava a tal ponto humilhada, que às vezes inspirava-me compaixão, embora, por outro lado, o pensamento da sua humilhação me fosse agradável, apesar de tudo. Sim, sim, agradava-me pensar na nossa desigualdade...

Nesse inverno pratiquei propositadamente muitas boas ações. Entre outras coisas, concedi a prorrogação do prazo de pagamento a dois devedores, e dei dinheiro, sem ter recebido qualquer penhor, a uma pobre mulher. A minha esposa não disse nada a respeito disso e também não fiz nada para que viesse a saber; mas a pobre mulher veio agradecer-me espontaneamente... e pouco faltou para que se ajoelhasse na minha frente. De maneira que assim a minha mulher veio a saber de tudo; pareceu-me que lhe deu uma verdadeira alegria ouvir as frases de agradecimento da socorrida.

Entretanto, chegou a primavera; estávamos já em meados de abril e o sol lançava feixes de raios luminosos pela nossa casa. Mas a venda continuava ainda sobre os meus olhos, cegando-me. Terrível e fatídica venda essa! Como seria que, de repente, me caiu dos olhos como escamas, e, de um golpe, vi e compreendi tudo! Foi casualmente ou estava escrito, ou foi um raio de sol que acendeu, no meu espírito embotado, aquele pensamento e a verdade? Não; não houve sombra de pensamento nem de disposição de espírito premeditada, mas, de repente, alumiou-se uma velinha, uma velinha que até ali permanecera como morta, e que de repente estremeceu, reanimou-se, e iluminou toda a minha alma entorpecida e o meu diabólico orgulho, de tal maneira que me levantei, de um salto, do meu lugar. E isso sucedeu de uma maneira tão súbita, tão inesperada... Sucedeu ao cair da tarde, aí pelas cinco horas...

II / CAI A VENDA

Antes de prosseguir, duas palavras ainda. Um mês antes tinha notado nela uma apreensão estranha; não era já a antiga taciturnidade, mas um ensimesmamento profundo. Isso eu percebi imediatamente. Nesse tempo sentava e, com a sua costura sobre a saia, inclinava a cabeça, e eu notava-a sem que ela reparasse. De repente percebi que ela estava muito franzina, muito fraca, com a carinha muito pálida e os lábios muito descoloridos, e tudo isso, junto àquela plácida meditação, assustou-me muitíssimo. Já antes lhe tinha ouvido uma tossezinha seca, sobretudo à noite. Levantei-me imediatamente e fui procurar Schröder, pedindo-lhe que viesse vê-la... mas sem lhe dizer nada.

Schröder veio vê-la no dia seguinte. Ela se mostrou muito surpreendida, e no seu espanto olhava alternadamente para mim e para Schröder.

— Mas se eu estou bem! — disse depois com um vago sorriso.

Schröder observou-a um tanto sumariamente — esses doutorzinhos são às vezes descuidados por pura fatuidade — e disse-me, no quarto contíguo, que não era para admirar que lhe tivessem ficado alguns vestígios da sua doença recente e que talvez fosse conveniente levá-la para passar o verão à beira-mar, ou, no caso de isso não ser possível, no campo. Em resumo: não disse nada de concreto, apenas que estava um pouco fraca ou qualquer coisa do gênero. Quando Schröder saiu, ela me disse de repente, olhando-me com uma seriedade terrível:

— Mas se eu estou boa, não sinto nada!

Ainda mal dissera isto, quando se fez corada, de vergonha, provavelmente. Era compreensível o seu rubor. Oh, agora compreendo-o: sentia vergonha de que eu fosse ainda seu marido e me preocupasse com ela, como se fosse realmente seu *marido! Mas não compreendi na ocasião e atribuí o rubor ao pudor. (A venda!)*

E... depois... passado um mês, uma tarde, às cinco horas, num dia claro e cheio de sol... Eu estava sentado, na loja, e, de súbito, ouço que ela, sentada no meu quarto, costurando junto de sua mesinha, canta, muito de mansinho, muito de mansinho... Foi uma coisa tão inesperada, que me fez uma enorme impressão... Até então mal a tinha ouvido cantar alguma vez, a não ser nos primeiros dias, depois de ter vindo para casa, quando ainda tínhamos disposição para atirar ao alvo, etc. Nesse tempo tinha uma voz forte e sã, e, embora por educar, extremamente agradável e vibrante. Mas, agora, aquela cançãozinha soava tão fraca... Oh, e não era que fosse triste — era não sei que romança — mas era como se aquela voz fosse quebradiça, fraca, como se aquela vozinha não se pudesse aguentar ou a própria canção estivesse doente! Cantava só à meia voz, e, de repente, numa nota mais alta, a voz quebrou-se-lhe. Que pena aquilo fazia! Tossiu um pouquinho, e tornou outra vez a cantar de mansinho, tão baixo que mal, mal se ouvia...

Hão de rir da minha agitação; mas nunca ninguém há de compreender por que me senti de repente tão agitado. Não, no entanto, não me fez pena... Era outra coisa completamente diferente. A princípio, pelo menos nos primeiros momentos, acometeu-me de repente uma impossibilidade de compreensão, um assombro enorme, foi isso mesmo, um assombro terrível e estranho, doentio e quase místico: "Canta na minha presença. É possível que tenha esquecido de mim?".

Muito comovido, continuei no meu lugar. Depois, de repente, pus-me de pé, de um salto, peguei no chapéu e saí de casa, de certo modo sem me aperceber do que fazia. Pelo menos não sei onde fui, nem por que saía de casa. Lukiéria trouxe-me a capa.

— Está cantando? — perguntei-lhe involuntariamente. Ela não me compreendeu, e olhou-me; assombrada; na verdade, era incompreensível. — É a primeira vez que canta?

— Não, quando o senhor não está em casa, costuma cantar — respondeu-me Lukiéria.

Lembro-me no entanto de que desci as escadas, saí para a rua e segui adiante, direto, até chegar a uma esquina, e ali me detive e fiquei parado, olhando muito fixo não sei para onde. As pessoas passavam por mim acotovelando-me; mas eu nem dava por isso. Chamei um *drójki*[4] e disse ao cocheiro que me levasse ao posto da Polícia; não sei por que lhe indiquei esse endereço. Mas de repente apeei-me da carruagem e dei ao cocheiro uma moeda de vinte.

— Pelo incômodo — disse-lhe, sorrindo de um modo surdo; mas no meu coração ergueu-se de súbito um alvoroço da embriaguez.

Voltei para casa num passo apressado. Aquela pobre cançãozinha mansa e quebrada tornou a soar, de súbito, na minha alma. O meu coração sobressaltou-se. A venda caiu, caiu dos meus olhos. Se ela se tinha posto a cantar na minha presença, era porque me esquecera, isso eu percebia muito bem, e era o que eu temia... Senti isso no meu coração. Mas o entusiasmo enchia a minha alma e podia mais que o temor.

Oh, ironia do destino! Ainda que em todo aquele inverno não tivesse havido... não tivesse podido haver mais do que esse momento de entusiasmo, aquele arroubo... Mas onde eu tinha estado durante todo aquele inverno? Tinha estado verdadeiramente em mim? Subi rapidamente as escadas e não me lembro se entrei timida-

---

4 Carruagem leve. Este vocábulo russo emprega-se unicamente no plural.

UMA DOCE CRIATURA

mente. Só me lembro que todo o chão parecia flutuar debaixo dos meus pés, como um mar, e que eu me sentia como se flutuasse sobre uma corrente caudalosa. Entrei no quarto; ela estava sentada no mesmo lugar, costurando, de cabeça baixa; mas já tinha parado de cantar. Lançou-me um leve olhar indiferente; mas nem sequer foi isso um olhar, apenas um movimento, como de quando entrava ali alguém.

Dirigi-me para seu lado e sentei-me numa cadeira, muito juntinho a ela, como um louco. Ela me dirigiu um olhar rápido, como se eu a tivesse assustado; peguei-lhe na mão. Não me lembro já do que lhe disse ou do que lhe quis dizer, pois nem sequer podia falar. A voz fugia-me sempre e negava-se a obedecer-me. E também não sabia o que queria dizer; faltava-me o ar.

— Falemos... Vamos... diz-me qualquer coisa! — exclamei de repente, balbuciando qualquer tolice deste gênero. Oh, não iria fazer nenhum discurso! Ela estremeceu e afastou a cara, assustada, ficou depois a olhar-me fixamente com aborrecimento, e, de súbito, nos seus olhos assomou uma expresão de grave assombro. Sim, de assombro, e de assombro cheio de gravidade! Contemplava-me com uns olhos muito abertos. Aquela seriedade, aquele grave assombro acabaram por me aniquilar, de um golpe.

"De maneira que ainda queres amor? Amor?", era o que vinha perguntar-me de súbito aquele assombro, enquanto ela permanecia calada. Mas eu lia tudo nos seus olhos, tudo. Todo o meu ser tremia e atirei-me aos seus pés. Ajoelhei-me diante dela. Ela se pôs de pé, de um salto, mas eu segurei-a com ambas as mãos, com todas as minhas forças.

E compreendi completamente o meu desespero! Compreendi... Mas, querem acreditar? O ímpeto do meu coração era tão irresistível que eu julgava morrer. Tomado de desespero e de felicidade, beijei-lhe os pés. Sim, de uma felicidade sem limites, infinita, e compreendendo ao mesmo tempo todo o meu desespero sem esperança. Eu chorava, não sabia o que dizia, não conseguia mesmo falar. O medo e o assombro abandonaram-na subitamente, impelidos por algum pensamento sério, por uma pergunta terrível, e olhou-me de maneira estranhíssima, quase cruel; esforçou-se por compreender mais depressa alguma coisa e... começou a rir. Sentia uma vergonha horrível de que eu lhe beijasse os pés e afastava-os de mim; mas eu, então, continuei a beijar o lugar do chão onde os seus pés tinham pousado. Ela viu isso e de repente começou a rir de vergonha (já sabem como as pessoas riem quando se sentem envergonhadas). Então a histeria — vi-o muito bem — começou a fazer-lhe cócegas nas mãos; mas eu não reparei nisso e continuei a murmurar--lhe, dizendo-lhe que lhe queria muito, que não levantaria dali... "Deixa-me apenas beijar a tua roupa... passar toda a minha vida a adorar-te..." Não sei que mais, não me lembro de mais... e, de súbito, ela desatou aos soluços e a estremecer; um ataque de nervos terrível. Eu a tinha assustado.

Levei-a para a cama. Assim que o ataque passou, soergueu-se, ficou a olhar--me como que indecisa, e por fim pegou-me nas mãos e pediu-me que me tranquilizasse. "Sê bom, não te aflijas, sossega." E pôs-se outra vez a chorar. Permaneci toda a noite a seu lado. Disse-lhe que pensava levá-la a Boulogne-sur-Mer, para que tomasse banhos de mar, em breve, imediatamente, o mais tardar dentro de duas semanas; que estava com a voz um pouco enfraquecida, como verificara naquela tarde; que pensava fechar a casa de penhores e traspassá-la a Dobronrávov; que começaríamos uma vida nova, mas que, antes de mais nada... era preciso ir para Boulogne, para Boulogne!; disse tudo isto de afogadilho. Ela me ouvia e parecia assustada. E cada vez era maior o seu medo. Mas o mais importante, para mim, era lançar-me aos seus pés, num ímpeto irreprimível, e teimar em beijar o lugar do chão em que ela os pousara e adorá-la; e "nunca te pedirei mais nada, nunca — repetia-lhe a todo o momento — não me respondas nada, não te preocupes comigo; deixa-me só contemplar-te deste cantinho; faz de mim o teu escravo, o teu cãozinho"... Ela chorava.

— E eu a pensar que tu ias simplesmente deixar-me! — exclamou de repente, contra sua vontade, de maneira que talvez nem ela mesma se apercebeu do que dizia, quando, afinal, essa era a frase mais importante, mais decisiva, de todas as suas, e, para mim, a mais esclarecedora, naquela noite, e foi como se me tivesse cravado um punhal no coração.

Aquela frase explicou-me tudo, tudo; mas enquanto ela estava ali, em minha casa, diante dos meus olhos, eu esperava com uma fé inquebrantável e era indescritivelmente feliz. Oh! eu tinha-a cansado muito naquela noite, e sabia-o; mas sempre julguei poder reparar tudo depois. Até que por fim, era já noite alta, se aquietou, completamente esgotada; supliquei-lhe que dormisse e ela adormeceu quase imediatamente. Permaneci à sua cabeceira e receava que delirasse; e chegou a delirar, mas frouxamente. Durante a noite levantava a cada momento e aproximava-me para contemplá-la na ponta dos pés. Ergui as minhas mãos por sobre ela, ao ver aquela criatura doente, naquela cama de ferro, que me custara três rublos. Prostrei-me de joelhos, mas não me atrevi a beijar-lhe os pés... sem a sua permissão. Quis rezar, mas não pude; de repente, levantei-me de um salto. Lukiéria olhava para mim, espantada, e, da cozinha, encaminhava-se lentamente para mim. Fui ao seu encontro e disse-lhe que se fosse deitar, que na manhã seguinte começaríamos uma vida diferente.

Eu próprio acreditava nisso... acreditava, cego, louco, pobre de mim! Oh, a embriaguez, a embriaguez tinha-se apoderado da minha alma! Desejava ansiosamente que amanhecesse. Sobretudo, não receava nenhuma desgraça, apesar dos sintomas. Eu ainda não tinha recuperado completamente a sã razão, apesar da venda já ter caído, e demorei ainda muito tempo, muito, a recuperá-la... Oh, até o dia de hoje, até mesmo hoje ainda não a recuperei! Sim, e como também não podia tê-la recuperado, então! Então ela ainda estava viva, tinha-a ali, diante dos meus olhos, e eu estava diante dos seus.

"Amanhã acordará, e então hei de dizer-lhe tudo, e ela compreenderá tudo." Era isto o que eu pensava então, de uma maneira tão simples e tão clara: ainda a embriaguez! O principal era essa viagem a Boulogne. Não sei por que, acreditava que Boulogne seria a salvação. "Para Boulogne, imediatamente para Boulogne!..." Esperava pela manhã, ansiosamente.

III / COMPREENDO DEMASIADO

Isso foi, no entanto... há uns dois dias; não, há cinco, cinco, ao todo, no mês passado. Não, não; bastava que ela tivesse esperado um momento... eu teria desfeito as trevas... Ela não tinha, até certo ponto, recuperado a tranquilidade? Entretanto, no dia seguinte escutou-me com um sorrizinho, apesar da sua perturbação... Sim, era isso; durante todo aquele tempo, nesses cinco dias, não mostrou perturbação nem aborrecimento. Mas tinha muito medo, sim, muito medo. Bem, eu não digo nada, não quero contradizer-me como um louco; aquilo era medo. E como ela podia não ter medo? A tal ponto nos tínhamos tornado estranhos um para o outro, tínhamo-nos desacostumado, e, de repente, tudo aquilo... Mas eu não reparava no seu medo: o futuro sorria-nos. É verdade, indubitavelmente verdade: eu cometi um erro. E pode ser que não fosse um só, mas muitos. Naquela manhã mesmo, ainda mal tínhamos despertado, isto é, no dia seguinte, quarta-feira... cometi um grande erro: tornei-a logo minha confidente. Simplesmente, procedi nisso com demasiada pressa, com demasiada pressa; mas a confissão era necessária, inevitável. Ah, o que eu chamo "confissão"! Era algo mais! Não escondi dela nem sequer aquelas coisas que toda a minha vida ocultara de mim mesmo. Falei-lhe com a mais absoluta franqueza. Declarei-lhe que todo aquele inverno tinha estado convencido do seu amor. Declarei-lhe que a casa de penhores era apenas consequência da minha frouxidão de vontade e de espírito, da minha ideia pessoal de autosupliciação e de tortura própria. Confessei-lhe que, daquela vez, no bufete, tinha de fato perdido a coragem, devido simplesmente ao meu caráter, à minha pouca confiança em mim mesmo, por assim dizer; que o público me intimidara, assim como este pensamento: "Se me ponho em evidência... não irão todos rir de mim?". Eu não tinha medo do duelo, mas do fato de que pudessem rir disso... E que, depois, não o tinha querido confessar a mim próprio e por isso sofrera e fizera sofrer os demais, e a ela também, a ela, com a qual casara apenas para fazê-la sofrer. Falei-lhe durante muito tempo, como num delírio. Ela me pegou nas mãos e pediu-me que não continuasse. "Exageras as coisas... Afliges-te ..." E recomeçou de novo a chorar, e por pouco que não tornava a ter outro ataque. Não deixava de insistir para que eu não continuasse a falar e nem sequer pensasse nessas coisas.

Eu não liguei importância ao que ela me pedia, ou muito pouca; pensava na primavera, em Boulogne. Aí brilha o sol, o nosso novo sol! E só lhe falava disso. Fechei a loja e entreguei tudo a Dobronrávov. Propus imediatamente à minha mulher dar tudo aos pobres, menos os primeiros três mil rublos que herdara da minha madrinha, e irmos com eles para Boulogne... "e depois — disse-lhe — voltaríamos e começaríamos uma nova vida de trabalho". Concordou com isto, pois não me contradisse de maneira nenhuma... Sorria simplesmente. Creio que sorria sobretudo por ternura, para não me aborrecer. Percebia bem, no entanto, que, para ela, eu constituía um fardo: não julguem que eu era tão tolo e me tivesse tornado tão egoísta que não visse isso. Eu via tudo, tudo, até ao mais insignificante pormenor, e sabia tudo melhor que ninguém: todo o meu desespero estava claro, diante dos meus olhos!

Eu não falava de outra coisa senão dela e de mim. Contava-lhe que chorara... Oh, no entanto, mudava de conversa, esforçava-me por não mencionar certas coisas! E ela animava-se também de quando em quando... lembro-me disso; e via tudo muito bem, sem perder um pormenor. O quê? Que diz o senhor, que eu via tudo e, no entanto, não reparava em nada? Se não fosse assim, tudo teria corrido bem. Não haverá ainda três dias, ela me contou, quando falávamos os dois de leituras, isto é, do que ela lera no inverno... Contou-me tudo muito contente e quanto a tinha divertido a cena de Gil Blas com o arcebispo... Como ela ria! E que riso tão infantil, tão encantador... exatamente como antes, como quando ainda éramos noivos! Um momento, um momento! Como eu estava vaidoso! Ainda mais, aquilo do arcebispo deixou-me assombrado: de maneira que, em pleno inverno, quando estava ali sentada, sozinha, tinha desfrutado da paz de alma suficiente para lhe permitir rir ao ler um *chef-d'oeuvre?*[5] Mas depois chegara quase a acreditar firmemente que eu ia abandoná-la... "E eu que julgava que tu ias, simplesmente, abandonar-me", tinha-lhe escapado, naquela terça-feira. Oh, a fantasia de uma criaturinha de dezesseis anos! E ela acreditava, no entanto, acreditava seriamente, que eu, na realidade, ia simplesmente deixar as coisas assim: ela junto da sua mesinha, e eu junto da minha, e assim até aos sessenta anos. E de repente... tornava a surgir eu, eu, o macho, e o macho precisa de amor! Oh, a minha cegueira, a minha incompreensão! Ai, por que não me teria eu informado bem! Ai, por que estaria tão cego!

Cometi, além dessa, outra inépcia, que foi ficar em êxtase, olhando para ela: deveria ter-me dominado, pois esses êxtases metem medo, naturalmente. Mas ainda consegui dominar-me para não lhe beijar os pés. Nem uma só vez deixei transparecer que... bem, que sou homem... Oh, nem sequer me lembrava de tal coisa; adorava-a unicamente! De repente disse-lhe que me encantava conversar com ela e que espiritualmente a tinha por incomparavelmente mais culta e desenvolvida do que eu. Ela corou terrivelmente e, um pouco confusa, disse-me que eu exagerava. Então eu, também estupidamente — não podia conter-me —, confessei-lhe como me encantara assistir naquela tarde passada, escondido atrás da porta, a sua luta, a luta da inocência com aquele miserável, e até que ponto me entusiasmaram a sua esperteza, as suas respostas tão engenhosas, apesar de toda a sua bondade infantil. Todo o seu corpo tremia; balbuciou outra vez, dizendo que eu exagerava, e de repente cobriu o rosto com as mãos e rompeu em soluços... Mas nem assim eu me contive: voltei a prostrar-me a seus pés e a beijá-los, e outra vez voltou a dar-lhe um ataque de nervos, como nessa outra quarta-feira. Isso foi ontem, à noite, e no dia seguinte...

No dia seguinte? Louco, esta manhã era já hoje, há menos ainda, ainda menos, há pouquíssimo tempo!

Ouçam-me e vejam se compreendem: quando nos reunimos há pouco para tomar chá — portanto, depois do ataque de ontem à noite — fiquei surpreendido com a tranquilidade dela, isso fiquei. Mas eu tinha passado a noite a tremer perante as consequências do último episódio. De repente ela se aproxima de mim, põe-se na minha frente com as mãos juntas... dizendo que é uma criminosa, que sabe isso muito bem, que durante todo o inverno se afligiu com o seu crime e que ainda agora a aflige... que aprecia muitíssimo a minha generosidade e... "serei a tua fiel esposa e saberei amar-te"... Eu, quando ouvi isto, dei um salto e, como um louco, corri a abraçá-la. Beijei-a, beijei-a no rosto, beijei-a nos lábios, beijei-a como beija um marido depois de uma longa separação! E por que não teria eu providenciado antes... no máximo, duas horas antes... o nosso passaporte para o estrangeiro? Oh meu Deus! Bastava que tivesse regressado cinco minutos antes! E agora, toda essa gente reunida diante do prédio, todos esses olhares que se voltam para mim... Meu Deus! Lukiéria disse... Ah, por nada deste mundo deixarei partir Lukiéria, por nenhum preço! Ela sabe tudo, ela esteve presente todo este inverno, ela há de contar-me tudo! Diz que, aproximadamente uns vinte minutos antes do meu regresso, foi ao quarto ter

---

5 ... obra-prima?

com a sua senhora, para perguntar-lhe uma coisa, já não sei o quê, e que viu que ela estava ali e tinha o seu ícone (a tal imagem da Virgem) na sua frente, na mesa, e que a senhora parecia rezar-lhe.

— Tem alguma coisa, minha senhora?

— Nada, Lukiéria, deixa-me... Espera, Lukiéria — aproximou-se dela e beijou-a.

— Já está mais contente, agora, minha senhora? — perguntei-lhe.

— Sim, Lukiéria.

— Sim, sim, há muito tempo já que o senhor devia ter pedido perdão à senhora... Graças a Deus que já fizeram as pazes.

— Está bem, Lukiéria, está bem — disse ela —, mas agora deixa-me — e sorriu de uma maneira, sim, de uma maneira estranha... tão estranha que, passados dez minutos, Lukiéria voltou para ver a senhora.

— Olho e vejo-a de pé, encostadinha à parede, muito próxima da janela, apoiada numa mão, a pensar, a pensar. E tão pensativa estava que não me sentiu entrar nem reparou que eu, no outro quarto, estava a vê-la. Olho para ela e parece que sorri, que medita e sorri. Eu observei-a durante um momento e depois dei meia volta nas pontas dos pés e retirei-me, também um pouco pensativa, quando, de súbito, ouvi abrir a janela. Corri para lá, para dizer-lhe: "Tenha cuidado, minha senhora, que está frio e pode constipar-se"..., quando, de repente, a vejo subir para o parapeito da janela e erguer-se de pé, ali, a toda a sua altura, de costas voltadas para mim e segurando o ícone nas mãos. Tive um pressentimento e gritei: "Minha senhora, minha senhora!". Ela me ouviu, fez menção de se voltar para me olhar; mas não chegou a voltar-se e... lançou-se no espaço com o ícone apertado contra o peito... e estatelou-se na rua.

Lembro-me apenas de que, quando cheguei em casa, ela ainda estava quente. E de que toda a gente olhava para mim. A princípio gritavam e falavam, e de repente todos se calaram e... retrocederam perante mim; e... foi então que eu a vi caída no chão com a imagem. Só me lembro, como que através de um denso nevoeiro, de que me aproximei dela em silêncio e fiquei durante muito tempo olhando para o vazio. E que todos me rodeavam e me diziam qualquer coisa. Lukiéria também devia estar ali; mas não sei, não a vi. Ela disse que falou comigo. Só me lembro daquele camponês, que me dizia constantemente: "Só deitou pela boca uma colherzinha de sangue, uma colherzinha", e virado para mim, apontava sempre para aquele pouquinho de sangue sobre a pedra. Parece-me que toquei aquele sangue com o dedo; os meus dedos ficaram manchados, quedei-me a olhá-los, disto lembro-me muito bem. Mas ele não se cansava de gritar: "Uma colherzinha, uma colherzinha, uma colherzinha".

— De que colherzinha está aí falando? — julgo que gritei, de repente, mal-humorado. Dizem que ergui as mãos e que fiz até menção de me atirar a ele...

— Oh loucura! Oh incompreensão! Oh inverossimilhança! Oh impossibilidade!

IV / APENAS POR CINCO MINUTOS DE DEMORA, NO MÁXIMO

O quê? Então isso é verossímil? Poderia isso ser possível? Ah! acreditem-me: eu sei muito bem; mas por que ela se matou? Para sempre ficará sem resposta esta pergunta. O meu amor assustou-a; ela perguntou a si mesma, conscienciosamente: "Devo ou não devo aceitá-lo?", não pôde suportar essa pergunta e optou pela morte. Já sei, já sei que é absurdo cansar a cabeça a resolver esse problema; tinha prometido demasiado, assustou-se; receou não poder cumprir... Está claro. Estas são as razões, as terríveis razões...

Mas por que havia de morrer? Eis aqui a eterna pergunta. Esta pergunta martela-me o cérebro, martela, martela... Eu a teria deixado em paz, se ela quisesse simplesmente que eu a deixasse em paz. Mas ela não podia crer nisso, eis tudo! Não, não minto; não era nada disso. Mas precisamente porque era preciso ser honesto comigo: amar, amar, amar com todas as forças da alma, mas não como ela teria amado o comerciante. Mas ela era demasiado honesta, demasiado pura, para contentar-se com um amor como aquele de que precisava o merceeiro; não queria enganar-me dessa maneira. Não queria enganar-me com um meio amor, ou com uma quarta parte de amor, fazendo-me acreditar que era amor verdadeiro. As- pessoas como ela são fundamentalmente demasiado honestas para isso. Não sabem que eu tinha querido incutir-lhe generosidade? Estranha ideia essa!

Seria de extraordinário interesse, no entanto, saber se ela, de maneira geral, me apreciava. Eu não saberia dizer se ela me estimava ou desprezava. Não julgo que me desprezasse. Coisa estranha: por que motivo nem uma só vez durante todo este inverno me ocorreu pensar que ela podia desprezar-me? Muito longe disso, estava convencidíssimo do contrário, até aquele mesmo instante em que ela, de repente, me olhou com um grave assombro. Grave, precisamente. Então é que eu compreendi, de súbito, que ela me desprezava. Compreendi, definitivamente, para todo sempre. Ah, está bem, está bem; mas, no fim de contas, quanto a mim, que me tivesse desprezado durante toda a sua vida... contanto que vivesse, contanto que vivesse! Que estivesse aqui, às voltas pela casa, que me falasse! Não compreendo, verdadeiramente, como é que ela pôde atirar-se da janela. Como é que eu podia tê-lo imaginado cinco minutos antes? Chamo Lukiéria. Oh, agora não deixarei que Lukiéria se vá embora, por nada deste mundo, por nada deste mundo!

Ainda podíamos ter chegado a entender-nos, visto que já nos tínhamos reconciliado. Simplesmente tínhamos andado todo o inverno tão afastados um do outro... Mas não teríamos podido, depois, aproximarmo-nos? Por que, por que não havíamos de poder refazer o nosso matrimônio e recomeçar uma nova vida? Eu sou generoso, e ela também o era... Isso era já um ponto de contato. Duas palavras ainda, há dois dias apenas... nada mais do que isso teria sido preciso, e ela teria compreendido tudo. Mas o mais irritante é que tenha sido tudo obra do acaso... do acaso vulgar, bárbaro, cego. Isso é que é como um insulto. Cinco minutos ao todo, só cinco minutos no total, foi quanto eu me atrasei. Se tivesse chegado em casa cinco minutos antes... aquilo teria passado como uma nuvem e nunca mais lhe aconteceria. E, por fim, teria compreendido tudo. Mas agora o quarto está outra vez vazio, encontro-me de novo sozinho. Ali está o relógio com o seu tique-taque; para ele tudo é indiferente; nada lhe dói. Não tenho ninguém comigo... esta é a desgraça!

*

UMA DOCE CRIATURA

Não faço mais nada senão andar de trás para diante, de um lado para outro. Já sei, já sei; não me digam nada; riem ao ver que eu ponho a culpa no acaso e nos cinco minutos. Pensem apenas uma coisa: ela nem sequer deixou escritas umas linhas dizendo isso de "ninguém seja culpado da minha morte", como fazem todos os suicidas. E devia imaginar que até podíamos, depois, suspeitar de Lukiéria... "Estavas só com ela, portanto foste tu quem a atiraste pela janela." Pelo menos teriam podido incomodar Lukiéria se não houvesse quatro testemunhas que a viram, das suas janelas, trepar para o parapeito com o ícone e atirar-se dali. Entretanto, foi um puro acaso aquelas quatro pessoas terem visto. Não; tudo... foi só coisa de um momento, simplesmente de um momento caprichoso, no qual não lhe foi possível aperceber-se do que fazia... um acontecimento súbito e fantástico. Quem diria que ela tinha estado a rezar à imagem? Não significa nada que ela antes da morte... Talvez aquele momento só durasse ao todo uns miseráveis dez minutos; tomou aquela resolução precisamente quando, com a cabeça apoiada na mão, estava de pé junto da parede e sorria. Foi de repente que lhe ocorreu aquela ideia, que lhe deu uma vertigem... e que não pôde resistir-lhe.

Digam o que disserem... foi um aparente mal-entendido. Teria podido muito bem, apesar de tudo, comigo... Mas como? E se fosse por causa da anemia? Simplesmente, por anemia, por esgotamento da energia vital. Tinha entristecido este inverno. Sim, foi isso!

Cheguei demasiado tarde.

Como fica pequenina no seu caixão, como se lhe afilou o narizinho! As suas pestanas parecem agulhinhas! E de que maneira tão estranha ela caiu... não se magoou, nem ficou absolutamente nada desfigurada. Apenas aquela "colherzinha de sangue", só uma colherzinha. Hemorragia interna.

Coisa estranha... e se fosse possível não enterrá-la? Porque, quando a levarem... Oh, não, não; isso é impossível! Oh! Já sei que têm de levá-la, não estou louco nem deliro, pelo contrário... Nunca estive tão lúcido; mas como é possível que isso aconteça! Outra vez sem ninguém em casa; outra vez dois quartos, e de novo eu só com os clientes... Febre... sonho febril... Isto é um sonho de febre. Torturei-a até causar-lhe a morte, eis tudo. Que significam agora, para mim, as vossas leis, os vossos costumes, o vosso Estado, a vossa fé? Que me julguem os vossos juízes; que me obriguem a comparecer perante os vossos tribunais, diante dos vossos jurados, e eu direi que não os reconheço! O juiz vai gritar para mim: "Cale-se, oficial!". Mas eu responderei "De onde tiras tu um poder que eu possa acatar? Por que razão o destino poderoso destruiu aquilo que eu mais apreciava? Que me importam agora as vossas leis? Desligo-me de vós". Oh, a mim, tudo me é indiferente!

Cega, cega que tu foste! Morta... Ela não ouve nada... Não sabes o paraíso que eu podia proporcionar-te! O paraíso estava na minha alma, onde eu o tinha posto para ti. Não me amavas? Bem, e então? Assim era agora e assim teria continuado sempre. Contanto que me tivesses olhado como a um amigo... e teríamos alegria juntos e olharíamo-nos alegremente nos olhos. E assim teríamos vivido, simplesmente... E se tu chegasses a gostar de outro... Ora qual, a gostar! Terias partido e rido com ele, e eu teria olhado para ti simplesmente do outro passeio... Ah, tudo, tudo! Contanto que ela pudesse abrir os olhos novamente. Só por um instante, apenas por um momentinho, nada mais! Que me olhasse como há pouco, quando estava diante de mim e me jurava que seria a minha mulherzinha fiel! Ah, bastava um olhar para ela compreender tudo!

Que fatalidade! Oh, a natureza! As pessoas estão sós no mundo... esta é a grande infelicidade! "Manifesta-te, passado remoto, e dize-me se no teu âmago vive algum mortal!", exclamou outrora, segundo os nossos sábios afirmam, nos tempos antigos, o herói russo da lenda. Assim exclamo eu agora, eu que não sou nenhum herói; mas ninguém me responde. O sol, quando nasce, é para todos. O sol, quando nasce... Mas olhem: não será, por acaso, um cadáver? Não estará morta? Sim, está tudo morto e por todos os lados há somente cadáveres. Só os homens existem ainda rodeados de silêncio... Eis o que é a terra! "Homens, amai-vos uns aos outros." Quem disse isso? Quem o ordenou? Tique-taque; tique-taque, tique-taque, faz o relógio, insensível, antipático... São duas da madrugada. Os seus sapatinhos estão ainda diante da cama; tal como se estivessem à espera dela... Não, imagino sério, quando vierem amanhã e a levarem... que vai ser de mim?

O SONHO DE UM HOMEM RIDÍCULO

O sonho de um homem ridículo
(narrativa fantástica)
(1877)

Primeiro

Sou um homem ridículo. Agora já quase me têm por louco. O que significaria ter ganho em consideração, se não continuasse sendo um homem ridículo. Mas eu já não me aborreço por causa disso, agora já não guardo rancor a ninguém e gosto de toda a gente, ainda que riam de mim... sim, senhor; agora, não sei por quê, mas sinto por todos os meus próximos uma ternura especial. Teria muito gosto em acompanhá-los no vosso riso... não precisamente nesse riso à minha custa, mas sim pelo carinho que me inspiram, se não me fizesse tanta pena vê-los. É pena que não saibam a verdade. Oh, meu Deus! quanto custa isso de ser um só a saber a verdade! Mas isto eles não compreendem. Não, nunca compreenderiam isto.

A princípio fazia-me sofrer muito a ideia de parecer ridículo. Não parecer, mas ser. Eu sempre fui ridículo, e já sabia disso talvez desde que nasci. Talvez já aos sete anos eu me apercebesse perfeitamente de que era ridículo. Depois fui para a escola, e a seguir para a Universidade; mas... quanto mais aprendia, mais obrigado me via a reconhecer a minha condição de criatura ridícula. De maneira que todos os meus estudos universitários não tinham outro objetivo senão demonstrar e explicar a mim próprio, nas minhas meditações, que eu era um ser ridículo. E, na vida, acontecia-me o mesmo com a ciência. Todos os anos aumentava e se fortalecia em mim o conhecimento da minha condição ridícula, em todos os sentidos. Toda gente ria de mim. Mas ninguém sabia, nem suspeitava sequer, que, se existia no mundo um homem que soubesse melhor do que todos eles como eu era ridículo, esse homem era eu próprio. E era precisamente isso o que mais me enraivecia: que não o soubessem. Mas disso a culpa era minha. Fui sempre tão orgulhoso que por nada deste mundo o teria confessado a ninguém. E esse orgulho ia crescendo também em mim com os anos, e se eu me tivesse permitido confessar a alguém, fosse a quem fosse, espontaneamente, que era um homem ridículo, teria imediatamente metido um tiro na cabeça, na tarde desse mesmo dia. Oh, quanto me fez sofrer, na minha mocidade, o medo de não poder talvez conter-me e de dizer isso de repente, eu próprio, aos meus companheiros! Mas, com o andar do tempo, quando me tornei um rapazote e, apesar de continuar reconhecendo cada vez melhor todos os anos essa terrível condição minha, fui-me sentindo cada vez mais tranquilo... não sei por quê... precisamente por alguma razão que ainda hoje ignoro. Talvez por, nessa altura, se ter introduzido na minha alma o receio perante determinado conhecimento que humanamente era mais elevado que o meu eu... e que foi a convicção adquirida de que tudo neste mundo é, afinal, uno.

Já fazia muito tempo que eu pressentira isso; mas a convicção plena só assentou no meu espírito no último ano e de uma maneira súbita. Senti de um momento para o outro que para mim tudo era indiferente, que tanto me fazia que o mundo existisse como não. Pouco a pouco ia vendo e sentindo que não havia nada fora de mim. Parecia-me que, de fato, a princípio tinham existido muitas coisas; mas adivinhei igualmente depois que antes também não tinha havido nada, e que se assim me parecera foi por alguma razão. E, pouco a pouco, fui-me convencendo que daí para diante também não haveria nada. A partir dessa altura até agora deixei de preocupar-me mais com os mortais e quase não voltei a dar-lhes atenção. O que não tardou a refletir-se sobre as coisas mais insignificantes, pois ocorria-me, por exemplo, quando andava pelas ruas, dar encontrões em toda a gente. E não se julgue que era por ir afundado em meditações; isso não podia ser, porque eu já tinha deixado de pensar em tudo; tudo me era indiferente. Ainda se ao menos me tivesse entregue à resolução de problemas! Mas não; nem um só resolvi na minha vida, e, isso, com eles existindo em abundância. Mas como tanto me fazia, os problemas afastavam-se de mim sozinhos.

Ｅ mais para adiante, de repente, soube a verdade. Soube a verdade no último mês de novembro, precisamente a três de novembro, e desde então não se apagou da minha memória nenhum pormenor da minha vida. Foi numa noite tão escura, tão escura como nunca vi outra tão tenebrosa. Voltava para casa, aí pelas onze horas da noite, e ainda me lembro que ia pensando em que não poderia haver noite mais escura e mais sinistra. Até em sentido físico. Tinha chovido o dia inteiro; mas uma chuva extremamente fria e aborrecida; uma chuva dessas que deprimem o ânimo a tal ponto que ainda me lembro de sentir hostilidade contra os homens. E, de repente, a chuva parou e passou a sentir-se uma umidade terrível, ainda mais úmida e mais fria que a chuva, e de todos os lados levantou-se uma espécie de névoa que surgia de cada pedra da rua e de cada esquina, quando, ao passar, uma pessoa se punha a olhar a rua de longe. Ocorreu-me de repente pensar se os lampiões teriam se apagado; seria muito melhor, porque com as luzinhas do gás tudo se tornava mais triste, pois a luz deixava ver tudo. Eu mal comera naquele dia e desde o escurecer que tinha estado em casa dum engenheiro. Não tinha aberto a boca durante todo esse tempo e calculo que a minha presença os aborrecesse. Falavam não sei de quê, e, de repente, começaram a disputar, enredando-se na discussão. Mas, no fundo, nada daquilo os interessava, de maneira nenhuma, o que eu já sabia, e se as coisas esquentavam era só por esquentarem. Eu, de repente, fui e disse-lhes: "Deixem-se de discussões, que isso, para vocês, vem tudo a dar no mesmo". Eles, em vez de o levarem a mal, não fizeram mais nada senão rir de mim. Porque eu não lhes tinha dito aquilo em ar de censura, mas porque tudo me era indiferente. Eles percebiam claramente que para mim tudo era indiferente e achavam graça no caso.

Enquanto eu, pelas ruas, ia pensando na extinção dos lampiões, pensei em erguer os olhos ao céu. Estava tremendamente escuro, mas distinguiam-se com toda a nitidez umas grossas nuvens claras, que por ele vogavam, desgarradas, desfeitas, e entre elas, no espaço vazio, grandes manchas negras. De súbito descobri numa dessas manchas uma estrelinha. Parei e pus-me a observá-la, atento. Fiz isso unicamente porque aquela estrelinha me sugeriu uma ideia: decidi meter um tiro no corpo nessa mesma noite. Já dois meses atrás o tinha decidido assim solenemente, e, apesar de estar tão mal de dinheiro como estava, arranjara um bonito revólver, o qual tinha carregado naquele mesmo dia. No entanto, tinham já passado dois meses e o tal revólver continuava na minha gaveta; tão indiferente me era tudo, que

O SONHO DE UM HOMEM RIDÍCULO

queria esperar por um momento em que assim não fosse, embora ignorasse o motivo desse adiamento. E, quando voltava para casa todas as noites, durante esses dois meses, julgava que ia ser essa a noite em que eu dava o tiro. Estava sempre à espera do momento. E, de repente, aquela estrelinha sugeriu-me a ideia e resolvi sem apelo meter a bala no corpo nessa noite. Não sei é por que a estrelinha teria me sugerido tal ideia.

Mas sucedeu que, enquanto olhava o céu, uma menina me acotovelou. A rua estava já deserta, completamente deserta, e não se via viva alma por aqueles arredores. Apenas ao longe um cocheiro de *drójki* dormia sobre a boleia. Pode ser que a tal menina tivesse apenas oito anos; trazia um vestidinho muito fino; como agasalho trazia apenas um lenço; estava completamente encharcada pela chuva; mas o que mais me chamou a atenção foram os seus sapatinhos, rotos e molhados, de tal maneira que ainda tenho a impressão de olhar para eles. Saltaram-me à vista, de um modo estranho. De repente, a pequena bateu-me no braço e gritou não sei quê. Não chorava, mas proferia algumas palavras, que não podia articular bem por causa do frio, como num ladrido, e todo o corpo lhe tiritava. Estava tão assustada, era tal o seu medo, que no seu desespero não fazia mais senão balbuciar e gritar sempre o mesmo: "Mã! Mã!". Voltei-me para olhá-la, mas não disse nada e segui o meu caminho; ela saiu correndo atrás de mim, puxando-me constantemente pelo braço e gritando nesse tom que, nas crianças assustadas, denota o desespero. Conheço esse tom. Ainda que a pequenina não exprimisse claramente o seu conflito por palavras, compreendi que a mãe estaria a morrer em casa ou que ali devia ter acontecido outra desgraça horrível, e que ela saíra de casa para pedir o auxílio de algum transeunte, a fim de encontrar alguma coisa com que socorrer a mãe. Mas eu não segui na direção que ela me indicava, e até, pelo contrário, comecei a afugentá-la do meu lado. A princípio disse-lhe que ia procurar um guarda-notumo. Mas ela abriu as duas mãos, implorante, e continuou a correr atrás de mim, soluçante, ansiosa. Parecia que tinha medo de perder-me. Eu então me adiantei e, de repente, bati com o pé no chão, e ela deu um grito. Gritava angustiosamente: "Meu rico senhor, meu rico senhor!...". Mas depois parou e, de repente, saiu correndo pelo meio da rua, onde se via um vulto, deixando-me para ir importunar outro.

Subi ao meu quinto andar. Tenho aí um quarto que aluguei a uma mulher. É um quarto miserável e pequeno; tem apenas uma claraboia no teto. O meu mobiliário compõe-se de um divã, forrado de oleado; de uma mesa, sobre a qual tenho os meus livros, duas cadeiras e uma poltrona; esta, velha, velhíssima, mas muito cômoda. Sento-me nela, acendo a luz e ponho-me a pensar. No quarto contíguo, separado do meu apenas por um magro tabique, há já três dias que dura o rega-bofe. Vivia aí um capitão reformado, que também tinha hóspedes — seis homens. Estavam quase sempre jogando com um baralho velho e gorduroso. Nas noites anteriores bateram-se, e de dois deles eu sabia que tinham se puxado mutuamente os cabelos. A dona da casa pensou queixar-se, mas não se atreveu, por ter muito medo do capitão. Além dos ditos vizinhos, havia também na casa uma senhora muito franzina e magra, uma provinciana com três filhos pequenos e que lhe adoeceram já aqui. Tanto ela como as crianças têm um medo ridículo do capitão, e sempre que têm hóspedes passam a noite em claro, tremendo e persignando-se, e o menorzinho até sofre de convulsões, de tão medroso. O tal capitão, sei muito bem, costuma algumas vezes pedir esmola aos transeuntes do Niévski Próspekt, e não se preocupa, absolutamente nada com arranjar emprego, embora — coisa estranha —, durante todo o tempo que fica em casa, nunca me tenha incomodado de maneira nenhuma. É certo que eu, desde o princípio, evitei o seu convívio, e que fiz todo o possível por aborrecê-lo da primeira vez que veio ao meu cubículo visitar-me; mas que gritem lá no seu quarto quanto quiserem... isso para mim é indiferente. Eu passo a noite inteira sentado na minha poltrona, e, para dizer a verdade, nem os ouço... A tal ponto consigo esquecer-me deles e dos seus gritos. Mas passo toda a noite em claro... Há já um ano que isto acontece. Fico sentadinho na poltrona até que clareia, e sem fazer nada. Ler, só leio de dia. Estou sentado e nem sequer penso em nada; fico sentado tranquilamente e deixo o pensamento vaguear. A luz consome-se numa noite. Sento à mesa, pego no revólver e coloco-o na minha frente. Ainda me lembro de que... quando o coloquei ali diante, perguntei a mim próprio: "Sim?". E que respondi com toda a tranquilidade: "Sim". Por isso decidi meter uma bala no corpo nessa mesma noite. Eu sabia que nessa mesma noite haveria de esfacelar irremediavelmente a caixa craniana; mas não sabia quanto tempo haveria de continuar ainda ali sentado até esse momento. E, não há dúvida nenhuma de que teria dado um tiro na cabeça nessa noite, se não fosse por causa daquela pequenina...

II

Mas vejam: apesar de tudo me ser indiferente, sentia, por exemplo, a dor; sim, a dor, sentia-a. Se alguém me tivesse batido, teria sentido a dor. E o mesmo no terreno moral; se tivesse acontecido algo de triste, teria sentido piedade, tal como antes de tudo ter se tornado indiferente para mim. Por isso, daquela vez, senti compaixão; eu não tinha outro remédio senão prestar o meu auxílio a uma pequenina, fosse como fosse. Por que não o tinha prestado àquela? Porque, precisamente nesse momento, me ocorreu uma ideia: quando ela me puxou pelo braço e me falou, surgiu-me um problema para o qual não encontrava resposta. Era uma pergunta ociosa; mas, no entanto, aborrecia-me. Punha-me de mau-humor, devido à conclusão lógica a que eu chegara, a conclusão de que, uma vez que ia rebentar com a caixa dos miolos, tudo me devia ser indiferente. Mas por que eu sentiria então de súbito que nem tudo me era indiferente e que tinha pena da pequenina? Ainda me lembro de que me inspirava uma autêntica piedade; sim, até ao ponto de sentir uma dor muito especial, inspirava-me piedade, uma dor que era absolutamente inverossímil e intempestiva, na situação em que me encontrava. Não, não consigo descrever bem o meu fugidio sentimento de então; mas esse sentimento ainda perdurava no meu espírito depois de eu ter entrado no meu quarto e depois de estar já sentado à mesa; e me encontrava tão agitado como havia muito não estava. Uma apreciação traía a outra. No entanto é evidente que eu, apesar de ser um homem e não um zero, isto é, apesar de não me ter ainda transformado num zero, é evidente, repito, que estou vivo... e, por conseguinte, ainda posso aborrecer-me e sofrer sem sentir vergonha dos meus atos. Bem. Quanto a mim... Mas se eu, por exemplo, me mato dentro de duas horas, que pode importar-me essa pobre pequenina e que podem incomodar-me a vergonha e o mundo inteiro? Transformo-me num zero, num zero absoluto.

O SONHO DE UM HOMEM RIDÍCULO

E poderia realmente a consciência de que vou deixar de existir dentro em breve, e, por consequência, de que tudo vai também deixar de existir, não ter a menor influência sobre o sentimento de piedade que inspira esse ser, nem sobre o sentimento de vergonha pela brutalidade em que uma pessoa tenha incorrido? Foi só por isto que eu bati com o pé no chão e lancei aquele grito tão furioso, porque queria demonstrar que eu... não só não sentia piedade alguma como também era capaz de cometer a grosseria mais desumana, já que dali a duas horas tudo estaria acabado e que já não existiria absolutamente nada. Serão capazes de acreditar se lhes disser que foi só por isso que a afugentei? Estou absolutamente convencido disso. Naquele momento era para mim de todo evidente que a vida e o mundo dependiam quase cinicamente de mim. Posso dizer mais ainda: que o mundo, agora, parecia quase criado para mim apenas... pois quando tivesse dado o tiro, o mundo deixaria de existir, pelo menos para mim. Isto para não falar sequer de que talvez realmente não houvesse nada mais para ninguém, depois de mim, e que talvez o mundo inteiro, quando o meu conhecimento se extinguisse, se desvanecesse imediatamente como uma visão, como um simples atributo desse conhecimento meu e deixasse de existir; pois talvez todo esse mundo e todos esses homens sejam... unicamente eu mesmo. Lembro-me de que ia abandonando todas essas novas perguntas, que me assaltam uma atrás da outra, e pensava qualquer coisa completamente nova para mim. Tudo isto, sentado na minha poltrona, sempre a pensar. E, de repente, entre outros, ocorreu-me um pensamento estranho: se eu, por exemplo, tivesse vivido na Lua noutro tempo, ou no planeta Marte, e cometido aí alguma ação incrivelmente desonesta, a mais desonesta que se possa imaginar, e devido a essa ação me tivesse visto aí ultrajado e desonrado de uma maneira como só às vezes pode ver-se nos sonhos, sob o influxo de um pesadelo, e depois, na Terra, não me abandonasse a recordação daquilo que eu tivesse feito nos outros planetas, e soubesse, além disso, que jamais, fosse como fosse, havia de voltar a esses outros planetas — pergunto então: "Quando eu olhasse a Lua, cá da Terra, tudo seria para mim indiferente... ou não? Ia me envergonhar ou não, a essa altura, dessas minhas ações?". Essas perguntas eram ociosas ou supérfluas, visto que estava ali o revólver diante dos meus olhos, em cima da mesa, e que eu sabia com certeza absoluta que aquilo havia de acontecer sem apelo... Mas, no entanto, essas perguntas pungiam-me e molestavam-me. Parecia-me que afinal não podia morrer sem ter, de qualquer maneira, resolvido esses problemas. Em resumo: aquela pequenina salvou-me, pois, devido àquelas perguntas, adiei a minha morte. Entretanto, no quarto do capitão reinava o silêncio; o dono da casa e os hóspedes tinham acabado de jogar e preparavam-se para dormir, embora sem deixar de resmungar ou de insultar-se até o fim, na sua bebedeira. E então sucedeu-me adormecer de repente, coisa que nunca antes me acontecera, sentado na poltrona, junto da mesa. Adormeci de um momento para o outro.

Como se sabe, os sonhos são uma coisa muito estranha. Percebemos neles, com uma clareza assustadora, com uma artística elaboração, certos pormenores, ao passo que passamos outros completamente por alto, como se não existissem, sucedendo assim, por exemplo, com o tempo e com o espaço. Creio que os sonhos não os sonha a razão, mas o desejo; não a cabeça, mas o coração, e, no entanto, sobre que coisas tão complicadas passa às vezes a minha razão, no sonho! Coisas absolutamente incompreensíveis. Por exemplo: há cinco anos que morreu o meu irmão; mas eu costumo vê-lo frequentemente nos meus sonhos; toma parte em tudo quanto me interessa, falamos longamente de tudo quanto se possa imaginar; mas, ao mesmo tempo, tenho sempre a consciência e nunca me esqueço um momento que há já muito tempo que o meu irmão está morto e enterrado. Mas a que é devido o fato de eu não estranhar, de maneira nenhuma, a sua presença? Que não me espante que o morto se sente junto de mim e que me fale? Por que não se revolta a minha razão? Mas já chega. Vou agora falar-lhes do meu sonho. Sim; nesse tempo tive eu aquele sonho, o meu sonho de três de novembro. Os senhores vão me dizer, agora, que se tratou apenas de um sonho. Mas é completamente indiferente que fosse um sonho ou não fosse, uma vez que este sonho me tivesse revelado a verdade? Porque uma vez que se reconheceu a verdade, depois que ela se vê, já sabemos que é a verdade única, que fora dela não pode haver nenhuma outra, quer estejamos adormecidos ou acordados. Pois bem: se é um sonho, por mim, concordo. Mas essa vida, que os senhores tanto apreciam, estava eu disposto a deixá-la servindo-me do suicídio, ao passo que o meu sonho, o meu sonho... ah, o meu sonho veio revelar-me uma vida nova, grande, maravilhosa!

Atenção.

III

Dizia eu que me deixara adormecer sem dar por isso; parecia-me que não fazia outra coisa senão continuar meditando acerca desses problemas. De repente, pego no revólver — isto é, pareceu-me que pegava nele em sonhos, que o aponto ao coração, ao coração e não à cabeça, quando afinal eu decidira antes meter um tiro na cabeça, irrevogavelmente na cabeça, e, para melhor precisão ainda, na fonte direita. Depois de apoiar o cano contra o peito, esperei um segundo, apenas um segundo, e a luz, a mesa e a parede começaram de repente a cair-me por cima e a dançar. Apertei rapidamente o gatilho.

Costumamos sonhar às vezes que nos despenhamos de uma grande altura ou que nos matam ou nos batem; mas não sentimos nenhuma dor, nesses casos, a menos que uma pessoa se magoe na cama: nesse caso, sim, sentimos uma dorzinha que nos acorda. Pois foi isso mesmo o que me aconteceu no meu sonho de então: não senti dor, mas pareceu-me que, por causa do tiro, tudo em mim ... tinha quebrado e de repente se desfazia, e tudo à minha volta ficava mergulhado numas trevas pavorosas. Quedei-me, quase cego e mudo, e compreendi que estava estendido sobre qualquer coisa dura, de boca para cima, e não via nada nem podia fazer o menor movimento. E a minha volta passavam pessoas, que gritavam; ouvia a voz de baixo do capitão e a vozinha de soprano da dona da casa; e, de repente, outra pausa... e começam a colocar-me no caixão, e sinto como os portadores do meu ataúde cambaleiam ao caminhar, e ponho-me a pensar nisso, e de repente tomo pela primeira vez consciência de que estou morto, de que sou um defunto, do que não tenho a mínima dúvida, que não vejo nem posso mover-me, se bem que, apesar de tudo, sinta e pense. Mas não tarda que me resigne, e, como costumamos fazer nos sonhos, aceito a realidade sem ripostar.

Mas eis que me arrojam a uma cova profunda e me enterram. Todos se retiram e fico ali sozinho, completamente só, o que pode dizer-se absolutamente sozinho. Dantes, quando me punha a pensar no dia em que me enterrassem, a ideia do sepulcro estava unicamente unida a uma sensação de umidade e de frio. E assim era também agora; eu sentia muito frio, sobretudo nas pontas dos dedos; mas, além disso, não sentia mais nada.

Jazia no sepulcro e, coisa estranha... não esperava nada, pois aceitava sem contradição a ideia de que um morto nada tem que esperar. Mas aquilo estava muito úmido. Não sei, entretanto, que tempo teria decorrido: se uma hora, se alguns ou muitos dias. Quando, de repente... me vem bater no olho esquerdo, que tinha fechado, uma gotinha de água fria, que se tinha infiltrado pela tampa do caixão; decorreu um minuto e uma segunda gota me salpicou; depois uma terceira, e assim sucessivamente, sempre, de minuto em minuto. Isso produziu-me uma contrariedade violenta, e de repente senti uma dor física no coração. "É a ferida — pensei —, foi aí que a bala se alojou." Mas a gotinha continuava a cair a cada minuto e sempre exatamente no meu olho esquerdo. E então gritei, não com a minha voz, visto que não podia fazer movimento algum, mas com todo o meu ser, para o autor de tudo aquilo que me sucedia:

— Ó quem quer que sejas, se é que existes e que há alguma coisa de mais razoável do que aquilo que me sucede, ordena-lhe também que imponha aqui o seu domínio. Mas se queres castigar-me pelo meu insensato suicídio com a insensatez de continuar a existir, fica sabendo que nada do que me esteja reservado pode comparar-se com o desprezo que eu sentirei em silêncio, ainda que a minha tortura e o meu martírio possam durar milhões de anos.

Gritei assim e depois calei-me. Teria durado perto de um minuto aquele profundo silêncio e, passado esse tempo, tornou a cair sobre o meu olho fechado a já costumada gota; mas eu sabia, sabia de um modo infinito e inquebrantável, que tudo iria mudar imediatamente. E eis que, de súbito, se abre o meu sepulcro. Isto é, eu não sei ao certo se o teriam aberto; o certo é que um ser obscuro, e para mim desconhecido, se apoderou de mim, e partimos ambos para os espaços interplanetários. E de repente recuperei a vista; era noite, noite profunda, e nunca, nunca eu tinha visto obscuridade semelhante. Atravessamos os espaços siderais, já muito longe da Terra. Não fiz pergunta alguma ao meu condutor; esperava e sentia um orgulho imenso. Assegurei-me de que não tinha medo e quase desfalecia de gozo ao pensar que não tinha mesmo. Não sei quanto tempo teríamos voado assim pelos espaços, nem consigo imaginá-lo bem; tudo aquilo aconteceu como costumam acontecer as coisas nos sonhos, ultrapassando as leis da razão, o espaço e o tempo, e ficando tudo limitado àquilo que o nosso coração sonha. Lembro-me de que, de súbito, no meio daquelas trevas divisei uma luzinha.

— Será Sírius? — perguntei-lhe contra minha vontade, pois não queria perguntar-lhe nada.

— Não; essa é a mesma estrelinha que tu viste entre as nuvens, quando voltavas para casa — respondeu-me o ser que me conduzia, e do qual eu sabia somente que tinha um rosto humano. Mas, coisa estranha: aquele ser não me era simpático e inspirava-me até uma profunda aversão. Eu tinha contado com o não-ser absoluto e, partindo dessa hipótese, tinha decidido suicidar-me. E agora me encontrava nos braços dum ser que não era, evidentemente, um ser humano, mas que nem por isso deixava de ser uma realidade, e era, efetivamente.

"Portanto há uma vida depois da morte! — pensei eu com essa estranha rapidez daquele que dorme, se bem que a essência fundamental do meu coração conservasse em mim toda a sua profundidade. — Já que tenho de existir outra vez e outra vez tenho de viver, por mandato de não sei que vontade inapelável, não quero que ninguém me vença nem me humilhe!"

— Tu sabes que eu tenho medo de ti e é por isso que me desprezas — disse de repente para o meu condutor. Não tinha podido conter-me e tinha-lhe feito a humilhante pergunta que trazia implícita a confissão, e sentia no meu coração a dor do meu vexame, como uma punhalada. O ser não respondeu à minha pergunta; mas senti subitamente que ele não me desprezava nem se ria de mim, e que nem sequer se apiedava, e que o nosso voo tinha uma finalidade, uma meta desconhecida e misteriosa, e que só a mim interessava. E o temor cresceu no meu coração. Algo emanava do meu mudo condutor, em silêncio, mas dolorosamente, sobre mim, e me oprimia o coração. Atravessávamos obscuras e ignoradas esferas. Havia já muito tempo que tinham desaparecido da minha vista as constelações conhecidas. Eu sabia que nos espaços interplanetários há astros cujos raios de luz levam milhares e até milhões de anos a chegar à Terra. Mas é possível que tivéssemos percorrido já distâncias ainda maiores. Eu esperava não sabia o quê, e a nostalgia torturava o meu coração. E, de súbito, surgiu em mim um sentimento conhecido, familiar, vi o Sol! Eu sabia que não podia ser o nosso Sol, o pai da nossa Terra, o que engendrou a nossa Terra; mas compreendi, em virtude não sei de quê, com o meu ser, que aquele Sol era um Sol absolutamente como o nosso, que era a sua reprodução e o seu duplo. Um doce, animador sentimento encheu de prazer a minha alma; a preciosa, corpórea força da luz, daquela luz que me tinha engendrado, encontrou repercussão na minha alma e a fez ressuscitar, e eu senti a vida, a vida de outrora, pela primeira vez depois do meu enterro.

— Visto que existe o Sol e é um Sol completamente igual ao nosso — exclamei —, onde está a Terra?

E o meu companheiro apontou-me uma estrelinha que despedia um brilho esmeraldino. Voávamos precisamente por cima dela.

— Como é possível existirem no Universo tais cópias? Será essa, verdadeiramente, a lei do Universo? E, se esta é a Terra, diz-me: será uma Terra como a nossa... uma Terra também desditada e pobre, mas não menos apreciada e sempre querida, que inspire o mesmo doloroso amor aos seus mais ingratos filhos, como a nossa Terra? — exclamei, tremendo com um amor arrebatado, audaz, irreprimível, por aquela Terra sagrada, a sombria e enxovalhada Terra que acabava de abandonar. E a figurinha da pequenina, que eu espantara com um grito, surgiu instantaneamente na minha memória.

— Hás de ver com os teus próprios olhos — respondeu o meu companheiro, e uma certa tristeza vibrava na sua voz.

Aproximávamo-nos velozmente do planeta. Este agigantava-se diante dos meus olhos, e eu podia já distinguir os oceanos, perceber depois os contornos da Europa, e, de repente, acordou no meu coração uma grande e sagrada inveja.

— Como poderia existir uma cópia, e qual a finalidade da sua existência? Eu amo e só posso amar essa Terra que acabo de deixar, na qual perduram ainda as gotas daquele sangue que, ingrato!, derramei ao desprender-me da vida. Mas nunca,

nunca deixei de amar a nossa Terra, e talvez até aquela noite em que a abandonei tivesse sido o momento em que a amei mais apaixonada e dolorosamente! Existe também a dor nesta nova Terra? Será que, na nossa, só podemos viver com a dor ou graças a ela? Não sabemos amar de outro modo nem conhecemos outro amor. Eu quero dor para poder amar. Quero, sim, neste momento apenas anseio por poder beijar, banhado em lágrimas, a Terra que abandonei! E não quero, não aceito nenhuma outra vida senão a da nossa Terra!

Mas o meu companheiro já tinha me deixado. Tinha chegado, sem ter percebido, àquela outra Terra, à clara luz solar de um dia de paradisíaca beleza. Creio que me encontrava numa daquelas ilhas que formam o arquipélago helênico, se não era, porventura, algum ponto da costa que ali circunda o mar Egeu. Oh! era tudo tal como entre nós, simplesmente tudo parecia encontrar-se numa disposição firme e resplandecer numa grande vitória, santa e finalmente conquistada. O mar suave, de um azul-escuro, batia suavemente contra o litoral e cingia-se contra ele com um imenso, visível e quase inconsciente amor. As árvores frondosas apareciam em todo o esplendor da floração, e estou convencido de que as suas folhas inumeráveis me davam as boas-vindas com o seu leve e amistoso sussurro, murmurando-me ignoradas palavras de amor. A relva ostentava uma verdura muito fresca e brilhante; os pássaros cruzavam em bandos pelo ar, e os passarinhos pousavam-me, sem ponta de medo, nos ombros e nos braços, e davam-me alegres pancadinhas com as suas asinhas trêmulas, e, finalmente, eu olhava e reconhecia também os homens daquela Terra feliz. As pessoas chegavam-se a mim espontaneamente; rodeavam-me e davam-me beijos. Eram filhos do Sol, filhos do seu Sol... Oh, e como eram bonitos! Nunca eu vi na nossa Terra homens tão belos. Quando muito poderemos encontrar nas crianças, nos seus mais tenros anos, um reflexo fraco e longínquo de semelhante formosura. Esses homens felizes tinham rostos claros e cheios de luz. No seu rosto transparecia a inteligência e um saber que, permita-se a expressão, parecia completo até à tranquilidade, e, no entanto, esses rostos respiravam um alvoroço especial; tanto as palavras como a voz desses homens demonstravam uma alegria pueril. Oh, ao primeiro olhar que pousei naqueles rostos, compreendi logo tudo, tudo! Aquela era a Terra, a Terra não manchada pelo pecado original, na qual viviam homens que não tinham pecado, e viviam num Paraíso idêntico àquele em que, segundo todas as tradições da Humanidade, viveram os nossos primeiros pais antes da "queda", sem a mínima diferença, a não ser que a Terra toda era, por todo lado, um só e mesmo Paraíso. Aqueles homens aproximavam-se de mim com afetuosidade, sorriam-me e acariciavam-me; conduziram-me ao seu lar e todos se esforçavam, em disputa, por me tranquilizar. Oh!, não me faziam pergunta alguma; pareciam saber tudo, e só ansiavam por afugentar, o mais depressa possível do meu rosto, todo vestígio de dor.

IV

Agora vejam: admitamos que tudo isso foi apenas um sonho. Mas a sensação de amor, que aqueles homens belos e inocentes me demonstraram, perdura em mim através do tempo, e eu sinto como esse amor, já distante, tomba sobre mim. Vi-os, conheci-os, amei-os, e, mais tarde, sofri por eles. Oh! compreendo, e compreendi desde o primeiro instante, que eu não poderia entendê-los em muitas coisas; parecia-me incompreensível, como parece aos progressistas russos contemporâneos e aos maus petersburgueses, o fato de, sabendo eles tanto como sabiam, não possuírem a nossa ciência. Mas não tardei a comprovar que a sua ciência se nutria de conhecimentos diferentes dos da Terra, e que as suas preocupações eram também de outra índole. Não tinham desejos; estavam tranquilos e contentes; não aspiravam, tanto como nós, a conhecer a vida, pois a sua vida estava completamente preenchida. Mas o seu saber era mais fundo e elevado que a nossa ciência, porque a nossa ciência procura explicar a vida, pretende ser ela mesma a cimentá-la, para mostrar aos homens como devem viver, e isto eu compreendi, ao passo que eles já sabem como hão de viver, e isto percebo eu, ainda que não possa compreender a sua ciência. Eles me mostravam as suas árvores, mas eu não podia sentir do mesmo modo que eles a grandeza do amor com que as contemplavam: tal como se as tais árvores fossem homens. E vejam: pode ser que não me engane ao dizer que até falavam com elas. Sim, conheciam a sua língua e estou convencido de que as árvores os entendiam. E olhavam da mesma maneira todo o resto da Natureza e os animais que pacificamente viviam com eles, e, longe de atacá-los, amavam-nos, vencidos pelo seu amor. Apontavam para os outros e diziam-me qualquer coisa que eu não compreendia; mas estou convencido de que estavam em relações com as estrelas do Céu, não por meio do pensamento, mas de outro qualquer modo. Oh!, aqueles homens não se esforçavam para que eu os compreendesse; amavam-se sem necessidade disso; mas, além disso, eu sabia que tampouco eles me compreenderiam jamais, e por isso nunca lhes falei da nossa Terra. Limitava-me a beijar diante deles a Terra em que viviam, e a adorá-la, e eles viam isto e deixavam que eu o fizesse, sem dizerem nada, sem se envergonharem de que eu a amasse ao mesmo tempo que eles. Não sofriam por minha causa, quando, arrasado em pranto, lhes beijava os pés, pois sabia o amor com que me pagavam. Às vezes perguntava a mim próprio, admirado: como poderiam eles ofender, uma só vez que fosse, um homem como eu, ou como poderiam suscitar tampouco em mim um sentimento de inveja ou de ciúme? Às vezes perguntava também a mim próprio como é que eu, como se fosse um embusteiro e enganador, não lhes comunicava alguns dos meus conhecimentos, de que, naturalmente, não tinham a menor ideia, para fazê-los cair no espanto, ou simplesmente por amor deles... Eram bonacheirões e joviais como crianças. Vagueavam por entre os seus bosquezinhos magníficos e floridas pradarias, entoando lindas canções, e sustentavam-se dos frutos das suas árvores e do leite dos animais que os acompanhavam. Preocupavam-se pouquíssimo com a alimentação e com o vestuário. O amor existia também entre eles e geravam filhos; mas nunca verifiquei que fossem vítimas desses arrebatamentos de cruel lascívia, que se apoderam de quase todos os homens desta nossa Terra, de todos, sem exceção de nenhum, e que constitui a única origem de quase todos os pecados da nossa humanidade. Alegravam-se com os recém-nascidos, como novos co-participantes da sua felicidade. Não conheciam nem a luta nem a inveja, e nem sequer sabiam o que isso fosse. Os filhos dos outros eram também seus filhos, pois formavam todos uma só família. Quase não tinham doenças, contando com a morte; e os seus velhos extinguiam-se suavemente, como se dormissem, rodeados dos seres queridos, deitando bênçãos, sorrindo e acompanhados pelos seus olhares claros e alegres.

Nunca vi dor nem lágrimas à cabeceira dum moribundo, mas um amor exaltado até ao êxtase, até um fervor tranquilo e puro. Seria quase possível acreditar que até depois da morte continuavam em comunicação com os seus mortos, e que ela não interrompia a sua vida terrena. Mal me compreendiam quando eu os interrogava acerca da vida eterna; mas, pelos vistos, estavam tão convencidos da sua existência que nem por um momento se lembravam de pô-la em dúvida. Não tinham templos, mas mantinham-se numa identificação vital com o Todo; não professavam crença alguma, mas possuíam a convicção consciente de que, quando as suas alegrias terrenas tivessem alcançado os limites da natureza terrena, viria para todos eles, tanto para os vivos como para os mortos, um mais íntimo contato com o Todo. Aguardavam alegremente esse momento, mas não ansiavam por que chegasse nem sofriam por causa disso, tinham já como que o seu gozo antecipado na sua alma, e comunicavam-no entre si uns aos outros. À noite, antes de adormecerem, cantavam em coros harmoniosos. Exprimiam nessas canções vespertinas os sentimentos que experimentavam durante o dia, e gabavam e estimavam o dia que tinha passado, despedindo-se dele. Louvavam a Natureza, a Terra, o mar e os bosques. Louvavam-se e elogiavam-se mutuamente nas suas canções, da mesma maneira que se louvam as crianças; as suas canções eram singelas, mas punham nelas o seu coração e aos corações elas chegavam. E não só nas suas canções, mas na sua vida toda, não faziam outra coisa senão amarem-se uns aos outros. Era, na verdade, uma vida de amor recíproco, uma vida de grande, universal amor. Mas alguns dos seus cânticos, que tinham uma expressão triunfal e inspirada, não consegui compreendê-los. Por mais que entendesse a sua letra, não podia penetrar todo o seu sentido. Eram intangíveis para a minha razão, ainda que cada vez penetrassem mais fundo no meu coração, sem que eu pudesse aperceber-me do que se passava. Costumava dizer-lhes que já anteriormente eu tinha adivinhado tudo aquilo; que já na nossa Terra o pressentimento de toda aquela aventura, daquele jubiloso cântico de louvor, me tinha feito experimentar um entusiasmo estéril e às vezes excessivo; que tudo aquilo eu o tinha visto já nos sonhos da minha alma e nos meus sentidos; que lá longe, na nossa Terra, por mais de uma vez me arrancara lágrimas o pôr do Sol; que sempre tinha havido dor no meu ódio aos homens da nossa Terra. Por que eu não podia odiá-los, visto que não os amava; por que não podia perdoar-lhes, por que me fazia sofrer amá-los, por que não podia amá-los odiando? Eles me escutavam, e eu via claramente que não podiam imaginar nada disto, mas não me arrependia de ter-lhes falado nessas coisas; sabia que eles compreendiam todo o poder da minha nostalgia por aqueles a quem tinha abandonado. Sim, quando eu sentia pousar-se em mim o seu diáfano e aprazível olhar, trespassado de amor, quando sentia como entre eles também o meu coração se tornava puro e inocente como o seu, não lamentava não poder entendê-los. Faltava-me o alento, por sentir tão intensamente a plenitude da vida, e ficava em silêncio adorando-os.

Oh! toda a gente se ri agora na minha cara e me afirma que não pode ver-se nada semelhante ao que estou descrevendo; que, no meu sonho, mais não fiz do que experimentar um sentimento elaborado pelo meu próprio coração e que todos esses pormenores os devia ter arquitetado depois, já desperto. E quando concordei e disse que podia ser que tivessem razão... sabe Deus as gargalhadas, a hilaridade que as minhas palavras provocaram. Naturalmente, eu estava apenas dominado pelo sentimento do sonho, e só este único sentimento perdurava no meu coração, que sangrava. Mas, além disso, as visões e as figuras reais do meu sonho, isto é, aquelas que eu vira precisamente durante a hora do meu sonho, conservavam entre si tal harmonia, eram tão perfeitas, tão encantadoras, sedutoras e belas, que, ao acordar, como é natural, não era capaz de tornar a dar-lhes vida na nossa pobre linguagem. Por isso tiveram, naturalmente, que empalidecer na minha consciência e desvanecerem-se, e talvez por isso me sentisse realmente obrigado a imaginar depois inconscientemente os pormenores, aos quais teria encomendado decididamente a missão de reproduzir, dado o meu apaixonado desejo, que era, de certo modo pelo menos, o sentimento principal. Mas, no entanto, por que não acreditar que tudo foi real? Pode ser que fosse mil vezes melhor, mais radiante e belo do que eu descrevo. Pode ser que fosse um sonho, mas não é possível que o fosse completamente. Olhem, vou confiar-lhes um segredo: talvez tudo isso nem sequer de longe fosse um sonho. Pois sucedeu nisto algo do gênero, algo tão real até à saturação, que uma pessoa nem sequer teria podido sonhá-lo! Pode ser que fosse a minha alma que engendrasse esse sonho; mas como ela poderia ter engendrado sozinha essa terrível verdade que eu senti mais tarde? Como eu poderia imaginá-la sozinho ou sonhá-la o meu coração também sozinho? Seria possível que o meu insignificante coraçãozinho e a minha humilde e caprichosa razão tivessem podido ascender a semelhante revelação da verdade? Oh!, julguem os senhores por si mesmos; até este momento não falei no caso, mas agora vou dizer a verdade toda.

A conclusão foi eu ter... estragado tudo aquilo.

<h1 style="text-align:center">V</h1>

Sim, sim; a conclusão foi eu ter estragado tudo. Como isso foi... é que eu não sei. Já não me lembro como é que sucedeu. O sonho durou milhares de anos e apenas me deixou uma impressão de conjunto... Só me lembro de que a queda do pecado original fui eu. Como uma espantosa triquina, qual pestífero bacilo que devasta a Terra, assim devastei eu toda aquela Terra inocente e feliz. Aqueles homens aprenderam a mentir, tomaram gosto à mentira e reconheceram como eram belos. Oh!, pode ser que, a princípio, o fizessem inocentemente, por puro jogo, por diversão, que apenas se tratasse de um bacilo; mas este átomo de mentira enraizou-se nos seus corações e foi do seu agrado. Não tardou que dele derivasse a voluptuosidade, e esta voluptuosidade engendrou a inveja, e esta, a crueldade. Oh!, não sei, não me lembro já como, mas não tardou que se vertesse a primeira gota de sangue; a princípio apenas sentiram espanto; mas depois assustaram-se e começaram a afastar-se uns dos outros. Vieram as censuras e as incriminações. Conheceram a vergonha e erigiram-na em virtude. Surgiu o conceito da honra e cada bando se uniu à sombra da sua bandeira. Começaram a torturar os animais, e os animais afastaram-se deles, foram ocultar-se nos bosques e tornaram-se seus inimigos. Iniciou-se a luta pela separação, pela particularização, pela personalidade, pelo "teu" e pelo "meu". Começaram a falar várias línguas. Conheceram a dor e tomaram-lhe o gosto; ansiavam pelo sofrimento e diziam que a verdade só se comprava pelo preço do martírio. Depois surgiu a ciência. Como se tinham tornado maus, deram em falar de fraternidade e de humanidade, e compreendiam estas ideias. Como se tinham tornado criminosos, inventaram a justiça e redigiram códigos para a encerrarem neles, e, para assegurar o cumprimento desses códigos, ergueram a guilhotina. Mal se recordavam daquilo que tinham perdido e não queriam acreditar que alguma vez tivessem sido inocentes e felizes. Riam-se até da possibilidade dessa sua felicidade passada e tachavam-na de sonho fantástico. Nem sequer podiam fazer uma ideia desse estado, e acontecia, além disso, uma coisa estranha: agora que tinham já perdido toda a fé na felicidade pretérita e a classificavam de fantasia, empenhavam-se a tal ponto a voltar a ser inocentes e felizes que se ajoelhavam como crianças ante os desejos dos seus corações; adoravam esses desejos, erguiam-lhes templos e oravam à sua própria ideia, ao seu próprio "querer", ao mesmo tempo que continuavam a acreditar, com uma convicção inabalável, na possibilidade de cumprir e realizar essa ideia, apesar de implorarem por ela de joelhos. E, no entanto... se pudesse ter-se dado o caso de voltarem outra vez àquele inocente e venturoso estado que perderam; se alguém os tivesse consultado, perguntando-lhes: "Quereis voltar a ele?", teriam lhes respondido resolutamente que não. A mim, diziam: "Bom, seremos mentirosos, maus e injustos; sabemos e lamentamos, e essa é a nossa tortura, e talvez por isso nos atormentemos e castiguemos mais do que faria esse Juiz misericordioso que há de julgar-nos no futuro, mas cujo nome nos é desconhecido. Mas, em compensação, possuímos a ciência, e graças a ela havemos de tornar a encontrar a verdade, e então vamos aceitá-la já com consciência. O saber está acima do sentimento; o conhecimento da vida... acima da própria vida. A ciência nos fará oniscientes; a onisciência conhece todas as leis, e o conhecimento da lei da felicidade... está acima da própria felicidade". Era assim que eles me falavam, e, a avaliar por tais palavras, cada um deles se tornara mais apreciador de si mesmo que dos outros; se tinha valorizado a si mesmo mais de que tudo no mundo; sim... e não poderia ter sido de outro modo. Tornaram-se todos tão ciosos do seu eu que cada um se afadigava por rebaixar, oprimir e diminuir o eu do próximo, por todos os meios possíveis, e só nisto se resumia a sua vida. Desenvolveu-se a escravatura e surgiram até escravos voluntários; os fracos submeteram-se com gosto aos mais fortes, mas com a condição de que estes os ajudassem a subjugar os mais fracos do que eles. Surgiram entre eles profetas que lhes falavam do seu orgulho chorando, da perda da medida e da harmonia do sentimento do pudor. Mas eles riam-se e troçavam desses profetas e acabavam por apedrejá-los. Sangue sagrado correu sobre os umbrais do templo. Mas também havia homens que começaram a discutir a maneira de voltar a uni-los todos, sem que deixassem, entretanto, de querer a si mesmos mais que a ninguém, nem prejudicar aos outros, para que todos tornassem, assim, a viver em comum, formando uma só amistosa e concorde sociedade. Esta ideia foi, entre eles, causa de grandes guerras. Todos os beligerantes acreditavam ao mesmo tempo que a ciência, a onisciência e o instinto da própria conservação obrigariam finalmente os homens a unirem-se numa sociedade razoável e cordata, para o que, no entanto, se esforçavam os "oniscientes", a fim de acelerar as coisas, por exterminar todos os não oniscientes e a quantos não compreendiam a sua ideia, a fim de que não fossem *um obstáculo para o seu triunfo*. Mas não tardou que diminuísse o sentimento geral da própria conservação e surgissem voluptuosos e soberbos que proclamavam abertamente que desejavam tudo ou nada. Registraram-se proezas de todo gênero, e, quando não conseguiam nada com elas... restava o recurso do suicídio. Houve religiões consagradas ao culto do não-ser e do próprio aniquilamento, em honra do eterno repouso em o nada. Até que, por fim, aqueles homens se cansaram dos seus absurdos esforços e nos seus rostos se refletiu a dor, e proclamaram: a dor é beleza, pois só a dor tem sentido. E cantaram a dor nos seus poemas. Eu andava numa agitação entre eles, torcia as mãos e chorava; mas amava-os, no entanto, e talvez mais do que antes, quando no seu rosto não assomava ainda nenhuma dor e eram belos e inocentes. A Terra por eles manchada parecia-me então mais valiosa do que antes, quando era um paraíso, e isso apenas porque nela aparecera a dor. Oh, eu sempre amei a dor e a tristeza, mas só para mim, só para mim! Mas, como agora a sofriam eles também, chorava de compaixão. Estendia-lhes as minhas mãos e, no meu desespero, acusava-me, amaldiçoava-me e desprezava-me a mim próprio. Dizia-lhes que tudo aquilo era obra minha; que eu, apenas eu e mais ninguém, é que tinha a culpa de tudo. Que eu lhes tinha levado a corrupção, a peste e a mentira. Pedia-lhes que me crucificassem, ensinava-lhes a armar uma cruz e a levantá-la. Eu não me podia matar a mim mesmo; não tinha coragem para fazê-lo; mas queria sofrer o tormento pelas suas mãos, suspirava por derramar o meu sangue até à última gota no suplício. Mas eles não faziam mais do que rir de mim, acabando por dizer que eu era um doido acabado. Até me defendiam, dizendo que não tinham, agora, mais do que aquilo que tinham desejado, e que tudo isso acontecera porque tinha, fatalmente, de acontecer. E por fim declararam que eu constituía um perigo para eles, e que, portanto, tinham resolvido encerrar-me num manicômio, se não desistisse das minhas prédicas. Quando os ouvi dizer isto, foi tão grande a dor que me trespassou a alma que o meu coração se confrangeu e eu me senti morrer, e... foi então que despertei do meu sonho.

*

Era já manhã; o sol ainda não se tinha erguido, eram seis da manhã. Acordei na minha poltrona; a luz tinha-se extinguido completamente; no quarto contíguo dormiam o capitão e a sua gente, e na casa reinava um estranho silêncio. A princípio estremeci, assombrado; nunca me tinha acontecido nada de semelhante; até as coisas mais pequenas me impressionavam; por exemplo, jamais adormecera dessa maneira, na poltrona. E depois... enquanto me punha de pé e acabava de despertar, fixei de repente a vista no revólver, no revólver carregado, mas no mesmo instante atirei-o para longe. Oh, vida, grande e sagrada vida! Abri os braços e invoquei a verdade eterna; soluçava; entusiasmo, um entusiasmo incomensurável enchia todo o meu ser. Sim, vida e... anunciação! A anunciação ficou decidida para mim naquele mesmo instante... decidida para toda a minha vida. Irei, irei e anunciarei! O quê?... A verdade, uma vez que a vi, que a vi com os meus próprios olhos, e reconheci toda a sua magnificência!

E desde então anuncio a boa nova!... Amo-os a todos, e, mais que a ninguém, aqueles que se riem de mim. Por que amo mais a estes? Não sei, nem tampouco posso explicar, mas é assim. Dizem que estou enganado... Mas, se agora estou enganado, como será mais para diante? Sim, é provável que tenham razão; estou enganado, e quanto mais o estiver, talvez seja pior. Provavelmente ainda incorrerei em erro com frequência, até aprender como é que se deve predicar, isto é, com que palavras e com que atos, pois é difícil saber. Agora já é para mim tão claro como a luz; mas escutem uma coisa: quem é que não erra? E, no entanto, todos se afadigam por um mesmo objeto; todos, desde o sábio ao último criminoso, simplesmente procedem de maneira diversa. É esta uma verdade já velha; mas eis aqui outra nova: eu não posso enganar-me, assim, tanto. Pois eu vi a verdade, sei; os homens podem tornar-se belos e felizes sem que, para isso, tenham de deixar de viver na Terra. Eu não quero nem posso crer que a maldade seja o estado normal do homem. Mas eles troçam desta minha crença. Não acreditam em mim! Eu vi a verdade! Não que a tenha descoberto com a minha inteligência, não: eu a vi, o que se chama ver, e o seu rosto vivo preencheu a minha alma para toda a eternidade. Eu a vi numa integridade tão completa que... como poderia acreditar agora que essa verdade não possa existir também entre os homens? E como, como eu poderia estar enganado? Talvez ande um pouco desorientado, é possível também que empregue palavras estranhas mas isso não deve durar muito; a imagem viva do que vi viverá em mim eternamente e vai me servir de norte e de guia. Oh!, eu estou muito contente e esperançado, e não me cansarei de andar, ainda que peregrine durante mil anos. Olhem: a princípio, queria esconder de vós que tinha sido o causador da sua perdição; mas isso teria sido uma falta da minha parte. . . pois assim tínhamos já a primeira culpa. Mas a verdade dizia-me ao ouvido que eu mentia, salvava-me do erro e dirigiu-me para o caminho reto. Mas não consegui saber como é que alcançaram o Paraíso, pois não consigo exprimi-lo por palavras. Perdi as palavras no sonho. Pelo menos todas as palavras necessárias, as mais precisas. Mas isso não importa; eu caminharei por esses mundos e anunciarei a boa nova, uma vez que vi com os meus próprios olhos, ainda que não possa exprimir o que vi. Mas é isto precisamente que os trocistas não podem compreender. "Teve um sonho, como ele próprio diz; um delírio febril, uma alucinação." Ah! Isso é sensato? E ficam todos inchados. Um sonho? Mas que é um sonho? Não será a nossa vida um sonho? Esperem, que vou dizer-vos ainda mais. Bem, admitamos que isto nunca venha a realizar-se e que este paraíso não chegue nunca a ser uma realidade (eu próprio admito isto!); bem, pois, apesar de tudo, continuarei anunciando a boa nova. E, no entanto, como isso seria simples! Num dia, numa só hora, tudo mudaria. Ama a Humanidade como a ti mesmo! Isto é tudo; isto é tudo e nada mais é preciso; saberás depois como hás de viver. E, além disso, só há uma verdade... uma verdade antiga, antiquíssima, mas que é preciso repetir uma e mil vezes, e que até agora não se arraigou nos nossos corações. O conhecimento da vida está acima da vida; o conhecimento da lei da felicidade... está acima da própria felicidade... Eis aí aquilo contra que se deve lutar. E eu lutarei contra isso! Se todos quisessem, tudo mudaria sobre a Terra num momento.

Mas ando ainda à procura daquela jovenzinha... E continuo, continuo...

Excertos do "Diário de um escritor"

Excertos do "diário de um escritor" (1861-1881)

[A Rússia e os europeus]

Se existe no mundo um país desconhecido para os demais países, afastado dos vizinhos, ignoto, inexplorado, incompreendido e incompreensível, esse país é, sem dúvida, a Rússia, em relação aos países ocidentais. Nem a China nem o Japão podem encerrar tantos segredos para a curiosidade europeia como a Rússia de outrora, do presente momento e, pode ser até que por muito tempo ainda, no futuro. Não estamos a exagerar. Em primeiro lugar, a China e o Japão estão demasiado longe da Europa, e, além disso, costumam ser de difícil acesso, ao passo que a Rússia está toda aliada à Europa; os russos conduzem-se com toda a franqueza para com os europeus, e no entanto é possível que o caráter russo não apresente aspectos tão definidos, na ideia dos europeus, como o chinês ou o japonês. Para a Europa, a Rússia é... é um dos enigmas da esfinge. É mais fácil descobrir-se primeiro o *perpetuum mobile*[1], ou o elixir da longa vida, do que chegarem os homens do Ocidente a compreenderem a verdade russa, a alma russa, ou o caráter russo e a sua tendência. Segundo esta ordem de ideias, até a Lua é agora mais minuciosamente explorada do que a Rússia. Pelo menos sabem todos de um modo teórico que ali não vive ninguém, ao passo que, da Rússia, sabem que nela vivem homens e até russos; mas que homens? Isto, até ao presente, tem sido um enigma, se bem que, quanto ao mais, os europeus estejam convencidos de nos terem compreendido desde há já algum tempo. Os nossos curiosos vizinhos realizaram em diversas épocas grandes esforços para nos conhecerem, a nós e à nossa maneira de ser; expuseram materiais, números, fatos; levou-se a cabo uma investigação, que agradecemos muito aos seus autores, pois redundou também muito em nosso proveito. Mas tudo quanto se fez para deduzir desses materiais, números e fatos, algo de fundamental e decisivo, de positivo relativamente ao homem russo, algo de sinteticamente certo, esbarrou sempre contra uma impossibilidade fatal, como se fosse imposta por alguém e com algum objetivo. Sempre que se trata da Rússia embotam-se sempre os miolos até daqueles indivíduos que inventaram a pólvora e contaram as estrelinhas do céu, ao ponto de julgarem poder tocar-lhes com a mão.

Sim, acreditamos que a nação russa... constitui um fenômeno extraordinário na história de toda a humanidade. O caráter do povo russo é tão diferente de todos os povos europeus contemporâneos, que os europeus não o compreenderam até agora, e entenderam-no ao contrário. Todos os europeus convergem para um mesmo fim, um mesmo ideal, indiscutivelmente. Mas todos eles estão divididos entre si por interesses terrenos, excluem-se uns aos outros até ao irreconciliável, e cada vez seguem mais por caminhos particulares, afastando-se da senda comum. Aparentemente todos eles se ufanam por encontrar no seu seio, por seus próprios meios, o ideal universal, com o que se prejudicam a si mesmos e à sua empresa. Referimos,

---

1 Movimento perpétuo.

e agora a sério, o que antes dissemos por zombaria: o inglês está ainda muito longe de reconhecer um pouco que seja de discrição ao francês, e vice-versa, tampouco o francês do inglês ....

....

A ideia da universalidade humana propaga-se cada vez mais entre eles. Mas cada um infunde-lhe um aspecto diferente, obscurece-a, dá-lhe uma forma nova. O vínculo cristão que até aqui os uniu perde força de dia para dia. Nem sequer a ciência consegue unir os que cada vez se afastam mais. Suponhamos que, em parte, tenham razão neste sentido; que esse exclusivismo, essa mútua rivalidade, essa soberba esperança em si próprio ... infundam a cada um desses povos forças gigantescas para lutar contra os obstáculos que se lhe atravessem no caminho. Mas, assim, também esses obstáculos se tornam maiores e multiplicam de dia para dia. Esta é a causa de que os europeus não compreendam de maneira alguma os russos e qualifiquem de falta de personalidade essa grande peculiaridade do seu caráter?! Reconhecemos que estamos fazendo afirmações gratuitas. Determo-nos a demonstrar aquilo que dizemos equivaleria a rebaixar os limites do presente trabalho. Mas, pelo menos, hão de concordar conosco em que o caráter russo se diferencia redondamente do europeu; que o que principalmente se salienta nele é a capacidade de síntese, de conciliação de contrários, de universalidade humana. O russo não tem essa angulosidade, essa incompreensão e obtusidade do europeu. Convive com todos e identifica-se com todos. Simpatiza com a humanidade toda, sem distinção de nacionalidades, de sangue, nem de terras. Atina imediatamente com a racionalidade de todas as coisas, sempre que tenham qualquer coisa, por pouco que seja, que interesse à humanidade toda. Possui o instinto da universalidade humana. Adivinha, por instinto, as características universais, até nas peculiaridades do gênio dos outros povos, até nas suas peculiaridades mais diferentes; e logo se sente disposto a admiti-los no seu pensamento, a consenti-los nas suas próprias concepções e frequentemente descobre um pouco de união e coincidência entre as ideias mais antagônicas, e que são objeto da maior discussão entre duas nações europeias... entre ideias que, por infelicidade, na sua própria fonte de origem não encontraram até agora fórmula de concordância, e pode ser que nunca o encontrem. Ao mesmo tempo ressalta no russo a faculdade de aplicar a crítica a si próprio, de julgar-se com a maior lucidez, sem ponta desse orgulho que inferioriza a atuação. É claro que falamos do russo em geral, coletivamente, no sentido de toda a nação. As qualidades físicas do russo nem sequer são as mesmas do europeu. Todo russo pode falar todas as línguas e assimilar o espírito de todas as línguas exóticas até à perfeição, até dominá-las como à própria língua... o que não se vê nas nações europeias, como faculdade geral, coletiva. E então isto não quer dizer nada? Será isto um fenômeno puramente fortuito e perecível? Não poderá deduzir-se de semelhante fenômeno, ainda que parcialmente, algo de relativo ao futuro desenvolvimento do nosso povo, aos seus anseios e finalidades? Pois esta nação, obrigada pelas circunstâncias, olhou a Europa com hostilidade durante séculos e negou-se teimosamente a conviver com ela, sem pressentir o seu futuro. Pedro[2] adivinhou no seu ser, não sei por que instinto, uma nova força, e sentiu a necessidade de deslindar o critério e o campo de ação para todos os russos; a necessidade que estes sentiam inconscientemente, que inconscientemente assomava ao exterior e traziam no seu sangue desde os tempos dos eslavos. Dizem que ele apenas quis fazer da Rússia outra Holanda. Não sabemos; a figura de Pedro, apesar de todas as explicações históricas e das investigações dos últimos tempos, continua sendo para nós um enigma. Só compreendemos uma coisa: que era preciso ser demasiado original para, sendo czar de Moscou... não só amar como visitar a Holanda. Será possível que tudo isso se deva cinicamente ao genebrino Lefort?[3] Seja como for, na figura de Pedro vemos um exemplo do ponto a que pode chegar o povo russo, quando acalenta em si uma convicção plena e sente que chegou a hora, e no seu espírito desponta uma força nova. E é tremendo ver o modo como o russo possui uma alma livre, até que extremo chega a sua vontade. Nunca ninguém se desprendeu da terra natal, como ele fez, nem se aclimatou tão depressa a um país estranho, levado por uma ideia. E quem sabe, senhores estrangeiros, se a Rússia não estará predestinada a esperar que acabeis por assimilar, entretanto, as suas ideias, e elevá-las à categoria de universalidade humana, e, finalmente, de espírito livre, limpo de todo o interesse secundário, de gênero social ou terreno, a lançar-se numa realidade nova, ampla, de que não há ainda exemplo na História, começando por onde vós acabaríeis, e arrastando-os a todos atrás de si? O nosso poeta Liérmontov comparava a Rússia com Iliá Múromiets[4], o qual esteve sentado trinta anos e, de repente, levantou, assim que se sentiu com energias suficientes. Para que teriam sido dadas capacidades tão originais e ricas aos russos? Seria para não fazerem nada? Pode ser que nos respondam: "Onde foi o senhor buscar tanta arrogância, tanta presunção? Quem lhe concedeu essa faculdade de avaliar-se a si mesmo, esse lúcido critério de que tanto se envaidece?". Mas — respondemos nós — se começamos por aguentar essa autocrítica, à qual, durante tanto tempo, estivemos submetidos, também poderemos resistir a outra verdade, ainda que fosse o contrário dessa autocrítica. Lembramo-nos de quanto discutimos com os eslavófilos por eles não poderem tornar-se europeus perfeitos. Não se poderá reconhecer agora como andávamos então desatinados? Nós não repudiamos a faculdade de autocrítica, e apreciamo-la e temo-la precisamente pela melhor condição da natureza russa, pela sua especialidade, por aquilo que não existe entre vós. Sabemos que ainda nos resta fazer um grande emprego dela e que pode ser que, quanto mais, melhor. No entanto tentem tocar no francês, ou na sua bravura, ou na sua *légion d'honneur*. Ou tocar, no inglês, no menor dos seus costumes domésticos, e verão o que acontece. Como não nos orgulharmos de que aqui, na Rússia, não sejamos tão melindrosos, excetuando, quando muito, os chamados generais das nossas letras? Nós acreditamos com todas as forças na energia da alma russa. Será possível que não possa resistir aos elogios? Não, senhores europeus. Não nos peçam, por agora, as provas em que se apoia a opinião que temos de vós e de nós, e esforçai-vos antes

2 Pedro I, o Grande (1672-1725), despótico czar e depois imperador da Rússia. Caráter indomável e enérgico, foi o promotor da chamada "europeização" da Rússia, e fez executar seu próprio filho que a ela se opunha.

3 François Lefort (1656-1699), general e favorito de Pedro I, o Grande, a quem ajudou na "europeização" da Rússia.

4 Personagem do folclore russo. Um dos principais heróis das rapsódias russas da Idade Média.

por nos conhecer melhor, se é que têm tempo para isso. Reparem: estais convencidos de que nós assobiamos os vossos fiascos, de que nos alegramos com eles e que gozamos com o vosso desamparo, quando tão viril e generosamente vos lançais pelo novo caminho do progresso. Não, não, irmãos mais velhos nossos, amados e queridos, não vos assobiamos nem nos alegramos com os vossos reveses! Às vezes até choramos convosco. Com certeza que ficam admirados e perguntam: "Mas por que choraram? Que vos importa isso?" Ah, senhores, pois aí é que está: não nos importava nada e, no entanto, simpatizávamos convosco. É este todo o enigma.

[A *AUREA MEDIOCRITAS* NA CLASSE INTELECTUAL]

Mas, que estamos a dizer acerca de publicidade? Em todas as sociedades, sempre se deu isso a que se chama "áurea mediania", com pretensões de exercer um papel dominante. Esses "áureos" têm um amor-próprio enorme. Olham com um desprezo verdadeiramente esmagador e com uma deslocada altivez todos os que são desconhecidos e não se elevaram a grande altura. São os primeiros a atirar pedras a todos os novatos. E, como são maldosamente perversos e curtos de vista, ao seguirem uma ideia que ainda não teve tempo de penetrar na consciência das massas! Se bem que, depois, quando não vociferam, que ciumentos, que estúpidos partidários não se mostram dessa ideia, assim que alcançou importância social! Até que acabam por compreendê-la; mas são sempre os últimos a compreendê-la e entendem-na sempre de um modo grosseiro, limitado, tosco, e nunca chegam a admitir que, se a ideia é justa, deverá também ser capaz de evolução e, por conseguinte, deverá transformar-se com o tempo em outra ideia, saída dela, e de aperfeiçoar-se correspondendo às novas exigências de uma nova geração. Mas os áureos nada entendem acerca de novas exigências, e, pelo que respeita às novas gerações, odeiam-nas sempre e olham-nas sempre com desprezo. É este até o melhor indício para conhecê-los. Entre estes áureos há muitos negociantes e trapaceiros, cujo objeto de comércio é a frase moderna. São eles quem amesquinham toda nova ideia, convertendo-a numa frase da moda. Tornam vulgar tudo quanto concebem. Toda a ideia viva se converterá num cadáver, na sua boca. Mas são eles os primeiros a embolsar o preço dessa ideia no dia seguinte ao do enterro do homem genial que a lançou, e ao qual eles, precisamente, vexaram e desprezaram na vida. Há alguns tão curtos de vista que acreditam seriamente que o homem genial não fez nada, e que foram eles que fizeram tudo. A sua cegueira é incomensurável. São espiritualmente tacanhos e vulgares; são até sabujos, apesar de aparentarem gravidade. Fazem vista com umas tantas frases feitas, e, quando as soltam, põem os olhos em branco, pois não compreendem o sentido nem a estrutura espiritual das ideias, e por isso, ao adotá-las, menoscabam-nas e prejudicam-nas, ainda que as adotem com sinceridade...

Mas o mais engraçado é observar esses cavalheiros quando a sociedade, num turvo período de transição, se divide em dois grupos. Então não sabem nunca a que partido, a que opinião aderir, e ainda por cima imaginam que são uma maioria, autoridades, que não têm outro remédio senão dar o seu parecer. Que havemos de fazer-lhes? Depois de muito pensar, o homem mediano decide-se e quase sempre fora de horas. Essa é a regra. Por isso se saem com qualquer banalidade, e tão oca que passa à posteridade como modelo de estupidez. Mas estamos a afastar-nos do assunto. Não é só a publicidade que faz falta nos nossos tempos, é também a cultura... e isto não só àquelas pessoas que parecem, se não adiantadas, pelo menos não atrasadas...

É um fato notório que os presídios estão cheios de gente do povo que sabe ler. Pois deduzem daí, esses indivíduos, que a instrução não é conveniente. Isto é que é lógica! As facas cortam; pois então fora com as facas! "Não — responderam --, não se trata de suprimir as facas, mas sim de entregá-las àqueles que saibam manejá-las sem se cortarem." Está bem. Dentro desse pensamento, teria de considerar-se a instrução como uma espécie de privilégio. Mas não seria melhor, meus senhores, investigar primeiro as circunstâncias em que se dá ao povo a instrução e corrigi-las, do que isso de privar de instrução todo o povo? Concordamos convosco em que os presídios estão cheios de gente do povo ilustrada. Mas reparem bem: a que é isso devido? Vamos expor-lhes a nossa opinião, baseada em longas observações sobre a vida do presídio. Em primeiro lugar a instrução abunda pouco entre o povo que, de fato, costuma dar ao homem uma certa preeminência sobre o seu próximo, infundindo-lhe mais dignidade, mais seriedade, mais distinção e elevando-o acima do seu meio. Não que o homem do povo considere o homem instruído melhor que ele sob qualquer aspecto, não; reconhece-o, sim, como mais forte, mais apto em certas circunstâncias práticas da vida cotidiana; enfim, reconhece a utilidade prática da instrução. Ao instruído ninguém o engana. Por outro lado o homem instruído propende involuntariamente o olhar por cima do ombro para todos os que o rodeiam, se não forem instruídos. Isto de uma maneira geral. E, considerando-se superior, consequentemente não se adapta muito bem ao meio em que convive com os outros. É natural pensar que esse não é já o meio que lhe convém, que deve levar uma vida diferente daquela gente. "Eles são uns ignorantes, ao passo que eu tenho cultura!" Por isso, se tal se proporcionar, procurará sair da sua esfera. De uma maneira geral goza de certo apreço, às vezes imperceptível, mas às vezes também bem notório, sobretudo quando sabe conduzir-se, isto é, mostrar-se sério, falar bem, com uma pontinha de pedanteria; calar-se depreciativamente quando os outros falam, e falar precisamente quando todos se calam, por não saberem o que hão de dizer; enfim, conduzir-se como se conduzem muitos dos homens de inteligência e alguns dos nossos maiorais das letras; isto é, todos esses que conheceis já muito bem. A mesma ingenuidade, os mesmos ditos grotescamente insuportáveis. Em resumo, que em todas as classes da sociedade se dão os mesmos fenômenos, simplesmente, com as correspondentes variantes. O desejo de brilhar, de saborear, de sair da própria esfera, é uma lei da natureza para os humanos; é o seu direito, a sua essência, a lei de existir, que num estado primitivo se manifesta sob uma forma desajeitada e grosseira, e numa sociedade já mais evoluída, dum modo ético-humano, numa submissão consciente e perfeitamente livre das vantagens de cada um ao bem da classe inteira, e vice-versa — num contínuo zelo da mesma sociedade a favor do direito de cada um dos seus membros. Por isso, no fundo, vem tudo a ser a mesma coisa, sem outra diferença que não seja a do emprego dos direitos. A própria sociedade sente uma certa necessidade instintiva de expulsar do seu seio qualquer personalidade excepcional; de pô-la diante dos olhos como exceção, como algo que sai do que é vulgar e admitido; de reconhecer-lhe algo de extraordinário e de inclinar-se diante dela...

Claro que não falamos de todos os instruídos. Exprimimo-nos em termos abstratos; e seria cômico supor que basta a um homem do povo instruir-se para que logo a seguir se veja numa prisão. Quisemos apenas explicar como é que a cultura, uma vez que é, à sua maneira, um princípio, pode gerar a altivez e a arrogância, o desprezo pelo próprio ambiente e pela própria posição social, sobretudo se estas não nos agradam completamente. Falávamos de uma maneira teórica; custa-nos que os limites do nosso trabalho não nos permitam expor alguns exemplos para que se veja como isto se dá na prática, como se desenvolve e qual é o fim. Tornamos a repetir que não quisemos referir-nos a todos os homens do povo instruídos; destes, só vão dar num presídio aqueles já em parte predestinados para isso, pela sua própria natureza, em determinadas circunstâncias; isto é, aqueles que por natureza são duros, fogosos, nervosos, impressionáveis. A esses, a instrução estraga-os com as suas presunções inconvenientes, precisamente pela razão de ser entre nós um privilégio...

— E que mais? — vós me direis. — Das suas próprias palavras se deduz que a instrução é nociva e que o nosso povo ainda não está preparado para ela.

— Muito pelo contrário — respondemos nós —, em vez de fazer da instrução um privilégio, uma exceção, tornai-a acessível a todos na medida do possível, que nunca ela infundirá em ninguém soberbia e arrogância. Já não haverá perante quem fazer-se presumido... todos serão instruídos. Por isso, para conjurar as nocivas consequências da instrução, o que há a fazer é difundi-la o mais possível; aí está todo o remédio. Tanto mais que, senhores inimigos da instrução, com o vosso sistema (isto é, com a restrição da cultura), não só não alcançais o vosso objetivo, como até trabalhais por vossa conta. Porque, se repararem bem, hão de ver que, por muito que restrinjais a instrução, não chegareis nunca a suprimi-la completamente. O Governo será o primeiro a opor-se aos vossos manejos e a defender o povo da vossa filantropia. Por isso, seja como for, haverá sempre entre o povo pessoas instruídas, e se as há, continuarão a encher os presídios e não tereis dado remédio ao mal, não tereis conseguido o vosso objetivo. Mais: hão de encher ainda mais os presídios, pois quanto mais escasseie a instrução, mais há de parecer um privilégio. Concordem também comigo em que a instrução é o primeiro passo para a educação. E como conseguir esta sem esse primeiro passo? Pois não queremos acreditar seriamente que desejeis manter o povo na ignorância, nos vícios e na brutalidade; em resumo: pronto a perder e corromper a sua alma. Será possível que isto também forme parte do vosso sistema? Sim, é verdade! Não há ninguém mais teimoso, caprichoso e prejudicial do que um filantropo de gabinete. Mas já chega. Estamos plenamente convencidos de que a instrução melhora moralmente o homem do povo e que lhe infunde um sentimento de dignidade própria, que, por sua vez, suprime muitos abusos e desordens, e até a possibilidade dos mesmos. Se a sociedade sentisse uma necessidade verdadeira, se se manifestassem, ao menos, os primeiros indícios de tal necessidade... encontraria imediatamente o meio de satisfazê-la. Pelo contrário, a massa não receberia essa melhoria como tal, desde que não tenha conscientemente alguma aspiração a ela. O povo já está capacitado para recebê-la, deseja-a, procura-a, e assim, não terá outro remédio senão difundir-se a despeito de todos os esforços dos filantropos... A nossa sociedade civilizada acabará por conhecer o povo... essa "esfinge inviolada", segundo a expressão dum dos nossos poetas. Compreende e penetra a fundo o princípio popular. Reconheceu já que tal princípio é indispensável como base da nossa evolução e progresso futuros; reconheceu que é preciso dar o primeiro passo para ele e... em breve encontrará a maneira de dar esse primeiro passo.

[Acerca da questão da "arte pela arte"][5]

Dizem e mantêm uns que a arte tem o seu fim em si mesma e que deve achar a sua justificação na sua própria existência. Assim, não será já necessário falar da utilidade da arte, no verdadeiro sentido da palavra, no momento atual. A criação... princípio fundamental de toda a arte, é uma propriedade íntegra, orgânica, da natureza humana, e desenvolve-se unicamente devido ao fato de ser uma faculdade indispensável do espírito humano. É tão legítima no homem como a inteligência, como todas as faculdades morais, e pode até dizer-se que como as duas mãos, os dois pés ou estômago. É inseparável do homem, formando um todo com ele. É certo que a razão, por exemplo, é útil, pois nós mal passaríamos sem ela. Também as mãos e os pés são úteis ao homem. Neste sentido também a criação é útil ao homem.

Mas, como algo completo, orgânico, a criação desenvolve-se por si, independente, e exige desenvolvimento pleno; sobretudo... exige plena liberdade no seu desenvolvimento. Por isso todo freio, toda coação, toda missão subalterna, todo fim exclusivo que lhe imponham serão ilegítimos e absurdos. Se limitamos a criação e se proibimos aos anelos criadores e artísticos do homem que se consagrem... a quê, diremos? Pois a exprimir certas sensações; se vedamos ao homem toda a atividade criadora que nele suscitam certas manifestações da natureza: o nascer do sol, as tempestades marítimas, etc., etc., isso equivalerá a restringir de uma maneira estúpida e ilegítima o espírito humano na sua atuação e desenvolvimento.

Eis aqui o que diz uma das partes... a dos que defendem a plena liberdade e a absoluta independência da arte.

"Claro que isso equivaleria a uma restrição estúpida", respondem os utilitaristas (outro grupo, o qual mantém que a arte deve proporcionar ao homem uma utilidade concreta, imediata, prática e até em determinadas circunstâncias). "Evidentemente que semelhante restrição, sem finalidade alguma, só por mero capricho... constitui uma estupidez bárbara e perversa." Mas hão de concordar conosco — podem acrescentar — em que, de repente, por exemplo, dá-se uma batalha... em que vós outros tomais parte, e em vez de ajudar os vossos companheiros, como artistas, ponde-vos a divertir-vos com o espetáculo do combate; tirais as armas, empunhais o lápis, pegais num pedaço de papel e começais a desenhar o campo da batalha. Isso estaria certo? Claro que tendes pleno direito de vos abandonardes à vossa inspiração; mas seria razoável a vossa atuação artística em tal momento?

"Em resumo — concluem --; não repudiamos a vossa teoria do livre desenvolvimento da arte; simplesmente essa liberdade deve ser, pelo menos, razoável."

Numa palavra: os utilitaristas extraem da arte uma utilidade direta, imediata, de acordo com as circunstâncias, subordinada a elas, e a tal ponto que, se num

---

5   O título original deste capítulo é: "G...bov e a Questão da Arte".

determinado momento a sociedade estivesse preocupada com a solução dum problema, a arte (na opinião dos referidos utilitaristas), não poderia propor-se outro problema senão o de resolver esse problema. Se considerássemos esse acordo com as circunstâncias, não como indiferença, nem como desejo, ainda seria louvável, em minha opinião, embora saibamos já que tal acordo não é absolutamente certo. Quando toda a sociedade está preocupada com a resolução dum grande problema íntimo, seria melhor desejar que todas as energias sociais se canalizassem unanimemente para a concepção dum fim geral e, por conseguinte, que a arte se penetrasse dessa mesma ideia e contribuísse para o proveito coletivo. Suponhamos que a sociedade está à beira da ruína: tudo quanto tem alma, alento, coração, vontade; tudo quanto caracteriza o homem, o cidadão, consagra-se por completo a um só problema, a uma só questão geral. Seria o caso de que, então, somente os poetas e os literatos é que não haviam de ter alma, nem coração, nem amor à terra-mãe, nem anseio pelo bem coletivo?

Pois que, diabo,
> O serviço das musas
> Não consente outros desvelos.

Suponhamos que assim seja. Mas seria bom que os poetas não subissem às nuvens e contemplassem daí, altivamente, os mortais... E a arte pode prestar grande auxílio a tudo mais com a sua cooperação, pois encerra em si mesma recursos enormes e grandes forças. Mas, repitamo-lo, isto não pode passar de um simples desejo, sem converter-se nunca numa exigência, pois, quem exige, na maioria dos casos, procura impor-se pela força, e a primeira lei da arte é... a liberdade da inspiração e da criação. Tudo o que é imposto, tudo o que é obtido pela força sempre se malogrou, e em vez de benefícios produz malefícios. Os paladinos da arte pela arte indignam-se precisamente por isso com os utilitaristas, que, ao assinalarem à arte determinados fins, acabam com ela, não a apreciam e, por conseguinte, não compreendem sequer em que pode ser útil... eles que tanto falam de utilidade...

Nós acreditamos que a arte tem uma vida especial, orgânica e, por conseguinte, leis fundamentais e imutáveis, que regulam essa vida. A arte é tão necessária para o homem como o comer e o beber. O anseio de beleza e de criação que a encarna... é inseparável do homem, e é possível que não pudesse viver sem ele neste mundo. O homem deseja-a ansiosamente e aceita a beleza sem coordenação alguma, só por ser beleza, e inclina-se diante dela com unção, sem perguntar para que serve nem que se pode comprar com ela. E pode ser que seja nisto que se encerra o grande mistério da criação artística: no fato de a imagem de beleza por ela realizada se converter imediatamente num ídolo, sem condição alguma. Mas por que se converte em ídolo? Porque o anelo de beleza desenvolve-se mais quando o homem se encontra em desacordo com a realidade, em desarmonia, em luta; isto é: quando "vive mais", porque o homem vive mais quando anda buscando ou perseguindo algo, e é então que mais se manifesta nele a ânsia natural de harmonia e placidez, e, portanto, é na beleza que se resumem a harmonia e a placidez. Assim que alcança o que procurava, parece até que se lhe ameniza a vida, e há até exemplos de casos em que o homem, tendo conseguido o ideal dos seus anseios, sem saber já por que há de ufanar-se, plenamente satisfeito, se viu assaltado de certa tristeza, que ele mesmo se esforçava por exasperar; procurou outro ideal na sua vida e, de tão enfastiado, não só não conseguiu apreciar o que antes o deleitava, como até se desviou conscientemente do caminho reto, fomentando em si mesmo gostos de segunda ordem, malsãos, ácidos, desarmônicos, estranhos às vezes, perdendo o sentido e o conceito estético da beleza, e reclamando, em vez disso, a expiação. A beleza é, pois, inerente a tudo quanto é são, isto é, a tudo quanto é mais vivido, sendo um anseio indispensável do organismo humano. É harmonia, a paz cifra-se nela, encarna os ideais do homem e da sua humanidade...

Passemos agora à nossa principal e definitiva resposta à vossa justa pergunta acerca do motivo por que a arte nem sempre coincide nas suas ideias com os ideais coletivos; ou melhor: por que nem sempre a arte é fiel à realidade?

Temos já preparada a resposta a tal pergunta.

Dissemos já que a questão da arte, a nosso ver mal colocada na atualidade, chegou ao seu ponto culminante e está numa confusão pela exasperação de ambos os partidos. Pois era isso mesmo o que dizíamos há pouco. Sim, a questão não está bem posta, e na realidade não há motivo para discussão porque: "A arte é sempre contemporânea e real; nunca foi de outra maneira e, sobretudo, nunca poderia ser".

Agora procuremos rebater todas as objeções. Em primeiro lugar, se às vezes nos parece que a arte se desvia da realidade e não serve a fins úteis, isso deve-se unicamente ao fato, de não conhecermos bem os rumos da utilidade da arte (segundo dissemos já), e, além disso, ao excessivo ardor dos nossos desejos de uma utilidade imediata e direta, isto é, no fundo, a um veemente anelo do bem geral. Tais desejos são, sem dúvida, plausíveis, mas às vezes são insensíveis, tal como seria o anseio duma criança que, ao ver o sol, pedisse que o fossem buscar ao céu para ele.

Em segundo lugar, porque a nós outros parece-nos às vezes que a arte se afasta da realidade, que, de fato, os poetas e os prosadores estão loucos, os quais rompem todos os laços com a realidade, morrem positivamente para aquilo que é atual, voltam-se para os antigos gregos ou para os cavaleiros da Idade Média, a refugiarem-se nas antologias ou nas lendas medievais.

Esta transformação não é possível; mas o poeta-artista que o faz é um louco acabado. Desses há poucos.

Em terceiro lugar, os nossos poetas e artistas podem afastar-se, de fato, do caminho presente, ou por não compreenderem os seus deveres de cidadãos, ou por carecerem de uma noção geral, ou por não discernirem os interesses gerais, por curteza de vistas; por não entenderem a realidade, por alguma razão histórica...

— Mas, dê-nos licença — dirão os senhores --, em que se fundamenta, que razão concreta tem para dizer que a arte nunca pode ser contemporânea e não pode corresponder à realidade cotidiana?

Respondemos:

— *Em primeiro lugar*, se tomarmos no seu conjunto todos os fatos históricos, a começar pelo princípio do mundo e a acabar nos nossos dias, veremos que a arte nunca abandonou o homem; correspondeu sempre aos seus anseios e ao seu ideal;

ajudou-o a procurar este último... nasceu ao mesmo tempo que este, evolucionou em uníssono com a sua vida histórica e morreu também ao mesmo tempo que a sua vida histórica.

Em segundo lugar (e é isto o mais importante) a criação, base de toda a arte, vive no homem como manifestação duma parte do seu organismo, mas vive inseparável do homem. De onde se conclui que a criação não pode tender para fins alheios àqueles que persegue o próprio homem. Se seguisse outro caminho, isso significaria que se tinha separado dele. E, por conseguinte, haveria infringido as leis da natureza. Mas o homem, desde que esteja são, não viola as leis da natureza (falando de uma maneira geral). De onde se conclui que não há motivo para se preocupar com a arte... e que esta não atraiçoará a sua função. Viverá sempre da verdadeira vida do homem; que outra coisa poderia fazer? De maneira que sempre haverá de permanecer fiel à realidade...

É certo que o homem, na sua vida, pode afastar-se da realidade normal, das leis da natureza; nesse caso se afastará também da arte. Mas isto apenas demonstra a sua íntima, inquebrantável união com o homem, a sua eterna fidelidade ao homem e aos seus interesses.

Mas tornamos a referir que a arte só será fiel ao homem quando não estorve a sua liberdade de evolução.

Assim, o principal é não coibir a arte com fins diversos, não lhe ditar leis, não confundi-la, pois até sem isso tem já abundantes pedras em que tropeçar no seu caminho, muitas seduções e aberrações, inerentes à vida histórica do homem. Quanto mais livremente se desenvolver, mais normalmente atuará e mais cedo encontrará o seu caminho cotidiano e útil.

E, sendo os seus interesses e os seus fins idênticos aos do homem, ao qual serve e do qual é inseparável, quanto mais livre for o seu desenvolvimento tanto maior utilidade trará para os mortais.

APÊNDICE E ÍNDICE

GLOSSÁRIO DE TERMOS RUSSOS E DE OUTRAS LÍNGUAS RESPEITADOS NA TRADUÇÃO[1]

ARCHIN. Medida de comprimento equivalente a 0,71 metro.

ARKHIEPÍSKOP. Grau hierárquico no clero ortodoxo, intermediário entre bispo e metropolita.

ARKHIMANDRIT. Grau superior do padre-monge, geralmente prelado do mosteiro.

ÁRTIEL. Associação de trabalho comunitário.

AÚL. Povoado no Cáucaso e na Ásia Central.

BABA. Mulher casada na linguagem popular; mulher — em sentido pejorativo, aplicado às mulheres vulgares.

BÁBUCHK, BÁBUCHKA. Vovô, vovó.

BABÚLINHKA. Vovozinha.

BACHNIA. Torre.

BAIGNOIRE, *fr.* Camarote que fica ao nível da plateia.

BALALAICA *(balalaika)*. Instrumento musical, popular, de três cordas.

BÁRIN, BÁRINHA, BARÍTCHNIA. Senhor, senhora, senhorita. Tratamentos respeitosos dados outrora às pessoas da classe privilegiada. Atualmente empregam-se no sentido irônico de comodista, preguiçoso.

BÁTIUCHKA. Paizinho. Sinônimo arcaico de pope. Utilizado também na linguagem do povo, como sinônimo de papai, aplicado ao próprio pai ou a pessoas respeitosas, às quais se quer tratar com consideração e afeto ao mesmo tempo.

BIECHMIET. Casaco curto pespontado, usado pelos tártaros e povos do Cáucaso.

BIEKIECHA. Casaco de homem ajustado na cintura.

BIELK. Esquilo.

BLIN. Panqueca. Prato típico à quaresma.

BOGOMÓLIETS. Crente, peregrino.

BOIARDO *(boiárin)*. Na Rússia moscovita, senhor, grande latifundiário pertencente à classe reinante.

BOLVAN. Bobo.

BONHOME, *fr.* Bondade de caráter, unida à lhaneza nas maneiras.

BORCHTCH. Sopa de beterraba e outros legumes.

BOUDOIR, *fr.* Pequena sala de estar, geralmente de senhora.

---

1 Constam, também, deste vocabulário os termos comuns russos já aportuguesados e registrados nos dicionários, tais como *czar, rublo, vodca* etc., seguidos, porém, da transliteração fonética, entre parêntesis. O mesmo não sucede com os vocábulos doutras línguas, que, por corriqueiros demais, faziam supérflua a sua inclusão, p.e. *adieu* do francês, e *pudding* do inglês. *al.* alemão *fr.* francês *in.* inglês *it.* italiano *la.* latim *po.* polonês *ta.* tártaro.

BRAT. Irmão.

BRÁTIETS. Irmão. Forma arcaica usada em sentido figurado: irmão de armas, de religião, etc.

BRIOCHE, *fr.* Pequeno bolo macio, de farinha, manteiga, leite e ovos.

BRUDERSCHAFT, *al.* Fraternidade; irmandade. Costume dos estudantes alemães de beberem em conjunto, entrelaçando os braços, para em seguida usar, entre eles, a forma de tratamento tu.

BURKA. Capa de pele de carneiro, muito usada nas montanhas do Cáucaso.

BURLAK. Homem que puxava outrora as cordas com que eram arrastados os barcos contra a corrente.

CAFETÃ *(kaftan).* Antigo traje masculino; casaco comprido.

CHACHKA. Arma branca, do tipo do sabre, de curva pequena.

CHÁRIK. Bolinha.

CHARMANT, *fr.* Encantador, agradável, gentil.

CHIBUK. Cachimbo turco.

CHLIÚPKA. Barco largo e resistente.

CHTCHERBATI. Diz-se das pessoas que têm marcas de varíola no rosto, ou das pessoas a quem faltam dentes.

CHTCHI. Sopa de couves.

COCHON, *fr.* Porco, porcalhão.

COMPTOIR, *fr.* Balcão, caixa.

COPEQUE *(kopiéika).* Moeda divisionária, centésima parte do rublo.

COTTAGE, *in.* Casinha de campo.

CRÊPE, *fr.* Bolo folhado.

CROQUER, *fr.* Trincar, devorar.

CZAR *(tsar).* Título do monarca na Rússia moscovita.

DATCHA. Casa de veraneio fora da cidade.

DÉBAT, *fr.* Conferência, palestra, debate.

DIÁDUCHKA. Tio. Em sentido figurado de afeto e respeito.

DIÁKON. Na igreja ortodoxa, auxiliar do padre durante o ofício religioso.

DIESIATINA. Medida de superfície da terra, equivalente a 1 hectare e 9 centímetros.

DINER, *in.* Janta; convidado para jantar; comensal.

DJIGUITOVKA. Conjunto de arriscados exercícios equestres, de que eram exímios os cossacos.

DOROGA. Estrada.

DRÓJKI. Carruagem leve.

DUGÁ. Parte dos arreios dos cavalos, um arco de madeira.

DVORÓVI. Servo do serviço doméstico do latifundiário.

EPARQUIA *(epárkhia)*. Diocese ortodoxa administrada por um bispo ou arcebispo ou metropolita.

EPÍSKOP. Grau hierárquico superior a bispo ortodoxo.

FELDSCHER, *al.* Cirurgião militar.

FELDWEBEL, *al.* Primeiro-sargento ou sargento-ajudante.

FEUERBACH, *al.* Riacho de fogo.

FRAU, FRAULEIN, *al.* Senhora, senhorita.

FRAUENMILCH, *al.* Literalmente: leite de mulher.

FREUDE, *al.* Alegria.

FRÜH, *al.* Cedo, cedinho.

FRÜSHTÜCK, *al.* Pequeno almoço, café da manhã.

GELD, *al.* Dinheiro.

GLÁSNI. Representante eleito nas assembleias administrativas públicas.

GNIEDÓI. Cavalo baio.

GOLUBTCHIK. Pombinho, querido.

GORST. Punhado.

GORIELKI. Jogo popular russo semelhante à cabra-cega.

GÓROD. Cidade.

GORÓDSKAIA DUMA. Conselho Municipal ao qual estava confiada a administração da cidade, antes da revolução.

GOR. Montanha.

GOSPODIN, GOSPOJÁ, GOSPODÁ. Senhor, senhora, senhores.

GÓSPOD. Senhor! Meu Deus!

GRÍVIEN. Moeda equivalente a dez copeques.

GROCH. Antiga moeda russa equivalente a meio copeque.

GRUCHA. Pera.

GÚSLI. Antigo instrumento musical de cordas.

GVOSD. Prego, cravo.

HOFSKRIEGSRAT, *al.* Conselho militar da Corte.

IÁ. Pronome russo da primeira pessoa, singular.

IAMAN, *ta*. Mal! Exclamação tártara.

IGÚMIEN, IGÚMIENHA. Monge, freira superior dum mosteiro.

ÍCONE *(ikona)*. Imagem de Deus, de um santo ou santos em forma de estampas.

IERARKH. Denominação oficial dos bispos.

IEROMONAKH. Padre-monge.

IKONOSTÁS. Parede enfeitada de ícones, a qual separa o altar da nave, na igreja ortodoxa.

INTIELIGÉNTSIA. Camada social composta dos intelectuais.

ISBÁ *(isbá)*. Casa camponesa de madeira.

ISPRÁVNIK. Chefe de polícia de distrito na Rússia czarista.

ISVÓSTCHIK. Cocheiro de carro de aluguel.

JÁVORONOK. Calhandra. Fazem-se pãezinhos em forma de calhandras, quando elas regressam da migração às regiões quentes, simbolizando a chegada da primavera.

JORUNTCHIN. Tenente.

JUNKER, *al*. Suboficial nobre do Exército imperial russo.

KACHA . Mingau.

KALÁTCHI. Pães de trigo em forma de trança, os de Moscou são os mais famosos.

KAMÁRINSKAIA. Dança popular russa.

KAPITANCHKA. Capitoa, mulher do capitão.

KASATCHOK. Dança popular russa, em que o dançarino se mantém de cócoras e vai lançando as pernas para diante.

KÁTORGA. Galé, trabalhos forçados.

KATSAVIÉIKA. Casaco curto, sem botões.

KAVÁRDAK. Confusão.

KAZÁRM. Quartel.

KEEPSAKE, *in*. Literalmente: lembrança, presente. Peça ou objeto que se oferece como recordação; também livro ou álbum, ilustrados, muito em voga no fim do século XIX.

KHLIST. Adepto da seita *khlistóvstvo*. De *khlistat*: chicotear, fustigar.

KHUTOROK. Povoado.

KIBITKA. Carrocinha de cigarros.

KNUT. Chicote de cordas, ou tiras de couro, presas a um cabo de madeira que servem para fustigar os cavalos.

KOCHKILDI, *ta*. Saudação tártara.

KOPIT. Reunir.

KORÓBOTCHKA. Caixinha.

KRAKOVIAK. Bailado polonês, um tanto agitado, da região de Cracóvia.

KRIEPOSTNÓI. Servo da gleba.

KULIEBIAKA. Empada recheada de carne, peixe, etc.

KULIK. Galinhola.

KULITCH. Pão doce em forma cilíndrica, típico, para festejos da Páscoa.

KUMATCH. Tecido de algodão de cor vermelho vivo.

KUNAK, *ta*. Amigo.

KUTIÁ. Arroz-doce com passas e mel. Prato típico no dia de finados.

KVAS. Bebida feita de pão de centeio e de lúpulo ou de frutas.

LAIDAK, *po*. Canalha, alcoviteiro.

LANDAU, fr. Carruagem de quatro rodas e capota dupla que abre e fecha.

LÁPOT. Espécie de alpargatas feitas da entrecasca de tília.

LAVA. Arremesso. Ataque da cavalaria cossaca.

LIAGÁVI. Cão de caça.

LIKHATCH. Cocheiro de cavalo veloz e carruagem elegante; hoje, chofer que despreza as regras de trânsito.

LINIÉIKA. Carruagem de vários lugares, dispostos lateralmente.

LOSK. Bosquete.

LUJA. Poça d'água.

LUTCHINA. Lasca de madeira comprida e fina, usada antigamente para acender luzes ou lume.

MADONNA, *it*. Gênero de quadro clássico reproduzindo o rosto da Virgem Maria.

MAIDAN. No sul da Rússia, feira, praça da feira.

MAMACHA *(mamienhka, mamassia)*. Mãezinha.

MARMIELAD. Marmelada, doce feito de marmelo, e, por extensão, doutras frutas.

MÁTUCHKA. Mãezinha; diminutivo arcaico, utilizado especialmente pelo povo, para designar a mulher do pope, e também ao se dirigir à própria mãe ou a pessoas respeitosas às quais se quer tratar com consideração e afeto ao mesmo tempo.

MITKI. Irrequieto.

MIR ou SKHOD. Reunião, assembleia municipal nas aldeias.

MITROPOLIT. Grau hierárquico superior dos bispos ortodoxos.

MONAKH. Monge.

MONASTIR. Mosteiro.

MONPLAISIR, *fr.* Recanto de jardim, preparado para repouso e diversão nos parques das grandes mansões.

MORGEN, *al.* manhã.

MORS. Mar.

MOST. Ponte.

MUJIQUE *(mujik).* Camponês.

NAGAIKA. Chicote usado pelos cossacos, curto e de couro.

NARÓDNIK. Movimento político russo da segunda metade do século XIX, conhecido como populista, que considerava os camponeses, e não o proletariado, como a classe revolucionária.

NA TCHAI. Para o chá. Gorjeta.

NEVÁLID. Inválido. Deturpação de *invalid.* Termo incorporado do francês por ocasião das guerras napoleônicas.

NHANHA. Babá.

NIET. Não.

OFITSIÁNSKAIA. Recinto destinado aos criados nas antigas mansões.

OKHRANA. Polícia secreta, especial e de segurança política do Estado imperial russo.

OKROCHKA. Sopa fria de *kvas,* legumes e carne ou peixe cortados em pedacinhos.

ONUTCHA. Faixa de pano grosseiro para enrolar as pernas antes de calçar as botas ou os *lápti.*

OSMÍNIK. Antiga unidade de peso, variável conforme o local. Oitava parte de um total.

ÓSTROV. Ilha.

OTIETS. Pai.

PAN, PANI, *po.* Senhor, Senhora.

PAPACHA. Pai, paizinho. Em sentido figurado, de respeito e afeto. Também boné de peles usado pelos cossacos.

PÁPOTCHKA. Paizinho, sendo este o verdadeiro diminutivo, quando se trata do próprio pai.

PARÁCHNIK. Preso escolhido para serviços leves.

PFEFFERKUCHEN, *al.* Torta de pimenta.

PHRASEUR, *fr.* Fraseador, falador, tagarela.

PIATAK.   PIATATCHOK (dimin.). Moeda de cinco copeques.

PICHKA. Pãozinho redondo e fofo, doce ou salgado.

PIELHMIÉNI. Prato típico siberiano, semelhante ao ravióli, recheado de carne.

PIKA. Arma branca, do tipo da lança longa, muito usada pelos cossacos.

PLHASSAT. Dançar.

PLÓCHTCHAD. Praça.

PODIOVKA. Casaco de homem comprido e justo na cintura.

PODPOLKÓVNIK. Tenente-coronel.

POLK. Regimento.

POLKÓVNIK. Coronel.

POLTÍNIN. Moeda que vale meio rublo, isto é: 50 copeques.

PONOMAR. Sacristão ortodoxo.

POPE *(pop).* Padre, sacerdote da hierarquia inferior na igreja ortodoxa.

PÓROKH. Pólvora.

PORÚTCHIK. Tenente, no Exército czarista.

POSIÉLOK. Aldeola.

PÓSLUCHNIK. Irmão converso ou noviço, que jurou obediência, no clero monástico ortodoxo.

POZNO, *po.* Tarde.

PRÁPORCHTCHIK. Alferes.

PRIÁNIK. Biscoito de mel.

PRÓSPEKT. Perspectiva. Avenida. Rua larga e reta.

PROTODIÁKON. Diácono superior.

PROTOIEIRIÉI. Padre superior.

PROTOPOPE *(protopop).* Sinônimo de *protoieiriéi.*

PRUD. Lago.

PSALOMCHTCHIK. Servidor, da igreja ortodoxa, auxiliar do padre durante o ofício religioso.

PUD. Unidade de peso equivalente a 16,4 kgs.

PUSTINHA. Deserto.

QUADRILLE, *fr.* Contradança de salão, em que tomam parte vários pares em número par.

RASKOL. Cisão.

RASKÓLHNIK. Sectário da agrupação religiosa dos "velhos crentes".

RAZUM. Inteligência, juízo, bom senso.

ROCHTCHA. Bosque.

RUCHE, *fr*. Folho, franzido, pregueado.

RUBLO *(rubl)*. Unidade monetária russa.

SAD. Jardim.

SAJENH. Medida russa de comprimento equivalente a 2,13 metros.

SAMOVAR *(samovar)*. Aparelho de metal, com aquecimento interno em forma de um tubo comprido, que se enche de carvão, destinado a ferver água.

SARAFAN. Vestimenta das camponesas russas. Vestido sem mangas.

SAUBUL, *ta*. Saudação tártara.

SELIM ALÊIKUM, *ta*. Louvado seja Alá! Fórmula de saudação nos países islâmicos.

SIROTÁ. Órfão.

SKHOD ou MIR. Reunião, assembleia municipal nas aldeias.

SKÓPIETS. Adepto da seita religiosa que tinha por base o voto de castidade. Castrado.

SKVIÉRNI. Ruim.

SOBOR. Catedral.

SOHN, *al*. Filho.

SPAZIEREN, *al*. Passear.

SPLEEN, *in*. Mau humor.

STABSKAPITAN, *al*. Capitão de Estado-Maior.

STANOVÓI. Chefe da polícia rural na Rússia czarista.

STARCHINÁ. Antes da revolução, representante eleito de uma das camadas sociais para administrar negócios públicos.

STÁRIETS. Homem idoso, mendigo, monge de grande reputação por sua sabedoria, meditação, etc.

STÁROSTA. Chefe eleito ou designado de uma entidade. Antes da revolução, chefe eleito da aldeia.

STAROVIER. Adepto de um movimento religioso composto de várias seitas, surgido na Rússia no século XVII como resultado da cisão da igreja. Os *staroviéri* procuravam conservar os velhos ritos da igreja e seu modo de vida.

STORONÁ. Bairro.

SÚDAR, SÚDARINHA, SÚDARI. Senhor, Senhora, Senhores. Termos arcaicos.

SUKHAR. Pão ressequido e grosseiro; espécie de pão de munição constante da ração dos soldados.

SVAKHA. Casamenteira; mulher que tinha por incumbência fazer a ligação entre as famílias dos noivos e combinar o casamento e o dote.

TÁLER, *al.* Moeda alemã, de prata.

TARANTÁS. Carroça de quatro rodas, coberta ou descoberta.

TARATAIKA. Carro leve, de duas rodas, tipo *charrete.*

TCHAST. Distrito.

TCHÁSTNI. Particular.

TCHERKESKA. Casaco comprido e estreito, dos caucasianos e cossacos, justo na cintura, sem gola e decote em forma de V.

TCHERNOSIOM. Terras férteis, negras, ricas em substâncias orgânicas.

TCHERVÓNIETS. Nota de dez rublos, usada antigametne.

TCHÉTVIERT. Quartilho, antiga medida equivalente a um quarto de um total, aproximadamente dois litros.

TCHETVIERTAK. Moeda no valor de um quarto de rublo, 25 copeques.

TCHIEKMIEN. Vestimenta de homem, espécie de capa muito usada pelos cossacos.

TCHIN. Grau hierárquico dos militares e funcionários civis.

TCHIKIR, *ta.* Vinho do Cáucaso, pouco fermentado.

TCHINÓVNIK. Funcionário do Estado.

TIELIEGA. Carroça de quatro rodas para transporte de cargas.

TIERGARTEN, *al.* Jardim das feras, parque zoológico.

TIÚRIA. Prato de pão esmigalhado e *kvas.*

TRIEPAK. Dança popular russa, muito animada.

TRÓICA *(tróika).* Trenó ou carro puxado por três cavalos.

TULUP. Casaco comprido de peles de carneiro com o pelo para dentro.

TUNGUS. Antiga denominação dos evenos, habitantes do norte e leste da Sibéria.

UCASSE *(ukás).* Decreto de uma instância superior do regime, equivalente a uma lei.

UGLOV. Esquina, canto.

UIESD. Na Rússia antiga, distrito ou cantão administrativo.

ÚLITSA. Rua.

UNIAT. Adepto da *unia.* Eclesiástico e crente da igreja greco-católica.

UNTEROFFIZIER, *al.* Suboficial.

UPARTI, *po.* Teimosa.

UTCHÍTEL. Professor, preceptor.

VATRUCHKA. Pãozinho com requeijão.

VAURIEN, *fr.* Velhaco, tratante, patife.

VAUXHALL, *in.* Lugar ao ar livre onde se davam concertos e bailes; cassino.

VATER, *al.* Pai.

VERSTA *(vierstá).* Medida russa de comprimento, equivalente a 1,06 quilômetros.

VIENTCHIHIK. Tira de cetim ou de papel na qual se colocavam imagens de Cristo, da Virgem e de São João Crisóstomo.

VIÉRCHOK. Antiga medida russa de comprimento, equivalente a 4,4 centímetros.

VIÉRNI. Leal, fiel.

VODCA *(vodka).* Bebida alcoólica russa do tipo de aguardente de trigo.

VOIEVODA. Na antiga Rússia, chefe de exército ou distrito.

VÓLOST. Na Rússia antes da revolução, unidade administrativo-territorial, subdivisão de distrito nas regiões rurais.

VOROTÁ. Portão.

YÁKCHI, *ta.* Está bem!

YOK, *ta.* Não.

ZAKÚSKI. Frios para acompanhar o aperitivo.

ZÁVTRAK. Pequeno almoço, café da manhã.

ZIÉMSKI NATCHÁLHNIK. Na Rússia czarista, chefe de distrito com poderes administrativos, jurídicos e policiais.

ZIÉMSTVO. Antes da revolução, poder autônomo local nas regiões rurais, cujos representantes, em sua maioria, eram grandes latifundiários e nobres.

ZVIER. Besta, fera, alimanha.

ÍNDICE DO VOLUME

Romances da maturidade
(continuação)

O adolescente

PRIMEIRA PARTE

13	Capítulo primeiro
25	Capítulo II
40	Capítulo III
54	Capítulo IV
68	Capítulo V
68	I
70	II
73	III
78	IV
82	Capítulo VI
82	I
86	II
91	III
96	IV
100	Capítulo VII
100	I
103	II
108	III
109	IV
110	Capítulo VIII
110	I
114	II
124	III
128	Capítulo IX
128	I
132	II
137	III
138	IV
140	V
145	Capítulo X
145	I
150	II
153	III
156	IV
158	V

SEGUNDA PARTE

159	Capítulo primeiro
159	I
160	II
165	III
167	IV
170	Capítulo II
170	I
172	II
176	III
181	Capítulo III
181	I
185	II
187	III
191	IV
193	Capítulo IV
193	I
197	II
202	Capítulo V
202	I
206	II
211	III
215	Capítulo VI
215	I
217	II
219	III
223	IV
226	Capítulo VII
226	I
230	II
233	III
240	Capítulo VIII
240	I
243	II
246	III
247	IV
250	V
252	VI
254	Capítulo IX
254	I
257	II
262	III
265	IV

TERCEIRA PARTE

268	Capítulo I
268	I
270	II
273	III
278	Capítulo II

278	I
280	II
283	III
288	IV
290	V
291	**Capítulo III**
291	I
293	II
297	III
297	IV
305	**Capítulo IV**
305	I
310	II
315	III
319	IV
320	**Capítulo V**
320	I
325	II
331	III
337	**Capítulo VI**
337	I
342	II
347	III
350	**Capítulo VII**
350	I
353	II
357	III
360	**Capítulo VIII**
360	I
363	II
366	**Capítulo IX**
366	I
367	II
372	III
375	IV
378	V
379	**Capítulo X**
379	I
382	II
387	III
389	IV
393	**Capítulo XI**
393	I
398	II
402	III
403	IV
408	**Capítulo XII**
408	I
411	II
413	III
416	IV

417	V
419	Capítulo XIII (conclusão)
419	I
422	II
425	III

Os irmãos Karamázovi

430	Prefácio
	PRIMEIRA PARTE
432	Livro I / História de uma família
432	I / Fiódor Pávlovitch Karamázov
434	II / Karamázov livra-se de seu primeiro filho
436	III / Novo casamento e novos filhos
439	IV / O terceiro filho Aliócha
444	V / Os "Stártsi"
449	Livro II / Uma reunião intempestiva
449	I / A chegada ao mosteiro
453	II / Um velho palhaço
460	III / As mulheres crentes
465	IV / Uma dama sem muita fé
470	V / Assim seja!
475	VI / Por que tal homem existe?
482	VII / Um seminarista ambicioso
488	VIII / Um escândalo
494	Livro III / Os sensuais
494	I / Na antecâmara
498	II / Lisavieta Smierdiáchtchaia
501	III / Confissão de um coração ardente, em versos
507	IV / Confissão de um coração ardente. — anedotas
511	V / Confissão de um coração ardente e desbocado
517	VI / Smierdiákov
520	VII / Uma controvérsia
524	VIII / Saboreando o conhaque
530	IX / Os sensuais
534	X / Os dois juntos
541	XI / Outra reputação perdida

SEGUNDA PARTE

546 Livro IV – Os tumultos
546 I / O padre Fierapont
552 II / Aliócha em casa de seu pai
555 III / O encontro com os colegiais
558 IV / Em casa das senhoras Khokhlakovi
563 V / O tumulto no salão
571 VI / O tumulto na isbá
576 VII / E ao ar livre

583 Livro V – Pró e contra
583 I / Noivado
590 II / Smierdiákov e sua guitarra
594 III / Os irmãos fazem amizade
600 IV / A revolta
607 V / O grande inquisidor
621 VI / Onde reina ainda a obscuridade
627 VII / Dá gosto falar com um homem de espírito

632 Livro VI / Um monge russo
632 I / O stáriets Zósima e seus hóspedes
634 II / Biografia do stáriets Zósima, morto com Deus, redigida segundo suas palavras por alieksiéi Fiódorovitch Karamázov
634 a) O jovem irmão do stáriets Zósima.
637 b) A Sagrada Escritura na vida do stáriets Zósima.
640 c) Recordações da mocidade do stáriets Zósima ainda no mundo. O duelo.
644 d) O misterioso visitante.
652 III / Extratos das conversações e da doutrina do stáriets Zósima
652 e) Do religioso russo e de seu possível papel.
654 f) Amos e servos podem tornar-se mutuamente irmãos em espírito?
656 g) Da oração, do amor, do *contato com os outros mundos*.
658 h) Pode-se ser o juiz de seus semelhantes? Fé até o fim

659 i) Do inferno e do fogo eterno. Consideração mística.

TERCEIRA PARTE
662 Livro VII / Aliócha
662 I / O odor deletério
670 II / Momento crítico
673 III / A cebola
684 IV / As bodas de Caná

686 Livro VIII / Mítia
686 I / Kuzmá Samsónov
693 II / Liagávi
697 III / As minas de ouro
704 IV / Nas trevas
708 V / Uma decisão súbita
717 VI / Sou eu quem chega
722 VII / Primeiro e indiscutível
732 VIII / Delírio

740 Livro IX / O processo preparatório
740 I / Inicia sua carreira o funcionário Pierkhótin
744 II / O alarme
748 III / Purgatórios de uma alma: primeiro purgatório
753 IV / Segundo purgatório
757 V / Terceiro purgatório
764 VI / O procurador confunde Mítia
769 VII / O grande segredo de Mítia. Zombam dele
775 VIII / Depoimentos das testemunhas. O neném
781 IX / Levam Mítia preso

QUARTA PARTE
783 Livro X / Morte de Iliúcha
783 I / Kólia Krasótkin
786 II / Gente miúda
790 III / O colegial
795 IV / Besouro
800 V / À cabeceira de Iliúcha
810 VI / Desenvolvimento precoce
815 VII / Iliúcha

818 Livro XI / Ivan Fiódorovitch
818 I / Em casa de Grúchenhka
823 II / O pé doente

829	III / Um diabinho
834	IV / O hino e o segredo
843	V / Não foste tu!
847	VI / Primeira entrevista com Smierdiákov
853	VII / Segunda entrevista com Smierdiákov
858	VIII / Terceira e última entrevista com Smierdiákov
868	IX / O diabo. A alucinação de Ivan Fiódorovitch
880	X / "Foi ele quem o disse!"
883	Livro XII / Um erro judiciário
883	I / O dia fatídico
887	II / Testemunhos perigosos
892	III / A perícia médica e uma libra de avelãs
895	IV / A sorte sorri a Mítia
901	V / Súbita catástrofe
907	VI / A acusação — caracterização
912	VII / Bosquejo histórico
915	VIII / Dissertação a respeito de Smierdiáko
921	IX / Psicologia a vapor. A troica em disparada. Peroração.
928	X / A defesa. Uma arma de dois gumes
930	XI / Nem dinheiro, nem roubo
934	XII / Não houve assassinato
938	XIII / Um sofista
943	XIV / Os mujiques mantiveram-se firmes
	EPÍLOGO
949	I / Projetos de evasão
952	II / Por um instante a mentira torna-se verdade
957	III / Enterro de Iliúcha. Alocução perto da pedra

Outros escritos

966	Prólogo geral
969	**Esquema para o grande pescador**

O crocodilo

982	Capítulo Primeiro
988	Capítulo II
994	Capítulo III
1002	Capítulo IV
1009	**O Mujique Márei**

Uma doce criatura

1016	Acerca do autor
1017	Capítulo primeiro
1017	I / Quem era eu e quem era ela
1021	II / O pedido de casamento
1024	III / O mais digno dos homens, mas nem eu mesmo acredito nisso
1026	IV / Planos e mais planos
1028	V / A cordeirinha rebela-se
1032	VI / Uma recordação espantosa
1034	Capítulo II
1034	I / Um sonho esplêndido
1038	II / Cai a venda
1041	III / Compreendo demasiado
1044	IV / Apenas por cinco minutos de demora, no máximo

O sonho de um homem ridículo

1050	Primeiro
1053	II
1055	III
1058	IV
1061	V

Excertos do "diário de um escritor"

1066	A Rússia e os europeus
1069	[A aurea mediocritas na classe intelectual]

1072 [Acerca da questão da "arte pela arte"]

Apêndice e Índice

1078 Glossário de termos russos e de outras línguas, respeitados nesta tradução

1088 Índice do volume

Copyright© 2018 by Global Editora
2ª Edição, Editora Nova Aguilar, São Paulo 2018

Jefferson L. Alves – diretor editorial
Jiro Takahashi – editor executivo
Sebastião Lacerda – consultoria
Flávio Samuel – gerente de produção
Jefferson Campos – assistente de produção
**Luiz Maria Veiga, Eunice Nunes de Freitas
e Márcia Benjamim** – revisão
Homem de Melo & Troia Design – projeto de design
Tathiana A. Inocêncio e Evelyn Rodrigues do Prado – editoração eletrônica

Obra atualizada conforme o
NOVO ACORDO ORTOGRÁFICO DA LÍNGUA PORTUGUESA.

**Dados Internacionais de Catalogação na Publicação (CIP)
(Câmara Brasileira do Livro, SP, Brasil)**

Dostoiévski, Fiódor, 1821-1881
    Fiódor Dostoiévski : obra completa / versão anotada de Natália Nunes e Oscar Mendes ; acompanhada de extenso documentário gráfico, notas, glossários e outros subsídios, e ilustrada com uma centena de desenhos de Luis de Ben. – 2. ed. – São Paulo : Editora Nova Aguilar, 2019.

    Título original: Fiódor Dostoiévski.
    Conteúdo: Romance da maturidade: O adolescente – Os irmãos Karamázovi – Outros escritos.
    ISBN 978-85-210-0121-8 (obra completa)
    ISBN 978-85-210-0125-6 (v. 4)

    1. Dostoiévski, Fiódor, 1821-1881 2. Romance russo I. Nunes, Natália. II. Mendes, Oscar. III. Ben, Luis de. IV. Título.

18-21144   CDD-891.73

Índices para catálogo sistemático:
1. Romances : Literatura russa   891.73

Cibele Maria Dias – Bibliotecária – CRB-8/9427

**Editora
Nova
Aguilar**

Direitos Reservados

editora nova aguilar.
Rua Pirapitingui, 111 – Liberdade
CEP 01508-020 – São Paulo – SP
Tel.: (11) 3277-7999 – Fax: (11) 3277-8141
e-mail: global@globaleditora.com.br
www.novaaguilar.com.br

Colabore com a produção científica e cultural.
Proibida a reprodução total ou parcial desta obra
sem a autorização do editor.

Impresso na Índia

Nº de Catálogo: **10036**